ACADEMIA BRASILEIRA DE LETRAS

DICIONÁRIO
ESCOLAR DA LÍNGUA PORTUGUESA

2ª edição

© Companhia Editora Nacional, 2008

Direção editorial	Antonio Nicolau Youssef
Coordenação editorial	Célia de Assis
Edição	Edgar Costa Silva
Produção editorial	José Antonio Ferraz
Revisão	Ana Maria Barbosa
	Elisabete B. Pereira
	Enymilia Guimarães
	Fernando Mauro S. Pires
	Luiz Fernando Teixeira
	Margarida M. Knobbe
	Rosamaria Gaspar Affonso
Editoração eletrônica	Globaltec Artes Gráficas Ltda.
Capa	Sabrina Lotfi Hollo

Dados Internacionais de Catalogação na Publicação (CIP)
(Câmara Brasileira do Livro, SP, Brasil)

Dicionário escolar da língua portuguesa / Academia Brasileira de Letras. -- 2. ed. -- São Paulo : Companhia Editora Nacional, 2008.

ISBN 978-85-04-01188-3

1. Português - Dicionários I. Academia Brasileira de Letras.

08-01967   CDD-469.3

Índices para catálogo sistemático:
1. Português : Dicionários   469.3

Reimpressão Março 2022, Gráfica Impress
Todos os direitos reservados

NACIONAL

Av. Alexandre Mackenzie, 619
Jaguaré – São Paulo – SP
05322-000 – Brasil – Tel.: (11) 2799-7799
www.editoranacional.com.br   www.eaprender.com.br
editoras@editoranacional.com.br

Academia Brasileira de Letras

Diretoria de 2008
Presidente: Cícero Sandroni
Secretário-Geral: Ivan Junqueira
Primeiro-Secretário: Alberto da Costa e Silva
Segundo-Secretário: Nelson Pereira dos Santos
Tesoureiro: Evanildo Cavalcante Bechara

Diretoria de 2006 e 2007
Presidente: Marcos Vinicios Vilaça
Secretário-Geral: Cícero Sandroni
Primeira-Secretária: Ana Maria Machado
Segundo-Secretário: Domício Proença
Tesoureiro: Evanildo Cavalcante Bechara

Comissão de Lexicologia e Lexicografia da ABL
Presidente: Eduardo Portella
Evanildo Cavalcante Bechara
Alfredo Bosi

Secretária-Geral da Comissão de Lexicologia e Lexicografia da ABL
Maria Rita Rodrigo Octavio Moutinho

Supervisão
Evanildo Cavalcante Bechara

Equipe de Redatores-Lexicógrafos
Ângela Barros Montez
Débora Garcia Restom
Dylma Bezerra
Ronaldo Menegaz

Revisão Técnica
Evanildo Cavalcante Bechara
Cláudio Mello Sobrinho

Revisão
Denise Teixeira Viana
João Luís Lisboa Pacheco
Paulo Teixeira Pinto Filho
Sandra Pássaro
Vânia Maria da Cunha Martins Santos

Editoração Eletrônica
Aloysio Carrilho dos Santos (coordenador)
Aline Rodrigues Gomes
Ana Laura Mello Berner
Diogo Comba Canavezes (estagiário)

Suporte de Informatização
Centro de Tecnologia de Informação
(CTInfo)

Apoio
José Carlos Barbosa Júnior

Prefácio

O cultivo da língua espelhado na eficiente competência idiomática domina espaço privilegiado naquilo que se reconhece por identidade nacional. Essa competência expressiva não só se traduz no desempenho do sistema da língua como ainda no adequado emprego das palavras.

As palavras não só nomeiam; elas possuem também franjas semânticas, pesos específicos que se patenteiam na propriedade de suas escolhas e vestimentas que melhor atendam a compromissos da etiqueta social em relação ao gênero textual que se vai construir.

Na mão habilidosa do mestre da linguagem, que são os escritores maiores, as palavras se revestem de graça e simpatia, demonstram idade e sotaque, exalam o perfume das flores ou ferem de espinhos as mazelas dos homens, sussurram amores ou semeiam ódios, aplaudem os heróis ou flagelam os déspotas.

Cabe aos dicionários, na medida do possível e palmilhando a estrada nas pegadas deixadas pelos escritores, dar conta desses complexos filões; e o que inicialmente seria uma luta vã com as palavras – na voz do Poeta – se há de transformar no mergulho da alma e do sentimento de um povo, de que o léxico da língua é o seu mágico intérprete.

Por isso, a mocidade estudiosa e os cultores do vernáculo devem ler os dicionários.

Esta obra foi concebida pela Academia Brasileira de Letras na esperança de bem cumprir as tarefas de todo bom dicionário.

Sumário

Academia Brasileira de Letras: história e atividades 9
Breve história da língua portuguesa 11
Formação do léxico português 12
Unificação ortográfica 14
A nova ortografia da língua portuguesa 15
O verbo em português 23
Paradigmas verbais 49
Quadros da conjugação dos paradigmas verbais 50
Como usar este Dicionário 77
Lista das abreviações usadas no Dicionário 81
Dicionário 83

Academia Brasileira de Letras: história e atividades

No fim do século XIX, ainda no Império, Afonso Celso Júnior pensou na criação de uma academia nacional, à semelhança da Academia Francesa. A ideia foi-se fortalecendo na República, pela iniciativa de Medeiros e Albuquerque e Lúcio de Mendonça, que defendiam a proposta de uma Academia de Letras patrocinada pelo governo. O apoio oficial não se deu, o que não esmoreceu os literatos, jornalistas e demais intelectuais que frequentavam as reuniões no escritório da *Revista Brasileira*, dirigida por José Veríssimo. Independente da égide do governo, fundou-se, em 1896, a Academia Brasileira de Letras, em cuja primeira reunião preparatória, em 15 de dezembro, foi Machado de Assis aclamado presidente da sessão. Terminadas as sessões preparatórias em 28 de janeiro de 1897, foi eleita a diretoria, constituída por Machado de Assis, Presidente; Joaquim Nabuco, Secretário-Geral; Rodrigo Otávio, Primeiro-Secretário; Silva Ramos, Segundo-Secretário; e Inglês de Souza, Tesoureiro. Nessa ocasião, integravam a instituição 30 membros, a que se somaram mais 10, por convite do grupo, integralizando 40 membros, à semelhança da Academia Francesa. A estes se somaram, em 1898, 20 Sócios Correspondentes. Em 20 de julho de 1897, numa sala do Pedagogium, na Rua do Passeio, realizou-se a sessão inaugural. Em 1923, por gestão de Afrânio Peixoto, presidente da instituição, o governo francês doou, para sede definitiva da Academia, as instalações da réplica do Petit Trianon, pavilhão construído pelo país amigo para participar da Exposição Comemorativa do Primeiro Centenário da Independência do Brasil. A construção do Palácio Austregésilo de Athayde, inaugurado em 20 de julho de 1979, permitiu à Academia Brasileira de Letras ampliar recursos para desenvolver suas atividades em prol da cultura nacional. Em 1959, ficou resolvido que seria comemorada a fundação da Academia a 20 de julho de cada ano, por ter sido realizada nesse dia, em 1897, a primeira sessão plenária da instituição. Em 1976, a ABL aprova o ingresso de escritoras no seu quadro acadêmico, e, em 1977, é eleita Rachel de Queiroz.

A ABL tem por fim a cultura da língua e da literatura nacional, e nos seus 110 anos de existência tem promovido o acesso a duas bibliotecas, publicação de livros e revistas, concessão de prêmios, cursos, conferências, concertos e mesas-redondas, exposições, visitas guiadas e bolsas de estudos, oferecidos à comunidade, no propósito não só de cultuar a tradição literária brasileira nas suas vertentes cultas e populares, bem como de promover novos valores das artes e das ciências do país, sem deixar passar a oportunidade de repensar criticamente os grandes problemas nacionais. Na essência, a ABL é a casa onde se cultivam as Humanidades.

Breve história da língua portuguesa

A língua portuguesa pertence a uma importante família de línguas de que fazem parte, entre outras, o galego, o castelhano, o catalão, o francês, o occitânico ou provençal, o italiano, o reto-românico e o romeno. São também conhecidas pelo nome *românicas*, porque representam a continuação ininterrupta, no tempo e no espaço, do latim falado nas diversas regiões pelas quais se espalhou no período de expansão do Império Romano, entre os séculos III a.C. e II d.C. A Península Ibérica foi romanizada a partir do ano 209 a.C. Em 409, invasores germânicos suplantaram os romanos, e em 711 a região conheceu o domínio dos árabes.

O berço de nossa língua situa-se no ângulo noroeste da Península Ibérica, onde uma forma de latim falado deu origem a uma unidade linguística: o galego-português ou galaico-português.

Essa comunhão linguística, representada pelo galego-português, nessa região tão visitada por sucessivos conquistadores, surge entre os séculos IX e XII, testemunhada por textos escritos dos séculos XII e XIII.

No século XIV, por volta de 1350, assinalou-se a gradual separação do galego do português, por motivação política e comercial, o que enfraqueceu a antiga comunhão linguística que foi veículo de rica produção de lirismo cortesão, refletido nos célebres cancioneiros medievais, com o patrocínio de Alfonso X, rei de Leão e Castela, e de D. Dinis, rei de Portugal. Nessa língua escreveram não só portugueses e galegos, mas ainda castelhanos, leoneses, andaluzes e italianos.

Os sucessos militares no movimento de reconquista estimularam a investida dos portugueses em direção ao sul, o que os levou a retomar dos árabes cidades importantes, como Coimbra, Leiria e Lisboa. Em 1250, Portugal já dominava toda a extensão territorial que hoje o integra.

Depois da conquista de Ceuta, em 1415, os portugueses começaram a percorrer a costa ocidental da África, até chegar ao Cabo da Boa Esperança, ultrapassando-o e entrando no Oceano Índico. Na época da expansão ultramarina, floresceu, em Portugal, uma rica literatura em prosa e verso, que preparou o país para entrar nos tempos modernos com o humanismo renascentista do século XVI, o qual atingiu seu apogeu com a publicação, em 1572, do poema épico *Os Lusíadas*, de Luís de Camões.

As aventuras náuticas por caminhos nunca dantes navegados permitiram que os portugueses duplicassem aos olhos do Ocidente o mundo até então conhecido, espalhando a fé e o idioma pelas terras mais remotas. A descoberta do Brasil foi fruto dessa expansão marítima. Ampliou-se, dessa forma, o arco da lusofonia, hoje viva na Europa, na América, na África, na Ásia e na Oceania; refletida em pujante literatura em prosa e verso, é falada por mais de 230 milhões de pessoas.

Formação do léxico português

O léxico é a janela da língua para o mundo e reflete a história cultural e social do povo que dela se serve como instrumento de comunicação e expressão.

Sendo o português uma língua românica, seu léxico é eminentemente de fundo latino.

Nele incorporou-se não só o uso popular e vivo de todas as épocas, mas também o contingente lexical transmitido pelos povos que os soldados romanos foram conquistando, ao entrarem em contato com novos entornos culturais e sociais: palavras ibéricas, célticas, fenícias, gregas, germânicas, entre outras. Muitas dessas novas aquisições corriam vivas no dia a dia da cidade e do campo, e não foram recolhidas em textos escritos, constituindo um desafio às investigações etimológicas do léxico das línguas românicas.

O grego esteve sempre presente no léxico latino, quer nomeando objetos e utensílios, quer participando do mundo das artes e das ciências. Latim e grego continuam presentes nos neologismos do mundo moderno, em todas as suas manifestações culturais e tecnológicas; tanto trazidos diretamente do vocabulário greco-latino, como chegados ao português mediante empréstimo de um idioma hodierno.

Para que se tenha uma ideia das ricas fontes do léxico da língua portuguesa, conheça alguns exemplos:

- *ibéricas*: esquerdo, várzea e palavras formadas com os sufixos -*rro*, -*rra*: cachorro, cerro;
- *célticas* (especialmente gaulês): cavalo, cabana, camisa, carro, cerveja, légua;
- *gregas*: governar, golpe, escola, órfão, gesso.

Com o advento do cristianismo, vieram: igreja, anjo, apóstolo, basílica, batizar, cátedra, diabo, diácono, evangelho, mosteiro, bispo.

São cultismos gregos: amígdala, cara, cárcere, cemitério, epístola, guitarra, órgão, relógio.

São tecnicismos científicos: crise, crônica, periscópio, telefone, telegrama, telescópio.

- *germânicas* (algumas introduzidas já no latim e outras chegadas por intermédio do francês): albergar, arenque, banda, bando, branco, dardo, escaramuça, escárnio, estaca, estribo, feudo, fresco, galardão, groselha, guarda, elmo, guarnecer, guerra, guiar, marechal, irmão, orgulho, rico, roubar, trégua e os sufixos -*engo* (mostrengo) e -*ardo* (felizardo);

- *espanholas*: airoso, boina, castelhano, caudilho, cavalheiro, chiste, faina, guerrilha, hediondo, mantilha, moreno, muleta, tertúlia, trecho;
- *arábicas* (influência de corrente domínio da Península Ibérica pelos árabes entre os séculos VIII e XV d.C.): açucena, aduana, alcácer, alcaide, aldeia, alface, alferes, álgebra, algodão, almofada, alvará, arrabalde, arroba, atalaia, azul, cifra, fulano, oxalá, quilate, quintal, xadrez;
- *francesas*: abordar, avalanche, batalha, boné, chefe, cofre, etiqueta, ficha, finanças, jardim, jaula, joia, navio, pajem, restaurante, sargento;
- *italianas*: adágio, alerta, andante, balcão, banca, barcarola, batuta, bisonho, carroça, charlatão, escopeta, fachada, fragata, gôndola, ópera, parapeito, piano, quinteto, serenata, soneto, soprano, tenor, terceto;
- *alemãs*: bismuto, cobalto, feldspato, magnésio, quepe, quartzo, zinco;
- *inglesas*: bisteca, cheque, coquetel, dólar, futebol, gol, tênis;
- *indígenas* (é enorme o contingente de palavras de línguas indígenas faladas no Brasil desde o Descobrimento; são nomes de plantas, de frutas, de animais, de produtos da terra, de nomes de localidades (topônimos), de culinária e da vida material e cultural desconhecidas dos portugueses): abacaxi, abiu, açaí, aipim, ananás, anu, araçá, araponga, arara, babaçu, baiacu, boitatá, buriti, caboclo, caipira, caipora, catinga, cipó, cuia, emboaba, gambá, jabuti, jabuticaba, jacaré, jandaia, jiboia, jururu, lambari, macaxeira, mandioca, mingau, pajé, peteca, piaba, peroba, pipoca, preá, quati, sabiá, siri, sururu, taba, tacape, tapera, tapioca, tamanduá, tatu, tipoia, tiririca, tocaia, tucano, urubu, xará;
- *africanas* (com o intenso contato com línguas africanas faladas pelos escravos, o léxico muito se enriqueceu com termos usados na flora, na fauna, na vida material, cultural, religiosa e na culinária): angu, baobá, berimbau, caçamba, cacimba, caçula, calunga, camundongo, caruru, chimpanzé, gorila, guando, inhame, mambembe, mandinga, marimba, moleque, munguzá, quibebe, quitanda, senzala, vatapá, zebra, zumbi.

Afora esse contingente entrado pelo corredor da História, novas palavras são criadas com a ajuda dos processos produtivos da língua portuguesa. Com efeito, o emprego de prefixos e a junção de radicais gregos e latinos vêm sendo uma fonte inesgotável de criação lexical. Assim é que com um radical de origem grega como *hiper-* surgiram inúmeras palavras correntes na linguagem: hiperativo, hiperinflação, hipertensão, hipertexto, hipertrofia.

Unificação ortográfica

Através dos anos, têm sido várias as propostas de reforma ortográfica levadas a cabo por Portugal e pelo Brasil, isoladamente ou pelo esforço comum dos dois países. Como até pouco tempo os esforços não tinham chegado a bons resultados para uma unanimidade, em 1943 o Brasil adotou um sistema proposto pela Academia Brasileira de Letras; já Portugal, em 1945, adotou um sistema proposto pela Academia das Ciências de Lisboa.

Em 1971, o Brasil aboliu grande parte do emprego de acentos diferenciais, o que aproximou ainda mais as grafias oficiais dos dois países. Recentemente, as duas Academias se reuniram para chegar a uma unificação ortográfica, como já ocorre para o francês, o italiano e o espanhol, que, falados oficialmente em vários países, têm suas palavras escritas de uma só forma.

Isso nos abre a oportunidade para esclarecer que uma unificação ortográfica não interfere na forma como as pessoas dos diversos países falam. A unificação só diz respeito à grafia das palavras, que continuam a ser pronunciadas de acordo com cada região. Os poucos casos fora da ortografia se explicam pela existência de flexões que só ocorrem em Portugal.

O esforço de unificação ortográfica do português traz muitas vantagens: facilita a difusão da língua e dos seus textos escritos pelo mundo, auxilia o ensino e a aprendizagem do idioma, melhora o comércio dos livros editados em português e, portanto, é um fator de difusão da cultura dos países que têm como oficial o nosso idioma.

Na esperança de que o Acordo da Unificação seja de fato concretizado, indicam-se a seguir somente as alterações no sistema ortográfico brasileiro vigente. O que não estiver aqui assinalado continuará a ser grafado conforme as normas ortográficas correntes.

A nova ortografia da língua portuguesa

1. O alfabeto terá, com o acréscimo de **k**, **w** e **y**, vinte e seis letras: a, b, c, d, e, f, g, h, i, j, **k**, l, m, n, o, p, q, r, s, t, u, v, **w**, x, **y**, z.

2. Nos países de língua portuguesa oficial, a ortografia de palavras com consoantes "mudas" passa a respeitar as diferentes pronúncias cultas da língua, ocasionando, às vezes, um aumento da quantidade de palavras com dupla grafia.
   fato e *facto* (dupla pronúncia e dupla grafia)
   ação (única pronúncia e única grafia)
   aspeto e *aspecto* (dupla pronúncia e dupla grafia)

3. Os substantivos derivados de outros substantivos terminados em vogal apresentam terminação uniformizada em *-ia* e *-io*, em vez de *-ea* e *-eo*.
   hástia, de *haste*
   véstia, de *veste*
   cúmio (popular), de *cume*

4. Alguns verbos terminados em *-iar* admitem variantes na conjugação em função da flexão gramatical.
   premiar – premio ou *premeio*
   negociar – negocio ou *negoceio*

5. As palavras oxítonas cuja vogal tônica, nas pronúncias cultas da língua, possui variantes (ê, é, ô, ó) admitem dupla grafia, conforme a pronúncia.
   matinê ou *matiné*
   bebê ou *bebé*

6. As palavras paroxítonas cuja vogal tônica, seguida das consoantes nasais grafadas *m* e *n*, apresenta oscilação de timbre (ê, é, ô, ó) nas pronúncias cultas da língua admitem dupla grafia.
   fêmur ou *fémur*
   ônix ou *ónix*
   pônei ou *pónei*
   Vênus ou *Vénus*

7. Não são assinalados com acento gráfico os ditongos *ei* e *oi* de palavras paroxítonas, ressalvados os casos em que a palavra se inclui em regra de acentuação tônica: *gêiser, destróier, Méier* etc.
   assembleia   *heroico*
   ideia   *jiboia*

8. Não são assinaladas com acento gráfico as formas verbais *creem, deem, leem, veem* e seus derivados: *descreem, desdeem, releem, reveem*.

9. Não é assinalado com acento gráfico o penúltimo *o* do hiato *oo(s) (voo, enjoos)*, exceto nos casos em que a palavra se inclui em regra de acentuação tônica: *heróon*.

10. Não são assinaladas com acento gráfico as palavras homógrafas.
    para (verbo)   *para* (prep.)
    pela(s) (subst.)   *pela* (verbo)   *pela(s)* (*per* + *la(s)*)
    pelo(s) (subst.)   *pelo* (verbo)   *pelo(s)* (*per* + *lo(s)*)
    polo(s) (subst.)   *polo(s)* (*por* + *lo(s)*)
    Exceção: *pôde* (pretérito perfeito) e *pôr*.

11. Facultativamente, assinalam-se com acento circunflexo.
    dêmos (1ª p. pl. pres. subj.)
    demos (1ª p. pl. pret. perf. ind.)
    fôrma (subst.)
    forma (subst.; verbo)

12. Facultativamente, assinalam-se com acento agudo as formas verbais do tipo:
    amámos   (pret. perf. ind.)
    louvámos   (pret. perf. ind.)
    amamos   (pres. ind.)
    louvamos   (pres. ind.)

13. Não são assinaladas com acento gráfico as palavras paroxítonas cujas vogais tônicas *i* e *u* são precedidas de ditongo.
    baiuca   *cheiinho* (de *cheio*)
    boiuno   *maoista*
    cauila (= *avaro*) *saiinha* (de *saia*)

14. Não se assinala com acento agudo o *u* tônico de formas rizotônicas de *arguir* e *redarguir*.
    arguo   *arguis*   *argui*

15. Verbos como *aguar, apaziguar, averiguar, desaguar, enxaguar, obliquar, apropinquar, delinquir* e afins possuem dois paradigmas:
    a) com o *u* tônico em formas rizotônicas sem acento gráfico: *averiguo, ague, averigue*;
    b) com o *a* ou o *i* dos radicais tônicos acentuados graficamente: *averíguo, águe, enxáguo*.

16. As palavras proparoxítonas (reais ou aparentes) cuja vogal tônica **e** ou **o** está em final de sílaba, seguida das consoantes nasais **m** ou **n**, levam acento agudo ou circunflexo conforme o seu timbre (aberto ou fechado).

cômodo ou *cómodo*
gênio ou *génio*

17. O trema é totalmente eliminado das palavras portuguesas ou aportuguesadas.

linguística
cinquenta
tranquilo

Obs.: é usado em palavras derivadas de nomes próprios estrangeiros escritos com trema: *Müller – mülleriano*.

18. Das minúsculas e maiúsculas

a) Nos títulos de livros (bibliônimos), escrever-se-á com inicial maiúscula o primeiro elemento; os demais vocábulos podem ser escritos com minúscula, salvo nos nomes próprios neles contidos: *O Senhor do Paço de Ninães/O senhor do paço de Ninães*, *Menino de Engenho/Menino de engenho*.

b) Nos nomes que designam altos cargos, dignidades ou postos (axiônimos), usar-se-á inicial minúscula: *senhor doutor Joaquim da Silva, bacharel Mário Abrantes, o cardeal Bembo*.

c) Nos nomes de santos (hagiônimos), poder-se-á usar inicial maiúscula ou minúscula: *Santa Filomena/santa Filomena*.

d) Nas categorizações de logradouros públicos, templos ou edifícios, poder-se-á usar inicial minúscula ou maiúscula: *rua* ou *Rua da Liberdade, largo* ou *Largo dos Leões, igreja* ou *Igreja do Bonfim, palácio* ou *Palácio da Cultura*.

Obs.: as disposições sobre os usos de minúsculas ou maiúsculas não obstam a que obras especializadas observem regras próprias, provindas de códigos ou normalizações específicas, promanadas de entidades científicas ou normalizadoras reconhecidas internacionalmente.

19. Da divisão silábica

Na translineação de uma palavra composta ou de uma combinação de palavras em que há um hífen ou mais, se a partição coincide com o final de um dos elementos ou membros, deve, por clareza gráfica, repetir-se o hífen no início da linha imediata: *ex- -alferes, serená- -los-emos* ou *serená-los- -emos, vice- -almirante*.

Emprego do hífen

A – Nos compostos

1º Emprega-se o hífen nos compostos sem elemento de ligação quando o 1º termo, por extenso ou reduzido, está representado por forma substantiva, adjetiva, numeral ou verbal:

ano-luz	mesa-redonda
arcebispo-bispo	porta-aviões
boa-fé	porta-retrato
decreto-lei	primeiro-ministro
és-sueste	tenente-coronel
joão-ninguém	vaga-lume
luso-africano	

Obs.: com o passar do tempo, alguns compostos perderam, em certa medida, a noção de composição. Passaram a se escrever aglutinadamente: *girassol, madressilva, pontapé, paraquedas, paraquedistas* [e afins, *paraquedismo, paraquedístico*], *mandachuva*.

2º Serão hifenados elementos repetidos, com ou sem alternância vocálica ou consonântica, do tipo *blá-blá-blá, reco-reco, lenga-lenga, zum-zum, zás-trás, zigue-zague, pingue-pongue, tico-tico, trouxe-mouxe*.

Obs.: serão escritos com hífen os compostos entre cujos elementos há o emprego do apóstrofo: *mestre-d'armas, mãe-d'água, olho-d'água*.

3º Emprega-se o hífen nos compostos sem elemento de ligação quando o 1º elemento está representado pelas formas *além, aquém, recém, bem* e *sem*:

além-Atlântico	bem-humorado
além-mar	recém-casado
aquém-mar	recém-eleito
bem-aventurado	sem-cerimônia
bem-criado	sem-número
bem-ditoso	sem-vergonha
bem-estar	

Obs.: em muitos compostos o advérbio *bem* aparece aglutinado ao segundo elemento, quer este tenha ou não vida à parte: *benfazejo, benfeito, benfeitor, benquerença* e afins: *benfeitoria, benfazer, benquerer, benquisto, benquistar*.

4º Emprega-se o hífen nos compostos sem elemento de ligação quando o 1º elemento está representado pela forma *mal* e o 2º elemento começa por vogal, *h* ou *l*:

mal-estar, mal-humorado, mal-afortunado, mal-informado, mal-limpo.

Obs.: quando *mal* se aplica a doença, grafa-se com hífen: *mal-francês* (= sífilis).

5º Emprega-se o hífen nos nomes geográficos compostos pelas formas *grã*, *grão*, ou por forma verbal ou, ainda, naqueles ligados por artigo:

Abre-Campo   *Grão-Pará*
Baía de Todos-os-Santos   *Trás-os-Montes*
Grã-Bretanha

Obs.: Os outros nomes geográficos compostos escrevem-se com os elementos separados, sem o hífen: América do Sul, Belo Horizonte, Cabo Verde, Castelo Branco, Freixo de Espada à Cinta etc. O topônimo Guiné-Bissau é, contudo, uma exceção consagrada pelo uso.

Serão hifenizados os gentílicos derivados de topônimos compostos grafados ou não com elementos de ligação: *belo-horizontino, mato-grossense-do-sul.*

6º Emprega-se o hífen nos compostos que designam espécies botânicas, zoológicas e afins, estejam ou não ligados por preposição ou qualquer outro elemento:

abóbora-menina   *erva-do-chá*
bem-me-quer (mas *malmequer*)   *ervilha-de-cheiro*
bênção-de-deus   *fava-de-santo-inácio*
couve-flor   *feijão-verde*
erva-doce

Obs.: os compostos que designam espécies botânicas e zoológicas grafados com hífen pela norma acima não serão hifenizados quando tiverem aplicação diferente dessas espécies: *bola-de-neve* (arbusto europeu) e *bola de neve* (aquilo que toma vulto rapidamente).

B – Nas locuções

Não se emprega o hífen nas locuções, sejam elas substantivas, adjetivas, pronominais, adverbiais, prepositivas ou conjuncionais, salvo algumas exceções já consagradas pelo uso (como é o caso de *água-de-colônia, arco-da-velha, cor-de-rosa, mais-que-perfeito, pé-de-meia, ao deus-dará, à queima-roupa*).

Sirvam, pois, de exemplo sem hífen as seguintes locuções:

a) substantivas: *cão de guarda, fim de semana, sala de jantar, pau a pique, alma danada, boca de fogo, burro de carga, juiz de paz, oficial de dia, general de divisão, folha de flandres, camisa de vênus, ponto e vírgula, calcanhar de aquiles, fogo de santelmo, cafundó de judas, arco e flecha, comum de dois.*

b) adjetivas: *cor de açafrão, cor de café com leite, cor de vinho, à toa, sem fim (dúvidas sem fim), às direitas (pessoas às direitas), tuta e meia.*

c) pronominais: *cada um, ele próprio, nós mesmos, quem quer que seja.*

d) adverbiais: *à parte* (note-se o substantivo *aparte*), *à vontade, de mais* (locução que se contrapõe a *de menos*; note-se *demais*, advérbio, conjunção etc.), *depois de amanhã, em cima, por isso, à toa, tão somente, a olhos vistos, de repente, de per se.*

e) prepositivas: *abaixo de, acerca de, acima de, a fim de, a par de, à parte de, apesar de, aquando de, debaixo de, enquanto a, por baixo de, por cima de, quanto a.*

f) conjuncionais: *a fim de que, ao passo que, contanto que, logo que, por conseguinte, visto que.*

Obs.: Expressões com valor de substantivo, do tipo de *deus nos acuda, salve-se quem puder, um faz de contas, um disse me disse, um maria vai com as outras* (sem vontade própria ou teleguiado), *bumba meu boi, tomara que caia.* Pelo espírito do Acordo, tais unidades fraseológicas devem ser grafadas sem hífen.

Da mesma forma serão usadas sem hífen locuções como: *à toa* (adjetivo e advérbio), *dia a dia* (substantivo e advérbio), *arco e flecha, calcanhar de aquiles, comum de dois, general de divisão, tão somente, ponto e vírgula.*

C – Nas formações com prefixos

1º Emprega-se o hífen quando o 1º elemento termina por vogal igual à que inicia o 2º elemento:

anti-ibérico
arqui-inteligente
auto-observação
contra-almirante

eletro-ótica
semi-interno
sobre-estimar

Obs.: incluem-se neste princípio geral os prefixos e elementos antepositivos terminados por vogal, do tipo de: *euro-, agro-* ('terra'), *albi-, alfa-, ante-, anti-, arqui-, auto-, bi-, beta-, bio-, infra-, iso-, poli-, pseudo-, antero-, infero-, intero-, postero-, supero-, neuro-, orto-.*

2º Se o 1º elemento terminar por vogal diferente daquela que inicia o 2º elemento, escreve-se junto, sem hífen:

aeroespacial   *anteaurora*
agroindustrial   *antiaéreo*

3º Nas formações com os prefixos **co-**, **pro-**, **pre-** e **re-**, estes se aglutinam, em geral, com o segundo elemento, mesmo quando iniciado por **o** ou **e**: *coautor, coedição, procônsul, preeleito, reeleição, coabitar, coerdeiro*.

4º Quando o 1º elemento termina por consoante igual à que inicia o 2º elemento:
ad-digital, hiper-requintado, sub-barrocal.

5º Quando o 1º elemento termina acentuado graficamente – **pós-**, **pré-**, **pró-**:
pós-graduação, pré-escolar, pré-história, pró-ativo, pró-europeu.

6º Quando o 1º elemento termina por **-m** ou **-n** e o 2º elemento começa por vogal, **h, m, n:**
circum-escolar, pan-africano, pan-mágico, pan-negritude.

7º Quando o 1º elemento é um dos prefixos **ex-** (anterioridade ou cessação), **sota-, soto-, vice, vizo**:
ex-almirante, sota-almirante, sota-capitão, soto-pôr (mas *sobrepor*), *vice-reitor*.

8º Quando o 1º elemento termina por vogal, **sob-, sub-** e prefixos terminados em **-r** (**hiper, super** e **inter**) e o 2º elemento se inicia por **h-:**
adeno-hipófise, bio-histórico, deca-hidratado, poli-hidrite, sub-hepático, sub-humano, super-homem.

Obs.: nos casos em que não houver perda do som da vogal final do 1º elemento, e o elemento seguinte começar com **h**, serão usadas as duas formas gráficas: *carbo-hidrato* e *carboidrato*; *zoo-hematita* e *zooematita*. Já quando houver perda do som da vogal do 1º elemento, consideraremos que a grafia consagrada deve ser mantida: *cloridrato, cloridria, clorídrico, quinidrona, sulfidrila, xilarmônica, xilarmônico*. Devem ficar como estão as palavras que já são de uso consagrado, como *reidratar, reumanizar, reabituar, reabitar, reabilitar* e *reaver*.

Não se emprega o hífen com prefixos **des-** e **in-** quando o 2º elemento perde o **h** inicial: *desumano, desumidificar*; *inábil, inumano* etc.

Não se emprega o hífen com a palavra *não* com função prefixal: *não agressão, não alinhado, não beligerante, não violência, não participação.*

9º Quando o 1º elemento termina por *b-* (ab-, ob-, sob-, sub-), *d-* (ad-) e o 2º elemento começa por *b-* e *r-*:

ad-renal, ad-referendar, ab-rupto, sub-reitor, sub-bar, sub-réptil, sub-bélico, sub--bosque, sub-rogar, ob-rogar.

Obs.: *adrenalina, adrenalite* e afins já são exceções consagradas pelo uso. *Ab-rupto* é preferível a *abrupto.*

10º Quando o 1º elemento termina por vogal e o 2º elemento começa por *r* ou *s*, devendo estas consoantes duplicar-se, prática já generalizada em palavras deste tipo pertencentes aos domínios científico e técnico:

antessala, antirreligioso, contrarregra, cosseno, minissaia.

D – Nas formações com sufixo:

Emprega-se hífen apenas nos vocábulos terminados pelos sufixos de origem tupi-guarani *-açu, -guaçu, -mirim,* quando o 1º elemento termina por vogal acentuada graficamente ou quando a pronúncia exige a distinção gráfica dos dois elementos:

amoré-guaçu, anafá-mirim, andá-açu, capim-açu, Ceará-Mirim.

O verbo em português

1. Estrutura de uma forma verbal

Todo verbo do português, na sua forma infinitiva, contém dois elementos: um lexical, que se refere à realidade do mundo externo à língua (esse elemento, em que vai embutida a sua significação ou semantema, chama-se radical) o outro, gramatical, que compreende a sua terminação ou parte final, no qual estão embutidas as informações gramaticais que todo verbo deve conter. Dessa forma, considerando as três seguintes formas verbais, que se encontram no infinitivo – *falar, correr, partir* – facilmente podem estas respectivamente ser seccionadas em: radical + elemento gramatical ou terminação [*fal-*]+[*-ar*], [*corr-*]+[*-er*], [*part-*]+[*-ir*]. O radical, por encerrar em si o significado externo do verbo, obviamente variará ao infinito; vale dizer, por princípio, que cada verbo terá um radical diferente do outro. Já a terminação, por conter justamente, ao contrário, as informações próprias que qualquer verbo deve poder expressar dentro de um sistema linguístico – como grupo conjugacional a que pertence, modo e tempo em que está sendo usado, pessoa e número em que se encontra –, formará uma rede fechada e relativamente com poucos elementos por meio da qual tais informações serão formalmente transmitidas.

2. Estrutura morfofonológica do radical

Dadas as formas verbais de *falar, bater* e *partir* distribuídas nas seis colunas abaixo:

1	2	3	4	5	6
falo	falamos	bato	batemos	parto	partimos
falas	falais	bates	bateis	partes	partis
fala	falemos	bate	batamos	parte	partamos
falam	faleis	batem	batais	partem	partais

pode-se observar que, nas formas das colunas ímpares, o radical é sempre tônico, ao passo que nas formas das colunas pares o radical é sempre átono. A partir dessa constatação, deve-se reter o seguinte princípio: *Todo verbo regular apresenta duas variantes do mesmo radical. Uma em que o acento de intensidade recai sobre o radical, mais especificamente sobre o seu último elemento vocálico. Trata-se da variante tônica do radical que é usada nas chamadas* formas rizotônicas (do elemento grego *rizo-* "raiz" + *-tônico* "que contém o acento de intensidade"). *A outra em que o acento de intensidade está fora do radical. Trata-se da variante átona do radical, usada nas chamadas* formas arrizotônicas (do elemento de negação *a-* + *rizotônico*).

3. Forma canônica do radical dos verbos regulares

Como, das oitenta e três formas verbais simples que um verbo regular possui, sessenta e nove são arrizotônicas, a variante átona do radical verbal torna-se a representante da classe dos radicais de uma forma verbal. Dessa maneira, diz-se que o radical dos verbos *falar*, *bater* e *partir* são respectivamente [*fal*-], [*bat*-] e [*part*-].

4. Variante tônica do radical dos verbos regulares [rd´]

Somente quatorze formas dos verbos regulares se servem da variante radical tônica [rd´]. No indicativo presente, [Id. Pr.] as três pessoas do singular e a terceira pessoa do plural (1ª p. s., 2ª p. s., 3ª p. s. e 3ª p. p.); no subjuntivo presente [Sb. Pr.], estas mesmas pessoas (1ª p. s., 2ª p. s., 3ª p. s. e 3ª p. p.); no imperativo afirmativo [Ip. Af.], a 2ª p. s., a 3ª p. s. e a 3ª p. p.; no imperativo negativo [Ip. Ng.], as mesmas pessoas apontadas no [Ip. Af.].

De modo geral, a grande e única diferença da variante radical tônica [rd´] para a sua correspondente átona [rd] reside exclusivamente neste ponto: uma é tônica e a outra é átona. O fato da diferença entre ambas as variantes, na maioria dos verbos, residir apenas nesse ponto é que justamente faz com que, em geral, o falante não perceba a existência das duas variantes. Casos há, contudo, em que a esse aspecto da tonicidade *versus* atonicidade se associa uma alteração fonológica mais nítida. Dá-se isso quando o último elemento vocálico é a vogal oral [e] ou [o].

Examina-se nas seções seguintes o comportamento dessas duas vogais nos verbos de cada uma das três conjugações.

Quadro da flexão dos verbos da 1ª conjugação

Para se conjugar um verbo regular da 1ª conjugação, basta retirar a terminação -*ar* (vogal temática -*a* mais sufixo de infinitivo -*r*) do infinitivo impessoal e, ao segmento que restar (o radical = rd), acrescentar qualquer uma das terminações tabeladas a seguir:

	1ª p. s.	2ª p. s.	3ª p. s.	1ª p. p.	2ª p. p.	3ª p. p.
Id. Pr.	[rd´]-o	[rd´]-as	[rd´]-a	[rd]-amos	[rd]-ais	[rd´]-am
Id. Pt. Imp.	[rd]-ava	[rd]-avas	[rd]-ava	[rd]-ávamos	[rd]-áveis	[rd]-avam
Id. Pt. Pf.	[rd]-ei	[rd]-aste	[rd]-ou	[rd]-amos	[rd]-astes	[rd]-aram
Id. Pt. Mp.	[rd]-ara	[rd]-aras	[rd]-ara	[rd]-áramos	[rd]-áreis	[rd]-aram
Id. Ft. Pr.	[rd]-arei	[rd]-arás	[rd]-ará	[rd]-aremos	[rd]-areis	[rd]-arão
Id. Ft. Pt.	[rd]-aria	[rd]-arias	[rd]-aria	[rd]-aríamos	[rd]-aríeis	[rd]-ariam
Sb. Pr.	[rd´]-e	[rd´]-es	[rd´]-e	[rd]-emos	[rd]-eis	[rd´]-em

	1ª p. s.	2ª p. s.	3ª p. s.	1ª p. p.	2ª p. p.	3ª p. p.
Sb. Pt. Imp.	[rd]-asse	[rd]-asses	[rd]-asse	[rd]-ássemos	[rd]-ásseis	[rd]-assem
Sb. Ft.	[rd]-ar	[rd]-ares	[rd]-ar	[rd]-armos	[rd]-ardes	[rd]-arem
Ip. Af.	–	[rd´]-a	[rd´]-e	[rd]-emos	[rd]-ai	[rd´]-em
Ip. Ng.	–	não [rd´]-es	não [rd´]-e	não [rd]-emos	não [rd]-eis	não [rd´]-em
If. Ps.	[rd]-ar	[rd]-ares	[rd]-ar	[rd]-armos	[rd]-ardes	[rd]-arem
Formas Nominais						
If. Im.	[rd]-ar	Ger.	[rd]-ndo	Part.	[rd]-ado	–

Siglário

Gr.	gerúndio	Ip. Ng.	imperativo negativo
Id. Ft. Pr.	futuro do presente do indicativo	p. p.	pessoa do plural
Id. Ft. Pt.	futuro do pretérito do indicativo	p. s.	pessoa do singular
Id. Pr.	presente do indicativo	Part.	particípio
Id. Pt. Imp.	pretérito imperfeito do indicativo	[rd]	radical átono
Id. Pt. Mp.	pretérito mais-que-perfeito do indicativo	[rd´]	radical tônico
Id. Pt. Pf.	pretérito perfeito do indicativo	Sb. Ft.	futuro do subjuntivo
If. Im.	infinitivo impessoal	Sb. Pr.	presente do subjuntivo
If. Ps.	infinitivo pessoal	Sb. Pt. Imp.	pretérito imperfeito do subjuntivo
Ip. Af.	imperativo afirmativo		

Em sua grande maioria, os verbos regulares da 1ª conjugação têm o seu último elemento vocálico (vogal ou ditongo decrescente) basicamente inalterado nas formas rizotônicas, a não ser, é claro, pelo fato de receber a acentuação tônica, o que evidentemente torna seus traços fônicos mais nítidos do que em posição átona.

A inalterabilidade do elemento vocálico do radical proporciona uma normalidade à maioria dos verbos regulares da 1ª conjugação, de modo que para conjugá-los bastará apenas juntar seu radical às terminações apontadas nos quadros anteriores. Isso, no plano fonológico, visto que, no ortográfico, caberão alguns ajustes em certos casos.

Por ajuste ortográfico, deve-se entender toda alteração de grafema (letra), no sentido de propiciar ao fonema que ele transcreve a correta representação dentro dos critérios do sistema ortográfico em vigor na língua. Dessa forma, em português, na conjugação do verbo *vencer*, por exemplo, deve-se trocar o grafema [c], que ali representa o fonema alveolar fricativo surdo /s/, pelo grafema [ç], quando ao radical se seguir [o] ou [a]. Como se vê, tal procedimento ortográfico tem como finalidade justamente conservar a regularidade fonológica do radical da forma verbal. Há, contudo, uns tantos verbos para os quais devemos estar atentos: é o caso, por exemplo, dos verbos cujo último elemento vocálico do radical é [e] ou [o] orais ou os ditongos [ei], [eu], [oi] ou [ou].

I – Comportamento da vogal oral tônica [e] e dos ditongos [ei] e [eu] nas formas rizotônicas dos verbos regulares da 1ª conjugação

1. Num verbo regular da 1ª conjugação em cujo radical a última vogal for [e] oral seguida de uma consoante oral, aquela será pronunciada /é/ nas formas rizotônicas. Seja o verbo *selar*:

	1ª p. s.	2ª p. s.	3ª p. s.	3ª p. p.
Id. Pr.	selo /é/	selas /é/	sela /é/	selam /é/
Sb. Pr.	sele /é/	seles /é/	sele /é/	selem /é/

Nota 1: tal regra não se aplica se a consoante após o [e] for [j] ou [lh]. Sejam os verbos *arejar* e *espelhar*:

	1ª p. s.	2ª p. s.	3ª p. s.	3ª p. p.
Id. Pr.	arejo /ê/	arejas /ê/	areja /ê/	arejam /ê/
Sb. Pr.	areje /ê/	arejes /ê/	areje /ê/	arejem /ê/

	1ª p. s.	2ª p. s.	3ª p. s.	3ª p. p.
Id. Pr.	espelho /ê/	espelhas /ê/	espelha /ê/	espelham /ê/
Sb. Pr.	espelhe /ê/	espelhes /ê/	espelhe /ê/	espelhem /ê/

Nota 2: excetua-se o verbo *invejar*, cujo [e] do radical, apesar de preceder [j], é pronunciado /é/.

	1ª p. s.	2ª p. s.	3ª p. s.	3ª p. p.
Id. Pr.	invejo /é/	invejas /é/	inveja /é/	invejam /é/
Sb. Pr.	inveje /é/	invejes /é/	inveje /é/	invejem /é/

2. Seguida de [ch], a vogal [e] do radical nas formas rizotônicas terá uma das duas pronúncias /ê/ ou /é/, de acordo com as seguintes regras:

Regra 1: se o verbo tiver um cognato nominal simples cuja vogal tônica seja /ê/, as formas verbais rizotônicas terão igualmente /ê/ como vogal tônica. Exemplo: v. *bochechar* (substantivo cognato: *bochecha* /ê/):

	1ª p. s.	2ª p. s.	3ª p. s.	3ª p. p.
Id. Pr.	bochecho /ê/	bochechas /ê/	bochecha /ê/	bochecham /ê/
Sb. Pr.	bocheche /ê/	bocheches /ê/	bocheche /ê/	bochechem /ê/

Nota 1: em alguns verbos desse paradigma, particularmente o verbo *fechar*, ocorre frequentemente nas formas rizotônicas a pronúncia [é]: "Eu fecho" /é/. Ora,

sabendo-se que o substantivo *fecho* /ê/ é cognato nominal simples desse verbo, por princípio, a pronúncia do [e] oral tônico do verbo *fechar*, em suas formas rizotônicas, haverá de ser *fecho* /ê/, *fechas* /ê/, *fecha* /ê/, *fecham* /ê/ etc. E é essa a única pronúncia recomendada pela norma culta para a vogal [e] tônica do radical desse verbo.

Nota 2: ainda que não apresente um substantivo simples conexo com sílaba tônica /ê/, o verbo *vexar*, cujo [x] vale pelo fonema fricativo palatal surdo /š/, deve ter a vogal [e], nas formas rizotônicas, pronunciada /ê/, segundo preceitua, entre outros, o *Dicionário Houaiss*; não obstante, na área dialetal do Nordeste, onde seu uso é muito frequente, assim como o da sua variante *avexar*, o verbo em questão ocorre normalmente, nas formas rizotônicas, com [e] pronunciado /é/, segundo observa Tomé Cabral no *Novo Dicionário de Termos e Expressões Populares*, s.v. (Fortaleza: UFC, 1982.)

Regra 2: se o verbo tiver um cognato nominal simples com sílaba tônica /é/, as formas verbais rizotônicas terão igualmente /é/ como vogal tônica. Exemplo: v. *flechar* (substantivo cognato: *flecha* /é/):

	1ª p. s.	2ª p. s.	3ª p. s.	3ª p. p.
Id. Pr.	flecho /é/	flechas /é/	flecha /é/	flecham /é/
Sb. Pr.	fleche /é/	fleches /é/	fleche /é/	flechem /é/

3. Sendo o último fonema do radical verbal, a vogal [e] nas formas rizotônicas transforma-se no ditongo [ei] pronunciado /êy/. Seja o verbo *atear*:

	1ª p. s.	2ª p. s.	3ª p. s.	3ª p. p.
Id. Pr.	ateio /êy/	ateias /êy/	ateia /êy/	ateiam /êy/
Sb. Pr.	ateie /êy/	ateies /êy/	ateie /êy/	ateiem /êy/

Nota 1: o surgimento dessa semivogal deve-se ao fato de que, na fonologia do português, sempre que no interior de um vocábulo um [e] tônico vem seguido de [o], [a] ou [e], aquele se transforma no ditongo [ei], evitando-se, dessa forma, o hiato indesejado. Tendo em vista esse princípio, nas formas arrizotônicas, a semivogal /y/ não se desenvolverá, obviamente. Pelo contrário, nesse novo contexto, a vogal [e] do radical, por ser átona, em contato com a vogal seguinte, passa normalmente à semivogal /y/, desenvolvendo-se, então, para *ateamos* a pronúncia /atyamos/ /á/, o que é uma outra forma de evitar-se o hiato indesejado.

Nota 2: os verbos *estrear*, cognato do substantivo *estreia*, e *idear*, cognato do substantivo *ideia*, não seguem esse paradigma. Em suas formas rizotônicas, o ditongo que se desenvolve é pronunciado /éy/:

	1ª p. s.	2ª p. s.	3ª p. s.	3ª p. p.
Id. Pr.	estreio /éy/	estreias /éy/	estreia /éy/	estreiam /éy/
Sb. Pr.	estreie /éy/	estreies /éy/	estreie /éy/	estreiem /éy/

Nota 3: os verbos *mediar, ansiar, remediar, incendiar* e *odiar*, cujo fonema final do radical é a vogal [i] (verbos em [-iar]), seguem, nas formas rizotônicas, o paradigama de *atear*:

	1ª p. s.	2ª p. s.	3ª p. s.	3ª p. p.
Id. Pr.	anseio /êy/	anseias /êy/	anseia /êy/	anseiam /êy/
Sb. Pr.	anseie /êy/	anseies /êy/	anseie /êy/	anseiem /êy/

Nota 4: na norma culta lusitana bem como em certas variantes dialetais do Brasil, quer regionais quer sociais, os verbos *licenciar, negociar, premiar* e *sentenciar* são abundantes nas formas rizotônicas, podendo conjugar-se tanto como *atear*, quanto como *adiar*. Neste estudo, contudo, que tem como meta apresentar a norma culta brasileira, não se recomenda o uso das formas abundantes para tais verbos, que deverão seguir o padrão de *adiar*.

Nota 5: os demais verbos em [-iar], no português do Brasil, são regulares, com a tonicidade em suas formas rizotônicas recaindo sobre a vogal [i], último fonema do radical. Seja o verbo *adiar*:

	1ª p. s.	2ª p. s.	3ª p. s.	3ª p. p.
Id. Pr.	adio	adias	adia	adiam
Sb. Pr.	adie	adies	adie	adiem

4. Os verbos da 1ª conjugação, cujo último elemento vocálico do radical é o ditongo [ei] ou o ditongo [eu], têm esses ditongos, nas formas rizotônicas, pronunciados /êy/ e /êw/, respectivamente. Sejam os verbos *aceitar* e *endeusar*:

	1ª p. s.	2ª p. s.	3ª p. s.	3ª p. p.
Id. Pr.	aceito /êy/	aceitas /êy/	aceita /êy/	aceitam /êy/
Sb. Pr.	aceite /êy/	aceites /êy/	aceite /êy/	aceitem /êy/

	1ª p. s.	2ª p. s.	3ª p. s.	3ª p. p.
Id. Pr.	endeuso /êw/	endeusas /êw/	endeusa /êw/	endeusam /êw/
Sb. Pr.	endeuse /êw/	endeuses /êw/	endeuse /êw/	endeusem /êw/

Nota: sendo o ditongo [ei] tônico seguido de consoante palatal surda ou sonora /ž/ e /š/, respectivamente, representados por [j] e [x], duas pronúncias são possíveis para o [ei], /êy/ ou /ê/. Sejam os verbos *aleijar* e *enfeixar*:

	1ª p. s.	2ª p. s.	3ª p. s.	3ª p. p.
Id. Pr.	aleijo /êy/ *e* /ê/	aleijas /êy/ *e* /ê/	aleija /êy/ *e* /ê/	aleijam /êy/ *e* /ê/

	1ª p. s.	2ª p. s.	3ª p. s.	3ª p. p.
Id. Pr.	enfeixo /êy/ e /ê/	enfeixas /êy/ e /ê/	enfeixa /êy/ e /ê/	enfeixam /êy/ e /ê/

Obs.: a pronúncia /é/ para o [ei], nesses casos, não é bem-aceita pela norma culta.

II – Comportamento da vogal oral tônica [o] e dos ditongos [oi] e [ou] nas formas rizotônicas dos verbos regulares da 1ª conjugação

1. Sendo a última vogal do radical, o [o] seguido de consoante oral se pronuncia /ó/. Seja exemplo o verbo *colar*:

	1ª p. s.	2ª p. s.	3ª p. s.	3ª p. p.
Id. Pr.	colo /ó/	colas /ó/	cola /ó/	colam /ó/
Sb. Pr.	cole /ó/	coles /ó/	cole /ó/	colem /ó/

2. Quando os ditongos [oi] e [ou] são os últimos elementos vocálicos do radical e vêm seguidos de consoante oral, pronunciam-se /ôy/ e /ôw/, podendo este último também ser pronunciado como /ô/ nas formas rizotônicas. Sejam os verbos *açoitar* e *roubar*:

	1ª p. s.	2ª p. s.	3ª p. s.	3ª p. p.
Id. Pr.	açoito /ôy/	açoitas /ôy/	açoita /ôy/	açoitam /ôy/
Sb. Pr.	açoite /ôy/	açoites /ôy/	açoite /ôy/	açoitem /ôy/

	1ª p. s.	2ª p. s.	3ª p. s.	3ª p. p.
Id. Pr.	roubo /ôw/ ou /ô/	roubas /ôw/ ou /ô/	rouba /ôw/ ou /ô/	roubam /ôw/ ou /ô/
Sb. Pr.	roube /ôw/ ou /ô/	roubes /ôw/ ou /ô/	roube /ôw/ ou /ô/	roubem /ôw/ ou /ô/

Nota: não tem boa recepção, na variante social dita norma culta, a pronúncia bastante frequente em outras variantes /ó/ para *roubo, roubas, rouba, roubam, roube, roubes, roubem*.

3. Sendo o último fonema do radical, o [o] oral nas formas rizotônicas pronuncia-se /ô/.

	1ª p. s.	2ª p. s.	3ª p. s.	3ª p. p.
Id. Pr.	assoo /ô/	assoas /ô/	assoa /ô/	assoam /ô/
Sb. Pr.	assoe /ô/	assoes /ô/	assoe /ô/	assoem /ô/

Nota: repare-se, apenas para efeito de pronúncia, o desenvolvimento de uma semivogal /w/ após o [o] tônico do radical em todas as formas rizotônicas dos verbos em [-oar]. Ainda que não venha representado no plano ortográfico, seu desenvolvimento nesse caso é perfeitamente conexo com o desenvolvimento do /y/ nas formas rizotônicas dos verbos em [-ear], que vimos anteriormente.

4. Sendo o último fonema do radical, o ditongo [oi], nas formas rizotônicas, é pronunciado /ói/. Seja o verbo *apoiar*:

	1ª p. s.	2ª p. s.	3ª p. s.	3ª p. p.
Id. Pr.	apoio /óy/	apoias /óy/	apoia /óy/	apoiam /óy/
Sb. Pr.	apoie /óy/	apoies /óy/	apoie /óy/	apoiem /óy/

Nota: o verbo *aboiar*, no sentido de "cantar plangente e monotonamente, guiando a boiada", por ser derivado do vocábulo *boi*, tem o [o] do ditongo [oi] pronunciado /ôy/ nas formas rizotônicas.

	1ª p. s.	2ª p. s.	3ª p. s.	3ª p. p.
Id. Pr.	aboio /ôy/	aboias /ôy/	aboia /ôy/	aboiam /ôy/
Sb. Pr.	aboie /ôy/	aboies /ôy/	aboie /ôy/	aboiem /ôy/

III – Verbos regulares da 1ª conjugação com hiato nas formas rizotônicas

Verbos regulares da 1ª conjugação cognatos de substantivos que, apresentando hiato, têm como tônica a segunda vogal do mesmo, mantêm esse hiato nas formas rizotônicas; observa-se ainda que, se a segunda vogal for [i] ou [u] orais, estas receberão acento agudo em todas as formas rizotônicas do verbo. Seja o verbo *saudar* (substantivo cognato: *saúde*):

	1ª p. s.	2ª p. s.	3ª p. s.	3ª p. p.
Id. Pr.	saúdo	saúdas	saúda	saúdam
Sb. Pr.	saúde	saúdes	saúde	saúdem

Se, no entanto, a segunda vogal for nasal ou nasalada, esta não receberá acento. Seja o verbo *embainhar* (substantivo cognato: *bainha*):

	1ª p.s.	2ª p. s.	3ª p. s.	3ª p. p.
Id. Pr.	embainho /a-i/	embainhas /a-i/	embainha /a-i/	embainham /a-i/
Sb. Pr.	embainhe /a-i/	embainhes /a-i/	embainhe /a-i/	embainhem /a-i/

IV – Verbos regulares da 1ª conjugação com radical terminado em [gu] ou [qu]

1. Os verbos regulares da 1ª conjugação com radical terminado em [gu] dividem-se em dois grupos:

Grupo 1: os verbos cognatos dos substantivos *água* (*aguar, desaguar, enxaguar*) e *míngua* (*minguar*) têm, nas formas rizotônicas, a tonicidade incidindo sobre a vogal que precede imediatamente o [gu]. Sirva de exemplo o verbo *enxaguar*:

	1ª p. s.	2ª p. s.	3ª p. s.	3ª p. p.
Id. Pr.	enxáguo	enxáguas	enxágua	enxáguam
Sb. Pr.	enxágue /gü/	enxágues /gü/	enxágue /gü/	enxáguem /gü/

Nota 1: os verbos que compõem esse grupo, como se pode observar, rompem um princípio bastante regular da morfologia verbal do português: suas formas rizotônicas são, do ponto de vista do posicionamento da tonicidade, proparoxítonas, fato que leva os falantes a pronunciá-las intuitivamente como paroxítonas, avançando a tonicidade para o [u] do [gu] "aguo /ú/, aguas /ú/" etc.

Nota 2: na Base X, 7º do Acordo Ortográfico, declara-se que os verbos terminados em [guar] são abundantes nas formas rizotônicas, visto que nelas a tonicidade tanto pode recair antes do [gu] quanto sobre o [u] do [gu]. Assim, segundo o Acordo, tanto é normal *deságuo, deságuas, deságua, deságuam, deságues /gües/, deságue /güe/, deságuem /güem/, averíguo, averíguas, averígua, averíguam, averígue /güe/, averígues /gües/, averíguem /güem/* quanto *desaguo /gúo/, desaguas /gúas/, desagua /gúa/, desagues /gúes/, desague /gúe/, desaguem /gúem/, averiguo /gúo/, averiguas /gúas/, averigua /gúa/, averiguam /gúam/, averigues /gúes/, averigue /gúe/, averiguem /gúem/.* Contudo, ao atentar-se para o uso recomendado pelos tratadistas, o qual expressaria a norma culta no que concerne aos verbos terminados em [guar], chega-se à conclusão de que contemporaneamente existem, nesse aspecto, entre Brasil e Portugal duas normas. No Brasil, existem basicamente dois paradigmas para os verbos terminados em [guar], segundo os tratadistas contemporâneos nacionais mais conceituados, veja-se Evanildo Bechara, em *Moderna Gramática Portuguesa*, p. 239. Já em Portugal, os verbos terminados em [guar] têm, nas formas rizotônicas, a tonicidade recaindo unicamente sobre a sílaba [gu], de acordo, aliás, com o que já preceituava Aulete, no *Dicionário Contemporâneo*, na 1ª edição de 1881, nos verbetes *aguar, desaguar, averiguar*. Preceito, aliás, contra o qual Said Ali se bate. Este estudo, sem desconhecer a norma lusitana para a morfologia dos verbos terminados em [guar] nem tampouco as variantes não tão bem aceitas pela norma culta brasileira, cingiu-se ao que os mais influentes tratadistas brasileiros estabeleceram para a conjugação desses verbos.

Grupo 2: os demais verbos da 1ª conjugação com radical terminado em [gu] têm, nas formas rizotônicas, a tonicidade recaindo sobre o [u] do [gu]. Seja exemplo o verbo *averiguar*:

	1ª p. s.	2ª p. s.	3ª p. s.	3ª p. p.
Id. Pr.	averiguo /ú/	averiguas /ú/	averigua /ú/	averiguam /ú/
Sb. Pr.	averigue /ú/	averigues /ú/	averigue /ú/	averiguem /ú/

Nota 1: o [u] do [gu] sempre que a ele se seguir [e] é pronunciado como semivogal. Isso ocorre nas seguintes formas:

Id. Pt. Pf.	1ª p. s. averiguei /güei/
Sb.Pr.	1ª p. p. averiguemos /güe/ e 2ª p. p. averigueis /güeis/

Nota 2: em seu artigo sobre o verbo *aguar* e outros terminados em [*-uar*], já citado neste estudo, Said Ali demonstra que tradicionalmente *averiguar* se conjugava como *enxaguar*; suas formas rizotônicas eram, pois, *averíguo*, *averígua(s, m)*, *averígue(s, m)*. Ocorre, contudo, que, por essa ou por aquela razão, tal padrão conjugacional caiu inteiramente em desuso, tanto no Brasil quanto em Portugal. Na contemporaneidade brasileira poucos tratadistas defendem o padrão tradicional, entre estes avulta o nome de Rocha Lima. Neste estudo, opta-se por seguir o que a maioria dos tratadistas contemporâneos preceitua sobre a conjugação deste verbo.

2. Os verbos regulares da 1ª conjugação com radical terminado em [qu] dividem-se em dois grupos:

Grupo 1: verbo *apropinquar*, cognato de *propínquo*. Tem esse verbo, nas formas rizotônicas, a tonicidade recaindo sobre a vogal [i] que antecede o [qu], como o seu cognato, o adjetivo *propínquo*:

	1ª p. s.	2ª p. s.	3ª p. s.	3ª p. p.
Id. Pr.	apropínquo	apropínquas	apropínqua	apropínquam
Sb. Pr.	apropínque /qüe/	apropínques /qües/	apropínque /qüe/	apropínquem /qüem/

Nota 1: vejam-se as notas 1, 2 e 3 sobre o verbo *enxaguar*.
Nota 2: veja nota 2 do verbo *enxaguar*.

Id.Pt.Pf.	1ª p.s. apropinquei /qüei/
Sb.Pr.	todas as pessoas

Grupo 2: todos os demais verbos regulares da 1ª conjugação com radical terminado em [qu] têm, nas formas rizotônicas, a tonicidade recaindo sobre o [u] do [qu]. Seja o verbo *adequar*:

	1ª p. s.	2ª p. s.	3ª p. s.	3ª p. p.
Id. Pr.	adequo /ú/	adequas /ú/	adequa /ú/	adequam /ú/
Sb. Pr.	adeque /ú/	adeques /ú/	adeque /ú/	adequem /ú/

Nota 1: para vários tratadistas, tais verbos não devem ser usados nas formas rizotônicas, visto que na tradição da língua não há registro de tais usos. Já outros replicam, apelando para a norma contemporânea do português do Brasil, na qual, segundo lembram, encontram-se com alguma frequência usos de formas rizotônicas desses verbos. Pode-se, pois, considerar tolerável o uso de suas formas rizotônicas.

Nota 2: veja-se a nota 2 do grupo de *enxaguar*.

Id. Pt. Pf.	1ª p. s. adequei /qüei/
Sb. Pr.	1ª p. p. adequemos /qüe/ e 2ª p. p. adequeis /qüeis/

V – Verbos regulares da 1ª conjugação em cujo final do radical ocorrem encontros consonantais raros no português

Há em português um pequeno grupo de vocábulos em cujo final do radical ocorre o encontro de duas ou mais consoantes. É o caso de verbos como *optar, ritmar, contactar, repugnar, coarctar*. Neles, a tonicidade, nas formas rizotônicas, incide sobre a vogal que se encontra exatamente antes do referido encontro consonantal. Sirva de exemplo o verbo *optar*:

	1ª p. s.	2ª p. s.	3ª p. s.	3ª p. p.
Id. Pr.	opto /ó/	optas /ó/	opta /ó/	optam /ó/
Sb. Pr.	opte /ó/	optes /ó/	opte /ó/	optem /ó/

Nota: por se tratar de encontros consonantais raros, é comum, nesses casos, os falantes desenvolverem intuitivamente o fonema vocálico /i/ entre as duas consoantes finais do radical, desfazendo, dessa forma, o encontro consonantal e deslocando para essa sílaba a tonicidade, o que provoca o surgimento da forma *opita /í/. Tal evolução fonética, ainda que perfeitamente justificável, se examinada sob o ângulo da fonologia do português, não é aceita na norma culta.

VI – Verbos da 1ª conjugação proparoxítonos nas formas rizotônicas

Excepcionalmente os verbos *mobiliar* e *resfolegar* são proparoxítonos nas formas rizotônicas e assim se conjugam:

	1ª p. s.	2ª p. s.	3ª p. s.	3ª p. p.
Id. Pr.	mobílio	mobílias	mobília	mobíliam
Sb. Pr.	mobílie	mobílies	mobílie	mobíliem

	1ª p. s.	2ª p. s.	3ª p. s.	3ª p. p.
Id. Pr.	resfólego	resfólegas	resfólega	resfólegam
Sb. Pr.	resfólegue	resfólegues	resfólegue	resfóleguem

Obs.: ocorre também para *resfolegar* a variante fonologicamente sincopada:

	1ª p. s.	2ª p. s.	3ª p. s.	3ª p. p.
Id. Pr.	resfolgo /ó/	resfolgas /ó/	resfolga /ó/	resfolgam /ó/
Sb. Pr.	resfolgue /ó/	resfolgues /ó/	resfolgue /ó/	resfolguem /ó/

Nota: esses dois verbos claramente fogem ao padrão da morfologia verbal do português ao se pronunciarem e se escreverem como proparoxítonos nas formas rizotônicas, fato que já havia sido comentado ao se chamar a atenção sobre a tonicidade nas formas rizotônicas dos verbos do tipo de *enxaguar, apropinquar* e *optar*, os quais sem dúvida alguma são igualmente proparoxítonos nas formas rizotônicas. Porém, em casos como o do verbo *optar*, muitos tratadistas demostram dificuldade de considerá-lo como proparoxítono, sem demonstrarem assim um perfeito entendimento da pronúncia intuitiva do falante para suas formas rizotônicas escritas *opto, optas* etc., mas pronunciadas */ó.pi.to/*, donde as formas *opito /í/, *opitas /í/ etc.

VII – Observações de caráter ortográfico

1. Verbos da 1ª conjugação cuja última consoante do radical termina em [g] ou em [c] trocam essas letras pelos dígrafos [gu] ou [qu], respectivamente, sempre que ao radical se seguir [e]. Assim, teremos, para a representação ortográfica do radical do verbo *pegar*, a alteração ortográfica [peg-] para [pegu-] em: *peguei, pegue* (-s, -mos, -is, -m), e [educ-] para [eduqu-] em: *eduquei, eduque* (-s, -mos, -is, -m).

2. Verbos da 1ª conjugação com radical terminado em [ç] trocam essa letra por [c] sempre que ao radical se seguir a vogal [e]. Assim, teremos, para a representação ortográfica do radical do verbo *alçar*, a alteração ortográfica [alç-] para [alc-] em: *alcei, alce* (-s, -mos, -is, -m).

Nota: verbos da 1ª conjugação cujo radical termina na letra [j] manterão em todas as formas verbais essa letra, mesmo quando a ela seguir-se [e]. Assim, em *viajar* teremos: *viajei, viaje* (-s, -mos, -is, -m).

VIII – Verbos da 1ª conjugação com duplo particípio

aceitar	aceitado	aceito
entregar	entregado	entregue /é/
expressar	expressado	expresso /é/
expulsar	expulsado	expulso
ganhar	ganhado	ganho
gastar	gastado	gasto
isentar	isentado	isento
limpar	limpado	limpo
matar	matado	morto
pagar	pagado	pago
pegar	pegado	pego /é/ *ou* /ê/
salvar	salvado	salvo
soltar	soltado	solto /ô/

Distribuição do uso dos dois particípios

aceitar
aceitado [aux. *ter/haver*, preferencial]
[aux. *ser*, possível, porém não recomendado por tratadistas]
aceito [aux. *ter/haver*, possível, porém não recomendado por tratadistas]
[aux. *ser*, preferencial]

entregar
entregado [aux. *ter/haver*, preferencial]
[aux. *ser*, possível, porém não recomendado por tratadistas]
entregue /é/ [aux. *ter/haver*, possível, porém não recomendado por tratadistas]
[aux. *ser*, preferencial]

expressar
expressado [aux. *ter/haver* preferencial]
[aux. *ser* possível, porém não recomendado por tratadistas]
expresso /é/ [aux. *ter/haver*, possível, porém não recomendado por tratadistas]
[aux. *ser*, preferencial]

expulsar
expulsado [aux. *ter/haver*, preferencial]
[aux. *ser*, possível, porém não recomendado por tratadistas]
expulso [aux. *ter/haver*, possível, porém não recomendado por tratadistas]
[aux. *ser*, preferencial]

ganhar
ganhado [aux. *ter/haver*]
ganho [aux. *ter/haver*, possível e frequente, porém sem consenso entre os tratadistas]
[aux. *ser*, preferencial]

gastar
gastado [aux. *ter/haver*]
[aux. *ser*, possível, ainda que rejeitado por tratadistas]
gasto [aux. *ter/haver* comum, porém não recomendado por tratadistas]
[aux. *ser*, preferencial]

isentar
isentado [aux. *ter*/*haver*]
 [aux. *ser*, preferencial]
isento [aux. *ser*, possível, porém não recomendado por tratadistas]
limpar
limpado [aux. *ter*/*haver*]
limpo [aux. *ser*]
matar
matado [aux. *ter*/*haver*]
morto [aux. *ser*]
pagar
pagado [aux. *ter*/*haver*, frequente]
pago [aux. *ter*/*haver*, corrente]
 [aux. *ser*]
pegar
pegado [aux. *ter*/*haver*, preferencial]
 [aux. *ser*, possível, porém não recomendado por tratadistas]
pego /é/ ou /ê/ [aux. *ter*/*haver*, frequente, porém sem consenso entre os tratadistas]
 [aux. *ser*, preferencial]
salvar
salvado [aux. *ter*/*haver*]
 [aux. *ser*, com v. *salvar* inf. "armazenar (dados)", uso facultativo]
salvo [aux. *ser*]
soltar
soltado [aux. *ter*/*haver*]
solto /ó/ [aux. *ser*, preferencial]

Quadro da flexão dos verbos da 2ª conjugação

Para se flexionar um verbo regular da 2ª conjugação, basta retirar a terminação -er (vogal temática -e mais sufixo de infinitivo -r) do infinitivo impessoal e, ao segmento restante (o radical = rd), acrescentar qualquer uma das seguintes terminações:

	1ª p. s.	2ª p. s.	3ª p. s.	1ª p. p.	2ª p. p.	3a p. p.
Id. Pr.	[rd´]-o	[rd´]-es	[rd´]-e	[rd]-emos	[rd]-eis	[rd´]-em
Id. Pt. Imp.	[rd]-ia /í/	[rd]-ias /í/	[rd]-ia /í/	[rd]-íamos	[rd]-íeis	[rd]-iam /í/
Id. Pt. Pf.	[rd]-i /í/	[rd]-este /ê/	[rd]-eu /ê/	[rd]-emos	[rd]-estes /ê/	[rd]-eram /ê/
Id. Pt. Mp.	[rd]-era /ê/	[rd]-eras /ê/	[rd]-era /ê/	[rd]-êramos	[rd]-êreis	[rd]-eram /ê/
Id. Ft. Pr.	[rd]-erei	[rd]-erás	[rd]-erá	[rd]-eremos	[rd]-ereis	[rd]-erão
Id. Ft. Pt.	[rd]-eria /í/	[rd]-erias /í/	[rd]-eria /í/	[rd]-eríamos	[rd]-eríeis	[rd]-eriam /í/
Sb. Pr.	[rd´]-a	[rd´]-as	[rd´]-a	[rd]-amos	[rd]-ais	[rd´]-am
Sb. Pt. Imp.	[rd]-esse /ê/	[rd]-esses /ê/	[rd]-esse /ê/	[rd]-êssemos	[rd]-êsseis	[rd]-essem /ê/
Sb. Ft.	[rd]-er /ê/	[rd]-eres/ê/	[rd]-er /ê/	[rd]-ermos /ê/	[rd]-erdes /ê/	[rd]-erem /ê/
Ip. Af.	–	[rd´]-e	[rd´]-a	[rd]-amos	[rd]-ei /ê/	[rd´]-am
Ip. Ng.	–	não [rd´]-as	não [rd´]-a	não [rd]-amos	não [rd]-ais	não [rd´]-am
If. Ps.	[rd]-er /ê/	[rd]-eres /ê/	[rd]-er /ê/	[rd]-ermos /ê/	[rd]-erdes /ê/	[rd]-erem /ê/
Formas Nominais							
If. Im.	[rd]-er /ê/	**Ger.**	[rd]-endo	**Part.**	[rd]-ido	–

Siglário

Gr.	gerúndio	**Ip. Ng.**	imperativo negativo
Id. Ft. Pr.	futuro do presente do indicativo	**p. p.**	pessoa do plural
Id. Ft. Pt.	futuro do pretérito do indicativo	**p. s.**	pessoa do singular
Id. Pr.	presente do indicativo	**Part.**	particípio
Id. Pt. Imp.	pretérito imperfeito do indicativo	**[rd]**	radical átono
Id. Pt. Mp.	pretérito mais-que-perfeito do indicativo	**[rd´]**	radical tônico
Id. Pt. Pf.	pretérito perfeito do indicativo	**Sb. Ft.**	futuro do subjuntivo
If. Im.	infinitivo impessoal	**Sb. Pr.**	presente do subjuntivo
If. Ps.	infinitivo pessoal	**Sb. Pt. Imp.**	pretérito imperfeito do subjuntivo
Ip. Af.	imperativo afirmativo		

Obs.: o verbo *jazer* tem a forma *jaz* na 3ª p. s. do Id. Pr. e na 2ª p. s. do Ip. Af., com perda da vogal temática [e].

Comportamento das vogais [e] e [o] orais tônicas nas formas rizotônicas

1. Os verbos da 2ª conjugação cuja última vogal do radical é [e] ou [o] orais têm essas vogais pronunciadas /ê/ e /ô/, respectivamente, no Id. Pr. 1ª p. s. e em todas as formas rizotônicas do Sb. Pr.; nas demais formas rizotônicas do Id. Pr., são pronunciadas /é/ e /ó/. Sejam os verbos *ceder* e *correr*:

	1ª p. s.	2ª p. s.	3ª p. s.	3ª p. p.
Id. Pr.	cedo /ê/	cedes /é/	cede /é/	cedem /é/
Sb. Pr.	ceda /ê/	cedas /ê/	ceda /ê/	cedam /ê/

	1ª p. s.	2ª p. s.	3ª p. s.	3ª p. p.
Id. Pr.	corro /ô/	corres /ó/	corre ó/	correm /ó/
Sb. Pr.	corra /ô/	corras /ô/	corra /ô/	corram /ô/

2. Nos verbos regulares da 2ª conjugação terminados em [oer], o [o] do final do radical nas formas rizotônicas tem a pronúncia /ô/ e a pronúncia /ó/ conforme a seguinte distribuição: 1º pronuncia-se /ô/ na primeira p.s. do Id. Pr., em todas as formas rizotônicas do Sb. Pr., na 3ª p.s. e na 3ª p.p. do Ip. Af. e em todo o Ip. Ng.; 2º pronuncia-se /ó/ na 2ª e 3ª p.s. e na 3ª p.p. do Id. Pr. e na 2ª p.s. do Ip. Af. Observe-se, ainda, que, na 2ª e na 3ª p.s. do Id.Pr., bem como na 2ª p.s. do Ip. Af., forma-se o ditongo /ói/, por causa da transformação da vogal temática /é/ na semivogal /y/. Tal ditongo se grafa [ói].

	1ª p. s.	2ª p. s.	3ª p. s.	3ª p. p.
Id. Pr.	moo /ô/	móis	mói	moem /ó/
Sb. Pr.	moa /ô/	moas /ô/	moa /ô/	moam /ô/

Nota 1: na 1ª p. s. do Id. Pt. Pf. o [i] tônico recebe acento agudo *moí.*

Nota 2: o verbo *soer* pertence a esse padrão. Trata-se, contudo, de verbo defectivo que só é conjugado nas seguintes formas:

	1ª p. s.	2ª p. s.	3ª p. s.	1ª p. p.	2ª p. p.	3ª p. p.
Id. Pr.	–	–	sói	–	–	soem
Id. Pt. Imp.	soía	soías	soía	soíamos	soíeis	soíam

Observações de caráter ortográfico que não implicam alteração morfológica

1) Os verbos da 2ª conjugação como *oferecer* e *nascer*, cujos radicais terminam, respectivamente, em [c] ou [sc], trocam o [c] por [ç] nas formas em que ao radical se seguir [o] ou [a]: *ofereço, ofereça (-s,-mos,-is,-m)* e *nasço, nasça (-s, -mos, -is, -m)*.

2) Os verbos da 2ª conjugação como *eleger* cujo radical termina em [g] têm esse [g] trocado por [j] nas formas em que ao radical se segue [o] ou [a]: *elejo /ê/, eleja (-s, -mos, is, -m)*.

3) Os verbos da 2ª conjugação como *erguer*, cujo radical termina em [gu], têm esse dígrafo trocado pela letra [g] sempre que ao radical se seguir [o] ou [a]: *ergo /ê/, erga /ê/* (-s, -mos, -is, -m).

Verbos da 2ª conjugação com duplo particípio

acender	acendido	aceso /ê/
eleger	elegido	eleito
prender	prendido	preso /ê/
suspender	suspendido	suspenso

Distribuição do uso dos dois particípios

acender
acendido [aux. *ter/haver*]
aceso /ê/ [aux. *ser*]

eleger
elegido [aux. *ter/haver*]
eleito [aux. *ter/haver*, possível, porém sem aval de tratadistas]
[aux. *ser*]

prender
prendido [aux. *ter/haver*]
preso /ê/ [aux. *ser*]

suspender
suspendido [aux. *ter/haver*, preferencial]
[aux. *ser*, ocorre, mas não recomendado pelos tratadistas]
suspenso [aux. *ser*, preferencial]

Quadro da flexão dos verbos da 3ª conjugação

Para se conjugar um verbo regular da 3ª conjugação, basta retirar a terminação -ir (vogal temática -i mais sufixo de infinitivo -r) do infinitivo impessoal e, ao segmento que restar (o radical = rd), acrescentar qualquer uma das terminações tabeladas a seguir.

	1ª p. s.	2ª p. s.	3ª p. s.	1ª p. p.	2ª p. p.	3ª p. p.
Id. Pr.	[rd´]-o	[rd´]-es	[rd´]-e	[rd]-imos	[rd]-is	[rd´]-em
Id. Pt. Imp.	[rd]-ia	[rd]-ias	[rd]-ia	[rd]-íamos	[rd]-íeis	[rd]-iam
Id. Pt. Pf.	[rd]-i	[rd]-iste	[rd]-iu	[rd]-imos	[rd]-istes	[rd]-iram
Id. Pt. Mp.	[rd]-ira	[rd]-iras	[rd]-ira	[rd]-íramos	[rd]-íreis	[rd]-iram
Id. Ft. Pr.	[rd]-irei	[rd]-irás	[rd]-irá	[rd]-iremos	[rd]-ireis	[rd]-irão
Id. Ft. Pt.	[rd]-iria	[rd]-irias	[rd]-iria	[rd]-iríamos	[rd]-iríeis	[rd]-iriam
Sb. Pr.	[rd´]-a	[rd´]-as	[rd´]-a	[rd]-amos	[rd]-ais	[rd´]-am
Sb. Pt. Imp.	[rd]-isse	[rd]-isses	[rd]-isse	[rd]-íssemos	[rd]-ísseis	[rd]-issem
Sb. Ft.	[rd]-ir	[rd]-ires	[rd]-ir	[rd]-irmos	[rd]-irdes	[rd]-irem
Ip. Af.	–	[rd´]-e	[rd´]-a	[rd]-amos	[rd]-i	[rd´]-am
Ip. Ng.	–	não [rd´]-as	não [rd´]-a	não [rd]-amos	não [rd]-ais	não [rd´]-am
If. Ps.	[rd]-ir	[rd]-ires	[rd]-ir	[rd]-irmos	[rd]-irdes	[rd]-irem
Formas Nominais							
If. Im.	[rd]-ir	Ger.	[rd]-indo	Part.	[rd]-ido	–

Siglário

Gr.	gerúndio	**Ip. Ng.**	imperativo negativo
Id. Ft. Pr.	futuro do presente do indicativo	**p. p.**	pessoa do plural
Id. Ft. Pt.	futuro do pretérito do indicativo	**p. s.**	pessoa do singular
Id. Pr.	presente do indicativo	**Part.**	particípio
Id. Pt. Imp.	pretérito imperfeito do indicativo	**[rd]**	radical átono
Id. Pt. Mp.	pretérito mais-que-perfeito do indicativo	**[rd´]**	radical tônico
Id. Pt. Pf.	pretérito perfeito do indicativo	**Sb. Ft.**	futuro do subjuntivo
If. Im.	infinitivo impessoal	**Sb. Pr.**	presente do subjuntivo
If. Ps.	infinitivo pessoal	**Sb. Pt. Imp.**	pretérito imperfeito do subjuntivo
Ip. Af.	imperativo afirmativo		

I – Verbos da 3ª conjugação com a última vogal do radical [e] oral seguida de consoante

Tais verbos trocam o [e] por [i] nas formas rizotônicas em que ao radical se segue [o] ou [a]; nas demais formas rizotônicas, o [e] se pronuncia /é/. Seja o verbo *servir*:

	1ª p. s.	2ª p. s.	3ª p. s.	3ª p. p.
Id. Pr.	sirvo	serves /é/	serve /é/	servem /é/
Sb. Pr.	sirva	sirvas	sirva	sirvam

Nota 1: os verbos *consentir, desmentir, mentir* e *sentir* seguem esse paradigma, observando-se apenas que, por terem nas formas rizotônicas a vogal tônica nasal, quando esta é [e], sua pronúncia se dá necessariamente com timbre fechado.

Nota 2: duas classes de verbos não seguem o paradigma do verbo *servir*. São elas:

a. *pedir* e seus compostos prefixais *desimpedir, despedir, expedir* e *impedir* e *medir* dos quais o Id. Pr. 1ª p. s. e todo o subjuntivo têm o [e] do radical realizado como /é/ e a consoante final do radical [d] passa a [ç]; as demais formas rizotônicas modelam-se pelo paradigma *servir*:

	1ª p. s.	2ª p. s.	3ª p. s.	3ª p. p.
Id. Pr.	peço /é/	pedes /é/	pede /é/	pedem /é/
Sb. Pr.	peça /é/	peças /é/	peça /é/	peçam /é/

b. *agredir* e seus conexos *progredir, regredir* e *transgredir*, e mais *denegrir* e *prevenir* cuja vogal final do radical [e] nas formas rizotônicas evolui para [i]:

	1ª p. s.	2ª p. s.	3ª p. s.	3ª p. p.
Id. Pr.	agrido	agrides	agride	agridem
Sb. Pr.	agrida	agridas	agrida	agridam

Nota 3: *frigir*, mesmo não apresentando [e] na última vogal do radical, mas sim [i], conjuga-se como *servir* no Id. Pr. 2ª p. s., 3ª p. s. e 3ª p. p., conjugando-se como *partir* nas demais formas rizotônicas e arrizotônicas:

	1ª p. s.	2ª p. s.	3ª p. s.	1ª p. p.	2ª p. p.	3ª p. p.
Id. Pr.	frijo	freges /é/	frege /é/	frigimos /í/	frigis /í/	fregem /é/
Sb. Pr.	frija	frijas	frija	frijamos /á/	frijais /áis/	frijam

Nota 4: no *Dicionário Houaiss da Língua Portuguesa*, seu autor sustenta que a melhor grafia para o verbo *denegrir* é *denigrir*, uma vez que se compõe de *de-* + lat. *nigrum* + *-ir*; nesse caso, o verbo seguiria totalmente o padrão de *partir*, saindo da lista em que neste estudo está colocado.

Nota 5: *cerzir* é verbo abundante em algumas formas rizotônicas, por isso tanto pode seguir o padrão de *servir* como o padrão de *agredir*; teríamos, pois, assim conjugado esse verbo:

	1ª p. s.	2ª p. s.	3ª p. s.	3ª p. p.
Id. Pr.	cirzo	cerzes /é/ *ou* cirzes	cerze /é/ *ou* cirze	cerzem /é/ *ou* cirzem
Sb. Pr.	cirza	cirzas	cirza	cirzam

Nota 6: os verbos *aspergir, emergir, imergir* e *submergir* apresentam problemas de uso, a julgar pelos tratadistas. Estes, a propósito desses verbos, dividem-se em três grupos. Para uns, são conjugados em todas as formas rizotônicas, apresentando nelas um jogo de alternância vocálica /ê/:/é/; /ê/ para as formas que ao radical se seguem [o] ou [a] e /é/ para as demais pessoas do Id. Pr. (a 2ª p. s., 3ª p. s. e 3ª p. p.). Para outros, ocorre um jogo opositivo /i/:/é/ entre aquelas mesmas formas indicadas anteriormente. Um terceiro grupo assevera que tais verbos não se conjugam (indicado pelo símbolo [Ø] na tabela) nas formas em que ao radical se seguiria [o] ou [a], deixando nesse caso de serem usados necessariamente no Id. Pr. 1ª p. s. e em todo o Sb. Pr.; teríamos então o seguinte quadro seja o verbo *emergir*:

	1ª p. s.	2ª p. s.	3ª p. s.	3ª p. p.
Id. Pr.	emerjo /ê/ emirjo Ø	emerges /é/	emerge /é/	emergem /é/
Sb. Pr.	emerja /ê/ emirja Ø	emerjas /ê/ emirjas Ø	emerja /ê/ emirja Ø	emerjam /ê/ emirjam Ø

II – Verbos da 3ª conjugação com a última vogal do radical [o] oral seguida de consoante

Em princípio, tais verbos trocam o [o] por [u] nas formas em que ao radical se seguem [o] ou [a]; nas demais formas rizotônicas, o [o] se pronuncia [ó]. Seja o verbo *cobrir*:

	1ª p. s.	2ª p. s.	3ª p. s.	3ª p. p.
Id. Pr.	cubro	cobres /ó/	cobre /ó/	cobrem /ó/
Sb. Pr.	cubra	cubras	cubra	cubram

Nota 1: não seguem o paradigma de *cobrir* os verbos *polir* e *sortir*, que, nas formas rizotônicas, trocam o [o] do radical por [u]:

	1ª p.s.	2ª p. s.	3ª p. s.	1ª p. p.	2ª p. p.	3ª p. p.
Id. Pr.	(pulo)	pules	pule	polimos	polis	pulem
Sb. Pr.	(pula)	(pulas)	(pula)	(pulamos)	(pulais)	(pulam)

Nota 2: por não haver unanimidade entre os tratadistas sobre o uso das formas rizotônicas em que ao radical se seguem [o] ou [a] – para uns podem elas ser usadas, para outros são formas vitandas –, optou-se, neste estudo, por escrever entre parênteses as formas sobre as quais há dissensão normativa.

III – Verbos da 3ª conjugação terminados no infinitivo em -gir

Tais verbos são basicamente regulares e não apresentam em suas formas rizotônicas alternância vocálica de espécie alguma. Deve-se apenas anotar que, nas formas em que ao radical se sigam [o] ou [a], no plano ortográfico, faz-se a troca da letra [g] pela letra [j]:

	1ª p. s.	2ª p. s.	3ª p. s.	1ª p. p.	2ª p. p.	3ª p. p.
Id. Pr.	aflijo	afliges	aflige	afligimos	afligis	afligem
Id. Pt. Imp.	afligia	afligias	afligia	afligíamos	afligíeis	afligiam
Id. Pt. Pf.	afligi	afligiste	afligiu	afligimos	afligistes	afligiram
Id. Pt. Mp.	afligira	afligiras	afligira	afligíramos	afligíreis	afligiram
Id. Ft. Pr.	afligirei	afligirás	afligirá	afligiremos	afligireis	afligirão
Id. Ft. Pt.	afligiria	afligirias	afligiria	afligiríamos	afligiríeis	afligiriam
Sb. Pr.	aflija	aflijas	aflija	aflijamos	aflijais	aflijam
Sb. Pt. Imp.	afligisse	afligisses	afligisse	afligíssemos	afligísseis	afligissem
Sb. Ft.	afligir	afligires	afligir	afligirmos	afligirdes	afligirem
Ip. Af.	–	aflige	aflija	aflijamos	afligi	aflijam
Ip. Ng.	–	não aflijas	não aflija	não aflijamos	não aflijais	não aflijam
If. Ps.	afligir	afligires	afligir	afligirmos	afligirdes	afligirem
Formas Nominais							
If. Im.	afligir	Ger.	afligindo	Part.	afligido	–

Como *afligir*, conjugam-se *adstringir, agir, cingir, coagir, coligir, *compungir, constringir, corrigir, dirigir, *disjungir, erigir, espargir, exigir, *expungir, *fulgir, impingir, infligir, infringir, *pungir, reagir, redigir, *refulgir, ressurgir, restringir, retroagir, surgir, tingir, transigir, ungir*.

Nota: não há consenso sobre a morfologia dos verbos precedidos de asterisco. Para uns, seriam conjugados em todos os tempos, modos e pessoas, para outros, não se conjugariam nas formas rizotônicas cujo radical vier seguido de [o] ou [a].

IV – Verbos cuja última vogal do radical é [u] seguido de consoante

Tais verbos dividem-se em dois grupos: aqueles que, nas formas rizotônicas, mantêm o [u] do radical sempre que a este se seguirem [o] ou [a], trocando nas demais o [u] por /ó/; e aqueles que mantêm a vogal [u] em todas as formas rizotônicas e arrizotônicas. Estes seguem o padrão do verbo *partir*.

Grupo 1: seja o verbo *acudir*:

	1ª p. s.	2ª p. s.	3ª p. s.	3ª p. p.
Id. Pr.	acudo	acodes /ó/	acode /ó/	acodem /ó/
Sb. Pr.	acuda	acudas	acuda	acudam

Como *acudir* se conjugam *bulir, consumir, cuspir, escapulir, fugir, sacudir, subir, sumir*.

Nota: os verbos *consumir* e *sumir*, nas formas rizotônicas em que trocam o [u] por [o], têm este naturalmente pronunciado /ô/, em virtude da nasal que se lhe segue.

Grupo 2: seja o verbo *aludir*:

	1ª p. s.	**2ª p. s.**	**3ª p. s.**	**3ª p. p.**
Id. Pr.	aludo	aludes	alude	aludem
Sb. Pr.	aluda	aludas	aluda	aludam

Nota 1: como *aludir* se conjugam *assumir, curtir, iludir, influir, presumir, resumir, urdir*, e todos seguem o paradigma de *partir*.

Nota 2: os verbos *entupir* e *desentupir* pertencem tanto ao primeiro quanto ao segundo grupo. Entre nós no Brasil, contudo, seguem preferencialmente o padrão de *acudir*.

Seja o verbo *entupir*:

	1ª p. s.	**2ª p. s.**	**3ª p. s.**	**3ª p. p.**
Id. Pr.	entupo	entopes /ó/ *ou* entupes	entope /ó/ *ou* entupe	entopem /ó/ *ou* entupem
Sb. Pr.	entupa	entupas	entupa	entupam

Nota: os verbos desse grupo cuja consoante do radical é [z] mantêm o [u] do radical em todas as formas rizotônicas e arrizotônicas, porém deixam de usar a terminação [e] no Id. Pr. 3ª p. s. e no Ip. Af. 2ª p. s.; no mais seguem o padrão de *partir*. Seja o verbo *aduzir*:

	1ª p. s.	**2ª p. s.**	**3ª p. s.**	**1ª p. p.**	**2ª p. p.**	**3ª p. p.**
Id. Pr.	aduzo	aduzes	aduz	aduzimos	aduzis	aduzem
Id. Pt. Imp.	aduzia	aduzias	aduzia	aduzíamos	aduzíeis	aduziam
Id. Pt. Pf.	aduzi	aduziste	aduziu	aduzimos	aduzistes	aduziram
Id. Pt. Mp.	aduzira	aduziras	aduzira	aduzíramos	aduzíreis	aduziram
Id. Ft. Pr.	aduzirei	aduzirás	aduzirá	aduziremos	aduzireis	aduzirão
Id. Ft. Pt.	aduziria	aduzirias	aduziria	aduziríamos	aduziríeis	aduziriam
Sb. Pr.	aduza	aduzas	aduza	aduzamos	aduzais	aduzam
Sb. Pt. Imp.	aduzisse	aduzisses	aduzisse	aduzíssemos	aduzísseis	aduzissem
Sb. Ft.	aduzir	aduzires	aduzir	aduzirmos	aduzirdes	aduzirem
Ip. Af.	–	aduz / aduze	aduza	aduzamos	aduzi	aduzam
Ip. Ng.	–	não aduzas	não aduza	não aduzamos	não aduzais	não aduzam
If. Ps.	aduzir	aduzires	aduzir	aduzirmos	aduzirdes	aduzirem
Formas Nominais						
If. Im.	aduzir	**Ger.**	aduzindo	**Part.**	aduzido	–

Seguem o paradigma de *aduzir*: *deduzir, entreluzir, induzir, luzir, preluzir, produzir, reconduzir, reintroduzir, reluzir, reproduzir, seduzir, traduzir, transluzir*.

V – Verbos cujo radical termina em [u]

Esses verbos têm as formas do Id. Pr. 2ª p. s. e 3ª p. s. terminadas em ditongo decrescente, em virtude das terminações [es] e [e], em contato com o [u] tônico do radical, terem o [e] evoluído para a semivogal /y/, grafada [i]. Tais verbos, no plano ortográfico, apresentam algumas particularidades; torna-se necessário, portanto, abrirem-se para eles dois paradigmas: *arguir* e *atribuir*. Seja o verbo *arguir*:

	1ª p. s.	2ª p. s.	3ª p. s.	1ª p. p.	2ª p. p.	3ª p. p.
Id. Pr.	arguo /ú/	arguis /ú/	argui /ú/	arguímos /u:i/	arguis /u:i/	arguem /ú/
Id. Pt. Imp.	arguía /u:i/	arguías /u:i/	arguía /u:i/	arguíamos /u:i/	arguíeis /u:i/	arguíam /u:i/
Id. Pt. Pf.	arguí /u:i/	arguíste /u:i/	arguiu /u:iu/	arguímos /u:i/	arguístes /u:i/	arguíram /u:i/
Id. Pt. Mp.	arguíra /u:i/	arguíras /u:i/	arguíra /u:i/	arguíramos /u:i/	arguíreis /u:i/	arguíram /u:i/
Id. Ft. Pr.	arguirei /u:i/	arguirás /u:i/	arguirá /u:i/	arguiremos /u:i/	arguireis /u:i/	arguirão /u:i/
Id. Ft. Pt.	arguiria /u:i/	arguirias /u:i/	arguiria /u:i/	arguiríamos /u:i/	arguiríeis /u:i/	arguiriam /u:i/
Sb. Pr.	argua /ú/	arguas /ú/	argua /ú/	arguamos /u:a/	arguais /u:a/	arguam /ú/
Sb. Pt. Imp.	arguísse /u:i/	arguísses /u:i/	arguísse /u:i/	arguíssemos /u:i/	arguísseis /u:i/	arguíssem /u:i/
Sb. Ft.	arguir /u:i/	arguíres /u:i/	arguir /u:i/	arguirmos /u:i/	arguirdes /u:i/	arguírem /u:i/
Ip. Af.	–	argui /ú/	argua /ú/	arguamos /u:a/	arguí	arguam /ú/
Ip. Ng.	–	não arguas /ú/	não argua /ú/	não arguamos /u:a/	não arguais /u:a/	não arguam /ú/
If. Ps.	arguir /u:i/	arguíres /u:i/	arguir /u:i/	arguirmos /u:i/	arguirdes /u:i/	arguírem /u:i/
Formas Nominais							
If. Im.	arguir /u:i/	Ger.	arguindo /u:i/	Part.	arguído	–

Nota 1: este verbo, em virtude do Acordo, sofreu algumas alteracões ortográficas. 1. Nas formas rizotônicas o [u] perde o acento agudo sempre que vem seguido de [i] ou de [e]. Assim passa-se a ter: *tu arguis /ú/, ele argui /ú/, eles arguem /ú/*. 2. Nas formas arrizotônicas a vogal [u] do radical, ao perder a tonicidade, fica necessariamente em hiato com a vogal temática [i], podendo, em alguns dialetos regionais do Brasil, formar com a vogal temática um ditongo crescente. Ressalte-se, contudo, que a pronúncia mais difundida é aquela em que a vogal [u] do radical está em hiato com a vogal temática [i]. De acordo com os critérios ortográficos de 1943, o [u] nas formas arrizotônicas, quando seguido da vogal temática [i] deveria receber sistematicamente o trema, como sinal de sua pronúncia. Com o desaparecimento do uso do trema, torna-se automática a aplicação de duas regras da Base X:

"1ª As vogais tónicas/tônicas grafadas *i* e *u* das palavras oxítonas e paroxítonas levam acento agudo quando antecedidas de uma vogal com que não formam ditongo e desde que não constituam sílaba com a eventual consoante seguinte, excetuando o caso de s [...]." "6ª Prescinde-se do acento agudo nos ditongos tónicos/tônicos grafados *iu* e *ui*, quando precedidos de vogal [...]."

Assim, portanto, é que deverão ser grafadas as seguintes formas arrizotônicas do verbo *arguir* /u:í/ em que o [i] é tônico: *arguímos, arguí(s), arguía(s, m), arguíste(s), arguíra(s, m), arguíramos, arguíreis, arguísse(s, m), arguíssemos, arguísseis, arguíres, arguírem*, bem como *arguiu*.

Conjuga-se como *arguir* /u:ir/ o verbo *redarguir* /u:ir/.

	1ª p. s.	2ª p. s.	3ª p. s.	1ª p. p.	2ª p. p.	3ª p. p.
Id. Pr.	atribuo	atribuis	atribui	atribuímos	atribuís	atribuem
Id. Pt. Imp.	atribuía	atribuías	atribuía	atribuíamos	atribuíeis	atribuíam
Id. Pt. Pf.	atribuí	atribuíste	atribuiu	atribuímos	atribuístes	atribuíram
Id. Pt. Mp.	atribuíra	atribuíras	atribuíra	atribuíramos	atribuíreis	atribuíram
Id. Ft. Pr.	atribuirei	atribuirás	atribuirá	atribuiremos	atribuireis	atribuirão
Id. Ft. Pt.	atribuiria	atribuirias	atribuiria	atribuiríamos	atribuiríeis	atribuiriam
Sb. Pr.	atribua	atribuas	atribua	atribuamos	atribuais	atribuam
Sb. Pt. Imp.	atribuísse	atribuísses	atribuísse	atribuíssemos	atribuísseis	atribuíssem
Sb. Ft.	atribuir	atribuíres	atribuir	atribuirmos	atribuirdes	atribuírem
Ip. Af.	–	atribui	atribua	atribuamos	atribuí	atribuam
Ip. Ng.	–	não atribuas	não atribua	não atribuamos	não atribuais	não atribuam
If. Ps.	atribuir	atribuíres	atribuir	atribuirmos	atribuirdes	atribuírem
Formas Nominais							
If. Im.	atribuir	Ger.	atribuindo	Part.	atribuído	–

Conjugam-se como *atribuir*: *aluir, anuir, concluir, constituir, contribuir, desobstruir, destituir, diluir, diminuir, distribuir, estatuir, excluir, fruir, imbuir, incluir, influir, instituir, instruir, obstruir, prostituir, redistribuir, reconstituir, restituir, substituir*.

Nota: os verbos *construir, destruir* e *reconstruir* seguem o seguinte padrão do verbo *construir*:

	1ª p. s.	2ª p. s.	3ª p. s.	3ª p. p.
Id. Pr.	construo	constróis *ou* construis	constrói *ou* construi	constroem *ou* construem
Sb. Pr.	construa	construas	construa	construam
Ip. Af.	–	constrói *ou* construi	construa	construam

Nos verbos desse grupo tanto no Brasil como em Portugal, as formas que ocorrem em primeiro lugar nas 2ª, 3ª pessoas do sing. e na 3ª p. p. do Id. Pr., bem como na 2ª p. s. do Ip. Af., são as mais usuais. Nos demais tempos, modos e respectivas pessoas, tais verbos se conjugam regularmente, como o verbo *atribuir*.

VI – Verbo desmilinguir /güir/

Este verbo assim como o verbo *delinquir* /qüir/ não possui nem a 1ª p. s. do Id. Pr. nem pessoa alguma do subjuntivo presente. Nas demais formas rizotônicas, a tonicidade recua para a sílaba anterior à da sílaba [gu] ou da sílaba [qu]. Nas formas arrizotônicas, o [u] do [gu] ou do [qu] vale unicamente pela semivogal posterior /ü/, o que dispensa a acentuacão da vogal temática [i] sempre que tônica, segundo a Base X, 1º item.

	1ª p. s.	2ª p. s.	3ª p. s.	3ª p. p.
Id. Pr.	–	desmilíngues /gües/	desmilíngue /güe/	desmilínguem /güem/
Sb. Pr.	(não se conjuga)			
Ip. Af.	–	desmilíngue /güe/	–	–

VII – Verbos da 3ª conjugação terminados em -air

	1ª p. s.	2ª p. s.	3ª p. s.	1ª p. p.	2ª p. p.	3ª p. p.
Id. Pr.	atraio	atrais	atrai	atraímos	atraís	atraem
Id. Pt. Imp.	atraía	atraías	atraía	atraíamos	atraíeis	atraíam
Id. Pt. Pf.	atraí	atraíste	atraiu	atraímos	atraístes	atraíram
Id. Pt. Mp.	atraíra	atraíras	atraíra	atraíramos	atraíreis	atraíram
Id. Ft. Pr.	atrairei	atrairás	atrairá	atrairemos	atraireis	atrairão
Id. Ft. Pt.	atrairia	atrairias	atrairia	atrairíamos	atrairíeis	atrairiam
Sb. Pr.	atraia	atrais	atraia	atraiamos	atraiais	atraiam
Sb. Pt. Imp.	atraísse	atraísses	atraísse	atraíssemos	atraísseis	atraíssem
Sb. Ft.	atrair	atraíres	atrair	atrairmos	atrairdes	atraírem
Ip. Af.	–	atrai	atraia	atraiamos	atraí	atraiam
Ip. Ng.	–	não atraias	não atraia	não atraiamos	não atraiais	não atraiam
If. Ps.	atrair	atraíres	atrair	atrairmos	atrairdes	atraírem
Formas Nominais							
If. Im.	atrair	Ger.	atraindo	Part.	atraído	–

Conjugam-se como *atrair*: *cair, contrair, decair, descair, detrair, distrair, esvair, extrair, recair, retrair, sair, sobressair, subtrair*.

VIII – Verbos defectivos da 3ª conjugação

a. Verbos defectivos não conjugados nas formas rizotônicas em que ao radical se seguem [o] ou [a]: *abolir*, **banir*, *bramir*, **brandir*, **brunir*, *carpir*, *colorir*, *delinquir*, **demolir*, **descolorir*, **descomedir-se*, **disjungir*, *exaurir*, **explodir*, **expungir*, *extorquir*, *fremir*, **grunhir*, **haurir*, **puir* (para Aurélio Buarque de Holanda só ocorre nas formas arrizotônicas), **pungir* (Gonçalves Dias, *apud* Aurélio Buarque de Holanda, usou *punja*), *retorquir*, **ruir*.
b. Verbos defectivos só conjugáveis nas formas arrizotônicas: *aguerrir, combalir, empedernir, falir, florir, foragir-se, reflorir, remir, renhir, ressequir, vagir*.

IX – Verbos da 3ª conjugação com duplo particípio

emergir	emergido	emerso /é/
exprimir	exprimido	expresso /é/
extinguir	extinguido	extinto
frigir	frigido	frito
imergir	imergido	imerso /é/
imprimir[2] 'estampar'	imprimido	impresso /é/
inserir	inserido	inserto /é/
submergir	submergido	submerso /é/

Distribuição de uso dos dois particípios

emergir
emergido [aux. *ter/haver*]
  [aux. *ser*]
emerso /é/ [aux. *ser*]

exprimir
exprimido [aux. *ter/haver*]
expresso /é/ [aux. *ser*]

extinguir
extinguido [aux. *ter/haver*]
  [aux. *ser*, preferencial]
extinto [aux. *ser*, mais raro]

frigir
frigido [aux. *ter/haver*]
frito [aux. *ser*]

imergir
imergido [aux. *ter/haver*]
imerso /é/ [aux. *ser*]

imprimir[1] 'produzir movimento'
imprimido [aux. *ter/haver*]
  [aux. *ser*]

imprimir[2] 'estampar, gravar'
imprimido [aux. *ter/haver*]
  [aux. *ser*, pouco frequente]

impresso [aux. *ser*, preferencial]

inserir
inserido [aux. *ter/haver*]
[aux. *ser*, preferencial]
inserto /é/ [aux. *ser*, pouco usado]

submergir
sumergido [aux. *ter/haver*]
[aux. *ser*]
submerso /é/ [aux. *ser*]

Paradigmas verbais

1. Ter
2. Haver
3. Ser
4. Estar
5. Falar
6. Abalar-se
7. Abalá-lo
8. Selar
9. Telhar
10. Pejar
11. Chegar
12. Fechar
13. Flechar
14. Atear
15. Estrear
16. Ansiar
17. Adiar
18. Aceitar
19. Endeusar
20. Colar
21. Açoitar
22. Roubar
23. Boiar
24. Aboiar
25. Assoar
26. Saudar
27. Resfolegar
28. Mobiliar
29. Enxaguar
30. Averiguar
31. Adequar
32. Apropinquar
33. Captar
34. Pagar
35. Sacar
36. Calçar
37. Viajar
38. Dar
39. Bater
40. Arrepender-se
41. Ceder
42. Correr
43. Moer
44. Soer
45. Precaver
46. Nascer
47. Eleger
48. Erguer
49. Crer
50. Valer
51. Perder
52. Requerer
53. Aprazer
54. Caber
55. Saber
56. Querer
57. Dizer
58. Prover
59. Ver
60. Jazer
61. Fazer
62. Reaver
63. Trazer
64. Poder
65. Pôr
66. Partir
67. Partir-se
68. Parir
69. Servir
70. Cerzir
71. Pedir
72. Agredir
73. Frigir
74. Emergir
75. Ouvir
76. Cobrir
77. Acudir
78. Entupir
79. Construir
80. Atribuir
81. Arguir
82. Aduzir
83. Sair
84. Abolir
85. Vir
86. Aguerrir
87. Desmilinguir-se
88. Ir
89. Polir
90. Proibir
91. Rir
92. Afligir
93. Conseguir
94. Ressarcir

Quadros da conjugação dos paradigmas verbais

1. Ter						
	1ª p. s.	2ª p. s.	3ª p. s.	1ª p. p.	2ª p. p.	3ª p. p.
Id. Pr.	tenho	tens	tem	temos	tendes	têm
Id. Pt. Imp.	tinha	tinhas	tinha	tínhamos	tínheis	tinham
Id. Pt. Pf.	tive	tiveste /é/	teve /ê/	tivemos	tivestes /é/	tiveram /é/
Id. Pt. Mp.	tivera /é/	tiveras /é/	tivera /é/	tivéramos	tivéreis	tiveram /é/
Id. Ft. Pr.	terei	terás	terá	teremos	tereis	terão
Id. Ft. Pt.	teria	terias	teria	teríamos	teríeis	teriam
Sb. Pr.	tenha	tenhas	tenha	tenhamos	tenhais	tenham
Sb. Pt. Imp.	tivesse /é/	tivesses /é/	tivesse /é/	tivéssemos	tivésseis	tivessem /é/
Sb. Ft.	tiver /é/	tiveres /é/	tiver /é/	tivermos	tiverdes /é/	tiverem /é/
Ip. Af.	–	tem	tenha	tenhamos	tende	tenham
Ip. Ng.	–	não tenhas	não tenha	não tenhamos	não tenhais	não tenham
If. Ps.	ter	teres	ter	termos	terdes	terem
Formas Nominais							
If. Im.	ter	**Ger.**	tendo	**Part.**	tido	–

2. Haver						
	1ª p. s.	2ª p. s.	3ª p. s.	1ª p. p.	2ª p. p.	3ª p. p.
Id. Pr.	hei	hás	há	havemos/hemos	haveis/heis	hão
Id. Pt. Imp.	havia	havias	havia	havíamos	havíeis	haviam
Id. Pt. Pf.	houve	houveste /é/	houve	houvemos	houvestes /é/	houveram /é/
Id. Pt. Mp.	houvera /é/	houveras /é/	houvera /é/	houvéramos	houvéreis	houveram /é/
Id. Ft. Pr.	haverei	haverás	haverá	haveremos	havereis	haverão
Id. Ft. Pt.	haveria	haverias	haveria	haveríamos	haveríeis	haveriam
Sb. Pr.	haja	hajas	haja	hajamos	hajais	hajam
Sb. Pt. Imp.	houvesse /é/	houvesses /é/	houvesse /é/	houvéssemos	houvésseis	houvessem /é/
Sb. Ft.	houver /é/	houveres /é/	houver /é/	houvermos /é/	houverdes /é/	houverem /é/
Ip. Af.	–	–	haja	hajamos	havei	hajam
Ip. Ng.	–	não hajas	não haja	não hajamos	não hajais	não hajam
If. Ps.	haver	haveres	haver	havermos	haverdes	haverem
Formas Nominais							
If. Im.	haver	**Ger.**	havendo	**Part.**	havido	–

3. Ser

	1ª p. s.	2ª p. s.	3ª p. s.	1ª p. p.	2ª p. p.	3ª p. p.
Id. Pr.	sou	és	é	somos	sois	são
Id. Pt. Imp.	era /é/	eras /é/	era /é/	éramos	éreis	eram /é/
Id. Pt. Pf.	fui	foste /ô/	foi /ôy/	fomos	fostes /ô/	foram /ô/
Id. Pt. Mp.	fora /ô/	foras /ô/	fora /ô/	fôramos	fôreis	foram /ô/
Id. Ft. Pr.	serei	serás	será	seremos	sereis	serão
Id. Ft. Pt.	seria	serias	seria	seríamos	seríeis	seriam
Sb. Pr.	seja	sejas	seja	sejamos	sejais	sejam
Sb. Pt. Imp.	fosse /ô/	fosses /ô/	fosse /ô/	fôssemos	fôsseis	fossem /ô/
Sb. Ft.	for /ô/	fores /ô/	for /ô/	formos /ô/	fordes /ô/	forem /ô/
Ip. Af.	–	sê	seja	sejamos	sede /ê/	sejam
Ip. Ng.	–	não sejas	não seja	não sejamos	não sejais	não sejam
If. Ps.	ser	seres	ser	sermos	serdes	serem
Formas Nominais						
If. Im.	ser	Ger.	sendo	Part.	sido	–

4. Estar

	1ª p. s.	2ª p. s.	3ª p. s.	1ª p. p.	2ª p. p.	3ª p. p.
Id. Pr.	estou	estás	está	estamos	estais	estão
Id. Pt. Imp.	estava	estavas	estava	estávamos	estáveis	estavam
Id. Pt. Pf.	estive	estiveste /é/	esteve /ê/	estivemos	estivestes /é/	estiveram /é/
Id. Pt. Mp.	estivera /é/	estiveras /é/	estivera /é/	estivéramos	estivéreis	estiveram /é/
Id. Ft. Pr.	estarei	estarás	estará	estaremos	estareis	estarão
Id. Ft. Pt.	estaria	estarias	estaria	estaríamos	estaríeis	estariam
Sb. Pr.	esteja	estejas	esteja	estejamos	estejais	estejam
Sb. Pt. Imp.	estivesse /é/	estivesses /é/	estivesse /é/	estivéssemos	estivésseis	estivessem /é/
Sb. Ft.	estiver /é/	estiveres /é/	estiver /é/	estivermos /é/	estiverdes /é/	estiverem /é/
Ip. Af.	–	está	esteja	estejamos	estai	estejam
Ip. Ng.	–	não estejas	não esteja	não estejamos	não estejais	não estejam
If. Ps.	estar	estares	estar	estarmos	estardes	estarem
Formas Nominais						
If. Im.	estar	Ger.	estando	Part.	estado	–

5. Falar

	1ª p. s.	2ª p. s.	3ª p. s.	1ª p. p.	2ª p. p.	3ª p. p.
Id. Pr.	falo	falas	fala	falamos	falais	falam
Id. Pt. Imp.	falava	falavas	falava	falávamos	faláveis	falavam
Id. Pt. Pf.	falei	falaste	falou	falamos	falastes	falaram
Id. Pt. Mp.	falara	falaras	falara	faláramos	faláreis	falaram
Id. Ft. Pr.	falarei	falarás	falará	falaremos	falareis	falarão
Id. Ft. Pt.	falaria	falarias	falaria	falaríamos	falaríeis	falariam
Sb. Pr.	fale	fales	fale	falemos	faleis	falem
Sb. Pt. Imp.	falasse	falasses	falasse	falássemos	falásseis	falassem
Sb. Ft.	falar	falares	falar	falarmos	falardes	falarem
Ip. Af.	–	fala	fale	falemos	falai	falem
Ip. Ng.	–	não fales	não fale	não falemos	não faleis	não falem
If. Ps.	falar	falares	falar	falarmos	falardes	falarem
Formas Nominais							
If. Im.	falar	**Ger.**	falando	**Part.**	falado	–

6. Abalar-se

	1ª p. s.	2ª p. s.	3ª p. s.	1ª p. p.	2ª p. p.	3ª p. p.
Id. Pr.	abalo-me	abalas-te	abala-se	abalamo-nos	abalais-vos	abalam-se
Id. Pt. Imp.	abalava-me	abalavas-te	abalava-se	abalávamo-nos	abaláveis-vos	abalavam-se
Id. Pt. Pf.	abalei-me	abalaste-te	abalou-se	abalamo-nos	abalastes-vos	abalaram-se
Id. Pt. Mp.	abalara-me	abalaras-te	abalara-se	abaláramo-nos	abaláreis-vos	abalaram-se
Id. Ft. Pr.	abalar-me-ei	abalar-te-ás	abalar-se-á	abalar-nos--emos	abalar-vos--eis	abalar-se-ão
Id. Ft. Pt.	abalar-me-ia	abalar-te--ias	abalar--se-ia	abalar-nos--íamos	abalar-vos--íeis	abalar-se--iam
Sb. Pr.	abale-me	abales-te	abale-se	abalemo-nos	abaleis-vos	abalem-se
Sb. Pt. Imp.	abalasse-me	abalasses-te	abalasse--se	abalássemo--nos	abalásseis--vos	abalassem--se
Sb. Ft.	abalar-me	abalares-te	abalar-se	abalarmo-nos	abalardes--vos	abalarem-se
Ip. Af.	–	abala-te	abale-se	abalemo-nos	abalai-vos	abalem-se
Ip. Ng.	–	não te abales	não se abale	não nos abalemos	não vos abaleis	não se abalem
If. Ps.	abalar-me	abalares-te	abalar-se	abalarmo-nos	abalardes--vos	abalarem-se
Formas Nominais							
If. Im.	abalar-se	**Ger.**	abalando-se	**Part.**	abalado	–

Obs.: as formas de Sb. Pr., de modo geral, não são usadas com o pronome átono em posição enclítica.

7. Abalá-lo

	1ª p. s.	2ª p. s.	3ª p. s.	1ª p. p.	2ª p. p.	3ª p. p.
Id. Pr.	abalo-o	abala-lo	abala-o	abalamo-lo	abalai-lo	abalam-no
Id. Pt. Imp.	abalava-o	abalava-lo	abalava-o	abalávamo-lo	abaláveis-lo	abalavam-no
Id. Pt. Pf.	abalei-o	abalaste-o	abalou-o	abalamo-lo	abalaste-lo	abalaram-no
Id. Pt. Mp.	abalara-o	abalara-lo	abalara-o	abaláramo-lo	abalárei-lo	abalaram-no
Id. Ft. Pr.	abalá-lo-ei	abalá-lo-ás	abalá-lo-á	abalá-lo-emos	abalá-lo-eis	abalá-lo-ão
Id. Ft. Pt.	abalá-lo-ia	abalá-lo-ias	abalá-lo-ia	abalá-lo-íamos	abalá-lo-íeis	abalá-lo-iam
Sb. Pr.	abale-o	abale-lo	abale-o	abalemo-lo	abalei-lo	abalem-no
Sb. Pt. Imp.	abalasse-o	abalasse-lo	abalasse-o	abalássemo-lo	abalássei-lo	abalassem-no
Sb. Ft.	abalá-lo	abalare-lo	abalá-lo	abalarmo-lo	abalarde-lo	abalarem-no
Ip. Af.	–	abala-o	abale-o	abalemo-lo	abalai-o	abalem-no
Ip. Ng.	–	não o abales	não o abale	não o abalemos	não o abaleis	não o abalem
If. Ps.	abalá-lo	abalare-lo	abalá-lo	abalarmo-lo	abalarde-lo	abalarem-no
Formas Nominais							
If. Im.	abalá-lo	Ger.	abalando-o	Part.	abalado	–

8. Selar

	1ª p. s.	2ª p. s.	3ª p. s.	3ª p. p.
Id. Pr.	selo /é/	selas /é/	sela /é/	selam /é/
Sb. Pr.	sele /é/	seles /é/	sele /é/	selem /é/

9. Espelhar

	1ª p. s.	2ª p. s.	3ª p. s.	3ª p. p.
Id. Pr.	espelho /ê/	espelhas /ê/	espelha /ê/	espelham /ê/
Sb. Pr.	espelhe /ê/	espelhes /ê/	espelhe /ê/	espelhem /ê/

10. Pejar

	1ª p. s.	2ª p. s.	3ª p. s.	3ª p. p.
Id. Pr.	arejo /ê/	arejas /ê/	areja /ê/	arejam /ê/
Sb. Pr.	areje /ê/	arejes /ê/	areje /ê/	arejem /ê/

11. Chegar

	1ª p. s.	2ª p. s.	3ª p. s.	3ª p. p.
Id. Pr.	chego /ê/	chegas /ê/	chega /ê/	chegam /ê/
Sb. Pr.	chegue /ê/	chegues /ê/	chegue /ê/	cheguem /ê/

12. Fechar

	1ª p. s.	2ª p. s.	3ª p. s.	3ª p. p.
Id. Pr.	fecho /ê/	fechas /ê/	fecha /ê/	fecham /ê/
Sb. Pr.	feche /ê/	feches /ê/	feche /ê/	fechem /ê/

13. Flechar

	1ª p. s.	2ª p. s.	3ª p. s.	3ª p. p.
Id. Pr.	flecho /é/	flechas /é/	flecha /é/	flecham /é/
Sb. Pr.	fleche /é/	fleches /é/	fleche /é/	flechem /é/

14. Atear

	1ª p. s.	2ª p. s.	3ª p. s.	3ª p. p.
Id. Pr.	ateio /êy/	ateias /êy/	ateia /êy/	ateiam /êy/
Sb. Pr.	ateie /êy/	ateies /êy/	ateie /êy/	ateiem /êy/

15. Estrear

	1ª p. s.	2ª p. s.	3ª p. s.	3ª p. p.
Id. Pr.	estreio /é/	estreias /é/	estreia /é/	estreiam /é/
Sb. Pr.	estreie /é/	estreies /é/	estreie /é/	estreiem /é/

16. Ansiar

	1ª p. s.	2ª p. s.	3ª p. s.	1ª p. p.	2ª p. p.	3ª p. p.
Id. Pr.	anseio /êy/	anseias /êy/	anseia /êy/	ansiamos	ansiais	anseiam /êy/
Sb. Pr.	anseie /êy/	anseies /êy/	anseie /êy/	ansiemos	ansieis	anseiem /êy/

17. Adiar

	1ª p. s.	2ª p. s.	3ª p. s.	1ª p. p.	2ª p. p.	3ª p. p.
Id. Pr.	adio /í/	adias /í/	adia /í/	adiamos	adiais	adiam /í/
Sb. Pr.	adie /í/	adies /í/	adie /í/	adiemos	adieis	adiem /í/

18. Aceitar

	1ª p. s.	2ª p. s.	3ª p. s.	3ª p. p.
Id. Pr.	aceito /êy/	aceitas /êy/	aceita /êy/	aceitam /êy/
Sb. Pr.	aceite /êy/	aceites /êy/	aceite /êy/	aceitem /êy/

19. Endeusar

	1ª p. s.	2ª p. s.	3ª p. s.	3ª p. p.
Id. Pr.	endeuso /êw/	endeusas /êw/	endeusa /êw/	endeusam /êw/
Sb. Pr.	endeuse /êw/	endeuses /êw/	endeuse /êw/	endeusem /êw/

20. Colar

	1ª p. s.	2ª p. s.	3ª p. s.	3ª p. p.
Id. Pr.	colo /ó/	colas /ó/	cola /ó/	colam /ó/
Sb. Pr.	cole /ó/	coles /ó/	cole /ó/	colem /ó/

21. Açoitar

	1ª p. s.	2ª p. s.	3ª p. s.	3ª p. p.
Id. Pr.	açoito /ôy/	açoitas /ôy/	açoita /ôy/	açoitam /ôy/
Sb. Pr.	açoite /ôy/	açoites /ôy/	açoite /ôy/	açoitem /ôy/

22. Roubar

	1ª p. s.	2ª p. s.	3ª p. s.	3ª p. p.
Id. Pr.	roubo /ôw/ ou /ô/	roubas /ôw/ ou /ô/	rouba /ôw/ ou /ô/	roubam /ôw/ ou /ô/
Sb. Pr.	roube /ôw/ ou /ô/	roubes /ôw/ ou /ô/	roube /ôw/ ou /ô/	roubem /ôw/ ou /ô/

23. Boiar

	1ª p. s.	2ª p. s.	3ª p. s.	3ª p. p.
Id. Pr.	boio /ó/	boias /ó/	boia /ó/	boiam /ó/
Sb. Pr.	boie /ó/	boies /ó/	boie /ó/	boiem /ó/

24. Aboiar

	1ª p. s.	2ª p. s.	3ª p. s.	3ª p. p.
Id. Pr.	aboio /ôy/	aboias /ôy/	aboia /ôy/	aboiam /ôy/
Sb. Pr.	aboie /ôy/	aboies /ôy/	aboie /ôy/	aboiem /ôy/

25. Assoar

	1ª p. s.	2ª p. s.	3ª p. s.	3ª p. p.
Id. Pr.	assoo /ô/	assoas /ô/	assoa /ô/	assoam /ô/
Sb. Pr.	assoe /ô/	assoes /ô/	assoe /ô/	assoem /ô/

26. Saudar

	1ª p. s.	2ª p. s.	3ª p. s.	3ª p. p.
Id. Pr.	saúdo	saúdas	saúda	saúdam
Sb. Pr.	saúde	saúdes	saúde	saúdem

27. Resfolegar

	1ª p. s.	2ª p. s.	3ª p. s.	3ª p. p.
Id. Pr.	resfólego resfolgo /ó/	resfólegas resfolgas /ó/	resfólega resfolga /ó/	resfólegam resfolgam /ó/
Sb. Pr.	resfólegue resfolgue /ó/	resfólegues resfolgues /ó/	resfólegue resfolgue /ó/	resfóleguem resfolguem /ó/

28. Mobiliar

	1ª p. s.	2ª p. s.	3ª p. s.	3ª p. p.
Id. Pr.	mobílio	mobílias	mobília	mobíliam
Sb. Pr.	mobílie	mobílies	mobílie	mobíliem

29. Enxaguar

	1ª p. s.	2ª p. s.	3ª p. s.	3ª p. p.
Id. Pr.	enxáguo	enxáguas	enxágua	enxáguam
Sb. Pr.	enxágue /güe/	enxágues /güe/	enxágue /güe/	enxáguem /güe/

30. Averiguar

	1ª p. s.	2ª p. s.	3ª p. s.	3ª p. p.
Id. Pr.	averiguo /ú/	averiguas /ú/	averigua /ú/	averiguam /ú/
Sb. Pr.	averigue /ú/	averigues /ú/	averigue /ú/	averiguem /ú/

31. Adequar

	1ª p. s.	2ª p. s.	3ª p. s.	3ª p. p.
Id. Pr.	adequo	adequas	adequa	adequam
Sb. Pr.	adeque /ú/	adeques /ú/	adeque /ú/	adequem /ú/

32. Apropinquar

	1ª p. s.	2ª p. s.	3ª p. s.	3ª p. p.
Id. Pr.	apropínquo	apropínquas	apropínqua	apropínquam
Sb. Pr.	apropínque /ü/	apropínques /ü/	apropínque /ü/	apropínquem /ü/

33. Captar

	1ª p. s.	2ª p. s.	3ª p. s.	3ª p. p.
Id. Pr.	capto /á/	captas /á/	capta /á/	captam /á/
Sb. Pr.	capte /á/	captes /á/	capte /á/	captem /á/

34. Pagar

	1ª p. s.	2ª p. s.	3ª p. s.	1ª p. p.	2ª p. p.	3ª p. p.
Id. Pt. Pf.	paguei					
Sb. Pr.	pague	pagues	pague	paguemos	pagueis	paguem

Obs.: nos verbos regulares da 1ª conjugação com radical terminado em [g], troca-se esta letra pelo dígrafo [gu] quando ao radical se segue [e]. Isso ocorre no Id.Pt.Pf. 1ª p.s. e em todo o Sb.Pr.

35. Sacar

	1ª p. s.	2ª p. s.	3ª p. s.	1ª p. p.	2ª p. p.	3ª p. p.
Id. Pt. Pf.	saquei					
Sb. Pr.	saque	saques	saque	saquemos	saqueis	saquem

Obs.: nos verbos regulares da 1ª conjugação com radical terminado em [c], troca-se esta pelo dígrafo [qu] sempre que ao radical seguir-se [e]. Isso ocorre no Id.Pt.Pf. 1ª p.s. e em todo o Sb.Pr.

36. Calçar

	1ª p. s.	2ª p. s.	3ª p. s.	1ª p. p.	2ª p. p.	3ª p. p.
Id. Pt. Pf.	calcei					
Sb. Pr.	calce	calces	calce	calcemos	calceis	calcem

Obs.: nos verbos regulares da 1ª conjugação com radical terminado em [ç], troca-se esta pela letra [c], sempre que ao radical seguir-se [e]. Isso ocorre no Id.Pt.Pf. 1ª p.s. e em todo o Sb.Pr.

37. Viajar

	1ª p. s.	2ª p. s.	3ª p. s.	1ª p. p.	2ª p. p.	3ª p. p.
Id. Pt. Pf.	viajei					
Sb. Pr.	viaje	viajes	viaje	viajemos	viajeis	viajem

Obs.: nos verbos regulares da 1ª conjugação com radical terminado em [j], esta se mantém em todas as formas.

38. Dar

	1ª p. s.	2ª p. s.	3ª p. s.	1ª p. p.	2ª p. p.	3ª p. p.
Id. Pr.	dou	dás	dá	damos	dais	dão
Id. Pt. Imp.	dava	davas	dava	dávamos	dáveis	davam
Id. Pt. Pf.	dei	deste /é/	deu	demos	destes /é/	deram /é/
Id. Pt. Mp.	dera /é/	deras /é/	dera /é/	déramos	déreis	deram /é/
Id. Ft. Pr.	darei	darás	dará	daremos	dareis	darão
Id. Ft. Pt.	daria	darias	daria	daríamos	daríeis	dariam
Sb. Pr.	dê	dês	dê	demos	deis	deem
Sb. Pt. Imp.	desse /é/	desses /é/	desse /é/	déssemos	désseis	dessem /é/
Sb. Ft.	der /é/	deres /é/	der /é/	dermos /é/	derdes /é/	derem /é/
Ip. Af.	–	dá	dê	demos	dai	deem
Ip. Ng.	–	não dês	não dê	não demos	não deis	não deem
If. Ps.	dar	dares	dar	darmos	dardes	darem
Formas Nominais						
If. Im.	dar	Ger.	dando	Part.	dado	–

39. Bater

	1ª p. s.	2ª p. s.	3ª p. s.	1ª p. p.	2ª p. p.	3ª p. p.
Id. Pr.	bato	bates	bate	batemos	bateis	batem
Id. Pt. Imp.	batia	batias	batia	batíamos	batíeis	batiam
Id. Pt. Pf.	bati	bateste	bateu	batemos	batestes	bateram
Id. Pt. Mp.	batera	bateras	batera	batêramos	batêreis	bateram
Id. Ft. Pr.	baterei	baterás	baterá	bateremos	batereis	baterão
Id. Ft. Pt.	bateria	baterias	bateria	bateríamos	bateríeis	bateriam
Sb. Pr.	bata	batas	bata	batamos	batais	batam
Sb. Pt. Imp.	batesse	batesses	batesse	batêssemos	batêsseis	batessem
Sb. Ft.	bater	bateres	bater	batermos	baterdes	baterem
Ip. Af.	–	bate	bata	batamos	batei	batam
Ip. Ng.	–	não batas	não bata	não batamos	não batais	não batam
If. Ps.	bater	bateres	bater	batermos	baterdes	baterem
Formas Nominais						
If. Im.	bater	Ger.	batendo	Part.	batido	–

40. Arrepender-se

	1ª p.s.	2ª p.s.	3ª p.s.	1ª p.p.	2ª p.p.	3ª p.p.
Id. Pr.	arrependo-me	arrependes-te	arrepende-se	arrependemo-nos	arrependeis-vos	arrependem-se
Id. Pt. Imp.	arrependia-me	arrependias-te	arrependia-se	arrependíamo-nos	arrependíeis-vos	arrependiam-se
Id. Pt. Pf.	arrependi-me	arrependeste-te	arrependeu-se	arrependemo-nos	arrependestes-vos	arrependeram-se
Id. Pt. Mp.	arrependera-me	arrependeras-te	arrependera-se	arrependêramo-nos	arrependêreis-vos	arrependeram-se
Id. Ft. Pr.	arrepender-me-ei	arrepender-te-ás	arrepender-se-á	arrepender-nos-emos	arrepender-vos-eis	arrepender-se-ão
Id. Ft. Pt.	arrepender-me-ia	arrepender-te-ias	arrepender-se-ia	arrepender-nos-íamos	arrepender-vos-íeis	arrepender-se-iam
Sb. Pr.	arrependa-me	arrependas-te	arrependa-se	arrependamo-nos	arrependais-vos	arrependam-se
Sb. Pt. Imp.	arrependesse-me	arrependesses-te	arrependesse-se	arrependêssemo-nos	arrependêsseis-vos	arrependessem-se
Sb. Ft.	arrepender-me	arrependeres-te	arrepender-se	arrependermo-nos	arrependerdes-vos	arrependerem-se
Ip. Af.	–	arrepende-te	arrependa-se	arrependamo-nos	arrependei-vos	arrependam-se
Ip. Ng.	–	não te arrependas	não se arrependa	não nos arrependamos	não vos arrependais	não se arrependam
If. Ps.	arrepender-me	arrependeres-te	arrepender-se	arrependermo-nos	arrependerdes-vos	arrependerem-se

Formas Nominais

If. Im.	Ger.	Part.
arrepender-se	arrependendo-se	arrependido	–

As formas de Sb. Pr., de modo geral, não são usadas com o pronome átono em posição enclítica.

41. Ceder				
	1ª p. s.	**2ª p. s.**	**3ª p. s.**	**3ª p. p.**
Id. Pr.	cedo /ê/	cedes /é/	cede /é/	cedem /é/
Sb. Pr.	ceda /ê/	cedas /ê/	ceda /ê/	cedam /ê/

42. Correr				
	1ª p. s.	**2ª p. s.**	**3ª p. s.**	**3ª p. p.**
Id. Pr.	corro /ô/	corres /ó/	corre /ó/	correm /ó/
Sb. Pr.	corra /ô/	corras /ô/	corra /ô/	corram /ô/

43. Moer				
	1ª p. s.	**2ª p. s.**	**3ª p. s.**	**3ª p. p.**
Id. Pr.	moo /ô/	móis	mói	moem /ó/
Sb. Pr.	moa /ô/	moas /ô/	moa /ô/	moam /ô/

44. Soer						
	1ª p. s.	**2ª p. s.**	**3ª p. s.**	**1ª p. p.**	**2ª p. p.**	**3ª p. p.**
Id. Pr.			sói			soem /ó/
Id. Pt. Imp.	soía	soías	soía	soíamos	soíeis	soíam

45. Precaver						
	1ª p. s.	**2ª p. s.**	**3ª p. s.**	**1ª p. p.**	**2ª p. p.**	**3ª p. p.**
Id. Pr.	–	–	–	precavemos	precaveis	–
Id. Pt. Imp.	precavia	precavias	precavia	precavíamos	precavíeis	precaviam
Id. Pt. Pf.	precavi	precaveste	precaveu	precavemos	precavestes	precaveram
Id. Pt. Mp.	precavera	precaveras	precavera	precavêramos	precavêreis	precaveram
Id. Ft. Pr.	precaverei	precaverás	precaverá	precaveremos	precavereis	precaverão
Id. Ft. Pt.	precaveria	precaverias	precaveria	precaveríamos	precaveríeis	precaveriam
Sb. Pr.	–	–	–	–	–	–
Sb. Pt. Imp.	precavesse	precavesses	precavesse	precavêssemos	precavêsseis	precavessem
Sb. Ft.	precaver	precaveres	precaver	precavermos	precaverdes	precaverem
Ip. Af.	–	–	–	–	precavei	–
Ip. Ng.	–	–	–	–	–	–
If. Ps.	precaver	precaveres	precaver	precavermos	precaverdes	precaverem
Formas Nominais							
If. Im.	precaver	**Ger.**		precavendo	**Part.**	precavido	–

46. Nascer

	1ª p. s.	2ª p. s.	3ª p. s.	1ª p. p.	2ª p. p.	3ª p. p.
Id. Pr.	nasço	–	–	–	–	–
Sb. Pr.	nasça	nasças	nasça	nasçamos	nasçais	nasçam

Obs.: nos verbos regulares da 2ª conjugação com radical terminado com a letra [c], troca-se esta por [ç] quando ao radical se seguem [o] ou [a]. Isso ocorre no Id. Pr. 1ª p.s. e em todo o Sb. Pr.

47. Eleger

	1ª p. s.	2ª p. s.	3ª p. s.	1ª p. p.	2ª p. p.	3ª p. p.
Id. Pr.	elejo					
Sb. Pr.	eleja	elejas	eleja	elejamos	elejais	elejam

Obs.: nos verbos regulares da 2ª conjugação com radical terminado com a letra [g], troca-se esta por [j] quando ao radical se seguem [o] ou [a]. Isso ocorre no Id. Pr. 1ª p.s. e em todo o Sb. Pr.

48. Erguer

	1ª p. s.	2ª p. s.	3ª p. s.	1ª p. p.	2ª p. p.	3ª p. p.
Id. Pr.	ergo /ê/	–	–	–	–	–
Sb. Pr.	erga /ê/	ergas /ê/	erga /ê/	ergamos	ergais	ergam /ê/

Obs.: nos verbos regulares da 2ª conjugação com radical terminado com a letra [gu], troca-se este dígrafo por [g] quando ao radical se seguem [o] ou [a]. Isso ocorre no Id. Pr. 1ª p.s. e em todo o Sb. Pr.

49. Crer

	1ª p. s.	2ª p. s.	3ª p. s.	1ª p. p.	2ª p. p.	3ª p. p.
Id. Pr.	creio	crês	crê	cremos	credes	creem
Id. Pt. Imp.	cria	crias	cria	críamos	críeis	criam
Id. Pt. Pf.	cri	creste /ê/	creu /êw/	cremos	crestes /ê/	creram /ê/
Id. Pt. Mp.	crera /ê/	creras /ê/	crera /ê/	crêramos	crêreis	creram /ê/
Id. Ft. Pr.	crerei	crerás	crerá	creremos	crereis	crerão
Id. Ft. Pt.	creria	crerias	creria	creríamos	creríeis	creriam
Sb. Pr.	creia	creias	creia	creiamos	creiais	creiam
Sb. Pt. Imp.	cresse /ê/	cresses /ê/	cresse /ê/	crêssemos	crêsseis	cressem /ê/
Sb. Ft.	crer /ê/	creres /ê/	crer /ê/	crermos /ê/	crerdes /ê/	crerem /ê/
Ip. Af.	–	crê	creia	creiamos	crede	creiam
Ip. Ng.	–	não creias	não creia	não creiamos	não creiais	não creiam
If. Ps.	crer /ê/	creres /ê/	crer /ê/	crermos /ê/	crerdes /ê/	crerem /ê/
Formas Nominais						
If. Im.	crer	Ger.	crendo	Part.	crido	–

50. Valer

	1ª p. s.	2ª p. s.	3ª p. s.	1ª p. p.	2ª p. p.	3ª p. p.
Id. Pr.	valho	vales	vale	valemos	valeis	valem
Sb. Pr.	valha	valhas	valha	valhamos	valhais	valham
Formas Nominais							
If. Im.	valer	Ger.	valendo	Part.	valido	–

51. Perder

	1ª p. s.	2ª p. s.	3ª p. s.	1ª p. p.	2ª p. p.	3ª p. p.
Id. Pr.	perco /ê/	perdes /é/	perde /é/	perdemos	perdeis	perdem /é/
Sb. Pr.	perca /ê/	percas /ê/	perca /ê/	percamos	percais	percam /ê/
Formas Nominais							
If. Im.	perder	Ger.	perdendo	Part.	perdido	–

52. Requerer

	1ª p. s.	2ª p. s.	3ª p. s.	1ª p. p.	2ª p. p.	3ª p. p.
Id. Pr.	requeiro /êy/	requeres /é/	requer /é/	requeremos	requereis	requerem /é/
Id. Pt. Pf.	requeri	requereste /ê/	requereu /êw/	requeremos	requerestes /ê/	requereram /ê/
Id. Pt. Mp.	requerera /ê/	requereras /ê/	requerera /ê/	requerêramos	requerêreis	requereram /ê/
Sb. Pr.	requeira /êy/	requeiras /êy/	requeira /êy/	requeiramos	requeirais	requeiram /êy/
Sb. Pt. Imp.	requeresse /ê/	requeresses /ê/	requeresse /ê/	requerêssemos	requerêsseis	requeressem /ê/
Sb. Ft.	requerer /ê/	requereres /ê/	requerer /ê/	requerermos /ê/	requererdes /ê/	requererem /ê/
Ip. Af.	–	requer /é/	requeira /êy/	requeiramos	requerei /êy/	requeiram /êy/
Formas Nominais							
If. Im.	requerer	Ger.	requerendo	Part.	requerido	–

53. Aprazer

	1ª p. s.	2ª p. s.	3ª p. s.	1ª p. p.	2ª p. p.	3ª p. p.
Id. Pr.	aprazo	aprazes	apraz	aprazemos	aprazeis	aprazem
Id. Pt. Imp.	aprazia	aprazias	aprazia	aprazíamos	aprazíeis	apraziam
Id. Pt. Pf.	aprouve	aprouveste /é/	aprouve	aprouvemos	aprouvestes /é/	aprouveram /é/
Id. Pt. Mp.	aprouvera /é/	aprouveras /é/	aprouvera /é/	aprouvéramos	aprouvéreis	aprouveram /é/
Id. Ft. Pr.	aprazerei	aprazerás	aprazerá	aprazeremos	aprazereis	aprazerão
Id. Ft. Pt.	aprazeria	aprazerias	aprazeria	aprazeríamos	aprazeríeis	aprazeriam
Sb. Pr.	apraza	aprazas	apraza	aprazamos	aprazais	aprazam
Sb. Pt. Imp.	aprouvesse /é/	aprouvesses /é/	aprouvesse /é/	aprouvéssemos	aprouvésseis	aprouvessem /é/
Sb. Ft.	aprouver /é/	aprouveres /é/	aprouver /é/	aprouvermos /é/	aprouverdes /é/	aprouverem /é/
If. Ps.	aprazer	aprazeres	aprazer	aprazermos	aprazerdes	aprazerem
Formas Nominais							
If. Im.	aprazer	Ger.	aprazendo	Part.	aprazido	–

Obs.: comprazer conjuga-se normalmente como aprazer, apresentando, no entanto, no Id. Pt. Pf., no Id. Pt. Mp., no Sb. Pt. Imp. e no Sb. Ft. mais de uma forma.

Comprazer

	1ª p. s.	2ª p. s.	3ª p. s.	1ª p. p.	2ª p. p.	3ª p. p.
Id. Pt. Pf.	comprouve comprazi	comprouveste /é/ comprazeste	comprouve comprazeu	comprouvemos comprazemos	comprouvestes /é/ comprazestes	comprouveram /é/ comprazeram
Id. Pt. Mp.	comprouvera /é/ comprazera	comprouveras /é/ comprazeras	comprouvera /é/ comprazera	comprouvéramos comprazêramos	comprouvéreis comprazêreis	comprouveram /é/ comprazeram
Sb. Pt. Imp.	comprouvesse /é/ comprazesse	comprouvesses /é/ comprazesses	comprouvesse /é/ comprazesse	comprouvéssemos comprazêssemos	comprouvésseis comprazêsseis	comprouvessem /é/ comprazessem
Sb. Ft.	comprouver /é/ comprazer	comprouveres /é/ comprazeres	comprouver /é/ comprazer	comprouvermos /é/ comprazermos	comprouverdes /é/ comprazerdes	comprouverem /é/ comprazerem

Formas Nominais

If. Im.	Ger.	Part.
comprazer	comprazendo	comprazido	—

54. Caber

	1ª p. s.	2ª p. s.	3ª p. s.	1ª p. p.	2ª p. p.	3ª p. p.
Id. Pr.	caibo	cabes	cabe	cabemos	cabeis	cabem
Id. Pt. Pf.	coube	coubeste /é/	coube	coubemos	coubestes /é/	couberam /é/
Id. Pt. Mp.	coubera /é/	couberas /é/	coubera /é/	coubéramos	coubéreis	couberam /é/
Sb. Pr.	caiba	caibas	caiba	caibamos	caibais	caibam
Sb. Pt. Imp.	coubesse /é/	coubesses /é/	coubesse /é/	coubéssemos	coubésseis	coubessem /é/
Sb. Ft.	couber /é/	couberes /é/	couber /é/	coubermos /é/	couberdes /é/	couberem /é/
Formas Nominais						
If. Im.	caber	**Ger.**	cabendo	**Part.**	cabido	–

55. Saber

	1ª p. s.	2ª p. s.	3ª p. s.	1ª p. p.	2ª p. p.	3ª p. p.
Id. Pr.	sei	sabes	sabe	sabemos	sabeis	sabem
Id. Pt. Pf.	soube	soubeste /é/	soube	soubemos	soubestes /é/	souberam /é/
Id. Pt. Mp.	soubera /é/	souberas /é/	soubera /é/	soubéramos	soubéreis	souberam /é/
Sb. Pr.	saiba	saibas	saiba	saibamos	saibais	saibam
Sb. Pt. Imp.	soubesse /é/	soubesses /é/	soubesse /é/	soubéssemos	soubésseis	soubessem /é/
Sb. Ft.	souber /é/	souberes /é/	souber /é/	soubermos /é/	souberdes /é/	souberem /é/
Formas Nominais						
If. Im.	saber	**Ger.**	sabendo	**Part.**	sabido	–

56. Querer

	1ª p. s.	2ª p. s.	3ª p. s.	1ª p. p.	2ª p. p.	3ª p. p.
Id. Pr.	quero /é/	queres /é/	quer /é/	queremos	quereis	querem /é/
Id. Pt. Pf.	quis	quiseste /é/	quis	quisemos	quisestes /é/	quiseram /é/
Id. Pt. Mp.	quisera /é/	quiseras /é/	quisera /é/	quiséramos	quiséreis	quiseram /é/
Sb. Pr.	queira /êy/	queiras /êy/	queira /êy/	queiramos	queirais	queiram /êy/
Sb. Pt. Imp.	quisesse /é/	quisesses /é/	quisesse /é/	quiséssemos	quisésseis	quisessem /é/
Sb. Ft.	quiser /é/	quiseres /é/	quiser /é/	quisermos /é/	quiserdes /é/	quiserem /é/
Formas Nominais						
If. Im.	querer	**Ger.**	querendo	**Part.**	querido	–

57. Dizer

	1ª p. s.	2ª p. s.	3ª p. s.	1ª p. p.	2ª p. p.	3ª p. p.
Id. Pr.	digo	dizes	diz	dizemos	dizeis	dizem
Id. Pt. Pf.	disse	disseste /é/	disse	dissemos	dissestes /é/	disseram /é/
Id. Pt. Mp.	dissera /é/	disseras /é/	dissera /é/	disséramos	disséreis	disseram /é/
Id. Ft. Pr.	direi	dirás	dirá	diremos	direis	dirão
Id. Ft. Pt.	diria	dirias	diria	diríamos	diríeis	diriam
Sb. Pr.	diga	digas	diga	digamos	digais	digam
Sb. Pt. Imp.	dissesse /é/	dissesses /é/	dissesse /é/	disséssemos	dissésseis	dissessem /é/
Sb. Ft.	disser /é/	disseres /é/	disser /é/	dissermos /é/	disserdes /é/	disserem /é/
Ip. Af.	–	diz / dize	diga	digamos	dizei	digam
	–	não digas	não diga	não digamos	não digais	não digam
Formas Nominais						
If. Im.	dizer	**Ger.**	dizendo	**Part.**	dito	–

58. Prover

	1ª p. s.	2ª p. s.	3ª p. s.	1ª p. p.	2ª p. p.	3ª p. p.
Id. Pr.	provejo	provês	provê	provemos	provedes	proveem
Id. Pt. Pf.	provi	proveste /ê/	proveu /ê/	provemos	provestes /ê/	proveram /ê/
Id. Pt. Mp.	provera /ê/	proveras /ê/	provera /ê/	provêramos	provêreis	proveram /ê/
Sb. Pr.	proveja	provejas	proveja	provejamos	provejais	provejam
Sb. Pt. Imp.	provesse /ê/	provesses /ê/	provesse /ê/	provêssemos	provêsseis	provessem /ê/
Sb. Ft.	prover /ê/	proveres /ê/	prover /ê/	provermos /ê/	proverdes /ê/	proverem /ê/
Formas Nominais						
If. Im.	prover	**Ger.**	provendo	**Part.**	provido	–

59. Ver

	1ª p. s.	2ª p. s.	3ª p. s.	1ª p. p.	2ª p. p.	3ª p. p.
Id. Pr.	vejo	vês	vê	vemos	vedes /ê/	veem
Id. Pt. Imp.	via	vias	via	víamos	víeis	viam
Id. Pt. Pf.	vi	viste	viu	vimos	vistes	viram
Id. Pt. Mp.	vira	viras	vira	víramos	víreis	viram
Sb. Pr.	veja	vejas	veja	vejamos	vejais	vejam
Sb. Pt. Imp.	visse	visses	visse	víssemos	vísseis	vissem
Sb. Ft.	vir	vires	vir	virmos	virdes	virem
If. Ps.	ver	veres	ver	vermos	verdes	verem
Formas Nominais						
If. Im.	ver	**Ger.**	vendo	**Part.**	visto	–

60. Jazer

	1ª p. s.	2ª p. s.	3ª p. s.	1ª p. p.	2ª p. p.	3ª p.p.
Id. Pr.	jazo	jazes	jaz	jazemos	jazeis	jazem
Id. Pf.	jazi	jazeste /ê/	jazeu /êw/	jazemos	jazestes /ê/	jazeram /ê/
Formas Nominais							
If. Im.	jazer	Ger.	jazendo	Part.	jazido	–

Obs.: assim como as formas aqui apresentadas, todas as demais são regulares, seguindo o padrão de *bater*.

61. Fazer

	1ª p. s.	2ª p. s.	3ª p. s.	1ª p. p.	2ª p. p.	3ª p. p.
Id. Pr.	faço	fazes	faz	fazemos	fazeis	fazem
Id. Pt. Pf.	fiz	fizeste /é/	fez	fizemos	fizestes /é/	fizeram /é/
Id. Pt. Mp.	fizera /é/	fizeras /é/	fizera /é/	fizéramos	fizéreis	fizeram /é/
Id. Ft. Pr.	farei	farás	fará	faremos	fareis	farão
Id. Ft. Pt.	faria	farias	faria	faríamos	faríeis	fariam
Sb. Pr.	faça	faças	faça	façamos	façais	façam
Sb. Pt. Imp.	fizesse /é/	fizesses /é/	fizesse /é/	fizéssemos	fizésseis	fizessem /é/
Sb. Ft.	fizer /é/	fizeres /é/	fizer /é/	fizermos /é/	fizerdes /é/	fizerem /é/
Ip. Af.	–	faz / faze	faça	façamos	fazei	façam
Ip. Ng.	–	não faças	não faça	não façamos	não façais	não façam
If. Ps.	fazer	fazeres	fazer	fazermos	fazerdes	fazerem
Formas Nominais							
If. Im.	fazer	Ger.	fazendo	Part.	feito	–

62. Reaver

	1ª p. s.	2ª p. s.	3ª p. s.	1ª p. p.	2ª p. p.	3ª p .p.
Id. Pr.	–	–	–	reavemos	reaveis	–
Id. Pt. Imp.	reavia	reavias	reavia	reavíamos	reavíeis	reaviam
Id. Pt. Pf.	reouve	reouveste /é/	reouve	reouvemos	reouvestes /é/	reouveram /é/
Id. Pt. Mp.	reouvera /é/	reouveras /é/	reouvera /é/	reouvéramos	reouvéreis	reouveram /é/
Id. Ft. Pr.	reaverei	reaverás	reaverá	reaveremos	reavereis	reaverão
Id. Ft. Pt.	reaveria	reaverias	reaveria	reaveríamos	reaveríeis	reaveriam
Sb. Pr.	–	–	–	–	–	–
Sb. Pt. Imp.	reouvesse /é/	reouvesses /é/	reouvesse /é/	reouvéssemos	reouvésseis	reouvessem /é/
Sb. Ft.	reouver /é/	reouveres /é/	reouver /é/	reouvermos /é/	reouverdes /é/	reouverem /é/
Ip. Af.	–	–	–	–	reavei	–
Ip. Ng.	–	–	–	–	–	–
If. Ps.	reaver	reaveres	reaver	reavermos	reaverdes	reaverem
Formas Nominais							
If. Im.	reaver	Ger.	reavendo	Part.	reavido	–

63. Trazer

	1ª p. s.	2ª p. s.	3ª p. s.	1ª p. p.	2ª p. p.	3ª p. p.
Id. Pr.	trago	trazes	traz	trazemos	trazeis	trazem
Id. Pt. Pf.	trouxe	trouxeste /é/	trouxe	trouxemos	trouxestes /é/	trouxeram /é/
Id. Pt. Mp.	trouxera /é/	trouxeras /é/	trouxera /é/	trouxéramos	trouxéreis	trouxeram /é/
Id. Ft. Pr.	trarei	trarás	trará	traremos	trareis	trarão
Id. Ft. Pt.	traria	trarias	traria	traríamos	traríeis	trariam
Sb. Pr.	traga	tragas	traga	tragamos	tragais	tragam
Sb. Pt. Imp.	trouxesse /é/	trouxesses /é/	trouxesse /é/	trouxéssemos	trouxésseis	trouxessem /é/
Sb. Ft.	trouxer /é/	trouxeres /é/	trouxer /é/	trouxermos	trouxerdes /é/	trouxerem /é/
Ip. Af.	–	traz / traze	traga	tragamos	trazei	tragam
Ip. Ng.	–	não tragas	não traga	não tragamos	não tragais	não tragam
If. Ps.	trazer	trazeres	trazer	trazermos	trazerdes	trazerem
Formas Nominais
If. Im.	trazer	Ger.	trazendo	Part.	trazido	–

64. Poder

	1ª p. s.	2ª p. s.	3ª p. s.	1ª p. p.	2ª p. p.	3ª p. p.
Id. Pr.	posso /ó/	podes /ó/	pode /ó/	podemos	podeis	podem /ó/
Id. Pt. Pf.	pude	pudeste /é/	pôde	pudemos	pudestes /é/	puderam /é/
Id. Pt. Mp.	pudera /é/	puderas /é/	pudera /é/	pudéramos	pudéreis	puderam /é/
Sb. Pr.	possa /ó/	possas /ó/	possa /ó/	possamos	possais	possam /ó/
Sb. Pt. Imp.	pudesse /é/	pudesses /é/	pudesse /é/	pudéssemos	pudésseis	pudessem /é/
Sb. Ft.	puder /é/	puderes /é/	puder /é/	pudermos /é/	puderdes /é/	puderem /é/
If. Ps.	poder	poderes	poder	podermos	poderdes	poderem
Formas Nominais
If. Im.	poder	Ger.	podendo	Part.	podido	–

65. Pôr

	1ª p. s.	2ª p. s.	3ª p. s.	1ª p. p.	2ª p. p.	3ª p. p.
Id. Pr.	ponho	pões	põe	pomos	pondes	põem
Id. Pt. Imp.	punha	punhas	punha	púnhamos	púnheis	punham
Id. Pt. Pf.	pus	puseste /é/	pôs	pusemos	pusestes /é/	puseram /é/
Id. Pt. Mp.	pusera /é/	puseras /é/	pusera /é/	puséramos	puséreis	puseram /é/
Id. Ft. Pr.	porei	porás	porá	poremos	poreis	porão
Id. Ft. Pt.	poria	porias	poria	poríamos	poríeis	poriam
Sb. Pr.	ponha	ponhas	ponha	ponhamos	ponhais	ponham
Sb. Pt. Imp.	pusesse /é/	pusesses /é/	pusesse /é/	puséssemos	pusésseis	pusessem /é/
Sb. Ft.	puser /é/	puseres /é/	puser /é/	pusermos /é/	puserdes /é/	puserem /é/
Ip. Af.	–	põe	ponha	ponhamos	ponde	ponham
Ip. Ng.	–	não ponhas	não ponha	não ponhamos	não ponhais	não ponham
If. Ps.	pôr	pores /ô/	pôr	pormos	pordes /ô/	porem /ô/
Formas Nominais
If. Im.	pôr	Ger.	pondo	Part.	posto /ô/	–

66. Partir

	1ª p. s.	2ª p. s.	3ª p. s.	1ª p. p.	2ª p. p.	3ª p. p.
Id. Pr.	parto	partes	parte	partimos	partis	partem
Id. Pt. Imp.	partia	partias	partia	partíamos	partíeis	partiam
Id. Pt. Pf.	parti	partiste	partiu	partimos	partistes	partiram
Id. Pt. Mp.	partira	partiras	partira	partíramos	partíreis	partiram
Id. Ft. Pr.	partirei	partirás	partirá	partiremos	partireis	partirão
Id. Ft. Pt.	partiria	partirias	partiria	partiríamos	partiríeis	partiriam
Sb. Pr.	parta	partas	parta	partamos	partais	partam
Sb. Pt. Imp.	partisse	partisses	partisse	partíssemos	partísseis	partissem
Sb. Ft.	partir	partires	partir	partirmos	partirdes	partirem
Ip. Af.	–	parte	parta	partamos	parti	partam
Ip. Ng.	–	não partas	não parta	não partamos	não partais	não partam
If. Ps.	partir	partires	partir	partirmos	partirdes	partirem
Formas Nominais						
If. Im.	partir	Ger.	partindo	Part.	partido	–

67. Partir-se

	1ª p. s.	2ª p. s.	3ª p. s.	1ª p. p.	2ª p. p.	3ª p. p.
Id. Pr.	parto-me	partes-te	parte-se	partimo-nos	partis-vos	partem-se
Id. Pt. Imp.	partia-me	partias-te	partia-se	partíamo-nos	partíeis-vos	partiam-se
Id. Pt. Pf.	parti-me	partiste-te	partiu-se	partimo-nos	partistes-vos	partiram-se
Id. Pt. Mp.	partira-me	partiras-te	partira-se	partíramo-nos	partíreis-vos	partiram-se
Id. Ft. Pr.	partir-me-ei	partir-te-ás	partir-se-á	partir-nos-emos	partir-vos-eis	partir-se-ão
Id. Ft. Pt.	partir-me-ia	partir-te-ias	partir-se-ia	partir-nos-íamos	partir-vos-íeis	partir-se-iam
Sb. Pr.	parta-me	partas-te	parta-se	partamo-nos	partais-vos	partam-se
Sb. Pt. Imp.	partisse-me	partisses-te	partisse-se	partíssemo-nos	partísseis-vos	partissem-se
Sb. Ft.	partir-me	partires-te	partir-se	partirmo-nos	partirdes-vos	partirem-se
Ip. Af.	–	parte-te	parta-se	partamo-nos	parti-vos	partam-se
Ip. Ng.	–	não te partas	não se parta	não nos partamos	não vos partais	não se partam
If. Ps.	partir-me	partires-te	partir-se	partirmo-nos	partirdes-vos	partirem-se
Formas Nominais						
If. Im.	partir-se	Ger.	partindo-se	Part.	partido	–

Obs.: No Sb. Pr. geralmente não se usa encliticamente o pronome pessoal reflexivo.

68. Parir

	1ª p. s.	2ª p. s.	3ª p. s.	1ª p. p.	2ª p. p.	3ª p. p.
Id. Pr.	pairo	pares	pare	parimos	paris	parem
Sb. Pr.	paira	pairas	paira	pairamos	pairais	pairam
Formas Nominais							
If. Im.	parir	Ger.	parindo	Part.	parido	–

69. Servir

	1ª p. s.	2ª p. s.	3ª p. s.	3ª p. p.
Id. Pr.	sirvo	serves /é/	serve /é/	servem /é/
Sb. Pr.	sirva	sirvas	sirva	sirvam

70. Cerzir

	1ª p. s.	2ª p. s.	3ª p. s.	3ª p. p.
Id. Pr.	cirzo	cerzes /é/ cirzes	cerze /é/ cirze	cerzem /é/ cirzem
Sb. Pr.	cirza	cirzas	cirza	cirzam

Obs.: nas formas arrizotônicas, a conjugação do verbo se faz normalmente com o radical [cerz-].

71. Pedir

	1ª p. s.	2ª p. s.	3ª p. s.	3ª p. p.
Id. Pr.	peço /é/	pedes /é/	pede /é/	pedem /é/
Sb. Pr.	peça /é/	peças /é/	peça /é/	peçam /é/

72. Agredir

	1ª p. s.	2ª p. s.	3ª p. s.	3ª p. p.
Id. Pr.	agrido	agrides	agride	agridem
Sb. Pr.	agrida	agridas	agrida	agridam

73. Frigir

	1ª p. s.	2ª p. s.	3ª p. s.	1ª p. p.	2ª p. p.	3ª p. p.
Id. Pr.	frijo	freges /é/	frege /é/	frigimos	frigis	fregem /é/
Sb. Pr.	frija	frijas	frija	frijamos	frijais	frijam
Formas Nominais								
If. Im.	frigir	Ger.	frigindo	Part.	frigido	

74. Emergir

	1ª p. s.	2ª p. s.	3ª p. s.	1ª p. p.	2ª p. p.	3ª p. p.
Id. Pr.	emerjo /ê/	emerges /é/	emerge /é/	emergimos	emergis	emergem /é/
Sb. Pr.	emerja /ê/	emerjas /ê/	emerja /ê/	emerjamos /ê/	emerjais /ê/	emerjam /ê/
Formas Nominais							
If. Im.	emergir	Ger.		emergindo	Part.	emergido l emerso

Obs.: para alguns tratadistas, os verbos em [-ergir] não teriam formas quando ao radical se seguem [o] ou [a], para outros, nessas formas o [e] tônico seria trocado por [i].

75. Ouvir

	1ª p. s.	2ª p. s.	3ª p. s.	1ª p. p.	2ª p. p.	3ª p. p.
Id. Pr.	ouço	ouves	ouve	ouvimos	ouvis	ouvem
Sb. Pr.	ouça	ouças	ouça	ouçamos	ouçais	ouçam

76. Cobrir

	1ª p. s.	2ª p. s.	3ª p. s.	1ª p. p.	2ª p. p.	3ª p. p.
Id. Pr.	cubro	cobres /ó/	cobre /ó/	cobrimos	cobris	cobrem /ó/
Sb. Pr.	cubra	cubras	cubra	cubramos	cubrais	cubram

77. Acudir

	1ª p. s.	2ª p. s.	3ª p. s.	1ª p. p.	2ª p. p.	3ª p. p.
Id. Pr.	acudo	acodes /ó/	acode /ó/	acudimos	acudis	acodem /ó/
Sb. Pr.	acuda	acudas	acuda	acudamos	acudais	acudam

78. Entupir

	1ª p. s.	2ª p. s.	3ª p. s.	1ª p. p.	2ª p. p.	3ª p. p.
Id. Pr.	entupo	entopes /ó/ entupes	entope /ó/ entupe	entupimos	entupis	entopem /ó/ entupem
Sb. Pr.	entupa	entupas	entupa	entupamos	entupais	entupam

79. Construir

	1ª p. s.	2ª p. s.	3ª p. s.	1ª p. p.	2ª p. p.	3ª p. p.
Id. Pr.	construo	constróis contruis	constrói construi	construímos	construís	constroem /ó/ construem
Sb. Pr.	construa	construas	construa	construamos	construais	construam

80. Atribuir

	1ª p. s.	2ª p. s.	3ª p. s.	1ª p. p.	2ª p. p.	3ª p. p.
Id. Pr.	atribuo	atribuis	atribui	atribuímos	atribuís	atribuem
Id. Pt. Imp.	atribuía	atribuías	atribuía	atribuíamos	atribuíeis	atribuíam
Id. Pt. Pf.	atribuí	atribuíste	atribuiu	atribuímos	atribuístes	atribuíram
Id. Pt. Mp.	atribuíra	atribuíras	atribuíra	atribuíramos	atribuíreis	atribuíram
Id. Ft. Pr.	atribuirei	atribuirás	atribuirá	atribuiremos	atribuireis	atribuirão
Id. Ft. Pt.	atribuiria	atribuirias	atribuiria	atribuiríamos	atribuiríeis	atribuiriam
Sb. Pr.	atribua	atribuas	atribua	atribuamos	atribuais	atribuam
Sb. Pt. Imp.	atribuísse	atribuísses	atribuísse	atribuíssemos	atribuísseis	atribuíssem
Sb. Ft.	atribuir	atribuíres	atribuir	atribuirmos	atribuirdes	atribuírem
Ip. Af.	–	atribui	atribua	atribuamos	atribuí	atribuam
Ip. Ng.	–	não atribuas	não atribua	não atribuamos	não atribuais	não atribuam
If. Ps.	atribuir	atribuíres	atribuir	atribuirmos	atribuirdes	atribuírem
Formas Nominais						
If. Im.	atribuir	Ger.	atribuindo	Part.	atribuído	–

81. Arguir

	1ª p. s.	2ª p. s.	3ª p. s.	1ª p. p.	2ª p. p.	3ª p. p.
Id. Pr.	arguo /ú/	arguis /ú/	argui /ú/	argüímos /u:i/	arguís /u:i/	arguem /ú/
Id. Pt. Imp.	argüía /u:i/	argüías /u:i/	argüía /u:i/	argüíamos /u:i/	argüíeis /u:i/	argüíam /u:i/
Id. Pt. Pf.	argüí /u:i/	argüíste /u:i/	arguiu /u:i/	argüímos /u:i/	argüístes /u:i/	argüíram /u:i/
Id. Pt. Mp.	argüíra /u:i/	argüíras /u:i/	argüíra /u:i/	argüíramos /u:i/	argüíreis /u:i/	argüíram /u:i/
Id. Ft. Pr.	arguirei /u:i/	arguirás /u:i/	arguirá /u:i/	arguiremos /u:i/	arguireis /u:i/	arguirão /u:i/
Id. Ft. Pt.	arguiria /u:i/	arguirias /u:i/	arguiria /u:i/	arguiríamos /u:i/	arguiríeis /u:i/	arguiriam /u:i/
Sb. Pr.	argua /ú/	arguas /u:i/	argua /ú/	arguamos /u:a/	arguais /u:a/	arguam /ú/
Sb. Pt. Imp.	argüísse /u:i/	argüísses /u:i/	argüísse /u:i/	argüíssemos /u:i/	argüísseis /u:i/	argüíssem /u:i/
Sb. Ft.	arguir /u:i/	argüíres /u:i/	arguir /u:i/	arguirmos /u:i/	arguirdes /u:i/	argüírem /u:i/
Ip. Af.	–	argui /ú/	argua /ú/	arguamos /u:a/	argüí /u:i/	arguam /ú/
Ip. Ng.	–	não arguas /ú/	não argua /ú/	não arguamos /u:a/	não arguais /u:a/	não arguam /ú/
If. Ps.	arguir /u:i/	argüíres /u:i/	arguir /u:i/	arguirmos /u:i/	arguirdes /u:i/	argüírem /u:i/
Formas Nominais						
If. Im.	arguir /u:i/	Ger.	arguindo /u:i/	Part.	argüído	–

82. Aduzir

	1ª p. s.	2ª p. s.	3ª p. s.	1ª p. p.	2ª p. p.	3ª p. p.
Id. Pr.	aduzo	aduzes	aduz	aduzimos	aduzis	aduzem
Id. Pt. Imp.	aduzia	aduzias	aduzia	aduzíamos	aduzíeis	aduziam
Id. Pt. Pf.	aduzi	aduziste	aduziu	aduzimos	aduzistes	aduziram
Id. Pt. Mp.	aduzira	aduziras	aduzira	aduzíramos	aduzíreis	aduziram
Id. Ft. Pr.	aduzirei	aduzirás	aduzirá	aduziremos	aduzireis	aduzirão
Id. Ft. Pt.	aduziria	aduzirias	aduziria	aduziríamos	aduziríeis	aduziriam
Sb. Pr.	aduza	aduzas	aduza	aduzamos	aduzais	aduzam
Sb. Pt. Imp.	aduzisse	aduzisses	aduzisse	aduzíssemos	aduzísseis	aduzissem
Sb. Ft.	aduzir	aduzires	aduzir	aduzirmos	aduzirdes	aduzirem
Ip. Af.	–	aduz / aduze	aduza	aduzamos	aduzi	aduzam
Ip. Ng.	–	não aduzas	não aduza	não aduzamos	não aduzais	não aduzam
If. Ps.	aduzir	aduzires	aduzir	aduzirmos	aduzirdes	aduzirem
Formas Nominais					
If. Im.	aduzir	Ger.	aduzindo	Part.	aduzido	–

83. Sair

	1ª p. s.	2ª p. s.	3ª p. s.	1ª p. p.	2ª p. p.	3ª p. p.
Id. Pr.	saio	sais	sai	saímos	saís	saem
Id. Pt. Imp.	saía	saías	saía	saíamos	saíeis	saíam
Id. Pt. Pf.	saí	saíste	saiu	saímos	saístes	saíram
Id. Pt. Mp.	saíra	saíras	saíra	saíramos	saíreis	saíram
Id. Ft. Pr.	sairei	sairás	sairá	sairemos	saireis	sairão
Id. Ft. Pt.	sairia	sairias	sairia	sairíamos	sairíeis	sairiam
Sb. Pr.	saia	saias	saia	saiamos	saiais	saiam
Sb. Pt. Imp.	saísse	saísses	saísse	saíssemos	saísseis	saíssem
Sb. Ft.	sair	saíres	sair	sairmos	sairdes	saírem
Ip. Af.	–	sai	saia	saiamos	saí	saiam
Ip. Ng.	–	não saias	não saia	não saiamos	não saiais	não saiam
If. Ps.	sair	saíres	sair	sairmos	sairdes	saírem
Formas Nominais					
If. Im.	sair	Ger.	saindo	Part.	saído	–

84. Abolir

	1ª p. s.	2ª p. s.	3ª p. s.	1ª p. p.	2ª p. p.	3ª p. p.
Id. Pr.	–	aboles /ó/	abole /ó/	abolimos	abolis	abolem /ó/
Sb. Pr.	–	–	–	–	–	–
Ip. Af.	–	abole /ó/	–	–	aboli	–
Ip. Ng.	–	–	–	–	–	–
Formas Nominais					
If. Im.	abolir	Ger.	abolindo	Part.	abolido	–

85. Vir					
	1ª p. s.	2ª p. s.	3ª p. s.	1ª p. p.	2ª p. p.	3ª p. p.
Id. Pr.	venho	vens	vem	vimos	vindes	vêm
Id. Pt. Imp.	vinha	vinhas	vinha	vínhamos	vínheis	vinham
Id. Pt. Pf.	vim	vieste /é/	veio	viemos	viestes /é/	vieram /é/
Id. Pt. Mp.	viera /é/	vieras /é/	viera /é/	viéramos	viéreis	vieram /é/
Id. Ft. Pr.	virei	virás	virá	viremos	vireis	virão
Id. Ft. Pt.	viria	virias	viria	viríamos	viríeis	viriam
Sb. Pr.	venha	venhas	venha	venhamos	venhais	venham
Sb. Pt. Imp.	viesse /é/	viesses /é/	viesse /é/	viéssemos	viésseis	viessem /é/
Sb. Ft.	vier /é/	vieres /é/	vier /é/	viermos /é/	vierdes /é/	vierem /é/
Ip. Af.	–	vem	venha	venhamos	vinde	venham
Ip. Ng.	–	não venhas	não venha	não venhamos	não venhais	não venham
If. Ps.	vir	vires	vir	virmos	virdes	virem
Formas Nominais					
If. Im.	vir	Ger.	vindo	Part.	vindo	–

86. Aguerrir					
	1ª p. s.	2ª p. s.	3ª p. s.	1ª p. p.	2ª p. p.	3ª p. p.
Id. Pr.	–	–	–	aguerrimos	aguerris	–
Id. Pt. Imp.	aguerria	aguerrias	aguerria	aguerríamos	aguerríeis	aguerriam
Id. Pt. Pf.	aguerri	aguerriste	aguerriu	aguerrimos	aguerristes	aguerriram
Id. Pt. Mp.	aguerrira	aguerriras	aguerrira	aguerríramos	aguerríreis	aguerriram
Id. Ft. Pr.	aguerrirei	aguerrirás	aguerrirá	aguerriremos	aguerrireis	aguerrirão
Id. Ft. Pt.	aguerriria	aguerririas	aguerriria	aguerriríamos	aguerriríeis	aguerririam
Sb. Pr.	–	–	–	–	–	–
Sb. Pt. Imp.	aguerrisse	aguerrisses	aguerrisse	aguerríssemos	aguerrísseis	aguerrissem
Sb. Ft.	aguerrir	aguerrires	aguerrir	aguerrirmos	aguerrirdes	aguerrirem
Ip. Af.	–	–	–	–	aguerri	–
Ip. Ng.	–	–	–	–	–	–
If. Ps.	aguerrir	aguerrires	aguerrir	aguerrirmos	aguerrirdes	aguerrirem
Formas Nominais					
If. Im.	aguerrir	Ger.	aguerrindo	Part.	aguerrido	–

87. Desmilinguir-se

	1ª p. s.	2ª p. s.	3ª p. s.	1ª p. p.	2ª p. p.	3ª p. p.
Id. Pr.	–	desmilingues-te /gües/	desmilingue-se /güe/	desmilinguimo-nos /güi/	desmilinguis-vos /güis/	desmilinguem-se /güem/
Id. Pt. Imp.	desmilinguia-me /güi/	desmilinguias-te /güi/	desmilinguia-se /güi/	desmilinguíamo-nos /güi/	desmilinguíeis-vos /güi/	desmilinguiam-se /güi/
Id. Pt. Pf.	desmilingui-me /güi/	desmilinguiste-te /güi/	desmilinguiu-se /güi/	desmilinguimo-nos /güi/	desmilinguistes-vos /güis/	desmilinguiram-se /güi/
Id. Pt. Mp.	desmilinguira-me /güi/	desmilinguiras-te /güi/	desmilinguira-se /güi/	desmilinguíramo-nos /güi/	desmilinguíreis-vos /güi/	desmilinguiram-se /güi/
Id. Ft. Pr.	desmilinguir-me-ei /güir/	desmilinguir-te-ás /güir/	desmilinguir-se-á /güir/	desmilinguir-nos-emos /güir/	desmilinguir-vos-eis /güir/	desmilinguir-se-ão /güir/
Id. Ft. Pt.	desmilinguir-me-ia /güir/	desmilinguir-te-ias /güir/	desmilinguir-se-ia /güir/	desmilinguir-nos-íamos /güir/	desmilinguir-vos-feis /güir/	desmilinguir-se-iam /güir/
Sb. Pr.	–	–	–	–	–	–
Sb. Pt. Imp.	desmilinguisse-me /güi/	desmilinguisses-te /güi/	desmilinguisse-se /güi/	desmilinguíssemo-nos /güi/	desmilinguísseis-vos /güi/	desmilinguissem-se /güi/
Sb. Ft.	desmilinguir-me /güir/	desmilinguires-te /güi/	desmilinguir-se /güir/	desmilinguirmo-nos /güir/	desmilinguirdes-vos /güir/	desmilinguirem-se /güir/
Ip. Af.	–	desmilingue-te /güe/	–	–	desmilingui-vos /güi/	–
Ip. Ng.	–	–	–	–	–	–
If. Ps.	desmilinguir-me /güir/	desmilinguires-te /güi/	desmilinguir-se /güir/	desmilinguirmo-nos /güir/	desmilinguirdes-vos /güir/	desmilinguirem-se /güir/

Formas Nominais

If. Im.	desmilinguir-se /güir/	Ger.	desmilinguindo-se /güin/	Part.	desmilinguido /güi/	–

74

88. Ir

	1ª p. s.	2ª p. s.	3ª p. s.	1ª p. p.	2ª p. p.	3ª p. p.
Id. Pr.	vou	vais	vai	vamos	ides	vão
Id. Pt. Imp.	ia	ias	ia	íamos	íeis	iam
Id. Pt. Pf.	fui	foste /ô/	foi /ôy/	fomos	fostes /ô/	foram
Id. Pt. Mp.	fora /ô/	foras /ô/	fora /ô/	fôramos	fôreis	foram /ô/
Id. Ft. Pr.	irei	irás	irá	iremos	ireis	irão
Id. Ft. Pt.	iria	irias	iria	iríamos	iríeis	iriam
Sb. Pr.	vá	vás	vá	vamos	vades	vão
Sb. Pt. Imp.	fosse /ô/	fosses /ô/	fosse /ô/	fôssemos	fôsseis	fossem /ô/
Sb. Ft.	for /ô/	fores /ô/	for /ô/	formos /ô/	fordes /ô/	forem /ô/
Ip. Af.	–	vai	vá	vamos	ide	vão
Ip. Ng.	–	não vás	não vá	não vamos	não vades	não vão
If. Ps.	ir	ires	ir	irmos	irdes	irem
Formas Nominais							
If. Im.	ir	Ger.	indo	Part.	ido	–

89. Polir

	1ª p. s.	2ª p. s.	3ª p. s.	1ª p. p.	2ª p. p.	3ª p. p.
Id. Pr.	(pulo)	pules	pule	polimos	polis	pulem
Sb. Pr.	(pula)	(pulas)	(pula)	(pulamos)	(pulais)	(pulam)

Obs.: Segundo alguns, não se conjugariam as formas rizotônicas a que se seguem [o] ou [a], daí os parênteses nessas formas.

90. Proibir

	1ª p.s.	2ª p.s.	3ª p.s.	1ª p.p.	2ª p.p.	3ª p.p.
Id. Pr.	proíbo	proíbes	proíbe	proibimos	proibis	proíbem
Sb. Pr.	proíba	proíbas	proíba	proibamos	proibais	proíbam

91. Rir

	1ª p. s.	2ª p. s.	3ª p. s.	1ª p. p.	2ª p. p.	3ª p. p.
Id. Pr.	rio	ris	ri	rimos	rides	riem
Id. Pt. Imp.	ria	rias	ria	ríamos	ríeis	riam
Id. Pt. Pf.	ri	riste	riu	rimos	ristes	riram
Id. Pt. Mp.	rira	riras	rira	ríramos	ríreis	riram
Id. Ft. Pr.	rirei	rirás	rirá	riremos	rireis	rirão
Id. Ft. Pt.	riria	ririas	riria	riríamos	riríeis	ririam
Sb. Pr.	ria	rias	ria	riamos	riais	riam
Sb. Pt. Imp.	risse	risses	risse	ríssemos	rísseis	rissem
Sb. Ft.	rir	rires	rir	rirmos	rirdes	rirem
Ip. Af.	–	ri	ria	riamos	ride	riam
Ip. Ng.	–	não rias	não ria	não riamos	não riais	não riam
If. Ps.	rir	rires	rir	rirmos	rirdes	rirem
Formas Nominais							
If. Im.	rir	Ger.	rindo	Part.	rido	–

92. Afligir

	1ª p. s.	2ª p. s.	3ª p. s.	1ª p. p.	2ª p. p.	3ª p. p.
Id. Pr.	aflijo	afliges	aflige	afligimos	afligis	afligem
Sb. Pr.	aflija	aflijas	aflija	aflijamos	aflijais	aflijam

Obs.: os verbos da 3ª conjugação terminados em [-gir] trocam o [g] por [j] nas formas em que ao radical se seguem [o] ou [a].

93. Conseguir

	1ª p. s.	2ª p. s.	3ª p. s.	1ª p. p.	2ª p. p.	3ª p. p.
Id. Pr.	consigo	consegues /é/	consegue /é/	conseguimos	conseguis	conseguem /é/
Sb. Pr.	consiga	consigas	consiga	consigamos	consigais	consigam

Obs.: os verbos da 3ª conjugação terminados em [-guir] perdem o [u] do [gu] nas formas em que ao radical se seguem [o] ou [a].

94. Ressarcir

	1ª p. s.	2ª p. s.	3ª p. s.	1ª p. p.	2ª p. p.	3ª p. p.
Id. Pr.	ressarço	ressarces	ressarce	ressarcimos	ressarcis	ressarcem
Sb. Pr.	ressarça	ressarças	ressarça	ressarçamos	ressarçais	ressarçam

Obs.: os verbos da 3ª conjugação terminados em [-cir] trocam o [c] por [ç] nas formas em que ao radical se seguem [o] ou [a].

Como usar este DICIONÁRIO

A **entrada**, ou **lema**, é apresentada em negrito, em letras minúsculas, seguida da indicação da **ortoépia** (pronúncia correta), quando necessária, entre colchetes, e da **separação de sílabas** do vocábulo, em azul, marcando-se, com o uso do itálico, a **sílaba tônica**; seguem-se a informação da **classe gramatical**, abreviada em itálico, e a **acepção da palavra** em redondo, podendo vir acompanhada de **sinônimos** após o ponto e vírgula. Quando uma palavra comporta mais de uma acepção, elas são numeradas em negrito.

> **orla** [ó] (or.la) s.f. **1.** Acabamento, arremate com guarnição; borla: *a orla de um tecido; uma orla bordada*. **2.** Beira, margem: *orla marítima; a orla de um lago*.

A separação das sílabas é marcada com um ponto, salvo no caso de flutuação de pronúncia entre hiatos e ditongos, quando serão separadas por dois-pontos.

> **bacia** (ba.ci.a) s.f.
> **acriano** (a.cri:a.no) adj.
> **reunir** (re:u.nir) v.
> **série** (sé.ri:e) s.f.

Após a indicação da classe gramatical, podem-se encontrar três tipos de especificação do contexto em que a palavra é normalmente utilizada: **regionalismo** (*reg.*), usado no caso da palavra ou acepção que não é utilizada em todo o território nacional, **nível de uso** (*coloq., chulo* etc.) ou **área de conhecimento** (*Med., Quím.* etc.). Essas especificações podem também aparecer após o número, quando se referem apenas a uma acepção.

> **china²** (chi.na) s.f. reg. **1.** Mulher do campo. **2.** Mulher mestiça ou de origem índia. **3.** Mulher moreno-escura. **4.** Esposa, companheira.

> **danado** (da.na.do) adj. **1.** Maldito, condenado: *alma danada*. **2.** *coloq.* Enorme, imenso: *Na gravidez, ela sentia uma fome danada*. **3.** *coloq.* Furioso, zangado: *Meu pai fica danado quando não lhe obedeço*. **4.** *coloq.* Hábil, jeitoso, esperto: *Aquele menino danado conseguiu consertar meu computador*. **5.** Atacado de raiva (cão).

> **ebola** [ó] (e.bo.la) s.m. (*Med.*) Vírus mortífero que produz hemorragia interna no doente.

Quando a palavra apresenta **classes gramaticais diferentes**, bem como quando a **mudança de gênero ou número** implica uma mudança de significado, essas alterações são marcadas pelo sinal •, mas a numeração das acepções é contínua.

---

capital (ca.pi.*tal*) *adj.* **1.** Principal, fundamental. **2.** (*Jur.*) Que se refere à pena de morte: *sentença capital.* • *s.m.* **3.** (*Econ., Jur.*)Conjunto de bens monetários ou outros que proporcionam renda ao seu proprietário. **4.** Riqueza ou valores que propiciam novos valores. • *s.f.* **5.** Cidade mais importante de um país ou estado, província etc., onde fica a sede do governo. **6.** A letra maiúscula.

sal *s.m.* **1.** (*Quím.*) Qualquer composto químico resultante da ação de um ácido sobre uma base. **2.** Pó branco usado para salgar alimentos ou conservá-los; sal de cozinha, cloreto de sódio. **3.** *fig.* Graça, espírito, vivacidade: *pessoa sem-sal.* • *sais s.m.pl.* **4.** Substâncias voláteis usadas para reanimar pessoas desmaiadas. **5.** Grãos ou pós usados para perfumar a água do banho.

Os **vocábulos homógrafos** distinguem-se por números sequenciados, postos ao alto, à direita.

complementar[1] (com.ple.men.*tar*) *adj.* **1.** Que serve de complemento. **2.** Relativo a complemento.
complementar[2] (com.ple.men.*tar*) *v.* **1.** Acrescentar alguma coisa a: *Complementava seu orçamento com pequenos trabalhos adicionais.* **2.** Completar-se: *Teoria e prática complementam-se.* ▶ Conjug. 5.

Com relação aos **verbos**, foi indicada a classe gramatical (*v.*) sem se mencionar a predicação, ilustrando-se fartamente, com exemplificação, as regências mais usuais.

---

implicar (im.pli.*car*) *v.* **1.** Demonstrar prevenção contra alguém ou contra alguma coisa; provocar; hostilizar: *Deixe de implicar com seus irmãos mais novos.* **2.** Ter como consequência; acarretar, originar, importar: *A reestruturação da empresa implicou grandes lucros para os acionistas.* **3.** Tornar indispensável, imprescindível; exigir, requerer: *As conquistas sociais implicam a participação de todos.* **4.** Dar a entender; fazer supor; pressupor: *Sua resposta implica grande conhecimento.* **5.** Envolver(-se), enredar(-se), comprometer(-se): *Os sócios o implicaram num grande escândalo; Implicou-se em negócios escusos.* || A norma-padrão manda que se evite a construção com a preposição *em* nas acepções 2, 3 e 4. ▶ Conjug. 5 e 35.

Ao final do estudo das acepções de um verbo, introduz-se a sinalização ▶ Conjug., seguida de um ou mais números que indicam o paradigma do verbo relacionado nas tabelas de conjugação de **O verbo em português**, estudo anexo a este Dicionário.

As **locuções e fraseologias** vêm em itálico, com as definições em redondo e inicial minúscula. A primeira locução vem precedida de duas barras verticais, ||, e as demais são antecedidas pelo sinal •.

---

cara (ca.ra) s.f. **1.** Parte anterior da cabeça; face, semblante, rosto. **2.** fig. Aparência, ar, aspecto: *Este doce está com boa cara.* **3.** fig. Coragem: *Não tive cara para pedir o dinheiro emprestado.* **4.** Lado de uma moeda ou medalha, com a efígie, oposto à coroa: *O juiz escolheu no cara e coroa qual das duas equipes iniciaria o jogo.* • s.m. coloq. **5.** Pessoa, indivíduo: *Pedi licença ao cara que estava na porta e passei.* || *Amarrar/fechar a cara:* coloq. fazer cara feia, mostrar-se zangado. • *Com a cara e a coragem:* coloq. entrar numa disputa ou enfrentar um problema sem dispor de meios. • *Dar de cara com:* coloq. encontrar-se de surpresa com. • *De cara:* coloq. logo de início, logo de saída. • *Desamarrar a cara:* coloq. fazer perder a expressão de zanga. • *Encher a cara:* embriagar-se. • *Meter a cara:* coloq. dedicar-se com afinco a uma tarefa, a uma causa. • *Quebrar a cara:* coloq. sair-se mal de uma empresa, de um negócio.

Locuções que remetem a outro verbete vêm precedidas do sinal ▶.

▶ **à baila** loc. adv. Ver em *baila*.

Ao final de alguns verbetes, vêm, introduzidas por um travessão, as **palavras cognatas** do lema, em negrito, acompanhadas das respectivas classes gramaticais e separadas entre si por um ponto e vírgula. No caso de a palavra cognata ser um verbo, após a categoria gramatical, indica-se a sua conjugação.

abranger (a.bran.ger) v. **1.** Abarcar, alcançar: *A vista do apartamento abrangia o Corcovado e o Pão de Açúcar.* **2.** Ter dentro de seus limites; compreender: *O Ensino Médio abrange os três últimos anos de escolaridade.* ▶ Conjug. 39 e 47. – **abrangência** s.f.; **abrangente** adj.

semelhante (se.me.lhan.te) adj. **1.** Que é parecido; análogo, idêntico: *uma cópia semelhante a outra.* **2.** Que apresenta a mesma qualidade ou natureza; similar: *espécies semelhantes.* • s.m. **3.** O próximo: *Devemos respeitar nossos semelhantes.* • pron. dem. **4.** Tal, este, aquele: *Ele não provocaria semelhante cena!* – **semelhar** v. ▶ Conjug. 9.

As **palavras estrangeiras** entram em negrito e itálico, com a indicação, entre colchetes e em itálico, de sua pronúncia usual no falar brasileiro e, entre parênteses, de sua língua de origem.

background [*becgraund*] (Ing.) s.m. **1.** (*Cine, Teat., Telv.*) Fundo de cenário. **2.** Conjunto de conhecimentos e experiências que instruíram a formação de uma pessoa: *Como economista, seu background é admirável.*

Quando a palavra já tiver sua grafia adaptada ao português, escusa-se indicar a pronúncia, já que se recomenda o uso da forma aportuguesada. Nesse caso, remete-se o consulente para o verbete em português, por meio do uso da palavra ver.

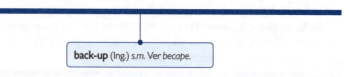

back-up (Ing.) s.m. Ver *becape*.

Ao final do verbete, após as duas barras verticais, ||, podem vir registradas **formas variantes, indicação de marca registrada** e **observações gramaticais** referentes ao lema. Serão apontadas especificidades relativas a uso, flexão, grau, formas participiais abundantes, antonímia, paronímia.

louro² (*lou.ro*) *adj.* **1.** ... • *s.m.* **2.** ... || *loiro*.
bem *s.m.* **1.** ... || sup. comp.: *melhor; sup. abs.: ótimo*.
aposento (*a.po.sen.to*) *s.m.* Compartimento de uma casa próprio para alguém recolher-se. || Mais usado no plural.
ganhar (*ga.nhar*) *v.* **1.** ... || part.: *ganhado* e *ganho*.
aclive (*a.cli.ve*) *s.m.* ... || antôn.: *declive*.
europeu ... || f.: *europeia*.
guarda-chuva ... || pl.: *guarda-chuvas*.
ancião ... || pl.: *anciãos, anciões, anciães*.
abrolho [ô] (*a.bro.lho*) *s.m.* ... || ... pl.: [ó].
caloroso [ô] ... || f. e pl.: [ó].
gilete [é] (*gi.le.te*) *s.f.* ... || Da marca registrada *Gillette*.

Lista das abreviações usadas no Dicionário

abrev.	abreviação		*Fil.*	filosofia
adj.	adjetivo		*Fís.*	física
adj. s.f.	adjetivo e substantivo feminino		*Folc.*	folclore
adj. s.m.	adjetivo e substantivo masculino		*Fot.*	fotografia
adv.	advérbio		*Fr.*	francês
Aer.	aeronáutica		*Fut.*	futebol
Agric.	agricultura		*Geogr.*	geografia
Al.	alemão		*Geol.*	geologia
Anat.	anatomia		*Geom.*	geometria
antôn.	antônimo		*gír.*	gíria
Arquit.	arquitetura		*Gram.*	gramática
Art.	artes		Hebr.	hebraico
art. def.	artigo definido		*Hist.*	história
Art. Gráf.	artes gráficas		*Inform.*	informática
art. indef.	artigo indefinido		Ing.	inglês
Astrol.	astrologia		*interj.*	interjeição
Astron.	astronomia		*irôn.*	irônico
aum.	aumentativo		It.	italiano
Biol.	biologia		Jap.	japonês
Bot.	botânica		*joc.*	jocoso
Chin.	chinês		*Jur.*	direito
Cine	cinema		Lat.	latim
coloq.	coloquial		*Ling.*	linguística
Comun.	comunicação		*Lit.*	literatura
conj.	conjunção		*loc. adj.*	locução adjetiva
Conjug.	paradigma verbal		*loc. adv.*	locução adverbial
contr.	contração		*loc. conj.*	locução conjuntiva
Cul.	culinária		*loc. prep.*	locução prepositiva
Econ.	economia		*loc. subst.*	locução substantiva
Eletr.	eletricidade		Mar.	marinha
Eletrôn.	eletrônica		Mat.	matemática
Esp.	esporte		Mec.	mecânica
Esp.	espanhol		Med.	medicina
f.	feminino		Mil.	militar
fam.	familiar		Min.	mineralogia
Farm.	farmácia		Mús.	música
fig.	figurado		*Náut.*	náutica

num. card.	numeral cardinal	*Rel.*	religião
num. frac.	numeral fracionário	*s.2g.*	substantivo de dois gêneros
num. mult.	numeral multiplicativo	*s.2g.2n.*	substantivo de dois gêneros e dois números
num. ord.	numeral ordinal		
Odont.	odontologia	*s.f.*	substantivo feminino
Paleo.	paleontologia	*s.f.2n.*	substantivo feminino de dois números
part.	particípio		
pej.	pejorativo	*s.f.pl.*	substantivo feminino plural
p. ext.	por extensão	*s.m.*	substantivo masculino
pl.	plural	*s.m. e f.*	substantivo masculino e feminino
poét.	poético		
prep.	preposição	*s.m. e f. 2n.*	substantivo masculino e feminino de dois números
pron.	pronome		
pron. dem.	pronome demonstrativo	*s.m.2n.*	substantivo masculino de dois números
pron. indef.	pronome indefinido		
pron. pess.	pronome pessoal	*s.m.pl.*	substantivo masculino plural
pron. poss.	pronome possessivo	*Sociol.*	sociologia
pron. rel.	pronome relativo	*sup. abs.*	superlativo absoluto
prov.	provérbio	*sup. comp.*	superlativo comparativo
Psic.	psicologia	*Teat.*	teatro
Psicn.	psicanálise	*Telv.*	televisão
Pol.	política	*Turf.*	turfe
Psiq.	psiquiatria	*v.*	verbo
Quím.	química	*Vet.*	veterinária
reg.	regionalismo	*Zool.*	zoologia

a¹ s.m. **1.** Primeira letra do alfabeto português. **2.** Primeira das cinco letras representativas do sistema vocálico.

a² art. def. **1.** Feminino de o² (1): *Esta é a blusa que eu quero comprar*. • pron. pess. **2.** Feminino de o² (2): *Ele a convidou*. • pron. dem. **3.** Feminino de o² (3); aquela: *A cultura de arroz é a que menos sofre com a seca*.

a³ prep. Relaciona por subordinação termos ou orações reduzidas, indicando várias noções, entre outras: a) destino ou destinatário de uma ação: *A comitiva chegou a Porto Alegre*; *Júlia escreveu ao pai*; b) distância: *Lançou o dardo a vários metros dali*; c) finalidade: *Viajou a trabalho*; d) lugar, posição: *Sentou-se à mesa*; *Ficou ao lado dele o tempo todo*; e) meio, modo, instrumento: *Foi a cavalo*; *Atravessou a baía a nado*; *Gosta de escrever a lápis*; f) preço: *livros a dez reais*; g) tempo: *Saiu às oito horas*; *Ao amanhecer, iremos*; h) condição: *A ser assim, não irei*.

a Símbolo de *are*.

A (*Eletr.*) Símbolo de *ampère*.

á s.m. Nome da letra *a*.

à Contração da preposição *a* com o artigo definido feminino ou com o pronome demonstrativo feminino *a*: *Ir à* (a+a) *praça*; *Esta é uma rima semelhante à* (a+a) *do outro verso*.

aba (*a.ba*) s.f. **1.** Parte pendente e lateral de peças do vestuário (casaco, chapéu), do mobiliário (mesa), de edificações (telhado) e de qualquer porção. **2.** Sopé de montanhas. **3.** *fig.* Proteção, dependência: *Sem emprego, ele não pode sair da aba dos pais*.

abacate (a.ba.*ca*.te) s.m. Fruta de forma semelhante a uma pera grande, de casca verde-escura, caroço grande e polpa cremosa verde-clara.

abacateiro (a.ba.ca.*tei*.ro) s.m. (*Bot.*) Árvore que produz o abacate.

abacaxi [ch] (a.ba.ca.*xi*) s.m. **1.** Fruta grande de polpa amarela, doce e perfumada, de casca grossa e espinhosa, que concentra, na parte superior, folhas longas, dentadas e pontiagudas à maneira de penacho. **2.** *fig.* Tarefa complicada e trabalhosa; problema.

abacaxizeiro [ch] (a.ba.ca.xi.*zei*.ro) s.m. (*Bot.*) Planta que produz o abacaxi.

abacial (a.ba.ci:*al*) adj. **1.** Relativo a abade. **2.** Relativo a abadia.

ábaco (*á*.ba.co) s.m. Peça constituída por dez fios de arame paralelos em que deslizam bolas coloridas, usada para ensinar as quatro operações fundamentais da aritmética.

abadá (a.ba.*dá*) s.m. Espécie de bata usada pelos foliões no carnaval, especialmente nos trios elétricos.

abade (a.*ba*.de) s.m. Superior de uma abadia ou mosteiro.

abadessa [ê] (a.ba.*des*.sa) s.f. (*Rel.*) Madre superiora de conventos de certas ordens religiosas; superiora.

abadia (a.ba.*di*.a) s.f. (*Rel.*) Igreja ou convento regido por abade ou abadessa.

abafado (a.ba.*fa*.do) adj. **1.** Em que não há circulação de ar; quente, sufocante: *dia abafado*, *recinto abafado*. **2.** Contido, sofreado: *soluços abafados*. **3.** Pouco audível: *passos abafados*. **4.** Encoberto, silenciado: *O desfalque foi abafado*. **5.** Sobrecarregado de tarefas; assoberbado.

abafador [ô] (a.ba.fa.*dor*) adj. **1.** Que abafa. • s.m. **2.** O que abafa. **3.** (*Mús.*) Peça de madeira, revestida de pano, que, nos instrumentos de teclado, serve para abafar o som, detendo a vibração das cordas; surdina.

abafante (a.ba.*fan*.te) adj. Que abafa; sufocante.

abafar (a.ba.*far*) v. **1.** Cobrir para conservar o calor: *Deixe ferver e abafe a panela*. **2.** Impedir a combustão de: *Usou um cobertor para abafar o fogo*. **3.** Impedir a respiração de; sufocar: *Mal colocada, a máscara de mergulho abafou-o*.

à baila

4. Sofrear, conter: *Em vão, tentava abafar o ciúme.* **5.** Reprimir: *As tropas do governo abafaram o movimento separatista.* **6.** Diminuir a intensidade de (um som): *A peça serve para abafar o barulho da máquina.* **7.** Impedir a divulgação de; ocultar: *abafar um assunto, um boato, um escândalo.* **8.** Não dar continuidade a; interromper: *Ofereceram uma grande quantia para o delegado abafar a investigação.* **9.** *gír.* Destacar-se pela beleza, graça etc.; brilhar: *A minha escola de samba abafou este ano.* ▶ Conjug. 5. – **abafação** *s.f.*; **abafadiço** *adj.*; **abafamento** *s.m.*

▶ **à baila** *loc. adv.* Ver em **baila**.

abaixar [ch] (a.bai.*xar*) *v.* **1.** Tornar baixo ou mais baixo: *Abaixem o assento das cadeiras até a altura do joelho.* **2.** Flexionar-se, dobrar-se: *Abaixei-me para pegar a caneta que havia caído.* **3.** Fazer descer: *A criança abaixou as pálpebras e adormeceu.* **4.** Diminuir, reduzir (valor, preço, volume, intensidade, grau etc.): *Aquele shopping abaixou os preços; Às dez horas abaixaram espontaneamente o som da festa; A chuva abaixou a temperatura.* **5.** Humilhar-se, rebaixar-se: *Um homem digno não se abaixa diante dos poderosos.* ▶ Conjug. 5. – **abaixamento** *s.m.*

abaixo [ch] (a.*bai*.xo) *adv.* Em lugar menos elevado, na parte inferior, em direção à parte inferior: *Leia atentamente o texto abaixo; Caiu e rolou escada abaixo; Os abaixo assinados pleiteiam a reforma dos estatutos.* || **Abaixo de:** menos elevado que: *A temperatura estava abaixo de zero grau.*

abaixo-assinado (a.bai.xo-as.si.*na*.do) *s.m.* Documento coletivo pelo qual muitas pessoas fazem um pedido, uma reclamação, um protesto etc. || pl.: *abaixo-assinados.*

abajur (a.ba.*jur*) *s.m.* Acessório de tecido ou papel que se prende ao redor da lâmpada para atenuar a intensidade da luz; quebra-luz.

abalada (a.ba.*la*.da) *s.f.* Corrida desabalada; correria.

abalançar-se (a.ba.lan.*çar*-se) *v.* Lançar-se com ímpeto; aventurar-se: *Você precisa abalançar-se a voos mais altos.* ▶ Conjug. 5, 6 e 36.

abalar (a.ba.*lar*) *v.* **1.** Mover um pouco; fazer tremer; sacudir: *O terremoto abalou a estrutura do prédio.* **2.** *fig.* Comover, impressionar: *Aquele crime abalou o país.* **3.** *fig.* Fazer perder a firmeza; enfraquecer: *A leitura do livro abalou as suas convicções.* **4.** Incitar, impelir: *O ciúme abalou-o a vingar-se.* **5.** Fugir precipitadamente; partir, ausentar-se: *Sem avisar, abalaram (-se) daqui.* ▶ Conjug. 5. – **abalamento** *s.m.*; **abalável** *adj.*

abalizado (a.ba.li.*za*.do) *adj.* **1.** Marcado com balizas. **2.** Muito competente; idôneo, notável: *Não vou fazer nada sem ouvir a opinião abalizada de um técnico.* – **abalizamento** *s.m.*; **abalizar** *v.* ▶ Conjug. 5.

abalo (a.*ba*.lo) *s.m.* **1.** Ato ou efeito de abalar(-se). **2.** Tremor, oscilação, trepidação. **3.** Perturbação, desordem, comoção. || **Abalo sísmico:** terremoto.

abalroar (a.bal.ro.*ar*) *v.* Bater, chocar (navios, veículos): *O motorista do caminhão abalroou a traseira do veículo da frente; O iate abalroou-se com a lancha.* ▶ Conjug. 25. – **abalroamento** *s.m.*

abanador [ô] (a.ba.na.*dor*) *s.m.* Utensílio que serve para abanar; leque, abano.

abanar (a.ba.*nar*) *v.* **1.** Ventilar usando abano ou outro objeto: *Abanou a filha para livrá-la do calor.* **2.** Mover um pouco; sacudir: *Ela abanou a cabeça negativamente.* **3.** Refrescar-se com abano ou qualquer objeto: *Nos camarotes, as mulheres abanavam-se com seus leques.* ▶ Conjug. 5. – **abanação** *s.f.*

abancar-se (a.ban.*car*-se) *v.* Assentar-se com intenção de demorar-se; assentar-se. ▶ Conjug. 5, 6 e 36.

abandalhar (a.ban.da.*lhar*) *v.* Tornar(-se) reles, baixo, desprezível: *Os programas de reality show abandalharam a televisão; A imprensa abandalhou-se com as notícias sensacionalistas.* ▶ Conjug. 5.

abandonar (a.ban.do.*nar*) *v.* **1.** Deixar só; largar. *Confusa, abandonou o noivo no altar.* **2.** Deixar sem cuidados ou auxílio; desamparar: *Há penas severas para quem abandona idosos em asilos.* **3.** Deixar de estar em algum lugar: *Os espectadores abandonaram a sala antes do fim da projeção.* **4.** Renunciar, desistir: *Abandonou a partida; O pai abandonou os estudos para trabalhar.* **5.** Dar-se ao desprezo, entregar-se, descuidar-se: *Depois da morte do marido, minha irmã abandonou-se.* ▶ Conjug. 5.

abandono (a.ban.*do*.no) *s.m.* **1.** Ato ou efeito de abandonar. **2.** Condição daquele ou daquilo que se abandonou.

abano (a.*ba*.no) *s.m.* Utensílio em forma de leque aberto, usado para agitar o ar, com o fim de ativar a combustão ou de refrescar.

abantesma [ê] (a.ban.*tes*.ma) *s.m.* Fantasma.

abecedário

abará (a.ba.rá) s.m. (Cul.) Bolinho de massa de feijão-fradinho cozido no vapor.

abarcar (a.bar.car) v. Conter em seus limites; abranger, incluir: *A Região Sul abarca três estados: Paraná, Santa Catarina e Rio Grande do Sul.* ▶ Conjug. 5 e 35. – **abarcamento** s.m.

abarrotado (a.bar.ro.ta.do) adj. Que está tão cheio que não há espaço para mais nada; superlotado: *O celeiro está abarrotado.*

abarrotar (a.bar.ro.tar) v. Encher a ponto de não deixar espaço para mais nada: *O feirante abarrotou o tabuleiro de frutas.* ▶ Conjug. 20.

abastado (a.bas.ta.do) adj. Que possui muito dinheiro; rico; endinheirado: *um comerciante abastado.*

abastança (a.bas.tan.ça) s.f. Abundância, cópia, fartura, riqueza.

abastar (a.bas.tar) v. Prover do que é necessário; abastecer: *Abastou o congelador de carnes; Abastaram-se dos melhores equipamentos para fazer a escalada.* ▶ Conjug. 5. – **abastamento** s.m.

abastardar (a.bas.tar.dar) v. Fazer perder ou perder a genuinidade; corromper(-se): *O excesso de estrangeirismos desnecessários pode abastardar a língua; O salpicão, que era chique, agora se abastardou e é comida do dia a dia.* ▶ Conjug. 5. – **abastardado** adj.; **abastardamento** s.m.

abastecer (a.bas.te.cer) v. Prover aos poucos e com regularidade do necessário: *É preciso abastecer de víveres os armazéns; O viajante parou na aldeia para abastecer-se de água e mantimentos.* ▶ Conjug. 41 e 46. – **abastecimento** s.m.

abatatado (a.ba.ta.ta.do) adj. Que tem forma de batata: *nariz abatatado.*

abatatar (a.ba.ta.tar) v. Tornar grosso e largo como a batata: *O soco do oponente abatatou o nariz do lutador de boxe.* ▶ Conjug. 5.

abate (a.ba.te) s.m. Ato ou efeito de abater.

abatedoiro (a.ba.te.doi.ro) s.m. Abatedouro.

abatedouro (a.ba.te.dou.ro) s.m. Estabelecimento onde se abatem os animais destinados ao mercado de carne; matadouro. || *abatedoiro.*

abater (a.ba.ter) v. **1.** Fazer cair; derrubar: *Conseguiram abater um caça.* **2.** Matar (gado, aves): *Só no ano passado a região abateu mais de cem milhões de cabeças de aves.* **3.** Matar, especialmente com arma de fogo: *Foram encontradas as balas que abateram o ambientalista.* **4.** Diminuir, baixar (o valor de): *Com aquela quantia, o mutuário pôde abater 50% da dívida.* **5.** Enfraquecer(-se) física ou moralmente; debilitar(-se): *A doença abateu o velho pescador; A súbita demissão o abateu muito; O time não se abateu com o primeiro gol do adversário.* **6.** fig. Cair, descer: *Que desgraça se abateu sobre aquela família!* ▶ Conjug. 39. – **abatedor** adj. s.m.

abatido (a.ba.ti.do) adj. **1.** Sem forças, fraco, pálido. **2.** Desanimado, deprimido. **3.** Vencido: *Foi abatido pelo cansaço.*

abatimento (a.ba.ti.men.to) s.m. **1.** Ato ou efeito de abater(-se). **2.** Estado de abatido.

abaulado (a.bau.la.do) adj. Que tem forma de tampa de baú; curvo, convexo. – **abaulamento** s.m.; **abaular** v. ▶ Conjug. 26.

abc s.m. Abecê.

abdicar (ab.di.car) v. **1.** Renunciar ao poder supremo: *Pedro I abdicou da coroa do Brasil; O imperador abdicaria em favor de seu filho.* **2.** Deixar, abandonar: *Nunca abdiquei da responsabilidade que tenho como governante.* **3.** Abrir mão de; desistir, renunciar: *Por que o irmão abdicaria do direito de receber a herança?* ▶ Conjug. 5 e 35. – **abdicação** s.f.

abdome (ab.do.me) s.m. (Anat.) Abdômen.

abdômen (ab.dô.men) s.m. (Anat.) Região do corpo dos animais vertebrados situada entre o tórax e a bacia, na qual está alojada a maior parte dos órgãos digestivos, genitais e urinários; barriga, pança, ventre. || *abdome.*

abdominal (ab.do.mi.nal) adj. **1.** Relativo a abdômen. • s.f. **2.** Exercício para o abdômen.

abdução (ab.du.ção) s.f. Movimento pelo qual um membro se afasta do corpo humano ou animal.

abdutor [ô] (ab.du.tor) adj. **1.** Que abduz. • s.m. **2.** Músculo que produz a abdução.

abduzir (ab.du.zir) v. **1.** Afastar um membro, ou parte dele, do corpo no sentido longitudinal: *No pilates, usamos um aparelho para abduzir as pernas.* **2.** Arrebatar (algo ou alguém): *Ela jura que um disco voador a abduziu.* ▶ Conjug. 82.

➤ **à beça** loc. adv. Ver em *beça.*

abecê (a.be.cê) s.m. **1.** Abecedário. **2.** fig. Primeiras noções de qualquer ciência ou arte. **3.** Composição poética em que cada estrofe se inicia por uma letra do alfabeto. || *abc.*

á-bê-cê (á-be-cê) Abecê. || pl.: *á-bê-cês.*

abecedário (a.be.ce.dá.ri:o) s.m. **1.** Conjunto das letras em ordem convencionada; alfabeto. **2.** Livro para ensinar os rudimentos da leitura.

abelha

abelha [ê] (a.be.lha) s.f. (Zool.) Inseto voador que produz mel e cera. || Abelha-mestra (Zool.) única abelha fecunda de uma colmeia.

abelhudo (a.be.lhu.do) adj. **1.** Que intervém onde não foi chamado; enxerido, intrometido. • s.m. **2.** Pessoa abelhuda. – **abelhudice** s.f.

abençoar (a.ben.ço:ar) v. Dar ou lançar a bênção a; bendizer: *Deus o abençoe, meu filho.* ▶ Conjug. 25. – **abençoado** adj.

aberração (a.ber.ra.ção) s.f. Desvio com relação ao ideal ou normal; anomalia.

aberrar (a.ber.rar) v. Desviar-se do que é verdadeiro, bom ou justo; afastar-se: *Sua afirmação aberra da verdade*; *A escolha do sofá amarelo-limão mostrava que seu gosto aberrava-se cada vez mais.* ▶ Conjug. 8. – **aberrante** adj.

aberta [é] (a.ber.ta) s.f. **1.** Grande espaço livre entre as partes de uma coisa; fenda, abertura. **2.** Afastamento das nuvens; cessação da chuva. **3.** Lugar onde rareiam árvores; clareira. **4.** Canalização da água de um rio; vala.

aberto [é] (a.ber.to) adj. **1.** Que não oferece obstáculo que impeça de entrar, de sair, de ver: *casa aberta*; *blusa aberta*; *porta aberta*; *olhos abertos.* **2.** Que não se cicatrizou: *ferida aberta.* **3.** Amplo e sem obstáculos: *espaço aberto.* **4.** De livre acesso: *reunião aberta*; *torneio aberto.* **5.** Livre de preconceitos e comunicativo: *pais abertos.* **6.** Que não é ditatorial: *regime aberto.* **7.** Inaugurado, iniciado: *Está aberto o campeonato de futebol!* **8.** Sem nuvens: *céu aberto.* **9.** (Gram.) Diz-se do timbre das vogais e e o tônicas em *café* e *vovó*. || *Em aberto*: não resolvido, não definido, não concluído.

abertura (a.ber.tu.ra) s.f. **1.** Ato ou efeito de abrir. **2.** Espaço vazio que interrompe a continuidade de uma superfície; orifício, fenda. **3.** Parte pela qual se abre ou abotoa uma veste. **4.** Início, inauguração: *abertura dos trabalhos*; *abertura de uma exposição.* **5.** Qualidade de aberto.

abespinhar-se (a.bes.pi.nhar-se) v. Irritar-se a cada instante e por qualquer motivo: *O menino abespinhava-se com a zombaria dos colegas.* ▶ Conjug. 5 e 6. – **abespinhado** adj.; **abespinhamento** s.m.

abestalhado (a.bes.ta.lha.do) adj. Meio abobado; tolo, bestificado. – **abestalhar-se** v. ▶ Conjug. 5 e 6.

abeto [ê] (a.be.to) s.m. (Bot.) Árvore de copa em forma de cone, encontrada em regiões de clima frio.

abieiro (a.bi:ei.ro) s.m. (Bot.) Árvore que produz o abio.

abio (a.bi:o) s.m. Fruta amarela, de polpa branca, doce e resinosa. || abiu.

abiscoitar (a.bis.coi.tar) v. Adquirir com facilidade ou esperteza; obter, conseguir: *Por influência familiar, ele abiscoitou um importante cargo no governo.* || abiscoutar. ▶ Conjug. 21.

abiscoutar (a.bis.cou.tar) v. Abiscoitar. ▶ Conjug. 22.

abismado (a.bis.ma.do) adj. Admirado, estupefato.

abismal (a.bis.mal) adj. Relativo a abismo; abissal: *profundidades abismais*; (fig.) *Sentiu que uma diferença abismal os separava.*

abismar-se (a.bis.mar-se) v. **1.** Lançar-se em abismo: *O país abismou-se numa crise financeira sem precedentes.* **2.** Espantar-se, assombrar-se: *O pescador abismou-se com o tamanho do peixe.* ▶ Conjug. 5 e 6.

abismo (a.bis.mo) s.m. **1.** Cavidade natural de profundidade sem termo; precipício; voragem; báratro. **2.** fig. Tudo que é imenso ou perigoso. **3.** fig. Diferença muito grande: *Há um abismo entre a nossa geração e a de nossos pais.*

abissal (a.bis.sal) adj. Abismal: *A zona abissal é a região mais profunda do oceano.*

abissínio (a.bis.sí.ni:o) adj. **1.** Da Abissínia (atual Etiópia), país da África. • s.m. **2.** O natural ou o habitante da Abissínia.

abiu (a.biu) s.m. Abio.

abjeção (ab.je.ção) s.f. Aviltamento, baixeza, infâmia.

abjeto [é] (ab.je.to) adj. Digno de desprezo; vil, baixo, infame. *Não há justificativa para o comportamento abjeto daquele funcionário.*

abjurar (ab.ju.rar) v. **1.** Renunciar a (uma religião ou crença); perjurar, renegar. *Nunca abjurou das suas crenças*; *Os dois irmãos abjuraram a fé em que haviam sido criados.* **2.** Retirar (o que foi dito); desdizer: *Na entrevista, o autor abjurou sua última obra.* ▶ Conjug. 5. – **abjuração** s.f.

ablação (a.bla.ção) s.f. (Med.) Remoção de uma parte do corpo, especialmente por corte.

ablativo (a.bla.ti.vo) adj. **1.** Relativo a ablação: *laser ablativo.* **2.** Relativo a ablativo: *caso ablativo.* • s.m. **3.** (Gram.) Caso da declinação nominal latina, e de algumas outras línguas, que indica afastamento, origem, matéria, instrumento, lugar e outras circunstâncias.

ablução (a.blu.*ção*) *s.f.* **1.** Ato de lavar-se. **2.** Prática seguida em várias religiões que consiste em lavar o corpo, ou parte dele, com fins purificadores. **3.** Parte da missa em que o padre lava as mãos.

abnegado (ab.ne.*ga*.do) *adj.* **1.** Que se sacrifica por alguém ou algo. **2.** Próprio da pessoa abnegada: *atitude abnegada*.

abnegar (ab.ne.*gar*) *v.* **1.** Renunciar a; sacrificar: *Abnegou a sua vida para servir os pobres*. **2.** Sacrificar-se: *Ela sempre se abnegou em favor do marido*. **3.** Abjurar, renegar: *Alguns jovens abnegam da própria vontade e personalidade para seguir líderes religiosos*. ▶ Conjug. 8 e 34. – **abnegação** *s.f.*

abóbada (a.*bó*.ba.da) *s.f.* (*Arquit.*) Construção de curvatura côncava que cobre certo espaço e cujos elementos suportam uma sobrecarga, transmitindo as pressões a pontos de apoio; teto abaulado. || *Abóbada celeste*: o firmamento. • *Abóbada palatina*: o céu da boca.

abobado (a.bo.*ba*.do) *adj.* Abobalhado.

abobalhado (a.bo.ba.*lha*.do) *adj.* Meio bobo; abobado.

abobalhar (a.bo.ba.*lhar*) *v.* **1.** Tornar(-se) bobo; abobar(-se): *Certos programas de televisão abobalham o espectador; Abobalhou-se de tanto fazer aquele trabalho mecânico*. **2.** Impressionar-se ou causar impressão: *Abobalhou-se diante da beleza da moça; A notícia do seu casamento abobalhou a família*. ▶ Conjug. 5.

abobar (a.bo.*bar*) *v.* Abobalhar. ▶ Conjug. 20.

abóbora (a.*bó*.bo.ra) *s.f.* **1.** Fruto grande, arredondado, de polpa alaranjada e comestível; jerimum. • *s.m.* **2.** A cor da abóbora. • *adj.* **3.** Da cor da abóbora: *blusas abóbora*.

abobrinha (a.bo.*bri*.nha) *s.f.* **1.** Tipo de abóbora de forma cilíndrica e polpa verde e macia. **2.** *gír.* Afirmação tola; asneira, bobagem.

abocanhar (a.bo.ca.*nhar*) *v.* **1.** Apanhar com a boca: *O neném deve abocanhar até a aréola da mama para que o aleitamento seja eficiente*. **2.** *fig.* Apoderar-se de; conquistar: *A nova fábrica quer abocanhar 10% do mercado consumidor de refrigerantes*. ▶ Conjug. 5.

aboiar (a.boi.*ar*) *v.* Cantar plangente e monotonamente, guiando a boiada: *Era hora de o boiadeiro vir aboiando (a manada) pelos morros*. ▶ Conjug. 24.

aboio [ô] (a.*boi*.o) *s.m.* Canto do vaqueiro que guia a boiada.

aboletar (a.bo.le.*tar*) *v.* **1.** Alojar(-se), instalar(-se): *Ele teve de aboletar vários soldados (em sua casa); O comandante aboletou-se numa casa de vila*. **2.** Refestelar-se; sentar-se: *Aboletou-se na poltrona e lá ficou o dia todo*. ▶ Conjug. 8. – **aboletamento** *s.m.*

abolição (a.bo.li.*ção*) *s.f.* Ato ou efeito de abolir; extinção: *A abolição da escravatura pouco melhorou a condição social e econômica dos ex-escravos*.

abolicionismo (a.bo.li.ci:o.*nis*.mo) *s.m.* Doutrina favorável à abolição da escravatura.

abolicionista (a.bo.li.ci:o.*nis*.ta) *adj.* **1.** Relativo ao abolicionismo. • *s.m. e f.* **2.** Pessoa partidária do abolicionismo.

abolir (a.bo.*lir*) *v.* Pôr fora de uso (costumes, instituições, leis); extinguir; revogar; anular; suprimir: *Vários países aboliram a pena de morte*. ▶ Conjug. 84 e 76.

abomaso (a.bo.*ma*.so) *s.m.* (*Zool.*) A quarta cavidade do estômago dos ruminantes; coalheira.

abominar (a.bo.mi.*nar*) *v.* Sentir horror (a algo, alguém ou a si mesmo); detestar(-se), odiar(-se): *Ele abomina a ideia de qualquer censura, mas acha que a programação televisiva tem de melhorar; Pelos discursos, nota-se que os dois políticos se abominam*. ▶ Conjug. 5. – **abominação** *s.f.*

abominável (a.bo.mi.*ná*.vel) *adj.* Odioso e condenável: *um crime abominável*.

abonado (a.bo.*na*.do) *adj.* **1.** Qualificado como bom; afiançado. **2.** Endinheirado, rico.

abonar (a.bo.*nar*) *v.* **1.** Qualificar como bom; declarar bom ou verdadeiro: *O pedido de associação deve ser abonado por dois sócios do clube*. **2.** Ser fiador de; afiançar, garantir: *abonar uma dívida, um contrato etc*. **3.** Relevar, justificar: *Depois de sua explicação, o chefe decidiu abonar suas faltas*. **4.** Provar o emprego de (palavra, locução) por meio de texto de autor abalizado: *Escolheu um trecho de Dom Casmurro para abonar o verbo dissimular*. **5.** Adiantar (dinheiro) a alguém: *Abone cem reais a cada operário*. ▶ Conjug. 5. – **abonação** *s.f.*; **abonador** *adj. s.m.*; **abonatório** *adj.*

abono (a.*bo*.no) *s.m.* **1.** Atestado, autenticação. **2.** Garantia, fiança. **3.** Adiantamento de dinheiro. **4.** Complemento de salário pago a título precário, como antecipação de futuro aumento, como gratificação especial ou compensação de encargos individuais.

abordagem

abordagem (a.bor.*da*.gem) *s.f.* **1.** Ato de aproximar-se de alguém a fim de dirigir-lhe a palavra. **2.** Maneira ou ângulo pelo qual um assunto ou um problema é tratado. **3.** Assalto efetuado por um navio a outro.

abordar (a.bor.*dar*) *v.* **1.** Aproximar-se de alguém a fim de dirigir-lhe a palavra: *O forasteiro abordou um guarda e perguntou sobre uma pousada.* **2.** Tratar de (assunto, tema): *Em sua palestra, o economista abordou o tema da dívida social.* **3.** Aproximar-se uma embarcação de outra, principalmente nos combates: *O navio de guerra abordou e afundou um navio de bandeira inimiga.* ▶ Conjug. 5.

aborígene (a.bo.*rí*.ge.ne) *adj. s.m. e f.* Aborígine.

aborígine (a.bo.*rí*.gi.ne) *adj.* **1.** Oriundo do país em que vive; nativo. • *s.m. e f.* **2.** Habitante primitivo de uma região; indígena, autóctone. || *aborígene.*

aborrecer (a.bor.re.*cer*) *v.* **1.** Causar desagrado ou tédio: *Esta música o aborrece.* **2.** Enfastiar-se, enojar-se: *Aborrecia-se muito dos problemas.* **3.** Zangar-se, irritar-se: *Ontem aborreceu-se com o filho.* ▶ Conjug. 41. – **aborrecimento** *s.m.*

aborrecido (a.bor.re.*ci*.do) *adj.* **1.** Que aborrece; enfadonho, monótono. **2.** Enfastiado, desanimado. **3.** Zangado, contrariado.

abortar (a.bor.*tar*) *v.* **1.** Expulsar o feto antes que ele esteja suficientemente desenvolvido para que possa viver: *Minha gata abortou.* **2.** *fig.* Não se desenvolver plenamente: *A ideia abortou.* **3.** *fig.* Fazer gorar; frustrar: *Agentes secretos abortaram um ataque terrorista.* ▶ Conjug. 20. – **abortamento** *s.m.*

abortivo (a.bor.*ti*.vo) *adj.* **1.** Que provoca o aborto. • *s.m.* **2.** Produto abortivo.

aborto [ô] (a.*bor*.to) *s.m.* **1.** Ato ou efeito de abortar; abortamento. **2.** *fig.* Pessoa disforme; monstruosa.

abotoadura (a.bo.to:a.*du*.ra) *s.f.* Jogo de botões removíveis para os punhos de uma camisa.

abotoar (a.bo.to:*ar*) *v.* Passar os botões pelas casas para que a roupa fique fechada: *Abotoou a sobrecasaca e saiu.* ▶ Conjug. 25.

abracadabra (a.bra.ca.*da*.bra) *s.m.* Palavra à qual a superstição antiga atribuía várias propriedades, como as de abrir portas fechadas e curar certas moléstias.

abraçadeira (a.bra.ça.*dei*.ra) *s.f.* **1.** Peça usada para segurar algo, circundando-o. **2.** Tira ou cordão que prende um cortinado, apanhando-o ao lado.

abraçar (a.bra.*çar*) *v.* **1.** Cingir com os braços, apertar entre os braços, geralmente como expressão de afeto: *O aniversariante abraçou cada um dos convidados demoradamente.* **2.** Rodear com os braços; circundar, abranger: *Três pessoas juntas não conseguem abraçar o tronco daquela árvore.* **3.** *fig.* Seguir, adotar: *Não abrace tal doutrina; Aos 25 anos, João abraçou a carreira de médico.* **4.** Entrelaçar-se: *Assim que o vi, abracei-me a ele.* ▶ Conjug. 5 e 36.

abraço (a.*bra*.ço) *s.m.* Ato de abraçar; amplexo.

abrandar (a.bran.*dar*) *v.* **1.** Tornar brando ou mais brando (o que é duro, áspero, intratável): *O aluno abrandou a voz quando foi interpelado pelo diretor.* **2.** Suavizar(-se), amenizar (-se), amainar: *Ele abrandou o seu ódio ao saber como fora a infância do inimigo; Os conflitos entre os dois países abrandaram-se.* ▶ Conjug. 5. – **abrandamento** *s.m.*

abranger (a.bran.*ger*) *v.* **1.** Abarcar, alcançar: *A vista do apartamento abrangia o Corcovado e o Pão de Açúcar.* **2.** Ter dentro de seus limites; compreender: *O Ensino Médio abrange os três últimos anos de escolaridade.* ▶ Conjug. 39 e 47. – **abrangência** *s.f.;* **abrangente** *adj.*

abrasador [ô] (a.bra.sa.*dor*) *adj.* **1.** Que abrasa; muito quente. **2.** *fig.* Excitante, provocador.

abrasamento (a.bra.sa.*men*.to) *s.m.* **1.** Ato ou efeito de abrasar(-se). **2.** Ardor causado por irritação em alguns órgãos. **3.** *fig.* Veemência, entusiasmo.

abrasão (a.bra.*são*) *s.f.* **1.** Ação ou efeito de desgastar, por fricção. **2.** (Geol.) Desgaste de uma rocha pela água carregada de detritos. **3.** (Med.) Ulceração superficial.

abrasar (a.bra.*sar*) *v.* **1.** Pôr(-se) em brasa; converter(-se) em brasas: *A chama abrasou todas as árvores do bosque; A floresta abrasou-se toda.* **2.** Aquecer em extremo; produzir muito calor: *O sol quente abrasava as plantas; Era meio-dia e o sol abrasava.* **3.** *fig.* Entusiasmar (-se), excitar(-se): *O rapaz abrasou-se pela nova vizinha; A paixão abrasou o coração da adolescente.* ▶ Conjug. 5. – **abrasante** *adj.*

abrasileirar (a.bra.si.lei.*rar*) *v.* **1.** Tornar brasileiro; dar feição brasileira a: *O cozinheiro abrasileirou várias iguarias francesas.* **2.** Tornar-se brasileiro: *As cantigas de roda vindas da Europa aqui se abrasileiraram.* ▶ Conjug. 18. – **abrasileiramento** *s.m.*

abrasivo (a.bra.*si*.vo) *adj.* **1.** Que produz desgaste por meio de fricção. **2.** Diz-se de substância muito dura que serve para limpar ou

absenteísmo

polir. *s.m.* **3.** Aquilo que causa abrasão (1). **4.** Substância abrasiva.

abre-alas (a.bre-*a*.las) *s.m.2n.* **1.** Faixa ou carro que anuncia e puxa blocos e escolas de samba nos desfiles carnavalescos. **2.** Grupo de pessoas que acompanha a faixa ou desfila nos carros alegóricos anunciadores da escola.

abre-latas (a.bre-*la*.tas) *s.m.2n.* Instrumento com que se abrem latas.

abreugrafia (a.breu.gra.*fi*.a) *s.f.* (*Med.*) Método de fotografar, para fins médicos, em tamanho reduzido, a imagem produzida pelos raios X na tela fluorescente.

abreviação (a.bre.vi:a.*ção*) *s.f.* **1.** Ato ou efeito de abreviar; resumo. **2.** Redução de uma palavra à sua primeira letra ou às iniciais até certa medial; abreviatura. **3.** (*Gram.*) Processo de formação de palavras que consiste em usar a parte pelo todo: *cine* (por *cinema*), *foto* (por *fotografia*).

abreviar (a.bre.vi:*ar*) *v.* **1.** Tornar breve; diminuir: *Nos quadros, a pintora abreviava o nome para Mô.* **2.** Condensar, resumir: *Estou abreviando muito a história que lhe queria contar detalhadamente.* ▶ Conjug. 17.

abreviatura (a.bre.vi:a.*tu*.ra) *s.f.* Abreviação.

abricó (a.bri.*có*) *s.m.* Fruta pequena, de cor amarela, com polpa farinácea e sementes pretas e lisas.

abricoteiro (a.bri.co.*tei*.ro) *s.m.* (*Bot.*) Árvore cuja madeira é usada em construção e que produz o abricó.

abrideira (a.bri.*dei*.ra) *s.f.* **1.** Máquina usada na indústria de fiação. **2.** Aperitivo (2).

abridor [ô] (a.bri.*dor*) *s.m.* **1.** Aquilo que abre. **2.** Instrumento que serve para abrir tampa de garrafas e latas.

abrigar (a.bri.*gar*) *v.* **1.** Resguardar(-se) do mau tempo ou de algum perigo: *Aquele país abrigou milhares de refugiados de guerra; Durante a chuva, abriguei-me debaixo de uma marquise.* **2.** Cobrir(-se) com roupa ou outra coisa para proteger(-se); agasalhar(-se): *A mãe abrigou o bebê com uma manta de lã; Antes de sair, abrigue-se bem!* **3.** *fig.* Ter, guardar: *Ele ainda abrigava a esperança de reatar o namoro com Lúcia.* ▶ Conjug. 5 e 34.

abrigo (a.*bri*.go) *s.m.* **1.** Tudo o que protege dos ventos e, em geral, do mau tempo. **2.** Lugar seguro onde alguém se acolhe para livrar-se de um mal, de um risco. **3.** Agasalho, cobertor. **4.** Casa de caridade onde se abrigam pessoas sem recursos.

abril (a.*bril*) *s.m.* Quarto mês do ano.

abrilhantar (a.bri.lhan.*tar*) *v.* **1.** Tornar(-se) brilhante: *Esta cera serve para abrilhantar o piso; O seu rosto não se abrilhantará com o uso deste creme.* **2.** Dar brilhantismo a: *A apresentação da orquestra abrilhantou a festa.* ▶ Conjug. 5. – **abrilhantamento** *s.m.*

abrir (a.*brir*) *v.* **1.** Deslocar os elementos de uma abertura para permitir a passagem ou a vista: *abrir a porta, a janela, as cortinas, uma fivela.* **2.** Retirar o invólucro que separa o interior do exterior: *abrir uma garrafa, um pacote, uma lata.* **3.** Afastar as partes que compõem algo: *abrir um livro, a mão, a boca.* **4.** Dar princípio a: *abrir os trabalhos, um seminário, um desfile.* **5.** Registrar, lavrar: *abrir uma firma no cartório.* **6.** Acender: *Entrou no quarto e abriu a luz.* **7.** Ficar verde o sinal de trânsito para passarem os pedestres: *Mal o sinal abriu, os carros começaram a buzinar.* **8.** Desabrochar: *As rosas da jarra abriram.* **9.** Confidenciar-se com alguém; revelar-lhe tudo que sente: *Resolveu abrir-se com seu melhor amigo.* || part.: aberto. ▶ Conjug. 66.

ab-rogar (ab-ro.*gar*) *v.* (*Jur.*) Abolir (uma lei). ▶ Conjug. 20 e 34. – **ab-rogação** *s.f.*

abrolho [ô] (a.*bro*.lho) *s.m.* **1.** (*Bot.*) Planta rasteira e espinhosa. **2.** Rochedo que aflora nas águas do mar, não muito longe da costa; escolho. || Na última acepção, mais usado no plural; pl.: [ó].

ab-rupto (ab-*rup*.to) *adj.* **1.** Com grande inclinação; escarpado, íngreme. **2.** *fig.* Brusco, súbito. **3.** *fig.* Áspero, rude.

abrutalhado (a.bru.ta.*lha*.do) *adj.* Que tem modos brutos, grosseiros.

abrutalhar (a.bru.ta.*lhar*) *v.* Tornar(-se) brutal, grosseiro: *A vida na pobreza abrutalhou-o; Abrutalhou-se no trabalho duro da lavoura.* ▶ Conjug. 5.

abscesso [é] (abs.*ces*.so) *s.m.* (*Med.*) Acumulação de pus causada por inflamação.

abscissa (abs.*cis*.sa) *s.f.* (*Mat.*) Distância de um ponto em um plano com relação à coordenada vertical.

abscôndito (abs.*côn*.di.to) *adj.* Escondido, oculto, secreto, absconso.

absconso (abs.*con*.so) *adj.* Abscôndito.

absenteísmo (ab.sen.te.*ís*.mo) *s.m.* **1.** Ausência frequente ou deliberada de um lugar ao qual se tem obrigação de ir. **2.** Hábito de residir fora do lugar a que estão ligados os interesses próprios. || *absentismo.*

absentismo (ab.sen.*tis*.mo) *s.m.* Absenteísmo.

absinto (ab.*sin*.to) *s.m.* **1.** (*Bot.*) Planta aromática de cujas folhas se obtém uma essência usada para fabricar um licor. **2.** Licor feito com essa planta.

absolutismo (ab.so.lu.*tis*.mo) *s.m.* Regime político em que o governante se investe de poderes absolutos e ilimitados.

absolutista (ab.so.lu.*tis*.ta) *adj.* **1.** Relativo ao absolutismo. • *s.m.* e *f.* **2.** Pessoa partidária do absolutismo.

absoluto (ab.so.*lu*.to) *adj.* **1.** Considerado independentemente de qualquer relação ou comparação: *números absolutos.* **2.** Total, completo: *verdade absoluta.* **3.** Sem restrições; ilimitado: *poder absoluto.* **4.** Soberano, único: *Filha única, a pequena é senhora absoluta da casa.*

absolver (ab.sol.*ver*) *v.* **1.** Declarar(-se) inocente: *O tribunal absolveu os acusados*; *Censurou-se, mas depois absolveu-se.* **2.** (*Rel.*) Perdoar os pecados de: *O padre absolveu os pecadores.* ▶ Conjug. 42. – **absolvição** *s.f.*

absorção (ab.sor.*ção*) *s.f.* Ato ou efeito de absorver.

absorto [ô] (ab.*sor*.to) *adj.* Concentrado nos próprios pensamentos; abstraído, alheio, embebido.

absorvência (ab.sor.*vên*.ci:a) *s.f.* Faculdade de absorver; absorção.

absorvente (ab.sor.*ven*.te) *adj.* Que absorve. || *Absorvente higiênico*: peça de material absorvente, própria para a higiene feminina durante a menstruação.

absorver (ab.sor.*ver*) *v.* **1.** Deixar penetrar e reter (líquido); sorver: *O algodão absorveu o álcool.* **2.** Fazer desaparecer; consumir, esgotar: *O mercado interno absorveu quase toda a produção de frango.* **3.** Assimilar: *O discípulo absorveu bem os ensinamentos do mestre.* **4.** Ocupar inteiramente: *O trabalho sempre o absorveu muito.* **5.** Aspirar, engolir: *A anciã absorvia a sopa com sofreguidão.* **6.** Concentrar-se, aplicar-se: *Pela manhã, ele se absorvia na leitura dos jornais do dia.* ▶ Conjug. 42.

abstêmio (abs.*tê*.mi:o) *adj.* **1.** Que se abstém de bebidas alcoólicas. • *s.m.* **2.** Pessoa abstêmia.

abstenção (abs.ten.*ção*) *s.f.* Ato ou efeito de se abster.

abstencionismo (abs.ten.ci:o.*nis*.mo) *s.m.* Abstenção eleitoral ou abstenção de qualquer outro gênero de votação.

abster-se (abs.*ter*-se) *v.* **1.** Deixar voluntariamente de exercer uma função ou um direito: *O Brasil absteve-se de votar na questão do Oriente*; *Abstive-me na votação para síndico do meu prédio.* **2.** Praticar a abstinência: *Minha avó abstinha-se de carne às sextas-feiras.* ▶ Conjug. 1 e 40.

abstinência (abs.ti.*nên*.ci:a) *s.f.* **1.** Privação de algo, especialmente prazeres ou drogas. **2.** (*Rel.*) Ação de não comer carne em certos dias determinados pela Igreja.

abstração (abs.tra.*ção*) *s.f.* **1.** Ato ou efeito de abstrair(-se). **2.** Estado de alheamento de espírito; distração. **3.** Qualidade de abstrato. **4.** Ideia ou ente abstrato. **5.** (*Art.*) Trabalho de arte abstrata.

abstracionismo (abs.tra.ci:o.*nis*.mo) *s.m.* **1.** Tendência à abstração. **2.** (*Art.*) Corrente estética caracterizada pelo emprego de formas subjetivas e abstratas.

abstracionista (abs.tra.ci:o.*nis*.ta) *adj.* **1.** Relativo a abstracionismo. • *s.m.* e *f.* **2.** (*Art.*) Adepto do abstracionismo.

abstrair (abs.tra.*ir*) *v.* **1.** Pôr de lado; não considerar: *Ao preencher o cheque, abstraiu os centavos.* **2.** Considerar isoladamente coisas que se acham unidas: *Abstraindo os episódios apelativos, o filme é bom.* **3.** Distrair-se, alhear-se: *O eremita abstraiu-se dos bens do mundo*; *Quieto, o menino se abstraía em pensamentos.* ▶ Conjug. 83.

abstrato (abs.*tra*.to) *adj.* **1.** Que implica abstração: *A realidade ultrapassa os conceitos, que são abstratos e generalizantes.* **2.** Que se baseia em ideias e não na realidade sensível: *Este texto trata de temas abstratos, como a justiça, a moral e a ética.* **3.** (*Gram.*) Diz-se de substantivos que exprimem qualidade, estado ou ação: *Beleza, viuvez e corrida são substantivos abstratos.*

abstruso (abs.*tru*.so) *adj.* Difícil de compreender: *uma palavra abstrusa.*

absurdo (ab.*sur*.do) *adj.* **1.** Que é contra a lógica ou o bom senso. • *s.m.* **2.** O que não é lógico; ilógico.

abulia (a.bu.*li*.a) *s.f.* (*Med.*) Doença caracterizada pelo afrouxamento ou ausência da vontade. – **abúlico** *adj.*

abundância (a.bun.*dân*.ci:a) *s.f.* **1.** Grande quantidade. **2.** Fartura, opulência, riqueza.

abundar (a.bun.*dar*) *v.* **1.** Existir em abundância: *Naquela época, a cana-de-açúcar abundava em muitos pontos do país.* **2.** Ter em grande quantidade: *A literatura atual abunda em referências a outras linguagens.* **3.** Coincidir (nas opiniões);

açafrão

concordar: *Os juízes abundaram nesse parecer.* ▶ Conjug. 5. – **abundante** *adj.*

aburguesar (a.bur.gue.*sar*) *v.* **1.** Dar modos de burguês a: *A construção do shopping center aburguesou o bairro.* **2.** Adquirir modos, ideias, hábitos de burguês: *A família aburguesou-se depois que se mudou para a capital.* ▶ Conjug. 8.

abusado (a.bu.*sa*.do) *adj.* Confiado, abelhudo, intrometido.

abusar (a.bu.*sar*) *v.* **1.** Usar mal ou em excesso: *De tanto abusar do açúcar, ficou diabético*; *Ao redigir, procure não abusar de frases longas.* **2.** Obrigar a atos sexuais. ▶ Conjug. 5. – **abusivo** *adj.*

abuso (a.*bu*.so) *s.m.* Ato ou efeito de abusar.

abutre (a.*bu*.tre) *s.m.* **1.** (*Zool.*) Ave de rapina de grandes dimensões, plumagem parda, asas e cauda negras, colar branco na base do pescoço e que se alimenta de carniça. **2.** *fig.* Indivíduo ambicioso e sem escrúpulos.

Ac (*Quím.*) Símbolo de *actínio*.

a.C. Abreviação de *antes de Cristo*.

a/c Abreviação de *ao(s) cuidado(s) de*.

aça (a.*ça*) *adj.* **1.** Albino. • *s.m.* e *f.* **2.** Mulato de cabelos claros. **3.** Indivíduo albino.

acabamento (a.ca.ba.*men*.to) *s.m.* **1.** Ato ou efeito de acabar(-se). **2.** Tratamento final de um objeto: *Vendem-se móveis com fino acabamento.*

acabanado (a.ca.ba.*na*.do) *adj.* **1.** Em forma de cabana. **2.** Diz-se de chapéu de aba descida.

acabar (a.ca.*bar*) *v.* **1.** Deixar de existir; terminar: *A festa acabou à meia-noite*; *O casamento acabou-se, e cada um foi cuidar de sua vida.* **2.** Dar cabo de; pôr termo a; concluir, finalizar: *Quando acabarem o dever, podem ir para o recreio.* **3.** Matar, destruir, exterminar: *Só as campanhas de prevenção podem acabar com o mosquito da dengue.* **4.** Consumir, esgotar, exaurir: *Aquele trabalho acabou com a saúde dela.* **5.** Romper, desmanchar: *Depois de pensar muito, ela acabou o namoro.* || Usado como auxiliar, indica término de uma ação ou conclusão de ato recente: *Acabou decidindo viajar*; *Acabei por desistir* (ou *desistindo*) *da ida ao cinema*; *Ele acabou de sair.* ▶ Conjug. 5.

acaboclado (a.ca.bo.*cla*.do) *adj.* **1.** Que é de origem cabocla ou tem aspecto de caboclo. **2.** Rústico, caipira.

acabrunhado (a.ca.bru.*nha*.do) *adj.* **1.** Abatido, prostrado, desanimado. **2.** Atormentado, melancólico. **3.** Envergonhado, humilhado.

acabrunhar (a.ca.bru.*nhar*) *v.* **1.** Abater, quebrantar: *O cansaço o acabrunhava.* **2.** Oprimir, afligir: *Um pesado fardo a acabrunha*; *Essa ação vil acabrunha, horroriza, paralisa.* **3.** Contristar(-se), desanimar(-se): *Um grande desgosto o acabrunhou*; *Todos se acabrunharam com a notícia da morte do professor.* **4.** Humilhar, magoar: *A bronca do pai acabrunhou o menino.* ▶ Conjug. 5.

acaçapante (a.ca.ça.*pan*.te) *adj.* Acachapante.

acaçapar (a.ca.ça.*par*) *v.* Acachapar. ▶ Conjug. 5.

acachapante (a.ca.cha.*pan*.te) *adj.* Que acachapa; esmagador: *uma vitória acachapante.* || *acaçapante.*

acachapar (a.ca.cha.*par*) *v.* **1.** Encolher, diminuir: *Aquela natureza imponente parecia nos acachapar.* **2.** Esconder-se, ocultar-se: *Acachapou-se sob a gruta do jardim.* **3.** Achatar, esmagar: *O episódio acachapou a sua autoestima.* || *acaçapar.* ▶ Conjug. 5.

acácia (a.*cá*.ci:a) *s.f.* (*Bot.*) **1.** Árvore ornamental cujas flores amarelas pendem em cacho. **2.** Essa flor.

academia (a.ca.de.*mi*.a) *s.f.* **1.** Escola onde se ministram aulas de ginástica, dança, esportes. **2.** Escola onde se ensinam diversas ciências ou artes. **3.** Corporação de sábios; instituto literário, científico ou artístico. **4.** Casa onde os acadêmicos celebram suas sessões. **5.** O conjunto dos acadêmicos.

acadêmia (a.ca.*dê*.mi:a) *s.f.* (*Art.*) Exercício de desenho, pintura ou escultura com modelo nu.

academicismo (a.ca.de.mi.*cis*.mo) *s.m.* Atitude ou tendência própria de quem faz parte de academia.

acadêmico (a.ca.*dê*.mi.co) *adj.* **1.** Relativo à academia. **2.** (*Art.*) De acordo com os modelos clássicos. • *s.m.* **3.** Membro de academia. **4.** Estudante de escola de ensino superior.

academismo (a.ca.de.*mis*.mo) *s.m.* **1.** Cópia inexpressiva e servil de obras de arte das antigas escolas. **2.** Obediência estrita, nas letras ou nas artes, aos preceitos acadêmicos.

academizar (a.ca.de.mi.*zar*) *v.* Tornar(-se) acadêmico: *É preciso academizar esportes populares*; *Na Idade Média, a filosofia se academizou.* ▶ Conjug. 5.

açafrão (a.ça.*frão*) *s.m.* (*Cul.*) Pó amarelo forte usado como corante e tempero.

açaí

açaí (a.ça.í) s.m. **1.** Pequena fruta roxa da Amazônia. **2.** Bebida feita com a polpa dessa fruta. **3.** (*Bot.*) Açaizeiro.

açaizeiro (a.ça:i.zei.ro) s.m. (*Bot.*) Palmeira que produz o açaí.

acaju (a.ca.ju) s.m. **1.** (*Bot.*) Árvore tropical cuja madeira é castanho-avermelhada; mogno. **2.** A cor dessa madeira. • adj. **3.** Da cor dessa madeira: *cabelos acaju*.

acalanto (a.ca.lan.to) s.m. Ato de acalentar.

acalentar (a.ca.len.tar) v. **1.** Embalar, aconchegando ao peito e cantando a meia-voz: *A mãe acalentava o nenê para fazê-lo dormir*. **2.** *fig.* Alentar, cultivar: *Acalentava o sonho de viver no exterior*. ▶ Conjug. 5.

acalmar (a.cal.mar) v. Tornar(-se) calmo; tranquilizar(-se), sossegar(-se), moderar(-se): *Aquela música sempre o acalmava; Só nos acalmamos quando o advogado chegou; Finalmente a tempestade acalmou e pudemos sair.* ▶ Conjug. 5.

acalorado (a.ca.lo.ra.do) adj. **1.** Que se acalorou. **2.** *fig.* Veemente, vivo: *uma discussão acalorada*.

acalorar (a.ca.lo.rar) v. **1.** Dar calor a; aquecer: *O banho quente o acalorou*. **2.** *fig.* Excitar, animar, entusiasmar: *A participação do professor acalorou a nossa conversa*. ▶ Conjug. 20.

acamar (a.ca.mar) v. **1.** Deixar de cama: *Uma forte gripe o acamou*. **2.** Cair de cama; adoecer: *Ela tinha apenas cinco anos quando sua mãe acamou; Acamou-se com uma grave doença*. **3.** Dispor em camadas: *O vento acamou as folhas num canto do pátio*. ▶ Conjug. 5. – **acamado** adj.

açambarcar (a.çam.bar.car) v. **1.** Tomar exclusivamente para si; monopolizar: *Em pouco tempo, a empresa açambarcou todo o mercado de pedras preciosas*. **2.** Abranger, abarcar: *Neste quadro, notem que o vermelho açambarca toda a superfície da tela*. ▶ Conjug. 5 e 35.

acampamento (a.cam.pa.men.to) s.m. **1.** Ato ou efeito de acampar. **2.** Lugar onde se acampa. **3.** Arraial de tropas. || *Levantar acampamento*: ir-se embora.

acampar (a.cam.par) v. **1.** Estabelecer-se temporariamente em um descampado, alojando-se em tendas ou barracas: *No feriado, acampamos em Visconde de Mauá*. **2.** Alojar-se improvisadamente em algum lugar: *Durante a mudança, acampamos na casa dos meus tios*. **3.** Fazer acampar: *Acampou seu exército na entrada da cidade*. ▶ Conjug. 5.

acanalhar (a.ca.na.lhar) v. Tornar(-se) canalha: *O meio vil o acanalhou; Começou a mentir, acanalhou-se*. – **acanalhado** adj. ▶ Conjug. 5.

acanhado (a.ca.nha.do) adj. **1.** Tímido, sem desembaraço. **2.** De tamanho menor que o normal; encolhido. **3.** Pouco generoso; avaro.

acanhar (a.ca.nhar) v. **1.** Tornar(-se) tímido, vexar(-se), envergonhar(-se): *O seu comentário maldoso acanhou o menino; Se precisar, não se acanhe em pedir ajuda*. **2.** Tornar menor do que o habitual: *A falta de estudos acanhava-lhe o horizonte*. **3.** Tolher o desenvolvimento de; atrofiar: *A baixa do dólar acanhou a capacidade de exportar do país*. ▶ Conjug. 5. – **acanhamento** s.m.

acanto (a.can.to) s.m. **1.** (*Bot.*) Planta de folhas largas e muito recortadas. **2.** (*Art.*) Ornato que imita a folha do acanto.

acantonar (a.can.to.nar) v. Instalar(-se) por cantões: *Acantonou as tropas nas ruínas do teatro; A divisão acantonou(-se) na antiga fábrica de tecidos*. ▶ Conjug. 5.

ação (a.ção) s.f. **1.** Ato ou efeito de agir. **2.** (*Art.*) Conjunto dos acontecimentos de uma obra literária, dramática ou cinematográfica; trama, enredo. **3.** (*Fís.*) Força exercida por um corpo sobre outro, o qual exerce sobre o primeiro uma reação igual e contrária. **4.** (*Econ.*) Parte que se toma no capital de qualquer sociedade; título que representa essa parte. **5.** (*Jur.*) Meio legal para se obter alguma coisa em juízo; processo. **6.** (*Mil.*) Batalha, combate. || *Ação de graças*: (*Rel.*) manifestação de gratidão a Deus ou a um santo por um benefício recebido.

acará (a.ca.rá) s.m. (*Zool.*) Peixe de água doce; cará.

acarajé (a.ca.ra.jé) s.m. (*Cul.*) Espécie de bolinho feito de massa de feijão-fradinho, frito em azeite-de-dendê e recheado com vatapá e camarão seco.

acarear (a.ca.re.ar) v. Pôr frente a frente duas ou mais pessoas cujas declarações não coincidem: *O juiz resolveu acarear as duas testemunhas.* ▶ Conjug. 24. – **acareação** s.f.

▶ **a cargo de** loc. prep. Ver em *cargo*.

acari (a.ca.ri) s.m. (*Zool.*) Peixe de água doce, de escamas ásperas, de carne branca e saborosa; cascudo.

acariciar (a.ca.ri.ci.ar) v. **1.** Fazer carícias a; afagar: *Enternecido, teve desejo de acariciá-la*. **2.** Tocar levemente; roçar: *Acariciou a barba pensativamente*. **3.** Causar sensação prazerosa a: *O calor suave do sol acariciava a nossa pele*. ▶ Conjug. 17. – **acariciador** adj. s.m.; **acariciamento** s.m.; **acariciante** adj.

acarinhar (a.ca.ri.*nhar*) *v.* **1.** Fazer carinho em; acariciar: *O filho, que tanto acarinhara e protegera, não precisava mais dela agora*; *Acarinhou o bebê antes de deitá-lo no berço*. **2.** *fig.* Nutrir, alimentar: *Acarinhávamos o projeto de construir uma escola*. ▶ Conjug. 5.

ácaro (*á*.ca.ro) *s.m.* (*Zool.*) Pequeno animal, por vezes microscópico, que vive como parasito do homem, dos animais ou das plantas.

acarpetar (a.car.pe.*tar*) *v.* Pôr carpete em: *acarpetar o apartamento*. ▶ Conjug. 8. – **acarpetado** *adj.*

acarrear (a.car.re:*ar*) *v.* Acarretar. ▶ Conjug. 14.

acarretar (a.car.re.*tar*) *v.* Ocasionar, causar, produzir, acarrear: *A lentidão da Justiça pode acarretar descrença nela mesma*; *As guerras acarretam grandes desgraças aos povos*. ▶ Conjug. 8.

acasalar (a.ca.sa.*lar*) *v.* **1.** Reunir(-se) [macho e fêmea] para procriação: *A cadela está pronta para acasalar(-se)*. **2.** Reunir (uma coisa com outra); emparelhar: *O jogo consiste em acasalar as peças iguais*; *Distraído, acasalava as meias amarelas com as brancas*. ▶ Conjug. 5. – **acasalamento** *s.m.*

acaso (a.*ca*.so) *s.m.* **1.** Sucesso que se produz sem intenção prévia ou sem uma necessidade de ordem natural; casualidade. **2.** Destino, sorte, fortuna. • *adv.* **3.** Talvez, porventura, casualmente. || *Ao acaso*: à toa, a esmo, sem propósito definido, sem reflexão. • *Por acaso*: fortuitamente.

acastanhado (a.cas.ta.*nha*.do) *adj.* Que tem cor quase castanha.

acatamento (a.ca.ta.*men*.to) *s.m.* Ato ou efeito de acatar (uma lei, uma ordem, uma instrução); acato.

acatar (a.ca.*tar*) *v.* Aceitar (uma lei, uma ordem, uma instrução) e cumpri-la: *O juiz acatou o mandado de segurança impetrado pelo sindicato*. ▶ Conjug. 5.

acato (a.*ca*.to) *s.m.* Acatamento.

acauã (a.cau.*ã*) *s.m.* e *f.* (*Zool.*) Espécie de falcão com plumagem na cor creme e uma máscara negra que envolve a cabeça camuflando os olhos.

acautelamento (a.cau.te.la.*men*.to) *s.m.* Ato ou efeito de acautelar(-se).

acautelar (a.cau.te.*lar*) *v.* **1.** Pôr (alguém) de prevenção; prevenir, precaver: *O salva-vidas acautelou-nos sobre os perigos do mar*. **2.** Vigiar, resguardar, defender: *É preciso acautelar o patrimônio público*. **3.** Mostrar cautela; precaver-se, prevenir-se, resguardar-se: *O consumidor acautelou-se diante da alta dos preços*. ▶ Conjug. 8.

acautelatório (a.cau.te.la.*tó*.ri:o) *adj.* Que acautela; preventivo.

acavalado (a.ca.va.*la*.do) *adj.* **1.** Fecundado, coberto: *égua acavalada*. **2.** Sobreposto, encavalado: *dentes acavalados*.

acavalar (a.ca.va.*lar*) *v.* **1.** Lançar (o garanhão) à égua. **2.** Sobrepor, amontoar; encavalar: *Acavalou os óculos no nariz*. ▶ Conjug. 5. – **acavalamento** *s.m.*

accessível (ac.ces.*sí*.vel) *adj.* Acessível.

acebolado (a.ce.bo.*la*.do) *adj.* Em que entra muita cebola.

acebolar (a.ce.bo.*lar*) *v.* Temperar com cebola: *acebolar os bifes*. ▶ Conjug. 20.

aceder (a.ce.*der*) *v.* **1.** Aceitar (um pedido, uma proposta): *Rapidamente acedeu ao pedido da filha*. **2.** Ter acesso a: *Milhões de pessoas acederam à internet nos últimos anos*. ▶ Conjug. 41. – **acedente** *adj. s.m.* e *f.*

acefalia (a.ce.fa.*li*.a) *s.f.* Qualidade de acéfalo.

acéfalo (a.*cé*.fa.lo) *adj.* **1.** Desprovido de cabeça. **2.** *fig.* Que está sem chefe ou diretor: *governo acéfalo*.

aceiro (a.*cei*.ro) *s.m.* Faixa sem vegetação ao redor de um terreno que o protege de incêndio. – **aceiramento** *s.m.*

aceitante (a.cei.*tan*.te) *adj. s.m.* e *f.* Quem se obriga por escrito a pagar uma letra de câmbio.

aceitar (a.cei.*tar*) *v.* **1.** Responder afirmativamente a (uma oferta ou proposição); concordar com: *Ele aceitou prontamente o convite para trabalhar conosco*. **2.** Considerar certo ou verdadeiro: *O professor aceitou alguns argumentos do aluno e refutou outros*. **3.** Receber (algo dado): *Aceitou de bom grado o presente dos pais*. || *part.*: *aceitado* e *aceito*. ▶ Conjug. 18. – **aceitação** *s.f.*; **aceitável** *adj.*

aceite (a.*cei*.te) *s.m.* (*Econ.*) Assinatura do aceitante numa letra de câmbio.

aceleração (a.ce.le.ra.*ção*) *s.f.* Ato ou efeito de acelerar.

acelerador [ô] (a.ce.le.ra.*dor*) *adj.* **1.** Que acelera. • *s.m.* **2.** (*Mec.*) Dispositivo para regular a velocidade de um motor, aumentando ou diminuindo a quantidade de mistura combustível que chega ao carburador.

acelerar

acelerar (a.ce.le.*rar*) *v.* **1.** Tornar(-se) mais rápido: *Não acelere nas curvas*; *Vamos acelerar o passo para alcançar o grupo*. **2.** Fazer que se produza antes: *O médico recomendou a ingestão de muita água para acelerar a minha recuperação*. **3.** Acionar o acelerador: *Mesmo com o sinal fechado, o ônibus acelerava*. ▶ Conjug. 8. – **aceleramento** *s.m.*

acelga [é] (a.cel.ga) *s.f.* Hortaliça de folhas largas, com nervuras e talos grossos, usada em saladas e também cozida.

acém (a.*cém*) *s.m.* Carne do lombo do boi.

acenar (a.ce.*nar*) *v.* **1.** Fazer sinal, especialmente com a mão ou com a cabeça, para cumprimentar, chamar, indicar etc.: *De longe, acenou com um adeus*; *O cantor acenava-nos da janela do carro*. **2.** Oferecer (chance, vantagem, probabilidade): *Acenou-me com a possibilidade de um emprego*. ▶ Conjug. 5.

acendalha (a.cen.da.lha) *s.f.* Qualquer objeto que sirva para comunicar fogo.

acendedor [ô] (a.cen.de.*dor*) *s.m.* Que serve para acender.

acender (a.cen.*der*) *v.* **1.** Fazer que comece a arder: *Acendeu o incenso e recostou-se numa almofada*; *Acendemos o fogo e nos sentamos ao redor da fogueira*. **2.** Pôr em funcionamento (uma luz ou um aparelho elétrico): *Entrou no quarto e acendeu a luz*; *Acendeu a televisão e deitou-se no sofá*. **3.** Causar ou produzir (uma disputa): *O seu discurso acendeu os ânimos*. || part.: *acendido* e *aceso*. ▶ Conjug. 39.

aceno (a.ce.no) *s.m.* Gesto feito com a mão ou com a cabeça.

acento (a.cen.to) *s.m.* **1.** (*Gram.*) Intensidade forte com que se emite uma sílaba e que a destaca com relação às que lhe são contíguas. **2.** Sinal ortográfico que se escreve sobre as vogais para marcar uma particularidade fonética: *O u de miúdo tem acento agudo*; *O a de à beça leva acento grave*; *O último e de bebê recebe acento circunflexo*. **3.** Sotaque.

acentuar (a.cen.tu.*ar*) *v.* **1.** Pôr em relevo: *Em seu discurso, acentuou o gesto generoso do amigo*. **2.** Adquirir intensidade: *A contradição entre o seu pensamento e a sua prática se acentua a cada dia que passa*. **3.** (*Gram.*) Pôr acento em (uma vogal ou palavra): *Acentuam-se todas as palavras proparoxítonas*. ▶ Conjug. 5.

acepção (a.cep.*ção*) *s.f.* Cada um dos significados de uma palavra ou grupo de palavras, especialmente os definidos em um dicionário; sentido.

acepipe (a.ce.pi.pe) *s.m.* Iguaria delicada e benfeita; petisco, quitute.

acerbo [ê] (a.cer.bo) *adj.* **1.** Azedo. **2.** Amargo. **3.** Cruel, áspero: *críticas acerbas*.

acerca [ê] (a.cer.ca) *adv.* Usado apenas na locução *acerca de*. || *Acerca de*: quanto a, a respeito de, sobre.

acercar (a.cer.*car*) *v.* Pôr(-se) perto ou mais perto de; aproximar(-se), avizinhar(-se): *Acercou os olhos do livro*; *Acerquei-me da porta e saí*. ▶ Conjug. 8 e 35.

acerola [ó] (a.ce.ro.la) *s.f.* Fruta pequena e vermelha, semelhante à cereja, muito rica em vitamina C.

acérrimo (a.*cér*.ri.mo) *adj.* Superlativo absoluto de *acre*.

acertar (a.cer.*tar*) *v.* **1.** Encontrar (o certo, desejado ou oportuno): *acertar a resposta*, *o caminho etc*. **2.** Alcançar (com um golpe ou um disparo): *O tiro acertou o pé do soldado*; *O aluno acertou uma bolinha de papel na cabeça do colega*. **3.** Colocar de forma correta; endireitar, consertar: *Olhou-se no espelho e acertou o penteado*. **4.** Combinar, ajustar: *Acertaram um encontro para hoje à noite*; *No almoço, acertarei com você os últimos detalhes da festa*. **5.** Tornar exato; precisar: *A escola acertou a hora pelo relógio da igreja*; *Tenho de acertar o meu relógio com o seu*. ▶ Conjug. 8.

acerto [ê] (a.cer.to) *s.m.* **1.** Ato de acertar. **2.** Resposta correta em uma prova.

acervo [ê] (a.cer.vo) *s.m.* Conjunto das obras pertencentes a um museu, biblioteca etc.

aceso [ê] (a.ce.so) *adj.* **1.** Inflamado; iluminado. **2.** Animado, entusiasmado.

acessar (a.ces.*sar*) *v.* (*Inform.*) Ter acesso à memória do computador. ▶ Conjug. 8.

acessível (a.ces.*sí*.vel) *adj.* **1.** A que se pode aceder facilmente: *lugar acessível*; *preço acessível*. **2.** De trato fácil: *O presidente me pareceu uma pessoa muito acessível*. || *accessível*.

acesso [é] (a.ces.so) *s.m.* **1.** Ação de aceder (2). **2.** Lugar por onde se chega a outro; caminho, passagem. **3.** Manifestação repentina de um estado físico ou moral; crise, ataque: *acesso de tosse, de riso etc*.

acessório (a.ces.*só*.ri:o) *adj.* **1.** Não essencial; secundário. • *s.m.* **2.** Coisa que completa outra sem lhe ser essencial.

acetato (a.ce.*ta*.to) *s.m.* **1.** (*Quím.*) Sal ou éster resultante da combinação do ácido acético com uma base. **2.** (*Cine, Fot.*) Base da película fotográfica e cinematográfica.

acético (a.cé.ti.co) *adj.* (*Quím.*) Diz-se do ácido que constitui o vinagre.

acetileno (a.ce.ti.le.no) *s.m.* (*Quím.*) Hidrocarboneto gasoso que se obtém pela ação da água sobre o carboneto de cálcio, usado na iluminação e em soldaduras.

acetilsalicílico (a.ce.til.sa.li.cí.li.co) *adj.* (*Quím.*) Diz-se do ácido que constitui a aspirina.

acetinado (a.ce.ti.na.do) *adj.* De textura e aparência semelhantes às do cetim: *pele acetinada*.

acetinar (a.ce.ti.nar) *v.* Tornar macio e lustroso como o cetim: *acetinar couro, papel etc.* ▶ Conjug. 5.

acetona (a.ce.to.na) *s.f.* (*Quím.*) Líquido incolor, de odor característico, volátil e inflamável, usado como solvente.

acha (a.cha) *s.f.* Pedaço de madeira toscamente cortado; lenha.

achacadiço (a.cha.ca.di.ço) *adj.* Que é dado a achaques.

achacar (a.cha.car) *v.* **1.** Exigir dinheiro por meio de ameaça ou violência; extorquir: *Tentaram achacar o fiscal.* **2.** Molestar, importunar: *Não suportava as dores que o achacavam.* ▶ Conjug. 5 e 35.

achado (a.cha.do) *adj.* **1.** Descoberto, inventado. • *s.m.* **2.** O que se achou: *seção de achados e perdidos.* **3.** Coisa boa, útil, proveitosa, que se encontrou por acaso: *Esta rima foi um achado!*

achamalotado (a.cha.ma.lo.ta.do) *adj.* Assemelhado a chamalote: *seda achamalotada*.

achaque (a.cha.que) *s.m.* **1.** Doença sem gravidade; mal-estar. **2.** Desvio moral; vício.

achar (a.char) *v.* **1.** Dar com uma coisa não conhecida, não procurada: *Achei um real no chão.* **2.** Encontrar depois de ter procurado: *Finalmente acharam o meu guarda-chuva no cinema.* **3.** Descobrir, inventar: *Os cientistas se esforçam para achar uma vacina contra a aids.* **4.** Ter opinião acerca de; julgar, considerar, supor, pensar: *Achamos melhor viajar amanhã; O chefe achou o candidato muito preparado; Ele se acha lindo.* **5.** Estar, encontrar-se: *O prefeito não se acha na cidade no momento; Mais uma vez nosso herói achou-se em apuros.* ▶ Conjug. 5.

achatar (a.cha.tar) *v.* **1.** Tornar(-se) chato, plano; aplanar: *Furada, a bola achatou-se.* **2.** Tornar(-se) baixo; diminuir: *Os anos de recessão achataram a renda do trabalhador; Os salários dos professores se achataram no regime autoritário.* ▶ Conjug. 5. – **achatado** *adj.*; **achatamento** *s.m.*

achega [ê] (a.che.ga) *s.f.* **1.** Aditamento, acréscimo. **2.** Auxílio, subsídio, contribuição. || Mais usado no plural.

achegar (a.che.gar) *v.* Tornar(-se) próximo; aproximar: *Achegou a cadeira e sentou-se; O jovem, enamorado, achegou-se à moça.* ▶ Conjug. 11 e 34.

achego [ê] (a.che.go) *s.m.* Proteção, amparo, arrimo.

achincalhar (a.chin.ca.lhar) *v.* Cobrir de ridículo; escarnecer, rebaixar: *Em sua coluna semanal, o crítico achincalhou o filme.* ▶ Conjug. 5.

achincalhe (a.chin.ca.lhe) *s.m.* Ato ou efeito de achincalhar; escárnio, zombaria.

achismo (a.chis.mo) *s.m. coloq.* Palpite sem fundamentação.

achocolatado (a.cho.co.la.ta.do) *adj.* **1.** Semelhante a chocolate. **2.** Que contém chocolate. • *s.m.* **3.** Alimento achocolatado.

aciaria (a.ci:a.ri.a) *s.f.* Usina de produção de aço.

acicate (a.ci.ca.te) *s.m.* **1.** Espora de um só aguilhão; pua. **2.** *fig.* Incentivo, estímulo. – **acicatar** *v.* ▶ Conjug. 5.

acicular[1] (a.ci.cu.lar) *v.* Dar forma de agulha a; afinar. ▶ Conjug. 5.

acicular[2] (a.ci.cu.lar) *adj.* Assemelhado a agulha.

acidentado (a.ci.den.ta.do) *adj.* **1.** Que tem altos e baixos: *terreno acidentado.* **2.** Que apresentou seguidos reveses: *viagem acidentada.* • *s.m.* **3.** Indivíduo que foi vítima de um acidente.

acidental (a.ci.den.tal) *adj.* **1.** Sobrevindo por acidente; casual, fortuito, imprevisto. **2.** Que não é essencial; acessório, suplementar.

acidentar (a.ci.den.tar) *v.* **1.** Ferir ou lesar pessoas em desastre: *A queda do teto do shopping acidentou pelo menos vinte pessoas.* **2.** Ser vítima de um acidente: *O operário acidentou-se com o martelo.* **3.** (*Mús.*) Entremear (música) de acidentes. ▶ Conjug. 5.

acidente (a.ci.den.te) *s.m.* **1.** O que advém fortuitamente, inesperadamente, sem ser previsto. **2.** Acontecimento infeliz; desastre. **3.** Variação de um terreno. **4.** (*Mús.*) Sinal gráfico colocado ao lado da nota para elevar ou abaixar seu tom.

acidez [ê] (a.ci.dez) *s.f.* Qualidade do que é ácido.

acidificar (a.ci.di.fi.car) *v.* Tornar(-se) ácido: *O cozinheiro acidificou a iguaria acrescentando-lhe vinagre; As sementes se acidificam logo que se separam da planta.* ▶ Conjug. 5 e 35. – **acidificação** *s.f.*

ácido (á.ci.do) *adj.* **1.** Azedo (para o paladar ou para o olfato); acre. **2.** Que possui as propriedades do ácido: *substância ácida.* • *s.m.* **3.** (*Quím.*) Composto que em solução aquosa se dissocia, dando lugar a uma solução corrosiva e de sabor ácido.

acidose [ó] (a.ci.do.se) *s.f.* (*Med.*) Acidez excessiva dos líquidos do organismo.

acidulado (a.ci.du.*la*.do) *adj.* **1.** Acidificado. **2.** *fig.* Irritado, intolerante.

acidular (a.ci.du.*lar*) *v.* Tornar acídulo ou ácido: *O limão acidulou a garganta do menino.* ▶ Conjug. 5.

acídulo (a.*cí*.du.lo) *adj.* Um pouco ácido.

acima (a.ci.ma) *adv.* Na parte superior, em lugar precedente. || *Acima de*: em posição superior; sobre, além de.

acinte (a.*cin*.te) *s.m.* Ação premeditada com o fim de ofender ou contrariar alguém; provocação.

acintoso [ô] (a.cin.*to*.so) *adj.* Em que há acinte; feito com acinte: *um deboche acintoso.* || f. e pl.: [ó].

acinzentar (a.cin.zen.*tar*) *v.* **1.** Dar cor cinzenta a: *Este xampu acinzenta cabelos brancos.* **2.** Tornar-se cor de cinza: *O céu acinzentou-se de repente.* ▶ Conjug. 5. – **acinzentado** *adj.*

acionar (a.ci:o.*nar*) *v.* **1.** Pôr em ação: *A entrada dos ladrões na casa acionou o alarme.* **2.** (*Jur.*) Intentar ação em juízo contra: *Resolveram acionar o condômino inadimplente na Justiça.* ▶ Conjug. 5. – **acionamento** *s.m.*

acionista (a.ci:o.*nis*.ta) *adj.* **1.** Que possui ações de uma empresa. • *s.m.* e *f.* **2.** Proprietário de ações de uma empresa.

acirrar (a.cir.*rar*) *v.* **1.** Incitar, açular, instigar: *As guerras acirram os sentimentos nacionalistas; As duras medidas acirraram o povo contra o governante.* **2.** Exacerbar(-se), aumentar: *A nova ordem econômica acirrou a competição entre as empresas; A luta entre os dois grupos acirrou-se com a morte de seus principais líderes.* **3.** Irritar-se, excitar-se: *Quando os ânimos se acirraram, o líder pediu calma aos participantes da manifestação.* ▶ Conjug. 5. – **acirrado** *adj.*; **acirramento** *s.m.*

aclamação (a.cla.ma.*ção*) *s.f.* Ato ou efeito de aclamar. || *Por aclamação*: por unanimidade e por meio de brados ou aplausos, sem que haja necessidade de escrutínio: *Foi eleito por aclamação para presidir os trabalhos.*

aclamar (a.cla.*mar*) *v.* **1.** Festejar, saudar, reconhecer solenemente um chefe, um líder ou um soberano: *Milhares de fiéis aclamaram o papa na praça de São Pedro; O povo aclamou-o rei.* **2.** Aprovar ou eleger por meio de brados ou aplausos: *A assembleia aclamou, por unanimidade, o acordo que regula as atividades na área de lazer do prédio; Os colegas aclamaram-no representante da turma.* **3.** Reconhecer coletivamente o mérito de: *Os fãs aclamaram-na rainha das cantoras.* ▶ Conjug. 5.

aclarar (a.cla.*rar*) *v.* **1.** Tornar(-se) claro, ou mais claro; encher(-se) de luz: *A lanterna aclarou o caminho; A chuva parou e a tarde aclarou(-se).* **2.** Explicar, esclarecer, elucidar: *O professor aclarou as passagens obscuras do texto.* ▶ Conjug. 5. – **aclaração** *s.f.*

aclimar (a.cli.*mar*) *v.* **1.** Adaptar(-se) a novo clima; aclimatar(-se): *Os japoneses aclimaram o caqui à nossa terra; A amendoeira aclimou-se bem no Brasil.* **2.** Ajustar(-se), aclimatar(-se): *As empresas aclimaram salas destinadas aos fumantes.* **3.** Habituar(-se): *Os imigrantes aclimam-se facilmente aos costumes brasileiros.* ▶ Conjug. 5.

aclimatar (a.cli.ma.*tar*) *v.* Aclimar. ▶ Conjug. 5. – **aclimatação** *s.f.*; **aclimatado** *adj.*

aclive (a.*cli*.ve) *s.m.* Subida (2). || antôn.: declive.

acne (*ac*.ne) *s.f.* (*Med.*) Afecção dos folículos sebáceos da pele; espinha.

aço[1] (a.ço) *s.m.* **1.** Liga de ferro e carbono, endurecida pela têmpera. **2.** Amálgama de mercúrio e estanho com que se dá ao vidro a propriedade de refletir. **3.** Arma branca. **4.** *fig.* Energia, vigor, força, resistência. || *Aço inoxidável*: aço com teor de cromo resistente à corrosão. • *De aço*: *fig.* que tem a dureza do aço, que resiste a duras provas; forte.

aço[2] (a.ço) *adj.* **1.** Albino. • *s.m.* e *f.* **2.** Mulato de cabelos alourados. **3.** Pessoa albina.

acobertar (a.co.ber.*tar*) *v.* **1.** Defender, proteger: *No seu discurso, tentou acobertar os delitos do amigo.* **2.** Dissimular: *As guerras geralmente acobertam interesses econômicos.* ▶ Conjug. 8. – **acobertamento** *s.m.*

acobreado (a.co.bre:*a*.do) *adj.* Do aspecto ou da cor do cobre: *cabelos acobreados.* – **acobrear** *v.* ▶ Conjug. 14.

acochambrar (a.co.cham.*brar*) *v.* Fazer (algo) sem capricho ou de modo ilícito: *Acochambrou um filme com base num romance desconhecido e ainda queria ganhar o prêmio!; Acochambraram um acordo para que o candidato fosse eleito.* ▶ Conjug. 5. – **acochambrado** *adj.*

acocorar-se (a.co.co.*rar*-se) *v.* **1.** Pôr-se de cócoras; agachar-se: *As crianças acocoraram-se para brincar na areia.* **2.** *fig.* Humilhar-se: *Não se acocorava diante da tirania dos poderosos.* ▶ Conjug. 20 e 6. – **acocorado** *adj.*; **acocoramento** *s.m.*

açodar (a.ço.*dar*) *v.* Apressar(-se), precipitar(-se): *A mecanização açodou a evasão do campo; O presidente açodou-se em defender o seu antigo auxiliar.* ▶ Conjug. 20. – **açodamento** *s.m.*

acoimar (a.coi.*mar*) *v.* **1.** Impor(-se) punição; castigar(-se), repreender(-se): *Acoimava o filho por não ter aproveitado boas oportunidades; Acoimou-se da falta que lhe imputaram.* **2.** Qualificar(-se), tachar(-se): *Em seu discurso, acoimou o Estado de inepto; Acoimava-se de desastrado.* ▶ Conjug. 21. – **acoimado** *adj.*

acoitar (a.coi.*tar*) *v.* **1.** Dar abrigo a (pessoa fugitiva, comprometida com autoridade pública etc.); acolher: *Aquele país foi acusado de acoitar terroristas.* **2.** Pôr-se a salvo; abrigar-se: *O meliante acoitou-se no campo.* ▶ Conjug. 21.

açoitar (a.çoi.*tar*) *v.* Fustigar(-se) com açoite; flagelar(-se): *O feitor açoitava sem dó as costas do escravo; Fanáticos açoitavam-se num ritual sinistro.* ▶ Conjug. 21.

açoite (a.*çoi*.te) *s.m.* **1.** Chicote. **2.** Qualquer objeto que sirva para açoitar. **3.** Golpe com qualquer objeto que sirva para açoitar. **4.** Palmada. **5.** *fig.* Aflição, castigo, flagelo.

acolá (a.co.*lá*) *adv.* Naquele lugar; além, mais além do falante e do ouvinte: *Procure aqui, ali, acolá.*

acolchoado (a.col.cho:*a*.do) *adj.* **1.** Forrado à maneira de colchão • *s.m.* **2.** Fazenda de algodão acolchoada; edredão.

acolchoar (a.col.cho:*ar*) *v.* Encher de lã, algodão etc., como se faz com os colchões: *O enfermeiro acolchoou o espaço entre o braço e a tala antes de engessar o menino.* ▶ Conjug. 25. – **acolchoamento** *s.m.*

acolhedor [ô] (a.co.lhe.*dor*) *adj.* Que acolhe bem; agasalhador.

acolher (a.co.*lher*) *v.* **1.** Dar acolhida a; receber: *Os gregos costumam acolher bem seus hóspedes.* **2.** Obter refúgio; abrigar-se: *O forasteiro acolheu-se numa pequena aldeia.* ▶ Conjug. 41. – **acolhida** *s.f.*; **acolhimento** *s.m.*

acolitar (a.co.li.*tar*) *v.* **1.** Servir de acólito a: *A missa foi acolitada por três coroinhas.* **2.** Auxiliar, ajudar: *Uma aia acolitava a princesa.* ▶ Conjug. 5.

acólito (a.*có*.li.to) *s.m.* **1.** Menino ou rapaz que auxilia o padre na missa. **2.** Aquele que ajuda ou acompanha alguém.

acometer (a.co.me.*ter*) *v.* **1.** Investir, atacar, assaltar: *Planejavam acometer o inimigo à noite; O invasor acometeu contra a retaguarda.* **2.** Hostilizar, provocar, agredir: *Uma turma de adolescentes agressivos acometeu o morador da rua.* **3.** Manifestar-se em; afetar: *Uma misteriosa doença o acometeu; Acometeu-a uma paixão violenta.* ▶ Conjug. 41. – **acometedor** *adj. s.m.*

acometida (a.co.me.*ti*.da) *s.f.* Ato ou efeito de acometer; ataque súbito, investida.

acometimento (a.co.me.ti.*men*.to) *s.m.* Ato ou efeito de acometer.

acomodação (a.co.mo.da.*ção*) *s.f.* **1.** Ato ou efeito de acomodar(-se). **2.** Compartimento de uma casa próprio para alguém recolher-se; aposento.

acomodado (a.co.mo.*da*.do) *adj.* Que não tem muitas pretensões na vida; conformado.

acomodar (a.co.mo.*dar*) *v.* **1.** Hospedar, alojar: *Este quarto pode acomodar três hóspedes.* **2.** Pôr em ordem; arrumar: *Acomodei meus CDs numa caixa rasa.* **3.** Pôr em lugar cômodo: *Acomodamos a bagagem na parte superior do ônibus.* **4.** Ficar cômodo: *Ligou a televisão e acomodou-se na poltrona.* **5.** Ficar passivo; conformar-se: *Acomodou-se e parou de procurar emprego.* ▶ Conjug. 20.

acomodatício (a.co.mo.da.*tí*.ci:o) *adj.* Que facilmente se acomoda.

acompanhante (a.com.pa.*nhan*.te) *adj.* **1.** Que acompanha. • *s.m. e f.* **2.** Pessoa que acompanha e auxilia alguém, especialmente idosos, enfermos etc.

acompanhar (a.com.pa.*nhar*) *v.* **1.** Fazer companhia a; ir junto a; seguir: *Não quer que eu o acompanhe até sua casa?* **2.** Seguir com o pensamento, a atenção ou o sentimento: *O diretor vem acompanhando essa turma há vários anos.* **3.** (*Mús.*) Seguir com algum instrumento a voz do cantor ou a parte de outro instrumento. ▶ Conjug. 5. – **acompanhamento** *s.m.*

aconchegante (a.con.che.*gan*.te) *adj.* Que aconchega.

aconchegar (a.con.che.*gar*) *v.* **1.** Pôr(-se) em situação cômoda: *Aconchegou a cabeça no ombro do pai e dormiu; A criança aconchegou-se no colo da avó.* **2.** Aproximar(-se), achegar(-se): *Ao sentar-se, aconchegou a saia às pernas; Aconchegou-se mais perto da lareira; A moça aconchegou-se à cerca para conversar com a vizinha.* ▶ Conjug. 11 e 34.

aconchego [ê] (a.con.*che*.go) *s.m.* Ato ou efeito de aconchegar; acolhimento, conforto.

acondicionar (a.con.di.ci:o.*nar*) *v.* **1.** Guardar convenientemente; preservar da deterioração: *A cozinheira acondicionou os ingredientes em diversos potes.* **2.** Embrulhar, empacotar: *A própria empresa acondiciona e transporta o produto.* **3.** Adaptar(-se), acomodar(-se), condicionar(-se): *É preciso acondicionar a ferramenta ao trabalhador; Ainda não se acondicionou ao ritmo da cidade grande.* ▶ Conjug. 5.

aconselhar (a.con.se.*lhar*) *v.* **1.** Dar conselhos a: *Meu pai me aconselhava muito nos momentos difíceis; O professor aconselhou-a a tentar vestibular para Medicina; O médico aconselhou ao paciente que comesse menos.* **2.** Pedir ou tomar conselho: *Aconselhou-se com o amigo antes de tomar a importante decisão.* ▶ Conjug. 9. – **aconselhamento** *s.m.*

aconselhável (a.con.se.*lhá*.vel) *adj.* Que pode ou deve ser aconselhado; recomendável.

acontecer (a.con.te.*cer*) *v.* **1.** Realizar-se inopinadamente; suceder, sobrevir: *Aconteceram alguns contratempos na viagem.* **2.** Tornar-se real; verificar-se: *Nada do que ele previu aconteceu.* ▶ Conjug. 41.

acontecimento (a.con.te.ci.*men*.to) *s.m.* **1.** O que ocorre a alguém; fato, evento. **2.** Sucesso muito notável. – **acontecido** *adj. s.m.*

acoplagem (a.co.*pla*.gem) *s.f.* Acoplamento.

acoplamento (a.co.pla.*men*.to) *s.m.* Ação ou efeito de acoplar(-se); acoplagem.

acoplar (a.co.*plar*) *v.* **1.** Juntar uma coisa com outra de modo que formem um todo: *acoplar a câmera ao computador.* **2.** Unir-se: *As naves acoplaram-se no espaço.* ▶ Conjug. 20.

acórdão (a.*cór*.dão) *s.m.* (*Jur.*) Sentença ou decisão proferida ou tomada coletivamente pelos tribunais. ‖ pl.: *acórdãos*.

acordar[1] (a.cor.*dar*) *v.* **1.** Sair ou tirar do sono; despertar: *Hoje acordei tarde; Ela acorda os filhos todos os dias no mesmo horário.* **2.** Voltar a si: *Teve um desmaio, mas acordou logo.* ▶ Conjug. 20.

acordar[2] (a.cor.*dar*) *v.* Entrar em acordo; resolver de comum acordo; concordar: *Acordaram divorciar-se; Os sócios acordaram em mudar de contador; Acordou com o colega que estudariam juntos para a prova; As duas partes do processo acordaram-se.* ▶ Conjug. 20.

acorde[1] [ó] (a.*cor*.de) *adj.* Que está de acordo; concorde.

acorde[2] [ó] (a.*cor*.de) *s.m.* (*Mús.*) Emissão simultânea de três ou mais sons.

acordeão (a.cor.de:*ão*) *s.m.* (*Mús.*) Instrumento dotado de linguetas metálicas que são postas em vibração por um fole. ‖ *acordeom*.

acordeom (a.cor.de:*om*) *s.m.* (*Mús.*) Acordeão.

acordo [ô] (a.*cor*.do) *s.m.* **1.** Ação de acordar(-se), de pôr(-se) em conformidade, em harmonia; consenso: *O acordo sobre o pagamento da dívida está longe de acontecer.* **2.** Coisa acordada: *O acordo reza que a empresa manterá uma consultoria técnica até o fim do ano.* **3.** Harmonia, conformidade: *É importante escolher a profissão de acordo com a nossa vocação.* ‖ pl.: [ô].

açoriano (a.ço.ri:*a*.no) *adj.* **1.** Dos Açores, arquipélago situado no Atlântico. • *s.m.* **2.** O natural ou o habitante desse arquipélago.

acoroçoar (a.co.ro.ço:*ar*) *v.* **1.** Dar estímulo a; encorajar, animar, incitar: *Os elogios dos professores o acoroçoaram a prosseguir os estudos; A falta de investimentos na área social acoroça a violência.* **2.** Alentar-se, animar-se: *A torcida acoroçoou-se com o gol de seu time.* ▶ Conjug. 25.

acorrentar (a.cor.ren.*tar*) *v.* **1.** Prender com corrente; amarrar: *Conta a mitologia que Zeus mandou acorrentar Prometeu nos rochedos do Cáucaso.* **2.** *fig.* Escravizar: *Aquela paixão acorrentou-o.* **3.** Pôr-se na dependência forçada de: *Acorrentou-se a um sentimento de culpa infundado.* ▶ Conjug. 5.

acorrer (a.cor.*rer*) *v.* **1.** Correr a, sair ao encontro de: *Uma multidão acorreu ao espetáculo.* **2.** Ir ou vir em socorro de alguém; acudir: *Todos acorreram para debelar o incêndio; Rapidamente a ambulância acorreu ao local do acidente.* ▶ Conjug. 42.

acossar (a.cos.*sar*) *v.* **1.** Perseguir (pessoa ou animal): *Os soldados acossaram o inimigo; O cão acossou as ovelhas.* **2.** Afligir, castigar, atormentar: *A fome e a sede acossavam aquela população.* **3.** Incomodar com pedidos insistentes: *Os jornalistas acossaram o jogador à saída do estádio.* ▶ Conjug. 20.

acostamento (a.cos.ta.*men*.to) *s.m.* Faixa marginal ao longo de uma estrada de rodagem.

acostar (a.cos.*tar*) *v.* **1.** Chegar à costa (navio); atracar: *O navio acostou no porto às 16h.* **2.** Juntar-se, aproximar-se: *A balsa acostou(-se) ao barco.* **3.** Colocar o veículo à margem da estrada, na faixa de acostamento: *Acostaram o carro para verificar o nível de água no reser-*

vatório. **4.** Recostar-se, especialmente para dormir: *Acostei-me a um banco e dormi.* ▶ Conjug. 20.

acostumar (a.cos.tu.*mar*) *v.* **1.** Fazer contrair um costume: *Acostumou os filhos a manterem a casa arrumada.* **2.** Tomar um costume; habituar-se: *Acostumei-me a comer pouco.* ▶ Conjug. 5. – **acostumado** *adj.*

acotovelar (a.co.to.ve.*lar*) *v.* **1.** Tocar com o cotovelo, dando sinal ou não: *Acotovelou-me para que eu me calasse.* **2.** Esbarrar com, dar encontrões a: *Passou acotovelando toda a gente.* **3.** Tocar-se, encontrar-se: *Milhares de pessoas acotovelavam-se para ver o papa.* ▶ Conjug. 8.

açougue (a.*çou*.gue) *s.m.* Estabelecimento onde se vende carne verde.

açougueiro (a.çou.*guei*.ro) *s.m.* Proprietário ou funcionário de açougue; magarefe.

acovardar (a.co.var.*dar*) *v.* **1.** Provocar temor em; intimidar: *O ataque acovardará o inimigo.* **2.** Sentir temor; intimidar-se: *Quando foi instado a repetir o que dissera, acovardou-se.* ▶ Conjug. 5. – **acovardamento** *s.m.*

acracia (a.cra.*ci*.a) *s.f.* **1.** Ausência de governo. **2.** (*Med.*) Debilidade, fraqueza.

acre[1] (*a*.cre) *s.m.* Medida de superfície que equivale a 40,47 ares ou 4.046,86 m².

acre[2] (*a*.cre) *adj.* **1.** Azedo, picante. **2.** Forte, penetrante: *cheiro acre.* || sup. abs.: *acérrimo.*

acreano (a.cre.*a*.no) *adj. s.m.* Acriano.

acreditado (a.cre.di.*ta*.do) *adj.* **1.** Merecedor de crédito: *Ele foi um acreditado comerciante nesta cidade.* **2.** Autorizado, credenciado: *um corpo diplomático acreditado junto à Santa Sé.*

acreditar (a.cre.di.*tar*) *v.* **1.** Convencer-se de que algo é verdadeiro ou de que alguém está sendo sincero: *Todos acreditaram no relato da vítima; Acredito na Janete; ela não costuma mentir.* **2.** Supor, sem estar totalmente convencido; achar: *Acredito que ele aceitará nossa proposta.* **3.** Estar convencido da existência de algo ou alguém: *Não acredito em fadas.* **4.** Ter-se por; julgar-se: *Acredita-se exímio artista.* **5.** Conferir poderes a; fazer reconhecer como representante de um país perante o governo de outro: *Em 1833, o governo francês acredita junto a D. Pedro um encarregado de negócios.* ▶ Conjug. 5.

acre-doce (a.cre-*do*.ce) *adj.* Agridoce. || pl.: *acre-doces.*

acrescentar (a.cres.cen.*tar*) *v.* **1.** Juntar (uma coisa) a (outra) de modo que formem um conjunto; adicionar: *Acrescente a farinha ao lei-*

te, mexendo sempre. **2.** Unir-se, juntar-se: *Aos meus poucos anos, acrescentava-se o fato de eu nunca ter saído de minha cidade natal.* **3.** Dizer ou escrever (algo) além do que já se disse ou escreveu: *Na revisão, acrescentei várias notas ao meu texto.* **4.** Dar algo a mais: *Essa análise acrescenta pouco ao romance.* ▶ Conjug. 5.

acrescer (a.cres.*cer*) *v.* **1.** Juntar, acrescentar: *Acresceu ao valor da mercadoria um lucro de 50%.* **2.** Ocorrer: *Além de outras razões, acresce que amanhã temos de acordar cedo.* ▶ Conjug. 41 e 46. – **acrescimento** *s.m.*

acréscimo (a.*crés*.ci.mo) *s.m.* Aquilo que se acrescenta; adição, aumento.

acriançar (a.cri:an.*çar*) *v.* **1.** Dar modos de criança a; infantilizar: *Até hoje ela acriança os filhos.* **2.** Mostrar-se criança; ter modos infantis: *Por ter sido superprotegido, acriançou-se.* ▶ Conjug. 5 e 36.

acriano (a.cri:*a*.no) *adj.* **1.** Do Estado do Acre. • *s.m.* **2.** O natural ou o habitante desse estado. || *acreano.*

acridiano (a.cri.di:*a*.no) *adj.* Relativo a gafanhoto.

acridoce [ô] (a.cri.*do*.ce) *adj.* Agridoce.

acrílico (a.*crí*.li.co) *s.m.* **1.** Resina vítrea termoplástica, usada em diversos utensílios. • *adj.* **2.** Feito com acrílico: *tecido acrílico, tinta acrílica.*

acrimônia (a.cri.*mô*.ni:a) *s.f.* **1.** Sabor amargo; azedume. **2.** *fig.* Desabrimento, aspereza: *As observações do professor eram feitas com tanta acrimônia que os alunos se constrangiam.* – **acrimonioso** *adj.*

acrisolar (a.cri.so.*lar*) *v.* **1.** Purificar (metais preciosos). **2.** *fig.* Purificar(-se) com provações e sofrimento: *A desgraça lhe acrisolou o patriotismo; Seu espírito acrisolou-se na doença.* ▶ Conjug. 20.

acrobacia (a.cro.ba.*ci*.a) *s.f.* **1.** Arte de acrobata. **2.** Manobra de destreza realizada com um avião. **3.** *fig.* Demonstração de esperteza, de agilidade. – **acrobático** *adj.*

acrobata (a.cro.*ba*.ta) *s.m. e f.* Pessoa que exibe em espetáculos sua habilidade na execução de exercícios difíceis de equilíbrio. || *acróbata.*

acróbata (a.*cró*.ba.ta) *s.m. e f.* Acrobata.

acrofobia (a.cro.fo.*bi*.a) *s.f.* (*Med.*) Temor das alturas.

acrófobo (a.*cró*.fo.bo) *adj.* **1.** Que sofre de acrofobia. • *s.m.* **2.** Pessoa acrófoba.

acromático (a.cro.*má*.ti.co) *adj.* **1.** Sem cor. **2.** Que não percebe as cores. – **acromatismo** *s.m.*

acromegalia

acromegalia (a.cro.me.ga.*li*.a) *s.f.* (*Med.*) Enfermidade que se caracteriza pelo desenvolvimento anormal das extremidades do corpo. – **acromegálico** *adj. s.m.*

acrônimo (a.crô.ni.mo) *s.m.* Palavra formada com uma ou mais letras iniciais de um grupo de palavras.

acrópole (a.cró.po.le) *s.f.* Parte mais elevada das cidades gregas.

acróstico (a.crós.ti.co) *s.m.* (*Lit.*) Composição poética em que as iniciais de cada verso formam uma ou mais palavras.

actínia (ac.tí.ni:a) *s.f.* (*Zool.*) Pólipo de numerosos tentáculos; anêmona; anêmona-do-mar.

actínio (ac.tí.ni:o) *s.m.* (*Quím.*) Elemento químico radioativo. || Símbolo: Ac.

acuar (a.cu:*ar*) *v.* **1.** Curvar-se ou fazer curvar sobre as pernas (animal), apoiando no solo a parte traseira: *Antes da ponte, o cavalo acuou; O caçador acuou o leão.* **2.** Recuar ou fazer recuar: *O time da casa fez o time visitante acuar; O ataque acuou o inimigo.* **3.** Cercar (uma pessoa, uma caça) até que um obstáculo a impeça de fugir: *Os policiais acuaram o ladrão no beco; Os perdigueiros acuaram um tatu.* **4.** *fig.* Deixar alguém em situação embaraçosa; constranger, vexar: *A pressão popular acuou o político desonesto.* ▶ Conjug. 5. – **acuação** *s.f.*; **acuamento** *s.m.*

açúcar (a.*çú*.car) *s.m.* Substância alimentar de sabor doce, extraída basicamente da cana-de-açúcar e da beterraba.

açucarar (a.çu.ca.*rar*) *v.* **1.** Adoçar com açúcar: *Pôs o café na xícara e açucarou-o.* **2.** Cristalizar-se: *O mel açucarou(-se).* ▶ Conjug. 5. – **açucarado** *adj.*

açucareiro (a.çu.ca.*rei*.ro) *adj.* **1.** Relativo a açúcar: *lavoura açucareira.* • *s.m.* **2.** Recipiente onde se coloca açúcar.

açucena (a.çu.ce.na) *s.f.* (*Bot.*) Planta da família do lírio, de flores muito perfumadas.

açudar (a.çu.*dar*) *v.* Represar (água) em açude. – **açudagem** *s.f.*; **açudamento** *s.m.* ▶ Conjug. 5.

açude (a.*çu*.de) *s.m.* Construção destinada a represar águas; tanque.

acudir (a.cu.*dir*) *v.* **1.** Prestar socorro a: *Em caso de atropelamento, o motorista tem o dever de acudir a vítima; Acudiram ao doente com chás e mezinhas.* **2.** Atender prontamente; obedecer: *Não acudiu ao chamado da Justiça para defender-se.* **3.** Sobrevir, ocorrer: *Acudiu-lhe um pensamento estranho.* **4.** Socorrer-se de alguém ou de algo: *Quando viu as coisas apertarem, acudiu-se dos parentes.* ▶ Conjug. 77.

acuidade (a.cu:i.*da*.de) *s.f.* **1.** Qualidade de agudo; agudeza. **2.** Boa capacidade de percepção; perspicácia.

açular (a.çu.*lar*) *v.* **1.** Instigar (cães) a morder ou atacar, por meio de gestos, sinais, gritos: *O homem açulou os cães, fazendo com que o ladrão saísse em disparada.* **2.** *fig.* Incitar, provocar, excitar; encarniçar: *A fome açula os instintos bestiais do homem.* ▶ Conjug. 5. – **açulamento** *s.m.*

acúleo (a.*cú*.le:o) *s.m.* **1.** Aguilhão, espinho, pua. **2.** (*Zool.*) Ferrão. **3.** *fig.* Estímulo, incentivo.

aculturação (a.cul.tu.ra.*ção*) *s.f.* Conjunto dos fenômenos provenientes do contato contínuo de grupos de indivíduos de culturas diversas.

aculturar (a.cul.tu.*rar*) *v.* **1.** Causar a aculturação a: *Os colonizadores aculturaram os índios que aqui viviam.* **2.** Sofrer aculturação: *Os povos conscientes de sua história não se aculturam facilmente.* ▶ Conjug. 5.

acumpliciar (a.cum.pli.ci:*ar*) *v.* Tornar(-se) cúmplice: *Quiseram acumplició-lo no golpe; Acumpliciou-se com criminosos de alta periculosidade.* ▶ Conjug. 17. – **acumpliciamento** *s.m.*

acumulação (a.cu.mu.la.*ção*) *s.f.* Ato ou efeito de acumular; acúmulo.

acumular (a.cu.mu.*lar*) *v.* **1.** Juntar(-se) em grande quantidade; amealhar: *Ele acumulou bens suficientes para se dedicar só ao estudo; A loteria acumulou (prêmios) de novo; Ao longo do tempo, os detritos acumularam-se no leito do rio.* **2.** Ocupar cargo ou função concomitantes: *O servidor acumulou cargos nos dois órgãos por cinco meses.* ▶ Conjug. 5. – **acumulativo** *adj.*

acúmulo (a.*cú*.mu.lo) *s.m.* Acumulação.

acupuntura (a.cu.pun.*tu*.ra) *s.f.* (*Med.*) Prática terapêutica que consiste na introdução de agulhas em determinados pontos do corpo.

acupunturista (a.cu.pun.tu.*ris*.ta) *s.m.* e *f.* (*Med.*) Indivíduo especializado em acupuntura.

acurado (a.cu.*ra*.do) *adj.* **1.** Que é feito com cuidado; cuidadoso: *exame acurado.* **2.** Refinado, aguçado: *percepção acurada.*

acurar (a.cu.*rar*) *v.* Apurar, aperfeiçoar, aprimorar: *O curso serviu para acurar a nossa percepção estética.* ▶ Conjug. 5.

acusação (a.cu.sa.*ção*) *s.f.* **1.** Ato ou efeito de acusar. **2.** Texto acusatório; libelo. **3.** (*Jur.*) O conjunto dos advogados e das testemunhas encarregados da acusação.

acusar (a.cu.sar) v. **1.** Indicar ou apresentar (alguém) como culpado de uma falta ou um delito: *Acusaram-no do roubo de um carro*. **2.** Declarar-se culpado de uma falta: *Acusou-se por ter cometido uma calúnia contra o colega.* **3.** Dar sinal de: *O programa acusou a existência de vírus naquele arquivo.* **4.** Participar o recebimento de carta, ofício etc., a quem os escreveu: *Favor acusar recebimento desta.* ▶ Conjug. 5.

acusativo (a.cu.sa.ti.vo) adj. **1.** Que acusa ou serve para acusar. • s.m. (Gram.) **2.** Caso da declinação nominal latina, e de algumas outras línguas, que corresponde, em geral, à função do objeto direto.

▶ **à custa de** loc. prep. Ver em *custa*.

acústica (a.cús.ti.ca) s.f. (Fís.) **1.** Parte da Física que estuda os fenômenos concernentes ao som. **2.** Propagação do som em um local: *Esta sala tem boa acústica*.

acústico (a.cús.ti.co) adj. Relativo a acústica e a som.

acutângulo (a.cu.tân.gu.lo) adj. (Geom.) Diz-se do triângulo que tem todos os ângulos agudos.

acutíssimo (a.cu.tís.si.mo) adj. Superlativo absoluto de *agudo*.

adaga (a.da.ga) s.f. Arma branca de lâmina curta e larga, de um ou dois gumes e terminada em ponta.

adágio (a.dá.gi:o) s.m. **1.** (Mús.) Trecho musical de andamento vagaroso. **2.** (Mús.) Andamento lento. **3.** Ditado, provérbio.

adamantino (a.da.man.ti.no) adj. Que tem o brilho ou a dureza do diamante.

adamascado (a.da.mas.ca.do) adj. **1.** Lavrado à maneira de damasco (tecido). **2.** Semelhante ao damasco na cor ou no sabor (fruto).

adaptação (a.dap.ta.ção) s.f. Ato ou efeito de adaptar(-se).

adaptador [ô] (a.dap.ta.dor) adj. Que adapta. • s.m. **2.** (Eletr., Eletrôn.) Dispositivo que possibilita a adaptação de dois sistemas elétricos ou eletrônicos.

adaptar (a.dap.tar) v. **1.** Ajustar (uma coisa a outra): *Adaptou os pneus da bicicleta à cadeira de rodas do avô*; *A equipe de trabalho adaptou a metodologia de pesquisa norte-americana à realidade brasileira*. **2.** Transformar de modo que fique apto para determinado fim: *Meu filho adaptou o computador para editar vídeo*. **3.** Transformar uma obra literária em filme, peça de teatro etc. ou num texto mais adequado a um público específico: *Não é fácil adaptar um romance de Clarice Lispector para o teatro; Monteiro Lobato adaptou* Dom Quixote *para crianças*. **4.** Tornar-se apropriado; adequar-se, conformar-se: *Adaptei-me facilmente à lente de contato; Sua visão de mundo não se adapta aos novos tempos*. ▶ Conjug. 5 e 33. – **adaptabilidade** s.f.; **adaptável** adj.

adega [é] (a.de.ga) s.f. **1.** Compartimento de uma casa, geralmente subterrâneo, destinado à guarda de bebidas; garrafaria. **2.** Estabelecimento comercial onde se servem bebidas, geralmente vinho da casa, tira-gostos e alguns pratos.

adejar (a.de.jar) v. **1.** Agitar (a ave) as asas para se manter em equilíbrio no ar; esvoaçar; voejar: *O pássaro adejou e depois pousou no parapeito da janela*. **2.** Passar ligeiramente; aflorar: *Um discreto sorriso adejou em seus lábios*. ▶ Conjug. 10 e 37. – **adejo** s.m.

adelgaçar (a.del.ga.çar) v. Tornar(-se) delgado; emagrecer: *Faça esses exercícios para adelgaçar as pernas!*; *Desidratadas, as crianças se adelgaçavam de maneira alarmante*. ▶ Conjug. 5 e 36. – **adelgaçamento** s.m.

ademais (a.de.mais) adv. Além do mais, além disso.

ademane (a.de.ma.ne) s.m. **1.** Gesto feito com a mão para comunicar algo. **2.** Qualquer gesto amaneirado. || Mais usado no plural.

adendo (a.den.do) s.m. Aquilo que se ajunta a um texto para completá-lo.

adenoide [ói] (a.de.noi.de) adj. **1.** Que tem forma ou aspecto de tecido glandular. **2.** (Med.) Tecido linfático na parte nasal da faringe das crianças.

adenoma (a.de.no.ma) s.m. (Med.) Tumor epitelial, geralmente benigno, originado de tecido glandular ou de estrutura glandular.

adenovírus (a.de.no.ví.rus) s.m.2n. (Med.) Designação dada a um grupo de vírus que causa várias doenças, como a faringite aguda febril, doenças respiratórias agudas e outras.

adensar (a.den.sar) v. **1.** Tornar denso ou mais denso; condensar: *Adensou o creme com um pouco de maisena*. **2.** Fazer-se denso, compacto: *Na subida da serra, a neblina se adensou*. ▶ Conjug. 5. – **adensamento** s.m.

adentrar (a.den.trar) v. Entrar, geralmente com ímpeto: *Abri a porta e adentrei o recinto*; *Munidos de água e alimentos, adentraram-se pela mata*. ▶ Conjug. 5.

adentro (a.den.tro) adv. Para dentro.

adepto

adepto [é] (a.dep.to) *adj.* **1.** Que é partidário de uma doutrina, religião, esporte, corrente filosófica etc. • *s.m.* **2.** Aquele que é partidário de uma doutrina, religião, esporte, corrente filosófica etc.

adequação (a.de.qua.ção) *s.f.* Ato ou efeito de adequar(-se); adaptação.

adequado (a.de.qua.do) *adj.* Apropriado, próprio.

adequar (a.de.quar) *v.* Tornar(-se) adequado: *O arquiteto adequou o espaço às necessidades do cliente; A empresa teve de se adequar às novas exigências legais.* ▶ Conjug. 31.

adereço [ê] (a.de.re.ço) *s.m.* **1.** Adorno, enfeite. **2.** (*Teat.*) Utensílio de cena nos teatros. **3.** Arreio (de cavalo). || Mais usado no plural.

aderência (a.de.rên.cia) *s.f.* **1.** Qualidade do que é aderente. **2.** Coisa aderida.

aderente (a.de.ren.te) *adj.* **1.** Que adere • *s.m. e f.* **2.** Aquilo que tem capacidade de aderir; adesivo.

aderir (a.de.rir) *v.* **1.** Colar ou unir fortemente a: *Aderiu a etiqueta à capa do caderno.* **2.** Somar-se a um movimento, ideologia, organização etc.: *Ainda jovem, aderiu ao partido operário; Aderimos à greve para protestar contra as condições precárias de trabalho.* ▶ Conjug. 69.

adernar (a.der.nar) *v.* (*Náut.*) Inclinar-se de um lado (embarcação): *O barco adernou em virtude do deslocamento da carga.* ▶ Conjug. 8. – **adernamento** *s.m.*

adesão (a.de.são) *s.f.* Ato ou efeito de aderir.

adesismo (a.de.sis.mo) *s.m.* Prática de adesão imediata a indivíduos, partidos ou regimes que triunfam. – **adesista** *adj. s.m. e f.*

adesivo (a.de.si.vo) *adj.* **1.** Que adere, que cola: *figurinha adesiva.* • *s.m.* **2.** Objeto destinado a aderir a uma superfície: *Colou um adesivo personalizado na agenda.*

▶ **a despeito de** *loc. prep.* Ver em *despeito*.

adestrador [ô] (a.des.tra.dor) *adj.* **1.** Que adestra. • *s.m.* **2.** Pessoa que adestra.

adestrar (a.des.trar) *v.* Tornar(-se) destro; amestrar(-se), habilitar(-se): *Os bombeiros vão adestrar cães para guiar deficientes visuais; Desde cedo, adestrou-se no desenho.* ▶ Conjug. 8. – **adestramento** *s.m.*

adeus (a.deus) *s.m.* **1.** Gesto feito com a mão para despedir-se e, por vezes, para saudar de longe. **2.** Despedida. || Usado em frases nominais exclamativas para despedir-se.

ad hoc (Lat.) *loc. adj.* Destinado especificamente para tal caso: *Foi nomeado fiscal ad hoc do INSS.*

adiamento (a.di.a.men.to) *s.m.* Ato ou efeito de adiar; dilação, delonga.

adiantamento (a.di:an.ta.men.to) *s.m.* **1.** Ato ou efeito de adiantar(-se). **2.** Pagamento antecipado. **3.** Avanço, progresso.

adiantar (a.di:an.tar) *v.* **1.** Pôr(-se) mais adiante: *O padre adiantou a mão para benzer a criança; Um dos soldados enfileirados adiantou-se e ofereceu-se como voluntário.* **2.** Fazer (o relógio) marcar uma hora posterior à que marca: *À meia-noite, não se esqueça de adiantar o relógio em uma hora.* **3.** Andar (o relógio) mais depressa que o devido: *Meu relógio vive adiantando.* **4.** Fazer que (algo) venha a ocorrer antes do tempo previsto: *Os noivos resolveram adiantar o casamento.* **5.** Ir ou vir antes do tempo previsto: *Muita gente se adiantou e viajou na véspera do feriado.* **6.** Ocorrer algo antes do tempo previsto: *Este ano o verão se adiantou.* **7.** Dar uma notícia com antecipação: *O professor adiantou que a prova não seria difícil.* **8.** Agir antes que outro: *O aluno se adiantou ao professor e corrigiu o próprio erro.* **9.** Pagar adiantado: *Este ano adiantei quatro prestações da casa.* **10.** Antecipar parte de uma importância devida: *Adiantou-me dois mil reais.* **11.** Fazer progredir: *Durante a noite, pôde adiantar bem o trabalho.* **12.** Ser vantajoso; compensar: *Não sei se a conversa que tive com ela adiantou muito.* ▶ Conjug. 5.

adiante (a.di:an.te) *adv.* **1.** À frente; em lugar posterior: *Por que não arma sua barraca ali adiante, perto do lago?* **2.** Em seguida; depois: *Para obter mais informações, consulte a Seção b mais adiante neste documento.* **3.** A uma fase mais adiantada: *Não levou adiante o projeto de ter um restaurante.* || Usado em frases exclamativas para estimular ou exigir um movimento.

adiar (a.di:ar) *v.* Transferir de um para outro dia; delongar, procrastinar: *Adiou a viagem para o ano que vem; Adiaram o casamento de novo.* ▶ Conjug. 17. – **adiável** *adj.*

adição (a.di.ção) *s.f.* **1.** Ato ou efeito de somar; acréscimo, aditamento, aumento. **2.** (*Mat.*) Operação que consiste em reunir duas ou mais quantidades em uma só; soma.

adicional (a.di.ci:o.nal) *adj.* **1.** Que se adiciona, que acresce. • *s.m.* **2.** Aquilo que se adiciona ou se acrescenta.

admirar

adicionar (a.di.ci:o.*nar*) *v.* Acrescentar, juntar, aditar: *O médico adicionou novos alimentos à dieta do bebê.* ▶ Conjug. 5. – **adicionável** *adj.*

adido (a.*di*.do) *s.m.* Diplomata, de carreira ou não, que serve em uma embaixada como representante de interesses específicos: *adido cultural, militar etc.*

adimplente (a.dim.*plen*.te) *adj.* (*Jur.*) Que leva a termo ou cumpre as obrigações que contratou. || antôn.: *inadimplente*. – **adimplência** *s.f.*

adiposo [ô] (a.di.*po*.so) *adj.* Que tem gordura, gordo; gorduroso: *tecido adiposo.* || f. e pl.: [ó]. – **adiposidade** *s.f.*

▶ **à disposição de** *loc. prep.* Ver em *disposição*.

aditamento (a.di.ta.*men*.to) *s.m.* **1.** Ato ou efeito de aditar; adição. **2.** Acréscimo a um texto; adendo.

aditar (a.di.*tar*) *v.* Juntar ao que está feito; adicionar: *O advogado aditou novas cláusulas ao contrato.* ▶ Conjug. 5.

aditivo (a.di.*ti*.vo) *adj.* **1.** Que se adita ou soma; adicional • *s.m.* **2.** Substância que se acrescenta a outra.

adivinha (a.di.*vi*.nha) *s.f.* Coisa para adivinhar; adivinhação.

adivinhação (a.di.vi.nha.*ção*) *s.f.* **1.** Ato ou efeito de adivinhar. **2.** O que é para ser adivinhado; adivinha.

adivinhar (a.di.vi.*nhar*) *v.* Acertar por acaso ou por intuição (o que se ignora): *Ele adivinhou o meu pensamento; A cartomante adivinhou que a cliente encontraria seu grande amor numa viagem.* ▶ Conjug. 5. – **adivinhador** *adj. s.m.*

adivinho (a.di.*vi*.nho) *s.m.* Indivíduo que diz adivinhar ou exercita a arte de adivinhar.

adjacência (ad.ja.*cên*.ci:a) *s.f.* **1.** Qualidade de adjacente; vizinhança, contiguidade. • *adjacências s.f.pl.* **2.** Regiões adjacentes.

adjacente (ad.ja.*cen*.te) *adj.* Que está ao lado, perto, nas imediações; contíguo, próximo.

adjetivar (ad.je.ti.*var*) *v.* **1.** Qualificar: *Na imprensa, o adjetivaram como omisso.* **2.** Aplicar adjetivo a: *A palavra grega que adjetiva fogo na Bíblia não é eterno, mas imanente.* **3.** Empregar adjetivamente: *Adjetivamos o substantivo palhaço quando qualificamos alguém como muito palhaço.* ▶ Conjug. 5. – **adjetivação** *s.f.*

adjetivo (ad.je.*ti*.vo) *adj.* **1.** (*Gram.*) Que tem função de adjetivo: *palavra adjetiva, locução adjetiva.* **2.** De importância secundária: *Não vamos perder tempo discutindo uma questão adjetiva.* • *s.m.* **3.** (*Gram.*) Palavra que qualifica ou determina um substantivo e que concorda em número e gênero com ele.

adjudicar (ad.ju.di.*car*) *v.* **1.** (*Jur.*) Declarar que uma coisa pertence a alguém: *O juiz adjudicou-lhe a posse das terras.* **2.** Entregar, conferir, incumbir: *O governo adjudicou as linhas aéreas a várias companhias.* **3.** Chamar a si; arrogar-se: *Adjudicou-se a representação do grupo.* ▶ Conjug. 5 e 35. – **adjudicação** *s.f.*; **adjudicatório** *adj.*

adjunção (ad.jun.*ção*) *s.f.* Ato ou efeito de juntar uma pessoa ou uma coisa com outra.

adjunto (ad.*jun*.to) *adj.* **1.** Junto, unido, contíguo, associado; agregado. **2.** Diz-se do professor universitário que se situa entre o titular e o assistente. • *s.m.* **3.** Funcionário que atua junto de outro, superior, auxiliando-o. **4.** (*Gram.*) Função sintática de uma palavra ou locução que vai unida a um termo de valor superior modificando-lhe o significado: *adjunto adnominal, adjunto adverbial.*

adjutório (ad.ju.*tó*.ri:o) *s.m.* Ajuda, auxílio. || *ajutório*.

administração (ad.mi.nis.tra.*ção*) *s.f.* **1.** Ato ou efeito de administrar. **2.** Gestão de negócios públicos ou particulares. **3.** Governo. **4.** Corpo de administradores. **5.** Ato de fazer tomar (medicamento); ministrar.

administrador [ô] (ad.mi.nis.tra.*dor*) *adj.* **1.** Que administra. • *s.m.* **2.** Aquele que administra. **3.** Profissional formado em Administração.

administrar (ad.mi.nis.*trar*) *v.* **1.** Gerir (negócios públicos ou particulares); governar, dirigir: *Ele quer uma lista dos prefeitos que administraram nosso município.* **2.** Dar para tomar; ministrar, aplicar: *O médico administrou o remédio por meio de injeções.* **3.** Saber lidar com: *Ela administra bem o relacionamento com os filhos do marido.* ▶ Conjug. 5. – **administrativo** *adj.*

admiração (ad.mi.ra.*ção*) *s.f.* Ato ou efeito de admirar(-se).

admirador [ô] (ad.mi.ra.*dor*) *adj.* **1.** Que admira. • *s.m.* **2.** Indivíduo que se sente atraído por alguém.

admirar (ad.mi.*rar*) *v.* **1.** Ter (alguém) em alta estima: *Sempre o admirei como profissional e como pessoa.* **2.** Considerar (algo) notável: *Não há quem não admire a narrativa de Machado de Assis.* **3.** Causar estranheza ou assombro a: *Não nos admira que ele tenha dito isso.* **4.** Considerar com estranheza ou com assombro: *Admiro-me de seu desplante.* ▶ Conjug. 5.

admirativo

admirativo (ad.mi.ra.*ti*.vo) *adj.* Que envolve ou denota admiração; exclamativo: *olhar admirativo*.

admirável (ad.mi.*rá*.vel) *adj.* Que é digno de admiração; que atrai admiração.

admissão (ad.mis.*são*) *s.f.* Ato ou efeito de admitir.

admitir (ad.mi.*tir*) *v.* **1.** Deixar entrar; contratar: *As empresas poderiam admitir mais pessoas com deficiência.* **2.** Tolerar, permitir: *A professora não admite mais esse tipo de comportamento em sala de aula.* **3.** Reconhecer, aceitar: *Admito que errei.* ▶ Conjug. 66. – **admissível** *adj.*

admoestar (ad.mo:es.*tar*) *v.* **1.** Chamar a atenção; censurar, repreender: *Admoestou-os pelo atraso.* **2.** Aconselhar, exortar, incitar: *A família admoestou-o a abraçar novamente a religião.* ▶ Conjug. 8. – **admoestação** *s.f.*

admonitório (ad.mo.ni.*tó*.ri:o) *adj.* **1.** Próprio para admoestar. • *s.m.* **2.** Escrito que contém admoestação; advertência.

ADN Sigla de *ácido desoxirribonucleico*. || Ver desoxirribonucleico.

adnominal (ad.no.mi.*nal*) *adj.* (*Gram.*) Que modifica um substantivo.

adobe [ô] (a.*do*.be) *s.m.* Tijolo preparado com argila crua, secada ao sol. || adobo.

adobo [ô] (a.*do*.bo) *s.m.* Adobe.

adoçante (a.do.*çan*.te) *adj.* **1.** Que adoça; edulcorante. • *s.m.* **2.** Substância que adoça.

adoção (a.do.*ção*) *s.f.* **1.** Ato ou efeito de adotar. **2.** (*Jur.*) Ato que cria entre duas pessoas uma relação análoga à que resulta da paternidade e filiação legítimas.

adoçar (a.do.*çar*) *v.* **1.** Tornar doce: *Gosta de adoçar o café com mel.* **2.** *fig.* Tornar(-se) suave, sereno, moderado: *Costuma adoçar a voz quando fala com o filho; Seu temperamento adoçou-se com o tempo.* ▶ Conjug. 20 e 36.

adocicar (a.do.ci.*car*) *v.* **1.** Tornar ligeiramente doce: *Adocicou a boca com uma bala.* **2.** *fig.* Atenuar, abrandar: *As boas amizades adocicavam-lhe a vida.* **3.** *fig.* Mostrar-se melífluo: *Adocica-se ao falar com o chefe.* ▶ Conjug. 5 e 35. – **adocicado** *adj.*

adoecer (a.do:e.*cer*) *v.* Tornar(-se) doente; enfermar(-se): *O cão adoeceu depois da viagem de seus donos; O ambiente competitivo de seu trabalho adoeceu-o.* ▶ Conjug. 41 e 46. – **adoecimento** *s.m.*

adoentado (a.do:en.*ta*.do) *adj.* Um tanto doente.

adoentar (a.do:en.*tar*) *v.* Tornar(-se) doente ou levemente doente: *A falta de valores éticos adoenta toda uma sociedade; Extenuado, adoentou-se gravemente.* ▶ Conjug. 5.

adoidado (a.doi.*da*.do) *adj.* **1.** Um tanto doido; amalucado. • *adv.* **2.** *coloq.* Demais, à beça: *Estou estudando adoidado para a prova.*

adolescência (a.do.les.*cên*.ci:a) *s.f.* Período da vida entre a puberdade e a fase adulta.

adolescente (a.do.les.*cen*.te) *adj.* **1.** Que está na adolescência. **2.** Próprio da adolescência ou dos adolescentes. • *s.m. e f.* **3.** Aquele que está na idade da adolescência; efebo.

adônis (a.*dô*.nis) *s.m.* Homem jovem e belo.

adoração (a.do.ra.*ção*) *s.f.* **1.** Ato ou efeito de adorar. **2.** Culto que se rende a Deus. **3.** Extremado afeto e respeito. **4.** Amor intenso.

adorar (a.do.*rar*) *v.* **1.** Render culto a (divindade); venerar: *adorar a Deus.* **2.** Sentir veneração ou grande respeito por: *A turma adora o professor de História.* **3.** Amar extremosamente: *Adoro minha avó.* **4.** Gostar muito: *Adoro café com leite.* **5.** Gostar excessivamente de si próprio: *Presunçoso, ele se adora.* ▶ Conjug. 20.

adorável (a.do.*rá*.vel) *adj.* Encantador: *Foi uma noite adorável.*

adormecer (a.dor.me.*cer*) *v.* **1.** Fazer dormir; causar sono a: *A canção de ninar adormeceu o nenê.* **2.** Deixar-se tomar pelo sono: *Adormeceu com a televisão ligada.* ▶ Conjug. 41 e 46.

adormecimento (a.dor.me.ci.*men*.to) *s.m.* **1.** Ato ou efeito de adormecer. **2.** Estado dormente. **3.** Entorpecimento, embotamento.

adornar (a.dor.*nar*) *v.* Pôr(-se) adorno; enfeitar(-se): *Adornou seu traje com flores; Adornou-se com um penacho e foi brincar carnaval.* ▶ Conjug. 20.

adorno [ô] (a.*dor*.no) *s.m.* Coisa que adorna; ornato, enfeite, atavio.

adotar (a.do.*tar*) *v.* **1.** (*Jur.*) Admitir como filho um filho alheio, conferindo-lhe os direitos legais: *Adotaram um menino e estão na maior alegria.* **2.** Escolher, preferir, optar por: *Procure adotar um modo de vida saudável.* **3.** Tomar, assumir: *Infelizmente adotou uma postura antiética depois que se elegeu.* ▶ Conjug. 20.

adotivo (a.do.*ti*.vo) *adj.* **1.** Que foi adotado: *filho adotivo.* **2.** Que adotou: *pai adotivo.* **3.** Relativo a adoção: *legitimação adotiva.*

adquirir (ad.qui.*rir*) *v.* **1.** Alcançar a posse de; comprar: *Adquiriu finalmente a casa própria.* **2.** Passar a ter (algo não material): *Adquiriu uma* *habilidade impressionante com os malabares.* ▶ Conjug. 66. – **adquirente** *adj. s.m. e f.*

adrede [ê] (a.*dre*.de) *adv.* De propósito; deliberadamente: *Essas investigações seriam feitas por comissões adrede nomeadas.*

adrenalina (a.dre.na.*li*.na) *s.f.* (*Biol.*) Hormônio das glândulas suprarrenais que eleva a pressão arterial e reforça a atividade cardíaca.

adriático (a.dri:*á*.ti.co) *adj.* Relativo ao mar Adriático.

adriça (a.*dri*.ça) *s.f.* (*Náut.*) Corda ou cabo que serve para içar velas ou bandeiras.

adro (*a*.dro) *s.m.* Pátio em frente à porta principal ou em torno das igrejas.

adsorção (ad.sor.*ção*) *s.f.* (*Fís.*) Retenção ou concentração, na superfície de um corpo sólido, de substâncias dissolvidas ou dispersas.

adstringente (ads.trin.*gen*.te) *adj.* **1.** Que produz constrição ou secura: *Uma loção adstringente ajudará a controlar a oleosidade da pele.* **2.** Que produz sensação de secura e amargor: *O caju possui sabor adstringente.* • *s.m.* **3.** Substância adstringente. – **adstringência** *s.f.*

adstringir (ads.trin.*gir*) *v.* **1.** Restringir-se, limitar-se: *O fenômeno da corrupção não se adstringe ao Brasil.* **2.** (*Med.*) Produzir contração nos tecidos orgânicos. ▶ Conjug. 92.

adstrito (ads.*tri*.to) *adj.* **1.** Restrito, limitado. **2.** Apertado, unido.

aduana (a.du:*a*.na) *s.f.* Alfândega.

aduaneiro (a.du:a.*nei*.ro) *adj.* **1.** Relativo a aduana. • *s.m.* **2.** Funcionário da aduana.

adubar (a.du.*bar*) *v.* Fertilizar com adubos; estrumar: *adubar a terra.* ▶ Conjug. 5. – **adubação** *s.f.*; **adubagem** *s.f.*

adubo (a.*du*.bo) *s.m.* Todo material orgânico que, depositado na superfície do solo e misturado com a terra arável, serve para fertilizá-la; esterco (2), estrume (2).

adução (a.du.*ção*) *s.f.* **1.** Ato ou efeito de aduzir. **2.** Movimento pelo qual um membro se aproxima do corpo humano ou animal.

aduela [é] (a.du:*e*.la) *s.f.* **1.** Cada uma das tábuas encurvadas que formam um barril, tonel etc. **2.** Tábua de guarnição que forra o vão da porta ou da janela.

adulador [ô] (a.du.la.*dor*) *adj.* **1.** Que adula. • *s.m.* **2.** Aquele que adula.

adular (a.du.*lar*) *v.* Lisonjear servilmente; bajular: *Costumava adular os ricos.* ▶ Conjug. 5. – **adulação** *s.f.*

adulteração (a.dul.te.ra.*ção*) *s.f.* Ato ou efeito de adulterar.

adulterador [ô] (a.dul.te.ra.*dor*) *adj.* **1.** Que adultera. • *s.m.* **2.** O que adultera.

adulterar (a.dul.te.*rar*) *v.* **1.** Falsificar, alterar com intenção dolosa: *Adulterou a gasolina com 200 ml de álcool.* **2.** Corromper-se: *Alguns costumes saudáveis adulteraram-se.* ▶ Conjug. 8.

adulterino (a.dul.te.*ri*.no) *adj.* Proveniente de adultério ou de adulteração: *filho adulterino.*

adultério (a.dul.*té*.ri:o) *s.m.* Infidelidade conjugal.

adúltero (a.*dúl*.te.ro) *adj.* **1.** Que comete infidelidade conjugal. • *s.m.* **2.** Pessoa adúltera.

adulto (a.*dul*.to) *adj.* **1.** Diz-se de ser vivo que chegou ao seu pleno desenvolvimento. • *s.m.* **2.** Pessoa que atingiu a maturidade física e mental ou a maioridade legal (no Brasil, aos 18 anos).

adunco (a.*dun*.co) *adj.* Recurvado, em forma de gancho.

adusto (a.*dus*.to) *adj.* Queimado, abrasado: *vegetação adusta.*

adutor [ô] (a.du.*tor*) *adj.* **1.** Que aduz ou traz. • *s.m.* **2.** Músculo que produz a adução.

adutora [ô] (a.du.*to*.ra) *s.f.* Canal ou tubulação destinado a conduzir água de um lugar para outro; aqueduto.

aduzir (a.du.*zir*) *v.* **1.** Trazer, apresentar: *Aduziu que sofreu dano moral.* **2.** Aproximar um membro do corpo no sentido longitudinal: *No pilates, usamos um aparelho para aduzir as pernas.* ▶ Conjug. 82.

adventício (ad.ven.*tí*.ci:o) *adj.* **1.** Que vem de fora; estrangeiro: *K, W e Y são letras adventícias no nosso alfabeto.* **2.** Que aparece ou sobrevém inesperadamente ou por acaso. • *s.m.* **3.** Aquele que chega de fora, que é estranho ou intruso.

adventismo (ad.ven.*tis*.mo) *s.f.* Seita e doutrina protestante que admite o breve ressurgimento de Cristo para premiar os bons e punir os maus.

adventista (ad.ven.*tis*.ta) *adj.* **1.** Relativo ao adventismo ou aos adventistas. • *s.m. e f.* **2.** Adepto do adventismo.

advento (ad.*ven*.to) *s.m.* **1.** Vinda, chegada, aparecimento: *Com o advento da internet, o acesso à informação ficou facilitado.* **2.** Período de quatro semanas anterior ao Natal.

adverbial (ad.ver.bi:*al*) *adj.* Relativo a advérbio.

advérbio

advérbio (ad.vér.bi:o) s.m. (Gram.) Palavra invariável que modifica um verbo, um adjetivo ou outro advérbio, exprimindo circunstância de tempo, lugar etc.

adversário (ad.ver.sá.ri:o) adj. 1. Que se opõe a (alguém ou algo). • s.m. 2. Rival, antagonista, contendor.

adversativo (ad.ver.sa.ti.vo) adj. 1. Oposto, contrário. 2. (Gram.) Diz-se da conjunção que une duas palavras ou orações de valores iguais e cujos significados se opõem.

adversidade (ad.ver.si.da.de) s.f. Sorte adversa; infortúnio, revés.

adverso [é] (ad.ver.so) adj. Contrário, desfavorável; intenso.

advertência (ad.ver.tên.ci:a) s.f. 1. Admoestação, censura. 2. Aviso, nota, observação.

advertir (ad.ver.tir) v. 1. Censurar, admoestar: *Advertiu-o (de que era proibido fumar no elevador)*. 2. Fazer notar; avisar: *O carnaval adverte que a quaresma está à vista*. 3. Informar antecipadamente; prevenir: *Advertiu os filhos dos riscos do banho de mar*. ► Conjug. 69. – **advertido** adj.

advir (ad.vir) v. Suceder; sobrevir: *O pseudônimo adveio da necessidade de manter o anonimato do escritor.* || part.: advindo ► Conjug. 85.

advocacia (ad.vo.ca.ci.a) s.f. 1. Profissão de advogado. 2. O exercício dessa profissão.

advocatício (ad.vo.ca.tí.ci:o) adj. Relativo a advocacia.

advogado (ad.vo.ga.do) s.m. Profissional formado em Direito.

advogar (ad.vo.gar) v. 1. Exercer a advocacia: *Advoguei por muitos anos*. 2. Defender (alguém ou uma causa) em juízo ou fora dele: *Advogou para trabalhadores sem-terra; Ficou famoso por advogar causas difíceis*. 3. Defender com razões, com argumentos; patrocinar: *O manifesto advogava uma sociedade mais igualitária*. ► Conjug. 20 e 34.

aeração (a.e.ra.ção) s.f. Renovação de ar; arejamento, ventilação.

aéreo (a.é.re:o) adj. 1. Relativo a ar. 2. Que vive nele ou nele se passa: *caule aéreo, trânsito aéreo*. 3. fig. Alheio, distraído.

aerobarco (a.e.ro.bar.co) s.m. Embarcação com motor e provida de patins que a tornam mais rápida pela diminuição da resistência da água.

aeróbica (a.e.ró.bi.ca) s.f. Ginástica que visa desenvolver a capacidade respiratória de quem a pratica.

aeróbico (a.e.ró.bi.co) adj. 1. Que se realiza em presença do oxigênio: *respiração aeróbica*. 2. Relativo a ginástica aeróbica: *exercício aeróbico*.

aeróbio (a.e.ró.bi:o) adj. 1. Que utiliza oxigênio em seu metabolismo: *organismo aeróbio*. • s.m. 2. (Biol.) Microrganismo que não pode viver sem o oxigênio do ar; aerobionte.

aerobionte (a.e.ro.bi:on.te) s.m. (Biol.) Aeróbio.

aeroclube (a.e.ro.clu.be) s.m. Clube para a formação de pilotos civis.

aerodinâmica (a.e.ro.di.nâ.mi.ca) s.f. (Fís.) Parte da Física que estuda o movimento dos fluidos gasosos e a ação da sua força sobre os sólidos em movimento. – **aerodinâmico** adj.

aeroduto (a.e.ro.du.to) s.m. Condutor de ar em sistemas de ventilação nas modernas construções.

aeroespacial (a.e.ro:es.pa.ci:al) adj. Relativo ao espaço aéreo e, por extensão, à Aeronáutica.

aeroespaço (a.e.ro:es.pa.ço) s.m. (Astron.) Região destinada ao tráfego e ao controle de mísseis, foguetes e satélites.

aerofólio (a.e.ro.fó.li:o) s.m. Peça que aumenta a estabilidade de aeronaves e carros de corrida.

aerofotogrametria (a.e.ro.fo.to.gra.me.tri.a) s.f. Levantamento topográfico por meio de fotografias aéreas. – **aerofotogramétrico** adj.

aerógrafo (a.e.ró.gra.fo) s.m. Instrumento que opera pela compressão de ar, usado em pintura para pulverização da tinta.

aerograma (a.e.ro.gra.ma) s.m. Papel de carta já franqueado e que dispensa o uso de envelope.

aerólito (a.e.ró.li.to) s.m. (Geol.) Meteorito.

aeromoça [ô] (a.e.ro.mo.ça) s.f. Mulher que atende os viajantes num avião.

aeromoço [ô] (a.e.ro.mo.ço) s.m. Comissário de bordo.

aeromodelismo (a.e.ro.mo.de.lis.mo) s.m. Técnica ou atividade de construir aeromodelos e de fazê-los voar.

aeromodelista (a.e.ro.mo.de.lis.ta) s.m. e f. Quem se dedica ao aeromodelismo.

aeromodelo [ê] (a.e.ro.mo.de.lo) s.m. Modelo reduzido de avião utilizado em competições esportivas ou em experiências de laboratório.

aeronauta (a.e.ro.nau.ta) s.m. e f. Pessoa que pilota ou tripula uma aeronave, especialmente um aeróstato.

afeiçoar

aeronáutica (a.e.ro.náu.ti.ca) *s.f.* **1.** Ciência ou técnica da navegação aérea. **2.** (*Mil.*) Uma das três Forças Armadas que se encarrega da defesa aérea de um país. || Nesta acepção, é usado com inicial maiúscula. – **aeronáutico** *adj.*

aeronaval (a.e.ro.na.*val*) *adj.* Aéreo e naval simultaneamente.

aeronave (a.e.ro.na.ve) *s.f.* Veículo próprio para navegar nos ares.

aeronavegação (a.e.ro.na.ve.ga.*ção*) *s.f.* Navegação aérea; aeronáutica.

aeroplano (a.e.ro.*pla*.no) *s.m.* Avião.

aeroporto [ô] (a.e.ro.*por*.to) *s.m.* Lugar de aterrissagem, decolagem e abastecimento para veículos aéreos, bem como suas instalações para o trânsito de passageiros e movimentação de encomendas e cargas. || pl.: [ó].

aeroportuário (a.e.ro.por.tu.*á*.ri:o) *adj.* **1.** Relativo a aeroporto. • *s.m.* **2.** Aquele que trabalha em aeroporto.

aerossol (a.e.ros.*sol*) *s.m.* **1.** Suspensão no ar de partículas muito finas de um líquido ou de uma solução. **2.** Embalagem de laquês, desodorantes e outros produtos pulverizáveis.

aerostática (a.e.ros.*tá*.ti.ca) *s.f.* (*Fís.*) Parte da Física que estuda as leis de equilíbrio do ar.

aerostático (a.e.ros.*tá*.ti.co) *adj.* Relativo a aerostática ou a aeróstato.

aerostato (a.e.ros.*ta*.to) *s.m.* Aeróstato.

aeróstato (a.e.*rós*.ta.to) *s.m.* Balão ou dirigível, cheio de gás mais leve que o ar, que se eleva e sustenta na atmosfera. || *aerostato*.

aeroterrestre [é] (a.e.ro.ter.*res*.tre) *adj.* Aéreo e terrestre simultaneamente.

aerotite (a.e.ro.*ti*.te) *s.f.* (*Med.*) Patologia da orelha produzida pela exposição a diferentes pressões atmosféricas.

aerotransportado (a.e.ro.trans.por.*ta*.do) *adj.* Transportado por via aérea (diz-se principalmente de forças e equipamentos militares). – **aerotransportar** *v.* ▶ Conjug. 20.

aerovia (a.e.ro.*vi*.a) *s.f.* **1.** Linha ou caminho seguido regularmente por aviões comerciais. **2.** Empresa de navegação aérea; companhia de aviação.

aeroviário (a.e.ro.vi.*á*.ri:o) *adj.* **1.** Relativo a transporte aéreo. • *s.m.* **2.** Empregado em empresa de aviação.

aético (a.*é*.ti.co) *adj.* A que falta preocupação ou sentido ético: *uma conduta aética*; *um uso aético da informação*.

afã (a.*fã*) *s.m.* **1.** Trabalho penoso. **2.** Cuidado diligente; desvelo. **3.** Pressa, sofreguidão.

afabilidade (a.fa.bi.li.*da*.de) *s.f.* Qualidade de afável; delicadeza.

afagar (a.fa.*gar*) *v.* **1.** Acariciar com a mão: *Afagou-lhe os cabelos com ternura*. **2.** Proporcionar sensação prazerosa: *O elogio do professor afagou o ego do aluno*. ▶ Conjug. 5 e 34.

afago (a.*fa*.go) *s.m.* Ato ou efeito de afagar; carinho.

afamado (a.fa.*ma*.do) *adj.* Que tem boa fama; famoso, célebre, notável, famigerado.

afamar (a.fa.*mar*) *v.* **1.** Dar fama a; fazer célebre: *Infelizmente o rio que afamou nossa cidade está poluído*. **2.** Adquirir fama; tornar-se célebre: *Rapidamente ele se afamou como um bom cantor*. ▶ Conjug. 5.

afanar (a.fa.*nar*) *v. gír.* Roubar, especialmente furtando; surrupiar: *Afanaram a bola do clube*. ▶ Conjug. 5. – **afanação** *s.f.*

afasia (a.fa.*si*.a) *s.f.* (*Med.*) Perda parcial ou total da linguagem, em razão de uma lesão dos centros cerebrais.

afásico (a.*fá*.si.co) *adj.* **1.** Relativo a afasia. **2.** Que tem afasia. • *s.m.* **3.** Aquele que sofre de afasia.

afastar (a.fas.*tar*) *v.* **1.** Tirar para longe; pôr distante: *Afastou o livro, porque enxergava melhor de longe*. **2.** Retirar-se, distanciar-se, desviar-se: *Afastou-se do magistério prematuramente*. ▶ Conjug. 5. – **afastado** *adj.*; **afastamento** *s.m.*

afável (a.*fá*.vel) *adj.* **1.** Afetuoso na conversação, nas maneiras, na expressão: *um mestre gentil e afável*. **2.** Próprio da pessoa afável: *gesto afável*.

afazer (a.fa.*zer*) *v.* **1.** Fazer adquirir ou adquirir hábito; habituar(-se): *Afez o espírito à disciplina*; *A família afez-se a um novo padrão de vida*. • *s.m.* **2.** Ocupação, trabalho, serviço que a pessoa está acostumada a fazer. || Como substantivo, mais usado no plural. ▶ Conjug. 61.

afecção (a.fec.*ção*) *s.f.* (*Med.*) Doença, enfermidade.

afegão (a.fe.*gão*) *adj.* **1.** Do Afeganistão, país da Ásia. • *s.m.* **2.** O natural ou o habitante desse país. **3.** Idioma falado nesse país. || f.: *afegã*.

afeição (a.fei.*ção*) *s.f.* **1.** Afeto, amor. **2.** Amizade, simpatia.

afeiçoar[1] (a.fei.ço:*ar*) *v.* **1.** Tomar afeição: *Afeiçoou-se ao bichinho de estimação*. **2.** Fazer tomar gosto por: *O professor afeiçoou os alunos à matéria*. ▶ Conjug. 25. – **afeiçoamento** *s.m.*

afeiçoar

afeiçoar² (a.fei.ço:ar) v. Dar ou tomar feição; amoldar(-se): *afeiçoar o gesso, o barro etc.; O gesso afeiçoou-se à máscara*. ▶ Conjug. 25. – **afeiçoamento** s.m.
afeito (a.*fei*.to) adj. Acostumado, habituado: *Não estamos afeitos ao combate*.
afeminado (a.fe.mi.*na*.do) adj. s.m. Efeminado.
afeminar (a.fe.mi.*nar*) v. Efeminar(-se). ▶ Conjug. 5. – **afeminação** s.f.
aferente (a.fe.*ren*.te) adj. **1.** Que conduz, leva. **2.** (Biol.) Que chega à parte interior de um órgão: *vaso aferente*. **3.** (Biol.) Que chega a um centro nervoso: *nervo aferente*.
aférese (a.*fé*.re.se) s.f. (Gram.) Supressão de fonema(s) no princípio da palavra, como, por exemplo, *tou por estou*. – **aferético** adj.
aferição (a.fe.ri.*ção*) s.f. **1.** Ato ou efeito de aferir. **2.** Marca que se põe nas coisas aferidas.
aferir (a.fe.*rir*) v. **1.** Conferir com um padrão: *aferir um taxímetro, uma balança etc*. **2.** Avaliar por meio de instrumento; medir: *aferir a pressão arterial*; *A pesquisa de opinião aferiu o grau de popularidade do presidente*. ▶ Conjug. 69. – **aferidor** [ô] adj. s.m.; **aferimento** s.m.
aferrar (a.fer.*rar*) v. **1.** Segurar com força; prender: *Quando quis o seu brinquedo de volta, o colega aferrou-o com força*. **2.** Agarrar-se fortemente; obstinar-se: *Aferrou-se às próprias ideias e nunca mais leu nada*. ▶ Conjug. 8. – **aferrado** adj.
aferro [ê] (a.*fer*.ro) s.m. Forte apego; obstinação.
aferroar (a.fer.ro:*ar*) v. **1.** Picar com ferrão: *A abelha aferroou o menino*. **2.** Espicaçar, magoar: *Costuma aferroar os amigos dizendo quanto dinheiro possui*. **3.** Provocar, atiçar: *Suas afirmações aferroaram a curiosidade geral*. ▶ Conjug. 25.
aferrolhar (a.fer.ro.*lhar*) v. Fechar com ferrolho; trancar: *aferrolhar a porta*; *Aferrolhou suas joias no cofre*. ▶ Conjug. 20. – **aferrolhador** adj. s.m.; **aferrolhamento** s.m.
aferventar (a.fer.ven.*tar*) v. Ferver ligeiramente; cozer com uma só fervura: *Afervente o bacalhau e escorra-o*. ▶ Conjug. 5. – **aferventação** s.f.; **aferventamento** s.m.
afervorar (a.fer.vo.*rar*) v. **1.** Despertar fervor ou entusiasmo em: *Ainda afervora seus partidários com suas palavras de ordem*. **2.** Passar a sentir fervor ou entusiasmo: *Os fiéis se afervoravam e cultuavam cada vez mais Nossa Senhora*. ▶ Conjug. 20.
afetação (a.fe.ta.*ção*) s.f. **1.** Falta de naturalidade. **2.** Amaneiramento, pedantismo. **3.** Fingimento, simulação.

afetado (a.fe.*ta*.do) adj. **1.** Que sofreu afecção. **2.** Que usa de afetação.
afetar (a.fe.*tar*) v. **1.** Aparentar; simular: *Afetava saber falar alemão*. **2.** Causar efeito (geralmente negativo) a: *A seca afetou toda a Região Nordeste*; *A mudança de tempo afetou a minha garganta*; *A notícia afetou o mercado*. ▶ Conjug. 8.
afetividade (a.fe.ti.vi.*da*.de) s.f. **1.** Qualidade de afetivo. **2.** Conjunto de fenômenos afetivos.
afetivo (a.fe.*ti*.vo) adj. **1.** Relativo a afeto. **2.** Que envolve afeto. **3.** Dado a afetos, afetuoso; dedicado; afeiçoado.
afeto¹ [é] (a.*fe*.to) s.m. Sentimento terno que nos liga a algo ou alguém.
afeto² [é] (a.*fe*.to) adj. **1.** Que estima; afeiçoado; dedicado: *Era afeto à dança e ao teatro*. **2.** Da alçada de; subordinado a: *um julgamento afeto à Justiça Estadual*.
afetuosidade (a.fe.tu:o.si.*da*.de) s.f. Qualidade de afetuoso.
afetuoso [ô] (a.fe.tu:*o*.so) adj. Que revela afeto; carinhoso, afetivo. || f. e pl.: [ó].
affaire [afér] (Fr.) s.m. **1.** Aventura amorosa. **2.** Ocupação, negócio, afazer.
afiado (a.fi.*a*.do) adj. **1.** Que tem fio; de gume bem cortante; aguçado, amolado. **2.** Agudo, penetrante, sagaz: *crítico afiado*. **3.** Preparado (para exercer uma ação ou prestar um exame): *Você já está afiado para o concurso!*
afiançar (a.fi:an.*çar*) v. **1.** Prestar fiança; abonar: *afiançar uma dívida*. **2.** fig. Assegurar(-se): *O perito afiançou que os documentos eram falsos*; *Afiançou-se de que tinha dinheiro antes de entrar na loja*. ▶ Conjug. 5 e 36. – **afiançável** adj.
afiar (a.fi:*ar*) v. **1.** Dar fio a; tornar mais cortante: *afiar uma faca, um alicate de unhas etc*. **2.** fig. Apurar(-se), aperfeiçoar(-se): *De tanto praticar, afiou a arte de falar em público*; *Lendo muito, afiou-se na interpretação de textos*. ▶ Conjug. 17. – **afiador** [ô] adj. s.m.
aficionado (a.fi.ci:o.*na*.do) adj. **1.** Que tem inclinação ou gosto por algo. • s.m. **2.** Pessoa que tem inclinação ou gosto por determinada arte, espetáculo ou esporte.
afigurar (a.fi.gu.*rar*) v. Representar-se na mente; parecer: *Afigurou-se-me um negócio vantajoso*. ▶ Conjug. 5. – **afigurativo** adj.
afilado (a.fi.*la*.do) adj. **1.** Delgado, fino. **2.** Aguçado, pontudo.
afilar (a.fi.*lar*) v. **1.** Tornar(-se) fino e delicado; adelgaçar(-se): *A plástica afilou-lhe o nariz*; *A*

afobar

medula espinhal afila-se no cone medular. **2.** Tornar(-se) pontudo: *afilar um lápis*; *As folhas daquela árvore afilam-se na ponta*. ▶ Conjug. 5. – **afilamento** *s.m.*

afilhado (a.fi.*lha*.do) *s.m.* Qualquer pessoa em relação aos seus padrinhos.

afiliar (a.fi.li:*ar*) *v.* Agregar(-se), associar(-se), unir(-se): *O general afiliou seu reino a uma dinastia da China*; *afiliar-se a um partido, um clube etc.* ▶ Conjug. 17. – **afiliação** *s.f.*; **afiliado** *adj.*

afim (a.*fim*) *adj.* **1.** Que tem aspectos em comum: *parentes afins*; *ideias afins*. • *s.m. e f.* **2.** Parente não consanguíneo, por casamento ou por vínculo de afinidade. || Conferir com *a fim de* no verbete *fim*.

afinal (a.fi.*nal*) *adv.* Enfim, finalmente.

afinar (a.fi.*nar*) *v.* **1.** Tornar(-se) fino ou mais fino; adelgaçar(-se): *A plástica afinou sua silhueta*; *Suas pernas afinaram(-se)*. **2.** Refinar (os sentidos); apurar, aperfeiçoar: *Afinávamos o ouvido e percebíamos lá longe um ruído*. **3.** Purificar (metais); acrisolar. **4.** Pôr (instrumento musical) de acordo com um diapasão: *Antes do concerto, afinou o violão*. **5.** Cantar sem se afastar do tom: *Fez um curso para afinar a voz*. ▶ Conjug. 5. – **afinação** *s.f.*; **afinado** *adj.*; **afinador** *s.m.*; **afinamento** *s.m.*

afincar (a.fin.*car*) *v.* **1.** Cravar; fincar: *Afincou a espada na pedra*. **2.** Perseverar, aferrar-se a: *Afincou-se na descoberta de um novo método de pesquisa*. ▶ Conjug. 5 e 35. – **afincamento** *s.m.*

afinco (a.*fin*.co) *s.m.* Perseverança, pertinácia.

afinidade (a.fi.ni.*da*.de) *s.f.* **1.** Qualidade de afim. **2.** Aspecto em que duas pessoas ou coisas são afins. **3.** (*Jur.*) Parentesco entre um cônjuge e os parentes do outro.

▶ **a fio** *loc. adv.* Ver em *fio*.

afirmação (a.fir.ma.*ção*) *s.f.* **1.** Ato ou efeito de afirmar(-se). **2.** Aquilo que se afirma; asseveração.

afirmar (a.fir.*mar*) *v.* **1.** Declarar com firmeza; asseverar: *O ministro afirmou que o crescimento deste ano não está comprometido*. **2.** Dizer que algo é certo: *Ele apenas afirmou com a cabeça*; *Freud afirmou a existência do inconsciente*. **3.** Ficar firme, em situação estável: *Sua fama de escritor afirmou-se em todo o país*. **4.** Sentir-se importante: *Usa gírias para afirmar-se perante a turma*. **5.** Ser reconhecido: *Afirmou-se como um dos grandes autores da cena literária*. ▶ Conjug. 5.

afirmativa (a.fir.ma.ti.va) *s.f.* **1.** Declaração que afirma. **2.** Proposição que assegura ser verdadeira uma coisa.

afirmativo (a.fir.ma.*ti*.vo) *adj.* Que afirma.

afivelar (a.fi.ve.*lar*) *v.* Prender com fivela: *Afivelou o cinto de segurança e adormeceu*. ▶ Conjug. 8. – **afivelamento** *s.m.*

afixar [cs] (a.fi.*xar*) *v.* Tornar fixo; pregar: *Afixou um cartaz no mural*; *Afixou o aviso à parede*. ▶ Conjug. 5.

afixo [cs] (a.*fi*.xo) *s.m.* (*Gram.*) Morfema que se fixa ao radical das palavras, antes (prefixo), no meio (infixo) ou depois (sufixo).

aflição (a.fli.*ção*) *s.f.* **1.** Estado penoso do espírito. **2.** Padecimento físico. **3.** Aquilo que aflige.

afligir (a.fli.*gir*) *v.* **1.** Causar tristeza a; angustiar; atormentar: *A notícia do desabamento do edifício me afligiu*. **2.** Causar dor física a; torturar: *A ferida aberta o afligia*. **3.** Sentir aflição; agoniar(-se); contristar-se: *Ao chegar, afligiu-se com a guerra civil que assolava o país*. ▶ Conjug. 92.

aflitivo (a.fli.*ti*.vo) *adj.* Que causa aflição.

aflito (a.*fli*.to) *adj.* Que sente aflição.

aflorar (a.flo.*rar*) *v.* **1.** Emergir à superfície; assomar: *Uma rã aflorou do lago*; *Seu interesse pela leitura aflorou cedo*. **2.** Tocar levemente em: *Durante a caminhada, as folhas das árvores afloravam sua face*; *Na reunião, ele apenas aflorou o assunto um par de vezes, sem aprofundá-lo*. ▶ Conjug. 20. – **afloração** *s.f.*; **afloramento** *s.m.*

afluência (a.flu.*ên*.ci:a) *s.f.* Conjunto de líquidos, pessoas ou coisas que afluem; convergência.

afluente (a.flu:*en*.te) *adj.* **1.** Que aflui. • *s.m.* **2.** Corrente de água que deságua em outra principal; tributário.

afluir (a.flu:*ir*) *v.* **1.** Correr para; convergir, concorrer: *O rio Tapajós aflui para o Amazonas*. **2.** Vir em grande quantidade: *Milhares de pessoas afluíram à capela para homenagear o santo*. ▶ Conjug. 80. – **afluição** *s.f.*

afluxo [cs] (a.*flu*.xo) *s.m.* Ato de afluir.

afobação (a.fo.ba.*ção*) *s.f.* **1.** Ato de afobar-se; pressa, precipitação, azáfama. **2.** Atrapalhação, perturbação. **3.** Cansaço, fadiga.

afobamento (a.fo.ba.*men*.to) *s.m.* Afobação.

afobar (a.fo.*bar*) *v.* **1.** Causar afobação a: *A chegada do chefe afobou a secretária*. **2.** Sentir afobação: *Júlia era tranquila e nunca se afobava*. ▶ Conjug. 20. – **afobado** *adj.*

afofar

afofar (a.fo.*far*) *v.* Tornar(-se) fofo: *Afofou a terra e plantou a roseira; Com o tempo, a almofada afofou-se.* ▶ Conjug. 20. – **afofamento** *s.m.*

afogadilho (a.fo.ga.*di*.lho) *s.m.* Pressa, precipitação. || *De afogadilho*: apressadamente, precipitadamente.

afogador [ô] (a.fo.ga.*dor*) *adj.* **1.** Que afoga. • *s.m.* **2.** O que afoga. **3.** (*Mec.*) Misturador de combustível e ar no carburador.

afogar (a.fo.*gar*) *v.* **1.** Asfixiar por submersão: *A onda gigante afogou milhares de pessoas.* **2.** Sentir-se impedido de respirar, ou morrer por afogamento; sufocar-se: *O salva-vidas tentou evitar que muitos banhistas imprudentes se afogassem.* **3.** Encher-se de tarefas ou compromissos: *Afogou-se no trabalho.* **4.** (*Mec.*) Estancar (o motor) por excesso de combustível. ▶ Conjug. 20 e 34. – **afogado** *adj. s.m*; **afogamento** *s.m.*

afogueado (a.fo.gue:*a*.do) *adj.* **1.** Esbraseado, ardente, quente. **2.** Vermelho, corado, rubro.

afoguear (a.fo.gue:*ar*) *v.* **1.** Comunicar fogo a; queimar: *O balão caiu e afogueou a mata.* **2.** *fig.* Enrubescer, avermelhar(-se): *O comentário do colega afogueou-lhe as faces; Seu rosto afogueou-se quando viu o amado.* ▶ Conjug. 14.

afoitar (a.foi.*tar*) *v.* Tornar(-se) afoito: *As palavras do mestre afoitaram-no (a enfrentar o desafio); O rapaz afoitou-se pelo mar bravio.* ▶ Conjug. 21.

afoito (a.*foi*.to) *adj.* **1.** Sem medo; ousado, audaz. **2.** Ansioso, apressado, precipitado. – **afoiteza** *s.f.*

afonia (a.fo.*ni*.a) *s.f.* Perda ou diminuição da voz.

afônico (a.*fô*.ni.co) *adj.* Sem voz.

afora [ó] (a.*fo*.ra) *adv.* **1.** Para fora: *Saiu porta afora.* **2.** Ao longo: *Seguiram pela estrada afora; Fomos amigos vida afora.* • *prep.* **3.** Exceto, salvo.

aforar (a.fo.*rar*) *v.* (Jur.) **1.** Levar a foro, a juízo: *O insultado aforou a ação visando à indenização por danos morais.* **2.** Utilizar um imóvel mediante pagamento de foro: *O mosteiro aforou uma fazenda.* ▶ Conjug. 20. – **aforamento** *s.m.*

aforismo (a.fo.*ris*.mo) *s.m.* Sentença curta e doutrinal tida como regra em alguma ciência ou arte: *Os aforismos de Hipócrates são célebres.* – **aforismático** *adj.*

aforista (a.fo.*ris*.ta) *s.m. e f.* **1.** Autor de aforismos. **2.** O que usa aforismos. – **aforístico** *adj.*

aformosear (a.for.mo.se:*ar*) *v.* Tornar(-se) formoso; embelezar(-se), enfeitar(-se): *Ele aformoseou seu texto com algumas metáforas; Com o passar do tempo, ela se aformoseou.* ▶ Conjug. 14.

afortunado (a.for.tu.*na*.do) *adj.* **1.** Ditoso, feliz, venturoso. • *s.m.* **2.** Pessoa afortunada. – **afortunar** *v.* ▶ Conjug. 5.

afoxé [ch] (a.fo.*xé*) *s.m.* **1.** Cortejo de rua, ligado ao candomblé, que sai durante o carnaval baiano. **2.** (*Mús.*) Instrumento feito da casca da cabaça, usado no candomblé.

afresco [ê] (a.*fres*.co) *s.m.* Pintura sobre o revestimento fresco de cal ou de gesso.

afretamento (a.fre.ta.*men*.to) *s.m.* Fretamento.

afretar (a.fre.*tar*) *v.* Fretar. ▶ Conjug. 8.

africânder (a.fri.*cân*.der) *s.m. e f.* **1.** Sul-africano, branco, de origem holandesa ou residente na África do Sul. • *s.m.* (*Ling.*) **2.** Língua originária do holandês seiscentista falada pelos africânderes. • *adj.* **3.** Relativo a africânder. || *africâner.*

africâner (a.fri.*câ*.ner) *s.m.* Africânder.

africano (a.fri.*ca*.no) *adj.* **1.** Da África. • *s.m.* **2.** O natural ou o habitante da África.

afro (*a*.fro) *adj.* Africano.

afrodisíaco (a.fro.di.*sí*.a.co) *adj.* **1.** Que excita o apetite sexual. • *s.m.* **2.** Substância excitante do apetite sexual.

afronta (a.*fron*.ta) *s.f.* Dito ou ato injurioso; ultraje, ofensa. – **afrontoso** *adj.*

afrontado (a.fron.*ta*.do) *adj.* **1.** Insultado, ofendido, ultrajado. **2.** *coloq.* Acometido de má digestão.

afrontar (a.fron.*tar*) *v.* **1.** Encarar(-se) de frente: *Ele estava pronto para afrontar os mais fortes obstáculos; José afrontou-se com o assaltante.* **2.** Opor-se a: *A lei municipal afrontou um princípio constitucional.* **3.** Causar indisposição a: *A buchada afrontou os convivas.* ▶ Conjug. 5. – **afrontamento** *s.m.*

afrouxamento [ch] (a.frou.xa.*men*.to) *s.m.* Ato ou efeito de afrouxar.

afrouxar [ch] (a.frou.*xar*) *v.* **1.** Tornar(-se) frouxo: *Exausto, afrouxou o nó da gravata; Com o tempo, o parafuso afrouxou-se.* **2.** Tornar menos forte ou intenso: *Não afrouxou seus esforços nem por um minuto; A polícia afrouxou a vigilância no local.* **3.** Perder a força, o vigor: *O vínculo que o ligava à família afrouxou-se progressivamente.* ▶ Conjug. 22.

afta (*af*.ta) *s.f.* (*Med.*) Pequena ulceração dolorosa que se desenvolve na mucosa da boca.

aftosa [ó] (af.*to*.sa) *s.f.* (*Vet.*) Ver *febre aftosa*.

aftose [ó] (af.*to*.se) *s.f.* (*Med.*) Doença caracterizada pelo aparecimento de aftas.

aftoso [ô] (af.*to*.so) *adj.* **1.** Relativo a afta. **2.** Acometido de aftas ou de aftosa. || f. e pl.: [ó].

afugentar (a.fu.gen.*tar*) *v.* **1.** Fazer fugir; pôr em fuga, afastar: *A violência urbana afugenta os turistas*. **2.** Fazer sumir: *Afugentou o medo antes de entrar no avião*. ▶ Conjug. 5. – **afugentador** *adj. s.m.*; **afugentamento** *s.m.*

afundar (a.fun.*dar*) *v.* **1.** Ir ou fazer (algo ou alguém) ir ao fundo; submergir: *O Titanic afundou em 1912*; *Uma explosão numa das turbinas afundou o navio*. **2.** Tornar(-se) fundo; aprofundar(-se): *As filas de caminhões afundaram o pavimento*; *O aterro cedeu e a pista afundou*. **3.** Ter insucesso: *O plano afundou*. ▶ Conjug. 5. – **afundamento** *s.m.*

afunilar (a.fu.ni.*lar*) *v.* Dar ou tomar forma de funil ou semelhante a funil: *O governo buscou afunilar o fluxo migratório para Rondônia e adjacências*; *A estrada que tinha quatro vias se afunilou até ficar numa só*. ▶ Conjug. 5. – **afunilamento** *s.m.*

Ag (*Quím.*) Símbolo de *prata*.

agá (a.*gá*) *s.m.* Nome da letra *h*.

agachar-se (a.ga.*char*-se) *v.* **1.** Ficar de cócoras; abaixar-se: *Agachou-se para secar o chão*. **2.** *fig.* Submeter-se, sujeitar-se, humilhar-se: *Não se agachava diante dos poderosos*. ▶ Conjug. 5 e 6. – **agachamento** *s.m.*

agapanto (a.ga.*pan*.to) (*Bot.*) Planta ornamental com flores vistosas, roxas ou brancas, em cachos.

ágape (*á*.ga.pe) *s.m.* **1.** (*Hist.*) Banquete ou refeição comunitária dos cristãos antigos. **2.** Refeição festiva; banquete.

agarração (a.gar.ra.*ção*) *s.f.* Agarramento.

agarramento (a.gar.ra.*men*.to) *s.m.* **1.** Ato ou efeito de agarrar(-se); agarração. **2.** Ligação, apego (entre duas ou mais pessoas). **3.** Abraço de caráter amoroso ou sensual.

agarrar (a.gar.*rar*) *v.* **1.** Segurar com força ou pressão: *O alpinista agarrou a corda com todas as suas forças*. **2.** Apanhar, pegar, colher: *O bebê agarrou a ponta do lençol e dormiu*. **3.** Abraçar com arrebatamento: *Uma fã agarrou o ator na saída do teatro*. **4.** Firmar-se em; segurar-se, prender-se: *O domador agarrou-se aos chifres do animal para não cair*. **5.** Aderir, grudar: *Mexa bem para que nada se agarre ao fundo da panela*. ▶ Conjug. 5.

agasalhar (a.ga.sa.*lhar*) *v.* **1.** Dar agasalho a; acolher bem; abrigar: *Agasalhou os hóspedes com alegria*. **2.** Envolver(-se) com agasalho; cobrir(-se), enroupar(-se): *Agasalhou o filho, porque já era inverno*; *Agasalhou-se bem para ir ao parque*. **3.** Recolher-se, abrigar-se, hospedar-se: *Agasalhou-se numa estalagem à beira da estrada*. **4.** Aceitar proposta ou argumento: *Acabou agasalhando as razões que antes rejeitara*. ▶ Conjug. 5. – **agasalhador** *adj. s.m.*; **agasalhamento** *s.m.*

agasalho (a.ga.*sa*.lho) *s.m.* **1.** Ato ou efeito de agasalhar. **2.** Roupa ou cobertor que serve para aquecer. **3.** Hospedagem, abrigo.

agastar (a.gas.*tar*) *v.* Aborrecer(-se), enfadar (-se): *O diretor do hospital agastou-se e ameaçou renunciar*. ▶ Conjug. 5. – **agastado** *adj.*; **agastamento** *s.m.*

ágata[1] (*á*.ga.ta) *s.f.* (*Min.*) Variedade multicolor do quartzo.

ágata[2] (*á*.ga.ta) *s.f.* Ver *ágate*.

ágate (*á*.ga.te) *s.m.* Ferro revestido de esmalte.

agave (a.*ga*.ve) *s.f.* (*Bot.*) Sisal.

agência (a.*gên*.ci:a) *s.f.* **1.** Empresa que oferece certos tipos de serviço: *agência de publicidade*, *agência de matrimônios* etc. **2.** Filial de repartição pública, banco ou casa comercial; sucursal.

agenciador [ô] (a.gen.ci:a.*dor*) *adj.* **1.** Que agencia. • *s.m.* **2.** Pessoa que agencia.

agenciar (a.gen.ci:*ar*) *v.* **1.** Tratar de negócios na qualidade de agente: *Foi Pedro quem agenciou todo o trâmite do documento*. **2.** Fazer por adquirir; granjear: *Esse trabalho será uma boa oportunidade para José agenciar alguns reais*. ▶ Conjug. 17. – **agenciamento** *s.m.*

agenda (a.*gen*.da) *s.f.* **1.** Caderno em que se registra, dia a dia, o que se tem para fazer. **2.** Conjunto de coisas que alguém tem que fazer em determinado período, especialmente em um dia. **3.** Relação de assuntos a serem tratados numa reunião; pauta de trabalho.

agendar (a.gen.*dar*) *v.* Fazer constar de agenda: *A biblioteca do bairro agendou vários eventos para assinalar o aniversário do poeta*. ▶ Conjug. 5.

agente (a.*gen*.te) *adj.* **1.** Que opera ou atua produzindo algum efeito. • *s.m.* e *f.* **2.** Tudo o que opera ou atua. **3.** Pessoa que trata dos negócios de outrem. **4.** Representante de um país, uma organização, um organismo: *agente diplo-*

agigantar

mático. **5.** Policial. || *Agente da passiva*: (*Gram.*) na voz passiva, elemento que designa o ser que realiza a ação expressa pelo verbo.

agigantar (a.gi.gan.*tar*) *v.* Tornar(-se) gigante; engrandecer(-se): *O tempo diminui algumas lembranças e agiganta outras; O saber humano agigantou-se no século XX.* ▶ Conjug. 5. – **agigantado** *adj.*; **agigantamento** *s.m.*

ágil (*á*.gil) *adj.* **1.** Rápido em seus movimentos: *Era um malabarista muito ágil.* **2.** Rápido, ligeiro: *Todos clamam por uma Justiça mais ágil.* **3.** Vivo, desenvolto. || sup. abs.: *agilíssimo, agílimo*. – **agilidade** *s.f.*

agílimo (a.*gí*.li.mo) *adj.* Superlativo absoluto de *ágil*.

agilíssimo (a.gi.*lís*.si.mo) *adj.* Superlativo absoluto de *ágil*.

agilização (a.gi.li.za.*ção*) *s.f.* Ato ou efeito de agilizar(-se).

agilizar (a.gi.li.*zar*) *v.* Tornar(-se) mais ágil, ativo ou diligente: *O pagamento rápido agilizou a negociação; Com o avanço da tecnologia, o trabalho agilizou-se.* ▶ Conjug. 5.

ágio (*á*.gi:o) *s.m.* **1.** Lucro resultante do câmbio de moedas ou da troca de papéis de crédito por dinheiro. **2.** Especulação comercial abusiva.

agiota [ó] (a.gi:o.ta) *adj.* **1.** Usurário, especulador. • *s.m. e f.* **2.** Pessoa que cobra alto ágio em suas transações de dinheiro.

agiotagem (a.gi:o.*ta*.gem) *s.f.* **1.** Especulação sobre papéis de crédito ou sobre o preço de certas mercadorias. **2.** Lucro resultante dessa especulação. **3.** Usura. – **agiotar** *v.* ▶ Conjug. 20.

agir (a.*gir*) *v.* **1.** Realizar ações; atuar: *Os policiais agiram no estrito cumprimento da lei.* **2.** Ter efeito sobre; influir: *A substância agiu bem contra três tipos de doença.* **3.** Proceder, comportar-se: *Não agiu bem junto ao juiz.* ▶ Conjug. 92.

agitação (a.gi.ta.*ção*) *s.f.* **1.** Movimento irregular e repetido. **2.** Alteração psíquica; perturbação, inquietação. **3.** Insubordinação coletiva; tumulto, sublevação.

agitado (a.gi.*ta*.do) *adj.* **1.** Movimentado, revolto. **2.** Ansioso, inquieto, excitado.

agitador [ô] (a.gi.ta.*dor*) *adj.* **1.** Que agita. • *s.m.* **2.** Perturbador da ordem; revolucionário.

agitar (a.gi.*tar*) *v.* **1.** Mover(-se) repetidamente; sacudir(-se): *Colocou a mistura dentro do frasco e agitou-o; Agitou-se para tirar o excesso de água do corpo.* **2.** Tirar ou perder o sossego; alterar(-se), perturbar(-se): *Sua chegada agitou o ambiente; Agitou-se com a notícia da demissão do marido.* **3.** Sublevar; revolucionar: *Antônio Conselheiro agitou os sertanejos em Canudos.* ▶ Conjug. 5.

agito (a.*gi*.to) *s.m. gír.* Aglomeração festiva, especialmente de jovens.

aglomeração (a.glo.me.ra.*ção*) *s.f.* Ato ou efeito de aglomerar(-se); ajuntamento.

aglomerado (a.glo.me.*ra*.do) *adj.* **1.** Agrupado, reunido, amontoado. • *s.m.* **2.** Produto constituído de fragmentos unidos por cola ou cimento: *aglomerado de madeira; aglomerado de cimento, areia, brita e água etc.*

aglomerar (a.glo.me.*rar*) *v.* Juntar(-se), reunir (-se), amontoar(-se): *Esta foi a primeira localidade que aglomerou italianos para formar uma vila; O público aglomerou-se em volta do escritor.* ▶ Conjug. 8.

aglutinante (a.glu.ti.*nan*.te) *adj.* **1.** Que aglutina ou cola. • *s.m.* **2.** Tudo o que aglutina ou cola.

aglutinar (a.glu.ti.*nar*) *v.* **1.** Unir (duas ou mais coisas) de modo que formem um todo: *Na composição da tinta, usa-se um veículo para aglutinar as partículas de pigmento; O evento aglutinou gente do Brasil todo.* **2.** Unir-se: *Ex-funcionários de empresas aglutinaram-se e formaram cooperativas.* ▶ Conjug. 5.

agnosticismo (ag.nos.ti.*cis*.mo) *s.m.* (*Fil.*) Doutrina que declara inacessível ao espírito humano o conhecimento do absoluto.

agnóstico (ag.*nós*.ti.co) *adj.* **1.** Relativo ao agnosticismo. **2.** Adepto do agnosticismo. • *s.m.* **3.** Aquele que é adepto do agnosticismo.

agogô (a.go.*gô*) *s.m.* (*Mús.*) Instrumento metálico de origem africana, com dois cones unidos por uma haste e percutidos por uma vareta.

agonia (a.go.*ni*.a) *s.f.* **1.** Extrema angústia; aflição, ansiedade. **2.** Período imediatamente anterior à morte. **3.** *fig.* Fim próximo, precedido de grave perturbação: *A agonia do Antigo Regime na França.*

agoniar (a.go.ni:*ar*) *v.* **1.** Causar agonia, aflição a; inquietar; afligir: *Ficar muito tempo sem ler jornal o agonia.* **2.** Sentir agonia; afligir-se: *Agoniou-se ao perceber-se seguido.* ▶ Conjug. 17. – **agoniado** *adj.*

agônico (a.*gô*.ni.co) *adj.* Relativo a agonia.

agonizante (a.go.ni.*zan*.te) *adj.* **1.** Que agoniza. **2.** *fig.* Que está em declínio.

agonizar (a.go.ni.*zar*) *v.* Estar em agonia: *Quando viram que o inimigo agonizava, os soldados se aproximaram; Estará o capitalismo agonizando?* ▶ Conjug. 5.

agora [ó] (a.go.ra) adv. **1.** Neste instante. **2.** Neste tempo; atualmente, presentemente. **3.** De agora em diante; doravante: *Agora era ela sozinha para cuidar dos filhos.* • conj. **4.** Mas, porém: *Criticar é fácil, agora fazer é difícil.* ‖ *Agora mesmo*: justamente nesta hora. • *Agora que*: dado que, visto que: *Agora que comecei a falar, vou até o fim.* • *De agora em diante*: A partir de agora. • *Por agora*: por enquanto: *Por agora, não há nada que você possa fazer.*

ágora (á.go.ra) s.f. Na Grécia antiga, praça pública onde se reunia a assembleia pública.

agorafobia (a.go.ra.fo.bi.a) s.f. (Med.) Aversão a espaços abertos. – **agorafóbico** adj. s.m.; **agoráfobo** adj. s.m.

agosto [ô] (a.gos.to) s.m. Oitavo mês do ano.

➤ **a gosto** loc. adv. Ver em *gosto*.

agourar (a.gou.rar) v. **1.** Prever, pressentir: *Todos agouravam êxito no empreendimento.* **2.** Anunciar ou desejar má sorte: *Ao longe agouravam algumas aves; O torcedor agourou a Argentina e a Alemanha.* ▶ Conjug. 22.

agourento (a.gou.ren.to) adj. **1.** Que envolve agouro. **2.** Que anuncia agouro. **3.** Que crê em agouro.

agouro (a.gou.ro) s.m. **1.** Presságio tirado antigamente do canto e do voo das aves. **2.** Predição supersticiosa; prognóstico, vaticínio. **3.** Mau presságio.

agraciar (a.gra.ci:ar) v. **1.** Conceder graça a: *O rei agraciou-o com o grau de cavalheiro da Ordem Rosa.* **2.** Perdoar, indultar: *O governo agraciou 35 presos políticos.* ▶ Conjug. 17. – **agraciamento** s.m.

agradabilíssimo (a.gra.da.bi.lís.si.mo) adj. Superlativo absoluto de *agradável*.

agradar (a.gra.dar) v. **1.** Ser agradável a; contentar, satisfazer: *A reforma do estádio agradou aos torcedores.* **2.** Fazer agrado a; afagar: *O menino agachou-se e agradou o cão.* ▶ Conjug. 5.

agradável (a.gra.dá.vel) adj. **1.** Que agrada; aprazível. **2.** Amável no trato; doce; afável. ‖ sup. abs.: *agradabilíssimo*.

agradecer (a.gra.de.cer) v. Mostrar-se grato a: *Iniciou o discurso agradecendo a presença de todos; Feliz, agradeceu à mãe o presente.* ▶ Conjug. 41 e 46.

agradecido (a.gra.de.ci.do) adj. Que sente ou revela gratidão; grato, reconhecido, penhorado. – **agradecimento** s.m.

agrado (a.gra.do) s.m. **1.** Contentamento moderado; satisfação, aprazimento: *Recebemos a notícia com agrado.* **2.** Desejo, gosto: *O casal encontrou uma casa do seu agrado.* **3.** Retribuição por um favor recebido; gratificação: *Vamos dar um agrado ao carregador?* **4.** Carinho, mimo, afago: *Quando o cão lhe obedece, lhe faz um agrado.*

agrário (a.grá.ri:o) adj. Relativo ao campo ou à agricultura.

agravado (a.gra.va.do) adj. **1.** (Jur.) Que sofreu agravo ou injustiça. **2.** (Med.) Mais grave, piorado. • s.m. **3.** (Jur.) Pessoa que sofreu agravo.

agravamento (a.gra.va.men.to) s.m. Ato de agravar(-se).

agravante (a.gra.van.te) adj. **1.** Que agrava. • s.m. e f. **2.** (Jur.) Circunstância ou fator que torna mais grave um crime.

agravar (a.gra.var) v. Tornar(-se) mais grave: *A falha na segurança agravou a tragédia; O estado de saúde do paciente agravou-se durante a noite.* ▶ Conjug. 5.

agravo (a.gra.vo) s.f. **1.** Ofensa, injúria, afronta. **2.** Prejuízo, dano. **3.** Aumento de um mal físico; agravamento. **4.** (Jur.) Recurso à própria autoridade que pronunciou a sentença ou, se recusado, ao juízo superior.

agredir (a.gre.dir) v. **1.** Atacar, acometer: *O jogador que agrediu o árbitro será punido; Embriagado, o morador agrediu verbalmente o síndico.* **2.** fig. Desagradar, incomodar: *Os anúncios luminosos agridem a vista.* ▶ Conjug. 72.

agregado (a.gre.ga.do) adj. **1.** Reunido, anexo, adjunto. • s.m. **2.** Reunião de coisas que formam um todo. **3.** Aquele que, mesmo sem ser parente, convive com uma família na mesma casa. **4.** Lavrador sem terra própria estabelecido em fazenda alheia mediante determinadas condições.

agregar (a.gre.gar) v. **1.** Associar(-se), reunir(-se), juntar(-se), afiliar(-se): *Em pouco tempo de existência, a revista agregou grandes nomes; Uma terceira pessoa agregou-se a nós.* **2.** Acrescentar, adicionar: *Agregou valor às suas lojas de tecido, oferecendo serviços de costura.* ▶ Conjug. 8 e 34. – **agregação** s.f.

agremiação (a.gre.mi:a.ção) s.f. **1.** Ato ou efeito de agremiar(-se). **2.** Ajuntamento, reunião. **3.** Grêmio, associação, clube.

agremiar (a.gre.mi:ar) v. Reunir(-se) em grêmio ou em assembleia: *Este Grupo de Trabalho agremiará professores de História e Geografia; Artistas cearenses agremiaram-se em 1892 e fundaram uma sociedade chamada Padaria espiritual.* ▶ Conjug. 17.

agressão

agressão (a.gres.*são*) *s.f.* **1.** Ato ou efeito de agredir. **2.** Acometimento repentino e inesperado; provocação. **3.** Insulto, ofensa.

agressividade (a.gres.si.vi.*da*.de) *s.f.* **1.** Qualidade de agressivo. **2.** Disposição para agredir.

agressivo (a.gres.*si*.vo) *adj.* Que envolve ou denota agressão.

agressor [ô] (a.gres.*sor*) *adj.* **1.** Que agride. • *s.m.* **2.** Pessoa que agride.

agreste [é] (a.gres.te) *adj.* **1.** Relativo a campo; rural, campestre. **2.** *fig.* Rústico, áspero, tosco. • *s.m.* **3.** (*Geogr.*) Zona do Nordeste do Brasil, entre a mata e a caatinga, de solo pedregoso e escassa vegetação.

agrião (a.gri:*ão*) *s.m.* (*Bot.*) Erva aquática, de folhas verde-escuras, muito usada em saladas e em xaropes para combater a gripe.

agrícola (a.grí.co.la) *adj.* Relativo a agricultura: *trabalhador agrícola.*

agricultor [ô] (a.gri.cul.*tor*) *adj.* **1.** Que se dedica ao cultivo da terra. • *s.m.* **2.** Pessoa que se dedica ao cultivo da terra; lavrador.

agricultura (a.gri.cul.*tu*.ra) *s.f.* Cultivo do solo com o fim de obter produtos vegetais úteis ao homem.

agridoce [ô] (a.gri.*do*.ce) *adj.* De sabor ácido e doce: *frango agridoce.* || *acre-doce, acridoce.*

agrilhoar (a.gri.lho:*ar*) *v.* **1.** Prender com grilhões; acorrentar: *Júpiter agrilhoou Prometeu ao Cáucaso.* **2.** *fig.* Prender, fixar: *A experiência na guerra agrilhoou-o a uma postura mental defensiva.* ▶ Conjug. 25. – **agrilhoamento** *s.m.*

agrimensor [ô] (a.gri.men.*sor*) *s.m.* Medidor de terras.

agrimensório (a.gri.men.só.ri:o) *adj.* Relativo a agrimensura.

agrimensura (a.gri.men.*su*.ra) *s.f.* Técnica de medição de terras.

agroindústria (a.gro:in.*dús*.tri:a) *s.f.* **1.** Atividade econômica que consiste na industrialização de produtos agrícolas. **2.** Indústria que utiliza a produção agrícola como matéria-prima.

agroindustrial (a.gro:in.dus.tri:*al*) *adj.* Relativo a agroindústria.

agronegócio (a.gro.ne.*gó*.ci:o) *s.m.* A atividade agrícola considerada como um grande negócio que envolve a produção, o processamento e a comercialização em larga escala de alimentos.

agronomia (a.gro.no.*mi*.a) *s.f.* Estudo científico e técnico dos problemas referentes à agricultura.

agrônomo (a.grô.no.mo) *s.m.* Profissional formado em Agronomia. – **agronômico** *adj.*

agropecuária (a.gro.pe.cu:*á*.ri:a) *s.f.* Atividade que abrange a agricultura e a pecuária.

agropecuário (a.gro.pe.cu:*á*.ri:o) *adj.* Relativo a agropecuária.

agrotóxico [cs] (a.gro.*tó*.xi.co) *s.m.* Defensivo agrícola.

agrovia (a.gro.*vi*.a) *s.f.* Via que serve para escoar a produção agrícola.

agrovila (a.gro.*vi*.la) *s.f.* Núcleo de povoamento, com serviços integrados de comunidade para residência de famílias de agricultores fixados em assentamentos rurais.

agrupamento (a.gru.pa.*men*.to) *s.m.* **1.** Ato ou efeito de agrupar(-se). **2.** Reunião de pessoas; ajuntamento, grupo.

agrupar (a.gru.*par*) *v.* Reunir(-se) em grupos: *Este índice agrupa os indivíduos segundo as categorias de consumo alimentar; No fim da Idade Média, os artesãos agruparam-se em corporações.* ▶ Conjug. 5.

agrura (a.*gru*.ra) *s.f.* **1.** Sabor ácido. **2.** *fig.* Obstáculo, dificuldade. **3.** *fig.* Amargura, tristeza, dissabor. || Nas acepções 2 e 3, mais usado no plural.

água (*á*.gua) *s.f.* **1.** Líquido incolor, inodoro e insípido, composto de dois átomos de hidrogênio e um de oxigênio. **2.** A parte líquida do globo terrestre. **3.** Cada uma das vertentes de um telhado. **4.** Chuva. • *águas s.f.pl.* **5.** Grandes volumes de água, como o mar, os rios, os lagos. **6.** Grande quantidade de chuva. || *Água benta*: na liturgia católica, água benzida por um sacerdote. • *Água de barrela*: **1.** fracasso, malogro. **2.** água suja. **3.** café ralo. • *Água doce*: água de rios, lagos, em oposição à água salgada do mar. • *Água mineral*: água que contém uma quantidade apreciável de sais minerais. • *Água oxigenada*: solução de bióxido de hidrogênio usada como antisséptico e alvejante. • *Água sanitária*: composto clorado que se emprega como descorante e desinfetante. • *Águas passadas*: *fig.* tudo aquilo que já passou e não interessa mais. • *Com água na boca*: *fig.* com um forte desejo, especialmente por alguma comida. • *Ir por água abaixo*: *fig.* não obter sucesso; fracassar.

aguaçal (a.gua.*çal*) *s.m.* Lugar fundo onde estagna a água; charco, pântano.

aguaceiro (a.gua.*cei*.ro) *s.m.* Chuva repentina, abundante e de pouca duração.

água com açúcar *adj.* Diz-se de filme, romance etc. cuja trama é ingênua ou em que há sentimentalismo piegas.

aguada (a.gua.da) *s.f.* **1.** Provisão de água doce que se carrega nas embarcações. **2.** Lugar onde os animais bebem água. **3.** (*Art.*) Pintura em que se dilui a tinta com água.

água de cheiro *s.f.* Água-de-colônia.

água-de-colônia (á.gua-de-co.*lô*.nia) *s.f.* Solução alcoólica com essências aromáticas; água de cheiro. || pl.: *águas-de-colônia*.

aguado (a.gua.do) *adj.* **1.** Diluído em água, misturado com água. **2.** Cheio de água: *Com os olhos aguados, despediu-se da família*. **3.** Com pouco sabor; ralo (diz-se de refresco, café, chá).

água-forte (á.gua-*for*.te) *s.f.* **1.** Ácido nítrico dissolvido em água. **2.** (*Art.*) Técnica de gravar em metal utilizando a água-forte. **3.** Gravura obtida por meio dessa técnica. || pl.: *águas--fortes*.

água-fortista (á.gua-for.*tis*.ta) *s.m. e f.* Gravador que utiliza a técnica da água-forte. || pl.: *água--fortistas*.

água-furtada (á.gua-fur.*ta*.da) *s.f.* Último andar de uma casa, com janelas dando sobre o telhado; mansarda. || pl.: *águas-furtadas*.

água-marinha (á.gua-ma.*ri*.nha) *s.f.* (*Min.*) Pedra semipreciosa, variedade azulada do berilo. || pl.: *águas-marinhas*.

aguapé (a.gua.*pé*) *s.m.* **1.** (*Bot.*) Designação de várias plantas aquáticas flutuantes. **2.** Trama vegetal formada de plantas aquáticas que crescem na superfície das águas dos rios, lagos e pantanais.

aguar (a.*guar*) *v.* **1.** Adicionar água: *A cozinheira aguou muito a sopa*. **2.** Derramar água; regar, borrifar: *Antes de plantar, preparou e aguou a terra*. **3.** *coloq.* Salivar intensamente por vontade de provar alguma comida: *Você vai aguar quando vir aquela carne suculenta*. **4.** Desmanchar (um prazer): *A chuva aguou nossos planos de viajar*. ▶ Conjug. 29.

aguardar (a.guar.*dar*) *v.* Permanecer à espera de; esperar: *Aguardamos notícias suas; Aguardei pelo atendimento na sala de espera*. ▶ Conjug. 5. – **aguardo** *s.m.*

aguardente (a.guar.*den*.te) *s.f.* Bebida alcoólica proveniente da destilação do sumo da cana-de-açúcar, do vinho, de cereais e de várias plantas e frutas suscetíveis de fermentação.

aguarrás (a.guar.*rás*) *s.f.* Essência obtida pela destilação da terebintina.

aguilhão

água-viva (á.gua-vi.va) *s.f.* (*Zool.*) Animal marinho, de corpo transparente e gelatinoso, cujos tentáculos provocam queimaduras em seres humanos. || pl.: *águas-vivas*.

aguçar (a.gu.*çar*) *v.* **1.** Tornar agudo; afinar a extremidade; aparar de modo que termine em bico; afiar: *Mandou aguçar a ponta dos mourões da cerca*. **2.** *fig.* Excitar, estimular: *O vinho e as finas iguarias aguçaram os sentidos dos convivas*. **3.** Tornar perspicaz: *É preciso aguçar a inteligência para compreender a crise política atual*. ▶ Conjug. 5 e 36. – **aguçado** *adj.*; **aguçamento** *s.m.*

agudez [ê] (a.gu.*dez*) *s.f.* Agudeza.

agudeza [ê] (a.gu.*de*.za) *s.f.* **1.** Qualidade do que é agudo; agudez. **2.** Argúcia, sagacidade, agudez.

agudizar (a.gu.di.*zar*) *v.* Tornar(-se) agudo ou mais agudo: *O frio agudizou seu reumatismo; O confronto entre os dois países agudizou-se*. ▶ Conjug. 5.

agudo (a.gu.do) *adj.* **1.** Que termina em ponta ou em gume; afiado, pontiagudo. **2.** Perspicaz, sutil. **3.** Intenso, forte: *dor aguda*. **4.** Diz-se de som cuja frequência de vibração é grande. **5.** (*Mús.*) Diz-se de voz ou instrumento de som agudo. **6.** (*Gram.*) Diz-se de acento que marca as vogais tônicas *a*, *i* e *u* e as vogais tônicas abertas e e o. || sup. abs.: *acutíssimo*.

aguentar [ü] (a.guen.*tar*) *v.* **1.** Sustentar, suster, manter: *Esta estante não aguenta tanto peso*. **2.** Tolerar, suportar (alguém ou algo): *Não aguento os hipócritas; Ninguém aguenta tanto sofrimento; Ela não aguenta mais os telefonemas da irmã*. **3.** Resistir a: *Esta colcha não aguenta nem mais uma lavagem; Dificilmente o paciente aguentará outra operação*. **4.** Manter--se, conservar-se: *Aquele partido aguentou-se muitos anos no poder*. ▶ Conjug. 5.

aguerrido (a.guer.*ri*.do) *adj.* **1.** Acostumado à guerra. **2.** Corajoso, destemido, valente.

aguerrir (a.guer.*rir*) *v.* Afazer(-se) à guerra; habituar(-se) com as lutas, com os trabalhos e com os desgostos: *Era preciso aguerrir as tropas para uma resistência eficaz; Aguerriu-se à lide diária dos subempregados*. ▶ Conjug. 66 e 86.

águia (á.gui:a) *s.f.* **1.** (*Zool.*) Ave de rapina de grande tamanho, bico encurvado e voo rápido. **2.** *fig.* Pessoa de grande talento e perspicácia.

aguilhão (a.gui.*lhão*) *s.m.* **1.** Ponta de ferro afiada. **2.** *fig.* Estímulo, incentivo, incitamento. **3.** (*Zool.*) Ferrão.

aguilhoada

aguilhoada (a.gui.lho:a.da) s.f. **1.** Ferimento ou picada feita por aguilhão. **2.** Dor forte e súbita. **3.** Instigação, provocação, incitamento.

aguilhoar (a.gui.lho:ar) v. **1.** Tocar ou picar com o aguilhão: *Aguilhoou o boi para instigá-lo a se levantar*. **2.** *fig.* Fazer sofrer física ou moralmente: *O desprezo do amado aguilhoou o coração da moça*. **3.** *fig.* Incitar, estimular: *A pobreza aguilhoava sua revolta*. ► Conjug. 25.

➤ **à guisa de.** *loc. prep.* Ver em *guisa*.

agulha (a.gu.lha) s.f. **1.** Haste de metal pequena e fina, aguçada numa das extremidades e com um orifício na outra, usada para coser. **2.** Vareta de extremidade pontiaguda com a qual se fazem meia, renda ou trabalhos de malha. **3.** Ponteiro de relógio ou de bússola. **4.** Peça de aço que percute a espoleta nas armas de fogo modernas. **5.** Porção móvel de um trilho para facilitar, nas linhas férreas, a passagem dos trens de uma para outra via. **6.** (*Med.*) Qualquer instrumento para suturas, para injeção ou para punção. – **agulhada** s.f.

agulheiro (a.gu.lhei.ro) s.m. **1.** Pequeno estojo ou almofada que serve para guardar agulhas. **2.** Empregado encarregado de manejar as agulhas dos trilhos de trens.

ah *interj.* Exprime admiração, dor, alegria, decepção ou enfado.

ai *interj.* **1.** Exprime dor ou aflição. • *s.m.* **2.** Grito de dor; lamento, suspiro: *Morreu sem soltar um ai*.

aí (a.í) *adv.* **1.** Nesse lugar próximo ao ouvinte: *Quem está aí com você?* **2.** A esse lugar: *Chego aí em dez minutos*. **3.** Nesse momento, nesse tempo passado ou já referido: *Em 1980, sofri um infarto; a partir daí, deixei o cigarro*. **4.** Nesse ponto; nisso: *Aí é que está o busílis*. • *interj.* **5.** Exprime aprovação ou cumplicidade: *Aí, hem, garotão!* || *E por aí vai*: e assim sucessivamente; e assim por diante. • *Por aí*: **1.** por lugares não afastados, mas indeterminados: *Afirmam por aí que o fato é verdadeiro*. **2.** mais ou menos; aproximadamente: *Um sítio na serra está por cem mil dólares ou por aí*.

aia (ai.a) s.f. **1.** Dama de companhia; camareira. **2.** Nas casas de famílias da nobreza, preceptora de crianças. || f. de *aio*.

aiatolá (ai.a.to.lá) s.m. (*Rel.*) Entre os muçulmanos xiitas, líder religioso.

aidético (ai.dé.ti.co) s.m. Portador do vírus da aids.

aids s.f.2n. (*Med.*) Doença, transmitida por via sexual ou sanguínea, caracterizada pela perda das defesas imunológicas do organismo; sida. || Também grafado *AIDS*.

ainda (a.in.da) *adv.* **1.** Até agora. **2.** Até então, até aquele tempo. **3.** Algum dia. **4.** Mais; além disso. **5.** Ao menos, pelo menos. **6.** Até, inclusive, até mesmo. || *Ainda agora*: há pouco tempo. • *Ainda assim*: apesar disso. • *Ainda bem*: felizmente. • *Ainda por cima*: além disso. • *Ainda que*: mesmo que.

aio (ai.o) s.m. **1.** Escudeiro, camareiro. **2.** Preceptor de crianças. || f.: *aia*.

aipim (ai.pim) s.m. Mandioca.

aipo (ai.po) s.m. (*Bot.*) Planta aromática, de caule macio, usada em sopas e saladas.

air bag [ér bég] (Ing.) Bolsa que, em caso de colisão, se infla automaticamente, protegendo os passageiros do veículo.

airoso [ô] (ai.ro.so) *adj.* **1.** Gentil, delicado: *Airoso, oferecia flores à namorada*. **2.** Esbelto, elegante, garboso: *porte airoso*. **3.** Digno, honroso, decoroso: *Um desfecho airoso para o processo de paz depende de investimentos nos países em conflito*. || f. e pl.: [ó].

ajaezar (a.ja:e.zar) v. **1.** Arrear: *Ajaezou cuidadosamente a sua cavalgadura*. **2.** Enfeitar(-se): *Ajaezou o vestido com um broche; As moças ajaezavam-se para o baile*. ► Conjug. 8. – **ajaezado** *adj.*

ajantarado (a.jan.ta.ra.do) *adj.* **1.** Diz-se de almoço ou lanche semelhante a um jantar. • *s.m.* **2.** Refeição única, abundante, feita entre o horário do almoço e o do jantar.

ajardinado (a.jar.di.na.do) *adj.* **1.** Semelhante a um jardim: *espaço ajardinado*. **2.** Provido de jardim: *um terreno todo ajardinado*.

ajardinar (a.jar.di.nar) v. **1.** Assemelhar a um jardim: *Ajardinou a varanda do apartamento*. **2.** Prover de jardim: *Aquele prefeito ajardinou as praças da cidade*. ► Conjug. 5. – **ajardinamento** *s.m.*

ajeitado (a.jei.ta.do) *adj.* **1.** Disposto adequadamente. **2.** Arrumado, arranjado. **3.** De boa aparência.

ajeitar (a.jei.tar) v. **1.** Pôr(-se) em estado adequado; acomodar(-se): *Ajeitou a gravata antes da entrevista; Ajeitem-se na cadeira e ponham os guardanapos sobre o colo*. **2.** Conseguir habilmente: *O amigo ajeitou-lhe uma boa colocação na empresa*. **3.** Ajustar(-se), harmonizar(-se): *A família ajeitou as despesas ao orçamento; Quando as coisas se ajeitarem, ele voltará para casa*. **4.** Conseguir atender às próprias necessidades: *Ajeitaram-se com um cobertor só*. ► Conjug. 18. – **ajeitamento** *s.m.*

alagamento

ajoelhar (a.jo:e.*lhar*) v. Pôr(-se) de joelhos: *Ajoelhou(-se) para brincar com o filho.* ▶ Conjug. 9. – **ajoelhado** adj.

ajoujar (a.jou.*jar*) v. **1.** Prender com ajoujo (cães de caça e outros animais). **2.** Submeter(-se): *Corpulento, logo ajoujou o rapazinho; O povo ajoujou-se à tirania da oligarquia.* **3.** Fazer vergar: *A mochila, pesada, ajoujava a coluna do menino.* ▶ Conjug. 22. – **ajoujado** adj.

ajoujo (a.*jou*.jo) s.m. Corrente ou corda que junge, dois a dois, cães, bois etc.

ajuda (a.*ju*.da) s.f. **1.** Ato de ajudar. **2.** Coisa com que se ajuda. || *Ajuda de custo*: dinheiro que se recebe, suplementarmente, para despesas extraordinárias em serviço.

ajudante (a.ju.*dan*.te) s.m. e f. Pessoa que ajuda.

ajudante de ordens (a.ju.dan.te de or.dens) s.m. (*Mil.*) Oficial subalterno que está sob o comando de oficial superior ou de alta autoridade civil.

ajudar (a.ju.*dar*) v. **1.** Prestar ajuda a; auxiliar, socorrer: *Minha avó ajuda as crianças órfãs de sua cidade; Quando o filho caiu, ele ajudou-o a levantar-se.* **2.** Favorecer, facilitar: *Uma alimentação balanceada antes da prova ajuda o bom desempenho no vestibular; Fazer exercícios ajuda a emagrecer.* ▶ Conjug. 5.

ajuizado (a.ju:i.*za*.do) adj. **1.** Equilibrado, ponderado, sensato. **2.** (*Jur.*) Que foi alvo de apreciação judiciária.

ajuizar (a.ju:i.*zar*) v. **1.** Fazer juízo de; julgar, supor: *Os homens mais esclarecidos da época ajuizavam que era preciso construir um grande teatro na cidade.* **2.** (*Jur.*) Levar a juízo: *Naquela época, o Ministério Público ajuizou uma ação civil pública.* ▶ Conjug. 26. – **ajuizamento** s.m.; **ajuizável** adj.

ajuntamento (a.jun.ta.*men*.to) s.m. **1.** Ato ou efeito de ajuntar(-se). **2.** Conjunto de pessoas; reunião.

ajuntar (a.jun.*tar*) v. Juntar. ▶ Conjug. 5.

ajuramentado (a.ju.ra.men.*ta*.do) adj. Juramentado.

ajuramentar (a.ju.ra.men.*tar*) v. Tomar juramento de; juramentar: *O magistrado judicial ajuramentou a testemunha.* ▶ Conjug. 9.

ajustar (a.jus.*tar*) v. **1.** Fazer que (algo) se adapte a um espaço ou medida: *No manual, há informações sobre como ajustar os componentes da máquina; A costureira ajustou a calça ao meu corpo.* **2.** Estar em exata correspondência com; adaptar-se: *Era impossível encontrar saias que se ajustassem ao seu tipo; É preciso ajustar-se às novas circunstâncias.* **3.** Liquidar (contas): *Ajustou contas com todos os seus credores.* **4.** Fazer um trato; combinar: *Ajustou com o pai irem pescar no domingo.* **5.** Tornar adequado ao aumento do custo de vida: *ajustar preços.* ▶ Conjug. 5. – **ajustagem** s.f.; **ajustamento** s.m.; **ajustável** adj.

ajuste (a.*jus*.te) s.m. Ato ou efeito de ajustar(-se). || *Ajuste de contas*: fig. vingança, represália.

ajutório (a.ju.*tó*.ri:o) s.m. Adjutório.

Al (*Quím.*) Símbolo de *alumínio*.

ala (*a*.la) s.f. **1.** Série de coisas ou pessoas dispostas uma após a outra; fileira, renque. **2.** Facção dentro de um partido político, uma organização etc. **3.** Cada um dos resguardos laterais de uma ponte. **4.** (*Arquit.*) Cada uma das partes que se estendem aos lados do corpo principal de um edifício. **5.** (*Mil.*) Subdivisão de uma formação em ordem de combate. **6.** Subdivisão de uma escola de samba de acordo com a fantasia ou função dos seus componentes no desfile. • s.m. e f. **7.** (*Esp.*) No futebol, basquete etc., jogador que atua pelas laterais. || *Abrir alas*: dar caminho.

alabarda (a.la.*bar*.da) s.f. Antiga arma em forma de lança cujo extremo leva uma peça de ferro pontiaguda atravessada por uma lâmina em forma de meia-lua. – **alabardeiro** s.m.; **alabardino** adj.

alabastrino (a.la.bas.*tri*.no) adj. Que possui a alvura do alabastro: *o branco alabastrino de sua pele.*

alabastro (a.la.*bas*.tro) s.m. **1.** Rocha tenra e muito branca. **2.** Vaso de alabastro (1) em que os gregos guardavam perfume. **3.** fig. Brancura, alvura.

à la carte (Fr.) loc. adv. De acordo com os pratos e preços listados no cardápio.

álacre (*á*.la.cre) adj. Alegre, entusiasmado, animado.

alado (a.*la*.do) adj. Que tem asas.

alagadiço (a.la.ga.*di*.ço) adj. **1.** Sujeito a alagar-se, inundar-se. • s.m. **2.** Terreno alagado, encharcado.

alagado (a.la.*ga*.do) adj. **1.** Coberto de água; inundado. • s.m. **2.** Porção de água estagnada proveniente de chuva ou inundação.

alagamento (a.la.ga.*men*.to) s.m. Ato ou efeito de alagar(-se); enchente.

alagar

alagar (a.la.gar) v. Encher(-se) ou cobrir(-se) de água; inundar(-se), encha car(-se): *Alguns rios transbordaram e alagaram as pistas; Tem chovido tanto que os campos se alagaram.* ▶ Conjug. 5 e 34.

alagoano (a.la.go:a.no) adj. **1.** Do Estado de Alagoas • s.m. **2.** O natural ou o habitante desse estado.

alamar (a.la.mar) s.m. Galão de fio metálico, de seda, lã etc. que guarnece e abotoa a frente de um vestuário, passando de um lado a outro a abotoadura. ‖ Mais usado no plural.

alambicado (a.lam.bi.ca.do) adj. **1.** Destilado no alambique. **2.** fig. Afetado, pretensioso.

alambicar (a.lam.bi.car) v. **1.** Destilar no alambique: *Mudou-se para o interior e começou a alambicar aguardente.* **2.** fig. Tornar(-se) afetado e pretensioso: *O sucesso alambicou o jovem cantor; Alambicou-se depois da publicação de seu livro.* ▶ Conjug. 5 e 35.

alambique (a.lam.bi.que) s.m. **1.** Aparelho de destilação. **2.** Local onde está instalado esse aparelho; destilaria.

alambrado (a.lam.bra.do) s.m. **1.** Cerca de arame. **2.** Terreno cercado com arame. • adj. **3.** Cercado com arame.

alameda [ê] (a.la.me.da) s.f. **1.** Avenida ou rua orlada de álamos ou de outras árvores; aleia. **2.** Lugar arborizado para passeio; aleia.

álamo (á.la.mo) s.m. Árvore de grande altura que cresce em lugares úmidos e ao longo de cursos de água.

alar¹ (a.lar) adj. **1.** Relativo a asa. **2.** Que tem forma de asa.

alar² (a.lar) v. **1.** Elevar-se voando: *Ameaçada, a ave alou-se à copa da árvore.* **2.** fig. Dar asas a: *alar a imaginação.* **3.** Puxar para cima; erguer: *alar o espírito a Deus.* ▶ Conjug. 5.

alaranjado (a.la.ran.ja.do) adj. **1.** De um tom tirante a laranja (cor). **2.** Semelhante à laranja no gosto, no cheiro ou na forma.

alarde (a.lar.de) s.m. Mostra ostensiva de algo; ostentação, exibição.

alardear (a.lar.de:ar) v. Fazer alarde de; ostentar: *Discreto, ele nunca alardeou suas qualidades intelectuais.* ▶ Conjug. 14.

alargamento (a.lar.ga.men.to) s.m. Ato ou efeito de alargar; dilatação.

alargar (a.lar.gar) v. **1.** Tornar(-se) largo ou mais largo; aumentar: *A lavagem alargou a blusa; Esta rua alarga(-se) mais adiante.* **2.** fig. Tornar(-se) abrangente ou mais abrangente: *Numa primeira fase, a União Europeia alargou o seu número de membros de 15 para 25; O conceito de família alargou-se nos últimos anos.* **3.** Dar maior duração a; prolongar, dilatar: *O professor alargou o prazo de entrega dos trabalhos.* ▶ Conjug. 5 e 34.

alarido (a.la.ri.do) s.m. Mistura confusa de vozes e gritos.

alarma (a.lar.ma) s.m. Alarme.

alarmante (a.lar.man.te) adj. Que alarma.

alarmar (a.lar.mar) v. **1.** Causar alarme a: *A notícia do aumento das tarifas públicas alarmou a população.* **2.** Pôr-se em alarme: *A população alarmou-se com a intensidade do tiroteio.* ▶ Conjug. 5. – **alarmado** adj.

alarme (a.lar.me) s.m. **1.** Inquietação causada pela aparição ou iminência de um perigo. **2.** Aviso de perigo. **3.** Sinal sonoro ou visual de perigo. ‖ alarma.

alarmismo (a.lar.mis.mo) s.m. Difusão de notícias assustadoras.

alarmista (a.lar.mis.ta) s.m. e f. **1.** Pessoa que se compraz em fazer alarme, em espalhar boatos alarmantes. • adj. **2.** Relativo a alarmismo. **3.** Próprio da pessoa alarmista: *atitude alarmista.*

alarve (a.lar.ve) adj. **1.** Rústico, grosseiro, rude. **2.** Tolo, parvo, idiota. **3.** Comilão, glutão. • s.m. e f. **4.** Pessoa alarve.

alastrar (a.las.trar) v. **1.** Espalhar(-se) gradualmente; estender(-se): *O vento forte alastrou o fogo rapidamente; A praga alastrou-se e já atingiu a área de reflorestamento.* **2.** Propagar(-se), difundir(-se): *A internet acabou por alastrar o boato; A ideia alastrou-se como um rastilho de pólvora.* ▶ Conjug. 5. – **alastramento** s.m.

alastrim (a.las.trim) s.m. (Med.) Forma atenuada da varíola.

alaúde (a.la.ú.de) s.m. (Mús.) Antigo instrumento de cordas cuja caixa tem a forma de uma meia pera.

alavanca (a.la.van.ca) s.f. **1.** (Fís.) Máquina simples que consiste numa barra apoiada num ponto fixo, que permite multiplicar uma força aplicada a uma resistência. **2.** Barra de ferro que se emprega para elevar qualquer corpo. **3.** fig. Meio para dar impulso e vencer resistências: *A educação é a principal alavanca para o desenvolvimento social.*

alavancar (a.la.van.car) v. **1.** Levantar por meio de alavanca: *alavancar uma pedra.* **2.** fig. Promover, acelerar: *O filme alavancou a carreira da atriz.* ▶ Conjug. 5 e 35.

118

alçar

alazão (a.la.*zão*) *adj.* **1.** Diz-se de cavalo de pelo da cor da canela. • *s.m.* **2.** Cavalo cor de canela. || f. *alazã*; pl.: *alazões* e *alazãos*.

alba (*al*.ba) *s.f.* Momento em que começa o dia; aurora.

albanês (al.ba.*nês*) *adj.* **1.** Da República da Albânia, país da Europa. • *s.m.* **2.** O natural ou o habitante desse país. **3.** A língua desse país.

albarda (al.*bar*.da) *s.f.* **1.** Sela grosseira, usada sobre as bestas de carga. **2.** *coloq.* Jaqueta ou casaco malfeito.

albatroz [ó] (al.ba.*troz*) *s.m.* (*Zool.*) Ave marinha de grande envergadura e de cor branca.

albergar (al.ber.*gar*) *v.* **1.** Dar lugar onde viver ou resguardar-se: *Este prédio já albergou monges franciscanos.* **2.** Hospedar-se: *Ele albergou-se num hotel no litoral turco.* ▶ Conjug. 8 e 34.

albergaria (al.ber.ga.*ri*.a) *s.f.* Hospedaria.

albergue [é] (al.*ber*.gue) *s.m.* **1.** Hospedaria, pousada, estalagem. **2.** Abrigo, retiro.

albinismo (al.bi.*nis*.mo) *s.m.* (*Med.*) Anomalia congênita caracterizada pela ausência do pigmento da pele, dos cabelos e dos olhos.

albino (al.*bi*.no) *adj.* **1.** Que tem albinismo; aça, aço. • *s.m.* **2.** Pessoa albina; aça, aço, sarará.

albor [ô] (al.*bor*) *s.m.* Alvor.

albornoz [ó] (al.bor.*noz*) *s.m.* Manto de lã com capuz.

álbum (*ál*.bum) *s.m.* **1.** Livro composto de folhas em branco, destinadas a receber assinaturas, pensamentos, desenhos etc. **2.** Livro de folhas de papel ou cartão, próprias para guardar retratos, selos, figurinhas etc. **3.** Conjunto de discos de vinil ou CDs que se vendem dentro de uma só embalagem.

albume (al.*bu*.me) *s.m.* Albúmen.

albúmen (al.*bú*.men) *s.m.* **1.** Clara de ovo. **2.** (*Bot.*) Tecido nutritivo do embrião da planta. || *albume*.

albumina (al.bu.*mi*.na) *s.f.* (*Biol.*) Proteína que existe em diversos tecidos animais, como a clara do ovo, e em vegetais.

alça (*al*.ça) *s.f.* **1.** Puxadeira que serve para levantar algo; argola, asa. **2.** Tira que se passa pelos ombros ou pescoço para segurar blusa, vestido etc. **3.** (*Anat.*) Parte, em forma de arco, pertencente a um órgão: *alça intestinal.*

alcácer (al.*cá*.cer) *s.m.* Antigo palácio fortificado.

alcachofra [ô] (al.ca.*cho*.fra) *s.f.* (*Bot.*) Planta cuja flor, carnosa, é comestível.

alcaçuz (al.ca.*çuz*) *s.m.* (*Bot.*) Arbusto cuja raiz é medicinal.

alçada (al.*ça*.da) *s.f.* **1.** (*Jur.*) Competência, jurisdição **2.** Limite da ação ou influência de alguém.

alcaguetar [gü ou gu] (al.ca.gue.*tar*) *v.* Delatar: *Meu irmão alcaguetou meu feito para o nosso pai.* ▶ Conjug. 9.

alcaguete [güe ou guê] (al.ca.*gue*.te) *s.m.* **1.** Informante de polícia. **2.** Delator.

alcaide (al.*cai*.de) *s.m.* Prefeito.

álcali (*ál*.ca.li) *s.m.* (*Quím.*) Hidróxido de um metal alcalino.

alcalino (al.ca.*li*.no) *adj.* (*Quím.*) Referente ou próprio de um álcali.

alcaloide [ói] (al.ca.*loi*.de) *s.m.* (*Quím.*) Composto orgânico produzido pelos vegetais e também obtido por síntese.

alcançar (al.can.*çar*) *v.* **1.** Chegar a determinado lugar; atingir: *Alcançaram o pico da montanha ao entardecer.* **2.** *fig.* Chegar a uma meta, a um estágio, nível etc.: *Não consigo alcançar meu peso ideal; Ainda não alcançou a maturidade suficiente para casar.* **3.** Chegar a alguém ou a alguma coisa distante, ou que avança: *Alcancei o bebê já na beira da piscina; Peguei um táxi para alcançar o ônibus que partira.* **4.** Chegar a ter; conseguir, obter: *A faculdade alcançou o conceito sete.* **5.** Perceber, entender: *Não alcanço a razão da inclusão de tais cenas no filme.* ▶ Conjug. 5 e 36.

alcance (al.*can*.ce) *s.m.* **1.** Ato de alcançar. **2.** Capacidade de alcançar, conseguir: *um luxo a seu alcance.* **3.** Distância a que chega a vista, o ouvido, a voz, um projétil. **4.** Importância, gravidade: *Não se sabe o alcance da medida do governo.*

alcantil (al.can.*til*) *s.m.* **1.** Rocha escarpada. **2.** Sítio alto e escarpado; despenhadeiro. **3.** Cume, pico. — **alcantilado** *adj.*

alçapão (al.ça.*pão*) *s.m.* **1.** Tampa sobre uma abertura feita num pavimento. **2.** Armadilha para apanhar pássaros.

alcaparra (al.ca.*par*.ra) *s.f.* (*Bot., Cul.*) Botão floral que, em conserva no vinagre, é usado como tempero.

alcaparreira (al.ca.par.*rei*.ra) *s.f.* (*Bot.*) Planta hortense que produz alcaparras.

alçar[1] (al.*çar*) *v.* **1.** Mover(-se) para cima; levantar(-se): *A cascavel alçou a cabeça; O avião alçou-se aos ares.* **2.** *fig.* Elevar(-se): *Alçou o amigo a um alto posto; Alçou-se à condição de mestre.* **3.** Subir o volume de: *alçar a voz.* ▶ Conjug. 5 e 36.

alçar

alçar² (al.çar) v. Pôr alça em: *alçar a panela*. ▶ Conjug. 5 e 36.

alcateia [éi] (al.ca.*tei*.a) s.f. **1.** Bando de lobos. **2.** Quadrilha de bandidos. || *De alcateia:* à espera, à espreita.

alcatra (al.*ca*.tra) s.f. Parte da carne bovina onde termina o lombo.

alcatrão (al.ca.*trão*) s.m. (*Quím.*) Líquido negro e viscoso obtido da destilação de várias substâncias orgânicas, usado como desinfetante, fármaco etc. – **alcatroado** *adj.*; **alcatroar** v. ▶ Conjug. 25.

alcatraz (al.ca.*traz*) s.m. (*Zool.*) Ave marinha de grande tamanho que voa a pouca altura sobre o mar e se lança sobre os peixes que distingue na água.

alce (*al*.ce) s.m. (*Zool.*) Ruminante da família dos cervos, de tamanho parecido ao do cavalo, cujo macho tem grandes chifres ramificados em galhadas.

álcool (*ál*.co.ol) s.m. **1.** (*Quím.*) Líquido incolor, volátil, com cheiro e sabor característicos, obtido por fermentação de substâncias açucaradas ou amiláceas; etanol. **2.** Conjunto das bebidas alcoólicas.

alcoólatra (al.co.*ó*.la.tra) s.m. e f. Pessoa que sofre de alcoolismo; alcoólico.

alcoólico (al.co.*ó*.li.co) *adj.* **1.** Relativo ao álcool. **2.** Que contém álcool. • s.m. **3.** Alcoólatra.

alcoolismo (al.co.o.*lis*.mo) s.m. Vício de ingerir bebidas alcoólicas em demasia.

alcoolizar (al.co.o.li.*zar*) v. Embriagar(-se), embebedar(-se): *O criminoso costumava alcoolizar suas vítimas*; *Ele alcoolizou-se e deu o maior vexame na festa*. ▶ Conjug. 5. – **alcoolização** s.f.; **alcoolizado** *adj.*

alcorão (al.co.*rão*) s.m. Livro sagrado do islamismo. || *corão*.

alcova [ô] (al.*co*.va) s.f. **1.** Pequeno quarto de dormir situado no interior da casa. **2.** Dormitório de mulher ou do casal.

alcovitar (al.co.vi.*tar*) v. **1.** Servir de intermediário em relações amorosas: *O primo dele alcovitou o namoro dos dois*. **2.** Fazer intriga; mexericar: *A revista alcovita a vida íntima de celebridades*. ▶ Conjug. 5.

alcoviteiro (al.co.vi.*tei*.ro) *adj.* **1.** Que alcovita. **2.** Corretor de prostitutas. • s.m. **3.** Pessoa alcoviteira.

alcunha (al.*cu*.nha) s.f. Apelido.

alcunhar (al.cu.*nhar*) v. Pôr alcunha; apelidar: *Por sua magreza, alcunharam-no de Peninha*. ▶ Conjug. 5.

aldeamento (al.de:a.*men*.to) s.m. **1.** Ato ou efeito de aldear. **2.** Povoação de índios dirigida por missionários ou por autoridade leiga.

aldeão (al.de:*ão*) *adj.* **1.** Relativo a aldeia. • s.m. **2.** Pessoa que vive em aldeia. || f.: *aldeã*; pl.: *aldeães, aldeãos* e *aldeões*.

aldear (al.de:*ar*) v. **1.** Dividir em aldeias: *O missionário aldeou o gentio*. **2.** Reunir numa só aldeia: *Reuniu os índios esparsos e os aldeou no Amazonas*. ▶ Conjug. 14.

aldeia (al.*dei*.a) s.f. **1.** Pequena povoação; povoado. **2.** Povoação de índios.

aldeído (al.de.*í*.do) s.m. (*Quím.*) Composto orgânico obtido pela oxidação de um álcool com eliminação do hidrogênio.

aldeola [ó] (al.de:o.la) s.f. Pequena cidade; aldeota.

aldeota [ó] (al.de:o.ta) s.f. Aldeola.

aldraba (al.*dra*.ba) s.f. Aldrava.

aldrava (al.*dra*.va) s.f. **1.** Argola de metal com que se bate às portas. **2.** Tranca de metal com que se fecham portas e janelas. **3.** Perneira de couro usada no sertão. || *aldraba*.

álea (*á*.le:a) s.f. Aleia.

aleatório (a.le:a.*tó*.ri:o) *adj.* Que depende do acaso; contingente, casual, fortuito, eventual.

alecrim (a.le.*crim*) s.m. (*Bot.*) Planta odorífera cujas folhas e flores são usadas como tempero.

alegação (a.le.ga.*ção*) s.f. **1.** Ato de alegar. **2.** Argumento, razão, prova.

alegar (a.le.*gar*) v. Apresentar, citar (um fato), em defesa ou justificativa: *Alegou um compromisso para não comparecer*; *Negou o pedido, alegando que o filho não tinha idade para viajar sozinho*. ▶ Conjug. 8 e 34.

alegoria (a.le.go.*ri*.a) s.f. (*Lit., Art.*) Expressão de uma ideia abstrata por meio de seres vivos, objetos materiais ou imagens plásticas. – **alegórico** *adj.*

alegrar (a.le.*grar*) v. Tornar(-se) alegre: *As obras de arte alegram a vida*; *Alegrei-me com a notícia de sua visita*. ▶ Conjug. 8.

alegre [é] (a.*le*.gre) *adj.* **1.** Que tem, sente ou inspira alegria. **2.** Animado por efeito de bebida alcoólica. **3.** Viva e vistosa (diz-se de cor).

alegria (a.le.*gri*.a) s.f. **1.** Sentimento ou manifestação de contentamento, satisfação, prazer. **2.** Aquilo que causa alegria.

alegro [é] (a.*le*.gro) *adv.* (*Mús.*) **1.** Em andamento vivo, alegre e veloz • s.m. **2.** Trecho de música nesse andamento.

aleia [éi] (a.*lei*.a) *s.f.* Fileira de arbustos ou de árvores; alameda, álea.

aleijado (a.lei.*ja*.do) *adj.* **1.** Que padece de uma incapacidade física. • *s.m.* **2.** Pessoa que padece de uma incapacidade física.

aleijão (a.lei.*jão*) *s.m.* Deformidade física.

aleijar (a.lei.*jar*) *v.* **1.** Causar aleijão a; deformar; mutilar: *Sofreu um ataque que o aleijou.* **2.** Deturpar, adulterar: *O revisor aleijou o texto.* **3.** Ficar aleijado: *Aleijou-se devido à queda.* ▶ Conjug. 18 e 37. – **aleijamento** *s.m.*

aleitar (a.lei.*tar*) *v.* Dar leite a; amamentar: *Requereu dispensa diária para aleitar o bebê.* ▶ Conjug. 18. – **aleitamento** *s.m.*

aleluia (a.le.*lui*.a) *s.f.* (*Rel.*) Canto litúrgico de alegria que gira em torno da palavra *aleluia*. || É usado em frases nominais exclamativas para expressar alegria.

além (a.*lém*) *adv.* **1.** Para o lado de lá, no lado de lá, mais adiante. • *s.m.* **2.** A vida após a morte; além-túmulo; eternidade. || *Além de*: **1.** mais adiante de, mais longe de: *Morava além das montanhas.* **2.** mais do que: *Não se deve comer além do necessário.* **3.** ademais de: *Além de bonita, é muito inteligente.* || antôn.: *aquém*.

alemão (a.le.*mão*) *adj.* **1.** Da Alemanha, país da Europa. • *s.m.* **2.** O natural ou o habitante desse país. **3.** Idioma falado na Alemanha, Áustria e em regiões da Suíça. || f.: *alemã*; pl.: *alemães*.

além-mar (a.lém-*mar*) *adv.* **1.** Além do mar, no ultramar. • *s.m.* **2.** Possessão ultramarina; ultramar. || pl.: *além-mares*.

alentado (a.len.*ta*.do) *adj.* **1.** Que tem alento; animado. **2.** Grande, avantajado: *uma bibliografia alentada.*

alentar (a.len.*tar*) *v.* **1.** Dar alento a; encorajar: *A volta à democracia alentou o povo.* **2.** *fig.* Alimentar, nutrir: *A chuva diária alentava as plantinhas do jardim.* **3.** Animar-se, encorajar-se: *Com o primeiro gol, o time alentou-se.* ▶ Conjug. 5.

alento (a.*len*.to) *s.m.* **1.** Respiração, fôlego, ar. **2.** Coragem, ânimo, entusiasmo.

alergênio (a.ler.*gê*.ni:o) *s.m.* (*Med.*) Alérgeno.

alérgeno (a.*lér*.ge.no) *s.m.* (*Med.*) Agente que produz alergia; alergênio.

alergia (a.ler.*gi*.a) *s.f.* (*Med.*) Hipersensibilidade a determinadas substâncias e agentes físicos.

alérgico (a.*lér*.gi.co) *adj.* (*Med.*) **1.** Relativo a alergia. **2.** Acometido de alergia. • *s.m.* **3.** (*Med.*) Aquele que sofre de alergia.

alergista (a.ler.*gis*.ta) *s.m. e f.* Médico especialista em alergologia; alergologista.

alergologia (a.ler.go.lo.*gi*.a) *s.f.* (*Med.*) Ramo da Medicina que estuda as causas, as características e o tratamento da alergia.

alergologista (a.ler.go.lo.*gis*.ta) *s.m. e f.* Alergista.

alerta [é] (a.*ler*.ta) *adv.* **1.** Atentamente, em atitude de quem vigia: *Vigiem alerta a porta dos fundos.* • *adj.* **2.** Atento, vigilante: *pais alertas.* • *s.m.* **3.** Aviso para ficar vigilante.

alertar (a.ler.*tar*) *v.* Pôr(-se) em alerta: *Um engenheiro alertou a NASA sobre problemas na nave espacial; Alertaram-se ao ouvir os primeiros tiros de metralhadora.* ▶ Conjug. 8.

alexandrino[1] [ch] (a.le.xan.*dri*.no) *adj.* **1.** De Alexandria, cidade do Egito. • *s.m.* **2.** O natural ou o habitante dessa cidade.

alexandrino[2] [ch] (a.le.xan.*dri*.no) *adj.* **1.** (*Lit.*) Diz-se do verso de 12 sílabas. • *s.m.* **2.** (*Lit.*) Verso alexandrino.

alfa (*al*.fa) *s.m.* **1.** Primeira letra do alfabeto grego. **2.** (*Astron.*) A principal estrela de uma constelação. **3.** Estado hipnótico muito suave: *entrar em alfa.*

alfabetar (al.fa.be.*tar*) *v.* Pôr em ordem alfabética: *Alfabetou os itens da bibliografia.* ▶ Conjug. 8. – **alfabetação** *s.f.*

alfabético (al.fa.*bé*.ti.co) *adj.* **1.** Que pertence ao alfabeto. **2.** Que está segundo a ordem das letras do alfabeto.

alfabetizador [ô] (al.fa.be.ti.za.*dor*) *adj.* **1.** Que alfabetiza. • *s.m.* **2.** Professor de primeiras letras.

alfabetizar (al.fa.be.ti.*zar*) *v.* **1.** Ensinar a ler e a escrever: *Usava uma cartilha especial para alfabetizar adultos.* **2.** Aprender a ler e a escrever: *Alfabetizou-se já adulto.* ▶ Conjug. 5. – **alfabetização** *s.f.*; **alfabetizando** *s.m.*

alfabeto [é] (al.fa.*be*.to) *s.m.* Série ordenada das letras usadas na escrita de um ou vários idiomas; abecedário.

alface (al.*fa*.ce) *s.f.* (*Bot.*) Planta hortense usada em saladas.

alfafa (al.*fa*.fa) *s.f.* (*Bot.*) Planta própria para alimentação dos animais.

alfaia (al.*fai*.a) *s.f.* **1.** Móvel ou utensílio ou adorno doméstico. **2.** Enfeite, adorno. **3.** Paramento de igreja.

alfaiataria (al.fai.a.ta.*ri*.a) *s.f.* Oficina ou estabelecimento de alfaiate.

alfaiate (al.fai.*a*.te) *s.m.* Costureiro de roupas para homens.

121

alfândega

alfândega (al.*fân*.de.ga) *s.f.* Repartição encarregada da vistoria de bagagens e mercadorias em trânsito; aduana.

alfandegagem (al.fan.de.*ga*.gem) *s.f.* **1.** Cobrança de direitos aduaneiros; alfandegamento. **2.** Armazenamento de mercadorias na alfândega.

alfandegário (al.fan.de.*gá*.ri:o) *adj.* Relativo a alfândega; aduaneiro.

alfanje (al.*fan*.je) *s.m.* Sabre de lâmina curta e larga com um só gume; catana.

alfanumérico (al.fa.nu.*mé*.ri.co) *adj.* De letras e números: *caracteres alfanuméricos.*

alfarrábio (al.far.*rá*.bi:o) *s.m.* **1.** Livro antigo e velho. **2.** Caderno de anotações antigo: *Disse que ia consultar seus alfarrábios para responder-me.* || Na última acepção, mais usado no plural.

alfarrabista (al.far.ra.*bis*.ta) *s.m. e f.* Vendedor de livros usados.

alfarroba [ô] (al.far.*ro*.ba) *s.f.* Fruto da alfarrobeira.

alfarrobeira (al.far.ro.*bei*.ra) *s.f.* (*Bot.*) Árvore leguminosa cujo fruto é uma vagem de polpa doce e nutritiva, muito usada como forragem.

alfavaca (al.fa.*va*.ca) *s.f.* (*Bot.*) Planta hortense, cultivada nos jardins por seu aroma e beleza das folhas, utilizada como tempero.

alfazema (al.fa.*ze*.ma) *s.f.* (*Bot.*) Planta aromática muito usada em perfumaria.

alferes [é] (al.*fe*.res) *s.m.2n.* Antigo posto do exército brasileiro correspondente ao atual segundo-tenente.

alfinetada (al.fi.ne.*ta*.da) *s.f.* **1.** Ato ou efeito de alfinetar. **2.** *fig.* Sensação de picada. **3.** *fig.* Palavra ou ato que magoa.

alfinetar (al.fi.ne.*tar*) *v.* **1.** Picar ou pregar com alfinete: *Alfinetou a bainha para marcá-la.* **2.** *fig.* Ferir com palavras: *Alfinetou-a com comentários irônicos sobre seu vestido.* ▶ Conjug. 8.

alfinete [ê] (al.fi.*ne*.te) *s.m.* **1.** Haste, pequena e fina, com ponta aguçada em um extremo e cabeça achatada no outro, utilizada para prender panos, roupas etc. **2.** Joia que se prega na gravata, na lapela, no chapéu etc. • *alfinetes s.m.pl.* **3.** Pequenos gastos feitos pela dona de casa; miudezas: *O marido reservava pequena quantia à mulher para seus alfinetes.* || *Alfinete de fralda*: alfinete de segurança utilizado em fraldas. • *Alfinete de segurança*: alfinete em forma de gancho em que uma das hastes se encaixa na concavidade da cabeça arredondada da outra.

alfombra (al.*fom*.bra) *s.f.* **1.** Tapete. **2.** Chão arrelvado.

alforje [ó] (al.*for*.je) *s.m.* Saco dividido em duas partes que serve para transportar carga no lombo de cavalgaduras; sacola, matula, farnel.

alforria (al.for.*ri*.a) *s.f.* **1.** Liberdade concedida ao escravo. **2.** Libertação de qualquer jugo.

alforriar (al.for.ri:*ar*) *v.* Dar alforria a; libertar: *Em 1888, a Lei Áurea alforriou todos os escravos do Brasil.* ▶ Conjug. 17.

alga (*al*.ga) *s.f.* (*Bot.*) Planta que vive tanto na água salgada quanto na doce.

algaravia (al.ga.ra.*vi*.a) *s.f.* **1.** Linguagem confusa, ininteligível. **2.** Ruído de vozes; vozerio.

algarismo (al.ga.*ris*.mo) *s.m.* (*Mat.*) Símbolo usado para representação numérica. || *Algarismo arábico*: (*Mat.*) cada um dos símbolos representativos dos números zero a nove. • *Algarismo romano*: (*Mat.*) no sistema romano, cada um dos símbolos representativos dos números 1, 5, 10, 50, 100 e 1.000: I, V, X, L, C e M, respectivamente.

algazarra (al.ga.*zar*.ra) *s.f.* Ruído de gritos e vozes alegres; gritaria, barulheira, banzé.

álgebra (*ál*.ge.bra) *s.f.* (*Mat.*) Parte da Matemática que generaliza as operações e relações aritméticas mediante o uso de símbolos. – **algébrico** *adj.*

algema (al.*ge*.ma) *s.f.* Cada uma das duas argolas de metal com que se prende alguém pelos pulsos.

algemar (al.ge.*mar*) *v.* Prender com algemas: *Os policiais algemaram o bandido na hora.* ▶ Conjug. 5.

algibeira (al.gi.*bei*.ra) *s.f.* **1.** Bolso. **2.** Pequena bolsa que se prende à cintura.

algidez [ê] (al.gi.*dez*) *s.f.* Estado ou qualidade de álgido.

álgido (*ál*.gi.do) *adj.* Muito frio; gélido.

algo (*al*.go) *pron. indef.* **1.** Alguma coisa: *Conseguiu algo?* • *adv.* **2.** Um tanto, um pouco: *Sentiu-se algo humilhado perante os colegas.*

algodão (al.go.*dão*) *s.m.* **1.** Pelo branco que reveste a semente do algodoeiro. **2.** Tecido fabricado de algodão.

algodoal (al.go.do:*al*) *s.m.* Plantação de algodoeiros.

algodoaria (al.go.do:a.*ri*.a) *s.f.* Estabelecimento onde se fabricam tecidos ou fios de algodão.

algodoeiro (al.go.do:*ei*.ro) *adj.* **1.** Relativo a algodão. • *s.m.* **2.** (*Bot.*) Planta que produz o algodão. **3.** Fabricante de tecidos de algodão.

alienatário

algoritmo (al.go.*rit*.mo) *s.m.* (*Mat.*) Conjunto ordenado de operações que permite solucionar um problema. – **algorítmico** *adj.*

algoz [ó ou ô] (al.*goz*) *s.m.* **1.** Carrasco. **2.** Pessoa cruel, desumana.

alguém (al.*guém*) *pron. indef.* **1.** Alguma pessoa: *Bateu alguém à porta?* **2.** Pessoa que tem alguma importância: *Estuda para ser alguém na vida.*

alguidar (al.gui.*dar*) *s.m.* Vaso em forma de cone invertido, usado para várias atividades domésticas.

algum (al.*gum*) *pron. indef.* **1.** Um entre dois ou mais quando não se determina qual: *Algum de vocês sabe a resposta?* **2.** Nenhum (em frase negativa, posposto a substantivo): *Não recebi coisa alguma.* **3.** Em algum grau; certo: *Este menino revela algum talento para a música.* • **alguns** *pron. indef. pl.* **4.** Usado para indicar um pequeno número de pessoas ou de coisas: *Alguns preferem a homeopatia à alopatia; Havia algumas roupas jogadas no quarto.*

algures (al.gu.*res*) *adv.* Em algum lugar.

alhear (a.lhe:*ar*) *v.* **1.** Tornar-se alheio, distraído, estranho ao que se passa em torno: *Bem cedo alheou-se das vaidades humanas.* **2.** Tornar alheio; transferir a outro o domínio de: *Não poderá alhear bens sem uma procuração do marido.* ▶ Conjug. 14. – **alheamento** *s.m.*

alheio (a.*lhei*.o) *adj.* **1.** Absorto, distraído. **2.** Que pertence a outrem. **3.** Estrangeiro, estranho: *Morreu o poeta, longe da pátria, em terra alheia.* **4.** Impertinente, impróprio: *Trata-se de matéria alheia a este tribunal.* **5.** Distante, apartado: *Ficou alheio ao murmurinho popular.*

alho (a.*lho*) *s.m.* **1.** (*Bot.*) Planta herbácea muito cultivada por possuir bulbo comestível branco e de odor forte característico. **2.** O bulbo dessa planta.

alho-poró (a.lho-po.*ró*) *s.m.* (*Bot.*) Erva comestível de bulbo simples ou composto e folhas longas. || pl.: *alhos-porós.*

alhures (a.*lhu*.res) *adv.* Em outro lugar.

ali (a.*li*) *adv.* **1.** Naquele lugar: *Seu filho está ali.* **2.** Àquele ou para aquele lugar: *Congonhas tem um belo santuário; anualmente ali concorrem milhares de peregrinos.* **3.** Naquele tempo, naquela ocasião, naquela conjuntura: *Não sei se ali agimos bem.*

aliá (a.li:*á*) *s.f.* (*Zool.*) Fêmea do elefante.

aliado (a.li:*a*.do) *adj.* **1.** Unido por aliança • *s.m.* **2.** Aquele que contraiu aliança.

aliança (a.li:*an*.ça) *s.f.* **1.** Ato ou efeito de aliar-se. **2.** Conjunto de estados, partidos ou indivíduos aliados. **3.** Anel de noivado ou casamento.

aliar (a.li:*ar*) *v.* Unir(-se), ligar(-se), associar(-se): *Aliamos alta qualidade com preço justo; Aquele partido aliou-se ao que há de pior na política brasileira.* ▶ Conjug. 17.

aliás (a.li:*ás*) *adv.* **1.** De outro modo. **2.** Além disso. **3.** A propósito. **4.** Ou melhor, ou por outra.

álibi (*á*.li.bi) *s.m.* **1.** Prova da presença em lugar diferente daquele em que se afirma que alguém tivesse estado. **2.** Justificativa aceitável.

alicate (a.li.*ca*.te) *s.m.* Ferramenta usada para segurar, prender ou cortar determinados objetos.

alicerçar (a.li.cer.*çar*) *v.* **1.** Fazer o alicerce de: *alicerçar uma casa, um edifício etc.* **2.** *fig.* Dar fundamento a: *Alicerçou bem a sua análise.* **3.** *fig.* Tornar sólido: *Queriam alicerçar a relação antes de ter filhos.* ▶ Conjug. 8 e 36.

alicerce [é] (a.li.*cer*.ce) *s.m.* Maciço de alvenaria que serve de base a uma construção; fundação, embasamento.

aliciador [ô] (a.li.ci:a.*dor*) *adj.* **1.** Aliciante: *sorriso aliciador.* • *s.m.* **2.** Quem alicia: *aliciador de menores.*

aliciante (a.li.ci:*an*.te) *adj.* Que alicia; sedutor, aliciador: *recursos aliciantes.*

aliciar (a.li.ci:*ar*) *v.* **1.** Atrair a si com afagos, promessas; seduzir: *Aliciou o menor para participar do golpe.* **2.** Incitar, estimular: *Aliciou-o a comprar um carro de alta cilindrada.* **3.** Subornar: *O guarda aliciou os superiores, mas, como previra, o dinheiro acabou.* ▶ Conjug. 17. – **aliciamento** *s.m.*

alienação (a.li:e.na.*ção*) *s.f.* **1.** Falta de consciência dos fatores sociais, econômicos ou culturais que limitam ou condicionam o indivíduo ou a sociedade. **2.** Perturbação mental; loucura. **3.** Transferência de bens a outrem.

alienar (a.li:e.*nar*) *v.* **1.** Fazer (alguém) objeto de alienação: *A televisão, com seu discurso repleto de clichês, aliena o espectador; Os jovens alienaram-se e tornaram-se consumistas.* **2.** Enlouquecer, endoidecer: *O desgosto com o marido alienou-lhe o juízo; Alienou-se no presídio.* **3.** Tornar alheio ou de outro; ceder, transferir: *O casal alienou um bem comum.* ▶ Conjug. 5. – **alienado** *adj. s.m.*

alienatário (a.li:e.na.*tá*.ri:o) *s.m.* Aquele em favor de quem se fez uma alienação (3).

alienígena

alienígena (a.li:e.*ní*.ge.na) *adj*. **1.** Que foi gerado em terra alheia; não indígena, extraterrestre. • *s.m.* e *f*. **2.** Pessoa alienígena.

alienista (a.li:e.*nis*.ta) *s.m.* e *f*. (*Psiq.*) Especialista no tratamento das moléstias mentais.

aligator [ô] (a.li.ga.*tor*) *s.m.* (*Zool.*) Aligátor.

aligátor (a.li.gá.tor) *s.m.* (*Zool.*) Réptil semelhante ao crocodilo. || aligator.

aligeirar (a.li.gei.*rar*) *v*. **1.** Tornar(-se) ligeiro, apressar(-se): *O atleta aligeirou o ritmo e chegou na frente; Não se aligeire à toa.* **2.** Tornar leve ou menos pesado: *A colaboração de todos aligeirou a árdua tarefa.* ▶ Conjug. 18. – **aligeiramento** *s.m.*

alijar (a.li.*jar*) *v*. **1.** (*Náut.*) Lançar (a carga) fora da embarcação: *A certa altura do canal, alijou a carga (ao mar).* **2.** Desembaraçar-se de; livrar-se de: *Alijou-se completamente das preocupações cotidianas.* ▶ Conjug. 5. e 37. – **alijamento** *s.m.*

alimária (a.li.*má*.ri:a) *s.f.* Animal irracional.

alimentação (a.li.men.ta.*ção*) *s.f.* **1.** Ato ou efeito de alimentar(-se). **2.** Conjunto de substâncias nutritivas com que se alimenta um ser vivo. **3.** Abastecimento; provisão.

alimentando (a.li.men.*tan*.do) *s.m.* (*Jur.*) O que deve receber alimentos de outrem; alimentário.

alimentante (a.li.men.*tan*.te) *s.m.* e *f*. (*Jur.*) Quem está obrigado a prover de alimentos outra pessoa.

alimentar¹ (a.li.men.*tar*) *v*. **1.** Sustentar(-se), nutrir(-se): *O rouxinol alimentou seus filhotes várias vezes ao dia; Os alunos que se alimentaram antes da prova tiveram melhor desempenho do que os demais.* **2.** Prover de: *Alimentou o banco de dados com novos textos.* **3.** Concorrer para conservação ou aumento: *Ele alimenta os ideais do irmão; O óleo alimenta a chama.* ▶ Conjug. 5.

alimentar² (a.li.men.*tar*) *adj*. Relativo a alimento: *regime alimentar.*

alimentário (a.li.men.*tá*.ri:o) *s.m.* (*Jur.*) Alimentando.

alimentício (a.li.men.*tí*.ci:o) *adj*. Próprio para alimentar.

alimento (a.li.*men*.to) *s.m.* **1.** Substância nutritiva. • *alimentos s.m.pl.* **2.** (*Jur.*) Meios para atender o sustento, habitação, vestuário, educação e tratamento de uma pessoa.

alínea (a.*lí*.ne:a) *s.f.* **1.** Linha inicial de um parágrafo. **2.** Subdivisão de artigo de lei indicada por letras seguidas do traço que fecha os parênteses.

alinhado (a.li.*nha*.do) *adj*. **1.** Posto em linha reta. **2.** Bem-vestido; elegante. **3.** Íntegro, correto.

alinhamento (a.li.nha.*men*.to) *s.m.* **1.** Ato ou efeito de alinhar(-se). **2.** Direção retilínea. **3.** Direção do eixo de estrada, rua, avenida, canal etc. **4.** Posicionamento político, ideológico; engajamento.

alinhar (a.li.*nhar*) *v*. **1.** Pôr(-se) em linha reta: *Os cavaleiros alinharam os cavalos, formando uma linha de ataque; Os carros alinharam-se no grid.* **2.** Tornar arrumado, cuidado, adornado: *Olhando-se no espelho, alinhou os cabelos.* **3.** Engajar-se: *Alinhou-se com a direita na votação dos projetos culturais.* ▶ Conjug. 5.

alinhavar (a.li.nha.*var*) *v*. **1.** Coser com alinhavos: *Alinhavou rapidamente a bainha do vestido.* **2.** Preparar, delinear: *A direção alinhavou um projeto pedagógico para a escola.* ▶ Conjug. 5.

alinhavo (a.li.*nha*.vo) *s.m.* **1.** Ponto largo de caráter provisório numa costura. **2.** Ação de alinhavar. **3.** Esboço, delineamento.

alíquota (a.*lí*.quo.ta) *adj*. **1.** Diz-se da parte que é contida num todo, certo número de vezes, exatamente. • *s.f.* **2.** Parte alíquota.

alisar (a.li.*sar*) *v*. **1.** Tornar liso; aplanar, igualar: *Desbastou o terreno e alisou-o.* **2.** Desenrugar, desencarquilhar: *Alisou as dobras da colcha.* **3.** Desencrespar (o cabelo). **4.** Deslizar a mão, num gesto de carícia: *Alisou o braço da amiga, tentando consolá-la.* || Conferir com *alizar*. ▶ Conjug. 5.

alísio (a.*lí*.si:o) *adj*. **1.** Diz-se do vento constante que sopra dos trópicos para o equador, em direção nordeste no Hemisfério Norte e em direção sudeste no Hemisfério Sul. • *s.m.* **2.** Esse vento.

alistamento (a.lis.ta.*men*.to) *s.m.* **1.** Ato ou efeito de alistar. **2.** Recrutamento para o serviço militar. **3.** Rol, lista, catálogo.

alistar (a.lis.*tar*) *v*. **1.** Pôr em lista; arrolar: *Alistou as obras para fazer a bibliografia.* **2.** Apresentar-se para o serviço militar; engajar(-se): *Alistou-se no Exército e optou pela tropa de paraquedistas.* ▶ Conjug. 5.

aliteração (a.li.te.ra.*ção*) *s.f.* (*Lit.*) Repetição de fonemas ou sílabas numa frase ou verso, produzindo efeito estilístico, como, por exemplo, na frase *O fraco rei faz fraca a forte gente.* – **aliterar** *v*. ▶ Conjug. 8.

aliviar (a.li.vi:ar) *v.* **1.** Dar ou proporcionar alívio: *aliviar o amigo da tristeza que o compunge*; *O novo orçamento aliviou o contribuinte de muitos impostos*; *Este remédio aliviou a dor*. **2.** Tornar leve ou mais leve: *Aliviou o peso da bagagem, retirando alguns sapatos*. ▶ Conjug. 17.

alívio (a.lí.vi:o) *s.m.* **1.** Diminuição de peso, carga. **2.** Redução de fadiga, dor, enfermidade. **3.** Descanso, repouso, folga. **4.** Consolação, refrigério, desopressão.

alizar (a.li.zar) *s.m.* **1.** Madeira com a qual se cobrem ombreiras de portas e janelas. **2.** Régua de madeira, fixa na parede, à altura do encosto das cadeiras ou ao rés do chão. || Conferir com *alisar*.

aljôfar (al.jô.far) *s.m.* **1.** Pérola miúda de forma irregular. **2.** *fig.* Gota de água. **3.** *fig.* Orvalho. || *aljofre*.

aljofre [ô] (al.jo.fre) *s.m.* Aljôfar.

alma (al.ma) *s.f.* **1.** Parte imaterial do ser humano, em oposição a *corpo*; espírito. **2.** (*Rel.*) Para a maioria das religiões, parte imortal do ser humano; espírito. **3.** Princípio vital; vida. **4.** Parte mais íntima da própria personalidade. **5.** O que dá vida ou impulso a uma atividade. || *Alma do outro mundo*: fantasma, assombração.

almaço (al.ma.ço) *adj.* **1.** Diz-se de papel cuja folha, dobrada ao meio, tem as dimensões exigidas para os papéis destinados à correspondência oficial • *s.m.* **2.** Papel almaço.

almanaque (al.ma.na.que) *s.m.* Publicação anual que contém calendário completo, matéria recreativa, humorística, literária e informativa. || *De almanaque*: diz-se de cultura imperfeita, precária, superficial.

almeirão (al.mei.rão) *s.m.* (*Bot.*) Chicória.

almejar (al.me.jar) *v.* Desejar intensamente: *Almejava um futuro radiante*. ▶ Conjug. 10 e 37. – *almejo s.m.*

almirantado (al.mi.ran.ta.do) *s.m.* **1.** Posto, cargo ou dignidade de almirante. **2.** Corporação de oficiais superiores da Marinha.

almirante (al.mi.ran.te) *s.m.* (*Náut.*) **1.** O mais alto posto da Marinha de Guerra brasileira. **2.** Oficial que ocupa esse posto.

almíscar (al.mís.car) *s.m.* Substância aromática, segregada por uma glândula central do almiscareiro, muito utilizada em perfumaria.

almiscareiro (al.mis.ca.rei.ro) *s.m.* (*Zool.*) Mamífero ruminante da Ásia, que se caracteriza por forte secreção odorífera produzida por uma glândula abdominal.

almoçar (al.mo.çar) *v.* **1.** Fazer a refeição do meio-dia ou do início da tarde: *Almoçamos tarde nos fins de semana*. **2.** Comer ao almoço: *Almocei uma lauta feijoada*. ▶ Conjug. 20 e 36.

almoço [ô] (al.mo.ço) *s.m.* **1.** A refeição do meio-dia ou do começo da tarde. **2.** O conjunto dos alimentos que a compõem.

almocreve [é] (al.mo.cre.ve) *s.m.* Indivíduo que tem por profissão conduzir bestas de carga.

almofada (al.mo.fa.da) *s.f.* **1.** Saco de tecido fechado e recheado de uma matéria macia, usado para assento, encosto ou adorno. **2.** Peça saliente, geralmente retangular, em portas, móveis etc. **3.** Cama de feltro, ou de pano, retentora de tinta, para carimbos.

almofadinha (al.mo.fa.di.nha) *s.m.* Homem que se veste com excessivo apuro; janota.

almofariz (al.mo.fa.riz) *s.m.* Pilão.

almôndega (al.môn.de.ga) *s.f.* (*Cul.*) Bolinho de carne moída, ovos, pão, temperos, cozido em molho de tomate.

almotolia (al.mo.to.li.a) *s.f.* **1.** Vaso cônico para azeite e outros líquidos oleosos. **2.** Vasilha com bico longo e fino para lubrificação de pequenas máquinas, molas etc.

almoxarifado [ch] (al.mo.xa.ri.fa.do) *s.m.* Local, num estabelecimento público ou particular, onde se armazenam matérias-primas, materiais de consumo etc.

almoxarife [ch] (al.mo.xa.ri.fe) *s.m.* Responsável pelo almoxarifado.

alô (a.lô) *interj.* **1.** Emprega-se como cumprimento, especialmente para saudar ao telefone. • *s.m.* **2.** Cumprimento: *Passou aqui só para dar um alô*.

alocar (a.lo.car) *v.* **1.** Pôr (alguém ou algo) em lugar determinado: *A prefeitura alocou pessoal treinado para atuar no atendimento ao público*. **2.** Destinar (recursos) para um fim específico ou para uma entidade: *O governo alocou verbas para a construção de uma nova estação de tratamento de água*. ▶ Conjug. 20 e 35.

alóctone (a.lóc.to.ne) *adj.* Que não é originário do lugar em que habita.

alocução (a.lo.cu.ção) *s.f.* Discurso breve pronunciado numa solenidade; exortação, fala.

aloé (a.lo:é) *s.m.* **1.** (*Bot.*) Planta de folhas longas e carnosas, geralmente denteadas, ricas em um suco denso; aloés, babosa. **2.** Resina extraída dessas plantas, muito usada em cosmética.

aloés (a.lo:és) *s.m.2n.* (*Bot.*) Aloé.

aloirado

aloirado (a.loi.ra.do) adj. Alourado.

aloirar (a.loi.rar) v. Alourar. ▶ Conjug. 21.

alojamento (a.lo.ja.men.to) s.m. **1.** Ato ou efeito de alojar. **2.** Lugar onde alguém ou algo se aloja.

alojar (a.lo.jar) v. **1.** Hospedar: *Alojou alguns flagelados da enchente em sua própria casa.* **2.** Habitar provisoriamente um lugar: *Quando cursou sua graduação, alojou-se no campus da universidade.* **3.** Tomar lugar fixo; estabelecer-se: *A bala atravessou a cozinha e se alojou na parede.* ▶ Conjug. 20 e 37.

alongamento (a.lon.ga.men.to) s.m. **1.** Ato ou efeito de alongar. **2.** Acréscimo longitudinal. **3.** Prolongamento. **4.** Exercício físico voltado para o aumento da flexibilidade dos músculos.

alongar (a.lon.gar) v. **1.** Tornar longo ou mais longo: *Alongou o pescoço para ver atrás do muro; O rio alongava-se através dos morros.* **2.** Durar mais tempo; prolongar-se: *A aula alongou-se além do previsto.* ▶ Conjug. 5 e 34.

alopata (a.lo.pa.ta) adj. **1.** (Med.) Que exerce a alopatia. • s.m. e f. **2.** (Med.) Médico que trata de doenças por alopatia. || *alópata*.

alópata (a.ló.pa.ta) s.m. e f. (Med.) Alopata.

alopatia (a.lo.pa.ti.a) s.f. (Med.) Método de tratamento em que se faz uso de medicamentos de efeitos contrários aos fenômenos patológicos observados. || Conferir com *homeopatia*.

alopático (a.lo.pá.ti.co) adj. Relativo a alopatia ou a alopata.

alopecia (a.lo.pe.ci.a) s.f. (Med.) Queda total ou parcial dos cabelos ou pelos do corpo; calvície.

alopécico (a.lo.pé.ci.co) adj. **1.** Relativo a alopecia. **2.** Que padece de alopecia • s.m. **3.** O que padece de alopecia.

alourado (a.lou.ra.do) adj. **1.** Tirante a louro. **2.** Dourado ao fogo. || *aloirado*.

alourar (a.lou.rar) v. **1.** Tornar ou tornar-se louro: *Alourou ainda mais os cabelos; A atriz alourou-se para fazer um novo papel.* **2.** Dourar ao fogo: *Passe a cebola pelo óleo quente para alourá-la.* || *aloirar*. ▶ Conjug. 22.

alpaca¹ (al.pa.ca) s.f. **1.** (Zool.) Mamífero ruminante do Peru, de pelo longo, fino e brilhante. **2.** Pelo desse animal, muito apreciado na indústria têxtil. **3.** Tecido feito desse pelo.

alpaca² (al.pa.ca) s.f. (Quím.) Liga metálica de cobre, zinco e níquel, parecida com a prata, usada na fabricação de talheres.

alparcata (al.par.ca.ta) s.f. Alpercata.

alpendre (al.pen.dre) s.m. **1.** Cobertura saliente de um edifício sustentada por postes ou colunas. **2.** Varanda coberta.

alpercata (al.per.ca.ta) s.f. Calçado feito de lona, com sola de corda. || *alparcata*, *alpergata*.

alpergata (al.per.ga.ta) s.f. Alpercata.

alpinismo (al.pi.nis.mo) s.m. (Esp.) Esporte que consiste em escalar montanhas, sobretudo escarpadas; montanhismo.

alpinista (al.pi.nis.ta) adj. **1.** Relativo a alpinismo. • s.m. e f. **2.** Praticante do alpinismo.

alpino (al.pi.no) adj. **1.** Relativo aos Alpes, cadeia de montanhas situada na Europa. **2.** Que nasce ou cresce nos Alpes. • s.m. **3.** O natural ou o habitante dessas montanhas.

alpiste (al.pis.te) s.m. (Bot.) Planta gramínea que se cultiva por sua semente, utilizada como alimento dos pássaros engaiolados.

alquebrar (al.que.brar) v. **1.** Dobrar (a espinha dorsal, por fraqueza, doença etc.): *O árduo trabalho no campo alquebrou sua coluna.* **2.** Causar fraqueza em; abater, derrear: *A doença o alquebrou.* ▶ Conjug. 8. – **alquebrado** adj.

alqueire (al.quei.re) s.m. Unidade de medida agrária variável, segundo as regiões, entre 2,42 e 4,84 hectares.

alquimia (al.qui.mi.a) s.f. A química da Idade Média, a qual se destinava a descobrir o elixir para uma vida longa e a pedra filosofal para transmutar todos os metais em ouro e prata.

alquimista (al.qui.mis.ta) s.m. e f. Aquele que se dedica à alquimia.

alta (al.ta) s.f. **1.** Elevação no preço ou no valor de um produto. **2.** Licença concedida a enfermo para sair do hospital por estar curado ou em convalescença.

alta-costura (al.ta-cos.tu.ra) s.f. **1.** Arte de criar e costurar roupas originais. **2.** Conjunto dos grandes costureiros. || pl.: *altas-costuras*.

alta-fidelidade (al.ta-fi.de.li.da.de) s.f. (Eletrôn.) Técnica de reprodução acústica em que os sons reproduzidos conservam extraordinária semelhança com os originais. || pl.: *altas-fidelidades*.

altaneiro (al.ta.nei.ro) adj. **1.** Que está em grande altura: *torre altaneira*. **2.** Que voa alto: *águia altaneira*. **3.** Altivo, soberbo, sobranceiro: *olhar altaneiro*.

altar (al.tar) s.m. **1.** (Rel.) Mesa onde se oficiam alguns cultos religiosos. **2.** Espécie de mesa de pedra para os holocaustos nas religiões pagãs.

altar-mor (al.tar-*mor*) *s.m.* (*Rel.*) O altar principal de uma igreja, situado na extremidade oposta à porta de entrada. || pl.: *altares-mores*.

alta-roda (al.ta-*ro*.da) *s.f.* Círculo social elevado; elite. || pl.: *altas-rodas*.

altear (al.te:*ar*) *v.* **1.** Tornar(-se) alto ou mais alto: *Alteou as sobrancelhas sugestivamente*; *A lua alteou-se por detrás das montanhas*. **2.** Elevar-se, subir: *O réu alteou-se à condição de mártir*. ▶ Conjug. 14. – **alteamento** *s.m.*

alter ego (Lat.) *loc. subst.* **1.** Outro eu: *O personagem era um alter ego do autor*. **2.** Pessoa em quem se deposita inteira confiança.

alterar (al.te.*rar*) *v.* **1.** Introduzir alguma modificação em: *Alteramos a ordem das palestras propositalmente*. **2.** Sofrer alguma modificação: *A noção de família alterou-se nos últimos tempos*. **3.** Danificar, falsificar, adulterar: *A presença do papel reciclado não alterou a mistura*. **4.** Inquietar ou fazer que perca a calma; irritar: *O gol do adversário não alterou o nosso time*; *Ela não se altera facilmente*. ▶ Conjug. 8. – **alteração** *s.f.*

altercação (al.ter.ca.*ção*) *s.f.* Discussão acalorada.

altercar (al.ter.*car*) *v.* Discutir acaloradamente: *Da fila, o cliente altercava com o caixa do banco*; *No gramado, dois jogadores altercavam*. ▶ Conjug. 8 e 35.

alteridade (al.te.ri.*da*.de) *s.f.* Estado ou condição do que é outro, do que é diferente.

alternação (al.ter.na.*ção*) *s.f.* Alternância.

alternância (al.ter.*nân*.ci:a) *s.f.* Ato ou efeito de alternar; alternação.

alternar (al.ter.*nar*) *v.* **1.** Fazer ou apresentar-se por turno, repetidamente: *Gosto de alternar o trabalho intelectual com o trabalho mecânico*; *No filme, alternam-se cenas do passado e do presente da personagem*. **2.** Mudar repetidamente uma situação por outra: *Sofre de um transtorno que alterna euforia e depressão*. ▶ Conjug. 8. – **alternador** *adj. s.m.*

alternativa (al.ter.na.*ti*.va) *s.f.* **1.** Opção entre duas ou mais possibilidades. **2.** Uma ou mais possibilidades pelas quais se pode optar.

alternativo (al.ter.na.*ti*.vo) *adj.* **1.** Que alterna. **2.** Que representa uma opção em relação ao padrão dominante.

alteza [ê] (al.te.za) *s.f.* **1.** Qualidade de alto. **2.** Título honorífico de reis inicialmente e, atualmente, apenas de príncipes. || Nesta acepção, usa-se inicial maiúscula. || *Sua Alteza*: forma de tratamento usada para se referir a príncipes. • *Vossa Alteza*: forma de tratamento usada para se dirigir a príncipes.

altímetro (al.*tí*.me.tro) *s.m.* Instrumento para medir altitudes. – **altimétrico** *adj.*

altiplano (al.ti.*pla*.no) *s.m.* Planalto, platô.

altissonante (al.tis.so.*nan*.te) *adj.* Retumbante, altíssono, pomposo.

altista (al.*tis*.ta) *adj.* **1.** Relativo a altista. **2.** Próprio de altista. • *s.m.* **3.** Especulador que procura valorizar mercadorias ou títulos. || Conferir com *autista*.

altitude (al.ti.*tu*.de) *s.f.* Elevação vertical acima do nível do mar: *A cidade de Petrópolis está a cerca de 800 m de altitude*.

altivez [ê] (al.ti.*vez*) *s.f.* **1.** Qualidade de altivo. **2.** Atitude altiva.

altivo (al.*ti*.vo) *adj.* **1.** Nobre, digno. **2.** Orgulhoso, arrogante, altaneiro.

alto (*al*.to) *adj.* **1.** Que tem maior extensão vertical que a média: *Maria é alta e desajeitada*; *Moro no edifício mais alto da rua*. **2.** Que está a grande distância no espaço em relação ao solo ou a outra superfície tomada como referência; elevado: *Pôs os remédios numa prateleira alta*. **3.** Grande, caro: *gasto alto*; *preço alto*. **4.** Que tem som agudo, em voz alta. **5.** Afastado, remoto no tempo: *alta Antiguidade*. **6.** Adiantado na duração: *alta noite*. **7.** Distinto, ilustre, insigne, nobre, superior, importante: *um alto funcionário do governo*. **8.** Distante da costa: *mar alto*. • *s.m.* **9.** O ponto mais elevado de uma coisa: *Chegaram ao alto do morro, da página etc.* • *adv.* **10.** Em lugar alto: *Colocaram o telhado muito alto*. **11.** *coloq.* Em estado de semiembriaguez. || *Altos e baixos*: alternância de bons e maus momentos: *A vida dele é cheia de altos e baixos*. • *Por alto*: superficialmente.

alto-astral (al.to-as.*tral*) *coloq. adj.2n.* **1.** Diz-se da pessoa que está sempre de bom humor. **2.** Agradável, alegre: *uma festa alto-astral*. • *s.m.2n.* **3.** Ânimo elevado: *Estávamos todos de alto-astral na festa*.

alto-falante (al.to-fa.*lan*.te) *s.m.* **1.** Aparelho destinado a transformar em ondas sonoras um sinal elétrico captado por um receptor. **2.** Meio de propaganda utilizado para difundir e repetir, com aumento do som, informações ao ar livre. || pl.: *alto-falantes*.

alto-forno (al.to-*for*.no) *s.m.* Forno para fundição de minérios de ferro, sob alta temperatura. || pl.: *altos-fornos*.

alto-mar

alto-mar (al.to-*mar*) *s.m.* A porção do mar afastada da costa ou fora dos limites territoriais de qualquer Estado. ‖ pl.: *altos-mares*.

alto-relevo (al.to-re.*le*.vo) *s.m.* Escultura em que as figuras se destacam sobre o plano de fundo. ‖ pl.: *altos-relevos*.

altruísmo (al.tru:*ís*.mo) *s.m.* Interesse pelo bem-estar do próximo.

altruísta (al.tru:*ís*.ta) *adj.* **1.** Relativo a altruísmo. • *s.m.* e *f.* **2.** Pessoa que tem ou manifesta altruísmo; solidário.

altura (al.*tu*.ra) *s.f.* **1.** Dimensão vertical (de uma pessoa ou coisa). **2.** Qualidade de alto. **3.** Lugar elevado: *O menino caiu de uma altura impressionante*. **4.** Ponto de algo que se estende no espaço ou no tempo): *A loja fica na Avenida Rio Branco, na altura da Rua do Ouvidor*; *A esta altura da vida, não pensa mais em casar-se*. **5.** Ponto situado paralelamente a alguém ou a algo: *O navio está na altura do Rio de Janeiro*. **6.** Qualidade do som em decorrência da qual distinguimos um som grave de um agudo.

aluá (a.lu:*á*) *s.f.* Bebida refrigerante, feita com cascas de frutas, sumo de limão e farinha de arroz ou milho.

aluado (a.lu:*a*.do) *adj.* Distraído, amalucado, lunático.

alucinação (a.lu.ci.na.*ção*) *s.f.* **1.** Ato ou efeito de alucinar. **2.** Percepção de objeto externo não presente no momento.

alucinado (a.lu.ci.*na*.do) *adj.* **1.** Louco, demente. **2.** Fascinado, deslumbrado. • *s.m.* **3.** Pessoa que sofre de alucinações.

alucinar (a.lu.ci.*nar*) *v.* **1.** Fazer perder ou perder o uso da razão: *A perda do filho alucinou-o*; *Alucinou-se quando perdeu o emprego*. **2.** Fazer ficar ou ficar fascinado: *Os olhos verdes da garota alucinaram-no*; *Alucinou-se pelo poder*. ▶ Conjug. 5. – **alucinante** *adj.*; **alucinatório** *adj.*

alucinógeno (a.lu.ci.*nó*.ge.no) *adj.* **1.** Diz-se do produto ou estado patológico que provoca alucinações. • *s.m.* **2.** Produto alucinógeno; entorpecente.

alude (a.*lu*.de) *s.m.* Avalanche.

aludir (a.lu.*dir*) *v.* Fazer alusão a; referir-se a; mencionar: *O rapaz aludiu a histórias passadas*. ▶ Conjug. 66.

alugar (a.lu.*gar*) *v.* Dar ou tomar de aluguel: *Aluguei o apartamento do José*; *Alugou um de seus apartamentos e mora no outro*. ▶ Conjug. 5 e 34.

aluguel (a.lu.*guel*) *s.m.* **1.** Cessão ou aquisição do uso e gozo de coisa móvel ou imóvel por tempo e preço determinados. **2.** Esse preço.

aluir (a.lu:*ir*) *v.* **1.** Fazer vacilar; abalar: *O terremoto aluiu o edifício*. **2.** Desmoronar(-se): *aluiu um prédio antigo*; *A parede aluiu(-se) com a tempestade*. ▶ Conjug. 80.

alumbrar (a.lum.*brar*) *v.* **1.** Iluminar(-se): *O lampião alumbrava o quarto*; *Alumbraram-se com uma lamparina*. **2.** Deslumbrar(-se), maravilhar(-se): *A seminudez da moça o alumbrou*; *Alumbrou-se com o charme do rapaz*. ▶ Conjug. 5. – **alumbramento** *s.m.*

alume (a.*lu*.me) *s.m.* (*Quím.*) Substância adstringente que fixa tintas, clareia água etc. ‖ *alúmen*.

alúmen (a.*lú*.men) *s.m.* (*Quím.*) Alume.

alumiar (a.lu.mi:*ar*) *v.* **1.** Tornar(-se) iluminado: *A lua alumiava a noite*; *Seu rosto alumiou-se quando aproximou-se da fogueira*. **2.** Brilhar muito; resplandecer: *Seu rosto alumiou-se de alegria*. ▶ Conjug. 17.

alumínio (a.lu.*mí*.ni:o) *s.m.* (*Quím.*) Metal branco ligeiramente azulado, com um brilho semelhante ao da prata, muito leve e inoxidável ao ar seco ou úmido. ‖ Símbolo: *Al*.

aluno (a.*lu*.no) *s.m.* Pessoa que recebe instrução de uma pessoa ou em um estabelecimento de ensino; estudante.

alusão (a.lu.*são*) *s.f.* **1.** Ato de aludir. **2.** Referência feita de modo impreciso, na qual se deixa entender alguma relação de uma pessoa ou coisa com outra.

alusivo (a.lu.*si*.vo) *adj.* Relativo a alusão ou que a contém.

aluvial (a.lu.vi.*al*) *adj.* Relativo a aluvião: *terras aluviais*.

aluvião (a.lu.vi:*ão*) *s.f.* **1.** Material transportado e depositado por uma corrente de água. **2.** Terreno formado por acúmulo de aluviões.

alva (*al*.va) *s.f.* **1.** Primeiro alvor da manhã; aurora. **2.** Vestimenta comprida de pano branco, usada pelos padres na missa e em outras cerimônias.

alvacento (al.va.*cen*.to) *adj.* Quase branco; esbranquiçado, alvadio, branquicento.

alvaiade (al.vai.*a*.de) *s.m.* (*Quím.*) Pigmento branco usado em pintura.

alvará (al.va.*rá*) *s.m.* **1.** (*Jur.*) Documento passado por autoridade judiciária, em favor de alguém, ordenando ou autorizando atos ou direitos: *alvará de soltura, de separação de corpos etc.* **2.** Licença administrativa para o exercício de uma atividade ou para realização de obra arquitetônica: *alvará sanitário, de funcionamento etc.*

alvedrio (al.ve.*dri*:o) *s.m.* Vontade própria; arbítrio.

alvejante (al.ve.*jan*.te) *adj.* **1.** Que alveja, branqueia. • *s.m.* **2.** Produto com que se alvejam roupas.

alvejar (al.ve.*jar*) *v.* **1.** Tornar(-se) alvo ou mais alvo: *A lavadeira esfregou e alvejou a roupa*; *Com a idade, o cabelo alveja*. **2.** Tomar como alvo: *Parece que Cupido alvejou os dois*. ▶ Conjug. 10 e 37.

alvenaria (al.ve.na.*ri*.a) *s.f.* **1.** Ofício de pedreiro. **2.** Pedra sem lavra com que se constroem paredes e muros mediante seu assentamento, com ou sem argamassa de ligação. **3.** Obra de pedra e cal. **4.** Construção feita por meio de moldagem de material granuloso solto misturado com um ligante.

álveo (*ál*.ve:o) *s.m.* **1.** Leito de rio, riacho ou outra corrente de água. **2.** Sulco escavado em um terreno.

alveolar (al.ve:o.*lar*) *adj.* **1.** Relativo a alvéolo. **2.** (Ling.) Diz-se de consoante cuja zona de articulação se dá no contato da ponta da língua com os alvéolos dentais superiores: *O s e o z são consoantes alveolares*. • *s.f.* **3.** (Ling.) Essa consoante: *Foram feitos exercícios sobre as alveolares*.

alvéolo (al.*vé*:o.lo) *s.m.* **1.** Pequena célula de cera feita pelas abelhas, na qual depositam o mel. **2.** (Anat.) Pequena cavidade da gengiva, na qual está implantado o dente. **3.** (Anat.) Pequena cavidade onde terminam as ramificações brônquicas.

alvinitente (al.vi.ni.*ten*.te) *adj.* De brancura imaculada: *uma concha alvinitente*.

alvíssaras (al.*vís*.sa.ras) *s.f.pl.* Recompensa que se concede a quem anuncia boas-novas ou entrega algo perdido. ‖ Usado em frases nominais exclamativas para anunciar boas-novas.

alvissareiro (al.vis.sa.*rei*.ro) *adj.* **1.** Que pede ou dá alvíssaras por boas-novas. **2.** Auspicioso, promotedor: *previsões alvissareiras*. • *s.m.* **3.** O que pede ou recebe, dá ou promete alvíssaras.

alvitrar (al.vi.*trar*) *v.* Fazer sugestão; propor, lembrar: *João alvitrou que era melhor pararmos ali para almoçar*; *Uma vizinha alvitrou-lhe que fosse ter com o padre*. ▶ Conjug. 5.

alvitre (al.*vi*.tre) *s.m.* Proposta, sugestão: *É de bom alvitre fazer uma breve apresentação dos colaboradores do livro*.

alvo (al.vo) *adj.* **1.** Branco muito puro, imaculado, brilhante. **2.** Ponto de mira. **3.** Fim a que se dirige algum intento.

alvor [ô] (al.*vor*) *s.m.* **1.** Primeira luz da manhã; alva. **2.** Alvura, brancura. ‖ albor.

alvorada (al.vo.*ra*.da) *s.f.* **1.** Crepúsculo da manhã. **2.** Canto das aves ao amanhecer. **3.** (*Mil.*) Toque de corneta ou clarim que se faz nos quartéis ao amanhecer.

alvorecer (al.vo.re.*cer*) *v.* **1.** Romper o dia; amanhecer: *Levantei-me, mal alvoreceu*. **2.** Começar a manifestar-se (qualidade, ideia ou sentimento): *Em Ouro Preto, alvoreceu a nossa vontade de autonomia*. • *s.m.* **3.** O amanhecer, o romper do dia. ▶ Conjug. 41 e 46.

alvoroçar (al.vo.ro.*çar*) *v.* **1.** Pôr(-se) em alvoroço: *Aquele aluno gosta de alvoroçar o ambiente*; *O país alvoroçou-se e foi para as ruas pedir punição aos corruptos*. **2.** Agitar(-se), alegrar(-se), entusiasmar(-se): *A notícia da viagem alvoroçou as crianças*; *Alvoroçou-se ao saber que ganhara o prêmio*. ▶ Conjug. 22 e 36.

alvoroço [ô] (al.vo.*ro*.ço) *s.m.* **1.** Agitação, perturbação. **2.** Entusiasmo, alegria.

alvura (al.*vu*.ra) *s.f.* **1.** Qualidade de alvo, grande brancura. **2.** *fig.* Pureza, inocência, candura.

a.m. Abreviação de *ante meridiem*.

ama (*a*.ma) *s.f.* **1.** Mulher encarregada de amamentar alguma criança. **2.** Ama-seca; babá. **3.** A dona da casa com relação aos criados.

amabilidade (a.ma.bi.li.*da*.de) *s.f.* **1.** Qualidade do que é amável. **2.** Ato ou dito amável.

amaciante (a.ma.ci.*an*.te) *adj.* **1.** Que amacia. • *s.m.* **2.** Produto que amacia.

amaciar (a.ma.ci.*ar*) *v.* **1.** Tornar(-se) macio: *O uso amacia o sapato*; *Há carnes que necessitam de maior tempo de cozimento para amaciar-se*. **2.** *fig.* Abrandar(-se), suavizar(-se): *Ela amacia a voz para falar com o chefe*; *Ele se amaciou depois que se tornou pai*. ▶ Conjug. 17. – **amaciamento** *s.m.*

ama de leite *s.f.* Mulher que amamenta criança alheia.

amado (a.*ma*.do) *adj.* **1.** Que é objeto de afeição. • *s.m.* **2.** Pessoa a quem se ama.

amador [ô] (a.ma.*dor*) *adj.* **1.** Que ama, amante. **2.** Que se dedica a algo por gosto, não por profissão. • *s.m.* **3.** Cultor de arte, de esporte ou de ciência, por gosto, não por profissão. **4.** Aquele que entende superficialmente de alguma coisa.

amadorismo (a.ma.do.*ris*.mo) *s.m.* **1.** Condição de amador, de não profissional. **2.** Falta de competência para a realização de um trabalho.

amadurecer

amadurecer (a.ma.du.re.cer) v. **1.** Tornar(-se) maduro: *O calor amadureceu as frutas; O amido se transforma em açúcar à medida que as frutas amadurecem.* **2.** *fig.* Chegar ao completo desenvolvimento: *A falta de luxo amadureceu meus filhos; A democracia brasileira amadureceu.* ▶ Conjug. 41 e 46. – **amadurecimento** *s.m.*

âmago (â.ma.go) *s.m.* **1.** A parte essencial de uma pessoa ou coisa; recôndito. **2.** (*Bot.*) Parte central do caule das plantas.

amainar (a.mai.*nar*) v. Diminuir, abrandar(-se), sossegar(-se): *Amaine seu ódio; Parece que o mar amainou.* ▶ Conjug. 5.

amaldiçoar (a.mal.di.ço:*ar*) v. Lançar maldição a: *Amaldiçoou o seu algoz.* ▶ Conjug. 25.

amálgama (a.*mál*.ga.ma) *s.m.* e *f.* **1.** (*Quím.*) Liga de mercúrio e outro metal. **2.** *fig.* Mistura de coisas ou pessoas de diversas naturezas.

amalgamar (a.mal.ga.*mar*) v. **1.** Combinar o mercúrio com outro metal: *amalgamar o ouro*. **2.** *fig.* Juntar coisas diversas; reunir: *O vigário amalgamou populações da costa e do interior; O compositor amalgamou o jazz com o samba.* **3.** Ligar-se, fundir-se, combinar-se: *Amalgamaram-se diversos tópicos numa só unidade.* ▶ Conjug. 5.

amalucado (a.ma.lu.*ca*.do) *adj.* Um pouco maluco.

amalucar (a.ma.lu.*car*) v. Tornar(-se) maluco; enlouquecer: *O sucesso repentino amalucou-o; Ele amalucou-se de vez.* ▶ Conjug. 5 e 35.

amamentar (a.ma.men.*tar*) v. **1.** Dar de mamar a: *Amamentou o filho durante dois anos.* ▶ Conjug. 5. – **amamentação** *s.f.*

amancebar-se (a.man.ce.*bar*-se) v. Viver como casado sem o ser oficialmente; amasiar-se, amigar-se: *Alguns colonizadores amancebaram-se com filhas de chefes indígenas.* ▶ Conjug. 8 e 6. – **amancebado** *adj.*

▶ **a mando de** *loc. prep.* Ver em *mando*.

amaneirado (a.ma.nei.*ra*.do) *adj.* **1.** Exagerado em suas maneiras; afetado. **2.** Rebuscado: *estilo amaneirado*.

amanhã (a.ma.*nhã*) *adv.* **1.** No dia seguinte àquele em que estamos. **2.** Na época seguinte àquela em que estamos. • *s.m.* **3.** O dia seguinte. **4.** A época vindoura; o futuro.

amanhar (a.ma.*nhar*) v. Tratar a terra; cultivar, lavrar, preparar: *O lavrador amanhou a terra bruta e fez a semeadura.* ▶ Conjug. 5.

amanhecer (a.ma.nhe.*cer*) v. **1.** Começar (a manhã, o dia): *Amanhece mais cedo no verão; Hoje amanheceu chovendo.* **2.** Acordar, despertar de manhã: *A cidade amanheceu alegre.* **3.** Estar ou encontrar-se de manhã (em algum lugar): *Saiu de Corinto à noite e amanheceu em Diamantina.* **4.** Encontrar-se, sentir-se pela manhã (em algum estado ou condição): *Amanheci doente.* • *s.m.* **5.** O alvorecer, a aurora. ▶ Conjug. 41 e 46.

amansar (a.man.*sar*) v. Tornar(-se) manso; domar(-se), sossegar(-se): *Amansou o ódio dos filhos; O animal, que era agressivo, amansou-se; De repente, os ventos amansaram.* ▶ Conjug. 5. – **amansamento** *s.m.*

amante (a.*man*.te) *adj.* **1.** Que ama (alguém ou algo). • *s.m.* e *f.* **2.** Pessoa que ama; fã, aficionado. **3.** Pessoa que mantém com outra relações sexuais fora do casamento.

amanteigado (a.man.tei.*ga*.do) *adj.* **1.** Semelhante à manteiga no gosto, na cor ou na brandura. **2.** Untado com manteiga • *s.m.* **3.** (*Cul.*) Espécie de biscoito feito de manteiga. – **amanteigar** v. ▶ Conjug. 18 e 34.

amanuense (a.ma.nu:*en*.se) *s.m.* e *f.* **1.** Copista, escrevente, escriturário. **2.** Funcionário público que fazia serviços de cópia e registro.

amapaense (a.ma.pa.*en*.se) *adj.* **1.** Do Estado do Amapá. • *s.m.* e *f.* **2.** O natural ou o habitante desse estado.

amar (a.*mar*) v. **1.** Ter amor por, querer muito bem a (alguém): *Ele a ama tanto que seria incapaz de machucá-la; Meus avós sempre se amaram muito.* **2.** Apreciar muito: *Ele ama nadar; Meu filho ama chocolate.* ▶ Conjug. 5.

amaragem (a.ma.*ra*.gem) *s.f.* Amerissagem.

amaranto (a.ma.*ran*.to) *s.m.* (*Bot.*) Planta cujas flores se agrupam em grandes cachos vermelhos, à maneira de uma crista de galo.

amarar (a.ma.*rar*) v. Amerissar. ▶ Conjug. 5.

amarelão (a.ma.re.*lão*) *adj.* (*Med.*) *coloq.* Ancilostomíase.

amarelar (a.ma.re.*lar*) v. **1.** Tornar(-se) amarelo: *O crepúsculo amarelou o céu; Com o tempo, a fotografia amarelou(-se).* **2.** *fig.* Perder a coragem; acovardar-se: *O time amarelou no campeonato.* ▶ Conjug. 8.

amarelinha (a.ma.re.*li*.nha) *s.f.* Jogo infantil que consiste em pular num só pé sobre casas riscadas no chão, sem pisá-las e tocando uma pedrinha.

amarelo [é] (a.ma.re.lo) *s.m.* **1.** Cor do ouro ou da gema de ovo. • *adj.* **2.** Da cor amarela. **3.** Pálido (geralmente por doença ou medo): *Como ele ficou amarelo depois da icterícia!*

ambientalista

amarfanhar (a.mar.fa.*nhar*) v. Amarrotar(-se). ▶ Conjug. 5.

amargar (a.mar.*gar*) v. **1.** Tornar amargo, fazer amargoso: *O jiló amargou o ensopado.* **2.** Ter sabor amargo; travar: *A laranja-da-terra amarga muito.* **3.** *fig.* Tornar desagradável, penoso: *O ressentimento amargava a sua vida.* **4.** *fig.* Padecer, sofrer: *O país amargava ainda o trauma de uma guerra quando foi novamente invadido.* **5.** Afligir-se: *Amargou-se com pensamentos tristes.* || *De amargar*: difícil de suportar: *Essa novela é de amargar.* ▶ Conjug. 5 e 34.

amargo (a.*mar*.go) adj. **1.** De sabor desagradável como o do fel; acre. **2.** *fig.* Desagradável, doloroso, cruel: *palavras amargas.* || sup. abs.: *amaríssimo.* – **amargoso** adj.

amargor [ô] (a.mar.*gor*) s.m. **1.** Qualidade de amargo; azedume, amargura. **2.** Mágoa, desgosto, amargura.

amargura (a.mar.gu.ra) s.f. Amargor.

amargurar (a.mar.gu.*rar*) v. **1.** Causar amargura a: *A morte do amigo o amargurou profundamente.* **2.** Afligir-se: *Amargurava-se por não tirar notas altas.* ▶ Conjug. 5. – **amargurado** adj.; **amargurante** adj.

amarílis (a.ma.*rí*.lis) s.f.2n. (*Bot.*) Planta de flores grandes e vermelhas, ou amarelas, com perfume suave.

amaríssimo (a.ma.*rís*.si.mo) adj. Superlativo absoluto de *amargo*.

amarra (a.*mar*.ra) s.f. **1.** (*Náut.*) Cabo grosso ou corrente que segura o navio à âncora. **2.** Aquilo que prende: *Soltou as amarras e foi morar sozinho.*

amarrar (a.mar.*rar*) v. **1.** Segurar com amarra ou algo que sirva para prender: *Amarre bem os cadarços para não tropeçar.* **2.** *fig.* Prender com laços morais: *Crenças antigas o amarravam; A culpa o amarra ao casamento.* **3.** Franzir (as feições), demonstrando contrariedade: *Meu filho amarrou a cara quando soube que não podia tomar sorvete.* **4.** *gír.* Encantar-se por (alguém ou algo): *A geração de 1960 se amarrava na Brigitte Bardot; Ele se amarra em filmes de ação.* ▶ Conjug. 5. – **amarração** s.f.

amarrotar (a.mar.ro.*tar*) v. **1.** Pôr vinco ou dobra em (tecido, papel etc.); amassar, amarfanhar: *Pegou os documentos, amarrotou-os e jogou-os na cesta de lixo.* **2.** Enrugar-se, amassar-se, amarfanhar-se: *A camisa amarrotou-se toda na mala.* ▶ Conjug. 20. – **amarrotamento** s.m.

ama-seca (a.ma-se.ca) s.f. Mulher que cuida de crianças sem amamentá-las; babá, ama. || pl.: *amas-secas.*

amasiar-se (a.ma.si:*ar*-se) v. Amancebar-se. ▶ Conjug. 17 e 6.

amásio (a.*má*.si:o) s.m. Amante.

amassar (a.mas.*sar*) v. **1.** Formar uma massa, apertando repetidamente, geralmente com as mãos: *Amasse a batata cozida com a ajuda de um garfo.* **2.** Amarrotar(-se). **3.** Achatar(-se) por pressão ou choque: *Um carro veio de ré e amassou o para-choque do Fusquinha.* ▶ Conjug. 5. – **amassadura** s.f.; **amassamento** s.m.

amável (a.*má*.vel) adj. **1.** Gentil, delicado; amorável. **2.** Que pode ser amado.

amavio (a.ma.vi:o) s.m. **1.** Poção mágica para despertar o amor. **2.** Meio de sedução. || Mais usado no plural.

amazona (a.ma.zo.na) s.f. Mulher aguerrida, corajosa, que monta a cavalo.

amazonense (a.ma.zo.*nen*.se) adj. **1.** Do Estado do Amazonas. • s.m. e f. **2.** O natural ou o habitante desse estado.

amazônico (a.ma.*zô*.ni.co) adj. Relativo a Amazônia.

âmbar (*âm*.bar) s.m. **1.** (*Quím.*) Substância proveniente do intestino do cachalote. **2.** Resina fóssil, transparente, de cor amarela, que se usa para fabricar diversos objetos. **3.** A cor amarelada ou acastanhada dessa resina.

ambição (am.bi.*ção*) s.f. **1.** Desejo intenso (de riquezas, de poder, de glórias etc.). **2.** Aspiração, pretensão.

ambicionar (am.bi.ci:o.*nar*) v. Ter ambição de: *Ele só ambiciona poder e notoriedade; Ela sempre ambicionou ter uma união estável com alguém.* ▶ Conjug. 5.

ambicioso [ô] (am.bi.ci:o.so) adj. **1.** Que tem ambição. **2.** Que denota ou implica ambição: *projeto ambicioso.* • s.m. **3.** Pessoa que tem ambição. || f. e pl.: [ó].

ambidestro [é ou ê] (am.bi.*des*.tro) adj. **1.** Que se serve das duas mãos com a mesma habilidade. • s.m. **2.** Pessoa ambidestra.

ambiência (am.bi:*ên*.ci:a) s.f. Meio em que se vive.

ambientalismo (am.bi:en.ta.*lis*.mo) s.m. **1.** Ecologia. **2.** Movimento pela preservação do meio ambiente.

ambientalista (am.bi:en.ta.*lis*.ta) adj. **1.** Relativo a ambientalismo. • s.m. e f. **2.** Ecologista. **3.** Defensor da preservação do meio ambiente.

ambientar

ambientar (am.bi:en.*tar*) *v.* **1.** Situar em um ambiente: *O cineasta nasceu no Pará, estado onde ambientou seus dois últimos filmes.* **2.** Criar ambiente adequado a: *O projeto teve início em 1999 e já ambientou 15 instituições em 12 estados.* **3.** Adaptar-se a um ambiente: *Logo ambientou-se no país que a recebeu.* ▶ Conjug. 5. – **ambientação** *s.f.*

ambiente (am.bi:en.te) *adj.* **1.** Relativo ao meio que nos envolve: *temperatura ambiente; música ambiente.* • *s.m.* **2.** Circunstância ou conjunto de circunstâncias em que estão imersas pessoas ou coisas: *No hotel, havia um ambiente tranquilo e familiar.* **3.** Meio ambiente.

ambiguidade [güi] (am.bi.gui.*da*.de) *s.f.* Qualidade de ambíguo.

ambíguo (am.*bí*.gu:o) *adj.* **1.** De mais de um sentido: *Escreveu um conto ambíguo e muito rico.* **2.** Que não é claro, preciso: *O enunciado da questão anulada estava ambíguo.* **3.** De atitudes ou opiniões pouco claras: *Era um político terrivelmente contraditório e ambíguo.*

âmbito (*âm*.bi.to) *s.m.* **1.** Espaço compreendido dentro de certos limites: *No âmbito da obra, foi construída uma passagem hidráulica.* **2.** Espaço ou campo em que se desenvolve uma ação ou atividade: *um programa de âmbito nacional; Essa questão está fora do âmbito do direito civil.*

ambivalência (am.bi.va.*lên*.ci:a) *s.f.* Qualidade de ambivalente.

ambivalente (am.bi.va.*len*.te) *adj.* **1.** Que tem dois sentidos ou valores. **2.** Diz-se de pessoa em cujo ânimo coexistem duas tendências distintas ou opostas e que não se define claramente por nenhuma.

ambos (*am*.bos) *num.* Um e outro, os dois.

ambrosia (am.bro.*si*.a) *s.f.* **1.** Na mitologia clássica, manjar dos deuses. **2.** Manjar delicioso. **3.** (*Cul.*) Doce de leite e ovos, muito açucarado.

ambulância (am.bu.*lân*.ci:a) *s.f.* Veículo que conduz médico, enfermeiro e material necessário para assistir com rapidez algum doente.

ambulante (am.bu.*lan*.te) *adj.* **1.** Que anda de um lugar para o outro. **2.** Que não tem lugar fixo; móvel. • *s.m. e f.* **3.** Vendedor ambulante.

ambulatório (am.bu.la.*tó*.ri:o) *s.m.* (*Med.*) Espécie de enfermaria, sem leitos, para curativos, primeiros socorros e pequenas cirurgias.

ameaça (a.me:*a*.ça) *s.f.* **1.** Palavra ou gesto hostis que visam intimidar. **2.** Promessa de castigo ou agressão. **3.** Perigo ou dano que está por vir.

ameaçador [ô] (a.me:a.ça.*dor*) *adj.* **1.** Que ameaça. **2.** Diz-se do tempo quando está próximo um temporal. • *s.m.* **3.** O que ameaça.

ameaçar (a.me:a.*çar*) *v.* **1.** Dirigir ameaças a: *Ameaçaram-no de morte.* **2.** Prometer (um mal): *Ameaçou vingar-se.* **3.** Estar próximo a chegar, a aparecer, a acontecer: *O fogo ameaça as casas próximas à floresta.* **4.** Colocar em risco: *Deslizamento de terra ameaça família.* **5.** Demonstrar intenção de: *Ele ameaçou se retirar da sala, mas acabou ficando até o fim da reunião.* ▶ Conjug. 5 e 36.

amealhar (a.me:a.*lhar*) *v.* Juntar (dinheiro) aos poucos; acumular: *Em quatro anos, o empresário amealhou um patrimônio fantástico.* ▶ Conjug. 5.

ameba [é] (a.*me*.ba) *s.f.* (*Biol.*) Protozoário unicelular que varia constantemente de forma.

amebíase (a.me.*bí*.a.se) *s.f.* (*Med.*) Infecção causada por amebas.

▶ **à medida que** *loc. conj.* Ver em *medida*.

amedrontar (a.me.dron.*tar*) *v.* **1.** Meter medo a; assustar, atemorizar: *O furacão amedrontou a população do litoral.* **2.** Sentir medo; atemorizar-se: *Amedrontou-se ao ver-se numa rua escura.* ▶ Conjug. 5.

ameia (a.*mei*.a) *s.f.* Cada uma das aberturas retangulares na parte superior dos muros de torres, castelos, fortalezas.

amêijoa (a.*mêi*.jo:a) *s.f.* (*Zool.*) Molusco muito apreciado como alimento.

ameixa [ch] (a.*mei*.xa) *s.f.* Fruta doce e suculenta, muito consumida seca.

ameixeira [ch] (a.mei.*xei*.ra) *s.f.* (*Bot.*) Árvore que produz a ameixa.

amém (a.*mém*) *s.m.* Assentimento, aprovação: *Ele diz amém a qualquer análise que o chefe faça.* || Forma empregada no fecho de orações da religião cristã que significa "assim seja".

amêndoa (a.*mên*.do:a) *s.f.* **1.** Semente oleaginosa contida em uma dura casca. **2.** Qualquer semente contida em seu invólucro.

amendoado (a.men.do:*a*.do) *adj.* **1.** Semelhante a amêndoa na forma e/ou na cor: *os olhos amendoados de Sophia Loren.* **2.** Que contém amêndoas: *bolo amendoado.*

amendoeira (a.men.do:*ei*.ra) *s.f.* (*Bot.*) Árvore que produz a amêndoa.

amendoim (a.men.do:*im*) *s.m.* **1.** (*Bot.*) Planta da família das leguminosas. **2.** A semente oleosa dessa planta, muito usada na alimentação humana.

amenidade (a.me.ni.*da*.de) *s.f.* **1.** Qualidade de ameno. **2.** Coisa amena.

amenizar (a.me.ni.*zar*) *v.* Tornar(-se) ameno: *O ministro amenizou o tom de seu discurso*; *Com o remédio, a dor amenizou-se.* ▶ Conjug. 5. – **amenização** *s.f.*

ameno (a.*me*.no) *adj.* **1.** Que entretém ou diverte: *conversa amena.* **2.** Moderado, suave: *clima ameno.* **3.** Afável, delicado: *pessoa amena.*

amenorreia [éi] (a.me.nor.*rei*.a) *s.f.* (*Med.*) Falta de fluxo menstrual. – **amenorreico** *adj.*

➤ **à mercê de** *loc. prep.* Ver em *mercê.*

americanismo (a.me.ri.ca.*nis*.mo) *s.m.* **1.** Inclinação pelo que é americano, especialmente pelo que é dos Estados Unidos da América. **2.** Palavra, locução, construção particular do inglês ou do espanhol usado na América.

americanista (a.me.ri.ca.*nis*.ta) *adj.* **1.** Relativo a americanismo. • *s.m.* e *f.* **2.** Pessoa versada em coisas relativas a América (etnias, línguas, costumes etc.). **3.** Adepto do americanismo.

americanizar (a.me.ri.ca.ni.*zar*) *v.* Tornar(-se) semelhante ao americano: *Os fast-food americanizam o mundo*; *O rodeio brasileiro americanizou-se.* ▶ Conjug. 5. – **americanização** *s.f.*

americano (a.me.ri.*ca*.no) *adj.* **1.** Relativo a América, próprio ou natural desse continente. **2.** Relativo aos Estados Unidos da América, próprio ou natural desse país. • *s.m.* **3.** O natural ou o habitante da América ou dos Estados Unidos da América.

ameríndio (a.me.*rín*.di:o) *adj.* **1.** Relativo aos índios da América. • *s.m.* **2.** Índio americano.

amerissagem (a.me.ris.*sa*.gem) *s.f.* Ato ou efeito de amerissar; amaragem.

amerissar (a.me.ris.*sar*) *v.* Pousar no mar (hidroavião); amarar: *O hidroavião amerissou normalmente no Oceano Atlântico.* || Conferir com *aterrissar.* ▶ Conjug. 5.

amesquinhar (a.mes.qui.*nhar*) *v.* Tornar(-se) mesquinho: *Seu discurso autoritário amesquinhou o debate político*; *As exportações aumentaram porque o mercado interno se amesquinhou.* ▶ Conjug. 5.

amestrador [ô] (a.mes.tra.*dor*) *adj.* **1.** Que amestra. • *s.m.* **2.** Pessoa que amestra.

amestrar (a.mes.*trar*) *v.* Adestrar. ▶ Conjug. 8. – **amestramento** *s.m.*

ametista (a.me.*tis*.ta) *s.f.* (*Min.*) Pedra roxa semipreciosa.

amianto (a.mi:*an*.to) *s.m.* (*Min.*) Variedade de asbesto em fibras muito finas e sedosas, de vários empregos industriais por sua incombustibilidade e má condutibilidade do calor.

amicíssimo (a.mi.*cís*.si.mo) *adj.* Superlativo absoluto de *amigo.*

amídala (a.*mí*.da.la) *s.f.* (*Anat.*) Massa arredondada de tecido, especialmente a que existe na entrada da garganta. || *amígdala*; denominação substituída por *tonsila* ou *tonsila palatina.*

amidalite (a.mi.da.*li*.te) *s.f.* (*Med.*) Ver *tonsilite.* || *amigdalite.*

amido (a.*mi*.do) *s.m.* Substância extraída de raízes e de sementes de cereais, muito usada na alimentação.

amigado (a.mi.*ga*.do) *adj.* Amancebado, amasiado.

amigar (a.mi.*gar*) *v.* Casar(-se) sem oficializar a união no registro civil: *Casou duas vezes e amigou outras duas*; *Os colonizadores costumavam amigar-se com as aborígenes.* ▶ Conjug. 5 e 34.

amigável (a.mi.*gá*.vel) *adj.* **1.** Próprio de amigo: *trato amigável.* **2.** Que convida à amizade: *vizinhança amigável.* **3.** Decidido por consenso mútuo: *divórcio amigável.* **4.** (*Inform.*) Desenhado ou projetado para ser de uso fácil: *interface amigável.*

amígdala (a.*míg*.da.la) *s.f.* (*Anat.*) Amídala.

amigdalite (a.mig.da.*li*.te) *s.f.* (*Med.*) Ver *tonsilite.* || *amidalite.*

amigo (a.*mi*.go) *adj.* **1.** Que é ligado a outrem por afeição e afinidade: *pessoa amiga.* **2.** Que oferece ajuda: *mão amiga.* • *s.m.* **3.** Pessoa unida a outra por amizade. Amigo da onça; amigo-urso || sup. abs.: *amicíssimo.*

amigo-oculto (a.mi.go-o.*cul*.to) *s.m.* Espécie de sorteio de prendas que se faz numa festa. || pl.: *amigos-ocultos.*

amigo-urso (a.mi.go-*ur*.so) *s.m.* Amigo que não corresponde na mesma sinceridade do outro; amigo da onça. || pl.: *amigos-ursos.*

amiláceo (a.mi.*lá*.ce:o) *adj.* Que contém amido.

aminoácido (a.mi.no:*á*.ci.do) *s.m.* (*Biol.*) Ácido orgânico que é o componente principal das proteínas.

amistoso [ô] (a.mis.*to*.so) *adj.* **1.** Relativo a amizade. **2.** Que denota amizade. • *s.m.* **3.** (*Esp.*) Partida de futebol, sem caráter de torneio ou campeonato. || f. e pl.: [ó].

amiudado (a.mi:u.*da*.do) *adj.* Frequente, repetido.

amiudar

amiudar¹ (a.mi:u.*dar*) v. **1.** Ocorrer com frequência: *As viagens da família ao exterior amiudaram*(-se). **2.** Realizar com frequência: *A moça amiudou os passeios em volta do lago.* **3.** Cantar (o galo) a intervalos curtos: *O galo amiudava e a cidade ia-se despertando.* ▶ Conjug. 26.

amiudar² (a.mi:u.*dar*) v. **1.** Tornar(-se) miúdo: *Amiudou a vista tentando ver longe*; *Este ano os morangos amiudaram.* **2.** Esmiuçar, detalhar: *Amiudou a vida dos ribeirinhos em seus romances.* ▶ Conjug. 26.

amiúde (a.mi:ú.de) *adv.* Com frequência; repetidamente.

amizade (a.mi.*za*.de) *s.f.* **1.** Sentimento ou relação que existe entre duas pessoas amigas. **2.** Amigo: *Ela mantém as amizades que fez no colégio.* **3.** Aliança entre dois países.

amnésia (am.*né*.si:a) *s.f.* (*Med.*) Diminuição ou perda total da memória.

âmnio (*âm*.ni:o) *s.m.* (*Anat.*) Membrana em forma de bolsa, cheia de líquido, que envolve e protege o embrião dos répteis, das aves e dos mamíferos.

amniótico (am.ni:*ó*.ti.co) *adj.* Relativo a âmnio; âmnico: *líquido amniótico*; *membrana amniótica*.

amo (*a*.mo) *s.m.* Dono da casa; patrão, senhor.

amofinar (a.mo.fi.*nar*) v. Aborrecer(-se) com pequeninas coisas: *O que mais o amofinava eram as perguntas do colega*; *Nada de se amofinar à toa. Vamos nos divertir!* ▶ Conjug. 5. – **amofinação** *s.f.*

amolador [ô] (a.mo.la.*dor*) *adj.* **1.** Que amola. • *s.m.* **2.** Aquele que amola por profissão. **3.** Instrumento usado para amolar alguma coisa.

amolar (a.mo.*lar*) v. **1.** Afiar (objeto cortante): *amolar uma faca.* **2.** Incomodar(-se), aborrecer(-se): *Bia tanto amolou a mãe para ir à festa, que ela acabou consentindo*; *Amolou-se com a conversa do bêbado.* ▶ Conjug. 20. – **amolação** *s.f.*

amoldar (a.mol.*dar*) v. **1.** Ajustar(-se) ao molde: *Amoldaram o uniforme policial ao corpo feminino*; *O gesso amoldou-se perfeitamente à máscara.* **2.** Adaptar(-se) a novas circunstâncias ou indivíduos: *Acabou conseguindo amoldar os filhos a uma rígida disciplina*; *Rapidamente amoldou-se à condição de padrasto de três crianças.* ▶ Conjug. 20.

amolecer (a.mo.le.*cer*) v. **1.** Tornar(-se) mole: *O calor amoleceu o sorvete*; *Na hora do assalto, minhas pernas amoleceram*(-se). **2.** Comover(-se), enternecer(-se): *O pedido de desculpas dele amoleceu meu coração*; *Inflexível, ele amoleceu diante daquele pedido carinhoso.* ▶ Conjug. 41 e 46. – **amolecimento** *s.m.*

amolgar (a.mol.*gar*) v. Deformar deprimindo, dobrando, amolecendo ou esmagando: *A forte batida partiu os vidros e amolgou a porta do carro.* ▶ Conjug. 20 e 34.

amônia (a.*mô*.ni:a) *s.f.* (*Quím.*) Solução aquosa de amoníaco.

amoníaco (a.mo.*ní*.a.co) *s.m.* Gás incolor e alcalino, de odor penetrante e irritante.

amontoado (a.mon.to:*a*.do) *adj.* **1.** Que se apresenta em montão. • *s.m.* **2.** Conjunto de coisas, palavras etc. amontoadas.

amontoamento (a.mon.to:a.*men*.to) *s.m.* **1.** Ato ou efeito de amontoar. **2.** Acumulação, montão.

amontoar (a.mon.to:*ar*) v. **1.** Juntar em forma de monte: *Amontoou uns gravetos e fez uma pequena fogueira.* **2.** Acumular(-se), juntar(-se): *Amontoou riquezas, mas não soube aproveitá-las*; *As pessoas, famintas, amontoavam-se na porta do palácio.* ▶ Conjug. 25.

amor [ô] (a.*mor*) *s.m.* **1.** Sentimento que se tem por uma pessoa com quem se deseja alcançar a união física e afetiva. **2.** Sentimento profundo de afeição entre as pessoas. **3.** Forte interesse por uma coisa, uma atividade: *amor à natureza.* **4.** O ser amado.

amora [ó] (a.*mo*.ra) *s.f.* Fruto comestível, pequeno, macio, constituído pela agregação de pequenos glóbulos, e de cor roxa ou negra.

amoral (a.mo.*ral*) *adj.* A que falta preocupação ou sentido moral: *pessoa amoral*; *conduta amoral.* – **amoralismo** *s.m.*; **amoralista** *adj. s.m. e f.* || Conferir com *imoral*.

amoralidade (a.mo.ra.li.*da*.de) *s.f.* **1.** Procedimento independente das leis morais. **2.** Qualidade de amoral.

amorável (a.mo.*rá*.vel) *adj.* Amável.

amordaçar (a.mor.da.*çar*) v. **1.** Pôr mordaça em: *Os ladrões amordaçaram os moradores da casa.* **2.** *fig.* Não deixar falar ou emitir opinião: *A legislação amordaçou a imprensa independente.* ▶ Conjug. 5 e 36.

amoreira (a.mo.*rei*.ra) *s.f.* (*Bot.*) Árvore que produz a amora.

amorenado (a.mo.re.*na*.do) *adj.* **1.** Um tanto moreno. **2.** Tornado moreno.

amorfia (a.mor.*fi*.a) *s.f.* **1.** Condição de amorfo. **2.** Deformidade.

amorfo [ó] (a.mor.fo) *adj.* **1.** Que não tem forma determinada. **2.** *fig.* Fraco nas decisões: *caráter amorfo*.

amoroso [ô] (a.mo.ro.so) *adj.* Cheio de amor; carinhoso, meigo, terno, afetuoso. **2.** Que indica amor. || f. e pl.: [ó].

amor-perfeito (a.mor-per.fei.to) *s.m.* (*Bot.*) Planta cujas flores de cinco pétalas apresentam várias cores. || pl.: *amores-perfeitos*.

amor-próprio (a.mor-pró.pri:o) *s.m.* Respeito que cada um tem por si mesmo, pela própria dignidade. || pl.: *amores-próprios*.

amortalhar (a.mor.ta.*lhar*) *v.* Envolver em mortalha: *amortalhar um corpo*. ▶ Conjug. 5.

amortecedor [ô] (a.mor.te.ce.*dor*) *adj.* **1.** Que amortece. • *s.m.* **2.** O que amortece. **3.** Dispositivo destinado a amortecer a violência de choques ou trepidação de máquinas.

amortecer (a.mor.te.cer) *v.* **1.** Fazer perder ou perder a força; diminuir o ímpeto: *O toldo amorteceu a queda do menino*; *Com o tempo, amorteceu-se o impacto negativo da notícia*. **2.** Fazer perder ou perder a intensidade: *O remédio amorteceu a dor*; *O som de sua voz amorteceu(-se)*. ▶ Conjug. 41 e 46. – **amortecimento** *s.m.*

amortizar (a.mor.ti.*zar*) *v.* Abater parte de uma dívida realizando o pagamento correspondente: *Por este tipo de financiamento, o mutuário pode amortizar mensalmente a dívida*. ▶ Conjug. 5. – **amortização** *s.f.*

amostra [ó] (a.*mos*.tra) *s.f.* **1.** Porção ou unidade (de algo, especialmente de uma mercadoria) representativa de um todo. **2.** Mostra, demonstração, exposição.

amostragem (a.mos.*tra*.gem) *s.f.* Ato ou processo de escolha de uma porção a ser analisada como representativa de um todo.

amotinar (a.mo.ti.*nar*) *v.* Sublevar(-se), agitar(-se): *Os maus-tratos amotinaram a tripulação contra o comandante*; *O povo amotinou-se e invadiu um supermercado*. ▶ Conjug. 5.

amparar (am.pa.*rar*) *v.* **1.** Dar amparo a: *Os amigos ampararam financeiramente a viúva e os órfãos*. **2.** Servir de amparo a: *A rede de segurança amparou o trapezista*. **3.** Valer-se (de algo ou alguém) como amparo: *A juíza amparou-se na Constituição para dar sua sentença*; *Amparou-se em amigos famosos para subir na vida*. ▶ Conjug. 5.

amparo (am.*pa*.ro) *s.m.* **1.** Ato ou efeito de amparar; auxílio. **2.** Pessoa ou coisa que ampara.

amperagem (am.pe.*ra*.gem) *s.f.* (*Eletr.*) Medição da intensidade da corrente elétrica em amperes.

ampere [é] (am.pe.re) *s.m.* (*Eletr.*) No Sistema Internacional, unidade de medida da intensidade da corrente elétrica. || *ampère*; Símbolo: A.

ampère (am.pè.re) *s.m.* (*Eletr.*) Ampere.

amplexo [écs] (am.ple.xo) *s.m.* Abraço.

ampliação (am.pli:a.*ção*) *s.f.* **1.** Ato ou efeito de ampliar. **2.** Cópia ampliada de uma fotografia.

ampliar (am.pli:*ar*) *v.* **1.** Tornar(-se) mais amplo: *A internet ampliou o uso do computador*; *O repertório do artista ampliou-se e diversificou-se*. **2.** Aumentar o tamanho de uma imagem, especialmente fotográfica: *Ampliou a foto a partir do negativo*. ▶ Conjug. 17.

amplidão (am.pli.*dão*) *s.f.* **1.** Qualidade de amplo; amplitude. **2.** Espaço amplo; vastidão.

amplificador [ô] (am.pli.fi.ca.*dor*) *adj.* **1.** Que amplifica. • *s.m.* **2.** (*Eletrôn.*) Aparelho destinado a amplificar o som.

amplificar (am.pli.fi.*car*) *v.* Ampliar (algo, especialmente som): *O silêncio amplificava os zumbidos da mosca*; *A sua voz amplificou-se pelo salão*. ▶ Conjug. 5 e 35. – **amplificação** *s.f.*

amplitude (am.pli.*tu*.de) *s.f.* Amplidão.

amplo (*am*.plo) *adj.* Que é grande, largo ou abrangente: *amplas instalações*; *roupa ampla e confortável*; *amplo espectro*; *amplos poderes*.

ampola [ô] (am.*po*.la) *s.f.* **1.** Pequeno tubo fechado, de vidro ou de plástico, terminado em bico. **2.** O conteúdo desse tubo.

ampulheta [ê] (am.pu.*lhe*.ta) *s.f.* Relógio composto de dois vasos cônicos de vidro, cujos vértices se comunicam por um pequeno orifício, que mede o tempo pela passagem de determinada porção de areia do vaso superior para o inferior.

amputação (am.pu.ta.*ção*) *s.f.* Ato ou efeito de amputar.

amputar (am.pu.*tar*) *v.* **1.** (*Med.*) Cortar e separar um membro, ou parte dele, do corpo a que pertence: *O cirurgião amputou a perna gangrenada*. **2.** Sofrer amputação: *O alpinista amputou o braço para não morrer*. **3.** *fig.* Suprimir parte de: *O revisor amputou cinco páginas da revista para enquadrá-la no padrão*. ▶ Conjug. 5.

amuado (a.mu:*a*.do) *adj.* Enfadado, de mau humor, aborrecido.

amuar

amuar (a.mu:*ar*) *v.* Demonstrar amuo: *Fez birra, amuou e foi para o quarto*; *Às vezes amuava-se no seu canto*. ► Conjug. 5.

amuleto [ê] (a.mu.*le*.to) *s.m.* Objeto que os supersticiosos trazem consigo a fim de evitar malefícios.

amulatado (a.mu.la.*ta*.do) *adj.* **1.** Um tanto mulato. **2.** Tornado mulato.

amuo (a.*mu*.o) *s.m.* Enfado, mau humor, zanga; arrufo, calundu.

amurada (a.mu.*ra*.da) *s.f.* **1.** (*Náut.*) Costado de um navio pela face interna. **2.** Muro de arrimo.

anabatismo (a.na.ba.*tis*.mo) *s.m.* (*Rel.*) Seita protestante que só admite como válido o batismo na idade adulta.

anabatista (a.na.ba.*tis*.ta) *adj.* **1.** Relativo ao anabatismo. • *s.m. e f.* **2.** Seguidor do anabatismo.

anabolizante (a.na.bo.li.*zan*.te) *adj.* **1.** Que estimula o aumento da massa e da força muscular. • *s.m.* **2.** Substância anabolizante; bomba.

anacoluto (a.na.co.*lu*.to) *s.m.* (*Gram.*) Abandono da construção sintática iniciada, para adotar outra: *O verso de Manuel Bandeira Eu que era branca e linda, eis-me medonha e escura é um exemplo de anacoluto.*

anaconda (a.na.*con*.da) *s.f.* (*Zool.*) Sucuri.

anacoreta [ê] (a.na.co.*re*.ta) *s.m.* Pessoa que vive em retiro, entregue inteiramente à contemplação e à penitência.

anacrônico (a.na.*crô*.ni.co) *adj.* **1.** Impróprio a determinada época, ou próprio de outra época. **2.** Que denota anacronismo.

anacronismo (a.na.cro.*nis*.mo) *s.m.* **1.** Erro de atribuir a uma época o que pertence a outra. **2.** Coisa anacrônica.

anaeróbio (a.na:e.*ró*.bi:o) *adj.* **1.** Diz-se de organismo cuja vida se desenvolve em ambientes destituídos de oxigênio: *bactéria anaeróbia*. **2.** Que se produz na ausência de oxigênio: *respiração anaeróbia*. • *s.m.* **3.** Organismo anaeróbio.

anafiláctico (a.na.fi.*lác*.ti.co) *adj.* (*Med.*) Anafilático.

anafilático (a.na.fi.*lá*.ti.co) *adj.* (*Med.*) Relativo a anafilaxia.

anafilaxia [cs] (a.na.fi.la.*xi*.a) *s.f.* (*Med.*) Sensibilidade exagerada de um organismo a determinados alimentos ou medicamentos.

anáfora (a.*ná*.fo.ra) *s.f.* **1.** (*Gram.*, *Lit.*) Repetição da mesma palavra no começo de duas ou mais frases consecutivas. **2.** (*Gram.*) Referência a um termo enunciado anteriormente no discurso, como, por exemplo, em *A riqueza ou o sucesso, que me importa este ou aquela?* || Conferir com *catáfora*. – **anafórico** *adj.*

anagrama (a.na.*gra*.ma) *s.m.* Palavra ou frase formada com as letras de outra palavra ou frase.

anágua (a.*ná*.gua) *s.f.* Espécie de saia que se usa sob o vestido ou sob outra saia.

anais (a.*nais*) *s.m.pl.* **1.** Registro dos principais acontecimentos ano a ano; fastos. **2.** Publicação periódica de caráter cultural ou científico.

anal (a.*nal*) *adj.* Relativo a ânus.

analfabetismo (a.nal.fa.be.*tis*.mo) *s.m.* Condição de analfabeto.

analfabeto [é] (a.nal.fa.*be*.to) *adj.* **1.** Que não sabe ler nem escrever. **2.** Ignorante, inculto, iletrado. • *s.m.* **3.** Pessoa analfabeta. || *Analfabeto funcional*: pessoa que aprendeu a ler e a escrever, mas não o pratica ou pratica pouco, ou o faz com dificuldade.

analgésico (a.nal.*gé*.si.co) *adj.* **1.** Que diminui a dor. • *s.m.* **2.** Substância analgésica.

analisar (a.na.li.*sar*) *v.* Submeter a análise: *O pesquisador analisou os periódicos da cidade dos anos 1930 a 1940; O terapeuta analisou o paciente, procurando os desejos que estavam inconscientes*. ► Conjug. 5.

análise (a.*ná*.li.se) *s.f.* **1.** Ato de separar e examinar as partes de um todo, com o objetivo de determinar sua composição: *análise clínica*. **2.** Estudo pormenorizado de algo: *análise literária*. **3.** Psicanálise. || *Análise sintática*: (*Gram.*) divisão dos períodos em orações e destas em seus elementos constituintes com consequente classificação da função de cada termo.

analista[1] (a.na.*lis*.ta) *adj.* **1.** Que faz análises. • *s.m. e f.* **2.** Pessoa que faz análises. || *Analista de sistemas*: (*Inform.*) profissional que planeja, coordena e executa projetos e sistemas para processamentos de dados, informática e automação.

analista[2] (a.na.*lis*.ta) *adj. s.m. e f.* Psicanalista.

analítico (a.na.*lí*.ti.co) *adj.* **1.** Relativo a análise. **2.** Que procede por análise ou nela se baseia: *método analítico*.

analogia (a.na.lo.*gi*.a) *s.f.* Modo de explicar uma coisa mostrando como ela é similar a outra: *Ele fez uma analogia entre o corpo humano e uma máquina.*

analógico (a.na.*ló*.gi.co) *adj.* **1.** Que se baseia na analogia. **2.** (*Inform.*) Diz-se de um dispositivo ou sistema que tem a propriedade de variar continuamente em força ou quantidade.

análogo (a.ná.lo.go) *adj.* Semelhante em alguns aspectos.

anamnese [é] (a.nam.ne.se) *s.f.* (*Med.*) Descrição dos antecedentes patológicos individuais e familiares do paciente.

ananás (a.na.nás) *s.m.* Fruta de casca espinhosa e coroa de folhas longas, muito semelhante ao abacaxi.

anão (a.não) *adj.* **1.** De tamanho anormalmente pequeno: *indivíduo anão, estrela anã.* • *s.m.* **2.** Pessoa, animal ou planta anã. || f.: *anã*.

anapolino (a.na.po.li.no) *adj.* **1.** Da cidade de Anápolis, no Estado de Goiás. • *s.m.* **2.** O natural ou o habitante dessa cidade.

anarquia (a.nar.qui.a) *s.f.* **1.** Sistema político baseado na ausência de toda forma de Estado ou de governo. **2.** Desordem ou confusão causada pela ausência de autoridade. – **anárquico** *adj.*

anarquismo (a.nar.quis.mo) *s.m.* Doutrina política que preconiza a anarquia (1).

anarquista (a.nar.quis.ta) *adj.* **1.** Relativo a anarquismo; libertário. • *s.m.* e *f.* **2.** Adepto do anarquismo; libertário.

anarquizar (a.nar.qui.zar) *v.* Tornar(-se) anárquico: *No filme, o diretor anarquiza os padrões industriais do cinema americano; Mal dirigida, a polícia anarquizou-se.* ▶ Conjug. 5. – **anarquização** *s.f.*

anátema (a.ná.te.ma) *adj.* **1.** Excomungado, maldito. • *s.m.* **2.** Excomunhão. **3.** Repreensão solene, reprovação enérgica. – **anatemático** *adj.*

anatematizar (a.na.te.ma.ti.zar) *v.* Impor anátema (1) a: *Os concílios que canonizaram o credo anatematizaram os hereges e os cismáticos.* ▶ Conjug. 5.

anatomia (a.na.to.mi.a) *s.f.* **1.** Estudo da estrutura e da forma dos seres organizados e as relações entre os distintos órgãos que os constituem. **2.** Estrutura e forma de um ser organizado ou de alguma de suas partes.

anatômico (a.na.tô.mi.co) *adj.* **1.** Relativo a anatomia. **2.** Que se adapta perfeitamente ao corpo ou a uma parte dele: *colchão anatômico; cadeira anatômica.*

anatomista (a.na.to.mis.ta) *s.m.* e *f.* (*Med.*) Médico especializado em anatomia.

anavalhar (a.na.va.lhar) *v.* Navalhar. ▶ Conjug. 5.

anca (an.ca) *s.f.* **1.** Cada uma das metades laterais da parte posterior de alguns animais, especialmente cavalgaduras. **2.** Quadril, cadeira. || Mais usado no plural.

ancestral (an.ces.tral) *adj.* **1.** Relativo aos antepassados. **2.** Muito antigo. • *s.m.* **3.** Antepassado, ascendente. – **ancestralidade** *s.f.*

anchova [ô] (an.cho.va) *s.f.* (*Zool.*) Peixe, de carne gordurosa, muito apreciado assado e em moquecas; enchova.

ancião (an.ci.ão) *adj.* **1.** Avançado em anos; velho. • *s.m.* **2.** Pessoa de idade avançada. || pl.: *anciãos, anciões, anciães*.

ancilostomíase (an.ci.los.to.mí.a.se) *s.f.* (*Med.*) Infecção causada pela presença de ancilóstomos no intestino delgado e cujo sintoma principal é a anemia.

ancilóstomo (an.ci.lós.to.mo) *s.m.* (*Zool.*) Parasita intestinal de mamíferos.

ancinho (an.ci.nho) *s.m.* Ferramenta agrícola guarnecida de dentes e de um cabo, usada para ajuntar palha, grama cortada, folhas secas etc.; rastelo.

âncora (ân.co.ra) *s.f.* **1.** (*Náut.*) Instrumento de ferro em forma de gancho que, arrojado à água, se prende ao fundo e assim impede que a embarcação se mova. **2.** *fig.* Esteio, apoio. • *s.m.* e *f.* **3.** (*Telv.*) Profissional que comenta as notícias no jornalismo televisivo.

ancorar (an.co.rar) *v.* **1.** (*Náut.*) Fundear, lançando âncora: *Um navio ancorou no cais.* **2.** *fig.* Basear-se, fundamentar-se: *Ancorou-se em autores consagrados para desenvolver sua tese.* ▶ Conjug. 20.

andaço (an.da.ço) *s.m.* *coloq.* **1.** Moléstia que grassa numa localidade, com alguma insistência, pouco grave e fácil de curar. **2.** Diarreia, disenteria.

andador [ô] (an.da.dor) *s.m.* Aparelho que serve de apoio para crianças que começam a andar ou para adultos com problemas locomotores.

andadura (an.da.du.ra) *s.f.* Modo de andar dos quadrúpedes, especialmente cavalgaduras; marcha.

andaime (an.dai.me) *s.m.* Armação sobre a qual trabalham os operários nas construções.

andaluz (an.da.luz) *adj.* **1.** Da Andaluzia, região da Espanha. • *s.m.* **2.** O natural ou o habitante da Andaluzia. **3.** Dialeto dessa região espanhola.

andamento (an.da.men.to) *s.m.* **1.** Ato de andar. **2.** Modo de andar. **3.** Curso de um processo, de um negócio, de um mecanismo. **4.** (*Mús.*)

andança

Indicação da velocidade com que um trecho musical deve ser executado; movimento. || *Dar andamento a:* fig. fazer seguir os devidos trâmites.

andança (an.*dan*.ça) *s.f.* Ato de andar, passear, viajar, de um lado para outro.

andante[1] (an.*dan*.te) *adj.* Que anda por várias partes do mundo; errante: *cavaleiro andante*.

andante[2] (an.*dan*.te) *adv.* (*Mús.*) **1.** Em andamento moderado. • *s.m.* **2.** Trecho de música nesse andamento.

andar. (an.*dar*) *v.* **1.** Mover-se de um ponto a outro dando passos; caminhar: *Andaram de Botafogo à Cinelândia*. **2.** Mover-se de um lugar a outro usando um meio de transporte: *Anda todos os dias de Metrô.* **3.** Funcionar, especialmente algo que efetua um movimento: *O relógio está andando.* **4.** Viver (em algum estado ou condição): *andar com fome, triste.* **5.** Estar: *Como anda a reforma da casa?* • *s.m.* **6.** Maneira de andar. **7.** Transcurso, decurso (tempo). **8.** Qualquer pavimento de um edifício; piso. ▶ Conjug. 5.

andarilho (an.da.*ri*.lho) *s.m.* Indivíduo que anda muito, que gosta muito de andar.

andino (an.*di*.no) *adj.* **1.** Dos Andes, cadeia de montanhas na América do Sul. • *s.m.* **2.** O natural ou o habitante dessa cordilheira.

andiroba [ó] (an.di.*ro*.ba) *s.f.* (*Bot.*) Grande árvore tropical de cuja semente se extrai um óleo com propriedades inseticidas e medicinais.

andor [ô] (an.*dor*) *s.m.* Padiola ornamentada sobre a qual se conduzem imagens nas procissões.

andorinha (an.do.*ri*.nha) *s.f.* (*Zool.*) Pequeno pássaro migrador.

andrajos (an.*dra*.jos) *s.m.pl.* Roupa velha, rota e suja; trapos.

androceu (an.dro.*ceu*) *s.m.* (*Bot.*) Conjunto dos órgãos masculinos de uma flor.

andrógino (an.*dró*.gi.no) *adj.* **1.** Que tem os dois sexos; hermafrodita. **2.** Que tem aspecto sexualmente ambíguo. • *s.m.* **3.** Pessoa, animal ou planta andrógina.

androide [ói] (an.*drói*.de) *s.m.* Autômato de figura humana.

andropausa (an.dro.*pau*.sa) *s.f.* (*Med.*) Diminuição da atividade sexual no homem a partir de certa idade.

anecúmeno (a.ne.*cú*.me.no) *s.m.* (*Geogr.*) Região não habitada pelo homem. *adj.* Diz-se desse tipo de região: *uma região anecúmena*.

anedota [ó] (a.ne.*do*.ta) *s.f.* Narração sucinta de um fato engraçado ou interessante; piada.

anedotário (a.ne.do.*tá*.ri:o) *s.m.* Coleção de anedotas.

anel (a.*nel*) *s.m.* **1.** Pequeno aro que se usa no dedo como enfeite ou como símbolo. **2.** Qualquer objeto em forma de circunferência. || *Anel de Saturno:* (*Astron.*) círculo luminoso que rodeia esse planeta.

anelado (a.ne.*la*.do) *adj.* **1.** Que tem forma de anel. **2.** Encaracolado.

anelar[1] (a.ne.*lar*) *v.* **1.** Dar forma de anel a: *Ela anelou o cabelo para ficar na moda.* **2.** Encaracolar (cabelo): *Seus cabelos anelaram-se na adolescência.* ▶ Conjug. 8.

anelar[2] (a.ne.*lar*) *v.* Desejar ardentemente: *anelar um casamento feliz; Anelava por conhecer a Grécia.* ▶ Conjug. 8.

anelar[3] (a.ne.*lar*) *adj.* Anular[2].

anemia (a.ne.*mi*.a) *s.f.* (*Med.*) Diminuição da hemoglobina e do número de hemácias no sangue.

anêmico (a.*nê*.mi.co) *adj.* **1.** Que sofre de anemia. **2.** Relativo a anemia. • *s.m.* **3.** Pessoa que padece de anemia.

anemômetro (a.ne.*mô*.me.tro) *s.m.* Instrumento usado para medir a velocidade do vento.

anêmona (a.*nê*.mo.na) *s.f.* **1.** (*Bot.*) Planta ornamental de grandes flores solitárias e coloridas. **2.** (*Zool.*) Actínia.

anêmona-do-mar (a.nê.mo.na-do-*mar*) *s.f.* (*Zool.*) Actínia. || pl.: *anêmonas-do-mar*.

anencefalia (a.nen.ce.fa.*li*.a) *s.f.* (*Med.*) Falta de encéfalo. – **anencefálico** *adj.*

anestesia (a.nes.te.*si*.a) *s.f.* **1.** (*Med.*) Extinção ou diminuição da sensibilidade. **2.** Anestésico.

anestesiar (a.nes.te.si:*ar*) *v.* **1.** Suprimir a sensibilidade com o uso de anestésico; sedar: *O veterinário anestesiou o chimpanzé para retirá-lo do local.* **2.** fig. Tornar insensível: *anestesiar consciências.* ▶ Conjug. 17.

anestésico (a.nes.*té*.si.co) *adj.* **1.** Relativo a anestesia. **2.** Que produz anestesia. • *s.m.* **3.** Substância anestesiante; anestesia.

anestesista (a.nes.te.*sis*.ta) *s.m. e f.* (*Med.*) Médico que estuda a anestesia e os anestésicos.

aneurisma (a.neu.*ris*.ma) *s.m.* (*Med.*) Bolsa formada pela dilatação da parede de uma artéria, de uma veia ou do coração. – **aneurismático** *adj.*

anexar [cs] (a.ne.*xar*) *v.* **1.** Agregar (algo, especialmente um escrito, um documento): *Anexou o seu cartão de visitas à carta.* **2.** Incor-

anidrido

porar (algo, especialmente um território): *Em 1903, o Brasil anexou o Acre (a seu território).* ▶ Conjug. 8. – **anexação** *s.f.*

anexim [ch] (a.ne.*xim*) *s.m.* Provérbio, máxima.

anexo [é...cs] (a.ne.xo) *adj.* **1.** Incorporado ou agregado como acessório; reunido, ligado. • *s.m.* **2.** Espaço, local ou edifício unido a outro, com relação de dependência: *Pegaram fogo o hospital e seus anexos.* **3.** Escrito ou documento agregado.

anfetamina (an.fe.ta.*mi*.na) *s.f.* (*Quím.*) Substância estimulante do sistema nervoso.

anfíbio (an.*fí*.bi:o) *s.m.* **1.** (*Zool.*) Animal que pode viver na água e na terra. • *adj.* **2.** Que pode viver na água e na terra. **3.** Capaz de movimentar-se na terra e sobre águas (diz-se de veículo).

anfiteatro (an.fi.te:*a*.tro) *s.m.* **1.** Na Antiguidade, grande construção oval ou circular, com arquibancadas ao redor de uma arena, destinada a espetáculos públicos. **2.** Sala, geralmente semicircular, com degraus e palco, usada para aulas, apresentações, espetáculos; hemiciclo.

anfitrião (an.fi.tri:*ão*) *s.m.* Aquele que recebe convidados em casa. ‖ f.: *anfitriã* e *anfitrioa*.

ânfora (*ân*.fo.ra) *s.f.* Vaso grande, de gargalo estreito e de duas asas simétricas, usado pelos gregos e pelos romanos para conter grãos e líquidos.

angariar (an.ga.ri:*ar*) *v.* **1.** Obter mediante pedidos: *A gincana beneficente angariou brinquedos, roupas e livros.* **2.** Conseguir para si: *Ele angariou grande popularidade como professor.* ▶ Conjug. 17.

angelical (an.ge.li.*cal*) *adj.* **1.** De ou próprio dos anjos; angélico. **2.** Que se assemelha a um anjo; angélico.

angélico (an.gé.li.co) *adj.* Angelical.

angico (an.*gi*.co) *s.m.* (*Bot.*) Árvore típica do Brasil, de boa madeira.

angina (an.*gi*.na) *s.f.* (*Med.*) Inflamação da garganta e da faringe. ‖ *Angina do peito*: (*Med.*) doença cardíaca caracterizada por dor aguda no peito e sensação intensa de angústia.

angiologia (an.gi:o.lo.*gi*.a) *s.f.* (*Med.*) Parte da Medicina que trata dos vasos sanguíneos e linfáticos.

angiologista (an.gi:o.lo.gis.ta) *s.m. e f.* (*Med.*) Médico especialista em Angiologia; angiólogo.

angiólogo (an.gi:*ó*.lo.go) *s.m.* Angiologista.

angioplastia (an.gi:o.plas.ti.a) *s.f.* (*Med.*) Cirurgia plástica dos vasos sanguíneos.

angiosperma [é] (an.gi:os.per.ma) *s.f.* (*Bot.*) Planta cuja semente fica dentro do fruto.

anglicanismo (an.gli.ca.*nis*.mo) *s.m.* Igreja oficial da Inglaterra.

anglicano (an.gli.*ca*.no) *adj.* **1.** Relativo ao anglicanismo. • *s.m.* **2.** Adepto do anglicanismo.

anglicismo (an.gli.*cis*.mo) *s.m.* (*Ling.*) Palavra, locução ou construção da língua inglesa, introduzidas noutra língua.

angorá (an.go.*rá*) *adj.* **1.** Diz-se de raça de gatos, coelhos, cabras etc., de origem turca, caracterizada por pelo muito comprido e macio. • *s.m. e f.* **2.** Qualquer desses animais.

angra (*an*.gra) *s.f.* Pequena baía, largamente aberta, que aparece onde existem costas altas; enseada.

angu (an.*gu*) *s.m.* **1.** (*Cul.*) Massa feita de fubá, cozida e temperada com sal. **2.** *coloq.* Confusão.

angulado (an.gu.*la*.do) *adj.* Anguloso.

angular¹ (an.gu.*lar*) *adj.* **1.** Relativo a ângulo. **2.** Que tem forma de ângulo. **3.** Constituído por ângulo.

angular² (an.gu.*lar*) *v.* **1.** Dar forma de ângulo a: *Tinha o tique de angular a sobrancelha esquerda.* **2.** Tomar a forma de ângulo: *Na adolescência, seu queixo angulou-se.* ▶ Conjug. 5. – **angulação** *s.f.*

ângulo (*ân*.gu.lo) *s.m.* **1.** (*Geom.*) Figura formada por duas linhas que partem de um mesmo ponto ou por dois planos que partem de uma mesma linha. **2.** *fig.* Ponto de vista; enfoque, perspectiva.

anguloso [ô] (an.gu.*lo*.so) *adj.* **1.** Que tem ângulos; angulado. **2.** Que tem saliências pontiagudas e irregulares; angulado. ‖ f. e pl.: [ó].

angústia (an.*gús*.ti:a) *s.f.* **1.** Aflição, agonia, desassossego. **2.** (*Med.*) Sensação intensa de opressão no tórax ou no abdômen.

angustiado (an.gus.ti:*a*.do) *adj.* Aflito, agoniado, atormentado.

angustiante (an.gus.ti:*an*.te) *adj.* Que angustia; aflitivo.

angustiar (an.gus.ti:*ar*) *v.* **1.** Causar angústia a: *O futuro sempre angustiou o ser humano.* **2.** Sentir angústia: *Angustiou-se com a demora do filho.* ▶ Conjug. 17.

anho (*a*.nho) *s.m.* Filhote de carneiro; cordeiro.

anidrido (a.ni.*dri*.do) *s.m.* (*Quím.*) Composto que deriva da desidratação de um ácido.

anil (a.*nil*) *s.m.* **1.** (*Quím.*) Substância azul extraída de diversas plantas e utilizada como corante. **2.** Azul. • *adj.* **3.** Da cor azul.

anilho (a.*ni*.lho) *s.m.* **1.** Pequeno anel. **2.** Pequena argola metálica que serve para debruar um ilhó.

anilina (a.ni.*li*.na) *s.f.* (*Quím.*) Substância derivada do benzeno, muito usada na indústria de corantes.

animação (a.ni.ma.*ção*) *s.f.* **1.** Ato ou efeito de animar(-se). **2.** Qualidade ou estado de animado. **3.** (*Cine*) Técnica que permite produzir imagens em movimento a partir de uma série de imagens fixas apresentadas em rápida sequência.

animado (a.ni.*ma*.do) *adj.* **1.** Que tem vida: *ser animado*. **2.** Muito ativo e alegre: *turma animada*. **3.** Muito divertido e alegre: *papo animado, festa animada*.

animal (a.ni.*mal*) *s.m.* **1.** Ser vivo dotado de sensibilidade e de capacidade de locomover-se. **2.** Animal irracional. **3.** *fig.* Pessoa estúpida, bruta, ignorante. • *adj.* **4.** Pertencente aos animais: *mundo animal*. **5.** Irrefletido, irracional: *instinto animal*. || *Animal irracional*: todos os animais à exceção do homem. • *Animal racional*: o homem.

animalesco [ê] (a.ni.ma.*les*.co) *adj.* Próprio de animal.

animalidade (a.ni.ma.li.*da*.de) *s.f.* Caráter ou condição do que é animal.

animalismo (a.ni.ma.*lis*.mo) *s.m.* Natureza do animal.

animalizar (a.ni.ma.li.*zar*) *v.* **1.** Tornar bruto: *Condições subumanas de sobrevivência animalizaram o homem*. **2.** Brutalizar-se: *Ele animalizou-se vivendo sob relações familiares violentas*. ▶ Conjug. 5.

animar (a.ni.*mar*) *v.* **1.** Dar ânimo, vida a: *Deus animou a matéria*. **2.** Dar ou adquirir ânimo, entusiasmo: *Animou o filho a fazer teatro*; *Animaram-se com a possibilidade de viajar juntos*. ▶ Conjug. 5.

anímico (a.*ní*.mi.co) *adj.* Que pertence à alma.

animismo (a.ni.*mis*.mo) *s.m.* (*Fil.*) Modo de pensamento ou crença religiosa que atribui alma a todos os seres e fenômenos naturais.

animista (a.ni.*mis*.ta) *adj.* **1.** Relativo a animismo • *s.m.* e *f.* **2.** Adepto do animismo.

ânimo (*â*.ni.mo) *s.m.* **1.** Alma, espírito. **2.** Coragem, entusiasmo: *Com a derrota, o inimigo perdeu o ânimo*. **3.** Energia, disposição, hausto: *Estou com ânimo para o trabalho*.

animosidade (a.ni.mo.si.*da*.de) *s.f.* Aversão persistente; hostilidade, rancor.

animoso [ô] (a.ni.*mo*.so) *adj.* Cheio de ânimo. || f. e pl.: [ó].

aninhar (a.ni.*nhar*) *v.* **1.** Pôr(-se) em ninho: *A coruja aninhou os filhotes no telhado*; *Um casal de andorinhas aninhou-se no parapeito da minha janela*. **2.** Acomodar(-se), aconchegar(-se): *Aninhou a cabeça do filho no colo*; *As crianças aninharam-se no sofá e dormiram*. ▶ Conjug. 5.

ânion (*â*.ni:on) *s.m.* (*Fís., Quím.*) Íon que possui carga elétrica negativa.

aniquilar (a.ni.qui.*lar*) *v.* **1.** Reduzir(-se) a nada: *A onda gigante aniquilou os arrecifes*; *As partículas colidem e aniquilam-se, liberando energia*. **2.** Abater(-se), prostrar(-se): *O autoritarismo aniquila o que é individual*; *Antes tão forte, agora ela parecia aniquilar-se*. ▶ Conjug. 5. – **aniquilamento** *s.m.*

anis (a.*nis*) *s.m.* **1.** (*Bot.*) Planta cultivada por suas sementes aromáticas; erva-doce. **2.** Licor aromatizado com essa planta. **3.** (*Bot.*) Arbusto originário da Ásia, com o aroma do verdadeiro anis, cultivado como ornamental.

anistia (a.nis.*ti*.a) *s.f.* Perdão coletivo que o poder soberano concede.

anistiar (a.nis.ti:*ar*) *v.* Conceder anistia a: *O rei anistiou todos os que se envolveram na revolta*. ▶ Conjug. 17.

anistórico (a.nis.*tó*.ri.co) *adj.* Que não é histórico.

aniversariante (a.ni.ver.sa.ri:*an*.te) *adj.* **1.** Que aniversaria. • *s.m.* e *f.* **2.** Pessoa que faz anos.

aniversariar (a.ni.ver.sa.ri:*ar*) *v.* Fazer anos: *Ele aniversaria hoje*. ▶ Conjug. 17.

aniversário (a.ni.ver.*sá*.ri:o) *s.m.* Dia em que se celebra um acontecimento, especialmente o nascimento de alguém, que se deu no mesmo dia de um outro ano.

anjo (*an*.jo) *s.m.* **1.** (*Rel.*) Ente espiritual, segundo várias religiões, e que no cristianismo é representado por uma criança alada. **2.** Representação de anjo em gravura, pintura, escultura etc. **3.** (*fig.*) Criança comportada. **4.** (*fig.*) Pessoa bondosa. **5.** (*coloq.*) Criança morta.

ano (*a*.no) *s.m.* **1.** Tempo que a Terra leva para descrever sua órbita em torno do Sol e que é de 365 dias e quase 6 horas. **2.** Período de 365 dias que começa em 1º de janeiro e termina em 31 de dezembro. **3.** Período de 365 dias contados a partir de quaquer dia do ano.

anodinia (a.no.di.*ni*.a) *s.f.* Ausência de dor.

anteceder

anódino (a.nó.di.no) *adj.* **1.** Paliativo. **2.** *fig.* Inexpressivo ou insignificante.

anodo [ô] (a.no.do) *s.m.* (*Eletr.*) Nome do eletrodo ou polo positivo de um circuito galvânico.

anoitecer (a.noi.te.cer) *v.* **1.** Fazer-se noite: *No inverno, anoitece mais cedo.* • *s.m.* **2.** O cair da noite. ▶ Conjug. 41 e 46.

ano-luz (a.no-*luz*) *s.m.* (*Astr.*) Unidade astronômica equivalente à distância percorrida, em um ano, por um raio luminoso a 300.000 km por segundo. ‖ *pl.*: *anos-luz*.

anomalia (a.no.ma.*li*.a) *s.f.* Condição ou característica de anômalo.

anômalo (a.*nô*.ma.lo) *adj.* **1.** Que é contrário à norma, que é diferente do normal ou do habitual. **2.** (*Gram.*) Diz-se de verbo cuja distinção entre certas categorias gramaticais se faz por meio de radicais heterônimos: *O verbo* ir, *que possui certas formas iniciadas por* i- (ir), v- (vou) *ou* f- (fui), *é anômalo.*

anonimato (a.no.ni.*ma*.to) *s.m.* Condição de anônimo.

anônimo (a.*nô*.ni.mo) *adj.* **1.** De autor desconhecido: *obra anônima.* **2.** Que não tem nome ou não o declara: *admirador anônimo.* **3.** Sem fama: *É um programa que visa levar ao estrelato um cantor anônimo qualquer.* • *s.m.* **4.** Pessoa anônima.

anorexia [cs] (a.no.re.*xi*.a) *s.f.* (*Med.*) Falta anormal de apetite. ‖ *Anorexia nervosa:* (*Med.*) Síndrome psiquiátrica em que o indivíduo se recusa a ingerir alimentos por medo de engordar.

anoréxico [cs] (a.no.*ré*.xi.co) *adj.* **1.** Que sofre de anorexia. • *s.m.* **2.** Pessoa anoréxica.

anormal (a.nor.*mal*) *adj.* **1.** Contrário à norma, ao padrão. • *s.m. e f.* **2.** Deficiente físico, intelectual ou mental. – **anormalidade** *s.f.*

anotação (a.no.ta.*ção*) *s.f.* **1.** Ato ou efeito de anotar. **2.** Coisa anotada; apontamento, nota.

anotar (a.no.*tar*) *v.* **1.** Tomar nota de: *O guarda anotou a placa do carro.* **2.** Pôr notas em: *Ele lia o livro anotando, à margem, as próprias interpretações.* ▶ Conjug. 20.

anquinhas (an.*qui*.nhas) *s.f.pl.* Armação usada antigamente para aumentar o volume das saias das mulheres.

anseio (an.*sei*.o) *s.m.* Desejo veemente; ânsia.

ânsia (*ân*.si:a) *s.f.* **1.** Angústia, agonia. **2.** Desejo impaciente; ansiedade. **3.** Anseio. **4.** Náusea.

ansiar (an.si:*ar*) *v.* Desejar ardentemente: *Ansiava por uma vida diferente*; *Sempre ansiou dançar no Teatro Municipal.* ▶ Conjug. 16.

ansiedade (an.si:e.*da*.de) *s.f.* **1.** Angústia. **2.** Incerteza aflitiva.

ansiolítico (an.si:o.*lí*.ti.co) *adj.* **1.** Que diminui a ansiedade. • *s.m.* **2.** (*Med.*) Medicamento ansiolítico.

ansioso [ô] (an.si:*o*.so) *adj.* **1.** Cheio de ânsia ou de ansiedade. **2.** Ardentemente desejoso. ‖ *f. e pl.*: [ó].

anta (*an*.ta) *s.f.* **1.** (*Zool.*) Mamífero florestal de grande porte, de pelo marrom e focinho prolongado em tromba; tapir. **2.** *pej.* Pessoa inculta, obtusa.

antagônico (an.ta.*gô*.ni.co) *adj.* Contrário, oposto.

antagonismo (an.ta.go.*nis*.mo) *s.m.* **1.** Ato em sentido contrário; oposição. **2.** Rivalidade entre duas pessoas.

antagonista (an.ta.go.*nis*.ta) *adj.* **1.** Contrário, oposto. • *s.m. e f.* **2.** Rival, opositor, adversário. **3.** (*Lit.*) Personagem oposta ao protagonista.

antagonizar (an.ta.go.ni.*zar*) *v.* Opor-se a: *A classe operária antagoniza a classe burguesa*; *Brecht antagonizou-se com Stanilavski.* ▶ Conjug. 5.

antártico (an.*tár*.ti.co) *adj.* Do Polo Sul.

ante (*an*.te) *prep.* Diante de, perante: *Ante a avalanche de mensagens díspares que tentam seduzir o indivíduo, é urgente redefinir o papel da escola.*

antebraço (an.te.*bra*.ço) *s.m.* (*Anat.*) Parte do braço humano entre o cotovelo e o pulso.

antebraquial (an.te.bra.qui:*al*) *adj.* Relativo ao antebraço.

antecâmara (an.te.*câ*.ma.ra) *s.f.* Aposento anterior à sala principal.

antecedência (an.te.ce.*dên*.ci:a) *s.f.* Estado ou qualidade do que é antecedente.

antecedente (an.te.ce.*den*.te) *adj.* **1.** Que antecede. • *s.m.* **2.** O que antecede. **3.** Dado biográfico ou do comportamento anterior: *Pediram-lhe um atestado de antecedentes criminais.* **4.** (*Gram.*) Termo a que se refere um pronome relativo.

anteceder (an.te.ce.*der*) *v.* Vir antes de: *A velhice antecede a morte*; *Os sobreviventes escreverão um livro sobre os terríveis dias que antecederam ao salvamento*; *Uma enorme mobilização antecedeu-se à derrubada do presidente.* ▶ Conjug. 41.

antecessor [ô] (an.te.ces.*sor*) *adj.* **1.** Que antecede. • *s.m.* **2.** O que viveu antes de outro.

antecipação (an.te.ci.pa.*ção*) *s.f.* Ato ou efeito de antecipar.

antecipar (an.te.ci.*par*) *v.* **1.** Fazer ocorrer antes do tempo próprio ou combinado: *O chefe antecipou a reunião para a próxima sexta-feira.* **2.** Vir antes do tempo: *Este ano, o verão antecipou-se.* **3.** Prever, prognosticar: *O economista antecipou a crise que viria.* ▶ Conjug. 5.

antediluviano (an.te.di.lu.vi:*a*.no) *adj.* **1.** Anterior ao dilúvio bíblico. **2.** Muito antigo.

antegozar (an.te.go.*zar*) *v.* Gozar antecipadamente: *Antegozou o momento em que reencontraria seus parentes.* ▶ Conjug. 20.

antegozo [ô] (an.te.go.zo) *s.m.* Gozo antecipado.

antemão (an.te.*mão*) *adv.* Usado apenas na locução *de antemão*. || *De antemão*: antecipadamente, previamente.

ante meridiem (Lat.) *loc. adv.* Expressão que denota hora anterior ao meio-dia. || Abreviação: *a.m.*

antena (an.*te*.na) *s.f.* **1.** (*Zool.*) Apêndice móvel da cabeça dos insetos, crustáceos etc. **2.** (*Fís.*) Dispositivo que serve para irradiar ou captar ondas eletromagnéticas. || *De antena ligada*: antenado.

antenado (an.te.*na*.do) *adj.* **1.** Atento ao que se ouve, se vê ou se passa ao redor. **2.** (*Zool.*) Provido de antenas.

antenupcial (an.te.nup.ci:*al*) *adj.* Anterior às núpcias.

anteontem (an.te:*on*.tem) *adv.* No dia antes de ontem.

anteparo (an.te.*pa*.ro) *s.m.* Objeto que serve para proteger, resguardar.

antepassado (an.te.pas.*sa*.do) *adj.* **1.** Que passou antes; decorrido. • *s.m.* **2.** Pessoa de quem se descende; ascendente, antecessor.

antepasto (an.te.*pas*.to) *s.m.* Acepipe que precede as refeições; entrada.

antepenúltimo (an.te.pe.*núl*.ti.mo) *adj.* **1.** Que antecede o penúltimo. • *s.m.* **2.** O que antecede o penúltimo.

antepor (an.te.*por*) *v.* **1.** Pôr antes; prepor: *Antepôs uma excelente introdução ao texto; As preposições antepõem-se ao termo subordinado.* **2.** Preferir: *antepor a saúde ao dinheiro.* ▶ Conjug. 65. – **anteposição** *s.f.*; **anteposto** *adj.*

anteprojeto [é] (an.te.pro.*je*.to) *s.m.* Projeto provisório que deve ser discutido antes de tornar-se definitivo: *anteprojeto de lei, anteprojeto de pesquisa.*

antera [é] (an.*te*.ra) *s.f.* (*Bot.*) Parte do estame que contém o pólen antes da fecundação.

anterior [ô] (an.te.ri:*or*) *adj.* **1.** Que vem antes no tempo ou no espaço. **2.** Situado na frente. – **anterioridade** *s.f.*

antes (*an*.tes) *adv.* **1.** Em tempo ou lugar anterior. **2.** Primeiramente, precedentemente. **3.** De preferência; melhor: *Antes tarde que nunca.* **4.** Pelo contrário: *Não estudou, antes se tornou arrivista.* || *Antes de*: em tempo ou lugar anterior a: *Antes de sair, pegou o guarda-chuva.* • *Antes que*: indica que a ação principal decorre antes de outra: *Beba a sopa, antes que esfrie.*

antessala (an.tes.*sa*.la) *s.f.* Sala que precede a principal.

antever (an.te.*ver*) *v.* Ver com antecipação; prever: *O legislador anteviu a importância da prova científica.* || part.: *antevisto* ▶ Conjug. 59.

antevéspera (an.te.*vés*.pe.ra) *s.f.* Dia imediatamente anterior à véspera.

antiácido (an.ti:*á*.ci.do) *adj.* **1.** Que combate a acidez. • *s.m.* **2.** (*Med.*) Substância que combate a acidez.

antiaderente (an.ti:a.de.*ren*.te) *adj.* **1.** Que impede a aderência: *frigideira antiaderente.* • *s.m.* **2.** O que impede a aderência.

antiaéreo (an.ti:a.*é*.re:o) *adj.* (*Mil.*) Destinado a neutralizar ataques aéreos: *canhão antiaéreo.*

antialérgico (an.ti:a.*lér*.gi.co) *adj.* **1.** Que combate a alergia. • *s.m.* **2.** (*Med.*) Medicamento que combate a alergia.

antiamericanismo (an.ti:a.me.ri.ca.*nis*.mo) *s.m.* Sentimento ou comportamento de antiamericano.

antiamericano (an.ti:a.me.ri.*ca*.no) *adj.* Contrário aos americanos ou aos Estados Unidos da América.

antibacteriano (an.ti.bac.te.ri:*a*.no) *adj.* **1.** Que combate as bactérias. • *s.m.* **2.** (*Med.*) Substância ou agente que combate as bactérias.

antibiótico (an.ti.bi:*ó*.ti.co) *adj.* **1.** Capaz de deter o desenvolvimento de certos microrganismos patógenos ou de causar sua morte. • *s.m.* **2.** (*Med.*) Medicamento antibiótico.

anticancerígeno (an.ti.can.ce.*rí*.ge.no) *adj.* **1.** Que combate o câncer. • *s.m.* **2.** (*Med.*) Substância anticancerígena.

anticaspa (an.ti.*cas*.pa) *adj.* **1.** Que combate a caspa. • *s.m.* **2.** Xampu anticaspa.

anticiclone (an.ti.ci.*clo*.ne) *s.m.* Região da atmosfera onde a pressão é alta com relação às regiões circunvizinhas.

anticlerical (an.ti.cle.ri.*cal*) *adj.* Contrário ao clero.

anticlímax [cs] (an.ti.*clí*.max) *s.m.2n.* Situação ou cena que não é tão excitante quanto se esperava.

anticoagulante (an.ti.co:a.gu.*lan*.te) *adj.* **1.** Que impede a coagulação do sangue. • *s.m.* **2.** (*Med.*) Medicamento anticoagulante.

anticoncepcional (an.ti.con.cep.ci:o.*nal*) *adj.* **1.** Que previne a concepção de filhos • *s.m.* **2.** Meio, prática ou agente que impede a concepção. – **anticoncepção** *s.f.*

anticonstitucional (an.ti.cons.ti.tu.ci:o.*nal*) *adj.* Contrário à carta constitucional de um país.

anticorpo [ô] (an.ti.*cor*.po) *s.m.* (*Med., Vet.*) Substância produzida pelo organismo como resposta à introdução de uma substância estranha; imunoglobulina. || pl.: [ó].

anticorrosivo (an.ti.cor.ro.*si*.vo) *adj.* **1.** Que combate a corrosão. • *s.m.* **2.** Substância anticorrosiva.

anticristo (an.ti.*cris*.to) *s.m.* (*Rel.*) Segundo o Apocalipse, ser que aparecerá antes da segunda vinda de Cristo, para disseminar o mal até ser vencido por Cristo. || Usado geralmente com inicial maiúscula.

antidemocrático (an.ti.de.mo.*crá*.ti.co) *adj.* Contrário à democracia.

antidepressivo (an.ti.de.pres.*si*.vo) *adj.* **1.** (*Psiq.*) Que age contra a depressão. • *s.m.* **2.** (*Med.*) Medicamento antidepressivo.

antiderrapante (an.ti.der.ra.*pan*.te) *adj.* **1.** Que impede a derrapagem. • *s.m.* **2.** Dispositivo que impede a derrapagem.

antidoping [antidópin] (Ing.) *adj.* Destinado a detectar o uso de *doping* pelos desportistas: *testes* antidoping.

antídoto (an.*tí*.do.to) *s.m.* (*Quím.*) Substância que neutraliza as propriedades nocivas de um veneno.

antieconômico (an.ti:e.co.*nô*.mi.co) *adj.* **1.** Contrário aos princípios da economia. **2.** Que não é econômico; oneroso, dispendioso.

antiescravista (an.ti:es.cra.*vis*.ta) *adj.* **1.** Que combate a escravidão. • *s.m.* e *f.* **2.** Pessoa inimiga da escravidão.

antiespasmódico (an.ti:es.pas.*mó*.di.co) *adj.* **1.** Que atenua ou cura os espasmos. • *s.m.* **2.** (*Med.*) Medicamento antiespasmódico.

antiesportivo (an.ti:es.por.*ti*.vo) *adj.* Oposto ao espírito esportivo: *atitude antiesportiva*.

antiestético (an.ti:es.*té*.ti.co) *adj.* Contrário à estética ou que carece de beleza.

antiético (an.ti:*é*.ti.co) *adj.* Contrário à ética.

antifebril (an.ti.fe.*bril*) *adj.* **1.** Que combate a febre. • *s.m.* **2.** (*Med.*) Medicamento que faz baixar a febre.

antífona (an.*tí*.fo.na) *s.f.* (*Mús.*) Versículo que se canta ou recita antes e depois de um salmo.

antifúngico (an.ti.*fún*.gi.co) *adj.* **1.** Que combate os fungos. • *s.m.* **2.** (*Quím.*) Substância antifúngica.

antígeno (an.*tí*.ge.no) *s.m.* (*Med., Vet.*) Substância que, introduzida no organismo, gera anticorpos.

antiginástica (an.ti.gi.*nás*.ti.ca) *s.f.* Ginástica que visa aumentar a consciência corporal.

antigo (an.*ti*.go) *adj.* **1.** Que existiu ou sucedeu em época remota: *a Grécia antiga*. **2.** Que existe há muito tempo: *A malhação de Judas é um costume antigo no Brasil*. **3.** Que deixou de ser, não atual: *antigo senador*. • *antigos s.m.pl.* **4.** Os que viveram em séculos remotos: *Os antigos acreditavam na Astrologia.* || sup. abs.: *antiguíssimo* e *antiquíssimo*.

antigripal (an.ti.gri.*pal*) *adj.* **1.** Que combate a gripe. • *s.m.* **2.** (*Med.*) Medicamento antigripal.

antiguidade [gui *ou* güi] (an.ti.gui.*da*.de) *s.f.* **1.** Qualidade de antigo. **2.** Tempo remoto. **3.** Objeto antigo: *loja de antiguidades*. **4.** Época das civilizações mais antigas. || Na última acepção, usa-se com inicial maiúscula; Antiguidade.

anti-helmíntico (an.ti-hel.*mín*.ti.co) *adj.* **1.** Que combate os vermes; vermífugo. • *s.m.* **2.** (*Med.*) Medicamento que combate os vermes; vermífugo. || pl.: *anti-helmínticos*.

anti-herói (an.ti-he.*rói*) *s.m.* Personagem que tem atributos contrários aos do herói clássico. || pl.: *anti-heróis*.

anti-higiênico (an.ti-hi.gi:*ê*.ni.co) *adj.* Contrário às regras da higiene. || pl.: *anti-higiênicos*.

anti-histamínico (an.ti-his.ta.*mí*.ni.co) *adj.* **1.** Que combate alergias, urticárias, enjoos etc. • *s.m.* **2.** (*Quím.*) Substância anti-histamínica. || pl.: *anti-histamínicos*.

anti-horário

anti-horário (an.ti-ho.rá.ri:o) *adj.* Que tem rotação em sentido contrário ao do movimento dos ponteiros do relógio. || pl.: *anti-horários*.

anti-imperialismo (an.ti-im.pe.ri:a.*lis*.mo) *s.m.* Atitude ou posição contrária ao imperialismo.

anti-imperialista (an.ti-im.pe.ri:a.*lis*.ta) *adj.* **1.** Contrário ao imperialismo. • *s.m.* e *f.* **2.** Adepto do anti-imperialismo.

anti-inflacionário (an.ti-in.fla.ci:o.*ná*.ri:o) *adj.* Que previne ou combate a inflação.

anti-inflamatório (an.ti-in.fla.ma.*tó*.ri:o) *adj.* **1.** Que combate as inflamações. • *s.m.* **2.** (*Med.*) Medicamento anti-inflamatório.

antilhano (an.ti.*lha*.no) *adj.* **1.** Das Antilhas, ilhas da América Central. • *s.m.* **2.** O natural ou o habitante das Antilhas.

antílope (an.*tí*.lo.pe) *s.m.* (*Zool.*) Mamífero da família dos bovídeos, de porte menor que o do boi e de chifres longos dirigidos para trás.

antimicótico (an.ti.mi.*có*.ti.co) *adj.* **1.** Que combate micoses. • *s.m.* **2.** (*Med.*) Medicamento antimicótico.

antimíssil (an.ti.*mís*.sil) *adj.* Destinado a interceptar ou destruir mísseis em voo.

antinatural (an.ti.na.tu.*ral*) *adj.* Contrário à natureza.

antiofídico (an.ti:o.*fí*.di.co) *adj.* **1.** Que combate o veneno da cobra. • *s.m.* **2.** Soro antiofídico.

antioxidante [cs] (an.ti:o.xi.*dan*.te) *adj.* **1.** Que impede ou inibe reações de oxidação: *dieta antioxidante*. • *s.m.* **2.** (*Quím.*) Substância antioxidante.

antipatia (an.ti.pa.*ti*.a) *s.f.* **1.** Sentimento de aversão a alguém ou a alguma coisa. **2.** Qualidade de antipático. || Conferir com *empatia* e *simpatia*.

antipático (an.ti.*pá*.ti.co) *adj.* Que inspira antipatia.

antipatizar (an.ti.pa.ti.*zar*) *v.* Ter antipatia por: *Antipatizo com aquele seu amigo.* ▶ Conjug. 5.

antipatriota [ó] (an.ti.pa.tri:o.ta) *adj.* **1.** Que é contra a pátria. • *s.m.* e *f.* **2.** Pessoa antipatriota.

antipatriótico (an.ti.pa.tri:*ó*.ti.co) *adj.* Contrário aos interesses da pátria.

antipedagógico (an.ti.pe.da.*gó*.gi.co) *adj.* Contrário aos princípios da pedagogia.

antiperspirante (an.ti.pers.pi.*ran*.te) *adj.* **1.** Que impede a transpiração. • *s.m.* **2.** Substância antiperspirante.

antípoda (an.*tí*.po.da) *adj.* **1.** Diametralmente oposto a. • *s.m.* **2.** Lugar do globo terrestre diametralmente oposto a: *O Japão está nos antípodas do Brasil.* **3.** Pessoa que habita o lugar do globo diametralmente oposto a. **4.** Atitude radicalmente oposta à de alguém.

antipólio (an.ti.*pó*.li:o) *adj.* **1.** Que evita a poliomielite. • *s.f.* **2.** (*Med.*) Vacina antipólio.

antipoluente (an.ti.po.lu:*en*.te) *adj.* Que visa eliminar fatores de poluição ambiental.

antiquado (an.ti.*qua*.do) *adj.* Muito antigo; fora de uso, obsoleto.

antiquário (an.ti.*quá*.ri:o) *s.m.* **1.** Estudioso, colecionador ou comerciante de antiguidades. **2.** Loja de coisas antigas.

antiquíssimo (an.ti.*quís*.si.mo) *adj.* Superlativo absoluto de *antigo*.

antirrábico (an.tir.*rá*.bi.co) *adj.* **1.** Que evita a raiva. • *s.m.* **2.** (*Med.*) Substância antirrábica. || pl.: *antirrábicos*.

antissemita (an.tis.se.*mi*.ta) *adj.* **1.** Contrário aos judeus, hostil aos indivíduos de origem judaica. • *s.m.* e *f.* **2.** Pessoa que é hostil aos judeus. || pl.: *antissemitas*. – **antissemítico** *adj.*

antissemitismo (an.tis.se.mi.*tis*.mo) *s.m.* Atitude ou atributo de quem é antissemita. || pl.: *antissemitismos*.

antisséptico (an.tis.*sép*.ti.co) *adj.* **1.** Que tem a propriedade de destruir germes com o fim de evitar a infecção. • *s.m.* **2.** Substância antisséptica. – **antissepsia** *s.f.*

antissifilítico (an.tis.si.fi.*lí*.ti.co) *adj.* **1.** Que combate a sífilis. • *s.m.* (*Med.*) **2.** Substância antissifilítica. || pl.: *antissifilíticos*.

antissocial (an.tis.so.ci:*al*) *adj.* **1.** Avesso à convivência social. **2.** Que vive à margem da sociedade. || pl.: *antissociais*.

antitabagista (an.ti.ta.ba.*gis*.ta) *adj.* **1.** Contrário ao consumo de tabaco. • *s.m.* e *f.* **2.** Pessoa que é contrária ao consumo de tabaco. – **antitabagismo** *s.m.*

antitérmico (an.ti.*tér*.mi.co) *adj.* **1.** Que faz baixar a temperatura • *s.m.* **2.** (*Med.*) Medicamento antitérmico; febrífugo.

antítese (an.*tí*.te.se) *s.f.* **1.** Pessoa ou coisa totalmente oposta a outra. **2.** (*Lit.*) Justaposição de palavras ou ideias opostas com o fim de obter um efeito expressivo.

antitetânico (an.ti.te.tâ.ni.co) *adj.* **1.** Que evita o tétano. • *s.m.* **2.** (*Med.*) Substância antitetânica.

antitóxico [cs] (an.ti.tó.xi.co) *adj.* **1.** Que neutraliza os efeitos de uma toxina ou veneno. • *s.m.* **2.** (*Med.*) Medicamento antitóxico.

antitranspirante (an.ti.trans.pi.ran.te) *adj.* **1.** Que impede ou reduz a transpiração. • *s.m.* **2.** Substância antitranspirante.

antitruste (an.ti.trus.te) *adj.* (*Econ.*) Destinado a impedir a formação de trustes: *leis antitruste, medidas antitruste*.

antiviral (an.ti.vi.ral) *adj.* **1.** Que combate os vírus; antivirótico. • *s.m.* **2.** (*Med.*) Substância antiviral; antivirótico.

antivirótico (an.ti.vi.ró.ti.co) *adj. s.m.* (*Med.*) Antiviral.

antivírus (an.ti.ví.rus) *adj.* **1.** Que detecta e elimina vírus: *Instalou vários programas antivírus em seu computador.* • *s.m.2n.* **2.** (*Inform.*) Programa antivírus.

antolhos [ó] (an.to.lhos) *s.m.pl.* **1.** Peças de couro que limitam a visão lateral das cavalgaduras. **2.** *fig.* Visão limitada, pouco inteligente.

antologia (an.to.lo.gi.a) *s.f.* Livro constituído por uma coleção de fragmentos ou textos de prosa ou de verso.

antológico (an.to.ló.gi.co) *adj.* **1.** Relativo a antologia. **2.** Digno de figurar em antologias. **3.** *fig.* Digno de ser lembrado; memorável.

antonímia (an.to.ní.mi:a) *s.f.* (*Ling.*) Oposição entre os significados de duas palavras.

antônimo (an.tô.ni.mo) *adj.* **1.** Diz-se de palavra de significado oposto ao de outra. • *s.m.* **2.** (*Ling.*) Palavra de significado oposto ao de outra.

antraz (an.traz) *s.m.* (*Med.*) Doença caracterizada pela inflamação do tecido subcutâneo, com acumulação de furúnculos.

antro (an.tro) *s.m.* **1.** Caverna onde animais se escondem; cafua. **2.** *fig.* Lugar de perdição e vícios.

antropocentrismo (an.tro.po.cen.tris.mo) *s.m.* (*Fil.*) Doutrina filosófica que considera o homem como o centro do universo. – **antropocêntrico** *adj.*

antropofagia (an.tro.po.fa.gi.a) *s.f.* **1.** Ato de comer carne humana; canibalismo. **2.** Hábito ou condição de antropófago. – **antropofágico** *adj.*

antropófago (an.tro.pó.fa.go) *adj.* **1.** Que come carne humana; canibal. • *s.m.* **2.** Pessoa antropófaga; canibal.

antropologia (an.tro.po.lo.gi.a) *s.f.* Ciência que estuda o ser humano em seus aspectos biológicos e sociais.

antropólogo (an.tro.pó.lo.go) *s.m.* Profissional formado em Antropologia.

antropomorfismo (an.tro.po.mor.fis.mo) *s.m.* Aplicação de atributos humanos a divindades, animais ou objetos.

antropomorfo [ó] (an.tro.po.mor.fo) *adj.* De forma humana. – **antropomórfico** *adj.*

antropônimo (an.tro.pô.ni.mo) *s.m.* Nome próprio de pessoa.

antúrio (an.tú.ri:o) *s.m.* (*Bot.*) Planta ornamental com folhas em formato de coração, profundamente nervadas, de onde sai uma inflorescência comprida em forma de espiga.

anu (a.nu) *s.m.* (*Zool.*) Certo pássaro de cauda longa que se alimenta de insetos. ‖ *anum.*

anual (a.nu:al) *adj.* **1.** De um ano: *periodicidade anual.* **2.** Que se dá uma vez por ano: *feira anual.* **3.** Que dura um ano: *plantas anuais.*

anualidade (a.nu:a.li.da.de) *s.f.* Anuidade.

anuário (a.nu:á.ri:o) *s.m.* Publicação anual.

anuência (a.nu:ên.ci:a) *s.f.* Consentimento, aprovação.

anuidade (a.nu:i.da.de) *s.f.* Cota anual; anualidade.

anuir (a.nu:ir) *v.* Estar de acordo com; consentir, condescender: *Os pais anuíram ao pedido do filho; O professor anuiu em fazer uma visita a um museu.* ▶ Conjug. 80.

anulação (a.nu.la.ção) *s.f.* Ato ou efeito de anular(-se).

anular[1] (a.nu.lar) *v.* **1.** Tornar nulo; invalidar: *anular um contrato, uma cláusula; O juiz anulou o gol.* **2.** Reduzir(-se) a nada; aniquilar(-se): *A alta no custo da produção anulou o acréscimo no faturamento; Depois do casamento, ela anulou-se como pessoa.* ▶ Conjug. 5.

anular[2] (a.nu.lar) *adj.* Diz-se do dedo da mão vizinho do mínimo; anelar.

anum (a.num) *s.m.* (*Zool.*) Anu.

anunciação (a.nun.ci:a.ção) *s.f.* **1.** Anúncio, notícia. **2.** (*Rel.*) Mensagem do anjo Gabriel a Nossa Senhora, anunciando-lhe o mistério da Encarnação. **3.** (*Rel.*) Festividade da Igreja na qual se comemora esse acontecimento.

anunciar (a.nun.ci:ar) *v.* **1.** Fazer saber: *A fumaça branca anunciou para o mundo que o novo papa havia sido escolhido.* **2.** Ser o signo da chegada de algo: *O canto das cigarras anuncia a chegada*

anúncio

do verão. **3.** Dar a conhecer algo futuro: *O anjo anunciou a Maria que ela seria a mãe do filho de Deus.* **4.** Prevenir da presença ou da chegada de (alguém ou si mesmo): *O mordomo anunciou a chegada dos homenageados; A sogra costumava anunciar-se tocando a campainha três vezes.* ▶ Conjug. 17. – **anunciador** *adj. s.m.;* **anunciante** *adj. s.m. e f.*

anúncio (a.*nún*.ci:o) *s.m.* **1.** Ato ou efeito de anunciar. **2.** Aviso que torna pública qualquer coisa; notícia, nova. **3.** Texto que se publica num jornal para pedir ou oferecer algo.

anuro (a.*nu*.ro) *adj.* **1.** Diz-se do animal desprovido de cauda. • *s.m.* **2.** Anfíbio que, na fase adulta, não tem cauda, como o sapo, a rã e a perereca; batráquio.

ânus (*â*.nus) *s.m.2n.* (*Anat.*) Orifício da extremidade do intestino, pelo qual se expelem os excrementos.

anuviar (a.nu.vi:*ar*) *v.* **1.** Cobrir-se de nuvens; nublar: *Rapidamente o céu se anuviou.* **2.** *fig.* Escurecer, carregar(-se): *A dor anuviou os traços fisionômicos do doente; Quando soube da notícia, sua fisionomia anuviou-se.* ▶ Conjug. 17.

anverso [é] (an.*ver*.so) *s.m.* **1.** Face da medalha na qual está a efígie ou o emblema. **2.** Parte anterior de qualquer objeto que tenha dois lados opostos.

anzol (an.*zol*) *s.m.* Pequeno gancho de ponta farpada, o qual serve para pescar.

ao Contração da preposição *a* com o artigo ou pronome demonstrativo *o: tiro ao alvo; Preste atenção ao que lhe vou dizer.*

▶ **ao acaso** *loc. adv.* Ver em *acaso.*
▶ **ao cabo de** *loc. prep.* Ver em *cabo.*
▶ **ao certo** *loc. adv.* Ver em *certo.*

aonde (a.*on*.de) *adv.* A que lugar: *Aonde vais? Não sei aonde se quer chegar com essa conclusão.*

▶ **ao par de** *loc. prep.* Ver em *par.*
▶ **ao passo que** *loc. conj.* Ver em *passo.*
▶ **ao redor** *loc. adv.* Ver em *redor.*
▶ **ao redor de** *loc. prep.* Ver em *redor.*

aorta [ó] (a.*or*.ta) *s.f.* (*Anat.*) A principal artéria do coração. – **aórtico** *adj.*

▶ **ao sabor de** *loc. prep.* Ver em *sabor.*
▶ **aos borbotões** *loc. adv.* Ver em *borbotão.*
▶ **aos trancos e barrancos** *loc. adv.* Ver em *tranco.*

apache (a.*pa*.che) *adj.* **1.** Relativo aos apaches, povo indígena dos Estados Unidos da América do Norte. • *s.m. e f.* **2.** Indígena desse povo.

apadrinhar (a.pa.dri.*nhar*) *v.* **1.** Servir de padrinho a: *Os alunos apadrinharam meninos órfãos.* **2.** Proteger, patrocinar: *apadrinhar um projeto; Apadrinhou o filho do amigo e conseguiu-lhe uma promoção.* ▶ Conjug. 5. – **apadrinhado** *adj. s.m.;* **apadrinhamento** *s.m.*

apagador [ô] (a.pa.ga.*dor*) *adj.* **1.** Que apaga. • *s.m.* **2.** Objeto usado para apagar o que se escreveu em quadro-negro ou similar.

apagar (a.pa.*gar*) *v.* **1.** Cessar ou fazer cessar (fogo, luz, brilho etc.): *O fogo olímpico apagou(-se); Apagou a luz, virou para o lado e dormiu.* **2.** Desaparecer ou fazer desaparecer (um escrito, um desenho, uma pintura etc.): *Apagou o preço do livro com uma borracha; Com o tempo, a pintura foi-se apagando.* **3.** *coloq.* Adormecer ou desmaiar: *Cheguei tão cansado, que apaguei vendo televisão.* ▶ Conjug. 5 e 34. – **apagamento** *s.m.*

apaixonado [ch] (a.pai.xo.*na*.do) *adj.* **1.** Que sente paixão. **2.** Que denota paixão: *uma carta apaixonada.* **3.** *coloq.* Penalizado, triste, pesaroso: *Fiquei apaixonado quando minha filha foi morar no exterior.* • *s.m.* **4.** Pessoa apaixonada ou propensa a apaixonar-se.

apaixonante [ch] (a.pai.xo.*nan*.te) *adj.* Que apaixona.

apaixonar [ch] (a.pai.xo.*nar*) *v.* Passar a sentir paixão: *Apaixonou-se por um colega de trabalho; A professora fez os alunos apaixonar-se por História.* ▶ Conjug. 5.

apalavrado (a.pa.la.*vra*.do) *adj.* **1.** Combinado de viva voz. **2.** Empenhado ou penhorado pela palavra dada.

apalavrar (a.pa.la.*vrar*) *v.* **1.** Ajustar sob palavra, combinar de viva voz; contratar, pactuar: *Apalavramos uma saída no próximo fim de semana; O chefe apalavrou-me a renovação do contrato.* **2.** Obrigar-se pela palavra: *Apalavrei-me com o incorporador dos apartamentos.* ▶ Conjug. 5.

apalermado (a.pa.ler.*ma*.do) *adj.* **1.** Um tanto palerma. **2.** Boquiaberto. – **apalermar** *v.* ▶ Conjug. 8.

apalpadela [é] (a.pal.pa.*de*.la) *s.f.* Ato ou efeito de apalpar.

apalpar (a.pal.*par*) *v.* Tocar com a mão para conhecer pelo tato; palpar: *Cada cego apalpou uma parte do elefante.* ▶ Conjug. 5. – **apalpação** *s.f.*

apanágio (a.pa.*ná*.gi:o) *s.m.* Propriedade característica; atributo: *A hipocrisia é apanágio dos fariseus.*

apanhado (a.pa.nha.do) adj. **1.** Que se apanhou. • s.m. **2.** Resumo, síntese, sinopse.

apanhar (a.pa.nhar) v. **1.** Colher, recolher: Apanhou as pedras, depois voltou a espalhá-las pelo chão. **2.** Capturar, pegar, agarrar: Os pescadores apanharam um peixe desconhecido. **3.** Tomar (um veículo): Apanhou um táxi para seguir até o aeroporto. **4.** Adquirir (doença): Ele apanhou uma forte gripe. **5.** Levar uma sova: Na infância, apanhou de seu pai muitas vezes. **6.** Perder (em jogo ou competição esportiva): Meu time apanhou do seu hoje. **7.** Achar, surpreender: A chuva me apanhou desprevenido. ▶ Conjug. 5. – **apanhador** adj. s.m.

apaniguado (a.pa.ni.gua.do) adj. **1.** Favorecido, protegido. • s.m. **2.** Protegido, favorito: os apaniguados do chefe. **3.** Seguidor de um partido, de uma ideologia: um apaniguado do regime. – **apaniguar** v. ▶ Conjug. 30.

apara (a.pa.ra) s.f. Fragmento do que foi aparado.

aparador [ô] (a.pa.ra.dor) adj. **1.** Que apara. • s.m. **2.** Móvel sobre o qual se coloca o necessário para o serviço da mesa.

aparafusar (a.pa.ra.fu.sar) v. Fixar, segurar com parafusos; parafusar: Aparafusou a placa na traseira do carro. ▶ Conjug. 5. – **aparafusamento** s.m.

aparar (a.pa.rar) v. **1.** Tomar, segurar, receber (objeto que cai ou é atirado): Um balde aparava a água que caía do teto. **2.** Tirar (as pontas de): aparar as pontas do cabelo; Aparou as arestas do tampo da mesa para arredondá-lo. **3.** Tirar as desigualdades de: aparar a madeira. ▶ Conjug. 5.

aparato (a.pa.ra.to) s.m. **1.** Ostentação, pompa, fausto. **2.** Conjunto de elementos necessários para qualquer fim: aparato crítico, aparato militar. – **aparatoso** adj.

➤ **a par de** loc. prep. Ver em par.

aparecer (a.pa.re.cer) v. **1.** Começar a ser visto; surgir: Apareceu uma mensagem na tela do meu computador. **2.** Manifestar-se: Nossos valores aparecem nas nossas ações. **3.** Comparecer: Ele nunca mais apareceu no curso. ▶ Conjug. 41 e 46.

aparecimento (a.pa.re.ci.men.to) s.m. Ato ou efeito de aparecer.

aparelhagem (a.pa.re.lha.gem) s.f. Conjunto de tudo aquilo que serve para aparelhar.

aparelhamento (a.pa.re.lha.men.to) s.m. Ato ou efeito de aparelhar(-se).

aparelhar (a.pa.re.lhar) v. **1.** Preparar(-se), aprontar(-se): A prefeitura aparelhou com computadores 50 escolas; O hospital aparelhou-se com recursos humanos e materiais para atender à demanda. **2.** Arrear (a cavalgadura). ▶ Conjug. 9.

aparelho [ê] (a.pa.re.lho) s.m. **1.** Conjunto de peças, instrumentos, utensílios indispensáveis a uma operação. **2.** Máquina que serve para a realização de um trabalho. **3.** Telefone. **4.** (Anat.) Denominação substituída por sistema. || **Aparelho de som**: conjunto de equipamentos destinados à reprodução sonora. • **Aparelho digestivo**: (Anat.) denominação substituída por sistema digestório.

aparência (a.pa.rên.ci:a) s.f. Aquilo que se mostra à primeira vista; aspecto, exterioridade.

aparentado (a.pa.ren.ta.do) adj. **1.** Que tem parentesco. **2.** Parecido, semelhante.

aparentar (a.pa.ren.tar) v. **1.** Ter aparência de: Ela aparenta não ter mais de 30 anos. **2.** Fingir, afetar: Ele aparenta segurança, mas no fundo é muito inseguro. ▶ Conjug. 5.

aparente (a.pa.ren.te) adj. **1.** Que aparece; visível, evidente, manifesto: uma blusa com costura aparente. **2.** Falso, suposto: A economia vive uma calma aparente.

aparição (a.pa.ri.ção) s.f. **1.** Manifestação súbita; aparecimento. **2.** Fantasma.

apartamento¹ (a.par.ta.men.to) s.m. Ato ou efeito de apartar.

apartamento² (a.par.ta.men.to) s.m. Cada parte de um prédio destinada a moradia.

apartar (a.par.tar) v. Separar (física, moral ou afetivamente): Uma briga apartou os dois amigos; A professora apartou os alunos comportados dos malcomportados; Terminada a conversa, as duas mulheres apartaram-se. ▶ Conjug. 5.

aparte (a.par.te) s.m. Interrupção que se faz a um orador.

➤ **à parte** loc. adv. Ver em parte.

apartear (a.par.te:ar) v. Fazer aparte a: Aparteou o orador para com ele concordar. ▶ Conjug. 14.

apartheid [apartáid] (Ing.) s.m. Segregação racial.

apart-hotel (a.part-ho.tel) s.m. Moradia combinada com serviços de hotelaria. || pl.: apart-hotéis.

apartidário (a.par.ti.dá.ri:o) adj. Que não tem ligação com qualquer partido político.

➤ **a partir de** loc. prep. Ver em partir.

aparvalhado

aparvalhado (a.par.va.*lha*.do) *adj.* **1.** Tolo, idiota, apatetado. **2.** Desorientado, desnorteado, apatetado.

aparvalhar (a.par.va.*lhar*) *v.* Tornar(-se) parvo, pateta; apatetar(-se): *O caricaturista aparvalhou vários políticos em sua charge; Com o choque, aparvalhou-se e esqueceu o que tinha a dizer.* ▶ Conjug. 5. – **aparvalhamento** *s.m.*

apascentar (a.pas.cen.*tar*) *v.* Levar a pastar: *O menino apascentava as ovelhas de seu pai.* ▶ Conjug. 5.

apassivador [ô] (a.pas.si.va.*dor*) *adj.* (*Gram.*) Que se refere a um sujeito de 3ª pessoa que não pratica a ação expressa pelo verbo: *Em vendem-se casas o se é partícula apassivadora.*

apassivar (a.pas.si.*var*) *v.* **1.** Tornar(-se) passivo, inerte: *As punições severas apassivam os filhos; Nunca se apassivou diante de um desafio.* **2.** (*Gram.*) Pôr na voz passiva. ▶ Conjug. 5.

apatetado (a.pa.te.*ta*.do) *adj.* Aparvalhado.

apatetar (a.pa.te.*tar*) *v.* Aparvalhar(-se). ▶ Conjug. 8.

apatia (a.pa.*ti*.a) *s.f.* **1.** Carência de sentimento; insensibilidade, indiferença. **2.** Falta de energia; indolência.

apático (a.*pá*.ti.co) *adj.* **1.** Insensível, indiferente. **2.** A que falta energia.

apátrida (a.*pá*.tri.da) *adj.* **1.** Que não tem nacionalidade. **2.** Que perdeu uma cidadania sem ter adquirido outra. • *s.m.* e *f.* **3.** Pessoa que se encontra oficialmente sem pátria.

apavorar (a.pa.vo.*rar*) *v.* **1.** Causar pavor: *A mancha negra gigantesca no mar apavorou a população.* **2.** Sentir pavor: *Quando a polícia chegou, ele se apavorou.* ▶ Conjug. 20.

apaziguar (a.pa.zi.*guar*) *v.* Pôr(-se) em paz; sossegar: *A declaração do governador apaziguou os ânimos; Voltaram as eleições e apaziguaram-se os espíritos.* ▶ Conjug. 30. – **apaziguamento** *s.m.*

apear (a.pe:*ar*) *v.* **1.** Descer, desmontar: *Omar apeou do camelo; João se apeou do carro.* **2.** Demitir, destituir: *Apearam-no de seu alto posto.* ▶ Conjug. 14.

apedrejar (a.pe.dre.*jar*) *v.* **1.** Atirar pedras em: *Um grupo de moradores apedrejou um ônibus que passava pela rua do bairro.* **2.** *fig.* Ofender, insultar: *Ele hoje apedreja quem ontem o beneficiou.* ▶ Conjug. 10 e 37. – **apedrejamento** *s.m.*

apegar-se (a.pe.*gar*-se) *v.* **1.** Tomar afeição por: *A criança apegou-se à babá.* **2.** Recorrer a; valer-se de: *Apegou-se ao fervor religioso; Cansada de esperar por um noivo, apegou-se com Santo Antônio.* ▶ Conjug. 8, 6 e 34. – **apegado** *adj.*

apego [ê] (a.pe.go) *s.m.* **1.** Inclinação resultante do hábito por alguém ou algo. **2.** Constância de afeição; afeto.

apelação (a.pe.la.*ção*) *s.f.* **1.** Ato ou efeito de apelar. **2.** (*Jur.*) Recurso interposto para instância superior. **3.** *coloq.* Uso de recursos baixos com o objetivo de explorar a boa-fé ou a ingenuidade de alguém.

apelar (a.pe.*lar*) *v.* **1.** Pedir socorro, auxílio, apoio: *Nas aflições, apelamos para todos os santos.* **2.** Instar, rogar: *O jogador apelou aos visitantes para que não destruíssem o gramado.* **3.** (*Jur.*) Interpor apelação; recorrer: *O réu apelou da sentença.* **4.** Usar de apelação (3): *O filme apela para o humor chulo.* ▶ Conjug. 8.

apelativo (a.pe.la.*ti*.vo) *adj.* **1.** Que apela para os sentimentos humanos mais primitivos. **2.** (*Ling.*) Diz-se da função da linguagem que se concentra na pessoa do ouvinte ou receptor.

apelidar (a.pe.li.*dar*) *v.* Pôr apelido em: *A turma apelidou-o de Sorriso; Apelidaram-no Cangaceiro.* ▶ Conjug. 5.

apelido (a.pe.*li*.do) *s.m.* **1.** Nome, com valor expressivo, que se costuma dar a alguém; alcunha, apodo. **2.** Sobrenome.

apelo [ê] (a.pe.lo) *s.m.* **1.** Exortação, pedido, rogo: *Papa faz apelo à paz.* **2.** Qualidade que se atribui a um produto para atrair os consumidores: *Aquela propaganda de cerveja tem forte apelo sexual.*

apenar (a.pe.*nar*) *v.* Condenar à pena: *O juiz apenou o réu com quatro anos de prisão.* ▶ Conjug. 5. – **apenado** *adj.*

apenas (a.pe.nas) *adv.* **1.** Unicamente, somente: *O hospital dispõe apenas de um carro para atender às emergências; Ele apenas fazia contas de somar.* • *conj.* **2.** Logo que; mal: *Apenas chegou ao portão, voltou a chover.*

apêndice (a.*pên*.di.ce) *s.m.* **1.** (*Anat.*) Parte acessória de um órgão, ou que lhe é contínua, mas distinta pela sua forma e posição. **2.** Parte anexa a uma obra.|| *Apêndice cecal*: (*Anat.*) saliência do ceco, em forma de dedo de luva.

apendicite (a.pen.di.*ci*.te) *s.f.* (*Med.*) Inflamação do apêndice cecal.

apensar (a.pen.*sar*) *v.* Juntar, acrescentar, anexar: *A juíza apensou o ofício aos autos.* ▶ Conjug. 5. – **apensação** *s.f.*; **apensamento** *s.m.*

apenso (a.pen.so) *adj.* **1.** Junto, anexo. • *s.m.* **2.** Aquilo que se apensa.

aperceber-se (a.per.ce.ber-se) *v.* Dar-se conta; notar, perceber: *Apercebeu-se do erro que cometeu e agora está tentando consertá-lo.* ▶ Conjug. 41 e 40 – **apercebimento** *s.m.*

aperfeiçoar (a.per.fei.ço:ar) *v.* **1.** Tornar perfeito ou mais perfeito: *Aperfeiçoou o seu francês lendo romances escritos nessa língua.* **2.** Adquirir maior grau de perfeição: *Após seis anos de estudo de piano no conservatório, foi aperfeiçoar-se no exterior.* ▶ Conjug. 25. – **aperfeiçoamento** *s.m.*

aperitivo (a.pe.ri.ti.vo) *adj.* **1.** Próprio para abrir o apetite. • *s.m.* **2.** Bebida ou medicamento que abre o apetite.

aperrear (a.per.re:ar) *v.* Apoquentar(-se). ▶ Conjug. 14. – **aperreação** *s.f.*; **aperreado** *adj.*; **aperreamento** *s.m.*

apertado (a.per.ta.do) *adj.* **1.** Que se apertou. **2.** Pouco espaçoso: *sala apertada.* **3.** Pequeno demais: *sapatos apertados.* **4.** Forte: *um abraço apertado.* **5.** Escasso de recursos econômicos; enforcado: *Este mês estamos muito apertados lá em casa.* **6.** Pleno de atividades, trabalhos ou compromissos: *dia apertado.* **7.** Difícil: *uma votação apertada.* **8.** Estar precisado de satisfazer necessidade fisiológica.

apertar (a.per.tar) *v.* **1.** Fazer pressão física sobre; pressionar: *apertar o botão do elevador.* **2.** Segurar comprimindo: *Apertou a mão de cada um dos presentes.* **3.** Tornar mais justo: *apertar um vestido.* **4.** Apinhar-se, amontoar-se: *As pessoas apertavam-se no trem.* **5.** Cingir fortemente o corpo: *Apertou-se dentro da calça e foi à festa assim mesmo.* **6.** Exercer pressão moral sobre: *Apertaram o suspeito para falar tudo o que sabia.* **7.** Tratar com excessivo rigor: *Aquela professora costuma apertar os alunos.* **8.** Acelerar: *Apertar o passo, o ritmo.* **9.** Fazer-se intenso: *O calor apertou hoje.* **10.** Afligir(-se): *Sentia uma saudade que lhe apertava a alma; Seu coração apertou-se quando viu o marido partir.* **11.** Ver-se em dificuldades financeiras: *Apertaram-se para pagar o curso de inglês do filho.* ▶ Conjug. 8.

aperto [ê] (a.per.to) *s.m.* **1.** Ato ou efeito de apertar. **2.** Pressão, compressão. **3.** Conjunto de muitas pessoas comprimidas em um espaço pequeno. **4.** Embaraço, dificuldade. **5.** Dificuldade financeira. **6.** Angústia, aflição: *um aperto no peito.* **7.** Necessidade premente de defecar ou urinar.

apesar (a.pe.sar) *adv.* Usado nas locuções *apesar de* e *apesar de que.* || *Apesar de*: não obstante, a despeito de: *Apesar do mau tempo, os meninos foram à praia.* • *Apesar de que*: Ainda que, embora: *Escolho a bala de leite, apesar de que qualquer uma para mim seja gostosa.*

apetecer (a.pe.te.cer) *v.* **1.** Causar apetite: *Os doces não me apetecem.* **2.** Interessar, agradar: *Apetece-me ir ao cinema.* ▶ Conjug. 41 e 46.

apetência (a.pe.tên.ci:a) *s.f.* Desejo de comer; apetite.

apetite (a.pe.ti.te) *s.m.* **1.** Desejo de comer. **2.** Tendência a satisfazer as necessidades orgânicas ou ambições materiais: *apetite sexual, apetite de poder.*

apetitoso [ô] (a.pe.ti.to.so) *adj.* **1.** Que desperta o apetite. **2.** Tentador, desejável. || f. e pl.: [ó].

apetrecho [ê] (a.pe.tre.cho) *s.m.* Objeto necessário à execução de uma coisa; petrechos: *apetrechos de toucador.* – **apetrechar** *v.* ▶ Conjug. 11. || Mais usado no plural.

apiário (a.pi.á.ri:o) *adj.* **1.** Relativo a abelhas. • *s.m.* **2.** Local onde se criam abelhas.

ápice (á.pi.ce) *s.m.* **1.** Parte mais alta de uma coisa; cume, vértice. **2.** *fig.* O mais alto grau; auge: *Atingiu o ápice da carreira ainda jovem.*

apicultor [ô] (a.pi.cul.tor) *s.m.* Criador de abelhas.

apicultura (a.pi.cul.tu.ra) *s.f.* Arte de criar abelhas.

apiedar (a.pi:e.dar) *v.* **1.** Mover à piedade, à compaixão: *Procurou apiedá-los com lágrimas.* **2.** Ter piedade; condoer-se, compadecer-se: *Apieda-te de quem é humilhado.* ▶ Conjug. 8.

apimentado (a.pi.men.ta.do) *adj.* **1.** Temperado com pimenta. **2.** *fig.* Picante, excitante.

apimentar (a.pi.men.tar) *v.* **1.** Temperar com pimenta: *A cozinheira apimentou muito a comida.* **2.** *fig.* Tornar picante, excitante: *O autor disse que um triângulo amoroso ainda vai apimentar a novela.* ▶ Conjug. 5.

apinhado (a.pi.nha.do) *adj.* Muito cheio; repleto, lotado.

apinhar (a.pi.nhar) *v.* **1.** Unir-se apertadamente: *As pessoas apinhavam-se no bonde.* **2.** Encher(-se) completamente: *Os manifestantes apinharam a praça; A sala apinhou-se de gente.* ▶ Conjug. 5.

apitar (a.pi.tar) *v.* **1.** Tocar apito: *O guarda apitou e o motorista parou o carro.* **2.** Arbitrar um jogo: *Aquele juiz apitará quatro jogos do campeonato.* **3.** *coloq.* Dar palpite: *Dizem que, em conversa de adulto, criança não apita.* ▶ Conjug. 5.

apito (a.pi.to) s.m. **1.** Pequeno instrumento de sopro que serve para assobiar. **2.** Ruído produzido pelo apito.

aplacar (a.pla.car) v. **1.** Tornar(-se) plácido; serenar(-se): *Deus aplacou o oceano; A tormenta aplacou-se.* **2.** Abrandar(-se), mitigar(-se): *aplacar a ira, a fome, a dor; A cólera do rei aplacou-se.* ▶ Conjug. 5 e 35.

aplainar (a.plai.nar) v. **1.** Alisar com plaina: *Aplainou a tábua com uma plaina manual.* **2.** *fig.* Desaparecer ou fazer desaparecer (estorvos, obstáculos); aplanar(-se): *É mestre em conciliar opiniões diferentes e aplainar arestas; Fique tranquila que todos os obstáculos se aplainarão.* **3.** Aplanar (1). ▶ Conjug. 5. – **aplainamento** s.m.

aplanador [ô] (a.pla.na.dor) adj. **1.** Que aplana. • s.m. **2.** O que aplana.

aplanar (a.pla.nar) v. **1.** Tornar(-se) plano; nivelar(-se), aplainar(-se): *A erosão aplanou o Nordeste; A cicatriz aplanou-se.* **2.** *fig.* Aplainar (2). ▶ Conjug. 5. – **aplanamento** s.m.

aplaudir (a.plau.dir) v. **1.** Bater palmas para manifestar aprovação, admiração ou adesão: *A torcida aplaudiu os jogadores.* **2.** Aprovar: *Li o que você escreveu e aplaudo.* ▶ Conjug. 66.

aplauso (a.plau.so) s.m. **1.** Ato ou efeito de aplaudir. **2.** Sinal expresso, ostensivo, de aprovação: *Não posso negar o meu aplauso a todos vocês.*

aplicação (a.pli.ca.ção) s.f. **1.** Ato ou efeito de aplicar(-se). **2.** Renda, crochê, bordados que se fazem separadamente para depois serem costurados à roupa.

aplicado (a.pli.ca.do) adj. **1.** Que se aplicou. **2.** Voltado para o estudo.

aplicar (a.pli.car) v. **1.** Pôr uma coisa aderida a outra: *Apliquei várias demãos de tinta branca sobre a parede.* **2.** Fazer que algo recaia sobre (alguém ou algo): *aplicar uma força a um corpo; O pai aplicou-lhe uma boa sova; O juiz aplicou-lhe uma multa.* **3.** Pôr em execução: *A psicóloga aplicou um questionário aos entrevistados.* **4.** Esforçar-se com interesse (em um trabalho ou ocupação): *Apliquei-me nos estudos e ingressei no serviço público.* **5.** Administrar, ministrar: *aplicar uma injeção, um medicamento etc.* **6.** Investir: *aplicar na caderneta de poupança, em ações etc.* **7.** Vir a propósito de: *A mim se aplica esse ditado.* ▶ Conjug. 5 e 35.

aplicativo (a.pli.ca.ti.vo) s.m. (*Inform.*) Programa de computador destinado a auxiliar o usuário na execução de determinadas tarefas no computador.

aplique (a.pli.que) s.m. Enfeite que se aplica na parede, nos cabelos ou na roupa.

aplomb [aplô] (Fr.) s.m. **1.** Autoconfiança, desenvoltura. **2.** Grande confiança em si mesmo; arrogância.

apneia [éi] (ap.nei.a) s.f. (*Med.*) Suspensão temporária da respiração.

apocalipse (a.po.ca.lip.se) s.m. **1.** Fim do mundo. **2.** Catástrofe que faz pensar no fim do mundo. – **apocalíptico** adj.

apócope (a.pó.co.pe) s.f. (*Gram.*) Supressão de fonema ou sílaba no fim da palavra, como em *mui* por *muito*.

apócrifo (a.pó.cri.fo) adj. Não autêntico: *livro apócrifo.*

apoderar-se (a.po.de.rar-se) v. **1.** Tomar para si, especialmente pela força; apossar-se, assenhorear-se: *A Inglaterra apoderou-se de grande parte da África.* **2.** Passar a dominar; apossar-se: *A dúvida apoderou-se de seu espírito.* ▶ Conjug. 8 e 6.

apodo [ô] (a.po.do) s.m. Apelido.

apodrecer (a.po.dre.cer) v. Tornar(-se) podre: *A fruta apodrece alguns dias após ter amadurecido; Aquele inseto rói e apodrece o grão.* ▶ Conjug. 41 e 46. – **apodrecimento** s.m.

apófise (a.pó.fi.se) s.f. (*Anat.*) Denominação substituída por *processo*.

apogeu (a.po.geu) s.m. **1.** Desenvolvimento máximo; auge. **2.** (*Astrol.*) Ponto da órbita de um satélite ou de um astro mais distante da Terra. || antôn.: *perigeu*.

apógrafo (a.pó.gra.fo) adj. **1.** Diz-se de cópia de um escrito original. • s.m. **2.** Cópia de um escrito original. || antôn.: *autógrafo*.

apoiar (a.poi.ar) v. **1.** Firmar(-se), encostar(-se): *Apoiou mal o pé e caiu; Apoiei-me ao corrimão.* **2.** Dar apoio a: *Sua família sempre o apoiou.* **3.** Basear(-se), fundamentar(-se): *Apoiou sua acusação em fotos e documentos; Para fazer a pesquisa, a professora apoiou-se numa densa bibliografia.* ▶ Conjug. 23.

apoio (a.poi.o) s.m. **1.** Ato ou efeito de apoiar(-se). **2.** Coisa sobre a qual alguém ou algo se apoia; suporte, sustentáculo.

apólice (a.pó.li.ce) s.f. **1.** Certificado escrito de uma obrigação mercantil. **2.** Ação de uma companhia.

apolíneo (a.po.lí.ne:o) adj. **1.** Relativo a Apolo, deus do dia e do sol. **2.** De beleza extraordinária, como Apolo: *rapaz apolíneo.* **3.** (*Art., Lit.*) Que se caracteriza pela ordem, pela medida e pelo equilíbrio: *espírito apolíneo.*

apolítico (a.po.*lí*.ti.co) *adj.* Indiferente à política.

apologético (a.po.lo.gé.ti.co) *adj.* Relativo a apologia.

apologia (a.po.lo.*gi*.a) *s.f.* **1.** Discurso ou escrito em defesa, justificativa ou exaltação a (alguém ou algo). **2.** Elogio, louvor.

apologista (a.po.lo.*gis*.ta) *adj.* **1.** Que faz apologia. • *s.m.* e *f.* **2.** Aquele que faz apologia.

apólogo (a.*pó*.lo.go) *s.m.* (*Lit.*) Narrativa protagonizada por seres inanimados e da qual se depreende uma lição moral.

apontador [ô] (a.pon.ta.*dor*) *s.m.* **1.** Instrumento para fazer ponta em lápis. **2.** Empregado que verifica o ponto de operários. **3.** Pessoa que recolhe as apostas no jogo do bicho.

apontamento (a.pon.ta.*men*.to) *s.m.* **1.** Ato ou efeito de apontar. **2.** Nota, registro ou resumo do que se leu ou se observou.

apontar¹ (a.pon.*tar*) *v.* **1.** Anotar, registrar: *A professora apontou o nome dos alunos que estavam conversando*. **2.** Marcar com ponto ou sinal gráfico: *Aponte a única alternativa correta dentre as cinco abaixo*. **3.** Fazer pontaria: *Apontou para o alvo e atirou*. ▶ Conjug. 5.

apontar² (a.pon.*tar*) *v.* **1.** Fazer a ponta a: *apontar o lápis*. **2.** Mostrar, indicar com o dedo, gesto etc.: *Apontou para o inseto repugnante e começou a gritar*. **3.** Mencionar, citar: *O funcionário apontou razões familiares para o pedido de demissão*. **4.** Começar a aparecer; despontar: *A lua apontou no céu*. ▶ Conjug. 5.

▶ **a ponto de** *loc. prep.* Ver em *ponto*.

apoplético (a.po.*plé*.ti.co) *adj.* **1.** Relativo a apoplexia: *ataque apoplético*. **2.** Que padece de apoplexia. **3.** Acalorado, avermelhado: *rosto apoplético*. • *s.m.* **4.** Pessoa que padece de apoplexia.

apoplexia [cs] (a.po.ple.*xi*.a) *s.f.* (*Med.*) Suspensão súbita das funções cerebrais, produzida por embolia ou por hemorragia cerebral.

apoquentar (a.po.quen.*tar*) *v.* Causar ou sentir aborrecimento; aperrear(-se), aporrinhar(-se): *Problemas físicos a apoquentaram por longo tempo*; *Não me apoquentei com as insinuações maldosas dele*. ▶ Conjug. 5. – **apoquentação** *s.f.*

apor [ô] (a.*por*) *v.* Pôr sobre; acrescentar: *Após sua assinatura no documento*. ‖ *part.*: *aposto* ▶ Conjug. 65.

aporrinhar (a.por.ri.*nhar*) *v. coloq.* Apoquentar(-se). ▶ Conjug. 5. – **aporrinhação** *s.f.*; **aporrinhamento** *s.m.*

aportar (a.por.*tar*) *v.* Chegar (ao porto): *O local em que Cabral aportou é conhecido como Porto Seguro*. ▶ Conjug. 20.

aporte [ó] (a.*por*.te) *s.m.* Contribuição para determinado fim: *aporte de ideias, de conhecimentos, de recursos, de equipamentos etc.*

aportuguesar (a.por.tu.gue.*sar*) *v.* (*Gram.*) Adaptar(-se) à grafia e à pronúncia portuguesa: *O tradutor aportuguesou o nome Thérèse para Teresa*; *Back-up aportuguesou-se em becape*. ▶ Conjug. 8. – **aportuguesamento** *s.m.*

após (a.*pós*) *prep.* **1.** Depois de: *Dia após dia, a vida dele é a mesma*. • *adv.* **2.** Depois: *Casaram-se e, logo após, viajaram em lua de mel*.

aposentado (a.po.sen.*ta*.do) *adj.* **1.** Que se aposentou. • *s.m.* **2.** Pessoa aposentada.

aposentadoria (a.po.sen.ta.do.*ri*.a) *s.f.* **1.** Ato de aposentar(-se). **2.** Estado de quem se aposentou. **3.** Benefício do aposentado.

aposentar (a.po.sen.*tar*) *v.* Afastar(-se) do serviço ativo, por motivo de idade ou doença, com ordenado inteiro ou parcial de acordo com a lei: *A empresa o aposentou por invalidez*; *Ela conta os dias que faltam para aposentar-se*. ▶ Conjug. 8.

aposento (a.po.*sen*.to) *s.m.* Compartimento de uma casa, próprio para alguém recolher-se. ‖ Mais usado no plural.

apossar-se (a.pos.*sar*-se) *v.* Apoderar-se. ▶ Conjug. 20 e 6.

aposta [ó] (a.*pos*.ta) *s.f.* **1.** Ajuste mútuo entre pessoas que afirmam coisas diferentes, devendo quem não acertar ou não tiver razão pagar ao outro o combinado. **2.** A soma ou coisa que se aposta.

apostar (a.pos.*tar*) *v.* **1.** Fazer aposta em: *Apostou dez reais no cavalo marrom*. **2.** Confiar na vitória de: *Este ano a escola de samba vai apostar no imaginário popular*. **3.** Afirmar com convicção; asseverar: *Aposto que foi o filho do vizinho quem quebrou a vidraça*. **4.** Disputar: *Vamos apostar uma corrida?* ▶ Conjug. 20.

apostasia (a.pos.ta.*si*.a) *s.f.* **1.** (*Rel.*) Deserção da fé. **2.** Abandono de uma antiga opinião, de um partido etc.

apóstata (a.*pós*.ta.ta) *adj.* **1.** Que cometeu apostasia. • *s.m.* e *f.* **2.** Pessoa apóstata.

a posteriori (Lat.) *loc. adj.* **1.** Que procede da experiência: *raciocínio a posteriori*. • *loc. adv.* **2.** Posteriormente à experiência: *Só entendeu o que aconteceu no primeiro casamento, quando o avaliou a posteriori*.

apostila (a.pos.*ti*.la) *s.f.* Síntese de pontos ou matérias de aulas, publicada em avulsos para uso de alunos. ‖ *apostilha*.

apostilar

apostilar (a.pos.ti.*lar*) v. Anotar à margem de um texto, de um documento etc.: *apostilar um livro*; *Apostilou diplomas com habilitação para o magistério*. || **apostilhar**. ▶ Conjug. 5.

apostilha (a.pos.*ti*.lha) s.f. Apostila.

apostilhar (a.pos.ti.*lhar*) v. Apostilar. ▶ Conjug. 5.

aposto [ô] (a.*pos*.to) adj. **1.** Que se apôs. • s.m. **2.** (*Gram*.) Substantivo ou locução substantiva que explica ou resume outro substantivo. || pl.: [ó].

apostolado (a.pos.to.*la*.do) s.m. **1.** (*Rel*.) Missão de apóstolo. **2.** (*Rel*.) Conjunto de apóstolos. **3.** Propagação de uma doutrina.

apóstolo (a.*pós*.to.lo) s.m. (*Rel*.) **1.** Cada um dos doze discípulos de Cristo. **2.** O que evangeliza; doutrinador. – **apostólico** adj.

apóstrofe (a.*pós*.tro.fe) s.f. **1.** (*Ling*.) Interrupção do orador, que se dirige a alguém ou a alguma coisa. **2.** Interpelação direta e imprevista. **3.** Frase enérgica, incisiva ou pungente, dirigida inesperadamente a alguém. – **apostrofar** v. ▶ Conjug. 20.

apóstrofo (a.*pós*.tro.fo) s.m. (*Gram*.) Sinal gráfico, igual a uma vírgula ('), posto em um nível acima ao das letras minúsculas, que serve para indicar a supressão de letra ou letras.

apótema (a.*pó*.te.ma) s.m. (*Geom*.) Segmento de reta que vai do centro de um polígono regular ao meio de um dos seus lados.

apoteose [ó] (a.po.te:*o*.se) s.f. **1.** O momento culminante de algo. **2.** Cena final gloriosa de um espetáculo. – **apoteótico** adj.

approach [aproutch] (Ing.) s.m. Modo de fazer algo ou lidar com algum problema; abordagem.

aprazar (a.pra.*zar*) v. Marcar (prazo ou tempo) para que se faça alguma coisa: *Aprazou para o final de julho a entrega do trabalho.* ▶ Conjug. 5. – **aprazamento** s.m.

aprazer (a.pra.*zer*) v. Causar ou sentir prazer: *Cada um usou da palavra como bem lhe aprouve*; *Apraz-nos acusar o recebimento da sua carta de 23 de outubro de 2005.* ▶ Conjug. 53.

aprazível (a.pra.*zí*.vel) adj. **1.** Que apraz; agradável, deleitoso. **2.** Ameno: *clima aprazível*.

apreçar (a.pre.*çar*) v. **1.** Perguntar o preço de: *Apreçou aqui e ali a mercadoria e acabou comprando-a ao lado de casa*. **2.** Avaliar: *O perito apreçou irrisoriamente o imóvel*. ▶ Conjug. 8 e 36. – **apreçamento** s.m.

apreciação (a.pre.ci:a.*ção*) s.f. Ato ou efeito de apreciar.

apreciar (a.pre.ci:*ar*) v. **1.** Reconhecer a qualidade de: *Ele sabe apreciar um bom vinho*. **2.** Admirar: *Os turistas apreciam a beleza de nossas praias*. **3.** Avaliar, julgar: *O juiz apreciará livremente a prova*. ▶ Conjug. 17.

apreciável (a.pre.ci:*á*.vel) adj. **1.** Que pode ser apreciado. **2.** Digno de apreço. **3.** Notável, considerável.

apreço [ê] (a.*pre*.ço) s.m. Estima, valor, consideração pelo valor de alguém ou algo. || *Em apreço*: em questão.

apreender (a.pre:en.*der*) v. **1.** Captar mental ou sensorialmente: *O aluno mostrou que já apreendeu o sistema de notação alfabética*. **2.** Apropriar-se judicialmente de (bens, rendimentos): *A polícia apreendeu um revólver na operação*. ▶ Conjug. 39.

apreensão (a.pre:en.*são*) s.f. **1.** Ato ou efeito de apreender. **2.** Receio ou preocupação por um mal indefinido.

apreensivo (a.pre:en.*si*.vo) adj. **1.** Que apreende. **2.** Preocupado, receoso.

apregoar (a.pre.go:*ar*) v. **1.** Anunciar em voz alta: *Numa algazarra alegre, os feirantes apregoavam suas mercadorias*. **2.** *fig*. Publicar, divulgar: *Ele apregoa aos quatro ventos que tem dinheiro guardado*. **3.** Promover: *A propaganda apregoava a superioridade daquele produto*. ▶ Conjug. 25. – **apregoador** adj.; **apregoamento** s.m.

aprender (a.pren.*der*) v. **1.** Adquirir conhecimento de: *Meu avô aprendeu a mexer no computador*. **2.** Reter na memória: *Aprendeu o nome dos alunos já no primeiro dia de aula*. ▶ Conjug. 39.

aprendiz (a.pren.*diz*) s.m. **1.** Pessoa que aprende ofício ou arte. **2.** Principiante, novato.

aprendizado (a.pren.di.*za*.do) s.m. Aprendizagem.

aprendizagem (a.pren.di.*za*.gem) s.f. Ato ou processo de aprender um ofício, arte ou ciência; aprendizado.

apresar (a.pre.*sar*) v. Aprisionar, prender: *Os bandeirantes apresavam os índios*.

apresentação (a.pre.sen.ta.*ção*) s.f. **1.** Ato ou efeito de apresentar(-se). **2.** Modo de apresentar(-se).

apresentar (a.pre.sen.*tar*) v. **1.** Pôr(-se) na presença de alguém para ser visto ou considerado: *Durante o congresso, o professor apresentou à comunidade científica o clone de uma ovelha*; *Apresentou-se à Justiça imediatamente depois de a prisão ter sido decretada*. **2.** Ter (algo que pode ser visto ou considerado): *Os caprinos naturalizados apresentam pequeno porte, pelo* curto e orelhas eretas; *O país apresenta uma série de condições favoráveis ao seu crescimento.* **3.** Oferecer para ser visto ou recebido: *Cristo disse para apresentar a outra face àquele que bate.* **4.** Fazer conhecer (uma pessoa a outra): *Apresentei um ao outro, mencionando apenas o primeiro nome de cada um.* **5.** Deixar-se ver publicamente: *A banda se apresentará na cidade no fim de semana.* **6.** Identificar-se, nomear-se: *Apresentei-me como a nova professora da turma.* **7.** Surgir, aparecer: *Apresentou-se uma situação semelhante à do dia anterior.* **8.** Expressar, manifestar: *Apresentamos nossas sinceras condolências às famílias enlutadas.* **9.** Ser candidato a uma eleição ou a uma prova: *Apresentou-se como candidato a prefeito.* ▶ Conjug. 5. – **apresentador** *adj. s.m.*

apresentável (a.pre.sen.*tá*.vel) *adj.* **1.** Digno de ser apresentado. **2.** Que tem boa apresentação.

apressado (a.pres.*sa*.do) *adj.* **1.** Que tem pressa. **2.** Açodado, precipitado.

apressar (a.pres.*sar*) *v.* **1.** Agir com rapidez; apressurar(-se): *Vamos, querida, apresse-se; Não me apresse porque a festa só começará depois das oito.* **2.** Diminuir o tempo de; precipitar: *O mau uso de um remédio apressou sua morte.* ▶ Conjug. 8. – **apressamento** *s.m.*

apressurar (a.pres.su.*rar*) *v.* Apressar(-se). ▶ Conjug. 5. – **apressuramento** *s.m.*

aprestar (a.pres.*tar*) *v.* **1.** Preparar(-se) com prontidão; aprontar(-se): *Inconformado com a decisão do juiz, aprestou um recurso; Aprestou-se para a luta.* **2.** Prover do necessário (o navio, a tropa etc.): *O capitão aprestou a nau para a guerra.* ▶ Conjug. 8. – **aprestamento** *s.m.*

apresto [é] (a.*pres*.to) *s.m.* **1.** Material necessário à execução de uma coisa. **2.** Preparativo. || Mais usado no plural.

▶ **a princípio** *loc. adv.* Ver em *princípio*.

aprimorar (a.pri.mo.*rar*) *v.* Tornar(-se) primoroso: *Em Viena, aprimorou sua técnica e estudou composição e arranjo; Frequentemente restaurantes japoneses, aprimorou-se no uso dos palitos.* ▶ Conjug. 20. – **aprimoramento** *s.m.*

a priori (Lat.) *loc. adj.* **1.** Que não depende da experiência: *conhecimento* a priori. • *loc. adv.* **2.** Independentemente da experiência: *Não se deve julgar alguém* a priori.

aprisco (a.*pris*.co) *s.m.* Curral destinado especialmente ao gado ovino; redil.

aprisionar (a.pri.si:o.*nar*) *v.* Fazer prisioneiro: *O ditador mandou aprisionar seus opositores.* ▶ Conjug. 5. – **aprisionamento** *s.m.*

aprovar

aproar (a.pro:*ar*) *v.* (*Náut.*) Pôr a proa em direção a: *O navio estava bastante vulnerável quando aproou ao Taiti.* ▶ Conjug. 25.

aprobativo (a.pro.ba.*ti*.vo) *adj.* **1.** Que aprova; aprobatório. **2.** Que implica aprovação; aprobatório.

aprobatório (a.pro.ba.*tó*.ri:o) *adj.* Aprobativo.

aprofundar (a.pro.fun.*dar*) *v.* **1.** Tornar(-se) mais fundo ou profundo: *aprofundar um buraco, um poço etc.*; *Com a chuva, a depressão do terreno aprofundou-se.* **2.** *fig.* Ir ou levar ao fundo: *O debate aprofundou-se nos anos 1980 com os estudos culturais*; *O desemprego aprofundou a crise social.* **3.** Adentrar, entranhar-se: *Aprofundaram-se na floresta.* **4.** Estudar a fundo: *No mestrado, aprofundou seus conhecimentos de Química.* ▶ Conjug. 5. – **aprofundamento** *s.m.*

aprontar (a.pron.*tar*) *v.* **1.** Dar como pronto: *A linha de montagem já aprontou o primeiro exemplar do novo modelo de automóvel.* **2.** Preparar(-se): *Aprontou um belo jantar para os convidados*; *Apontaram-se para a luta.* **3.** Aparelhar: *aprontar uma tropa, uma embarcação etc.* **4.** Vestir(-se), arrumar(-se): *Aprontou a filha e levou-a para a festa*; *Aprontou-se e foi ver o namorado.* ▶ Conjug. 5. – **apronto** *s.m.*

▶ **à proporção que** *loc. conj.* Ver em *proporção*.

▶ **a propósito** *loc. adv.* Ver em *propósito*.

▶ **a propósito de** *loc. prep.* Ver em *propósito*.

apropriação (a.pro.pri:a.*ção*) *s.f.* Ato ou efeito de apropriar(-se).

apropriado (a.pro.pri:*a*.do) *adj.* Próprio, adequado, conveniente, oportuno.

apropriar (a.pro.pri:*ar*) *v.* **1.** Fazer-se dono de: *Sem qualquer cerimônia, a visita apropriou-se do controle remoto.* **2.** Adequar(-se), adaptar(-se): *O autor apropriou a linguagem à faixa etária dos leitores*; *Um terninho é a roupa que mais se apropria a uma executiva.* ▶ Conjug. 17.

aprovação (a.pro.va.*ção*) *s.f.* Ato ou efeito de aprovar.

aprovado (a.pro.*va*.do) *adj.* **1.** Considerado bom. **2.** Que passou em exame. **3.** Autorizado, sancionado. • *s.m.* **4.** Pessoa aprovada.

aprovar (a.pro.*var*) *v.* **1.** Julgar favoravelmente: *A população aprovou a nova Constituição.* **2.** Permitir, consentir: *Minha mãe aprovou nosso namoro.* **3.** Declarar apto em exame ou em concurso: *O professor aprovou meu filho com nota dez.* **4.** (*Jur.*) Sancionar, confirmar, ratificar: *aprovar um projeto de lei, uma medida, um parecer, um orçamento etc.* ▶ Conjug. 20.

aproveitador

aproveitador [ô] (a.pro.vei.ta.dor) adj. **1.** Que aproveita. • s.m. **2.** Pessoa que tira proveito indevido ou exagerado de algo: *os aproveitadores da fé popular*.

aproveitar (a.pro.vei.tar) v. **1.** Utilizar (algo) de maneira proveitosa: *Ele soube aproveitar todas as oportunidades que a vida lhe apresentou*. **2.** Tirar proveito de, geralmente de maneira maliciosa: *Prenderam o fraudador que se aproveitou da tragédia causada pelo furacão*. **3.** Não desperdiçar: *É preciso estudar uma saída para aproveitar a comida que sobra nos restaurantes*. **4.** Tornar proveitoso, útil, rendoso: *O arquiteto aproveitou a acentuada inclinação do terreno para criar o espaço de transição entre o público e o privado*. **5.** Valer-se: *Os meninos maiores aproveitaram-se de sua força para perseguir os menores*. ▶ Conjug. 18. – **aproveitamento** s.m.

aprovisionar (a.pro.vi.si:o.nar) v. Prover de: *A fragata aprovisionou-se com quinhentos quilos de carne e mil galões de vinho*; *O correntista não aprovisionou sua conta com fundos suficientes à cobrança do cheque*. ▶ Conjug. 5. – **aprovisionamento** s.m.

aproximação [ss] (a.pro.xi.ma.ção) **1.** Ato ou efeito de aproximar(-se). **2.** (*Mat.*) Processo usado para determinar um valor o mais próximo possível da exatidão.

aproximar [ss] (a.pro.xi.mar) v. **1.** Pôr próximo ou mais próximo de: *Aproximou as crianças para que todas saíssem na fotografia*; *Aproximou o copo da boca e engoliu a beberagem*. **2.** Passar a estar próximo ou mais próximo de: *Aproximava-se o inverno e a temperatura não baixava*; *Aproximei-me do mar e molhei os pés*. **3.** Estabelecer união entre: *A tragédia aproximou as duas nações inimigas*; *O divórcio aproximou o pai dos filhos*. ▶ Conjug. 5.

aproximativo [ss] (a.pro.xi.ma.ti.vo) adj. **1.** Que aproxima. **2.** (*Mat.*) Feito por aproximação: *cálculo aproximativo*.

aprumado (a.pru.ma.do) adj. **1.** Perfeitamente vertical. **2.** Teso, empertigado. **3.** Melhorado de situação financeira ou de saúde. **5.** Bem-vestido, alinhado.

aprumar (a.pru.mar) v. **1.** Acertar na posição vertical: *aprumar uma parede, a coluna vertebral, a cabeça etc*. **2.** Endireitar-se, empertigar-se: *Aprumou-se na sela e puxou a rédea*. **3.** Melhorar de sorte ou saúde: *Depois que recebeu aquela herança, aprumou-se na vida*. ▶ Conjug. 5.

aprumo (a.pru.mo) s.m. **1.** Posição vertical. **2.** Elegância. **3.** Altivez.

aptidão (ap.ti.dão) s.f. Qualidade de apto.

apto (ap.to) adj. **1.** Que satisfaz as condições necessárias para fazer algo; hábil, capaz. **2.** (*Jur.*) Que satisfaz as condições legais.

apud (Lat.) prep. Em. || Usado antes do nome do autor ou da obra que se indica como fonte.

apunhalar (a.pu.nha.lar) v. **1.** Ferir ou matar com punhal: *O criminoso apunhalou a vítima na barriga*. **2.** Magoar gravemente: *Viviam mergulhados em discussões, apunhalando um ao outro*. ▶ Conjug. 5. – **apunhalamento** s.m.

apupar (a.pu.par) v. Vaiar: *O público, contrariado, apupou o artista*. ▶ Conjug. 5.

apupo (a.pu.po) s.m. Vaia.

apurar (a.pu.rar) v. **1.** Tornar puro: *apurar a lã, o metal etc*. **2.** Tornar perfeito; aperfeiçoar, aprimorar: *apurar o gosto, os sentidos, a técnica, a escrita etc*. **3.** Buscar a verdade sobre: *O delegado mandou instaurar inquérito para apurar a morte do político*. **4.** Tornar mais consistente ou saboroso: *apurar um molho, um creme, um caldo etc*. **5.** Contabilizar: *apurar votos, inflação, deflação etc*. **6.** Apressar(-se). ▶ Conjug. 5. – **apuração** s.f.; **apuramento** s.m.; **apurativo** adj.

apuro (a.pu.ro) s.m. **1.** Esmero. **2.** Situação angustiante.

aquaplanagem (a.qua.pla.na.gem) s.f. Pouso de hidroavião sobre a água. – **aquaplanar** v. ▶ Conjug. 5.

aquarela [é] (a.qua.re.la) s.f. (*Art.*) **1.** Tinta diluída em água. **2.** Técnica de pintura sobre papel feita com essa tinta. **3.** Pintura feita com essa tinta. – **aquarelar** v. ▶ Conjug. 8. – **aquarelista** adj. s.m. e f.

aquariano (a.qua.ri:a.no) adj. (*Astrol.*) **1.** Que nasce sob o signo de Aquário (de 20 de janeiro a 19 de fevereiro). • s.m. **2.** Pessoa nascida sob o signo de Aquário.

aquário (a.quá.ri:o) s.m. Depósito de água para conservar ou criar peixes ou plantas aquáticas.

aquartelar (a.quar.te.lar) v. Alojar(-se) em quartéis: *O prédio já serviu para aquartelar soldados*; *A tropa aquartelou-se na vila*. ▶ Conjug. 8. – **aquartelamento** s.m.

aquático (a.quá.ti.co) adj. **1.** Relativo a ou próprio da água. **2.** Que vive na água ou sobre ela.

aquecedor [ô] (a.que.ce.dor) adj. **1.** Que aquece. • s.m. **2.** Aparelho para aquecer água, compartimentos da casa etc.

aquecer (a.que.cer) v. **1.** Tornar(-se) quente ou mais quente: *Aqueceu o caldo e depois o tomou; O viajante aqueceu-se tomando uma chávena de chá.* **2.** Tornar(-se) alegre, confortado: *O sorriso do menino aquecia o coração do avô; Seu coração aqueceu-se com o elogio da professora.* **3.** Tornar(-se) exaltado, irritado: *A derrota do time da casa aqueceu os ânimos no estádio; Os ânimos aqueceram-se no Congresso depois das denúncias de corrupção.* **4.** Fazer exercícios prévios a uma atividade física de maior esforço: *Aquecer o corpo é a melhor maneira de evitar distensões musculares; Sempre nos aquecemos antes de começar a aula de natação.* ▶ Conjug. 41 e 46.

aquecimento (a.que.ci.men.to) s.m. **1.** Ato ou efeito de aquecer. **2.** Calefação. **3.** Série de exercícios prévios a uma atividade física de maior esforço.

aqueduto (a.que.du.to) s.m. Canal de pedra, tijolo, alvenaria etc., destinado a conduzir água de um lugar para outro.

aquele [ê] (a.que.le) pron. dem. O que está ali ou além de quem fala.

àquele [ê] (à.que.le) Contração da preposição *a* com o pronome demonstrativo *aquele*.

aquém (a.quém) adv. Da parte de cá. || *Aquém de*: **1.** antes de: *Ele mora aquém da linha do trem.* **2.** abaixo de: *O resultado das provas ficou aquém das expectativas.*

▶ **à queima-roupa** loc. adv. Ver em *queima-roupa*.

aqui (a.qui) adv. **1.** Neste lugar. **2.** A este lugar.

aquiescer (a.qui:es.cer) v. Pôr-se de acordo; consentir, anuir: *Aquiesceu ao convite sem resistir; Ante a insistência do filho, aquiesceu.* ▶ Conjug. 41 e 46. – **aquiescência** s.f.

aquietar (a.qui:e.tar) v. Tornar(-se) quieto: *Sua presença me aquieta; Quando se sentiu observado, o menino aquietou(-se).* ▶ Conjug. 8.

aquilatar (a.qui.la.tar) v. **1.** Determinar o quilate de: *aquilatar o ouro, a prata* etc. **2.** Avaliar (a importância de): *É difícil aquilatar o valor dessa obra de arte.* ▶ Conjug. 5.

aquilino (a.qui.li.no) adj. **1.** Relativo a águia. **2.** Diz-se do nariz adunco como o bico da águia.

aquilo (a.qui.lo) pron. dem. Aquela coisa ou aquelas coisas.

àquilo (à.qui.lo) Contração da preposição *a* com o pronome demonstrativo *aquilo*.

aquinhoado (a.qui.nho:a.do) adj. **1.** Que recebeu o seu quinhão. **2.** Favorecido em uma partilha ou sorteio.

aquinhoar (a.qui.nho:ar) v. **1.** Partilhar em quinhões: *Aquinhoaram todo o lucro entre eles.* **2.** Contemplar, favorecer: *O destino aquinhoou aquela moça; A natureza aquinhoou-o com uma inteligência excepcional.* ▶ Conjug. 25.

aquisição (a.qui.si.ção) s.f. **1.** Ato ou efeito de adquirir; obtenção. **2.** Coisa adquirida.

aquisitivo (a.qui.si.ti.vo) adj. Relativo a aquisição: *poder aquisitivo*.

aquoso [ô] (a.quo.so) adj. **1.** Que tem água: *meio aquoso*. **2.** Semelhante à água: *humor aquoso*. || f. e pl.: [ó].

ar s.m. **1.** Mistura gasosa, formada principalmente de nitrogênio e oxigênio, que constitui a atmosfera. **2.** Aparência, modos: *ar de enfado, de superioridade* etc. || *Ar condicionado*: atmosfera de um local submetida a temperatura e grau de umidade desejados. • *Ao ar livre*: fora de qualquer ambiente fechado. • *Estar fora do ar*: (Comun.) **1.** não estar sendo transmitido: *Nossa programação estará temporariamente fora do ar.* **2.** coloq. estar distraído. • *Ir ao ar*: ser transmitido: *Este programa irá ao ar amanhã, ao meio-dia.*

árabe (á.ra.be) adj. **1.** Da Arábia, península no sudoeste da Ásia. • s.m. e f. **2.** O natural ou o habitante da Arábia. • s.m. **3.** A língua falada nos países árabes.

arabesco [ê] (a.ra.bes.co) s.m. (*Art.*) Motivo ornamental que consiste em linhas entrelaçadas, as quais formam desenhos estilizados de folhas, frutas, flores etc.

arábico (a.rá.bi.co) adj. Relativo à Arábia ou aos árabes.

arabismo (a.ra.bis.mo) s.m. Palavra, locução ou construção peculiares à língua árabe numa outra língua.

arabista (a.ra.bis.ta) s.m. e f. Pessoa especialista na língua e civilização árabes.

araçá (a.ra.çá) s.m. Fruta comestível semelhante à goiaba.

aracajuano (a.ra.ca.ju:a.no) adj. s.m. Aracajuense.

aracajuense (a.ra.ca.ju:en.se) adj. **1.** De Aracaju, capital do Estado de Sergipe; aracajuano. • s.m. e f. **2.** O natural ou o habitante dessa capital; aracajuano.

araçazeiro (a.ra.ça.zei.ro) s.m. (*Bot.*) Planta que produz o araçá.

aracnídeo (a.rac.ní.de:o) s.m. **1.** (*Zool.*) Artrópode terrestre, com quatro pares de patas, conhecido vulgarmente como aranha, ácaro e escorpião. • adj. **2.** Relativo aos aracnídeos.

arado

arado (a.ra.do) s.m. Instrumento que serve para lavrar a terra.

aragem (a.ra.gem) s.f. Vento muito brando; brisa, viração, bafejo.

aramado (a.ra.ma.do) s.m. Gradeamento de arame.

aramaico (a.ra.mai.co) s.m. (Ling.) Antiga língua semítica do Oriente Próximo, falada na atualidade em certas regiões da Síria e do Líbano.

arame (a.ra.me) s.m. Fio metálico. || *Arame farpado*: Arame que apresenta, de espaço em espaço, pontas agudas, muito usado em cercas de proteção.

arandela [é] (a.ran.de.la) s.f. **1.** Peça redonda do castiçal que apara os pingos que caem da vela acesa. **2.** Luminária de parede.

aranha (a.ra.nha) s.f. (Zool.) Animal articulado, com quatro pares de patas e que se nutre de insetos, da família dos aracnídeos.

aranha-caranguejeira (a.ra.nha-ca.ran.gue.jei.ra) s.f. (Zool.) Aranha grande e peluda. || pl.: *aranhas-caranguejeiras*.

araponga (a.ra.pon.ga) s.f. **1.** (Zool.) Ave de canto metálico. **2.** fig. Pessoa de voz estridente ou que fala aos gritos. **3.** gír. Espião.

arapuca (a.ra.pu.ca) s.f. **1.** Armadilha para apanhar pássaros. **2.** Engodo, embuste.

arar (a.rar) v. Sulcar (a terra) com o arado; lavrar: *Capinou e arou o terreno antes de fazer a horta*. ▶ Conjug. 5.

arara (a.ra.ra) s.f. (Zool.) Ave trepadora, de cauda longa e bico forte, que se distingue pelo colorido das penas.

araruta (a.ra.ru.ta) s.f. **1.** (Bot.) Planta da qual se extrai uma fécula alimentar muito nutritiva. **2.** Essa fécula.

araucária (a.rau.cá.ri.a) s.f. (Bot.) Pinheiro típico do Estado do Paraná.

arauto (a.rau.to) s.m. **1.** Pessoa que, na Idade Média, era encarregada de anunciar oficialmente e solenemente certas notícias. **2.** Porta-voz.

arbitrar (ar.bi.trar) v. **1.** Atuar como árbitro: *Esse juiz nunca arbitrou uma final de campeonato*. **2.** Resolver (um conflito) conciliando: *A Suíça arbitrou a questão do contestado franco-brasileiro em 1900*. **3.** Fixar, determinar: *O delegado arbitrou a fiança em cem reais para cada um dos infratores*. ▶ Conjug. 5. – **arbitragem** s.f.

arbitrariedade (ar.bi.tra.ri:e.da.de) s.f. **1.** Qualidade de arbitrário. **2.** Procedimento arbitrário.

arbitrário (ar.bi.trá.ri:o) adj. **1.** Que não se atém a regras e atua segundo sua vontade ou capricho: *Enquanto uns o consideram justo e benevolente, outros o acusam de arbitrário e arrogante*. **2.** Que se ajusta à vontade ou capricho de alguém, sem se ater à lei ou à razão: *um documento dúbio e arbitrário*.

arbítrio (ar.bí.tri:o) s.m. **1.** Faculdade de julgar e decidir. **2.** Decisão ou sentença (de árbitro ou perito). **3.** Vontade própria; alvedrio.

árbitro (ár.bi.tro) s.m. **1.** (Esp.) Profissional que cuida da aplicação do regulamento durante uma partida. **2.** Juiz escolhido pelas partes para decidir uma questão ou contenda e com cuja decisão elas se conformam.

arbóreo (ar.bó.re:o) adj. **1.** Relativo a árvore ou árvores. **2.** De aspecto semelhante ao da árvore: *planta arbórea*.

arborescência (ar.bo.res.cên.ci:a) s.f. Forma ou estrutura de árvore.

arborescente (ar.bo.res.cen.te) adj. Que tem forma ou estrutura de árvore.

arborizar (ar.bo.ri.zar) v. Plantar árvores em: *O paisagista arborizou o lugar com palmeiras*. ▶ Conjug. 5. – **arborização** s.f.; **arborizado** adj.

arbusto (ar.bus.to) s.m. Vegetal ramificado desde a base. – **arbustivo** adj.

arca (ar.ca) s.f. **1.** Móvel em forma de caixa grande de madeira, de base retangular, que se usa para guardar objetos, especialmente roupa. **2.** Caixa grande.

arcabouço (ar.ca.bou.ço) s.m. **1.** Esqueleto, ossatura. **2.** Caixa torácica. **3.** Estrutura que sustenta uma construção; armação. **4.** Esboço, delineamento.

arcabuz (ar.ca.buz) s.m. Antiga arma portátil de fogo.

arcada (ar.ca.da) s.f. **1.** Série de arcos contíguos. **2.** (Anat.) Curva formada por certas partes ósseas: *arcada dentária*.

arcado (ar.ca.do) adj. Que se mostra curvo como um arco: *pernas arcadas*.

arcaico (ar.cai.co) adj. Antiquado, obsoleto.

arcaísmo (ar.ca.ís.mo) s.m. (Gram.) Palavra ou expressão antiquada.

arcanjo (ar.can.jo) s.m. Anjo de ordem superior.

arcano (ar.ca.no) adj. **1.** Que encerra mistério; enigmático, cabalístico. • s.m. **2.** Segredo profundo.

arção (ar.ção) s.m. Parte arqueada da sela de uma montaria.

arcar (ar.car) v. Assumir: *arcar com as consequências dos próprios atos*. ▶ Conjug. 5 e 35.

arcebispado (ar.ce.bis.*pa*.do) *s.m.* **1.** Dignidade de arcebispo. **2.** Território onde o arcebispo exerce sua jurisdição. **3.** Residência do arcebispo.

arcebispo (ar.ce.*bis*.po) *s.m.* Bispo responsável por determinada arquidiocese.

archote [ó] (ar.*cho*.te) *s.m.* Tocha, facho.

arco (*ar*.co) *s.m.* **1.** (*Geom.*) Parte de uma curva. **2.** (*Arquit.*) Curva de abóbada. **3.** Arma constituída de uma haste flexível, recurvada por uma corda e com a qual se expelem setas. **4.** (*Mús.*) Vara com a qual se friccionam as cordas de certos instrumentos musicais.

arco-íris (ar.co-*í*.ris) *s.m.2n.* Espectro em forma de arco que apresenta as sete cores resultantes da refração e reflexão dos raios solares nas gotas de água da chuva.

ar-condicionado (ar-con.di.ci:o.*na*.do) *s.m.* Condicionador de ar. ‖ pl.: *ares-condicionados*.

ardência (ar.*dên*.ci:a) *s.f.* **1.** Qualidade de ardente. **2.** Sensação de queimação, especialmente no estômago.

ardente (ar.*den*.te) *adj.* **1.** Que arde. **2.** Que causa grande calor. **3.** *fig.* Veemente, impetuoso.

arder (ar.*der*) *v.* **1.** Consumir-se em chama: *O prédio ardeu em chamas*. **2.** Experimentar sensação de ardor: *O menino gritava porque o machucado ardia muito*. **3.** Ter sabor picante: *Essa pimenta arde muito!* ▶ Conjug. 39.

ardil (ar.*dil*) *s.m.* Artimanha, estratagema, ardileza.

ardileza [ê] (ar.di.*le*.za) *s.f.* Ardil.

ardiloso [ô] (ar.di.*lo*.so) *adj.* Que emprega ardis; astucioso, velhaco, enganador. ‖ f. e pl.: [ó].

ardor [ô] (ar.*dor*) *s.m.* **1.** Calor intenso. **2.** Sabor picante como o da pimenta. **3.** Calor que se sente em certas inflamações. **4.** *fig.* Grande entusiasmo; impetuosidade, veemência.

ardoroso [ô] (ar.do.*ro*.so) *adj.* Cheio de ardor; apaixonado. ‖ f. e pl.: [ó].

ardósia (ar.*dó*.si:a) *s.f.* **1.** (*Min.*) Rocha de cor cinza-escura que se separa em placas finas e resistentes: *piso de ardósia*. **2.** Quadro sobre o qual se escreve; lousa.

árduo (*ár*.du:o) *adj.* **1.** Muito difícil: *problema árduo*. **2.** Que exige muito esforço: *trabalho árduo*.

are (*a*.re) *s.m.* Medida de superfície que equivale a 100 m². ‖ Símbolo: *a*.

área (*á*.re:a) *s.f.* **1.** Superfície compreendida dentro de determinados limites. **2.** (*Geom.*) Superfície de uma figura geométrica. **3.** Medida dessas superfícies.

areal (a.re:*al*) *s.m.* Sítio onde há muita areia.

arear (a.re:*ar*) *v.* Limpar esfregando com areia ou pó de qualquer substância: *arear panelas*. ▶ Conjug. 14. – **areamento** *s.m.*

areia (a.*rei*.a) *s.f.* (*Min.*) Mistura de finíssimos grãos de rocha que se encontra nos desertos e nas praias.

arejar (a.re.*jar*) *v.* **1.** Renovar o ar em: *Abriu as janelas para arejar o quarto*. **2.** Pôr ao ar: *Pôs os sapatos na varanda para arejá-los*. **3.** *fig.* Dar ar novo a: *Gosto de conversar com os amigos para arejar a mente*. ▶ Conjug. 10 e 37. – **arejado** *adj.*; **arejamento** *s.m.*

arena (a.*re*.na) *s.f.* Área central, coberta de areia, onde acontece o espetáculo, no anfiteatro romano, em um circo, em uma praça de touros etc. picadeiro.

arenga (a.*ren*.ga) *s.f.* **1.** Discurso prolixo, fastidioso. **2.** Mexerico, intriga. **3.** Discussão, altercação. – **arengar** *v.* ▶ Conjug. 5 e 34.

arenito (a.re.*ni*.to) *s.m.* (*Geol.*) Rocha constituída de grãos de areia consolidados por um cimento natural.

arenoso [ô] (a.re.*no*.so) *adj.* Cheio de areia; areento. **2.** Com o aspecto de areia. ‖ f. e pl.: [ó].

arenque (a.*ren*.que) *s.m.* (*Zool.*) Peixe de mar, de dorso azul-esverdeado e ventre prateado, muito usado na alimentação, principalmente salgado, defumado ou em conserva.

aréola (a.*ré*:o.la) *s.f.* (*Anat.*) Zona circular que rodeia determinados pontos, especialmente o mamilo.

▶ **a respeito de** *loc. prep.* Ver em *respeito*.

aresta [é] (a.*res*.ta) *s.f.* Saliência angulosa; quina; rebarba.

arfar (ar.*far*) *v.* Respirar num ritmo curto, levantando e abaixando o peito; ofegar, arquejar: *O atleta cruzou a linha de chegada arfando*. ▶ Conjug. 5. – **arfagem** *s.f.*; **arfante** *adj.*

argamassa (ar.ga.*mas*.sa) *s.f.* Mistura de areia, cal e água usada em construção para unir pedras e tijolos.

argênteo (ar.*gên*.te:o) *adj.* **1.** De prata. **2.** Prateado.

argentino (ar.gen.*ti*.no) *adj.* **1.** Da Argentina, país da América do Sul. • *s.m.* **2.** O natural ou habitante da Argentina.

argila (ar.*gi*.la) *s.f.* (*Min.*) Barro. – **argiloso** *adj.*

argola [ó] (ar.*go*.la) *s.f.* **1.** Anel ou círculo geralmente de metal no qual se ata ou prende qualquer coisa. **2.** Brinco que tem essa forma.

argonauta (ar.go.*nau*.ta) *s.m.* **1.** Na mitologia grega, cada um dos heróis gregos míticos que navegaram com Jasão na nau Argo em busca do velocino de ouro. **2.** Descobridor de novas rotas por mar.

argúcia (ar.*gú*.ci:a) *s.f.* **1.** Agudeza intelectual. **2.** Sutileza de argumentos. – **arguicioso** *adj.*

arguição (ar.gui.*ção*) *s.f.* **1.** Ato ou efeito de arguir. **2.** Teste oral; sabatina.

arguir [güi] (ar.*guir*) *v.* **1.** Repreender, condenar: *Evitava arguir o filho na frente dos outros.* **2.** Fazer perguntas a (aluno): *O professor arguia a turma todo final de aula.* **3.** Discordar com argumentos: *Arguiu ser devedor de quantia muito inferior à cobrada.* ▶ Conjug. 81.

argumentação (ar.gu.men.ta.*ção*) *s.f.* **1.** Ato ou efeito de argumentar. **2.** Conjunto de argumentos.

argumentar (ar.gu.men.*tar*) *v.* **1.** Expor argumentos: *Os estudantes argumentaram que os critérios de seleção são extremamente restritivos.* **2.** Usar como argumento: *Quem defende a rejeição à perfeição argumenta que tudo aquilo que é perfeito é elitista.* ▶ Conjug. 5.

argumentativo (ar.gu.men.ta.*ti*.vo) *adj.* Que envolve argumento.

argumento (ar.gu.*men*.to) *s.m.* **1.** Raciocínio por meio do qual se prova, refuta ou justifica algo. **2.** (*Cine., Lit., Telv.*) Enredo de uma obra literária, teatral ou cinematográfica.

arguto (ar.*gu*.to) *adj.* De espírito vivo, sagaz, perspicaz.

ária[1] (*á*.ri:a) *adj.* **1.** Dos árias, povo antigo oriundo da Ásia central e que se teria estendido para a Europa e a Índia. • *s.m. e f.* **2.** Indivíduo desse povo.

ária[2] (*á*.ri:a) *s.f.* (*Mús.*) Peça de música para uma voz só que geralmente faz parte de uma ópera, oratório ou cantata.

ariano[1] (a.ri:*a*.no) *adj.* **1.** Relativo aos árias, povo indo-europeu. **2.** Da suposta raça dos árias. • *s.m.* **3.** Segundo os adeptos da teoria nazista, europeu que não descende dos judeus.

ariano[2] (a.ri:*a*.no) *adj. s.m.* (*Astrol.*) Que ou quem nasce sob o signo de Áries (de 21 de março a 20 de abril).

aridez [ê] (a.ri.*dez*) *s.f.* Qualidade de árido.

árido (*á*.ri.do) *adj.* **1.** Falto de umidade; seco. **2.** Que nada produz; estéril: *terra árida.* **3.** Tedioso, fatigante: *Está estudando uma matéria árida e de extrema complexidade.*

aríete (a.*rí*.e.te) *s.m.* Antiga máquina de guerra para derrubar muralhas.

ariranha (a.ri.*ra*.nha) *s.f.* (*Zool.*) Mamífero semi-aquático semelhante à lontra.

▶ **à risca** *loc. adv.* Ver em *risca.*

arisco (a.*ris*.co) *adj.* De trato difícil e pouco afável; fugidio: *pessoa arisca, animal arisco.*

aristocracia (a.ris.to.cra.*ci*.a) *s.f.* **1.** A classe social dos nobres. **2.** Governo no qual o poder é monopolizado por um grupo de pessoas privilegiadas. – **aristocrático** *adj.*

aristocrata (a.ris.to.*cra*.ta) *adj.* **1.** Pertencente à aristocracia; nobre. • *s.m. e f.* **2.** Pessoa aristocrata.

aristotélico (a.ris.to.*té*.li.co) *adj.* **1.** Relativo a Aristóteles, filósofo grego. • *s.m.* **2.** Partidário da doutrina de Aristóteles.

aristotelismo (a.ris.to.te.*lis*.mo) *s.m.* Filosofia de Aristóteles.

aritmética (a.rit.*mé*.ti.ca) *s.f.* (*Mat.*) Parte da Matemática que estuda os cálculos numéricos. – **aritmético** *adj.*

arlequim (ar.le.*quim*) *s.m.* (*Teat.*) Personagem da antiga comédia italiana que vestia uma roupa feita de retalhos, em forma de losango, de várias cores.

arma (*ar*.ma) *s.f.* **1.** Instrumento de ataque ou defesa. **2.** *fig.* Meio, expediente, recurso usado para atacar ou defender-se. **3.** Cada uma das tropas que constituem um exército: *A arma de cavalaria.* || *Arma branca*: a que produz ferimentos perfurantes ou cortantes com a ponta ou com o gume, impelida unicamente pela força do braço. • *Arma de fogo*: a que arremessa projéteis por efeito da pólvora.

armação (ar.ma.*ção*) *s.f.* **1.** Ato ou efeito de armar. **2.** Conjunto das principais peças que sustentam algo; armação: *armação dos óculos, da saia, de uma construção etc.*

armada (ar.*ma*.da) *s.f.* (*Náut.*) Conjunto das forças marítimas de um país.

armadilha (ar.ma.*di*.lha) *s.f.* **1.** Arapuca ou qualquer artifício para apanhar animais. **2.** *fig.* Logro astucioso; engano para fazer mal a alguém; cilada.

armador [ô] (ar.ma.*dor*) *s.m.* Indivíduo que equipa e explora navios de pesca ou de comércio.

armadura (ar.ma.*du*.ra) *s.f.* Conjunto das peças de ferro com que se cobriam os antigos guerreiros para sua defesa.

armamentismo (ar.ma.men.*tis*.mo) *s.m.* Doutrina que preconiza o aumento do material bélico das nações.

armamentista (ar.ma.men.*tis*.ta) *adj.* **1.** Relativo ao armamentismo. • *s.m. e f.* **2.** Partidário do armamentismo.

armamento (ar.ma.men.to) *s.m.* **1.** Ato de armar. **2.** Conjunto de armas.

armar (ar.mar) *v.* **1.** Munir(-se), prover(-se) de armas: *O almirante armou uma poderosa esquadra; Aquele país está se armando cada vez mais.* **2.** Vestir-se com armadura: *O guerreiro armou-se e foi procurar um cavalo.* **3.** Unir as distintas peças de (algo) de modo que fique pronto para ser utilizado; montar: *Armamos a barraca perto do rio.* **4.** Pôr (arma) em disposição de ser usada: *Armou o arco e mirou o alvo.* **5.** Tramar, urdir, maquinar: *Ele armou uma grande intriga contra nós.* **6.** Preparar-se: *Está-se armando uma borrasca na direção sul.* **7.** *fig.* Precaver-se, acautelar-se, resguardar-se: *Armar-se contra o frio.* **8.** *fig.* Prover-se do necessário para a realização de (algo): *Armou-se de coragem para falar com o chefe.* ▶ Conjug. 5.

armarinho (ar.ma.ri.nho) *s.m.* Loja em que se vendem aviamentos de costura, tais como linhas, agulhas, alfinetes, cadarços.

armário (ar.má.ri:o) *s.m.* Móvel em forma de caixa alta, com prateleiras, abrindo pela frente, no qual se guardam roupas, louças, livros, papéis etc.

armazém (ar.ma.zém) *s.m.* **1.** Depósito de mercadorias, de armas, de munições. **2.** Estabelecimento em que se vendem gêneros alimentícios e produtos de uso doméstico; mercearia.

armazenagem (ar.ma.ze.na.gem) *s.f.* **1.** Ato de armazenar; armazenamento. **2.** Importância paga pelo depósito de mercadorias em alfândegas, depósitos portuários, ferroviários etc.

armazenar (ar.ma.ze.nar) *v.* **1.** Guardar ou recolher em armazém ou depósito. **2.** Acumular: *Descansamos no domingo para armazenar forças para a semana.* **3.** Fazer provisões: *O hospital precisa de recipientes para armazenar leite materno.* **4.** (*Inform.*) Introduzir (dados) num dispositivo qualquer da memória, do qual podem ser posteriormente extraídos. ▶ Conjug. 10. – **armazenamento** *s.m.*

armeiro (ar.mei.ro) *s.m.* Aquele que vende, fabrica ou conserta armas.

arminho (ar.mi.nho) *s.m.* **1.** (*Zool.*) Mamífero carnívoro cuja pelagem é branca no inverno e parda no verão. **2.** A pele ou o pelo do arminho.

armistício (ar.mis.tí.ci:o) *s.m.* Acordo que suspende hostilidades entre os lados beligerantes.

armorial (ar.mo.ri:al) *adj.* **1.** Referente à heráldica ou a brasões. • *s.m.* **2.** Livro onde estão registrados os brasões de armas.

ARN Sigla de *ácido ribonucleico.* || Ver *ribonucleico.*

arnica (ar.ni.ca) *s.f.* **1.** (*Bot.*) Planta medicinal. **2.** Tintura extraída dessa planta.

aro (a.ro) *s.m.* **1.** Círculo de metal, de madeira ou de outro material. **2.** Argola, anel. **3.** Armação de óculos.

aroeira (a.ro:ei.ra) *s.f.* (*Bot.*) Árvore ornamental, cuja casca possui várias propriedades medicinais.

aroma (a.ro.ma) *s.m.* Cheiro agradável; fragrância.

aromaterapia (a.ro.ma.te.ra.pi.a) *s.f.* Tratamento baseado no uso de óleos vegetais aromáticos.

aromático (a.ro.má.ti.co) *adj.* **1.** Relativo a aroma. **2.** Que tem aroma.

aromatizante (a.ro.ma.ti.zan.te) *adj.* **1.** Que aromatiza. • *s.m.* e *f.* **2.** Produto que aromatiza.

aromatizar (a.ro.ma.ti.zar) *v.* Tornar(-se) aromático: *O padeiro aromatizou o bolo no sabor laranja; O ambiente aromatizou-se com o perfume dela.* ▶ Conjug. 5. – **aromatização** *s.f.*

arpão (ar.pão) *s.m.* Espécie de dardo empregado na pesca de cetáceos e grandes peixes; fisga.

arpejar (ar.pe.jar) *v.* (*Mús.*) Fazer arpejos: *Segurou o violão e arpejou um acorde de dó maior.* ▶ Conjug. 10 e 37.

arpejo [ê] (ar.pe.jo) *s.m.* (*Mús.*) Acorde cujas notas são executadas não simultaneamente, mas sucessivamente.

arpoar (ar.po:ar) *v.* Cravar o arpão em: *O rapaz foi rápido e logo arpoou um grande xaréu branco.* ▶ Conjug. 25. – **arpoador** *s.m.*

arquear (ar.que:ar) *v.* Dobrar(-se) em forma de arco: *Arqueou as sobrancelhas em sinal de espanto; A bailarina arqueou-se para trás até encostar as mãos no chão.* ▶ Conjug. 14. – **arqueação** *s.f.*; **arqueamento** *s.m.*

arqueiro (ar.quei.ro) *s.m.* **1.** Quem fabrica ou vende arcos. **2.** Quem peleja com arcos. **3.** Goleiro.

arquejamento (ar.que.ja.men.to) *s.m.* Arquejo.

arquejante (ar.que.jan.te) *adj.* **1.** Que arqueja. **2.** Que respira com dificuldade.

arquejar (ar.que.jar) *v.* Respirar com dificuldade; ofegar, arfar. ▶ Conjug. 10 e 37.

arquejo [ê] (ar.que.jo) *s.m.* **1.** Ato de arquejar; arquejamento. **2.** Respiração difícil; ânsia, arquejamento.

arqueologia (ar.que:o.lo.gi.a) *s.f.* Estudo das civilizações antigas através dos documentos,

arqueólogo

objetos e monumentos encontrados em escavações.

arqueólogo (ar.que:ó.lo.go) s.m. Profissional formado em Arqueologia. – **arqueológico** adj.

arquétipo (ar.qué.ti.po) s.m. Tipo ou modelo ideal: *Penélope é o arquétipo da mulher fiel.* – **arquetípico** adj.

arquibancada (ar.qui.ban.ca.da) s.f. **1.** Conjunto de bancos em anfiteatros, circos ou estádios. **2.** Plataforma elevada para presenciar um desfile, corrida ou ato ao ar livre.

arquidiocese [é] (ar.qui.di:o.ce.se) s.f. Diocese à qual se subordinam outras dioceses.

arquiducado (ar.qui.du.ca.do) s.m. **1.** Dignidade de arquiduque. **2.** Domínio e território do arquiduque.

arquiduque (ar.qui.du.que) s.m. **1.** Título superior ao de duque. **2.** Detentor desse título.

arqui-inimigo (ar.qui-i.ni.mi.go) s.m. O maior inimigo ou rival de alguém.

arquimilionário (ar.qui.mi.li:o.ná.ri:o) adj. **1.** Que é muitas vezes milionário. • s.m. **2.** Pessoa arquimilionária.

arquipélago (ar.qui.pé.la.go) s.m. Conjunto de ilhas agrupadas em determinado ponto do oceano.

arquitetar (ar.qui.te.tar) v. **1.** Planejar (casas, palácios, igrejas, teatros, pontes etc.): *Dédalo arquitetou o labirinto para aprisionar o Minotauro.* **2.** fig. Projetar, idear, tramar: *Juntos, arquitetaram um plano sórdido.* ▶ Conjug. 8.

arquiteto [é] (ar.qui.te.to) s.m. **1.** Profissional formado em Arquitetura. **2.** Indivíduo que planeja alguma coisa.

arquitetura (ar.qui.te.tu.ra) s.f. **1.** Arte de projetar e construir edifícios e monumentos. **2.** Conjunto das construções de uma época, de um lugar etc. **3.** Estrutura de uma construção. **4.** Estrutura, esboço, desenho (de algo). – **arquitetônico** adj.

arquitrave (ar.qui.tra.ve) s.f. (Arquit.) Viga horizontal que descansa diretamente sobre as colunas de uma construção.

arquivar (ar.qui.var) v. **1.** Guardar em arquivo: *Costuma arquivar seus documentos em pastas suspensas.* **2.** Dar por encerrado ou deixar de lado: *O ministro arquivou a ação por considerá-la improcedente.* ▶ Conjug. 5. – **arquivamento** s.m.

arquivista (ar.qui.vis.ta) s.m. e f. Pessoa que tem um arquivo a seu cargo.

arquivo (ar.qui.vo) s.m. **1.** Lugar ou móvel onde se guardam documentos, devidamente classificados ou catalogados. **2.** (Inform.) Conjunto organizado de registros de informação.

arrabalde (ar.ra.bal.de) s.m. **1.** Subúrbio. **2.** Cercanias de uma povoação.

arraia (ar.rai.a) s.f. **1.** (Zool.) Peixe de corpo achatado e cauda longa. **2.** Papagaio de papel que tem a forma desse peixe. || raia.

arraial (ar.rai.al) s.m. **1.** Festa caipira. **2.** Povoado transitório; acampamento. **3.** Povoação pequena, sem categoria de vila ou cidade; lugarejo.

arraia-miúda (ar.rai.a-mi:ú.da) s.f. Classe social menos favorecida economicamente; plebe, populacho. || pl.: *arraias-miúdas*.

arraigar (ar.rai.gar) v. **1.** Criar raízes: *Depois de anos só dois dos sete pinheiros haviam arraigado ali.* **2.** Fixar(-se); estabelecer(-se): *A necessidade arraigou-os na terra estranha, fazendo-os sentir como se fossem naturais dali; Na Idade Média, a lenda de São Nicolau arraigou-se na Europa.* ▶ Conjug. 5 e 34. – **arraigamento** s.m.

arrancar (ar.ran.car) v. **1.** Tirar com força; desarraigar: *Arrancou a planta doente do vaso.* **2.** Provocar: *Conseguiu arrancar lágrimas da plateia.* **3.** Fazer sair do lugar onde se encontra, puxando com força: *Arrancou a placa que indicava sua antiga residência.* **4.** fig. Obter com esforço ou astúcia: *Acabou arrancando o segredo da irmã.* **5.** Pôr-se em movimento: *O carro arrancou em alta velocidade, fugindo da polícia.* ▶ Conjug. 5 e 35. – **arrancada** s.f.; **arrancamento** s.m.

arranca-rabo (ar.ran.ca-ra.bo) s.m. coloq. Discussão violenta; briga, bate-boca. || pl.: *arranca-rabos*.

arranco (ar.ran.co) s.m. **1.** Ato ou efeito de arrancar. **2.** Partida súbita; arranque. **3.** Ação repentina.

arranha-céu (ar.ra.nha-céu) s.m. Edifício de muitos andares; espigão. || pl.: *arranha-céus*.

arranhão (ar.ra.nhão) s.m. **1.** Pequena escoriação. **2.** Ranhura ou risco numa superfície polida. **3.** Dano ou abalo moral: *A acusação causou-lhe sério arranhão.*

arranhar (ar.ra.nhar) v. **1.** Ferir levemente com as unhas ou com o bico ou ponta de algum instrumento: *O gato arranhou o braço da criança.* **2.** Deixar ranhuras ou riscos nas superfícies lisas ou polidas: *Arranharam o carro do meu pai com uma chave.* **3.** fig. Saber superficialmente (um assunto, uma habilidade, uma arte): *Até* que ele arranha um violão direitinho; *Meu filho já arranha um pouco de inglês*. **4.** Sofrer arranhão (em): *Arranhei-me sem querer; Arranhei a perna nos espinhos*. ▶ Conjug. 5. – **arranhadela** *s.f.*; **arranhadura** *s.f.*

arranjar (ar.ran.*jar*) *v.* **1.** Pôr em ordem: *Arranjou o cabelo e maquiou-se antes de ir para a festa*. **2.** Adornar: *Este ano as próprias crianças arranjaram a árvore de Natal*. **3.** Conseguir, obter: *Neste ano passei no vestibular e arranjei namorado*. **4.** (*Mús.*) Compor: *Ele arranjou canções para grandes nomes da música popular brasileira*. **5.** Governar-se bem: *Meu filho já se arranja bem sozinho*. ▶ Conjug. 5 e 37. – **arranjamento** *s.m.*

arranjo (ar.*ran*.jo) *s.m.* **1.** Disposição harmoniosa: *um arranjo de mesa, arranjo natalino etc*. **2.** Negociação, acordo. **3.** (*Mús.*) Adaptação de uma composição a uma forma de execução diferente da original. • **arranjos** *s.m.pl.* **4.** Preparativos.

arranque (ar.*ran*.que) *s.m.* **1.** Movimento de partida; arranco. **2.** Motor de arranque.

arrasador [ô] (ar.ra.sa.*dor*) *adj.* Que arrasa.

arrasar (ar.ra.*sar*) *v.* **1.** Destruir totalmente (algo): *O furacão arrasou a cidade*. **2.** Prostrar(-se) física ou moralmente: *Os dias passados no hospital o arrasaram; O término repentino do namoro a arrasou*. **3.** Prejudicar, arruinar: *A crítica arrasou com a peça*. **4.** Vencer em uma confrontação: *Meu candidato arrasou (os oponentes) no debate*. **5.** *gír.* Destacar-se pela beleza, graça etc.; brilhar, abafar: *Você arrasou na festa!* ▶ Conjug. 5. – **arrasamento** *s.m.*

arrastão (ar.ras.*tão*) *s.m.* **1.** Ação de arrastar(-se). **2.** Rede de pesca que se arrasta pelo fundo da água. **3.** Ação conjunta de delinquentes para assaltar grande quantidade de pessoas em locais públicos.

arrasta-pé (ar.ras.ta-*pé*) *s.m. coloq.* Baile popular ou improvisado. || pl.: *arrasta-pés*.

arrastar (ar.ras.*tar*) *v.* **1.** Levar à força; puxar: *A enchente arrastou os carros*. **2.** Roçar pelo chão; rastejar: *O réptil arrastou-se até a porta da casa*. **3.** Mover(-se) com dificuldade: *Ela caminhava arrastando as sandálias; Ferida, ela se arrastou até a beira da estrada*. **4.** *fig.* Levar atrás de si; atrair: *O trio elétrico é capaz de arrastar multidões em Salvador*. ▶ Conjug. 5. – **arrasto** *s.m.*

arrazoado (ar.ra.zo.*a*.do) *s.m.* Escrito ou discurso em que se defende uma causa; arrazoamento.

arrazoamento (ar.ra.zo.a.*men*.to) *s.m.* **1.** Ato de arrazoar. **2.** Arrazoado.

arrazoar (ar.ra.zo:*ar*) *v.* **1.** Expor apresentando razões favoráveis ou contrárias: *O advogado arrazoou em favor de seu cliente*. **2.** Entrar em controvérsia com; discutir; altercar: *Arrazoou com o vizinho a manhã toda*. **3.** Discursar, discorrer: *Hoje o padre arrazoou sobre a parábola do bom samaritano*. ▶ Conjug. 5.

arrear (ar.re:*ar*) *v.* **1.** Pôr os arreios em (uma cavalgadura); ajaezar. **2.** Enfeitar(-se): *O céu arreava-se de estrelas; ajaezar(-se)*. || Conferir com *arriar*. ▶ Conjug. 14. – **arreamento** *s.m.*

arrebanhar (ar.re.ba.*nhar*) *v.* **1.** Reunir em rebanho: *Arrebanhou todas as reses que ali pastavam*. **2.** Reunir(-se), juntar(-se): *Seu carisma arrebanhou diversos fiéis para a igreja; Os jovens arrebanharam-se para ver o filme*. ▶ Conjug. 5. – **arrebanhamento** *s.m.*

arrebatar (ar.re.ba.*tar*) *v.* **1.** Tirar com violência: *Um indivíduo armado arrebatou-lhe a motocicleta*. **2.** Atrair ou levar (alguém) com força irresistível: *Onde quer que cantasse, arrebatava multidões para ouvi-lo*. **3.** Enlevar, extasiar: *A graça e a técnica da ginasta arrebataram o mundo em 1976*. **4.** Obter por mérito; ganhar: *Um filme brasileiro arrebatou o troféu de melhor roteiro no festival*. ▶ Conjug. 5. – **arrebatador** [ô] *adj.*; **arrebatamento** *s.m.*

arrebentação (ar.re.ben.ta.*ção*) *s.f.* **1.** Ato de arrebentar(-se). **2.** Lugar na praia onde as ondas arrebentam, em geral contra banco, pedra ou muralha.

arrebentar (ar.re.ben.*tar*) *v.* **1.** Romper(-se) de modo mais ou menos violento: *Uma grande enchente arrebentou a represa; A corda ré do meu violão arrebentou; O automóvel arrebentou-se ao se chocar com o poste*. **2.** Estourar, estalar: *Parecia que uma bomba arrebentara naquele lugar; A pedra arrebentou o vidro frontal do carro*. **3.** *gír.* Ter sucesso; destacar-se: *Ele arrebentou na prova de Matemática*. || rebentar. ▶ Conjug. 5.

arrebitado (ar.re.bi.*ta*.do) *adj.* **1.** Com a ponta revirada para cima: *nariz arrebitado*. **2.** *fig.* Insolente, petulante. – **arrebitar** *v.* ▶ Conjug. 5.

arrebite (ar.re.*bi*.te) *s.m.* Rebite.

arrebol (ar.re.*bol*) *s.m.* Cor avermelhada das nuvens ao nascer ou ao pôr do sol.

arrecadar (ar.re.ca.*dar*) *v.* Recolher (impostos, dinheiro, doações etc.): *O espetáculo arrecadou mais de mil agasalhos*. ▶ Conjug. 5. – **arrecadação** *s.f.*

arrecife

arrecife (ar.re.*ci*.fe) *s.m.* (*Geol.*) Rochedo ou rochedos, geralmente situado(s) próximo à costa, coberto(s) ou não pela água. || *recife*.

arredar (ar.re.*dar*) *v.* **1.** Recuar ou fazer recuar; afastar(-se): *Abriu a porta e arredou(-se) para que eu passasse; A jovem arredou o rapaz de si.* **2.** Desviar: *Ele não conseguiu arredar os olhos da moça.* **3.** Demover: *Ninguém conseguiu arredá-lo daquela ideia megalomaníaca.* ▶ Conjug. 8.

arredio (ar.re.*di*:o) *adj.* Que se afasta do convívio social; fugidio.

arredondar (ar.re.don.*dar*) *v.* **1.** Tornar(-se) redondo: *Arredondou os lábios passando pouco batom nos cantos da boca; Quando ela ficou grávida, seu nariz arredondou-se.* **2.** Aproximar para números inteiros ou para a dezena mais próxima: *Arredondando, o Brasil atualmente tem 180 milhões de habitantes.* ▶ Conjug. 5. – **arredondado** *adj.*; **arredondamento** *s.m.*

arredores [ó] (ar.re.*do*.res) *s.m.pl.* Contornos de um lugar; cercanias, adjacências.

arrefecer (ar.re.fe.*cer*) *v.* **1.** Tornar(-se) frio: *À tarde, o calor arrefeceu; Sentiu o sangue arrefecer-se-lhe nas veias.* **2.** Desanimar: *O gol do time adversário arrefeceu a torcida; Nem com a chuva, o entusiasmo da multidão arrefeceu(-se).* **3.** Abrandar: *Os acordos bilaterais foram importantes para arrefecer a rivalidade entre os dois países; Felizmente a febre arrefeceu.* ▶ Conjug. 41 e 46. – **arrefecimento** *s.m.*

arregaçar (ar.re.ga.*çar*) *v.* Puxar, dobrar para cima (as calças, as mangas). ▶ Conjug. 5 e 36. – **arregaçado** *adj.*

arregalar (ar.re.ga.*lar*) *v.* Abrir muito, esbugalhar (os olhos). ▶ Conjug. 5. – **arregalado** *adj.*

arreganhar (ar.re.ga.*nhar*) *v.* **1.** Mostrar (os dentes), abrindo os lábios por efeito do riso ou da cólera. **2.** Abrir muito: *arreganhar a boca, as pernas etc.* ▶ Conjug. 5. – **arreganhado** *adj.*

arregimentar (ar.re.gi.men.*tar*) *v.* **1.** (*Mil.*) Alistar(-se) ou reunir(-se) em regimento: *arregimentar soldados; Os soldados, comandados pelo coronel, arregimentaram-se e marcharam para casa.* **2.** Reunir(-se) em grupo, partido ou sociedade: *Sua função era arregimentar adeptos para o movimento; Arregimentaram-se para pleitear respeito aos direitos trabalhistas.* ▶ Conjug. 5. – **arregimentação** *s.f.*

arreio (ar.*rei*.o) *s.m.* Conjunto de objetos com que se prepara a cavalgadura para a montaria ou para a carga.

arreliar (ar.re.li:*ar*) *v.* Aborrecer(-se), irritar(-se): *O garoto gostava de arreliar os colegas; Arreliou-se e foi embora.* ▶ Conjug. 17. – **arrelia** *s.f.*

arrematar (ar.re.ma.*tar*) *v.* **1.** Comprar em leilão: *Conseguiu arrematar um item no leilão.* **2.** Dar a última demão, fazer os últimos retoques em; acabar: *Falta apenas a soleira para arrematar as portas e os rodapés.* **3.** Dizer concluindo: *Arrematou o discurso fazendo a promessa de dar um aumento aos funcionários.* **4.** Fazer remate de pontos em (costura): *Tricote por mais dez carreiras e arremate todos os pontos de uma só vez.* ▶ Conjug. 5. – **arrematação** *s.f.*

arremate (ar.re.*ma*.te) *s.m.* **1.** Ato ou efeito de arrematar. **2.** Detalhe com que se termina uma obra. **3.** Desfecho. **4.** (*Esp.*) No futebol, chute ao gol.

arremedar (ar.re.me.*dar*) *v.* Imitar grosseira ou ridiculamente: *Arremedava a poesia de Camões; O menino arremedou a cara de bravo do pai.* ▶ Conjug. 8.

arremedo [ê] (ar.re.*me*.do) *s.m.* **1.** Ato de arremedar. **2.** Imitação grosseira ou ridícula.

arremessar (ar.re.mes.*sar*) *v.* Atirar(-se) com ímpeto: *Correu e arremessou o bumerangue; Arremessou a garrafa contra a fachada da delegacia; Quando viu o avô, arremessou-se nos seus braços.* ▶ Conjug. 8. – **arremessador** *adj. s.m.*; **arremessamento** *s.m.*

arremesso [ê] (ar.re.*mes*.so) *s.m.* **1.** Ato ou efeito de arremessar. **2.** Objeto que se arremessa.

arremeter (ar.re.me.*ter*) *v.* **1.** Atacar ou fazer atacar com violência: *O animal arremeteu contra o vaqueiro; O caseiro arremeteu os cães contra os ladrões.* **2.** Avançar com ímpeto: *O avião arremeteu, subindo como um foguete.* ▶ Conjug. 41. – **arremetimento** *s.m.*

arremetida (ar.re.me.*ti*.da) *s.f.* Ato ou efeito de arremeter; investida; acometimento.

arrendador [ô] (ar.ren.da.*dor*) *adj.* **1.** Que arrenda (1). • *s.m.* **2.** Aquele que arrenda (1).

arrendamento (ar.ren.da.*men*.to) *s.m.* **1.** Ato de arrendar. **2.** Contrato pelo qual alguém cede a outrem, por determinado tempo e preço, o uso de (algo). **3.** Preço por que se toma de renda alguma coisa.

arrendar (ar.ren.*dar*) *v.* **1.** Ceder o direito de usar (algo) por preço e tempo determinados: *Arrendou a fazenda a uns vinhateiros e viajou para o exterior.* **2.** Obter o direito de usar (algo) por preço e tempo determinados: *Todo verão arrendamos uma casa na praia para pas-*

sarmos as férias. **3.** Enfeitar com rendas: *arrendar uma saia, um vestido* etc. ▶ Conjug. 5.

arrendatário (ar.ren.da.*tá*.ri:o) *s.m.* Pessoa que arrenda (2).

arrepender-se (ar.re.pen.*der*-se) *v.* Sentir pesar pelos próprios erros: *Comprou um casaco de pele, mas arrependeu-se em seguida.* ▶ Conjug. 40 e 41. – **arrependimento** *s.m.*

arrepiar (ar.re.pi:*ar*) *v.* **1.** Levantar, eriçar (o cabelo, o pelo, as penas): *O barulho do riscar de giz me arrepia todo.* **2.** Causar arrepio: *O frio arrepiava a minha pele.* **3.** Tremer de frio, medo, emoção etc.: *O rapaz arrepiou-se ao pensar que poderia ser convocado para a guerra.* ▶ Conjug. 17. – **arrepiamento** *s.m.*; **arrepiante** *adj.*

arrepio (ar.re.*pi*:o) *s.m.* Estremecimento provocado por frio, medo, emoção etc.; calafrio. ‖ *Ao arrepio*: em direção oposta à normal. • *Ao arrepio de*: ao contrário de: *Queria de volta o direito de defesa que lhe fora tirado ao arrepio da lei.*

arresto [é] (ar.*res*.to) *s.m.* (*Jur.*) Apreensão judicial de bens de um devedor, para garantia da possível execução que contra ele se venha promover; embargo. – **arrestar** *v.* ▶ Conjug. 8.

arretado (ar.re.*ta*.do) *adj. reg. coloq.* Bom, bonito, divertido.

arrevesado (ar.re.ve.*sa*.do) *adj.* **1.** Feito ao revés. **2.** Confuso, obscuro, difícil, ininteligível: *Falava num português arrevesado e misturado com palavras do inglês.* – **arrevesar** *v.* ▶ Conjug. 8.

arriar (ar.ri:*ar*) *v.* **1.** Abaixar, descer (o que estava levantado): *arriar uma bandeira, uma carga* etc. **2.** Cair ou vergar sob peso: *O estrado da cama arriou com meu peso.* **3.** Perder as forças; desistir, afrouxar: *Depois de dançar quase a noite toda, arriou(-se) num sofá do salão.* **4.** Descarregar: *A bateria do carro arriou.* ‖ Conferir com *arrear.* ▶ Conjug. 17. – **arriamento** *s.m.*

arriba (ar.*ri*.ba) *adv.* **1.** Acima, para cima, para lugar alto. **2.** Adiante, para diante.

arribação (ar.ri.ba.*ção*) *s.f.* **1.** Ato ou efeito de arribar. **2.** Deslocamento de animais em determinadas épocas do ano; arribada: *aves de arribação.*

arribada (ar.ri.*ba*.da) *s.f.* Arribação.

arribar (ar.ri.*bar*) *v.* **1.** Chegar (uma embarcação ou seus ocupantes) a um lugar: *A nau portuguesa arribou a Porto Seguro em 1500.* **2.** Chegar (alguém ou algo) a um lugar: *Dois inesperados hóspedes arribaram à estalagem esta madrugada.* **3.** Ir embora sem avisar: *Um belo dia ele arribou daqui.* **4.** Deslocar-se de uma região para outra: *Os patos selvagens já arribaram.* ▶ Conjug. 5.

arrimar (ar.ri.*mar*) *v.* **1.** Usar como apoio: *Arrimou-se ao corrimão para não cair.* **2.** Socorrer(-se), amparar(-se) financeiramente: *O filho mais novo é o que arrima os mais velhos; A família toda arrimou-se no genro.* **3.** Fundamentar-se, basear-se em: *A decisão judicial arrimou-se em jurisprudência do Supremo Tribunal Federal.* ▶ Conjug. 5.

arrimo (ar.*ri*.mo) *s.m.* **1.** Encosto, apoio, proteção, sustentáculo: *muro de arrimo.* **2.** *fig.* Diz-se de uma pessoa que serve de apoio a outra(s): *arrimo de família.*

arriscado (ar.ris.*ca*.do) *adj.* **1.** Que oferece risco. **2.** Arrojado, ousado.

arriscar (ar.ris.*car*) *v.* **1.** Colocar(-se) em risco ou perigo: *arriscar a vida; Você se arrisca muito ao nadar tão longe da costa.* **2.** Expor-se à sorte, aventurar-se: *Arriscou-se em atividades ilícitas; Quem não arrisca não petisca.* ▶ Conjug. 5 e 35.

arritmia (ar.rit.*mi*.a) *s.f.* **1.** Ausência ou perturbação do ritmo. **2.** (*Med.*) Falta de regularidade nas pulsações: *arritmia cardíaca.* – **arrítmico** *adj.*

arrivismo (ar.ri.*vis*.mo) *s.m.* Comportamento de quem procura galgar posições e obter dinheiro sem importar-se com os meios.

arrivista (ar.ri.*vis*.ta) *s.m. e f.* Pessoa dada ao arrivismo.

arrizotônico (ar.ri.zo.*tô*.ni.co) *adj.* (*Gram.*) Diz-se de vocábulo cuja sílaba tônica não faz parte do radical.

arroba [ô] (ar.*ro*.ba) *s.f.* **1.** (*Inform.*) Sinal gráfico (@) usado em endereços eletrônicos. **2.** Unidade de peso equivalente a 15 kg: *A alta do dólar provocou uma elevação rápida na arroba do boi gordo.*

arrochar (ar.ro.*char*) *v.* **1.** Apertar com arrocho: *Ele arrochou a carga sobre a cavalgadura.* **2.** Apertar(-se) fortemente: *Sentou-se na poltrona e arrochou o cinto; Ela arrochava-se na calça para parecer mais magra.* **3.** Ser exigente: *A professora arrochou na prova.* **4.** Não reajustar de acordo com a elevação do custo de vida: *arrochar salários.* ▶ Conjug. 20.

arrocho [ô] (ar.*ro*.cho) *s.m.* **1.** Ato ou efeito de arrochar. **2.** Pedaço curto e torto de pau que serve para apertar e torcer as cordas com que se ata um volume. **3.** *fig.* Aperto, dificuldade. **4.** *fig.* Sujeição imposta pela polícia ou por outra autoridade.

arrogância

arrogância (ar.ro.*gân*.ci:a) *s.f.* **1.** Qualidade ou caráter de arrogante. **2.** Atitude de arrogante.

arrogante (ar.ro.*gan*.te) *adj.* **1.** Que se supõe superior aos demais; altivo, orgulhoso. **2.** Insolente, atrevido.

arrogar-se (ar.ro.*gar*-se) *v.* Atribuir-se (algo, especialmente um direito): *Arrogou-se o direito de empregar sua força militar onde e quando quiser.* ▶ Conjug. 20, 6 e 34.

arroio (ar.*roi*.o) *s.m.* Pequena corrente de água; regato; riacho; córrego.

arrojado (ar.ro.*ja*.do) *adj.* **1.** Que enfrenta o perigo e contra ele investe com toda a energia: *indivíduo arrojado.* **2.** Em que há arrojo; temerário, arriscado: *empreendimento arrojado.* **3.** Em que há inovações: *Um comportamento arrojado para a sua época.*

arrojar (ar.ro.*jar*) *v.* **1.** Lançar com ímpeto; arremessar: *Sentou-se e arrojou longe os sapatos que a machucavam.* **2.** Ousar, atrever-se: *arrojar-se a uma empresa.* ▶ Conjug. 20 e 37.

arrojo [ô] (ar.ro.jo) *s.m.* **1.** Ato de arrojar(-se). **2.** Arremesso. **3.** Atrevimento, ousadia, audácia.

arrolar (ar.ro.*lar*) *v.* **1.** Pôr em uma lista: *A defesa não arrolou testemunhas.* **2.** Fazer relação de; inventariar: *Para garantia dos credores, a empresa arrolou bens móveis e equipamentos industriais.* ▶ Conjug. 20. – **arrolador** *adj. s.m.*; **arrolamento** *s.m.*

arrolhar (ar.ro.*lhar*) *v.* Tampar com rolha: *Encheu a garrafa até o gargalo e arrolhou-a.* ▶ Conjug. 20.

arromba (ar.rom.ba) *s.f.* Canção ruidosa e animada que se toca à viola. || *De arromba:* excelente, extraordinário: *festa de arromba.*

arrombar (ar.rom.*bar*) *v.* **1.** Fazer rombo em; romper: *O ladrão arrombou a fechadura.* **2.** Abrir à força: *O inquilino arrombou a porta.* ▶ Conjug. 5. – **arrombamento** *s.m.*

arrostar (ar.ros.*tar*) *v.* Olhar de frente, encarar sem medo; afrontar: *Arrostou o verão do Rio com prazer; Os destemidos se arrostam a perigos inimagináveis.* ▶ Conjug. 20.

arrotar (ar.ro.*tar*) *v.* **1.** Soltar pela boca (o ar do estômago), geralmente com ruído; eructar: *É bom pôr o bebê para arrotar depois da mamada.* **2.** *fig.* Alardear, ostentar: *Tem mania de arrotar grandeza.* ▶ Conjug. 20.

arroto [ô] (ar.ro.to) *s.m.* Emissão ruidosa, pela boca, de gases provenientes do estômago.

arroubo (ar.*rou*.bo) *s.m.* Manifestação violenta e repentina (de um sentimento ou de um estado de ânimo); elã, impulso, rasgo: *Num arroubo de ousadia, tirou-a para dançar.*

arroxeado (ar.ro.xe:a.do) *adj.* De um tom tirante a roxo: *lábios arroxeados.*

arroz [ô] (ar.*roz*) *s.m.* **1.** (*Bot.*) Planta da família das gramíneas cujo grão é muito usado na alimentação. **2.** Esse grão.

arrozal (ar.ro.*zal*) *s.m.* Campo plantado de arroz.

arruaça (ar.ru:a.ça) *s.f.* Motim, desordem de rua em que se envolvem muitas pessoas.

arruaceiro (ar.ru:a.*cei*.ro) *adj.* **1.** Que faz arruaças. • *s.m.* **2.** Pessoa arruaceira.

arruamento (ar.ru:a.*men*.to) *s.m.* **1.** Projeto, disposição ou abertura de ruas ou caminhos. **2.** O conjunto das ruas de um loteamento.

arruda (ar.*ru*.da) *s.f.* Planta aromática e medicinal considerada pela superstição popular como amuleto contra o mau-olhado.

arruela [é] (ar.ru:e.la) *s.f.* Pequena chapa metálica, com um furo redondo no centro, posta entre a porca e o parafuso para que a porca não desgaste a peça.

arrufar (ar.ru.*far*) *v.* **1.** Eriçar(-se), arrepiar(-se): *A jandaia arrufou as penas; O peru arrufou-se todo no terreiro.* **2.** Irritar(-se): *O garoto não para de arrufar a irmã; Arrufou-se por uma ninharia.* ▶ Conjug. 5.

arrufo (ar.ru.fo) *s.m.* **1.** Ato ou efeito de arrufar. **2.** Mau humor; amuo. **3.** Agastamento de pouca duração entre pessoas que se estimam: *Isso são arrufos de namorados!*

arruinar (ar.ru:i.*nar*) *v.* **1.** Deixar ou cair na ruína: *O maremoto arruinou os pescadores daquela região; Depois que se arruinou economicamente, foi obrigado a exercer várias funções modestas.* **2.** Converter(-se) em ruínas (uma construção): *O fogo arruinou o castelo; O convento caiu no abandono e arruinou-se progressivamente.* **3.** Destruir(-se) ou causar(-se) um grave dano: *A confusão na largada arruinou a corrida; A Idade Média começou assim que o Império Romano se arruinou.* ▶ Conjug. 26. – **arruinação** *s.f.*; **arruinamento** *s.m.*

arrulhar (ar.ru.*lhar*) *v.* **1.** Emitir (o pombo) um som para atrair seu par: *O pombo arrulhou e meteu o bico na água.* **2.** *fig.* Fazer ruído semelhante ao dos pombos: *A multidão arrulhou de satisfação.* **3.** *fig.* Exprimir com ternura, com doçura: *Tanto arrulhou (seu amor) que o persuadiu a casar-se com ela.* ▶ Conjug. 5.

arrulho (ar.*ru*.lho) *s.m.* **1.** Ato de arrulhar. **2.** Canto do pombo. **3.** *fig.* Meiguice, ternura, carícia.

arrumação (ar.ru.ma.*ção*) *s.f.* **1.** Ato ou efeito de arrumar(-se). **2.** Disposição, arranjo. **3.** Ocupação conseguida por meios facilitados ou ilícitos.

arrumadeira (ar.ru.ma.*dei*.ra) *s.f.* Empregada encarregada de arrumar a casa, varrendo, espanando, fazendo as camas e pondo tudo em ordem.

arrumar (ar.ru.*mar*) *v.* **1.** Pôr em ordem; arranjar: *arrumar o armário; arrumar os livros na estante.* **2.** Encontrar, achar: *Arrumou um bom pretexto para não vir.* **3.** Conseguir, obter: *Arrumou um bom emprego no interior do estado.* **4.** Arranjar-se, avir-se: *Ela que se arrume como puder.* **5.** Vestir-se: *arrumar-se para uma festa.* ▶ Conjug. 5.

arsenal (ar.se.*nal*) *s.m.* Depósito de armas e munições.

arsênico (ar.*sê*.ni.co) *s.m.* (*Quím.*) Veneno muito violento.

art déco [ar*decô*] (Fr.) *loc. subst.* **1.** Estilo das artes decorativas, em voga até 1930, caracterizado por formas geométricas e naturais estilizadas. • *loc. adj.* **2.** Do art déco: *motivos art déco.*

arte (*ar*.te) *s.f.* **1.** Atividade humana que tem por objetivo a criação de belas obras. **2.** Conjunto de obras artísticas de uma época ou de um lugar. **3.** Conjunto de preceitos para a perfeita execução de qualquer coisa. **4.** Perícia em usar os meios para atingir um resultado. **5.** Travessura, traquinada. || *Arte dramática*: teatro. • *Artes gráficas*: artes relativas à produção de livros ou de outro material impresso. • *Artes plásticas*: conjunto das artes que têm como objeto a elaboração de formas, como o desenho, a escultura, a gravura, a pintura e a arquitetura.

artefato (ar.te.*fa*.to) *s.m.* **1.** Produto manufaturado. **2.** Engenho ou dispositivo usado para um fim específico.

arte-final (ar.te-fi.*nal*) *s.f.* (*Art.*) **1.** Acabamento final de um trabalho gráfico. **2.** Trabalho gráfico pronto para ser fotografado e reproduzido. || pl.: *artes-finais.* – **arte-finalista** *s.m. e f.*

arteiro (ar.*tei*.ro) *adj.* Travesso, traquinas.

artelho [ê] (ar.te.lho) *s.m.* (*Anat.*) Dedo do pé.

artemísia (ar.te.*mí*.si:a) *s.f.* (*Bot.*) Erva de folhas recortadas e flores brancas, aromáticas, utilizada em moxibustão.

artéria (ar.*té*.ri:a) *s.f.* **1.** (*Anat.*) Vaso que leva o sangue do coração às distintas partes do corpo. **2.** Rua ou via de comunicação importante.

arterial (ar.te.ri:*al*) *adj.* Relativo a artéria.

arteriosclerose [ó] (ar.te.ri:os.cle.*ro*.se) *s.f.* (*Med.*) Endurecimento das artérias. – **arteriosclerótico** *adj. s.m.*

artesanal (ar.te.sa.*nal*) *adj.* Relativo a artesanato ou a artesãos.

artesanato (ar.te.sa.*na*.to) *s.m.* **1.** Atividade do artesão. **2.** Obra de artesanato.

artesão (ar.te.*são*) *s.m.* Pessoa que realiza determinados trabalhos manuais, imprimindo-lhes um caráter pessoal. || f.: *artesã*; pl.: *artesãos.*

artesiano (ar.te.si:*a*.no) *adj.* Diz-se do poço em que a água sobe sem bombeamento, por proceder do lençol freático.

ártico (*ár*.ti.co) *adj.* Relativo ao Polo Norte; boreal, setentrional.

articulação (ar.ti.cu.la.*ção*) *s.f.* **1.** Ato ou efeito de articular(-se). **2.** Ponto de união de duas peças, especialmente de dois ossos.

articular (ar.ti.cu.*lar*) *v.* **1.** Unir (uma peça a outra) de modo que possam mover-se: *O menino articulou uma peça com a outra para montar o robô.* **2.** Estar unido graças a uma junção que permite o movimento: *O sacro articula-se com a bacia.* **3.** Pronunciar distintamente: *O público não entendeu o texto porque o ator não articulava bem as palavras.* **4.** Organizar (algo constituído por múltiplos elementos): *Parece que os professores querem articular um curso multidisciplinar.* **5.** Estabelecer contatos entre pessoas para a realização de (algo): *O chefe de gabinete articulou um encontro entre os governadores.* ▶ Conjug. 5. – **articulador** *adj. s.m.*

articulista (ar.ti.cu.*lis*.ta) *adj.* **1.** Que escreve artigos. • *s.m. e f.* **2.** Autor de artigos de jornal, revista etc.

artífice (ar.*tí*.fi.ce) *s.m.* **1.** Autor, inventor, criador. **2.** Artesão muito hábil. **3.** Artista.

artificial (ar.ti.fi.ci:*al*) *adj.* **1.** Produzido pelo homem; não natural: *bronzeamento artificial.* **2.** Falto de naturalidade; fingido, dissimulado: *sorriso artificial.* – **artificialidade** *s.f.*; **artificialismo** *s.m.*

artifício (ar.ti.*fí*.ci:o) *s.m.* **1.** Meio hábil e industrioso para se obter (algo). **2.** Falta de naturalidade; afetação. – **artificioso** *adj.*

artigo (ar.*ti*.go) *s.m.* **1.** Cada uma das partes em que se divide uma lei, um escrito forense etc. **2.** Texto, geralmente assinado e de caráter não informativo, publicado em jornal, revista etc. **3.** Mercadoria: *artigos importados.* **4.** (*Gram.*) Palavra variável que se antepõe aos substantivos indicando-lhe o gênero, o núme-

artilharia

ro e a circunstância de já ser ou não conhecido do leitor ou ouvinte: *Os artigos definidos são o, a, os, as e os artigos indefinidos são um, uma, uns, umas.*
artilharia (ar.ti.*lha.ri*.a) *s.f.* **1.** Conjunto de armas de fogo de alto calibre, como o canhão, o morteiro, a metralhadora. **2.** Tropa do exército especializada no uso da artilharia.
artilheiro (ar.ti.*lhei*.ro) *s.m.* **1.** (*Mil.*) Oficial ou soldado pertencente à artilharia (2). **2.** (*Esp.*) Em uma partida ou campeonato de futebol, jogador que mais faz gols; goleador.
artimanha (ar.ti.*ma*.nha) *s.f.* Ardil, artifício; manobra.
artista (ar.*tis*.ta) *s.m. e f.* **1.** Pessoa que cria obras de arte. **2.** Ator de teatro, circo, cinema, rádio, televisão. **3.** Artífice engenhoso.
artístico (ar.*tís*.ti.co) *adj.* **1.** Relativo a arte. **2.** Feito com arte.
art nouveau [arnuvô] (Fr.) *loc. subst.* **1.** Estilo ornamental de linhas sinuosas cujas formas delicadas lembram elementos da natureza, como as folhas e as flores. • *loc. adj.* **2.** Do *art nouveau*: *edifícios art nouveau.*
artrite (ar.*tri*.te) *s.f.* (*Med.*) Inflamação nas articulações. – **artrítico** *adj. s.m.*
artrópode (ar.*tró*.po.de) *s.m.* (*Zool.*) Animal invertebrado que tem patas articuladas e corpo dividido em segmentos, como os crustáceos e os insetos.
arvorar (ar.vo.*rar*) *v.* **1.** Fazer subir; levantar: *À guisa de bandeira, arvoraram um lenço.* **2.** Atribuir-se (título, função etc.): *Ele arvorou-se defensor dos fracos e oprimidos.* ▶ Conjug. 20.
árvore (*ár*.vo.re) *s.f.* **1.** (*Bot.*) Vegetal de grande porte, lenhoso, com ramos na parte superior. **2.** Estrutura ramificada: *árvore brônquica; árvore genealógica.*
arvoredo [ê] (ar.vo.*re*.do) *s.m.* Aglomeração de árvores; bosque.
ás *s.m.* **1.** Carta de baralho que inicia ou termina na sequência de cada naipe: *ás de copas; ás de paus.* **2.** Pessoa exímia em qualquer atividade, sobretudo na aviação.
asa (*a*.sa) *s.f.* **1.** (*Zool.*) Membro guarnecido de penas por meio do qual as aves voam. **2.** (*Zool.*) Apêndice membranoso de certos insetos. **3.** (*Aer.*) Peça plana que permite o voo aos aviões. **4.** Apêndice recurvado em forma de argola, em certos utensílios: *a asa de uma xícara.* || *Aparar (ou cortar) as asas de*: reduzir as manifestações de independência ou de intimidade: *Meu filho não quer obedecer-me, tenho de aparar as suas asas.* • *Arrastar a asa a*: aproximar-se de alguém com intenções amorosas. • *Bater asas*: fugir, ir embora. • *Dar asa*: permitir intimidade. • *Dar asas a*: expandir-se: *Dei asas à imaginação e elaborei um prato interessante.* • *Debaixo da asa*: sob a proteção de: *Ele vive debaixo da asa de sua mãe.*
➤ **a saber** *loc. adv.* Ver em *saber*.
asa-delta (a.sa-*del*.ta) *s.f.* (*Esp.*) Asa composta de uma estrutura metálica de forma triangular, forrada de tecido, com uma espécie de trapézio no centro ao qual o praticante se prende para alçar voo de uma montanha. || pl.: *asas-delta* e *asas-deltas*.
asbesto [é] (as.*bes*.to) *s.m.* (*Min.*) Mineral refratário ao fogo e aos ácidos de larga aplicação comercial em roupas para bombeiros, isolantes térmicos etc.
➤ **às cegas** *loc. adv.* Ver em *cego*.
ascendência (as.cen.*dên*.ci:a) *s.f.* **1.** Ato de subir; movimento para cima. **2.** Linha dos ascendentes de um indivíduo; estirpe, genealogia. **3.** Superioridade, predomínio que uma pessoa tem sobre outra.
ascendente (as.cen.*den*.te) *adj.* **1.** Que ascende: *ordem ascendente.* • *s.m. e f.* **2.** Qualquer parente de quem se descende; ancestral. • *s.m.* **3.** (*Astrol.*) O ponto de ascensão de um astro, no momento do nascimento de alguém.
ascender (as.cen.*der*) *v.* **1.** Subir, elevar-se: *Como se estudava em escola pública de qualidade, podia-se ascender socialmente; Com a renúncia do rei, o príncipe ascenderá ao trono.* **2.** Atingir, montar: *Sua dívida com a Previdência ascende a milhões.* ▶ Conjug. 29.
ascensão (as.cen.*são*) *s.f.* **1.** Ato ou efeito de ascender; elevação, subida. **2.** (*Rel.*) Dia em que se comemora a subida de Cristo ao Céu depois da Ressurreição.
ascensor [ô] (as.cen.*sor*) *adj.* **1.** Que eleva, que levanta, que faz subir. • *s.m.* **2.** Elevador.
ascensorista (as.cen.so.*ris*.ta) *s.m. e f.* Pessoa encarregada de conduzir pessoas ou carga em elevadores ou ascensores; cabineiro.
ascese [é] (as.*ce*.se) *s.f.* Exercício espiritual que, por meio da oração, meditação etc., leva ao aperfeiçoamento interior.
asceta [é] (as.*ce*.ta) *s.m. e f.* **1.** Pessoa que pratica a ascese. **2.** Pessoa que leva vida austera.
ascetismo (as.ce.*tis*.mo) *s.m.* Ascetismo.
ascético (as.*cé*.ti.co) *adj.* **1.** Relativo aos ascetas ou ao ascetismo. **2.** Devoto, místico, contemplativo. **3.** Austero.

ascetismo (as.ce.*tis*.mo) *s.m.* **1.** Prática da vida ascética; asceticismo. **2.** Qualidade de ascético; asceticismo. **3.** Moral de asceta; asceticismo.

➤ **às claras** *loc. adv.* Ver em *claro*.

asco (*as*.co) *s.m.* **1.** Sensação física de desagrado que às vezes produz náuseas. **2.** Sentimento de repulsa por algo moralmente abominável. **3.** Pessoa ou coisa que causa asco.

➤ **às custas de** *loc. prep.* Ver em *custa*.

➤ **a seco** *loc. adv.* Ver em *seco*.

asfalto (as.*fal*.to) *s.m.* **1.** Substância negra, natural ou obtida do petróleo, que se emprega especialmente para pavimentar ruas e estradas. **2.** *fig.* Nas cidades, diz-se do ambiente urbano, em oposição ao ambiente da favela ou ao rural: *A vida no asfalto parece ser mais fácil do que a vida na favela.* – **asfaltamento** *s.m.*; **asfaltar** *v.* ▶ Conjug. 5.

asfixia [cs] (as.fi.*xi*.a) *s.f.* **1.** (*Med.*) Suspensão da respiração, que pode levar à morte. **2.** *fig.* Cessação do exercício de certas faculdades: *asfixia das liberdades*.

asfixiar [cs] (as.fi.xi:*ar*) *v.* **1.** Causar asfixia a; sufocar: *O pranto asfixiava a jovem*. **2.** Matar por asfixia: *Asfixiaram as vítimas com gás*. **3.** *fig.* Tolher a liberdade moral, oprimir: *O excesso de normas asfixia o desenvolvimento da criança*. **4.** Não poder respirar livremente: *O doente asfixiava*. **5.** Sentir-se abafado; sufocar: *Os alunos asfixiavam-se na sala estreita e sem ventilação*. ▶ Conjug. 17. – **asfixiante** *adj.*

asiático (a.si:*á*.ti.co) *adj.* **1.** Da Ásia. • *s.m.* **2.** O natural ou o habitante desse continente.

asilar (a.si.*lar*) *v.* **1.** Recolher em asilo: *Foi obrigada a asilar a mãe doente*. **2.** Conceder refúgio; abrigar: *A embaixada asilou os estudantes após o golpe*. **3.** Procurar proteção para si mesmo; refugiar-se: *O senador asilou-se numa embaixada*. ▶ Conjug. 5.

asilo (a.*si*.lo) *s.m.* **1.** Lugar seguro, abrigado ou secreto em que se fica a salvo de uma perseguição. **2.** Estabelecimento de caridade para amparo de órfãos, idosos, mendigos etc. **3.** Abrigo que os países ou suas embaixadas outorgam aos estrangeiros perseguidos por motivos políticos.

asinino (a.si.*ni*.no) *adj.* **1.** Relativo a asno. **2.** *fig.* Estúpido, bronco.

asma (*as*.ma) *s.f.* (*Med.*) Doença, às vezes de origem alérgica, caracterizada por dificuldade respiratória, tosse e sibilos, devido à contração espasmódica dos brônquios.

asmático (as.*má*.ti.co) *adj.* **1.** Relativo a asma. **2.** Que padece de asma. • *s.m.* **3.** Indivíduo que sofre de asma.

asneira (as.*nei*.ra) *s.f.* Tolice, burrice, disparate.

asno (*as*.no) *s.m.* **1.** (*Zool.*) Mulo. **2.** *fig.* Pessoa estúpida, ignorante, imbecil.

➤ **a sós** *loc. adv.* Ver em *só*.

aspargo (as.*par*.go) *s.m.* **1.** (*Bot.*) Planta cujos brotos são tenros e comestíveis. **2.** Broto dessa planta.

aspartame (as.par.*ta*.me) *s.m.* (*Quím.*) Adoçante sintético usado para substituir o açúcar em dietas especiais.

aspas (*as*.pas) *s.f.pl.* **1.** Sinal gráfico (") constituído por duas vírgulas juntas e alceadas que antecedem e seguem uma palavra ou frase, geralmente para indicar que estas são apresentadas como citação literal ou como título. **2.** Sinal gráfico constituído por uma vírgula alceada que antecede e segue uma palavra ou frase, geralmente para indicar que estas expressam o significado de outras citadas, ou para desempenhar a mesma função que as aspas (1). – **aspear** *v.* ▶ Conjug. 14.

aspecto [é] (as.*pec*.to) *s.m.* **1.** Maneira pela qual uma pessoa ou coisa é vista. **2.** Cada um dos diversos modos pelos quais se considera ou se pode considerar uma questão. **3.** (*Gram.*) Categoria usada na descrição gramatical dos verbos que, junto com o tempo e o modo, expressa a duração, o desenvolvimento ou a conclusão do processo denotado pelo verbo.

aspergir (as.per.*gir*) *v.* Borrifar(-se): *O padre aspergiu com água benta a casa toda; Aspergiu-se com um perfume suave e foi para a sala receber os convidados.* ▶ Conjug. 69 e 92. – **aspersão** *s.f.*

áspero (*ás*.pe.ro) *adj.* **1.** Desagradável ao tato por apresentar irregularidades: *superfície áspera*. **2.** Diz-se de terreno irregular, acidentado. **3.** *fig.* Severo, intratável, grosseiro, rude. **4.** Desagradável ao ouvido: *voz áspera*. **5.** Acre, azedo, que torna áspera a língua: *vinho áspero*. || *sup. abs.*: *aspérrimo*, *asperíssimo*. – **aspereza** *s.f.*

aspérrimo (as.*pér*.ri.mo) *adj.* Superlativo absoluto de *áspero*.

aspersório (as.per.só.ri:o) *s.m.* Instrumento para aspergir; borrifador.

aspiração (as.pi.ra.*ção*) *s.f.* **1.** Ato de aspirar. **2.** Coisa a que se aspira.

aspirador

aspirador [ô] (as.pi.ra.*dor*) *adj.* **1.** Que aspira. • *s.m.* **2.** Aparelho que serve para aspirar (ar, água, poeira, partículas de lixo).

aspirante (as.pi.*ran*.te) *adj.* **1.** Que aspira a (algo). **2.** Que sorve ou absorve. • *s.m. e f.* **3.** Aquele que aspira a (algo). **4.** (*Mil.*) Posto inicial na hierarquia dos oficiais das Forças Armadas.

aspirar (as.pi.*rar*) *v.* **1.** Atrair (matéria gasosa) aos pulmões; respirar, inspirar: *aspirar o ar gelado da noite*. **2.** Atrair por meio da formação do vácuo ou da rarefação do ar: *Aspiravam a água contaminada com bombas especiais*. **3.** Sorver; cheirar: *aspirar o perfume da manhã*. **4.** Pretender, desejar ardentemente: *Ela aspirava a uma boa colocação*; *Dizia de coração que era a maior dignidade a que podia aspirar*. **5.** (*Gram.*) Pronunciar guturalmente; realizar um fonema com sopro expiratório: *Aspirar o r em final de palavras*. ▶ Conjug. 5.

aspirina (as.pi.*ri*.na) *s.f.* (*Quím.*) Medicamento que possui propriedades analgésicas, antitérmicas, usado geralmente em forma de comprimido. || Da marca registrada *Aspirina*.

➤ **às pressas** *loc. adv.* Ver em *pressa*.

asqueroso [ô] (as.que.*ro*.so) *adj.* Que inspira asco; nojento, repugnante. || f. e pl.: [ó].

assadeira (as.sa.*dei*.ra) *s.f.* Utensílio para assar.

assado (as.*sa*.do) *adj.* **1.** Que se assou. **2.** Que apresenta assadura. • *s.m.* **3.** Qualquer alimento assado, especialmente a carne. || *Nem assim nem assado*: coloq. nem desse modo nem de outro qualquer.

assadura (as.sa.*du*.ra) *s.f.* Inflamação nas dobras da pele devido à umidade ou ao atrito.

assalariado (as.sa.la.ri:*a*.do) *adj.* **1.** Que trabalha por salário: *trabalhador assalariado*. **2.** Que se remunera com salário: *trabalho assalariado*. • *s.m.* **3.** Pessoa que recebe salário pelo trabalho que realiza. – **assalariar** *v.* ▶ Conjug. 17.

assaltante (as.sal.*tan*.te) *adj.* **1.** Que assalta, ataca ou investe contra alguém ou contra alguma coisa; salteador. • *s.m. e f.* **2.** Pessoa que assalta, ataca ou investe contra alguém ou contra alguma coisa.

assaltar (as.sal.*tar*) *v.* **1.** Atacar à traição, de emboscada, para roubar: *Os bandidos assaltaram o consultório*. **2.** Investir com ímpeto; surpreender: *A patrulha assaltou o comando inimigo*. **3.** Lembrar de repente; ocorrer a: *De volta àquela cidade, mil recordações me assaltaram o espírito*. ▶ Conjug. 5.

assalto (as.*sal*.to) *s.m.* **1.** Arremetida súbita e inesperada de ladrões: *O assalto ao banco fracassou*. **2.** Acontecimento inesperado; ataque, investida. **3.** (*Esp.*) Na luta de boxe, cada um dos períodos de combate, separados por um breve intervalo.

assanhamento (as.sa.nha.*men*.to) *s.m.* **1.** Ato ou efeito de assanhar(-se). **2.** Estado de sanha, fúria ou raiva. **3.** Comportamento em desacordo com o decoro.

assanhar (as.sa.*nhar*) *v.* **1.** Provocar ou manifestar sanha, raiva ou fúria: *Tentava assanhar ódios mal extintos*; *A víbora assanhou-se contra o menino que a atacara*. **2.** Tornar(-se) animado, irrequieto: *A queima de estoque assanhou a freguesia da loja*; *A meninada toda se assanha no dia de São Cosme e Damião*. **3.** Alvoroçar(-se); excitar(-se): *A presença do galã assanhou o mulherio todo*; *Depois dos primeiros copos de vinho, os comensais começaram a se assanhar*. ▶ Conjug. 5.

assar (as.*sar*) *v.* **1.** Submeter à ação do calor ou do fogo, até ficar cozido e levemente tostado: *assar a torta no forno*. **2.** Causar inflamação ou irritação cutânea por atrito, calor etc.: *A fralda molhada assou o bebê*. **3.** Pôr fogo a; queimar: *Os inquisidores assavam os inimigos do cristianismo na fogueira*. **4.** Causar grande calor ou ardor a: *O calor assava os convidados*. **5.** Sofrer a ação direta do fogo em seco: *A carne assa no espeto*. **6.** Queimar: *Os inimigos do cristianismo assaram na fogueira da Inquisição*. **7.** *fig.* Sentir grande calor ou ardor: *Os convidados à posse do presidente assavam ao sol do meio-dia*. ▶ Conjug. 5.

assassinar (as.sas.si.*nar*) *v.* **1.** Matar (alguém) voluntariamente: *A polícia prendeu o homicida que assassinou um agricultor a facadas*. **2.** *fig.* Fazer algo malfeito: *O pianista assassinou aquela sonata de Chopin*. ▶ Conjug. 5.

assassinato (as.sas.si.*na*.to) *s.m.* Assassínio.

assassínio (as.sas.*sí*.ni:o) *s.m.* Ato ou efeito de assassinar; homicídio, assassinato.

assassino (as.sas.*si*.no) *adj.* **1.** Que causa a morte: *revólver assassino*. • *s.m.* **2.** Aquele que comete assassínio.

assaz (as.*saz*) *adv.* **1.** Bastante, suficientemente: *Nossa conversa foi assaz proveitosa*. **2.** Muito, demais: *Fiquei assaz aborrecida com a sua atitude*.

assear (as.se:*ar*) *v.* Limpar dando aspecto agradável e cuidado: *Era a irmã mais velha quem asseava os irmãos pequenos*; *Asseou-se e vestiu-se lentamente*. ▶ Conjug. 14.

assecla [é] (as.se.cla) *s.m. e f.* Indivíduo que segue partido, ideia, seita etc.; sectário, sequaz.

assediar (as.se.di:ar) *v.* **1.** Cercar (um lugar) para obter sua rendição: *Chegando a Roma, o imperador a assediou e a tomou pela fome.* **2.** *fig.* Importunar, molestar com propostas ou perguntas insistentes: *O turista foi preso por assediar uma mulher.* ▶ Conjug. 17.

assédio (as.sé.di:o) *s.m.* **1.** Conjunto de operações militares em volta ou em frente de uma praça para se apossar dela; sítio. **2.** *fig.* Insistência impertinente, junto de alguém, com perguntas, propostas, pedidos, convites etc.

assegurar (as.se.gu.*rar*) *v.* **1.** Afirmar (algo) com certeza; testificar: *O presidente assegurou (aos jornalistas) que tais abusos não voltarão a acontecer.* **2.** Tornar (algo) garantido: *A Constituição assegura (a todo cidadão) o direito à saúde.* ▶ Conjug. 5.

asseio (as.*sei*.o) *s.m.* **1.** Limpeza, higiene: *O asseio das crianças é fundamental para a sua saúde.* **2.** Esmero, capricho: *Fez o trabalho com asseio.*

assembleia [éi] (as.sem.*blei*.a) *s.f.* **1.** Reunião dos membros de uma agremiação para discutir e deliberar sobre assuntos de interesse comum: *A assembleia de pós-graduandos da universidade foi bastante concorrida.* **2.** Conjunto de membros de uma corporação aos quais correspondem funções deliberativas: *Terminada sua missão, a Assembleia Constituinte se dissolveu.* ‖ *Assembleia Legislativa*: reunião dos membros do poder legislativo de um Estado.

assemelhar (as.se.me.*lhar*) *v.* Ser semelhante ou parecido a: *O rio assemelha uma serpente; O sabor da jaca assemelha-se ao da banana.* ▶ Conjug. 9. – **assemelhado** *adj.*

assenhorear-se (as.se.nho.re:*ar*-se) *v.* Tornar-se senhor de: *O capital estrangeiro assenhoreou-se da produção de equipamentos; O avião assenhoreou-se do espaço.* ▶ Conjug. 14 e 6. – **assenhoreamento** *s.m.*

assentamento (as.sen.ta.*men*.to) *s.m.* **1.** Ato ou efeito de assentar(-se). **2.** Ato de dar posse legal de terra a agricultores que não a possuem. **3.** Lugar em que se assentam esses agricultores.

assentar (as.sen.*tar*) *v.* **1.** Pôr(-se) sobre o assento; sentar(-se): *Assentou a criança no banco; Os escoteiros assentaram(-se) em torno do fogo.* **2.** Colocar (uma coisa) de modo que fique segura: *Seu trabalho era assentar dormentes em estradas de ferro.* **3.** Baixar: *Este óleo ajuda a assentar o cabelo ouriçado; fig. É melhor esperar a poeira assentar para falar com ele.* **4.** Aplicar (golpe, soco etc.): *Tomado de ira, assentou-lhe um colossal pontapé.* **5.** Firmar-se, fundar-se: *Suas razões assentam no senso comum.* **6.** Condizer, harmonizar-se: *O vermelho assenta-lhe muito bem; Tal comportamento não assenta em você.* **7.** Tomar juízo: *Finalmente a cabeça de Mário assentou.* **8.** Dar posse legal de terra a (agricultores que não a possuem): *Plano de reforma agrária pretende assentar mais de 400 mil famílias até o próximo ano.* **9.** Estabelecer (-se), fixar(-se): *O bando de nômades acabou assentando moradia na aba da montanha; Os pioneiros desbravadores assentaram-se nas ribas do sinuoso rio.* ‖ part.: assentado e assente. ▶ Conjug. 5.

assente (as.*sen*.te) *adj.* **1.** Firme, sólido, assentado. **2.** Resolvido, firmado, deliberado. ‖ part. de *assentar.*

assentir (as.sen.*tir*) *v.* Concordar, consentir: *Assentiu que tínhamos razão; Costuma assentir aos desejos dos filhos; Assentiu em reformular sua resposta; Hesitou, mas acabou assentindo.* ▶ Conjug. 69. – **assentimento** *s.m.*

assento (as.*sen*.to) *s.m.* **1.** Tudo o que serve para assentar-se (cadeira, banco etc.). **2.** Parte da cadeira ou do banco em que se assentam as nádegas.

assepsia (as.sep.*si*.a) *s.f.* **1.** (*Med.*) Conjunto de métodos que têm por fim impedir a penetração, no organismo, de germes patogênicos. **2.** Ausência desses germes.

asséptico (as.*sép*.ti.co) *adj.* **1.** Relativo a assepsia. **2.** Isento de germes patogênicos.

asserção (as.ser.*ção*) *s.f.* Afirmação, asseveração, assertiva. – **assertivo** *adj.*

assertiva (as.ser.*ti*.va) *s.f.* Asserção.

assessor [ô] (as.ses.*sor*) *s.m.* Profissional que informa e aconselha (outro ou uma entidade).

assessorar (as.ses.so.*rar*) *v.* Servir de assessor a: *Nossos professores foram convidados para assessorar altos funcionários do governo; Assessoramos a empresa em todas as etapas da implantação do novo sistema.* ▶ Conjug. 20. – **assessoramento** *s.m.*

assessoria (as.ses.so.*ri*.a) *s.f.* **1.** Ato ou efeito de assessorar. **2.** Cargo ou função de assessor.

assestar (as.ses.*tar*) *v.* Apontar; dirigir: *Foi no momento em que assestara a luneta que se deu o caso; Os tiros assestam contra os objetivos.* ▶ Conjug. 8.

asseverar

asseverar (as.se.ve.*rar*) v. Dar como certo, afirmar, atestar: *O promotor assevera que ele é o criminoso.* ▶ Conjug. 8. – **asseveração** s.f.; **asseverativo** adj.

assexuado [cs] (as.se.xu:*a*.do) adj. **1.** Sem sexo. **2.** Que prescinde de sexo: *pessoa assexuada.*

assexual [cs] (as.se.xu:*al*) adj. (*Biol.*) Diz-se da reprodução que ocorre sem a união de gametas masculinos e femininos.

assíduo (as.*sí*.du:o) adj. **1.** Que comparece com regularidade ao lugar onde deve desempenhar suas atividades ou funções: *Ele é um aluno assíduo.* **2.** Constante, contínuo, ininterrupto: *leitura assídua.* – **assiduidade** s.f.

assim (as.*sim*) adv. **1.** Deste modo: *Ele anda tão mal-humorado; antes, raramente ficava assim.* • **2.** conj. Assim sendo; portanto: *As turmas podem ter vaga bloqueada para alguns cursos. Assim, algumas vagas podem não estar destinadas a alunos do seu curso.* || *Assim assim*: nem bem nem mal; mais ou menos. • *Assim como*: do mesmo modo que. • *Assim que*: logo que. • *E assim por diante*: e outros mais: *A professora foi arguindo todos os alunos: Alice, Ana, André, e assim por diante.*

assimetria (as.si.me.*tri*.a) s.f. Falta de simetria. – **assimétrico** adj.

assimilar (as.si.mi.*lar*) v. **1.** Fixar, aprender: *assimilar o conhecimento.* **2.** Transformar para incorporar a si: *assimilar o alimento.* **3.** Apropriar-se de; absorver: *assimilar o estilo de Machado de Assis.* **4.** Tornar(-se) semelhante: *assimilar um poeta a Homero; Com a convivência, os cônjuges se assimilam.* ▶ Conjug. 5. – **assimilação** s.f.; **assimilativo** adj.; **assimilável** adj.

assinalado (as.si.na.*la*.do) adj. **1.** Que tem ou leva sinal; marcado. **2.** Célebre, distinto, notável.

assinalar (as.si.na.*lar*) v. **1.** Pôr sinal em: *Assinale a alternativa correta.* **2.** Dar sinal, indício, notícia ou conhecimento de: *Uma boia de luz assinala o pesqueiro*; *Este evento assinala uma era democrática de nossa história.* **3.** Destacar, evidenciar: *Sua participação assinala-o como provável vencedor.* ▶ Conjug. 5.

assinante (as.si.*nan*.te) adj. **1.** Que assina. • s.m. e f. **2.** Pessoa que assina ou subscreve jornal, revista etc.

assinar (as.si.*nar*) v. **1.** Apor assinatura em (carta, documento, obra): *assinar uma ata.* **2.** Fazer uma assinatura de: *Assino um jornal de grande circulação.* ▶ Conjug. 5.

assinatura (as.si.na.*tu*.ra) s.f. **1.** Ato ou efeito de assinar. **2.** Nome assinado. **3.** Ajuste pelo qual se adquire o direito de receber um periódico, frequentar série de espetáculos, receber certos serviços etc. **4.** Preço desse ajuste.

assintomático (as.sin.to.*má*.ti.co) adj. (*Med.*) Que não apresenta sintomas.

assistemático (as.sis.te.*má*.ti.co) adj. Que não segue um sistema.

assistência (as.sis.*tên*.ci:a) s.f. **1.** Ato ou efeito de assistir. **2.** Presença em um lugar. **3.** Conjunto de espectadores: *A festa de premiação contou com numerosa assistência.* **4.** Auxílio, ajuda, amparo: *Sua assistência é necessária para o sucesso do trabalho.* || *Assistência social*: serviços gratuitos prestados pelo Estado aos cidadãos que não dispõem de recursos.

assistencial (as.sis.ten.ci:*al*) adj. Relativo a assistência (4). – **assistencialismo** s.m.; **assistencialista** adj. s.m. e f.

assistente (as.sis.*ten*.te) adj. **1.** Que assiste. • s.m. **2.** Pessoa que está presente a um ato ou cerimônia. **3.** Pessoa que presta assistência. **4.** Título universitário anterior ao de professor adjunto. || *Assistente social*: profissional formado em Serviço Social.

assistir (as.sis.*tir*) v. **1.** Ver e/ou ouvir (espetáculo, filme, programa de televisão, rádio etc.): *Assistiu a dois filmes na mesma tarde.* **2.** Estar presente; comparecer, presenciar: *Não vou assistir aos ensaios.* **3.** Auxiliar, socorrer, ajudar: *Assiste a(os) pobres com dedicação.* **4.** Acompanhar e tratar no parto ou em doença: *Assistem-no* (ou *assistem-lhe*) *médicos famosos.* **5.** Caber, competir: *Este é um direito que lhe assiste.* || Nas acepções 1 e 2, não admite as formas pronominais átonas *lhe, lhes*, mas apenas as tônicas *a ele(s), a ela(s).* ▶ Conjug. 66.

assoalhar (as.so:a.*lhar*) v. Pôr soalho em: *Mandou assoalhar de tacos a nova casa.* ▶ Conjug. 5. – **assoalhamento** s.m.

assoalho (as.so:*a*.lho) s.m. Piso feito de tacos de madeira, de placas de cerâmica etc.; soalho.

assoar (as.so:*ar*) v. **1.** Limpar (o nariz) do muco nasal: *Assoou o nariz ruidosamente.* **2.** Limpar-se do muco nasal: *É preferível assoar-se a ficar coçando o nariz a todo momento.* ▶ Conjug. 25.

assoberbado (as.so.ber.*ba*.do) adj. **1.** Que se tornou soberbo; altivo, insolente. **2.** Muito atarefado; sobrecarregado. – **assoberbamento** s.m.; **assoberbar** v. ▶ Conjug. 8.

assobiar (as.so.bi:*ar*) v. **1.** Executar assobiando (trecho de música): *Sabia assobiar a música "Carinhoso" toda.* **2.** Dar assobios: *A cozinheira*

170

costumava assobiar para avisar que o almoço estava pronto. || assoviar. ▶ Conjug. 17.

assobio (as.so.*bi*:o) *s.m.* **1.** Som agudo produzido pela passagem do ar através dos lábios arredondados e esticados para a frente. **2.** Som agudo das serpentes e de certas aves; silvo. **3.** Instrumento próprio para assobiar; apito. || *assovio.*

assobradado (as.so.bra.*da*.do) *adj.* Semelhante a sobrado.

associação (as.so.ci.a.*ção*) *s.f.* **1.** Ato de associar(-se). **2.** Conjunto de pessoas ou entidades que visam a uma finalidade comum.

associado (as.so.ci:*a*.do) *adj.* **1.** Que se associou. • *s.m.* **2.** Sócio, membro.

associar (as.so.ci:*ar*) *v.* **1.** Relacionar mentalmente: *O aluno possui bom raciocínio lógico e capacidade de associar ideias; As propagandas fazem com que a criança associe erroneamente imagens de beleza e êxito com consumo de doces ou refrigerantes.* **2.** Ter relação com: *O uso deste fármaco não se associou com o aumento de risco de câncer de mama.* **3.** Tornar(-se) sócio: *Vamos associá-lo à firma; Associou-se a aventureiros em negócios escusos.* ▶ Conjug. 17. – **associativo** *adj.*

assolar (as.so.*lar*) *v.* Destruir completamente; arrasar, devastar: *A peste negra assolou a Europa na Idade Média.* ▶ Conjug. 20. – **assolação** *s.f.*; **assolamento** *s.m.*

assomar (as.so.*mar*) *v.* Aparecer, mostrar-se, aflorar, despontar: *O povo aguardava que o rei assomasse ao balcão do palácio; Uma grande mágoa assomava ao rosto da jovem.* ▶ Conjug. 5.

assombração (as.som.bra.*ção*) *s.f.* **1.** Pavor causado pela aparição de coisas sobrenaturais. **2.** Alma do outro mundo; fantasma.

assombrado (as.som.*bra*.do) *adj.* **1.** Em que se supõe haver almas do outro mundo: *castelo assombrado.* **2.** Cheio de assombro; espantado, admirado. **3.** Assustado, aterrorizado. **4.** Coberto de sombra.

assombrar (as.som.*brar*) *v.* **1.** Causar assombro a: *Na peça, havia alguns seres fantásticos que assombravam as crianças da plateia.* **2.** Aparecer (assombração): *Dizem que fantasmas assombram aquela casa abandonada.* **3.** Maravilhar(-se), deslumbrar(-se): *O jogador assombrou o mundo com sua técnica e seus gols incríveis; Os ouvintes assombraram-se com o talento do jovem pianista.* ▶ Conjug. 5. – **assombradiço** *adj.*; **assombramento** *s.m.*

assustado

assombro (as.*som*.bro) *s.m.* **1.** Grande espanto. **2.** Susto, terror. **3.** Pessoa ou coisa que causa assombro; maravilha, prodígio: *O filme é um assombro, pela qualidade artística e pela atuação primorosa dos atores.*

assombroso [ô] (as.som.*bro*.so) *adj.* Que causa assombro; espantoso. || f. e pl.: [ó].

assomo (as.*so*.mo) *s.m.* **1.** Aparência reveladora; indício: *Em seus olhos, havia um assomo de sofrimento.* **2.** Surgimento, aparecimento. **3.** Impulso, ímpeto: *Num assomo de arrependimento, desculpou-se pelo mal que nos fizera.*

assonância (as.so.*nân*.ci:a) *s.f.* Repetição de sons em palavras próximas.

assonante (as.so.*nan*.te) *adj.* **1.** Em que há assonância. **2.** (*Lit.*) Diz-se da rima em que coincidem as vogais a partir da última acentuada.

assoprar (as.so.*prar*) *v.* Soprar. ▶ Conjug. 20.

assopro [ô] (as.so.pro) *s.m.* Sopro.

assorear (as.so.re:*ar*) *v.* Encher(-se) de areia, detritos etc.; obstruir(-se): *A queda de uma barragem assoreou o lago e matou os peixes; A impressão que dá é que o ribeirão assoreou(-se) muito.* ▶ Conjug. 14. – **assoreamento** *s.m.*

assoviar (as.so.vi:*ar*) *v.* Assobiar. ▶ Conjug. 17.

assovio (as.so.*vi*:o) *s.m.* Assobio.

assumir (as.su.*mir*) *v.* **1.** Tomar para si: *assumir um encargo.* **2.** Tomar posse de cargo, função etc.: *assumir a pasta da Ciência.* **3.** Apresentar, manifestar: *assumir um ar de inocência.* **4.** Chegar a ter; tomar: *Os prejuízos assumiram enormes proporções.* **5.** Aceitar: *Resolveu assumir os cabelos brancos e parou de pintá-los.* **6.** Reconhecer: *Finalmente ele assumiu que é um tanto machista.* ▶ Conjug. 66. – **assumido** *adj.*

assunção (as.sun.*ção*) *s.f.* **1.** Ato de assumir. **2.** Elevação a dignidade ou cargo. **3.** (*Rel.*) Festa católica que celebra a elevação da Virgem ao Céu. **4.** (*Rel.*) Dogma da elevação da Virgem Maria ao Céu, após sua morte.

assuntar (as.sun.*tar*) *v.* **1.** Prestar atenção a; observar, reparar: *Ele gosta de assuntar a vida alheia.* **2.** Apurar, verificar: *Antes de entrar, assuntou se havia muitas garotas na discoteca.* ▶ Conjug. 5.

assunto (as.*sun*.to) *s.m.* Aquilo sobre o que falamos ou escrevemos; tema, objeto, questão.

assustadiço (as.sus.ta.*di*.ço) *adj.* Fácil de assustar-se.

assustado (as.sus.*ta*.do) *adj.* **1.** Que se assustou. **2.** Amedrontado, vacilante, indeciso.

assustador

assustador [ô] (as.sus.ta.*dor*) *adj.* **1.** Que assusta. • *s.m.* **2.** O que assusta.

assustar (as.sus.*tar*) *v.* Causar ou sentir susto: *O tiroteio assustou os moradores do morro; Assustou-se ao ver-se no espelho.* ▶ Conjug. 5.

asteca [é] (as.te.ca) *adj.* **1.** Relativo aos astecas, antigo povo que dominava o território do México antes da invasão espanhola. • *s.m.* e *f.* **2.** Indivíduo desse povo. • *s.m.* **3.** Língua falada por esse povo, hoje extinta.

astenia (as.te.*ni*.a) *s.f.* (*Med.*) Fraqueza, debilidade. – **astênico** *adj. s.m.*

asterisco (as.te.*ris*.co) *s.m.* Sinal gráfico em forma de estrela (*), usado como chamada para nota de pé de página ou como símbolo de uma convenção.

asteroide [ói] (as.te.*roi*.de) *s.m.* (*Astron.*) Qualquer dos pequenos planetas, invisíveis a olho nu, cujas órbitas estão, na maior parte das vezes, compreendidas entre as de Marte e Júpiter.

astigmatismo (as.tig.ma.*tis*.mo) *s.m.* (*Med.*) Perturbação da vista causada por defeito na curvatura da córnea. – **astigmático** *adj. s.m.*

astral (as.*tral*) *adj.* **1.** Relativo aos astros; sideral. • *s.m. coloq.* **2.** Estado de ânimo: *Você está com um astral ótimo hoje.* **3.** Atmosfera: *Gosto do astral daquele bar.*

astro (as.tro) *s.m.* **1.** Corpo celeste; estrela. **2.** *fig.* Pessoa que se destaca numa atividade, principalmente no cinema, na televisão ou nos esportes; estrela. **3.** *fig.* Ator de televisão ou de cinema de primeira ordem na série de personagens de um filme ou representação teatral.

astrolábio (as.tro.*lá*.bi:o) *s.m.* (*Astron.*) Antigo instrumento que servia para tomar a altura dos astros e medir a latitude e a longitude do lugar em que se encontra o observador.

astrologia (as.tro.lo.*gi*.a) *s.f.* Arte de ler nos astros o futuro e o caráter das pessoas.

astrólogo (as.*tró*.lo.go) *s.m.* O que professa a astrologia. – **astrológico** *adj.*

astronauta (as.tro.*nau*.ta) *s.m.* e *f.* Tripulante de astronave; cosmonauta.

astronáutica (as.tro.*náu*.ti.ca) *s.f.* Ciência que se ocupa das viagens espaciais; cosmonáutica. – **astronáutico** *adj.*

astronave (as.tro.*na*.ve) *s.f.* Engenho ou veículo adequado às viagens espaciais; nave espacial; cosmonave, astronave, espaçonave.

astronomia (as.tro.no.*mi*.a) *s.f.* Ciência que estuda os astros e a estrutura do Universo; uranografia.

astronômico (as.tro.*nô*.mi.co) *adj.* **1.** Relativo a Astronomia. **2.** *fig.* Muito elevado: *um preço astronômico.*

astrônomo (as.*trô*.no.mo) *s.m.* Especialista em Astronomia.

astúcia (as.*tú*.ci:a) *s.f.* **1.** Qualidade de astuto. **2.** Meio hábil usado para se conseguir algo; ardil, manha. – **astucioso** *adj.*

astuto (as.*tu*.to) *adj.* Que é sagaz e hábil para conseguir seu propósito ou para não se deixar enganar.

▶ **às vezes** *loc. adv.* Ver em *vez.*

ata[1] (*a*.ta) *s.f.* Narração, por escrito, do que se passou em uma sessão, em uma assembleia, em uma reunião, em uma cerimônia.

ata[2] (*a*.ta) *s.f.* Fruta-de-conde.

atá (a.*tá*) *s.m.* Falta de ocupação ou rumo. || *Andar ao atá:* andar sem rumo.

atabalhoado (a.ta.ba.lho:*a*.do) *adj.* **1.** Apressado e sem cuidado: *O contrato entre as duas empresas foi feito de modo atabalhoado; Foi uma despedida atabalhoada.* **2.** Desastrado, atrapalhado: *Ela é tão atabalhoada que quebra tudo o que pega.* – **atabalhoamento** *s.m.*; **atabalhoar** *v.* ▶ Conjug. 25.

atabaque (a.ta.*ba*.que) *s.m.* (*Mús., Rel.*) Tambor alto feito com couro na cobertura, distendido sobre uma base oca e tocado com as mãos, usado em danças e cultos afro-brasileiros.

atacadista (a.ta.ca.*dis*.ta) *adj.* **1.** Relativo ao comércio feito em grandes quantidades. **2.** Diz-se de negociante ou firma que vende por atacado. • *s.m.* e *f.* **3.** Negociante que vende por atacado.

atacado[1] (a.ta.*ca*.do) *adj.* **1.** Preso, unido, apertado. • *s.m.* **2.** Comércio atacadista de mercadorias.

atacado[2] (a.ta.*ca*.do) *adj.* **1.** Que sofreu ataque. **2.** *coloq.* De mau humor; invocado: *Tem um gênio terrível; está sempre atacada.*

atacante (a.ta.*can*.te) *adj.* **1.** Que ataca; agressor. • *s.m.* e *f.* **2.** O que ataca. **3.** (*Esp.*) Em futebol, o jogador da linha de ataque.

atacar (a.ta.*car*) *v.* **1.** Tomar ofensiva contra; assaltar, investir. **2.** Hostilizar, acusar: *Era minha amiga, mas atacou-me com duras ofensas.* **3.** Manifestar-se repentinamente (moléstia, sono, sentimento etc.): *No meio da competição, o receio do fracasso atacou nosso tenista.* **4.** Começar a executar: *A orquestra atacou então um animado samba.* **5.** Investir reciprocamente: *Os dois ladrões atacaram-se furiosamente.* ▶ Conjug. 5 e 35.

atadura (a.ta.du.ra) *s.f.* **1.** Ato de atar. **2.** Tira de gaze própria para curativos; bandagem.

atalaia (a.ta.lai.a) *s.m.* e *f.* **1.** Sentinela, vigia. • *s.f.* **2.** Torre ou guarita para serviço de atalaia. **3.** Ponto elevado de observação.

atalhar (a.ta.lhar) *v.* **1.** Encurtar, abreviar: *atalhar o assunto.* **2.** Dizer (interrompendo alguém que fala): *'Silêncio!', atalhou o professor.* ▶ Conjug. 5.

atalho (a.ta.lho) *s.m.* **1.** Caminho estreito, fora da estrada, que serve para encurtar distância; senda. **2.** Expediente para evitar demoras. **3.** (*Inform.*) Ícone na área de trabalho que permite o acesso imediato a um programa, um arquivo etc.

atanazar (a.ta.na.zar) *v.* Atazanar. ▶ Conjug. 5.

atapetado (a.ta.pe.ta.do) *adj.* Coberto ou forrado de tapetes.

atapetar (a.ta.pe.tar) *v.* Cobrir com tapete: *Por sugestão do decorador, atapetou a casa toda.* ▶ Conjug. 8.

ataque (a.ta.que) *s.m.* **1.** Ato ou efeito de atacar; investida. **2.** *fig.* Ofensa, injúria, acusação. **3.** Manifestação repentina de (moléstia, sono, sentimento etc.); acesso: *ataque de asma; ataque de cólera.* **4.** (*Esp.*) No futebol, jogada em que se procura fazer gol. **5.** (*Esp.*) Grupo de jogadores que realiza essa jogada.

atar (a.tar) *v.* **1.** Prender com uma corda ou outro objeto similar: *Apanhou os cabelos e atou-os com uma fita.* **2.** *fig.* Unir(-se), ligar(-se): *Com o casamento, atou sua vida à dele; As duas vidas ataram-se por laços de amor e amizade.* ‖ *Não atar nem desatar*: não se decidir, não chegar a uma conclusão. ▶ Conjug. 5.

atarantado (a.ta.ran.ta.do) *adj.* Atrapalhado, desnorteado.

atarantar (a.ta.ran.tar) *v.* Atrapalhar(-se), desnortear(-se): *A discussão entre os alunos atarantou o professor; O time atarantou-se depois de sofrer o primeiro gol.* ▶ Conjug. 5.

atarefar (a.ta.re.far) *v.* **1.** Dar tarefa a; sobrecarregar de trabalho: *O guia atarefou os escoteiros.* **2.** Ocupar-se com empenho: *O chef atarefou-se no preparo dos pratos.* ▶ Conjug. 8. – **atarefamento** *s.m.*

atarracado (a.tar.ra.ca.do) *adj.* **1.** Apertado, arrochado. **2.** *fig.* Diz-se de pessoa baixa e gorda.

atarraxar [ch] (a.tar.ra.xar) *v.* Apertar com tarraxa: *Atarraxou a lâmpada no bocal.* ▶ Conjug. 5.

ataúde (a.ta.ú.de) *s.m.* Caixão fúnebre, esquife.

atávico (a.tá.vi.co) *adj.* Adquirido por herança de antepassados remotos.

atavio (a.ta.vi:o) *s.m.* Adorno, enfeite, ornamento. – **ataviar** *v.* ▶ Conjug. 17.

atazanar (a.ta.za.nar) *v.* Importunar insistentemente; apoquentar: *Durante décadas, atazanou sem parar seus inimigos.* ‖ **atanazar**, **atenazar**. ▶ Conjug. 5.

até (a.té) *prep.* **1.** Indica limite a que se chega no espaço, no tempo, na ação, na quantidade, ou na intensidade: *Chegou até mim para falar do amigo; Comemos até não aguentar mais.* • *adv.* **2.** Inclusive, também, mesmo: *As gêmeas vestiam-se da mesma forma; até os laços do cabelo eram iguais; Até eu fui repreendido.*

atear (a.te:ar) *v.* Pôr (fogo) em: *Os acusados confessaram que atearam fogo na casa.* ▶ Conjug. 14.

ateísmo (a.te.ís.mo) *s.m.* Doutrina ou prática de ateu.

ateliê (a.te.li:ê) *s.m.* Oficina de pintor, escultor, fotógrafo etc.; estúdio.

atemorizar (a.te.mo.ri.zar) *v.* **1.** Causar temor a: *O mau tempo não atemorizou o piloto.* **2.** Encher-se de temor: *O boxeador atemorizou-se com o atrevimento do adversário.* ▶ Conjug. 5. – **atemorizador** *adj. s.m.*; **atemorizante** *adj.*

➤ **a tempo** *loc. adv.* Ver em *tempo.*

atemporal (a.tem.po.ral) *adj.* Que não está preso ao passar do tempo.

atenazar (a.te.na.zar) *v.* Atazanar. ▶ Conjug. 5.

atenção (a.ten.ção) *s.f.* **1.** Aplicação do entendimento ou dos sentidos a objeto externo; aplicação, concentração, cuidado: *Faz o seu trabalho com muita atenção.* **2.** Tento, reparo, caso: *Não dê tanta atenção a críticas.* **3.** Consideração, respeito, cortesia, urbanidade: *Sempre foi tratada com atenção pelos colegas.* ‖ É usado em frases nominais exclamativas para advertir, recomendar cuidado: *Atenção! Não se deve falar durante o teste!*

atencioso [ô] (a.ten.ci:o.so) *adj.* **1.** Feito com atenção. **2.** Cheio de atenções; polido, cortês, atento; solícito. ‖ f. e pl.: [ó].

atendente (a.ten.den.te) *s.m.* e *f.* Indivíduo que, nos hospitais e consultórios, desempenha serviços auxiliares de enfermagem.

atender (a.ten.der) *v.* **1.** Acolher com atenção ou cortesia: *Sempre atende os que o procuram; Os empregados atendiam a um e a outro.* **2.** Tomar em consideração; seguir, acatar: *Atenda (a)os conselhos do seu pai.* **3.** Dar consulta médica: *Aquele médico atendia (à) a população de graça.*

ateneu

4. Responder a (chamado): *atender (a)o telefone, (à) a porta etc.; O telefone tocou, mas ninguém atendeu*. **5.** Responder favoravelmente; deferir: *Não atenderam (a)o pedido da mãe desesperada*. **6.** Responder (geralmente um animal): *Ela tinha um gato que atendia pelo nome de Hermes*. ▶ Conjug. 39. – **atendimento** s.m.

ateneu (a.te.*neu*) s.m. Estabelecimento de ensino secundário.

ateniense (a.te.ni:*en*.se) adj. **1.** De Atenas, capital da Grécia. • s.m. e f. **2.** O natural ou o habitante dessa capital.

atentado[1] (a.ten.*ta*.do) s.m. **1.** Ofensa grave (à lei, à moral etc.). **2.** Ato criminoso.

atentado[2] (a.ten.*ta*.do) adj. Levado, endiabrado.

atentar[1] (a.ten.*tar*) v. **1.** Reparar em, ver com atenção, olhar, observar: *Vai frequentemente ao cinema, mas não atenta para o (ao, no) estilo dos cineastas; Por mais que procurasse, não atentava (à, na) para a saída*. **2.** Atender a; considerar, ponderar: *Nem sequer atentou para (aos, nos) os privilégios que perderia; Seria bom atentar em (às, para) suas palavras*. ▶ Conjug. 5.

atentar[2] (a.ten.*tar*) v. Perpetrar atentado: *Não atente contra a vida de seu semelhante*. ▶ Conjug. 5.

atentatório (a.ten.ta.*tó*.ri:o) adj. Que envolve atentado: *Trata-se de ato atentatório ao pudor*.

atento (a.*ten*.to) adj. Que presta atenção, que atende; atencioso.

atenuante (a.te.nu:*an*.te) adj. **1.** Que atenua. **2.** Que diminui a gravidade de um crime ou contravenção. • s.f. **3.** (*Jur.*) Circunstância atenuante de um crime ou contravenção.

atenuar (a.te.nu:*ar*) v. **1.** Tornar menos denso, menos espesso: *O vento atenuou a concentração de nuvens*. **2.** Enfraquecer, abrandar, amenizar: *Nem a chegada dos amigos atenuou sua depressão*. **3.** Tornar(-se) mais tênue: *A chuva atenuou(-se)*. **4.** Tornar-se mais ameno; amenizar-se: *Com medidas assistencialistas, a miséria só se atenua, mas não se extingue*. ▶ Conjug. 5. – **atenuação** s.f.

aterrar[1] (a.ter.*rar*) v. Aterrorizar. ▶ Conjug. 8.

aterrar[2] (a.ter.*rar*) v. **1.** Cobrir com terra; encher de terra: *A pavimentação da alameda aterrou parte do rio*. **2.** Aterrissar. ▶ Conjug. 8. – **aterragem** s.f.

aterrissar (a.ter.ris.*sar*) v. Baixar o avião à terra; aterrar[2]: *O avião aterrissou no aeroporto na hora esperada*. || Conferir com *amerrissar*. ▶ Conjug. 5. – **aterrissagem** s.f.

aterro [ê] (a.*ter*.ro) s.m. **1.** Ato de aterrar. **2.** Porção de terra com que se nivela ou alteia um terreno. **3.** Superfície aterrada.

aterrorizador [ô] (a.ter.ro.ri.za.*dor*) adj. Que aterroriza.

aterrorizante (a.ter.ro.ri.*zan*.te) adj. Aterrorizador.

aterrorizar (a.ter.ro.ri.*zar*) v. Encher(-se) de terror; aterrar[1]: *O monstro do filme aterroriza a plateia infantil; Aterrorizamo-nos com os gritos vindos da casa ao lado*. ▶ Conjug. 5.

ater-se (a.*ter*-se) v. **1.** Prender-se, apegar-se, fixar-se: *ater-se a detalhes*. **2.** Restringir-se, cingir-se: *ater-se às normas*. ▶ Conjug. 1 e 42.

atestado (a.tes.*ta*.do) s.m. Declaração assinada em que alguém atesta a verdade de um fato.

atestar (a.tes.*tar*) v. **1.** Passar atestado de; certificar por escrito: *O médico atestou minhas boas condições de saúde*. **2.** Comprovar, testificar: *As palavras do réu atestam sua recuperação*. **3.** Provar, demonstrar: *Atestou-me o que afirmara antes*. **4.** Dar testemunho de: *Ele pode atestar a minha inocência*. ▶ Conjug. 8.

ateu (a.*teu*) adj. **1.** Que não crê em Deus; descrente, ímpio, incréu. • s.m. **2.** Indivíduo ateu. || f.: **ateia**.

atiçar (a.ti.*çar*) v. **1.** Avivar (o fogo), soprando-o ou atirando-lhe um combustível. **2.** Fomentar, promover, provocar: *Você conseguiu atiçar a minha curiosidade*. ▶ Conjug. 5 e 36. – **atiçador** adj.; **atiçamento** s.m.

atilado (a.ti.*la*.do) adj. **1.** Inteligente, esperto. **2.** Correto, pontual, escrupuloso. **3.** Discreto, ajuizado. – **atilamento** s.m.; **atilar** v. ▶ Conjug. 5.

átimo (*á*.ti.mo) s.m. Instante, momento. || *Num átimo*: em curtíssimo espaço de tempo.

atinar (a.ti.*nar*) v. Descobrir pelo tino ou por conjectura; encontrar, dar, acertar: *Não atino com o rumo desse trabalho; Pelo comentário do professor, atinei a resposta*. ▶ Conjug. 5.

atinente (a.ti.*nen*.te) adj. Que diz respeito a; relativo, concernente, pertencente: *É preciso consultar a legislação atinente à clonagem*.

atingir (a.tin.*gir*) v. **1.** Chegar a tocar: *Com precisão, atingiu o alvo*. **2.** Alcançar, obter: *Fez uma promessa e atingiu a graça almejada*. **3.** Chegar a: *atingir o ponto máximo da carreira; Dez é a maior nota que se pode atingir*. **4.** Afetar: *As críticas destrutivas não me atingem*. ▶ Conjug. 66 e 92. – **atingível** adj.

atípico (a.*tí*.pi.co) adj. Que não é comum; raro.

atiradeira (a.ti.ra.*dei*.ra) *s.f.* Forquilha de madeira, provida de elástico, com a qual se atiram pequenas pedras; bodoque, estilingue.

atirar (a.ti.*rar*) *v.* **1.** Lançar, arremessar: *As crianças brincavam atirando pedras*; *O menino atirou um vaso no colega*. **2.** Proferir com violência: *O senador atirou acusações a seus pares*. **3.** Disparar arma de fogo: *Seu esporte é atirar nos pássaros*; *Soldados devem saber atirar*. **4.** Lançar-se, jogar-se, pôr-se: *O velho atirou-se de joelhos aos pés da cruz*. **5.** Entregar-se, abandonar-se: *Em desespero, atirou-se à bebida*. ‖ Atirar a primeira pedra: apressar-se em condenar ou punir alguém. • Atirar no que viu e acertar no que não viu: obter resultado diferente do que pretendia. ▶ Conjug. 5. – **atirador** *adj. s.m.*

atitude (a.ti.*tu*.de) *s.f.* **1.** Postura expressiva do corpo; posição, porte, jeito. **2.** Manifestação de um intento ou propósito. **3.** Reação ou comportamento com relação a qualquer estímulo ou situação; modo de proceder.

ativar (a.ti.*var*) *v.* Tornar(-se) ativo ou mais ativo: *O homem ativou a bomba que levava junto ao corpo*; *Sua memória ativou-se depois que começou a fazer palavras cruzadas*. ▶ Conjug. 5. – **ativação** *s.f.*

atividade (a.ti.vi.*da*.de) *s.f.* **1.** Qualidade ou estado de ativo. **2.** Ação enérgica; força, vivacidade. **3.** Qualquer trabalho específico. **4.** Procedimento educativo que estimula o aprendizado através da experiência: *Depois de apresentar um assunto, a professora sempre passa uma atividade para a turma*.

ativismo (a.ti.*vis*.mo) *s.m.* Teoria ou prática baseada na ação militante com fins políticos ou sociais.

ativista (a.ti.*vis*.ta) *adj.* **1.** Diz-se de pessoa adepta do ativismo. • *s.m. e f.* **2.** Partidário do ativismo.

ativo (a.*ti*.vo) *adj.* **1.** Que está em ação. **2.** Capaz de funcionar. **3.** Que tem disposição e energia para o trabalho. **4.** Engajado em alguma atividade; participante, atuante. **5.** Muito intenso; forte, vivo: *cheiro ativo*. **6.** (*Gram.*) Diz-se da voz cujo sujeito designa a pessoa ou coisa que realiza a ação. • *s.m.* **7.** Conjunto de bens pertencentes a uma pessoa ou a uma entidade.

atlântico (a.*tlân*.ti.co) *adj.* **1.** Do Oceano Atlântico. **2.** Que vive ou se situa próximo do Oceano Atlântico: *Mata Atlântica*; *balneários atlânticos*.

atlas (a.tlas) *s.m.2n.* (*Geogr.*) Coleção de mapas ou cartas geográficas em livro.

atleta [é] (a.*tle*.ta) *s.m. e f.* **1.** Pessoa que pratica o atletismo; esportista. **2.** *fig.* Pessoa de constituição robusta, forte, musculosa. – **atlético** *adj.*

atletismo (a.tle.*tis*.mo) *s.m.* Conjunto de atividades esportivas que compreende as corridas, os saltos e os arremessos.

atmosfera [é] (at.mos.*fe*.ra) *s.f.* **1.** Camada de ar que envolve a Terra. **2.** Espaço em que respiramos: *A atmosfera do teatro estava viciada pelo fumo*. **3.** *fig.* Meio em que se vive; ambiência: *Pelos olhares raivosos, sentiu que a atmosfera naquela casa estava carregada*. – **atmosférico** *adj.*

ato (a.to) *s.m.* **1.** O que se faz; ação: *Amamentar é um ato de amor*. **2.** Evento formal, geralmente público e solene; solenidade, cerimônia. **3.** Cada uma das grandes divisões de uma peça teatral: *comédia em três atos*. **4.** Documento público em que são expressas as decisões da autoridade: *ato administrativo*. ‖ Ato falho: (*Psicn.*) ato imprevisto que revela um desejo inconsciente. • Ato institucional: (*Jur.*) estatuto ou regulamento baixado pelo governo.

à toa *adj.* **1.** Sem préstimo; inútil: *homens à toa*. **2.** Que não exige esforço; fácil: *serviço à toa*. **3.** Desprezível, abjeto: *indivíduos à toa*. **4.** Sem importância; insignificante: *um ferimento à toa*. **5.** Diz-se de mulher que se prostitui.

atoalhado (a.to:a.*lha*.do) *adj.* **1.** Coberto com toalha. **2.** Semelhante a toalha. • *s.m.* **3.** Pano atoalhado. **4.** Toalha de mesa. – **atoalhar** *v.* ▶ Conjug. 5.

atocaiar (a.to.cai.*ar*) *v.* Tocaiar. ▶ Conjug. 5.

atochar (a.to.*char*) *v.* **1.** Fazer entrar à força: *Atochou uma rolha na garrafa*. **2.** Encher em excesso; atulhar: *atochar a mala de roupa, atochar a boca de comida etc.* ▶ Conjug. 20.

▶ **a toda** *loc. adv.* Ver em *todo*.

atol (a.*tol*) *s.m.* (*Geol.*) Recife circular com uma lagoa central.

atolar (a.to.*lar*) *v.* **1.** Ficar retido em atoleiro: *O carro atolou no lamaçal*. **2.** *fig.* Pôr-se em situação difícil: *Por sua culpa, a empresa atolou-se em dívidas*. **3.** *fig.* Sobrecarregar(-se) de trabalhos ou ocupações: *O professor atolou a turma de deveres*; *Atolou-se com mil trabalhos*. ▶ Conjug. 20.

atoleiro (a.to.*lei*.ro) *s.m.* **1.** Lamaçal. **2.** *fig.* Embaraço de que é difícil sair.

atômico (a.*tô*.mi.co) *adj.* **1.** Relativo ao átomo. **2.** Relativo ao núcleo atômico.

atomizador

atomizador [ô] (a.to.mi.za.*dor*) s.m. Aparelho para reduzir um líquido a gotículas; nebulizador.

átomo (á.to.mo) s.m. (*Fís.*, *Quím.*) A menor fração de um elemento químico que pode tomar parte em uma reação. – **atomizar** v. ▶ Conjug. 5.

atonal (a.to.*nal*) adj. (*Mús.*) Que não segue as normas clássicas da tonalidade.

atonalidade (a.to.na.li.*da*.de) s.f. (*Mús.*) Sistema musical que não segue as normas tonais clássicas.

atônito (a.*tô*.ni.to) adj. **1.** Assombrado de susto ou extrema admiração; estupefato. **2.** Confuso, perturbado, tonto.

átono (á.to.no) adj. (*Gram.*) Desprovido de tonicidade; não acentuado.

ator [ô] (a.*tor*) s.m. **1.** Homem que representa um papel em uma obra de teatro, cinema, televisão, rádio e outros espetáculos; intérprete. **2.** *fig.* Homem que sabe fingir; fingidor.

atordoar (a.tor.do:*ar*) v. Causar abalo ou perturbação dos sentidos; aturdir: *O barulho da obra ao lado está me atordoando.* ▶ Conjug. 25. – **atordoante** adj.

atormentar (a.tor.men.*tar*) v. Submeter(-se) a tormento: *O passado o atormenta; Atormentava-se ao pensar na possibilidade de ser demitido.* ▶ Conjug. 5. – **atormentação** s.f.

➤ **a torto e a direito** loc. adv. Ver em *torto*.

atóxico [cs] (a.*tó*.xi.co) adj. Que não é tóxico.

atrabiliário (a.tra.bi.li:*á*.ri:o) adj. **1.** Colérico, irritável. **2.** Melancólico.

atracadouro (a.tra.ca.*dou*.ro) s.m. Lugar onde se atracam embarcações.

atração (a.tra.*ção*) s.f. **1.** Ato ou efeito de atrair. **2.** Poder de encantar; simpatia. **3.** Interesse ou desejo sexual. **4.** Pessoa ou coisa que atrai a atenção do público em um espetáculo de variedades ou em um local de diversão. **5.** (*Fís.*) Força que atrai os corpos uns para os outros.

atracar (a.tra.*car*) v. **1.** (*Náut.*) Amarrar (uma embarcação) à terra: *O pescador atracou o bote.* **2.** (*Náut.*) Aferrar, encostar (uma embarcação a outra): *O capitão atracou a lancha ao bote.* **3.** Agarrar-se: *Intimidada, a criança atracou-se à mãe.* **4.** Lutar corpo a corpo; engalfinhar-se: *Atraquei-me com o ladrão.* ▶ Conjug. 5 e 35. – **atracação** s.f.

atraente (a.tra.*en*.te) adj. Que atrai; agradável, encantador.

atraiçoar (a.trai.ço:*ar*) v. Trair, enganar: *Atraiçoou os colegas.* ▶ Conjug. 25.

atrair (a.tra.*ir*) v. **1.** Trazer ou puxar para si; fazer aproximar de si: *Por que o ímã atrai o ferro?*; (fig.) *Sua generosidade atrai todos os que o cercam; Na festa, ela atraiu as atenções.* **2.** Exercer atração sobre; seduzir, encantar, prender: *O brilho de seus olhos sempre me atraiu; Ele estava com pressa, mas aquela bela voz o atraiu.* ▶ Conjug. 83.

atrapalhado (a.tra.pa.*lha*.do) adj. **1.** Embaraçado, perturbado: *Fiquei atrapalhada e não consegui responder nada.* **2.** Confuso, tumultuado: *Seus documentos estão completamente atrapalhados; arrume-os.*

atrapalhar (a.tra.pa.*lhar*) v. **1.** Confundir(-se), perturbar(-se): *Sua intervenção atrapalhou o orador; Ia começar a ler o texto, mas atrapalhou-se completamente.* **2.** Causar confusão ou embaraço: *Não peça sua ajuda; ele só atrapalha.* ▶ Conjug. 5. – **atrapalhação** s.f.

atrás (a.*trás*) adv. **1.** Em lugar posterior; detrás: *Eu vim na frente; ele, atrás.* **2.** Em tempo anterior; anteriormente: *Tempos atrás voltamos e não achamos vestígios do antigo balneário.* || *Atrás de*: no lugar ou lado posterior; depois de, em seguimento a: *Você chegou atrás de mim.*

atrasado (a.tra.*sa*.do) adj. **1.** Que se atrasou: *trem atrasado.* **2.** Ultrapassado, antiquado, obsoleto: *costumes atrasados.* **3.** Que está aquém do que se considera normal: *crescimento atrasado.* **4.** Que não se desenvolveu convenientemente: *regiões atrasadas.*

atrasar (a.tra.*sar*) v. **1.** Fazer demorar; retardar: *Atrasaram a inauguração para esperar o presidente; O governo atrasou o pagamento dos salários.* **2.** Prejudicar, atrapalhar: *Políticos insensíveis têm atrasado o desenvolvimento do país.* **3.** Fazer recuar: *Atrasaram o relógio.* **4.** Mover-se com menos presteza que a normal: *O trem atrasou.* **5.** Chegar depois da hora fixada: *O vestibulando atrasou-se para o exame.* **6.** Deixar de pagar (contas) no tempo marcado: *Atrasou-se no pagamento da inscrição.* ▶ Conjug. 5.

atraso (a.*tra*.so) s.m. **1.** Ato ou efeito de atrasar(-se). **2.** Tempo que alguém ou algo se atrasa.

atrativo (a.tra.*ti*.vo) adj. **1.** Capaz de puxar para si: *força atrativa.* **2.** Que desperta interesse; atraente: *paisagens atrativas.* • s.m. **3.** Coisa que atrai: *O principal atrativo do bar era o pastel feito na hora.*

atravancar (a.tra.van.*car*) *v.* **1.** Impedir a passagem com algum obstáculo: *O entulho da obra atravancava a rua.* **2.** Juntar muitas coisas em (um lugar): *Atravancou a sala com móveis inúteis.* ▶ Conjug. 5 e 35. – **atravancamento** *s.m.*; **atravanco** *s.m.*

através (a.tra.*vés*) *adv.* Usado apenas na locução *através de.* || *Através de:* **1.** de um lado a outro: *A bala passou através da couraça.* **2.** *fig.* por meio de; mediante: *regressão através de hipnose.* **3.** de ponta a ponta, ao correr de: *Através dos anos, foi controlando a sua irascibilidade.*

atravessador [ô] (a.tra.ves.sa.*dor*) *adj.* **1.** Que atravessa. • *s.m.* **2.** O que atravessa. **3.** Aquele que compra gêneros ao produtor e os revende ao varejista: *O lucro da pesca fica com o atravessador.*

atravessar (a.tra.ves.*sar*) *v.* **1.** Passar através de; transpor: *A comitiva atravessou as montanhas.* **2.** Resistir (à ação do tempo); subsistir: *O erro atravessou alguns séculos.* **3.** Pôr de través ou obliquamente: *Os grevistas atravessaram seus caminhões na estrada.* **4.** Trespassar: *Atravessou o coração do inimigo com a lança.* **5.** Pôr obstáculo a: *Imprevistos atravessaram o seu caminho.* **6.** Passar, sofrer: *Atravessou inúmeras dificuldades.* **7.** Comprar (gêneros) por atacado para revendê-los mais caro. **8.** Ligar de um extremo a outro; cortar: *A ponte Rio–Niterói atravessa a baía de Guanabara.* **9.** *coloq.* Nos desfiles de escolas de samba, faltar sincronia entre o ritmo da bateria e o canto: *A bateria atravessou o samba; O samba atravessou.* ▶ Conjug. 8.

atrelar (a.tre.*lar*) *v.* **1.** Ligar(-se) fortemente: *O país atrelou sua moeda ao euro; Ela atrelou-se doentiamente ao passado.* **2.** Prender (animais) com trela: *Atrelou ao jugo uma parelha de bois.* ▶ Conjug. 8.

atrever-se (a.tre.*ver*-se) *v.* Ter a audácia de fazer algo; ousar: *Não se atreva a me desobedecer!* ▶ Conjug. 41 e 40. – **atrevimento** *s.m.*

atrevido (a.tre.*vi*.do) *adj.* **1.** Audaz, ousado. **2.** Insolente, petulante, desrespeitoso.

atribuição (a.tri.bu.i.*ção*) *s.f.* **1.** Ato ou efeito de atribuir. **2.** Faculdade inerente a um cargo.

atribuir (a.tri.bu.*ir*) *v.* **1.** Referir como origem ou causa; imputar: *Atribuíram-lhe a culpa do acidente.* **2.** Indicar para cumprir uma tarefa: *O chefe atribuiu a mim uma importante missão.* **3.** Dar, conceder, conferir: *Atribuíram um prêmio ao melhor filme.* **4.** Arrogar-se: *Os maus políticos atribuem-se todos os privilégios.* ▶ Conjug. 80. – **atributivo** *adj.*

atribulação (a.tri.bu.la.*ção*) *s.f.* **1.** Tormenta moral; sofrimento, aflição. **2.** Situação penosa; adversidade. || *tribulação.*

atribulado (a.tri.bu.*la*.do) *adj.* **1.** Que sofre atribulação; atormentado, aflito: *alma atribulada.* **2.** Adverso, doloroso, infausto, trabalhoso: *dias atribulados.*

atribular (a.tri.bu.*lar*) *v.* Causar atribulação a: *A Segunda Grande Guerra muito atribulou os habitantes de todos os continentes.* ▶ Conjug. 5.

atributo (a.tri.*bu*.to) *s.m.* O que é próprio de alguém ou de alguma coisa; apanágio.

atril (a.*tril*) *s.m.* Espécie de estante em plano inclinado onde se põe papel ou livro aberto para se ler comodamente.

átrio (*á*.tri:o) *s.m.* **1.** (*Arquit.*) Pátio central de uma construção, especialmente um prédio público, iluminado por luz natural. **2.** (*Arquit.*) Pátio frontal de algumas igrejas; adro. **3.** (*Arquit.*) Compartimento de entrada de um edifício; vestíbulo. **4.** (*Anat.*) Aurícula do coração.

atritar (a.tri.*tar*) *v.* **1.** Friccionar (um corpo em outro): *Atritou o palito de fósforo na lixa, sem conseguir acendê-lo.* **2.** Entrar em desacordo; desentender-se: *O professor atritou-se seriamente com a direção.* ▶ Conjug. 5.

atrito (a.*tri*.to) *s.m.* **1.** Fricção entre dois corpos. **2.** Desavença, divergência.

atriz (a.*triz*) *s.f.* **1.** Mulher que representa um papel em uma obra de teatro, cinema, televisão, rádio e outros espetáculos; intérprete. **2.** *fig.* Mulher que sabe fingir.

atrocidade (a.tro.ci.*da*.de) *s.f.* **1.** Qualidade de atroz. **2.** Ato de atroz.

atrocíssimo (a.tro.*cís*.si.mo) *adj.* Superlativo absoluto de *atroz.*

atrofia (a.tro.*fi*.a) *s.f.* Definhamento por falta de nutrição ou de exercício.

atrofiar (a.tro.fi:*ar*) *v.* **1.** Causar atrofia: *Ela sofreu uma paralisia facial, que lhe atrofiou os músculos.* **2.** Sofrer atrofia: *Seu estômago atrofiou-se depois da longa dieta.* ▶ Conjug. 17.

atropelamento (a.tro.pe.la.*men*.to) *s.m.* Ato ou efeito de atropelar; atropelo.

atropelar (a.tro.pe.*lar*) *v.* **1.** Passar precipitadamente sobre alguma coisa ou pessoa: *O automóvel atropelou a senhora.* **2.** Derrubar ou empurrar violentamente para fazer passagem: *Eles o atropelaram, empurrando-o de forma que ele caísse no chão.* **3.** *fig.* Ignorar, menosprezar (leis, autoridades, direitos etc.): *Aqueles políticos atropelaram a ética.* **4.** Derrubar-se: *Os*

atropelo

repórteres atropelavam-se na porta do palácio. **5.** Apresentar-se desordenadamente: *As imagens da tragédia atropelavam-se em sua cabeça.* ▶ Conjug. 8.

atropelo [ê] (a.tro.pe.lo) *s.m.* **1.** Atropelamento. **2.** Confusão, desordem.

atroz [ó] (a.*troz*) *adj.* **1.** Feroz, desumano, cruel: *crime atroz.* **2.** Terrível, tormentoso: *dúvida atroz.* **3.** Espantoso, assombroso: *fome atroz.* || sup. abs.: *atrocíssimo*.

atuação (a.tu:a.*ção*) *s.f.* **1.** Ato ou efeito de atuar. **2.** Modo de atuar; desempenho.

atuado (a.tu:*a*.do) *adj. coloq.* **1.** Subjugado a poderes sobrenaturais, que forçam a atitudes fora do padrão. **2.** Que tem uma atuação notável.

atual (a.tu:*al*) *adj.* Que existe ou acontece no presente.

atualidade (a.tu:a.li.*da*.de) *s.f.* **1.** O tempo presente. **2.** Qualidade ou estado de atual. • *atualidades s.f.pl.* **3.** Notícias sobre o momento atual.

atualização (a.tu:a.li.za.*ção*) *s.f.* Ato ou efeito de atualizar.

atualizar (a.tu:a.li.*zar*) *v.* Tornar(-se) atual: *Comecei o ano atualizando minha caderneta de telefones; Após atualizar-se sobre o assunto, escreveu um artigo para o jornal.* ▶ Conjug. 5.

atuante (a.tu:*an*.te) *adj.* Que atua.

atuar (a.tu:*ar*) *v.* **1.** Realizar ações; agir: *O time atuou com inteligência contra o adversário.* **2.** Exercer influência; influir: *Esta força atua sobre qualquer coisa que tenha uma carga elétrica.* **3.** Interpretar uma personagem em: *Essa atriz atuou em várias novelas.* ▶ Conjug. 5.

atuária (a.tu:*á*.ri:a) *s.f.* Parte da Estatística que estuda a teoria e o cálculo de seguros.

atuário (a.tu:*á*.ri:o) *s.m.* Especialista em atuária.

atulhar (a.tu.*lhar*) *v.* Entulhar (1) e (2). ▶ Conjug. 5.

atum (a.*tum*) *s.m.* (*Zool.*) Peixe marinho de corpo robusto cuja carne se consome fresca ou em conserva.

aturado (a.tu.*ra*.do) *adj.* **1.** Suportado com resignação. **2.** Perseverante, constante: *Depois de aturado estudo, descobriu a cura da doença.*

aturar (a.tu.*rar*) *v.* Tolerar, aguentar com resignação: *Não vou mais aturar seu comportamento inadequado.* ▶ Conjug. 5.

aturdido (a.tur.*di*.do) *adj.* Que sofreu súbita perturbação, por efeito de um susto, de uma surpresa etc.

aturdimento (a.tur.di.*men*.to) *s.m.* Ato ou efeito de aturdir.

aturdir (a.tur.*dir*) *v.* **1.** Atordoar(-se), perturbar(-se): *A quantidade de normas da escola aturdia os professores; Os latidos do cão aturdem; Aquele jovem aturde-se quando bebe.* **2.** Espantar, assombrar: *A exuberante paisagem aturdiu-o.* ▶ Conjug. 66.

Au (*Quím.*) Símbolo de ouro.

audácia (au.*dá*.ci:a) *s.f.* **1.** Impulso de ânimo que leva a praticar ações extraordinárias, desprezando obstáculos e perigos. **2.** Atrevimento, insolência, petulância.

audacioso [ô] (au.da.ci:*o*.so) *adj.* **1.** Que demonstra audácia; audaz, valente. **2.** Que rompe os moldes convencionais; audaz: *um projeto inovador e audacioso.* || f. e pl.: [ó].

audacíssimo (au.da.*cís*.si.mo) *adj.* Superlativo absoluto de *audaz*.

audaz (au.*daz*) *adj.* Audacioso. || sup. abs.: *audacíssimo*.

audição (au.di.*ção*) *s.f.* **1.** Ato de ouvir. **2.** Sentido pelo qual se percebe o som. **3.** Recital público.

audiência (au.di:*ên*.ci:a) *s.f.* **1.** Conjunto das pessoas que assistem às sessões de qualquer natureza: *Atualmente, os programas de televisão têm maior audiência do que os de rádio.* **2.** Recepção de pessoa que deseja falar a uma autoridade: *Os grevistas marcaram audiência com representantes do Ministério.* **3.** Sessão de tribunal na qual se ouvem as partes, as testemunhas e julgam-se causas.

áudio (*áu*.di:o) *s.m.* (*Eletrôn.*) **1.** Transmissão ou recepção de sons, especialmente acompanhando imagens. **2.** Aparelho utilizado para esse fim.

audiologia (au.di:o.lo.*gi*.a) *s.f.* (*Med.*) Estudo da audição e seus transtornos.

audiólogo (au.di:*ó*.lo.go) *sm.* (*Med.*) Especialista em Audiologia.

audiometria (au.di:o.me.*tri*.a) *s.f.* Medição da capacidade auditiva.

audiômetro (au.di:*ô*.me.tro) *s.m.* Instrumento com que se mede a capacidade auditiva.

audiovisual (au.di:o.vi.su:*al*) *adj.* **1.** Relativo a imagem e ao som simultaneamente. **2.** Que utiliza ao mesmo tempo meios que atingem a visão e a audição: *recurso audiovisual*; *técnica audiovisual*.

auditagem (au.di.*ta*.gem) *s.f.* Auditoria.

auditar (au.di.*tar*) *v.* Fazer a auditoria de: *Chegou ao poder e não auditou a dívida externa como prometera.* ▶ Conjug. 5.

auditivo (au.di.*ti*.vo) *adj.* Relativo ao ouvido ou à audição: *conduto auditivo*.

auditor [ô] (au.di.*tor*) *s.m.* Aquele que faz auditoria.

auditoria (au.di.to.*ri*.a) *s.f.* Inspeção das operações contábeis de uma empresa ou instituição; auditagem.

auditório (au.di.*tó*.ri:o) *s.m.* **1.** Conjunto de pessoas que ouvem um discurso, um concerto etc. **2.** Lugar apropriado para audições.

audível (au.*dí*.vel) *adj.* Que pode ser ouvido: *grito audível, voz audível*.

auferir (au.fe.*rir*) *v.* Obter, colher: *Quem comprou o café na baixa e vendeu na alta auferiu lucros exorbitantes.* ▶ Conjug. 69.

auge (*au*.ge) *s.m.* O ponto mais elevado; ápice, apogeu.

augurar (au.gu.*rar*) *v.* **1.** Anunciar (algo futuro); prever, profetizar: *A crítica augurou um futuro triunfal para a cantora.* **2.** Fazer votos; desejar: *Todos os professores auguraram sucesso aos formandos.* ▶ Conjug. 5.

augúrio (au.*gú*.ri:o) *s.m.* Agouro, auspício, prognóstico, previsão.

augusto (au.*gus*.to) *adj.* Nobre, venerável, respeitável.

aula (*au*.la) *s.f.* **1.** Lição de uma disciplina: *aula de Português*. **2.** Atividade didática de uma escola: *Aos sábados não temos aula.* **3.** Feito que, por suas características, encerra ensinamento: *Ela deu uma aula de elegância e bom gosto*.

áulico (*áu*.li.co) *adj.* **1.** Relativo a corte. • *s.m.* **2.** Cortesão, palaciano.

aumentar (au.men.*tar*) *v.* **1.** Tornar(-se) maior em extensão, número, matéria, intensidade etc.; ampliar, amplificar: *Com muito trabalho aumentou a riqueza da família; Suas palavras fizeram aumentar a minha dor; Com os apelos da mídia, as doações aumentaram.* **2.** Acrescentar, adicionar: *Aumentei cem verbetes ao dicionário.* ▶ Conjug. 5.

aumentativo (au.men.ta.*ti*.vo) *s.m.* (*Gram.*) Palavra formada com um sufixo que expressa grande tamanho ou intensidade: *Provão é o aumentativo de prova*.

aumento (au.*men*.to) *s.m.* **1.** Ato ou efeito de aumentar. **2.** A quantidade aumentada.

aura (*au*.ra) *s.f.* Atmosfera espiritual que circunda alguém ou algo: *a aura da obra de arte*.

áureo (*áu*.re:o) *adj.* **1.** De ouro. **2.** Em que há mais esplendor: *o período áureo da música brasileira*.

auréola (au.*ré*.o.la) *s.f.* **1.** Círculo luminoso com que os pintores ornam as cabeças dos santos; halo, nimbo. **2.** Qualquer luminosidade que circunda um objeto. **3.** *fig.* Esplendor moral; glória, prestígio.

aurícula (au.*rí*.cu.la) *s.f.* (*Anat.*) **1.** Cada uma das cavidades superiores do coração. **2.** Pavilhão da orelha.

aurífero (au.*rí*.fe.ro) *adj.* Que contém ou produz ouro.

auriverde [ê] (au.ri.*ver*.de) *adj.* Da cor de ouro e verde: *pendões auriverdes; flâmula auriverde*.

aurora [ó] (au.*ro*.ra) *s.f.* **1.** Luz brilhante e rósea que precede o nascer do sol. **2.** *fig.* Primeiros anos da vida; infância. || antôn. *fig.*: outono: *o outono da vida; Os séculos XIV e XV podem ser considerados o outono da Idade Média*.

auscultar (aus.cul.*tar*) *v.* **1.** Escutar, diretamente ou através do estetoscópio, os sons que se produzem dentro do corpo: *auscultar o coração, auscultar o pulmão*. **2.** Sondar, investigar: *auscultar a preferência do eleitorado.* ▶ Conjug. 5. – **ausculta** *s.f.*; **auscultação** *s.f.*

ausência (au.*sên*.ci:a) *s.f.* **1.** Afastamento do lugar onde se deve estar: *Não foi fácil suportar a ausência do marido logo após o nascimento do filho.* **2.** Falta de comparecimento: *Em caso de ausência do professor, haverá um substituto.* **3.** Inexistência, falta, carência: *Na ausência de determinadas vitaminas, certas enzimas não funcionam*.

ausentar-se (au.sen.*tar*-se) *v.* Retirar-se, afastar-se: *Nesse período, ausentou-se do país em missão oficial; Ausentou-se da sala no momento da votação.* ▶ Conjug. 5 e 6.

ausente (au.*sen*.te) *adj.* **1.** Que não está presente. **2.** Alheio, distraído, esquecido. • *s.m. e f.* **3.** Pessoa ausente.

auspiciar (aus.pi.ci:*ar*) *v.* Fazer auspício de; augurar, prenunciar: *Os astros auspiciavam o seu sucesso; Auspiciou-nos um futuro de vitórias.* ▶ Conjug. 5.

auspício (aus.*pí*.ci:o) *s.m.* **1.** Augúrio, presságio: *Tudo isso é auspício de vitória no futuro.* • *auspícios s.m.pl.* **2.** Proteção, favor, patrocínio: *Com os auspícios de diversos organismos nacionais, será realizada uma exposição sobre novas tecnologias*.

auspicioso [ô] (aus.pi.ci:*o*.so) *adj.* Que começou sob bons auspícios e por isso deve ir para a frente; promissor; alvissareiro. || f. e pl.: [ó].

austeridade

austeridade (aus.te.ri.*da*.de) *s.f.* Qualidade de austero.

austero [é] (aus.*te*.ro) *adj.* **1.** Severo, rígido nos costumes; grave, sério: *político austero.* **2.** Ríspido, áspero: *um discurso em tom austero.* **3.** Duro ou penoso aos sentidos: *hábitos austeros.*

austral (aus.*tral*) *adj.* Do sul; meridional: *continente austral, região austral.* || antôn.: *boreal, setentrional.*

austríaco (aus.*trí*.a.co) *adj.* **1.** Da Áustria • *s.m.* **2.** O natural ou o habitante da Áustria.

autarquia (au.tar.*qui*.a) *s.f.* Entidade administrativa autônoma, com receita e patrimônio próprios, criada para cuidar de determinado serviço público. – **autárquico** *adj.*

autenticar (au.ten.ti.*car*) *v.* Reconhecer como verdadeiro: *autenticar uma cópia de documento.* ▶ Conjug. 5 e 35. – **autenticação** *s.f.*

autenticidade (au.ten.ti.ci.*da*.de) *s.f.* Qualidade de autêntico; legitimidade, confiabilidade.

autêntico (au.*tên*.ti.co) *adj.* **1.** Do autor a quem se atribui: *quadro autêntico.* **2.** Verdadeiro, legítimo, genuíno; lídimo: *carioca autêntico.*

autismo (au.*tis*.mo) *s.m.* (*Psiq.*) Transtorno psicológico caracterizado pelo alheamento do mundo exterior e pela dificuldade de comunicação.

autista (au.*tis*.ta) *adj.* **1.** Relativo a autismo. **2.** Que padece de autismo. • *s.m. e f.* **3.** Pessoa que sofre de autismo. || Conferir com *altista.*

auto[1] (*au*.to) *s.m.* **1.** (*Jur.*) Registro de ocorrência judicial ou administrativa. **2.** (*Teat.*) Peça breve de caráter alegórico e com personagens bíblicas.

auto[2] (*au*.to) *s.m.* Abreviação de *automóvel.*

autoadesivo (au.to.a.de.*si*.vo) *adj.* **1.** Que possui substância adesiva em um dos lados. • *s.m.* **2.** Plástico ou papel adesivo. || pl.: *autoadesivos.*

autoafirmação (au.to.a.fir.ma.*ção*) *s.f.* Necessidade de afirmar a própria individualidade. || pl.: *autoafirmações.*

autoanálise (au.to.a.*ná*.li.se) *s.f.* Análise de si mesmo por meio da interpretação dos próprios sonhos, atos falhos etc.

autobiografia (au.to.bi:o.gra.*fi*.a) *s.f.* Narração da própria vida.

autobiográfico (au.to.bi:o.*grá*.fi.co) *adj.* Relativo a autobiografia.

autocensura (au.to.cen.*su*.ra) *s.f.* Censura das próprias palavras ou escritos, por temor ao julgamento alheio.

autoclave (au.to.*cla*.ve) *s.f.* Aparelho empregado para esterilização a vapor; esterilizador.

autocombustão (au.to.com.bus.*tão*) *s.f.* Combustão espontânea.

autocomiseração (au.to.co.mi.se.ra.*ção*) *s.f.* Pena de si próprio.

autoconfiança (au.to.con.fi:*an*.ça) *s.f.* Confiança em si mesmo.

autocontrole [ô] (au.to.con.*tro*.le) *s.m.* Domínio de si mesmo.

autocracia (au.to.cra.*ci*.a) *s.f.* Governo exercido por um monarca que tem poder absoluto e ilimitado.

autocrata (au.to.*cra*.ta) *adj.* **1.** Cujo poder não depende de nenhum outro. • *s.m. e f.* **2.** Chefe de autocracia.

autocrítica (au.to.*crí*.ti.ca) *s.f.* **1.** Exame crítico de si mesmo ou das próprias obras. **2.** Capacidade de fazer autocrítica. – **autocrítico** *adj.*

autóctone (au.*tóc*.to.ne) *adj.* **1.** Que é originário do lugar em que se encontra: *população autóctone; vegetal autóctone; cultura autóctone.* • *s.m.* **2.** Aborígine.

autodefesa [ê] (au.to.de.*fe*.sa) *s.f.* **1.** Ato de se defender pelos próprios meios em caso de agressão. **2.** (*Jur.*) Defesa de um direito feita pelo próprio titular.

autodestruição (au.to.des.tru:i.*ção*) *s.f.* Destruição de si mesmo.

autodeterminação (au.to.de.ter.mi.na.*ção*) *s.f.* **1.** Determinação dos próprios atos. **2.** Faculdade de um país determinar, pelo voto de seus habitantes, o próprio destino político, sem interferência de outros países.

autodidata (au.to.di.*da*.ta) *adj.* **1.** Que se instrui por si mesmo, sem auxílio de professores. • *s.m. e f.* **2.** Pessoa autodidata.

autoescola (au.to.es.*co*.la) *s.f.* Escola de direção de automóveis.

autoestima (au.to.es.*ti*.ma) *s.f.* Estima própria.

autoestrada (au.to.es.*tra*.da) *s.f.* Rodovia destinada ao tráfego de automóveis em alta velocidade; autopista.

autoexame (au.to.e.*xa*.me) *s.m.* Exame de si mesmo.

autogestão (au.to.ges.*tão*) *s.f.* (*Econ.*) Gerência de uma empresa pelos próprios funcionários,

autógrafo (au.tó.gra.fo) *adj*. **1**. Escrito pela mão do autor. • *s.m*. **2**. Assinatura de pessoa famosa. – **autografar** *v*. ▶ Conjug. 5. ‖ antôn.: *apógrafo*.

autoimunidade (au.to.i.mu.ni.*da*.de) *s.f*. (*Biol., Med.*) Imunidade desenvolvida por um organismo com relação a seus antígenos. ‖ pl.: *autoimunidades*. – **autoimune** *adj*.

autolimpante (au.to.lim.*pan*.te) *adj*. Que limpa a si mesmo: *forno autolimpante*; *liquidificador autolimpante*.

automação (au.to.ma.*ção*) *s.f*. Uso de máquinas e robôs para fazer certos trabalhos.

automático (au.to.*má*.ti.co) *adj*. **1**. Que se realiza por meios mecânicos, sem a necessidade da intervenção humana ou da força animal. **2**. Que não depende da vontade consciente; maquinal, inconsciente: *gesto automático*.

automatizar (au.to.ma.ti.*zar*) *v*. **1**. Tornar(-se) automático: *Os bancos automatizaram todas as suas agências*; *As bibliotecas que desejarem automatizar-se devem contar com uma instalação informática adequada*. **2**. Tornar(-se) inconsciente: *automatizar um gesto*; *Depois de o professor dar muitas aulas, o controle de turma automatiza-se*. ▶ Conjug. 5. – **automatização** *s.f*.

autômato (au.*tô*.ma.to) *s.m*. **1**. Máquina que tem o aspecto e os movimentos de um ser animado, especialmente de um ser humano. **2**. *fig*. Pessoa inconsciente cujos atos obedecem à vontade alheia.

automedicar-se (au.to.me.di.*car*-se) *v*. Tomar medicamentos sem prescrição médica: *Os médicos sempre advertem sobre os perigos de automedicar-se*. ▶ Conjug. 5, 6 e 35. – **automedicação** *s.f*.

automobilismo (au.to.mo.bi.*lis*.mo) *s.m*. (*Esp.*) Esporte das corridas de automóvel.

automobilista (au.to.mo.bi.*lis*.ta) *s.m*. e *f*. **1**. Pessoa que pratica o automobilismo. **2**. Motorista.

automobilístico (au.to.mo.bi.*lís*.ti.co) *adj*. Relativo a automóvel: *mercado automobilístico*; *engenharia automobilística*.

automotivo (au.to.mo.*ti*.vo) *adj*. De automóvel: *mecânica automotiva*.

automotor [ô] (au.to.mo.*tor*) *adj*. Provido de motor: *veículo automotor*.

automotriz (au.to.mo.*triz*) *s.f*. Vagão ferroviário dotado de motor; litorina.

automóvel (au.to.*mó*.vel) *adj*. **1**. Que pode locomover-se devido a um motor. • *s.m*. **2**. Veículo automóvel; auto².

autonomia (au.to.no.*mi*.a) *s.f*. **1**. (*Jur.*) Capacidade de um Estado de reger-se pelas próprias leis. **2**. Capacidade de atuar com independência. **3**. Máxima distância que um veículo pode percorrer sem se reabastecer de combustível.

autônomo (au.*tô*.no.mo) *adj*. **1**. Que possui autonomia. **2**. Que trabalha por conta própria. • *s.m*. **3**. Trabalhador autônomo.

autopeça (au.to.pe.*ça*) *s.f*. (*Mec.*) Peça para automóvel.

autopista (au.to.*pis*.ta) *s.f*. Autoestrada.

autopromover-se (au.to.pro.mo.*ver*-se) *v*. Fazer propaganda das próprias qualidades: *A competição no trabalho leva o profissional a ser agressivo e a autopromover-se*. ▶ Conjug. 42 e 40.

autopsia (au.top.*si*.a) *s.f*. Autópsia.

autópsia (au.*tóp*.si:a) *s.f*. (*Med.*) Exame médico das diferentes partes de um cadáver para estabelecer as causas da morte; necrópsia, necropsia. ‖ *autopsia*.

autopunição (au.to.pu.ni.*ção*) *s.f*. Punição que a pessoa aplica a si mesma.

autor [ô] (au.*tor*) *s.m*. **1**. Pessoa que fez algo. **2**. Pessoa que criou uma obra artística, científica etc. **3**. (*Jur.*) A parte acusadora em uma ação judicial. – **autoria** *s.f*.

autoral (au.to.*ral*) *adj*. Relativo a autor, próprio dele.

autorama (au.to.*ra*.ma) *s.m*. Brinquedo que consiste em uma pista de automóveis com carrinhos que disputam corridas.

autoridade (au.to.ri.*da*.de) *s.f*. **1**. Poder legal de mandar ou de proibir. **2**. Pessoa que é investida desse poder. **3**. Capacidade pessoal de fazer-se obedecer ou para impor-se. **4**. Pessoa que tem grande competência num assunto.

autoritário (au.to.ri.*tá*.ri:o) *adj*. **1**. Diz-se de pessoa que quer ser obedecida sem discussão: *É um diretor autoritário*. **2**. Diz-se de governo não democrático.

autoritarismo (au.to.ri.ta.*ris*.mo) *s.m*. **1**. Qualidade de autoritário. **2**. Atitude autoritária. **3**. Regime autoritário de governo.

autorização (au.to.ri.za.*ção*) *s.f*. **1**. Ato ou efeito de autorizar. **2**. Documento em que consta uma autorização.

autorizado (au.to.ri.za.do) *adj.* **1.** Que tem autoridade: *uma palavra autorizada.* **2.** Que tem autorização: *uma biografia autorizada.* **3.** Que é oficial, legal, credenciado: *rede de serviços autorizada.*

autorizar (au.to.ri.zar) *v.* **1.** Dar permissão ou direito a: *O governador autorizou o início da construção das mil casas; Autorizei-o a sair.* **2.** Dar pretexto a; justificar: *Os documentos encontrados não autorizam a desconfiança em suas palavras.* ▶ Conjug. 5.

autorretrato (au.tor.re.tra.to) *s.m.* Retrato do indivíduo feito por si próprio.

autos (au.tos) *s.m.pl.* (*Jur.*) Todas as peças pertencentes a um processo judicial ou administrativo, como petição, documentos, sentença etc.

autosserviço (au.tos.ser.vi.ço) *s.m.* Sistema em que os próprios consumidores se servem nas lojas, supermercados, restaurantes etc.; *self-service.*

autossuficiente (au.tos.su.fi.ci:en.te) *adj.* Que se basta a si mesmo. – **autossuficiência** *s.f.*

autossugestão (au.tos.su.ges.tão) *s.f.* Sugestão que alguém exerce sobre si próprio.

autossugestionar-se (au.tos.su.ges.ti:o.nar-se) *v.* Sugestionar a si mesmo: *A pessoa mesma pode autossugestionar-se e chegar à cura de seus males.* ▶ Conjug. 5 e 6 .

autossugestionável (au.tos.su.ges.ti:o.ná.vel) *adj.* Que é suscetível à autossugestão.

autossustentável (au.tos.sus.ten.tá.vel) *adj.* **1.** Que pode sustentar-se por si mesmo. **2.** Diz-se de desenvolvimento econômico que leva em conta as consequências ambientais da atividade econômica, baseando-se no uso de recursos que podem ser renovados.

autuar (au.tu:ar) *v.* (*Jur.*) Promover o auto de infração ou contravenção: *O governo autuou produtores de soja transgênica irregular.* ▶ Conjug. 5. – **autuação** *s.f.*

auxiliar¹ [ss] (au.xi.li:ar) *v.* Ajudar, socorrer: *Todos correram para auxiliar a senhora que havia caído; A radiografia auxilia o dentista a analisar a arcada.* ▶ Conjug. 17.

auxiliar² [ss] (au.xi.li:ar) *adj.* **1.** Que auxilia. **2.** (*Gram.*) Diz-se de verbo que ajuda a conjugação de outros na indicação de tempo, aspecto ou voz verbal. • *s.m.* **3.** Pessoa que auxilia; ajudante.

auxílio [ss] (au.xí.li:o) *s.m.* Ajuda, socorro, amparo.

avacalhar (a.va.ca.lhar) *v.* Pôr em ridículo; desmoralizar: *O filme avacalha (com) o personagem, transformando-o num herói inverossímil.* ▶ Conjug. 5. – **avacalhação** *s.f.*; **avacalhado** *adj.*

aval (a.val) *s.m.* **1.** (*Jur.*) Assinatura que se põe em um título de crédito para garantir seu pagamento caso não o faça o titular. **2.** Aprovação.

avalancha (a.va.lan.cha) *s.f.* Avalanche.

avalanche (a.va.lan.che) *s.f.* **1.** (*Geol.*) Massa de neve que se precipita pela encosta da montanha; alude. **2.** (*Geol.*) Desmoronamento violento e rápido de uma montanha em virtude da erosão; alude. **3.** *fig.* Invasão súbita de pessoas ou coisas. || *avalancha.*

avaliar (a.va.li:ar) *v.* **1.** Determinar ou estimar o valor de; aquilatar, valorar: *O corretor avaliou a casa em trezentos mil reais.* **2.** Fazer a apreciação, a análise de: *A equipe já avaliou trinta amostras do produto.* **3.** Calcular, medir: *Não avaliou bem a distância antes de saltar e caiu.* ▶ Conjug. 17. – **avaliação** *s.f.*

avalista (a.va.lis.ta) *adj.* **1.** Que avaliza. • *s.m.* e *f.* **2.** Pessoa que avaliza.

avalizar (a.va.li.zar) *v.* **1.** (*Jur.*) Dar aval em (título, nota promissória etc.): *Não avalizamos qualquer transação comercial.* **2.** *fig.* Abonar, afiançar: *O presidente avalizou a política econômica do ministro.* ▶ Conjug. 5.

avançado (a.van.ça.do) *adj.* **1.** Que avançou com relação a outros; adiantado. **2.** *fig.* Diz-se das ideias inovadoras, que vão contra preceitos comumente aceitos, e das pessoas que as possuem; progressista.

avançamento (a.van.ça.men.to) *s.m.* (*Arquit.*) Parte do edifício que sobressai às linhas gerais.

avançar (a.van.çar) *v.* **1.** Ir para diante: *Em meia hora, avançou muitos metros.* **2.** Fazer andar para diante: *Avançaram a mesa com esforço.* **3.** Estender-se, prolongar-se: *A varanda avança sobre o jardim.* **4.** Progredir: *A informática avançou muito nos últimos anos.* **5.** Atacar: *O cão avançou no/contra o menino.* **6.** Ultrapassar: *O carro avançou o sinal vermelho.* ▶ Conjug. 5 e 36.

aviação

avanço (a.*van*.ço) *s.m.* Ato ou efeito de avançar; progressão.

avantajado (a.van.ta.*ja*.do) *adj.* **1.** Que tem vantagem ou superioridade. **2.** Que se salienta ou sobressai. **3.** Corpulento, volumoso.

avantajar-se (a.van.ta.*jar*-se) *v.* **1.** Superar, exceder: *Maria avantajou-se aos irmãos nos estudos*; *O ciclista avantajou aos outros em cem metros.* **2.** Sobressair-se, salientar-se: *A palmeira avantajava-se sobre as demais árvores.* **3.** Avançar, adiantar-se: *Pelo empenho de todos, a empresa avantajou-se.* ▶ Conjug. 5, 6 e 37.

avante (a.*van*.te) *adv.* Para a frente, para diante: *Não temas ir avante.*

avant-première [avã premiér] (Fr.) *s.f.* (*Cine*, *Teat*.) Pré-estreia.

avarento (a.va.*ren*.to) *adj. s.m.* Avaro.

avareza [ê] (a.va.*re*.za) *s.f.* Qualidade de avaro.

avaria (a.va.*ri*.a) *s.f.* Dano, estrago.

avariar (a.va.ri:*ar*) *v.* **1.** Causar avaria a: *A chuva avariou o telhado.* **2.** Sofrer avaria; danificar-se, estragar-se: *O carro avariou-se na estrada.* ▶ Conjug. 17.

avaro (a.*va*.ro) *adj.* **1.** Que tem um desejo desmedido de juntar dinheiro; sovina, avarento. • *s.m.* **2.** Pessoa avara.

avassalador [ô] (a.vas.sa.la.*dor*) *adj.* Que avassala.

avassalar (a.vas.sa.*lar*) *v.* **1.** Tornar vassalo; reduzir à obediência; dominar: *um produto midiático que avassalou a sociedade brasileira inteira.* **2.** Tornar-se vassalo, submeter-se ao mando ou influência de alguém: *diferentes nações que se avassalaram.* **3.** *fig.* Oprimir, vexar: *Aquela dor avassalava seu coração.* ▶ Conjug. 5.

ave[1] (*a*.ve) *s.f.* Animal vertebrado, de bico córneo, com a pele coberta de penas e os membros anteriores transformados em asas. ‖ *Ave de rapina*: Ave carnívora, de bico e unha fortes e encurvados, como o gavião, a águia etc.

ave[2] (*a*.ve) *interj*. Forma de saudação: *Ave, Maria!*

aveia (a.*vei*.a) *s.f.* Cereal nutritivo usado na alimentação humana e de animais.

avelã (a.ve.*lã*) *s.f.* Fruto de forma quase esférica, de casca dura e semente comestível.

ave-maria (a.ve-ma.*ri*.a) *s.f.* (*Rel.*) Oração em louvor da Virgem Maria. ‖ pl.: *ave-marias*.

avenca (a.*ven*.ca) *s.f.* (*Bot.*) Planta delicada que cresce em ambientes sombrios e úmidos.

avenida (a.ve.*ni*.da) *s.f.* Logradouro mais largo e importante que a rua.

avental (a.ven.*tal*) *s.m.* Pedaço de pano, de plástico ou de couro usado para evitar que a roupa se suje ou estrague.

aventar (a.ven.*tar*) *v.* Apresentar, lembrar, sugerir (ideia, proposição etc.): *O pesquisador aventou a hipótese de essa doença ser transmitida pelo mosquito.* ▶ Conjug. 5.

aventura (a.ven.*tu*.ra) *s.f.* **1.** Acontecimento imprevisto e fora do comum. **2.** Proeza bem-sucedida e depois narrada com certo orgulho. **3.** Ação que implica risco: *Investir nesse novo mercado será uma aventura.* **4.** Relação amorosa, geralmente passageira e sem consequência. – **aventuresco** *adj.*

aventurar-se (a.ven.tu.*rar*-se) *v.* Atrever-se a dizer ou fazer algo que implica risco; arriscar-se: *Portugal aventurou-se pelo Atlântico.* ▶ Conjug. 5 e 6.

aventureiro (a.ven.tu.*rei*.ro) *adj.* **1.** Que ama aventuras. **2.** Próprio da pessoa aventureira: *espírito aventureiro.* • *s.m.* **3.** Pessoa aventureira.

averbar (a.ver.*bar*) *v.* Anotar em registro anterior fato que se tenha posteriormente produzido: *averbar o divórcio na certidão de casamento.* ▶ Conjug. 8. – **averbação** *s.f.*

averiguar (a.ve.ri.*guar*) *v.* **1.** Procurar descobrir algo por meio de pesquisa: *A polícia encontrou o carro e averiguou sua origem.* **2.** Investigar para certificar-se de algo: *Averiguou-se que as instalações do local foram construídas em caráter provisório.* **3.** Examinar a veracidade de algo: *A polícia averiguou o número da placa da moto e constatou que o número era de um carro.* ▶ Conjug. 30. – **averiguação** *s.f.*

avermelhado (a.ver.me.*lha*.do) *adj.* De tonalidade tirante a vermelho.

avermelhar (a.ver.me.*lhar*) *v.* Tornar(-se) vermelho: *O papel indicador avermelhou devido à formação de um ácido nessa reação*; *Inquirido, o aluno avermelhou-se.* ▶ Conjug. 9.

aversão (a.ver.*são*) *s.f.* Sentimento de rejeição a alguém ou algo.

avesso [ê] (a.*ves*.so) *adj.* **1.** Contrário, oposto. • *s.m.* **2.** O lado oposto ao direito ou ao principal; reverso.

avestruz (a.ves.*truz*) *s.m.* e *f.* Ave corredora de grande tamanho.

aviação (a.vi:a.*ção*) *s.f.* **1.** Sistema de navegação aérea com o uso de aviões. **2.** Ciência que rege esse sistema. **3.** O conjunto dos aviões: *a aviação civil.*

aviador

aviador [ô] (a.vi:a.*dor*) *s.m.* Piloto de avião.

aviamento (a.vi:a.*men*.to) *s.m.* **1.** Ato ou efeito de aviar; avio. **2.** Cada um dos acessórios necessários à confecção de roupas. **3.** Conjunto dos materiais necessários a uma obra.

avião (a.vi:*ão*) *s.m.* (*Aer.*) Veículo aéreo mais pesado do que o ar, de propulsão a motor e cuja sustentação se faz por meio de asas; aeroplano.

aviar (a.vi:*ar*) *v.* **1.** Preparar, manipular (receita médica): *Sendo o mais antigo farmacêutico da cidade, já aviou receitas para muita gente.* **2.** Aprontar-se, apressar-se: *Aviem-se! O trem sai em poucos minutos.* ▶ Conjug. 17.

aviário (a.vi:*á*.ri:o) *s.m.* **1.** Viveiro de aves. **2.** Estabelecimento para a criação e venda de aves.

avicultor [ô] (a.vi.cul.*tor*) *s.m.* Criador de aves.

avicultura (a.vi.cul.*tu*.ra) *s.f.* Arte de criar e multiplicar aves.

avidez [ê] (a.vi.*dez*) *s.f.* Qualidade de ávido.

ávido (*á*.vi.do) *adj.* Que deseja com ânsia, com ardor; sôfrego.

aviltante (a.vil.*tan*.te) *adj.* Que avilta.

aviltar (a.vil.*tar*) *v.* **1.** Tornar(-se) vil, desprezível; conspurcar(-se): *A miséria do próximo me avilta*; *Nos últimos anos, o futebol aviltou-se muito.* **2.** Rebaixar(-se), humilhar(-se): *Gosta de aviltar os funcionários em público*; *Avilta-se não respondendo às críticas da mulher.* **3.** Baixar o preço de: *aviltar o salário mínimo.* ▶ Conjug. 5. – **aviltamento** *s.m.*

avinagrado (a.vi.na.*gra*.do) *adj.* Com gosto ou cheiro de vinagre.

avio (a.*vi*:o) *s.m.* **1.** Aviamento. **2.** Cada um dos utensílios necessários para a realização de uma tarefa: *O preparo do chimarrão requer bons avios.*

avir (a.*vir*) *v.* Pôr-se em concórdia; conciliar-se, harmonizar-se, arranjar-se: *Você tem que se avir comigo!* || part.: avindo. ▶ Conjug. 85.

avisado (a.vi.*sa*.do) *adj.* **1.** Que recebeu aviso. **2.** Prudente, cauteloso.

avisar (a.vi.*sar*) *v.* **1.** Informar, comunicar: *Avisei-a da data das reuniões*; *O vizinho avisou à polícia que havia fogo no prédio*; *Avisaram que iria chover hoje à tarde.* **2.** Fazer saber antecipadamente; prevenir: *A professora avisou que quem não se comportasse bem não iria à excursão*; *O salva-vidas avisou o banhista dos perigos do mar*; *Ele sai e não nos avisa.* ▶ Conjug. 5.

aviso (a.*vi*.so) *s.m.* **1.** Ato ou efeito de avisar. **2.** Texto ou sinal pelo qual se avisa algo a alguém. **3.** (*Náut.*) Navio pequeno e ligeiro usado para transportar documentos oficiais ou rebocar outra embarcação.

▶ **à vista** *loc. adv.* Ver em *vista*.

avistar (a.vis.*tar*) *v.* **1.** Ver a distância: *No dia 22 de abril, os marinheiros avistaram um monte e o batizaram de Monte Pascoal.* **2.** Entrevistar-se: *No gabinete, havia uma sala de espera para as pessoas que quisessem avistar-se com as autoridades.* ▶ Conjug. 5.

avitaminose [ó] (a.vi.ta.mi.*no*.se) *s.f.* (*Med.*) Doença pela carência de vitaminas.

avivar (a.vi.*var*) *v.* **1.** Tornar(-se) mais vivo: *O fogo avivou-se*; (fig.) *Um pormenor acabou avivando a campanha do candidato* **2.** Excitar(-se), estimular(-se): *O fato me avivou a memória*; *Na entrevista, minha memória avivou-se e falei em inglês fluente.* ▶ Conjug. 5. – **avivamento** *s.m.*

avizinhar (a.vi.zi.*nhar*) *v.* Tornar(-se) vizinho; aproximar(-se): *A professora procurou avizinhar os alunos que tinham afinidades entre si*; *O carnaval avizinha-se*; *Ele cada vez mais se avizinhava da loucura.* ▶ Conjug. 5.

avo (*a*.vo) *s.m.* Fração de unidade dividida em mais de dez partes iguais, exceto em número potência de dez, por exemplo, 1/24 (um vinte quatro avos).

avó (a.*vó*) *s.f.* **1.** Mãe do pai ou da mãe. • *avós s.m.pl.* **2.** O conjunto *avô* e *avó*: *Meus avós maternos são portugueses.*

avô (a.*vô*) *s.m.* **1.** Pai do pai ou da mãe. • *avôs s.m.pl.* **2.** Plural que compreende simultaneamente o avô materno e o avô paterno. || f.: *avó*.

avoado (a.vo:*a*.do) *adj.* Que anda com a cabeça no ar; distraído.

avocar (a.vo.*car*) *v.* **1.** Chamar a si: *Traiçoeiramente avocou a si o poder real.* **2.** (*Jur.*) Reclamar para si (causa em tribunal inferior): *O Supremo Tribunal Federal avocou para si a apreciação de matérias referentes a terras indígenas.* ▶ Conjug. 20 e 35. – **avocação** *s.f.*; **avocatório** *adj.*

avolumar (a.vo.lu.*mar*) *v.* Tornar(-se) volumoso: *As doações avolumaram o acervo do museu*; *Os papéis se avolumam sobre minha mesa.* ▶ Conjug. 5. – **avolumamento** *s.m.*

▶ **à vontade** *loc. adv.* Ver em *vontade*.

avulso (a.*vul*.so) *adj.* Desligado daquilo a que pertence; fora de sua coleção; solto: *folha avulsa.*

avultar (a.vul.*tar*) v. **1.** Destacar-se, sobressair-se: *A figura do Padre José de Anchieta avulta como uma das mais importantes da História do Brasil.* **2.** Crescer, aumentar: *Sua produção avultou numericamente e em qualidade.* **3.** Importar, chegar, atingir: *A sua dívida com o banco avulta a vinte mil reais.* ▶ Conjug. 5. – **avultado** adj.

axé [ch] (a.*xé*) s.m. (*Rel.*) Força vital vinda dos orixás.

axial [cs] (a.xi:*al*) adj. **1.** Relativo a eixo. **2.** *fig.* Fundamental, essencial.

axila [cs] (a.*xi*.la) s.f. (*Anat.*) Cavidade formada na junção do braço com o tronco; sovaco.

axioma [cs] (a.xi:*o*.ma) s.m. **1.** Premissa evidente e indemonstrável. **2.** Provérbio, máxima. – **axiomático** adj.

azado (a.*za*.do) adj. Apropriado, adequado, oportuno: *lugar azado; tempo azado.*

azáfama (a.*zá*.fa.ma) s.f. Muita pressa e entusiasmo na execução de um trabalho; afobação, labuta, lida, roda-viva, trabalho. – **azafamado** adj.

azálea (a.*zá*.le:a) s.f. (*Bot.*) Arbusto de flores rosas, brancas ou roxas, típico de regiões de clima temperado; rododendro. || *azaleia*.

azaleia (a.za.*lei*.a) s.f. (*Bot.*) Azálea.

azar (a.*zar*) s.m. **1.** Má sorte; revés. **2.** Acaso, eventualidade. – **azarado** adj. s.m.; **azarento** adj.

azarão (a.za.*rão*) s.m. Cavalo que, tendo poucas possibilidades de ganhar, não é objeto de muitas apostas.

azarar (a.za.*rar*) v. **1.** Transmitir azar: *Vai sempre ao estádio com a mesma roupa para não azarar o jogo.* **2.** *gír.* Flertar, paquerar: *Ele foi à festa só para azarar as garotas.* ▶ Conjug. 5.

azedar (a.ze.*dar*) v. **1.** Tornar(-se) azedo: *O limão vai azedar a salada; A sopa azedou de ontem para hoje.* **2.** Coalhar (leite): *O leite azeda fora da geladeira.* **3.** *fig.* Irritar(-se), exasperar(-se): *A falta de ajuda em casa a azedou; Azedara-se com a resposta calma do funcionário.* ▶ Conjug. 8. – **azedamento** s.m.

azedo [ê] (a.*ze*.do) adj. **1.** Que tem o sabor ácido du vinagre, do limão etc. **2.** Que adquiriu desagradável acidez: *leite azedo.* **3.** *fig.* De mau humor; irritado. • s.m. **4.** Sabor ácido.

azedume (a.ze.*du*.me) s.m. **1.** Sabor ácido; acidez, amargor. **2.** *fig.* Mau humor; irritação.

azeitar (a.zei.*tar*) v. **1.** Lubrificar com óleo: *azeitar uma máquina de costura.* **2.** *fig.* Tornar mais ágil: *O governo quer azeitar a máquina arrecadadora.* ▶ Conjug. 18.

azeite (a.*zei*.te) s.m. **1.** Óleo extraído da azeitona. **2.** Óleo extraído do fruto de outras plantas ou da gordura de certos animais.

azeite-de-dendê (a.zei.te-de-den.*dê*) s.m. Óleo extraído do dendê. || pl.: *azeites-de-dendê*.

azeite-doce (a.zei.te-*do*.ce) s.m. Azeite extraído da azeitona. || pl.: *azeites-doces*.

azeitona (a.zei.*to*.na) s.f. Fruta da oliveira; oliva.

azeitonado (a.zei.to.*na*.do) adj. **1.** Da cor verde-escura da azeitona. **2.** A que se adicionaram azeitonas.

azeviche (a.ze.*vi*.che) s.m. **1.** Variedade de carvão fóssil, de cor muito negra, usada em joalheria. **2.** A cor negra do azeviche.

azia (a.*zi*.a) s.f. (*Med.*) Sensação de ardência no estômago; gastura, pirose.

aziago (a.zi:*a*.go) adj. De mau agouro, de que se podem esperar infelicidades: *dia aziago; estreia aziaga.*

ázimo (*á*.zi.mo) adj. Que não leva fermento ou levedura: *pão ázimo.*

azinhavre (a.zi.*nha*.vre) s.m. Camada verde que se forma sobre objetos de cobre expostos à umidade. || *zinabre*.

azo (a.zo) s.m. Ocasião conveniente, cômoda, apta para o que se pretende.

azorrague (a.zor.*ra*.gue) s.m. **1.** Chicote formado por uma ou mais correias entrançadas e munido de cabo. **2.** *fig.* Flagelo, castigo, punição.

azougue (a.*zou*.gue) s.m. **1.** Nome vulgar do mercúrio. **2.** *fig.* Pessoa muito esperta, inquieta.

azucrinar (a.zu.cri.*nar*) v. Perseguir com choros e lamúrias; importunar, molestar, irritar: *Azucrinou tanto os pais, que conseguiu o que queria.* ▶ Conjug. 5. – **azucrinação** s.f.; **azucrinante** adj.

azul (a.*zul*) s.m. **1.** A cor do céu sem nuvens. • adj. **2.** Da cor azul: *olhos azuis.*

azulão (a.zu.*lão*) s.m. (*Zool.*) Pássaro de cor azul, com cauda e asas negras.

azular (a.zu.*lar*) v. **1.** Tornar(-se) azul: *A blusa escura azulou toda a roupa clara que estava na máquina; O céu azulou à tarde.* **2.** *gír.* Fugir: *No dia do casamento, o noivo azulou.* ▶ Conjug. 5.

azulejar (a.zu.le.*jar*) v. Revestir de azulejos: *Azulejou a garagem por dentro e pintou-a por fora.* ▶ Conjug. 10 e 37.

azulejo [ê] (a.zu.*le*.jo) s.m. Plaqueta vidrada usada como proteção e adorno de paredes.

Bb

b *s.m.* Segunda letra do alfabeto português.
B (*Quím.*) Símbolo de boro.
Ba (*Quím.*) Símbolo de bário.
baba (ba.ba) *s.f.* **1.** Saliva espessa que escorre da boca. **2.** O visco de alguns vegetais: *baba do quiabo*. **3.** *fig.* Conversa enganosa; lábia. || *Uma baba*: *coloq.* muito dinheiro: *Gastou uma baba com o casamento*.
babá¹ (ba.bá) *s.m.* (*Cul.*) Espécie de bolo, feito de farinha de trigo, leite e ovos.
babá² (ba.bá) *s.f.* Ama-seca.
babaçu (ba.ba.çu) *s.m.* (*Bot.*) Espécie de palmeira de semente oleaginosa.
baba de moça *s.f.* (*Cul.*) **1.** Doce de calda de açúcar com leite de coco e ovos. **2.** (*Cul.*) Doce preparado com coco verde. || pl.: *babas de moça*.
babado (ba.ba.do) *s.m.* **1.** Tira pregueada ou franzida com que se guarnecem vestidos, de senhora ou de criança, toalhas, cobertas de cama etc. **2.** *gír.* Fofoca, mexerico, fuxico.
babadoiro (ba.ba.doi.ro) *s.m.* Babadouro.
babador [ô] (ba.ba.dor) *adj.* **1.** Que baba muito. • *s.m.* **2.** Babadouro.
babadouro (ba.ba.dou.ro) *s.m.* Resguardo de pano ou de outro material, que se põe ao peito das crianças para que a baba ou a comida não umedeça ou suje a roupa. || *Usar babadouro*: *fig.* ser ainda novo para meter-se em assuntos sérios. || *babadoiro*.
babalaô (ba.ba.la.ô) *s.m.* (*Rel.*) Sacerdote graduado no culto iorubano.
babalorixá [ch] (ba.ba.lo.ri.xá) *s.m.* (*Rel.*) Pai de santo, chefe de terreiro.
babão (ba.bão) *adj.* **1.** Que baba com frequência. **2.** *fig.* Pateta, idiota, bobo. • *s.m.* **3.** Aquele que baba muito. **4.** Pessoa tola, idiota, boba.
babar (ba.bar) *v.* **1.** Soltar baba: *Os bebês babam muito*. **2.** Sujar com baba: *Babou a roupa da festa*. **3.** *fig.* Gostar muito; estar apaixonado: *Babava-se pela namorada*. ▶ Conjug. 5.

babel (ba.bel) *s.f.* **1.** Lugar em que todos falam sem ninguém se entender: *Os passageiros formavam uma verdadeira babel no aeroporto internacional*. **2.** Algazarra, confusão, balbúrdia: *uma babel de gritos e protestos*.
babélico (ba.bé.li.co) *adj.* **1.** Relativo à torre de Babel. **2.** Que evoca a torre de Babel. **3.** *fig.* Desordenado, confuso, ininteligível.
babilônia (ba.bi.lô.ni.a) *s.f.* **1.** Babel, grande confusão. **2.** Cidade grande, sem planejamento urbano.
babilônico (ba.bi.lô.ni.co) *adj.* **1.** Relativo a Babilônia. **2.** De grande confusão. **3.** Imenso, grandioso. • *s.m.* **4.** O natural ou o habitante da Babilônia; babilônio.
babilônio (ba.bi.lô.ni.o) *adj.* **1.** Babilônico. • *s.m.* **2.** O natural ou o habitante da Babilônia.
babosa [ó] (ba.bo.sa) *s.f.* (*Bot.*) Planta resinosa de uso medicinal e cosmético; aloé.
baboseira (ba.bo.sei.ra) *s.f.* **1.** *fig.* Tolice, bobagem, asneira, disparate. **2.** Sujeira de babão ou baboso, baba.
baboso [ô] (ba.bo.so) *adj.* **1.** Que se baba. **2.** Apaixonado. **3.** Parvo. • *s.m.* **4.** Aquele que se baba. || f. e pl.: [ó].
babucha (ba.bu.cha) *s.f.* Calçado de tecido ou couro sem salto nem calcanhar.
babuge (ba.bu.ge) *s.f.* Babugem.
babugem (ba.bu.gem) *s.f.* **1.** Baba. **2.** Espuma da água agitada. **3.** Restos de comida ou quaisquer restos. **4.** Bagatela, ninharia. || *babuge*.
babuíno (ba.bu.í.no) *s.m.* (*Zool.*) Macaco africano com focinho alongado semelhante ao do cão.
babujar (ba.bu.jar) *v.* **1.** Sujar(-se) com baba ou babugem: *A criança babujou toda a roupa*; *Os bebês babujaram-se*. **2.** *fig.* Adular de modo servil, bajular: *babujar políticos*. ▶ Conjug. 5.
baby-sitter [bêibi-síter] (*Ing.*) *s.m.* e *f.* Pessoa paga para cuidar de crianças por um tempo determinado.

bacalhau (ba.ca.*lhau*) *s.m.* **1.** (*Zool.*) Peixe dos mares frios, do qual se utiliza a carne, que, seca e salgada, é famosa na culinária mundial, e o óleo, que, extraído de seu fígado, é usado em medicamentos. **2.** *fig.* Pessoa muito magra.

bacalhoada (ba.ca.lho:*a*.da) *s.f.* **1.** Grande porção de bacalhau. **2.** (*Cul.*) Comida feita com bacalhau, batatas, ovos e legumes.

bacalhoeiro (ba.ca.lho:*ei*.ro) *adj.* **1.** Relativo à pesca ou à comercialização de bacalhau. • *s.m.* **2.** O que pesca ou vende bacalhau.

bacamarte (ba.ca.*mar*.te) *s.m.* Antiga arma de fogo, de cano curto e largo; garrucha.

bacana (ba.*ca*.na) *adj.* **1.** *gír.* Bom, notável, excelente, bonito. • *s.m.* e *f.* **2.** Quem apresenta tais qualidades. **3.** Pessoa rica; grã-fino.

bacanal (ba.ca.*nal*) *s.f.* **1.** Festa em honra do deus Baco. **2.** Festim licencioso, orgia.

bacará (ba.ca.*rá*) *s.m.* Jogo de azar, com cartas.

bacurau (ba.cu.*rau*) *s.m.* (*Zool.*) Aves de hábitos noturnos, plumagem macia e amarelada, que se alimenta de insetos; curiango.

bacharel (ba.cha.*rel*) *s.m.* **1.** Pessoa que concluiu o curso universitário de Direito; advogado. **2.** Pessoa formada em outros cursos universitários, como Letras e Filosofia.

bacharelado (ba.cha.re.*la*.do) *s.m.* **1.** Curso universitário que confere o grau de bacharel. **2.** Esse grau.

bacharelar-se (ba.cha.re.*lar*-se) *v.* Tornar-se bacharel: *Bacharelar-se em Direito.* ▶ Conjug. 8 e 6.

bacia (ba.*ci*.a) *s.f.* **1.** Recipiente redondo, raso ou fundo, usado geralmente para lavar roupas. **2.** (*Anat.*) Cavidade óssea situada na extremidade do tronco humano; pelve. **3.** (*Geol.*) Conjunto de terras banhadas por rios e seus afluentes: *bacia do rio São Francisco.*

bacilo (ba.*ci*.lo) *s.m.* Bactéria em forma de bastonete. ‖ *Bacilo de Koch*: bactéria causadora da tuberculose humana.

background [becgraund] (Ing.) *s.m.* **1.** (*Cine*, *Teat.*, *Telv.*) Fundo de cenário. **2.** Conjunto de conhecimentos e experiências que instruíram a formação de uma pessoa: *Como economista, seu background é admirável.*

back-up (Ing.) *s.m.* Ver *becape*.

baço[1] (ba.ço) *s.m.* (*Anat.*) Órgão localizado no lado esquerdo da cavidade abdominal, cuja principal função é destruir os glóbulos vermelhos inúteis e liberar a hemoglobina.

baço[2] (ba.ço) *adj.* **1.** Sem brilho, embaciado; embaçado: *Do estreito corredor vinha uma luz baça e sombria; O ancião tinha as mãos trêmulas e os olhos baços.* **2.** De pele morena, acobreada; trigueiro.

bacon [beicon] (Ing.) *s.m.* Toucinho defumado.

bácoro (*bá*.co.ro) *s.m.* Porco novo e pequeno; leitão.

bactéria (bac.té.ri:a) *s.f.* Microrganismo unicelular invisível a olho nu. – **bacteriano** *adj.*; **bactérico** *adj.*

bactericida (bac.te.ri.*ci*.da) *adj.* Que mata bactérias ou impede seu desenvolvimento.

bacteriófago (bac.te.ri:*ó*.fa.go) *adj.* **1.** Que destrói bactérias. • *s.m.* **2.** (*Biol.*) Nome comum a vários agentes destruidores de bactérias.

bacteriologia (bac.te.ri:o.lo.*gi*.a) *s.f.* (*Med.*) Ciência que estuda as bactérias. – **bacteriológico** *adj.*; **bacteriologista** *s.m.* e *f.*

bacteriostase (bac.te.ri:os.*ta*.se) *s.f.* (*Biol.*) Inibição da reprodução bacteriana.

bacterióstase (bac.te.ri:*ós*.ta.se) *s.f.* (*Biol.*) Bacteriostase.

báculo (*bá*.cu.lo) *s.m.* Bastão alto e encurvado na extremidade superior, usado pelos bispos.

bacuri (ba.cu.*ri*) *s.m.* **1.** Fruto da região Norte, grande e amarelo, de polpa comestível. **2.** (*Bot.*) Árvore que produz esse fruto; bacurizeiro. **3.** *coloq.* Filho pequeno; menino.

bacurizeiro (ba.cu.ri.*zei*.ro) *s.m.* (*Bot.*) Bacuri.

badalada (ba.da.*la*.da) *s.f.* Som produzido no sino pela pancada do badalo.

badalado (ba.da.*la*.do) *adj. coloq.* Muito comentado ou festejado: *uma estreia badalada*; *um escritor muito badalado.*

badalar (ba.da.*lar*) *v.* **1.** Fazer soar (sino): *O sacristão começava a badalar o sino; Os sinos badalavam à saída da procissão.* **2.** Fazer divulgação de alguma coisa: *Badalou a estreia da peça como se fosse sua.* **3.** *coloq.* Comparecer a eventos sociais e festivos de modo ostensivo; mostrar-se, exibir-se: *Gosta de badalar a noite toda.* ▶ Conjug. 5. – **badalação** *s.f.*; **badalativo** *adj.*

badalo (ba.*da*.lo) *s.m.* Peça de metal terminada em bola e suspensa por meio de argola no interior de sino, para fazê-lo soar; sineta.

badejo [é *ou* ê] (ba.*de*.jo) *s.m.* (*Zool.*) Peixe marinho comestível de largo uso na culinária brasileira.

baderna [é] (ba.*der*.na) *s.f.* Confusão, desordem, conflito, briga. – **badernar** *v.* ▶ Conjug. 8.

baderneiro (ba.der.*nei*.ro) *adj.* **1.** Que faz baderna. • *s.m.* **2.** Pessoa baderneira; badernista.

badernista (ba.der.*nis*.ta) *s.m. e f.* Baderneiro.

badulaque (ba.du.*la*.que) *s.m.* **1.** Penduricalho, berloque. **2.** Objeto pequeno de pouco valor. || Mais usado no plural.

baeta [ê] (ba.*e*.ta) *s.f.* Tecido felpudo de lã.

bafafá (ba.fa.*fá*) *s.m. coloq.* Barulho, confusão, tumulto.

bafejar (ba.fe.*jar*) *v.* **1.** Exalar bafo: *A fera, acuada, bafejou fortemente.* **2.** Soprar brandamente: *A aragem da tarde bafejava o arvoredo.* **3.** Proteger, favorecer: *Que a sorte o bafeje sempre.* ▶ Conjug. 10.

bafejo [ê] (ba.*fe*.jo) *s.m.* **1.** Ato ou efeito de bafejar; pequeno sopro. **2.** Aragem, viração. **3.** Hálito, expiração. **4.** *fig.* Favor, proteção, sorte.

bafio (ba.*fi*:o) *s.m.* Cheiro desagradável, proveniente da umidade e falta de renovação do ar; mofo.

bafo (*ba*.fo) *s.m.* **1.** Ar expelido pelos pulmões durante a respiração; hálito. **2.** Sopro vagaroso e quente; bafejo. **3.** *gír.* Mentira.

bafômetro (ba.*fô*.me.tro) *s.m.* Aparelho que mede o teor alcoólico no organismo de uma pessoa, através de seu sopro.

baforada (ba.fo.*ra*.da) *s.f.* **1.** Fumaça expelida ao fumar: *Absorto em seus pensamentos, soltava longas baforadas do cachimbo.* **2.** Bafo prolongado e forte.

baga (*ba*.ga) *s.f.* **1.** Fruto carnudo, que contém sementes rodeadas de polpa. **2.** Semente da mamona. **3.** *fig.* Pingo de suor: *O suor corria-lhe em bagas pela fronte.*

bagaceira (ba.ga.*cei*.ra) *s.f.* Aguardente de bagaço de uva.

bagaço (ba.*ga*.ço) *s.m.* **1.** Resíduo de frutos, plantas etc., depois de espremidos: *bagaço de cana.* **2.** *fig.* Coisa muito usada e gasta. **3.** No jogo de baralho, o conjunto das cartas em descarte. || *Um bagaço: coloq.* pessoa muito cansada, sem energia: *Depois da prova, eu estava um bagaço.*

bagageiro (ba.ga.*gei*.ro) *adj.* **1.** Que transporta bagagem: *vagão bagageiro.* **2.** Condutor de bagagens. **3.** Depósito de bagagens.

bagagem (ba.*ga*.gem) *s.f.* **1.** Conjunto de objetos que os viajantes levam consigo em pacotes, malas, baús e outros recipientes, para seu uso. **2.** Armas e equipamentos de uma tropa em marcha. **3.** *fig.* Conjunto das obras de um autor. **4.** Soma de conhecimentos de uma pessoa: *bagagem cultural.*

bagana (ba.*ga*.na) *s.f.* Resto de cigarro, charuto etc.; guimba.

bagatela [é] (ba.ga.*te*.la) *s.f.* Objeto de pouco valor, inútil; ninharia, babugem.

bago (*ba*.go) *s.m.* **1.** Cada fruto em um cacho de uvas. **2.** Fruto semelhante à uva. **3.** *chulo* Testículo.

bagre (*ba*.gre) *s.m.* (*Zool.*) Peixe comestível sem escamas, encontrado em rios e no mar. || *Cabeça de bagre: coloq.* pessoa teimosa, turrona, de pouca inteligência.

baguete [é] (ba.*gue*.te) *s.f.* Pão comprido e fino.

bagulho (ba.*gu*.lho) *s.m.* **1.** Objeto sem valor; de má qualidade. **2.** *pej.* Pessoa feia, sem atrativo. **3.** *gír.* Maconha.

bagunça (ba.*gun*.ça) *s.f.* Desordem, desorganização, confusão; mafuá. – **bagunçado** *adj.*; **bagunçar** *v.* ▶ Conjug. 5 e 36. – **bagunceiro** *adj. s.m.*

baia (*bai*.a) *s.f.* **1.** Compartimento a que se recolhe o animal nas cavalariças. **2.** Cada um dos compartimentos, separados por divisórias, em mercado, garagem, autódromo etc.; boxe.

baía (ba.*í*.a) *s.f.* **1.** Golfo pequeno que apresenta boca estreita e se alarga para o interior. **2.** Qualquer lugar côncavo da costa, onde se possa aportar.

baiacu (bai.a.*cu*) *s.f.* **1.** (*Zool.*) Peixe marinho escamoso de carne não comestível. **2.** *gír.* Pessoa feia, desengonçada.

baiana (bai.*a*.na) *s.f.* **1.** Vendedora de quitutes da culinária baiana. **2.** Sua indumentária típica. **3.** Componente dos desfiles de escolas de samba: *A ala das baianas é uma tradição do carnaval.*

baiano (bai.*a*.no) *adj.* **1.** Do estado da Bahia. • *s.m.* **2.** O natural ou o habitante desse estado.

baião (bai.*ão*) *s.m.* Gênero musical de origem nordestina (dança e canto), geralmente acompanhado de acordeão e instrumentos de percussão.

baiense (bai.*en*.se) *adj. s.m. e f.* Baiano.

baila (*bai*.la) *s.f.* Usado apenas nas locuções *trazer à baila* e *vir à baila.* || *Trazer à baila:* fazer menção de (fato, assunto etc.) a alguém: *Na aula, o professor trouxe à baila a questão ambiental.* • *Vir à baila:* ser mencionado (fato, assunto etc.): *Veio à baila um tema que não havia ainda sido discutido.*

bailado (bai.*la*.do) *s.m.* **1.** Dança que faz parte de um espetáculo musical. **2.** A coreografia desse espetáculo. **3.** Balé. **4.** Qualquer dança.

bailar (bai.*lar*) *v.* **1.** Dançar: *Ela baila todos os ritmos*; *Baila muito bem*. **2.** *fig.* Fazer movimentos e volteios como em uma dança: *Os flocos de neve bailavam no ar*. ▶ Conjug. 5.

bailarino (bai.la.*ri*.no) *s.m.* Homem cuja profissão é a dança; dançarino: *A companhia de dança trazia vários bailarinos de fama internacional.*

baile (*bai*.le) *s.m.* **1.** Festa em que se dança. **2.** Bailado. || *Dar um baile em alguém*: *coloq.* **1.** repreender, chamar a atenção. **2.** exercer domínio sobre o antagonista: *A seleção deu um baile em todos os adversários*.

bainha (ba.*i*.nha) *s.f.* **1.** Estojo comprido em que se introduz a folha de uma arma branca ou objeto análogo, para não oxidar: *bainha da espada*. **2.** Dobra que se cose na extremidade de um pano sem ourela, para que não se desfie: *bainha do vestido*. **3.** (*Anat.*) Tecido que envolve órgão, músculo, tendão etc.

baio (*bai*.o) *adj.* **1.** Castanho-claro (diz-se de cavalo). • *s.m.* **2.** Esse cavalo.

baioneta [ê] (bai.o.*ne*.ta) *s.f.* Arma pontiaguda que se adapta à extremidade do cano do fuzil. || *Calar baioneta*: (*Mil.*) pô-la em posição para investir contra o inimigo.

bairrismo (bair.*ris*.mo) *s.m.* Qualidade ou ação de bairrista.

bairrista (bair.*ris*.ta) *adj. s.m. e f.* **1.** Defensor dos interesses de seu bairro ou de sua terra: *Aquele político é bairrista*. **2.** Indivíduo que devota afeição especial ou exagerada ao seu próprio estado ou cidade.

bairro (*bair*.ro) *s.m.* Cada uma das partes em que se divide uma cidade ou vila.

baita (*bai*.ta) *adj. coloq.* **1.** Muito grande: *um baita susto*. **2.** Muito bom: *um baita músico*.

baiuca [ú] (bai.*u*.ca) *s.f.* **1.** Casa pequena e pobre. **2.** *pej.* Taberna pequena e imunda.

baixa [ch] (*bai*.xa) *s.f.* **1.** Abaixamento, diminuição em altura. **2.** Depressão do terreno. **3.** Parte pouco funda de mar ou rio: *a baixa da maré*. **4.** Queda, redução de preço ou cotação: *a baixa do dólar*. **5.** Dispensa do serviço militar. **6.** Perda de soldados ou civis em virtude de guerras: *Os combates fizeram centenas de baixas*. **7.** *fig.* Declínio, quebra, abatimento: *Sofreu uma baixa de prestígio junto a seus eleitores*.

baixada [ch] (bai.*xa*.da) *s.f.* **1.** Planície entre montanhas. **2.** Depressão de terreno mais ou menos extensa junto à orla marítima: *baixada fluminense*; *baixada santista*.

baixa-mar (bai.xa-*mar*) *s.f.* Maré baixa, vazante da maré. || *pl.*: *baixa-mares*.

baixar [ch] (bai.*xar*) *v.* **1.** Tornar baixo ou mais baixo: *baixar o tom de voz*. **2.** Pôr embaixo; fazer descer: *Baixou vários livros da estante*. **3.** Reduzir o preço, o valor: *Nas liquidações, as lojas baixam os preços*. **4.** Expedir ordens de serviço a subordinados: *O presidente baixou um novo decreto*; *O diretor baixou diretrizes para todos os departamentos*. **5.** Dirigir-se para baixo ou para fora; descer: *baixar da montanha*; *baixar do ônibus*. **6.** Inclinar-se, curvar-se: *Baixou-se reverentemente diante do altar*. **7.** *fig.* Humilhar-se, rebaixar-se, abater-se: *Fez uma triste figura, baixando-se diante de seus superiores*. **8.** (*Inform.*) Obter cópia de arquivo em uma rede de computadores ou na internet; download: *baixar um programa*. ▶ Conjug. 5.

baixaria [ch] (bai.xa.*ri*.a) *s.f. coloq.* Ação grosseira e inconveniente; indelicadeza; falta de educação: *A festa terminou em briga e baixaria*.

baixela [ché] (bai.*xe*.la) *s.f.* Conjunto de talheres, pratos, travessas etc., geralmente de metal, para uso no serviço de mesa.

baixeza [chê] (bai.*xe*.za) *s.f.* **1.** Pouca altura. **2.** *fig.* Atitude indigna; vileza: *Como foram capazes de uma baixeza assim?*

baixio [ch] (bai.*xi*:o) *s.m.* Banco de areia à flor da água em rio ou mar.

baixista [ch] (bai.*xis*.ta) *s.m. e f.* (*Mús.*) Pessoa que toca baixo ou contrabaixo.

baixo [ch] (*bai*.xo) *adj.* **1.** De pouca altura: *homem baixo*; *prédio baixo*. **2.** Inclinado para o chão: *Vinha pensativo, de cabeça baixa*. **3.** De pouca intensidade; pouco audível: *voz baixa*. **4.** Brando, fraco: *cozinhar em fogo baixo*. **5.** Barato, módico: *preços baixos*. **6.** Em grau ou escala inferior ao normal: *salários baixos*. **7.** *fig.* Indigno, vil, desprezível: *É pessoa de baixo caráter*. **8.** Grosseiro, chulo: *Não use termos baixos*. • *s.m.* **9.** (*Mús.*) A voz masculina mais grave. **10.** (*Mús.*) Contrabaixo. • *adv.* **11.** Com pouca altura, intensidade ou volume: *Fala sempre muito baixo*. || *Por baixo*: em dificuldade; em má situação: *Ele anda por baixo, depois que perdeu o emprego*.

baixo-astral (bai.xo-as.*tral*) *adj. coloq.* **1.** Depressivo, triste, abatido: *pessoa baixo-astral*. **2.** Deprimente, desagradável: *filme baixo-astral*.

baixo-relevo

- *s.m.* **3.** Desânimo, depressão, tristeza: *Vamos sair e levantar o baixo-astral.* || pl.: *baixos-astrais*.

baixo-relevo (bai.xo-re.*le*.vo) *s.m.* Obra de escultura na qual as figuras não sobressaem com todo o seu vulto, mas apenas um pouco, ficando como que encravadas no plano. || pl.: *baixos-relevos*.

baixote [chó] (bai.*xo*.te) *adj.* **1.** Diz-se de indivíduo um tanto baixo. • *s.m.* **2.** Pessoa baixa.

baixo-ventre (bai.xo-*ven*.tre) *s.m.* A parte inferior do ventre. || pl.: *baixos-ventres*.

bajulação (ba.ju.la.*ção*) *s.f.* Ato ou efeito de bajular; adulação, lisonja.

bajulador [ô] (ba.ju.la.*dor*) *adj.* **1.** Que bajula. • *s.m.* **2.** Aquele que bajula.

bajular (ba.ju.*lar*) *v.* Adular, lisonjear servilmente: *Vive bajulando os chefes.* ▶ Conjug. 5 e 37.

bala (*ba*.la) *s.f.* **1.** Projétil de arma de fogo. **2.** Pequeno doce de açúcar, duro ou macio, que geralmente se chupa; caramelo, rebuçado.

balaço (ba.*la*.ço) *s.m.* **1.** Bala (1) grande; balázio. **2.** Tiro de arma de fogo.

balada (ba.*la*.da) *s.f.* **1.** (*Lit.*) Pequeno poema narrativo: *Poetas de todas as épocas escreveram baladas.* **2.** Canção romântica: *Tocava ao violão doces baladas.* **3.** *gír.* Programa noturno em locais festivos; embalo: *Os jovens se divertem nas baladas dos bares da moda.*

balaio (ba.*lai*:o) *s.m.* Cesto grande, de palha, cipó, bambu etc., que serve para transporte ou guarda de objetos miúdos.

balança (ba.*lan*.ça) *s.f.* **1.** Instrumento para medir o peso dos corpos. **2.** *fig.* O símbolo da justiça. **3.** (*Astrol.*) Signo do zodíaco. || *Balança comercial*: (*Econ.*) diferença entre as importações e exportações de um país. • *Pôr duas coisas na balança*: examinar-lhes os prós e os contras.

balançar (ba.lan.*çar*) *v.* **1.** Dar balanço a; agitar, sacudir: *balançar a rede; balançar a cabeça; O barco balançava muito.* **2.** Mover-se de um lado a outro; menear-se: *O avô gostava de balançar-se na cadeira de balanço.* **3.** Oscilar, balouçar: *O barquinho balançava por entre as ondas.* **4.** *fig.* Abalar, afetar: *A notícia do crime balançou toda a cidade.* **5.** *fig.* Ficar indeciso; hesitar: *O aluno balançou na hora de responder às questões.* ▶ Conjug. 5.

balancear (ba.lan.ce:*ar*) *v.* **1.** Balançar: *Andava balanceando os cabelos.* **2.** Equilibrar, estabilizar, dosar: *balancear a alimentação; balancear as rodas do carro.* ▶ Conjug. 14. – **balanceado** *adj.*

balancete [ê] (ba.lan.ce.te) *s.m.* **1.** Balanço parcial de uma escrituração comercial; resumo do balanço geral ou anual. **2.** *fig.* Avaliação, cálculo.

balanço (ba.*lan*.ço) *s.m.* **1.** Ato ou efeito de balançar. **2.** Movimento oscilatório; solavanco, sacudidela, abalo. **3.** Verificação ou resumo de contas comerciais. **4.** Verificação da receita e da despesa de firmas, empresas etc. **5.** *fig.* Exame, análise: *O editor-chefe fez um balanço das notícias do dia.* **6.** Brinquedo com um banco suspenso amarrado a cordas ou correntes, para balançar.

balangandã (ba.lan.gan.*dã*) *s.m.* **1.** Ornamento, em geral de prata, usado pelas baianas em dias festivos. **2.** Ornamento, enfeite.

balão (ba.*lão*) *s.m.* **1.** Invólucro de papel, inflado por gás mais leve que o ar, que se lança ao ar durante os festejos juninos: *Os balões, apesar de belos, constituem um sério risco de incêndio.* **2.** (*Aer.*) Aeronave inflada por ar para uso meteorológico; aeróstato. **3.** Globo de vidro, com um ou mais gargalos, usado em várias operações químicas. **4.** Bola de encher; bexiga. **5.** Nas histórias em quadrinhos, espaço colocado geralmente acima dos personagens, para indicar suas falas. **6.** (*Esp.*) Jogada de futebol em que o jogador lança a bola por cima do adversário e a recupera em seguida.

balão de ensaio *s.m.* **1.** Pequeno balão que se solta para verificar a direção dos ventos. **2.** *fig.* Tentativa, experiência: *O teste foi um balão de ensaio para o lançamento do novo produto.* || pl.: *balões de ensaio*.

balão-sonda (ba.lão-*son*.da) *s.m.* Balão pequeno, munido de aparelhos, empregado na observação das camadas atmosféricas. || pl.: *balões-sonda* e *balões-sondas*.

balata (ba.*la*.ta) *s.f.* (*Bot.*) Nome de diversas árvores que produzem látex e madeira para fins comerciais.

balaustrada (ba.la:us.*tra*.da) *s.f.* **1.** Série de balaústres. **2.** Grade de pequena altura; parapeito.

balaústre (ba.la.*ús*.tre) *s.m.* **1.** Pequena coluna de sustentação de um corrimão, parapeito ou grade. **2.** Haste de metal que nos coletivos serve de apoio no embarque e desembarque de passageiros: *Segure firme no balaústre ao subir nos ônibus.*

balázio (ba.*lá*.zi:o) *s.m.* Balaço.

balbuciante (bal.bu.ci:*an*.te) *adj.* Que balbucia.

balbuciar (bal.bu.ci:*ar*) *v.* **1.** Exprimir-se confusamente ou com hesitação; gaguejar, titubear: *Interpelado pelo delegado, balbuciou algumas palavras desconexas.* **2.** Emitir sons sem sentido: *O bebê balbuciava no colo da mãe.* ▶ Conjug. 17.

balbúrdia (bal.*búr*.di:a) *s.f.* **1.** Grande desordem, geralmente acompanhada de vozerio; algazarra, tumulto: *a balbúrdia do trânsito.* **2.** Situação confusa ou complicada: *Minha vida está uma balbúrdia.*

balcânico (bal.*câ*.ni.co) *adj.* **1.** Dos Bálcãs, península ao sudeste da Europa. **2.** O natural ou o habitante dos Bálcãs.

balcão (bal.*cão*) *s.m.* **1.** Mesa comprida utilizada em estabelecimentos comerciais ou de serviços para atendimento ao público: *balcão de informações.* **2.** Varanda com peitoril ou grade; sacada. **3.** Galeria de teatro situada sobre a plateia: *Comprou entrada para o balcão na estreia da ópera.*

balconista (bal.co.*nis*.ta) *s.m. e f.* Que trabalha ao balcão; caixeiro.

baldaquim (bal.da.*quim*) *s.m.* Baldaquino.

baldaquino (bal.da.*qui*.no) *s.m.* Espécie de dossel sustentado por meio de colunas e de onde pendem cortinados, que se encontra em leitos, tronos, altares etc.; baldaquim.

baldar (bal.*dar*) *v.* Tornar inútil, ineficaz; frustrar: *baldar os esforços; baldar as expectativas.* ▶ Conjug. 5.

balde (*bal*.de) *s.m.* Recipiente de plástico ou metal, com alça, usado para tirar ou transportar água, tinta, argamassa etc.

baldeação (bal.de:a.*ção*) *s.f.* **1.** Ato ou efeito de baldear. **2.** Faixa de terreno, em volta das salinas, da qual se tira terra para construção ou reparo das mesmas.

baldear (bal.de:*ar*) *v.* **1.** Tirar (algo) com balde: *baldear água da cisterna.* **2.** Passar (pessoas ou objetos) de um lugar a outro; transferir(-se), deslocar(-se): *Com o acidente, baldearam as bagagens para outra composição; Os passageiros baldearam-se de um trem a outro.* **3.** Molhar com balde; lavar, aguar: *baldear as plantas.* ▶ Conjug. 14.

baldio (bal.*di*:o) *adj.* **1.** Sem cultivo. • *s.m.* **2.** Terreno por cultivar.

balé (ba.*lé*) *s.m.* **1.** Espetáculo de dança, com música, coreografia e cenários para representação de um tema ou enredo. **2.** Bailado. **3.** Companhia de baile.

balear (ba.le:*ar*) *v.* Ferir à bala: *A polícia investiga quem baleou a vítima.* ▶ Conjug. 14.

baleeira (ba.le.*ei*.ra) *s.f.* **1.** Barco para pesca de baleia. **2.** Bote salva-vidas que os navios trazem no convés.

baleeiro (ba.le.*ei*.ro) *s.m.* **1.** Pescador de baleias. **2.** Navio empregado na pesca de baleias.

baleia (ba.*lei*.a) *s.f.* **1.** (*Zool.*) Maior mamífero marinho. **2.** *pej.* Pessoa muito gorda.

baleiro (ba.*lei*.ro) *s.m.* Vendedor ambulante de balas e doces.

balela [é] (ba.*le*.la) *s.f.* Notícia falsa; dito sem fundamento; boato, mentira: *Essa informação não passa de balela.*

baleote [ó] (ba.le:*o*.te) *s.m.* (*Zool.*) Filhote de baleia; baleia nova e pequena.

balido (ba.*li*.do) *s.m.* Voz do carneiro ou da ovelha.

balir (ba.*lir*) *v.* Soltar balidos: *Soltos no pasto, baliam os cordeiros.* ▶ Conjug. 84.

balística (ba.*lís*.ti.ca) *s.f.* Estudo do movimento dos corpos lançados no espaço por uma força qualquer, especialmente os projéteis atirados por armas de fogo.

balístico (ba.*lís*.ti.co) *adj.* Relativo ou pertencente à balística.

baliza (ba.*li*.za) *s.f.* **1.** Qualquer objeto que marca um limite. **2.** Estaca ou boia posta sobre banco de areia ou baixio, para evitar que as embarcações se choquem contra eles. **3.** Nos logradouros públicos, marco para impedir o trânsito. **4.** Estaca ou cone usados nas provas de direção dos candidatos a motorista: *fazer baliza.* **5.** Meta que indica o termo de uma corrida, de uma regata. **6.** Soldado ou marinheiro que, girando um bastão, regula os movimentos da tropa. **7.** Pessoa que, em desfiles carnavalescos ou esportivos, regula, com um bastão, os movimentos dos que marcham. **8.** (*Esp.*) No futebol, os postes (laterais e superior) do gol.

balizar (ba.li.*zar*) *v.* **1.** Marcar com balizas; demarcar, delimitar: *balizar a quadra de esportes.* **2.** Determinar a grandeza de; orçar, avaliar: *balizar custos.* **3.** *fig.* Dar apoio a; apoiar: *Balizou as afirmações do assessor.* ▶ Conjug. 5. – **balizamento** *s.m.*

balneário (bal.ne:*á*.ri:o) *adj.* **1.** Relativo a banho. • *s.m.* **2.** Estância de águas medicinais ou minerais; banhos: *Minas Gerais tem grandes e famosos balneários.* **3.** Estabelecimento equipado para banhos; termas.

balofo

balofo [ô] (ba.*lo*.fo) *adj.* **1.** Com mais volume do que peso. **2.** Fofo, sem consistência, mole. **3.** Adiposo, gordo. • *s.m.* **4.** Pessoa gorda.

balonismo (ba.lo.*nis*.mo) *s.m.* **1.** Técnica de soltar balões. **2.** (*Esp.*) Voar em balões.

balonista (ba.lo.*nis*.ta) *adj.* **1.** Relativo a balonismo. • *s.m.* **2.** Praticante de balonismo.

balouçar (ba.lou.*çar*) *v.* Balançar(-se); mover (-se) levemente de um lado para outro: *A jangada balouçava ao sabor do vento*; *A criança balouçava-se na rede de dormir.* ▶ Conjug. 22 e 36.

balsa (*bal*.sa) *s.f.* **1.** Jangada usada para o transporte de carga. **2.** Embarcação usada para o transporte de veículos e de passageiros na travessia de rios, lagoas etc.: *Grandes balsas ligam cidades às margens do rio São Francisco.*

balsâmico (bal.*sâ*.mi.co) *adj.* **1.** Relativo a bálsamo. **2.** Da natureza dele; perfumado, cheiroso, aromático. **3.** Que dá alívio ou conforto.

bálsamo (*bál*.sa.mo) *s.m.* **1.** Substância aromática que escorre de alguns vegetais. **2.** Perfume, aroma, fragrância. **3.** *fig.* Alívio, conforto, consolação, lenitivo. **4.** Medicamento de propriedades balsâmicas.

báltico (*bál*.ti.co) *adj.* Relativo ao mar Báltico ou aos países vizinhos a esse mar.

baluarte (ba.lu:*ar*.te) *s.m.* **1.** Construção alta, sustentada por muralhas; fortaleza, bastião. **2.** Lugar seguro. **3.** *fig.* Sustentáculo, apoio, amparo: *O irmão mais velho era o baluarte daquela família.*

balzaquiana (bal.za.qui:*a*.na) *s.f.* Mulher de trinta anos, por alusão a um romance de Balzac.

balzaquiano (bal.za.qui:*a*.no) *adj.* **1.** Relativo ao romancista francês Honoré de Balzac ou à sua obra. **2.** Diz-se, sobretudo, de mulher de cerca de trinta anos. • *s.m.* **3.** Pessoa balzaquiana.

bamba (*bam*.ba) *adj.* **1.** Valentão, desordeiro. • *s.m.* **2.** Autoridade em determinado assunto; bambambã.

bambambã (bam.bam.*bã*) *s.m.* Bamba.

bambinela [é] (bam.bi.*ne*.la) *s.f.* Cortina curta e franjada, para adorno de portas e janelas.

bambo (*bam*.bo) *adj.* **1.** Que não está firme ou fixo; frouxo: *corda bamba.* **2.** Sem força; fraco: *pernas bambas.* **3.** Pouco seguro; sem estabilidade: *mesa bamba.* **4.** *fig.* Indeciso, hesitante, vacilante.

bambolê (bam.bo.*lê*) *s.m.* Aro de plástico ou de metal, usado como brinquedo, que, com o movimento do corpo, gira em torno da cintura, da perna ou do braço.

bambolear (bam.bo.le:*ar*) *v.* **1.** Cambalear, balançar: *Com o susto, bamboleou e caiu.* **2.** Menear os quadris; gingar, requebrar: *Foliões vinham bamboleando à frente do bloco carnavalesco.* ▶ Conjug. 14. – **bamboleio** *s.m.*

bambu (bam.*bu*) *s.m.* **1.** (*Bot.*) Planta de hastes longas e ocas, usada em construção ou como decoração. **2.** Vara feita com a haste do bambu.

bambual (bam.bu:*al*) *s.m.* Mata de bambus; bambuzal.

bambuzal (bam.bu.*zal*) *s.m.* Bambual.

banal (ba.*nal*) *adj.* **1.** Vulgar, corriqueiro, trivial. **2.** Fútil, frívolo.

banalidade (ba.na.li.*da*.de) *s.f.* **1.** Qualidade de banal; trivialidade, vulgaridade. **2.** Futilidade, frivolidade.

banalizar (ba.na.li.*zar*) *v.* Tornar(-se) banal; banalizar(-se): *Não podemos banalizar a guerra*; *A moda banalizou-se muito.* ▶ Conjug. 5.

banana (ba.*na*.na) *s.f.* **1.** Fruto da bananeira; pacova. **2.** Bananeira. **3.** Certo gesto chulo e ofensivo. **4.** Cartucho de dinamite. • *s.m.* e *f.* **5.** *fig.* Pessoa mole, sem energia; palerma.

banana-d'água (ba.na.na-d'*á*.gua) *s.f.* Banana comprida, de polpa amarela e muito doce; banana-nanica. || pl.: *bananas-d'água.*

bananada (ba.na.*na*.da) *s.f.* (*Cul.*) Doce de banana, reduzido a massa consistente; mariola.

bananal (ba.na.*nal*) *s.m.* Lugar plantado de bananeiras; bananeiral.

banana-maçã (ba.na.na-ma.*çã*) *s.f.* Variedade de banana cuja polpa faz lembrar ligeiramente o gosto da maçã. || pl.: *bananas-maçãs* e *bananas-maçã.*

banana-nanica (ba.na.na-na.*ni*.ca) *s.f.* Banana-d'água. || pl.: *bananas-nanicas.*

banana-ouro (ba.na.na-*ou*.ro) *s.f.* Variedade de banana de polpa amarela e de tamanho pequeno. || pl.: *bananas-ouros* e *bananas-ouro.*

banana-prata (ba.na.na-*pra*.ta) *s.f.* Variedade de banana de polpa alva. || pl.: *bananas-pratas* e *bananas-prata.*

banana-são-tomé (ba.na.na-são-to.*mé*) *s.f.* Variedade de banana própria para ser comida assada. || pl.: *bananas-são-tomé.*

bananeira (ba.na.*nei*.ra) *s.f.* (*Bot.*) Árvore que produz a banana. || *Plantar bananeira*: ficar de cabeça para baixo, com o corpo apoiado nas mãos e as pernas para cima.

bananeiral (ba.na.nei.*ral*) *s.m.* Bananal.

bananeiro (ba.na.*nei*.ro) *adj.* **1.** Relativo a bananas. • *s.m.* **2.** Trabalhador ou proprietário de um bananal. **3.** Negociante de bananas.

bananicultor [ô] (ba.na.ni.cul.*tor*) *s.m.* Agricultor que se dedica especialmente ao cultivo da banana.

bananicultura (ba.na.ni.cul.*tu*.ra) *s.f.* Cultura de banana.

banca (*ban*.ca) *s.f.* **1.** Grande mesa de trabalho: *banca de sapateiro*. **2.** Pequena mesa portátil usada no comércio ambulante: *banca de camelô*. **3.** Comissão examinadora em concursos, provas etc.: *banca examinadora*. **4.** Escritório de advocacia: *Trabalhava numa das mais renomadas bancas de advogados da cidade*. **5.** Local de venda de publicações periódicas: *banca de jornais e revistas*. **6.** Quantia que o banqueiro põe sobre a mesa para arriscar no jogo.

bancada (ban.*ca*.da) *s.f.* **1.** Mesa de trabalho ou de apoio; banca, balcão: *bancada de marceneiro; bancada do bar*. **2.** Conjunto de bancos dispostos em certa ordem: *Os alunos conversavam sentados na bancada*. **3.** Conjunto dos representantes de partido político nas esferas municipal, estadual ou federal: *bancada do governo; bancada dos deputados da oposição*.

bancar (ban.*car*) *v.* **1.** Financiar, custear: *Os pais bancaram todas as despesas do casamento da filha*. **2.** Ser banqueiro de jogo de azar; responder por uma banca de jogo: *É contravenção bancar certos jogos*. **3.** *coloq.* Fazer o papel de; fingir: *bancar o esperto*. ▶ Conjug. 5 e 35.

bancário (ban.*cá*.ri:o) *adj.* **1.** Relativo ou pertencente a banco. • *s.m.* **2.** Funcionário de banco.

bancarrota [ô] (ban.car.*ro*.ta) *s.f.* **1.** Falência financeira; quebra, insolvência: *A conhecida empresa tenta evitar a bancarrota*. **2.** *fig.* Ruína; decadência.

banco (*ban*.co) *s.m.* **1.** Assento comprido, com ou sem encosto, disposto em local público ou em veículos: *banco da praça; bancos do metrô*. **2.** Assento individual móvel e sem encosto: *Sentava-se sempre no seu banco da cozinha*. **3.** Mesa de trabalho em oficinas; banca. **4.** Tábua em que assentam os remadores. **5.** (*Econ.*) Instituição financeira. **6.** (*Esp.*) Conjunto dos reservas de um time. || *Banco de areia*: elevação de areia no fundo de mar ou de rio. • *Banco de dados*: (*Inform.*) conjunto de dados armazenados em computador. • *Banco de sangue*: serviço hospitalar encarregado do recolhimento de sangue doado para armazenamento e para utilização nas transfusões.

banda¹ (*ban*.da) *s.f.* **1.** Parte lateral de um objeto; lado: *Pinte somente esta banda da parede*. **2.** Grupo, facção: *A assembleia dividiu-se em duas bandas discordantes*. **3.** Conjunto de músicos com instrumentos acústicos ou eletrônicos: *banda de sopros; banda de rock*. • *s.m.pl.* **bandas 4.** Lugares, lados: *Essa história aconteceu nas bandas do sertão*. || *Pôr de banda*: pôr de lado; abandonar, descartar: *Você não deve pôr de banda os conselhos dos mais experientes*.

banda² (*ban*.da) *s.f.* **1.** Faixa. **2.** Fita ou listra larga de diferentes cores, usadas nas vestimentas ou condecorações de militares, magistrados etc. **3.** (*Fís.*) Faixa de frequência das ondas de rádio. || *Banda cambial*: (*Econ.*) faixa de variação fixada por autoridade financeira para o valor de moedas estrangeiras. • *Banda magnética*: (*Cine*) parte da fita com o registro sonoro do filme produzido por meio de variação magnética.

bandagem (ban.*da*.gem) *s.f.* **1.** Ato de bandar. **2.** Faixa, atadura. **3.** Compressa.

band-aid [bandeide] (Ing.) *s.m.* Pequeno curativo adesivo usado em ferimentos superficiais. || Da marca registrada *Band-Aid*.

bandalha (ban.*da*.lha) *s.f. coloq.* **1.** Bandalheira. **2.** Transgressão, desrespeito: *bandalha no trânsito*. • *adj.* **3.** Diz-se de veículo (ônibus, táxi etc.) que circula de forma irregular: *Há um grande número de carros bandalha na hora do rush*.

bandalheira (ban.da.*lhei*.ra) *s.f.* **1.** Ação própria de bandalho; bandalhice. **2.** *fig.* Pouca-vergonha, indecência.

bandalho (ban.*da*.lho) *s.m.* **1.** Homem maltrapilho, esfarrapado. **2.** Homem despudorado, desonesto, desavergonhado.

bandarilha (ban.da.*ri*.lha) *s.f.* Farpa com haste enfeitada por uma bandeirinha ou fitas de papel colorido, que o toureiro procura espetar no cachaço do touro.

bandear (ban.de:*ar*) *v.* **1.** Formar bando; reunir (-se) em bando: *Os alunos veteranos bandearam vários colegas para formar o grêmio estudantil; Para desgosto da família, bandeou-se com gente da pior espécie*. **2.** Mudar(-se), transferir(-se): *bandear(-se) para o interior do estado*. **3.** Mudar de lado, de opinião, de partido: *Alguns políticos costumam bandear de posição; Bandeou-se, com seus correligionários, para a oposição*. ▶ Conjug. 14.

bandeira (ban.*dei*.ra) *s.f.* **1.** Pedaço de pano, de uma ou mais cores, geralmente de forma

bandeirada

retangular, preso por um dos lados menores a uma haste ou a corda corrediça, podendo desfraldar-se ao vento para dar indicações ou servindo de emblema a países, corporações etc.; pavilhão, lábaro, pendão, estandarte. **2.** *fig.* Ideia que serve de guia ou símbolo a teoria, grupo, partido. **3.** Abajur, quebra-luz. **4.** Caixilho superior, fixo ou movediço, envidraçado ou não, de porta ou janela. **5.** (Hist.) Expedição armada que, nos tempos coloniais, se internava pelos sertões à cata de ouro, diamantes e pedras preciosas ou para o aprisionamento de índios. **6.** Chapa metálica dos taxímetros, cujo abaixamento indica o princípio da contagem do percurso. || *Bandeira a meio pau*: bandeira a meio mastro em sinal de luto. • *Dar bandeira*: *gír.* deixar transparecer algo que se quer esconder.

bandeirada (ban.dei.*ra*.da) *s.f.* **1.** Importância fixa marcada pelo taxímetro dos táxis, quando o motorista abaixa a bandeira para dar início à corrida. **2.** Sinal com a bandeira para baixo, para indicar o fim de competições esportivas.

bandeirante (ban.dei.*ran*.te) *adj. s.m. e f.* **1.** Paulista. • *s.m.* **2.** Indivíduo que fazia parte de uma bandeira (5). • *s.f.* **3.** Menina ou moça que pratica o bandeirantismo.

bandeirantismo (ban.dei.ran.*tis*.mo) *s.m.* Escoteirismo para jovens do sexo feminino; bandeirismo.

bandeirinha (ban.dei.*ri*.nha) *s.f.* **1.** Diminutivo de bandeira. • *s.m.* **2.** (*Esp.*) Árbitro secundário no jogo de futebol; fiscal de linha, que indica ao juiz as anormalidades que ocorrem. **3.** (*Zool.*) Peixe fluvial da Amazônia. • *s.m. e f.* **4.** Pessoa muito volúvel, principalmente em política.

bandeirismo (ban.dei.*ris*.mo) *s.m.* Bandeirantismo.

bandeirola [ó] (ban.dei.*ro*.la) *s.f.* Bandeira pequena; bandeirinha.

bandeja [ê] (ban.*de*.ja) *s.f.* **1.** Objeto de fundo raso, com ou sem alças, de louça, metal, madeira etc., utilizado no serviço de mesa ou como peça decorativa: *Guardava com carinho as bandejas de prata de sua avó.* **2.** Recipiente de metal de uso em hospitais para portar alimentos ou instrumentos. || *Dar de bandeja*: *coloq.* **1.** fazer (algo) espontaneamente, sem que lhe seja solicitado; dar de graça: *Deu de bandeja as informações ao repórter.* **2.** (*Esp.*) No futebol, tocar a bola com o lado do pé para o chute a gol.

bandido (ban.*di*.do) *adj.* **1.** Diz-se de quem vive do roubo e anda fugido à ação da justiça. • *s.m.* **2.** Salteador, malfeitor, marginal. **3.** Pessoa sem caráter.

banditismo (ban.di.*tis*.mo) *s.m.* **1.** Modo de vida de bandido. **2.** Criminalidade: *O banditismo tem diminuído atualmente.*

bando (*ban*.do) *s.m.* **1.** Ajuntamento de pessoas. **2.** Grupo de bandidos ou malfeitores; quadrilha, corriola: *bando de assaltantes*; *bando de cangaceiros*. **3.** Grupo de aves: *Bando de passarinhos passava voando sobre a praça.* **4.** Integrantes de um grupo étnico: *bando de ciganos.*

bandô (ban.*dô*) *s.m.* Peça decorativa que oculta o trilho das cortinas.

bandoleira (ban.do.*lei*.ra) *s.f.* Correia trazida a tiracolo, para segurar arma ou utensílio.

bandoleiro (ban.do.*lei*.ro) *s.m.* **1.** Assaltante de estrada; salteador: *Um grupo de bandoleiros atacou a frota de caminhões.* **2.** Bandido, malfeitor. **3.** Cangaceiro: *Foi bandoleiro do grupo de Lampião.*

bandolim (ban.do.*lim*) *s.m.* (*Mús.*) Instrumento musical, espécie de viola com quatro cordas duplas metálicas, que se toca com uma palheta.

bandulho (ban.*du*.lho) *s.m. fam.* Barriga, pança. || *Encher o bandulho*: comer até fartar-se.

bandurra (ban.*dur*.ra) *s.f.* (*Mús.*) Instrumento musical, espécie de viola de braço curto e de muitas cordas.

bangalô (ban.ga.*lô*) *s.m.* Casa pequena, com varanda, em bairros residenciais urbanos ou em locais de veraneio no campo e na serra.

banguê [güê] (ban.*guê*) *s.m.* **1.** Engenho de açúcar de sistema antigo, movido à força animal: *José Lins do Rego retratou em vários romances a decadência dos banguês na zona canavieira do Nordeste.* **2.** Conjunto de fornalha e tachos do engenho. **3.** Tipo de padiola para carregar o bagaço de cana e também certos materiais.

bangue-bangue (ban.gue-*ban*.gue) *s.m.* **1.** (*Cine*) Filme que retrata a colonização do oeste norte-americano, com cenas de luta e tiroteio; faroeste. **2.** (*Cine*) Qualquer filme com cenas de luta e tiroteio. **3.** *coloq.* Local de muita briga, pancadaria e tiroteio.

banguela [é] (ban.*gue*.la) *adj.* **1.** Que não tem um ou mais dentes na frente; desdentado. • *s.m. e f.* **2.** Pessoa a quem falta um ou mais dentes na frente. || *Na banguela*: em ponto morto, desengrenado (automóvel, caminhão etc.).

baquear

banha (ba.nha) s.f. **1.** Gordura animal, especialmente a do porco. **2.** coloq. A gordura do corpo humano; adiposidade. ‖ Nesta acepção, também usada no plural.

banhado (ba.nha.do) adj. **1.** Molhado, encharcado: *Trazia a roupa banhada de suor*. **2.** Envolto, recoberto: *anel banhado a ouro*. • s.m. **3.** Charco encoberto por vegetação; brejo. **4.** Terreno alagadiço; pântano.

banhar (ba.nhar) v. **1.** Dar banho em; lavar: *banhar o enfermo*. **2.** Tomar banho; lavar-se: *Banhou-se demoradamente sob a ducha fria*. **3.** Molhar, embeber em água ou outro líquido: *banhar o pão no leite*. **4.** Recobrir com alguma substância: *banhar medalhas em ouro e prata*. **5.** Passar (rio, mar etc.) junto a: *O rio Capibaribe banha a cidade do Recife*. **6.** fig. Estender-se sobre; envolver: *O luar banhava o vale*. ▶ Conjug. 5.

banheira (ba.nhei.ra) s.f. **1.** Bacia de ferro esmaltado, louça, mármore ou outro material, própria para se tomar banho. **2.** (Esp.) coloq. Impedimento, no futebol.

banheiro (ba.nhei.ro) s.m. **1.** Aposento da casa destinado ao banho. **2.** Cabine pública para higiene pessoal; toalete. **3.** Vaso sanitário; privada.

banhista (ba.nhis.ta) s.m. e f. **1.** Pessoa em traje de banho na praia, piscina etc. **2.** Salva-vidas.

banho (ba.nho) s.m. **1.** Ato ou efeito de banhar(-se): *Tomou um banho de ervas*. **2.** Líquido em que se mergulham substâncias para tingir ou para outros fins: *dar um banho de prata nos candelabros*. **3.** Exposição do corpo à ação do calor ou da luz: *banho de sol; banho de luz*. • *banhos* s.m.pl. **4.** Balneário. ‖ *Dar um banho*: coloq. derrotar adversários em uma disputa por larga margem: *Nosso time deu um banho no time visitante*.

banho-maria (ba.nho-ma.ri.a) s.m. Processo de aquecer ou cozinhar uma substância, mergulhando em água fervente o vaso que a contém. ‖ pl.: *banhos-maria* e *banhos-marias*.

banido (ba.ni.do) adj. **1.** Expatriado, exilado: *Com a anistia, os políticos banidos voltaram a seu país*. **2.** Expulso, excluído: *É preciso favorecer a inclusão das crianças de rua banidas pela sociedade*. • s.m. **3.** Pessoa banida.

banir (ba.nir) v. **1.** Expatriar, exilar, desterrar: *O governo autoritário baniu os revoltosos*. **2.** Eliminar, suprimir, abolir: *banir as injustiças sociais*. **3.** Afastar, afugentar: *banir as mágoas*. ▶ Conjug. 84 e 66. – **banimento** s.m.

banjo (ban.jo) s.m. (Mús.) **1.** Instrumento musical de cordas, que se toca com palheta, constante de um braço longo e caixa de ressonância semelhante a um pandeiro. **2.** Banjoísta.

banjoísta (ban.jo.ís.ta) s.m. e f. Aquele que toca banjo; banjo.

banner [bâner] (Ing.) s.m. Espécie de bandeira, de plástico ou material impermeabilizado, que, pendurada em fachadas de prédios e centros culturais, faz a publicidade de espetáculos, exposições etc.; galhardete.

banqueiro (ban.quei.ro) s.m. **1.** Proprietário ou diretor de banco. **2.** Indivíduo que tem banca de jogo ou que banca jogo. **3.** fig. Homem muito rico.

banquete [ê] (ban.que.te) s.m. **1.** Refeição solene para muitos convidados; repasto. **2.** Refeição lauta e festiva; festim.

banquetear (ban.que.te:ar) v. **1.** Oferecer banquete em homenagem a alguém: *O governo irá banquetear os diplomatas estrangeiros*. **2.** Participar de banquete: *Foram muitos os convidados a banquetear-se na estreia do novo filme*. **3.** Comer muito bem: *Banqueteia-se sempre nos melhores restaurantes*. ▶ Conjug. 14.

banto (ban.to) adj. **1.** Diz-se dos povos negros sul-africanos aos quais pertenciam muitos grupos de escravos trazidos ao Brasil. • s.m. **2.** Pessoa pertencente a esses povos. **3.** Conjunto de línguas faladas por esses povos.

banzé (ban.zé) s.m. coloq. **1.** Confusão, tumulto: *armar um banzé*. **2.** Barulho, gritaria, algazarra.

banzo (ban.zo) s.m. **1.** Nostalgia dos negros africanos escravizados. • adj. **2.** Abatido, triste, desgostoso.

baobá (ba:o.bá) s.m. (Bot.) Árvore originária da África, de grande altura e tronco grosso, que tem vida muito longa.

baque (ba.que) s.m. **1.** Barulho que faz um corpo ao cair ou ao bater em outro: *Mesmo à distância ouviu-se o baque do choque dos trens*. **2.** Tombo, queda: *Levou um baque ao descer do ônibus*. **3.** fig. Abalo emocional; choque: *Sofreu um grande baque com a perda do emprego*. **4.** fig. Adversidade, derrota, revés: *Seus negócios vêm sofrendo vários baques financeiros*.

baqueado (ba.que:a.do) adj. **1.** Abatido, debilitado: *A febre deixou-o baqueado*. **2.** Abalado, deprimido: *O cotidiano de violência e terror deixa todos baqueados*.

baquear (ba.que:ar) v. **1.** Cair subitamente; desabar, desmoronar: *As paredes da velha mansão baquearam após anos de abandono*. **2.**

baquelita...

Arruinar-se, falir: *Muitas empresas baquearam ao enfrentar problemas cambiais.* **3.** *fig.* Abater, debilitar, prostrar: *A doença e a fome baquearam o ancião.* **4.** *fig.* Abalar, afetar, chocar: *O insucesso da peça baqueou a veterana atriz.* ▶ Conjug. 14.

baquelita (ba.que.*li*.ta) *s.f.* Resina sintética, submetida a certas condições de temperatura e pressão, utilizada em revestimentos.

baqueta [ê] (ba.*que*.ta) *s.f.* Vareta com que se tocam tambor e outros instrumentos de percussão.

bar *s.m.* **1.** Balcão onde se servem bebidas. **2.** Sala ou estabelecimento comercial com esse balcão. **3.** Móvel para guardar garrafas de bebidas em uso.

barafunda (ba.ra.*fun*.da) *s.f.* **1.** Reunião desordenada de pessoas ou coisas. **2.** Confusão, trapalhada, tumulto: *Com seu gênio forte, está sempre metido em barafundas.*

baralhada (ba.ra.*lha*.da) *s.f.* Confusão, trapalhada, barafunda.

baralhar (ba.ra.*lhar*) *v.* Embaralhar. ▶ Conjug. 5. − **baralhamento** *s.m.*

baralho (ba.*ra*.lho) *s.m.* Conjunto de cartas de jogo.

barão (ba.*rão*) *s.m.* **1.** Título de nobreza imediatamente inferior ao de visconde. **2.** Homem ilustre e poderoso em seu ramo de atividades; magnata: *São imponentes as fazendas dos barões do café.*

barata (ba.*ra*.ta) *s.f.* (*Zool.*) Inseto de corpo achatado, de cor marrom, com antenas compridas. || *Barata tonta*: *coloq.* pessoa confusa, desarvorada, perplexa. • *Entregue às baratas*: *coloq.* abandonado, desprezado: *Muitas obras públicas ficam entregues às baratas.*

baratear (ba.ra.te:*ar*) *v.* **1.** Reduzir o preço ou o custo: *Os produtos hortifrutigranjeiros baratearam na feira*; *O governo deve baratear as tarifas de energia.* **2.** *fig.* Dar(-se) pouco valor; depreciar(-se), menosprezar(-se): *Não barateie suas opiniões*; *Barateou-se diante dos superiores.* ▶ Conjug. 14. − **barateamento** *s.m.*

barateiro (ba.ra.*tei*.ro) *adj.* **1.** Que vende barato: *loja barateira.* • *s.m.* **2.** Vendedor ambulante de objetos de armarinho.

baratinado (ba.ra.ti.*na*.do) *adj. gír.* Confuso, transtornado, tonto: *A falta de dinheiro deixou-o baratinado.*

baratinar (ba.ra.ti.*nar*) *v. gír.* Confundir(-se), transtornar(-se), perturbar(-se): *A indisciplina dos alunos baratinava o professor*; *Baratinou-se com o excesso de festas e bebidas.* ▶ Conjug. 5.

barato (ba.*ra*.to) *adj.* **1.** De baixo preço: *restaurante barato*; *frutas baratas.* **2.** *fig.* Sem qualidade; vulgar, comum: *Não se deixe levar por emoções baratas.* • *s.m.* **3.** *gír.* Aquilo que apresenta conotações positivas: *Leia o livro deste autor: é um barato.* **4.** *gír.* Sensação provocada pelo uso de drogas. • *adv.* **5.** Por pouco preço: *Vendeu muito barato o apartamento.*

báratro (*bá*.ra.tro) *s.m.* **1.** Precipício, abismo, voragem: *Em Atenas, os condenados eram lançados no báratro.* **2.** *fig.* O inferno.

barba (*bar*.ba) *s.f.* **1.** Pelos da face do homem. **2.** Pelos ou penas do focinho ou do bico de certos animais. **3.** Filamentos compridos que nascem na espiga de milho. **4.** Arestas das bordas de objeto mal cortado. || *Pôr as barbas de molho*: *coloq.* acautelar-se contra um perigo iminente: *Ponha as barbas de molho contra os riscos da inflação.*

barba-azul (bar.ba-a.*zul*) *s.m.* Homem que conquista ou possui várias mulheres. || pl.: *barbas-azuis.*

barbada (bar.*ba*.da) *s.f.* **1.** Beiço inferior do cavalo. **2.** Páreo fácil nas corridas de cavalo. **3.** Competição esportiva fácil de ganhar, para determinado clube. **4.** Qualquer competição fácil de ganhar.

barbadiano (bar.ba.di:*a*.no) *adj.* **1.** De Barbados, país das Antilhas. • *s.m.* **2.** O natural ou o habitante desse país.

barbado (bar.*ba*.do) *adj.* **1.** Provido de barba. • *s.m.* **2.** Indivíduo que tem barba ou usa a barba crescida. **3.** *coloq.* Homem adulto; marmanjo: *O pai deseja ver empregados os barbados da família.*

barbante (bar.*ban*.te) *s.m.* Cordão delgado que serve para atar embrulhos e para outros fins; cordel.

barbará (bar.ba.*rá*) *s.m.* Cano de escoamento das águas usadas na cozinha.

barbaridade (bar.ba.ri.*da*.de) *s.f.* **1.** Ato de bárbaro; crueldade, selvageria: *Nas guerras, muitas vezes são cometidas barbaridades contra a população civil.* **2.** Ato ou dito absurdo; despropositado: *Não diga barbaridades a respeito daquilo que desconhece.* **3.** (*Gram.*) Erro crasso de linguagem; barbarismo. || É usado em frases nominais exclamativamente, para denotar admiração, surpresa ou espanto.

barbárie (bar.*bá*.ri:e) *s.f.* **1**. Estado ou condição de bárbaro; falta de civilização: *Com o terrorismo, o mundo parece voltar à barbárie*. **2**. Crueldade, atrocidade, selvageria, barbaridade.

barbarismo (bar.ba.*ris*.mo) *s.m.* **1**. Barbárie. **2**. (*Gram.*) Uso irregular da norma culta de uma língua, que consiste na pronúncia, grafia ou acepção incorreta dos vocábulos.

barbarizar (bar.ba.ri.*zar*) *v.* **1**. Tornar bárbaro (1 e 2): *A tirania barbariza os homens*. **2**. *gír.* Fazer sucesso; destacar-se: *O grupo de rock barbarizou no festival*. ▶ Conjug. 5.

bárbaro (*bár*.ba.ro) *adj.* **1**. Rude, grosseiro, indelicado: *Seja gentil, deixe de lado esses modos bárbaros*. **2**. Cruel, brutal, atroz, sanguinário: *guerreiros bárbaros*. **3**. *gír.* Que apresenta muitas qualidades: *Este filme é bárbaro*. • *s.m.* **4**. Pessoa bárbara. **5**. (*Hist.*) Indivíduo pertencente aos povos invasores do Império Romano do Ocidente.

barbatana (bar.ba.*ta*.na) *s.f.* **1**. Membrana exterior que serve para a locomoção dos peixes. **2**. Haste flexível que serve como armação de certas peças do vestuário.

barbeador [ô] (bar.be:a.*dor*) *s.m.* **1**. Aparelho de barbear. **2**. Barbeiro.

barbear (bar.be:*ar*) *v.* **1**. Fazer a barba: *Barbeava seus clientes com perícia e bom humor*. **2**. Fazer a própria barba: *Barbeia-se diariamente antes do banho*. ▶ Conjug. 14.

barbearia (bar.be:a.*ri*.a) *s.f.* **1**. Loja de barbeiro. **2**. Profissão de barbeiro.

barbeiragem (bar.bei.*ra*.gem) *s.f. coloq.* Imperícia ou falta cometida por barbeiro (5): *Faz tantas barbeiragens no trânsito que até assusta os passageiros*.

barbeiro (bar.*bei*.ro) *s.m.* **1**. Profissional que faz e apara barbas e cabelos. **2**. Barbearia: *As crianças não gostam de ir ao barbeiro*. **3**. (*Zool.*) Inseto transmissor da doença de Chagas; chupão. • *adj.* **4**. *coloq.* Que é incompetente em sua profissão ou atividade: *motorista barbeiro*. • *s.m.* **5**. *coloq.* Pessoa barbeira.

barbela [é] (bar.*be*.la) *s.f.* **1**. Pele pendente do pescoço do boi e de outros animais; papada. **2**. Saliência adiposa embaixo do queixo.

barbicha (bar.*bi*.cha) *s.f.* **1**. Barba pequena e rala. **2**. Pequena barba em ponta: *Nas fotos antigas da família, os homens portavam bigode e barbicha*.

barbitúrico (bar.bi.*tú*.ri.co) *adj.* (*Quím.*) **1**. Diz-se de um ácido cujos derivados têm efeito sedativo e anticonvulsivo. • *s.m.* **2**. Nome comum dos derivados do ácido barbitúrico.

barbudo (bar.*bu*.do) *adj.* **1**. Que tem muita barba. **2**. Que tem a barba crescida ou por fazer; barbado. • *s.m.* **3**. Homem barbudo.

barca (*bar*.ca) *s.f.* Embarcação de tamanho médio, usada para o transporte de passageiros e cargas em baías, lagos ou lagoas e rios.

barcaça (bar.*ca*.ça) *s.f.* **1**. Grande barca. **2**. Embarcação para carregar e descarregar nos portos.

barcarola [ó] (bar.ca.*ro*.la) *s.f.* (*Mús.*) **1**. Canção típica dos gondoleiros venezianos. **2**. Composição musical que sugere o ritmo da barcarola. **3**. Composição poética que busca produzir esse ritmo.

barco (*bar*.co) *s.m.* **1**. Pequena embarcação com ou sem coberta. **2**. Qualquer embarcação.

bardo (*bar*.do) *s.m.* **1**. Poeta e cantor entre os povos celtas. **2**. Poeta, trovador: *Castro Alves, o grande bardo dos escravos*.

barganha (bar.*ga*.nha) *s.f.* **1**. Troca, permuta, negócio. **2**. Trapaça; transação cavilosa.

barganhar (bar.ga.*nhar*) *v.* **1**. Fazer barganha; trocar, permutar: *Os retirantes da seca barganham alimentos e animais*. **2**. Negociar, efetuar transação pouco ética: *barganhar favores*; *barganhar votos*. **3**. Pedir abatimento em compra e venda; pechinchar, regatear: *Sempre barganhava os preços na feira*; *Os turistas gostam de barganhar*. ▶ Conjug. 5.

bário (*bá*.ri:o) *s.m.* (*Quím.*) Metal branco-prateado, usado em velas de ignição, tubos de alto vácuo etc. ‖ Símbolo: *Ba*.

barisfera [é] (ba.ris.*fe*.ra) *s.f.* (*Geol.*) Nife.

barítono (ba.*rí*.to.no) *s.m.* (*Mús.*) **1**. Registro de voz masculina intermediária entre o tenor e o baixo. **2**. Cantor com esse tom de voz.

barlavento (bar.la.*ven*.to) *s.m.* **1**. Direção de onde sopra o vento. **2**. Lado da embarcação voltado para essa direção do vento.

bar mitzvah [*bar mitsvá*] (Hebr.) *loc. subst.* **1**. Rapaz judeu que aos 13 anos atinge a maioridade na religião judaica. **2**. Cerimônia religiosa e festiva que comemora essa maioridade.

barnabé (bar.na.*bé*) *s.m. coloq.* Funcionário público de cargo modesto e baixa remuneração.

barômetro (ba.*rô*.me.tro) *s.m.* (*Fís.*) Instrumento que serve para medir a pressão atmosférica. – **barométrico** *adj.*

baronato (ba.ro.*na*.to) *s.m.* **1**. Título de nobreza de barão. **2**. (*Hist.*) Território feudal regido por um barão.

baronesa [ê] (ba.ro.ne.sa) s.f. Esposa de barão (1).

barqueiro (bar.quei.ro) s.m. Pessoa que dirige barco ou barca.

barra (bar.ra) s.f. **1.** Peça longa, de madeira ou metal, usada para vários fins em algumas artes e ofícios. **2.** Bloco de metal fundido; lingote: *barra de ouro*. **3.** Porção ou pedaço em forma de tablete: *barra de sabão; barra de chocolate*. **4.** Parte inferior de peças do vestuário; bainha: *barra da saia; barra da calça*. **5.** Em costura, acabamento, arremate ou adorno: *Enfeitou a toalha com uma barra de renda*. **6.** Aparelho de ginástica formado por uma peça roliça, de ferro ou madeira, fixa em dois suportes: *fazer exercícios na barra*. **7.** Sinal gráfico em diagonal (/), usado em numeração, em datas etc. **8.** (*Geogr.*) Local (mar, lago) em que um rio deságua; foz, desembocadura. **9.** (*Geogr.*) Entrada de baía: *Os navios estão atracados fora da barra*. **10.** Grade que separa os magistrados do público na sala do tribunal. **11.** *gír.* Situação difícil, complicada: *Vem enfrentando uma barra, depois do fim do casamento*.

barraca (bar.ra.ca) s.f. **1.** Abrigo de lona, náilon etc., usado por soldados em campanha ou por excursionistas em acampamento; tenda: *barraca de camping*. **2.** Construção leve, de madeira ou metal, geralmente desmontável, usada na feira e no comércio ambulante: *barraca de camelô*. **3.** Guarda-sol amplo que se finca na areia para proteção contra o sol: *barraca de praia*.

barracão (bar.ra.cão) s.m. **1.** Grande barraca. **2.** Abrigo ou telheiro para guarda de utensílios, materiais. **3.** Toldo de lona que se arma a bordo ou em tempo de chuva. **4.** Estabelecimento de comércio em lugares pouco habitados. **5.** Galpão para construção dos carros e confecção das alegorias de uma escola de samba: *No barracão já está tudo preparado para o desfile na avenida*.

barracento (bar.ra.cen.to) adj. Barrento.

barraco (bar.ra.co) s.m. Habitação tosca, construída precariamente pela população de baixa renda, geralmente nos morros, ou em locais distantes da periferia urbana. || *Armar um barraco*: *gír.* criar confusão ou tumulto; fazer um banzé: *Contrariado por não poder entrar na festa, armou o maior barraco na portaria*.

barracuda (bar.ra.cu.da) s.f. (*Zool.*) Peixe encontrado nas costas do Atlântico, que se alimenta de outros peixes e cuja carne é considerada tóxica.

barragem (bar.ra.gem) s.f. **1.** Tapume de troncos e ramos cruzados, feito em corrente de água, para impedir a passagem do peixe. **2.** Muralha de alvenaria, terra ou concreto para represar a água; barreira. **3.** (*Mil.*) Obstáculo criado pelo fogo de artilharia por sobre a infantaria para facilitar-lhe o ataque à artilharia inimiga. **4.** Obstrução, impedimento.

barra-limpa (bar.ra-*lim*.pa) adj. gír. Confiável, amigável, simpático; boa-praça: *professor barra-limpa*. || pl.: *barras-limpas*.

barranca (bar.ran.ca) s.f. Barranco (3).

barranco (bar.ran.co) s.m. **1.** Lugar cavado por enxurradas ou pela ação humana. **2.** Escavação natural de um terreno. **3.** Ribanceira de um rio cuja margem é alta ou íngreme; barranca. **4.** Despenhadeiro, precipício, abismo. **5.** *fig.* Impedimento, estorvo, obstáculo.

barra-pesada (bar.ra-pe.*sa*.da) adj. gír. **1.** Difícil, complicado: *assunto barra-pesada*. **2.** Perigoso, violento: *A polícia patrulhava as áreas barras-pesadas da cidade*. • s.m. e f. **3.** Situação barra-pesada. || pl.: *barras-pesadas*.

barraqueiro (bar.ra.quei.ro) s.m. **1.** Dono de barraca, geralmente de feira; feirante. **2.** gír. Aquele que arma barraco, que cria confusão e escândalo.

barrar¹ (bar.rar) v. **1.** Converter em barras: *barrar ouro*. **2.** Adornar com barras: *barrar uma saia*. **3.** *fig.* Criar obstáculo; impedir, frustrar: *O inspetor barrou a entrada dos alunos retardatários*. **4.** (*Esp.*) Não escalar (um atleta) para uma competição: *O técnico barrou vários jogadores, deixando-os no banco de reservas*. ▶ Conjug. 5.

barrar² (bar.rar) v. **1.** Tapar, revestir com barro; barrear: *Nas zonas mais pobres ainda se barram as paredes dos casebres*. **2.** Recobrir (com qualquer substância mole): *barrar o pão com manteiga*. ▶ Conjug. 5.

barreira¹ (bar.rei.ra) s.f. **1.** Terreno rico em barro ou argila. **2.** Lugar que se presta em geral à exploração industrial para retirada do barro; barreiro.

barreira² (bar.rei.ra) s.f. **1.** Qualquer tipo de obstáculo material: *A polícia montou uma barreira de cavaletes para efetuar a blitz*. **2.** *fig.* Grande obstáculo, dificuldade, impedimento: *O analfabetismo é uma barreira a ser vencida no Brasil*. **3.** *fig.* Limite máximo; teto: *A inflação este ano não deverá ultrapassar a barreira estabelecida pelo governo*. **4.** Posto de fiscalização nas estradas de acesso a cidades: *barreira*

barulho

fiscal. **5.** Terreno desmatado às margens de estradas: *As chuvas provocaram muitas quedas de barreira.* **6.** (*Esp.*) No atletismo, obstáculos colocados nas pistas de corrida. **7.** (*Esp.*) No futebol, linha de jogadores postados a uma distância regulamentar diante do gol nas cobranças de falta. • *Barreira do som:* (*Fís.*) ponto em que um corpo sólido, ao deslocar-se no ar, atinge a velocidade do som.

barreiro (bar.*rei*.ro) *s.m.* **1.** Lugar de onde se tira barro para o fabrico de tijolos e telhas; barreira[1]. **2.** Fosso cavado em terreno argiloso para reter e conservar as águas das chuvas.

barrela [é] (bar.re.la) *s.f.* Solução obtida com água fervente sobre cinzas de madeira ou uma camada de soda e que serve para branquear a roupa; lixívia.

barrento (bar.*ren*.to) *adj.* **1.** Que tem muito barro; barroso: *água barrenta.* **2.** Que tem a cor do barro; barracento.

barretada (bar.re.*ta*.da) *s.f.* **1.** Saudação tirando da cabeça o barrete ou o chapéu. **2.** *fig.* Amabilidade, rapapé, cortesia exagerada.

barrete [ê] (bar.*re*.te) *s.m.* **1.** Cobertura, geralmente de fazenda mole e flexível, terminada em ponta, que se ajusta à cabeça. **2.** Cobertura quadrangular de cabeça, usada pelos cardeais e bispos. **3.** (*Zool.*) Segunda cavidade do estômago dos ruminantes.

barrica (bar.*ri*.ca) *s.f.* **1.** Pipa de madeira usada para armazenar especialmente líquidos; tonel. **2.** *coloq.* Pessoa gorda e baixa.

barricada (bar.ri.*ca*.da) *s.f.* Trincheira improvisada, feita com barricas, pedras do calçamento de ruas, veículos etc., para defender uma passagem: *Os moradores fizeram barricadas na rua em protesto contra os acidentes de trânsito.*

barriga (bar.*ri*.ga) *s.f.* **1.** Abdômen. **2.** *fig.* Saliência, protuberância, bojo: *O pedreiro deixou uma barriga nesta parede.* **3.** *coloq.* Notícia falsa dada por um jornal: *Aquele jornaleco costuma dar barrigas sobre assuntos momentosos.* || *Barriga da perna:* a parte posterior da perna; panturrilha. • *Chorar de barriga cheia:* queixar-se sem motivo.

barriga-d'água (bar.ri.ga-d'*á*.gua) *s.f. coloq.* Acúmulo de líquidos na membrana do abdômen. || pl.: *barrigas-d'água.*

barriga-verde (bar.ri.ga-ver.de) *adj. s.m. e f.* Catarinense. || pl.: *barrigas-verdes.*

barrigudo (bar.ri.*gu*.do) *adj.* **1.** Que tem barriga grande; pançudo. • *s.m.* **2.** Pessoa barriguda.

barril (bar.*ril*) *s.m.* **1.** Recipiente bojudo de madeira, espécie de barrica, feito de aduelas, usado para guarda ou transporte de vinho ou outros líquidos; tonel. **2.** Qualquer pequeno vaso feito de aduelas. **3.** Unidade de volume de líquidos, especialmente petróleo: *Um barril de petróleo é equivalente a 42 galões ou 159 litros, aproximadamente.*

barrilete [ê] (bar.ri.*le*.te) *s.m.* **1.** Pequeno barril. **2.** Ferro com que os marceneiros e entalhadores prendem ao banco a madeira que lavram.

barrilha (bar.*ri*.lha) *s.f.* (*Quím.*) Denominação comercial dos carbonatos de sódio e potássio, que têm diversas aplicações industriais.

barro (*bar*.ro) *s.m.* (*Min.*) Terra pastosa, de cor cinza ou avermelhada, empregada na fabricação de vasos, louças, tijolos etc.; argila.

barroca [ó] (bar.*ro*.ca) *s.f.* **1.** Monte de terra ou de barro. **2.** Cova feita por enxurradas; barranco, grota.

barroco [ô] (bar.*ro*.co) *adj.* **1.** Diz-se do estilo predominante desde meados do século XVI até o século XVIII, na arquitetura, nas artes plásticas, na literatura e na música: *Comprou vários álbuns de compositores barrocos.* **2.** *fig.* Extravagante, exuberante, bizarro: *O cenógrafo deu ao espetáculo uma decoração barroca.* • *s.m.* **3.** Estilo barroco: *Ouro Preto é a maior expressão do barroco mineiro.*

barroquismo (bar.ro.*quis*.mo) *s.m.* **1.** Qualidade de barroco. **2.** Modo de fazer ou comportamento que se assemelha ao barroco. **3.** Exagero, extravagância.

barroso [ô] (bar.*ro*.so) *adj.* **1.** Cheio de barro; barrento. **2.** Que tem o pelo branco-amarelado ou marrom (diz-se de bovino) ou da cor de barro escuro (diz-se de equino). || f. e pl.: [ó].

barrote [ó] (bar.*ro*.te) *s.m.* Viga de madeira usada nas construções para fixar pisos, tetos etc.

barulhada (ba.ru.*lha*.da) *s.f.* Barulheira.

barulheira (ba.ru.*lhei*.ra) *s.f.* **1.** Grande barulho; barulhada. **2.** Gritaria, confusão.

barulhento (ba.ru.*lhen*.to) *adj.* **1.** Que faz barulho: *crianças barulhentas.* **2.** Em que há barulho: *trânsito barulhento.* **3.** Desordeiro, turbulento, brigão.

barulho (ba.*ru*.lho) *s.m.* **1.** Som alto; rumor, ruído: *Após certa hora da noite, é proibido o barulho nas áreas residenciais.* **2.** Tumulto, desordem: *Houve muito barulho na entrada do estádio de esportes.* **3.** Alarde, ostentação: *Anunciou a estreia de seu filme com muito barulho.*

basal

basal (ba.*sal*) *adj.* **1.** Relativo a base (1). **2.** (*Med.*) Diz-se do metabolismo de um organismo em estado de completo repouso.

basalto (ba.*sal*.to) *s.m.* (*Geol.*) Rocha vulcânica muito dura e escura.

basbaque (bas.*ba*.que) *adj.* **1.** Que se admira ou se espanta a propósito de qualquer coisa; tolo, pateta: *Um público basbaque aplaudia o desempenho do mau ator.* • *s.m.* **2.** Pessoa basbaque: *Alguns programas de televisão parecem dirigir-se a uns poucos basbaques.*

basco (*bas*.co) *adj.* **1.** Do País Basco, região autônoma da Espanha. • *s.m.* **2.** O natural ou o habitante do País Basco. **3.** A língua falada nessa região.

báscula (*bás*.cu.la) *s.f.* **1.** Balança decimal, destinada a pesar corpos cujo peso e cujas dimensões não permitem o uso da balança comum. **2.** Básculo (2).

basculante (bas.cu.*lan*.te) *adj.* **1.** Que tem movimento de básculo, levantando e abaixando. • *s.m.* **2.** Janela de vidraças móveis. **3.** Caminhão com carroceria inclinável para carregamento e descarregamento de materiais.

básculo (*bás*.cu.lo) *s.m.* **1.** Peça móvel de ferro, usada para abrir e fechar ferrolhos de portas, janelas etc. **2.** Ponte levadiça; báscula.

base (*ba*.se) *s.f.* **1.** O que serve de apoio ou sustentação para algo. **2.** (*Arquit.*) A parte inferior de uma coluna; pedestal. **3.** A fundação de uma construção; alicerce. **4.** Sopé, falda: *base da montanha.* **5.** Primeira camada de uma superfície: *base de maquilagem.* **6.** *fig.* Princípio, fundamento: *Deixe-se guiar sempre pelas bases da moral e da ética.* **7.** *fig.* Domínio do conhecimento; preparo intelectual: *Eles não têm base ainda para tentar o vestibular.* **8.** Conjunto de militantes de partido político ou sindicato: *Os líderes devem ouvir primeiro as bases.* **9.** (*Mil.*) Local de concentração das operações militares: *base aérea; base naval.* **10.** Central de apoio a usuários: *Consulte a base de informações da companhia telefônica.* • (*Astron.*) *Base espacial*: centro de lançamento de satélites e foguetes. || *À base de*: **1.** à custa de: *Vive à base de remédios.* **2.** que inclui ou possui alguma coisa: *dieta à base de frutas e legumes.*

baseado (ba.se:*a*.do) *adj.* **1.** Firmado sobre a base; seguro. **2.** Fundamentado, fundado: *O promotor acusou o réu baseado em novas provas.* • *s.m.* **3.** *gír.* Cigarro de maconha.

basear (ba.se:*ar*) *v.* **1.** Servir de base a; fundamentar: *O conferencista baseou bem as teorias apresentadas.* **2.** Estabelecer a base; apoiar (-se), fundar(-se), firmar(-se): *Baseava suas afirmações em falsos conceitos; Não se baseie em suposições.* ▶ Conjug. 14.

básico (*bá*.si.co) *adj.* **1.** Que serve de base; basilar. **2.** Fundamental, essencial, primordial: *O governo vai liberar mais verbas para o saneamento básico.* **3.** Elementar, primário, simples: *São alunos do curso básico; A moda está cada vez mais básica.*

basilar (ba.si.*lar*) *adj.* **1.** Básico. **2.** Que pertence a uma base. **3.** (*Anat.*) Diz-se dos ossos situados na base de outros: o esfenoide, na do crânio, o sacro, na da coluna vertebral.

basílica (ba.*sí*.li.ca) *s.f.* Grande igreja católica com privilégios canônicos concedidos pelo papa: *a basílica de São Pedro em Roma.*

basilisco (ba.si.*lis*.co) *s.m.* **1.** Serpente fabulosa a que os antigos atribuíam o poder de matar com o simples olhar. **2.** (*Zool.*) Espécie de lagarto que ocorre principalmente no México. **3.** Grande peça de artilharia usada antigamente para atirar balas de ferro.

basite (ba.*si*.te) *s.f.* (*Med.*) Processo inflamatório na base do pulmão.

basquete [é] (bas.*que*.te) *s.m.* Basquetebol.

basquetebol (bas.que.te.*bol*) *s.m.* (*Esp.*) Jogo praticado por dois times de cinco jogadores, que marcam pontos arremessando a bola a uma cesta suspensa; bola ao cesto.

bassê (bas.*sê*) *s.m.* Raça de cães de corpo alongado, pernas curtas e orelhas pendentes.

basta (*bas*.ta) *s.m.* Limite, termo, fim. || *Dar um basta*: *coloq.* pôr o ponto final; fazer cessar: *É preciso dar um basta à violência.*

bastante (bas.*tan*.te) *adj.* **1.** Que basta; que é suficiente ou que satisfaz: *Teve de apresentar bastantes razões para justificar sua atitude.* • *s.m.* **2.** Aquilo que é suficiente, satisfatório: *Não se esforçou o bastante para passar nos exames.* • *adv.* **3.** Suficientemente, muito: *Sinto-me bastante entristecido com o desfecho do caso.*

bastão (bas.*tão*) *s.m.* **1.** Vara de madeira, trabalhada ou não, que se traz na mão para servir de apoio ou de arma. **2.** Bordão, bengala, cajado. **3.** Insígnia de alto comando militar: *bastão de marechal.*

bastar (bas.*tar*) *v.* **1.** Ser suficiente; bastante: *Um só gesto de carinho bastou para levantar-lhe o ânimo; Para o bom entendedor, meia palavra basta.* **2.** Ser autossuficiente; satisfazer-

-se: *Desde muito jovem, procurou bastar-se a si mesmo*. ▶ Conjug. 5.

bastardo (bas.*tar*.do) *adj*. **1.** Diz-se do filho nascido fora do matrimônio; adulterino. • *s.m*. **2.** Filho adulterino. – **bastardia** *s.f.*

bastião (bas.ti:*ão*) *s.m*. **1.** Trincheira levantada diante de um forte ou de uma praça; baluarte, reduto. **2.** *fig*. Defesa, apoio: *ser o bastião dos bons costumes*. || pl.: *bastiães e bastiões*.

bastidor [ô] (bas.ti.*dor*) *s.m*. **1.** Armação de madeira usada para prender o tecido em que se vai fazer o bordado. • *bastidores s.m.pl.* **2.** *fig*. Particularidades, peculiaridades: *os bastidores da política; os bastidores das finanças*. **3.** (*Teat.*) Espaço interior do palco; coxias, poscênio: *Nos bastidores, os artistas aguardavam que se abrissem as cortinas do palco*.

basto (*bas*.to) *adj*. **1.** Espesso, compacto, denso: *basta cabeleira*. **2.** Abundante, numeroso, copioso.

bastonete [ê] (bas.to.*ne*.te) *s.m*. **1.** Pequeno bastão. **2.** Bactéria em forma de bastão.

bata (*ba*.ta) *s.f.* **1.** Roupão feminino. **2.** Espécie de túnica feminina, solta e larga: *As batas são a última moda para a praia*. **3.** Jaleco (de médico, enfermeiro etc.).

batalha (ba.*ta*.lha) *s.f.* **1.** (*Mil.*) Combate entre dois exércitos ou duas armadas. **2.** *fig*. Luta, esforços empregados para vencer grandes dificuldades: *O país terá de vencer a batalha contra o analfabetismo*.

batalhador [ô] (ba.ta.*lha.dor*) *adj*. **1.** Lutador, lidador, combatente. **2.** Defensor de um princípio, de um partido. • *s.m*. **3.** Pessoa batalhadora: *Foi sempre um grande batalhador das causas sociais*.

batalhão (ba.ta.*lhão*) *s.m*. **1.** (*Mil.*) Corpo de tropas de infantaria ou cavalaria, que faz parte de um regimento e está subdividido em companhias. **2.** *coloq*. Grande número de pessoas: *Um batalhão de fotógrafos aguardava o ilustre visitante*.

batalhar (ba.ta.*lhar*) *v.* **1.** Travar batalha; combater, lutar: *Soldados da força internacional de paz batalham em muitas frentes de combate; Os exércitos aliados batalharam contra as forças nazistas*. **2.** Esforçar-se, empenhar-se: *Devemos batalhar sempre pela inclusão social e contra as injustiças*; *Ela precisa batalhar muito para pagar suas contas*. ▶ Conjug. 5.

batata (ba.*ta*.ta) *s.f.* **1.** (*Bot.*) Tubérculo. **2.** (*Bot.*) Nome comum a várias plantas que têm tubérculos. **3.** *coloq*. Nariz grosso e chato. || *Batata da perna*: *coloq*. barriga da perna; panturrilha.

batata-baroa (ba.ta.ta-ba.*ro*.a) *s.f.* Tipo de batata comestível amarela e adocicada; mandioquinha. || pl.: *batatas-baroas*.

batatada (ba.ta.*ta*.da) *s.f.* **1.** Grande porção de batatas. **2.** Doce de batata. **3.** *coloq*. Sequência de tolices: *O candidato disse algumas batatadas na entrevista coletiva*.

batata-doce (ba.ta.ta-*do*.ce) *s.f.* Tipo de batata comestível branca e rica em açúcar. || pl.: *batatas-doces*.

batata-inglesa (ba.ta.ta-in.*gle*.sa) *s.f.* (*Bot.*) Tipo de batata comestível mais comum, utilizada na culinária do mundo inteiro. || pl.: *batatas-inglesas*.

batatal (ba.ta.*tal*) *s.m*. Plantação de batatas.

batavo (ba.*ta*.vo) *adj*. **1.** Da Batávia, antiga denominação da Holanda; holandês. • *s.m*. **2.** O natural ou o habitante desse país.

bate-boca (ba.te-*bo*.ca) *s.m*. **1.** Discussão violenta; altercação. **2.** Vozerio de briga. || pl.: *bate-bocas*.

bate-bola (ba.te-*bo*.la) *s.m*. **1.** (*Esp.*) Jogo de futebol informal entre equipes de amadores; pelada: *Aos domingos é tradicional o bate-bola no campinho do bairro*. **2.** (*Esp.*) Troca de passes antes da partida, para o aquecimento muscular dos jogadores. **3.** No carnaval, mascarado com capa e roupa colorida, que bate com força no chão uma bola de borracha: *Grupo de bate-bolas diverte a criançada no carnaval do subúrbio*. || pl.: *bate-bolas*.

batecum (ba.te.*cum*) *s.m*. **1.** Batidas sucessivas em instrumentos de percussão, como nos batuques. **2.** Pulsação forte do coração e das artérias; batimento, batida. || *baticum*.

batedeira (ba.te.*dei*.ra) *s.f.* **1.** Aparelho manual ou elétrico para bater misturas, massas etc. **2.** Aparelho em que se bate o leite para fazer manteiga.

batedor [ô] (ba.te.*dor*) *s.m*. **1.** Objeto usado para bater. **2.** Militar ou policial, montado a cavalo ou em motocicleta, que precede o carro de chefes de Estado, pessoas de famílias reais, grandes dignitários, para abrir caminho ou simplesmente por aparato.

bate-estacas (ba.te-es.*ta*.cas) *s.m.2n*. Máquina que serve para cravar estacas no solo.

bátega (*bá*.te.ga) *s.f.* Aguaceiro forte; pancada de chuva; carga-d'água. || Mais usado no plural.

bateia (ba.*tei*.a) *s.f.* Utensílio de madeira, com a boca muito larga e pouca profundidade, usado no garimpo de ouro e diamante.

batel (ba.*tel*) *s.m.* Pequeno barco: *O batel deslizava suavemente sobre as águas.*

batelada (ba.te.*la*.da) *s.f.* **1.** Carregamento de um batel. **2.** *coloq.* Grande quantidade: *Doou uma batelada de livros e revistas à biblioteca do bairro.*

batente (ba.*ten*.te) *s.m.* **1.** Estrutura de encaixe de portas e janelas. **2.** *coloq.* Trabalho efetivo, de onde se tira o sustento; ganha-pão: *Sai para o batente muito cedo todos os dias.*

bate-papo (ba.te-*pa*.po) *s.m. coloq.* Conversa informal, descontraída. || pl.: *bate-papos*.

bate-pronto (ba.te-*pron*.to) *s.m.* (*Esp.*) No futebol, jogada em que a bola é rebatida por um jogador assim que toca o chão. || pl.: *bate-prontos*.

bater (ba.*ter*) *v.* **1.** Dar pancada ou golpe em; golpear: *bater pregos; bater estacas*. **2.** Misturar, mexer: *bater um bolo*. **3.** Percutir, batucar: *bater tambor*. **4.** Fazer soar; tocar, tanger: *bater o sino*. **5.** Fechar com violência: *O vento batia as portas.* **6.** Desligar com violência (o telefone). **7.** Derrotar, vencer: *Bateu o time adversário em seu próprio campo.* **8.** Atingir, alcançar; superar: *bater um recorde.* **9.** Tirar fotografia: *É proibido bater fotos em alguns museus.* **10.** (*Esp.*) No futebol, cobrar uma falta: *Aquele atacante bate pênaltis muito bem.* **11.** *coloq.* Comer com avidez; devorar: *No almoço, batia um prato de feijão com arroz.* **12.** *gír.* Furtar: *bater carteiras.* **13.** Agredir, surrar, espancar: *Não se deve bater nos filhos; O cocheiro batia nos cavalos.* **14.** Tocar com o dedo; apertar: *bater numa tecla.* **15.** Colidir, chocar: *Perdeu o freio e bateu no poste.* **16.** Incidir sobre: *O sol bate à tarde na varanda.* **17.** Ir ter; dar (em algum lugar): *Viajando sem rumo, foram bater numa cidadezinha do interior.* **18.** Estar de acordo; conferir: *Minhas respostas batem com o gabarito da prova.* **19.** Lutar, combater: *Os soldados batiam-se em campo aberto.* **20.** *fig.* Lutar por uma causa; empenhar-se, esforçar-se: *Bateu-se sempre contra a injustiça social; Batia-se por melhores condições de trabalho para os assalariados.* ▶ Conjug. 39.

bateria (ba.te.*ri*.a) *s.f.* **1.** (*Mús.*) Conjunto de instrumentos de percussão em uma orquestra ou banda. **2.** (*Mús.*) Conjunto dos músicos que tocam instrumentos de percussão em uma escola de samba: *A bateria é um dos pontos altos dos desfiles carnavalescos.* **3.** (*Eletr.*) Conjunto de pilhas ou acumuladores elétricos que geram corrente contínua: *a bateria do carro.* **4.** Jogo de utensílios para cozinha: *Comprou uma bateria de aço inoxidável para seu enxoval de casamento.* **5.** Conjunto de testes, exames ou provas: *A prova consistia em uma bateria de exercícios muito difíceis.*

baterista (ba.te.*ris*.ta) *s.m. e f.* O músico que toca bateria.

baticum (ba.ti.*cum*) *s.m.* Batecum.

batida (ba.*ti*.da) *s.f.* **1.** Ato de bater. **2.** Batimento, pulsação: *as batidas do coração.* **3.** Bebida preparada com aguardente, fruta e açúcar: *Foram servidas batidas de limão e maracujá.* **4.** Diligência policial realizada em lugares suspeitos: *A polícia efetua constantes batidas.* **5.** Colisão de veículos. **6.** *coloq.* Ritmo musical: *a batida do samba.*

batido (ba.*ti*.do) *adj.* **1.** Espancado, surrado. **2.** Derrotado, vencido: *Era um pobre homem, batido pelas agruras da vida.* **3.** Comprimido, calcado: *chão de terra batida.* **4.** Muito usado, gasto: *Vestia-se de preto, com um terno batido de tecido barato.* **5.** *coloq.* Muito conhecido, comum, vulgar: *As novelas repetem os temas batidos de sempre.* **6.** Que sofreu uma batida ou colisão: *Não compre carros batidos.* • *adv.* **7.** *coloq.* Com pressa, rapidamente: *Passou batido pela festa do amigo.*

batina (ba.*ti*.na) *s.f.* Veste longa de frades, padres e seminaristas.

batismo (ba.*tis*.mo) *s.m.* **1.** (*Rel.*) O primeiro sacramento das igrejas cristãs, das quais a pessoa se torna membro através da purificação pela água. **2.** (*Rel.*) Cerimônia em que se administra esse sacramento; batizado. **3.** (*Rel.*) Iniciação e admissão em qualquer religião. **4.** Ato de dar nome a: *O prefeito procedeu ao batismo de várias ruas.* **5.** Ato de benzer (navio, avião, edifício etc.). **6.** *coloq.* Adulteração de um produto através da adição de água: *batismo do leite.* – **batismal** *adj.*

batista (ba.*tis*.ta) *adj.* (*Rel.*) **1.** Diz-se de igreja protestante que só confere o batismo a adultos convictos. • *s.m.* **2.** Membro dessa igreja.

batistério (ba.tis.*té*.ri:o) *s.m.* **1.** Lugar onde está a pia batismal. **2.** Capela ou edifício, anexos à igreja, destinados à administração do batismo. **3.** *coloq.* Certidão de batismo.

batizado (ba.ti.*za*.do) *adj.* (*Rel.*) **1.** Pessoa a quem se administrou o batismo. **2.** *coloq.* Diz-se de certos líquidos alterados em sua composição pela adição de água ou outras substâncias: *Certos postos vendem gasolina batizada.* • *s.m.* **3.** Batismo. **4.** Festa com que se celebra o batismo.

batizar (ba.ti.*zar*) *v.* **1.** Administrar o sacramento de batismo a: *O padre João batizou todas as crianças daquela família.* **2.** Receber o sacramento do batismo: *Eu me batizei na igreja matriz da cidade.* **3.** Servir de padrinho ou madrinha: *Os avós batizaram o primeiro neto.* **4.** Abençoar, benzer: *batizar um porta-aviões.* **5.** Denominar, apelidar, alcunhar: *Batizaram-no de O Príncipe dos Poetas.* ▶ Conjug. 5.

batom (ba.*tom*) *s.m.* Cosmético em forma de bastão para a pintura dos lábios.

batráquio (ba.*trá*.qui:o) *s.m.* (*Zool.*) Anuro.

batucar (ba.tu.*car*) *v.* **1.** Marcar o ritmo com percussão: *Os ritmistas começaram a batucar seus instrumentos ao entrar no sambódromo; Ele sabe batucar muito bem.* **2.** Fazer barulho ritmado com pancadas; martelar: *A engrenagem da velha máquina batucava sem parar.* **3.** Tocar (teclado) mal ou com um dedo só: *Nas primeiras aulas só sabia batucar o piano.* ▶ Conjug. 5 e 35. – **batucada** *s.f.*

batuque (ba.*tu*.que) *s.m.* **1.** Ato de martelar, de bater fazendo barulho. **2.** Música e dança afro-brasileira acompanhada por instrumentos de percussão. **3.** Baile popular; batucada.

batuqueiro (ba.tu.*quei*.ro) *s.m.* O que dança ou frequenta batuques.

batuta (ba.*tu*.ta) *s.f.* **1.** Bastão com que os maestros regem as orquestras. • *adj.* **2.** Diz-se de pessoa exímia, entendida em seu mister: *A banda é formada por músicos batutas.*

baú (ba.*ú*) *s.m.* **1.** Caixa retangular, em geral de madeira, coberta de couro, com tampa convexa, usada no transporte de bagagem ou para a guarda de pertences. **2.** *coloq.* Pessoa rica.

baunilha (bau.*ni*.lha) *s.f.* **1.** (*Bot.*) Planta de regiões tropicais ou temperadas, de cujo fruto se extrai uma essência empregada em culinária e em perfumaria. **2.** O fruto seco dessa planta. **3.** Produto (sorvete, creme etc.) feito com a essência de baunilha.

bauxita [ch] (bau.*xi*.ta) *s.f.* (*Geol.*) Rocha argilosa, que é o principal minério do alumínio.

bávaro (*bá*.va.ro) *adj.* **1.** Da Baviera, estado da Alemanha. • *s.m.* **2.** O natural ou o habitante desse estado.

bazar (ba.*zar*) *s.m.* **1.** Mercado público, geralmente coberto, nos países orientais. **2.** Loja em que se vendem objetos da mais variada natureza, geralmente a preços módicos. **3.** Nas feiras de beneficência, pavilhão onde se vendem ou se sorteiam os objetos ali expostos.

bazófia (ba.*zó*.fi:a) *s.f.* Vaidade, ostentação, presunção: *Cheio de bazófia, discordava de tudo e de todos.*

bazuca (ba.*zu*.ca) *s.f.* Arma portátil de guerra que lança foguetes contra blindados.

Be (*Quím.*) Símbolo de *berílio.*

bê *s.m.* Nome da letra *b.*

beabá (be.a.*bá*) *s.m.* **1.** Conjunto de letras do alfabeto; abecedário, abecê. **2.** Exercício de soletração nas escolas de 1º grau. **3.** *fig.* Rudimentos de uma arte ou ciência: *De pintura ele ainda não sabe nem o beabá.* || pl.: *beabás.*

bê-á-bá (bê-a-*bá*) Beabá. || pl.: *bê-á-bás.*

beatificação (be:a.ti.fi.ca.*ção*) *s.m.* **1.** Ato ou efeito de beatificar. **2.** (*Rel.*) Ato pelo qual o Papa atribui a uma pessoa falecida, de grandes virtudes, o título de beata ou bem-aventurada, em uma solene cerimônia litúrgica.

beatificar (be:a.ti.fi.*car*) *v.* **1.** (*Rel.*) Conceder a beatificação a; declarar (alguém) beato: *A Igreja beatificou o padre José de Anchieta.* **2.** Considerar (alguém) virtuoso e justo: *O povo sofrido de Canudos beatificou Antônio Conselheiro.* **3.** Tornar(-se) feliz; bem-aventurado: *O amor materno beatifica os filhos; Beatificou-se no trabalho junto aos desassistidos.* **4.** *fig.* Louvar (-se) com exagero: *A crítica beatificada muitas vezes uma obra sem valor; O homem presunçoso encontra sempre razões para beatificar-se.* ▶ Conjug. 5 e 35.

beatitude (be:a.ti.*tu*.de) *s.f.* **1.** Condição de quem foi beatificado pela Igreja. **2.** Felicidade eterna; bem-aventurança: *Os fiéis esperam alcançar a beatitude.* **3.** Felicidade, serenidade, tranquilidade: *A criança dormia em tal beatitude que encantava o coração da mãe.*

beato (be:*a*.to) *adj.* **1.** (*Rel.*) Que foi beatificado pela Igreja Católica. **2.** Que demonstra grande devoção religiosa: *As senhoras beatas sentavam-se nos primeiros bancos da igreja.* • *s.m.* **2.** Pessoa beata: *Os beatos carregavam o andor nas procissões.*

bêbado (*bê*.ba.do) *adj. s.m.* Bêbedo.

bebê (be.*bê*) *s.m.* **1.** Criança pequena. **2.** Boneco que imita criança pequena. || *Bebê de proveta:* criança cuja fecundação foi realizada em laboratório.

bebedeira (be.be.*dei*.ra) *s.f.* **1.** Estado de bêbedo; embriaguez. **2.** Demasiada ingestão de

bêbedo

bebidas alcoólicas. **3.** Mal-estar resultante da ingestão de bebidas ou de substâncias tóxicas; ressaca.

bêbedo (bê.be.do) *adj.* **1.** Que está sob a ação de bebida alcoólica ou de substância tóxica; embriagado. **2.** Atordoado, tonto, zonzo: *estar bêbedo de sono*. **3.** *fig.* Encantado, extasiado: *bêbedo de paixão*. • *s.m.* **4.** Pessoa dada ao vício do alcoolismo. || *bêbado*.

bebedouro (be.be.dou.ro) *s.m.* **1.** Lugar onde se bebe. **2.** Vasilha ou tanque onde se põe água para os animais beberem.

beber (be.*ber*) *v.* **1.** Ingerir (líquido): *Beba muito leite*. **2.** Absorver (líquido): *A terra seca bebeu toda a água da chuva*. **3.** *coloq.* Consumir (combustível): *Esses carros grandes bebem muita gasolina*. **4.** *fig.* Gastar, esbanjar em bebida: *Bebeu toda a fortuna herdada*. **5.** *fig.* Assimilar, absorver: *Bebia as palavras do orador*. **6.** Brindar em homenagem a alguém: *Todos beberam à saúde do novo chefe*. **7.** Ingerir bebida alcoólica: *Se for dirigir, não beba*. ▶ Conjug. 41.

beberagem (be.be.*ra*.gem) *s.f.* **1.** Infusão medicinal caseira preparada com variadas ervas; garrafada. **2.** Bebida de sabor desagradável.

bebericar (be.be.ri.*car*) *v.* **1.** Beber a pequenos goles: *Bebericava sem pressa o excelente licor servido à sobremesa*. **2.** Beber pouco, porém com frequência: *Gostava de bebericar um bom uísque todas as noites*. ▶ Conjug. 5 e 35.

beberrão (be.be.*rrão*) *adj.* **1.** Que bebe muito, que tem o vício do alcoolismo; ébrio. • *s.m.* **2.** Indivíduo beberrão. || f.: *beberrona*.

bebida (be.*bi*.da) *s.f.* **1.** Qualquer líquido que se bebe. **2.** Bebida alcoólica: *Aprecie com moderação as bebidas com alto teor alcoólico*. **3.** Vício do alcoolismo: *Perdeu o emprego por causa da bebida*.

beca [é] (be.ca) *s.f.* **1.** Veste longa, preta, usada por magistrados, advogados, professores universitários e formandos de curso superior; toga. **2.** *coloq.* Traje elegante: *Envergava uma bela beca no casamento do amigo*.

beça [é] (be.ça) *s.f.* Usado apenas na locução *à beça*. || *À beça*: em grande quantidade; muito: *Choveu à beça no último verão*.

becape (be.*ca*.pe) *s.m.* (*Inform*.) Cópia de segurança de um arquivo, feita como reserva em caso de dano ou perda do original.

beco [ê] (be.co) *s.m.* Rua estreita e curta, geralmente sem saída. || *Beco sem saída*: *coloq.* situação embaraçosa, dificuldade, aperto.

bedel (be.*del*) *s.m.* Funcionário administrativo de estabelecimento de ensino; inspetor: *O colégio homenageou os veteranos bedéis*.

bedelho [ê] (be.*de*.lho) *s.m.* Pequena tranca; ferrolho de porta. || *Meter o bedelho*: *coloq.* intrometer-se onde não é chamado.

beduíno (be.du.í.no) *s.m.* Árabe nômade do deserto.

bege [é] (*be*.ge) *adj.* **1.** Diz-se da cor amarelada da lã natural: *blusa bege*; *sapatos bege*. • *s.m.* **2.** Essa cor: *Escolheu o bege para a pintura da sala de jantar*.

begônia (be.gô.ni:a) *s.f.* (*Bot*.) **1.** Planta ornamental. **2.** A flor dessa planta.

beiço (*bei*.ço) *s.m.* Lábio. || *Lamber os beiços*: *coloq.* mostrar-se contente. • *Dar o beiço*: *coloq.* não pagar, dar calote.

beiçola [ó] (bei.ço.la) *s.f.* **1.** Beiço grande e grosso. • *s.m.* e *f.* **2.** Indivíduo que tem beiçolas; beiçudo.

beiçudo (bei.*çu*.do) *adj.* **1.** Que tem beiços grandes; beiçola. • *s.m.* **2.** Pessoa beiçuda.

beija-flor (bei.ja-*flor*) *s.m.* (*Zool*.) Pássaro pequeno de bico longo e fino, que se alimenta do néctar das flores; colibri. || pl.: *beija-flores*.

beija-mão (bei.ja-*mão*) *s.m.* **1.** Cerimônia usada em certas cortes que consiste em beijar a mão do soberano e a das pessoas de sua família. **2.** Ato de beijar a mão de alguém em sinal de respeito. || pl.: *beija-mãos*.

beija-pé (bei.ja-*pé*) *s.m.* Ato de beijar os pés em sinal de submissão e humildade. || pl.: *beija-pés*.

beijar (bei.*jar*) *v.* **1.** Dar beijo(s) em alguém ou alguma coisa: *Beijava carinhosamente o filho pequeno*; *Ajoelhou-se e beijou a imagem do santo de sua devoção*. **2.** Trocar beijos: *Os noivos beijaram-se após a bênção nupcial*. **3.** *fig.* Roçar de leve: *A brisa beijava a copa das árvores*. ▶ Conjug. 18 e 37.

beijo (*bei*.jo) *s.m.* **1.** Ato de tocar com os lábios alguém ou alguma coisa: *beijo na boneca*. **2.** Ato de tocar os lábios suavemente em alguém, em sinal de reverência ou de etiqueta: *Os fiéis acorriam para dar um beijo na mão do bispo*. **3.** Contato suave; leve roçar: *Sentiu em seu corpo o beijo da brisa que vinha do mar*.

beijoca [ó] (bei.*jo*.ca) *s.f. coloq.* Beijo estalado.

beijoqueiro (bei.jo.*quei*.ro) *adj.* **1.** Que gosta de beijar ou dar beijoca. • *s.m.* **2.** Pessoa beijoqueira.

beiju (bei.*ju*) *s.m.* (*Cul*.) Bolo feito com massa de tapioca ou de mandioca; tapioca. || *biju*.

beira (bei.ra) *s.f.* **1.** A extremidade de alguma coisa; beirada, borda: *beira da cama*; *beira da piscina*. **2.** Margem (de rio, lago etc.); orla: *Ficava horas, a cismar, na beira da lagoa*. **3.** Proximidade, vizinhança, cercania: *Não existe violência lá pelas minhas beiras*. || **À beira de:** *fig.* A ponto de; quase: *estar à beira da morte*; *encontrar-se à beira da falência*. • **Sem eira nem beira:** sem posses; miserável: *homem sem eira nem beira*.

beirã (bei.rã) *adj. s.f.* Feminino de *beirão*.

beirada (bei.ra.da) *s.f.* **1.** Beira, borda. **2.** Arredor, cercania.

beiral (bei.ral) *s.m.* Prolongamento do telhado além das paredes; beirada, borda.

beira-mar (bei.ra-mar) *s.f.* Orla marítima; praia, litoral. || pl.: *beira-mares*.

beirão (bei.rão) *adj.* **1.** Das Beiras, regiões de Portugal. • *s.m.* **2.** O natural ou o habitante das Beiras. || f.: *beirã* e *beiroa*.

beirar (bei.rar) *v.* **1.** Andar pela beira de: *Caminhava solitário, beirando a praia*. **2.** Estar situado à beira de: *As casas beiravam a estrada de ferro*. **3.** Fazer limite com; defrontar com: *A praça beirava com o bosque*. **4.** *fig.* Estar próximo de; abeirar-se: *Meu avô já está beirando (pelos) 80 anos*. **5.** Estar prestes a atingir; chegar até: *Nos meses de verão, a temperatura deve beirar os 40 graus*. ▶ Conjug. 18.

beirute (bei.ru.te) *s.m.* Sanduíche feito com pão árabe.

beiroa (bei.ro.a) *adj. s.f.* Feminino de *beirão*.

beisebol (bei.se.bol) *s.m.* (*Esp.*) Jogo com bola de borracha maciça, que deve ser rebatida com um bastão, entre duas equipes de nove jogadores.

beladona (be.la.do.na) *s.f.* (*Bot.*) Planta de uso medicinal e cosmético: *pomada de beladona*.

belas-artes (be.las-ar.tes) *s.f.pl.* As artes plásticas ou visuais (pintura, escultura e arquitetura), que buscam a expressão do belo através do rigor formal.

belchior [ó] (bel.chi:or) *s.m.* **1.** Vendedor de objetos velhos e usados. **2.** Loja de compra e venda de objetos usados; brechó; bricabraque.

beldade (bel.da.de) *s.f.* **1.** Beleza. **2.** Mulher muito bela.

belenense (be.le.nen.se) *adj.* **1.** De Belém, capital do Estado do Pará. • *s.m.* e *f.* **2.** O natural ou o habitante dessa capital.

beleza [ê] (be.le.za) *s.f.* **1.** Propriedade do que é belo; boniteza, formosura; belo. **2.** Característica do que apresenta perfeição de formas; harmonia: *a beleza de uma catedral*; *a beleza de uma composição poética*. **3.** *fig.* O que desperta sentimento de admiração ou consideração: *Ele tem beleza interior*.

belga [é] (bel.ga) *adj.* **1.** Da Bélgica, país da Europa. • *s.m.* e *f.* **2.** O natural ou o habitante desse país.

beliche (be.li.che) *s.m.* **1.** Conjunto de camas superpostas. **2.** Compartimento em forma de vão de gaveta no qual se colocam as camas dos passageiros, em trens e navios.

belicismo (be.li.cis.mo) *s.m.* **1.** Doutrina ou tendência à guerra. **2.** A prática dessa doutrina: *Diga sim à paz e não ao belicismo*.

bélico (bé.li.co) *adj.* Relativo a guerra ou próprio dela: *material bélico*. – **belicista** *adj.*

belicoso [ô] (be.li.co.so) *adj.* **1.** Que é propenso à guerra; guerreiro: *povo belicoso*. **2.** Que incita à guerra: *discurso belicoso*. **3.** Que apresenta comportamento agressivo: *As más condições de vida tornam os homens belicosos*. || f. e pl.: [ó]. – **belicosidade** *s.f.*

belida (be.li.da) *s.f.* (*Med.*) Mancha esbranquiçada na córnea devido a traumatismo ou processo ulceroso.

beligerância (be.li.ge.rân.ci:a) *s.f.* **1.** Estado, qualidade ou caráter de beligerante. **2.** Guerra, conflito armado: *A ONU pôs fim à beligerância entre as duas nações*. **3.** Agressividade, hostilidade: *Os adversários políticos demonstraram uma certa beligerância no debate da televisão*.

beligerante (be.li.ge.ran.te) *adj.* Que faz guerra; que está em guerra.

beliscar (be.lis.car) *v.* **1.** Apertar (a pele) entre as pontas dos dedos: *Implicante, gostava de beliscar a irmã*; *Beliscou-se para comprovar que não sonhava*. **2.** Comer pouco; lambiscar: *beliscar a comida*. **3.** Mordiscar (o peixe) a isca. **4.** *fig.* Ofender levemente: *Gosta de beliscar a reputação alheia*. ▶ Conjug. 5 e 35. – **beliscão** *s.m.*

belo [é] (be.lo) *adj.* **1.** Que tem formas perfeitas e harmoniosas; lindo: *um belo rosto*; *uma bela escultura*. **2.** Que produz uma impressão agradável ou prazerosa: *Que belo espetáculo é o nascer do sol!* **3.** De grande valor moral; sublime: *Lutar por justiça social é uma bela causa*. **4.** Que revela bondade; generoso: *um belo coração*. **5.** Em que há felicidade; venturoso: *A vida é bela*. **6.** Que resulta proveitoso; lucrativo: *As exportações são um belo negócio para o país*. **7.** De quantidade ou dimensões consideráveis: *Ganhou uma bela quantia ao vender suas ações*

belo-horizontino

na Bolsa de Valores. • s.m. **8.** Qualidade do que é belo; beleza: *O belo é o ideal de muitos artistas através dos séculos.*

belo-horizontino (be.lo-ho.ri.zon.*ti*.no) *adj.* **1.** De Belo Horizonte, capital do estado de Minas Gerais. • s.m. **2.** O natural ou o habitante dessa capital. || pl.: *belo-horizontinos.*

belonave (be.lo.*na*.ve) *s.f.* Navio de guerra.

bel-prazer (bel-pra.*zer*) *s.m.* Usado apenas na locução *ao bel-prazer.* || *Ao bel-prazer*: segundo a própria vontade: *Age sempre a seu bel-prazer.*

beltrano (bel.*tra*.no) *s.m.* Pessoa cujo nome não se sabe ou não se quer dizer; sujeito, indivíduo. || Usado geralmente depois de *fulano* e antes de *sicrano.*

belvedere [ê] (bel.ve.*de*.re) *s.m.* Pequeno pavilhão elevado ou terraço donde se domina um belo panorama; mirante (1).

belzebu (bel.ze.*bu*) *s.m.* Uma das designações do demônio; diabo.

bem *s.m.* **1.** Qualidade que confere um caráter de aperfeiçoamento moral e espiritual às ações e obras do ser humano; bondade: *Vive para o bem.* **2.** (*Rel.*) Deus: *o Supremo Bem.* || Nesta acepção, inicial maiúscula. **3.** Prática, estado ou condição de felicidade; equilíbrio; bem-estar: *Tudo o que faço é para o bem da minha família.* **4.** Favor, benefício, graça: *praticar o bem sem olhar a quem.* **5.** Utilidade, vantagem, proveito: *o bem público.* **6.** Patrimônio cultural ou material (de uma pessoa ou coletividade): *Deixou todos os bens para instituições beneficentes.* || Nesta acepção, usado geralmente no plural. **7.** *fig.* Pessoa querida ou amada: *Chamava carinhosamente a noiva de meu bem.* • *adv.* **8.** Muito, bastante: *Trabalhava sempre até bem tarde.* **9.** Com saúde; com boa disposição: *Ele passa bem com o tratamento médico.* **10.** Confortavelmente, à vontade: *Sinto-me bem em casa.* **11.** Com perfeição: *Ela dança e canta muito bem.* **12.** Com nitidez; claramente: *Do alto, via-se bem a selva de edifícios da grande cidade.* **13.** Precisamente, exatamente: *Chegou bem na hora da prova.* **14.** Seguramente, certamente: *Não o vejo há bem dez longos anos.* || sup. comp.: *melhor*; sup. abs.: *ótimo.*

bem-amado (bem-a.*ma*.do) *adj.* **1.** Que é objeto de afeição; muito amado; querido. • s.m. **2.** Pessoa amada. || pl.: *bem-amados.*

bem-apessoado (bem-a.pes.so:*a*.do) *adj.* Que tem boa aparência; bem-parecido. || pl.: *bem-apessoados.*

bem-aventurado (bem-a.ven.tu.*ra*.do) *adj.* **1.** Feliz, bem-afortunado. **2.** (*Rel.*) Que foi beatificado ou santificado pela Igreja: *Ela reza sempre aos bem-aventurados santos apóstolos.* • s.m. **3.** Pessoa bem-aventurada: *O céu é dos bem-aventurados.* || pl.: *bem-aventurados.*

bem-aventurança (bem-a.ven.tu.*ran*.ça) *s.f.* **1.** Estado feliz, isento de desgostos e cheio de prazer; felicidade completa; beatitude. **2.** (*Rel.*) Felicidade eterna que se alcança no céu, junto a Deus. || pl.: *bem-aventuranças.*

bem-disposto [ô] (bem-dis.*pos*.to) *adj.* **1.** Com boa disposição; com saúde; saudável: *Embora convalescente, pareceu-me bem-disposto.* **2.** Com bom ânimo; animado: *Vivia sempre bem-disposta no trabalho e em casa.* || pl.: *bem-dispostos.* || f. e pl.: [ó].

bem-dotado (bem-do.*ta*.do) *adj.* **1.** Que tem dotes, aptidões; prendado. **2.** De grande capacidade intelectual; inteligente: *aluno bem-dotado.* || pl.: *bem-dotados.*

bem-educado (bem-e.du.*ca*.do) *adj.* Delicado, cortês, gentil, educado. || pl.: *bem-educados.*

bem-estar (bem-es.*tar*) *s.m.* **1.** Estado em que a pessoa se sente bem, de corpo e de espírito; satisfação. **2.** Condições materiais suficientes para a comodidade da vida; conforto: *Os pais trabalham para o bem-estar dos filhos.* || pl.: *bem-estares.*

bem-humorado (bem-hu.mo.*ra*.do) *adj.* Que tem ou está de bom humor. || pl.: *bem-humorados.*

bem-me-quer (bem-me-*quer*) *s.m.* **1.** (*Bot.*) Planta ornamental nativa do Brasil; malmequer; margarida. **2.** A flor desta planta; malmequer. || pl.: *bem-me-queres.*

bem-nascido (bem-nas.*ci*.do) *adj.* Que descende de família ilustre ou rica. || pl.: *bem-nascidos.*

bemol (be.*mol*) *adj.* (*Mús.*) **1.** Que está afetado por bemol: *lá bemol.* • s.m. **2.** Sinal gráfico colocado à esquerda de uma nota para indicar que esta foi abaixada em um semitom.

bem-posto [ô] (bem-*pos*.to) *adj.* Elegante; bem-vestido; bem-apresentado: *Andava bem-posto em todas as ocasiões.* || pl.: *bem-postos.* || f. e pl.: [ó].

bem-te-vi (bem-te-*vi*) *s.m.* (*Zool.*) Ave canora, que ocorre em todo o Brasil. || pl.: *bem-te-vis.*

bem-vindo (bem-*vin*.do) *adj.* Que é acolhido com satisfação; bem recebido. || pl.: *bem-vindos.*

bem-visto (bem-*vis*.to) *adj.* Estimado, benquisto, considerado, respeitado: *É um mestre bem-visto pelos novos e antigos alunos.* || pl.: *bem-vistos.*

bênção (*bên*.ção) *s.f.* **1.** (Rel.) Ato de um sacerdote abençoar, benzer ou consagrar em cerimônias religiosas: *O papa deu a bênção aos peregrinos no Vaticano.* **2.** Ato pelo qual pais, padrinhos ou pessoas mais velhas abençoam alguém: *Pediu a bênção à madrinha.* **3.** Graça, favor: *Acreditava ter-se curado pela bênção divina.* **4.** Algo favorável e oportuno: *Esse novo emprego foi uma verdadeira bênção.*

bendito (ben.*di*.to) *adj.* **1.** Abençoado. **2.** Digno de louvor e de exaltação: *Bendita seja a terra em que nascemos.* **3.** Favorável, benéfico, benfazejo: *Aquelas benditas palavras lhe trouxeram novas esperanças.* **4.** Feliz, venturoso: *Bendito o dia em que resolvi mudar-me para o campo.* • *s.m.* **5.** Cântico religioso que começa por essa palavra.

bendizer (ben.di.*zer*) *v.* **1.** Louvar, exaltar, glorificar: *bendizer o Senhor.* **2.** (Rel.) Dar a bênção (1); abençoar: *bendizer os fiéis.* **3.** Dizer bem de; enaltecer: *A crítica foi unânime ao bendizer o novo filme nacional.* || part.: *bendito.* ▶ Conjug. 57.

beneditino (be.ne.di.*ti*.no) *adj.* **1.** Relativo à ordem de São Bento. • *s.m.* **2.** Monge dessa ordem.

beneficência (be.ne.fi.*cên*.ci:a) *s.f.* **1.** Qualidade de beneficente. **2.** Prática de obras de caridade; filantropia: *Fazia trabalho voluntário em uma instituição de beneficência.*

beneficente (be.ne.fi.*cen*.te) *adj.* **1.** Que faz benefício; caridoso, caritativo: *sociedade beneficente.* **2.** Que tem finalidade assistencial, filantrópica: *As seleções jogaram uma partida beneficente.*

beneficiar (be.ne.fi.ci:*ar*) *v.* **1.** Fazer benefício a alguém ou a si mesmo; favorecer(-se): *As leis devem beneficiar os aposentados; O empresário se beneficiou com a alta da Bolsa de Valores.* **2.** Fazer melhorias ou benfeitorias; reparar, consertar: *O proprietário beneficiou o prédio para valorizá-lo no mercado imobiliário.* **3.** Processar (produtos agrícolas) para torná-los próprios ao consumo: *beneficiar cereais; beneficiar algodão.* ▶ Conjug. 17. – **beneficiamento** *s.m.*

beneficiário (be.ne.fi.ci:*á*.ri:o) *adj.* **1.** Diz-se de quem desfruta um benefício; beneficiado. • *s.m.* **2.** (Jur.) Aquele que goza de benefício ou vantagem concedidos por lei ou por outrem mediante o reconhecimento do respectivo direito: *beneficiário de uma herança.*

benefício (be.ne.*fí*.ci:o) *s.m.* **1.** Bem, serviço, auxílio ou favor que se fazem a alguém gratuitamente: *Prestou um benefício ao amigo, oferecendo-lhe o emprego.* **2.** Ganho, proveito, vantagem, direito: *Os aposentados recebem os benefícios da previdência social.* **3.** Benfeitoria, melhoramento: *Fez vários benefícios na velha fazenda para vendê-la.* **4.** Beneficiamento de produtos (geralmente alimentícios) destinados ao consumo.

benéfico (be.*né*.fi.co) *adj.* **1.** Que faz bem; benfazejo: *Os ares da serra são benéficos à saúde.* **2.** Que beneficia; favorável, propício: *A queda da inflação foi benéfica à economia do país.*

benemerência (be.ne.me.*rên*.ci:a) *s.f.* Qualidade de benemerente.

benemerente (be.ne.me.*ren*.te) *adj.* Benemérito.

benemérito (be.ne.*mé*.ri.to) *adj.* **1.** Que é digno de honras, prêmios e louvores por serviços relevantes prestados; ilustre, distinto; benemerente: *uma instituição benemérita.* • *s.m.* **2.** Pessoa benemérita: *Foram prestadas homenagens ao benemérito do clube esportivo.*

beneplácito (be.ne.*plá*.ci.to) *s.m.* Aprovação, consentimento, concordância: *O governo concedeu beneplácito ao novo embaixador.*

benesse [é] (be.*nes*.se) *s.m.* e *f.* **1.** Benefício obtido sem esforço; privilégio, vantagem: *Não espere viver sob as benesses do poder.* **2.** Rendimento que não depende do trabalho; lucro fácil.

benevolência (be.ne.vo.*lên*.ci:a) *s.f.* **1.** Qualidade de benevolente. **2.** Boa disposição para com alguém; estima, afeto: *Ele conta com a benevolência da família.* **3.** Boa vontade, compreensão, complacência: *Tenha benevolência com os erros alheios.* – **benevolente** *adj.*

benévolo (be.*né*.vo.lo) *adj.* **1.** Benevolente, compreensivo, bondoso: *Dirigiu palavras benévolas à plateia de estudantes.* **2.** Benéfico, benfazejo, favorável: *clima benévolo.*

benfazejo [ê] (ben.fa.*ze*.jo) *adj.* **1.** Que gosta de fazer o bem; bondoso: *As histórias infantis estão repletas de fadas benfazejas.* **2.** De influência benéfica; favorável: *Dormia tranquilo sob a ação benfazeja do medicamento.*

benfeitor [ô] (ben.fei.*tor*) *s.m.* **1.** Pessoa que pratica o bem: *Aquela instituição de caridade tem vários benfeitores.* **2.** Pessoa que faz benfeitoria, melhoramentos: *Precisa-se de benfeitores para a recuperação do patrimônio artístico.*

benfeitoria

benfeitoria (ben.fei.to.*ri*.a) *s.f.* Melhoramento feito em prédio, terreno etc., para torná-lo mais rendoso; benefício.

bengala (ben.*ga*.la) *s.f.* **1.** Bastão de madeira, ou outro material, sobre o qual se apoia a mão quando se anda. **2.** Tipo de pão fino e longo.

benigno (be.*nig*.no) *adj.* **1.** De bom caráter; benévolo, bondoso. **2.** Benevolente, compreensivo, complacente: *crítica benigna*. **3.** Benéfico, benfazejo, favorável: *chuva benigna*. **4.** Que não tem gravidade ou malignidade: *tumor benigno*. – **benignidade** *s.f.*

benjamim[1] (ben.ja.*mim*) *s.m.* **1.** O filho mais jovem ou o predileto de uma família. **2.** O membro mais jovem de um grupo: *João recebeu as boas-vindas como o benjamim da faculdade*.

benjamim[2] (ben.ja.*mim*) *s.m.* (*Eletr.*) Peça usada como extensão dupla ou tripla para as tomadas elétricas.

benjoim (ben.jo:*im*) *s.m.* Resina com propriedade balsâmica, aromática, usada no fabrico de incenso, em produtos cosméticos e farmacêuticos.

benquerença (ben.que.*ren*.ça) *s.f.* **1.** Benquerer, afeto, amizade, amor. **2.** Boa disposição para com alguém; benevolência.

benquerer (ben.que.*rer*) *s.m.* **1.** Afeto, estima, amizade: *O benquerer é tema constante em suas canções*. **2.** Pessoa amada. *v.* **3.** Sentir afeto por; estimar(-se), amar(-se): *Os filhos hão de sempre benquerer a seus pais; Os noivos prometeram benquerer-se por toda a vida*. || part.: *benquerido* e *benquisto*. ▶ Conjug. 56.

benquisto *adj.* (ben.*quis*.to.) **1.** De quem todos gostam; estimado, querido. **2.** De boa reputação; bem considerado; bem-visto.

bentinho (ben.*ti*.nho) *s.m.* Escapulário.

bento (*ben*.to) *adj.* **1.** Abençoado, bendito. **2.** (*Rel.*) Consagrado por bênção eclesiástica; benzido: *água benta; pão bento*. • *s.m.* **3.** Monge beneditino.

benzedeiro (ben.ze.*dei*.ro) *s.m.* Pessoa que faz benzeduras ou rezas; rezador, curandeiro.

benzedura (ben.ze.*du*.ra) *s.f.* Ato de benzer, acompanhado de rezas supersticiosas.

benzeno (ben.*ze*.no) *s.m.* (*Quím.*) Líquido incolor, aromático, usado como solvente e na fabricação de corantes, detergentes etc.

benzer (ben.*zer*) *v.* **1.** Lançar bênção sobre; abençoar: *benzer os fiéis; benzer um navio*. **2.** Submeter(-se) à benzedura: *A rezadeira benzeu o menino com ervas e orações; Costuma benzer-se contra feitiços e mau-olhado*. **3.** Fazer o sinal da cruz; persignar-se: *Benzeu-se diante do altar*. **4.** *fig.* Admirar-se muito, espantar-se: *Benzeu-se quando lhe contaram o fato*. || part.: *benzido* e *bento*. ▶ Conjug. 39.

benzina (ben.*zi*.na) *s.f.* (*Quím.*) Nome comercial do benzeno.

beque [é] (*be*.que) *s.m.* (*Esp.*) Zagueiro em jogo de futebol.

berçário (ber.*çá*.ri:o) *s.m.* Dependência em que, nas creches e maternidades, ficam os berços destinados aos recém-nascidos.

berço [ê] (*ber*.ço) *s.m.* **1.** Pequeno leito para criança. **2.** *fig.* Lugar de nascimento; procedência, origem: *Ela estava de volta à Bahia, seu berço natal*. **3.** *fig.* A mais tenra infância. **4.** Nascente de um rio.

bergamota [ó] (ber.ga.*mo*.ta) *s.f.* **1.** (*Bot.*) Variedade sumarenta de pera. **2.** *reg.* Tangerina.

beri-béri (be.ri-*bé*.ri) *s.m.* (*Med.*) Doença devida à deficiência de vitamina B1 e que se caracteriza por distúrbios motores, circulatórios e cardíacos. || pl.: *beri-béris*.

berílio (be.*rí*.li:o) *s.m.* (*Quím.*) Elemento químico, leve e cinzento, usado em computadores, tubos de raios X, reatores atômicos etc. || Símbolo: Be.

berilo (be.*ri*.lo) *s.m.* (*Min.*) Silicato de alumínio e berílio, de brilho vítreo; variedade amarela da esmeralda.

berimbau (be.rim.*bau*) *s.m.* (*Mús.*) Instrumento de percussão usado na capoeira, de madeira flexível, arqueada por um fio de metal, com uma cabaça presa pelo fundo em uma das extremidades, que se toca com uma vareta.

berinjela [é] (be.rin.*je*.la) *s.f.* (*Bot.*) **1.** Planta originária da Índia, que produz frutos roxos muito usados na culinária. **2.** O fruto dessa planta.

berlinda (ber.*lin*.da) *s.f.* Brincadeira infantil em que um dos participantes é alvo de comentários dos demais e deve escolher, dentre eles, o que mais lhe agradou. || *Estar na berlinda*: ser o alvo de comentários, da curiosidade ou das apreciações alheias.

berloque [ó] (ber.*lo*.que) *s.m.* Pequeno enfeite, de matéria e forma variadas, usado pendente da corrente do relógio, pulseira etc.; pingente, penduricalho, badulaque.

bermuda (ber.*mu*.da) *s.f.* Peça do vestuário, semelhante à calça, que vai da cintura até o joelho.

berne [é] (*ber*.ne) *s.m.* (*Zool.*) Larva que se desenvolve nos tecidos subcutâneos de mamíferos, inclusive o homem, ocasionando a formação de tumores.

berrante (ber.ran.te) *adj.* **1.** Que berra. **2.** Diz-se de cor muito vistosa, viva, brilhante: *vermelho berrante.* • *s.m.* **3.** *gír.* Revólver. **4.** Trombeta de chifre usada pelos boiadeiros para tanger o gado.

berrar (ber.rar) *v.* **1.** Dar berros (animais bovinos, caprinos etc.): *O gado berrava no pasto.* **2.** Falar muito alto; gritar, bradar: *Era preciso berrar para ser ouvido; O ladrão berrava ameaças e impropérios ao ser preso.* **3.** Chorar alto: *O bebê berrava sem parar.* **4.** *fig.* Rugir, bramir, zunir: *O vento forte berrava na noite tempestuosa.* **5.** Chamar ou falar aos berros; gritar: *Não permitia que berrassem com os filhos.* **6.** *fig.* Clamar por; pedir, instar: *Os contribuintes berravam por menos impostos.* ▶ Conjug. 8. – **berraria** *s.f.*

berreiro (ber.rei.ro) *s.m.* Choradeira acompanhada de gritos; gritaria, berraria.

berro [é] (ber.ro) *s.m.* **1.** Grito de certos animais; rugido. **2.** Voz humana, emitida de modo áspero e alto; grito, brado: *Por todo o estádio ouviam-se os berros das torcidas.*

berruga (ber.ru.ga) *s.f.* Verruga. – **berrugoso** *adj.*

bertalha (ber.ta.lha) *s.f.* (*Bot.*) Planta trepadeira cultivada como hortaliça.

besouro (be.sou.ro) *s.m.* (*Zool.*) Nome comum a vários insetos; cascudo; escaravelho.

besta [é] (bes.ta) *s.f.* Antiga arma portátil, usada para atirar setas curtas.

besta [ê] (bes.ta) *s.f.* **1.** Mula (1). **2.** *pej.* Pessoa violenta; desumana, cruel; besta-fera. • *adj.* **3.** *pej.* Ignorante, burro, tolo. **4.** *coloq.* Pretensioso, pedante: *Ficou muito besta com a indicação para a chefia do departamento.*

besta-fera (bes.ta-fe.ra) *s.m. e f.* **1.** Animal feroz. **2.** *fig.* Pessoa cruel; brutal, besta (2). || pl.: *bestas-feras.*

bestalhão (bes.ta.lhão) *adj.* **1.** Tolo, paspalho, idiota. • *s.m.* **2.** Pessoa tola, idiota, boba. || f.: *bestalhona.*

bestar (bes.tar) *v.* **1.** Dizer ou fazer besteiras, tolices, inconveniências: *Seja mais atento às aulas, não fique bestando na classe.* **2.** *coloq.* Andar sem rumo; ficar à toa; vaguear, vadiar: *Ocioso, passa as tardes bestando pelas ruas e praças.* ▶ Conjug. 8.

besteira (bes.tei.ra) *s.f.* **1.** Ato ou dito de besta; tolice, asneira. **2.** Insignificância, ninharia: *Ele se irrita por qualquer besteira.*

bestial (bes.ti:al) *adj.* **1.** Próprio de besta. **2.** Brutal, grosseiro, cruel. **3.** Feio, repugnante, repulsivo: *Nos filmes de terror, as personagens são sempre criaturas bestiais.* – **bestialidade** *s.f.*

bestializar (bes.ti:a.li.zar) *v.* Tornar(-se) bestial; brutalizar(-se), bestificar(-se): *Nem a extrema miséria pode bestializar o homem; Não se deixe bestializar pela guerra.* ▶ Conjug. 5.

bestialógico (bes.ti:a.ló.gi.co) *adj.* **1.** *coloq.* Sem nexo, disparatado, desproporcionado: *Bernardo Guimarães foi autor de versos bestialógicos.* • *s.m.* **2.** Afirmação ou declaração cheia de asneiras e absurdos: *O orador submeteu a plateia a um torturante bestialógico.*

bestice (bes.ti.ce) *s.f.* **1.** Besteira, tolice, asneira. **2.** *fig.* Qualidade de quem é presunçoso, convencido: *Deixe-se de bestice, não seja tão arrogante.*

bestificar (bes.ti.fi.car) *v.* **1.** Tornar(-se) semelhante a besta (1); brutalizar(-se), bestializar(-se): *A tortura busca bestificar os prisioneiros; Fora do convívio social, o ser humano tende a bestificar-se.* **2.** *coloq.* Tornar(-se) besta; admirar(-se), pasmar(-se): *Bestificou o público com seu desempenho na ginástica olímpica; Todos se bestificaram com a audácia dos alpinistas.* ▶ Conjug. 5 e 35. – **bestificado** *adj.*

best-seller [best-séler] (Ing.) *s.m.* Livro ou autor que consegue grande sucesso de venda.

bestunto (bes.tun.to) *s.m.* **1.** *coloq.* Memória, lembrança, pensamento: *O incidente ficou a martelar-me o bestunto.* **2.** *pej.* Capacidade mental limitada; inteligência curta.

besuntar (be.sun.tar) *v.* **1.** Untar(-se) com substância gordurosa: *besuntar a forma de bolo com manteiga; Besuntou-se com o óleo de praia.* **2.** Sujar(-se), lambuzar(-se): *besuntar as mãos com graxa; As crianças se besuntaram com as tintas da aquarela.* ▶ Conjug. 5.

beta [é] (be.ta) *s.m.* Segunda letra do alfabeto grego.

betabloqueador [ô] (be.ta.blo.que:a.dor) *s.m.* (*Med.*) Substância usada no tratamento da hipertensão e de doenças cardíacas.

beterraba (be.ter.ra.ba) *s.f.* (*Bot.*) Planta de grossa raiz, de sabor adocicado, usada como comestível e também na produção de açúcar.

betoneira (be.to.nei.ra) *s.f.* Máquina que serve para preparar concreto (5).

betume (be.tu.me) *s.m.* (*Quím.*) **1.** Substância viscosa e escura usada na pavimentação de estradas, na fabricação de tintas e vernizes

bexiga

etc. **2.** Massa feita de arenito com óleo de linhaça, com a qual os vidraceiros pregam os vidros nos caixilhos e os carpinteiros tapam pequenos buracos na madeira. **3.** Substância preparada com pez, cal, azeite e outros ingredientes, empregada para tapar, vedar água e outros fins.

bexiga [ch] (be.*xi*.ga) *s.f.* (*Anat.*) **1.** Bolsa localizada na parte inferior do abdômen, que acumula a urina. **2.** *coloq.* Varíola. **3.** Erupção da pele causada por essa doença. **4.** *coloq.* Bola de encher; balão.

bezerro [ê] (be.*zer*.ro) *s.m.* **1.** Filhote de vaca até um ano de idade; vitelo, novilho. **2.** A pele curtida desse animal.

Bi (*Quím.*) Símbolo de *bismuto*.

bianual (bi:a.nu:*al*) *adj.* **1.** Que dura dois anos: *plano bianual*. **2.** Que ocorre a cada dois anos; bienal: *feira bianual de livros*.

bibelô (bi.be.*lô*) *s.m.* **1.** Pequeno objeto decorativo que se coloca sobre móveis. **2.** *fig.* Pessoa bela e delicada: *Nas fotografias antigas, as meninas pareciam verdadeiros bibelôs*.

bíblia (*bí*.bli:a) *s.f.* **1.** (*Rel.*) Conjunto dos livros sagrados do Antigo e do Novo Testamento; Sagrada Escritura. || Inicial geralmente maiúscula. **2.** Livro muito importante e fundamental para determinado assunto; guia, modelo: *A obra de Machado de Assis é a bíblia de muitos escritores brasileiros*. – **bíblico** *adj.*

bibliófilo (bi.bli:*ó*.fi.lo) *s.m.* Pessoa amante ou colecionadora de livros, especialmente de edições raras.

bibliografia (bi.bli:o.gra.*fi*.a) *s.f.* Relação de obras sobre um assunto ou de um autor. – **bibliográfico** *adj.*; **bibliógrafo** *adj. s.m.*

biblioteca [é] (bi.bli:o.*te*.ca) *s.f.* **1.** Coleção pública ou particular de livros para leitura ou consulta. **2.** Edifício em que se instala essa coleção: *Gosto de ler e estudar na Biblioteca Nacional*. **3.** Aposento (em residência ou local de trabalho) que apresenta uma coleção de livros: *Nosso professor tem uma biblioteca de obras raras*. **4.** Armário ou estante em que se guardam livros.

bibliotecário (bi.bli:o.te.*cá*.ri:o) *s.m.* Pessoa responsável pela administração de uma biblioteca.

biblioteconomia (bi.bli:o.te.co.no.*mi*.a) *s.f.* Curso universitário que trata do conjunto de conhecimentos e técnicas necessárias à organização e gestão de bibliotecas.

biblioteconomista (bi.bli:o.te.co.no.*mis*.ta) *s.m.* e *f.* Profissional formado em Biblioteconomia; bibliotecônomo.

bibliotecônomo (bi.bli:o.te.*cô*.no.mo) *s.m.* Biblioteconomista.

biboca [ó] (bi.*bo*.ca) *s.f. coloq.* **1.** Habitação pequena e modesta. **2.** Venda ou botequim pequeno e simples; birosca.

bica (*bi*.ca) *s.f.* **1.** Cano, tubo por onde escorre água; torneira. **2.** Qualquer orifício por onde escorre líquido. **3.** *Estar na bica: coloq.* estar prestes a acontecer: *Apresentou um bom currículo e estava na bica de conseguir o cargo disputado*. • *Suar em bicas: coloq.* transpirar muito.

bicada (bi.*ca*.da) *s.f.* **1.** Picada com o bico. **2.** Aquilo que uma ave leva de uma vez ao bico. **3.** *coloq.* Pequena porção de comida ou bebida: *dar uma bicada no bolo; dar uma bicada na cerveja*.

bicama (bi.*ca*.ma) *s.f.* Móvel com duas camas, uma encaixada sob a outra.

bicar (bi.*car*) *v.* **1.** Picar com o bico; dar bicada em: *Os passarinhos bicam as frutas no pomar; Os pombos se bicavam na marquise*. **2.** *coloq.* Tirar pequenas porções de comida: *Sem fome, só bicou a sobremesa*. **3.** *coloq.* Beber aos goles e devagar; beberricar: *Após o jantar, enquanto conversavam na varanda, iam bicando o licor*. ▶ Conjug. 5 e 35.

bicarbonato (bi.car.bo.*na*.to) *s.m.* (*Quím.*) Sal resultante do ácido carbônico, usado no tratamento da acidez estomacal; bicarbonato de sódio.

bicentenário (bi.cen.te.*ná*.ri:o) *adj.* **1.** Que completa duzentos anos. • *s.m.* **2.** O segundo centenário. **3.** O festejo em comemoração aos duzentos anos de um evento.

bíceps (*bí*.ceps) *s.m.2n.* Músculos situados na parte anterior do braço e na parte posterior da coxa.

bicha (*bi*.cha) *s.f.* **1.** *fam.* Nome comum à sanguessuga, à lombriga e aos vermes e répteis de forma comprida e sem pernas. **2.** *fam.* Verme intestinal; lombriga. • *s.m.* e *f.* **3.** *pej.* Homossexual masculino.

bichado (bi.*cha*.do) *adj.* **1.** Que foi atacado por bicho: *goiaba bichada*. **2.** *coloq.* Que apresenta problemas físicos: *Jogou a partida, apesar do joelho bichado*.

bichano (bi.*cha*.no) *s.m.* Gato manso, doméstico.

bichar (bi.*char*) *v.* Criar bicho (3) (ferida, livro, madeira, cereais etc.); estragar-se, deteriorar-se: *As frutas bicham fora da geladeira.* ▶ Conjug. 5.

bicharada (bi.cha.*ra*.da) *s.f.* Grande número de animais.

bicheira (bi.*chei*.ra) *s.f.* Ferida mal curada, em que se desenvolvem larvas de moscas, especialmente nos animais.

bicheiro (bi.*chei*.ro) *s.m.* **1.** *coloq.* Banqueiro de jogo do bicho. **2.** Recebedor ou apontador de apostas no jogo do bicho.

bicho (bi.*cho*) *s.m.* **1.** Qualquer animal, com exceção do homem. **2.** Animal feroz; fera. **3.** (*Zool.*) Designação comum a vários insetos e suas larvas, como o cupim, a traça, a broca etc. **4.** Pessoa intratável, grosseira, bruta: *Tenha modos, não se comporte como um bicho.* **5.** (*Esp.*) No futebol, gratificação aos jogadores e ao técnico por vitória em campo. **6.** Jogo do bicho: *Deixou de jogar no bicho.*

bicho-cabeludo (bi.cho-ca.be.*lu*.do) *s.m.* (*Zool.*) Lagarta-de-fogo, taturana. || pl.: *bichos-cabeludos.*

bicho-carpinteiro (bi.cho-car.pin.*tei*.ro) *s.m.* (*Zool.*) Inseto que rói troncos e cascas de árvores; escaravelho. || *Estar/ter bicho-carpinteiro:* ser muito irrequieto, travesso. || pl.: *bichos-carpinteiros.*

bicho-da-seda (bi.cho-da-*se*.da) *s.m.* (*Zool.*) Inseto cujo casulo desenvolve os fios com que se faz o tecido da seda. || pl.: *bichos-da-seda.*

bicho-de-pé (bi.cho-de-*pé*) (*Zool.*) *s.m.* Inseto cuja fêmea penetra na pele do homem e dos animais para desovar, provocando infecções; bicho-do-pé. || pl.: *bichos-de-pé.*

bicho de sete cabeças *s.m.* Assunto complicado, difícil de resolver: *O vestibular não é um bicho de sete cabeças.* || pl.: *bichos de sete cabeças.*

bicho-do-pé (bi.cho-do-*pé*) (*Zool.*) Bicho-de-pé. || pl.: *bichos-do-pé.*

bicho-grilo (bi.cho-*gri*.lo) *s.m. gír.* Pessoa que foge aos padrões da sociedade de consumo, caracterizando-se pelo comportamento, pelo vestuário e pelo trabalho não convencionais: *Encomendei várias peças ao bicho-grilo da feira de artesanato.* || pl.: *bichos-grilo* e *bichos-grilos.*

bicho-pau (bi.cho-*pau*) *s.m.* Inseto de movimentos lentos, cuja semelhança com gravetos lhe serve de camuflagem entre as folhagens de uma árvore ou arbusto. || pl.: *bichos-pau* e *bichos-paus.*

bicicleta [é] (bi.ci.*cle*.ta) *s.f.* **1.** Veículo de duas rodas dotado de guidão e selim, que se movimenta pela ação de dois pedais ligados a uma corrente. **2.** (*Esp.*) No futebol, lance em que o jogador, de costas para o gol adversário, salta no ar e chuta a bola para trás, por cima da própria cabeça, como se pedalasse uma bicicleta.

bico (bi.*co*) *s.m.* **1.** (*Zool.*) Extremidade córnea da boca das aves e de outros animais. **2.** Extremidade aguçada; ponta: *bico do seio; bico do sapato.* **3.** *fam.* Chupeta da mamadeira. **4.** *coloq.* Trabalho ocasional que proporciona um rendimento suplementar; biscate: *Desempregado, vive fazendo bicos aqui e ali.* || *Abrir o bico: coloq.* **1.** delatar, denunciar: *Decidiu-se por abrir o bico diante de tanta corrupção.* **2.** confessar (delito, crime etc.): *Não abriu o bico mesmo sob tortura.*

bico de jaca *s.m.* **1.** Tipo de lapidação de cristal cujo resultado apresenta a forma da casca áspera da jaca. **2.** Objeto de cristal assim lapidado || pl.: *bicos de jaca.*

bico de papagaio *s.m.* **1.** (*Med.*) Saliência óssea anormal que se desenvolve na articulação das vértebras. **2.** Nariz adunco. || pl.: *bicos de papagaio.*

bico-de-papagaio (bi.co-de-pa.pa.*gai*.o) *s.m.* (*Bot.*) Planta ornamental de folhas longas e flores vermelhas. || pl.: *bicos-de-papagaio.*

bico de pena *s.m.* **1.** Técnica de desenhar por meio de traços feitos com pena de bico muito fino, utilizando especialmente o nanquim. || pl.: *bicos de pena.*

bicolor [ô] (bi.co.*lor*) *adj.* Que tem duas cores.

bicôncavo (bi.*côn*.ca.vo) *adj.* Que tem duas faces côncavas opostas.

biconvexo [écs] (bi.con.*ve*.xo) *adj.* Que tem duas faces convexas opostas.

bicudo (bi.*cu*.do) *adj.* **1.** Que tem bico grande (ave). **2.** De ponta aguçada; pontiagudo: *sapatos bicudos.* **3.** *fam.* Diz-se de fase ou ocasião difíceis, desfavoráveis: *Os tempos bicudos ficaram para trás.* **4.** *fam.* Amuado, zangado: *Ficou bicudo depois da repreensão dos pais.* • *s.m.* **5.** (*Zool.*) Nome comum a várias aves.

bicúspide (bi.*cús*.pi.de) *adj.* **1.** Que termina em duas pontas. **2.** (*Bot.*) Diz-se da folha que apresenta duas pontas divergentes. **3.** (*Anat.*) Válvula aurículo-ventricular esquerda: *válvula bicúspide.*

bidé (bi.*dé*) *s.m.* Bidê.

bidê (bi.*dê*) *s.m.* Aparelho sanitário, para lavagem das partes inferiores do corpo. || *bidé.*

biela

biela [é] (bi:e.la) *s.f.* Haste rígida que serve para transmitir movimento entre duas peças articuladas de um maquinismo.

bienal (bi:e.*nal*) *adj*. **1.** Relativo a um biênio: *plano bienal*. **2.** Que ocorre de dois em dois anos; bianual: *a feira bienal do livro*.

biênio (bi:ê.ni:o) *s.m.* Período de dois anos sucessivos.

bife (*bi*.fe) *s.m.* **1.** Fatia de carne (bovina, suína) que se come grelhada, frita, ou cozida; bisteca. **2.** *fam.* Pequeno corte na pele, acidental, ao barbear-se, ou na mão, ao fazer as unhas: *tirar um bife*.

bífido (*bí*.fi.do) *adj*. (*Biol.*) Dividido em duas partes por uma fissura ou corte: *língua bífida*.

bifocal (bi.fo.*cal*) *adj*. **1.** Que apresenta dois focos. **2.** Diz-se da lente ocular que tem dois focos, um para a visão a distância, outro para a visão próxima.

bifurcar (bi.fur.*car*) *v.* Dividir(-se), separar(-se) em duas partes ou em dois ramos; ramificar(-se): *Foi necessário bifurcar a via principal, para desafogar o trânsito; A cidadezinha fica naquele ponto em que a estrada de ferro se bifurca.* ▶ Conjug. 5 e 35.

biga (*bi*.ga) *s.f.* Antigo veículo romano, puxado por dois cavalos.

bigamia (bi.ga.*mi*.a) *s.f.* Estado ou condição de bígamo.

bígamo (*bí*.ga.mo) *adj*. **1.** Que tem ao mesmo tempo dois cônjuges. • *s.m.* **2.** Pessoa bígama.

big bang (Ing.) *s.m.* Ver *bigue-bangue*.

bigue-bangue (bi.gue-*ban*.gue) *s.m.* Grande explosão de massa compacta de átomos de hidrogênio, que deu origem ao universo, segundo uma teoria cosmológica. ‖ pl.: *bigue-bangues*.

bigode [ó] (bi.go.de) *s.m.* **1.** Parte da barba que cresce sobre o lábio superior. **2.** *coloq.* Resíduo que fica sobre o lábio superior de quem bebeu leite, cerveja, chope etc.

bigodear (bi.go.de:*ar*) *v.* Pregar uma peça em (alguém); enganar, iludir, lograr: *Vivia a bigodear os incautos.* ▶ Conjug. 14.

bigodeira (bi.go.*dei*.ra) *s.f.* Bigode farto.

bigorna [ó] (bi.gor.na) *s.f.* **1.** Peça de ferro com duas pontas sobre a qual se malham e se amoldam metais. **2.** (*Anat.*) Pequeno osso da orelha.

biguá (bi.*guá*) *s.f.* (*Zool.*) Ave aquática, de plumagem escura, do porte de um pato.

biju (bi.*ju*) *s.m.* Beiju.

bijuteria (bi.ju.te.*ri*.a) *s.f.* Enfeite (anel, colar, brinco etc.), confeccionado com imitações de metais e pedras preciosas.

bilabial (bi.la.bi:*al*) *adj*. **1.** (*Ling.*) Diz-se de consoante cuja zona de articulação se dá no contato dos lábios: *O b, o p e o m são consoantes bilabiais.* • *s.f.* **2.** (*Ling.*) Essa consoante: *Foram feitos exercícios sobre as bilabiais.*

bilateral (bi.la.te.*ral*) *adj*. **1.** Que tem dois lados: *comércio bilateral entre Brasil e China*. **2.** Relativo a lados opostos. **3.** (*Jur.*) Diz-se do contrato em que há obrigações recíprocas para as partes.

bile (*bi*.le) *s.f.* **1.** (*Biol.*) Substância amarelo-esverdeada, viscosa e amarga, segregada pelo fígado, auxiliar na digestão; bílis, fel. **2.** Mau gênio; mau humor; irritabilidade.

bilha (*bi*.lha) *s.f.* **1.** Pequena vasilha bojuda e de gargalo estreito, de barro, para líquidos (água, leite, vinho etc.); cântaro, quarta. **2.** (*Mec.*) Esfera de rolamentos para redução de atrito. **3.** Bola de gude de aço.

bilhão (bi.*lhão*) *num. card.* Mil milhões. ‖ *bilião*.

bilhar (bi.*lhar*) *s.m.* **1.** Jogo de três bolas, impelidas com um taco sobre uma mesa retangular forrada de pano verde. **2.** Mesa em que se joga o bilhar. **3.** Estabelecimento comercial, sala ou local público, onde se joga bilhar.

bilhete [ê] (bi.*lhe*.te) *s.m.* **1.** Carta ou documento. **2.** Ingresso para espetáculos; entrada em espetáculos. **3.** Passagem de trem, navio etc. **4.** Cédula numerada que prova a habilitação de alguém em rifa, sorteio etc.: *Meu bilhete de loteria foi premiado.*

bilheteiro (bi.lhe.*tei*.ro) *s.m.* Indivíduo que vende bilhetes ao público nas bilheterias.

bilheteria (bi.lhe.te.*ri*.a) *s.f.* Local de venda de bilhetes (ingressos, passagens etc.) ao público.

bilião (bi.li:*ão*) *num. card.* Bilhão.

biliardário (bi.li:ar.*dá*.ri:o) *s.m.* Bilionário, multimilionário.

bilíngue [güe] (bi.*lín*.gue) *adj*. **1.** Que fala duas línguas: *secretária bilíngue*. **2.** Redigido em duas línguas: *um manual bilíngue*. **3.** Que apresenta a relação de palavras de uma língua e sua tradução em outra: *dicionário bilíngue*.

bilinguismo [güis] (bi.lin.*guis*.mo) *s.m.* **1.** Uso regular de duas línguas por um falante ou uma comunidade: *O bilinguismo é oficial no Canadá.*

bilionário (bi.li:o.*ná*.ri:o) *adj*. **1.** Que possui bilhões. **2.** Muito rico; multimilionário, biliardário • *s.m.* **3.** Pessoa bilionária.

biografia

bilioso [ô] (bi.li:o.so) *adj.* **1.** Que tem muita bílis. **2.** Relativo a bílis ou causado por ela. **3.** De mau gênio; mal-humorado, irritadiço: *temperamento bilioso.* || f. e pl.: [ó].

bílis (*bí*.lis) *s.f.2n.* Bile.

bilro (*bil*.ro) *s.m.* **1.** Pequena peça de madeira ou de metal, semelhante à de um fuso, com a qual se tecem rendas. **2.** Essa renda artesanal.

bímano (*bí*.ma.no) *adj.* Que tem duas mãos.

bimbalhar (bim.ba.*lhar*) *v.* Soar ou fazer soar (sino); badalar, repicar: *Bimbalham os sinos: foi eleito o novo papa; O sineiro faz bimbalhar o velho sino da igrejinha.* ▶ Conjug. 5.

bimensal (bi.men.*sal*) *adj.* Que se faz, sucede ou aparece duas vezes por mês; quinzenal: *Os alunos fazem testes bimensais.* – **bimensalidade** *s.f.*

bimestral (bi.mes.*tral*) *adj.* Que se realiza ou ocorre de dois em dois meses: *Tenho assinatura de uma revista bimestral.* – **bimestralidade** *s.f.*

bimestre [é] (bi.*mes*.tre) *s.m.* Espaço de dois meses sucessivos.

bimotor [ô] (bi.mo.*tor*) *adj.* **1.** Movido por dois motores. • *s.m.* **2.** Veículo, geralmente aeronave, com dois motores.

binacional (bi.na.ci:o.*nal*) *adj.* **1.** Relativo a duas nações: *empresa binacional.* **2.** Realizado entre duas nações: *acordo binacional.*

binário (bi.*ná*.ri:o) *adj.* **1.** Que tem dois elementos (unidades, lados, faces etc.). **2.** (*Biol.*) Que classifica cientificamente o gênero e a espécie de animais e vegetais por meio de duas palavras latinas: *nomenclatura binária.* **3.** (*Mús.*) Que tem duas batidas de tempo: *compasso binário.*

bingo (*bin*.go) *s.m.* **1.** Jogo semelhante à víspora, com prêmios àquele que preenche em primeiro lugar uma cartela de 15 números. **2.** Estabelecimento onde se joga o bingo.

binóculo (bi.*nó*.cu.lo) *s.m.* Instrumento óptico, portátil, composto por duas lentes conjugadas, para observação à distância.

binômio (bi.*nô*.mi:o) *s.m.* **1.** (*Mat.*) Polinômio constituído de dois termos. **2.** (*Biol.*) Classificação científica aplicada a animais e vegetais formada por dois termos latinos: um substantivo que designa o gênero e um adjetivo que designa a espécie: *O binômio* Aedes aegypti *designa o mosquito transmissor da dengue.*

biociclo (bi:o.*ci*.clo) *s.m.* (*Biol.*) Sequência de fases por que passam os seres vivos, do nascimento à morte; biosfera.

biociência (bi:o.ci:*ên*.ci:a) *s.f.* Biologia.

biocombustível (bi:o.com.bus.*tí*.vel) *s.m.* (*Biol.*) Combustível obtido a partir de matéria orgânica, especialmente vegetais e lixo.

biodegradável (bi:o.de.gra.*dá*.vel) *adj.* (*Biol.*) Que se decompõe pela ação de microrganismos (bactérias, vírus etc.): *lixo biodegradável.*

biodiesel [di] (bi:o.*die*.sel) *s.m.* (*Biol.*) Combustível obtido através da mistura de óleo vegetal e álcool, com menor emissão de poluentes: *O Brasil implementa o uso do biodiesel como combustível alternativo ao óleo diesel e à gasolina.*

biodiversidade (bi:o.di.ver.si.da.de) *s.f.* (*Biol.*) Conjunto de todas as espécies de seres vivos existentes em determinada região ou época: *Os ambientalistas defendem a conservação da biodiversidade.*

bioenergia (bi:o.e.ner.gi.a) *s.f.* (*Biol.*) Energia produzida pela transformação química de matérias vivas.

bioengenharia (bi:o.en.ge.nha.*ri*.a) *s.f.* Engenharia genética.

bioengenheiro (bi:o.en.ge.*nhei*.ro) *s.m.* Profissional (engenheiro, médico, biólogo) especializado em bioengenharia.

bioética (bi:o.*é*.ti.ca) *s.f.* Estudo dos problemas de ordem moral surgidos com as pesquisas da biomedicina.

biofísica (bi:o.*fí*.si.ca) *s.f.* Estudo dos processos físicos que ocorrem nos seres vivos.

biofísico (bi:o.*fí*.si.co) *adj.* **1.** Relativo à Biofísica. **2.** Diz-se dos processos físicos que ocorrem nos seres vivos. • *s.m.* **3.** Profissional especializado em Biofísica.

biogás (bi:o.*gás*) *s.m.* Combustível produzido pela fermentação de matéria orgânica vegetal ou animal.

biogênese (bi:o.*gê*.ne.se) *s.f.* (*Biol.*) Teoria que se fundamenta no princípio de que todo ser vivo provém de outro ser vivo; biogenia.

biogenia (bi:o.ge.*ni*.a) *s.f.* Biogênese.

biogênico (bi:o.*gê*.ni.co) *adj.* **1.** Relativo a biogenia. **2.** Produzido pela ação de organismos vivos.

biografar (bi:o.gra.*far*) *v.* Fazer a biografia de alguém ou de si mesmo: *Em seus livros biografou grandes vultos históricos; O famoso escritor biografou-se em seus romances e diários.* ▶ Conjug. 5.

biografia (bi:o.gra.*fi*.a) *s.f.* **1.** Descrição da vida de alguma pessoa ou personagem. **2.** A obra (livro, filme, peça teatral etc.) que constitui uma biografia: *Aprecio muito a leitura de biografias.*

biográfico

biográfico (bi:o.*grá*.fi.co) *adj.* Relativo a ou próprio da biografia.

biógrafo (bi:*ó*.gra.fo) *s.m.* Autor de biografias.

biologia (bi:o.lo.*gi*.a) *s.f.* (*Biol.*) Ciência que tem por objeto o estudo dos seres vivos e dos fenômenos que regem a vida; biociência. || *Biologia molecular*: engenharia genética.

biológico (bi:o.*ló*.gi.co) *adj.* **1.** Relativo à Biologia: *ciências biológicas*. **2.** Relativo a ou próprio dos seres vivos: *armas biológicas; relógio biológico*.

biólogo (bi:*ó*.lo.go) *s.m.* Profissional formado em Biologia.

bioma (bi:o.ma) *s.m.* Grande comunidade distribuída por uma extensa área geográfica com determinadas condições ecológicas, geralmente caracterizada por um tipo de vegetação: *O pantanal e o cerrado são alguns dos biomas do Brasil.*

biomassa (bi:o.*mas*.sa) *s.f.* (*Biol.*) **1.** Massa de matéria orgânica presente em um ecossistema. **2.** Matéria vegetal.

biombo (bi:*om*.bo) *s.m.* Tabique móvel, geralmente de madeira articulada com dobradiças, usado como divisória ou anteparo num aposento.

biomedicina (bi:o.me.di.*ci*.na) *s.f.* (*Biol.*) **1.** Campo da Biologia que estuda as características morfológicas e fisiológicas dos seres humanos. **2.** (*Med.*) Ramo da Medicina baseado nos princípios das ciências naturais.

biomédico (bi:o.*mé*.di.co) *adj.* **1.** Relativo à Biomedicina. • *s.m.* **2.** Profissional especializado em Biomedicina.

biometria (bi:o.me.*tri*.a) *s.f.* (*Biol.*) Estudo das medidas das partes do corpo dos seres humanos e da importância funcional dessas medidas. – **biométrico** *adj.*

biônica (bi:*ô*.ni.ca) *s.f.* Ciência que estuda a aplicação da Biologia na criação de novas técnicas, sistemas e equipamentos eletrônicos.

biônico (bi:*ô*.ni.co) *adj.* **1.** Relativo ou pertencente à Biônica. **2.** *joc.* Diz-se de alguém (geralmente político) que assume cargo eletivo por nomeação, sem ter sido eleito: *senador biônico*. • *s.m.* **3.** *joc.* Quem ocupa cargo por nomeação.

biopse [ó] (bi:*op*.se) *s.f.* Biopsia, biópsia.

biopsia (bi:op.*si*.a) *s.f.* Biopse, biópsia.

biópsia (bi:*óp*.si.a) *s.f.* (*Med.*) Retirada de material celular ou de um fragmento de tecido de um ser vivo para exame microscópico e consequente diagnóstico.

bioquímica (bi:o.*quí*.mi.ca) *s.f.* (*Biol.*) Ciência que trata da constituição química dos seres vivos e das reações produzidas no organismo.

bioquímico (bi:o.*quí*.mi.co) *adj.* **1.** Relativo a ou próprio da Bioquímica. • *s.m.* **2.** Profissional formado em Bioquímica.

biorritmo (bi:or.*rit*.mo) *s.m.* (*Biol.*) Ritmo ou ciclo dos processos biológicos que ocorrem em um indivíduo ou em uma espécie.

biosfera [é] (bi:os.*fe*.ra) *s.f.* (*Biol.*) Conjunto dos ecossistemas existentes na Terra; biociclo, ecosfera.

biossistema (bi:os.sis.*te*.ma) *s.m.* (*Biol.*) Ecossistema.

biossociologia (bi:os.so.ci:o.lo.*gi*.a) *s.f.* (*Biol.*) Estudo dos fatores biológicos no comportamento social dos seres humanos.

biota [ó] (bi:o.ta) *s.f.* Conjunto de seres vivos que habitam um determinado ambiente ecológico.

biotecnia (bi:o.tec.*ni*.a) *s.f.* (*Biol.*) Conjunto de técnicas que visam a adequar a utilização de organismos vivos às necessidades humanas.

biotécnico (bi:o.*téc*.ni.co) *adj.* **1.** Relativo à Biotecnia. • *s.m.* **2.** Profissional especializado em Biotecnia.

biotina (bi:o.*ti*.na) *s.f.* (*Biol.*) Vitamina do complexo vitamínico B, importante para o crescimento, encontrada principalmente na gema do ovo.

biotipo (bi:o.*ti*.po) *s.m.* Biótipo.

biótipo (bi:*ó*.ti.po) *s.m.* **1.** Grupo de seres que têm o mesmo genótipo ou constituição hereditária fundamental. **2.** Tipo físico. || *biotipo*.

biovular (bi:o.vu.*lar*) *adj.* Que deriva de dois óvulos (diz-se de gêmeos).

bip *s.m.* (*Comun.*) Bipe.

bipar (bi.*par*) *v.* Ligar para alguém; chamar, por meio de bipe: *Não é permitido bipar nas salas de cinema; Bipou o médico da família.* ▶ Conjug. 5.

bipartidarismo (bi.par.ti.da.*ris*.mo) *s.m.* Sistema político de um país em que somente existem ou têm importância dois partidos.

bipartir (bi.par.*tir*) *v.* **1.** Partir(-se), dividir(-se) em dois: *Decidiram bipartir a responsabilidade sobre o acidente; A bancada oposicionista bipartiu-se a respeito da questão ambiental.* **2.** Bifurcar(-se): *São necessárias obras para bipartir o acesso ao estádio; O caminho bipartia-se a sua frente.* ▶ Conjug. 66.

bipartite (bi.par.*ti*.te) *adj.* Constituído por duas partes ou facções: *comissão bipartite.*

bipe (*bi*.pe) *s.m.* (*Comun.*) **1.** Sinal sonoro, breve e agudo, produzido por aparelho eletrônico

bípede (*bí*.pe.de) *adj.* **1.** Que tem dois pés. • *s.m.* **2.** Animal que anda sobre dois pés.

bipolar (bi.po.*lar*) *adj.* **1.** Que tem ou opõe dois polos. **2.** (*Geol.*) Relativo aos dois polos ou às duas regiões polares da Terra. **3.** (*Psiq.*) Diz-se de determinado transtorno mental. • *s.m. e f.* Pessoa portadora desse transtorno; maníaco-depressivo.

bipolaridade (bi.po.la.ri.*da*.de) *s.f.* **1.** (*Fís.*) Propriedade de apresentar dois polos contrários: *bipolaridade de um circuito elétrico*. **2.** *fig.* Oposição entre dois conceitos ou duas posições: *O acordo pôs fim à bipolaridade econômica entre o norte e o sul do país*.

biqueira (bi.*quei*.ra) *s.f.* **1.** Extremidade pontiaguda em forma de bico; ponta. **2.** O bico do sapato. **3.** Reforço de metal, couro ou borracha colocado nos calçados; ponteira, chapinha.

biquíni (bi.*quí*.ni) *s.m.* **1.** Maiô de duas peças de tamanho reduzido. **2.** Calcinha feminina.

biriba (bi.*ri*.ba) *s.m.* Jogo de cartas, variedade da canastra.

birita (bi.*ri*.ta) *s.f.* **1.** *gír.* Cachaça. **2.** Denominação de qualquer bebida alcoólica.

biriteiro (bi.ri.*tei*.ro) *adj.* **1.** Que gosta de birita; cachaceiro. • *s.m.* **2.** *gír.* Pessoa biriteira.

birô (bi.*rô*) *s.m.* **1.** Mesa de trabalho; escrivaninha. **2.** Local de trabalho, geralmente burocrático; escritório, repartição.

birosca [ó] (bi.*ros*.ca) *s.f. coloq.* Armazém pequeno e simples onde se vendem gêneros alimentícios e bebidas alcoólicas; venda, biboca.

birra (*bir*.ra) *s.f.* **1.** Teimosia, pirraça, capricho: *Faz birra, quando deseja atenção*. **2.** Implicância, aversão, antipatia: *Tem birra com os vizinhos barulhentos*. **3.** Desentendimento, rixa: *Os dois funcionários têm uma birra antiga*. — **birrento** *adj.*

biruta (bi.*ru*.ta) *s.f.* **1.** Aparelho que indica a direção dos ventos. • *adj.* **2.** Que é doido, amalucado. • *s.m. e f.* **3.** *gír.* Pessoa amalucada.

birutice (bi.ru.*ti*.ce) *s.f. gír.* Ato ou procedimento de biruta; maluquice.

bis *adv.* **1.** Duas vezes (geralmente usado para indicar repetição de trechos de música): *"Ou ficar a pátria livre ou morrer pelo Brasil"* (Bis). • *s.m.2n.* **2.** Repetição de uma apresentação artística: *O público que lotava o teatro aplaudia e pedia bis.* || É usado em frases nominais, para pedir essa repetição.

bisão (bi.*são*) *s.m.* (*Zool.*) Mamífero selvagem, da família do boi, de chifres curtos e pelagem longa na parte anterior do dorso; bisonte.

bisar (bi.*sar*) *v.* Dar bis; repetir: *Apesar dos aplausos insistentes, o pianista não bisou*; *Ao final do show, os músicos bisaram duas canções de seu repertório*. ▶ Conjug. 5.

bisavó (bi.sa.*vó*) *s.f.* Mãe do avô ou da avó.

bisavô (bi.sa.*vô*) *s.m.* **1.** Pai do avô ou da avó. **2.** *fig.* Antepassados, ancestrais. || f. e pl.: [ó].

bisbilhotar (bis.bi.lho.*tar*) *v.* **1.** Fazer mexericos; intrigar: *Algumas vizinhas gostavam de bisbilhotar a vida alheia*; *Os pais ensinam aos filhos que é feio bisbilhotar*. **2.** Examinar, investigar, esquadrinhar: *Bisbilhotava os cantos da casa à procura dos óculos*. ▶ Conjug. 20.

bisbilhoteiro (bis.bi.lho.*tei*.ro) *adj.* **1.** Mexeriqueiro, intrigante. • *s.m.* **2.** Pessoa mexeriqueira.

bisbilhotice (bis.bi.lho.*ti*.ce) *s.f.* **1.** Ato ou efeito de bisbilhotar. **2.** Qualidade de bisbilhoteiro. **3.** Mexerico, intriga, enredo.

bisca (*bis*.ca) *s.m.* **1.** Nome de vários jogos de cartas. **2.** *fam.* Pessoa de mau-caráter, falsa, dissimulada: *Fulano é uma boa bisca*.

biscainho (bis.ca.*i*.nho) *adj.* **1.** De Biscaia, província da Espanha. • *s.m.* **2.** O natural ou o habitante dessa província.

biscate (bis.*ca*.te) *s.m.* Pequeno serviço extraordinário que dá sempre algum lucro; bico.

biscateiro (bis.ca.*tei*.ro) *s.m.* O que faz biscates.

biscoiteiro (bis.coi.*tei*.ro) *s.m.* O que faz ou vende biscoitos.

biscoito (bis.*coi*.to) *s.m.* (*Cul.*) Pequeno pedaço, de variada forma, de massa de farinha de trigo ou similar, sal, açúcar e leite, bem cozida ao forno.

biscuit [biscuí] (Fr.) *s.m.* **1.** Massa de porcelana fina, branca e fosca. **2.** Objeto feito dessa massa: *Sobre os móveis da sala havia muitos bibelôs de biscuit*.

bisel (bi.*sel*) *s.m.* Tipo de corte oblíquo feito nas bordas de um objeto de vidro, metal etc.; chanfradura.

biselar (bi.se.*lar*) *v.* Cortar em bisel; chanfrar: *biselar um objeto de cristal*. ▶ Conjug. 8.

bismuto (bis.*mu*.to) *s.m.* (*Quím.*) Elemento químico cristalino, usado em extintores de incêndio, fusíveis etc. e também em medicamentos. || Símbolo: Bi.

bisnaga (bis.*na*.ga) *s.f.* **1.** Tubo de metal ou de plástico, usado na embalagem de substâncias pastosas, como tinta de pintura a óleo, pasta dentifrícia, cremes etc. **2.** Certo tipo de pão de formato comprido.

bisneto

bisneto [é] (bis.*ne*.to) *s.m.* **1.** Filho do neto ou da neta. **2.** Conjunto dos descendentes de alguém.

bisonho (bi.so.nho) *adj.* **1.** Que tem pouca ou nenhuma experiência no trabalho ou na carreira: *um funcionário bisonho; um político bisonho.* **2.** Que acaba de ingressar em uma atividade ou ocupação; novato, principiante: *soldados bisonhos.* **3.** Inseguro, tímido, acanhado: *Era um adolescente bisonho, sem confiança em si mesmo.*

bisonte (bi.son.te) *s.m.* Bisão.

bispado (bis.*pa*.do) *s.m.* (*Rel.*) **1.** Cargo, função ou dignidade de bispo; episcopado. **2.** Território onde o bispo exerce a sua jurisdição; diocese. **3.** Duração da jurisdição espiritual de um bispo.

bispar (bis.*par*) *v.* **1.** *coloq.* Observar às escondidas; espreitar: *Os policiais bispavam a movimentação dos suspeitos.* **2.** *coloq.* Avistar de longe; entrever, vislumbrar: *Não conseguia bispar nada naquela distância.* **3.** *coloq.* Surripiar, furtar: *Bispou alguns apontamentos do colega.* **4.** Escapar-se, escapulir: *Mal chegaram os seguranças da festa, bisparam-se os desordeiros.* ▶ Conjug. 8.

bispo (*bis*.po) *s.m.* (*Rel.*) **1.** Na Igreja Católica, prelado que tem a seu cargo o conjunto de paróquias de determinada circunscrição territorial. Em outras igrejas cristãs, o chefe cerimonial de uma diocese. **2.** Peça do jogo de xadrez que se movimenta diagonalmente.

bisseção (bis.se.*ção*) *s.f.* Divisão em duas partes iguais. || *bissecção.*

bissecção (bis.sec.*ção*) *s.f.* Bisseção.

bissetriz (bis.se.*triz*) *s.f.* Linha reta que, partindo do vértice, divide um ângulo ao meio.

bissexto [ê] (bis.*sex*.to) *adj.* **1.** Diz-se do ano que tem 366 dias e que ocorre de quatro em quatro anos. **2.** *fig.* Que exerce uma atividade eventual, geralmente artística: *Meu irmão é um escritor bissexto.* • *s.m.* **3.** O dia 29 de fevereiro, que ocorre de quatro em quatro anos.

bissexual [cs] (bis.se.xu:*al*) *adj.* **1.** (*Biol.*) Que tem os órgãos reprodutores masculinos e femininos; hermafrodita. **2.** Que se relaciona sexualmente com homem e com mulher. • *s.m.* **3.** Pessoa bissexual. – **bissexualidade** *s.f.*; **bissexualismo** *s.m.*

bisteca [é] (bis.*te*.ca) *s.f.* Bife.

bistrô (bis.*trô*) *s.m.* Cafeteria ou restaurante pequeno, de ambiente aconchegante.

bisturi (bis.tu.*ri*) *s.m.* (*Med.*) Instrumento cirúrgico de lâmina cortante, empregado para fazer incisões.

bit [bit] (Ing.) *s.m.* (*Inform.*) **1.** Unidade mínima de informação processada por um computador. **2.** Algarismo do sistema digital (apenas 1 ou 0).

bitola [ó] (bi.*to*.la) *s.f.* **1.** Medida-padrão usada na construção e na indústria; craveira. **2.** Objeto cuja medida determina a medida de outras peças, instrumentos etc.; padrão, modelo, norma. **3.** *fig.* Padrão ou regra de comportamento: *Fuja à bitola do pensamento único.* **4.** Distância entre os trilhos em uma ferrovia: *As pequenas estradas de ferro têm geralmente bitola estreita.*

bitolado (bi.to.*la*.do) *adj.* **1.** Medido por uma bitola. **2.** *fig.* Limitado, de pouca visão: *Suas ideias estreitas revelavam uma mente bitolada.*

bitolar (bi.to.*lar*) *v.* **1.** Determinar a bitola ou medida-padrão de: *bitolar vergalhões para a construção.* **2.** *fig.* Tornar(-se) bitolado, limitado: *Não tente bitolar a opinião alheia; Fora do convívio social, o homem tende a bitolar-se.* ▶ Conjug. 20.

bitransitivo (bi.tran.si.*ti*.vo) *adj.* (*Gram.*) Diz-se do verbo transitivo que requer simultaneamente dois complementos: objeto direto e objeto indireto; verbo transitivo direto e indireto: *Em orações como "Ofereceu ajuda ao amigo", encontramos o verbo bitransitivo* oferecer.

bitributação (bi.tri.bu.ta.*ção*) *s.f.* (*Econ.*) Tributação pela qual dois impostos de origens diferentes incidem sobre o mesmo ato ou produto.

bivalência (bi.va.*lên*.ci:a) *s.f.* (*Quím.*) Caráter ou condição de bivalente.

bivalente (bi.va.*len*.te) *adj.* (*Quím.*) **1.** Que tem valência dupla. **2.** *fig.* Que possui duas características, duas funções.

bivalve (bi.*val*.ve) *adj.* Que tem duas valvas: *molusco bivalve, fruto bivalve.*

bivaque (bi.*va*.que) *s.m.* (*Mil.*) Acampamento provisório de tropas, ao ar livre ou em abrigo natural.

bizantino (bi.zan.*ti*.no) *adj.* **1.** Da cidade de Bizâncio, atual Istambul, na Turquia. **2.** O natural ou o habitante dessa cidade. **3.** Relativo ao Império Romano do Oriente: *Constantino foi o último imperador bizantino.* **4.** *fig.* Que se atém a futilidades; frívolo, inútil: *O conferencista e os debatedores perderam-se em discussões bizantinas.*

bizarro (bi.zar.ro) *adj.* Que foge ao padrão convencional; excêntrico, extravagante, estranho: *Os filmes daquele diretor apresentam sempre personagens bizarras.* – **bizarria** *s.f.*; **bizarrice** *s.f.*

blackout (Ing.) *s.m.* Ver blecaute.

black tie [bléctai] (Ing.) *s.m.* Traje masculino preto usado com gravata-borboleta, próprio para eventos noturnos; smoking.

blague (bla.gue) *s.f.* Dito espirituoso ou irônico; brincadeira, pilhéria, troça: *Não faça blague com coisas graves.*

blandícia (blan.dí.ci:a) *s.f.* **1.** Carícia, afago, carinho: *Com blandícia acalentava o filho ao colo.* **2.** Ternura, meiguice, brandura: *Use sempre de blandícia com as crianças.* **3.** Adulação, bajulação: *Seus elogios soam falso, têm um ar de blandícia.* || blandície.

blandície (blan.dí.ci:e) *s.f.* Blandícia.

blasfemar (blas.fe.mar) *v.* **1.** Proferir blasfêmias; imprecar: *Não blasfeme!*; *Os hereges blasfemam o nome de Deus.* **2.** Injuriar, ofender, insultar: *Sentindo-se injustiçado, blasfemava contra as autoridades.* ▶ Conjug. 5.

blasfêmia (blas.fê.mi:a) *s.f.* **1.** Palavra que ultraja a Deus, a religião. **2.** Palavras ofensivas e insultantes contra pessoa ou objeto dignos de respeito.

blasfemo (blas.fe.mo) *adj.* **1.** Que profere blasfêmia ou heresias. **2.** Que contém blasfêmia: *Alguns livros foram considerados blasfemos pelos religiosos.* **3.** Insultuoso, ultrajante, difamatório: *Dirigia palavras blasfemas aos adversários políticos.* • *s.m.* **4.** Pessoa que blasfema.

blasonar (bla.so.nar) *v.* **1.** Alardear, proclamar: *Está sempre a blasonar suas qualidades e seus feitos*; *Blasonava de ter sido o mais votado nas eleições.* **2.** Vangloriar-se, gabar-se: *Ninguém deve blasonar-se dos próprios méritos.* ▶ Conjug. 5.

blastoma (blas.to.ma) *s.m.* (*Med.*) Tumor constituído por células embrionárias.

blazer [bléiser] (Ing.) *s.m.* Paletó masculino ou feminino usado esportiva ou socialmente.

blecaute (ble.cau.te) *s.m.* Situação de escurecimento total por falta de energia elétrica ou por defesa contra ataques aéreos.

blefador [ô] (ble.fa.dor) *adj.* **1.** Que faz blefes. • *s.m.* **2.** Pessoa que blefa.

blefar (ble.far) *v.* **1.** Iludir no jogo, simulando ter boas cartas: *O bom jogador não precisa blefar.* **2.** Ludibriar, enganar, lograr: *Não blefe, diga somente a verdade dos fatos*; *O motorista infrator tentou blefar a segurança do posto policial.* ▶ Conjug. 8.

blefe [é *ou* ê] (ble.fe) *s.m.* Ato de blefar; logro, engano.

blenorragia (ble.nor.ra.gi.a) *s.f.* (*Med.*) Gonorreia.

blindar (blin.dar) *v.* **1.** Revestir, proteger com chapas de aço à prova de bala ou de explosivo: *Como circula em áreas violentas, fez blindar o carro.* **2.** *fig.* Proteger(-se), preservar(-se), guardar(-se): *Blindou o coração e a mente contra os desacertos do mundo*; *Devemos blindar-nos contra os preconceitos de qualquer espécie.* ▶ Conjug. 5. – **blindagem** *s.f.*

blitz [blíts] (Al.) *s.f.* **1.** (*Mil.*) Ataque aéreo intenso, feito de surpresa. **2.** Batida policial de improviso.

bloco [ó] (blo.co) *s.m.* **1.** Porção volumosa e sólida de substância pesada: *bloco de concreto.* **2.** Conjunto de folhas de papel unidas na margem superior: *bloco de rascunho.* **3.** Cada um dos edifícios que formam um conjunto de prédios: *Eu moro no bloco A e meus pais no bloco B do nosso condomínio.* **4.** Agrupamento de partidos políticos ou de parlamentares que apresentam pontos em comum: *Ele é um dos parlamentares do bloco conservador do partido.* **5.** Grupo de foliões que tocam e dançam nas ruas durante o carnaval: *A cada ano aumenta o número de blocos carnavalescos nos bairros.*

blog [blóg] (Ing.) *s.m.* (*Inform.*) Página da internet, semelhante a um diário pessoal, em que se veiculam ideias, informações e imagens, e que pode estar aberta ou não à participação de outros internautas.

bloquear (blo.que.ar) *v.* **1.** Fazer bloqueio; cercar, sitiar: *As tropas aliadas bloquearam o exército inimigo.* **2.** Obstruir a passagem ou o trânsito: *A passeata bloqueou a avenida principal da cidade.* **3.** Causar obstrução; impedir, dificultar: *Os partidos oposicionistas bloquearam alguns projetos do governo.* **4.** (*Esp.*) Causar impedimento a uma jogada de ataque do adversário: *O técnico determinou que a equipe bloqueasse mais*; *Os jogadores mais altos conseguiram bloquear todas as jogadas de rede.* **5.** *fig.* Causar inibição; refrear, tolher: *A timidez bloqueou-lhe a voz.* ▶ Conjug. 14.

bloqueio (blo.quei.o) *s.m.* **1.** Ato ou efeito de bloquear. **2.** (*Mil.*) Cerco de um porto de mar, de um trecho de costa, do litoral de um país ou continente, para cortar-lhe as comunicações, impedindo assim o aprovisionamento de víveres e munições. **3.** Obstrução de pas-

blues

sagem ou de trânsito: *A força policial determinou o bloqueio da entrada e da saída do estádio.* **4.** (*Esp.*) Obstrução de uma jogada de ataque da equipe adversária: *No voleibol e no basquete, o bloqueio benfeito é garantia de vitória.*

blues [*blus*] (Ing.) s.2n. **1.** Gênero musical originário do folclore negro norte-americano. **2.** Qualquer canção desse gênero.

blusa (*blu*.sa) *s.f.* Peça do vestuário masculino ou feminino, com ou sem manga e gola, que cobre dos ombros à altura da cintura.

blusão (blu.*são*) *s.m.* Veste informal ou esportiva, mais larga e comprida que a blusa, usada geralmente por fora da saia ou da calça.

blush [*blâsh*] (Ing.) *s.m.* Cosmético em pó ou creme, de tons róseos ou avermelhados, usado para colorir a face; ruge.

boa [ô] (*bo*.a) *adj.* **1.** Feminino de bom. **2.** *gír.* Diz-se de mulher atraente e sensual; boazuda. • *s.f.* **3.** Fato ou novidade interessante e divertido: *Tenho uma boa para contar-lhes.* || *Escapar de uma boa*: *coloq.* em situação favorável ou vantajosa. • *Voltar às boas*: *coloq.* fazer as pazes; ficar de bem; reconciliar-se.

boa-fé (bo.a-*fé*) *s.f.* Retidão de intenções; idoneidade, correção, lisura: *Sei que posso contar sempre com a sua boa-fé.* || pl.: *boas-fés*.

boa-noite (bo.a-*noi*.te) *s.m.* **1.** Cumprimento que se dirige a alguém à noite. || pl.: *boas-noites*.

boa-pinta (bo.a-*pin*.ta) *adj. coloq.* **1.** Que tem boa aparência; que causa boa impressão: *João é um rapaz bonito, boa-pinta, elegante.* • *s.m.* e *f.* **2.** Pessoa boa-pinta. || pl.: *boas-pintas*.

boa-praça (bo.a-*pra*.ça) *adj. coloq.* **1.** Simpático, agradável, confiável: *É um chefe amigo, camarada, muito boa-praça.* • *s.m.* e *f.* **2.** Pessoa boa-praça. || pl.: *boas-praças*.

boa-tarde (bo.a-*tar*.de) *s.m.* Cumprimento que se dirige a alguém à tarde. || pl.: *boas-tardes*.

boate (bo:*a*.te) *s.f.* Estabelecimento de diversões noturnas com música, dança, serviço de bar ou de restaurante.

boateiro (bo:a.*tei*.ro) *adj.* **1.** Que espalha boatos. • *s.m.* **2.** Pessoa boateira.

boato (bo:*a*.to) *s.m.* Notícia anônima, geralmente sem fundamento, que é divulgada publicamente; balela. – **boataria** *s.f.*

boa-vida (bo.a-*vi*.da) *adj. pej.* **1.** Que é pouco afeito ao trabalho e às obrigações; folgado: *Os pais exigiam-lhe que procurasse uma ocupação: não queriam um filho boa-vida.* • *s.m.* e *f.* **2.** Pessoa boa-vida. || pl.: *boas-vidas*.

boa-vistense (bo.a-vis.*ten*.se) *adj.* **1.** De Boa Vista, capital do Estado de Roraima. • *s.m.* e *f.* **2.** O natural ou o habitante dessa capital. || pl.: *boa-vistenses*.

boazuda (bo:a.*zu*.da) *s.f. gír.* Mulher de belas formas, muito atraente.

bobagem (bo.*ba*.gem) *s.f.* **1.** Ato ou dito de bobo; tolice, bobeira, asneira. **2.** Coisa sem importância; insignificância.

bobalhão (bo.ba.*lhão*) *adj.* **1.** Que é muito bobo; tolo, pateta. • *s.m.* e *f.* **2.** Pessoa tola; pateta. || f.: *bobalhona*.

bobeada (bo.be:*a*.da) *s.f.* Erro por falta de atenção. || *Dar uma bobeada*: **1.** *coloq.* cometer um lapso: *Deu uma bobeada na prova de Matemática.* **2.** *coloq.* deixar-se enganar; descuidar-se: *Preste atenção, para não dar uma bobeada no jogo de cartas.*

bobear (bo.be:*ar*) *v.* **1.** Fazer ou dizer bobagem; portar-se como bobo: *Não fique bobeando na presença de pessoas respeitáveis.* **2.** *coloq.* Deixar-se enganar facilmente: *Se bobear, pode ser passado para trás.* **3.** *coloq.* Perder oportunidade(s): *Bobeou e deixou passar o prazo de inscrição para o concurso.* ▶ Conjug. 14.

bobeira (bo.*bei*.ra) *s.f. coloq.* **1.** Atitude de bobo. **2.** Desatenção, descuido. **3.** Coisa insignificante; bobagem.

bobina (bo.*bi*.na) *s.f.* **1.** Carretel. **2.** Grande rolo de papel contínuo, para impressão de jornais em rotativas. **3.** (*Fís.*) Cilindro oco, de madeira ou de metal, em torno do qual está enrolado um fio metálico, coberto por um invólucro isolante e no qual pode passar uma corrente elétrica; enrolamento.

bobinadeira (bo.bi.na.*dei*.ra) *s.f.* Rebobinadeira.

bobinagem (bo.bi.*na*.gem) *s.f.* Operação de bobinar.

bobinar (bo.bi.*nar*) *v.* **1.** Enrolar em bobina: *bobinar um filme*; *bobinar uma fita cassete.* **2.** Enrolar (folhas de papel contínuo) em bobina, passando-o na bobinadeira: *bobinar papel para impressão.* ▶ Conjug. 5.

bobo [ô] (*bo*.bo) *adj.* **1.** Tolo, palerma, idiota. **2.** Surpreso, estupefato: *Ficaram bobos com a atitude intempestiva do amigo.* **3.** Feliz, satisfeito: *Ficou todo bobo com a premiação na competição escolar.* **4.** Sem importância; insignificante: *uma gripe boba.* • *s.m.* **5.** Pessoa boba. **6.** Indivíduo encarregado de divertir os soberanos; bufão: *o bobo da corte.*

bobó (bo.*bó*) *s.m.* (*Cul.*) Prato preparado com purê de aipim, camarão, azeite-de-dendê e leite de coco.

boca [ô] (*bo.*ca) *s.f.* **1.** Cavidade do rosto humano ou da cabeça dos animais por onde são introduzidos os alimentos. **2.** Parte externa dessa cavidade formada pelos lábios. **3.** Abertura, entrada, início: *boca do metrô*. **4.** Foz: *boca do rio*. **5.** (*Teat.*) Parte anterior do palco: *boca de cena*. **6.** Parte inferior da calça: *calça de boca larga*. **7.** *fam.* Pessoa a ser alimentada: *Um pai de família tem muitas bocas para alimentar*. **8.** *coloq.* Oportunidade vantajosa, geralmente de trabalho: *Conseguiu uma boca no serviço público*. **9.** *gír.* Local de venda de drogas; boca de fumo. || *Boca da noite*: *fig.* o anoitecer. • *Bater boca*: discutir, altercar. • *De boca*: oralmente: *Não aceite promessas de boca*. || *aum.*: bocarra.

boca de fogo *s.m.* Nome genérico das peças de artilharia. || pl.: *bocas de fogo*.

boca de fumo *s.f. gír.* Ponto de venda de maconha e outras drogas. || pl.: *bocas de fumo*.

bocado (bo.*ca*.do) *s.m.* **1.** Porção de alimento que se leva à boca de uma vez; pedaço, naco, dentada: *Saboreou um bocado do bolo*. **2.** Porção que se corta com os dentes. **3.** Pequena porção de uma coisa: *um bocado de giz*. **4.** Pequeno decurso de tempo: *Está viajando há um bocado de tempo*.

bocaina (bo.*cai*.na) *s.f.* **1.** Depressão de serra ou cordilheira; garganta. **2.** Boca de rio.

bocal (bo.*cal*) *s.m.* **1.** Abertura de vaso ou frasco; boca. **2.** Parte do castiçal onde entra a vela. **3.** (*Eletr.*) Encaixe de lâmpada elétrica. **4.** (*Mús.*) Embocadura de instrumento de sopro.

boçal (bo.*çal*) *adj.* **1.** Estúpido, ignorante, rude, grosseiro. • *s.m.* **2.** Pessoa boçal.

boca-livre (bo.ca-*li*.vre) *s.f. coloq.* Evento com entrada livre, com comida e bebida grátis. || pl.: *bocas-livres*.

bocão (bo.*cão*) *s.m.* **1.** Grande boca. **2.** *coloq.* Pessoa que tem boca muito grande. || *aum.* de *boca*.

boca-rica (bo.ca-*ri*.ca) *s.f. coloq.* **1.** Oportunidade de ganhar dinheiro sem esforço. **2.** Lugar onde se ganha dinheiro facilmente. || pl.: *bocas-ricas*.

bocarra (bo.*car*.ra) *s.f.* Grande boca. || *aum.* de *boca*.

bocejar (bo.ce.*jar*) *v.* Abrir a boca em sinal de cansaço, tédio ou sono: *Naquela aula ninguém bocejava*. ▶ Conjug. 10.

bocejo [ê] (bo.ce.jo) *s.m.* Abertura involuntária da boca, por movimento espasmódico dos músculos da face, com inspiração e prolongada expiração de ar, em sinal de cansaço, tédio ou sono.

boceta [ê] (bo.ce.ta) *s.f.* **1.** Caixinha redonda, oval ou oblonga, para guardar pequenos objetos. **2.** *chulo* Vulva.

bocha [ó] (bo.cha) *s.f.* **1.** Jogo entre duas ou mais pessoas, que consiste em atirar de certa distância umas bolas de madeira ou de plástico (três para cada jogador) e aproximá-las de uma outra, pequena. **2.** Bola usada nesse jogo.

bochecha [ê] (bo.che.cha) *s.f.* (*Med.*) Parte mais carnosa de cada uma das faces.

bochechada (bo.che.*cha*.da) *s.f.* Bochecho.

bochechar (bo.che.*char*) *v.* **1.** Fazer bochecho: *Após a escovação dos dentes, bochechar várias vezes*. **2.** Agitar líquido, geralmente medicamentoso, na boca, movendo as bochechas: *Bochechou o remédio receitado pelo dentista.* ▶ Conjug. 12.

bochecho [ê] (bo.che.cho) *s.m.* **1.** Ato ou efeito de bochechar; bochechada. **2.** Porção de líquido, com ação medicamentosa, para profilaxia da boca.

bochechudo (bo.che.*chu*.do) *adj.* **1.** Que tem bochechas acentuadas. • *s.m.* **2.** Pessoa bochechuda.

bochinche (bo.*chin*.che) *s.m.* **1.** Espécie de baile popular. **2.** *coloq.* Briga, confusão, desordem. **3.** *coloq.* Boataria. || *bochincho*.

bochincho (bo.*chin*.cho) *s.m.* Bochinche.

bócio (*bó*.ci:o) *s.m.* (*Med.*) Hipertrofia da glândula tireoide, causada pela ausência de iodo; papeira.

bocó (bo.*có*) *adj. coloq.* **1.** Parvo, tolo, abobalhado. • *s.m. e f.* **2.** Pessoa boba, parva, tola.

bodas [ô] (*bo*.das) *s.f.pl.* **1.** Celebração de casamento. **2.** Festa com que se celebra o casamento ou o aniversário de casamento. || *Bodas de diamante*: celebração do 75º aniversário de casamento. • *Bodas de ouro*: celebração do 50º aniversário de casamento. • *Bodas de prata*: celebração do 25º aniversário de casamento.

bode [ó] (*bo*.de) *s.m.* (*Zool.*) O macho da cabra. || *Ser o bode expiatório*: pagar pelas culpas dos

bodeado

outros. • *Dar bode*: *gír.* resultar em confusão, encrenca: *A festa deu bode.* • *Estar de bode*: *gír.* **1.** sentir-se mal; prostrar-se (pelo uso de drogas). **2.** ficar triste; deprimido, bodeado.

bodeado (bo.de:*a*.do) *adj. gír.* **1.** Prostrado pelo uso de drogas. **2.** Abatido, desanimado, depressivo.

bodega [é] (bo.de.ga) *s.f.* **1.** Taberna pouco asseada; tasca. **2.** *fig.* Comida grosseira e malfeita, como ordinariamente é a das tabernas. **3.** *gír.* Porcaria, coisa que não presta. **4.** Pequeno armazém.

bodegueiro (bo.de.*guei*.ro) *s.m.* Dono de bodega; taberneiro.

bodoque [ó] (bo.*do*.que) *s.m.* Atiradeira, estilingue.

bodum (bo.*dum*) *s.m.* **1.** Cheiro próprio do bode. **2.** Transpiração malcheirosa de pessoa ou bicho. **3.** *pej.* Mau cheiro; fedor, catinga.

body-board [boribórd] (Ing.) *s.m.* (*Esp.*) Prancha usada para praticar *bodyboarding*.

bodyboarding [boribórdin] (Ing.) *s.m.* (*Esp.*) Modalidade de surfe, que consiste em deslizar nas ondas deitado de bruços sobre uma prancha pequena.

boemia (bo:e.*mi*.a) *s.f.* Boêmia.

boêmia (bo:é.mi:a) *s.f.* **1.** Vida despreocupada, livre, dedicada ao divertimento e ao prazer; boemia. **2.** *coloq.* Vadiação, vagabundagem.

boêmio (bo:é.mi:o) *adj.* **1.** Da Boêmia, região ocidental da República Tcheca. • *s.m.* **2.** O natural ou o habitante dessa região. **3.** Cigano. **4.** *fig.* Pessoa de vida boêmia.

bôer (*bô*.er) *adj.* **1.** Relativo ou pertencente aos sul-africanos descendentes de colonizadores holandeses. • *s.m. e f.* **2.** Sul-africano descendente de holandeses.

bofe [ó] (bo.fe) *s.m.* **1.** *coloq.* Pulmão. **2.** *gír.* Pessoa muito feia. • *s.m.pl.* **3.** *coloq.* Temperamento, gênio: *Meu vizinho era um sujeito de maus bofes.* || Nas acepções 1 e 3, mais usado no plural.

boi *s.m.* Mamífero ruminante, usado em serviços de lavoura ou de carga e também destinado à alimentação do homem.

bói *s.m.* Rapaz que faz pequenos serviços em escritórios; contínuo; *office-boy.*

boia [ó] (boi.a) *s.f.* **1.** (*Náut.*) Objeto flutuante, ligado por uma corrente a uma âncora, usado como balizamento, amarração de navios etc. **2.** Objeto de material flutuante usado para manter algo ou alguém à tona da água: *As crianças usam boias presas aos braços quando aprendem a nadar.* **3.** Peça flutuante que, nas caixas de água, veda a entrada do líquido quando o reservatório fica cheio. **4.** *coloq.* Comida, refeição. || *Boia luminosa*: (*Náut.*) a que dispõe de um reservatório de substâncias que podem produzir luz durante certo tempo. • *Boia cega*: (*Náut.*) boia não iluminada usada para balizamento de passagem.

boiada (boi.*a*.da) *s.f.* Rebanho de bois.

boiadeiro (boi:a.*dei*.ro) *s.m.* **1.** O que toca a boiada. **2.** Dono de boiada. **3.** O que compra gado para revender.

boia-fria [ó] (boi:a-*fri*.a) *s.m. e f.* Trabalhador rural que se desloca na época do plantio e da colheita. || pl.: *boias-frias*.

boião (boi:*ão*) *s.m.* Pote de boca larga, no qual se guardam doces, conservas etc.

boiar (boi:*ar*) *v.* **1.** Flutuar sobre a água: *Aprendeu a boiar com os irmãos; Peixes mortos boiavam na lagoa poluída.* **2.** *gír.* Não entender, não perceber (algo): *É aluno faltoso, vive a boiar em todas as matérias.* ▶ Conjug. 23.

boi-bumbá (boi-bum.*bá*) *s.m.* Bumba meu boi. || pl.: *bois-bumbá* e *bois-bumbás*.

boicote [ó] (boi.*co*.te) *s.m.* **1.** Ato de recusa, por parte de um grupo organizado, de colaborar social, política ou economicamente com membros ou empresas de outro grupo como represália ou pressão: *Empresários nacionais decidiram-se pelo boicote aos produtos importados.* **2.** Recusa coletiva ao trabalho: *A assembleia dos trabalhadores votou o fim do boicote e a volta ao trabalho.* − **boicotar** *v.* ▶ Conjug. 20.

boiler [*bóiler*] (Ing.) *s.m.* Caldeira elétrica para aquecimento de água.

boina (*boi*.na) *s.f.* Espécie de boné chato, sem costura e sem pala.

boitatá (boi.ta.*tá*) *s.m.* (*Folc.*) **1.** Cobra lendária, de olhos de fogo, que protege os campos contra os incêndios. **2.** *coloq.* Fogo-fátuo.

boiuna [ú] (boi.*u*.na) *s.f.* (*Folc.*) **1.** Grande cobra lendária que afunda embarcações; mãe-d'água. **2.** *reg.* Cobra sucuri.

bojo (*bo*.jo) *s.m.* **1.** Parte saliente e arredondada de algo; barriga: *Ficou um bojo no vestido malfeito.* **2.** Parte interna, oca e larga, de algo: *o bojo do pote.* **3.** *fig.* Parte essencial de uma coisa; âmago, cerne: *No bojo da ordem democrática encontram-se a justiça social e a cidadania.*

bojudo (bo.*ju*.do) *adj.* Que tem grande bojo.

bola [ó] (bo.la) s.f. **1.** Qualquer objeto de forma esférica; globo. **2.** Qualquer coisa de formato arredondado como o de uma bola: *O sol parecia uma bola de fogo no céu crepuscular.* **3.** Esfera, círculo, circunferência: *O menino desenhava bolas no caderno.* **4.** Objeto esférico ou oval, de borracha, couro ou outro material, usado em diversos esportes: *bola de futebol, bola de rúgbi, bola de pingue-pongue.* **5.** O jogo de futebol: *Meu filho não perde um jogo de bola.* **6.** Bola de encher; balão, bexiga. **7.** Pedaço de carne envenenada para matar cães. **8.** *coloq.* Cabeça, juízo, siso: *Sua atitude demonstra que não está bem da bola.* **9.** *coloq.* Indivíduo ou dito espirituoso: *Aquele comediante é uma bola.* || *Não dar bola a algo ou alguém:* gír. não se importar; ficar indiferente: *Não dê bola a comentários maldosos.* • *Trocar as bolas: gír.* confundir uma coisa com outra.

bola ao cesto s.m. Basquetebol. || pl.: *bolas ao cesto.*

bolacha (bo.la.cha) s.f. **1.** (*Cul.*) Biscoito salgado ou doce, redondo e achatado. **2.** *coloq.* Bofetada. **3.** Rodela de papelão usada em bares como apoio de copos e para a contagem da bebida consumida.

bolada (bo.la.da) s.f. **1.** Arremesso da bola no respectivo jogo. **2.** Pancada com bola. **3.** *coloq.* Grande soma de dinheiro: *Aquele jogador ganhou uma bolada em seu novo clube.*

bola de neve s.f. Situação que se agrava, pouco a pouco, da mesma maneira que uma bola de neve, que cresce à medida que rola. || pl.: *bolas de neve.*

bolar (bo.lar) v. **1.** *coloq.* Dar tratos à bola; imaginar, idealizar, inventar: *bolar uma estratégia; bolar um espetáculo.* **2.** *coloq.* Perceber o sentido; compreender: *Bolou o que o adversário político queria insinuar.* ▶ Conjug. 20.

bolbo [ô] (bol.bo) s.m. (*Bot.*) Bulbo.

bolchevique (bol.che.vi.que) adj. **1.** Que é partidário do bolchevismo; bolchevista. **2.** Que é adepto do marxismo; marxista. • s.m. e f. **3.** Pessoa bolchevique. || *bolchevista.*

bolchevismo (bol.che.vis.mo) s.m. (*Hist.*) Doutrina marxista que levou à Revolução Russa de 1917 e estabeleceu o comunismo na antiga União Soviética.

bolchevista (bol.che.vis.ta) adj. s.m. e f. Bolchevique.

bold [boud] (Ing.) s.m. Negrito.

boldo [ô] (bol.do) s.m. (*Bot.*) Planta de cuja folha se faz um chá para a boa digestão.

boleadeiras (bo.le:a.dei.ras) s.f.pl. Pedras esféricas, forradas de couro e presas à extremidade de tiras de couro, antigamente usadas para laçar bois e cavalos.

bolear (bo.le:ar) v. **1.** Dar forma de bola: *bolear uma peça de barro.* **2.** Tornear, arredondar: *bolear peças de madeira.* **3.** Tornar apurado; polir, aprimorar: *bolear uma frase, um verso.* **4.** Rebolar(-se), menear(-se): *bolear os quadris; bolear-se ao som do batuque.* **5.** *reg.* Arremessar as boleadeiras para laçar (um animal): *bolear cavalos.* ▶ Conjug. 14.

boleia [é] (bo.lei.a) s.f. **1.** Assento do cocheiro. **2.** Cabine do motorista em caminhões.

bolero [é] (bo.le.ro) s.m. **1.** Dança e música espanhola em compasso ternário e ritmo sincopado. **2.** Dança, música e canção de caráter romântico originadas na América Central, adaptadas do bolero espanhol, em compasso binário. **3.** Espécie de casaco curto, com mangas ou sem elas, usado sobre outra peça.

boletim (bo.le.tim) s.m. **1.** Publicação oficial periódica, noticiosa ou informativa, para circulação interna ou externa. **2.** Comunicado médico sobre a situação do paciente. **3.** Relato sobre operações policiais: *boletim de ocorrência.* **4.** (*Comun.*) Breve informativo periódico transmitido pelo rádio ou pela televisão: *boletim do tempo; boletim do esporte.* **5.** Caderneta de anotações escolares: *Os pais devem assinar periodicamente o boletim dos filhos.*

boleta [ê] (bo.le.ta) s.f. Boleto.

boleto [ê] (bo.le.to) s.m. **1.** (*Econ.*) Impresso de loja comercial, instituição financeira etc., para o registro de uma dívida e do pagamento a efetuar-se; boleta. **2.** (*Econ.*) Documento interno das bolsas de valores. **3.** (*Esp.*) Bilhete de aposta no turfe.

bolha [ô] (bo.lha) s.f. **1.** Bolsa que se forma à superfície da pele por efeito de queimadura, atrito etc.: *bolha de sangue.* **2.** Glóbulo de ar que se eleva à superfície dos líquidos em movimento, em fermentação, em ebulição; borbulha. **3.** (*Econ.*) Crescimento de uma atividade sem sustentabilidade financeira: *O país soube evitar as bolhas dos sucessivos planos econômicos.* **4.** *coloq.* Pessoa importuna, enfadonha, chata: *Não convide bolhas para sua festa.*

boliche (bo.li.che) s.m. Jogo que consiste em arremessar uma bola de madeira, borracha ou plástico por uma pista para derrubar dez garrafas de madeira colocadas verticalmente em seu final.

bólide

bólide (bó.li.de) s.m. e f. **1.** (Astr.) Meteorito que produz grande impacto e um rastro luminoso, ao penetrar na atmosfera terrestre. **2.** fig. Qualquer objeto que se desloca em grande velocidade: *O carro cortava a pista como um bólide*. || **bólido**.

bólido (bó.li.do) s.m. Bólide.

bolina (bo.li.na) s.f. **1.** (Mar.) Cabo destinado a dar à vela a obliquidade necessária, segundo a direção do vento. **2.** chulo Ato ou efeito de bolinar.

bolinar (bo.li.nar) v. **1.** (Mar.) Aproximar a proa (de embarcação) da linha do vento, usando bolina: *bolinar o navio*. **2.** chulo. Procurar contatos físicos, de modo furtivo, para fins libidinosos: *bolinar a passageira ao lado*. ▶ Conjug. 5. – **bolinação** s.f.; **bolinador** adj.

boliviano (bo.li.vi:a.no) adj. **1.** Da Bolívia, país da América do Sul. • s.m. **2.** O natural ou o habitante desse país.

bolo [ô] (bo.lo) s.m. (Cul.) **1.** Iguaria feita de massa de farinha de trigo, gordura, ovo, leite, açúcar etc., cozida ao forno e geralmente de forma arredondada. **2.** Dinheiro de apostas coletivas em certos jogos. **3.** fam. Palmada: *Apanhou meia dúzia de bolos*. **4.** Aglomerado, confusão de gente. || *Dar o bolo*: faltar a um compromisso ou encontro.

bolo de rolo s.m. (Cul.) Bolo em forma de rocambole, com fatias de massa fina e recheio de doce de leite, goiabada etc. || pl.: *bolos de rolo*.

bolonhês (bo.lo.nhês) adj. **1.** De Bolonha, cidade da Itália. • s.m. **2.** O natural ou o habitante dessa cidade. || *À bolonhesa*: (Cul.) modo de preparar a massa com molho de carne moída e tomate.

bolor [ô] (bo.lor) s.m. Fungo que, sob a ação da umidade e do calor, se desenvolve sobre matérias orgânicas em decomposição; mofo. – **bolorento** adj.

bolota [ó] (bo.lo.ta) s.f. **1.** Pequena bola. **2.** Fruto do carvalho. **3.** Borla, pompom.

bolsa [ô] (bol.sa) s.f. **1.** Pequeno saco de forma e material diversos, para a guarda de dinheiro, documentos, pequenos objetos etc. **2.** Qualquer recipiente em forma de saco: *bolsa de sangue*. **3.** Pensão gratuita para estudos, pesquisa ou viagem cultural: *bolsa de estudos*. **4.** (Econ.) Instituição pública que organiza, sistematiza e coordena as operações financeiras relacionadas com títulos de empresas, ações ou com operações de comércio de mercadorias: *bolsa de valores, bolsa de mercadorias*. **5.** Lugar público onde se realizam essas operações. **6.** (Anat.) Cavidade em forma de saco; escroto: *bolsa escrotal*.

bolsão (bol.são) s.m. **1.** Bolsa ou bolso grande. **2.** Ponto de convergência de fatos ou de pessoas que se distinguem dos demais: *Existem ainda muitos bolsões de pobreza no país*. **3.** (Geol.) Acúmulo de água ou de gás em áreas isoladas.

bolsista (bol.sis.ta) adj. **1.** Relativo ao movimento da bolsa (4): *A alta de juros afetou o movimento bolsista*. • s.m. e f. **2.** Estudante que goza de bolsa (3): *Foi bolsista em Paris*.

bolso [ô] (bol.so) s.m. **1.** Pequeno saco preso a uma peça do vestuário, que serve para guardar objetos; algibeira. **2.** coloq. Poder aquisitivo; economias, dinheiro: *A inflação atinge o bolso de toda a população*. || *Botar alguém no bolso*: coloq. **1.** enganá-lo. **2.** ser superior a: *Ele botou no bolso os outros candidatos ao emprego*. • *De bolso*: pequeno, portátil: *livro de bolso*.

bom adj. **1.** Que quer e faz o bem; bondoso, generoso: *um homem bom*. **2.** Misericordioso, magnânimo: *o bom Deus*. **3.** Cumpridor dos deveres; eficiente: *um bom funcionário*. **4.** Competente em um conhecimento ou atividade específicos: *bom em matemática; bom nos esportes*. **5.** Apropriado, ideal, perfeito: *Este é um bom lugar para morar*. **6.** Autêntico, válido, legítimo: *As partes deram como bom o contrato*. **7.** Que funciona bem; eficaz: *Esse é um carro muito bom*. **8.** Proveitoso, promissor, lucrativo: *A compra de ações foi um bom negócio*. **9.** Bonito, agradável, aprazível: *Espero que faça bom tempo no final de semana*. **10.** Saboroso, gostoso: *Gosto de uma boa feijoada*. **11.** De boa qualidade ou propriedade: *Apreciem os bons vinhos nacionais*. **12.** Grande, amplo: *um bom apartamento*. **13.** Curado, sarado: *Já estou bom das dores da coluna*. • s.m. **14.** Pessoa de bem: *Junte-se sempre aos bons*. || Nesta acepção, mais usado no plural. **15.** Qualidade positiva: *O bom de meus amigos é a lealdade*. **16.** O que é bom; o que faz bem: *Bom mesmo é viver*. || f.: *boa*; sup. comp.: *melhor*; sup. abs.: *ótimo*.

bomba (bom.ba) s.f. **1.** Artefato explosivo usado para fins bélicos; petardo: *A cidade foi arrasada pelas bombas lançadas dos aviões*. **2.** Artefato explosivo usado como pirotecnia: *As bombas alegram os festejos juninos*. **3.** Máquina com motor para pôr em movimento líquidos ou gases: *bomba d'água; bomba de ar*. **4.** (Cul.) Doce de massa fina recheado de creme ou chocolate; ecler. **5.** Canudo para tomar chimarrão; bombilha. **6.** *coloq.* Reprovação em exame escolar: *Não estudou nada e levou bomba.* **7.** *gír.* Anabolizante. **8.** (*Esp.*) No futebol, forte chute para o gol. **9.** *fig.* Acontecimento imprevisto e surpreendente: *O depoimento da testemunha-chave foi uma verdadeira bomba.* **10.** *fig.* Problema de solução difícil: *A corrupção é uma bomba para os governantes.* || *Bomba A* ou *atômica*: explosivo bélico com grande alcance de destruição, que resulta da fissão de átomos de urânio ou plutônio. • *Bomba H* ou *de hidrogênio*: explosivo bélico de grande destruição que resulta da fissão de átomos de hidrogênio expostos a superaquecimento.

bombachas (bom.*ba*.chas) *s.f.pl.* Calças muito folgadas em toda a perna, exceto no tornozelo, onde são presas por um botão: *As bombachas são o traje típico dos gaúchos.*

bombardão (bom.bar.*dão*) *s.m.* (*Mús.*) Instrumento de sopro de metal, munido de pistons, de sons graves; bombardino, contrabaixo.

bombardeamento (bom.bar.de.a.*men*.to) *s.m.* Bombardeio.

bombardear (bom.bar.de.*ar*) *v.* **1.** Atacar com o arremesso de bombas ou projéteis de artilharia: *Os tanques bombardearam as posições inimigas.* **2.** *fig.* Arremessar (objetos) contra algo ou alguém: *Bombardearam com tomates e ovos o impostor.* **3.** *fig.* Assediar alguém com questões ou críticas: *O público bombardeou o conferencista com muitas perguntas.* **4.** *fig.* Prejudicar, boicotar: *A oposição bombardeou algumas propostas do governo.* **5.** (*Fís.*) Submeter uma substância à irradiação de um feixe de partículas para produzir reações em seu núcleo: *bombardear átomos.* ▶ Conjug. 14.

bombardeio (bom.bar.*dei*.o) *s.m.* **1.** Ato de bombardear; bombardeamento. **2.** *fig.* Ato de arremessar qualquer objeto. **3.** *fig.* Ato de assediar ou atacar (alguém) com perguntas e críticas: *O orador sofreu um verdadeiro bombardeio dos jornalistas.*

bombardeiro (bom.bar.*dei*.ro) *s.m.* (*Aer.*) Avião de bombardeio.

bombardino (bom.bar.*di*.no) *s.m.* (*Mús.*) Instrumento de sopro feito de metal, munido de pistons, possuindo registro acima do baixo; bombardão.

bomba-relógio (bom.ba-re.*ló*.gi:o) *s.m.* Artefato explosivo com dispositivo programado para detonar em um momento prefixado. || pl.: bombas-relógio, bombas-relógios.

bombástico (bom.*bás*.ti.co) *adj.* **1.** Estrondoso. **2.** *fig.* Empolado, afetado, pretensioso: *estilo bombástico.*

bombear (bom.be:*ar*) *v.* **1.** Bombardear: *bombear o território inimigo.* **2.** Elevar (líquido) por meio de bomba: *bombear água da cisterna.* ▶ Conjug. 14.

bombeiro (bom.*bei*.ro) *s.m.* **1.** Soldado que combate incêndios, faz salvamentos e socorre acidentados em qualquer tipo de sinistro. **2.** Indivíduo que instala e conserta encanamentos de água; bombeiro hidráulico; encanador.

bombilha (bom.*bi*.lha) *s.f.* Canudo de metal ou de madeira para tomar-se a erva-mate; bomba.

bombo (*bom*.bo) *s.m.* (*Mús.*) Grande tambor, de sonoridade grave, percutido com baquetas, tocado na vertical em orquestras e bandas militares, ou na horizontal, para marcar o ritmo na bateria de escolas de samba; bumbo, zabumba.

bom-bocado (bom-bo.*ca*.do) *s.m.* (*Cul.*) Doce feito com farinha de trigo, gemas de ovos, açúcar e coco ou queijo ralado. || pl.: bons-bocados.

bombom (bom.*bom*) *s.m.* (*Cul.*) Confeito geralmente de chocolate, contendo às vezes recheio de amêndoas, geleias, licores etc.

bomboneria (bom.bo.ne.*ri*.a) *s.f.* Estabelecimento onde se vendem bombons, balas, doces etc.

bombordo [ó] (bom.*bor*.do) *s.m.* (*Mar.*) Lado esquerdo de uma embarcação, olhando-se da popa à proa.

bom-dia (bom-*di*.a) *s.m.* Cumprimento com que se saúda alguém de manhã. || pl.: bons-dias.

bom-moço (bom-*mo*.ço) *s.m.* Indivíduo hipócrita, fingido. || pl.: bons-moços.

bom-tom (bom-*tom*) *s.m.* Maneiras finas; comportamento distinto, bem-educado. || *De bom-tom*: apropriado, educado, elegante: *Não é de bom-tom falar mal dos outros.* || pl.: bons-tons.

bonachão (bo.na.*chão*) *adj.* Que é extremamente bondoso, simples, natural. || f.: bonachona.

bonança (bo.*nan*.ça) *s.f.* **1.** Estado em que o mar se apresenta sereno, favorável à navegação; calmaria. **2.** *fig.* Sossego, tranquilidade, calma: *Depois de tanta briga e disputa, veio a bonança para a família.*

bondade (bon.*da*.de) *s.f.* **1.** Qualidade de bom; benevolência, generosidade, magnanimidade: *A bondade dos pais reconhecia-se no caráter dos*

bonde

filhos. **2.** Boa ação: *Um amigo fez a bondade de conseguir-lhe emprego*. **3.** Gentileza: *Queira ter a bondade de ceder o lugar à senhora idosa*.

bonde (bon.de) *s.m.* **1.** Veículo urbano para passageiros ou carga, que, movido a eletricidade, corre sobre trilhos de aço. **2.** *gír.* Deslocamento de bandidos em uma sequência de carros: *A polícia desbaratou um bonde que pretendia realizar assaltos no subúrbio*. **3.** *gír.* Pessoa muito feia. || *Pegar o bonde andando*: *coloq.* tomar parte em uma conversação ou situação sem conhecimento do que teria sido dito ou teria ocorrido até então.

bondoso [ô] (bon.*do*.so) *adj.* Que tem bondade; benévolo, bom. || f. e pl.: [ó].

boné (bo.*né*) *s.m.* Cobertura de cabeça, de copa redonda, sem abas, com pala sobre a testa.

boneca [é] (bo.*ne*.ca) *s.f.* **1.** Figura de pano, louça, *biscuit*, plástico etc., que representa uma menina ou uma mulher e serve para brinquedo de criança, enfeite de casa, mostruários etc. **2.** Pequeno embrulho de pano que contém um pó ou uma substância qualquer: *Era costume adicionar-se à água uma boneca de anil para alvejar a roupa*. **3.** Espiga de milho nova, em flor. **4.** Modelo de um livro que vai ser encadernado. **5.** *fig.* Mulher ou menina bonita: *Aquela atriz mirim é uma boneca*. **6.** *pej.* Homem efeminado.

boneco [é] (bo.*ne*.co) *s.m.* **1.** Figura de pano, louça, *biscuit*, plástico etc., que representa um menino ou um homem e serve para brinquedo de criança, enfeite de casa, mostruários etc. **2.** *fig.* Desenho, estampa representando pessoas. **3.** *fig.* Pessoa que se deixa facilmente manipular: *O consumidor de drogas é um boneco nas mãos dos traficantes*.

bongô (bon.*gô*) *s.m.* (*Mús.*) Instrumento de percussão formado por dois tambores ligados entre si, que se tocam com os dedos ou com baquetas.

bonificar (bo.ni.fi.*car*) *v.* (*Econ.*) Dar bônus a; gratificar, premiar: *Ao final do ano a direção da empresa bonificou seus funcionários*. ▶ Conjug. 5 e 35. – **bonificação** *s.f.*

bonito (bo.*ni*.to) *adj.* **1.** Que agrada à vista ou ao ouvido; belo, lindo: *paisagem bonita*; *bonita canção*. **2.** Que tem nobreza de caráter; bom, generoso: *gesto bonito*. **3.** *irôn.* Que é lamentável, censurável: *Bonito papel!* **4.** Bom, agradável (diz-se de dia, tempo etc.): *Casaram-se em uma bonita manhã de sol*. • *s.m.* **5.** (*Zool.*) Certo tipo de peixe oceânico. • *adv.* **6.** Com talento; com correção; bem: *O orador falou bonito na cerimônia de formatura*.

bonomia (bo.no.*mi*.a) *s.f.* Modo de ser ou de atuar que indica bondade e simplicidade de maneiras.

bonsai (bon.*sai*) *s.m.* **1.** Técnica japonesa de miniaturizar plantas. **2.** Planta cultivada nessa técnica.

bônus (*bô*.nus) *s.m.* **1.** (*Econ.*) Vantagem (dividendos, ações) concedida por empresa a seus acionistas e sócios; bonificação. **2.** (*Econ.*) Pagamento extra concedido a funcionários pelo empregador; gratificação, abono. **3.** Algo que se dá ou recebe além do esperado: *Algumas lojas oferecem descontos ao consumidor como bônus*.

bonzo (bon.zo) *s.m.* Monge budista.

bookmaker [bukmêiker] (Ing.) *s.m.* Corretor ilegal de apostas no turfe.

boom [bum] (Ing.) *s.m.* (*Econ.*) Crescimento acelerado da economia em geral ou de uma atividade, negócio ou produto: *Assistimos atualmente ao boom do agronegócio*.

boot [but] (Ing.) *s.m.* (*Inform.*) Operação que dá partida ao funcionamento do computador; iniciação.

boqueira (bo.*quei*.ra) *s.f.* Pequena ferida nos cantos da boca.

boqueirão (bo.quei.*rão*) *s.m.* **1.** Grande boca. **2.** Abertura grande de rio ou canal. **3.** Garganta de serra pela qual passa um rio. **4.** Braço de mar entre uma ilhota e a costa. **5.** *reg.* Saída ampla para um campo, depois de um desfiladeiro ou estrada apertada.

boquiaberto [é] (bo.qui.a.*ber*.to) *adj.* **1.** De boca aberta. **2.** *fig.* Surpreso, perplexo, estupefato.

boquilha (bo.*qui*.lha) *s.f.* Piteira.

boquinha (bo.*qui*.nha) *s.f.* Boca pequena. || *Fazer uma boquinha*: *coloq.* fazer uma refeição leve e breve.

borace (bo.*ra*.ce) *s.m.* Bórax.

bórax [cs] (*bó*.rax) *s.m.* (*Quím.*) Substância usada como antisséptico. || borace.

borboleta [ê] (bor.bo.*le*.ta) *s.f.* (*Zool.*) **1.** Inseto lepidóptero diurno, com quatro asas, geralmente de colorido brilhante, com antenas clavadas. **2.** *fig.* Pessoa volúvel; inconstante. **3.** Mecanismo giratório instalado à entrada de veículos coletivos ou de recintos públicos para a contagem de passageiros ou frequentadores; roleta, catraca. **4.** Dobradiça que se abre para sustentar cada uma das lâminas de uma janela de guilhotina. **5.** (*Esp.*) Estilo de nado em exibições ou competições de natação.

borboletear (bor.bo.le.te:*ar*) *v.* **1.** Dar voos curtos; voejar, esvoaçar: *Insetos borboleteavam entre as folhagens do jardim.* **2.** *fig.* Andar a esmo; vagar, vaguear: *Vive borboleteando pelas festas e baladas da noite.* **3.** *fig.* Fantasiar, devanear, divagar: *Ensimesmado, passava horas a borboletear.* ▶ Conjug. 14.

borborigmo (bor.bo.*rig*.mo) *s.m.* (*Med.*) Ruído gorgolejante provocado pelo deslocamento de líquidos ou de gases contidos nos intestinos. || *borborismo*.

borborismo (bor.bo.*ris*.mo) *s.m.* Borborigmo.

borbotão (bor.bo.*tão*) *s.m.* Jato impetuoso e intermitente de líquido ou gás; jorro, golfada, lufada. || *Aos borbotões*: em profusão; em grande quantidade.

borbotar (bor.bo.*tar*) *v.* **1.** Lançar em borbotões: *O sangue borbotava do corpo ferido.* **2.** *fig.* Manifestar-se em profusão; fervilhar, borbulhar: *Pensamentos confusos borbotavam em sua cabeça.* **3.** Sair em borbotões; jorrar com força: *A lava voltou a borbotar do vulcão em erupção.* ▶ Conjug. 20.

borbulha (bor.*bu*.lha) *s.f.* **1.** Bolha de vapor ou de gás na superfície de um líquido em ebulição. **2.** Pequena bolha aquosa ou purulenta que se forma na superfície da pele. **3.** *fig.* Mácula na reputação de alguém; pecha, borrão.

borbulhar (bor.bu.*lhar*) *v.* **1.** Sair em borbulhas, bolhas ou gotas: *A água borbulhava na chaleira.* **2.** *fig.* Aparecer em profusão; fervilhar, borbotar: *Mil ideias borbulhavam em sua mente.* **3.** Proferir aos borbotões: *borbulhar pragas, ofensas etc.* ▶ Conjug. 5. – **borbulhante** *adj.*

borco [ô] (*bor*.co) *s.m.* Usado apenas na locução *de borco*. || *De borco*: de bruços; com a boca para baixo; emborcado.

borda [ó] (*bor*.da) *s.f.* **1.** Extremidade ou limite de um objeto: *borda do vestido, borda do copo.* **2.** Margem, beira, beirada, bordo: *borda do mato; borda da piscina.*

bordadeira (bor.da.*dei*.ra) *s.f.* Mulher que borda.

bordado (bor.*da*.do) *s.m.* **1.** Trabalho feito à mão ou à máquina sobre tecido ou tela, com fios de linha, seda, lã etc.: *O vestido da noiva trazia bordados em fios de ouro e prata.* • *adj.* **2.** Adornado com bordado.

bordão[1] (bor.*dão*) *s.m.* **1.** Pedaço de pau que serve de apoio; bastão, cajado. **2.** Estribilho, palavra ou frase empregada repetidamente: *Os bordões difundidos pelos programas de humor caem na boca do povo.* **3.** *fig.* Amparo, proteção, arrimo.

bordão[2] (bor.*dão*) *s.m.* (*Mús.*) **1.** Nota grave e invariável que serve de baixo na gaita de foles, na sanfona e em outros instrumentos análogos. **2.** Cordas grossas que dão as notas graves nos instrumentos de corda.

bordar (bor.*dar*) *v.* Fazer bordado em: *Bordou a fantasia (com pedrarias); Minha tia borda muito bem à mão e à máquina.* ▶ Conjug. 20. – **bordador** *adj. s.m.*

bordear (bor.de:*ar*) *v.* Bordejar. ▶ Conjug. 14.

bordejar (bor.de.*jar*) *v.* **1.** Navegar, mudando frequentemente o rumo do navio, segundo a direção do vento; bordear: *O navio bordejou as ilhas oceânicas.* **2.** Movimentar-se em torno de; rodear, contornar: *Enveredou pelo caminho que bordeja o rio.* **3.** *fig.* Dar voltas a esmo; passear: *Bordejava o dia inteiro pelas ruas da cidade.* ▶ Conjug. 10 e 37.

bordejo [ê] (bor.*de*.jo) *s.m.* **1.** Ato ou efeito de bordejar. **2.** *fig.* Ato de andar a esmo; passeio: *Estávamos dando um bordejo pela feira de antiguidades.*

bordel (bor.*del*) *s.m.* Casa de prostituição; prostíbulo, lupanar.

borderô (bor.de.*rô*) *s.m.* **1.** Relação dos pagamentos recebidos durante determinado período: *Aquele espetáculo teatral obteve um excelente borderô.* **2.** Extrato detalhado dos números de uma operação comercial ou bancária.

bordo [ó] (*bor*.do) *s.m.* **1.** (*Mar.*) Lado de uma embarcação. **2.** Borda, beira, margem. || *A bordo*: no interior de veículo de transporte coletivo (navio, avião, trem); embarcado: *O casal a bordo do navio acenava para os amigos no cais.*

bordô (bor.*dô*) *s.m.* **1.** A cor do vinho tinto: *O bordô é a cor da moda nesse inverno.* • *adj.* **2.** Dessa cor: *Usava um traje preto com acessórios bordô.*

bordoada (bor.do:*a*.da) *s.f.* **1.** Golpe dado com bordão, bastão, cacete etc.; pancada, paulada. **2.** *fig.* Abalo psicológico; golpe, choque: *A perda do pai foi uma bordoada para toda a família.*

borduna (bor.*du*.na) *s.f.* Arma indígena em forma de bastão, usada nas lutas e também na caça; tacape.

boreal (bo.re:*al*) *adj.* **1.** Relativo ao ou situado no hemisfério norte: *aurora boreal.* **2.** Proveniente do hemisfério norte: *vento boreal.* || antôn.: *austral, meridional.*

boreste [é] (bo.res.te) *s.m.* (*Náut.*) O lado direito de uma embarcação, olhando-se da popa; estibordo.

boricado (bo.ri.ca.do) *adj.* Que contém ácido bórico: *água boricada.*

bórico (*bó.ri.co*) *adj.* (*Quím.*) Diz-se de um ácido que contém boro, usado na indústria e na Medicina.

borla [ó] (*bor.*la) *s.f.* **1.** Obra de passamanaria, composta de um botão donde pendem fios (de seda, algodão, lã etc.); pompom, bolota. **2.** Barrete de advogados e magistrados.

bornal (bor.*nal*) *s.m.* **1.** Sacola, saco ou bolsa que, em geral, se traz a tiracolo, utilizados para carregar ferramentas, provisões etc.; embornal. **2.** Saco com ração ou comida que é preso no focinho dos animais de montaria ou de carga; embornal.

boro [ó] (bo.ro) *s.m.* (*Quím.*) Elemento químico, que se apresenta sob a forma de um pó pardo amorfo, usado na fabricação de aços, reatores nucleares etc. || Símbolo: B.

bororo [ô] (bo.ro.ro) *adj.* **1.** Pertencente ou concernente aos bororos, tribo indígena que habita o Mato Grosso. • *s.m.* e *f.* **2.** Indivíduo dessa tribo. || *bororó.*

bororó (bo.ro.*ró*) *adj. s.m.* e *f.* Bororo.

borra [ô] (*bor.*ra) *s.f.* Substância sólida ou pastosa que se deposita no fundo de um recipiente, após ter estado em suspensão num líquido: *borra de café.*

borra-botas (bor.ra-*bo.*tas) *s.m.* e *f.* **2n.** *fig.* Indivíduo sem importância; joão-ninguém.

borracha (bor.ra.cha) *s.f.* **1.** Substância elástica extraída do látex da seringueira e de outras árvores ou obtida sinteticamente por processos químico-industriais. **2.** Pequeno pedaço desta substância, empregado para apagar traços da escrita ou do desenho.

borracharia (bor.ra.cha.ri.a) *s.f.* Loja onde se vendem ou consertam pneus.

borracheira (bor.ra.chei.ra) *s.f.* Bebedeira, embriaguez.

borracheiro (bor.ra.chei.ro) *s.m.* **1.** Pessoa que faz consertos em objetos de borracha, especialmente em pneumáticos de automóveis, bicicletas etc. **2.** Borracharia.

borracho (bor.ra.cho) *adj.* **1.** Bêbedo em excesso. • *s.m.* **2.** Indivíduo bêbedo.

borrachudo (bor.ra.*chu.*do) *adj.* **1.** Que tem a consistência da borracha. • *s.m.* **2.** (*Zool.*) Espécie de mosquito, cuja picada provoca coceira e dor; piúva. **3.** *gír.* Diz-se de cheque sem fundos.

borrador [ô] (bor.ra.*dor*) *s.m.* **1.** Que borra: *pincel borrador.* • *s.m.* **2.** Livro em que os comerciantes registram suas operações dia a dia e serve de base à escrituração.

borralha (bor.ra.lha) *s.f.* Borralho.

borralheira (bor.ra.*lhei.*ra) *s.f.* Lugar onde se junta a borralha; borralheiro.

borralheiro (bor.ra.*lhei.*ro) *adj.* **1.** Que vive junto do borralho: *gata borralheira.* **2.** *fig.* Que sai pouco de casa. • *s.m.* **3.** Borralheira.

borralho (bor.ra.lho) *s.m.* Braseiro coberto de cinzas; borralha.

borrão (bor.*rão*) *s.m.* **1.** Mancha de tinta que cai na escrita. **2.** Rascunho de escrito, com emendas, destinado a ser passado a limpo. **3.** Esboço de um desenho, com traços ainda incompletos. **4.** *fig.* Mácula na honra ou na reputação de alguém.

borrar (bor.*rar*) *v.* **1.** Sujar(-se), manchar(-se) com borrões: *O desenho borrou; Sem querer, borrou as páginas do livro; As crianças borraram-se com as tintas.* **2.** Riscar, sujando, o que se escreveu: *borrar uma carta; borrar uma assinatura.* **3.** *chulo* Sujar-se com fezes, defecando. **4.** *pej.* Pintar mal e toscamente: *Tentava pintar uma tela, mas só sabia borrá-la.* **5.** *gír.* Ter medo; ficar em pânico: *Os maus alunos se borram de medo com a possibilidade da reprovação.* ▶ Conjug. 20.

borrasca (bor.ras.ca) *s.f.* **1.** Vento forte com chuva, mas de pouca duração. **2.** *fig.* Ímpeto de fúria e mau humor.

borrego [ê] (bor.re.go) *s.m.* Cordeiro até um ano de idade.

borrifador [ô] (bor.ri.fa.*dor*) *s.m.* **1.** O que borrifa. **2.** Frasco com que se fazem borrifos; regador.

borrifar (bor.ri.*far*) *v.* **1.** Molhar(-se), umedecer (-se) com borrifos; aspergir(-se): *É melhor borrifar as peças de roupa antes de passá-las a ferro; Borrifou-se com bons perfumes.* **2.** Cobrir de orvalho; orvalhar: *O sereno borrifou o relvado.* ▶ Conjug. 5. – **borrifo** *s.m.*

borzeguim (bor.ze.*guim*) *s.m.* **1.** Calçado antigo que cobria o pé e a parte inferior da perna. **2.** Tipo de bota ou botina, com cadarços.

bosque [ó] (*bos.*que) *s.m.* **1.** Sítio plantado de árvores e arbustos. **2.** Pequena floresta; mata.

bosquejo [ê] (bos.que.jo) s.m. **1.** Primeiros traços, plano geral de uma obra; rascunho, risco. **2.** Descrição sumária; esboço; resumo; síntese: *Fez um bosquejo dos temas centrais da conferência.*

bossa [ó] (bos.sa) s.f. **1.** Pequena elevação de uma superfície plana; relevo: *uma pista cheia de bossas.* **2.** Protuberância produzida por uma contusão; calombo, galo. **3.** (*Zool.*) Protuberância natural no dorso de certos animais, como o camelo e o dromedário; corcova. **4.** *coloq.* Aptidão, talento, vocação, jeito: *Tem muita bossa para o canto e a dança.* **5.** *coloq.* Atributo ou qualidade que distinguem uma pessoa ou uma coisa: *É uma modelo cheia de bossa; Suas roupas têm a bossa da originalidade.* || *Bossa nova* (*Mús.*): estilo de música popular brasileira que combina samba com toques rítmicos e harmônicos do *jazz*.

bosta [ó] (bos.ta) s.f. **1.** Excremento de animal de grande porte. **2.** *pej.* Coisa de má qualidade, malfeita.

bota [ó] (bo.ta) s.f. Tipo de calçado, de cano longo, que cobre o pé e a perna, bem junto do joelho.

bota-fora (bo.ta-fo.ra) s.m.2n. **1.** Acompanhamento de alguém até o ponto de partida, para despedidas. **2.** Lançamento de navio à água.

botânica (bo.tâ.ni.ca) s.f. (*Biol.*) Ciência que estuda as plantas, sua morfologia e fisiologia.

botânico (bo.tâ.ni.co) adj. (*Biol.*) **1.** *adj.* Relativo a Botânica ou a botânico: *jardim botânico; um especialista botânico.* • s.m. **2.** Biólogo especialista em Botânica.

botão (bo.tão) s.m. **1.** Pequena peça, de materiais e formatos diversos, que se prega no vestuário e que se introduz numa casa ou presilha para fechamento ou como adorno: *O vestido fechava nas costas com botões de madrepérola.* **2.** (*Bot.*) A flor, antes de desabrochar; broto: *Enviou à amiga um ramo de botões de rosa.* **3.** (*Eletr.*) Peça de comando usada para ligar, desligar ou selecionar a sintonia e o volume de aparelhos e máquinas: *botão do rádio; botões da televisão.* **4.** (*Eletr.*) Peça saliente usada para pôr em funcionamento um mecanismo, um aparelho ou instrumento: *botão do elevador; botão da campainha.* **5.** Jogo praticado com botões semelhantes aos do vestuário e que simula uma partida de futebol.

botar (bo.tar) v. **1.** Lançar fora; expelir: *A caixa botava água pelo ladrão.* **2.** Colocar, pôr, meter: *botar a roupa no armário; botar o carro na vaga.* **3.** Vestir, calçar: *Botou terno e sapatos novos para a entrevista.* **4.** Pôr ovos; desovar: *A tartaruga bota os ovos e esconde-os na areia.* **5.** Atribuir, imputar: *Botou a culpa do acidente no motorista.* **6.** Preparar, arranjar, pôr: *botar a mesa para o almoço.* **7.** Deitar, estender: *botar o lençol na cama.* **8.** Tocar de leve; encostar: *botar a mão no rosto.* **9.** Pôr dentro; introduzir, enfiar: *botar a mão no bolso.* **10.** Lançar fora; vomitar: *botar sangue pela boca.* **11.** Estabelecer, montar: *Botamos um estande de vendas no shopping.* **12.** Guardar, depositar: *Botou todo o dinheiro na poupança.* **13.** Expedir, enviar, postar: *botar cartas no correio.* **14.** Lançar-se, atirar-se: *botar-se de joelhos.* **15.** Pôr-se de viagem; deslocar-se, ir-se: *Botou-se para terras distantes em busca de aventuras.* ▶ Conjug. 20.

bote[1] [ó] (bo.te) s.m. (*Mar.*) Pequena embarcação movida a remos, a vela ou a motor, para pequenos serviços de navios no porto ou em rios, também usada em passeios por mares, lagos, rios ou lagoas.

bote[2] [ó] (bo.te) s.m. **1.** Golpe de arma branca; estocada, cutilada. **2.** Salto de animal para atacar uma presa ou para defender-se: *o bote da cobra.* **3.** *fig.* Ataque, investida.

boteco [é] (bo.te.co) s.m. *fam.* Pequena venda onde se servem bebidas e refeições; botequim, birosca, bar.

botelha [ê] (bo.te.lha) s.f. **1.** Garrafa de barro ou vidro; frasco. **2.** Vinho ou licor contido numa garrafa.

botequim (bo.te.quim) s.m. Estabelecimento comercial onde se servem bebidas e refeições ligeiras; bar, boteco.

botica (bo.ti.ca) s.f. Loja onde se preparam e vendem medicamentos; farmácia.

boticão (bo.ti.cão) s.m. (*Odont.*) Alicate ou tenaz usado para extrair dentes.

boticário (bo.ti.cá.ri:o) s.m. **1.** Proprietário de botica. **2.** Aquele que prepara e vende medicamentos na botica. **3.** Farmacêutico.

botija (bo.ti.ja) s.f. Vasilhame de barro ou arenito, bojudo, com gargalo e asa, para guardar azeite, vinagre e outros líquidos.

botijão (bo.ti.jão) s.m. **1.** Recipiente de metal reforçado para armazenar produtos voláteis. **2.** Recipiente de metal reforçado para transporte de gás a ser entregue em domicílio; bujão.

botina (bo.ti.na) s.f. Bota de cano curto.

boto [ô] (bo.to) s.m. (*Zool.*) Nome comum a mamíferos cetáceos de água doce ou marinhos.

botocudo

botocudo (bo.to.cu.do) *adj.* **1.** Relativo ou pertencente a vários povos indígenas do Brasil que usam botoque no lábio inferior e nas orelhas. • *s.m.* **2.** Indivíduo desses povos.

botoeira (bo.to:ei.ra) *s.f.* **1.** Casa da roupa onde entra o botão. **2.** Casa no alto da lapela de um casaco, para colocar-se uma flor, uma condecoração etc.

botoeiro (bo.to:ei.ro) *s.m.* Aquele que faz e vende botões.

botoque [ó] (bo.to.que) *s.m.* **1.** Pedaço de madeira ou rolha com que se vedam os orifícios de barris, pipas, tonéis etc. **2.** Rodela de madeira que certos povos indígenas usam como enfeite no lábio inferior e nos lóbulos das orelhas.

botulismo (bo.tu.lis.mo) *s.m.* (*Med.*) Intoxicação provocada por bacilos que se desenvolvem na comida enlatada e alimentos malconservados.

bouba (bou.ba) *s.f.* (*Med.*) **1.** Doença tropical contagiosa. **2.** Tipo de erupção ou tumor cutâneo.

bovídeo (bo.ví.de:o) *adj.* **1.** Relativo à família de mamíferos, como cabras, carneiros, bois e búfalos. • *s.m.* (*Zool.*) **2.** Espécime dos bovídeos.

bovino (bo.vi.no) *adj.* **1.** Relativo a ou próprio de boi: *carne bovina*. **2.** Animal bovino; bovídeo.

boxe[1] [ócs] (bo.xe) *s.m.* Espécie de luta em que os adversários se esmurram com as mãos calçadas por grossas luvas estofadas, sem dedos; pugilismo.

boxe[2] [ócs] (bo.xe) *s.m.* **1.** Baia (1). **2.** Baia (2): *Os carros de corrida param nos boxes para a troca de pneus*. **3.** Parte do banheiro onde fica o chuveiro. **4.** (*Comun.*) Na mídia impressa, texto informativo complementar de determinada matéria, que aparece em destaque dentro de um quadro ou moldura.

boxeador [cs...ô] (bo.xe:a.dor) *s.m.* Lutador de boxe; pugilista.

boxear [cs] (bo.xe:ar) *v.* **1.** (*Esp.*) Lutar boxe: *O veterano pugilista voltou a boxear*. **2.** Brigar (duas ou mais pessoas) com socos; esmurrar-se: *Após o acidente, os motoristas começaram a boxear*. ▶ Conjug. 14.

boy (Ing.) *s.m.* Ver *bói*.

bozó (bo.zó) *s.m.* **1.** Tipo de jogo de dados. **2.** (*Rel.*) Ebó. **3.** Parte da quantia ganha em cada partida e deixada de lado para ser dividida, no final do jogo, pelos jogadores participantes da combinação.

Br (*Quím.*) Símbolo de bromo.

brabo (bra.bo) *adj.* **1.** Bravo, feroz: *cachorro brabo*. **2.** Zangado, furioso: *Fica brabo quando é advertido*. **3.** Severo, autoritário: *Seus pais são muito brabos?* **4.** De má qualidade; malfeito, ruim: *Ali servem uma comida braba*. **5.** Muito forte, intenso: *O calor está brabo*. **6.** Nocivo, venenoso, daninho: *erva braba*. **7.** Grave, sério: *uma infecção braba*. **8.** Incompetente, despreparado, bisonho: *É um martírio ouvir esses músicos brabos tocarem*. **9.** Difícil, complicado: *O momento político está brabo*. – **brabeza** *s.f.*; **brabura** *s.f.*

braça (bra.ça) *s.f.* **1.** Antiga medida de comprimento, que equivale, no Brasil, a cerca de 2,20 m. **2.** Unidade inglesa de comprimento, equivalente a cerca de 1,80 m.

braçada (bra.ça.da) *s.f.* **1.** (*Esp.*) Movimento feito pelo nadador com os braços, pondo à frente ora um, ora outro. **2.** O que se pode abranger com os braços: *Ganhei uma braçada de rosas*.

braçadeira (bra.ça.dei.ra) *s.f.* **1.** Faixa distintiva, usada em volta do braço, sobre a manga: *O jogador mais antigo usa a braçadeira de capitão*. **2.** Argola ou presilha que segura o apanhado lateral da cortina. **3.** Anel ou chapa de metal que prende duas ou mais peças para conservá-las unidas. **4.** (*Mús.*) Anel duplo e aberto, com dois parafusos, que prende a palheta à boquilha de certos instrumentos de sopro, como clarinete, saxofone etc.

braçal (bra.çal) *adj.* **1.** Relativo a braço; braquial. **2.** Diz-se da ocupação em que se utilizam os braços em trabalhos pesados. **3.** Que executa serviços braçais: *trabalhador braçal*.

bracejar (bra.ce.jar) *v.* **1.** Agitar os braços; gesticular: *As crianças falam bracejando*. **2.** Estender, espalhar (braços, ramos etc.); ramificar: *O rio braceja seus afluentes pela planície*. **3.** Movimentar-se com os braços na água: *O surfista bracejou até alcançar a praia*. **4.** Mover-se como braços; agitar, balançar: *As pás dos moinhos bracejam nos campos de trigo*. **5.** *fig.* Esforçar-se, lutar, pelejar: *Muitas vezes é preciso bracejar contra a maré de má sorte*. ▶ Conjug. 10 e 37.

bracelete [ê] (bra.ce.le.te) *s.m.* Enfeite ou joia em forma de argola que se usa no braço, ou no pulso; pulseira.

braço (bra.ço) *s.m.* **1.** Cada um dos membros superiores do corpo humano, ligados ao ombro. **2.** Parte do membro superior entre o cotovelo e o ombro. **3.** Parte da cadeira, poltrona ou sofá, onde se apoia o braço da pessoa sentada. **4.** Trabalhador braçal: *Faltam braços na lavoura.* **5.** Cada uma das ramificações de um órgão, de um aparelho ou de um objeto: *braço do toca-disco.* **6.** Parte por onde se segura um objeto ou se faz mover: *braço da manivela.* **7.** (*Geol.*) Trecho estreito que faz comunicação com o mar ou um rio. **8.** (*Mús.*) Parte alongada dos instrumentos musicais sobre a qual ficam as cordas: *braço da guitarra.* **9.** A haste mais curta da cruz latina. **10.** *fig.* Poder de decisão; autoridade: *Os braços da lei sempre alcançam os falsários e os corruptos.* || *Braço direito*: o principal colaborador em uma atividade. • *Braço forte*: braço direito. • *Cruzar os braços*: *fig.* furtar-se ao trabalho. • *Dar o braço a torcer*: *coloq.* deixar-se convencer a mudar de opinião ou de atitude.

bráctea (*brác.te:a*) *s.f.* (*Bot.*) Folha modificada situada abaixo de uma flor, que se diferencia das folhas normais pela forma, tamanho e cor.

bradar (*bra.dar*) *v.* **1.** Dizer em brados ou em voz alta; gritar: *A multidão de fãs bradava o nome de seus ídolos; O orador bradava palavras de ordem aos militantes.* **2.** Rogar aos brados; protestar, reclamar: *O pobre homem bradava aos céus por justiça; Todos bradam contra a alta de preços.* **3.** Soltar brados; gritar, vociferar: *Levado pelas ondas, o náufrago bradava (por socorro).* ▶ Conjug. 5.

brado (*bra.do*) *s.m.* **1.** Grito forte, que pode ser ouvido a distância: *De fora do estádio já se ouviam os brados da torcida.* **2.** Queixa, protesto, rogo, clamor: *Os governantes devem ouvir os brados das ruas.*

braga (*bra.ga*) *s.f.* Calção, geralmente alto e longo, usado antigamente pelos homens. || Mais usado no plural.

braguilha (*bra.gui.lha*) *s.f.* Abertura dianteira de calças, calções, cuecas etc.

braile (*brai.le*) *s.m.* **1.** Sistema de escrita e impressão para cegos, que usa caracteres constituídos por pontos em relevo, para representar as letras do alfabeto, os sinais de pontuação e os algarismos; adapta-se também para música, matemática e símbolos científicos: *livros em braile.* • *adj.* **2.** Próprio desse sistema: *escrita braile.*

brâmane (*brâ.ma.ne*) *s.m.* **1.** Sacerdote hindu. **2.** Membro da casta mais alta da Índia. • *adj.* **3.** Próprio dessa casta. – **bramanismo** *s.m.*

bramar (*bra.mar*) *v.* **1.** Dar bramidos (certos animais): *Bramava o tigre enjaulado pelos caçadores.* **2.** Falar muito alto; gritar; bradar: *A multidão bramava na manifestação política.* **3.** Clamar, reclamar, protestar: *Esperneando e bramando, o intruso foi retirado do recinto; Os torcedores bramavam contra o juiz da partida.* **4.** Rogar, suplicar em altas vozes: *bramar por justiça.* **5.** *fig.* Fazer grande estrondo; retumbar, bramir: *O mar encapelado bramava de encontro aos rochedos.* ▶ Conjug. 5.

bramido (*bra.mi.do*) *s.m.* **1.** Rugido de feras. **2.** Grito ou som muito forte; berro, brado. **3.** Ruído muito forte; retumbante, estrondo: *É impressionante o bramido da tempestade em alto-mar.*

bramir (*bra.mir*) *v.* Bramar. ▶ Conjug. 84 e 66.

branco (*bran.co*) *adj.* **1.** Da cor do leite ou da neve; alvo: *flor branca.* **2.** Da cor aproximada do branco (diz-se de alimentos, bebidas etc.): *carne branca; vinho branco.* **3.** Diz-se de produto purificado ou beneficiado: *açúcar branco; arroz branco.* **4.** Sem cor, transparente: *vidro branco.* **5.** Que tem cãs; encanecido: *Minha mãe tem a cabeça toda branca.* **6.** Sem cor; pálido, lívido: *Ficou branco de medo.* **7.** Que tem a pele branca: *homem branco.* **8.** (*Lit.*) O verso sem rima; verso solto: *Os poetas modernistas brasileiros consagraram o verso branco.* • *s.m.* **9.** A cor branca: *Na decoração do escritório predomina o branco.* **10.** Roupa de cor branca: *Aquela cantora veste-se sempre de branco em seus shows.* **11.** Pessoa de pele branca: *O censo revelou o número de brancos no país.* **12.** (*Anat.*) O branco do olho; esclera. || *Dar um branco*: *coloq.* incapacidade momentânea de raciocinar ou de lembrar de algo: *Na hora de recitar o poema, deu um branco em sua cabeça.* • *Em branco*: não escrito; não preenchido: *Deixou várias questões da prova em branco.* – **branquidão** *s.f.*

brancura (*bran.cu.ra*) *s.f.* Qualidade do que é branco; branquidão, alvura.

brandir (*bran.dir*) *v.* **1.** Empunhar (arma), erguendo-a para o ataque ou a defesa: *brandir a espada; brandir o revólver.* **2.** Agitar, movimentar (em sinal de ataque): *brandir a bengala; brandir os punhos.* **3.** Acenar, menear (com qualquer objeto): *Os jogadores brandiam a taça de campeões.* **4.** *fig.* Agitar-se, oscilar, vibrar: *Os eucaliptos brandiam com o vento sudoeste.* ▶ Conjug. 84 e 66.

brando (*bran.do*) *adj.* **1.** Que cede facilmente ao tato, à pressão; macio, tenro, flexível: *carne branda.* **2.** Dócil, afável: *temperamento brando.* **3.** Terno, meigo, suave: *voz branda.* **4.** De pouca intensidade; moderado: *Deve-se cozinhar* *o arroz em fogo brando*. **5.** Agradável, ameno: *Gosto de caminhar nos dias brandos do outono*. **6.** Vagaroso, moroso: *andar a passos brandos*. **7.** De pouco vigor ou firmeza; flexível, frouxo: *Para faltas pequenas, castigos brandos*.

brandura (bran.*du*.ra) *s.f.* Qualidade ou estado de brando.

branquear (bran.que:*ar*) *v.* **1.** Tornar(-se) branco ou mais branco; branquejar, embranquecer: *Os telhados branquearam com a nevasca de ontem*. **2.** Cobrir com cal ou outra substância branca; caiar: *Os vizinhos decidiram branquear os muros do condomínio*. **3.** Limpar, assear, alvejar: *branquear o piso da cozinha*. **4.** Criar cãs; encanecer: *Seus cabelos começaram a branquear muito cedo*. ▶ Conjug. – 14. **branqueador** *adj.*; **branqueamento** *s.m.*

branquejar (bran.que.*jar*) *v.* Branquear. ▶ Conjug. 10.

brânquias (*brân*.qui:as) *s.f.pl.* (*Zool.*) Órgão respiratório dos animais aquáticos; guelra. – **branquial** *adj.*

branquicento (bran.qui.*cen*.to) *adj.* Quase branco; alvacento.

branquinha (bran.*qui*.nha) *s.f. coloq.* Aguardente, cachaça, pinga.

brasa (*bra*.sa) *s.f.* **1.** Carvão incandescente sem chama. **2.** Estado de incandescência: *ferro em brasa*. **3.** Coisa muito quente; escaldante: *O sol de meio-dia arde como brasa*. **4.** *fig.* Ardência, queimação: *Meu estômago queima como brasa*. **5.** *fig.* Ardor, paixão: *a brasa do amor*. || *Em brasa*: *fig.* **1.** vermelho de calor; afogueado: *rosto em brasa*. **2.** irritado, raivoso, irado: *É um tipo explosivo, tem sempre a cabeça em brasa*. || *Na brasa*: (*Cul.*) assado sobre brasas: *carne na brasa*.

brasão (bra.*são*) *s.m.* **1.** Conjunto de insígnias, divisas e figuras que compõem o escudo de armas de um país, de um estado, de uma cidade, de uma corporação, de uma família nobre etc. **2.** *fig.* Divisa, lema, emblema: *Ele fez da ética e da justiça o seu brasão*.

braseiro (bra.*sei*.ro) *s.m.* **1.** Recipiente de louça, barro ou metal que contém brasas para aquecer um ambiente. **2.** Grande quantidade de brasas, carvões ou outros objetos incendiados. **3.** Grande fogo; incêndio: *A ausência de chuvas transformava as matas em um braseiro*. **4.** *fig.* Calor intenso: *o braseiro do verão*.

brasileirice (bra.si.lei.*ri*.ce) *s.f.* **1.** Conjunto de características do Brasil e dos brasileiros. **2.** Modo de falar típico dos brasileiros; brasileirismo.

brasileirismo (bra.si.lei.*ris*.mo) *s.m.* **1.** (*Ling.*) Palavra, expressão própria ou modismo do Português falado no Brasil. **2.** Característica do Brasil e dos brasileiros; brasileirice. **3.** Sentimento de amor ao Brasil; brasilidade.

brasileiro (bra.si.*lei*.ro) *adj.* **1.** Do Brasil, país da América do Sul. • *s.m.* **2.** O natural ou o habitante desse país.

brasiliana (bra.si.li:*a*.na) *s.f.* Conjunto de obras (livros, estudos, publicações, material audiovisual etc.) sobre o Brasil.

brasilianista (bra.si.li:a.*nis*.ta) *adj.* **1.** Relativo a uma brasiliana. • *s.m. e f.* **2.** Pessoa (especialmente estrangeira) que se dedica a estudos de temas brasileiros.

brasílico (bra.*sí*.li.co) *adj.* **1.** Brasileiro. **2.** Relativo ao Brasil. **3.** Aplicado geralmente a gente e coisas indígenas brasileiras.

brasilidade (bra.si.li.*da*.de) *s.f.* **1.** Qualidade de brasileiro. **2.** Sentimento de amor ao Brasil.

brasiliense (bra.si.li:*en*.se) *adj.* **1.** De Brasília, capital do Brasil. • *s.m. e f.* **2.** O natural ou o habitante dessa capital.

bravata (bra.*va*.ta) *s.f.* **1.** Ato ou dito que revela arrogância, presunção; jactância, fanfarronice: *As bravatas do candidato não eram levadas a sério*. **2.** Ameaça, intimação ou provocação por parte de quem se julga muito valente ou esperto: *As acusações atiradas a torto e a direito não passavam de bravatas*. – **bravatear** *v.* ▶ Conjug. 14.

bravio (bra.*vi*:o) *adj.* **1.** Feroz, rude (animal). **2.** Bruto, selvagem, não domesticado; silvestre, agreste; bravo (animais e plantas). **3.** Áspero, difícil de percorrer (caminho). **4.** Agitado, revolto, tempestuoso; bravo: *mar bravio*. • *s.m.* **5.** Terreno inculto, coberto de vegetação rasteira.

bravo (*bra*.vo) *adj.* **1.** Que não teme o perigo; destemido, valente, corajoso: *bravos soldados*. **2.** Não domesticado; selvagem, feroz, brabo: *cavalo bravo*. **3.** Irado, furioso, brabo: *Ficou bravo com a injustiça que lhe fizeram*. **4.** Que se irrita facilmente; irritadiço, brabo: *Fica bravo por qualquer motivo*. **5.** Revolto, violento, tempestuoso, bravio: *mar bravo*. **6.** Não cultivado: *roseira brava*. • *s.m.* **7.** Pessoa valente, aguerrida, guerreira: *Os reveses da vida não abatem os bravos*. **8.** Aplauso, aprovação: *Dos balcões e das galerias do teatro ouviram-se bravos entusiasmados*. || É usado em frases nominais, para expressar essa aprovação.

bravura (bra.*vu*.ra) *s.f.* **1.** Qualidade de bravo; coragem, valentia, destemor. **2.** Ato de bravo; arrojo, ousadia: *A bravura dos soldados do fogo salvou muitas vidas*. **3.** Ferocidade, selvageria, braveza: *O domador não teme a bravura dos leões*.

breca [é] (*bre*.ca) *s.f.* Usado nas locuções *levado da breca* e *levar a breca*. || *Levado da breca*: muito travesso: *uma criança levada da breca*. • *Levar a breca*: **1.** dar-se mal: *Levou a breca nos negócios*. **2.** desaparecer, sumir, morrer.

brecar (bre.*car*) *v.* **1.** Manobrar os freios (de veículo); frear: *Não conseguiu brecar o carro a tempo de evitar a colisão*. **2.** *fig.* Conter, reprimir, refrear: *Brecaram-lhe os planos*. ▶ Conjug. 8 e 35.

brecha [é] (*bre*.cha) *s.f.* **1.** Abertura em um obstáculo natural ou artificial (muralha, cerca, paredões etc.). **2.** Rachadura, fenda: *Há brechas aparentes naqueles prédios velhos*. **3.** *fig.* Espaço vazio; lacuna, falha: *O trauma deixou-lhe algumas brechas na memória*. **4.** *fig.* Tempo livre; folga: *Se tiver uma brecha no trabalho, irei às compras*. **5.** *fig.* Oportunidade, possibilidade, chance: *Procurava uma brecha para aproximar-se de sua atriz favorita*. || *Abrir uma brecha*: **1.** (*Esp.*) no futebol, forçar passagem com a bola através da defesa adversária. **2.** *fig.* ter influência sobre algo ou alguém; abalar, afetar: *A crise financeira abriu uma brecha nos negócios da família*.

brechó (bre.*chó*) *s.m. coloq.* Loja onde se compram e vendem objetos ou roupas usados; belchior, bricabraque.

brega [é] (*bre*.ga) *adj.* **1.** De mau gosto; cafona, sem refinamento: *roupa brega*. • *s.m.* e *f.* **2.** *pej.* Pessoa brega. – **breguice** *s.f.*

brejeiro (bre.*jei*.ro) *adj.* **1.** Relativo ou pertencente a brejo: *terreno brejeiro*. **2.** Que é habitante do brejo. **3.** Travesso, divertido, brincalhão, maroto: *Os programas de humor apresentam muitos personagens brejeiros*. **4.** Vivaz, malicioso: *um sorriso brejeiro*. • *s.m.* **5.** Pessoa brejeira.

brejo [é] (*bre*.jo) *s.m.* **1.** Terreno alagadiço; pântano. **2.** Lugar baixo onde há nascentes, cacimbas. **3.** Plantação de arroz. || *Ir para o brejo*: ser malsucedido, fracassar.

brenha (bre.nha) *s.f.* **1.** Mata espessa e emaranhada; matagal; grenha. **2.** *fig.* Coisa intrincada, confusa, complicada.

breque [é] (*bre*.que) *s.m.* **1.** Freio de veículos. **2.** (*Mús.*) No samba, parada ou suspensão da linha melódica para introdução de pequenas falas ou comentários de humor.

bretão (bre.*tão*) *adj.* **1.** Da Grã-Bretanha (Reino Unido). **2.** Da Bretanha, província da França. • *s.m.* **3.** O natural ou o habitante desse reino ou dessa província.

breu *s.m.* **1.** (*Quím.*) Substância escura, inflamável, obtida pela resina de várias plantas ou pela destilação do alcatrão. **2.** Escuridão, escuro: *O breu da noite chuvosa trazia-lhe medo e inquietação*.

breve [é] (*bre*.ve) *adj.* **1.** Que dura pouco tempo; rápido, curto: *As visitas aos doentes devem ser breves*. **2.** Resumido, sucinto, lacônico: *O presidente fez um breve comunicado à nação*. • *s.m.* **3.** Escapulário, bentinho: *Os devotos traziam breves pendentes do pescoço*. **4.** (*Mús.*) Figura usada para marcar a duração rítmica que apresenta o dobro do valor de uma semibreve. • *adj.* **5.** Em pouco tempo; cedo, brevemente: *Volte breve*.

brevê (bre.*vê*) *s.m.* (*Aer.*) Diploma de piloto de aeronave. – **brevetar** *v.* ▶ Conjug. 8.

breviário (bre.vi.*á*.ri:o) *s.m.* **1.** Livro das rezas cotidianas dos sacerdotes católicos. **2.** *fig.* Leitura habitual; livro predileto: *A poesia é meu breviário*. **3.** *fig.* Obra doutrinária; leitura indispensável: *As publicações sobre economia são o breviário dos homens de finanças*. **4.** Sinopse, resumo, sumário.

brevidade (bre.vi.*da*.de) *s.f.* **1.** Qualidade do que é breve. **2.** Curta duração: *brevidade da vida*. **3.** (*Cul.*) Bolinho de polvilho, ovos, açúcar etc., assado no forno.

bricabraque (bri.ca.*bra*.que) *s.m.* **1.** Velhos objetos de arte, mobílias, roupas, bijuterias etc. **2.** Estabelecimento comercial que compra e vende obras de arte e objetos usados; belchior, brechó. **3.** Objetos domésticos usados e de pouco valor.

brida (*bri*.da) *s.f.* **1.** Rédea. **2.** *fig.* O que refreia ou contém alguma coisa; freio: *O governo colocou uma brida na espiral inflacionária*. || *A toda brida*: a toda pressa; em disparada.

bridge [bridj] (Ing.) *s.m.* Certo jogo de cartas jogado em duplas.

briefing [brifın] (Ing.) *s.m.* **1.** Conjunto de informações e diretrizes para a execução de uma tarefa. **2.** Reunião onde se definem essas diretrizes.

briga (*bri*.ga) *s.f.* **1.** Luta corpo a corpo, com arma ou sem arma, entre adversários; confronto, combate: *A briga entre as duas gangues*

brigada

terminou com a chegada da polícia. **2.** Quebra de boas relações; rixa, desavença: *briga de namorados; briga entre políticos.* **3.** Disputa (por um cargo, um favor etc.): *Houve muita briga pelas vagas naquela empresa.*

brigada (bri.ga.da) *s.f.* **1.** (*Mil.*) Unidade militar de contingente e estrutura muito variáveis de acordo com as circunstâncias e a época. **2.** Corporação especializada em um determinado domínio: *brigada de narcóticos; brigada de repressão à criminalidade* etc.

brigadeiro (bri.ga.dei.ro) *s.m.* **1.** (*Mil.*) A mais alta patente militar da Aeronáutica. **2.** (*Mil.*) Militar dessa patente. **3.** (*Cul.*) Doce feito com leite condensado e chocolate, em bolinhas passadas em chocolate granulado.

brigalhada (bri.ga.lha.da) *s.f.* **1.** Série de brigas. **2.** Briga longa e generalizada.

brigão (bri.gão) *adj.* **1.** Que é dado a brigas; briguento • *s.m.* **2.** Indivíduo brigão.

brigar (bri.gar) *v.* **1.** Lutar corpo a corpo; combater: – *crianças, parem de brigar!*; *Os alunos veteranos brigaram com os novatos; Naquela empresa todos brigam entre si.* **2.** Romper relações; desentender-se, desavir-se: *Embora fossem amigos de longa data, brigaram por motivos fúteis.* **3.** Lutar por; disputar: *Os governantes brigam por mais verbas para os serviços públicos.* **4.** Não combinar; não condizer; destoar: *As cores fortes da pintura brigam com a decoração despojada do apartamento.* ▶ Conjug. 5 e 34.

brigue (bri.gue) *s.m.* (*Mar.*) Antigo navio de guerra, de dois mastros e pequena tonelagem.

briguento (bri.guen.to) *adj. s.m.* Brigão.

brilhante (bri.lhan.te) *adj.* **1.** Que tem brilho; luminoso, resplandecente, cintilante: *estrela brilhante.* **2.** Reluzente, luzidio: *cabeleira brilhante.* **3.** Vivo, forte: *cores brilhantes.* **4.** *fig.* Luxuoso, pomposo, suntuoso: *uma cerimônia de posse brilhante.* **5.** *fig.* Ilustre, famoso, célebre: *um homem de letras brilhante.* **6.** *fig.* De grande capacidade intelectual: *aluno brilhante.* **7.** Próspero, feliz, excelente, ditoso: *futuro brilhante.* • *s.m.* **8.** Diamante lapidado.

brilhantina (bri.lhan.ti.na) *s.f.* **1.** Cosmético que torna brilhantes e fixa os cabelos. **2.** Purpurina. **3.** (*Bot.*) Erva originária da Europa, de folhas aromáticas, com propriedades medicinais.

brilhar (bri.lhar) *v.* **1.** Lançar luz muito viva e muito clara ou refletir essa espécie de luz; cintilar, fulgurar, reluzir: *A estrela brilha vivamente no céu.* **2.** *fig.* Notabilizar-se, sobressair, distinguir-se, fazer-se admirar: *Sócrates brilhava entre seus discípulos.* **3.** Mostrar-se, dar-se a conhecer, revelar-se: *Uma faísca de felicidade brilhou em seus olhos.* ▶ Conjug. 5.

brilho (bri.lho) *s.m.* **1.** Luz muito intensa que um corpo irradia; cintilação, resplandecência: *o brilho do sol; o brilho das estrelas.* **2.** Luz que um corpo reflete; luminosidade: *o brilho dos metais preciosos.* **3.** Viveza, claridade, limpidez: *o brilho dos cristais.* **4.** *fig.* Originalidade, expressividade, brilhantismo: *Doutorou-se com muito brilho.* **5.** *fig.* Luxo, opulência, suntuosidade: *A festa do casamento real teve o brilho das antigas cortes.* **6.** *fig.* Celebridade, fama, glória: *O brilho da grande atriz atinge várias gerações de espectadores.* **7.** *fig.* Capacidade intelectual; talento, engenho: *o brilho da mente.* – **brilhoso** *adj.*

brim *s.m.* Tecido resistente de linho, algodão, fibra sintética etc. || *Brim cru*: o brim que ainda não foi alvejado, usado em velas de barcos, toldos etc.

brincadeira (brin.ca.dei.ra) *s.f.* **1.** Ato ou efeito de brincar. **2.** Divertimento, sobretudo infantil; brinquedo, jogo. **3.** Gracejo, zombaria, galhofa: *Certas brincadeiras muitas vezes se confundem com preconceitos.* **4.** *coloq.* Reunião social informal: *Sábado vai haver uma brincadeira lá em casa.* || *De brincadeira*: que não deve ser levado a sério: *Não tive intenção de irritar ninguém, falei de brincadeira.*

brincalhão (brin.ca.lhão) *adj.* **1.** Que gosta de brincar, divertir-se. **2.** Que está sempre disposto a fazer brincadeira (3), gracejar, zombar. • *s.m.* **3.** Indivíduo brincalhão.

brincar (brin.car) *v.* **1.** Divertir-se com jogos de criança; entreter-se com brincadeiras: *Os alunos brincam na hora do recreio; As meninas brincam com bonecas; Gostam de brincar de professor e aluno.* **2.** Divertir-se, entreter-se, distrair-se: *Espero brincar muito nessas férias.* **3.** Dizer algo por brincadeira; zombar, gracejar: *Não brinque com coisas sérias.* **4.** Agitar-se alegremente; pular, dançar: *A multidão brincava atrás do trio elétrico.* **5.** *coloq.* Divertir-se pelo carnaval, tomando parte nos folguedos: *Onde você vai brincar o carnaval?; Gosto de brincar nos blocos carnavalescos.* **6.** *fig.* Agitar-se, tremer, oscilar: *As folhas brincavam na aragem do outono.* ▶ Conjug. 5 e 35.

brinco (brin.co) *s.m.* **1.** Joia ou bijuteria que se usa presa ao lobo da orelha ou pendente dela.

2. *fig.* Coisa benfeita, asseada, elegante, de bela aparência: *Minha roupa ficou um brinco*.

brinco-de-princesa (brin.co-de-prin.ce.sa) *s.m.* Fúcsia (1) pl. *brincos-de-princesa*.

brindar (brin.*dar*) *v.* **1.** Beber à saúde ou ao bom êxito de: *Os convidados brindaram (a)os noivos*; *Após a cerimônia, os homenageados brindaram-se*. **2.** Dar brinde ou presente; presentear: *Algumas empresas brindam seus funcionários com cestas de natal*. **3.** Atribuir como favor; favorecer, beneficiar: *Os jornais brindaram o novo filme nacional com críticas favoráveis.* ▶ Conjug. 5.

brinde (brin.de) *s.m.* **1.** Palavras de saudação que se dirigem a alguém no ato de beber. **2.** Objeto, presente que se oferece como obséquio ou prova de boa vontade.

brinquedo [ê] (brin.*que*.do) *s.m.* **1.** Objeto com que as crianças brincam. **2.** Brincadeira, divertimento, folguedo.

brio (bri:o) *s.m.* **1.** Sentimento da própria dignidade; amor-próprio; honradez, altivez: *Não perde o brio mesmo diante da injustiça*. **2.** Garbo, galhardia. || *Meter em brios*: estimular (alguém) a agir da melhor maneira possível. – **brioso** *adj*.

brioche [ó] (bri:o.che) *s.m.* (*Cul.*) Pãozinho de massa leve, feito com farinha, manteiga e ovos.

brisa (bri.sa) *s.f.* Vento suave e fresco; aragem, viração. || *Brisa marítima*: a que sopra do mar para o continente. • *Brisa terrestre*: a que sopra do continente para o mar, quando este está mais aquecido que aquele; terral.

brita (bri.ta) *s.f.* Pedra britada utilizada na pavimentação de estradas e na construção civil.

britadeira (bri.ta.dei.ra) *s.f.* Máquina para britar pedra, carvão, minério etc.; britador.

britânico (bri.*tâ*.ni.co) *adj.* **1.** Da Grã-Bretanha (Inglaterra, Escócia, País de Gales e Irlanda do Norte). • *s.m.* **2.** O natural ou o habitante desses países.

britar (bri.*tar*) *v.* Quebrar (a pedra) em fragmentos miúdos; fazer cascalho: *britar rochas*. ▶ Conjug. 5. – **britador** *s.m.*

broa [ô] (bro.a) *s.f.* (*Cul.*) Pão arredondado feito, geralmente, de farinha de milho.

broca [ó] (bro.ca) *s.f.* **1.** Instrumento que, com movimentos circulares, abre orifícios circulares em madeira, concreto, alvenaria etc. **2.** Buraco feito com a broca. **3.** (*Odont.*) Instrumento cortante, rotativo, com que os dentistas limpam as cavidades cariadas para tratamento ou preparam o local de uma lesão dentária para colocação de uma prótese (jaqueta, ponte fixa etc.). **4.** (*Zool.*) Designação de várias espécies de larvas e lagartas que atacam as plantas.

brocado (bro.*ca*.do) *s.m.* Tecido de seda com desenhos em relevo, realçados por fios de ouro ou de prata.

brocardo (bro.*car*.do) *s.m.* (*Jur.*) **1.** Máxima jurídica que indica uma regra aceita por todos. **2.** Ditado, provérbio, adágio, aforismo.

brocha [ó] (bro.cha) *s.f.* Prego curto, de cabeça chata e larga.

broche [ó] (bro.che) *s.m.* Adorno feminino que tem alfinete e fecho de metal, usado como joia ou para prender a roupa.

brochete [é] (bro.che.te) *s.f.* **1.** (*Cul.*) Espetinho (1); churrasquinho. **2.** O próprio espeto (de metal ou madeira).

brochura (bro.*chu*.ra) *s.f.* **1.** Livro ou folheto de capa mole. **2.** Capa de livro de papel ou cartolina.

brócolis (bró.co.lis) *s.m.pl.* (*Bot.*) Variedade de couve, com flores verdes e compactas, muito apreciadas, juntamente com as folhas, cozidas ou em saladas.

bromélia (bro.mé.li:a) *s.f.* (*Bot.*) Planta nativa da América tropical, cultivada especialmente como ornamental.

brometo [ê] (bro.me.to) *s.m.* (*Quím.*) Substância que contém bromo, usada como agrotóxico.

bromo (bro.mo) *s.m.* (*Quím.*) Elemento químico tóxico, de cor avermelhada e odor desagradável, usado na produção de corantes e de fármacos. || Símbolo: Br.

bronca (bron.ca) *s.f.* **1.** *coloq.* Admoestação severa; reprimenda; carão: *Dei uma bronca no meu filho*. **2.** Reclamação, protesto: *O bom candidato foi reprovado, mas a banca examinadora não admitiu bronca*. **3.** Implicância, cisma: *Tenho uma bronca com pessoas presunçosas*.

bronco (bron.co) *adj.* **1.** Pouco inteligente; ignorante, estúpido, lorpa. **2.** Grosseiro, rude. • *s.m.* **3.** Pessoa pouco inteligente ou grosseira.

broncopneumonia (bron.cop.neu.mo.ni.a) *s.f.* (*Med.*) Inflamação aguda do tecido pulmonar.

brônquio (brôn.qui:o) *s.m.* (*Anat.*) Cada um dos dois canais que se destinam à condução do ar entre a traqueia e os alvéolos pulmonares. – **brônquico** *adj.*

bronquite (bron.qui.te) *s.f.* (*Med.*) Inflamação da traqueia e dos brônquios.

brontossauro (bron.tos.*sau*.ro) *s.m.* Réptil dinossáurio, provavelmente herbívoro, que podia alcançar até 22 m de comprimento.

bronze

bronze (*bron*.ze) *s.m.* **1.** Liga metálica de cobre e estanho. **2.** Pigmento, pó ou tintura para dar a cor de bronze a objetos. **3.** A cor morena. **4.** Escultura em bronze. **5.** Medalha: *O vôlei de praia ganhou bronze nas Olimpíadas.* **6.** *fig.* Dureza, frieza, insensibilidade: *coração de bronze.*

bronzeador [ô] (bron.ze:a.*dor*) *adj.* **1.** Que bronzeia: *óleo bronzeador.* • *s.m.* **2.** Substância própria para bronzear: *Não vou à praia sem um bom bronzeador.*

bronzear (bron.ze:*ar*) *v.* **1.** Dar cor ou aspecto de bronze a: *bronzear as grades do monumento; Era um verdadeiro artista em seu ofício de bronzear.* **2.** Adquirir (sob a ação do sol ou por processos artificiais) a cor do bronze: *Há excelentes produtos para bronzear o corpo; Use protetor solar para não bronzear demais; Ela espera ansiosa o verão para bronzear-se.* ▶ Conjug. 14.

brotar (bro.*tar*) *v.* **1.** Lançar, produzir (o vegetal) brotos, flores, folhas, ramos: *Das sementes lançadas ao solo brotou uma boa quantidade de hortaliças; Na primavera, brotam as folhas novas.* **2.** *fig.* Nascer, surgir, despontar, desabrochar, medrar: *Boas ideias brotavam de sua cabeça.* **3.** Manar, jorrar, borbotar: *A água da nascente brotava incessante.* **4.** *fig.* Dizer, proferir, pronunciar: *Da boca do prisioneiro brotavam ofensas e palavrões.* **5.** Deitar de si (secreção); expelir: *Do ferimento do soldado brotava um filamento de sangue.* ▶ Conjug. 20.

broto [ô] (*bro*.to) *s.m.* (*Bot.*) **1.** Início do desenvolvimento de uma folha, flor, ramo ou planta; botão, rebento, muda. **2.** *coloq.* Pessoa muito jovem; brotinho. **3.** *coloq.* Namorada ou namorado: *Vou encontrar com meu broto no cinema.*

brotinho (bro.*ti*.nho) *s.m. coloq.* Broto (2).

brotoeja (bro.to:e.ja) *s.f.* (*Med.*) Erupção cutânea em forma de vesículas contínuas, que causa prurido e coceira.

broxa [óch] (*bro*.xa) *s.f.* **1.** Pincel grande, de cerdas grossas, usado geralmente para caiação ou pintura sem muito esmero. • *adj.* **2.** *chulo* Que é sexualmente impotente. **3.** Que não tem ânimo, entusiasmo; fraco, pusilânime. • *s.m.* **4.** *chulo* Indivíduo sexualmente impotente.

broxar [ch] (bro.*xar*) *v.* **1.** Pintar com broxa: *broxar os muros do campinho de futebol.* **2.** *chulo* Tornar-se temporária ou definitivamente impotente.

bruaca (bru:*a*.ca) *s.f.* **1.** Saco ou mala de couro cru para transporte de objetos e mercadorias sobre animais. **2.** Bolsa de couro. **3.** *pej.* Mulher velha e feia; bruxa, megera.

brucelose [ó] (bru.ce.*lo*.se) *s.f.* (*Vet.*) Moléstia do gado vacum, caprino ou suíno, causada por bactéria, transmissível por contato ao homem e que provoca febre, anemia, suores noturnos e dores generalizadas.

bruços (*bru*.ços) *s.m.pl.* Usado apenas na locução *de bruços*. || *De bruços*: com o ventre e o rosto voltados para baixo, em posição horizontal.

bruma (*bru*.ma) *s.f.* **1.** Nevoeiro muito intenso, especialmente no mar; neblina, cerração. **2.** Atmosfera turva por causa de poeira, poluição, fumaça etc. **3.** *fig.* Falta de clareza; incerteza, vagueza: *Perdia-se nas brumas das questões políticas.* **4.** *fig.* Obscuridade, sombra, mistério: *Sua obra procura lançar uma luz sobre as brumas do passado.* – **brumoso** *adj.*

brunir (bru.*nir*) *v.* **1.** Dar lustre; tornar brilhante; polir: *brunir metais.* **2.** *fig.* Aperfeiçoar, aprimorar: *É um escritor preocupado em brunir seu estilo.* ▶ Conjug. 84 e 66.

brusco (*brus*.co) *adj.* **1.** Áspero, rude, grosseiro, indelicado: *modos bruscos.* **2.** Arrebatado, súbito, inesperado, repentino: *Interrompeu com um gesto brusco a conversa dos amigos.*

brutal (bru.*tal*) *adj.* **1.** Próprio de bruto. **2.** Violento, impetuoso. **3.** Rude, grosseiro, selvagem.

brutalidade (bru.ta.li.*da*.de) *s.f.* **1.** Qualidade de bruto; ato de bruto. **2.** Grosseria, rudeza, incivilidade: *Ninguém merece ser tratado com brutalidade.* **3.** Violência, ferocidade, selvageria: *a brutalidade dos atos terroristas.*

brutalizar (bru.ta.li.*zar*) *v.* **1.** Tornar(-se) bruto; embrutecer(-se): *O acesso às drogas e aos crimes brutaliza os jovens; Brutalizou-se na extrema miséria e no abandono.* **2.** Tratar com brutalidade: *brutalizar prisioneiros.* **3.** Seviciar, estuprar, violar: *É crime hediondo brutalizar crianças.* ▶ Conjug. 5.

brutamonte (bru.ta.*mon*.te) *s.m.* e *f.* Brutamontes.

brutamontes (bru.ta.*mon*.tes) *s.m.* e *f. 2n.* Indivíduo brutal, corpulento, selvagem, grosseirão.

bruto (*bru*.to) *adj.* **1.** Que se apresenta em seu estado natural: *diamante bruto.* **2.** Grosseiro, rude, mal-educado: *Não seja bruto com seus empregados.* **3.** Que não envolve atividade mental, apenas física: *trabalho bruto.* **4.** Feroz, bárbaro, selvagem: *animal bruto*. **5.** Que não foi polido: *pedra bruta*. **6.** Não refinado (açúcar, óleo). **7.** Que não sofre deduções; total: *salário bruto*. **8.** *coloq.* Muito grande; descomunal: *Tomei um bruto susto*. • *s.m.* **9.** Animal irracional. **10.** Pessoa grosseira; estúpida. || *Em bruto*: não trabalhado; não cultivado; sem acabamento.

bruxa [ch] (*bru.xa*) *s.f.* **1.** Adivinha, feiticeira, maga, mágica, sibila (2). **2.** *gír.* Mulher velha e feia ou rabugenta; bruaca, megera. **3.** Boneca malfeita, de pano. **4.** (*Zool.*) Mariposa grande de cor escura.

bruxaria [ch] (*bru.xa.ri.a*) *s.f.* **1.** Malefício atribuído a bruxo ou bruxa. **2.** Feitiço, sortilégio. **3.** *coloq.* Fato extraordinário e inexplicável.

bruxismo [ch] (*bru.xis.mo*) *s.m.* (*Med.*) Ato de ranger os dentes durante o sono.

bruxo [ch] (*bru.xo*) *s.m.* **1.** Mago, feiticeiro. **2.** Boneco de pano usado em bruxarias. **3.** Aquele que pratica bruxarias.

bruxulear [ch] (*bru.xu.le:ar*) *v.* **1.** Oscilar, tremular (chama, luz, prestes a apagar-se): *As velas bruxuleavam ao final da missa.* **2.** Brilhar fracamente; tremeluzir: *As estrelas bruxuleavam no céu da madrugada.* **3.** *fig.* Estar prestes a extinguir-se; agonizar: *Após tantas brigas, a chama da paixão bruxuleava entre os namorados.* ▶ Conjug. 14. – **bruxuleante** *adj.*

bubão (*bu.bão*) *s.m.* (*Med.*) Tumor inflamatório de um gânglio linfático, localizado especialmente nas virilhas ou axilas; íngua. – **bubônico** *adj.*

bucal (*bu.cal*) *adj.* Relativo ou pertencente a boca; oral.

bucaneiro (*bu.ca.nei.ro*) *s.m.* Pirata.

bucha (*bu.cha*) *s.f.* **1.** Pedaço de pano, papel amassado ou outro material que se mete no cano das armas de fogo ou em seus cartuchos para comprimir e sustentar a carga: *bucha de canhão*. **2.** Rolha ou chumaço com que se tapam os orifícios ou fendas em objetos de madeira. **3.** Peça de fixação colocada num furo previamente feito (com broca), em geral de plástico, que se expande ao ser colocado o parafuso; tarugo. **4.** (*Bot.*) Planta trepadeira, cujo fruto, ao amadurecer, forma uma rede lenhosa no interior e que serve como esponja para banho; esfregão. **5.** Porção de estopa, pano etc., embebida em combustível e presa à boca dos balões juninos, para que, quando acesa, libere o ar quente que os faz subir. || *Na bucha*: *coloq.* no exato momento; sem demora.

buchada (*bu.cha.da*) *s.f.* **1.** O bucho e as demais vísceras de um animal. **2.** (*Cul.*) Prato preparado com as vísceras do carneiro ou do bode, bem temperadas.

bucho (*bu.cho*) *s.m.* **1.** (*Anat.*) Estômago dos animais vertebrados, menos aves. **2.** *coloq.* Estômago do homem; barriga, ventre, pança. **3.** *pej.* Mulher muito feia.

buclê (*bu.clê*) *s.m.* Tecido grosso de lã ou de algodão, que forma anéis com os fios da própria trama, usado principalmente para fazer tapetes.

buço (*bu.ço*) *s.m.* **1.** Primeiros pelos que nascem acima do lábio superior de rapazes e de algumas mulheres. **2.** Pelo do focinho dos animais.

bucólico (*bu.có.li.co*) *adj.* **1.** Relativo à vida no campo ou à natureza; campestre, pastoril. **2.** Simples, singelo, ingênuo, inocente, sossegado.

bucolismo (*bu.co.lis.mo*) *s.m.* **1.** Qualidade do que é bucólico. **2.** (*Lit.*) Poesia ou prosa que exalta a excelência da vida campestre ou pastoril. **3.** Simplicidade da vida no campo: *Prefiro o bucolismo da fazenda à agitação da cidade*.

budismo (*bu.dis.mo*) *s.m.* (*Rel.*) Doutrina filosófica e religiosa baseada nos princípios ensinados por Buda na Índia.

budista (*bu.dis.ta*) *adj.* **1.** Relativo ao budismo. • *s.m. e f.* **2.** Pessoa adepta do budismo.

bueiro (*bu:ei.ro*) *s.m.* **1.** Abertura para escoamento de água. **2.** Cano ou tubo que se faz num muro ou numa embarcação para esgoto de água. **3.** Conjunto de caixa e tampa de ferro com fendas, colocado nos calçamentos ou em rodovias para escoar as águas pluviais.

búfalo (*bú.fa.lo*) *s.m.* **1.** (*Zool.*) Boi selvagem, de chifres curtos e achatados. **2.** A pele curtida desse animal. **3.** O chifre desse animal.

bufante (*bu.fan.te*) *adj.* **1.** Diz-se de uma peça do vestuário que é franzida e folgada como se estivesse cheia de vento, enfunada; fofo: *calças bufantes*. • *s.m.* **2.** Feitio enfunado: *O bufante da manga do vestido da noiva ficou esplêndido*.

bufão (*bu.fão*) *s.m.* **1.** Personagem grotesca que os reis tinham a seu lado para diverti-los na corte; bobo, truão, palhaço, histrião. **2.** Quem conta vantagem; fanfarrão, bravateador. **3.** (*Teat.*) Personagem de farsa que faz rir com seus trejeitos, esgares e momices; bufo.

bufar (bu.*far*) v. **1.** Expelir o ar pela boca com força: *A velha senhora subia as escadas bufando de calor e cansaço.* **2.** Expelir fumaça ou outra emanação: *Nos desenhos infantis, o herói enfrenta os dragões que bufam fogo; A antiga locomotiva bufava nos trilhos.* **3.** Irritar-se, enfurecer-se: *O técnico do time perdedor bufava de raiva.* ▶ Conjug. 5.

bufê (bu.*fê*) s.m. **1.** Aparador de sala de jantar. **2.** Mesa para servir as iguarias numa festa. **3.** Serviço de iguarias e bebidas de uma festa.

buffer [*bâfer*] (Ing.) s.m. **1.** (*Inform.*) Área de armazenamento de dados à espera de processamento. **2.** (*Eletrôn.*) Circuito que isola e protege um sistema contra danos nas entradas de circuitos e periféricos.

bufo (bu.fo) adj. **1.** Que provoca riso; cômico, burlesco, farsesco. • s.m. **2.** (*Teat.*) Bufão. **3.** Indivíduo que faz gracejos sem espírito.

bug [*bâg*] (Ing.) s.m. (*Inform.*) Erro ou falha em programa de computador.

bugalho (bu.ga.lho) s.m. **1.** Protuberância ou nódulo em vegetal pela ação de fungos, bactérias etc. **2.** *coloq.* O globo ocular.

buganvília (bu.gan.ví.li:a) s.f. (*Bot.*) Planta trepadeira de pequenas flores, alvas, rosas, vermelhas ou roxas.

bugiar (bu.gi:*ar*) v. Fazer caretas de bugio; fazer macaquices: *Em suas brincadeiras, as crianças gostam de bugiar.* ▶ Conjug. 17.

bugiganga (bu.gi.gan.ga) s.f. Objeto de pouco valor e pouca utilidade; bagatela, quinquilharia.

bugio (bu.gi:o) s.m. (*Zool.*) **1.** Macaco. **2.** *fig.* Indivíduo que arremeda os outros.

bugre (bu.gre) adj. **1.** Relativo aos bugres. **2.** Selvagem. • s.m. e f. **3.** *pej.* Nome dado aos índios em geral do sul do Brasil. **4.** *fig.* Indivíduo selvagem, grosseiro, desconfiado. **5.** *fig.* Pessoa ignorante, rude.

bugreiro (bu.grei.ro) s.m. Caçador de índios selvagens.

bujão (bu.*jão*) s.m. **1.** Recipiente para armazenar gases e líquidos voláteis; botijão: *bujão de gás.* **2.** Peça de madeira, metal ou outro material, roscada ou não, para tapar um orifício.

bujarrona (bu.jar.ro.na) s.f. (*Náut.*) **1.** Vela triangular que se iça à proa da embarcação. **2.** Pau em que é içada essa vela.

bula (bu.la) s.f. **1.** Impresso que acompanha um medicamento, com informações sobre sua composição, indicações e contraindicações, posologia etc. **2.** (*Rel.*) Na Igreja Católica, documento em forma de decreto, expedido em nome do papa: *bula papal.*

bulbo (bul.bo) s.m. **1.** (*Bot.*) Estrutura vegetal, geralmente subterrânea, que guarda substâncias nutrientes para a sobrevivência de certas plantas; bolbo: *bulbo da cebola.* **2.** (*Anat.*) Qualquer órgão ou estrutura em forma globulosa: *bulbo ocular.* || *Bulbo raquiano* ou *raquidiano*: (*Anat.*) segmento do sistema nervoso central que continua a medula espinhal. – **bulboso** adj.

buldôzer (bul.dô.zer) s.m. Lâmina de trator, utilizada em terraplenagem, para escavar e deslocar terra e outros materiais.

bule (bu.le) s.m. Recipiente com bico, asa e tampa, usado para preparar ou servir chá, café, chocolate etc.

bulevar (bu.le.*var*) s.m. Rua larga ou avenida arborizada; alameda.

búlgaro (*búl*.ga.ro) adj. **1.** Da Bulgária, país da Europa. • s.m. **2.** O natural ou o habitante desse país. **3.** Idioma falado nesse país.

bulha (bu.lha) s.f. **1.** Confusão de sons; ruído. **2.** Gritaria confusa; vozearia. **3.** Briga, altercação, rixa. **4.** Desordem, tumulto, confusão. – **bulhento** adj.

bulhufas (bu.*lhu*.fas) pron. gír. Nada, coisa nenhuma: *Não entendi bulhufas do que você disse.*

bulício (bu.*lí*.ci:o) s.m. **1.** Agitação, movimentação, desordem. **2.** Ruído prolongado e confuso resultante dessa agitação; burburinho.

buliçoso [ô] (bu.li.ço.so) adj. **1.** Que bole muito: *mão buliçosa.* **2.** Que mexe em tudo; irrequieto, travesso: *Que menino buliçoso!* **3.** Esperto, vivo: *olhos buliçosos.* || f. e pl.: [ó].

bulimia (bu.li.*mi*.a) s.f. (*Med.*) Distúrbio que se caracteriza pela compulsão de comer em excesso, por um apetite insaciável.

bulir (bu.*lir*) v. **1.** Mexer(-se) de leve, balançar (-se): *A dor o impedia de bulir a cabeça; As folhas buliam com a brisa da tarde; Bulia-se desconfortável na velha poltrona.* **2.** Pôr as mãos; tocar, mexer: *Não bula naquilo que não lhe pertence.* **3.** Falar, comentar, tocar: *Não gosto de bulir em temas polêmicos.* **4.** Caçoar, zombar: *Por que está bulindo com seu colega?* **5.** Comover, sensibilizar, tocar, mexer: *A leitura de seus versos buliu muito comigo.* ▶ Conjug. 77.

bumba meu boi s.m.2n. (*Folc.*) Encenação popular, com música e dança, que toma variadas formas, principalmente nas regiões Norte e Nordeste do Brasil, e que consiste num cortejo com várias personagens (humanas, animais e fantásticas) para representar a morte e a ressurreição da personagem-título, o boi; boi-bumbá.

bumbo (*bum*.bo) *s.m.* (Mús.) Bombo.

bumerangue (bu.me.*ran*.gue) *s.m.* **1.** Arma de arremesso usada pelos indígenas australianos, de formato curvo e de madeira dura, que, lançada, volta ao ponto de partida. **2.** Espécie de brinquedo.

bunda (*bun*.da) *s.f.* **1.** A região glútea; nádegas. **2.** *coloq.* O conjunto das nádegas e o ânus.

bunda-mole (bun.da-*mo*.le) *s.m.* e *f. pej.* Pessoa fraca, medrosa, covarde, pusilânime; bundão. || pl.: *bundas-moles*.

bundão (bun.*dão*) *s.m.* **1.** Bunda grande. **2.** *pej.* Bunda-mole.

bunker [*bânker*] (Ing.) *s.m.* Casamata.

buquê (bu.*quê*) *s.m.* **1.** Ramalhete ou ramo de flores. **2.** Aroma de vinho: *O gourmet apreciou o buquê do vinho tinto.*

buraco (bu.*ra*.co) *s.m.* **1.** Abertura pequena; furo, orifício, cavidade, cova, toca. **2.** Certo jogo de cartas. **3.** *fig.* Coisa desagradável, embaraçosa, difícil: *Esta vida é um buraco.* **4.** *fig.* Casa diminuta: *Moram num buraco.* **5.** Lacuna, falta, falha de memória; branco. || *Buraco de ozônio*: (Astron.) área em que a camada de ozônio que envolve a Terra sofre o efeito destruidor dos poluentes ambientais. • *Buraco negro*: (Astron.) região do espaço cujo campo gravitacional intenso atrai todo tipo de matéria e energia. • *Tapar buracos*: *coloq.* remediar uma situação difícil, acudir a pequenas necessidades.

buraqueira (bu.ra.*quei*.ra) *s.f.* **1.** Terreno cheio de buracos. **2.** Terreno irregular cheio de depressões. **3.** Lugar ermo afastado das cidades.

burburinho (bur.bu.*ri*.nho) *s.m.* **1.** Ruído confuso e prolongado de muitas vozes; rumor, bulício. **2.** Tumulto, desordem, agitação.

bureau [*bürô*] (Fr.) *s.m.* Ver birô.

burel (bu.*rel*) *s.m.* **1.** Tecido grosseiro de lã, de cor escura. **2.** Roupa feita com esse tecido, usada por frades e freiras.

burgo (*bur*.go) *s.m.* **1.** (*Hist.*) Na Idade Média, fortaleza ou castelo fortificado, geralmente construído sobre um pico rochoso. **2.** Povoação, aldeia ou vila, que se desenvolve junto àquelas fortificações. **3.** Vila ou cidade administrativa subordinada a outra maior. **4.** Periferia de uma cidade; arrabalde, cercania.

burgomestre (bur.go.*mes*.tre) *s.m.* O primeiro magistrado municipal de muitas cidades da Alemanha, Bélgica, Holanda e Suíça, correspondente ao prefeito no Brasil.

burguês (bur.*guês*) *adj.* **1.** (*Hist.*) Na Idade Média, o natural ou o habitante de um burgo. **2.** Indivíduo pertencente à classe média, em oposição aos camponeses e operários. **3.** Membro da burguesia, pessoa abastada ou rica. • *adj.* **4.** Relativo a burgo ou a burguesia. **5.** *pej.* De mau gosto, vulgar, com pretensão a requintado: *hábitos burgueses.* **6.** (*Teat.*) Diz-se de peça teatral que tematiza ambientes, costumes e ideias da burguesia ou da classe média: *comédia burguesa; drama burguês.*

burguesia (bur.gue.*si*.a) *s.f.* **1.** (*Hist.*) Na Idade Média, qualidade ou condição de burguês. **2.** Classe social constituída pelos burgueses. **3.** Classe social que engloba os grupos ou indivíduos com interesses vinculados aos dos detentores dos meios de produção; classe média.

buril (bu.*ril*) *s.m.* **1.** Instrumento com ponta de aço para lavrar pedra. **2.** Instrumento de gravador usado na confecção de gravuras em metal e em madeira; cinzel.

burilar (bu.ri.*lar*) *v.* **1.** Gravar ou lavrar com buril: *burilar a pedra*; *É um verdadeiro artista em seu ofício de burilar.* **2.** *fig.* Gravar, fixar, imprimir: *Os pais e os mestres devem burilar a moral e a ética no espírito dos jovens.* **3.** *fig.* Dar perfeição de forma; aprimorar, aperfeiçoar, apurar: *O poeta busca burilar o verso.* ▶ Conjug. 5.

buriti (bu.ri.*ti*) *s.m.* **1.** (*Bot.*) Espécie de palmeira, de cujas folhas se extraem fibras utilizáveis em trançados e de cujos frutos se extrai óleo comestível; buritizeiro. **2.** O fruto dessa palmeira.

buritizal (bu.ri.ti.*zal*) *s.m.* **1.** Mata de buritis. **2.** Terreno onde abundam buritis.

buritizeiro (bu.ri.ti.*zei*.ro) *s.m.* (*Bot.*) Buriti (1).

burla (*bur*.la) *s.f.* **1.** Ato ou efeito de burlar. **2.** Engano, logro, embuste. **3.** Ação dolosa; fraude, estelionato: *Cometeu uma burla na declaração do imposto de renda.* **4.** Zombaria, caçoada, escárnio: *fazer burla de alguém.*

burlar (bur.*lar*) *v.* **1.** Praticar burla; fraudar, lesar, infringir: *Não tente jamais burlar as leis.* **2.** Enganar, ludibriar: *Burlou os seguranças e entrou na festa sem convite.* **3.** Fazer zombaria; escarnecer; zombar: *Não gosto que burlem de mim.* ▶ Conjug. 5.

burlesco [ê] (bur.*les*.co) *adj.* **1.** Cômico, zombeteiro, grotesco, ridículo. **2.** Próprio de quem

burocracia

burla; embusteiro, enganador. • s.m. **3.** Modo, estilo burlesco.

burocracia (bu.ro.cra.ci.a) s.f. **1.** Sistema administrativo da coisa pública, baseado em cargos definidos por uma ordem hierárquica de competência e divisão de tarefas. **2.** O conjunto dos funcionários públicos, principalmente o dos funcionários das secretarias de Estado. **3.** pej. Morosidade e complicação no desempenho dos serviços públicos: *O excesso de burocracia é um mal dos órgãos públicos*.

burocrata (bu.ro.cra.ta) s.m. e f. **1.** Indivíduo da burocracia. **2.** pej. Funcionário público preso à rotina e a excessivas formalidades. – **burocratizar** v. ▶ Conjug. 5.

burocrático (bu.ro.crá.ti.co) adj. Relativo à burocracia ou aos burocratas.

burra (bur.ra) s.f. **1.** Fêmea de burro; jumenta, mula. **2.** Cofre ou arca para a guarda de dinheiro.

burrada (bur.ra.da) s.f. **1.** Ajuntamento ou porção de burros. **2.** coloq. Ato ou dito de indivíduo burro; asneira, tolice, bobagem, burrice.

burrice (bur.ri.ce) s.f. **1.** Burrada (2). **2.** Falta de inteligência; estupidez.

burrico (bur.ri.co) s.m. Burro pequeno; burrinho.

burrificar (bur.ri.fi.car) v. Tornar(-se) burro; emburrecer(-se), embrutecer(-se), bestificar(-se): *A falta de objetivos na vida burrifica as pessoas*; *Não se deixe burrificar assistindo a qualquer tipo de programação.* ▶ Conjug. 5 e 35.

burrinho (bur.ri.nho) s.m. **1.** Burro pequeno; burrico. **2.** Bomba de freio hidráulico, nos automóveis. **3.** Pequeno compressor de ar ou óleo, usado em pinturas.

burro (bur.ro) s.m. **1.** (*Zool.*) Mulo (1). **2.** Pessoa pouco inteligente; ignorante, estúpida, bronca. • adj. **3.** Ignorante, estúpido, bronco. || *Burro de carga*: **1.** animal usado em trabalhos pesados; **2.** pessoa que faz trabalho excessivo que deveria ser feito por outrem. • *Burro sem rabo*: carregador que puxa um carrinho de mão. • *Pra burro*: gír. muito, em grande quantidade: *Ele trabalha pra burro*.

bursite (bur.si.te) s.f. (*Med.*) Inflamação das bolsas serosas das articulações: *A dor insistente indicava uma bursite no ombro*.

busca (bus.ca) s.f. **1.** Ato ou efeito de buscar; procura: *A busca do ouro movia os bandeirantes*. **2.** Investigação, exame, pesquisa: *A comissão de inquérito promoveu a busca de novos dados sobre as denúncias levantadas.* **3.** Esforço para alcançar um fim: *a busca da verdade*. || *Busca e apreensão*: (*Jur.*) medida decretada pelo juiz, requerida pelas partes envolvidas, para procura e localização de pessoa ou coisa que deve ser exibida em juízo. • *À busca* ou *em busca de*: **1.** à procura de. **2.** na tentativa de; no esforço de: *Os ambientalistas se empenham em busca da salvação dos animais silvestres*.

busca-pé (bus.ca-pé) s.m. Fogo de artifício que, posto no chão e incendiado, arde girando em ziguezague rapidamente, com um estouro no final. || pl.: *busca-pés*.

buscar (bus.car) v. **1.** Fazer diligência para achar ou encontrar alguém ou alguma coisa; diligenciar: *Buscava encontrar um rosto conhecido na multidão*; *Saía cedo todos os dias para buscar trabalho*. **2.** Recorrer a; procurar: *buscar a ajuda da família*. **3.** Tratar de trazer ou levar alguém ou alguma coisa: *Foi buscar a filha no aeroporto*; *Busque aqueles livros para mim, por favor*. **4.** Ir ter a alguma parte; dirigir-se para: *Os rios buscam o mar*. **5.** Revistar; esquadrinhar: *Buscou a casa toda e não encontrou o brinco perdido*. **6.** Examinar, investigar, pesquisar: *É preciso sempre buscar as causas das controvérsias*. **7.** Empenhar-se em; esforçar-se por; procurar: *Atenta à prova, buscava resolver todas as questões propostas*. **8.** Imaginar, idear, inventar: *buscar pretextos, desculpas*. ▶ Conjug. 5 e 35.

busílis (bu.sí.lis) s.m.2n. A dificuldade principal na resolução de um problema; embaraço, dificuldade, obstáculo.

bússola (bús.so.la) s.f. **1.** Caixa com tampa envidraçada, tendo ao fundo a rosa dos ventos, contendo uma agulha imantada que repousa livremente sobre um eixo e que aponta sempre a direção do norte. **2.** fig. Orientação moral ou intelectual em assunto ou negócio difícil: *A ética deve ser a nossa bússola*.

bustiê (bus.ti:ê) s.m. Peça do vestuário feminino, espécie de corpete sem alças.

busto (bus.to) s.m. **1.** A parte superior do corpo humano; torso, tronco. **2.** Escultura ou pintura que representa a cabeça, o pescoço e parte do peito da figura humana. **3.** Seios da mulher. **4.** Medida do corpo humano que se toma colocando uma fita métrica ao redor do tórax, sobre os seios.

butano (bu.ta.no) s.m. (*Quím.*) Hidrocarboneto saturado natural ou derivado do petróleo, usado como combustível doméstico; gás butano.

butiá (bu.ti:á) s.m. (*Bot.*) **1.** Espécie de palmeira que ocorre em várias regiões do Brasil, dotada de frutos comestíveis, com amêndoas que fornecem óleo e polpa da qual se faz uma bebida alcoólica; as fibras são usadas na confecção de esteiras, cestos e chapéus. **2.** Fruto dessa palmeira.

butique (bu.*ti*.que) s.f. Loja de artigos finos (roupas, acessórios, bijuterias etc.).

button [*bâton*] (Ing.) s.m. Broche (de metal, plástico etc.) com desenhos, símbolos, pequenas mensagens alusivas a uma causa, a um partido etc.; botão: *Os candidatos políticos distribuem buttons em suas campanhas*.

buzina (bu.*zi*.na) s.f. **1.** Dispositivo elétrico sonoro para emitir sinais de advertência e de alerta em veículos locomotores: *buzina do automóvel; buzina da lancha*. **2.** Espécie de corneta provida de uma esfera de ar que, comprimida com a mão, produz um som forte característico: *buzina de bicicleta*. **3.** Espécie de trombeta de metal que produz um som forte e estridente; trompa, corno.

buzinaço (bu.zi.*na*.ço) s.m. coloq. Manifestação pública a favor de ou contra algo ou alguém, feita ao som de buzinas: *Os grevistas terminaram seu protesto com um forte buzinaço*.

buzinar (bu.zi.*nar*) v. **1.** Tocar ou fazer soar a buzina: *É proibido buzinar em determinados lugares; Alguns motoristas dirigem buzinando a todo momento*. **2.** Fazer soar instrumento de sopro com som semelhante ao da buzina: *O berrante parecia buzinar, chamando o público para o rodeio*. **3.** *fig.* Zangar-se, irritar-se, encolerizar-se, enfurecer-se: *Contrariado pelos pais, o menino saiu buzinando de raiva*. **4.** *fig.* Alardear, apregoar, trombetear: *Gosta de buzinar suas façanhas aos amigos*. **5.** *fig.* Dizer com insistência; repetir, reiterar: *Não fique buzinando sempre as mesmas histórias aos nossos ouvidos*. **6.** *fig.* Gritar, berrar: *Não é necessário buzinar as reivindicações para ser atendido; Aquele chefe só sabe falar buzinando*. ▶ Conjug. 5. – **buzinação** s.f.: **buzinada** s.f.

búzio (*bú*.zi:o) s.f. (*Zool*.) Concha de molusco, de forma espiral, cônica ou ovoide, com abertura larga.

by-pass [*bai-pess*] (Ing.) Desvio de direção ou caminho; contorno. || *By-pass coronariano*: (*Med*.) enxerto de artéria em outra obstruída, para revascularização do coração.

byte [*baite*] (Ing.) s.m. (*Inform*.) Conjunto de bits (geralmente oito) que formam a unidade de informação básica em programa de computador.

c s.m. **1.** Terceira letra do alfabeto português. **2.** O número cem em algarismos romanos.

C 1. (*Quím.*) Símbolo de *carbono*. **2.** (*Fís.*) Símbolo de *célsius*.

Ca (*Quím.*) Símbolo de *cálcio*.

cã s.f. Cabelo branco. || Mais usado no plural.

cá[1] *adv.* No lugar em que está a pessoa que fala; aqui, neste lugar.

cá[2] *s.m.* Nome da letra k. || pl.: *cás* ou *kk*.

caapora (ca:a.*po*.ra) *adj.* s.m. e f. Caipora.

caatinga (ca.a.*tin*.ga) *s.f.* **1.** Mata do sertão semiárido do Nordeste brasileiro composta de arbustos espinhosos, de cactos e gravatás. **2.** Zona onde se encontra essa vegetação. || *catinga*.

cabaça (ca.*ba*.ça) *s.f.* **1.** Fruto da cabaceira, de formas variadas, sendo a mais comum a de uma pera. **2.** Vaso feito da casca desse fruto.

cabal (ca.*bal*) *adj.* **1.** Que chega ao cabo; completo, pleno, perfeito. **2.** Rigoroso, severo. **3.** Decisivo, terminante, definitivo. **4.** Bastante, suficiente: *Deu resposta cabal ao juiz*.

cabala (ca.*ba*.la) *s.f.* **1.** Conjunto de conhecimentos baseados em comentários do Antigo Testamento. **2.** Conjunto de estudos e práticas secretas de indivíduos associados para conseguir certos fins. **3.** Conspiração, intriga com fins eleitorais. || *Fazer cabala*: arranjar eleitores; conseguir votos para um determinado candidato em eleição.

cabalar (ca.ba.*lar*) *v.* **1.** Tramar, conspirar, intrigar, enredar. **2.** Obter (votos) por meio ilícito ou motivo imerecido. ▶ Conjug. 5.

cabalístico (ca.ba.*lís*.ti.co) *adj.* **1.** Relativo a cabala. **2.** Misterioso, obscuro, secreto. **3.** Relativo às ciências ocultas.

cabana (ca.*ba*.na) *s.f.* Pequena habitação precária e rústica, geralmente de madeira e coberta de sapê ou palha.

cabaré (ca.ba.*ré*) *s.m.* **1.** Casa de diversão noturna, onde se bebe, se dança e se assiste a espetáculos ligeiros. **2.** Boate.

cabeça [ê] (ca.*be*.ça) *s.f.* **1.** (*Anat.*) A parte superior do corpo humano, que compreende a face e o crânio. **2.** (*Anat.*) Parte superior ou anterior dos outros animais. **3.** Indivíduo ou animal considerado numericamente: *O fazendeiro possuía muitas cabeças de gado.* **4.** Centro da memória, do pensamento e da inteligência. **5.** Parte superior de um objeto: *cabeça do prego*. **6.** Primeiras linhas de uma folha impressa ou escrita; cabeceira: *Você está com o nome na cabeça da lista.* **7.** *coloq.* A glande do pênis. **8.** Diferença correspondente ao tamanho aproximado de uma cabeça, que distancia um cavalo do outro, ao final de um páreo. **9.** (*Mil.*) Parte das tropas que vão na vanguarda. • *s.m. e f.* **10.** Chefe: *o cabeça da revolução*. || *Cabeça no ar*: pessoa leviana ou estouvada. • *Perder a cabeça*: perder a calma, a serenidade de ânimo.

cabeça-chata (ca.be.ça-*cha*.ta) *s.m. e f. coloq. pej.* Pessoa que nasce no Nordeste, especialmente no Ceará. || pl.: *cabeças-chatas*.

cabeçada (ca.be.*ça*.da) *s.f.* **1.** Pancada com a cabeça. **2.** Ato impensado; asneira, disparate, tolice. **3.** Desatino, ato malsucedido, feito por inexperiência. **4.** (*Esp.*) No futebol, ato de rebater ou impulsionar a bola com a cabeça. **5.** Golpe que o capoeirista dá no adversário ao lançar-se de cabeça sobre ele, como um aríete. || *Dar uma cabeçada*: *coloq.* errar, dar um mau passo; fazer mau negócio.

cabeça de negro *s.f.* Produto pirotécnico, usado em festas juninas, que provoca forte estouro; bomba.

cabeça de porco s.f. Cortiço, casa de cômodos; estalagem. || pl.: *cabeças de porco*.

cabeçalho (ca.be.ça.lho) s.m. **1.** Conjunto de informações que se localizam na parte superior das páginas ou seções de um documento, que indicam constâncias gerais ou parciais da publicação; cabeço. **2.** Título e primeiros dizeres de qualquer publicação; cabeço. **3.** Nome do aluno, data da aula, local e nome do estabelecimento de ensino, no caderno escolar; cabeço.

cabeção (ca.be.ção) s.m. Cabeçorra.

cabecear (ca.be.ce:ar) v. **1.** Mover a cabeça para expressar alguma coisa: *Cabeceou uma saudação*. **2.** Deixar pender a cabeça por efeito de sono: *Durante a leitura noturna, o menino cabeceava de sono*. **3.** Mudar de direção; desviar-se: *O pelotão cabeceou em direção ao quartel*. **4.** (*Esp.*) No futebol, golpear ou rebater a bola com a cabeça: *O jogador cabeceou a bola, que foi parar nas redes*.

cabeceira (ca.be.cei.ra) s.f. **1.** Parte da cama na qual se deita a cabeça. **2.** Cada uma das extremidades de uma mesa retangular ou oval. **3.** Contraforte da lombada dos livros. **4.** Frente, vanguarda, dianteira. **5.** Nascente de rio ou riacho. **6.** Conjunto das regiões vizinhas da nascente. **7.** (*Aer.*) Extremidade de uma pista de pouso.

cabeço [ê] (ca.be.ço) s.m. **1.** Monte pouco elevado e de forma arredondada. **2.** Outeiro. **3.** Cabeçalho.

cabeçorra [ô] (ca.be.çor.ra) s.f. Cabeça grande; cabeção.

cabeçote [ó] (ca.be.ço.te) s.m. **1.** Acessório usado para fixar uma peça a ser torneada. **2.** Parte dianteira superior da sela. **3.** (*Eletrôn.*) Mecanismo de leitura e gravação de disquete ou fita magnética.

cabeçudo (ca.be.çu.do) adj. **1.** Que tem a cabeça grande. **2.** Que é muito teimoso, insensível a argumentos. • s.m. **3.** Pessoa teimosa.

cabedal (ca.be.dal) s.m. **1.** O patrimônio de alguém; bens, riqueza, capital. **2.** Conjunto dos bens intelectuais e morais, adquiridos com estudo, dedicação, experiência. **3.** Grande quantidade.

cabedelo [ê] (ca.be.de.lo) s.m. Montículo de areia, junto à foz dos rios; pequena duna.

cabeleira (ca.be.lei.ra) s.f. **1.** Conjunto dos cabelos de uma cabeça, principalmente compridos e fartos. **2.** Peruca. • s.m. **3.** Homem que usa cabelos compridos.

cabeleireiro (ca.be.lei.rei.ro) s.m. **1.** Profissional que corta e trata cabelos. **2.** Seu local de trabalho.

cabelo [ê] (ca.be.lo) s.m. **1.** Pelo que nasce sobre a cabeça humana. **2.** Pelo que nasce em qualquer parte do corpo humano. **3.** Mola de aço espiralada que regula o funcionamento de relógios. || *De arrepiar os cabelos*: de causar medo. • *De cabelo na venta*: brigão, valente rixoso; enérgico, bravo.

cabeludo (ca.be.lu.do) adj. **1.** Que tem muito cabelo. **2.** *fig*. Que é muito complicado, difícil, intricado: *problema cabeludo*. **3.** *fig*. Obsceno, imoral: *palavras cabeludas*. • s.m. **4.** Aquele que usa os cabelos fartos e malcuidados.

caber (ca.ber) v. **1.** Poder ser contido ou estar dentro: *A geladeira coube na cozinha*. **2.** Poder realizar-se; suceder dentro de um prazo: *O programa do curso não cabia em 30 dias*. **3.** Ser da competência de: *Cabiam-lhe todos os trabalhos pesados da comunidade*. **4.** Vir a propósito; ter cabimento: *Depois de tudo que houve, cabe-me perguntar se estás satisfeita*. **5.** Ser admissível ou oportuno: *A essa altura cabe uma pergunta*. **6.** Haver lugar para: *Aqui não cabem mexeriqueiros*. || *Não caber em si de contente*: transbordar de contentamento ou de alegria. ▶ Conjug. 54.

cabide (ca.bi.de) s.m. **1.** Móvel onde se penduram roupas. **2.** Peça fixa à parede onde se penduram roupas e utensílios de toda ordem. **3.** Peça, aproximadamente da largura das espáduas, onde se penduram paletós, camisas, calças, saias. || *Cabide de empregos*: *coloq.* **1.** pessoa que acumula muitos empregos. **2.** Instituição que emprega amigos e apadrinhados de pessoas influentes.

cabidela [é] (ca.bi.de.la) s.f. (*Cul.*) Guisado feito com as vísceras e o sangue de ave, geralmente galinha.

cabido[1] (ca.bi.do) s.m. (*Rel.*) Corporação dos cônegos de uma catedral ou de uma colegiada; capítulo.

cabido[2] (ca.bi.do) adj. Que tem cabimento: *um protesto cabido*.

cabimento (ca.bi.men.to) s.m. **1.** Plausibilidade, valimento, aceitação. **2.** Conveniência, propriedade. **3.** Justificativa, propósito.

cabina (ca.bi.na) s.f. Cabine.

cabine (ca.bi.ne) s.f. **1.** Cada um dos camarotes em navios e trens. **2.** No avião, local onde ficam o piloto e os copilotos. **3.** Tolda de locomotiva. **4.** Proteção fechada de telefone público. **5.** Camarim de elevador. **6.** Guarita

cabineiro

de sinalização de trânsito ferroviário ou rodoviário. **7.** Compartimento para experimentação de roupa. **8.** Local reservado na votação eleitoral. || *cabina*.

cabineiro (ca.bi.*nei*.ro) *s.m.* **1.** Guarda de cabine de trem ou navio que geralmente recebe os bilhetes. **2.** Profissional que comanda um elevador; ascensorista.

cabisbaixo [ch] (ca.bis.*bai*.xo) *adj.* **1.** De cabeça baixa; curvado. **2.** *fig.* Abatido, triste, humilhado, vexado, envergonhado.

cabiúna (ca.bi.*ú*.na) *s.m.* **1.** (*Bot.*) Árvore de madeira forte e escura, usada na fabricação de móveis e na construção civil. • *s.m. e f.* **2.** Negro ou mulato escuro. || *caviúna*.

cabível (ca.*bí*.vel) *adj.* Que pode caber; que tem cabimento.

cabo¹ (*ca*.bo) *s.m.* **1.** Fim, extremidade, término, limite. **2.** Parte pela qual se segura e manuseia um objeto: *o cabo da frigideira*. **3.** Chefe, cabeça, comandante. **4.** Ponta de terra que entra pelo mar; promontório. || *Ao cabo de*: ao final de; no fim de: *Ao cabo de quinze dias, ele resolveu voltar.* • *De cabo a rabo*: *coloq.* completo; completamente: *Leu o volumoso processo de cabo a rabo.* • *Levar a cabo*: concluir, terminar: *Levou a cabo a obra iniciada por seu pai.*

cabo² (*ca*.bo) *s.m.* Graduação hierárquica de praça imediatamente superior à de soldado. || *Cabo eleitoral*: quem faz campanha para um candidato a cargo eleitoral.

caboclo [ô] (ca.*bo*.clo) *s.m.* **1.** Mestiço de branco com índio. • *adj.* **2.** Próprio de caboclo: *vida cabocla, casa cabocla*.

cabo de guerra *s.m.* Jogo de ginástica ou competição em que uma corda é puxada por duas equipes em direções opostas, vencendo a que conseguir arrastar a outra.

cabograma (ca.bo.*gra*.ma) *s.m.* Telegrama enviado através de cabo submarino.

cabotagem (ca.bo.*ta*.gem) *s.f.* (*Náut.*) Navegação em águas costeiras, especialmente entre portos do mesmo país: *Alguns saveiros faziam viagem de cabotagem entre Ilhéus e Vitória.*

cabotino (ca.bo.*ti*.no) *adj.* **1.** Que procura chamar a atenção para suas qualidades: *uma postura cabotina.* • *s.m.* **2.** Aquele que procura chamar a atenção para suas qualidades: *Aquele cabotino está querendo se promover.* – **cabotinice** *s.f.*; **cabotinismo** *s.m.*

cabra (*ca*.bra) *s.f.* **1.** (*Zool.*) Fêmea do bode. • *s.m.* **2.** *coloq.* Capanga, guarda-costa, jagunço.

cabra-cega (ca.bra-*ce*.ga) *s.f.* Brinquedo infantil em que uma criança, de olhos vendados, procura pegar uma das outras para substituí-la. || pl.: *cabras-cegas*.

cabra da peste *s.m. coloq.* Sujeito mau, desqualificado.

cabra-macho (ca.bra-*ma*.cho) *s.m.* Sujeito corajoso, valente ou provocador. || pl.: *cabras-machos*.

cabreiro (ca.*brei*.ro) *adj.* **1.** *coloq.* Que não confia, que suspeita, geralmente em determinado caso: *Depois que eu lhe disse aquilo, ele ficou meio cabreiro.* **2.** Vivo, esperto: *Ele resolverá bem o problema porque é um menino cabreiro.* **3.** Manhoso, sonso: *Como ele era um tipo bem cabreiro, ficou tentando adiar a data do pagamento.* • *s.m.* **4.** Pastor de cabras.

cabrestante (ca.bres.*tan*.te) *s.m.* (*Náut.*) Máquina de eixo vertical, própria para levantar grandes pesos.

cabresto [ê] (ca.*bres*.to) *s.m.* Arreio de corda ou couro para prender animais de montaria ou controlar sua marcha. || *Encurtar o cabresto*: conter as aspirações. • *Trazer no (ou pelo) cabresto*: *coloq. fig.* manter alguém sob controle.

cabril (ca.*bril*) *s.m.* **1.** Curral de cabras. **2.** Lugar alcantilado.

cabriola [ó] (ca.bri:*o*.la) *s.f.* **1.** Salto de cabra. **2.** Cambalhota.

cabriolé (ca.bri:o.*lé*) *s.m.* **1.** Carruagem leve, de duas rodas e capota leve, puxada por um cavalo. **2.** Automóvel conversível, para duas ou três pessoas.

cabrita (ca.*bri*.ta) *s.f.* **1.** (*Mil.*) Antiga máquina de guerra, de arremessar pedras. **2.** (*Zool.*) Cabra pequena, enquanto desmama. **3.** (*Zool.*) Cabra, em geral. **4.** Empunhadura da serra. **5.** Pé de cabra.

cabritar (ca.bri.*tar*) *v.* Saltitar como cabrito; pular. ▶ Conjug. 5.

cabrito (ca.*bri*.to) *s.m.* (*Zool.*) **1.** Cria masculina da cabra. **2.** Bode ainda jovem.

cabrocha [ó] (ca.*bro*.cha) *s.f.* **1.** Mulata jovem. **2.** Passista de escola de samba.

cábula (*cá*.bu.la) *s.f.* **1.** Falta às aulas; gazeta. • *s.m. e f.* **2.** Estudante faltoso.

cabular (ca.bu.*lar*) *v.* Faltar às aulas por vadiagem: *Em vez de irem para a escola, foram cabular aula no parque.* ▶ Conjug. 5.

cabuloso [ô] (ca.bu.*lo*.so) *adj.* Complicado, confuso: *negócios cabulosos.* || f. e pl.: [ó].

caburé (ca.bu.*ré*) *s.m.* **1.** (*Zool.*) Nome vulgar de várias espécies de aves noturnas. • *s.m.* e *f.* **2.** Mestiço de negro e índio; cafuzo.

caca (*ca*.ca) *s.f.* **1.** Excremento, fezes em linguagem infantil. **2.** Sujeira, imundície, porcaria.

caça (*ca*.ça) *s.m.* **1.** (*Aer.*) Avião de caça: *O caça aterrissou no aeroporto do Galeão.* • *s.f.* **2.** Ação de caçar, caçada. **3.** Animal caçado: *Um dia é da caça e outro do caçador.* **4.** Busca continuada de alguma coisa: *Ultimamente ele vivia à caça de um bom emprego.* **5.** Perseguição ao inimigo. – **caçador** *s.m.*

caça-dotes (ca.ça-*do*.tes) *s.m.* e *f.2n. pej.* Quem procura se casar com pessoa rica para melhorar de vida.

caçamba (ca.*çam*.ba) *s.f.* **1.** Balde preso por uma corda, para retirar água dos poços. **2.** Parte da betoneira onde se prepara a massa de cimento. **3.** Peça de carretas e tratores, para apreensão e remoção de entulho ou terra.

caça-minas (ca.ça-*mi*.nas) *s.m.2n.* **1.** (*Mil.*) Mecanismo para encontrar e destruir minas. **2.** (*Náut.*) Pequeno navio de guerra destinado a essa tarefa.

caça-níqueis (ca.ça-*ní*.queis) *s.m.2n.* **1.** Aparelho de jogo de azar que funciona com a introdução de moedas. **2.** *fig.* Negócio para enganar ingênuos.

cação (ca.*ção*) *s.m.* (*Zool.*) Tubarão pequeno ou de porte médio.

caçapa (ca.*ça*.pa) *s.f.* Cada um dos seis buracos com redes da mesa de sinuca; ventanilha.

caçar (ca.*çar*) **1.** Fazer caçada ou andar à caça: *Iam à África para caçar.* **2.** Perseguir animais silvestres para prendê-los ou matá-los: *O escritor caçava rinocerontes na África.* **3.** Procurar para prender: *Os policiais caçavam os bandidos na rodovia.* **4.** Procurar, buscar, arranjar: *Onde iremos caçar tanto dinheiro?* || Conferir com *cassar.*

cacareco [é] (ca.ca.*re*.co) *s.m.* Coisa velha ou muito usada e de pouco valor; caco.

cacarejar (ca.ca.re.*jar*) *v.* **1.** Cantar (a galinha e outras aves de canto semelhante). **2.** Tagarelar. ▶ Conjug. 10.

cacaria (ca.ca.*ri*.a) *s.f.* Grande quantidade de cacos.

cachear

caçarola [ó] (ca.ça.*ro*.la) *s.f.* Panela de metal, de forma cilíndrica, com cabo curto e tampa.

cacatua (ca.ca.*tu*.a) *s.f.* (*Zool.*) Espécie de papagaio de penacho, originário da Austrália, cuja plumagem pode ser branca, rósea, preta ou cinzenta.

cacau (ca.*cau*) *s.m.* Fruto de cujas sementes se faz o chocolate.

cacaual (ca.cau.*al*) *s.m.* Terreno plantado de cacaueiros.

cacaueiro (ca.cau.*ei*.ro) *s.m.* (*Bot.*) Árvore que produz o cacau; cacauzeiro.

cacauicultor [ô] (ca.cau.i.cul.*tor*) *s.m.* Pessoa que cultiva o cacau. – **cacauicultura** *s.f.*

cacauzeiro (ca.cau.*zei*.ro) *s.m.* Cacaueiro.

cacetada (ca.ce.*ta*.da) *s.f.* Pancada com cacete.

cacete [ê] (ca.*ce*.te) *s.m.* **1.** Pedaço, curto e grosso, de pau, usado como arma. **2.** Bordão. **3.** *chulo* Pênis. • *adj.* **4.** Maçante, enfadonho: *Que sujeito cacete!*

cacetear (ca.ce.te.*ar*) *v.* Importunar, causar aborrecimento ou chateação; maçar, chatear. ▶ Conjug. 14.

cachaça (ca.*cha*.ça) *s.f.* **1.** Aguardente feita de cana-de-açúcar; cana, caninha. **2.** *fig.* Paixão dominante, mania, vício: *O futebol é a minha cachaça.*

cachação (ca.cha.*ção*) *s.m.* Pancada na nuca; pescoção.

cachaceiro (ca.cha.*cei*.ro) *adj.* **1.** Que tem o vício de embriagar-se com cachaça ou outras bebidas alcoólicas. • *s.m.* **2.** Pessoa que tem o vício de embriagar-se; beberrão.

cachaço (ca.*cha*.ço) *s.m.* **1.** Parte posterior do pescoço; nuca. **2.** (*Zool.*) Porco reprodutor; varrão.

cachalote [ó] (ca.cha.*lo*.te) *s.m.* (*Zool.*) Grande animal mamífero que vive nos mares e atinge até vinte metros e que produz o âmbar e o espermacete.

cachê (ca.*chê*) *s.m.* **1.** Salário pago a cantores e atores de teatro, televisão e cinema. **2.** Remuneração dada a artistas por uma apresentação ou participação em espetáculos e anúncios comerciais.

cachear (ca.che:*ar*) *v.* **1.** Cobrir-se de cachos, produzir cachos: *As palmeiras do Jardim Botânico cachearam mais cedo este ano.* **2.** Tornar-se cacheado (o cabelo): *Depois que ela começou a usar aquele produto, seu cabelo cacheou.* ▶ Conjug. 14.

cachecol (ca.che.*col*) *s.m.* Manta longa e estreita para agasalhar o pescoço.

cachimbada (ca.chim.*ba*.da) *s.f.* Tragada em cachimbo, de uma vez.

cachimbo (ca.*chim*.bo) *s.m.* Utensílio para fumar, composto de um fornilho, onde se queima o tabaco, um tubo e uma boquilha; pito.

cacho (*ca*.cho) *s.m.* **1.** Grupo de flores ou de frutos, que se desenvolvem num eixo comum. **2.** Anel de cabelo. **3.** *coloq.* Relação amorosa extraconjugal.

cachoeira (ca.cho:ei.ra) *s.f.* Queda-d'água em rio ou ribeirão; catarata, salto.

cachoeirense (ca.cho:ei.*ren*.se) *adj.* **1.** Da cidade de Cachoeiro de Itapemirim, no Estado do Espírito Santo. • *s.m.* e *f.* **2.** O natural ou o habitante dessa cidade.

cachola [ó] (ca.*cho*.la) *s.f. coloq.* Cabeça.

cachorra [ô] (ca.*chor*.ra) *s.f.* **1.** (*Zool.*) Fêmea do cachorro; cadela. **2.** *fig. pej.* Mulher devassa ou de mau gênio. || *Estar com a cachorra*: estar de mau humor.

cachorrada (ca.chor.*ra*.da) *s.f.* **1.** Bando de cachorros. **2.** *coloq.* Ato indigno.

cachorro [ô] (ca.*chor*.ro) *s.m.* (*Zool.*) **1.** Cão. **2.** Cria de outros animais como o lobo, o tigre, o leão. || *Matar cachorro a grito*: *coloq.* estar em situação desesperadora. • *Pra cachorro*: *coloq.* muito, demais • *Soltar os cachorros* (em cima de alguém): *coloq.* insultar, discutir. • *Vida de cachorro*: *coloq.* vida dura, com dificuldades.

cachorro-quente (ca.chor.ro-*quen*.te) *s.m.* Sanduíche feito com pão e salsicha quente, com ou sem molho. || *pl.*: *cachorros-quentes*.

cacife (ca.*ci*.fe) *s.m.* **1.** Quantia mínima que cada jogador deve ter para entrar num jogo de azar. **2.** *fig.* Condição (econômica, de prestígio, de poder etc.) para fazer alguma coisa de grande vulto: *Não acreditamos que ele tenha cacife para dirigir a empresa do pai.*

cacimba (ca.*cim*.ba) *s.f.* Poço escavado no solo para obtenção de água.

cacique (ca.*ci*.que) *s.m.* **1.** Chefe de uma tribo de índios. **2.** Chefe político.

caco (*ca*.co) *s.m.* **1.** Pedaço quebrado de louça, vidro, dente; cacareco. **2.** Traste sem valor. **3.** *fig.* Pessoa envelhecida e doente. **4.** (*Teat.*) Palavra ou frase que o ator, geralmente de improviso, introduz na sua fala, para substituir outra ou criar efeito cômico.

caçoar (ca.ço:*ar*) *v.* Debochar, zombar: *Os alunos caçoavam do colega novato.* ▶ Conjug. 25.
– **caçoada** *s.f.*

cacoete [ê] (ca.co:*e*.te) *s.m.* Tique ou trejeito involuntário de alguma parte do corpo.

cacófato [ó] (ca.*có*.fa.to) *s.m.* (*Gram.*) Sílaba ou palavra desagradável ou ridícula que resulta do encontro da sílaba final de uma palavra com as iniciais de outra; cacofonia: "*Herói da nação*" e *a boca dela* são exemplos de cacófato.

cacofonia (ca.co.fo.*ni*.a) *s.f.* Cacófato.

cacto (*cac*.to) *s.m.* (*Bot.*) Planta carnuda e espinhosa característica da flora de países quentes e secos. || *cáctus*.

cáctus (*các*.tus) *s.m.* (*Bot.*) Cacto.

caçula (ca.*çu*.la) *adj.* **1.** Diz-se do mais novo dos filhos ou dos irmãos. • *s.m.* e *f.* **2.** Pessoa nascida depois de todos os seus irmãos.

cada (*ca*.da) *pron. indef.* Designa separadamente uma pessoa ou coisa, diferenciando-a em relação a outras da mesma espécie: *Cada aluno deverá se manter em seu lugar.*

cadafalso (ca.da.*fal*.so) *s.m.* Estrado ou tablado para execução de condenados; patíbulo, forca.

cadarço (ca.*dar*.ço) *s.m.* **1.** Cordão de qualquer tecido. **2.** Cordão para amarrar sapatos ou tênis.

cadastrar (ca.das.*trar*) *v.* Registrar dados em cadastro: *O bibliotecário já cadastrou os livros recém-chegados.* ▶ Conjug. 5.

cadastro (ca.*das*.tro) *s.m.* **1.** Registro de dados. **2.** A série de operações necessárias para fazer esse registro. **3.** Recenseamento, censo.
– **cadastramento** *s.m.*

cadáver (ca.*dá*.ver) *s.m.* Corpo morto (especialmente o humano); defunto.

cadavérico (ca.da.*vé*.ri.co) *adj.* **1.** Relativo a cadáver: *laudo cadavérico*. **2.** Que tem aspecto de cadáver.

cadê (ca.*dê*) *adv. coloq.* Redução de *que é de*; onde está? || *quedê*, *quede*.

cadeado (ca.de:*a*.do) *s.m.* Fechadura portátil para portas, janelas, baús, cofres, malas etc.

cadeia (ca.*dei*.a) *s.f.* **1.** Corrente formada por elos metálicos. **2.** Prisão pública, cárcere. **3.** Série de coisas semelhantes: *cadeia de lojas*, *cadeia de montanhas*. **4.** (*Comun.*) Rede de estações de rádio e televisão. || *Cadeia alimentar*: conjunto de espécies vegetais e animais enumerados de tal modo, que cada uma se alimenta da precedente. • *Em cadeia*: em sequência, como causa e efeito.

cadeira (ca.*dei*.ra) *s.f.* **1.** Assento com encosto para uma pessoa. **2.** Função de professor. **3.**

Qualquer ramo de conhecimento, considerado como disciplina em colégio ou faculdade. • **cadeiras** *s.f.pl.* **4.** Quadris, flancos. || *Falar de cadeira*: falar com autoridade, com conhecimento do assunto.

cadeirinha (ca.dei.ri.nha) *s.f.* **1.** Pequena liteira, presa a dois varais dianteiros e a dois traseiros, que servia para o transporte de pessoas ilustres. **2.** Cadeira pequena.

cadela [é] (ca.de.la) *s.f.* (*Zool.*) Fêmea do cão.

cadência (ca.dên.ci:a) *s.f.* **1.** Sucessão regular de sons ou de movimentos; ritmo. **2.** Concordância dos movimentos da dança com o ritmo da música; compasso. **3.** Disposição das palavras na frase e das frases no discurso, de modo que agrade ao ouvido. **4.** Regularidade de movimentos alternativos, como o da marcha.

cadenciar (ca.den.ci:*ar*) *v.* Dar cadência a; ritmar: *Os tambores cadenciavam a marcha dos soldados.* ▶ Conjug. 17.

cadente (ca.den.te) *adj.* **1.** Que tem cadência. **2.** Que vai caindo.

caderneta [ê] (ca.der.ne.ta) *s.f.* **1.** Pequeno caderno de apontamentos. **2.** Pequeno caderno escolar em que se registram as notas e a frequência dos alunos. **3.** Pequeno caderno onde, nos armazéns, eram registradas as compras feitas a crédito pelos fregueses. || *Caderneta de poupança*: (*Econ.*) depósito bancário em que a quantia não movimentada rende juros.

caderno [é] (ca.der.no) *s.m.* **1.** Conjunto de folhas de papel formando um livro em que se fazem anotações. **2.** Conjunto de páginas de cada uma das partes do jornal: *caderno de esportes, caderno internacional.*

cadete [ê] (ca.de.te) *s.m.* Aluno de escola militar superior, aspirante a oficial do Exército ou da Aeronáutica.

cadinho (ca.di.nho) *s.m.* Vaso de argila refratária, ferro, prata, platina ou de outra matéria para fundir metais; crisol.

caducar (ca.du.*car*) *v.* **1.** Perder a força; tornar-se caduco: *É triste imaginar que nossos ideais da mocidade caducaram.* **2.** Cair em desuso; ficar ultrapassado; desaparecer: *Infelizmente algumas normas de boa conduta caducaram.* **3.** Perder parcialmente o juízo, o tino, geralmente por velhice: *Ela é muito velha, mas ainda não caducou.* **4.** (*Jur.*) Tornar-se nulo; invalidar-se, prescrever (contrato, legado, direito etc.): *O contrato entre as duas empresas caducou antes de terminarem as obras.* ▶ Conjug. 5 e 35.

caduceu (ca.du.ceu) *s.m.* Haste com duas serpentes entrelaçadas e duas asas na ponta, símbolo dos mensageiros e de Mercúrio (mensageiro dos deuses).

caducidade (ca.du.ci.*da*.de) *s.f.* **1.** Qualidade ou estado de caduco. **2.** Decadência, decrepitude. **3.** Perda de lucidez, geralmente por velhice.

caducifólio (ca.du.ci.*fó*.lio) *adj.* Cujas folhas não se mantêm verdes durante todas as estações: *uma árvore caducifólia.*

caduco (ca.du.co) *adj.* **1.** Que cai; que está sujeito a cair; que está prestes a cair. **2.** Que perdeu a lucidez, geralmente por velhice. **3.** Que perdeu a validade; anulado. **4.** (*Jur.*) Prescrito. **5.** (*Bot.*) Que cai prematuramente de qualquer órgão que permanece vivo: *cálice caduco, folhas caducas.*

caduquice (ca.du.*qui*.ce) *s.f.* Estado ou comportamento de caduco.

caeté (ca:e.*té*) *adj.* **1.** Relativo ao povo Caeté. • *s.m.* e *f.* **2.** Indígena que habitava o litoral do Nordeste brasileiro.

cafajeste [é] (ca.fa.*jes*.te) *adj.* **1.** Que tem modos grosseiros e abusados. **2.** Canalha, vil. • *s.m.* e *f.* **3.** Pessoa de modos ostensivamente grosseiros, vulgares. **4.** Pessoa de caráter mau.

cafarnaum (ca.far.na.*um*) *s.m.* **1.** Lugar de tumulto e desordem. **2.** Confusão.

café (ca.fé) *s.m.* **1.** Fruto do cafeeiro. **2.** Bebida feita desse fruto, depois de torrado e moído. **3.** Estabelecimento comercial onde se servem café e outras bebidas. • *adj.* **4.** Da cor do café: *Comprou toalhas café.*

café com leite *adj.* **1.** Da cor do café com leite: *blusas café com leite.* • *s.m.* **2.** A cor do café com leite.

café-concerto (ca.fé-con.cer.to) *s.m.* (*Teat.*) Teatro onde se assiste a espetáculos de variedades, enquanto se bebe ou se come. || pl.: *cafés-concerto, cafés-concertos.*

café da manhã *s.m.* A primeira refeição do dia; desjejum.

cafeeiro (ca.fe.ei.ro) *adj.* **1.** Relativo ao café: *comércio cafeeiro.* • *s.m.* **2.** Pé de café.

cafeicultor [ô] (ca.fe:i.cul.*tor*) *s.m.* Plantador de café.

cafeicultura (ca.fe:i.cul.*tu*.ra) *s.f.* Lavoura de café.

cafeína (ca.fe.*í*.na) *s.f.* (*Quím.*) Substância estimulante encontrada no café, no chá e no mate.

cafetão (ca.fe.tão) s.m. **1.** Aquele que vive da exploração de prostitutas ou de seus favores; proxeneta. **2.** Dono de bordel; cáften; rufião.

cafeteira (ca.fe.tei.ra) s.f. Vasilha ou máquina em que se faz ou se guarda o café.

cafetina (ca.fe.ti.na) s.f. **1.** Mulher que vive da exploração de prostitutas. **2.** Dona de bordel.

cafezal (ca.fe.zal) s.m. Plantação de café.

cafezeiro (ca.fe.zei.ro) s.m. Cafeeiro; lavrador ou fazendeiro de café.

cáfila (cá.fi.la) s.f. **1.** Conjunto de camelos empregados no transporte de mercadorias. **2.** Coletivo de camelos. **3.** fig. Corja, bando: cáfila de bandidos.

cafona (ca.fo.na) adj. **1.** Diz-se do que é de gosto mau ou duvidoso: roupa cafona. • s.m. e f. **2.** Indivíduo de mau gosto; mal trajado. – **cafonice** s.f.

cafta (caf.ta) s.f. (Cul.) Iguaria árabe à base de carne moída, massa de farinha de trigo e temperos.

cáften (cáf.ten) s.m. Cafetão.

cafua (ca.fu.a) s.f. **1.** Quarto escuro que servia de prisão. **2.** Antro, furna, esconderijo. **3.** Habitação extremamente pobre.

cafundó (ca.fun.dó) s.m. Lugar isolado e distante.

cafuné (ca.fu.né) s.m. Carinho que se faz na cabeça de alguém para o adormecer.

cafuzo (ca.fu.zo) adj. **1.** Pertencente ou concernente a mestiço de negro e índio; caburé. • s.m. **2.** Mestiço de negro e índio; caburé.

cagaço (ca.ga.ço) s.m. gír. Medo, susto.

cágado (cá.ga.do) s.m. (Zool.) Réptil de água doce da mesma família da tartaruga.

cagar (ca.gar) v. chulo Expelir as fezes; defecar, evacuar. ▶ Conjug. 5 e 34.

caiana (cai.a.na) s.f. Cana-caiana.

caiapó (cai.a.pó) adj. Pertencente ou concernente aos caiapós. • s.m. e f. Indivíduo pertencente a esse povo.

caiaque (cai.a.que) s.m. **1.** Pequena canoa esquimó, feita de pele de foca. **2.** Barco semelhante para lazer e esporte.

caiar (cai.ar) v. **1.** Pintar com cal diluída em água. **2.** Cobrir de pó branco. **3.** Revestir. ▶ Conjug. 5.

cãibra (cãi.bra) s.f. (Med.) Contração muscular espasmódica e dolorosa. || câimbra.

caibro (cai.bro) s.m. Peça de madeira que serve para armação do telhado.

caiçara (cai.ça.ra) s.f. **1.** Cerca de varas ou ramos. • s.m. e f. **2.** Habitante do litoral paulista e fluminense.

caído (ca.í.do) adj. **1.** Abatido, triste: Depois da morte do pai, ela ficou muito caída. **2.** Tombado: A pedra estava meio caída para a direita. **3.** Namorado, apaixonado: O João está totalmente caído pela Maria.

caieira (cai.ei.ra) s.f. **1.** Fábrica de cal. **2.** Lugar onde se calcinam pedras calcárias ou conchas para se obter a cal. **3.** Forno ou fogueira para cozer tijolos.

caimão (cai.mão) s.m. (Zool.) Nome de uma espécie de jacaré americano.

câimbra (cã.im.bra) s.f. Cãibra.

caimento (ca:i.men.to) s.m. **1.** Ato ou efeito de cair. **2.** Inclinação: Este piso precisa de maior caimento para escoar a água da chuva. **3.** Maneira como uma roupa ou fazenda toma a forma do corpo: O vestido da atriz tinha um belo caimento.

caingangue (ca.in.gan.gue) s.m. e f. **1.** Indivíduo dos Caingangues, povo indígena do sul do Brasil. • adj. **2.** Relativo a esses indígenas.

caipira (ca:i.pi.ra) adj. **1.** Próprio do interior, da região rural: Meu compadre vivia bem com seus hábitos caipiras. **2.** Relativo às festas juninas e seus trajes: Ela mandou fazer roupas caipiras para a festa de São João na fazenda. • s.m. e f. **3.** Habitante da roça, especialmente os de pouca instrução e sem traquejo social; roceiro, capiau, matuto. • s.f. **4.** Jogo de azar em que se usa apenas um dado: Jogavam caipira na festa da padroeira.

caipirada (ca:i.pi.ra.da) s.f. **1.** Grupo de caipiras. **2.** Ato ou dito de caipira. **3.** fig. Rusticidade, ingenuidade; caipirice; caipiragem.

caipiragem (ca:i.pi.ra.gem) s.f. Caipirada.

caipirice (ca:i.pi.ri.ce) s.f. Caipirada.

caipirinha (ca:i.pi.ri.nha) s.f. **1.** Caipira pequeno. **2.** Bebida feita com limão macerado, açúcar e aguardente (cachaça ou vodca ou rum).

caipora [ó] (ca:i.po.ra) adj. **1.** Azarado, desafortunado. **2.** Que dá azar. • s.m. e f. **3.** Indivíduo azarado, infeliz, que traz azar. • s.f. **4.** Personagem folclórico da mitologia Tupi. **5.** Má sorte, caiporismo: Coitado do rapaz, está com a caipora! || caapora.

caiporismo (ca:i.po.ris.mo) s.m. Má sorte constante.

caíque (ca.í.que) s.m. Pequeno barco para navegação de curta distância, usado para passeios e lazer.

cair (ca.*ir*) *v.* **1.** Ir ao chão: *A casa caiu.* **2.** Tombar, ser lançado ao chão: *O príncipe caiu do cavalo.* **3.** Correr: *A água da chuva caía pela calha.* **4.** Descer sobre a terra: *A chuva caía em grandes aguaceiros.* **5.** Desvalorizar-se: *O dólar vem caindo nas cotações.* **6.** Ser demitido: *Com o ministro, caiu todo o ministério.* **7.** Sofrer interrupção, deixar de funcionar: *Na hora do programa, o sistema caiu.* **8.** Baixar (a temperatura): *No inverno, a temperatura cai muito.* **9.** Coincidir: *Este ano a Páscoa cai no dia 27 de março.* **10.** Caber por sorte: *O assunto que caiu para ela foi a Guerra do Paraguai.* **11.** Incorrer: *Não nos deixeis cair em tentação.* **12.** Chegar inesperadamente: *De repente, caiu uma forte neblina sobre a cidade.* **13.** Capitular, ser dominado por: *A cidade caiu nas mãos dos inimigos.* || *Cair bem*: combinar com, ser pertinente, adequado: *A saia azul caiu bem com a blusa branca; As palavras do pregador caíram bem naquela assembleia.* • *Cair de cama*: adoecer. • *Cair de quatro*: *coloq.* espantar-se, surpreender-se com alguma coisa: *Ela quase caiu de quatro quando soube que o filho tinha sido escolhido.* • *Cair doente*: adoecer, ficar doente. • *Cair em si*: reconhecer seu erro; voltar à realidade: *Depois daquele momento de fantasia, ela caiu em si e viu que estava sendo enganada.* ▶ Conjug. 83.

cairota [ó] (cai.*ro*.ta) *adj.* **1.** Pertencente ou concernente à cidade do Cairo, no Egito. • *s.m.* e *f.* **2.** O natural ou o habitante dessa cidade.

cais *s.m.2n.* Num porto, local onde atracam os navios para embarque e desembarque de passageiros e mercadorias.

cáiser (*cái*.ser) *s.m.* Título dado ao antigo imperador da Alemanha.

caititu (cai.ti.*tu*) *s.m.* **1.** (*Zool.*) Espécie de porco-do-mato. **2.** Cilindro de madeira munido de serras metálicas para ralar mandioca.

caixa [ch] (*cai*.xa) *s.f.* **1.** Recipiente para transportar ou guardar objetos e mercadorias. **2.** O produto contido nela: *O menino comeu uma caixa de bombom.* **3.** Qualquer coisa em forma de caixa, que pode conter alguma coisa: *caixa torácica, caixa craniana, caixa de fósforo.* **4.** Seção de um banco ou de uma casa comercial onde são efetuados pagamentos e recebimentos. **5.** (*Mús.*) Tambor de cilindro com pouca altura, que se toca com baquetas de madeira; tarol. • *s.m.* e *f.* **6.** Pessoa que, em casa comercial ou bancária, tem a seu cargo os recebimentos e pagamentos de dinheiro. • *s.m.* **7.** (*Econ.*) Livro de registro de receita e despesa. || *Caixa dois*: livro de registro de valor não declarado ao fisco. • *Caixa eletrônica*: equipamento eletrônico que, acionado com um cartão magnético, presta serviço bancário a correntistas. • *Caixa Econômica*: entidade autárquica destinada a receber em depósito, sob responsabilidade do governo, as economias populares e reservas de dinheiro. • *Caixa de música*: mecanismo que, posto em movimento por meio de uma manivela ou de corda de relojoaria, toca peças musicais. • *Caixa postal*: caixa numerada para recebimento de correspondência nos postos de correio. • *Caixa registradora*: máquina que registra o dinheiro recebido e emite recibo.

caixa-alta (cai.xa-*al*.ta) *s.f.* **1.** Parte da caixa de tipos onde se guardam as maiúsculas. **2.** Letra maiúscula. • *s.m.* e *f.* **3.** Pessoa muito rica. || pl.: *caixas-altas*.

caixa-baixa (cai.xa-*bai*.xa) *s.f.* **1.** Parte da caixa de tipos onde se guardam as minúsculas. **2.** Letra minúscula. • *s.m.* e *f.* **3.** Pessoa circunstancialmente sem dinheiro. || pl.: *caixas-baixas*.

caixa-d'água (cai.xa-d'*á*.gua) *s.f.* Reservatório de água. || pl.: *caixas-d'água*.

caixa-forte (cai.xa-*for*.te) *s.f.* Recinto de alta segurança nas instituições bancárias, destinado à guarda de dinheiro, títulos, documentos, valores. || pl.: *caixas-fortes*.

caixão [ch] (cai.*xão*) *s.m.* **1.** Caixa grande para guardar ou transportar mercadorias. **2.** Caixa oblonga, geralmente de madeira e com tampa abaulada, em que se colocam os defuntos; esquife, ataúde.

caixa-pregos (cai.xa-*pre*.gos) *s.m.pl.* Lugar distante, de difícil acesso; cafundó.

caixa-preta (cai.xa-*pre*.ta) *s.f.* **1.** (*Aer.*) Espécie de gravador instalado em aeronaves que registra as comunicações entre a cabine de pilotos e copilotos e a torre de controle, assim como os dados do avião e do vôo. **2.** Fundo de reserva de dinheiro ou informações sigilosas guardadas por interesse das empresas ou instituições. || pl.: *caixas-pretas*.

caixeiro [ch] (cai.*xei*.ro) *s.m.* **1.** Indivíduo que faz caixas. **2.** Empregado do comércio que vende no balcão; balconista.

caixeiro-viajante (cai.xei.ro-vi.a.*jan*.te) *s.m.* Indivíduo que percorre o interior vendendo mercadorias; mascate. || pl.: *caixeiros-viajantes*.

caixeta [chê] (cai.*xe*.ta) *s.f.* **1.** (*Bot.*) Árvore de madeira leve e clara. **2.** Forminha de papel para docinhos. || *caxeta*.

caixilho

caixilho [ch] (cai.*xi*.lho) *s.m.* **1.** Moldura, geralmente de madeira, para vidros, vidraças. **2.** Moldura de quadros e estampas.

caixinha [ch] (cai.*xi*.nha) *s.f.* **1.** Pequena caixa. **2.** Coleta de dinheiro entre amigos ou colegas para algum fim. **3.** Pequena caixa, normalmente de papelão, onde se recolhem gorjetas para distribuição entre empregados de certas casas comerciais.

caixote [chó] (cai.*xo*.te) *s.m.* Caixa tosca de madeira para guardar ou transportar mercadorias.

cajá (ca.*já*) *s.m.* Fruto da cajazeira, de sabor agridoce, usado em refrescos e doces; taperebá.

cajado (ca.*ja*.do) *s.m.* **1.** Vara que normalmente tem a ponta superior recurvada, usada por pastores. **2.** Bordão usado para apoio do corpo. **3.** *fig.* Esteio, arrimo, amparo.

cajazeira (ca.ja.*zei*.ra) *s.f.* (*Bot.*) Árvore que produz o cajá. || *cajazeiro*.

cajazeiro (ca.ja.*zei*.ro) *s.m.* (*Bot.*) Cajazeira.

caju (ca.*ju*) *s.m.* **1.** Parte carnosa e comestível do fruto do cajueiro, com o qual se fazem refrescos e doces (na verdade, trata-se de um caule modificado, sendo a castanha o verdadeiro fruto). **2.** Vento de noroeste que sopra ocasionalmente na baía de Guanabara e que indica mudança de tempo.

cajueiral (ca.ju:ei.*ral*) *s.m.* Plantação de cajueiros.

cajueiro (ca.ju:*ei*.ro) *s.m.* (*Bot.*) Árvore que produz o caju. || *cajueiro*.

cajuína (ca.ju:*í*.na) *s.f.* Vinho feito com o sumo do caju.

cajuzeiro (ca.ju.*zei*.ro) *s.m.* (*Bot.*) Cajueiro.

cal *s.f.* (*Quím.*) Pó branco extraído de pedras calcárias e da calcinação de conchas marinhas. || *Cal viva ou virgem*: a cal desidratada ou não combinada com água.

cala (*ca*.la) *s.f.* **1.** Pequena enseada entre rochedos. **2.** Abertura em queijo, frutas etc., para provar a qualidade.

calabouço (ca.la.*bou*.ço) *s.m.* Prisão subterrânea; cárcere.

calabre (ca.*la*.bre) *s.m.* Corda grossa.

calabrês (ca.la.*brês*) *adj.* **1.** Da Calábria, região ao sul da Itália, na Europa. • *s.m.* **2.** O natural ou o habitante da Calábria. **3.** Dialeto falado na Calábria.

calado[1] (ca.*la*.do) *adj.* **1.** Que está em silêncio: *Os alunos ouviam calados a lição do professor.* **2.** Que não fala muito, discreto: *Carlos é um rapaz muito calado.*

calado[2] (ca.*la*.do) *s.m.* **1.** (*Náut.*) Distância vertical entre a superfície da água, em que a embarcação flutua, e a face inferior de sua quilha: *O alto calado da nau a impedia de entrar pelo rio.* **2.** Profundidade mínima de água necessária para que uma embarcação flutue: *De repente, o calado do rio ficou insuficiente para o barco prosseguir a viagem.*

calafate (ca.la.*fa*.te) *s.m.* Profissional que tem por ofício calafetar.

calafetar (ca.la.fe.*tar*) *v.* Vedar com uma substância, geralmente estopa alcatroada, frestas, juntas, fendas etc. para impedir a entrada de água: *Mandou calafetar o fundo do barco.* ▶ Conjug. 8.

calafrio (ca.la.*fri*:o) *s.m.* Contração muscular involuntária, com arrepios da pele e forte sensação de frio. || *calefrio*.

calamidade (ca.la.mi.*da*.de) *s.f.* Infortúnio público, desgraça que atinge muitas pessoas.

calamitoso [ô] (ca.la.mi.*to*.so) *adj.* **1.** Que traz calamidade. **2.** Desastroso, infeliz, funesto, infausto. || f. e pl.: [ó].

calandra (ca.*lan*.dra) *s.f.* Aparelho para alisar, acetinar e lustrar papel ou ondear tecidos. – **calandragem** *s.f.*; **calandrar** *v.* ▶ Conjug. 5.

calango (ca.*lan*.go) *s.m.* **1.** (*Zool.*) Nome comum a vários lagartos pequenos. **2.** Desafio entre cantadores que improvisam versos alternadamente.

calão (ca.*lão*) *s.m.* **1.** Linguagem vulgar, usada por malandros, bandidos etc. **2.** Gíria grosseira.

calar (ca.*lar*) *v.* **1.** Não dizer, ocultar: *Ela calava as mágoas que sentia.* **2.** Impor silêncio a: *A presença do diretor calou os alunos.* **3.** Impedir a manifestação de: *O ditador calou a imprensa livre.* **4.** Repercutir, penetrar: *Calou profundamente no povo a atitude da rainha.* **5.** Não falar, guardar silêncio: *Todos se calaram diante do quadro.* **6.** Não divulgar o que sabe: *Sobre aquele assunto, ele resolveu se calar.* **7.** Deixar de fazer som ou ruído: *Quando a ambulância entrou no hospital, a sirene se calou.* **8.** Emudecer; cessar de falar: *O poeta se calou para sempre.* **9.** Não responder: *Ela se calou diante de tantas perguntas.* **10.** Deixar de manifestar-se: *O furor da multidão, por fim, calara-se.* ▶ Conjug. 5.

calça (*cal*.ça) *s.f.* Peça de vestuário que cobre os quadris e envolve separadamente as pernas até os tornozelos. || *calças*.

cálculo

calçada (cal.ça.da) *s.f.* Nas ruas, avenidas e praças de uma cidade, a parte lateral, geralmente mais elevada, destinada aos pedestres. – **calçadão** *s.m.*

calçadeira (cal.ça.dei.ra) *s.f.* Apetrecho usado para facilitar a acomodação do pé no calçado.

calçado (cal.ça.do) *adj.* **1.** Envolvido (o pé) por meia, sapato ou qualquer tipo de calçado. **2.** Pavimentado: *O caminho era todo calçado de pedrinhas brancas*. **3.** Sustentado por um calço: *O muro estava calçado de grossas estacas*. • *s.m.* **4.** Peça de couro ou de diversos materiais que serve para proteger os pés: *Naquela loja há uma liquidação de calçados*.

calçamento (cal.ça.men.to) *s.m.* **1.** Ato ou efeito de cobrir, de revestir com asfalto, paralelepípedos, pedras; pavimentação: *A prefeitura prometeu fazer o calçamento dessas ruas*. **2.** Escoramento, apoio: *Foi providenciado o calçamento da velha palmeira*.

calcâneo (cal.câ.ne:o) *adj.* **1.** Relativo ao osso do tarso que forma o calcanhar. • *s.m.* **2.** (*Anat.*) Esse osso. **3.** Calcanhar.

calcanhar (cal.ca.nhar) *s.m.* Parte posterior, de forma arredondada, do pé humano.

calcanhar de aquiles *s.m.* Ponto fraco de alguém; ponto em que alguém é vulnerável, por alusão à figura lendária de Aquiles, herói grego.

calcanhar de judas *s.m.* Lugar distante, cafundó.

calção (cal.ção) *s.m.* **1.** Calça curta que vai até o meio da coxa. **2.** Roupa de banho para homens; sunga.

calçar (cal.çar) *v.* **1.** Revestir o pé, pernas ou mãos (sapatos, meias, luvas etc.): *Calçou meias de lã, sapato e luvas para sair na noite fria*. **2.** Dar ou fornecer calçado a: *Aquela instituição calça os meninos do orfanato*. **3.** Empedrar: *Calçaram com pedras o caminho da fonte*. **4.** Pavimentar: *A prefeitura prometeu calçar minha rua*. **5.** Pôr calço em alguma coisa: *Calçaram a janela para que não se abrisse*. **6.** Ajustar-se bem: *Este sapato calça bem*. **7.** Pôr o calçado: *Ela calçou-se para sair*. **8.** *fig.* Servir de suporte; sustentar: *Seus conhecimentos de Filologia calçavam bem sua tese ousada*. ▶ Conjug. 5 e 36.

calcário (cal.cá.ri:o) *adj.* **1.** Que contém carbonato de cálcio. **2.** Da natureza da cal. • *s.m.* **3.** Rocha formada basicamente de carbonato de cálcio (calcita).

calças (cal.ças) *s.f.pl.* Calça.

calcetar (cal.ce.tar) *v.* Calçar ruas com pedras justapostas. ▶ Conjug. 8. – **calcetamento** *s.m.*; **calceteiro** *s.m.*

calcificação (cal.ci.fi.ca.ção) *s.f.* **1.** Ato ou efeito de calcificar. **2.** Acúmulo de sais de cálcio nos tecidos orgânicos. **3.** (*Med.*) Ossificação dos tecidos moles pelo acúmulo de sais de cálcio; calcinose.

calcificar (cal.ci.fi.car) *v.* **1.** Produzir calcificação: *Com o tempo, a fissura se calcificará*. **2.** Dar ou adquirir consistência ou cor de cal: *Vamos esperar o gesso calcificar*; *A massa calcificou-se*. ▶ Conjug. 5 e 35.

calcinar (cal.ci.nar) *v.* **1.** Transformar por aquecimento o carbonato de cálcio em cal. **2.** Reduzir a carvão ou cinza pela ação do fogo, queimar: *O incêndio calcinou parte da reserva florestal*. **3.** Secar, estorricar, queimar, pela ação do calor do sol: *O sol calcinava o roçado do sertanejo*. ▶ Conjug. 5.

calcinha (cal.ci.nha) *s.f.* Peça do vestuário íntimo feminino. || calcinhas.

calcinhas (cal.ci.nhas) *s.f.pl.* Calcinha.

calcinose [ó] (cal.ci.no.se) *s.f.* Calcificação.

cálcio (cál.ci:o) *s.m.* (*Quím.*) Elemento químico, metálico, usado em ligas e processos metalúrgicos e importante na nutrição humana. || Símbolo: Ca.

calcita (cal.ci.ta) *s.f.* Carbonato de cálcio.

calço (cal.ço) *s.m.* Qualquer material que se põe por baixo de um objeto, para firmá-lo, elevá-lo ou nivelá-lo.

calculadora [ô] (cal.cu.la.do.ra) *s.f.* Máquina que realiza cálculos matemáticos.

calcular (cal.cu.lar) *v.* **1.** Computar, contar, medir: *É preciso calcular os gastos com a viagem*. **2.** Avaliar: *Não saberia calcular o valor desta joia*. **3.** Prever (os acontecimentos): *Ela não calculou que iria chover tanto*. **4.** Presumir, conjecturar: *Antes de arremessar, o jogador calculou a distância das redes*. **5.** Fazer cálculos matemáticos: *Ele não sabia ler nem escrever, mas calculava muito bem*. ▶ Conjug. 5. – **calculável** *adj.*

calculista (cal.cu.lis.ta) *adj.* **1.** Calculador, que calcula. • *s.m. e f.* **2.** *fig.* Pessoa que age com premeditação, visando a seus próprios interesses.

cálculo (cál.cu.lo) *s.m.* **1.** (*Mat.*) Execução de uma operação matemática. **2.** Avaliação, conjectura: *Pelos meus cálculos, chegaremos*

calda

atrasados ao baile. **3.** *(Med.)* Pedra formada em certas partes do corpo, como os rins e a vesícula.

calda (cal.da) *s.f.* **1.** Líquido formado geralmente com água e açúcar (com ou sem outros ingredientes), posto a ferver até engrossar e dar o ponto necessário. **2.** Xarope. • *caldas s.f.pl.* **3.** Fontes de águas termais.

caldeamento (cal.de:a.men.to) *s.m.* Ação de caldear.

caldear (cal.de:ar) *v.* **1.** Tornar incandescente: *O ferreiro caldeou o ferro na forja.* **2.** Ligar, soldar, temperar (metais em brasa): *Para produzir o bronze, caldeavam o estanho e o cobre.* **3.** Misturar(-se), amalgamar(-se), miscigenar(-se): *Brancos e negros caldearam(-se) com índios na formação do povo brasileiro.* ▶ Conjug. 14.

caldeira (cal.dei.ra) *s.f.* Grande recipiente de metal usado para aquecer água e produzir vapor.

caldeirada (cal.dei.ra.da) *s.f.* **1.** O conteúdo de um caldeirão. **2.** *(Cul.)* Prato preparado com peixes e frutos do mar variados, refogados num caldeirão.

caldeirão (cal.dei.rão) *s.m.* Grande panela de bordas altas, de ferro ou alumínio, com alças.

caldeireiro (cal.dei.rei.ro) *s.m.* **1.** Quem fabrica caldeiras e outros objetos de metal. **2.** Quem trabalha nas caldeiras.

caldo (cal.do) *s.m.* **1.** *(Cul.)* Alimento líquido preparado a partir do cozimento de carne, peixe, camarão, legumes, verduras etc. **2.** Mergulho forçado que se dá por brincadeira a banhistas incautos. || *Entornar o caldo*: *coloq.* tornar uma situação mais difícil ou mesmo impossível.

calefação (ca.le.fa.ção) *s.f.* Sistema de aquecimento no interior das casas.

calefrio (ca.le.fri:o) *s.m.* Calafrio.

caleidoscópio (ca.lei.dos.có.pi:o) *s.m.* Calidoscópio.

calejar (ca.le.jar) *v.* **1.** Formar ou adquirir calos: *O operário calejou as mãos trabalhando naquela oficina.* **2.** *fig.* Tornar-se resistente ou insensível a um sofrimento: *A dureza da vida o tinha calejado.* ▶ Conjug. 10.

calendário (ca.len.dá.ri:o) *s.m.* Tabela que indica as divisões do ano em estações, meses, semanas e dias, as fases da Lua, as festas religiosas e os feriados; folhinha, almanaque. || *Calendário gregoriano*: calendário reformado pelo papa Gregório XIII (século XVI).

calendas (ca.len.das) *s.f.pl.* Primeiro dia do mês entre os romanos. || *Calendas gregas*: tempo que nunca há de vir.

calêndula (ca.lên.du.la) *s.f.* **1.** *(Bot.)* Planta ornamental também usada em farmácia. **2.** A flor dessa planta.

calha (ca.lha) *s.f.* **1.** Rego ou cano para escoamento de um líquido. **2.** Cano geralmente de cobre, zinco ou PVC, aberto no meio, para escoamento das águas pluviais dos telhados.

calhamaço (ca.lha.ma.ço) *s.m.* **1.** Livro ou caderno de muitas páginas. **2.** Livro volumoso de leitura enfadonha.

calhambeque (ca.lham.be.que) *s.m.* Carro velho e malconservado; caranguejola.

calhar (ca.lhar) *v.* **1.** Entrar, caber: *Esta mesa calhou bem nesta sala.* **2.** Vir a tempo, ser oportuno: *De repente, aquele convite veio a calhar.* **3.** Acontecer, coincidir: *Se calhar, viajaremos no mesmo dia.* **4.** Convir, ser próprio, adequado: *Sua observação calhou bem.* ▶ Conjug. 5.

calhau (ca.lhau) *s.m.* Seixo; pequena pedra solta da rocha.

calhorda [ó] (ca.lhor.da) *adj.* **1.** Diz-se do indivíduo desprezível, reles, ordinário. • *s.m. e f.* **2.** Indivíduo ordinário, reles, cafajeste, desprezível.

calhordice (ca.lhor.di.ce) *s.f.* **1.** Qualidade de calhorda. **2.** Ato próprio de um calhorda.

calibrador [ô] (ca.li.bra.dor) *adj.* **1.** Que faz calibragem. • *s.m.* **2.** Instrumento para calibrar; calibre.

calibragem (ca.li.bra.gem) *s.f.* Ato ou efeito de calibrar.

calibrar (ca.li.brar) *v.* **1.** Dar a adequada pressão de ar a câmara-de-ar, pneu etc.: *Antes de iniciar a viagem, ele calibrou os pneus.* **2.** Dar o calibre adequado a ou medir o calibre de: *Não calibraram bem os tubos da máquina.* **3.** Ajustar, regular de acordo com um padrão: *É necessário calibrar as cores do escâner.* ▶ Conjug. 5.

calibre (ca.li.bre) *s.m.* **1.** Diâmetro interior de um cilindro oco. **2.** Diâmetro exterior de um projétil. **3.** Capacidade de um recipiente. **4.** Calibrador. **5.** *fig.* Dimensão, volume, tamanho. **6.** *fig.* Valor, importância: *Um profissional desse calibre merece respeito.*

caliça (ca.li.ça) *s.f.* Fragmento de cal, argamassa, cimento, gesso etc. proveniente de paredes velhas, tetos etc.

cálice (cá.li.ce) *s.m.* **1.** Pequeno copo para licores e vinhos fortes. **2.** Vaso sagrado, de metal precioso ou de material nobre, para a consagração do vinho na missa. **3.** Base externa da flor. || *Beber o cálice até o fim*: suportar até o fim o sofrimento. || *cálix*.

calicida (ca.li.ci.da) *adj.* **1.** Que extirpa calos. • *s.m.* **2.** Produto para extirpar calos.

cálido (cá.li.do) *adj.* Quente por natureza; fogoso, ardente. – **calidez** *s.f.*

calidoscópio (ca.li.dos.có.pi:o) *s.m.* Tubo com jogo interno de espelhos que refletem pequenos objetos coloridos, formando belas imagens simétricas. || *caleidoscópio*.

califa (ca.li.fa) *s.m.* Soberano e chefe religioso entre os muçulmanos.

califado (ca.li.fa.do) *s.m.* **1.** Território governado por um califa. **2.** Tempo de duração do governo de um califa. **3.** Dignidade ou jurisdição de califa.

califórnio (ca.li.fór.ni:o) *s.m.* Elemento químico obtido artificialmente na Califórnia, usado como fonte de nêutrons.

caligrafia (ca.li.gra.fi.a) *s.f.* **1.** Desenho da letra de quem escreve à mão: *O copista tinha uma bela caligrafia.* **2.** Arte de escrever à mão com apuro e beleza: *Fazia exercícios diários para melhorar a caligrafia.*

caligráfico (ca.li.grá.fi.co) *adj.* Relativo a caligrafia.

calígrafo (ca.lí.gra.fo) *s.m.* Especialista em caligrafia.

calipso (ca.lip.so) *s.m.* Música e dança originárias do Caribe.

calista (ca.lis.ta) *s.m. e f.* Especialista no tratamento dos pés, especialmente dos calos e calosidades.

cálix [s] (cá.lix) *s.m.* Cálice.

calma (cal.ma) *s.f.* **1.** Serenidade, tranquilidade, inação: *Depois do grande susto, ela voltou à calma.* **2.** Forte calor atmosférico: *Nas horas de calma, ninguém saía às ruas.* **3.** Ausência de vento, calmaria: *Os navegadores evitavam as regiões de calma.*

calmante (cal.man.te) *adj.* **1.** Que acalma. • *s.m.* **2.** (*Farm., Quím., Med.*) Medicamento que acalma, sedativo.

calmar (cal.mar) *v.* Acalmar. ▶ Conjug. 5.

calmaria (cal.ma.ri.a) *s.f.* **1.** Tranquilidade: *Depois de todo aquele rebuliço, fez-se uma boa calmaria.* **2.** Falta de vento: *Nas horas de calmaria, os marinheiros ficavam contando histórias.* **3.** Forte calor atmosférico: *Na hora da calmaria, eles faziam a sesta.*

calmo (cal.mo) *adj.* Sossegado, tranquilo, sereno.

calmoso [ô] (cal.mo.so) *adj.* **1.** Em que há calma. **2.** Quente, abafado (ar, tempo). || f. e pl.: [ó].

calo (ca.lo) *s.m.* Endurecimento da pele causada por atrito ou compressão contínua.

caloiro (ca.loi.ro) *s.m.* Calouro.

calombo (ca.lom.bo) *s.m.* **1.** Protuberância endurecida que se forma na pele. **2.** Ondulação ou saliência em qualquer superfície.

calor [ô] (ca.lor) *s.m.* **1.** Forma de energia proveniente da vibração das moléculas, que faz aumentar a temperatura de um corpo: *O calor dilata os corpos.* **2.** Sensação de aquecimento causada pela proximidade de um corpo quente: *Ela se afastou da fogueira por causa do forte calor.* **3.** Temperatura elevada, tempo quente: *Nesta cidade, janeiro é o tempo de mais calor.* **4.** *fig.* Veemência, ardor: *Ele defendia suas ideias com grande calor.* **5.** *fig.* Animação, entusiasmo: *O relato foi escrito no calor da hora.*

calorento (ca.lo.ren.to) *adj.* **1.** Que sente muito calor: *Os jovens são mais calorentos que os velhos.* **2.** Quente: *No verão, faz dias calorentos.*

caloria (ca.lo.ri.a) *s.f.* **1.** (*Fís.*) Unidade de medida equivalente à quantidade de calor necessária para elevar de um grau centígrado a temperatura de um grama de água pura, sob a pressão atmosférica normal. **2.** Unidade que serve para medir a quantidade de energia fornecida pelos alimentos.

calórico (ca.ló.ri.co) *adj.* **1.** Concernente ou pertencente ao calor e à caloria. **2.** Que contém muitas calorias: *No verão, devem-se evitar alimentos de grande valor calórico.*

calorífero (ca.lo.rí.fe.ro) *adj.* Que tem, produz ou transmite calor.

caloroso [ô] (ca.lo.ro.so) *adj.* **1.** Cheio de calor. **2.** Fervoroso, afetuoso, veemente: *O atleta vencedor recebeu caloroso aplauso.* || f. e pl.: [ó].

calosidade (ca.lo.si.da.de) *s.f.* **1.** Endurecimento da pele que ocorre sobretudo nos pés e nas mãos. **2.** Dureza calosa; calo. **3.** Ondulação nas estradas e rodovias.

caloso [ô] (ca.lo.so) *adj.* Cheio de calos. || f. e pl.: [ó].

calota [ó] (ca.lo.ta) *s.f.* **1.** (*Geom.*) Qualquer das duas partes da superfície de uma esfera limitada por um plano que a corta **2.** Forma se-

calote

melhante à calota: *Calota polar*; *calota craniana* **3.** (*Mec.*) Peça metálica que se adapta às rodas dos automóveis para proteger as extremidades dos eixos com que se fixam as rodas.

calote [ó] (ca.*lo*.te) *s.m.* Dívida intencionalmente não paga ou contraída com a intenção de não ser paga.

calotear (ca.lo.te:*ar*) *v.* **1.** Dar calote; não pagar o que deve: *Comeram e beberam bastante e depois calotearam a conta.* **2.** Tomar emprestado sem intenção de pagar: *Como ele já tinha caloteado outros bancos, não conseguiu o empréstimo.* ▶ Conjug. 14.

caloteiro (ca.lo.*tei*.ro) *adj.* **1.** Que dá calotes, que caloteia. • *s.m.* **2.** Aquele que caloteia.

calouro (ca.*lou*.ro) *s.m.* **1.** Estudante recém-matriculado numa escola ou faculdade. **2.** Indivíduo novato em qualquer coisa. **3.** *fig.* Indivíduo tímido, inexperiente. || *caloiro*.

caluda (ca.*lu*.da) *interj.* Voz para mandar alguém calar-se, para pedir silêncio.

calundu (ca.lun.*du*) *s.m.* Mau humor, amuo: *Não brinque com ela, que ela está de calundu.*

calunga (ca.*lun*.ga) *s.m. e f.* **1.** Imagem de uma divindade do culto banto. **2.** Boneco pequeno. **3.** (*Folc.*) Boneca levada no maracatu.

calúnia (ca.*lú*.ni:a) *s.f.* Acusação falsa, feita com o intuito de difamar.

caluniar (ca.lu.ni:*ar*) *v.* Difamar, fazendo falsas acusações. ▶ Conjug. 17.

calva (*cal*.va) *s.f.* Parte da cabeça de onde caiu o cabelo; careca.

calvário (cal.*vá*.ri:o) *s.m.* **1.** (*Rel.*) Martírio: *calvário de Cristo.* **2.** *fig.* Aflição, situação penosa: *Sua vida de casada era um verdadeiro calvário.* || *Levar a cruz ao calvário*: sofrer com resignação.

calvície (cal.*ví*.ci:e) *s.f.* Ausência total ou parcial de cabelos na cabeça; alopecia.

calvinismo (cal.vi.*nis*.mo) *s.m.* (*Rel.*) Doutrina religiosa cristã elaborada por João Calvino (1509-1564).

calvinista (cal.vi.*nis*.ta) *adj.* **1.** Adepto do calvinismo. **2.** Concernente ou pertencente ao calvinismo. • *s.m. e f.* **3.** Indivíduo seguidor do calvinismo; huguenote.

calvo (*cal*.vo) *adj.* **1.** Que não tem ou tem poucos cabelos na cabeça; careca. **2.** Sem pelos (animais). **3.** Sem vegetação, escalvado, árido. • *s.m.* **4.** Indivíduo sem cabelos na cabeça ou em parte dela; careca.

cama (*ca*.ma) *s.f.* **1.** Móvel para dormir, sobre o qual se dispõe o colchão. **2.** Lugar para deitar-se. || *Estar de cama*: estar doente. • *Fazer a cama*: arrumar a cama antes ou depois de deitar. • *Fazer a cama de*: *coloq.* denunciar alguém.

camada (ca.*ma*.da) *s.f.* **1.** Extensão de qualquer matéria sobre uma superfície. **2.** Nível social: *Ela fazia parte de uma das mais altas camadas sociais.* || *Camada de ozônio*: camada da atmosfera que contém ozônio gasoso em abundância que é, em parte, responsável pela absorção da radiação ultravioleta; ozonosfera.

cama de gato *s.f.* **1.** Jogo infantil em que se armam figuras com cordão, barbante ou outro fio. **2.** (*Esp.*) No futebol, jogada ilícita em que um jogador se agacha sob outro que está pulando, para lhe causar uma queda.

camafeu (ca.ma.*feu*) *s.m.* Pedra fina com duas camadas de cores diferentes, uma escura e outra clara; na escura, que fica na parte superior, há uma figura talhada.

camaleão (ca.ma.le.*ão*) *s.m.* **1.** (*Zool.*) Espécie de lagarto que muda de cor para se proteger. **2.** *fig.* Pessoa sempre disposta a mudar de opinião, segundo seus interesses. – **camaleônico** *adj.*

câmara (*câ*.ma.ra) *s.f.* **1.** Quarto de dormir; aposento. **2.** Corporação de vereadores, deputados, pares do reino, juízes comerciais ou eclesiásticos etc. **3.** Edifício onde funciona uma câmara. **4.** (*Cine, Fot., Telv.*) Aparelho de fotografar, de filmar ou de registrar imagens para a televisão. • *s.m.* **5.** (*Cine, Fot., Telv.*) Técnico que opera esses aparelhos. || *Câmara lenta*: recurso cinematográfico que torna lento o movimento natural. • *Câmara municipal*: prédio onde se reúnem os vereadores de um município.

câmara-ardente (câ.ma.ra-ar.*den*.te) *s.f.* Sala em que se expõe o defunto para o velório. || pl.: *câmaras-ardentes.*

camarada (ca.ma.*ra*.da) *adj.* **1.** Benevolente, indulgente, amigável: *A camisa foi comprada por um preço bem camarada.* • *s.m. e f.* **2.** Companheiro, colega de trabalho, de estudo, amigo: *No recreio, ele brincava com os camaradas.* **3.** Tratamento entre soldados.

camaradagem (ca.ma.ra.*da*.gem) *s.f.* **1.** Convivência entre camaradas. **2.** Familiaridade, benevolência.

câmara de ar *s.f.* Tubo de borracha circular que, cheio de ar comprimido, constitui peça interior dos pneus.

camarão (ca.ma.*rão*) *s.m.* **1.** Nome comum a alguns crustáceos de água doce ou salgada, usados na alimentação. **2.** *coloq.* Pessoa muito queimada devido à excessiva exposição ao sol; queimado de praia; pimentão (2): *Ele está vermelho como um camarão!*

camareiro (ca.ma.*rei*.ro) *s.m.* **1.** Criado que, nos hotéis e navios de passageiros, arruma os quartos. **2.** (*Teat.*) Pessoa encarregada da conservação das peças de vestuário utilizadas nos espetáculos.

camarilha (ca.ma.*ri*.lha) *s.f.* Grupo de indivíduos aduladores e interesseiros que se acerca de um chefe e tenta influir em suas decisões.

camarim (ca.ma.*rim*) *s.m.* Pequena câmara, recinto do teatro onde os artistas se preparam para a apresentação.

camarinha (ca.ma.*ri*.nha) *s.f.* **1.** Pequeno quarto. **2.** Pequena gota: *uma camarinha de suor.*

camaroeiro (ca.ma.ro.*ei*.ro) *s.m.* **1.** Rede para pescar camarões. **2.** Pescador ou vendedor de camarões.

camarote [ó] (ca.ma.ro.te) *s.m.* **1.** Compartimento especial donde se assiste a espetáculos em teatros, circos etc. **2.** Pequena câmara nos navios para alojamento de oficiais e passageiros.

cambada (cam.*ba*.da) *s.f.* **1.** Corja, bando de malfeitores, de velhacos etc.; súcia. **2.** Porção de objetos, enfiados ou pendurados no mesmo gancho ou fio. **3.** Porção de coisas; cambulha, cambulhada.

cambaio (cam.*bai*.o) *adj.* **1.** De pernas tortas; cambeta, cambota, zambo. **2.** Diz-se do sapato muito gasto.

cambalacho (cam.ba.*la*.cho) *s.m.* **1.** *coloq. pej.* Transação ardilosa com intuito de logro. **2.** *coloq. pej.* Tramoia, logro, conchavo, negociata.

cambalear (cam.ba.le.*ar*) *v.* **1.** Caminhar sem firmeza: *O pobre velho cambaleava de tão cansado.* **2.** *fig.* Apresentar sinais de fragilidade, mostrar-se inseguro: *Com a ausência da autoridade, a ordem cambaleava naquele país.* ▶ Conjug. 14.

cambalhota [ó] (cam.ba.*lho*.ta) *s.f.* Volta que se dá com o corpo, girando-o por sobre a cabeça e caindo-se, em pé, com as pernas para o outro lado.

cambalhotar (cam.ba.lho.*tar*) *v.* Dar cambalhotas: *As crianças cambalhotavam no terreiro da casa.* ▶ Conjug. 20.

cambar (cam.*bar*) *v.* **1.** Andar desequilibrado, torto; andar cambaio: *Ferido na perna, o soldado cambava a caminho da trincheira.* **2.** Pender, inclinar(-se), entortar(-se): *Para tocar o pé, o ginasta cambava o tronco.* **3.** (*Náut.*) Mudar de direção: *O comandante ordenou que o veleiro cambasse para o sul; O comandante cambou o veleiro para o sul.* ▶ Conjug. 5.

cambaxirra [ch] (cam.ba.*xir*.ra) *s.f.* (*Zool.*) Pequena ave (11 a 12 cm) de cor pardo-acinzentada no dorso e amarelada no ventre, com listras negras nas asas e na cauda.

cambeta [ê] (cam.*be*.ta) *adj.* **1.** Cambaio. • *s.m. e f.* **2.** Indivíduo cambaio.

cambial (cam.bi:*al*) *adj.* **1.** Relativo a câmbio, troca de dinheiro, moeda. • *s.m. e f.* **2.** (*Econ.*) Título de crédito.

cambiante (cam.bi:*an*.te) *adj.* **1.** Que cambia, que passa por mudanças: *Naquele momento de crise, o valor da moeda era sempre cambiante.* **2.** Que muda gradualmente de cor; furta-cor: *O jovem pintor encantava-se com as cores cambiantes do pôr do sol.* • *s.m.* **3.** As várias cores que refletem algumas matérias como sedas, penas de aves, óleos derramados etc., de acordo com a exposição à luz; nuança.

cambiar (cam.bi:*ar*) *v.* **1.** Trocar, permutar moedas de um país pelas de outro: *Ainda no aeroporto, o turista cambiou seus dólares por (em) reais.* **2.** Fazer operações de câmbio: *Na agência bancária, cambiei as letras de crédito.* **3.** Transformar, mudar, alterar: *Ao longo dos anos, a velha senhora cambiara seus hábitos de vida.* **4.** Trocar, permutar: *Os amigos cambiavam entre si livros e discos de seus respectivos países.* **5.** Mudar gradualmente de cor(es): *No poente, as nuvens cambiavam do rosa para o dourado.* **6.** Mudar de opinião, partido, sistema etc.: *Alguns políticos cambiaram da oposição para o partido do governo.* ▶ Conjug. 17.

cambiário (cam.bi:*á*.ri:o) *adj.* Relativo a câmbio; cambial.

câmbio (*câm*.bi:o) *s.m.* **1.** (*Econ.*) Operação de venda, troca ou compra de valores especialmente mercantis: moedas, letras, ações etc. **2.** (*Mec.*) Peça do automóvel que permite mudar a marcha. **3.** Troca, permuta. || *Câmbio negro*: (*Econ.*) compra ou venda clandestina e ilegal de moedas ou utilidades.

cambista (cam.*bis*.ta) *adj*. **1**. Relativo a câmbio. • *s.m. e f.* **2**. (*Econ.*) Pessoa que negocia em câmbio, comprando e vendendo moeda estrangeira. **3**. Indivíduo que compra ingressos para espetáculos ou competições esportivas e os vende mais caro quando começam a rarear ou se esgotam completamente. **4**. Indivíduo que vende bilhetes de loteria.

cambito (cam.*bi*.to) *s.m.* **1**. *joc*. Perna fina. **2**. Forquilha de madeira que se coloca sobre a cangalha dos muares e no qual se transporta lenha, cana, capim etc. **3**. Pau com que se torcem as correias sobre a carga de um animal para fixá-la. || *gambito*.

cambota [ó] (cam.*bo*.ta) *adj*. **1**. Cambaio; que tem as pernas tortas. • *s.m. e f.* **2**. Pessoa cambaia, de pernas tortas. • *s.f.* **3**. (*Mec.*) Peça da roda do automóvel na qual se fixam os raios e o aro externo. **4**. Cambalhota.

cambraia (cam.*brai*.a) *s.f.* Tecido muito fino de linho ou de algodão.

cambriano (cam.*bri:a*.no) *adj*. **1**. Concernente ou pertencente ao período mais antigo da era paleozóica. • *s.m.* **2**. (*Geol.*) Esse período.

cambucá (cam.bu.*cá*) *s.m.* **1**. (*Bot.*) Árvore da mesma família da goiabeira, de flores brancas e fruto amarelo comestível; cambucazeiro. **2**. Fruto dessa árvore.

cambucazeiro (cam.bu.ca.*zei*.ro) *s.m.* (*Bot.*) Cambucá.

cambulha (cam.*bu*.lha) *s.f.* Cambada (3).

cambulhada (cam.bu.*lha*.da) *s.f.* Cambada (3).

cambuquira (cam.bu.*qui*.ra) *s.f.* **1**. Broto de aboboreira. **2**. (*Cul.*) Guisado feito com esses brotos.

camélia (ca.*mé*.li:a) *s.f.* **1**. (*Bot.*) Planta ornamental de belas flores. **2**. A flor dessa planta; rosa-do-japão.

camelino (ca.me.*li*.no) *adj*. Relativo a camelo, próprio dele.

camelo [ê] (ca.*me*.lo) *s.m.* (*Zool.*) Mamífero ruminante, com duas corcovas, originário da Ásia central, usado como animal de carga, sobretudo no deserto.

camelô (ca.me.*lô*) *s.m. e f.* Vendedor de rua que apregoa seus objetos, geralmente com loquacidade; marreteiro.

câmera (*câ*.me.ra) *s.f.* (*Cine, Fot., Telv.*) Câmara: câmera fotográfica, câmera de filmagem.

cameraman [*cameramen*] (Ing.) *s.m.* (*Cine, Fot., Telv.*) Operador de câmara.

camerlengo (ca.mer.*len*.go) *s.m.* (*Rel.*) Cardeal encarregado da administração da Igreja Católica entre a morte de um papa e a eleição do seguinte.

camião (ca.mi:*ão*) *s.m.* Caminhão.

camicase (ca.mi.*ca*.se) *s.m.* **1**. Pequeno avião da força aérea japonesa que na II Guerra Mundial era lançado, cheio de explosivos, contra alvos inimigos. **2**. O piloto desse avião. **3**. *fig*. Aquele que se arrisca muito ao agir, sem medir as consequências: *Ao fazer aquele discurso, o candidato agiu como um camicase.* • *adj*. **4**. De, relativo a camicase: *um ataque camicase*. || *kamikase*.

caminhada (ca.mi.*nha*.da) *s.f.* **1**. Ação de caminhar. **2**. Jornada que se faz a pé: *Todas as manhãs, o velho homem fazia uma caminhada pelo bosque.* **3**. Extensão de caminho percorrido ou a percorrer: *De minha casa até a praia é uma longa caminhada.*

caminhante (ca.mi.*nhan*.te) *adj*. **1**. Que caminha: *um povo caminhante*. • *s.m. e f.* **2**. Aquele que caminha; transeunte, viajante: *Depois de uma curva da estrada, os cansados caminhantes avistaram as torres da catedral.*

caminhão (ca.mi.*nhão*) *s.m.* **1**. Grande veículo automóvel para transporte de cargas. **2**. Porção de carga que esse veículo pode transportar: *Precisavam ainda de dois caminhões de areia para completar o aterro.* **3**. *coloq*. Grande quantidade: *Veio com um caminhão de mentiras.* || *camião*.

caminhar (ca.mi.*nhar*) *v*. **1**. Andar, percorrer uma distância: *Caminhei seis quilômetros à procura de meu cachorro.* **2**. Ir, dirigir-se andando a algum lugar: *Diariamente ela caminhava de sua casa ao escritório.* **3**. *fig*. Ir vencendo distância, aproximando-se cada vez mais do termo a que se dirige; avançar, progredir: *O jovem caminhava com passos seguros para a realização de seus sonhos.* ▶ Conjug. 5.

caminheiro (ca.mi.*nhei*.ro) *adj*. **1**. Que caminha. • *s.m.* **2**. Indivíduo que caminha bem e depressa.

caminho (ca.*mi*.nho) *s.m.* **1**. Faixa de terreno por onde veículos e pessoas circulam de um lugar para outro: *Este é o caminho que vai de Petrópolis a Teresópolis.* **2**. Espaço que se percorre andando: *Todos os dias ele faz esse caminho.* **3**. Trajeto, percurso, itinerário: *Os três viajantes seguiram o mesmo caminho.* **4**. *fig*. Destino, rumo: *Desejo que meu filho siga o caminho da felicidade.* || *Caminho das pedras: coloq*. a fór-

campeão

mula para se conseguir alguma coisa. • *Meio caminho andado*: *coloq.* situação em que já se fez ou resolveu metade de uma tarefa.

caminhoneiro (ca.mi.nho.*nei*.ro) *s.m.* Motorista profissional que dirige caminhão.

caminhoneta [ê] (ca.mi.nho.*ne*.ta) *s.f.* Caminhonete, camionete, camioneta.

caminhonete [é] (ca.mi.nho.*ne*.te) *s.f.* Veículo automóvel para transporte de pessoas e carga. || *caminhoneta, camioneta, camionete.*

camioneta [ê] (ca.mi.o.*ne*.ta) *s.f.* Camionete, caminhoneta, caminhonete.

camionete [é] (ca.mi.o.*ne*.te) *s.f.* Camionete, caminhoneta, caminhonete.

camisa (ca.*mi*.sa) *s.f.* **1.** Peça do vestuário, de mangas compridas ou curtas, de linho, algodão, tricoline, seda ou outro tecido fino, que vai do pescoço até as coxas e se veste, sobre a pele, esportivamente, ou sob outra peça do vestuário em circunstâncias formais. **2.** Tela cônica incandescente de certos lampiões. || *Camisa de meia*: camisa de malha, justa, de mangas curtas ou sem manga, sem colarinho, que vai até a cintura e é vestida sobre a pele; camiseta. • *Camisa de onze varas*: **1.** (*Hist.*) camisa dos padecentes nos autos de fé da Inquisição. **2.** *fig.* situação de dificuldade.

camisa de força *s.f.* **1.** Camisa de tecido resistente que, fechada por cordas atrás do tórax, imobiliza os doentes mentais em estado de grande agitação. **2.** Imposição peremptória: *A ordem do diretor funcionou como uma camisa de força.*

camisa de vênus *s.f.* Invólucro de látex com que se envolve o pênis durante o ato sexual para evitar a concepção ou a transmissão de doenças venéreas; camisinha, preservativo, *condom*.

camisaria (ca.mi.sa.*ri*.a) *s.f.* Estabelecimento onde se vendem ou fabricam camisas e outras peças do vestuário, como cuecas, gravatas, pijamas etc.

camiseiro (ca.mi.*sei*.ro) *adj.* **1.** Relativo a camisa. • *s.m.* **2.** Fabricante ou vendedor de camisas. **3.** Móvel destinado a guardar camisas e outras roupas.

camiseta [ê] (ca.mi.*se*.ta) *s.f.* Camisa de malha, de mangas curtas ou sem mangas, usada na prática de esportes ou sob a camisa.

camisinha (ca.mi.*si*.nha) *s.f.* **1.** Pequena camisa. **2.** Preservativo; camisa de vênus; *condom*.

camisola [ó] (ca.mi.*so*.la) *s.f.* Roupa do vestuário feminino para dormir, normalmente folgada, de comprimento e modelo variáveis.

camomila (ca.mo.*mi*.la) *s.f.* (*Bot.*) Planta cujas flores são utilizadas em chás digestivos e calmantes.

camoniano (ca.mo.ni:*a*.no) *adj.* **1.** De ou próprio do poeta português Luís de Camões. • *s.m.* **2.** (*Lit.*) Admirador ou estudioso das obras de Camões; camonista.

camonista (ca.mo.*nis*.ta) *s.m. e f.* (*Lit.*) Pessoa que se dedica ao estudo de Camões e de suas obras; camoniano.

camorra [ô] (ca.*mor*.ra) *s.f.* **1.** Antiga associação de criminosos, originada em Nápoles, Itália. **2.** Qualquer organização criminosa.

campa[1] (*cam*.pa) *s.f.* **1.** Lápide que cobre sepultura. **2.** Sepulcro.

campa[2] (*cam*.pa) *s.f.* **1.** Sino pequeno para sinais de aviso. **2.** Instrumento musical.

campainha (cam.pa.*i*.nha) *s.f.* **1.** Sineta de mão usada para chamar criados, impor silêncio e solenizar certos momentos na liturgia católica. **2.** Qualquer campânula elétrica, em especial a que se coloca na porta ou portão de entrada de residências. **3.** (*Anat.*) Úvula.

campal (cam.*pal*) *adj.* **1.** Que se realiza ao ar livre, especialmente missa e batalha. **2.** De ou próprio do campo.

campana (cam.*pa*.na) *s.f.* **1.** Campainha, sino. **2.** *coloq.* Tocaia para surpreender um foragido da justiça.

campanário (cam.pa.*ná*.ri:o) *s.m.* **1.** Torre de sinos. **2.** Abertura na torre da igreja onde fica o sino. **3.** Freguesia, aldeia. || *De campanário*: diz-se daquilo que tem valimento restrito: *política de campanário.*

campanha (cam.*pa*.nha) *s.f.* **1.** Campo extenso; campina. **2.** (*Mil.*) Conjunto de operações militares: *campanha de Canudos*. **3.** Conjunto de esforços e ações para alcançar um determinado fim: *campanha de alfabetização*. **4.** Luta para conseguir alguma coisa: *campanha pela reposição salarial do sindicato.*

campânula (cam.*pâ*.nu.la) *s.f.* **1.** Pequeno vaso de vidro ou de metal, em forma de sino, usado para proteger objetos; redoma. **2.** (*Bot.*) Planta cujas flores parecem sinos.

campeão (cam.pe:*ão*) *s.m.* Pessoa ou equipe que vence um torneio ou um campeonato.

255

campear

campear (cam.pe:*ar*) v. **1.** Percorrer os campos procurando animais, a pé ou em montaria: *O capataz campeou toda a noite atrás do touro fujão.* **2.** Fazer esforço para encontrar algo: *Campearam várias lojas para encontrar a roupa que queriam* **3.** Ostentar, exibir, fazer alarde: *Os senhores da terra campeavam sua riqueza nas festas do povoado.* **4.** Dominar, estar em lugar de evidência: *Terminada a guerra, a miséria campeava por todo o território.* ▶ Conjug. 14.

campeiro (cam.*pei*.ro) adj. **1.** Que trabalha no campo. **2.** Que serve em usos campestres. **3.** Que vive no campo. • s.m. **4.** Indivíduo adestrado no trabalho do campo, principalmente no tratamento do gado; vaqueiro.

campeonato (cam.pe:o.*na*.to) s.m. Competição esportiva para se determinar o campeão.

campesinato (cam.pe.si.*na*.to) s.m. Grupo social formado por pequenos proprietários e trabalhadores rurais.

campesino (cam.pe.*si*.no) adj. Relativo à vida do campo; campestre.

campestre [é] (cam.*pes*.tre) adj. Próprio do campo; rural, rústico, campesino.

campina (cam.*pi*.na) s.f. Campo extenso e sem árvores, coberto de plantas rasteiras.

campineiro (cam.pi.*nei*.ro) adj. **1.** Da cidade de Campinas, no Estado de São Paulo. • s.m. **2.** O natural ou o habitante dessa cidade.

campinense (cam.pi.*nen*.se) adj. **1.** Da cidade de Campina Grande, no Estado da Paraíba. • s.m. e f. **2.** O natural ou o habitante dessa cidade.

camping [câmpin] (Ing.) s.m. **1.** Atividade esportiva que consiste em viajar e acampar num lugar. **2.** O lugar onde se acampa.

campista (cam.*pis*.ta) adj. **1.** Da cidade de Campos dos Goytacazes, no Estado do Rio de Janeiro. • s.m. e f. **2.** O natural ou o habitante dessa cidade.

campo (*cam*.po) s.m. **1.** Terreno extenso e plano, sem árvores. **2.** Terreno fora dos povoados, lugar de habitação, onde geralmente se pratica a agricultura, em contraposição à cidade. **3.** Acampamento. **4.** Liça, lugar de combate: *Os lutadores preferiram enfrentar-se em campo neutro.* **5.** *fig.* Área de conhecimento ou de atividade: *No campo da fotografia, ele era ímpar.* **6.** (Art.) Fundo de um quadro. || *Campo de concentração*: lugar onde se mantêm presas pessoas consideradas nocivas à sociedade ou de influência negativa aos objetivos ideológicos dos donos do poder, num regime político ditatorial. • *Campo de força*: (Fís.) campo vetorial cuja grandeza física é uma força. • *Campo magnético*: (Eletr.) aquele que é criado por cargas elétricas em movimento, isto é, correntes elétricas, e que só pode ser detectado por uma carga elétrica de prova que também esteja em movimento.

campo-grandense (cam.po-gran.*den*.se) adj. **1.** De Campo Grande, capital do Estado de Mato Grosso do Sul. • s.m. e f. **2.** O natural ou o habitante dessa capital. || pl.: campo-grandenses.

camponês (cam.po.*nês*) adj. **1.** Próprio do campo; rústico • s.m. **2.** Aquele que habita o campo ou nele trabalha.

campo-santo (cam.po-*san*.to) s.m. Cemitério. || pl.: *campos-santos*.

campus (Lat.) s.m. O conjunto de edifícios e terrenos de uma universidade ou escola. || pl.: *campi*.

camuflagem (ca.mu.*fla*.gem) s.f. Ato ou efeito de camuflar.

camuflar (ca.mu.*flar*) v. **1.** Dissimular com pintura, folhas, galhos, terra etc., armas, baterias, soldados e instalações militares: *Camuflaram os canhões sob uma densa galharia.* **2.** *fig.* Disfarçar sob falsas aparências: *Ele camuflou a carta entre outros papéis.* ▶ Conjug. 5.

camundongo (ca.mun.*don*.go) s.m. (Zool.) Pequeno rato doméstico.

camurça (ca.*mur*.ça) s.f. **1.** (Zool.) Espécie de cabra montês. **2.** A pele preparada desse animal. **3.** Qualquer pele preparada como a camurça.

cana (*ca*.na) s.f. **1.** (Bot.) Caule de diversas plantas como a cana-de-açúcar, o bambu, a taquara etc. **2.** coloq. Prisão, xadrez. **3.** coloq. Aguardente, cachaça, caninha. || *Ir em cana* / *estar em cana*: ser preso, estar preso.

cana-caiana (ca.na-cai.*a*.na) s.f. (Bot.) Variedade de cana-de-açúcar; caiana. || pl.: *canas-caianas*.

cana-de-açúcar (ca.na-de-a.*çú*.car) s.f. Planta com a qual se produzem o açúcar, o álcool e a aguardente. || pl.: *canas-de-açúcar*.

canal (ca.*nal*) s.m. **1.** Sulco natural ou artificial, por onde correm as águas para algum lugar. **2.** Passagem entre mares, lagos e rios. **3.** Parte mais profunda de uma baía, de um rio, de um lago etc. por onde podem transitar os navios. **4.** (Anat.) Denominação substituída por *ducto* ou *duto*. **5.** (Comun.) Faixa de frequência para transmissão em rádio e televisão. **6.** *fig.*

Caminho, via: *O processo correrá pelos canais competentes.*

canaleta [ê] (ca.na.*le*.ta) *s.f.* Canal pequeno.

canalha (ca.*na*.lha) *adj.* **1.** Diz-se de pessoa velhaca, infame, sem pudor. • *s.m.* e *f.* **2.** Pessoa velhaca, vil, infame. • *s.f.* **3.** *pej.* Grupo de pessoas desprezíveis.

canalhice (ca.na.*lhi*.ce) *s.f.* Ação própria de um canalha.

canalização (ca.na.li.za.*ção*) *s.f.* **1.** Ato ou efeito de canalizar. **2.** Conjunto de canos, canais, encanamentos.

canalizar (ca.na.li.*zar*) *v.* **1.** Fazer escorrer água ou outros líquidos por canais, canos, valas: *A prefeitura mandou canalizar as águas pluviais.* **2.** Abrir canais, dirigir por canos e canais, cortar com canais: *Canalizaram o pântano para a construção da avenida.* **3.** *fig.* Encaminhar, conduzir, dirigir: *O governo pretende canalizar todos os esforços para acabar com o desmatamento da Amazônia.* ▶ Conjug. 5.

canapé (ca.na.*pé*) *s.m.* **1.** Assento para duas ou mais pessoas com encosto e braços. **2.** (*Cul.*) Pequena fatia de pão sobre a qual se coloca uma pasta condimentada, um patê, um pedaço de frio etc.

canarino (ca.na.*ri*.no) *adj.* **1.** Concernente ou pertencente ao arquipélago das Canárias. • *s.m.* **2.** O natural ou o habitante das Canárias. || *canário.*

canário (ca.*ná*.ri:o) *adj.* **1.** Concernente ou pertencente às ilhas Canárias; canarino. • *s.m.* **2.** O natural ou o habitante das Canárias. **3.** (*Zool.*) Pássaro de canto melodioso, geralmente de cor amarela.

canastra (ca.*nas*.tra) *s.f.* **1.** Cesta larga e chata, tecida com ripas de madeira flexível ou verga, com ou sem tampa. **2.** Pequena mala de couro para guardar roupas e pequenos objetos. **3.** Certo jogo de cartas.

canastrão (ca.nas.*trão*) *s.m.* Mau ator; ator sem talento. || f.: *canastrona.*

canavial (ca.na.vi:*al*) *s.m.* Plantação de cana-de-açúcar.

canavieiro (ca.na.vi.*ei*.ro) *adj.* **1.** Relativo a cana-de-açúcar: *lavoura canavieira.* • *s.m.* **2.** Plantador de cana-de-açúcar.

cancã (can.*cã*) *s.m.* Dança típica dos cabarés de Paris, dançada por mulheres.

canção (can.*ção*) *s.f.* **1.** (*Mús.*) Composição poética destinada a ser cantada: *Vieram representantes de vários países para o festival da canção.* **2.** (*Lit., Mús.*) Composição poética de origem medieval: *Os alunos leram uma canção de Camões.*

cancela [é] (can.*ce*.la) *s.f.* Porta gradeada de madeira ou de ferro, capaz de dar passagem a veículos ou a animais de carga; porteira.

cancelar (can.ce.*lar*) *v.* **1.** Anular, tornar sem efeito (um compromisso); invalidar: *O decreto cancelava o compromisso do governo de rever aquele acordo.* **2.** Eliminar, excluir, suprimir: *Foram cancelados alguns privilégios da companhia.* **3.** Desistir de, não levar a efeito (o que havia pensado ou planejado): *Cancelei minha viagem à Europa.* **4.** (*Mat.*) Eliminar (fatores comuns a termos de uma expressão fracionária ou a dois membros de uma equação) mediante multiplicação ou divisões apropriadas; cortar. ▶ Conjug. 8.

câncer (*cân*.cer) *s.m.* (*Med.*) Tumor maligno formado por multiplicação desordenada de células.

canceriano (can.ce.ri:*a*.no) *adj.* (*Astrol.*) **1.** Que nasce sob o signo de Câncer (de 21 de junho a 22 de julho). • *s.m.* **2.** Pessoa nascida sob o signo de Câncer.

cancerígeno (can.ce.*rí*.ge.no) *adj.* (*Med.*) Que produz câncer.

canceroso [ô] (can.ce.*ro*.so) *adj.* **1.** Que tem a natureza do câncer. **2.** Que padece de câncer. • *s.m.* **3.** Pessoa que tem câncer. || f. e pl.: [ó].

cancha (*can*.cha) *s.f.* **1.** Raia apropriada a corridas de cavalo. **2.** Campo de futebol, de tênis ou de basquete. **3.** *coloq.* Experiência, tirocínio, conhecimento: *Ela revela muita cancha e sairá bem na competição.*

cancioneiro (can.ci:o.*nei*.ro) *s.m.* **1.** (*Mús.*) Coleção de canções. **2.** (*Lit.*) Denominação de coletâneas de textos de poesias líricas medievais ou renascentistas; romanceiro. || *Cancioneiro popular:* acervo de cantigas, canções e poesias, transmitido pelo povo de geração a geração.

cancionista (can.ci:o.*nis*.ta) *s.m.* e *f.* Indivíduo que compõe canções.

cancro (*can*.cro) *s.m.* **1.** (*Med.*) Úlcera venérea. **2.** (*Bot.*) Doença infecciosa que ataca as plantas. **3.** *fig.* Mal crescente que vai arruinando pouco a pouco: *A inflação crescente era um cancro na economia do país.*

candango (can.*dan*.go) *s.m.* **1.** Trabalhador que ajudou na construção de Brasília. **2.** Habitante de Brasília nos primeiros anos da cidade.

candeeiro (can.de:*ei*.ro) *s.m.* Utensílio de formas variadas contendo óleo ou outro líquido

candeia

combustível, usado para iluminação; lampião, lamparina.

candeia (can.*dei*.a) *s.f.* Lâmpada formada por um recipiente munido de um bico pelo qual passa a ponta de um pavio mergulhado em óleo, querosene ou outro líquido combustível para queimar, iluminando o ambiente; lamparina, lucerna.

candelabro (can.de.*la*.bro) *s.m.* Grande castiçal com várias ramificações para luz.

candente (can.*den*.te) *adj.* **1.** Que está em brasa pelo aquecimento em alta temperatura; incandescente. **2.** Brilhante, resplandecente.

cândida (*cân*.di.da) *s.f.* (*Biol.*) Fungo causador de micoses.

candidatar-se (can.di.da.*tar*-se) *v.* Apresentar-se como candidato: *Os jornais preveem que o governador se candidatará a presidente.* ▶ Conjug. 5 e 6.

candidato (can.di.*da*.to) *s.m.* **1.** Pessoa que quer obter um emprego, um cargo ou ser eleito para uma função. **2.** Pessoa que disputa uma vaga num concurso.

candidatura (can.di.da.*tu*.ra) *s.f.* **1.** Condição de candidato a um cargo ou função. **2.** Ato de apresentar-se ou ser apresentado como candidato a um cargo ou função.

candidez [ê] (can.di.*dez*) *s.f.* Qualidade de cândido; candura, ingenuidade.

candidíase (can.di.*dí*.a.se) *s.f.* (*Med.*) Afecção causada pela cândida.

cândido (*cân*.di.do) *adj.* Que tem candura; inocente, puro: *alma cândida.*

candomblé (can.dom.*blé*) *s.m.* (*Rel.*) **1.** Religião afro-brasileira que cultua os orixás com danças, cantos e oferendas. **2.** Local onde se pratica esse culto.

candonga (can.*don*.ga) *s.f.* **1.** Carinho, afago. **2.** Adulação interesseira; lisonja. **3.** Intriga, mexerico. **4.** Amor, benzinho.

candor [ô] (can.*dor*) *s.m.* Candura.

candura (can.*du*.ra) *s.f.* Qualidade do que é puro; candor, inocência.

caneca [é] (ca.*ne*.ca) *s.f.* Vasilha cilíndrica provida de asa, para beber líquidos.

caneco [é] (ca.*ne*.co) **1.** Caneca mais longa que a comum. **2.** *gír.* (*Esp.*) Troféu, taça, nas disputas desportivas.

canela[1] [é] (ca.*ne*.la) *s.f.* **1.** (*Bot.*) Condimento aromático originário da Ásia; cinamomo. • *s.m.* **2.** A cor da canela: *O canela de seus sapatos não ia bem com o amarelo de seu vestido.* • *adj.* **3.** Da cor da canela: *Depois de muito pensar, ela resolveu usar os sapatos canela.*

canela[2] [é] (ca.*ne*.la) *s.f.* Parte dianteira da perna, entre o joelho e o pé.

canelada (ca.ne.*la*.da) *s.f.* Pancada na canela da perna.

caneleira (ca.ne.*lei*.ra) *s.f.* Peça acolchoada para proteção das pernas, geralmente usada por desportistas.

canelone (ca.ne.*lo*.ne) *s.m.* (*Cul.*) Massa alimentícia disposta em pequenos rolos recheados e cobertos de molho que são levados ao forno para gratinar.

caneta [ê] (ca.*ne*.ta) *s.f.* **1.** Pequeno tubo de metal ou de plástico onde se encaixa a pena para escrever. **2.** Tipo de caneta que possui uma esfera na ponta que impede a tinta de se espalhar pelo papel; esferográfica.

caneta-tinteiro (ca.ne.ta-tin.*tei*.ro) *s.f.* Caneta para escrever que contém um reservatório de tinta renovável e pena. || pl.: canetas-tinteiro e canetas-tinteiros.

cânfora (*cân*.fo.ra) *s.f.* **1.** (*Farm., Quím., Med.*) Substância aromática usada na Medicina e na indústria, extraída da madeira e da casca da canforeira ou obtida sinteticamente. **2.** Canforeira.

canforeira (can.fo.*rei*.ra) *s.f.* (*Bot.*) Árvore que fornece cânfora. || canforeiro.

canforeiro (can.fo.*rei*.ro) *s.m.* (*Bot.*) Canforeira.

canga[1] (*can*.ga) *s.f.* **1.** Peça de madeira que liga os bois pelo pescoço para que, juntos, puxem o carro ou o arado. **2.** *fig.* Domínio, opressão, jugo.

canga[2] (*can*.ga) *s.f.* Tecido retangular, normalmente de belas cores e leve, que as mulheres amarram na cintura, e serve como saída de praia.

cangaceiro (can.ga.*cei*.ro) *s.m.* Componente de grupos armados que assolaram o Nordeste brasileiro na primeira metade do século XX; bandoleiro.

cangaço (can.*ga*.ço) *s.m.* Modo de vida do cangaceiro.

cangalha (can.*ga*.lha) *s.f.* **1.** Peça triangular de pau que se enfia no pescoço dos porcos para não fuçarem nem comerem as plantas. **2.** Armação de madeira que se coloca no lombo dos muares para equilibrar o peso dos dois lados. **3.** *fig.* Jugo, opressão.

cangapé (can.ga.*pé*) *s.m.* Pontapé dado na barriga da perna de alguém para derrubá-lo.

cangote [ó] (can.go.te) *s.m.* Parte posterior do pescoço; nuca, cerviz. || *cogote*.

canguru (can.gu.ru) *s.m.* (*Zool.*) Mamífero australiano, da ordem dos marsupiais, cujos membros posteriores, muito longos, permitem-lhe andar aos saltos; a fêmea carrega o filhote na bolsa marsupial.

canhada (ca.nha.da) *s.f.* **1.** Planície estreita entre colinas e coxilhas. **2.** Sulco profundo aberto pelas chuvas em ladeiras muito íngremes.

cânhamo (câ.nha.mo) *s.m.* (*Bot.*) Erva que produz fibras têxteis e de cujas folhas e flores se fazem a maconha e o haxixe.

canhão (ca.nhão) *s.m.* **1.** Peça de artilharia para lançamento de bombas, mísseis e quaisquer projéteis a longa distância **2.** Garganta profunda com paredes verticais, provocada pela erosão; cânion. **3.** *coloq. fig.* Pessoa muito feia.

canhestro [ê] (ca.nhes.tro) *adj.* **1.** Feito desajeitadamente; malfeito. **2.** Desengonçado, desajeitado. **3.** Acanhado, tímido, ressabiado.

canhonaço (ca.nho.na.ço) *s.m.* **1.** Tiro de canhão. **2.** Chute muito violento.

canhonada (ca.nho.na.da) *s.f.* Canhoneio, descarga de canhões.

canhoneio (ca.nho.nei.o) *s.m.* Canhonada.

canhoneira (ca.nho.nei.ra) *s.f.* **1.** Abertura ou seteira em fortificações ou navios por onde eram lançados os tiros de canhão. **2.** (*Náut.*) Pequeno navio de guerra, com artilharia, para defender portos e rios navegáveis.

canhoto [ô] (ca.nho.to) *adj.* **1.** Diz-se de quem é hábil com a mão esquerda; sinistro. • *s.m.* **2.** Indivíduo que é mais hábil com a mão esquerda. **3.** Parte à esquerda no talão de cheques. **4.** *coloq.* Diabo, demônio, cão.

canibal (ca.ni.bal) *s.m.* **1.** Pessoa que come carne humana; antropófago. **2.** Animal que come os da sua espécie. • *adj.* **3.** Próprio de canibal; canibalesco.

canibalesco (ca.ni.ba.les.co) *adj.* Próprio de canibal.

canibalismo (ca.ni.ba.lis.mo) *s.m.* **1.** Ato ou condição de canibal; antropofagia **2.** Ato ou condição de um animal que come outros da mesma espécie.

canibalização (ca.ni.ba.li.za.ção) *s.f.* Operação que consiste em tirar peças de um mecanismo para usá-las em outros.

canibalizar (ca.ni.ba.li.zar) *v.* **1.** Retirar peças de um equipamento ou de um mecanismo para usá-las em outro: *O mecânico canibalizou algumas peças para o conserto do carro.* **2.** Reutilizar, reaproveitar, adaptando elementos: *É bom canibalizar essas câmaras de ar da velha bicicleta.* ▶ Conjug. 5.

canície (ca.ní.ci:e) *s.f.* **1.** Estado de brancura mais ou menos completa dos cabelos. **2.** Idade em que surgem as cãs.

caniço (ca.ni.ço) *s.m.* **1.** Cana fina. **2.** Vara comprida, com fio e anzol, usada para pescar. **3.** (*Bot.*) Gramínea que se desenvolve à beira de rios, lagos e lugares úmidos. **4.** *fig.* Perna fina. **5.** *fig.* Magricela.

canícula (ca.ní.cu.la) *s.f.* Calor atmosférico intenso.

canicular (ca.ni.cu.lar) *adj.* **1.** Relativo a canícula. **2.** Calmoso, quente.

canil (ca.nil) *s.m.* Local de guarda e criação de cães.

caninana (ca.ni.na.na) *s.f.* **1.** (*Zool.*) Cobra de cor negra e amarela, não venenosa, que chega a atingir 2 m; papa-ovo. **2.** *fig.* Pessoa de gênio irascível.

canindé (ca.nin.dé) *s.m.* **1.** (*Zool.*) Espécie de arara azul e amarela. **2.** Faca longa e pontiaguda usada pelos sertanejos.

caninha (ca.ni.nha) *s.f. coloq.* Cana, cachaça, aguardente.

canino (ca.ni.no) *adj.* **1.** Relativo a cão, próprio de cão. **2.** Relativo a cada um dos dois dentes que ficam entre os pré-molares e os incisivos, no homem e em outros mamíferos. • *s.m.* **3.** Dente canino.

cânion (câ.ni:on) *s.m.* (*Geol.*) Vale profundo formado por penhascos, originado, em geral, por longo e lento processo de erosão fluvial, eólica etc.

canitar (ca.ni.tar) *s.m.* Cocar de penas usado pelos índios.

canivete [é] (ca.ni.ve.te) *s.m.* Espécie de faca pequena com uma ou várias lâminas e outros acessórios retráteis embutidos no cabo para várias utilidades.

canja (can.ja) *s.f.* **1.** (*Cul.*) Caldo de galinha ou frango, geralmente com arroz. **2.** *coloq. fig.* Coisa fácil de fazer: *Resolver esse problema para mim é canja.* || *Dar uma canja: coloq.* cantar ou tocar de graça em um espetáculo, quase sempre no fim: *A cantora deu uma canja no fim da festa.*

canjerê (can.je.rê) *s.m.* **1.** Feitiço. **2.** Reunião de pessoas para a prática de feitiçarias.

canjica (can.*ji*.ca) *s.f.* (*Cul.*) **1.** Espécie de sopa doce feita com milho branco, açúcar, leite e canela; munguzá. **2.** *reg.* Papa de milho verde.

canjiquinha (can.ji.*qui*.nha) *s.f.* Milho picado usado na culinária e na alimentação de aves; xerém.

canjirão (can.ji.*rão*) *s.m.* Vaso grande de boca larga, com asa, para vinho e cerveja.

cano (*ca*.no) *s.m.* **1.** Tubo para escoamento de líquidos e gases. **2.** Tubo de chaminé, para escoamento de fumaça ou pó. **3.** Parte da bota que reveste a perna. **4.** Tubo de arma de fogo, por onde a carga é lançada. **5.** Parte da luva que cobre o braço. || *Dar cano*: *coloq.* deixar de pagar o que deve: *Deu um cano em seus credores*. • *Entrar pelo cano*: *coloq.* fracassar em alguma empresa; dar-se mal.

canoa [ô] (ca.*no*:a) *s.f.* **1.** Pequena embarcação de madeira, sem coberta, com proa aguçada e popa de escaler, geralmente movida a remos. **2.** Piroga, ubá. **3.** Cada uma das duas fatias longitudinais do pão francês, escavada no centro e tostada com manteiga. || *Embarcar em canoa furada*: *coloq.* meter-se em negócios arriscados.

canoeiro (ca.no:*ei*.ro) *s.m.* Pessoa que dirige ou fabrica canoas.

cânon (*câ*.non) *s.m.* Cânone.

cânone (*câ*.no.ne) *s.m.* **1.** Conjunto de normas e regras fundamentais. **2.** Norma, padrão, modelo. **3.** (*Rel.*) Parte central da missa católica que corresponde à liturgia eucarística. **4.** (*Rel.*) Lista dos santos canonizados pela Igreja. **5.** (*Lit.*) O conjunto das obras consideradas mais importantes da literatura. • *cânon*.

canônico (ca.*nô*.ni.co) *adj.* **1.** Relativo a cânones. **2.** Pertinente aos livros sagrados reconhecidos como verdadeiros: *os evangelhos canônicos*.

canonização (ca.no.ni.za.*ção*) *s.f.* Ato ou efeito de canonizar.

canonizar (ca.no.ni.*zar*) *v.* **1.** Reconhecer publicamente a santidade de alguém: *O povo do sertão canonizou Padre Cícero*. **2.** (*Rel.*) Inscrever no cânone dos santos: *Espera-se que a Igreja canonize o Padre Anchieta*. **3.** *fig.* Elogiar, louvar, enaltecer: *Os alunos canonizaram o velho mestre*. ▶ Conjug. 5.

canoro [ó] (ca.*no*.ro) *adj.* **1.** Que canta harmoniosamente. **2.** Melodioso, sonoro.

cansaço (can.*sa*.ço) *s.m.* **1.** Fadiga, canseira. **2.** Fraqueza provocada por excesso de trabalho, doença ou exercício físico ou mental.

cansado (can.*sa*.do) *adj.* **1.** Fatigado, afadigado. **2.** Aborrecido, enfastiado.

cansanção (can.san.*ção*) *s.m.* (*Bot.*) Espécie de urtiga.

cansar (can.*sar*) *v.* **1.** Causar cansaço a: *A longa espera pelo atendimento cansou-me*. **2.** Aborrecer, molestar, importunar: *Não canse a criança com tanta recomendação!* **3.** Sentir cansaço: *Ontem (me) cansei muito no trabalho*. **4.** Aborrecer-se, enfastiar-se: *Cansou-se dos exercícios físicos*. ▶ Conjug. 5.

cansativo (can.sa.*ti*.vo) *adj.* **1.** Que produz cansaço; fatigante, estafante. **2.** Aborrecido, enfastiante, enfadonho: *O filme era bastante cansativo*.

canseira (can.*sei*.ra) *s.f.* **1.** Cansaço. **2.** Esforço continuado para conseguir algo. **3.** Trabalho que provoca cansaço; lida.

cantada (can.*ta*.da) *s.f. coloq.* Tentativa de sedução por meio de palavras hábeis com intuito libidinoso ou ilícito.

cantador [ô] (can.ta.*dor*) *adj.* **1.** Que canta. • *s.m.* **2.** Poeta de literatura de cordel. **3.** Repentista que se acompanha de viola ou rabeca nos versos que improvisa.

cantão (can.*tão*) *s.m.* Divisão territorial em alguns países, como a Suíça: *cantão suíço*.

cantar (can.*tar*) *v.* **1.** Dizer ou exprimir por meio de canto: *Cantavam de alegria*. **2.** Celebrar em poesia: *Aquele grande poeta cantou sua pátria em lindos versos*. **3.** Produzir certos ruídos que formam harmonia: *A cascata borbulhante canta no meio da mata*. **4.** *coloq.* Seduzir com palavras ou maneiras hábeis: *Ela tentava cantar o professor para obter uma boa nota*. **5.** Dirigir-se a, por meio de cantos: *Cantemos à Virgem Santa*. **6.** Emitir com a voz sons ritmados e musicais: *No recital, a cantora cantou muito bem*. **7.** Produzir sons melodiosos ou cadenciados: *Na velha escola, as crianças cantavam a tabuada*. • *s.m.* **8.** Cântico, trova: *Os cantares daquele poeta agradavam a todos*. ▶ Conjug. 5.

cantaria (can.ta.*ri*.a) *s.f.* (*Arquit.*) Pedra lavrada para construção.

cântaro (*cân*.ta.ro) *s.m.* Vaso bojudo, de barro ou metal, com uma ou duas asas, para água e outros líquidos; bilha; quarta. || *Chover a cântaros*: chover torrencialmente.

cantarolar (can.ta.ro.*lar*) *v.* Cantar à meia-voz: *A mãe cantarolava, enquanto cerzia as meias do filho*. ▶ Conjug. 20.

cantata (can.*ta*.ta) *s.f.* **1.** Composição poética para ser cantada. **2.** Forma antiga de poema

capação

lírico. 3. (*Mús.*) Composição musical a uma ou mais vozes com orquestra e coro, feita sobre uma composição literária.

canteiro (can.*tei*.ro) *s.m.* **1.** Parte de um terreno onde se plantam flores ou hortaliças. **2.** Faixa de terreno gramado, às vezes, plantado de flores, entre duas pistas de avenidas, rodovias etc. || *Canteiro de obras*: local ao redor de uma construção onde são realizados trabalhos complementares.

cântico (*cân*.ti.co) *s.m.* **1.** (*Rel.*) Canto em louvor a Deus, aos santos ou aos mistérios sagrados: *Santo Tomás compôs cânticos à Eucaristia*. **2.** (*Lit.*) Poema, ode.

cantiga (can.*ti*.ga) *s.f.* **1.** (*Lit.*) Poesia de versos curtos, dividida, geralmente, em estrofes ou coplas, para ser cantada. **2.** (*Lit.*) Composição lírica breve e típica do início da literatura galaico-portuguesa: *cantiga de amigo*. **3.** *coloq.* Conversa para enganar, cantilena, mentira.

cantil (can.*til*) *s.m.* Pequena vasilha portátil para levar líquidos em viagem.

cantilena (can.ti.*le*.na) *s.f.* **1.** Cantiga suave e terna; melopeia. **2.** *coloq.* Lengalenga, narração enfadonha, queixosa: *Lá vem você com sua cantilena de todos os dias*.

cantina (can.*ti*.na) *s.f.* **1.** Lugar onde se servem bebidas e alimentos a uma comunidade (escola, hospital, batalhão). **2.** Restaurante especializado em cozinha italiana.

canto¹ (*can*.to) *s.m.* **1.** Som musical emitido pela voz do homem ou de um animal. **2.** (*Mús.*) Música vocal: *arte do canto*. **3.** (*Lit.*) Divisão de poemas longos, principalmente os épicos: *O poema épico de Camões é dividido em dez cantos*. || *Canto gregoriano*: cantochão.

canto² (*can*.to) *s.m.* **1.** Ângulo reentrante ou saliente formado pelo encontro de duas superfícies: *O canto da sala*. **2.** Lugar retirado, pouco frequentado; recanto: *Ela vivia num canto longínquo do sertão de Pernambuco*. **3.** Lugar indeterminado: *A moeda deve estar em algum canto*. **4.** Ângulo do olho, da boca etc.: *Caiu um cisco no canto de meu olho*.

cantochão (can.to.*chão*) *s.m.* Canto tradicional eclesiástico, simples, sem ornatos, baseado apenas na acentuação e nas divisões do fraseado; canto gregoriano. || *pl.*: *cantochãos*.

cantoneira (can.to.*nei*.ra) *s.f.* **1.** Peça de metal presa às paredes para sustentar prateleira. **2.** Reforço de metal, couro, pano etc., para proteger as quinas de uma encadernação. **3.** Triângulo de papel usado nos cantos de fotografias para fixá-las em álbuns.

cantor [ô] (can.*tor*) *s.m.* **1.** Aquele que canta profissionalmente ou não. **2.** Poeta que celebra um herói ou um grande feito: *Aquele poeta foi o cantor das glórias de sua pátria*.

cantoria (can.to.*ri*.a) *s.f.* **1.** Ação de cantar; canto. **2.** Conjunto de vozes cantando. **3.** Desafio de cantadores.

canudo (ca.*nu*.do) *s.m.* **1.** Tubo comprido, cilíndrico e estreito usado para diferentes finalidades. **2.** Caixa em forma de tubo onde se guardam documentos. **3.** *coloq.* Diploma de curso superior.

cânula (*câ*.nu.la) *s.f.* (*Med.*) Tubo fino aberto nas duas extremidades para ser introduzido numa abertura natural ou artificial do corpo para drenagens, lavagens etc.

canutilho (ca.nu.*ti*.lho) *s.m.* Pequeno canudo de vidro usado em bordados de roupas femininas, fantasias e bijuteria.

canzarrão (can.zar.*rão*) *s.m.* Aumentativo de *cão*.

canzoada (can.zo:*a*.da) *s.f.* Bando de cães.

cão¹ *s.m.* **1.** (*Zool.*) Mamífero domesticável que, além de animal de estimação, serve para diversos serviços e atividades como guarda, auxílio na caça, companhia etc. **2.** (*Mil.*) Peça da espingarda que percute a cápsula. **3.** *coloq.* Diabo, demônio, canhoto. || *Quem não tem cão caça com gato*: *coloq.* dar soluções pouco comuns a problemas, com os recursos disponíveis. || *aum.*: *canzarrão*.

cão² *adj.* Que tem os cabelos brancos.

caolho [ô] (ca.*o*.lho) *adj.* **1.** Estrábico, que é torto de um olho; zarolho, vesgo. **2.** Que não tem um olho. • *s.m.* **3.** Pessoa zarolha.

caos (*ca*:os) *s.m.2n.* **1.** Estado de confusão geral dos elementos, antes da formação do mundo. **2.** *fig.* Confusão, extrema desorganização: *Esta sala está um caos*.

caótico (ca.*ó*.ti.co) *adj.* Em estado de caos; confuso, desordenado: *É difícil dirigir no trânsito caótico das grandes cidades*.

capa (*ca*.pa) *s.f.* **1.** Peça do vestuário usada por cima da roupa para abrigar da chuva e do frio. **2.** Artefato de pano ou outra matéria que recobre sofás, poltronas e outros estofados, para proteção do pó e sujeira. **3.** Peça do vestuário usada e manejada pelo toureiro. **4.** Cobertura de livros, cadernos, revistas etc.

capação (ca.pa.*ção*) *s.f.* Ato de castrar os animais; castração.

capacete [ê] (ca.pa.ce.te) s.m. Peça de couro, metal ou matéria plástica resistente, usada por militares, motociclistas, operários de indústria ou obras, para proteção da cabeça.

capacho (ca.pa.cho) s.m. **1.** Tapete usado na entrada para limpar a sola dos sapatos. **2.** fig. Pessoa subserviente, que se curva servilmente àquele de quem depende.

capacidade (ca.pa.ci.da.de) s.f. **1.** Qualidade de capaz; competência: *O candidato tem capacidade para responder bem às questões.* **2.** Volume ou quantidade que pode caber em alguma coisa ou algum lugar: *A caixa tinha capacidade para mil litros de água; Esta sala tem capacidade de acomodar trinta pessoas.* **3.** Pessoa de grande saber ou aptidão e talento: *Aquele professor era uma capacidade.*

capacíssimo (ca.pa.cís.si.mo) adj. Superlativo absoluto de *capaz*.

capacitação (ca.pa.ci.ta.ção) s.f. Ato ou efeito de capacitar-se.

capacitância (ca.pa.ci.tân.ci:a) s.f. (*Eletr.*) Capacidade de certos dispositivos para armazenar energia elétrica sob a forma de um campo eletrostático.

capacitar (ca.pa.ci.tar) v. **1.** Tornar(-se) capaz, habilitar(-se): *O curso capacitou-os para as provas; Capacitou-se para a liderança política.* **2.** Persuadir, convencer, fazer acreditar: *A mãe capacitou o filho da necessidade de dirigir com atenção.* **3.** Persuadir-se, convencer-se; ficar persuadido, ficar convencido: *Capacitou-se da necessidade de fazer um curso superior.* ▶ Conjug. 5.

capacitor [ô] (ca.pa.ci.tor) s.m. (*Eletr.*) Conjunto de condutores elétricos isolados entre si, que acumulam carga elétrica no campo eletrostático que se forma entre eles; condensador.

capado (ca.pa.do) adj. **1.** Castrado. • s.m. **2.** (*Vet.*) Animal capado (porco, carneiro, bode) que se põe para cevar.

capadócio (ca.pa.dó.ci:o) adj. **1.** Da Capadócia, região da Ásia Menor. • s.m. **2.** O natural ou o habitante dessa região. **3.** fig. Pessoa de inteligência curta; ignorante. **4.** Trapaceiro.

capanga (ca.pan.ga) s.m. **1.** Guarda-costas; pessoa paga para defender e proteger alguém. **2.** Pessoa paga para matar. • s.f. **3.** Bolsa pequena que se carrega na mão ou na cintura para dinheiro ou pequenos objetos.

capão (ca.pão) s.m. Animal castrado, especialmente para ceva.

capar (ca.par) v. (*Vet.*) Extrair os órgãos de reprodução de um animal (machos: testículos; fêmeas: ovários); castrar. ▶ Conjug. 5.

capataz (ca.pa.taz) s.m. **1.** Chefe de um grupo de trabalhadores da estiva. **2.** Administrador de fazenda ou de estância; feitor.

capatazia (ca.pa.ta.zi.a) s.f. **1.** Função de capataz. **2.** Cada grupo chefiado por um capataz.

capaz (ca.paz) adj. **1.** Que tem capacidade (de conter, abrigar em si, receber): *O novo teatro é capaz de receber trezentas pessoas.* **2.** Que tem competência, apto, hábil: *Ele mostrou-se capaz de conduzir o processo.* **3.** Que tem possibilidade: *Somente a educação será capaz de resolver certos problemas nacionais.* || *Capaz de tudo*: que não hesita em praticar o mal. • *Ser capaz*: ser quase certo, ser provável: *É capaz de chover à tarde.* || sup. abs.: *capacíssimo*.

capcioso [ô] (cap.ci:o.so) adj. Que usa de argúcia ou de astúcia para induzir alguém em erro: *Para vê-lo cair em contradição, ela fazia-lhe perguntas capciosas.* || f. e pl.: [ó].

capeamento (ca.pe:a.men.to) s.m. **1.** Ato ou efeito de capear. **2.** (*Arquit.*) Acabamento em pedra na parte superior de muros ou balaustradas de alvenaria.

capear (ca.pe:ar) v. **1.** Encapar (livro, caderno etc.): *A menina capeava seus livros com papéis coloridos.* **2.** Esconder, encobrir, disfarçar: *Não devemos capear nossos defeitos, mas procurar corrigi-los.* **3.** Iludir, enganar: *Com aquela cara de santo, capeava todos os sócios.* **4.** Atiçar (o touro) com capa. ▶ Conjug. 14.

capela [é] (ca.pe.la) s.f. **1.** Pequena igreja com um só altar; ermida. **2.** Setor, normalmente lateral, de uma igreja com altar próprio. **3.** Lugar reservado a orações e cultos em colégios, hospitais, palácios etc. **4.** Sala nos cemitérios onde se velam defuntos antes do enterro. **5.** Cada uma das igrejas que pertencem a uma paróquia. **6.** Grinalda: *capela de flores de laranjeiras.*

capelania (ca.pe.la.ni.a) s.f. Cargo ou dignidade de capelão.

capelão (ca.pe.lão) s.m. Sacerdote encarregado do serviço religioso de uma capela (em colégio, hospital, prisão, comunidade religiosa, exército etc.). || pl.: *capelães*.

capelo [ê] (ca.pe.lo) s.m. **1.** Pequena capa curta usada pelos doutores, sobre os ombros, em atos solenes acadêmicos. **2.** Chapéu vermelho dos cardeais e, por extensão, a dignidade dos cardeais. **3.** Antigo capuz de frade.

capenga (ca.*pen*.ga) *adj.* **1.** Manco, coxo, torto. **2.** *fig. coloq.* Incompleto, mal-acabado: *um texto capenga; um discurso capenga.* • *s.m.* e *f.* **3.** Pessoa que capenga; manco, torto, perneta, coxo.

capengar (ca.pen.*gar*) *v.* **1.** Coxear, ser capenga, mancar: *O pobre velho vinha capengando pela estrada.* **2.** Não funcionar direito: *O serviço neste restaurante capenga um pouco.* ▶ Conjug. 5 e 34.

capeta [ê] (ca.*pe*.ta) *adj.* **1.** Levado, traquinas, endiabrado. • *s.m.* e *f.* **2.** Pessoa travessa, endiabrada; traquinas. • *s.m.* **3.** O diabo.

capiau (ca.pi:*au*) *adj.* **1.** Matuto, caipira, tabaréu. • *s.m.* e *f.* **2.** Pessoa com essas características.

capilar (ca.pi.*lar*) *adj.* **1.** Relativo a cabelo. **2.** Delgado como um cabelo, de calibre muito fino. • *s.m.* **3.** Vaso sanguíneo de calibre muito pequeno que interliga arteríolas e vênulas. – **capilaridade** *s.f.*

capim (ca.*pim*) *s.m.* (*Bot.*) Nome comum a diversas plantas gramíneas que servem de pasto.

capinar (ca.pi.*nar*) *v.* **1.** Limpar um terreno para plantio, retirando dele o capim e as ervas daninhas; carpir: *Em dois dias, ele capinou toda a praça da matriz.* **2.** *coloq.* Ir embora, sair: *Ele se foi; capinou cedo.* ▶ Conjug. 5. – **capinação** *s.f.*

capinzal (ca.pin.*zal*) *s.m.* Terreno coberto de capim.

capiongo (ca.pi:*on*.go) *adj.* Tristonho, macambúzio: *Ele andou meio capiongo depois que o amigo foi embora.*

capista (ca.*pis*.ta) *s.m.* e *f.* (*Art., Art. Gráf.*) Profissional que projeta capas para livros e revistas.

capital (ca.pi.*tal*) *adj.* **1.** Principal, fundamental. **2.** (*Jur.*) Que se refere à pena de morte: *sentença capital.* • *s.m.* **3.** (*Econ., Jur.*) Conjunto de bens monetários ou outros que proporcionam renda ao seu proprietário. **4.** Riqueza ou valores que propiciam novos valores. • *s.f.* **5.** Cidade mais importante de um país ou estado, província etc., onde fica a sede do governo. **6.** A letra maiúscula. || *Capital aberto*: (*Econ.*) capital de sociedades anônimas cujas ações são negociadas em bolsas de valores. • *Capital de giro*: (*Econ.*) parte do capital de uma empresa, usado no financiamento dos custos e produção.

capitalismo (ca.pi.ta.*lis*.mo) *s.m.* (*Econ.*) Sistema social e econômico baseado na propriedade privada, no livre mercado e na produção voltada para o lucro.

capitalista (ca.pi.ta.*lis*.ta) *adj.* **1.** Relativo a capitalismo e a capital. • *s.m.* e *f.* **2.** Pessoa que possui um capital de cujas rendas vive. **3.** Proprietário de valores; pessoa muito rica.

capitalizar (ca.pi.ta.li.*zar*) *v.* **1.** (*Econ.*) Acumular como capital: *A empresa capitalizou os lucros obtidos nesse exercício.* **2.** Tirar proveito ou partido de alguma coisa: *Os dirigentes esportivos souberam capitalizar a vitória dos atletas brasileiros.* **3.** Acumular dinheiro para formar um capital: *Antes de pensar em casamento, o jovem tratou de se capitalizar.* ▶ Conjug. 5. – **capitalização** *s.f.*

capitanear (ca.pi.ta.ne:*ar*) *v.* **1.** Comandar como capitão: *Na ausência do capitão, o sargento capitaneou a tropa com perícia.* **2.** Dirigir, governar: *É necessário muito tino para capitanear uma empresa como aquela.* ▶ Conjug. 14.

capitania (ca.pi.ta.*ni*.a) *s.f.* **1.** Título ou cargo de capitão. **2.** (*Hist.*) Cada uma das divisões administrativas do Brasil colônia.

capitânia (ca.pi.*tâ*.ni:a) *s.f.* Nave em que se encontra o comandante de uma esquadra.

capitão (ca.pi.*tão*) *s.m.* **1.** (*Mil.*) Posto do Exército entre primeiro-tenente e major. **2.** Chefe, comandante, o cabeça. **3.** (*Esp.*) Jogador de um time de futebol que, por sua capacidade de liderança, é escolhido para representar seus colegas e liderar o grupo em campo ou mesmo fora dele. **4.** (*Náut.*) Oficial que comanda um navio mercante. **5.** (*Cul.*) Bolinho de feijão cozido e farinha, amassado com a mão.

capitão do mato *s.m.* (*Hist.*) Homem encarregado, na época anterior à abolição, de capturar escravos fugitivos.

capitel (ca.pi.*tel*) *s.m.* (*Arquit.*) Elemento mais largo e normalmente ornamentado no alto de um suporte (coluna, pilar, pilastra).

capitoso [ô] (ca.pi.*to*.so) *adj.* Que sobe à cabeça, que tonteia, embriaga. || f. e pl.: [ó].

capitular¹ (ca.pi.tu.*lar*) *adj.* **1.** Relativo a capítulo e a cabido de religiosos ou de cônegos: *O abade chegou para a reunião capitular.* **2.** Denominação da letra maiúscula; garrafal: *letra capitular.* • *s.f.* **3.** Nos manuscritos iluminados, primeira letra de um capítulo, maior que as outras e normalmente ornamentada: *O manuscrito continha belas capitulares em vermelho, azul e ouro.*

capitular² (ca.pi.tu.*lar*) *v.* **1.** Ceder a argumentos; transigir: *Diante de tão poderosos argumentos, o*

capítulo

chefe capitulou. **2.** Render-se, entregar-se, reconhecer-se vencido: *A cidade capitulou depois de alguns meses de resistência.* **3.** Dividir em capítulos: *O escritor resolveu capitular seu longo texto.* **4.** Enumerar, elencar: *Capitularam todos os benfeitores da instituição.* ▶ Conjug. 5.

capítulo (ca.pí.tu.lo) *s.m.* **1.** Divisão ou parte de um livro, lei, orçamento, tratado, contrato. **2.** (*Rel.*) Assembleia de dignidades eclesiásticas; cabido. **3.** Lugar onde se realizam essas reuniões. **4.** (*Bot.*) Tipo de inflorescência formada por pequenas flores.

capivara (ca.pi.va.ra) *s.f.* (*Zool.*) Mamífero que vive às margens dos rios e em outras áreas alagadas e é o maior roedor do mundo.

capixaba [ch] (ca.pi.xa.ba) *adj. s.m. e f.* Espírito-santense.

capô (ca.pô) *s.m.* Cobertura metálica móvel que cobre o motor de veículos automotores como automóveis, caminhões, caminhonetes etc.

capoeira[1] (ca.po:ei.ra) *s.f.* Mato que cresce naturalmente em terreno desmatado ou que já foi cultivado.

capoeira[2] (ca.po:ei.ra) *s.f.* **1.** Espécie de gaiola grande onde se colocam aves domésticas. **2.** Jogo atlético de ataque e defesa, em que os jogadores usam apenas as pernas, braços e cabeça, introduzido no Brasil pelos negros bantos de Angola. • *s.m. e f.* **3.** Indivíduo hábil no jogo da capoeira.

capot (Fr.) *s.m.* Ver capô.

capota [ó] (ca.po.ta) *s.m.* Cobertura de automóveis conversíveis, de caminhonetes e de embarcações.

capotar (ca.po.tar) *v.* Tombar (o veículo) ficando com as rodas para cima ou de lado. ▶ Conjug. 20.

capote[1] [ó] (ca.po.te) *s.m.* **1.** Agasalho normalmente de lã ou de pano impermeável que cobre dos ombros até abaixo do joelho. **2.** Galinha-d'angola.

capote[2] [ó] (ca.po.te) *s.m.* Vitória no jogo por grande margem de ponto. || *Dar capote*: conseguir grande vitória no jogo sobre o adversário: *Deu um capote no parceiro de dominó.*

capoteiro (ca.po.tei.ro) *s.m.* Indivíduo que fabrica, conserta ou vende capotas de automóveis.

cappuccino [*caputchino*] (It.) *s.m.* Bebida quente preparada com café, leite e canela.

caprichar (ca.pri.char) *v.* Fazer com esmero, com apuro: *A aluna caprichou na execução de seu trabalho de casa.* ▶ Conjug. 5.

capricho (ca.pri.cho) *s.m.* **1.** Esmero, apuro, aplicação: *Aquela moça se veste com muito capricho.* **2.** Obstinação, teimosia: *Ela não visitava os tios de puro capricho.* **3.** Desejo impulsivo sem fundamento razoável: *Isso não é sério; é apenas capricho de criança mimada.*

caprichoso [ô] (ca.pri.cho.so) *adj.* **1.** Que capricha ou que tem capricho: *Ela é caprichosa em tudo o que faz.* **2.** Inconstante, mutável, variável: *Com esse gênio caprichoso, você dificilmente conquistará amigos.* **3.** Feito por ou com capricho: *Este trabalho está muito caprichoso.* || f. e pl.: [ó].

capricorniano (ca.pri.cor.ni:a.no) *adj.* (*Astrol.*) **1.** Que nasce sob o signo de Capricórnio (de 22 de dezembro a 19 de janeiro). • *s.m.* **2.** Aquele que nasce sob o signo de Capricórnio.

caprino (ca.pri.no) *adj.* Concernente ou pertencente a cabras e bodes.

cápsula (cáp.su.la) *s.f.* **1.** Qualquer invólucro fechado. **2.** (*Farm., Quím.*) Invólucro gelatinoso que contém um medicamento de uso oral. **3.** Esse medicamento. **4.** (*Bot.*) Tipo de fruto seco que se abre para deixar sair as sementes. **5.** (*Astron.*) Compartimento destacável de um foguete espacial, para acomodação dos astronautas.

captação (cap.ta.ção) *s.f.* Ato ou efeito de captar: *captação de recursos para promover a exposição.*

captar (cap.tar) *v.* **1.** Compreender, assimilar, apreender mentalmente: *A plateia captou muito bem a mensagem do orador.* **2.** Obter, conseguir (recursos financeiros): *Os alunos organizaram um baile para captar recursos para sua formatura.* **3.** Atrair, granjear, provocar, suscitar: *Como era linda, a enfermeira captava a simpatia de todos.* **4.** Desviar ou colher a água corrente: *Há uma corrente no parlamento favorável à ideia de captar as águas do São Francisco para irrigar o sertão árido.* ▶ Conjug. 5 e 33.

captor [ô] (cap.tor) *adj.* **1.** Que captura, apreende, arresta. • *s.m.* **2.** Indivíduo que captura, capta, prende, apreende, confisca.

captura (cap.tu.ra) *s.f.* Ato ou efeito de capturar.

capturar (cap.tu.rar) *v.* Prender, aprisionar, deter: *A polícia acaba de capturar o bandido.* ▶ Conjug. 5.

capuchinho (ca.pu.chi.nho) *adj.* **1.** Relativo aos capuchinhos: *um convento capuchinho; um frade capuchinho.* • *s.m.* **2.** Frade da ordem dos capuchinhos: *Os capuchinhos vieram para o Brasil na época colonial.*

capulho (ca.pu.lho) s.m. Espécie de cápsula onde se formam o algodão e suas sementes.

capuz (ca.puz) s.m. Cobertura para a cabeça, geralmente prolongamento do hábito ou da capa.

caquético (ca.qué.ti.co) adj. **1.** Relativo a caquexia. **2.** fig. Que está muito velho ou malconservado.

caquexia [cs] (ca.que.xi.a) s.f. **1.** (Med.) Alteração profunda da nutrição, que provoca enfraquecimento geral do organismo humano ou animal. **2.** (Med.) Estado de fraqueza e emagrecimento do corpo em doentes terminais de infecções crônicas ou doenças, como câncer, tuberculose e algumas intoxicações.

caqui (ca.qui) s.m. Fruta do caquizeiro, de cor vermelha e sabor doce.

cáqui (cá.qui) s.m. **1.** Cor de barro. **2.** Tecido de brim cor de barro, usado em uniformes militares. adj. **3.** Da cor do barro.

caquizeiro (ca.qui.zei.ro) s.m. (Bot.) Árvore originária da Ásia, que produz o caqui.

cara (ca.ra) s.f. **1.** Parte anterior da cabeça; face, semblante, rosto. **2.** fig. Aparência, ar, aspecto: *Este doce está com boa cara.* **3.** fig. Coragem: *Não tive cara para pedir o dinheiro emprestado.* **4.** Lado de uma moeda ou medalha, com a efígie, oposto à coroa: *O juiz escolheu no cara e coroa qual das duas equipes iniciaria o jogo.* • s.m. coloq. **5.** Pessoa, indivíduo: *Pedi licença ao cara que estava na porta e passei.* || *Amarrar/ fechar a cara*: coloq. fazer cara feia, mostrar-se zangado. • *Com a cara e a coragem*: coloq. entrar numa disputa ou enfrentar um problema sem dispor de meios. • *Dar de cara com*: coloq. encontrar-se de surpresa com. • *De cara*: coloq. logo de início, logo de saída. • *Desamarrar a cara*: coloq. fazer perder a expressão de zanga. • *Encher a cara*: coloq. embriagar-se. • *Meter a cara*: coloq. dedicar-se com afinco a uma tarefa, a uma causa. • *Quebrar a cara*: coloq. sair-se mal de uma empresa, de um negócio.

cará (ca.rá) s.m. **1.** (Bot.) Trepadeira de tubérculos comestíveis. **2.** (Zool.) Acará.

carabina (ca.ra.bi.na) s.f. Fuzil leve, de cano curto e estriado no interior.

caracará (ca.ra.ca.rá) s.m. (Zool.) Carcará.

caracol (ca.ra.col) s.m. **1.** (Zool.) Molusco terrestre ou de água doce de concha espiralada. **2.** Anel cacheado de cabelo.

caracolar (ca.ra.co.lar) v. **1.** Movimentar-se em espiral: *O caminho caracolava entre as montanhas.* **2.** Curvetear (o cavalo): *O cavalo caracolou, mas o peão conseguiu manter-se sobre a sela.* ▶ Conjug. 20.

caractere (ca.rac.te.re) s.m. Caráter.

característica (ca.rac.te.rís.ti.ca) s.f. Aquilo que caracteriza; peculiaridade.

característico (ca.rac.te.rís.ti.co) adj. **1.** Que caracteriza, que distingue uma coisa de outra; distintivo, típico. • s.m. **2.** Aquilo que caracteriza, que distingue; qualidade, peculiaridade.

caracterização (ca.rac.te.ri.za.ção) s.f. Ato ou efeito de caracterizar.

caracterizador [ô] (ca.rac.te.ri.za.dor) adj. **1.** Que caracteriza; caracterizante. • s.m. **2.** Pessoa ou aspecto que caracteriza.

caracterizante (ca.rac.te.ri.zan.te) adj. Caracterizador.

caracterizar (ca.rac.te.ri.zar) v. **1.** Pôr em evidência o caráter de; distinguir, assinalar: *O uso da cor amarela caracteriza a pintura de Van Gogh.* **2.** Descrever, notando as características: *O cientista descreveu a planta, caracterizando-lhe as qualidades terapêuticas.* **3.** (Teat.) Construir a caracterização de um personagem: *A maquiagem caracterizou bem o ator para o papel de ancião.* **4.** (Teat.) Compor a própria caracterização para figurar o personagem: *A atriz caracterizou-se bem para fazer a bruxa.* ▶ Conjug. 5.

caracu (ca.ra.cu) adj. **1.** Diz-se de raça bovina caracterizada por pelo curto e ruivo. • s.m. **2.** Espécime dessa raça.

cara de pau adj. **1.** Diz-se de uma pessoa ou de uma atitude cínica, sem-vergonha, desembaraçada; caradura. **2.** Diz-se de pessoa com a fisionomia inexpressiva e impassível. • s.m. e f. **3.** coloq. pej. Pessoa cínica; sem-vergonha, desembaraçada.

caradura (ca.ra.du.ra) adj. **1.** Diz-se de ou pessoa cínica, sem-vergonha; cara de pau, desembaraçada. • s.m. e f. **2.** coloq. pej. Pessoa cínica, sem-vergonha; cara de pau.

caradurismo (ca.ra.du.ris.mo) s.m. coloq. pej. Cinismo, desfaçatez, falta de vergonha, desembaraço.

carajá (ca.ra.já) adj. **1.** Pertencente ou concernente ao povo indígena dos Carajás. • s.m. e f. **2.** Indivíduo dos Carajás, povo que se localiza na ilha do Bananal, em Tocantins. • s.m. **3.** Idioma falado por esse povo.

caralho

caralho (ca.*ra*.lho) *s.m. chulo* Pênis. || *Pra caralho*: *chulo* em grande quantidade, força ou intensidade; à beça.

caramanchão (ca.ra.man.*chão*) *s.m.* (*Arquit.*) Construção leve com ripas, estacas ou canas para sustentar plantas trepadeiras em jardins ou pomares.

caramba (ca.*ram*.ba) *interj.* Indica espanto, ironia, admiração.

carambola¹ [ó] (ca.ram.*bo*.la) *s.f.* Fruto da caramboleira, de cor amarela e sabor acidulado.

carambola² [ó] (ca.ram.*bo*.la) *s.f.* **1.** A bola vermelha do bilhar. **2.** Embate de uma bola de bilhar sucessivamente sobre duas outras.

carambolar (ca.ram.bo.*lar*) *v.* Fazer carambola no bilhar. ▶ Conjug. 20.

caramboleira (ca.ram.bo.*lei*.ra) *s.f.* (*Bot.*) Árvore que produz a carambola.

caramelizar (ca.ra.me.li.*zar*) *v.* **1.** Derreter o açúcar ao ponto de caramelo: *Antes de fazer o pudim, é preciso caramelizar a forma*. **2.** Passar por calda bem quente de caramelo (docinhos de nozes, ovos, ameixa, damasco etc. que, ao esfriarem, ficam com uma película vítrea): *A doceira caramelizou todos os docinhos do aniversário*. ▶ Conjug. 5.

caramelo [é] (ca.ra.*me*.lo) *s.m.* (*Cul.*) **1.** Calda de açúcar queimado, usada como cobertura de doces. **2.** Bala feita com essa calda.

cara-metade (ca.ra-me.*ta*.de) *s.m. e f.* **1.** Cônjuge. **2.** Uma pessoa em relação a outra com quem namora ou com quem coabita. || pl.: *caras-metades*.

caraminguá (ca.ra.min.*guá*) *s.m.* **1.** Cacareco, badulaque, cacaréu, tareco. • *caraminguás s.m.pl.* **2.** Dinheiro miúdo; trocado, níquel; nota de pequeno valor.

caraminhola [ó] (ca.ra.mi.*nho*.la) *s.f.* **1.** Mentira, patranha, intriga. **2.** Cabelo desordenado no alto da cabeça, trunfa. • *caraminholas s.m.pl.* **3.** Fantasias, pensamentos tortuosos e complicados: *Tire essas caraminholas da cabeça!*

caramujo (ca.ra.*mu*.jo) *s.m.* **1.** (*Zool.*) Molusco aquático ou terrestre que possui uma concha sólida: *A lesma é um caramujo*.

caramunha (ca.ra.*mu*.nha) *s.f.* **1.** Choradeira de crianças. **2.** Lamúria, queixa. **3.** Cara de choro.

caranguejeira (ca.ran.gue.*jei*.ra) *s.f.* (*Zool.*) Espécie de aranha grande e peluda.

caranguejo [ê] (ca.ran.*gue*.jo) *s.m.* (*Zool.*) Nome comum a vários crustáceos de dez patas com esqueleto externo.

caranguejola [ó] (ca.ran.gue.*jo*.la) *s.f.* **1.** (*Zool.*) Crustáceo semelhante ao caranguejo. **2.** Armação de pouca solidez. **3.** Conjunto de coisas sobrepostas e malseguras. **4.** Calhambeque.

carantonha (ca.ran.*to*.nha) *s.f.* Cara feia; cara grande; cara amarrada; carão.

carão (ca.*rão*) *s.m.* **1.** Carantonha. **2.** Repreensão, reprimenda em público.

caraoquê (ca.ra:o.*quê*) *s.m.* **1.** Tipo de espetáculo em que qualquer pessoa pode cantar ao microfone com acompanhamento de músicos da casa ou de fundos musicais já gravados. **2.** Estabelecimento que oferece esse tipo de entretenimento.

carapaça (ca.ra.*pa*.ça) *s.f.* (*Anat., Zool.*) Revestimento córneo quitinoso ou calcário para proteção do corpo de certos animais, como cágado, tartaruga, tatu, caranguejo etc.

carapau (ca.ra.*pau*) *s.m.* **1.** (*Zool.*) Peixe comestível que nada em pequenos cardumes. **2.** *fig.* Pessoa muito magra.

carapetão (ca.ra.pe.*tão*) *s.m.* Grande mentira.

carapina (ca.ra.*pi*.na) *s.m.* Carpinteiro; carpina.

carapinha (ca.ra.*pi*.nha) *s.f.* Cabelo crespo e lanoso da raça negra; pixaim.

cara-pintada (ca.ra-pin.*ta*.da) *s.m. e f.* Jovem que participa de manifestações políticas com o rosto pintado. || pl.: *caras-pintadas*.

carapuça (ca.ra.*pu*.ça) *s.f.* **1.** Barrete de forma cônica. **2.** Instrumento usado pelos calafates para introduzir as cavilhas de madeira. || *Enfiar/vestir a carapuça*: aceitar como feita a si alusão ou crítica feita a outra pessoa.

caraquenho (ca.ra.*que*.nho) *adj.* **1.** De Caracas, capital da Venezuela. • *s.m.* **2.** O natural ou o habitante dessa capital.

caratê (ca.ra.*tê*) *s.m.* Espécie de luta de origem japonesa que se utiliza de meios naturais de ataque e defesa.

carateca [é] (ca.ra.te.ca) *s.m. e f.* Atleta que pratica o caratê.

caráter (ca.*rá*.ter) *s.m.* **1.** Sinal (letra, símbolo, número, sinal de pontuação) ou qualquer figura usada na escrita; caractere. **2.** (*Biol.*) Aspecto morfológico ou fisiológico utilizado para indivíduos de uma espécie ou espécies entre si. **3.** Traço distintivo de uma pessoa ou coisa. **4.** Conjunto de traços psicológicos e morais (positivos ou negativos) que caracteriza uma pessoa ou um grupo: *Seu caráter aco-*

lhedor e sincero granjeou a amizade de todos; Ele pertencia a um grupo de homens de caráter agressivo. || pl.: *caracteres*.

caravana (ca.ra.*va*.na) *s.f.* **1.** Peregrinos, mercadores ou viajantes que se reúnem para atravessar o deserto com segurança. **2.** Grupo de pessoas que vão juntas a algum lugar.

caravaneiro (ca.ra.va.*nei*.ro) *s.m.* Guia de caravanas.

caravela [é] (ca.ra.*ve*.la) *s.f.* **1.** (*Náut.*) Antiga embarcação aparelhada de um a quatro mastros e velas latinas. **2.** (*Zool.*) Animal marinho, tipo medusa, que vive em águas quentes, conhecido também como água-viva.

carbo-hidrato (car.bo-hi.*dra*.to) *s.m.* (*Quím.*) Um dos componentes da matéria viva, composto de carbono, hidrogênio e oxigênio, como os açúcares e os amidos; hidrato de carbono. || *carboidrato*; pl.: carbo-hidratos.

carboidrato (car.bo:i.*dra*.to) *s.m.* (*Quím.*) Carbo-hidrato.

carbonato (car.bo.*na*.to) *s.m.* (*Quím.*) Qualquer sal do ácido carbônico.

carboneto [ê] (car.bo.*ne*.to) *s.m.* (*Quím.*) Qualquer dos compostos que encerram carbono e outro elemento; carbureto.

carbônico (car.*bô*.ni.co) *adj.* (*Quím.*) Diz-se do gás produzido pela respiração dos seres vivos e pela combustão de produtos orgânicos.

carbonífero (car.bo.*ní*.fe.ro) *adj.* **1.** Que contém ou produz carvão. **2.** Relativo à formação de hulha e carvão mineral. • *s.m.* **3.** (*Geol.*) Um dos períodos da era paleozoica, compreendido entre o devoniano e o permiano.

carbonização (car.bo.ni.za.*ção*) *s.f.* Ato ou efeito de carbonizar.

carbonizar (car.bo.ni.*zar*) *v.* Reduzir a carvão: *O fogo intenso, em poucas horas, carbonizou a casa.* ▶ Conjug. 5.

carbono (car.*bo*.no) *s.m.* (*Quím.*) Elemento químico que, por formar extensas cadeias de átomos, facilita a formação de inúmeros compostos. || Símbolo: C. || *Carbono 14*: isótopo radioativo do carbono empregado na determinação da antiguidade de um material.

carburação (car.bu.ra.*ção*) *s.f.* **1.** Ato ou efeito de carburar. **2.** (*Quím.*) Mistura de combustível com o ar que ocorre no carburador e provoca a combustão nos motores de explosão.

carburador [ô] (car.bu.ra.*dor*) *adj.* **1.** Que carbura. • *s.m.* **2.** (*Mec.*) Órgão da carburação que permite a mistura proporcional de combustível e ar para o bom funcionamento de motores de explosão.

carburante (car.bu.*ran*.te) *adj.* **1.** Que é utilizado para carburar. • *s.m.* **2.** (*Quím.*) Produto combustível para motores de explosão.

carburar (car.bu.*rar*) *v.* (*Quím.*) **1.** Provocar (num sistema) a elevação do teor de um combustível. **2.** Combinar com carbono. ▶ Conjug. 5.

carbureto [ê] (car.bu.*re*.to) *s.m.* (*Quím.*) Carboneto.

carcaça (car.*ca*.ça) *s.f.* **1.** Esqueleto de animal: *carcaça de boi.* **2.** Casco velho de navio. **3.** Estrutura de navio em construção. **4.** *fig.* Estrutura, arcabouço. **5.** *coloq. fig.* Corpo humano velho e alquebrado.

carcamano (car.ca.*ma*.no) *s.m.* Designação pejorativa que se dá aos italianos.

carcará (car.ca.*rá*) *s.m.* (*Zool.*) Tipo de ave de rapina encontrada em todo o Brasil. || *caracará*.

carceragem (car.ce.*ra*.gem) *s.f.* **1.** Ato ou efeito de encarcerar. **2.** Setor de uma delegacia policial onde são mantidos os presos. **3.** Despesa com a manutenção dos presos.

cárcere (*cár*.ce.re) *s.m.* **1.** Lugar que serve para aprisionar pessoas suspeitas ou condenadas; prisão, cadeia. **2.** Prisão subterrânea, calabouço. || *Cárcere privado*: local onde alguém é mantido ilegalmente preso.

carcereiro (car.ce.*rei*.ro) *s.m.* Pessoa responsável pela guarda de detidos em um cárcere.

carcinoma (car.ci.*no*.ma) *s.m.* (*Med.*) Tumor maligno que pode se expandir e atingir outros tecidos, causando metástases.

carcinomatose [ó] (car.ci.no.ma.to.se) *s.f.* (*Med.*) Disseminação de numerosos carcinomas no organismo; carcinose.

carcinose [ó] (car.ci.*no*.se) *s.f.* (*Med.*) Carcinomatose.

carcoma (car.*co*.ma) *s.f.* **1.** (*Zool.*) Nome genérico que se dá a insetos e larvas que comem madeira; caruncho. **2.** *fig.* Aquilo que corrói, consome, devora, arruína lentamente.

carcomer (car.co.*mer*) *v.* **1.** Roer (madeira): *O caruncho carcomeu a velha mesa.* **2.** *fig.* Arruinar, gastar, consumir em ritmo lento; corroer: *Os herdeiros rapidamente carcomeram a herança do pai.* ▶ Conjug. 39.

carda (*car*.da) *s.f.* **1.** Ato ou efeito de cardar; cardação, cardagem. **2.** Instrumento com dentes de madeira, usado para desembaraçar fios de cânhamo, linho, lã etc. **3.** Máquina que desembaraça, destrinça e limpa fibras têxteis.

cardamomo

cardamomo (car.da.*mo*.mo) *s.m.* (*Bot.*) Planta cuja semente é usada como condimento em culinária e aromatizante de bebidas.

cardápio (car.*dá*.pi:o) *s.m.* **1.** Lista dos pratos servidos em uma refeição. **2.** Nos restaurantes, lista de pratos com os preços; menu.

cardar (car.*dar*) *v.* Desembaraçar, destrinçar ou pentear fibras têxteis (lã, algodão, linho etc.). ▶ Conjug. 5. – **cardação** *s.f.*; **cardadura** *s.f.*; **cardagem** *s.f.*

cardeal (car.de:*al*) *adj.* **1.** Principal, fundamental: *os quatro pontos cardeais*. • *s.m.* **2.** (*Rel.*) Prelado do Sacro Colégio Pontifício, com direito a voto na eleição do papa. **3.** (*Zool.*) Nome de diversas aves que têm cabeça vermelha, como o galo-de-campina e o tié.

cárdia (*cár*.dia) *s.f.* (*Anat.*) Abertura superior do estômago.

cardíaco (car.*dí*.a.co) *adj.* **1.** Relativo a coração: *parada cardíaca*; *insuficiência cardíaca*. • *s.m.* **2.** Pessoa que sofre de doença do coração; cardiopata.

cardigã (car.di.*gã*) *s.m.* Casaco ou suéter de malha tricotada, sem gola e aberto na frente, com decote redondo ou em V.

cardinal (car.di.*nal*) *adj.* **1.** Cardeal, principal. **2.** Diz-se do numeral que designa o número simplesmente ou uma quantidade determinada de seres, por oposição ao ordinal. • *s.m.* **3.** (*Mat.*) O número cardinal, que se opõe ao ordinal.

cardinalício (car.di.na.*lí*.ci:o) *adj.* Relativo a cardeal, próprio dele.

cardiografia (car.di:o.gra.*fi*.a) *s.f.* (*Med.*) Registro gráfico do estado e das funções do coração.

cardiógrafo (car.di:*ó*.gra.fo) *s.m.* (*Med.*) Aparelho que registra os movimentos do coração, sístole e diástole, por meio de curvas.

cardiologia (car.di:o.lo.*gi*.a) *s.f.* (*Med.*) Estudo das funções e doenças do coração.

cardiologista (car.di:o.lo.*gis*.ta) *s.m. e f.* (*Med.*) Médico especialista em cardiologia.

cardiopata (car.di:o.*pa*.ta) *s.m. e f.* (*Med.*) Pessoa que sofre de doença ou disfunção do coração; cardíaco.

cardiopatia (car.di:o.pa.*ti*.a) *s.f.* (*Med.*) Qualquer doença ou disfunção do coração.

cardiovascular (car.di:o.vas.cu.*lar*) *adj.* Relativo a coração e a vaso sanguíneo.

cardo (*car*.do) *s.m.* (*Bot.*) Planta de folhas e caules espinhosos, originária de lugares arenosos e secos.

cardume (car.*du*.me) *s.m.* Bando de peixes.

careca [é] (ca.*re*.ca) *adj.* **1.** Que não tem cabelos. • *s.m. e f.* **2.** Pessoa que não tem cabelos • *s.f.* **3.** Calva, calvície, alopecia.

carecer (ca.re.*cer*) *v.* **1.** Não ter; não possuir: *O caso carece de importância*. **2.** Precisar, necessitar: *Todos carecemos da ajuda divina*. **3.** Ser preciso; ser necessário: *Não carecia que estivéssemos presentes*. ▶ Conjug. 41.

careiro (ca.*rei*.ro) *adj. coloq.* Que vende caro; que cobra caro por seus serviços: *advogado careiro*.

carência (ca.*rên*.ci:a) *s.f.* **1.** Falta, privação, precisão, necessidade: *Grandes regiões da África sofrem carência de água*. **2.** Espaço de tempo para que algo comece a ter validade: *A carência do plano de saúde é de seis meses*.

carente (ca.*ren*.te) *adj.* **1.** Que carece de alguma coisa: *população carente*. • *s.m. e f.* **2.** Pessoa carente: *socorrer os carentes*.

carestia (ca.res.*ti*.a) *s.f.* **1.** Alta de preço; encarecimento do custo de vida. **2.** Escassez, falta, carência. **3.** Preço alto.

careta [ê] (ca.*re*.ta) *s.f.* **1.** Contração do rosto; esgar, momice, visagem, trejeito facial: *O palhaço divertia a criançada com caretas e cambalhotas*. • *adj.* **2.** *coloq.* Que segue rigorosamente os padrões tradicionais de comportamento; conservador: *Acharam o filme muito careta; Meu avô não era um velho careta*. • *s.m. e f. coloq.* **3.** Pessoa que segue rigorosamente os padrões tradicionais de comportamento: *Os caretas não gostam de certas músicas dos jovens*.

careteiro (ca.re.*tei*.ro) *adj.* **1.** Que faz caretas: *Você é um menino muito careteiro*. • *s.m.* **2.** Pessoa que faz caretas: *O menino ria muito das caretas do careteiro*.

caretice (ca.re.*ti*.ce) *s.f.* **1.** *coloq.* Qualidade ou condição de careta (2): *Ela não se conforma com a caretice do pai*. **2.** *coloq.* Ato ou dito de careta: *O que você fez foi uma caretice*.

carga (*car*.ga) *s.f.* **1.** Ato ou efeito de carregar: *Eles usam uma caminhonete para carga*. **2.** Aquilo que se pode carregar ou que é carregado ou suportado por alguém ou por alguma coisa: *A tropa de burros levava a carga de café para o armazém*. **3.** Aquilo que pesa sobre alguém ou algo; fardo, peso: *A carga de trabalho daquele operário era pesada*. **4.** *fig.* Responsabilidade, encargo: *A carga que me coube foi revisar todo o trabalho da equipe*. **5.** Investida violenta: *Pela madrugada, ouviam-se os canhões* da carga dos soldados aliados. **6.** (*Mil.*) Pólvora e projéteis que se põem de uma vez em arma de fogo: *Este revólver está sem carga.* **7.** Tubo pequeno contendo tinta para abastecer canetas. **8.** Registro protocolar de entrega de documentos, sob recibo no próprio protocolo: *O funcionário deu carga no processo para o gabinete do presidente.* **9.** (*Eletr.*) Acumulação de eletricidade: *Este telefone celular está sem carga.* || *Arriar a carga:* coloq. cansar-se, fatigar-se. • *Deitar cargas ao mar:* (*Náut.*) vomitar • *Voltar à carga:* fig. insistir.

carga-d'água (car.ga-d'*á*.gua) *s.f.* **1.** Chuva forte, torrencial, bátega. || pl.: *cargas-d'água.* • *cargas-d'água s.f.pl.* **2.** Razão desconhecida, motivo ignorado, oculto, misterioso: *Não sei por que cargas-d'água ele me fez aquela pergunta.*

cargo (*car*.go) *s.m.* **1.** Função pública ou particular; emprego: *O cargo de secretário já está preenchido.* **2.** Responsabilidade, encargo: *O cargo de contador ficará com João Dias.* || *A cargo de:* sob a responsabilidade de: *A contabilidade da firma ficará a cargo de João Dias.*

cargueiro (car.*guei*.ro) *adj.* **1.** Que transporta carga: *O trem cargueiro está atrasado.* • *s.m.* **2.** Navio ou trem que transporta carga: *Os livros que comprou na Europa virão no cargueiro daquela empresa italiana; O cargueiro passa por esta estação às 18 horas.*

cariar (ca.ri:*ar*) *v.* **1.** Produzir cárie em: *Balas e caramelos cariam os dentes.* **2.** Estragar-se com cárie: *Apesar de idosa, seus dentes ainda não cariaram.* ▶ Conjug. 17.

caribenho (ca.ri.*be*.nho) *adj.* **1.** Do Caribe, na América Central. • *s.m.* **2.** O natural ou o habitante do Caribe.

cariboca [ó] (ca.ri.*bo*.ca) *s.m. e f.* Mestiço de branco e índio ou caboclo; mestiço. || *curiboca.*

caricato (ca.ri.*ca*.to) *adj.* **1.** Da natureza da caricatura, com exagero nos traços cômicos; grotesco. **2.** Diz-se do ator que interpreta papéis cômicos. • *s.m.* **3.** Esse ator.

caricatura (ca.ri.ca.*tu*.ra) *s.f.* **1.** Desenho ou representação teatral que exagera algum traço marcante de uma pessoa ou fato. **2.** Imitação ridícula. **3.** Indivíduo ridículo pelos modos ou aspecto.

caricaturar (ca.ri.ca.tu.*rar*) *v.* Representar através de caricatura ou grotescamente: *Caricaturou vários políticos.* ▶ Conjug. 5.

caricaturista (ca.ri.ca.tu.ris.ta) *adj.* **1.** Que faz caricaturas; chargista. • *s.m. e f.* **2.** Pessoa que faz caricatura; chargista.

carisma

carícia (ca.*rí*.ci:a) *s.f.* Gesto de demonstração de afeto; afago, carinho.

caridade (ca.ri.*da*.de) *s.f.* **1.** No cristianismo, amor a Deus e ao próximo: *A caridade é uma das virtudes cardeais.* **2.** Benevolência, complacência, compaixão: *Ela socorria os necessitados com muita caridade.* **3.** Esmola, beneficência: *Não se deve fazer caridade com o dinheiro dos outros.*

caridoso [ô] (ca.ri.*do*.so) *adj.* Que tem caridade, que a pratica. || f. e pl.: [ó].

cárie (*cá*.ri:e) *s.f.* **1.** (*Odont.*) Ulceração que destrói o esmalte e a dentina dos dentes e os ossos. **2.** fig. Destruição progressiva.

carijó (ca.ri.*jó*) *adj.* **1.** Diz-se de indígena pertencente ao grupo extinto dos carijós que habitava o sul do Brasil, próximo à Ilha de Santa Catarina. **2.** Espécie de galinha branca e preta; pedrês: *galinha carijó.* • *s.m. e f.* **3.** Índio pertencente à nação carijó.

caril (ca.*ril*) *s.m.* Condimento indiano para uso culinário; *curry.*

carimbar (ca.rim.*bar*) *v.* Marcar com carimbo; imprimir o carimbo em: *O chefe vai carimbar esses documentos para terem validade.* ▶ Conjug. 5.

carimbo (ca.*rim*.bo) *s.m.* **1.** Aparelho de metal ou madeira com uma base de borracha com letras e/ou algarismos para marcar ou datar documentos oficiais ou particulares. **2.** A marca impressa por esse instrumento.

carinho (ca.*ri*.nho) *s.m.* Sentimento e/ou manifestação, física ou não, de afeto; carícia.

carinhoso [ô] (ca.ri.*nho*.so) *adj.* **1.** Em que há manifestação de carinho: *Recebeu-me com um abraço carinhoso.* **2.** Que trata com carinho: *Ela era uma mãe carinhosa.* || f. e pl.: [ó].

carioca [ó] (ca.ri.*o*.ca) *adj.* **1.** Do Rio de Janeiro, capital do Estado do Rio de Janeiro. • *s.m. e f.* **2.** O natural ou o habitante dessa capital. • *adj.* **3.** Diz-se do café já preparado ao qual se adiciona água para ficar menos forte. • *s.m.* **4.** O café preparado dessa maneira: *Eu pedi um café forte e ela preferiu um carioca.*

carisma (ca.*ris*.ma) *s.m.* **1.** (*Rel.*) Conjunto de dons divinos extraordinários concedidos pelo Espírito Santo a grupos ou indivíduos para o bem geral da Igreja: *Os carismas nunca são concedidos para o bem próprio.* **2.** Magnetismo pessoal: *Durante as filmagens, a jovem atriz pôde revelar todo seu carisma.* **3.** Capacidade

carismático

de alguns líderes políticos de despertar a atenção ou a consciência das massas: *Foi graças a seu carisma que ele se elegeu senador.*

carismático (ca.ris.*má*.ti.co) *adj.* **1.** Relativo a carisma. **2.** Que tem carisma. • *s.m.* **3.** (*Rel.*) Adepto do movimento carismático de algumas igrejas cristãs.

caritativo (ca.ri.ta.*ti*.vo) *adj.* Que é caridoso, inclinado a atos de caridade.

caritó (ca.ri.*tó*) *s.m. reg.* **1.** Casa pobre, casebre. **2.** Prateleira ou nicho escavado na parede de casa rústica para guardar objetos miúdos. **3.** Gaiola onde se prendem caranguejos para engorda. **4.** Quarto onde se juntam velharias. || *Ficar no caritó*: não casar, ficar para tia.

cariz (ca.*riz*) *s.m.* **1.** Expressão do rosto, semblante. **2.** Conjunto de características, traço, propriedade distintiva. **3.** Aparência da atmosfera que indica variação de tempo.

carlinga (car.*lin*.ga) *s.f.* **1.** (*Náut.*) Peça de madeira resistente que vai de uma extremidade a outra do navio na qual se encaixa o mastro. **2.** (*Aer.*) Cabina de avião onde vão os tripulantes.

carma (*car*.ma) *s.m.* **1.** (*Rel.*) Conjunto das ações do homem que influenciam seu aperfeiçoamento ou sua regressão, segundo o hinduísmo e o budismo. **2.** Destino de penitências a que não se pode fugir.

carmelita (car.me.*li*.ta) *adj.* **1.** Relativo à ordem de Nossa Senhora do Carmo ou do Monte Carmelo. • *s.m.* e *f.* **2.** (*Rel.*) Frade ou freira pertencente a essa ordem.

carmesi (car.me.*si*) *adj. s.m.* Carmesim.

carmesim (car.me.*sim*) *s.m.* **1.** A cor do carmim. • *adj.* **2.** Da cor do carmim: *saia estampada de flores carmesim.* || *carmesi.*

carmim (car.*mim*) *s.m.* **1.** (*Quím.*) Substância corante vermelha extraída da cochonilha (verme) e de certas plantas. **2.** Cor vermelha; magenta. **3.** Cosméticos de cor vermelha para avivar os lábios e as faces. • *adj.* **4.** Da cor do carmim: *Os seus lábios eram carmim.*

carnação (car.na.*ção*) *s.f.* **1.** A cor da pele humana. **2.** Representação do corpo humano ou de parte dele nu e na cor natural.

carnadura (car.na.*du*.ra) *s.f.* **1.** Parte carnuda do corpo humano. **2.** Aspecto externo do corpo humano; compleição.

carnal (car.*nal*) *adj.* **1.** Relativo a carne, próprio dela. **2.** Que é do corpo em oposição ao que é do espírito **3.** Que é próprio do instinto: *desejo carnal.* **4.** Consanguíneo: *primo carnal.*

carnalidade (car.na.li.*da*.de) *s.f.* Sensualidade, concupiscência; qualidade do que é carnal.

carnaúba (car.na.*ú*.ba) *s.f.* (*Bot.*) Palmeira nativa do Nordeste cujas folhas fornecem a cera de carnaúba; carnaubeira.

carnaubal (car.na:u.*bal*) *s.m.* Aglomeração de carnaúbas.

carnaubeira (car.na:u.*bei*.ra) *s.f.* (*Bot.*) Carnaúba.

carnaval (car.na.*val*) *s.m.* **1.** Festa popular que dura os três dias que precedem a Quarta-Feira de Cinzas, com danças, mascarados, desfiles de escolas de samba, bailes a fantasia. **2.** *fig.* Alegria coletiva causada por algum acontecimento especial: *A chegada do candidato foi um verdadeiro carnaval.*

carnavalesco [ê] (car.na.va.*les*.co) *adj.* **1.** Pertencente ou concernente ao carnaval, próprio dele: *desfile carnavalesco.* **2.** Que participa da folia de carnaval. **3.** Ridículo, grotesco, burlesco. • *s.m.* **4.** Pessoa encarregada de organizar o desfile de uma escola de samba: *O carnavalesco não gostou da nota atribuída a sua escola.*

carne (*car*.ne) *s.f.* **1.** Tecido muscular do corpo humano ou dos animais. **2.** A parte material do ser humano em oposição ao espírito. **3.** Tecido muscular de animais que serve de alimento para o homem: *Comprou dois quilos de carne de vitela.* **4.** Polpa comestível dos frutos; mesocarpo. **5.** O instinto sexual: *Evitar os excessos da carne.* **6.** Parentesco próximo, consanguinidade: *Somos carne da mesma carne.* || *Carne de pescoço*: *coloq.* pessoa de mau gênio, difícil de tratar. • *Carne verde*: carne fresca. • *Em carne e osso*: em pessoa, fisicamente presente. • *Em carne viva*: sem a pele, esfolada. • *Ser carne e unha com alguém*: *coloq.* ser muito ligado a alguém.

carnê (car.*nê*) *s.m.* **1.** Pequeno bloco com talões correspondentes a prestações, geralmente mensais, a serem pagas por algum produto adquirido: *O carnê da compra do piano já está quitado.* **2.** Pequeno caderno de anotações.

carnear (car.ne:*ar*) *v.* **1.** Abater e esquartejar a rês. **2.** Preparar as carnes para fazer o charque; charquear. ▶ Conjug. 14.

carne de sol *s.f.* Carne levemente salgada e seca ao sol.

carnegão (car.ne.*gão*) *s.m.* Parte central dos furúnculos, com pus e tecidos necrosados. || *carnição.*

carneiro (car.nei.ro) s.m. **1.** (Zool.) Mamífero ruminante que fornece carne e lã. **2.** fig. Indivíduo submisso, manso. **3.** Espécie de bomba hidráulica. **4.** Gaveta ou urna onde são depositados ossos humanos nos cemitérios.

carne-seca (car.ne-se.ca) s.f. Carne de rês salgada e desidratada; charque; reg. jabá. || pl.: carnes-secas.

carniça (car.ni.ça) s.f. **1.** Animal abatido e talhado. **2.** Carne putrefata de animal morto. **3.** Jogo infantil onde uma criança se curva para as outras pularem por cima dela.

carnicão (car.ni.cão) s.m. Carnegão.

carniceiro (car.ni.cei.ro) adj. **1.** Diz-se do animal que se alimenta de carne; carnívoro. **2.** Cruel, feroz, sanguinário. **3.** Diz-se do grande dente lateral, primeiro dos molares dos mamíferos carnívoros. • s.m. **4.** Açougueiro. **5.** Primeiro dente dos molares de mamíferos carnívoros. **6.** fig. Cirurgião inábil.

carnificina (car.ni.fi.ci.na) s.f. Extermínio sangrento de vários seres humanos; chacina, matança.

carnívoro (car.ní.vo.ro) adj. **1.** Que se alimenta de carne: um animal carnívoro. **2.** (Bot.) Insetívoro: plantas carnívoras. • s.m. **3.** (Zool.) Animal que se alimenta de carne: O leão é um carnívoro.

carnoso [ô] (car.no.so) adj. **1.** Cheio de carne; carnudo. **2.** Diz-se do fruto que tem a polpa espessa, o mesocarpo suculento: A menina mordeu a polpa carnosa do pêssego. || f. e pl.: [ó].

carnudo (car.nu.do) adj. **1.** Que tem muita carne: lábios carnudos. **2.** Musculoso, carnoso.

caro (ca.ro) adj. **1.** De preço alto: uma joia cara. **2.** Que cobra preço elevado: médico caro. **3.** Dispendioso: Tóquio é uma cidade cara. **4.** Estimado, querido: meu caro amigo. • adv. **5.** Por preço alto (no sentido material ou moral): A vitória nas eleições custou-lhe caro.

caroável (ca.ro:á.vel) adj. Carinhoso, afetuoso.

carochinha (ca.ro.chi.nha) s.f. Bruxa, feiticeira: São histórias da carochinha.

caroço [ô] (ca.ro.ço) s.m. **1.** Semente lenhosa e dura de certos frutos, como o pêssego, a manga etc. **2.** coloq. Íngua, glândula endurecida. **3.** Tumor ou erupção cutânea. || pl.: [ó].

caroçudo (ca.ro.çu.do) adj. Que tem caroços; encaroçado.

carola [ó] (ca.ro.la) adj. **1.** Que é muito devoto e vai frequentemente à igreja: Era uma velhinha muito carola. • s.m. e f. **2.** Pessoa muito devota e que vai muito à igreja: Vou sempre à igreja, mas não sou um carola.

carolice (ca.ro.li.ce) s.f. Qualidade ou ato de carola.

carolíngio (ca.ro.lín.gi:o) adj. Relativo à dinastia de Carlos Magno (742-814), Imperador do Ocidente.

carona (ca.ro.na) s.f. **1.** Manta estofada que se põe por cima da sela. **2.** Condução gratuita em qualquer veículo: Ele não gosta de dar carona em seu carro. • s.m. e f. **3.** Pessoa que viaja de carona: Levo sempre um carona em meu carro.

caroteno (ca.ro.te.no) s.m. (Quím.) Substância amarela, alaranjada ou vermelha, encontrada em certos alimentos, como a cenoura, algumas folhas verdes, na manteiga e na gema de ovo, e que se transforma em vitamina A.

carótida (ca.ró.ti.da) s.f. (Anat.) Cada uma das artérias simétricas que, passando pelo pescoço, leva o sangue à cabeça.

carpa (car.pa) s.f. (Zool.) Peixe de água doce, originário do Velho Mundo, introduzido na América do Sul no século XIX; criado em lagos e açudes, sua carne é de qualidade regular.

carpaccio [carpátcho] (It.) s.m. (Cul.) Iguaria constituída de finíssimas fatias de carne ou peixe temperadas com azeite, limão e outros condimentos.

carpelo [é] (car.pe.lo) s.m. (Bot.) Na flor, cada uma das folhas modificadas nas diversas estruturas que constituem o gineceu.

carpete [é] (car.pe.te) s.m. Tapete preso ao chão e que cobre todo o piso de um cômodo.

carpideira (car.pi.dei.ra) s.f. Mulher paga para chorar os mortos nos enterros e velórios.

carpina (car.pi.na) s.m. Carpinteiro. || carapina.

carpintaria (car.pin.ta.ri.a) s.f. **1.** Ofício de carpinteiro. **2.** Oficina de carpinteiro. **3.** (Teat.) Estruturação orgânica da peça teatral: carpintaria da peça de Nelson Rodrigues.

carpinteiro (car.pin.tei.ro) s.m. **1.** Operário que trabalha com madeira ou em obras de madeira. **2.** Construtor de estruturas de madeira. **3.** Indivíduo que prepara e arma os cenários de peças teatrais.

carpir (car.pir) v. **1.** Arrancar ervas daninhas; capinar uma roça; limpar o solo: Depois de carpir e adubar o terreno, o lavrador semeou o milho. **2.** Arrancar os cabelos e a barba em sinal de luto, lamentando-se. **3.** Chorar, fazer lamúria,

lamentar: *Na sala, as mulheres carpiam o jovem morto.* **4.** Lamuriar-se, lamentar-se: *No velório, a viúva carpia-se desolada.* ▶ Conjug. 84 e 66.
carpo (car.po) *s.m.* **1.** (*Anat.*) Conjunto de ossos que constituem a articulação da mão com o antebraço. **2.** (*Bot.*) Fruto.
carpófago (car.pó.fa.go) *adj.* **1.** Que se alimenta de frutos. • *s.m.* **2.** Aquele que se alimenta de frutos.
carqueja [ê] (car.que.ja) *s.f.* (*Bot.*) Planta medicinal de gosto amargo, eficaz nos males do estômago.
carquilha (car.qui.lha) *s.f.* Ruga, dobra, prega.
carrada (car.ra.da) *s.f.* **1.** Carga que um carro pode transportar de uma vez. **2.** *fig.* Exuberância, grande porção: *Você tem carradas de razão.*
carranca (car.ran.ca) *s.f.* **1.** Cara fechada, com aspecto de mau humor. **2.** Cabeça ornamental que se põe geralmente na proa das embarcações: *as carrancas do rio São Francisco.*
carrança (car.ran.ça) *adj.* **1.** Conservador, apegado ao passado. • *s.m. e f.* **2.** Pessoa apegada ao passado; pessoa conservadora.
carrancudo (car.ran.cu.do) *adj.* Que faz carranca, que está mal-humorado; emburrado.
carrapateira (car.ra.pa.tei.ra) *s.f.* (*Bot.*) Planta de cujas sementes se extrai o óleo de rícino; mamona.
carrapato (car.ra.pa.to) *s.m.* **1.** (*Zool.*) Aracnídeo que se prende à pele dos animais e do homem e suga-lhes o sangue. **2.** *fig.* Pessoa importuna, que não larga outra.
carrapeta [ê] (car.ra.pe.ta) *s.f.* **1.** Pião que se faz girar com os dedos. **2.** Pequeno disco de couro ou borracha que veda o fluxo da água nas torneiras.
carrapicho (car.ra.pi.cho) *s.m.* (*Bot.*) Planta cujos pequenos frutos espinhosos agarram-se nas roupas dos que andam pelo campo e no pelo dos animais.
carrasco (car.ras.co) *s.m.* **1.** Pessoa encarregada de executar os condenados à pena de morte ou de infligir castigos corporais a réus; executor. **2.** *fig.* Pessoa cruel; algoz, verdugo, tirano.
carraspana (car.ras.pa.na) *s.f. coloq.* Bebedeira.
carrear (car.re.ar) *v.* **1.** Conduzir em carro: *Já carrearam toda a mercadoria para dentro do armazém.* **2.** Causar, ocasionar: *A seca carreou prejuízos à lavoura.* **3.** Arrastar, carregar: *A ventania carreou muitas folhas secas para dentro da piscina.* ▶ Conjug. 14.

carreata (car.re.a.ta) *s.f.* Desfile de carros em sinal de adesão, protesto ou comemoração: *Uma carreata trouxe do aeroporto os campeões de futebol.*
carregação (car.re.ga.ção) *s.f.* **1.** Ato ou efeito de carregar. **2.** Doença, afecção. **3.** Grande quantidade.
carregado (car.re.ga.do) *adj.* **1.** Cheio de carga; pesado. **2.** Diz-se da atmosfera quando o céu está com nuvens escuras e espessas, anunciando tempestade. **3.** Pesado (o ambiente). **4.** Sombrio, fechado, carrancudo (o semblante). **5.** Com carga de pólvora (a arma de fogo). **6.** Muito escuro (cor): *um verde carregado.*
carregador [ô] (car.re.ga.dor) *s.m.* **1.** Pessoa que transporta cargas e bagagens. **2.** (*Eletr.*) Aparelho para carregar baterias ou acumuladores.
carregamento (car.re.ga.men.to) *s.m.* **1.** Ato ou efeito de carregar. **2.** Conjunto de coisas que formam uma carga: *Chegou ao porto um carregamento de castanhas.*
carregar (car.re.gar) *v.* **1.** Pôr carga em: *Carregaram o navio com café e cacau.* **2.** Pesar sobre, sobrecarregar: *É melhor não carregar muito o barco com coisas pesadas.* **3.** Conduzir carga: *A tropa de muares carregava a bagagem dos exploradores.* **4.** Trazer consigo, levar em si: *Ela sempre carregava consigo a medalha da Virgem.* **5.** Impregnar, saturar: *A umidade e o calor carregavam o ar daquela pequena sala.* **6.** Meter a pólvora ou os projéteis em: *Os militares carregaram as armas antes da batalha.* **7.** Acumular eletricidade: *Carregaram a bateria do carro.* **8.** Atacar com ímpeto: *O pelotão carregou de surpresa antes da madrugada.* **9.** Tornar sombrio, severo: *Carregou a fisionomia.* **10.** Tornar (um traço) mais espesso: *Carregue mais nestas linhas vermelhas.* **11.** Exagerar, aumentar: *O comércio está carregando no preço das frutas.* **12.** Colocar filme em (a máquina fotográfica): *Você carregou direito a máquina?* **13.** Oprimir, gravar: *Aquele mau governo carregava o povo de impostos.* **14.** Pôr em excesso: *carregar no sal.* **15.** Exercer pressão, pesar em demasia: *O enorme peso da construção carregou sobre os pilotis.* **16.** Aumentar, exagerar: *Ela carregava sempre em suas histórias.* **17.** Afastar, levar para longe: *A ventania carregou o telhado da igreja.* **18.** Escurecer, encher-se de nuvens escuras e tempestuosas: *A atmosfera carregou muito essa tarde; vai chover.* **19.** Fazer-se sombrio, severo: *Ao ler a notícia, sua fisionomia carregou-se.* ▶ Conjug. 8 e 34.

carreira (car.rei.ra) *s.f.* **1.** Corrida rápida: *Dê uma carreira até a farmácia.* **2.** Caminho determinado para navios, ônibus etc. com paradas fixas aqui e ali: *Os navios da carreira param neste porto.* **3.** Fileira, fila, ala: *Uma carreira de palmeiras ornava o caminho da casa.* **4.** Atividade, profissão, modo de vida: *seguir a carreira de Medicina.* **5.** O decurso da existência: *Em sua longa carreira de vida, nunca faltou ao trabalho.* || *Arrepiar carreira*: voltar atrás; retroceder. • *De carreira*: às pressas.

carreirismo (car.rei.ris.mo) *s.m.* Atitude de quem dá importância prioritária a seu próprio êxito na carreira profissional.

carreirista (car.rei.ris.ta) *adj.* **1.** Que se caracteriza pelo carreirismo: *um profissional carreirista.* • *s.m.* e *f.* **2.** Pessoa que, para vencer na vida ou galgar postos elevados no serviço, lança mão de quaisquer recursos: *Mais do que competente, ele é um carreirista.*

carreiro (car.rei.ro) *s.m.* **1.** Pessoa que conduz o carro de bois. **2.** Caminho estreito.

carreta [ê] (car.re.ta) *s.f.* **1.** Caminhão grande e possante para transportar carga pesada. **2.** Carroça.

carretel (car.re.tel) *s.m.* Pequeno cilindro de madeira, metal ou outro material com rebordos nas pontas, usado para enrolar linhas, arames, fios, fitas etc.

carreto [ê] (car.re.to) *s.m.* **1.** Transporte de carga por frete. **2.** Preço desse frete.

carril (car.ril) *s.m.* Sulco deixado pelas rodas de um carro.

carrilhão (car.ri.lhão) *s.m.* **1.** Conjunto de sinos com que se faz soar peças musicais. **2.** Relógio de parede que dá horas em tons musicais.

carrinho (car.ri.nho) *s.m.* **1.** Carro para transportar bebês ou crianças pequenas. **2.** Carro utilizado pelo cliente para transporte de mercadoria em supermercados. **3.** (*Esp.*) No futebol, lance em que o jogador, para tirar-lhe a bola com os pés, atira-se às pernas do adversário, deslizando sentado ou parcialmente deitado. || *Carrinho de mão*: carro com uma roda dianteira e dois varais laterais para transporte de pequenas cargas.

carro (car.ro) *s.m.* **1.** Veículo de rodas para transportar passageiros, animais, coisas ou carga. **2.** Automóvel. **3.** Rolo corrediço em máquina de escrever. || *Carro de praça*: táxi.

carroça [ó] (car.ro.ça) *s.f.* **1.** Carro de duas ou quatro rodas puxado por cavalo, burro ou boi para transporte de carga. **2.** *pej.* Automóvel velho, de mau desempenho: *Tire esta carroça da minha frente, que estou com pressa.*

carroção (car.ro.ção) *s.m.* **1.** Grande carroça coberta para transporte de pessoas. **2.** *gír.* Extensa expressão aritmética.

carroçaria (car.ro.ça.ri.a) *s.f.* Carroceria.

carroceiro (car.ro.cei.ro) *s.m.* Condutor de carroças ou quem faz fretes com carroças.

carroceria (car.ro.ce.ri.a) *s.f.* **1.** Parte do veículo destinada ao motorista, aos passageiros e, em alguns casos, à carga; fica sobre o chassi ou forma um todo com ele, apoiado sobre as rodas por meio da suspensão. **2.** A parte traseira do caminhão onde vai a carga. || *carroçaria*.

carro-chefe (car.ro-che.fe) *s.m.* **1.** Principal carro alegórico de um desfile. **2.** *fig.* Elemento de destaque num conjunto, aquele que, entre todos os outros, tem maior aceitação: *Todos aplaudiram a canção, que era o carro-chefe daquela cantora.* || pl.: *carros-chefe* e *carros-chefes*.

carrocinha (car.ro.ci.nha) *s.f.* **1.** Pequena carroça. **2.** Veículo fechado com grades, usado para recolher cães vadios. **3.** Pequeno carro usado para a venda de pipoca, cachorro-quente etc.

carro-forte (car.ro-for.te) *s.m.* Carro blindado usado para transporte de valores elevados. || pl.: *carros-fortes*.

carro-guincho (car.ro-guin.cho) *s.m.* Carro com reboque para a retirada de carros batidos, enguiçados ou estacionados em local proibido. || pl.: *carros-guincho* e *carros-guinchos*.

carro-restaurante (car.ro-res.tau.ran.te) *s.m.* No trem, vagão destinado a refeições em viagens longas. || pl.: *carros-restaurante* e *carros-restaurantes*.

carrossel (car.ros.sel) *s.m.* Maquinismo encontrado em parques de diversão que consiste em um tablado redondo com cavalinhos ou outros animais de madeira ou outro material que gira ao redor de um eixo, onde vão sentadas crianças ou adultos.

carruagem (car.ru:a.gem) *s.f.* Carro de quatro rodas, puxado por animais, com suspensão de molas e destinado ao transporte de passageiros.

carta (car.ta) *s.f.* **1.** Mensagem escrita que se envia a alguém com notícias, cumprimentos, ordens, pedidos etc.; missiva, epístola. **2.** Mapa; carta geográfica que representa, convencionalmente de forma plana, o mundo, os continentes, algum país, com todos os aciden-

carta-branca

tes geográficos. **3.** Cada cartão com figuras e sinais que, junto a outros, forma o baralho. || *Carta de crédito*: carta passada por instituição financeira ou banco que abre crédito a seu portador.

carta-branca (car.ta-*bran*.ca) *s.f.* Autorização dada a alguém para agir como achar conveniente; plenos poderes. || pl.: *cartas-brancas*.

cartada (car.*ta*.da) *s.f.* **1.** Lance no jogo de cartas. **2.** Golpe, ação súbita e ousada.

cartaginês (car.ta.gi.*nês*) *adj.* **1.** De Cartago, antiga cidade do norte da África. • *s.m.* **2.** O natural ou o habitante de Cartago.

cartão (car.*tão*) *s.m.* **1.** Papel espesso usado em desenho ou pintura, feito de várias camadas de papel (cartão de colagem) ou de polpa (cartão de moldagem). **2.** Pedaço retangular desse papel. **3.** Papelão. || *Cartão de crédito*: cartão magnético emitido por uma instituição financeira feito de plástico, que permite a seu titular que suas despesas sejam automaticamente debitadas em sua conta. • *Cartão de visita*: retângulo com nome, endereço e profissão ou só com o nome impresso, para apresentação.

cartão-postal (car.tão-pos.*tal*) *s.m.* Cartão que tem numa das faces uma estampa ou foto, servindo à outra para correspondência. || pl.: *cartões-postais*.

cartapácio (car.ta.*pá*.ci:o) *s.m.* **1.** Livro grande e antigo; alfarrábio, calhamaço. **2.** Coleção de manuscritos em formato de livro; códice.

cartaz (car.*taz*) *s.m.* **1.** Papel que se imprime com informações sobre mercadorias, espetáculos ou outras atividades e que é afixado em lugares bem visíveis. **2.** *coloq.* Prestígio, fama. || *Em cartaz*: em exibição ou representação.

carte (car.te) *s.m.* Kart.

carteado (car.te:*a*.do) *s.m.* Diz-se de qualquer tipo de jogo com cartas de baralho.

cartear (car.te:*ar*) *v.* **1.** Jogar cartas: *Os homens desocupados carteavam o dia inteiro*. **2.** Dar as cartas num jogo: *É sua vez de cartear*. **3.** Corresponder-se por carta: *O soldado se carteava com os familiares*. ▶ Conjug. 14.

carteira (car.*tei*.ra) *s.f.* **1.** Bolsa portátil de couro ou outro material, com divisões, para guardar dinheiro, cartões de crédito, cheques etc. **2.** Pequena mesa ou banca para escrita, usada por estudantes nas escolas. **3.** Documento de prova de uma qualidade (eleitor, identidade, reservista, sócio etc.).

carteirada (car.tei.*ra*.da) *s.f.* Apresentação de documento de identificação por pessoa influente ou poderosa, com a finalidade de intimidar ou de obter privilégio: *Pensou que, com uma carteirada, ele asseguraria a vaga para o afilhado*.

carteirinha (car.tei.*ri*.nha) *s.f.* Carteira pequena. || *De carteirinha*: adepto ou fã incondicional: *Ela é fã de carteirinha de Pelé*.

carteiro (car.*tei*.ro) *s.m.* Pessoa que entrega cartas e outras correspondências; estafeta.

cartel (car.*tel*) *s.m.* Acordo entre empresas produtoras ou revendedoras para dominar um ramo do mercado, podendo, assim, manipular preços.

cartela [é] (car.*te*.la) *s.f.* **1.** Invólucro para acondicionamento de pequenos objetos: *cartela de alfinetes, cartela de comprimidos* etc. **2.** Mostruário portátil de tecidos, rendas, fitas etc. **3.** Cartão destinado a marcar os pontos em jogos como víspora e bingo. **4.** Cartão em que se marcam apostas de loteria.

cárter (*cár*.ter) *s.m.* Invólucro metálico na parte inferior de um motor para protegê-lo.

cartesianismo (car.te.si:a.*nis*.mo) *s.m.* Sistema filosófico criado por René Descartes, filósofo e matemático francês do século XVII.

cartesiano (car.te.si:*a*.no) *adj.* **1.** Concernente ou pertencente ao cartesianismo ou a Descartes. • *s.m.* **2.** Pessoa adepta do cartesianismo, que adota crença irrestrita na capacidade cognitiva da razão.

cartilagem (car.ti.*la*.gem) *s.f.* (Anat.) Tecido flexível e consistente que reveste a superfície das articulações ósseas e forma as orelhas.

cartilaginoso [ô] (car.ti.la.gi.*no*.so) *adj.* Relativo a, ou que tem cartilagem. || f. e pl.: [ó].

cartilha (car.*ti*.lha) *s.f.* **1.** Livro para a aprendizagem da leitura. **2.** Compêndio elementar com rudimentos de arte, ciência ou doutrina. || *Ler pela mesma cartilha*: ter a mesma opinião, doutrina ou teoria.

cartografia (car.to.gra.*fi*.a) *s.f.* **1.** Arte de elaborar cartas e mapas geográficos. **2.** Tratado sobre mapas.

cartográfico (car.to.*grá*.fi.co) *adj.* Relativo a cartografia.

cartógrafo (car.*tó*.gra.fo) *s.m.* Aquele que elabora cartas geográficas.

cartola [ó] (car.*to*.la) *s.f.* **1.** Chapéu de copa alta, usado por homens com traje a rigor e, às vezes, por mulheres em trajes de montaria.

• s.m. **2.** *pej.* Dirigente de clube ou entidade esportiva.

cartolina (car.to.*li*.na) *s.f.* Papelão de pouca espessura, mais grosso que papel.

cartomancia (car.to.man.*ci*.a) *s.f.* Adivinhação do futuro por meio de cartas de jogar.

cartomante (car.to.*man*.te) *s.m. e f.* Pessoa que se dedica à prática da cartomancia.

cartonado (car.to.*na*.do) *adj.* Diz-se do livro encadernado em cartão.

cartonagem (car.to.*na*.gem) *s.f.* **1.** Fabricação de produtos de cartão. **2.** Encadernação de livros em cartão.

cartonar (car.to.*nar*) *v.* **1.** Encadernar em cartão, pondo lombada de tecido. **2.** Revestir com cartão ou papelão. ▶ Conjug. 5.

cartoon [cartun] (Ing.) *s.m.* Ver *cartum*.

cartorário (car.to.*rá*.ri:o) *adj.* **1.** Relativo a cartório; cartorial. • *s.m.* **2.** Livro de registro de documentos públicos ou cartas, títulos, escrituras, certidões etc. **3.** Pessoa que trabalha num cartório.

cartorial (car.to.ri:*al*) *adj.* Cartorário.

cartório (car.*tó*.ri:o) *s.m.* **1.** Repartição onde funcionam os tabelionatos, os ofícios de notas, os registros públicos e são guardados os respectivos arquivos. **2.** Local onde se registram e guardam documentos importantes.

cartucheira (car.tu.*chei*.ra) *s.f.* Bolsa ou cinto de couro para cartuchos e munição em geral.

cartucho (car.*tu*.cho) *s.m.* **1.** Invólucro de papel ou papelão, de forma cilíndrica e alongada: *cartucho de amendoim, de confeitos* etc. **2.** Tubo que contém uma carga de tinta, gás etc.: *O cartucho da impressora está esgotado.* **3.** Tubo que contém a carga das armas de fogo. || *Queimar o último cartucho*: usar os últimos recursos para conseguir algo.

cartum (car.*tum*) *s.m.* **1.** Desenho caricatural e humorístico com ou sem legendas. **2.** Desenho animado. **3.** História em quadrinhos. || *cartoon*.

cartunista (car.tu.*nis*.ta) *s.m. e f.* Pessoa que cria ou desenha cartuns, tiras cômicas, ilustrações humorísticas, histórias em quadrinhos de humor.

carunchar (ca.run.*char*) *v.* Encher-se de carunchos: *A velha cômoda da vovó caranchou.* ▶ Conjug. 5.

caruncho (ca.*run*.cho) *s.m.* **1.** (*Zool.*) Pequeno besouro que perfura a madeira e cereais de que se alimenta; gorgulho; carcoma. **2.** O pó resultante da ação desses insetos.

carunchoso [ô] (ca.run.*cho*.so) *adj.* Cheio de caruncho. || f. e pl.: [ó].

caruru (ca.ru.*ru*) *s.m.* **1.** Prato feito com quiabo, camarão seco, azeite-de-dendê e condimentos. **2.** (*Bot.*) Erva de folhas verdes comestíveis.

carvalho (car.*va*.lho) *s.m.* **1.** (*Bot.*) Árvore grande e frondosa, das regiões temperadas, cuja madeira é empregada em construção. **2.** Madeira dessa árvore.

carvão (car.*vão*) *s.m.* **1.** Substância combustível sólida de cor negra que resulta da combustão parcial de elementos de origem orgânica, especialmente a madeira. **2.** Lápis de carvão para desenho. **3.** Qualquer substância carbonizada pelo fogo. **4.** Obra sobre tela ou papel, executada com lápis de carvão.

carvoaria (car.vo:a.*ri*.a) *s.f.* **1.** Estabelecimento onde se fabrica ou vende carvão. **2.** Mina de carvão mineral.

carvoeiro (car.vo:*ei*.ro) *adj.* **1.** Relativo ao comércio ou à indústria de carvão. • *s.m.* **2.** Indivíduo que fabrica ou vende carvão.

casa (*ca*.sa) *s.f.* **1.** Lar, residência, domicílio, morada, habitação, vivenda. **2.** Estabelecimento comercial; loja. **3.** Lugar por onde entra o botão da roupa. **4.** Família nobre: *casa de Avis, casa de Bragança.* **5.** Subdivisão de um tabuleiro, uma caixa etc. **6.** Espaço separado por traços numa tabela. **7.** Lugar ocupado por um algarismo ao formar um número: *casa das centenas.* || *Casa Civil*: o conjunto dos civis que auxiliam o presidente da República. • *Casa Militar*: militares oficiais das Forças Armadas com ligação com o presidente da República. • *Casa da mãe joana*: **1.** bordel; **2.** lugar desorganizado, onde a bagunça é generalizada. • *Casa da Moeda*: estabelecimento onde são cunhadas as moedas e impressos os papéis-moeda de um país. • *Casa da sogra*: lugar onde não há ordem, disciplina. • *Casa de cômodos*: habitação coletiva de classes pobres. • *Casa de correção*: estabelecimento penitenciário para onde são recolhidos menores delinquentes para serem reeducados. • *Casa de detenção*: estabelecimento oficial onde ficam detidos os réus antes do julgamento. • *Casa de máquinas*: espaço situado num dos extremos do poço do elevador onde ficam as máquinas ou motores que controlam o movimento do elevador. • *Casa de saúde*: estabe-

lecimento hospitalar particular, não público.
* *Casa de tolerância*: casa que aluga quartos para encontros amorosos.

casaca (ca.sa.ca) *s.f.* Peça de veste masculina de cerimônia, geralmente negra, curta na frente e com abas longas atrás. || *Virar a casaca*: mudar de time, de opinião ou de partido.

casacão (ca.sa.cão) *s.m.* **1.** Sobretudo. **2.** Casaco longo e amplo; mantô.

casaco (ca.sa.co) *s.m.* **1.** Vestuário masculino com abas e mangas. **2.** Paletó. **3.** Sobretudo. **4.** Sobrecasaca. **5.** Peça do vestuário feminino comprida e grossa para resguardar do frio.

casa de orates *s.f.* Casa desorganizada, onde ninguém se entende.

casado (ca.sa.do.) *adj.* **1.** Que se casou, que está unido pelo casamento. **2.** Ligado, unido. **3.** Harmonizado, combinado.

casadoiro (ca.sa.doi.ro) *adj.* Casadouro.

casadouro (ca.sa.dou.ro) *adj.* **1.** Que está em condições de casar, núbil. **2.** Que pretende casar. || *casadoiro.*

casa-forte (ca.sa-for.te) *s.f.* Caixa de paredes grossas e resistentes com portas de aço, para a guarda de valores ou documentos, em casa bancária. || pl.: *casas-fortes.*

casa-grande (ca.sa-gran.de) *s.f.* Casa senhorial brasileira onde moravam os proprietários de engenhos ou de fazendas. || pl.: *casas--grandes.*

casal (ca.sal) *s.m.* Par formado de macho e fêmea, ou homem e mulher.

casamata (ca.sa.ma.ta) *s.f.* Abrigo subterrâneo à prova de bombardeios para combatentes e munição; *bunker.*

casamenteiro (ca.sa.men.tei.ro) *adj.* **1.** Que arranja ou promove casamentos: *Dizem que Santo Antônio é um santo casamenteiro.* • *s.m.* **2.** Aquele que arranja ou promove casamentos: *Não houve casamenteiro que conseguisse arranjar casamento para ela.*

casamento (ca.sa.men.to) *s.m.* **1.** União conjugal entre homem e mulher; a relação e a forma de vida familiar dela decorrente: *Eles viviam um casamento feliz.* **2.** Cerimônia civil e/ou religiosa em que é celebrada a união legítima entre um homem e uma mulher; núpcias, matrimônio, esponsais, boda, enlace: *O casamento aconteceu na Candelária, às 19 horas.* **3.** *fig.* Aliança, união, combinação, harmonia: *o casamento da justiça com a paz.*

casar (ca.sar) *v.* **1.** Unir pelo matrimônio, unir por meio de casamento: *O sacerdote casou os jovens naquela capela.* **2.** Promover o casamento de: *Aquele pai casou a filha com um jovem trabalhador.* **3.** Ver realizar-se o casamento de: *Pedro casou bem as filhas.* **4.** Harmonizar(-se), combinar(-se): *Os sapatos casam bem com esta roupa escura*; *Essas cores casam-se muito bem.* **5.** Passar ao estado de casado: *Diogo casou ontem.* **6.** Unir-se em matrimônio: *João e Maria casaram-se logo que se formaram.* ▶ Conjug. 5.

casarão (ca.sa.rão) *s.m.* **1.** Casa muito grande. **2.** Casa luxuosa, faustosa. **3.** Sobrado antigo: *Nesta rua conservaram-se vários casarões coloniais.*

casario (ca.sa.ri.o) *s.m.* Conjunto de casas.

casca (cas.ca) *s.f.* **1.** Invólucro exterior de vários órgãos vegetais como caules, troncos, frutos (epicarpo), sementes, bulbos, tubérculos: *Escreveram suas iniciais na casca do tronco do abacateiro.* **2.** Invólucro exterior do ovo. **3.** *fig.* Aparência, exterioridade, superficialidade: *Não considerou o cerne do problema, ficou só na casca.* **4.** Envoltório dos crustáceos, moluscos, répteis e quelônios: *camarão sem casca*; *A cobra muda de casca.*

cascabulho (cas.ca.bu.lho) *s.m.* Monte de cascas de frutas, legumes etc.

casca-grossa (cas.ca-gros.sa) *adj* **1.** Diz-se de uma pessoa mal-educada, grosseira: *Aquele homem casca-grossa não respeita as senhoras.* • *s.m.* e *f.* **2.** Pessoa mal-educada, grosseira: *Ele agiu como um casca-grossa.* • *s.f.* **3.** (*Zool.*) Pequeno peixe de água doce, de escamas grandes. || pl.: *cascas-grossas.*

cascalho (cas.ca.lho) *s.m.* **1.** Pedra britada que é misturada à areia grossa e usada em construção. **2.** Camada de areia e barro onde se encontram diamantes e ouro. **3.** (*Geol.*) Seixo ou calhau resultante da fragmentação de uma rocha. **4.** Mistura de areia, pedras e conchas encontradas nas praias.

cascão (cas.cão) *s.m.* **1.** Casca endurecida; crosta. **2.** Crosta de sujidade na pele. **3.** Tipo de goiabada com pedaços da casca de goiaba.

cascata (cas.ca.ta) *s.f.* **1.** Queda-d'água de pequena ou grande altura. **2.** *gír.* Mentira, patota, conversa fiada. **3.** *gír.* Bazófia, gabolice. || *Em cascata*: processo em que o resultado de um novo fato ou de um acidente gera outro e consequências, e assim por diante: *O aumento* do preço da gasolina gera aumentos em cascata nos preços de outras mercadorias.

cascateiro (cas.ca.tei.ro) *adj.* **1.** *gír.* Diz-se de quem conta cascatas, mentiras: *Sabe-se que ele é um sujeito cascateiro.* • *s.m.* **2.** *gír.* Pessoa que conta cascatas, mentiras: *Lá vem o cascateiro com novas histórias!*

cascavel (cas.ca.vel) *s.m.* **1.** Guizo. • *s.f.* **2.** (*Zool.*) Serpente venenosa com guizos na cauda. **3.** *fig.* Mulher má, traiçoeira, intrigante, de mau gênio.

casco (cas.co) *s.m.* **1.** Unha muito dura e resistente dos cavalos, bois, suínos, elefantes etc. **2.** Carcaça de navio (costado e quilha). **3.** O couro cabeludo. **4.** Garrafa vazia de cerveja e refrigerante.

cascudo (cas.cu.do) *adj.* **1.** Que tem casca grossa ou endurecida. • *s.m.* **2.** Pancada na cabeça dada com o nó dos dedos; cocorote. **3.** Peixe de água doce, revestido de placas ósseas e que vive no fundo dos rios; acari.

casebre [é] (ca.se.bre) *s.m.* Casa pequena e pobre; cabana, choça, choupana, tugúrio.

caseína (ca.se.í.na) *s.f.* (*Quím.*) Substância proteica existente no leite.

caseiro (ca.sei.ro) *adj.* **1.** Que gosta de ficar em casa: *Depois que se aposentou, ele ficou caseiro.* **2.** Feito com casa: *comida caseira.* **3.** Relativo a casa; doméstico: *trabalho caseiro.* **4.** Usado em casa: *roupa caseira.* • *s.m.* **5.** Homem assalariado que se encarrega do serviço de uma casa de veraneio ou sítio de alguém.

caserna [é] (ca.ser.na) *s.f.* **1.** Quartel. **2.** Habitação de soldados dentro do quartel ou de uma praça fortificada. **3.** *fig.* A carreira militar.

casimira (ca.si.mi.ra) *s.f.* Tecido encorpado de lã, usado, geralmente, em vestuário masculino. || Conferir com *caxemira.*

casinhola [ó] (ca.si.nho.la) *s.f.* Casa muito pequena e pobre.

casmurro (cas.mur.ro) *adj.* **1.** Teimoso, cabeçudo, tristonho, ensimesmado, triste, calado, sorumbático. • *s.m.* **2.** Indivíduo com esses atributos.

caso (ca.so) *s.m.* **1.** Acontecimento passado, presente ou futuro: *O caso foi comentado durante muito tempo.* **2.** Relação amorosa extraconjugal: *A esposa não sabe que ele tem um caso.* **3.** Manifestação de doença: *Eliminaram-se os casos de dengue nesta área da cidade.* **4.** (*Gram.*) Desinência que, em algumas línguas, exprime uma função sintática: *os seis casos do latim.* • *conj.* **5.** Indica possibilidade de um acontecimento ou condição: *Caso me paguem a entrada, irei ao jogo.* || *Fazer caso:* dar importância, dar valor: *Ele não faz caso do que lhe dizem.*

casório (ca.só.ri.o) *s.m. coloq.* Casamento.

caspa (cas.pa) *s.f.* Escamação do couro cabeludo ou de outra parte da epiderme.

caspento (cas.pen.to) *adj.* Que tem caspa.

casquento (cas.quen.to) *adj.* Que tem muita casca; cascudo.

casquete [é] (cas.que.te) *s.m.* Boné.

casquinada (cas.qui.na.da) *s.f.* Risada, gargalhada.

casquinha (cas.qui.nha) *s.f.* **1.** Casca delgada, película. **2.** Cone de biscoito ou massa crocante para servir sorvetes. **3.** Prato preparado com a carne do siri ou do caranguejo, condicionada na respectiva carapaça. || *Tirar uma casquinha:* levar alguma vantagem em feito alheio lucrativo.

cassa (cas.sa) *s.f.* Tecido muito fino de linho ou de algodão.

cassação (cas.sa.ção) *s.f.* **1.** Ato de cassar. **2.** Privação dos direitos civis e políticos. **3.** Anulação, sub-rogação.

cassar (cas.sar) *v.* **1.** Tornar nulo ou sem efeito, anular (licença, autorização, direitos políticos etc.): *A prefeitura cassou a licença de alguns feirantes.* **2.** *p. ext.* Fazer cessar, tornar nulos os direitos políticos ou civis de: *A revolução cassou os direitos civis de muitos políticos do regime anterior.* || Conferir com *caçar.* ▶ Conjug. 5.

cassata (cas.sa.ta) *s.f.* Sorvete de origem italiana com camadas de sabores e cores diferentes.

cassete [é] (cas.se.te) *s.m.* **1.** Caixa ou estojo com filme ou fita magnética prontos para operar, bastando introduzi-la no gravador ou na câmera. **2.** Gravador onde se introduz essa caixa.

cassetete [é] (cas.se.te.te) *s.m.* Bastão curto de borracha ou madeira, usado como arma por policiais.

cassino (cas.si.no) *s.m.* **1.** Casa de jogos de azar e diversões com salão, mesas e espaço para espetáculos e dança. **2.** Dependência de um quartel onde oficiais se reúnem para entretenimento.

cassiterita (cas.si.te.ri.ta) *s.f.* (*Min.*) Óxido natural de estanho; minério de estanho.

cast [quést] (Ing.) *s.m.* Elenco de atores de um espetáculo teatral, de um filme ou de uma telenovela.

casta (*cas*.ta) *s.f.* **1.** Variedade comum a uma espécie animal ou vegetal que s : reproduz conservando as características hereditárias: *um vinho de uvas de boa casta*. **2.** Classe de cidadãos cujos membros pertencem à mesma raça, etnia, profissão ou religião: *A divisão da sociedade em castas deixou marcas na Índia moderna*. **3.** Qualquer grupo social muito fechado com regras rígidas: *Os cavaleiros constituíam uma casta à parte na sociedade medieval*.

castanha (cas.*ta*.nha) *s.f.* **1.** Fruto do castanheiro. **2.** O verdadeiro fruto do cajueiro.

castanha-de-caju (cas.ta.nha-de-ca.*ju*) *s.f.* Espécie de amêndoa que constitui o fruto verdadeiro do cajueiro. || pl.: *castanhas-de-caju*.

castanha-do-pará (cas.ta.nha-do-pa.*rá*) *s.f.* **1.** (Bot.) Fruto comestível da região amazônica que cresce dentro de uma casca muito dura. || pl.: *castanhas-do-pará*.

castanheira (cas.ta.*nhei*.ra) *s.f.* **1.** Mulher que vende castanhas assadas. **2.** Castanheiro.

castanheiro (cas.ta.*nhei*.ro) *s.m.* (Bot.) Planta que produz a castanha; castanheira.

castanho (cas.*ta*.nho) *s.m.* **1.** A cor da casca da castanha. **2.** Castanheiro. **3.** A madeira dessa planta. • *adj.* **4.** Da cor da casca da castanha; marrom: *cabelos castanhos*.

castanholas [ó] (cas.ta.*nho*.las) *s.f.pl.* Instrumento de percussão constituído de duas partes ocas e côncavas de madeira ou marfim ligadas entre si por um cordel e que, presas aos dedos ou pulsos do tocador, batem uma na outra emitindo os sons característicos.

castelão (cas.te.*lão*) *adj.* **1.** Concernente ou pertencente ao castelo. • *s.m.* **2.** Senhor feudal que habitava um castelo e exercia jurisdição sobre determinada área. || f.: *castelã* e *casteloa*.

castelhano (cas.te.*lha*.no) *adj.* **1.** De Castela, região da Espanha. • *s.m.* **2.** O natural ou o habitante dessa região. **3.** Idioma originário de Castela, falado na Espanha e nos países de colonização espanhola.

castelo [é] (cas.*te*.lo) *s.m.* **1.** Residência senhorial fortificada. **2.** Praça fortificada, cercada por altas muralhas, fossos, pontes pênseis, torres etc. **3.** Conjunto de objetos postos uns sobre os outros: *castelo de cartas*. **4.** (Náut.) Parte mais elevada do convés de um navio. || *Castelos no ar*: projetos sem fundamentos, irrealizáveis, sonhos.

castiçal (cas.ti.*çal*) *s.m.* Utensílio com um ou mais bocais para suporte de velas para iluminação.

castiço (cas.*ti*.ço) *adj.* **1.** De boa casta, puro, não degenerado. **2.** Diz-se da linguagem genuína, pura e sem estrangeirismos; vernácula: *Apesar de estrangeiro, ele falava um português castiço*.

castidade (cas.ti.*da*.de) *s.f.* **1.** Qualidade ou caráter de casto. **2.** Privação voluntária de prazeres sexuais: *Os monges fazem votos de castidade*.

castigar (cas.ti.*gar*) *v.* **1.** Infligir castigo a; punir: *Castigaram os infratores*. **2.** Aperfeiçoar, apurar: *O grande escritor castigava seu estilo*. **3.** Penitenciar-se: *Dê o melhor de si, mas não se castigue caso os resultados não apareçam*. ▶ Conjug. 5 e 34.

castigo (cas.*ti*.go) *s.m.* **1.** Sofrimento físico ou moral que se inflige a alguém supostamente culpado; punição: *A pena de morte, como castigo, deve ser abolida*. **2.** Mortificação, consumição, tormento: *Aquela tarefa era para ele um verdadeiro castigo*.

casto (*cas*.to) *adj.* **1.** Que tem pureza de alma, de corpo. **2.** Que se abstém de atividades sexuais.

castor [ô] (cas.*tor*) *s.m.* **1.** (Zool.) Mamífero roedor da Europa e da América do Norte que constrói seu ninho dentro da água. **2.** O pelo desse animal.

castração (cas.tra.*ção*) *s.f.* (Vet.) Operação ou ato de castrar; emasculação; capação.

castrador [ô] (cas.tra.*dor*) *adj.* **1.** Que castra, que capa. **2.** *fig.* Que reprime ou anula desejos e iniciativas dos outros: *Nas relações com seus alunos, o mestre evita tomar atitudes castradoras*. • *s.m.* **3.** Pessoa que castra animais. **4.** Pessoa que reprime ou anula desejos e iniciativas dos outros.

castrar (cas.*trar*) *v.* (Vet.) **1.** Capar. **2.** *fig.* Tolher ou anular a personalidade de: *Pais excessivamente autoritários podem castrar a personalidade do filho*. **3.** *fig.* Impedir a eficiência ou proficuidade de: *Um chefe centralizador em demasia castra a criatividade de uma equipe de trabalho*. **4.** Privar a si próprio dos órgãos reprodutores. ▶ Conjug. 5.

casual (ca.su:*al*) *adj.* **1.** Que acontece por acaso, sem planejamento: *O encontro não estava previsto, foi casual*. **2.** Não frequente, eventual, ocasional: *Suas visitas eram casuais*.

casualidade (ca.su:a.li.*da*.de) *s.f.* Qualidade do que é acidental, casual, acaso, eventualidade.

casuarina (ca.su:a.*ri*.na) *s.f.* (*Bot.*) Árvore proveniente da Austrália, introduzida no Brasil e mais frequente em regiões litorâneas.

casuísmo (ca.su:*ís*.mo) *s.m.* Desvio de princípios morais e jurídicos a fim de torná-los adequados a interesses pessoais ou de grupos.

casulo (ca.*su*.lo) *s.m.* (*Zool.*) Invólucro construído pelas lagartas do bicho da seda e de outros insetos em torno do próprio corpo na fase inicial de sua metamorfose.

cata (*ca*.ta) *s.f.* **1.** Ação ou efeito de catar; procura, busca. **2.** Lugar cavado para mineração. **3.** Separação dos grãos defeituosos de certos cereais, como café, feijão etc.

cataclismo (ca.ta.*clis*.mo) *s.m.* (*Geol.*) **1.** Alteração geológica de grandes proporções. **2.** *fig.* Convulsão social; revolta.

catacrese [é] (ca.ta.*cre*.se) *s.f.* Processo que consiste no emprego de uma palavra em sentido figurado para suprir a falta de outra, com base na analogia ou semelhança: *pernas da mesa, asa da xícara, embarcar no trem* são exemplos de catacrese.

catacumba (ca.ta.*cum*.ba) *s.f.* Cemitério subterrâneo onde se reuniam os primeiros cristãos durante as perseguições.

catadióptrico (ca.ta.di:*óp*.tri.co) *adj.* **1.** Diz-se de cada um dos sinalizadores que, dispostos nas margens das rodovias, refletem e refratam a luz. • *s.m.* **2.** Esse sinalizador; olho de gato.

catadupa (ca.ta.*du*.pa) *s.f.* **1.** Queda d'água forte e de grande altura. **2.** Jorro, jato: *Lançou-lhe uma catadupa de injúrias.*

catadura (ca.ta.*du*.ra) *s.f.* **1.** Semblante, fisionomia, aspecto, aparência. **2.** Disposição de espírito.

catáfora (ca.*tá*.fo.ra) *s.f.* (*Gram.*) Referência antecipada a um termo que virá a seguir no discurso, como, por exemplo, em *Meu lazer se resume nisto: praia, futebol e cinema.* || Conferir com *anáfora.* – **catafórico** *adj.*

catalão (ca.ta.*lão*) *adj.* **1.** Da Catalunha, região da Espanha. **2.** Diz-se de um processo de redução do minério de ferro, pelo carvão vegetal. • *s.m.* **3.** O natural ou o habitante dessa região da Espanha. **4.** Idioma falado nessa região.

catalepsia (ca.ta.lep.*si*.a) *s.f.* (*Med.*) Estado mórbido em que ficam temporariamente suspensos os movimentos voluntários e a sensibilidade exterior, com extrema rigidez muscular, ligado à auto-hipnose ou à histeria.

cataléptico (ca.ta.*lép*.ti.co) *adj.* **1.** (*Med.*) Relativo a catalepsia. **2.** Doente de catalepsia. • *s.m.* **3.** Indivíduo que padece de catalepsia.

catalisação (ca.ta.li.sa.*ção*) *s.f.* (*Quím.*) Ato ou efeito de catalisar.

catalisador [ô] (ca.ta.li.sa.*dor*) *adj.* **1.** Que provoca a catálise. **2.** *fig.* Estimulante, dinamizador. • *s.m.* **3.** Substância própria para produzir a catálise. **4.** Substância que aumenta a velocidade de uma reação química sem parecer que participa dessa reação.

catalisar (ca.ta.li.*sar*) *v.* (*Quím.*) **1.** Produzir catálise em. **2.** Acelerar (uma reação química). **3.** *fig.* Possuir o poder de reunir pessoas ou ações para determinado fim. ▶ Conjug. 5.

catálise (ca.*tá*.li.se) *s.f.* (*Quím.*) Processo pelo qual uma substância modifica a velocidade de uma reação química, sem aparecer no balanço da reação, uma vez que fica inalterada quimicamente ao final do processo.

catalítico (ca.ta.*lí*.ti.co) *adj.* **1.** Relativo a catálise. **2.** Que provoca ou envolve catálise.

catalogação (ca.ta.lo.ga.*ção*) *s.f.* Ação ou efeito de catalogar.

catalogador [ô] (ca.ta.lo.ga.*dor*) *adj.* **1.** Que cataloga. • *s.m.* **2.** Indivíduo que cataloga.

catalogar (ca.ta.lo.*gar*) *v.* **1.** Relacionar em catálogo; classificar, enumerar: *Os bibliotecários catalogaram as obras de Alencar.* **2.** Classificar, reputar, tachar: *Catalogou o candidato como incapaz para aquele serviço.* ▶ Conjug. 20 e 34.

catálogo (ca.*tá*.lo.go) *s.m.* **1.** Lista metódica de informações específicas: *catálogo telefônico; catálogo de artigos para venda.* **2.** Lista ou fichário dos livros de uma biblioteca.

catamarã (ca.ta.ma.*rã*) *s.m.* **1.** Espécie de jangada de três ou quatro pranchas, originária da Índia. **2.** Embarcação a vela ou a motor, com dois cascos acoplados.

catana (ca.*ta*.na) *s.f.* Espécie de espada curta de origem japonesa; alfanje. || *Meter a catana*: falar mal.

catanduba (ca.tan.*du*.ba) *s.f.* **1.** (*Bot.*) Árvore brasileira que ocorre do Piauí ao Rio de Janeiro, de flores amarelas e madeira de boa qualidade. **2.** Mato rasteiro cheio de espinhos. **3.** Terreno argiloso e de baixa fertilidade. || *catanduva.*

catanduva (ca.tan.*du*.va) *s.f.* Catanduba.

cata-piolho (ca.ta-pi:o.lho) *s.m.* O dedo polegar. || pl.: *cata-piolhos.*

cataplasma (ca.ta.*plas*.ma) *s.m.* e *f.* **1.** Cozimento de papa de farinha com linhaça ou mostarda, colocada sobre a pele entre dois pequenos pedaços de pano para alívio de dor ou inflamação. **2.** *fig.* Pessoa molenga, doente, aborrecida. **3.** Parte dos arreios à qual são fixadas as argolas por onde passam as rédeas.

catapora [ó] (ca.ta.*po*.ra) *s.f.* Doença contagiosa em que o corpo fica coberto de pequenas bolhas, que coçam muito até a completa cicatrização; varicela.

catapulta (ca.ta.*pul*.ta) *s.f.* **1.** Antigo instrumento de guerra usado para lançamento de pedras e outros projetis. **2.** (*Náut.*) Mecanismo usado em porta-aviões, para lançamento de aviões, hidroaviões ou mísseis.

catapultar (ca.ta.pul.*tar*) *v.* **1.** Lançar ao espaço por meio de catapulta. **2.** Promover rápida ascensão no trabalho ou na vida social: *Na condição de chefe, ele logo catapultou o genro à função de subchefe.* ▶ Conjug. 5.

catar (ca.*tar*) **1.** Procurar, buscar, pesquisar: *Catou a forma correta da palavra no dicionário.* **2.** Recolher um a um, procurando entre outras coisas: *As meninas catavam conchinhas na praia para fazer um colar.* **3.** Escolher, selecionar: *Antes de deitar, a mãe catava o feijão e o arroz do dia seguinte.* **4.** Retirar parasitos capilares: *catar piolhos.* **5.** Recolher o que está espalhado: *Cate todos os seus brinquedos espalhados pelo chão.* **6.** Retirar parasitos de si próprio: *Os pássaros catavam-se ao sol.* ▶ Conjug. 5.

catarata (ca.ta.*ra*.ta) *s.f.* **1.** No curso de um rio, queda-d'água de grande altura. **2.** (*Med.*) Perda da transparência do cristalino ou da sua cápsula.

catarinense (ca.ta.ri.*nen*.se) *adj.* **1.** Do Estado de Santa Catarina. • *s.m.* e *f.* **2.** O natural ou o habitante desse estado.

catarral (ca.tar.*ral*) *adj.* Relativo a catarro, típico de catarro: *A febre foi provocada por uma infecção catarral.*

catarreira (ca.tar.*rei*.ra) *s.f.* Acúmulo de catarro nas vias respiratórias.

catarrento (ca.tar.*ren*.to) *adj.* Cheio de catarro.

catarro (ca.*tar*.ro) *s.m.* Secreção produzida pela inflamação das mucosas.

catarse (ca.*tar*.se) *s.f.* **1.** Purgação, purificação. **2.** O efeito moral e purificador provocado pela tragédia clássica, segundo as leis de Aristóteles, filósofo grego da antiguidade.

catástrofe (ca.*tás*.tro.fe) *s.f.* **1.** Ruína, grande desgraça, acontecimento funesto, calamidade. **2.** Desfecho da tragédia, no teatro clássico.

catastrófico (ca.tas.*tró*.fi.co) *adj.* Relativo a catástrofe; funesto, fatal, calamitoso, dramático.

catatau (ca.ta.*tau*) *s.m.* **1.** Livro ou calhamaço volumoso. **2.** Indivíduo de baixa estatura.

catatonia (ca.ta.to.*ni*.a) *s.f.* (*Med.*) Tipo de esquizofrenia que alterna períodos de excitação e de depressão.

cata-vento (ca.ta-*ven*.to) *s.m.* **1.** Aparelho usado para indicar a direção e a velocidade do vento. **2.** Mecanismo movido pela força do vento para retirar água. || pl.: *cata-ventos*.

catecismo (ca.te.*cis*.mo) *s.m.* **1.** Ensino sistematizado da fé e da moral cristãs. **2.** Pequeno livro contendo esse ensino. **3.** Princípios fundamentais de uma doutrina, ciência ou arte.

catecúmeno (ca.te.*cú*.me.no) *s.m.* Adulto que se prepara e se instrui para receber o batismo.

cátedra (*cá*.te.dra) *s.f.* **1.** Assento litúrgico do bispo em sua catedral; cadeira episcopal. **2.** Cargo de professor titular no ensino universitário. **3.** Púlpito ou tribuna de onde fala o professor.

catedral (ca.te.*dral*) *s.f.* **1.** Igreja principal de um bispado ou arcebispado, onde está a cadeira episcopal; sé. **2.** *fig.* Instituição respeitável, importante: *Aquela escola era uma catedral do saber.*

catedrático (ca.te.*drá*.ti.co) *adj.* **1.** Referente à cátedra. • *s.m.* **2.** Professor que ocupa posto de titular de cátedra. **3.** *coloq.* Pessoa que conhece a fundo determinado assunto: *O catedrático do samba.*

categoria (ca.te.go.*ri*.a) *s.f.* **1.** (*Fil.*) Cada uma das classes em que se dividem as ideias ou termos. **2.** Classe de pessoas ou coisas que têm a mesma natureza: *Meu clube venceu na categoria novato.* **3.** Habilidade, competência: *Fizeram o trabalho com categoria.* **4.** Alta qualidade, distinção: *Hospedaram-se numa pousada de categoria.*

categórico (ca.te.*gó*.ri.co) *adj.* **1.** Relativo a categoria. **2.** Que não deixa lugar a dúvidas; claro, insofismável, positivo, bem definido: *Sua resposta foi categórica.*

categorizar (ca.te.go.ri.*zar*) *v.* **1.** Dispor por categorias; ordenar, classificar: *É preciso categorizar todos esses papéis antigos.* **2.** Dotar de melhor categoria, de maior qualidade: *O oferecimento desses serviços categorizou melhor o hotel.* ▶ Conjug. 5.

categute (ca.te.gu.te) *s.m.* Fio de origem animal, em geral de tripa de carneiro, usado em suturas e ligaduras cirúrgicas.

catequese [é] (ca.te.que.se) *s.f.* **1.** Ensino metódico da doutrina cristã: *Os jesuítas dedicaram-se à catequese dos índios.* **2.** Ensino, doutrinação: *O partido vem desenvolvendo uma catequese política entre o operariado.*

catequizar (ca.te.qui.zar) *v.* **1.** Instruir sobre o catecismo: *Anchieta catequizou muitos índios.* **2.** Atrair, aliciar por meio de catequese: *O professor procura catequizar os alunos para que leiam mais.* ▶ Conjug. 5.

cateretê (ca.te.re.tê) *s.m.* Espécie de dança rural em que os participantes se dividem em duas fileiras (homens e mulheres) que se alternam em cantos e sapateados.

caterva [é] (ca.ter.va) *s.f.* **1.** Conjunto de pessoas ou animais. **2.** Bando de vadios; malta, súcia, corja.

cateter [é] (ca.te.ter) *s.m.* Instrumento, geralmente tubular, usado em Medicina para dilatação de um conduto, retirada de líquido, sondagem ou desobstrução.

cateterismo (ca.te.te.ris.mo) *s.m.* (*Med.*) Introdução de um cateter no organismo para fins terapêuticos ou diagnósticos.

cateto [ê] (ca.te.to) *s.m.* **1.** (*Geom.*) Linha perpendicular a outra ou a uma superfície. **2.** (*Geom.*) Cada um dos lados do ângulo reto no triângulo retângulo. **3.** (*Fís.*) Raio luminoso que incide ou é refletido perpendicularmente.

catilinária (ca.ti.li.ná.ri:a) *s.f.* Acusação eloquente, violenta e convincente contra alguém ou alguma coisa.

catimba (ca.tim.ba) *s.f. gír.* **1.** Astúcia, esperteza, manha. **2.** Recurso malicioso usado por jogadores de futebol para atrasar ou prejudicar o jogo.

catimbau (ca.tim.bau) *s.m.* Culto que combina elementos de baixo espiritismo com feitiçaria. ‖ *catimbó*.

catimbó (ca.tim.bó) *s.m.* Catimbau.

catinga (ca.tin.ga) *s.f.* **1.** Cheiro forte e desagradável exalado por corpo humano sujo e suado; morrinha, bodum. **2.** Caatinga.

catingar (ca.tin.gar) *v.* Feder, cheirar mal, exalar mau cheiro. ▶ Conjug. 5 e 34.

catingoso [ô] (ca.tin.go.so) *adj.* Malcheiroso, que exala mau cheiro, fedorento, catinguento. ‖ f. e pl.: [ó].

catinguento (ca.tin.guen.to) *adj.* Catingoso.

cátion (cá.ti.on) (*Fís.*, *Quim.*) *s.m.* Íon de carga elétrica positiva.

catiripapo (ca.ti.ri.pa.po) *s.m.* **1.** Golpe ou empurrão rápido e leve. **2.** Bofetada, tabefe, tapa.

catita (ca.ti.ta) *adj.* **1.** Elegante, airoso, formoso. **2.** De pequena dimensão.

cativante (ca.ti.van.te) *adj.* Que cativa, que seduz, simpático, atraente.

cativar (ca.ti.var) *v.* **1.** Tornar cativo, escravizar: *Os padres impediam que os portugueses cativassem os índios.* **2.** Seduzir, atrair, encantar: *Suas atitudes cativaram os mestres.* **3.** Obter a estima ou simpatia de: *Cativavam os selvagens com presentes.* ▶ Conjug. 5.

cativeiro (ca.ti.vei.ro) *s.m.* **1.** Estado de cativo, de prisioneiro; escravidão, servidão. **2.** Lugar onde ficam os cativos. **3.** Falta de liberdade, dependência estrita, sujeição. **4.** Tempo de escravidão.

cativo (ca.ti.vo) *adj.* **1.** Preso; firmemente ligado a algo: *Os guerreiros cativos vinham na retaguarda da marcha.* **2.** Atraído, seduzido: *O jovem guerreiro ficou cativo da beleza de Iracema.* **3.** Que é exclusivo de alguém: *Ele tem cadeira cativa no Maracanã.* • *s.m.* **4.** Prisioneiro de guerra: *Depois da guerra, foram libertados os cativos dos campos de concentração.* **5.** Escravo: *Aquela fazenda de café possuía mais de cem cativos.*

catleia (ca.tlei.a) [éi] *s.f.* (*Bot.*) Orquídea de grande beleza ornamental.

catodo [ô] (ca.to.do) *s.m.* (*Eletr.*) Cátodo.

cátodo (cá.to.do) *s.m.* (*Eletr.*) Nome do eletrodo ou polo negativo de um circuito galvânico. ‖ *catodo*.

catolé (ca.to.lé) *s.m.* Catulé.

catolicidade (ca.to.li.ci.da.de) *s.f.* **1.** Qualidade de católico. **2.** A característica da Igreja Católica Apostólica Romana. **3.** A totalidade dos católicos.

catolicismo (ca.to.li.cis.mo) *s.m.* **1.** Doutrina católica. **2.** A totalidade dos católicos. **3.** Religião dos cristãos que reconhecem o Papa como autoridade máxima.

católico (ca.tó.li.co) *adj.* **1.** Relativo à religião católica. **2.** Que professa o catolicismo. **3.** *fam.* Em bom estado: *A comida não estava lá muito católica.* • *s.m.* **4.** Pessoa que professa a religião católica.

catorze [ô] (ca.tor.ze) *num. card.* Quatorze.

catraca (ca.*tra*.ca) s.f. **1.** Mecanismo de controle de entrada em ônibus, metrô, clubes etc. **2.** Roda dentada munida de garra que engata nos dentes para impedir que o movimento rotatório se faça em sentido contrário; borboleta.

catre (*ca*.tre) s.m. **1.** Cama pobre, miserável; enxerga. **2.** Cama de viagem, dobrável, de lona.

catuaba (ca.tu:*a*.ba) Arbusto de flores e frutos amarelos, de propriedades medicinais e afrodisíacas.

catucada (ca.tu.*ca*.da) s.f. Cutucada.

catucão (ca.tu.*cão*) s.f. Cutucão.

catucar (ca.tu.*car*) v. Cutucar. ▶ Conjug. 5 e 35.

catulé (ca.tu.*lé*) s.m. Palmeira cujo coco produz um óleo adocicado, utilizado na alimentação. || catolé.

caturra (ca.*tur*.ra) adj. **1.** Diz-se de pessoa teimosa, de opinião extravagante, que gosta de discutir e de contradizer. • s.m. e f. **2.** Indivíduo com essas características. **3.** Pessoa apegada a costumes antigos e a questiúnculas.

caturrice (ca.tur.*ri*.ce) s.f. Qualidade ou ação de quem é caturra.

caubói (cau.*bói*) s.m. **1.** Vaqueiro. **2.** Pistoleiro do velho Oeste americano.

caução (cau.*ção*) s.f. **1.** Cautela, precaução, garantia, segurança. **2.** (*Jur.*) Valor que serve de penhor a um empréstimo.

caucho (*cau*.cho) s.m. **1.** (*Bot.*) Árvore que produz borracha. **2.** Látex coagulado dessa árvore: *A borracha extraída do caucho é inferior à da seringueira.*

caucionar (cau.ci:o.*nar*) v. Dar em caução como garantia: *Ele caucionou o empréstimo com sua casa de campo.* ▶ Conjug. 5.

cauda (*cau*.da) s.f. **1.** Apêndice da parte posterior de alguns animais; rabo. **2.** Faixa de luz que constitui a parte alongada de um cometa. **3.** Parte traseira inferior de um vestido longo, que se arrasta. **4.** Parte posterior da fuselagem de avião.

caudal[1] (cau.*dal*) adj. Relativo a cauda: *apêndice caudal.*

caudal[2] (cau.*dal*) adj. **1.** Abundante, caudaloso, torrencial. • s.m. e f. **2.** Torrente impetuosa, cachoeira.

caudaloso [ô] (cau.da.*lo*.so) adj. De grande caudal, de água abundante: *O rio Amazonas é o mais caudaloso do mundo.* || f. e pl.: [ó].

caudatário (cau.da.*tá*.ri:o) s.m. **1.** Pessoa que, em solenidades, carrega a cauda das vestes de soberanos ou de eclesiásticos. **2.** Afluente de um rio. **3.** Indivíduo servil, sem opinião própria.

caudilhesco [ê] (cau.di.*lhes*.co) adj. Relativo a caudilho.

caudilhismo (cau.di.*lhis*.mo) s.m. Processos, sistema de governo, modos de caudilho.

caudilho (cau.*di*.lho) s.m. **1.** Chefe militar. **2.** Líder centralizador, ditador, geralmente um militar, elevado ao poder por meio violento.

cauim (cau.*im*) s.m. Bebida indígena feita com mandioca, milho, caju e outras frutas mastigadas e postas numa vasilha para fermentar.

caule (*cau*.le) s.m. (*Bot.*) Haste das plantas.

caulim (cau.*lim*) s.m. Argila refratária, branca e friável, usada para fabricação de porcelana fina.

causa (*cau*.sa) s.f. **1.** O que faz com que algo aconteça, exista; razão ou origem de algo: *A causa de tanta alegria é o nascimento de mais um filho.* **2.** Partido; conjunto de interesses: *É preciso defender a causa dos trabalhadores.* **3.** Pleito judicial; demanda, ação proposta em juízo: *Este advogado tratará de nossa causa em juízo.* || *Por causa de*: em consideração a, em razão de, por este motivo. • *Ser a causa de*: ocasionar, provocar algo, causar.

causar (cau.*sar*) v. **1.** Motivar, ser causa de: *O aquecimento da atmosfera tem causado degelo na Antártica.* **2.** Produzir: *A irresponsabilidade do contador causou prejuízo à firma.* ▶ Conjug. 5.

causador [ô] (cau.sa.*dor*) adj. **1.** Que causa, provocador: *Qual foi o fato causador do acidente?* • s.m. **2.** O que provoca; o provocador: *O mosquito é o causador da dengue.*

causídico (cau.*sí*.di.co) s.m. Advogado, defensor de causas na justiça.

causticante (caus.ti.*can*.te) adj. **1.** Que queima, abrasador: *sol causticante* **2.** Agressivo, mordaz: *palavras causticantes.*

causticar (caus.ti.*car*) v. **1.** Aplicar substâncias cáusticas a: *causticar uma ferida.* **2.** Queimar, crestar: *O sol fortíssimo causticava as plantinhas recém-germinadas.* **3.** *fig.* Importunar; molestar, maçar: *Causticava os amigos com pedidos.* ▶ Conjug. 5 e 35.

causticidade (caus.ti.ci.*da*.de) s.f. **1.** Qualidade de cáustico. **2.** *fig.* Maledicência, sátira, mordacidade: *Suas palavras foram de uma causticidade incrível.*

cáustico (*cáus*.ti.co) *adj.* **1.** Que queima, cauteriza ou carboniza os tecidos orgânicos: *um desinfetante cáustico*. **2.** *fig.* Mordaz, irritante, agressivo, irônico: *um discurso cáustico*.

cautela [é] (cau.te.la) *s.f.* **1.** Cuidado que se toma para evitar um mal. **2.** Documento comprobatório de depósito de valores.

cautelar (cau.te.*lar*) *adj.* Que serve para resguardar, prevenir: *medidas cautelares*.

cauteloso [ô] (cau.te.*lo*.so) *adj.* Que tem cautela, prudente, cuidadoso. || f. e pl.: [ó].

cauterização (cau.te.ri.za.*ção*) *s.f.* (*Med.*) Ato ou operação de cauterizar.

cautério (cau.*té*.ri:o) *s.m.* (*Med.*) Agente químico ou físico usado para estancar sangramentos ou extinguir ferimentos.

cauterizar (cau.te.ri.*zar*) *v.* Aplicar cautério a: *O veterinário cauterizou a ferida do animal*. ▶ Conjug. 5.

cauto (*cau*.to) *adj.* Que tem cautela; cauteloso, prudente, precavido.

cava (*ca*.va) *s.f.* Abertura no vestuário para a passagem dos braços, a que se adaptam, ou não, mangas.

cavação (ca.va.*ção*) *s.f.* **1.** Ato ou efeito de cavar. **2.** *coloq.* Emprego, arranjo ou negócio obtido por meio de proteção ou meio ilícito.

cavaco (ca.*va*.co) *s.m.* **1.** Estilha ou lasca de madeira. **2.** *fig.* Bate-papo amigável.

cavadeira (ca.va.*dei*.ra) *s.f.* Peça de ferro com gume, encaixada em um cabo de madeira e usada para cavar buracos.

cavado (ca.*va*.do) *adj.* **1.** Que se cavou: *buraco cavado*. **2.** Em que se fez cava muito aberta: *uma blusa cavada*.

cavala (ca.*va*.la) *s.f.* (*Zool.*) Peixe marinho de carne apreciável.

cavalar (ca.va.*lar*) *adj.* Relativo a cavalo, próprio de cavalo: *rebanho cavalar*.

cavalaria (ca.va.la.*ri*.a) *s.f.* **1.** Tropa formada de soldados que servem a cavalo. **2.** Instituição militar feudal de cavaleiros posta a serviço das causas nobres.

cavalariano (ca.va.la.ri:*a*.no) *adj.* **1.** Pertencente à cavalaria; cavaleiro. • *s.m.* **2.** Soldado de cavalaria.

cavalariça (ca.va.la.*ri*.ça) *s.f.* Cocheira, estrebaria, casa térrea destinada à guarda de cavalos.

cavalariço (ca.va.la.*ri*.ço) *s.m.* Quem trabalha em cavalariça.

cavaleiro (ca.va.*lei*.ro) *adj.* **1.** Que anda a cavalo, que cavalga. **2.** Relativo a cavalaria; gentil, brioso. • *s.m.* **3.** Homem montado a cavalo. **4.** Homem que sabe andar a cavalo. **5.** Soldado de cavalaria. **6.** Membro de uma ordem de cavalaria. **7.** Homem nobre, paladino. **8.** A primeira graduação das atuais ordens honoríficas. || *A cavaleiro*: de lugar elevado, dominante, sobranceiro: *O castelo ficava a cavaleiro da cidade*; *(fig.) Ele estava a cavaleiro daquela situação*.

cavalete [ê] (ca.va.*le*.te) *s.m.* **1.** Armação fixa ou móvel, com pé, para colocação de tela para pintar, quadro de giz, prancha de desenho etc. **2.** Qualquer suporte que sirva para apresentação de um objeto. **3.** Antigo instrumento de tortura sobre o qual era colocado o condenado a suplício; potro. **4.** Pequena peça de metal ou madeira com a qual se levantam as cordas de alguns instrumentos musicais.

cavalgada (ca.val.*ga*.da) *s.f.* **1.** Ato de cavalgar. **2.** Passeio ou marcha de pessoas a cavalo.

cavalgadura (ca.val.ga.*du*.ra) *s.f.* **1.** Animal de montaria. **2.** *fig.* Pessoa estúpida, sem educação, grosseira.

cavalgamento (ca.val.ga.*men*.to) *s.m.* **1.** Ação de cavalgar. **2.** (*Geol.*) Deslizamento de uma série de terrenos sobre outros terrenos. **3.** (*Lit.*) Diz-se do verso cujo sentido se completa no seguinte; encavalgamento, *enjambement*.

cavalgar (ca.val.*gar*) *v.* Montar em, andar a cavalo: *O general cavalgava seu belo cavalo branco*; *A jovem amazona cavalgava com muita elegância*. ▶ Conjug. 5 e 34.

cavalhada (ca.va.*lha*.da) *s.f.* **1.** Grande quantidade de cavalos. **2.** Torneio festivo a cavalo com corrida de cavaleiros.

cavalheirismo (ca.va.lhei.*ris*.mo) *s.m.* **1.** Qualidade de cavalheiro. **2.** Ato nobre; distinção, brio, gentileza, delicadeza.

cavalheiro (ca.va.*lhei*.ro) *s.m.* **1.** Homem de sentimentos e ações nobres. **2.** Homem que serve de par a uma dama em bailes. **3.** Homem de boa educação.

cavalo (ca.*va*.lo) *s.m.* **1.** (*Zool.*) Animal quadrúpede, mamífero, doméstico, usado em montaria ou tração. **2.** (*Agric.*) Ramo ou tronco em que se faz um enxerto; porta-enxerto. **3.** Peça do jogo de xadrez. **4.** *fig.* Indivíduo grosseiro, rude. **5.** (*Rel.*) Médium, cavalo de santo na umbanda. || *Cavalo de batalha*: argumento tomado com insistência: *Fez de um pequeno incidente um cavalo de batalha*.

cavalo de pau *s.m.* **1.** Cavalete para ginástica ou saltos. **2.** Brinquedo infantil feito com um

cavalo de santo

cabo de pau, encimado pela imitação de uma cabeça de cavalo. **3.** Freada brusca que faz com que um veículo gire sobre si mesmo num movimento de 180°.

cavalo de santo s.m. Médium que recebe santo em sessões de umbanda; cavalo.

cavalo-marinho s.m. (*Zool.*) Pequeno peixe marinho cuja cabeça lembra a de um cavalo; hipocampo. || pl.: *cavalos-marinhos*.

cavalo-vapor (ca.va.lo-va.*por*) s.m. (*Fís.*) Unidade de potência de motores. || pl.: *cavalos-vapor*.

cavanhaque (ca.va.*nha*.que) s.m. Barba do queixo, aparada em ponta.

cavaquear (ca.va.que.*ar*) v. *coloq.* Conversar singelamente com intimidade; papear. ▶ Conjug. 14.

cavaquinho (ca.va.*qui*.nho) s.m. (*Mús.*) Pequena viola de quatro cordas usada nas apresentações de samba e de choro.

cavar (ca.*var*) v. **1.** Abrir cavidades na terra: *O agricultor cavou a terra e lançou a semente*. **2.** Escavar, sulcar: *Cavaram uma vala para escoar as águas*. **3.** Buscar, procurar com trabalho: *O pai tem cavado um emprego no comércio para o filho*. **4.** Abrir cava em (vestuário): *A costureira cavou demais este vestido*. **5.** Extrair, fazendo escavações: *Cavaram muitas pedras preciosas neste lugar*. **6.** Obter algo à custa de muito esforço ou por meios ilícitos: *Há anos, ele vem cavando um cargo bem remunerado no serviço público*. **7.** Lutar muito pela subsistência: *Ele cava o dia todo para sustentar a família*. ▶ Conjug. 5.

cave (ca.ve) s.f. Adega subterrânea; porão.

caveira (ca.*vei*.ra) s.f. **1.** Cabeça descarnada, esqueleto da cabeça. **2.** Rosto magro em excesso. || *Encher a caveira*: embriagar-se. • *Fazer a caveira de alguém*: intrigar alguém com outrem, torná-lo malvisto.

caveira de burro s.m. Falta de sorte; azar: *Esta cidade tem caveira de burro*.

caverna [é] (ca.*ver*.na) s.f. **1.** Grande cavidade profunda e extensa aberta em rocha, especialmente sob terrenos calcários; antro, gruta. **2.** Cavidade nos pulmões, em virtude de doença, como a tuberculose.

cavernoso [ô] (ca.ver.*no*.so) adj. **1.** Que tem cavernas. **2.** Semelhante a caverna. **3.** Diz-se do som rouco e profundo como se saísse de uma caverna; cavo. || f. e pl.: [ó].

caviar (ca.vi:*ar*) s.m. Iguaria feita com ovas salgadas de esturjão.

cavidade (ca.vi.*da*.de) s.f. Espaço cavado num corpo sólido; cova, buraco, concavidade.

cavilação (ca.vi.la.*ção*) s.f. Ato ou efeito de cavilar; astúcia, ardil, manha.

cavilar (ca.vi.*lar*) v. **1.** Usar de cavilação, agir com astúcia: *Não gostava de cavilar as leis*. **2.** Zombar de: *Cavilava das recomendações dos superiores*. ▶ Conjug. 5.

cavilha (ca.vi.lha) s.f. Haste ou pino cilíndrico usado para tapar orifícios ou juntar peças.

caviloso [ô] (ca.vi.*lo*.so) adj. **1.** Capcioso, fraudulento, em que(m) há cavilação. • s.m. **2.** Indivíduo com essas características. || f. e pl.: [ó].

cavitação (ca.vi.ta.*ção*) s.f. **1.** (*Fís.*) Formação de bolhas no interior de um líquido por efeito da redução de pressão. **2.** Formação de vácuo na água pela rotação de uma hélice.

caviúna (ca.vi:*ú*.na) s.f. Cabiúna.

cavo (*ca*.vo) adj. **1.** Oco, profundo, côncavo. **2.** Cavernoso, rouco (diz-se do som).

cavoucar (ca.vou.*car*) v. Abrir cova, buraco em: *Deixe de cavoucar a terra, menino!* ▶ Conjug. 22.

caxambu [ch] (ca.xam.*bu*) s.m. **1.** Atabaque de origem africana. **2.** Dança afro-brasileira ao som desse instrumento; jongo.

caxangá [ch] (ca.xan.*gá*) s.m. **1.** Espécie de siri. **2.** (*Folc.*) Brincadeira infantil cantada.

caxarela [ch...é] (ca.xa.*re*.la) s.m. O macho da baleia quando adulto; caxaréu. || *caxarelo*.

caxarelo [ch...é] (ca.xa.*re*.lo) s.m. Caxarela; caxaréu.

caxaréu [ch] (ca.xa.*réu*) s.m. Caxarelo.

caxemira [ch] (ca.xe.*mi*.ra) s.f. Tecido fino de lã, feito na Índia. || Conferir com *casimira*.

caxeta [chê] (ca.xe.ta) s.f. Caixeta.

caxias [ch] (ca.*xi*.as) adj. *coloq.* **1.** Diz-se de pessoa muito disciplinada, estudiosa, cumpridora de seus deveres. **2.** Diz-se de pessoa que, em cargo de chefia, exige de seus subordinados o cumprimento rigoroso dos deveres, das leis e dos regulamentos. • s.m. e f. 2n. **3.** Indivíduo com essas características.

caxinguelê [ch] (ca.xin.gue.*lê*) s.m. (*Zool.*) Esquilo encontrado na Amazônia e na região Sudeste; serelepe.

caxumba [ch] (ca.*xum*.ba) s.f. (*Med.*) Nome vulgar da parotidite, doença contagiosa, com inflamação das glândulas salivares, principalmente das parótidas.

caxumbento [ch] (ca.xum.ben.to) *adj.* Que está com caxumba.

CD Disco compacto de cerca de 12 cm de diâmetro no qual são gravadas digitalmente músicas ou palavras.

CD player [cidi plêier] (Ing.) *s.m.* Aparelho para tocar CDs.

CD-ROM [cidi-rôm] (Ing.) *s.m.* Tipo de CD usado em computadores, que contém numerosas informações (imagens, textos e sons).

Ce (*Quím.*) Símbolo de cério.

cê *s.m.* Nome da letra c.

cear (ce:ar) *v.* **1.** Comer na ceia: *Antes de deitar, ceou chá, bolos e pão.* **2.** Comer a ceia: *Não tinha hábito de cear.* ▶ Conjug. 14.

cearense (ce:a.ren.se) *adj.* **1.** Do Estado do Ceará. • *s.m. e f.* **2.** O natural ou o habitante desse estado.

cebola [ô] (ce.bo.la) *s.f.* (*Bot.*) Planta de horta, de gosto picante e cheiro ativo, cujo bulbo é usado como condimento.

cebolão (ce.bo.lão) *s.m. coloq.* Modelo antigo de relógio de bolso, grande e redondo.

cebolinha (ce.bo.li.nha) *s.f.* (*Bot.*) **1.** Cebola pequena. **2.** Erva de talos longos e verdes usada como condimento.

cê-cedilha (ce-ce.di.lha) *s.m.* Letra c com o sinal gráfico de cedilha. || pl.: *cês-cedilhas*.

ceco [é] (ce.co) *s.m.* (*Anat.*) Parte inicial do intestino grosso.

cedente (ce.den.te) *adj.* **1.** Que cede, que faz a cessão. • *s.m. e f.* **2.** Aquele que faz uma cessão.

ceder (ce.der) *v.* **1.** Transferir a outrem posse, direitos ou propriedade de alguma coisa: *O autor cedeu os direitos de seu livro às obras sociais da paróquia.* **2.** Emprestar, pôr algo à disposição de alguém: *Meu amigo cedeu-me sua casa de praia para passar o carnaval.* **3.** Sucumbir, dobrar-se, curvar-se, não resistir: *Diante dos argumentos do pai, ele cedeu.* **4.** Diminuir, abrandar, amainar: *Depois de arrancar árvores e telhados, o vendaval cedeu.* **5.** Afrouxar, tornar-se frouxo; relaxar: *O sofrimento cedia com o passar do tempo.* ▶ Conjug. 41.

cediço (ce.di.ço) *adj.* **1.** Muito antigo, velho. **2.** Sabido de todos; corriqueiro.

cedilha (ce.di.lha) *s.f.* Sinal gráfico sotoposto ao c, antes de *a, o, u,* para indicar que tem o mesmo som do |ss|.

cedilhar (ce.di.lhar) *v.* Pôr a cedilha no *c*. ▶ Conjug. 5.

cedo [ê] (ce.do) *adv.* **1.** Antes da ocasião própria; prematuramente: *Ela chegou cedo demais ao lugar do encontro.* **2.** De madrugada, nas primeiras horas do dia: *O professor levanta-se sempre muito cedo.* **3.** Prontamente, logo: *Cedo entraremos no inverno.*

cedro [é] (ce.dro) *s.m.* **1.** (*Bot.*) Árvore muito grande cuja madeira, considerada nobre, é empregada na fabricação de móveis, em construção e escultura. **2.** A madeira tirada dessa árvore.

cédula (cé.du.la) *s.f.* **1.** Papel emitido pelo governo, representativo de dinheiro do país. **2.** Papel com o nome e número de candidato à eleição, que se deposita em urna.

cefaleia [éi] (ce.fa.lei.a) *s.f.* (*Med.*) Dor de cabeça intensa.

cefálico (ce.fá.li.co) *adj.* **1.** Pertencente ou concernente à cabeça. **2.** Diz-se do índice que dá a relação entre a largura e o comprimento do cérebro: *índice cefálico.*

cefalópode (ce.fa.ló.po.de) *adj.* **1.** (*Zool.*) Relativo a certa classe de moluscos com tentáculos, como o polvo e a lula. • *s.m.* **2.** Animal dessa classe de moluscos.

cegar (ce.gar) *v.* **1.** Tirar a vista a; tornar cego: *Alguns tiranos antigos cegavam os inimigos vencidos.* **2.** Privar momentaneamente do sentido da visão; ofuscar: *Era uma luz tão intensa, que o cegou.* **3.** Alucinar, fazer perder a razão: *A paixão o cegava.* **4.** Tirar o gume da faca ou de outro objeto cortante: *O uso diário cega as facas da cozinha.* **5.** Perder a vista, deixar de ver, ficar cego, encegueceer: *O velho cantador cegou com a idade.* **6.** Ofuscar, perturbar a vista: *O forte sol, batendo na areia branca da duna, cegava.* **7.** Iludir-se, enganar-se: *O comprador cegou-se com a força da propaganda.* || Conferir com segar. ▶ Conjug. 8 e 34.

cego [é] (ce.go) *adj.* **1.** Privado da vista, que não vê: *Um homem cego.* **2.** *fig.* Alucinado, transtornado: *Ela estava cega de paixão.* **3.** Total, absoluto, irrestrito: *Ela lhe prestava uma obediência cega.* **4.** Diz-se do instrumento cortante que perdeu o gume: *A navalha estava cega.* **5.** Diz-se do nó que não se desata facilmente: *um nó cego.* • *s.m.* **6.** Indivíduo que não vê: *O cego postou-se diante da porta da igreja.* || Às cegas: sem enxergar, na escuridão.

cegonha (ce.go.nha) s.f. **1.** (*Zool.*) Ave migratória europeia, de longas e finas pernas e de bico comprido. **2.** Jamanta (2).

cegueira (ce.guei.ra) s.f. **1.** Estado de quem é cego. **2.** *fig.* Falta de bom senso por excesso de afeição, de fanatismo.

ceia (cei.a) s.f. **1.** Refeição feita à noite: *A ceia foi servida às 23 horas.* **2.** O que se come à ceia: *A ceia era constituída, apenas, de biscoitos e chá.* || *Santa Ceia*: representação da Ceia de Jesus com os seus apóstolos antes da Paixão.

ceifa (cei.fa) s.f. **1.** Ato de ceifar; sega. **2.** Época de ceifar.

ceifadeira (cei.fa.dei.ra) s.f. **1.** Máquina para ceifar; ceifeira. **2.** Mulher que ceifa.

ceifar (cei.*far*) v. **1.** Cortar com foice ou com outro instrumento apropriado; segar: *Os homens do campo ceifavam o trigo maduro.* **2.** *fig.* Arrebatar, tirar a vida: *As epidemias ceifavam muitas vidas.* ▶ Conjug. 18.

ceifeiro (cei.*fei.*ro) adj. **1.** Relativo a ceifa. • s.m. **2.** Homem que ceifa.

cela [é] (ce.la) s.f. **1.** Quarto pequeno de dormir. **2.** Pequeno aposento para frades ou freiras nos conventos, ou para detentos, nas prisões.

celebérrimo (ce.le.*bér*.ri.mo) adj. Superlativo absoluto de *célebre*.

celebração (ce.le.bra.*ção*) s.f. Ato ou efeito de celebrar.

celebrante (ce.le.*bran*.te) adj. **1.** Que celebra. • s.m. e f. **2.** Pessoa que celebra, que oficia. **3.** O sacerdote que celebra a missa.

celebrar (ce.le.*brar*) v. **1.** Fazer realizar com solenidade; promover, patrocinar: *Durante a visita, os dois presidentes celebraram vários convênios.* **2.** Exaltar, louvar, festejar: *O povo celebrou ruidosamente a chegada dos campeões.* **3.** Cumprir solenemente um ritual religioso: *Um ato religioso foi celebrado para comemorar a data.* **4.** Dizer missa: *Padre Henrique celebra às 11 horas.* ▶ Conjug. 8.

célebre (cé.le.bre) adj. Que tem nomeada, notável; notório, famoso, afamado. || sup. abs.: *celebérrimo*.

celebridade (ce.le.bri.*da*.de) s.f. **1.** Grande fama; notoriedade, renome, glória, reputação: *Em poucos anos ele alcançou imensa celebridade.* **2.** Pessoa famosa; estrela: *Aquele escritor é hoje uma celebridade mundial.*

celeiro (ce.*lei*.ro) s.m. Depósito de cereais ou provisões.

celerado (ce.le.*ra*.do) adj. **1.** Capaz de cometer crimes; perverso, facinoroso, criminoso. • s.m. **2.** Indivíduo com essas características.

célere (cé.le.re) adj. Rápido, veloz, ligeiro. || sup. abs.: *celérrimo, celeríssimo*.

celeríssimo (ce.le.*rís*.si.mo) adj. Superlativo absoluto de *célere*.

celérrimo (ce.*lér*.ri.mo) adj. Superlativo absoluto de *célere*.

celeste [é] (ce.*les*.te) adj. **1.** Concernente ou pertencente ao céu; sideral (2): *a glória celeste.* **2.** Que se vê no céu: *um corpo celeste.* **3.** Relativo a Deus: *o pai celeste.* **4.** Que cai do céu. **5.** *fig.* Divinal, sobrenatural: *a celeste música das estrelas.* **6.** Da cor do céu: *azul-celeste.*

celestial (ce.les.ti.*al*) adj. Celeste.

celeuma (ce.*leu*.ma) s.f. **1.** Debate acalorado, protestos: *A fala do presidente provocou grande celeuma na plateia.* **2.** Barulho de muitas vozes, algazarra.

celibatário (ce.li.ba.*tá*.ri:o) adj. **1.** Solteiro. • s.m. **2.** Pessoa que não se casou; solteirão.

celibato (ce.li.*ba*.to) s.m. Estado e condição de uma pessoa que não se casa.

celofane (ce.lo.*fa*.ne) adj. **1.** Diz-se de um tipo de papel fino e transparente usado para embrulhar presentes, sobretudo, flores: *papel celofane.* • s.m. **2.** Esse papel: *Embrulhe as flores em celofane.*

célsius (*cél*.si.us) adj. **1.** (*Fís.*) Diz-se de um grau na *escala Celsius.* • s.m. **2.** (*Fís.*) Um grau na *escala Celsius.* || Símbolo: C; *Celsius* substituiu centígrado desde 1948.

celso [é] (*cel*.so) adj. Elevado, alto, sublime, excelso.

celta [é] (*cel*.ta) adj. **1.** Concernente ou pertencente aos celtas, povo indo-europeu que habitava parte da Europa. • s.m. **2.** Língua falada por esse povo. • s.m. e f. **3.** Indivíduo pertencente aos celtas.

celtibérico (cel.ti.*bé*.ri.co) adj. Relativo a Celtibéria, região da Península Ibérica onde se fundiram as duas etnias: celta e ibérica; celtibero.

celtibero [é] (cel.ti.*be*.ro) adj. **1.** Celtibérico. • s.m. **2.** Indivíduo pertencente a Celtibéria.

célula (*cé*.lu.la) s.f. **1.** Estrutura microscópica que constitui os seres vivos, composta basicamente de membrana, citoplasma e de um núcleo onde se encontra o material genético. **2.** Numa planilha eletrônica, o espaço compreendido pela interseção de linhas e colunas, que pode conter alguma informação. **3.** Grupo de pessoas que apresenta certa unidade constitutiva da sociedade ou de um organismo: *célula familiar*.

célula-ovo (cé.lu.la-*o*.vo) *s.f.* (*Biol.*) Produto da fusão do gameta masculino, o espermatozoide, com o gameta feminino, o óvulo: zigoto. || pl.: *células-ovo* e *células-ovos*.

célula-tronco (cé.lu.la-*tron*.co) *s.f.* Célula que ainda não se diferenciou para uma função específica e que é capaz de fazê-lo e multiplicar-se, podendo assim vir a constituir-se na base de tecidos especializados de órgãos, reconstituindo-os ou substituindo-os. || pl.: *células-tronco* e *células-troncos*.

celular¹ (ce.lu.*lar*) *adj.* **1.** Que tem células ou é formado de células. **2.** Cumprida em célula: *prisão celular*.

celular² (ce.lu.*lar*) *s.m.* Redução de *telefone celular*.

celulite (ce.lu.*li*.te) *s.f.* (*Med.*) Bolsas de gordura acumuladas por baixo da pele que causam covas nas ancas, nádegas e abdômen.

celuloide [ói] (ce.lu.*loi*.de) *s.m.* Substância transparente, sólida, flexível, altamente inflamável, usada na fabricação de filme.

celulose [ó] (ce.lu.*lo*.se) *s.f.* Substância de origem vegetal usada na fabricação de papel.

cem *num. card.* **1.** Dez vezes dez. • *s.m.* **2.** Representação gráfica desse número (100 em algarismos arábicos; C em algarismos romanos). || Conferir com *cento*.

cemitério (ce.mi.té.ri:o) *s.m.* **1.** Lugar destinado ao enterro de mortos; campo-santo. **2.** *fig.* Lugar deserto e silencioso.

cena (*ce*.na) *s.f.* **1.** Cada uma das sequências de ações ou situações que constituem uma peça, um filme, uma telenovela, uma narrativa: *Algumas cenas desse filme foram feitas na Itália*. **2.** O palco de um teatro: *Quando a atriz entrou em cena, a plateia rompeu em aplausos* **3.** Disposição dos móveis e objetos onde se deu um fato relevante: *Mantiveram a cena do crime até a chegada da polícia*. **4.** Acontecimento dramático ou cômico em seu aspecto visual: *A queda do chefe foi uma cena engraçada*. **5.** Subdivisão de um ato de qualquer drama, tragédia ou comédia, durante o qual os mesmos personagens atuam, tendo ao fundo o mesmo cenário: *O primeiro ato possui cinco cenas*. **6.** *fig.* Paisagem, cenário, horizonte de visão: *Da janela do trem, viam-se cenas inesquecíveis*. **7.** Espetáculo, perspectiva, momento ou ação que mostre algo interessante ou extraordinário: *A reação do público ao primeiro gol do Brasil foi uma cena impressionante*. || *Abrir a cena*: iniciar o espetáculo, ser o primeiro a fazer algo. • *Cena cômica*: a comédia. • *Cena lírica*: a ópera. • *Cena trágica*: a tragédia. • *Estar em cena*: ser o alvo do interesse, de comentários, estar em moda ou ser chamado para alguma missão. • *Fazer cena*: fazer figura ridícula, provocar escândalo. • *Levar à cena*: fazer representar em teatro.

cenáculo (ce.*ná*.cu.lo) *s.m.* **1.** Antigamente, sala onde se comia a ceia ou o jantar. **2.** Reunião de pessoas que possuem interesses e objetivos comuns.

cenário (ce.*ná*.ri:o) *s.m.* **1.** Dispositivo cênico que compreende telões, móveis, adereços, bastidores, luzes etc. para dar a impressão visual de realidade ou criar a atmosfera dos locais onde ocorre a cena do espetáculo; cena; set. **2.** Local onde se passa algum fato: *o cenário do crime*. **3.** Panorama, vista, paisagem: *As cataratas do Iguaçu constituem um cenário grandioso*.

cenarista (ce.na.*ris*.ta) *s.m. e f.* Cenógrafo.

cenho (*ce*.nho) *s.m.* **1.** Semblante, rosto, fisionomia. **2.** Aspecto carrancudo ou severo.

cênico (*cê*.ni.co) *adj.* **1.** Relativo a cena. **2.** Teatral.

cenobita (ce.no.*bi*.ta) *s.m. e f.* **1.** Monge que vive em comunidade com outros. **2.** Pessoa que leva vida austera e retirada.

cenografia (ce.no.gra.*fi*.a) *s.f.* **1.** (*Cine, Teat.*) Técnica e arte de elaborar cenários para teatro, televisão ou cinema. **2.** Arte de desenhar plantas e executar maquetes para cenários. **3.** Conjunto de objetos representados cenograficamente.

cenográfico (ce.no.*grá*.fi.co) *adj.* Relativo a cenografia.

cenógrafo (ce.*nó*.gra.fo) *s.m.* Pessoa encarregada da cenografia; cenarista.

cenotáfio (ce.no.*tá*.fi:o) *s.m.* Monumento fúnebre em memória de alguém, mas sem a presença dos restos mortais.

cenotécnica (ce.no.*téc*.ni.ca) *s.f.* (*Cine, Teat.*) Técnica de criação, montagem e supervisão de cenários.

cenotécnico (ce.no.*téc*.ni.co) *adj.* **1.** Relativo a cenotécnica. • *s.m.* **2.** Profissional que trabalha em cenotécnica.

cenoura

cenoura (ce.*nou*.ra) *s.f.* **1.** Raiz de forma alongada e cor laranja, rica em caroteno e empregada em culinária. **2.** A planta que tem essa raiz.

cenozoico [ói] (ce.no.*zoi*.co) *adj.* **1.** Diz-se da era geológica mais recente, com 65 milhões de anos, que se iniciou no final do cretáceo e se estende até nossos dias; neozoico. • *s.m.* **2.** Essa era: *Estamos no cenozoico.*

censitário (cen.si.*tá*.ri:o) *adj.* Relativo a censo ou a recenseamento.

censo (*cen*.so) *s.m.* Levantamento de dados estatísticos concernentes aos habitantes de um país, de uma região, de um grupo social, recenseamento: *o censo escolar.*

censor [ô] (cen.*sor*) *s.m.* **1.** Funcionário que tem por atribuição censurar textos, espetáculos de teatro, filmes, informações veiculadas por meios de comunicação de massa. **2.** Aquele que censura.

censura (cen.*su*.ra) *s.f.* **1.** Ato ou efeito de censurar. **2.** Exame de obras literárias, peças teatrais, publicações, filmes etc. feito por censor, a fim de autorizar ou não sua publicação, exibição ou divulgação. **3.** Órgão do poder público que realiza esse trabalho. **4.** Condenação, crítica, repreensão, advertência.

censurar (cen.su.*rar*) *v.* **1.** Exercer censura sobre; proibir após censura a divulgação, a exibição ou a execução de: *censurar as revistas; censurar um filme.* **2.** Criticar, reprovar, condenar: *censurar o comportamento.* **3.** Repreender, admoestar com energia: *Censurou as maneiras deselegantes da filha.* ▶ Conjug. 5.

censurável (cen.su.*rá*.vel) *adj.* Passível de censura; repreensível, criticável, condenável.

centauro (cen.*tau*.ro) *s.m.* **1.** Monstro fabuloso, metade homem, metade cavalo. **2.** (*Astr.*) Nome de uma constelação austral.

centavo (cen.*ta*.vo) *s.m.* **1.** Centésima parte do real. **2.** Em alguns países, centésima parte da unidade monetária principal.

centeio (cen.*tei*.o) *s.m.* (*Bot.*) Planta cujo grão é usado na fabricação de pães e bolos e de bebidas destiladas e fermentadas.

centelha [ê] (cen.*te*.lha) *s.f.* **1.** Partícula ígnea ou luminosa que se desprende de um corpo incandescente ou do choque de dois corpos duros. **2.** Luz intensa resultante do choque de dois corpos duros; chispa, fagulha, faísca. **3.** *fig.* Rasgo de inteligência, inspiração.

centena (cen.*te*.na) *s.f.* **1.** (*Mat.*) Grupo de dez dezenas, conjunto de cem unidades; cento. **2.** Em sorteios lotéricos, qualquer número de três algarismos.

centenar (cen.te.*nar*) *s.m.* **1.** Cento, centena: *Há muitos centenares de anos havia aqui uma grande floresta.* • *adj.* **2.** Relativo a cem e a centena: *uma grande árvore centenar.*

centenário (cen.te.*ná*.ri:o) *adj.* **1.** Que encerra o número cem; relativo a cem. **2.** Que tem cem anos: *uma igreja centenária.* • *s.m.* **3.** Indivíduo que atingiu a idade de cem anos ou mais. **4.** Tempo de cem anos; século, centúria: *O centenário da Independência do Brasil foi comemorado em 1922.*

centésimo (cen.*té*.si.mo) *num. ord.* **1.** Que ou o que denota o número cem numa série. • *num. frac.* **2.** Que ou o que é parte de um todo dividido em cem partes iguais.

centiare (cen.ti.*a*.re) *s.m.* Unidade de medida agrária equivalente à centésima parte do are, um metro quadrado.

centígrado (cen.*tí*.gra.do) *adj.* **1.** Dividido em cem graus. • *s.m.* **2.** Um grau de temperatura na escala *Celsius.* **3.** (*Geom.*) A centésima parte do grau; unidade de medida de ângulos. ‖ Em graduação de temperatura, *célsius* substituiu *centígrado.*

centigrama (cen.ti.*gra*.ma) *s.m.* Medida de peso correspondente à centésima parte do grama.

centilitro (cen.ti.*li*.tro) *s.m.* Medida de capacidade equivalente à centésima parte do litro.

centímetro (cen.*tí*.me.tro) *s.m.* Medida de comprimento equivalente à centésima parte do metro. ‖ Símbolo: *cm.*

cêntimo (*cên*.ti.mo) *s.m.* Em alguns países, como a França, a centésima parte da unidade monetária; centavo.

cento (*cen*.to) *s.m.* **1.** Conjunto de cem unidades: *Comprou um cento de laranjas.* • *num.* **2.** Cem. ‖ Usa-se *cento* em lugar de *cem* para formar os numerais cardinais entre cem e duzentos: *cento e um, cento e noventa e nove.*

centopeia [éi] (cen.to.*pei*.a) *s.f.* (*Zool.*) Animal invertebrado dotado de muitos pares de patas; lacraia.

central (cen.*tral*) *adj.* **1.** Relativo ao centro ou que nele se situa: *a biblioteca central da universidade; a parte central da cidade.* **2.** Que é mais importante; principal, fundamental: *o argumento central de sua defesa.* • *s.f.* **3.** Conjunto de instalações dotadas de todo o aparato para geração e distribuição de energia ou produto de outra natureza: *central elétrica, central telefônica* etc.

centralismo (cen.tra.*lis*.mo) *s.m.* Sistema organizacional ou político que se caracteriza pela concentração de poder e de decisão num pequeno grupo central.

centralização (cen.tra.li.za.*ção*) *s.f.* **1.** Ato ou efeito de centralizar. **2.** Ato de reunir o poder de decisão num centro único.

centralizador [ô] (cen.tra.li.za.*dor*) *adj.* **1.** Que centraliza. • *s.m.* **2.** Aquele que centraliza.

centralizar (cen.tra.li.*zar*) *v.* **1.** Tornar central, reunir em um único lugar, concentrar: *A República centraliza os poderes em Brasília.* **2.** Atrair, convergir para um centro: *A bela moça centralizava todas as atenções da festa.* **3.** Concentrar-se, reunir-se (num centro): *As críticas à peça centralizaram-se na pobreza dos cenários e na iluminação.* ▶ Conjug. 5.

centrar (cen.*trar*) *v.* **1.** Colocar no centro: *Centraram a foto na primeira página.* **2.** Ajustar o foco; focalizar: *O atirador centrou a mira no alvo.* **3.** (*Esp.*) No futebol, chutar (a bola) em direção ao centro da grande área; cruzar: *O jogador centrou a bola para a grande área.* ▶ Conjug. 5.

centrífuga (cen.*trí*.fu.ga) *s.f.* **1.** Aparelho eletrodoméstico usado para retirar o sumo de frutas, verduras e legumes. **2.** Máquina usada para separar elementos de densidades diferentes.

centrifugar (cen.tri.fu.*gar*) *v.* **1.** Submeter alguma coisa à força centrífuga: *Ele prepara uma vitamina centrifugando diferentes frutas.* **2.** Desviar do centro: *Foi necessário centrifugar o trânsito para a periferia da cidade.* ▶ Conjug. 5 e 34.

centrífugo (cen.*trí*.fu.go) *adj.* **1.** Que se afasta do centro, que foge dele, orientado no sentido oposto ao do centro. **2.** (*Fís.*) Diz-se de uma força componente da aceleração, num movimento curvilíneo, que tende a afastar-se do centro: *movimento centrífugo.*

centrípeto (cen.*trí*.pe.to) *adj.* (*Fís.*) Que tende a aproximar-se do eixo de rotação: *força centrípeta.*

centrismo (cen.*tris*.mo) *s.m.* Atitude política de meio-termo entre as posições extremadas de esquerda e direita.

centrista (cen.*tris*.ta) *adj.* **1.** Que se situa no centro, nem à esquerda nem à direita: *os partidos centristas.* • *s.m. e f.* **2.** Pessoa com posição política de centro: *Nenhum centrista foi indicado para essa comissão parlamentar.*

centro (cen.tro) *s.m.* **1.** Ponto situado no meio de uma área ou de um espaço. **2.** Ponto de convergência. **3.** Parte das cidades onde se concentram as atividades financeiras e comerciais. **4.** Lugar ou instituição onde as pessoas se reúnem para certas atividades ou funções específicas: *centro cirúrgico, centro educacional.* **5.** Qualquer posição política situada entre os extremos: *um parlamentar moderado, de centro.* **6.** (*Esp.*) No futebol, ato ou efeito de passar a bola para dentro da grande área, de centrar para outro jogador: *O centro do lateral foi muito aplaudido.* **7.** Ponto equidistante de todos os pontos de uma circunferência ou da superfície de uma esfera.

centroavante (cen.tro:a.*van*.te) *s.m.* Jogador de ataque, entre o meia-direita e o meia-esquerda.

centro-oeste (cen.tro-o:*es*.te) *adj.* **1.** Que se situa no centro de uma região a oeste: *a região centro-oeste do estado.* • *s.m.* **2.** Região que se estende do centro ao oeste de um território ou de uma região: *o centro-oeste do continente africano.*

centrosfera [é] (cen.tros.*fe*.ra) *s.f.* Centro da Terra, supostamente composto de níquel e ferro; nife.

centuplicação (cen.tu.pli.ca.*ção*) *s.f.* Ato ou efeito de centuplicar.

centuplicar (cen.tu.pli.*car*) *v.* **1.** Multiplicar por cem, tornar cem vezes maior. **2.** *fig.* Avolumar, aumentar muito: *Em poucos anos ele centuplicou sua coleção de livros.* ▶ Conjug. 5 e 35.

cêntuplo (*cên*.tu.plo) *num. mult.* Número cem vezes maior que outro.

centúria (cen.*tú*.ri:a) *s.f.* **1.** (*Hist.*) Unidade do exército romano formada de cem soldados. **2.** Centenário. **3.** Período de cem anos; século. **4.** Cada um dos períodos seculares em que se divide uma narração histórica.

centurião (cen.tu.ri:*ão*) *s.m.* (*Hist.*) O comandante de uma centúria no exército romano.

cepa [ê] (*ce*.pa) *s.f.* **1.** (*Bot.*) Tronco da videira. **2.** Grupo de microrganismos compreendido dentro de uma espécie ou variedade, ou que se caracteriza por alguma propriedade especial. ‖ *De boa cepa*: de boa origem; provindo de boa família.

cepo [ê] (*ce*.po) *s.m.* **1.** Pedaço de tronco de árvore, cortado transversalmente. **2.** Grossa prancha de madeira do piano, na qual estão embutidas as cravelhas. **3.** Parte inferior do braço dos instrumentos de corda, que se liga à caixa de ressonância.

cera [ê] (*ce*.ra) *s.f.* **1.** Substância mole, muito fusível, que as abelhas secretam para a constru-

cerâmica

ção dos favos. **2.** Substância vegetal, análoga à matéria com que as abelhas fabricam os favos. **3.** Preparado para dar brilho aos assoalhos e cujo ingrediente principal é a cera. **4.** Substância que se acumula na orelha. || *Fazer cera*: retardar a execução de uma tarefa; no futebol, prender a bola, chutar fora etc., a fim de ganhar tempo.

cerâmica (ce.râ.mi.ca) *s.f.* **1.** Arte ou técnica de fabricação de artefatos de argila cozida, tais como louças, tijolos, telhas, vasos, manilhas. **2.** Artefato assim fabricado. **3.** Fábrica desses artefatos; olaria. **4.** A matéria-prima usada nessa fabricação.

ceramista (ce.ra.mis.ta) *s.m. e f.* Pessoa que produz objetos de cerâmica.

ceratina (ce.ra.ti.na) *s.f.* (*Biol.*) Escleroproteína constituinte principal da epiderme, do cabelo, das unhas, dos tecidos córneos e da matriz orgânica do esmalte dos dentes.

ceratose [ó] (ce.ra.to.se) *s.f.* Doença caracterizada pela formação de escamas duras na pele.

cerca[1] [ê] (cer.ca) *adv.* Usado apenas na locução *cerca de*: Quase, perto de, junto a: *Cerca de mil candidatos prestaram exame para aquele curso.*

cerca[2] [ê] (cer.ca) *s.f.* Obra de madeira, arame, zinco etc., que rodeia ou limita um espaço qualquer: *Os cabritos pularam a cerca da horta.*

cercado (cer.ca.do) *adj.* **1.** Que foi rodeado por uma cerca. **2.** A que se impôs cerco ou sítio. • *s.m.* **3.** Terreno rodeado ou fechado por cerca, estacada ou muro. **4.** Móvel quadrado ou retangular, cercado de grade, onde se deixa a criança brincar em segurança.

cercadura (cer.ca.du.ra) *s.f.* Ornamento feito no contorno de um objeto ou na barra de uma veste.

cercania (cer.ca.ni.a) *s.f.* A vizinhança ou os arredores de algum lugar. || Mais empregado no plural: *Vivem nas cercanias da cidade grande.*

cercar (cer.car) *v.* **1.** Rodear com cerca, muro, sebe etc.: *Cercaram o campo onde pastam os carneiros.* **2.** Pôr cerco a; sitiar: *O exército cercou a cidade rebelde.* **3.** Rodear, cingir, circundar: *Os netinhos cercaram a vovó com muita alegria.* **4.** Estar ou ficar em volta de: *As crianças cercavam a mesa cheia de doces.* **5.** Fazer-se rodear de: *Para escrever sua tese, ele cercou-se dos melhores autores.* ▶ Conjug. 8 e 35.

cerce [é] (cer.ce) *adv.* Rente, pela raiz ou pela base.

cerceamento (cer.ce.a.men.to) *s.m.* Ato ou efeito de cercear; cerceadura, cerceio.

cercear (cer.ce.ar) *v.* **1.** Cortar cerce, pela raiz: *Os camponeses cerceavam as espigas de arroz.* **2.** Impor limites a; restringir, limitar: *Cercearam aos prisioneiros o direito de defesa.* ▶ Conjug. 14.

cerceio (cer.cei.o) *s.m.* Cerceamento.

cerco [ê] (cer.co) *s.m.* **1.** Ato ou efeito de cercar. **2.** Círculo feito em torno de pessoa ou coisa. **3.** Ato de cercar, por forças militares, cidade, praça-forte etc.: *o cerco de Troia.*

cerda [é] (cer.da) *s.f.* **1.** O pelo áspero e duro de certos animais como o porco, o javali etc. **2.** Pelo de fibra sintética empregado na fabricação de escovas.

cerdo [ê] (cer.do) *s.m.* Porco.

cereal (ce.re.al) *s.m.* Designação comum a vários grãos usados na alimentação, como arroz, aveia, trigo, centeio etc.

cerealífero (ce.re.a.lí.fe.ro) *adj.* Que produz cereais: *uma região cerealífera.*

cerebelar (ce.re.be.lar) *adj.* (*Anat.*) Pertencente ou concernente a cerebelo.

cerebelo [ê] (ce.re.be.lo) *s.m.* (*Anat.*) Parte póstero-inferior do encéfalo dos seres humanos e de outros vertebrados, responsável pela coordenação dos movimentos.

cerebral (ce.re.bral) *adj.* Relativo ao cérebro.

cerebrino (ce.re.bri.no) *adj.* **1.** Relativo ao cérebro. **2.** Fundado na reflexão e no raciocínio e não na interpretação cega de um texto. **3.** Que procede somente da fantasia, imaginação ou modo particular de pensar de uma pessoa.

cérebro (cé.re.bro) *s.m.* **1.** Principal órgão do sistema nervoso central, que está dentro da caixa óssea, denominada crânio; é o centro da sensibilidade e da inteligência, das capacidades cognitivas e emocionais, além de coordenador dos movimentos voluntários. **2.** *fig.* Grande centro intelectual: *Paris é o cérebro do mundo.* || *Cérebro eletrônico*: designação dos aparelhos eletrônicos que realizam operações antes consideradas como exclusivas do cérebro humano.

cerebrospinal (ce.re.bros.pi.nal) *adj.* (*Med.*) Relativo ao cérebro e à medula espinhal.

cereja [ê] (ce.re.ja) *s.f.* **1.** Fruta de clima temperado, doce, redonda e pequena, vermelha, quando madura. **2.** Grão de café, vermelho, com a casca, antes de secar. • *s.m.* **3.** A cor da cereja: *Em vez do cinza, você deve escolher o cereja, que é cor mais alegre.* • *adj.* **4.** Que é dessa cor: *vestidos cereja.*

cerejeira (ce.re.*jei*.ra) *s.f.* (*Bot.*) **1.** Planta que dá a cereja. **2.** Madeira dessa árvore e de outras da mesma denominação: *uma mesa de cerejeira.*

cerífero (ce.*rí*.fe.ro) *adj.* Que produz cera.

cerimônia (ce.ri.*mô*.ni:a) *s.f.* **1.** Conjunto de atos e procedimentos formais litúrgicos, cívicos, escolares etc. para celebrar momentos importantes: *cerimônia de batismo; cerimônia de juramento à bandeira; cerimônia de formatura.* **2.** Conjunto de normas e regras de etiqueta seguidas em relações formais: *Tratou o bispo com a devida cerimônia.* **3.** Comportamento reservado: *Não faça cerimônia comigo.* || *De cerimônia:* que deve ser tratada com cerimônia; formal. • *Sem cerimônia:* à vontade, sem cortesias incômodas.

cerimonioso [ô] (ce.ri.mo.ni:*o*.so) *adj.* Cheio de cerimônias, de mesuras. || f. e pl.: [ó].

cério (*cé*.ri:o) *s.m.* (*Quím.*) Elemento químico usado na fabricação de isqueiros e outros dispositivos de ignição. || Símbolo: Ce.

cernambi (cer.nam.*bi*) *s.m.* (*Zool.*) Molusco comestível encontrado no litoral brasileiro.

cerne [é] (*cer*.ne) *s.m.* **1.** Parte interna e mais dura do lenho das árvores. **2.** *fig.* O que há de mais central e fundamental em alguma coisa; bojo, fulcro: *Vamos ao cerne da questão.*

cerol [ó] (ce.*rol*) *s.m.* **1.** Massa de cera, piche e sebo ou óleo, com a qual se untam as linhas destinadas a coser a sola. **2.** Mistura de cola de madeira e vidro moído que se passa na linha das pipas para cortar as dos outros.

ceroula (ce.*rou*.la) *s.f.* Ceroulas.

ceroulas (ce.*rou*.las) *s.f.pl.* Peça do vestuário masculino, usada por baixo das calças, que cobre o ventre, as coxas e as pernas.

cerração (cer.ra.*ção*) *s.f.* **1.** Ato ou efeito de cerrar. **2.** Nevoeiro espesso, em terra ou no mar, principalmente nas manhãs de inverno. || Conferir com *serração.*

cerrado (cer.ra.do) *adj.* **1.** Encerrado, fechado, vedado: *olhos cerrados.* **2.** Diz-se das cores carregadas: *Era de um azul cerrado.* **3.** Compacto, comprimido, unido: *Os jogadores fizeram uma barreira cerrada.* **4.** Denso, espesso: *mato cerrado; barba cerrada.* • *s.m.* **5.** Vegetação típica do planalto central brasileiro.

cerrar (ce.*rrar*) *v.* **1.** Fechar(-se): *Cerraram a porta; Cerraram-se as portas.* **2.** Vedar, tapar, esconder: *Aquelas árvores cerravam a visão da janela.* **3.** Apertar, unir fortemente: *É necessário cerrar fileiras em torno desse ideal.* **4.** Cobrir-se de nuvens, enevoar-se: *O céu cerrou-se e caiu uma forte chuva.* ▶ Conjug. 8.

cerro [ê] (*cer*.ro) *s.m.* Monte, colina, outeiro.

certame (cer.*ta*.me) *s.m.* **1.** Luta, briga. **2.** Competição esportiva, torneio, campeonato. **3.** Evento em que vários grupos apresentam seus produtos ou suas criações artísticas, visando ou não a uma premiação. || *certâmen.*

certâmen (cer.*tâ*.men) *s.m.* Certame. || pl.: *certamens* e *certâmenes.*

certeiro (cer.*tei*.ro) *adj.* **1.** Que é certo, sem erro: *um raciocínio certeiro.* **2.** Bem dirigido, capaz de acertar o alvo: *Deu um chute certeiro.* **3.** Acertado, judicioso, sensato: *um parecer certeiro.*

certeza [ê] (cer.*te*.za) *s.f.* **1.** Qualidade de certo, do que é correto: *Apreciamos a certeza de suas respostas.* **2.** Segurança que se tem (justa ou enganada) de que é certo o que se afirma: *Tenho certeza de que ele virá.*

certidão (cer.ti.*dão*) *s.f.* **1.** Documento legal declaratório, firmado por autoridade competente: *certidão de idade, certidão de casamento.* **2.** Atestado, certificado.

certificado (cer.ti.fi.*ca*.do) *s.m.* **1.** Documento que declara alguma coisa: *certificado de pobreza.* **2.** Documento em que os efeitos ou validade do que certifica tem duração determinada: *certificado de garantia.* **3.** Certidão, atestado. • *adj.* **4.** Que tem sua autenticidade garantida: *São cópias certificadas.*

certificar (cer.ti.fi.*car*) *v.* **1.** Dar como certo, confirmar: *Certamente ninguém certificará essa notícia tão disparatada.* **2.** Passar certidão de: *O médico certificou o óbito.* **3.** Tornar ciente: *Certificaram os alunos das novas medidas disciplinares.* **4.** Convencer da verdade ou certeza (de alguma coisa): *Certifiquei meu irmão de que aquilo era falso.* **5.** Procurar alcançar a certeza de, convencer-se de: *O menino esfregava os olhos para certificar-se de que aquele presente era de verdade.* **6.** Obter a certeza de: *Certifiquei-me, então, de que nada mais havia a fazer.* ▶ Conjug. 5 e 35.

certo [é] (*cer*.to) *adj.* **1.** Correto, em que não há erro: *Sua resposta é absolutamente certa.* **2.** Moralmente correto; justo: *Não é certo você agir assim.* **3.** Previamente determinado: *No dia certo, estaremos lá.* **4.** Convencido: *Agora estou certo de que você é meu amigo.* **5.** Exato,

cerúleo

preciso: *É este o lugar certo onde devemos cavar.* • *pron. indef.* **6.** Um, algum, qualquer: *Certas pessoas aqui presentes não gostam de ler.* • *s.m.* **7.** Coisa certa: *O certo é você pedir desculpas a ele.* • *adv.* **8.** Certamente: *Esses aparelhos estão funcionando certo.* || *Ao certo*: com certeza, certamente: *Não sabemos ao certo a hora de sua chegada.* • *Dar certo*: realizar-se com êxito: *A experiência não deu certo.*

cerúleo (ce.*rú*.le:o) *adj.* Da cor do céu; azul.

cerume (ce.*ru*.me) *s.m.* Secreção amarelada das glândulas do conduto auditivo externo; cera (4). || *cerúmen.*

cerúmen (ce.*rú*.men) *s.m.* Cerume. || pl.: *cerumens* e *cerúmenes.*

cerveja [ê] (cer.*ve*.ja) *s.f.* Bebida alcoólica obtida pela fermentação da cevada, do malte e do lúpulo.

cervejaria (cer.ve.ja.*ri*.a) *s.f.* **1.** Fábrica de cerveja. **2.** Estabelecimento comercial onde se vende e se serve cerveja.

cervical (cer.vi.*cal*) *adj.* Concernente ou pertencente à cerviz, à nuca, ao pescoço: *coluna cervical.*

cerviz (cer.*viz*) *s.f.* **1.** A parte superior do pescoço; cachaço, nuca. **2.** Cabeça. || *Dobrar a cerviz*: dobrar a cabeça, assujeitar-se.

cervo [é ou ê] (cer.*vo*) *s.m.* (*Zool.*) Mamífero ruminante cujos machos, a partir de certa idade, têm chifres em forma de galhos.

cerzideira (cer.zi.*dei*.ra) *s.f.* **1.** Agulha própria para cerzir. **2.** Mulher cujo ofício é cerzir.

cerzido (cer.*zi*.do) *s.m.* Cerzimento.

cerzidura (cer.zi.*du*.ra) *s.f.* Ato ou efeito de cerzir; cerzido; cerzimento.

cerzimento (cer.zi.*men*.to) *s.m.* Cerzidura, cerzido.

cerzir (cer.*zir*) *v.* Coser com pontos miúdos de modo que mal se note a costura. *Carinhosamente a mãe cerzia as meias do filho; A avó ficava horas rezando e cerzindo.* ▶ Conjug. 70.

césar (*cé*.sar) *s.m.* **1.** Título dado aos imperadores romanos da família de Júlio César, aplicado depois a todos os imperadores romanos. **2.** Imperador.

cesárea (ce.*sá*.re:a) *s.f.* (*Med.*) Cesariana.

cesariana (ce.sa.ri:*a*.na) *adj.* (*Med.*) **1.** Diz-se de cirurgia que consiste em abrir o ventre e o útero de uma mulher grávida para extrair o feto: *operação cesariana.* • *s.f.* **2.** Essa cirurgia. || *cesárea.*

césio (*cé*.si:o) *s.m.* (*Quím.*) Elemento metálico cor de prata, mole e dúctil, usado na fabricação de baterias alcalinas e vidros especiais. || O césio 137 é um isótopo positivo usado em equipamentos de radiografia e radioterapia. || Símbolo: Cs.

cessação (ces.sa.*ção*) *s.f.* Ato ou efeito de cessar; cessamento.

cessamento (ces.sa.*men*.to) *s.m.* Ato ou efeito de cessar; cessação.

cessão (ces.*são*) *s.f.* **1.** Ato de ceder. **2.** Transferência de quaisquer bens ou direitos. || Conferir com *seção* e *sessão.*

cessar (ces.*sar*) *v.* **1.** Interromper; suspender: *O ambulatório cessou o fornecimento desse remédio.* **2.** Parar, não continuar: *Ela cessou de lhe dar conselhos.* **3.** Interromper-se; acabar: *Quando menos se esperava, a chuva cessou.* ▶ Conjug. 8.

cessar-fogo (ces.sar-*fo*.go) *s.m.* 2n. Cessação de hostilidades bélicas.

cessionário (ces.si:o.*ná*.ri:o) *s.m.* Pessoa física ou jurídica a quem se faz uma cessão.

cesta [ê] (*ces*.ta) *s.f.* **1.** Utensílio, geralmente de vime, para guardar ou transportar frutas, pequenas mercadorias e objetos de pequeno porte. **2.** (*Esp.*) Rede de malha sem fundo, presa a um aro fixado numa tabela, por onde se tenta fazer passar a bola. **3.** (*Esp.*) Ponto simples ou duplo no jogo do basquete. **4.** Utensílio de plástico, de madeira ou qualquer outro material empregado em diversas atividades domésticas: *cesta de lixo, cesta de pão, cesta de costura.* || *Cesta básica*: grupo de produtos de primeira necessidade, como alimentos básicos e produtos de higiene e limpeza.

cesteiro (ces.*tei*.ro) *s.m.* Fabricante ou vendedor de cestos ou cestas.

cestinha (ces.*ti*.nha) *s.m.* e *f.* (*Esp.*) Jogador ou jogadora que fez mais pontos, ou cestas, para sua equipe, em uma partida ou num campeonato de basquetebol.

cesto [ê] (*ces*.to) *s.m.* Utensílio parecido com a cesta, porém mais fundo e às vezes com tampa.

cestoide [ói] (ces.*toi*.de) *s.m.* (*Zool.*) Classe de vermes conhecidos como solitárias, que vivem no intestino de homens e de animais.

cesura (ce.*su*.ra) *s.f.* **1.** (*Med.*) Incisão com lanceta ou instrumento semelhante. **2.** (*Lit.*) Pausa no fim da sexta sílaba do verso de doze sílabas, também chamado alexandrino.

cetáceo (ce.*tá*.ce:o) *adj.* (*Zool.*) **1.** Concernente ou pertencente aos cetáceos. • *s.m.* **2.** (*Zool.*) Animal mamífero aquático, marinho ou de água doce, como a baleia, o golfinho, o boto etc.

ceticismo (ce.ti.*cis*.mo) *s.m.* **1.** Doutrina dos filósofos céticos que duvidavam da possibilidade de se ter um conhecimento completo e indubitável de qualquer coisa. **2.** Atitude de quem duvida de tudo. **3.** Descrença.

cético (*cé*.ti.co) *adj.* **1.** Que duvida de tudo: *Em relação a este assunto, ele adota uma atitude cética.* **2.** Descrente • *s.m.* **3.** Quem tem propensão para duvidar de tudo. **4.** Filósofo adepto do ceticismo.

cetim (ce.*tim*) *s.m.* Tecido de seda, lustroso e macio.

cetinoso [ô] (ce.ti.*no*.so) *adj.* Macio ao tato, como cetim; acetinado. || f. e pl.: [ó].

cetro [é] (ce.*tro*) *s.m.* **1.** Bastão de comando, geralmente de ouro e com lavores, o qual é uma das insígnias da realeza. **2.** Preeminência, superioridade em alguma coisa: *Ele merece o cetro nos estudos de Matemática.* || *Empunhar o cetro*: reinar: *D. Pedro II empunhou o cetro com a idade de quatorze anos.*

céu *s.m.* **1.** Espaço ilimitado e indefinido onde se movem os astros. **2.** O espaço acima de nossas cabeças, limitado pelo horizonte; firmamento. **3.** Atmosfera. **4.** A parte superior de uma armação; dossel, sobrecéu. **5.** Região para onde, segundo as crenças religiosas, vão as almas dos justos. **6.** Qualquer lugar onde se possa ser feliz; paraíso. **7.** *fig.* A Providência; Deus: *O céu foi generoso com ele.* || *A céu aberto*: ao ar livre; diz-se de trabalhos de escavação ou de mineração que se realizam totalmente a descoberto, prescindindo de poços, túneis ou galerias subterrâneas. • *Céu da boca*: abóbada palatina; palato. • *Céu de brigadeiro*: céu sereno, que apresenta excelentes condições de voo. • *Cair dos céus*: cair das nuvens; ficar perplexo com alguma coisa. • *No sétimo céu*: em estado de plena felicidade; muitíssimo feliz. • *Um céu aberto*: grande ventura.

ceva [é] (*ce*.va) *s.f.* **1.** Ato ou efeito de cevar; de engordar. **2.** Alimento com que se cevam animais.

cevada (ce.*va*.da) *s.f.* (*Bot.*) Planta de espigas com grãos amarelos e ovais empregados como alimento e na fabricação de cerveja.

cevado (ce.*va*.do) *adj.* **1.** Gordo, bem nutrido. **2.** Diz-se do animal engordado na ceva. • *s.m.* **3.** Porco que foi engordado na ceva.

cevar (ce.*var*) *v.* **1.** Tornar gordo; nutrir: *Cevaram animais para o banquete do casamento.* **2.** *fig.* Saciar(-se), satisfazer(-se), fartar(-se): *cevar os instintos; cevar-se na licenciosidade.* **3.** Enriquecer(-se): *Aquele político de má fama cevou-se nos cofres públicos.* ▶ Conjug. 8.

chá *s.m.* **1.** (*Bot.*) Planta originária da Índia e da China com cujas folhas se faz uma infusão. **2.** As folhas dessa planta, preparadas e secas. **3.** Infusão dessas folhas. **4.** Reunião em que se serve chá. **5.** Nome genérico da infusão de várias plantas: *chá de cidreira, chá de boldo.* || *Chá dançante*: reunião dançante que, principiando à tardinha, à hora do chá, vai até certa hora da noite. • *Chá das cinco*: refeição leve, servida mais ou menos às 17 horas, com chá, torradas e bolos. • *Tomar um chá*: aborrecer-se, enfastiar-se. • *Tomar chá de cadeira*: não ser (uma moça) convidada para dançar nos bailes. • *Tomar chá de sumiço*: deixar de aparecer em lugar que frequentava regularmente. || Conferir com *xá*.

chã *s.f.* Parte da coxa, nos animais de corte.

chabu (cha.*bu*) *s.m.* Falha que ocorre em fogos de artifício quando não explodem corretamente. || *Dar chabu*: não sair como foi esperado; falhar.

chacal (cha.*cal*) *s.m.* (*Zool.*) Mamífero carnívoro, vizinho do lobo e da raposa, que vive na África e na Ásia, normalmente em lugares áridos e abertos.

chácara (*chá*.ca.ra) *s.f.* **1.** Terreno em zona rural destinado à avicultura ou cultivo de verduras, legumes e árvores frutíferas. **2.** Habitação campestre; quinta, sítio. || Conferir com *xácara*.

chacareiro (cha.ca.*rei*.ro) *s.m.* Indivíduo que administra chácara.

chacina (cha.*ci*.na) *s.f.* Assassinato de várias pessoas numa mesma ação criminosa.

chacinar (cha.ci.*nar*) *v.* Assassinar várias pessoas numa mesma ação criminosa: *Os criminosos chacinaram dezenas de pessoas.* ▶ Conjug. 5.

chacoalhar (cha.co:a.*lhar*) *v.* **1.** Sacolejar; chocalhar: *chacoalhar os dados antes de lançar.* **2.** Sacudir(-se), balançar(-se): *A turbulência chacoalhava o avião; O avião chacoalhava-se na turbulência do temporal.* **3.** Zombar, fazer chacota: *Os rapazes chacoalhavam os amigos que chegaram atrasados.* ▶ Conjug. 5.

chacota [ó] (cha.*co*.ta) *s.f.* **1.** Alegria ruidosa, cheia de graçolas e gargalhadas, com a qual se celebra alguma coisa. **2.** Zombaria por meio de ditos burlescos; troça.

chacotear

chacotear (cha.co.te:*ar*) *v.* **1.** Zombar, escarnecer de: *Os alunos maiores chacoteavam os pequenos.* **2.** Fazer chacota, dizer gracejos: *Quando estava de folga, gostava de chacotear.* ▶ Conjug. 14.

chacrinha (cha.*cri*.nha) *s.f.* **1.** Grupo de pessoas em conversa descontraída e animada. **2.** Grupo de pessoas unidas para alcançar fins pouco sérios.

chá-da-índia (chá-da-*ín*.di:a) *s.m.* Chá. ‖ pl.: *chás-da-índia*.

chã de dentro *s.m.* Carne da parte interna e posterior da coxa do boi.

chá de panela *s.m.* Reunião oferecida a uma noiva para presenteá-la com objetos de utilidade doméstica.

chafariz (cha.fa.*riz*) *s.m.* **1.** Construção de alvenaria, com uma ou várias bicas, por onde jorra água, que serve para o uso da população, como bebedouro de animais ou ornamento. **2.** Dispositivo eletricamente acionável, instalado em lagos e espelhos d'água, que faz jorrar água em colunas, às vezes, iluminadas.

chafurdar (cha.fur.*dar*) *v.* **1.** Revolver-se e atolar-se na lama: *Os porcos fuçam e chafurdam*. **2.** Atolar; chapinhar: *Como estava muito escuro, chafurdou o pé na lama*. **3.** Envolver-se em vícios; perverter-se, sujar-se: *Chafurdava em atos da maior baixeza*. ▶ Conjug. 5.

chaga (cha.ga) *s.f.* **1.** Ferida aberta na carne. **2.** *fig.* O que causa prejuízos, desgraças: *A escravidão é ainda uma chaga não cicatrizada na nossa história*.

chagásico (cha.*gá*.si.co) *adj.* **1.** Relativo à doença de Chagas. • *s.m.* **2.** Pessoa que sofre do mal de Chagas.

chalaça (cha.*la*.ça) *s.f.* Dito zombeteiro; gracejo, pilhéria; galhofa.

chalaceiro (cha.la.*cei*.ro) *s.m.* Pessoa que é dada a fazer chalaças; galhofeiro.

chalana (cha.*la*.na) *s.f.* Embarcação pequena, de fundo chato, usada para transporte em águas fluviais e lacustres.

chalé (cha.*lé*) *s.m.* **1.** Habitação típica dos Alpes, feita de pranchas de madeira, com telhado de beirais avançados. **2.** Habitação campestre ou, às vezes, urbana, feita à imitação dos chalés alpinos.

chaleira (cha.*lei*.ra) *s.f.* **1.** Vaso de metal, aproximadamente semiesférico, com bico, alça e tampa, em que se aquece água. • *s.m. e f.* **2.** *gír.* Bajulador.

chaleirar (cha.lei.*rar*) *v. coloq.* Adular, bajular, lisonjear. ▶ Conjug. 18.

chalrar (chal.*rar*) *v.* Falar à toa, alegremente, juntamente com outras pessoas: *Passava a tarde chalrando com as amigas*. ▶ Conjug. 5.

chama (*cha*.ma) *s.f.* **1.** Gases em ignição que se elevam acima de matérias incendiadas; labareda; flama **2.** *fig.* O que inflama a alma; paixão, ardor, desejo ardente: *Quem poderá apagar as chamas de uma paixão?*

chamada (cha.*ma*.da) *s.f.* **1.** Ato ou efeito de chamar. **2.** Toque de reunir. **3.** Sinal para chamar a atenção. **4.** Verificação de presença numa turma de escolares. **5.** Pedido de assistência de um médico, enfermeiro, parteira, farmacêutico. **6.** Convocação dos acionistas de uma empresa para pagamento parcial ou total do capital subscrito. **7.** Toque de sino para chamar os fiéis a ofício religioso. **8.** Asterisco, letra ou número colocado no texto para indicar nota inserida em rodapé ou em separado. **9.** Ligação telefônica; telefonema: *chamada a cobrar*. **10.** Repreensão: *A chamada do diretor deu bons resultados*.

chamado (cha.*ma*.do) *adj.* **1.** Que assim se chama, que assim se diz: *Contra o chamado azar, não há jeito*. • *s.m.* **2.** Aquele que é chamado, convocado: *Os chamados não compareceram*. **3.** Convocação, convite: *atender o chamado da pátria*.

chamalote [ó] (cha.ma.*lo*.te) *s.m.* Tecido furta-cor em que a posição do fio produz um efeito ondeado.

chamamento (cha.ma.*men*.to) *s.m.* Chamada; convocação.

chamar (cha.*mar*) *v.* **1.** Servir-se da voz ou de sinais para mandar vir alguém, ou atrair sua atenção: *Às 18 horas o sino chama o povo à oração*. **2.** Convocar: *Foram chamados os soldados para o mutirão*. **3.** Nomear, escolher, designar para um cargo: *O jovem foi chamado ao serviço militar*. **4.** Dar sinal para que se aproxime: *Com um assobio chamou o táxi que ia passando*. **5.** *fig.* Dirigir vozes, invocando auxílio, proteção, num perigo, numa empresa: *Na hora do perigo chamou seu anjo da guarda*; *Ela chamou por Deus*. **6.** Denominar-se: *O novo colega chama-se Roberto*. **7.** Apelidar; dar nome: *Chamaram os meninos de pirralhos*; *Chamaram pirralhos aos meninos*. ▶ Conjug. 5.

chamariz (cha.ma.*riz*) *s.m.* Pessoa ou coisa que serve para atrair.

chá-mate (chá-ma.te) *s.m.* Mate. || pl.: *chás-mate* e *chás-mates*.

chamativo (cha.ma.ti.vo) *adj.* Que chama a atenção por ser espalhafatoso: *Ela usava um vestido muito chamativo.*

chambre (cham.bre) *s.m.* Roupão caseiro que se veste ao levantar da cama; robe de chambre.

chamego [ê] (cha.me.go) *s.m.* **1.** Excitação amorosa: *Vejam o chamego daqueles namorados.* **2.** Apego ou afeição a alguém ou alguma coisa: *Ele tem um grande chamego por seus livros.*

chamejante (cha.me.jan.te) *adj.* Que chameja; flamejante.

chamejar (cha.me.jar) *v.* **1.** Lançar chamas ou labaredas; flamejar: *As tochas chamejavam na noite escura.* **2.** Fulgurar, brilhar: *Ao meio-dia, o sol chamejava.* **3.** *fig.* Arder em cólera: *Seus olhos chamejavam uma raiva incontida; Seus olhos chamejavam de raiva.* ▶ Conjug. 10.

chaminé (cha.mi.né) *s.f.* **1.** Tubo que permite a passagem do ar e da fumaça das lareiras, fornalhas e fogões. **2.** Fornilho do cachimbo, parte onde arde o fumo. **3.** Abertura em túneis e galerias subterrâneas que permite a passagem do ar.

champanha (cham.pa.nha) *s.m.* **1.** Vinho branco, espumante de Champagne, região da França. **2.** Vinho desse tipo, produzido em outras regiões. || *champanhe.*

champanhe (cham.pa.nhe) *s.m.* Champanha.

chamusca (cha.mus.ca) *s.f.* Ato ou efeito de chamuscar; chamuscada, chamusco, chamuscadela.

chamuscada (cha.mus.ca.da) *s.f.* Chamusca.

chamuscadela [é] (cha.mus.ca.de.la) *s.f.* Chamusca.

chamuscar (cha.mus.car) *v.* Passar de leve pelas chamas; queimar um pouco: *Ao aproximar-se da chama da vela, chamuscou o bigode.* ▶ Conjug. 5 e 35.

chamusco (cha.mus.co) *s.m.* **1.** Chamusca. **2.** Cheiro de coisa chamuscada.

chanca (chan.ca) *s.f. coloq.* Pé grande.

chance (chan.ce) *s.f.* **1.** Ocasião favorável à realização de alguma coisa; oportunidade: *Ele esperava a chance de revidar aquele ataque.* **2.** Probabilidade ou possibilidade de ocorrer alguma coisa que se espera: *São muitas as chances de Maria passar nesse concurso.*

chancela [é] (chan.ce.la) *s.f.* **1.** Ato ou efeito de chancelar. **2.** Rubrica gravada em sinete para suprir assinatura em documentos. **3.** Aprovação, sanção: *Esse curso tem a chancela do Departamento de Letras.*

chancelar (chan.ce.lar) *v.* **1.** Apor chancela: *chancelar o decreto.* **2.** Aprovar: *O departamento chancelou o novo curso.* ▶ Conjug. 8.

chancelaria (chan.ce.la.ri.a) *s.f.* **1.** Departamento de um estado que trata das relações exteriores. **2.** Em certos países de forma de governo parlamentarista, cargo do primeiro-ministro, chefe do governo. **3.** Escritório de embaixada ou consulado em país estrangeiro.

chanceler [é] (chan.ce.ler) *s.m.* **1.** Guarda dos selos (chancela) e dos documentos de uma corte ou de uma universidade. **2.** Em alguns países, ministro das relações exteriores. **3.** Em alguns países de forma de governo parlamentarista, o chefe do governo.

chanchada (chan.cha.da) *s.f.* **1.** Barulho, discussão. **2.** (*Cine, Teat.*) Peça teatral ou filme burlescos, de apelo popular, com base em humorismo ingênuo, músicas do momento e chavões.

chanfradura (chan.fra.du.ra) *s.f.* **1.** Efeito de chanfrar. **2.** Recorte oblíquo, ou de esguelha, nas extremidades de um objeto; chanfro.

chanfrar (chan.frar) *v.* Cortar em ângulo ou obliquamente; fazer chanfradura: *Antes de emoldurar, ele chanfrou a estampa nos quatro cantos.* ▶ Conjug. 5.

chantagear (chan.ta.ge.ar) *v.* Fazer chantagem: *Juliana usou a carta para chantagear a patroa; Para obter o que queria, ele chantageava.* ▶ Conjug. 14.

chantagem (chan.ta.gem) *s.f.* Ato de extorquir dinheiro, favores ou vantagens a alguém sob ameaça de revelações escandalosas.

chantagista (chan.ta.gis.ta) *adj.* Que faz ou constitui chantagem. • *s.m. e f.* Aquele que pratica chantagem.

chantili (chan.ti.li) *s.m.* (*Cul.*) Creme espesso formado de nata do leite batido, usado em bolos e doces.

chão *adj.* **1.** Plano, liso. **2.** *fig.* Singelo, simples, sem enfeites. • *s.m.* **3.** Qualquer superfície em que se pisa. **4.** Solo, piso. || f. do adj.: *chã.*

chapa (cha.pa) *s.f.* **1.** Peça delgada e plana de matéria consistente, metal, madeira etc. **2.** Lâmina. **3.** Peça metálica do fogão, onde se cozem ou fritam alimentos: *filé de peixe na chapa.* **4.** Peça de metal ou de madeira, com gravura em relevo para imprimir. **5.** Placa usa-

chapada

da na frente e na traseira de automóveis e caminhões com o número de licenciamento. **6.** *coloq.* Imagem radiográfica. **7.** Lista de candidatos a cargos eletivos. **8.** *coloq.* Amigo muito chegado; camarada: *Você precisa trabalhar mais, meu chapa.* || *De chapa*: em cheio: *Desta vez, você acertou de chapa.*

chapada (cha.*pa*.da) *s.f.* Esplanada no alto de um monte, de uma serra; planalto.

chapadão (cha.pa.*dão*) *s.m.* **1.** Chapada extensa. **2.** Sucessão de chapadas.

chapado (cha.*pa*.do) *adj.* Prostrado por excesso de cansaço, de álcool ou de droga.

chapar (cha.*par*) *v.* **1.** Pôr chapa em; revestir de chapa: *Chaparam de ouro a estátua do herói.* **2.** Dar forma de chapa: *O aço proveniente da fábrica foi devidamente chapado para ser usado na ponte.* **3.** Estatelar-se, cair de chapa. *Ele escorregou na casca de banana e chapou-se no chão.* ▶ Conjug. 5.

chapear (cha.pe:*ar*) *v.* **1.** Revestir de chapa, cobrir com chapa, guarnecer de chapa: *Para maior segurança, chapearam o piso da ponte.* **2.** Revestir uma parede com argamassa ou cimento e passar um objeto denteado sobre a superfície de modo que esta fique áspera: *O pedreiro chapeou metade da parede.* ▶ Conjug. 14.

chapelaria (cha.pe.la.*ri*.a) *s.f.* **1.** Estabelecimento onde se fabricam ou vendem chapéus. **2.** Num cinema ou teatro, lugar em que se guardam capas, chapéus e guarda-chuvas.

chapeleira (cha.pe.*lei*.ra) *s.f.* **1.** Caixa para guardar chapéus. **2.** Cabide para chapéus. **3.** Mulher que faz ou vende chapéus. **4.** Mulher que, em teatros e cinemas, guarda chapéus, capas e outros objetos.

chapeleiro (cha.pe.*lei*.ro) *s.m.* O que faz, conserta ou vende chapéus.

chapéu (cha.*péu*) *s.m.* **1.** Peça usada para cobrir a cabeça, formada de copa e aba. **2.** *gír.* (*Esp.*) Jogada na qual o jogador passa a bola por cima do adversário e a retoma em seguida. || *De se tirar o chapéu*: ser excelente, extraordinário, notável: *Era uma cantora de se tirar o chapéu.* • *Tirar o chapéu*: prestar homenagem; cumprimentar: *Tiro meu chapéu para a competência de meu colega.*

chapéu-coco (cha.*péu*-*co*.co) *s.m.* Chapéu de copa redonda e dura e de abas estreitas || pl.: *chapéus-coco* e *chapéus-cocos*.

chapéu-de-couro (cha.*péu*-de-*cou*.ro) *s.m.* (*Bot.*) Erva que cresce em terrenos pantanosos, usada em infusão para males renais. || pl.: *chapéus-de-couro.*

chapinhar (cha.pi.*nhar*) *v.* **1.** Bater de chapa sucessivas vezes em superfície de água: *Os remos dos atletas chapinhavam na superfície da lagoa.* **2.** Agitar a água com as mãos ou os pés: *Os pés descalços das crianças chapinhavam na água da chuva.* **3.** Atolar-se, chafurdar-se: *Os animais de carga chapinhavam na lama sem poder sair.* ▶ Conjug. 5.

chapiscar (cha.pis.*car*) *v.* Aplicar chapisco em: *Chapiscaram o muro antes de aplicar o reboco.* ▶ Conjug. 5 e 35.

chapisco (cha.*pis*.co) *s.m.* Argamassa de areia e cimento aplicada em superfície lisa para torná-la áspera e garantir melhor aderência do reboco.

charada (cha.*ra*.da) *s.f.* **1.** Espécie de enigma cuja solução consiste em recompor uma palavra partindo de elementos que a compõem ou de vagas indicações sobre ela. **2.** *fig.* Linguagem obscura. **3.** Mistério, problema de difícil solução.

charadismo (cha.ra.*dis*.mo) *s.m.* Gosto de fazer ou decifrar charadas.

charadista (cha.ra.*dis*.ta) *s.m. e f.* Pessoa que compõe e/ou decifra charadas.

charanga (cha.*ran*.ga) *s.f.* **1.** Pequena banda musical, formada sobretudo por instrumentos de sopro. **2.** *coloq.* Orquestra desafinada. **3.** *coloq.* Carro muito velho.

charco (*char*.co) *s.m.* Terreno alagadiço, com água estagnada e lodacenta, mas de pouca profundidade; pântano, brejo; aguaçal.

charge (*char*.ge) *s.f.* Desenho caricatural em jornais e revistas que satiriza personalidades e fatos, sobretudo, políticos.

chargista (char.*gis*.ta) *s.m. e f.* Pessoa que faz charges; caricaturista.

charivari (cha.ri.va.*ri*) *s.m.* Tumulto, balbúrdia, confusão.

charlar (char.*lar*) *v.* Falar à toa; palrar, tagarelar: *Como não tinha nada para fazer, charlava o dia todo com a vizinha.* ▶ Conjug. 5.

charlatanice (char.la.ta.*ni*.ce) *s.f.* **1.** Qualidade de charlatão. **2.** Impostura.

charlatão (char.la.*tão*) *s.m.* **1.** Aquele que engana as pessoas, oferecendo-lhes falsos remédios. **2.** Aquele que se faz passar pelo que não é;

impostor. || f.: *charlatã* e *charlatona*; pl.: *charlatães* e *charlatões*.

charme (*char*.me) *s.m.* **1.** Qualidade de quem ou do que é atraente, sedutor. **2.** Encanto. || *Fazer charme*: *coloq.* Fazer-se de difícil ou desinteressado, embora esteja interessado.

charmoso [ô] (char.*mo*.so) *adj.* Que tem charme; sedutor, encantador. || f. e pl.: [ó].

charneca [é] (char.*ne*.ca) *s.f.* Terreno improdutivo onde só nasce mato e erva rasteira.

charque (*char*.que) *s.m.* Carne bovina salgada, disposta em mantas; carne-seca; jabá.

charqueada (char.que:*a*.da) *s.f.* Local onde se charqueia a carne.

charquear (char.que:*ar*) *v.* Cortar a carne em mantas, salgá-la e secá-la ao sol; fazer charque: *um tempo propício para charquear*; *um tempo propício para charquear a carne*. ▶ Conjug. 14.

charrete [é] (char.*re*.te) *s.f.* Carro com duas rodas, para duas ou três pessoas, puxado por cavalo.

charrua (char.*ru*.a) *s.f.* Espécie de arado grande.

charter [*chárter*] (Ing.) *s.m.* **1.** Avião alugado para fins especiais, sobretudo turismo. • *adj.* **2.** Diz-se de voo fretado, não regular: *Chegaram à ilha num voo charter*.

charutaria (cha.ru.ta.*ri*.a) *s.f.* **1.** Loja onde se vendem charutos e artigos para fumantes. **2.** Fábrica de charutos.

charuto (cha.*ru*.to) *s.m.* **1.** Rolo de folhas secas de tabaco, preparado para se fumar. **2.** (*Cul.*) Iguaria feita com carne e arroz enrolados em folha de uva, couve ou repolho.

chassi (chas.*si*) *s.m.* **1.** Armação metálica na qual se fixam os elementos de um veículo. **2.** Caixilho onde são colocadas as chapas negativas.

chat [*tchét*] (Ing.) *s.m.* **1.** Conversa de usuários de computador, via internet: *Participei de um chat com o ator principal do filme*. **2.** Sala virtual ou ambiente na internet onde usuários participam de conversas; sala de bate-papo: *Entrando num chat, você pode fazer novas amizades*.

chata (cha.ta) *s.f.* Embarcação de fundo chato para transporte de carga, própria para ser rebocada.

chateação (cha.te:a.*ção*) *s.f.* **1.** Ato ou efeito de chatear. **2.** Aquilo que chateia, aborrece.

chatear (cha.te:*ar*) *v.* **1.** Causar ou sofrer aborrecimento; aborrecer(-se), importunar(-se): *Com essa brincadeira, você chateia os colegas*; *Com essa brincadeira, você chateia*; *Ela chateou-se com a brincadeira*. **2.** Causar ou ter tédio; enfadar(-se), entediar(-se): *A conferência, longa e mal-articulada, chateou o auditório*; *Ela chateou-se com a longa conferência*. ▶ Conjug. 14.

chateza [ê] (cha.*te*.za) *s.f.* Chatice.

chatice (cha.*ti*.ce) *s.f.* Qualidade do que é chato; amolação; chateza.

chato (*cha*.to) *adj.* **1.** Sem relevo na superfície, sem saliências, plano. **2.** *coloq.* Que chateia, entedia, aborrece; maçante. • *s.m.* **3.** Inseto que se hospeda na região pubiana do homem.

chauvinismo [chô] (chau.vi.*nis*.mo) *s.m.* **1.** Nacionalismo em demasia, que desmerece os estrangeiros. **2.** Caráter, maneira de ser dos chauvinistas.

chauvinista [chô] (chau.vi.*nis*.ta) *adj.* **1.** Relativo a chauvinismo. • *s.m. e f.* **2.** Pessoa nacionalista ao extremo; patriota fanático.

chavão (cha.*vão*) *s.m.* Lugar-comum, aquilo que se diz ou se escreve, sempre do mesmo modo, repetidamente: *uma narrativa cheia de chavões*.

chave (*cha*.ve) *s.f.* **1.** Instrumento que, metido nas fechaduras, serve para abrir ou fechar porta, janela etc. **2.** Instrumento com que se dá corda em relógios. **3.** Objeto que serve para aparafusar, apertar, estender, fixar etc. **4.** Interruptor elétrico. **5.** Aquilo que explica ou facilita: *chave do enigma*; *chave do romance*. **6.** Sinal gráfico para abranger vários termos. **7.** Golpe específico de luta corporal: *chave de braço*, *de perna* etc. || *A sete chaves*: muito bem fechado. • *Chave de abóbada*: a última cunha ou pedra do meio que segura uma abóbada. • *Chave de boca*: ferramenta que consiste em uma barra ou alavanca com duas mandíbulas em uma das extremidades para segurar ou girar parafusos ou porcas. • *Chave de caixa*: chave com soquete ou anel fechado, que se adapta sobre a porca ou cabeça de parafuso. • *Chave de canos*: chave de grifa. • *Chave de fenda*: ferramenta semelhante a um formão, destinada a fixar ou retirar parafusos de cabeça fendida; chave de parafusos. • *Chave de grifa*: chave própria para trabalhar em canos metálicos; chave de canos • *Chave de ouro*: remate feliz de qualquer empreendimento. • *Chave de parafusos*: chave de fenda. • *Chave de porca*: ferramenta para apertar ou desapertar porcas ou parafusos com cabeça poligonal. • *Chave de salomão*: (*Folc.*) amuleto que, segundo se crê, dá a quem o possuir o conhecimento de tudo. • *Chave em ângulo*: chave cuja haste forma um ângulo, para facilitar o aperto ou desaperto de parafusos

chaveamento

ou porcas de difícil acesso. • *Chave geral*: (*Eletr.*) chave que liga um prédio ou instalação à rede principal. • *Chave inglesa*: utensílio próprio para apertar, aparafusar ou desatarraxar objetos, segurando-os por meio de uma parte móvel, que se ajusta por uma rosca. • *Chave mestra*: espécie de gazua com que se abrem todas as portas de um edifício.

chaveamento (cha.ve:a.men.to) *s.m.* **1**. Ato ou efeito de chavear. **2**. Ação de abrir ou fechar circuitos elétricos.

chavear (cha.ve:*ar*) *v.* Fechar com chave; trancar: *Antes de sair, chaveava as gavetas de sua escrivaninha.* ▶ Conjug. 14.

chaveiro (cha.*vei*.ro) *s.m.* **1**. Artefato em que se prendem chaves. **2**. Profissional que faz, copia ou conserta chaves.

chávena (*chá*.ve.na) *s.f.* Xícara para chá, normalmente de porcelana.

chaveta [ê] (cha.ve.ta) *s.f.* **1**. Peça que prende uma roda na extremidade de um eixo. **2**. Peça de prender e fixar cavilha.

checar (che.*car*) *v.* **1**. Conferir para verificar a exatidão de algum dado: *O síndico checou na lista o número de condôminos presentes.* **2**. Comparar, confrontar: *O editor checou as duas edições do poema.* ▶ Conjug. 8 e 35.

check-in [tchéc in] (Ing.) *s.m.* **1**. Nos aeroportos, local onde o passageiro apresenta o bilhete e despacha a bagagem. **2**. Essa mesma apresentação: *Já fiz meu check-in.* **3**. Na portaria de um hotel, local onde o hóspede apresenta sua documentação e recebe a chave do quarto.

check-list [tchéc list] (Ing.) *s.m.* Numa atividade, relação de providências a serem tomadas.

check-out [tchéc aut] (Ing.) *s.m.* Num hotel, horário e procedimento de fechar a conta e desocupar o quarto.

check-up [tchéc âp] (Ing.) *s.m.* Exame médico geral.

cheeseburger [tchisburguer] (Ing.) *s.m.* Sanduíche de carne moída e queijo derretido.

chef [chef] (Fr.) *s.m.* e *f.* Pessoa que comanda a cozinha de um restaurante, de um hotel.

chefão (che.*fão*) *s.m.* **1**. Chefe que é todo-poderoso.**2**. Homem que chefia negócios criminosos ou escusos: *o chefe do tráfico; o chefão do contrabando.*

chefatura (che.fa.*tu*.ra) *s.f.* **1**. Cargo e função de chefe; chefia. **2**. Local onde trabalha o chefe da polícia.

chefe [é] (che.fe) *s.m.* **1**. Pessoa que exerce a chefia; que comanda; cabeça. **2**. Pessoa que representa um grupo: *chefe de família*.

chefia (che.*fi*.a) *s.f.* **1**. Dignidade de chefe. **2**. Lugar onde o chefe exerce suas funções. **3**. Tempo em que o chefe exerce suas funções. **4**. Liderança, comando, chefatura.

chefiar (che.fi:*ar*) *v.* Dirigir, governar, comandar na qualidade de chefe: *O arqueólogo chefiava a expedição às ruínas do templo.* ▶ Conjug. 17.

chegada (che.*ga*.da) *s.m.* **1**. Ato ou resultado de chegar: *Foi alterado o horário da chegada do trem.* **2**. Aproximação: *Anunciaram a chegada de uma frente fria.* || *Dar uma chegada*: aparecer rapidamente em um lugar: *Depois do expediente, darei uma chegada até aí.* • *Disco de chegada*: no *turfe*, ponto determinante do final de uma corrida de cavalos; disco final. • *Linha de chegada*: ponto final de uma corrida atlética.

chegado (che.*ga*.do) *adj.* **1**. Próximo, contíguo: *Ele é um amigo muito chegado.* **2**. Dado, propenso: *Esse rapaz é chegado a uma conversa.*

chegar (che.*gar*) *v.* **1**. Completar a viagem de ir ou vir: *Ele chegou ontem e já viaja amanhã; Os turistas chegaram a Paris à noite; Meu irmão chegou de Minas.* **2**. Acontecer, ocorrer: *Finalmente chegou o dia da festa.* **3**. Atingir, alcançar: *A água chegou até a escadaria da matriz.* **4**. Atingir o termo do movimento de ida ou de vinda: *Cheguei ao colégio muito cedo; Quando cheguei do colégio já era noite.* **5**. Conseguir, lograr (uma situação): *Ele chegou à presidência da empresa.* **6**. Elevar-se; orçar: *O dólar chegou a preços altíssimos.* **7**. Pôr perto, aproximar: *Ele chegou a cadeira para junto da janela.* **8**. Atingir, alcançar: *A expedição chegou até a metade do caminho, mas teve que voltar.* **9**. Bastar, ser suficiente: *Este valor não chega para comprar a casa.* **10**. Ir ao extremo de; ir a ponto de: *Ela chegou a chorar de tanta emoção.* **11**. *coloq.* Ir embora, retirar-se: *Já é tarde, vou chegando.* **12**. Acercar-se, achegar-se, aproximar-se: *Chega-te aos bons e serás um deles.* ▶ Conjug. 11.

cheia (*chei*.a) *s.f.* Aumento do nível das águas de um rio ou lago, geralmente, por causa de chuvas ou degelo; enchente. || Conferir com *vazante*.

cheio (*chei*.o) *adj.* **1**. Repleto, lotado: *O Maracanã estava cheio naquele dia de jogo decisivo.* **2**. Que contém alguma coisa em grande quantidade: *O jardim estava cheio de margaridas.* **3**. Muito atarefado; ocupado com muitas coisas: *Tive um dia cheio.* **4**. Gordo, redondo, roliço: *Não era gordo, mas tinha um rosto cheio.* **5.** Farto; entediado: *Na verdade, ele já estava cheio daquele emprego.* || *Em cheio*: de maneira plena; plenamente, de todo; exatamente, precisamente: *Você acertou em cheio as questões da prova.*

cheirar (chei.*rar*) *v.* **1.** Aspirar o cheiro de; aplicar o sentido do olfato a: *Ela tinha medo de cheirar as rosas por causa das abelhas.* **2.** Introduzir no nariz (rapé, cânfora etc.) e aspirar: *O velho pároco gostava de cheirar seu rapé.* **3.** Exalar determinado cheiro: *Os lençóis cheiravam a alfazema.* **4.** Exalar cheiro: *Como cheiram estes cravos!* **5.** Dar indícios de, ter aparência de: *Isso me cheira a injustiça; Isso me cheira mal.* ▶ Conjug. 18.

cheiro (*chei*.ro) *s.m.* **1.** Emanação perceptível pelo sentido do olfato: *cheiro de alfazema.* **2.** Odor, aroma, perfume: *As águas de cheiro são muito usadas no verão.* || *Cheiro de santidade*: reputação de vida virtuosa e santa. • *Mau cheiro*: fedor, catinga.

cheiroso [ô] (chei.*ro*.so) *adj.* Que tem bom cheiro. || f. e pl.: [ó].

cheiro-verde (chei.ro-*ver*.de) *s.m.* Ervas aromáticas (mais comumente salsa e cebolinha) usadas em temperos. || pl.: cheiros-verdes.

chemisier [*chemisiê*] (Fr.) *s.m.* Peça de vestuário feminino de feitio semelhante à camisa social.

cheque [é] (*che*.que) *s.m.* Documento emitido por um titular de conta bancária, que contém ordem de pagamento de uma certa quantia. || *Cheque nominal*: o que deve ser pago à pessoa em favor da qual foi emitido. • *Cheque ao portador*: o que pode ser pago a qualquer portador. • *Cheque cruzado*: o que, atravessado por dois traços paralelos, não pode ser descontado imediatamente, devendo ser depositado. • *Cheque visado*: o que recebe do banco a garantia de que a conta possui fundos que cobrem o valor do cheque, reservando a quantia suficiente para o pagamento do cheque. || Conferir com *xeque*.

cherne [é] (*cher*.ne) *s.m.* Peixe de mar, considerado nobre, para a alimentação.

chéster (*chés*.ter) *s.m.* (*Zool.*) Frango que, por receber especial tratamento genético, desenvolve de modo acentuado o peito e as coxas.

chiadeira (chi:a.*dei*.ra) *s.f.* **1.** Ruído importuno e continuado; chiado. **2.** Ruído característico de um ataque de asma. **3.** Peça que fica junto ao eixo dos carros de boi.

chiado (chi:*a*.do) *s.m.* **1.** Ato ou efeito de chiar. **2.** Ruído prolongado.

chiar (chi:*ar*) *v.* **1.** Fazer chiadeira ou chio: *Esta máquina está chiando muito.* **2.** *coloq.* Reclamar, manifestar-se irado: *O pai chiou quando viu as notas do filho.* ▶ Conjug. 17.

chibata (chi.*ba*.ta) *s.f.* Vara comprida e delgada usada para fustigar pessoas e animais: *Castigavam os escravos com golpes de chibata.* – **chibatada** *s.f.*; **chibatar** *v.* ▶ Conjug. 5.

chicana (chi.*ca*.na) *s.f.* **1.** Sutilezas capciosas da interpretação da lei nos processos judiciários. **2.** Tramoia, trapaça, sofisma, ardil. – **chicanear** *v.* ▶ Conjug. 14.

chiclete [é] (chi.*cle*.te) *s.m.* Goma de mascar.

chicória (chi.*có*.ri:a) *s.f.* Planta de horta cujas folhas são comestíveis; almeirão.

chicotada (chi.co.*ta*.da) *s.f.* Pancada com chicote.

chicotar (chi.co.*tar*) *v.* Chicotear. ▶ Conjug. 20.

chicote [ó] (chi.*co*.te) *s.m.* **1.** Tira ou trança de couro com cabo, geralmente para castigar animais; flagelo. **2.** Aparelho de parque de diversões, que consiste em carros presos a barras, que circulam com movimentos bruscos e irregulares.

chicoteamento (chi.co.te:a.*men*.to) *s.m.* Ato ou efeito de chicotear.

chicotear (chi.co.te:*ar*) *v.* Fustigar com chicote; chicotar. ▶ Conjug. 14.

chicote-queimado (chi.co.te-quei.*ma*.do) *s.m.* Brincadeira infantil em que uma criança esconde um objeto que deverá ser procurado e achado pelas outras; chicotinho-queimado. || pl.: chicotes-queimados.

chicotinho-queimado (chi.co.ti.nho-quei.*ma*.do) *s.m.* Chicote-queimado. || pl.: chicotinhos-queimados.

chifrada (chi.*fra*.da) *s.f.* **1.** Golpe de chifre. **2.** *coloq.* Infidelidade conjugal ou de namorado.

chifrar (chi.*frar*) *v.* **1.** Agredir com o chifre: *O touro chifrava com veemência a porta de madeira.* **2.** *fig.* Pôr chifres em; trair; cornear: *Quem diria que uma senhora tão distinta iria chifrar o marido?* ▶ Conjug. 5.

chifre (*chi*.fre) *s.m.* Apêndice ósseo na cabeça de certos animais, como boi, bode, carneiro etc.; corno.

chifrudo (chi.*fru*.do) *adj.* **1.** Que tem chifres. **2.** *fig.* Que é traído pelo cônjuge. • *s.m. fig.* **3.** Homem traído pela mulher.

chilenas (chi.*le*.nas) *s.f.pl.* Esporas de grandes rosetas.

chileno (chi.*le*.no) *adj.* **1.** Do Chile, país da América do Sul. • *s.m.* **2.** O natural ou o habitante desse país.

chilique

chilique (chi.*li*.que) *s.m.* Ataque de nervos de pouca duração e importância; faniquito; fricote; piripaque.

chilrear (chil.re:*ar*) *v.* Gorjear, cantar (falando de pássaros): *Nas árvores do jardim, os pardais chilreavam.* ▶ Conjug. 14.

chilreio (chil.*rei*.o) *s.m.* Ato de chilrear; chilro.

chilro (*chil*.ro) *s.m.* Chilreio.

chim *adj.* **1.** Da China. • *s.m.* e *f.* **2.** O natural ou o habitante desse país da Ásia.

chimarrão (chi.mar.*rão*) *adj.* **1.** Diz-se de rês que foge para os matos e se torna selvagem: *Ontem pegaram o boi chimarrão.* **2.** Diz-se de cão sem dono, cão bravio, que, fora de casa, nutre-se de animais que mata. • *s.m.* **3.** Infusão de mate sem açúcar que se toma em cuia com auxílio de canudos metálicos.

chimpanzé (chim.pan.*zé*) *s.m.* Grande macaco da África dotado de alto nível de inteligência. || *chipanzé.*

china¹ (*chi*.na) *s.m.* e *f.* **1.** Pessoa nascida na China. **2.** Pessoa que tem traços fisionômicos de chinês.

china² (*chi*.na) *s.f. reg.* **1.** Mulher do campo. **2.** Mulher mestiça ou de origem índia. **3.** Mulher moreno-escura. **4.** Esposa, companheira.

chinchila (chin.*chi*.la) *s.f.* **1.** Pequeno mamífero roedor dos Andes, cinzento-claro, de pelos finos e sedosos e pele muito procurada para agasalho. **2.** A pele desse animal.

chinela [é] (chi.*ne*.la) *s.f.* Chinelo.

chinelada (chi.ne.*la*.da) *s.f.* Pancada com chinela.

chinelo [é] (chi.*ne*.lo) *s.m.* Calçado confortável para uso doméstico. || *chinela.*

chinês (chi.*nês*) *adj.* **1.** Da China. • *s.m.* **2.** O natural ou o habitante desse país da Ásia. **3.** A língua falada na China.

chinfrim (chin.*frim*) *adj. coloq.* **1.** De má qualidade, de mau gosto; reles. • *s.m.* **2.** Balbúrdia, barulho, desordem, algazarra.

chinó (chi.*nó*) *s.m.* Cabeleira postiça, peruca.

chip [tchip] (Ing.) Pastilha de silício que pode conter mais de quarenta milhões de transistores responsáveis por receber, decodificar e enviar a maior parte das informações que circulam pelo computador.

chipanzé (chi.pan.*zé*) *s.m.* Chimpanzé.

chique (*chi*.que) *adj.* **1.** Que é elegante, de bom gosto, refinado: *Aline é uma mulher chique.* • *s.m.* **2.** Aquilo que é chique: *Hoje o chique é ter casa em Angra.*

chiqueiro (chi.*quei*.ro) *s.m.* **1.** Curral de porcos; pocilga. **2.** *fig.* Lugar imundo; casa suja.

chispa (*chis*.pa) *s.f.* **1.** Partícula ardente que se desprende de um corpo candente; fagulha, faísca; centelha. **2.** *fig.* Fulgor rápido; lampejo.

chispada (chis.*pa*.da) *s.f.* Corrida muito rápida, disparada.

chispar (chis.*par*) *v.* **1.** Lançar chispas. **2.** Correr em disparada. ▶ Conjug. 5.

chispe (*chis*.pe) *s.m.* Pé de porco salgado.

chiste (*chis*.te) *s.m.* Dito gracioso; pilhéria.

chistoso [ô] (chis.*to*.so) *adj.* **1.** Que tem chiste. **2.** Engraçado, espirituoso. **3.** Que diz chistes. || f. e pl.: [ó].

chita (*chi*.ta) *s.f.* Pano ordinário de algodão, estampado em cores.

chitão (chi.*tão*) *s.m.* Chita vistosa, estampada de grandes ramagens.

choça [ó] (*cho*.ça) *s.f.* **1.** Choupana. **2.** Habitação rústica, humilde.

chocadeira (cho.ca.*dei*.ra) *s.f.* Aparelho para chocar ovos; incubadora; incubadeira.

chocalhar (cho.ca.*lhar*) *v.* **1.** Agitar, produzindo um som como o do chocalho: *O jogador chocalhou os dados dentro do copo.* **2.** Vascolejar, agitar um líquido contido num vaso: *O barman chocalhou o coquetel antes de deitá-lo no copo do rapaz.* **3.** Dar um som semelhante ao do chocalho: *Apavorado, ouviu o ruído da cascavel chocalhando a cauda.* **4.** Fazer soar o chocalho ou instrumento semelhante: *Os ganzás chocalhavam, marcando o ritmo da rumba.* ▶ Conjug. 5.

chocalho (cho.*ca*.lho) *s.m.* **1.** Espécie de campainha, de som surdo, que se prende ao pescoço do gado ou das bestas de carga. **2.** Cabaça oca ou vasilha fechada, com pedras ou sementes dentro e que, agitada, produz som semelhante ao do chocalho.

chocante (cho.*can*.te) *adj.* **1.** Que choca, fere, revolta. **2.** Escandaloso, indecente. **3.** *gír.* Lindo, exuberante.

chocar¹ (cho.*car*) *v.* **1.** Ir de encontro, esbarrar: *O carro desgovernou-se e chocou com a barreira; O menino e sua bicicleta chocaram-se contra o muro da escola.* **2.** Desagradar a; ferir, ofender: *O discurso do candidato chocou a opinião pública.* **3.** Esbarrar-se reciprocamente: *Os dois aviões chocaram-se no ar.* **4.** Ficar melindrado; melindrar-se, suscetibilizar-se: *Os jovens chocaram-se com o espetáculo a que assistiram.* ▶ Conjug. 20 e 35.

chocar² (cho.*car*) *v.* **1.** Fazer desenvolver o embrião de ovos, cobrindo-os e aquecendo-os com o corpo (falando de aves): *A galinha choca seus ovos durante vinte e um dias.* **2.** *fam.* Acariciar com os olhos; namorar de longe: *Jorge chocava com os olhos sua vizinha Isabel.* **3.** Contemplar com desejo ou inveja: *Ele ficava de longe chocando o carro novo do primo.* **4.** Estar no choco; incubar: *Os ovos estão chocando na chocadeira elétrica.* **5.** Fermentar, apodrecer: *É uma pena, mas o suco chocou.* ▶ Conjug. 20 e 35.

chocarrear (cho.car.re:*ar*) *v.* Dizer chocarrices, fazer de chocarreiro, gracejar: *De bom gênio, ele chocarreava sempre com os colegas.* ▶ Conjug. 14.

chocarreiro (cho.car.*rei*.ro) *adj.* **1.** Que diz chocarrices. **2.** Em que há, ou que envolve chocarrice. • *s.m.* **3.** Aquele que diz chocarrice.

chocarrice (cho.car.*ri*.ce) *s.f.* Comentário zombeteiro; gracejo geralmente desrespeitoso.

chocho [ô] (cho.cho) *adj.* **1.** Seco e engelhado, sem suco nem miolo (fruto). **2.** *fig.* Estéril, infrutífero. **3.** Fraco, adoentado, melado.

choco [ô] (cho.co) *s.m.* Incubação.

chocolataria (cho.co.la.ta.*ri*.a) *s.f.* **1.** Fábrica de chocolate. **2.** Loja onde se vende chocolate.

chocolate (cho.co.*la*.te) *s.m.* **1.** Pasta alimentícia, preparada com sementes de cacau torradas e misturadas com açúcar e substâncias aromáticas. **2.** Essa pasta reduzida a pó. **3.** Bebida feita com este pó, leite e açúcar.

chocolateira (cho.co.la.*tei*.ra) *s.f.* Vasilha em que se prepara o chocolate (bebida).

chofer [é] (cho.*fer*) *s.m.* **1.** Condutor de veículo automóvel. **2.** Motorista.

chofre [ô] (cho.fre) *s.m.* **1.** Pancada ou choque repentino **2.** Pancada de taco na bola de bilhar. || *De chofre*: de repente.

choldra [ô] (*chol*.dra) *s.f.* Conjunto de gente desprezível, desordeira, sem valor.

chopada (cho.*pa*.da) *s.f. coloq.* Reunião comemorativa em que se bebe muito chope.

choparia (cho.pa.*ri*.a) *s.f.* Choperia.

chope [ô] (cho.pe) *s.m.* **1.** Espécie de cerveja armazenada em barril e servida sob pressão. **2.** Dose de chope: *Por favor, mais um chope.*

choperia (cho.pe.*ri*.a) *s.f.* Lugar onde se vende chope. || *choparia*.

choque [ó] (cho.que) *s.m.* **1.** Embate; encontro de dois corpos em movimento ou de um corpo em movimento e um em repouso; colisão. **2.** Conflito entre pessoas e grupos. **3.** Abalo emocional; comoção. **4.** Grande surpresa. **5.** Sensação produzida por uma carga elétrica. || *Choque cultural*: conflito cultural que desintegra grande parte de uma cultura posta em contato com outra. • *Choque elástico*: (Fís.) aquele em que a energia mecânica do sistema é conservada. • *Choque inelástico*: (Fís.) aquele em que a energia mecânica do sistema não é conservada. • *Choque nervoso*: (Med.) alteração súbita do sistema nervoso causada por uma grande e inesperada emoção. • *Choque operatório*: (Med.) estado de prostração resultante de uma cirurgia.

choradeira (cho.ra.*dei*.ra) *s.f.* **1.** Ato de chorar muito; choro continuado e intenso. **2.** Lamúria, lamentação.

choramingar (cho.ra.min.*gar*) *v.* **1.** Chorar com frequência e por motivos fúteis: *Essa criança, por qualquer coisa, põe-se a choramingar.* **2.** Chorar em tom baixo: *Depois de chorar muito, ela ficou longo tempo choramingando.* **3.** Dizer ou pedir alguma coisa com voz chorosa: *Não adianta choramingar, que eu não deixarei você ir.* ▶ Conjug. 5 e 34.

choramingas (cho.ra.*min*.gas) *s.m. e f. 2n.* Pessoa que choraminga: *Deixe de ser choramingas, menina.*

chorão (cho.*rão*) *adj.* **1.** Que chora muito. **2.** Choroso, plangente, lastimoso. • *s.m.* **3.** Indivíduo chorão. **4.** Instrumentista que toma parte num choro (2). || f.: *chorona*.

chorar (cho.*rar*) *v.* **1.** Verter, derramar lágrimas: *Desde que saiu de casa, ela não parou de chorar.* **2.** Deplorar, prantear: *Maria sempre chorou a perda de seu anel de noivado.* **3.** Sentir grande pena ou desgosto: *Helena chorou muito quando morreu sua mãe.* **4.** Lastimar-se: *Não choremos o tempo passado.* ▶ Conjug. 20.

chorinho (cho.ri.nho) *s.m.* **1.** Choro. **2.** Gênero de música popular.

choro [ô] (cho.ro) *s.m.* **1.** Ato de chorar; lamentação, pranto. **2.** (Mús.) Conjunto instrumental constante de flauta, violão, cavaquinho, pandeiro e reco-reco. **3.** Música tocada por esse conjunto; chorinho.

choroso [ô] (cho.ro.so) *adj.* Que está em estado de quem chora ou chorou. || f. e pl.: [ó].

chorrilho (chor.ri.lho) *s.m.* Grande quantidade de pessoas ou coisas; série de coisas: *Foi um chorrilho de denúncias.*

chorumela (cho.ru.me.la) *s.f.* **1.** Bagatela, coisa sem valor: *Não lamente a perda daquela choru-*

choupana

mela. **2.** Discurso desinteressante: *O discurso do homenageado foi uma chorumela.*

choupana (chou.*pa*.na) *s.f.* Casa pequena e simples; casebre.

chorume (cho.*ru*.me) *s.m.* **1.** Gordura, banha. **2.** Abundância, fartura.

chouriço (chou.*ri*.ço) *s.m.* Embutido de carne de porco, misturada com sangue e curado ao fumeiro.

chove não molha *s.m.2n. coloq.* Situação indefinida, que não se resolve: *Ela fica num chove não molha e não se decide.*

chover (cho.*ver*) *v.* **1.** Cair ou precipitar-se a chuva: *No domingo passado choveu o dia inteiro.* **2.** Cair ou precipitar-se como chuva: *Chovia papel picado sobre a comitiva do herói.* **3.** Sobrevir em grande quantidade: *Que chovam bênçãos abundantes sobre esses beneméritos.* || *Chover no molhado*: pedir o que já foi pedido sem se obter resultado. ▶ Conjug. 42.

chuchar (chu.*char*) *v.* **1.** Fazer movimento de sucção; chupar, sugar: *O pequenino filhote abandonado chuchava sua mamadeira de leite.* **2.** Mamar: *Enquanto o bebê chuchava, a mãe o contemplava embevecida.* ▶ Conjug. 5.

chuchu (chu.*chu*) *s.m.* (*Bot.*) Fruto verde comestível, usado em sopas, saladas etc. || *Pra chuchu*: *gír.* em grande quantidade ou intensidade; muitíssimo; à beça.

chucrute (chu.*cru*.te) *s.m.* (*Cul.*) Alimento de origem alemã feito à base de repolho picado e fermentado.

chué (chu.*é*) *adj.* **1.** Sem importância; insignificante: *Não passava de um mensageiro chué.* **2.** De má qualidade; ordinário: *Ela usava um vestido muito chué.*

chuiense (chu.*i.en*.se) *adj.* **1.** De Chuí, cidade do Rio Grande do Sul. • *s.m.* e *f.* **2.** O natural ou o habitante dessa cidade.

chula (*chu*.la) *s.f.* Espécie de dança e música popular de origem portuguesa.

chulé (chu.*lé*) *s.m. coloq.* Suor fétido dos pés.

chulear (chu.le.*ar*) *v.* Coser a orla do tecido prendendo-a, de modo que não se desfie: *Por que você não chuleia essa saia?* ▶ Conjug. 146.

chuleio (chu.*lei*.o) *s.m.* **1.** Ato ou efeito de chulear. **2.** Ponto de chulear.

chulo (*chu*.lo) *adj.* Que é grosseiro ou ofensivo: *Aos poucos perdeu o hábito de dizer palavras chulas.*

chumaço (chu.*ma*.ço) *s.m.* Porção de algodão, gase etc., usada geralmente em curativos ou para recheio de almofadas.

chumbada (chum.*ba*.da) *s.f.* **1.** Tiro com munição de chumbo: *Com uma chumbada, derrubou o alvo.* **2.** Conjunto de pesos de chumbo que se põe nas extremidades das redes de pescar.

chumbar (chum.*bar*) *v.* **1.** Soldar ou prender com chumbo ou outro metal semelhante: *O decorador mandou que chumbassem o grande espelho na parede.* **2.** Ferir com chumbo: *O caçador chumbou a ave em pleno voo.* **3.** Guarnecer com pesos de chumbo: *O pescador chumbou sua rede de pesca.* **4.** Pôr selo de chumbo, fechar hermeticamente com chumbo: *Para maior segurança, chumbaram a tampa da urna.* ▶ Conjug. 5.

chumbo (*chum*.bo) *s.m.* **1.** (*Quím.*) Metal cinzento de grande densidade, usado como solda em ligas metálicas. || Símbolo: Pb. **2.** Projétil desse metal, usado na caça. **3.** Pedaço desse metal que favorece o mergulho da rede de pescar.

chupão (chu.*pão*) *adj.* **1.** Que chupa. • *s.m.* **2.** Ação de chupar com força. **3.** Beijo ruidoso. **4.** Mancha resultante da sucção que se faz com a boca sobre a epiderme. **5.** (*Zool.*) Barbeiro, o transmissor da doença de Chagas.

chupar (chu.*par*) *v.* **1.** Sugar, sorver (falando das pessoas e animais): *A criança chupava com prazer um pirulito de abacaxi.* **2.** Absorver (falando dos corpos porosos): *Em poucos minutos o areal chupou toda a água da chuva.* **3.** Levar à boca e fazer com esta movimentos de sucção: *chupar o dedo.* ▶ Conjug. 5.

chupeta [ê] (chu.*pe*.ta) *s.f.* **1.** Objeto de borracha, de ponta arredondada, com que se entretêm as crianças. **2.** Bico de mamadeira. **3.** Tubo por onde se chupa o líquido contido em um vaso. **4.** Ligação provisória que se faz de uma bateria carregada para outra para que essa possa acionar um motor de arranque.

chupim (chu.*pim*) *s.m.* **1.** (*Zool.*) Pássaro pequeno que põe ovos nos ninhos alheios para que outras aves os incubem e cuidem de seus filhotes. **2.** Marido que vive à custa do ordenado da esposa.

churrascada (chur.ras.*ca*.da) *s.f.* **1.** Reunião para comer churrasco. **2.** Refeição cujo prato principal é o churrasco.

churrascaria (chur.ras.ca.*ri*.a) *s.f.* Restaurante onde se serve especialmente churrasco.

churrasco (chur.*ras*.co) *s.m.* Pedaço de carne (vermelha ou branca) assado ao calor da brasa.

churrasqueira (chur.ras.*quei*.ra) *s.f.* **1.** Utensílio para fazer churrasco. **2.** Lugar destinado à preparação do churrasco.

churrasqueiro (chur.ras.*quei*.ro) *s.m.* Indivíduo que faz churrasco.

churrasquinho (chur.ras.*qui*.nho) *s.m.* Espetinho (1).

churro (*chur*.ro) *s.m.* Biscoito de massa estriada frito e passado no açúcar.

chusma (*chus*.ma) *s.f.* **1.** Gente de serviço em embarcações grandes; tripulação. **2.** Magote, grande quantidade.

chutar (chu.*tar*) *v.* **1.** (*Esp.*) Arremessar a bola com o pé: *Do meio de campo ele chutou a bola em gol.* **2.** p. ext. Arremessar qualquer coisa com o pé: *Chutou os tênis de seu pai que estavam no corredor.* **3.** *coloq.* Dizer algo por palpite: *Não sabendo a resposta certa, ela chutou a que lhe veio à cabeça.* ▶ Conjug. 5.

chute (*chu*.te) *s.m.* **1.** (*Esp.*) Pontapé em bola de futebol. **2.** Qualquer pontapé: *Com raiva, deu um chute na cadeira.* **3.** *gír.* Mentira, balela, fanfarronada: *Deixe de chute e diga logo a verdade.*

chuteira (chu.*tei*.ra) *s.f.* Calçado de cano curto, preso ao pé por cadarços e com travas na sola, próprio para praticar o futebol. || *Pendurar as chuteiras*: *coloq.* (*Esp.*) **1.** deixar de jogar futebol como profissional. **2.** deixar de exercer trabalho, cargo ou função.

chuva (*chu*.va) *s.f.* **1.** Queda de gotas de água resultantes da condensação (por resfriamento) do vapor de água da atmosfera. **2.** Tudo o que cai à maneira de gotas de chuva: *Lançaram sobre os noivos uma chuva de arroz.* **3.** Grande quantidade: *O relatório revelou uma chuva de denúncias.* || *Chuva ácida*: chuva que contém elementos químicos da poluição industrial. • *Chuva de mulher*: chuva miúda e duradoura • *Chuva de pedra*: aquela em que cai granizo.

chuvada (chu.*va*.da) *s.f.* Chuvarada.

chuvarada (chu.va.*ra*.da) *s.f.* Chuva forte; chuvada.

chuveirada (chu.vei.*ra*.da) *s.f.* Banho rápido de chuveiro.

chuveiro (chu.*vei*.ro) *s.m.* **1.** Objeto de metal ou de plástico com vários furos que, colocado na saída de um cano, espalha a água para se tomar banho. **2.** Banho de chuveiro: *Agora, vou tomar um chuveiro.* **3.** Anel ou brinco com uma pedra preciosa cercada de brilhantes.

chuvisco (chu.*vis*.co) *s.m.* **1.** Chuva em gotas muito pequenas. **2.** (*Eletrôn.*) Interferência que aparece em uma tela de televisão ou de monitor, na forma de partículas brancas tremulantes. **3.** (*Cul.*) Doce de ovos originário da cidade de Campos de Goytacazes.

chuvoso [ô] (chu.*vo*.so) *adj.* **1.** Em que há sinais de que vai ocorrer ou já está ocorrendo chuva: *tempo chuvoso, dias chuvosos.* **2.** Em que há chuvas frequentes: *Esta região do país é muito chuvosa.* || f. e pl.: [ó].

cianeto [ê] (ci:a.*ne*.to) *s.m.* (*Quím.*) Sal ou éster do ácido cianídrico; cianureto.

cianídrico (ci:a.*ní*.dri.co) *adj.* Diz-se de ácido venenoso usado em inseticidas.

cianose [ó] (ci:a.*no*.se) *s.f.* (*Med.*) Coloração azulada, lívida ou escura da pele e das mucosas, devida à falta de oxigenação.

cianótico (ci:a.*nó*.ti.co) *adj.* **1.** Relativo a cianose. **2.** Que padece de cianose.

cianureto [ê] (ci:a.nu.*re*.to) *s.m.* Cianeto.

ciática (ci:*á*.ti.ca) *s.f.* Nevralgia ao longo do nervo ciático.

ciático (ci:*á*.ti.co) *adj.* (*Anat.*) Diz-se de cada um dos grandes nervos dos membros inferiores.

ciberespaço (ci.be.res.*pa*.ço) *s.m.* (*Inform.*) Ambiente virtual criado por uma rede de computadores.

cibernética (ci.ber.*né*.ti.ca) *s.f.* Ciência que estuda as comunicações e o sistema de controle não só nos organismos vivos, mas também nas máquinas.

cibernético (ci.ber.*né*.ti.co) *adj.* Pertencente ou concernente a cibernética.

cibório (ci.*bó*.ri:o) *s.m.* (*Rel.*) Vaso sagrado em que se guardam as hóstias consagradas.

cica (*ci*.ca) *s.f.* Adstringência peculiar a certas frutas, em geral àquelas que não estão perfeitamente maduras.

cicatriz (ci.ca.*triz*) *s.f.* **1.** Vestígio de feridas ou chagas curadas. **2.** *fig.* Lembrança ou impressão duradoura de dor moral, ofensa, desgraça, calamidade etc.

cicatrização (ci.ca.tri.za.*ção*) *s.f.* Ato ou efeito de cicatrizar.

cicatrizante (ci.ca.tri.*zan*.te) *adj.* **1.** Que cicatriza. • *s.m.* **2.** (*Farm., Med.*) Medicamento cicatrizante.

cicatrizar (ci.ca.tri.*zar*) *v.* **1.** Promover a cicatrização de: *Os índios cicatrizavam as feridas com óleo de copaíba.* **2.** Fechar-se, secar-se (a ferida): *A ferida cicatrizou-se rapidamente; A ferida cicatrizou rapidamente.* **3.** *fig.* Dissipar, desvanecer-se, esquecer-se (sofrimento moral): *As*

cícero

dores do passado cicatrizam-se aos poucos. ▶ Conjug. 5.

cícero (cí.ce.ro) *s.m.* Unidade de medida tipográfica equivalente a 12 pontos (4,512 mm).

cicerone (ci.ce.ro.ne) *s.m.* Guia que mostra aos turistas o que há de importante em uma localidade e dá-lhes as informações de que carecem.

ciceronear (ci.ce.ro.ne:*ar*) *v.* Servir de cicerone a: *O professor de grego ciceroneou nossa excursão a Delfos.* ▶ Conjug. 14.

ciciar (ci.ci:*ar*) *v.* **1.** Dizer em voz baixa: *Ao vê-la, ciciei seu nome.* **2.** Fazer cicio: *A brisa marinha ciciava nas folhas dos coqueiros.* **3.** Murmurar: *Ficavam no fundo da sala ciciando maledicências.* ▶ Conjug. 17.

cicio (ci.ci.o) *s.m.* **1.** Ruído brando como o da viração nos ramos das árvores. **2.** Murmúrio de vozes.

ciclagem (ci.*cla*.gem) *s.f.* Frequência de uma corrente alternada.

ciclamato (ci.cla.*ma*.to) *s.m.* Sal de ácido ciclâmico usado como adoçante não nutritivo.

ciclâmico (ci.*clâ*.mi.co) *adj.* Diz-se do ácido cristalino usado para produzir ciclamato.

cíclico (*cí*.cli.co) *adj.* **1.** De ou relativo a ciclo. **2.** Que se repete periodicamente: *As estações do ano são um fenômeno cíclico.*

ciclismo (ci.*clis*.mo) *s.m.* **1.** Arte de andar em bicicleta. **2.** O esporte das corridas de bicicleta.

ciclista (ci.*clis*.ta) *s.m. e f.* Pessoa que pratica o ciclismo.

ciclístico (ci.*clís*.ti.co) *adj.* Relativo a ciclismo.

ciclo (*ci*.clo) *s.m.* **1.** Série de fenômenos ou fatos que se sucedem periodicamente numa determinada ordem: *o ciclo das marés, o ciclo das estações.* **2.** Duração do tempo de transcurso de um fenômeno astronômico: *o ciclo de translação da Terra.* **3.** Cadeia de acontecimentos históricos marcados por certas características, práticas etc.: *ciclo do ouro, ciclo do café.* || *Ciclo épico*: (*Lit.*) poemas a respeito da guerra de Troia e dos tempos fabulosos da Grécia. • *Ciclo evolutivo*: (*Biol.*) a evolução dos seres vivos. • *Ciclo foliar*: (*Bot.*) linha espiral entre duas folhas que se correspondem. • *Ciclo lunar*: (*Astron.*) período de dezenove anos solares, no fim dos quais as fases da Lua se realizam nos mesmos dias do período anterior. • *Ciclo solar*: (*Astron.*) período de vinte e oito anos solares, no fim dos quais as datas dos meses e dos dias da semana se correspondem na mesma ordem. • *Ciclo vital*: período de vida de um ser vivo, do nascimento à morte.

ciclone (ci.*clo*.ne) *s.m.* **1.** Região da atmosfera onde a pressão é baixa em relação à das regiões circunvizinhas, em um mesmo nível. **2.** Tempestade que se desenvolve em ciclos e em grande velocidade.

ciclope (ci.*clo*.pe) *s.m.* (*Mit.*) Gigante fabuloso, que tinha um só olho situado no meio da testa.

ciclópico (ci.*cló*.pi.co) *adj.* **1.** Relativo ao ciclope, próprio dele. **2.** (*Arquit.*) Diz-se de construções maciças e gigantescas da época pré-helênica, atribuídas aos ciclopes e existentes na Grécia, na Ásia Menor e na Itália central e meridional.

ciclovia (ci.clo.*vi*.a) *s.f.* Pista para bicicletas.

cicuta (ci.*cu*.ta) *s.f.* **1.** (*Bot.*) Designação comum a várias plantas venenosas. **2.** Veneno extraído da cicuta.

cidadania (ci.da.da.*ni*.a) *s.f.* Condição de cidadão.

cidadão (ci.da.*dão*) *s.m.* **1.** Indivíduo no gozo dos direitos civis e políticos de um Estado. **2.** Pessoa, indivíduo. || f.: *cidadã*.

cidade (ci.*da*.de) *s.f.* **1.** Concentração populacional que centraliza atividades comerciais, industriais, políticas, culturais etc. **2.** Conjunto dos habitantes de uma cidade. **3.** Sede da administração de um município. || *Cidade aberta*: cidade sem fortificações e sem objetivos militares, que a prática beligerante convencionou poupar de bombardeios, ataques etc. • *Cidade alta*: a parte elevada de uma cidade, por contraposição à baixa. • *Cidade baixa*: a parte baixa de uma cidade, por contraposição à alta. • *Cidade dos pés juntos*: *gír.* cemitério.

cidadela (ci.da.*de*.la) *s.f.* **1.** Fortaleza defensiva duma cidade. **2.** Lugar onde se pode estabelecer defesa. **3.** *fig.* Centro onde se reúnem os defensores mais ardentes de uma doutrina, ideologia etc. **4.** (*Esp.*) No futebol, o gol.

cidra (ci.dra) *s.f.* Fruto da cidreira; sua polpa, branca e espessa, serve para a preparação de doces e compotas.

cidreira (ci.*drei*.ra) *s.f.* (*Bot.*) Árvore originária da Ásia que dá a cidra.

ciência (ci:*ên*.ci:a) *s.f.* **1.** Conjunto de conhecimentos concernentes a certas categorias de fatos ou de fenômenos: *a ciência náutica, a ciência médica.* **2.** Atividade humana baseada na

cilíndrico

utilização de um método definido, através do qual se produzem, testam-se e comprovam-se conhecimentos: *as mais modernas experiências da ciência*. **3.** Informação, conhecimento: *É preciso tomar ciência do despacho do chefe*.

ciências (ci:ên.ci:as) *s.f.pl.* Disciplinas que se aplicam aos estudos da natureza ou do cálculo matemático: *Biologia, Química, Matemática, Álgebra, Física*.

ciente (ci:en.te) *adj.* **1.** Que tem conhecimento de alguma coisa; informado, inteirado, sabedor: *Estamos cientes de nossos deveres e nossos direitos*. • *s.m.* **2.** Anotação feita em comunicados, para efeito de controle do seu conhecimento: *Por favor, ponha um ciente neste despacho*. || *Estar ciente de*: saber. • *Fazer alguém ciente de*: fazer alguém saber, informar alguém de: *Fizeram-no ciente da decisão da turma*. • *Ficar ciente de*: tomar conhecimento de: *Ela ficou ciente de sua aprovação*.

cientificar (ci:en.ti.fi.*car*) *v.* **1.** Dar conhecimento; tornar ciente; informar: *Cientificaram o juiz de que a testemunha não viria*. **2.** Tomar conhecimento de; informar-se: *Cientifiquei-me de que ninguém estava me vendo*. ▶ Conjug. 5 e 35.

cientificismo (ci:en.ti.fi.cis.mo) *s.m.* **1.** (*Fil.*) Doutrina que só reconhece como verdade o que pode ser cientificamente provado. **2.** Atitude que considera que pelos métodos científicos se podem resolver todos os problemas da humanidade.

científico (ci:en.*tí*.fi.co) *adj.* **1.** Relativo à ciência. **2.** Que mostra ciência. **3.** Que tem o rigor da ciência. **4.** Conduzido ou preparado estritamente de acordo com os princípios e práticas das ciências exatas. • *s.m.* **5.** Antigo currículo do ensino secundário (2º grau) que priorizava as matérias científicas, como a Matemática, a Física, a Química e a Biologia.

cientista (ci:en.*tis*.ta) *s.m.* e *f.* Pessoa que se dedica a estudos científicos. || *Cientista social*: profissional que se dedica às Ciências Sociais. • *Cientista político*: profissional que se dedica às Ciências Políticas.

cifose [ó] (ci.*fo*.se) *s.f.* (*Med.*) Curvatura anômala da espinha dorsal, formando convexidade posterior; corcova, corcunda.

cifra (*ci*.fra) *s.f.* **1.** Montante, importância total, soma: *As exportações brasileiras este ano atingiram uma cifra bastante elevada*. **2.** Explicação ou chave duma escrita enigmática ou secreta. **3.** Essa escrita. **4.** Algarismos ou números usados para representar ou registrar alguma coisa.

cifrado (ci.*fra*.do) *adj.* Escrito em caracteres secretos: *uma mensagem cifrada*.

cifrão (ci.*frão*) *s.m.* Sinal ($) usado para expressar as unidades monetárias.

cifrar (ci.*frar*) *v.* **1.** Escrever em cifra, em código: *Havia um oficial que cifrava as ordens a serem expedidas*. **2.** Resumir, reduzir, sintetizar: *Ela conseguia cifrar bem o conteúdo da aula*. **3.** Resumir-se, reduzir-se: *As experiências daquele jovem cifravam-se ao ambiente rural*. ▶ Conjug. 5.

cigano (ci.*ga*.no) *adj.* **1.** Relativo aos ciganos, próprio dos ciganos: *música cigana, dança cigana*. • *s.m.* **2.** Pessoa de um povo nômade, presente em vários países e que tem cultura e ética próprias.

cigarra (ci.*gar*.ra) *s.f.* **1.** (*Zool.*) Inseto cujo macho dispõe de órgãos que emitem um som estridente. **2.** Dispositivo de sinalização de alarme de som estridente.

cigarreira (ci.gar.*rei*.ra) *s.f.* Caixinha ou estojo onde se guardam cigarros; porta-cigarros.

cigarrilha (ci.gar.*ri*.lha) *s.f.* Cigarro comprido enrolado em folha de tabaco.

cigarro (ci.*gar*.ro) *s.m.* Pequena porção de tabaco picado, enrolado em papel ou palha de milho, para se fumar.

cilada (ci.*la*.da) *s.f.* **1.** Ato de se esconder para aguardar o inimigo e atacá-lo de surpresa; emboscada; tocaia. **2.** Plano ardiloso para enganar alguém; embuste. **3.** Traição, deslealdade.

cilha (*ci*.lha) *s.f.* Tira de couro ou tecido forte com a qual se aperta a sela ou carga por baixo do ventre das cavalgaduras.

ciliado (ci.li:*a*.do) *s.m.* Protozoário que apresenta cílios em torno do corpo com os quais se alimenta e se locomove.

ciliar (ci.li:*ar*) *adj.* **1.** Relativo aos cílios. **2.** Que se desenvolve às margens dos rios e lagos: *vegetação ciliar*.

cilício (ci.*lí*.ci:o) *s.m.* **1.** Cintura ou cordão com pontas dilacerantes que se traz sobre a pele para mortificação e penitência. **2.** *fig.* Tormento, aflição, martírio.

cilindrada (ci.lin.*dra*.da) *s.f.* Volume máximo de gás admitido por um cilindro num motor de explosão, expresso em centímetros cúbicos.

cilíndrico (ci.*lín*.dri.co) *adj.* **1.** Relativo ao cilindro. **2.** Em forma de cilindro.

cilindro

cilindro (ci.*lin*.dro) s.m. **1.** (*Geom.*) Sólido de base circular ou elíptica no qual todas as seções paralelas à base são iguais a ela. **2.** Recipiente cilíndrico em que se move o êmbolo de uma máquina a vapor.

cílio (*cí*.li:o) s.m. **1.** Pelo dos bordos das pálpebras; pestana. **2.** Pequeno filamento vibrátil muito tênue que se encontra inserido na superfície de diversas células e bactérias e que serve de meio de locomoção e captura de alimento.

cima (*ci*.ma) s.f. Cume, extremidade superior de objeto elevado. || *De cima*: loc. do alto. • *Em cima*: loc. no alto; sobre. • *Por cima*: loc. em posição superior; além disso.

cimalha (ci.*ma*.lha) s.f. Moldura saliente da parte mais alta da parede, onde se assentam os beirais.

címbalo (*cím*.ba.lo) s.m. (*Mús.*) Antigo instrumento composto de dois meios globos de metal que se chocavam, um de encontro ao outro, como os pratos de hoje.

cimeira (ci.*mei*.ra) s.f. **1.** Ponto mais alto, cimo, cume. **2.** Reunião de chefes de estado; reunião de cúpula; cúpula.

cimentar (ci.men.*tar*) v. **1.** Revestir de cimento, pavimentar: *O vizinho cimentou o espaço onde estava o jardim*. **2.** *fig.* Firmar(-se), consolidar(-se): *Anos seguidos de convivência diária cimentaram nossa amizade; Nossa amizade cimentou-se na convivência diária*. ▶ Conjug. 5.

cimento (ci.*men*.to) s.m. **1.** Pó obtido à base de calcário que serve para a fabricação de argamassas e concretos. **2.** *fig.* O que serve para assegurar, consolidar, firmar.

cimitarra (ci.mi.*tar*.ra) s.f. Espada comprida, que se alarga para extremidade, recurva, obliquamente retalhada ou chanfrada na largura.

cimo (*ci*.mo) s.f. Topo, cume.

cinamomo (ci.na.*mo*.mo) s.m. **1.** (*Bot.*) Árvore ornamental de pequenas flores brancas. **2.** Planta aromática usada como tempero, em lascas ou em pó; canela.

cincada (cin.*ca*.da) s.f. Engano, erro.

cinco (*cin*.co) num. card. **1.** Quatro mais um • s.m. **2.** Representação gráfica desse número (5 em algarismos arábicos; V em algarismos romanos).

cindir (cin.*dir*) v. Separar em duas partes, dividir: *Com uma martelada, cindiu a laje*. ▶ Conjug. 66.

cine (*ci*.ne) s.m. Abreviatura de cinema.

cineasta (ci.ne.*as*.ta) s.m. e f. (*Cine*) **1.** Profissional que se dedica à arte ou à indústria cinematográfica. **2.** Produtor de cinema.

cineclube (ci.ne.*clu*.be) s.m. Associação onde se congregam amadores de cinema para apreciar filmes, discuti-los, estudar-lhe a técnica e a história.

cinéfilo (ci.*né*.fi.lo) s.m. Apreciador de cinema.

cinegética (ci.ne.gé.ti.ca) s.f. Arte e exercício da caça, especialmente com cães.

cinegrafista (ci.ne.gra.*fis*.ta) s.m. e f. (*Cine*) Operador de câmera cinematográfica.

cinema (ci.*ne*.ma) s.m. (*Cine*) **1.** Arte de compor e realizar filmes cinematográficos. **2.** Local onde se assiste a projeções cinematográficas. **3.** A indústria cinematográfica.

cinemática (ci.ne.*má*.ti.ca) s.f. Ramo da Mecânica que estuda o movimento como tal, sem considerações sobre a causa ou natureza dos corpos que se movimentam.

cinemático (ci.ne.*má*.ti.co) adj. Relativo ao movimento mecânico.

cinematografia (ci.ne.ma.to.gra.*fi*.a) s.f. Conjunto de métodos e processos empregados para registrar e projetar fotograficamente cenas animadas ou em movimento; cinema.

cinematográfico (ci.ne.ma.to.*grá*.fi.co) adj. (*Cine*) **1.** Pertencente ou concernente a cinematografia. **2.** Digno de ser filmado por sua beleza, originalidade, grandiosidade etc.: *Foi um casamento cinematográfico*.

cinematógrafo (ci.ne.ma.*tó*.gra.fo) s.m. (*Cine*) Aparelho que permite projetar numa tela cenas animadas; cinema.

cinerama (ci.ne.*ra*.ma) s.m. Tipo de projeção de cinema que dá ao espectador a impressão de que está no centro da cena.

cinerário (ci.ne.*rá*.ri:o) adj. **1.** Relativo à cinza. **2.** Que contém restos mortais de alguém. • s.m. **3.** Urna cinerária.

cinéreo (ci.*né*.re:o) adj. Cinzento.

cinética (ci.*né*.ti.ca) s.f. Parte da Mecânica que estuda o movimento e se divide em cinemática e dinâmica.

cinético (ci.*né*.ti.co) adj. Relativo ao movimento.

cingalês (cin.ga.*lês*) adj. **1.** Relativo ao Sri Lanka (antigo Ceilão). • s.m. **2.** O natural ou o habitante desse país do oceano Índico.

cingapurense (cin.ga.pu.*ren*.se) adj. **1.** Relativo a Cingapura. • s.m. e f. **2.** O natural ou o habitante desse país da Ásia.

cingir (cin.*gir*) v. **1.** Envolver cercando: *Grandes muralhas cingiam a cidade*. **2.** Prender à cintura: *O cavaleiro cingia uma espada à cintura*.

cirandar

3. Envolver apertando: *O pai cingiu o filho nos braços.* 4. Atar com um cinto: *Juntou os livros e cingiu-os com uma tira.* 5. Restringir-se a, seguir estritamente: *Cingiu-se apenas a cumprir as ordens; Cingiram a conversa a temas familiares.* ▶ Conjug. 92.

cínico (*cí*.ni.co) *adj.* 1. Transgressor das convenções sociais, desavergonhado, impudente; dissimulador, hipócrita. • *s.m.* 2. Aquele que não respeita as convenções sociais, que é impudente, desavergonhado.

cinismo (ci.*nis*.mo) *s.m.* 1. Qualidade de cínico. 2. Falta de vergonha. 3. Sistema dos filósofos cínicos.

cinquenta [qüen] (cin.*qüen*.ta) *num. card.* 1. Dez vezes cinco. • *s.m.* 2. Representação gráfica desse número (50 em algarismos arábicos; L em algarismos romanos).

cinquentenário [qüen] (cin.qüen.te.*ná*.ri:o) *s.m.* Quinquagésimo aniversário.

cinta (cin.ta) *s.f.* 1. Peça íntima feminina, elástica e forte, que reduz o volume do ventre e acentua a curva da cintura. 2. Faixa elástica para a sustentação da barriga depois de certas cirurgias. 3. Faixa de pano ou de couro para amarrar em volta da cintura. 4. Tira de papel para cingir livros, jornais e revistas.

cintar (cin.*tar*) *v.* 1. Pôr cinta ou cinto: *Depois do curativo, a enfermeira cintou o abdome do paciente.* 2. Cingir com uma tira de papel (jornal, livro etc.): *Esses jornais que já cintei serão enviados para o Espírito Santo.* 3. Guarnecer em roda com arcos de madeira ou ferro, para segurança e consistência: *Vamos cintar esses barris para que não se abram pelo caminho.* 4. Dar a depressão ou cava da cintura a (peça de vestuário): *É preciso cintar mais um pouco essa roupa.* ▶ Conjug. 5.

cintilação (cin.ti.la.*ção*) *s.f.* Brilho forte e intermitente.

cintilar (cin.ti.*lar*) *v.* 1. Brilhar tremeluzindo: *As estrelas cintilavam na noite fria.* 2. Brilhar, resplandecer: *A coroa de ouro e pedrarias cintilava sobre a cabeça da Virgem.* 3. Faiscar: *O diamante cintilava em seu dedo.* ▶ Conjug. 5.

cinto (cin.to) *s.m.* Tira de couro ou tecido, normalmente terminada em fivela, que se usa para prender as calças ou a saia. || *Cinto de segurança*: tira ajustável que mantém o passageiro de um veículo preso ao assento em caso de choque.

cintura (cin.*tu*.ra) *s.f.* 1. Parte média do corpo humano, região entre o estômago e a barriga. 2. Parte de uma saia, calça etc. que rodeia essa região: *calça de cintura baixa.*

cinturão (cin.tu.*rão*) *s.m.* 1. Grande cinto, geralmente de couro, em que se prendem armas, valores ou utensílios. 2. Cinto com emblema de campeão na fivela, que representa troféu em alguns esportes. || *Cinturão verde*: conjunto de hortas e pomares em torno de uma cidade.

cinza (cin.za) *s.f.* 1. Pó a que ficam reduzidas certas substâncias depois de completamente queimadas. 2. Resíduos das erupções vulcânicas. • *s.m.* 3. A cor desse pó. • *cinzas s.f.pl.* 4. Restos mortais. • *adj.* 5. Que é dessa cor: *Comprou duas calças cinza.*

cinzeiro (cin.*zei*.ro) *s.m.* Objeto de louça, vidro ou outro material onde os fumantes depõem a cinza do cigarro.

cinzel (cin.*zel*) *s.m.* Instrumento cortante numa das extremidades, usado para esculpir materiais duros; buril.

cinzelar (cin.ze.*lar*) *v.* 1. Lavrar com cinzel, esculpir: *Miguel Ângelo ia cinzelando no duro mármore a figura do jovem hebreu.* 2. *fig.* Dar perfeição de forma; aprimorar, apurar: *O poeta cinzelava cada poema como se fosse uma joia.* ▶ Conjug. 8. – **cinzelador** *s.m.*; **cinzeladura** *s.f.*; **cinzelamento** *s.m.*

cinzento (cin.*zen*.to) *adj.* 1. Da cor cinza: *um terno cinzento.* 2. Sombrio, triste: *um dia cinzento.* • *s.m.* 3. A cor cinza; o cinza: *O cinzento é uma cor triste.*

cio (ci:o) *s.m.* Período de desejo sexual intenso dos animais, favorável à procriação; estro.

cioso [ô] (ci:o.so) *adj.* 1. Zeloso, cuidadoso de suas coisas. 2. Que tem muito ciúme; ciumento. || f. e pl.: [ó].

cipó (ci.*pó*) *s.m.* (*Bot.*) Nome genérico de plantas trepadeiras que se entrançam nas árvores e delas pendem; liana.

cipoal (ci.po:*al*) *s.m.* 1. Mato abundante em cipó e difícil de atravessar. 2. *fig.* Negócio intricado em que alguém se mete.

cipreste [é] (ci.*pres*.te) *s.m.* 1. (*Bot.*) Árvore alta, de galhos curtos e folhas verde-escuras. 2. A madeira dessa árvore.

cipriota [ó] (ci.pri.o.ta) *adj.* 1. De Chipre, ilha do Mediterrâneo; típico desse país. 2. *s.m. e f.* O natural ou o habitante de Chipre.

ciranda (ci.*ran*.da) *s.f.* 1. Peneira grossa com que se joeiram grãos de areia etc. 2. Dança de roda infantil, de origem portuguesa; cirandinha. 3. Dança de roda, adulta, com trovas.

cirandar (ci.ran.*dar*) *v.* 1. Passar pela ciranda; joeirar, peneirar: *O pedreiro, antes de preparar*

circense

a massa, cirandou a areia. **2.** Dançar a ciranda: *Gostávamos de cirandar nas festas juninas.* **3.** Andar de um lado para outro; dar voltas: *A mãe cirandava de cá para lá, preparando a ceia do Natal.* ▶ Conjug. 5.

circense (cir.cen.se) *adj.* **1.** Relativo a circo. **2.** De circo.

circo (cir.co) *s.m.* **1.** Recinto circular, cercado e coberto de lona, no qual se dão espetáculos de acrobacia, de mágica, de palhaços etc. **2.** Conjunto de artistas e animais que se apresentam nesses espetáculos: *A garotada está alegre porque o circo chegou.*

circuito (cir.cui.to) *s.m.* **1.** (*Eletrôn.*) Conjunto de condutores interligados através do qual circula a corrente elétrica. **2.** Série de aparelhos interligados com uma função determinada: *circuito interno de televisão.* **3.** Raia que marca os limites de uma área; perímetro. **4.** Conjunto de cinemas que pertencem à mesma empresa. **5.** Trajeto com curvas em que se realizam corridas de motos e carros. || *Circuito fechado*: processo de transmissão de imagens utilizado geralmente em estações rodoviárias e ferroviárias, aeroportos, gares marítimas etc.

circulação (cir.cu.la.ção) *s.f.* **1.** Ato ou efeito de circular. **2.** Movimento do sangue pelas artérias e veias. **3.** Trânsito de pessoas ou de veículos em locais públicos. **4.** Movimentação e distribuição de mercadorias, de moedas, dinheiro etc. **5.** Passagem de mão em mão.

circulador [ô] (cir.cu.la.dor) *adj.* **1.** Que faz circular. • *s.m.* **2.** Aparelho circulador (água, ar).

circulante (cir.cu.lan.te) *adj.* Que circula, que está em circulação.

circular¹ (cir.cu.lar) *v.* **1.** Estar ou pôr ao redor de, fazendo círculo; circundar: *Grossas cordas circulavam o tronco da árvore; Circularam o tronco da árvore com grossas cordas.* **2.** Deslocar-se dando voltas: *Os atletas circulavam com elegância sobre seus patins.* **3.** Renovar-se (o ar): *A sala estava quente porque o ar não circulava.* **4.** Girar; ter circulação: *As moedas de cruzeiro não circulam mais.* **5.** Passar de mão em mão, de boca em boca: *A notícia circulou durante muito tempo.* **6.** Ir e vir, andar de um lado para outro: *Enquanto não chegava o trem, ele ficou circulando pelos arredores da estação.* **7.** Dar volta completa em torno de; rodear: *Os ciclistas circulavam o lago da pracinha.* ▶ Conjug. 5.

circular² (cir.cu.lar) *adj.* **1.** Relativo a círculo, com figura de círculo. • *s.f.* **2.** Carta, ofício ou ma-

nifesto idênticos distribuídos a várias pessoas ou entidades. **3.** Linha circular de veículos.

circulatório (cir.cu.la.tó.ri:o) *adj.* Relativo à circulação do sangue: *sistema circulatório.*

círculo (cír.cu.lo) *s.m.* **1.** (*Geom.*) Superfície plana delimitada por uma circunferência. **2.** Linha ou movimento circular, giro, rodeio. **3.** Pessoas que fazem parte de um mesmo grupo: *meu círculo de amizade.* || *Círculo vicioso*: processo em que uma situação conduz a consequências ou conclusões que acabam por levar à situação inicial, reiniciando o processo.

circum-navegação (cir.cum-na.ve.ga.ção) *s.f.* Ato ou efeito de circum-navegar; périplo.

circum-navegar (cir.cum-na.ve.gar) *v.* Navegar ao redor da Terra, de um continente, de uma ilha, voltando ao ponto de partida: *O projeto de Fernão de Magalhães era circum-navegar a Terra.* ▶ Conjug. 8 e 34.

circuncidado (cir.cun.ci.da.do) *adj.* **1.** Que sofreu circuncisão; circunciso. • *s.m.* **2.** Pessoa circuncidada.

circuncidar (cir.cun.ci.dar) *v.* Fazer circuncisão em: *Quando completou oito dias, Jesus foi circuncidado.* ▶ Conjug. 5.

circuncisão (cir.cun.ci.são) *s.f.* Corte total do prepúcio (geralmente por prescrição religiosa).

circunciso (cir.cun.ci.so) *adj.* **1.** Diz-se do homem que foi circuncidado: *um judeu circunciso.* • *s.m.* **2.** Homem que foi submetido à circuncisão: *O cristianismo aceitou os circuncisos e os pagãos.*

circundar (cir.cun.dar) *v.* **1.** Estar ou ficar ao redor, rodear, cercar, cingir: *Um alto muro circundava o terreno.* **2.** Dar a volta em torno de: *Para chegar a casa, ele precisava circundar a praça.* ▶ Conjug. 5.

circunferência (cir.cun.fe.rên.ci:a) *s.f.* **1.** (*Geom.*) Curva plana, fechada, cujos pontos são todos equidistantes de um ponto interior chamado centro. **2.** Circuito, periferia, contorno circular de uma área.

circunflexo [é] [cs] (cir.cun.fle.xo) *adj.* (*Gram.*) Diz-se do acento que em português indica timbre fechado de uma vogal tônica.

circunlocução (cir.cun.lo.cu.ção) *s.f.* Rodeio de palavras; perífrase; circunlóquio.

circunlóquio (cir.cun.ló.qui:o) *s.m.* Circunlocução.

circunscrever (cir.cuns.cre.ver) *v.* **1.** Determinar os limites de, estabelecer os limites de: *Sua competência circunscrevia-se àquela área.* **2.** Traçar uma linha ao redor: *Corrigindo o ditado,* *o professor circunscrevia em vermelho os erros ortográficos.* || part.: *circunscrito* ▶ Conjug. 41.

circunscrição (cir.cuns.cri.*ção*) s.f. **1.** Ato ou efeito de circunscrever. **2.** Divisão territorial, administrativa, militar, judicial, policial, eleitoral, eclesiástica: *Rapazes devem se apresentar na sua circunscrição militar.*

circunscrito (cir.cuns.cri.to) adj. **1.** Limitado, demarcado: *terreno circunscrito* **2.** Que deve ser mantido dentro de certos limites: *Sua autoridade estava circunscrita a uma pequena região.*

circunspeção (cir.cuns.pe.*ção*) s.f. Circunspecção.

circunspecção (cir.cuns.pec.*ção*) s.f. **1.** Seriedade, decoro nas ações e palavras; ponderação: *Diante do problema familiar, ele agiu com muita circunspecção.* **2.** Exame minucioso de um assunto: *O advogado examinou com circunspecção o depoimento da testemunha.* || *circunspeção.*

circunspecto [é] (cir.cuns.*pec*.to) adj. **1.** Que procede com circunspeção, que guarda as conveniências. **2.** Cauteloso, prudente, ponderado, maduro, reservado. || *circunspeto.*

circunspeto [é] (cir.cuns.*pe*.to) adj. Circunspecto.

circunstância (cir.cuns.*tân*.ci:a) s.f. **1.** Situação, condição ou estado de alguém ou alguma coisa em determinado momento: *Em face das circunstâncias, ele desistiu do projeto.* **2.** Característica de uma situação ou fato: *Não sabemos em que circunstâncias o fato ocorreu.* || *De circunstância*: importante, momentoso, feito a propósito de acontecimento particular ou fortuito; cerimonioso.

circunstancial (cir.cuns.tan.ci:al) adj. Relativo a, ou resultante de circunstância.

circunstanciar (cir.cuns.tan.ci:ar) v. Expor com todas as circunstâncias: *Ela circunstanciou com minúcias a narrativa do fato.* ▶ Conjug. 17.

circunstante (cir.cuns.*tan*.te) adj. **1.** Que está à volta, que está perto. • *circunstantes* s.m. pl. **2.** O público, o auditório, a plateia: *Os circunstantes aguardavam o início da cerimônia.*

circunvizinhança (cir.cun.vi.zi.*nhan*.ça) s.f. **1.** Qualidade de circunvizinho. **2.** Adjacência, subúrbio.

circunvizinho (cir.cun.vi.zi.nho) adj. Que está vizinho, ao redor, adjacente.

circunvolução (cir.cun.vo.lu.*ção*) s.f. **1.** Rotação em torno de um eixo ou centro. **2.** Cada dobra do cérebro e do intestino.

ciriguela [güe] (ci.ri.*gue*.la) s.f. **1** Frutinha tropical de polpa alaranjada e sabor agridoce. **2.** Árvore que dá essa fruta.

círio (*cí*.ri:o) s.m. **1.** Vela grande de cera usada na igreja. **2.** Procissão em que se carrega esse tipo de vela: *o círio de Nazaré.* || *Círio pascal*: grande círio que é aceso na cerimônia da vigília pascal.

cirro-cúmulo (cir.ro-*cú*.mu.lo) s.m. Conjunto de nuvens formadas por grupos de flocos brancos enfileirados. || pl.: *cirros-cúmulos.*

cirrose [ó] (cir.*ro*.se) s.f. (*Med.*) Inflamação crônica do fígado.

cirrótico (cir.*ró*.ti.co) adj. (*Med.*) Relativo a cirrose, afetado por cirrose.

cirurgia (ci.rur.*gi*.a) s.f. Ramo da Medicina que intervém diretamente no corpo, cortando-o para diagnóstico, remoção ou reparo de partes doentes.

cirurgião (ci.rur.gi:*ão*) s.m. Médico especializado em cirurgia.

cirurgião-dentista (ci.rur.gi:ão-den.*tis*.ta) s.m. Dentista. || pl.: *cirurgiões-dentistas, cirurgiães-dentistas.*

cisalpino (ci.sal.*pi*.no) adj. Que fica aquém dos Alpes.

cisandino (ci.san.*di*.no) adj. Que fica aquém dos Andes.

cisão (ci.*são*) s.f. **1.** Ato de cindir; de dividir. **2.** Separação entre pessoas de uma associação, organização ou partido por divergência de opinião; cisma.

ciscar (cis.*car*) v. **1.** Revolver (aves) o cisco, deitando-o para os lados, à procura de algum alimento: *As galinhas ciscavam o dia todo no quintal.* **2.** Retirar alguma coisa do cisco, da terra: *As galinhas ciscavam pequenos insetos da terra.* **3.** Limpar de cisco, gravetos e folhas: *Nas manhãs de domingo, ele ficava ciscando o quintal.* ▶ Conjug. 5 e 35.

cisco (*cis*.co) s.m. Partícula de poeira, de carvão, cinza misturada com terra, areia e fragmentos de carvão.

cisma¹ (*cis*.ma) s.m. Ato de se separar de uma comunhão religiosa, política, literária; cisão etc.: *o grande cisma da igreja ortodoxa.*

cisma² (*cis*.ma) s.f. **1.** Ato de cismar: *Depois do acontecimento, ela perdia-se em longas cismas.* **2.** Devaneio: *Os apaixonados mergulham em pensamentos e cismas.* **3.** Ideia que domina um indivíduo e o faz ficar apreensivo: *Ele está com cisma de que vai ser preso.* **4.** Receio supersticioso: *A mulher tem cisma com sextas-feiras 13.* **5.** Insistência em querer fazer alguma coisa: *Ela cisma em falar sempre em política.*

cismar

cismar (cis.*mar*) v. **1.** Pensar com insistência (em): *O homem velho passou a tarde cismando; O jovem passou a tarde cismando na prova de amanhã.* **2.** Imaginar com tenacidade; ruminar; desconfiar: *O compadre ficou cismando em tudo aquilo que ouviu do padre.* **3.** Ficar absorto em pensamentos: *A moça, enquanto bordava, cismava olhando o vazio.* ▶ Conjug. 5.

cismático[1] (cis.*má*.ti.co) *adj.* **1.** Relativo a cisma (1): *Um movimento cismático.* **2.** Dissidente: *uma doutrina cismática.* • *s.m.* **3.** Pessoa que segue uma doutrina cismática.

cismático[2] (cis.*má*.ti.co) *adj.* Que cisma, devaneia ou anda apreensivo; cismarento: *Por que você anda tão cismático?*

cismativo (cis.ma.*ti*.vo) *adj.* Cismarento; cismático (2).

cisne (*cis*.ne) *s.m.* (*Zool.*) Ave aquática, de patas natatórias, longo pescoço e de cor branca ou negra.

cisplatino (cis.pla.*ti*.no) *adj.* Que está aquém do rio da Prata: *O Uruguai foi nossa província cisplatina.*

cisterna [é] (cis.*ter*.na) *s.f.* Reservatório de água, situado abaixo do nível da terra.

cisticercose [ó] (cis.ti.cer.co.se) *s.f.* Doença causada por verme encontrado na carne de porco.

cisticercótico (cis.ti.cer.*có*.ti.co) *adj.* **1.** Que sofre de cisticercose. • *s.m.* **2.** Pessoa doente de cisticercose.

cistite (cis.*ti*.te) *s.f.* (*Med.*) Inflamação de bexiga.

cistítico (cis.*tí*.ti.co) *adj.* **1.** (*Med.*) Que sofre de cistite. • *s.m.* **2.** (*Med.*) Pessoa afetada de cistite.

cisto (*cis*.to) *s.m.* Quisto.

citação (ci.ta.*ção*) *s.f.* **1.** Ato ou efeito de citar. **2.** Frase ou passagem de uma obra escrita: *Documentou sua afirmação com uma citação de Freud.* **3.** (*Jur.*) Ato solene pelo qual o oficial de justiça comunica a alguém a ordem do juiz para comparecer perante ele; notificação.

citadino (ci.ta.*di*.no) *adj.* **1.** Relativo a cidade. **2.** Que mora em cidade. • *s.m.* **3.** Pessoa que reside em cidade.

citado (ci.*ta*.do) *adj.* **1.** Mencionado; transcrito. **2.** (*Jur.*) Que recebeu citação para vir a juízo. • *s.m.* **3.** (*Jur.*) Indivíduo citado.

citar (ci.*tar*) v. **1.** Mencionar o nome de: *Entre os convidados para a festa, foi citado o nome de Pedro Santos.* **2.** Fazer referência a: *O conferencista citou Mário de Andrade e Raul Bopp.* **3.** Apontar ou indicar como exemplo: *O nome de Mozart foi citado como exemplo.* ▶ Conjug. 5.

citologia (ci.to.lo.*gi*.a) *s.f.* (*Biol.*) Estudo da célula em geral. – **citologista** *s.m.* e *f.*; **citólogo** *s.m.*

citológico (ci.to.*ló*.gi.co) *adj.* (*Biol.*) Relativo a Citologia.

citoplasma (ci.to.*plas*.ma) *s.m.* (*Biol.*) Parte da célula que envolve o núcleo. – **citoplasmático** *adj.*; **citoplásmico** *adj.*

cítrico (*cí*.tri.co) *adj.* **1.** (*Quím.*) Diz-se de um ácido encontrado em certas frutas. **2.** Diz-se das frutas que contêm esse ácido, como laranja, limão, cidra, tangerina, lima-da-pérsia etc.

citricultura (ci.tri.cul.*tu*.ra) *s.f.* Cultura de árvores cítricas, como a laranjeira, a tangerineira, a limeira e o limoeiro. – **citricultor** *s.m.*

citrino (ci.*tri*.no) *adj.* **1.** Cor de limão. • *s.m.* **2.** Variedade de quartzo, de cor amarela.

citronela [é] (ci.tro.ne.la) *s.f.* (*Bot.*) Erva cidreira, melissa.

ciúme (ci.*ú*.me) *s.m.* **1.** Sentimento penoso, causado pela pretensão real ou suposta de outrem, em relação a pessoa de que se quer o amor exclusivo. **2.** Receio de que a pessoa amada dedique o seu afeto a outrem.

ciumeira (ci.u.*mei*.ra) *s.f. coloq.* Ciúme exagerado.

ciumento (ci.u.*men*.to) *adj.* **1.** Que tem e sente ciúmes: *um marido ciumento.* • *s.m.* **2.** Aquele que tem ciúme: *O ciumento não é feliz.*

cível (*cí*.vel) *adj.* **1.** (*Dir.*) Relativo ao direito civil. **2.** Civil. • *s.m.* **3.** Jurisdição dos tribunais em que se julgam as causas cíveis.

cívico (*cí*.vi.co) *adj.* **1.** Relativo ao cidadão, considerado como membro do Estado. **2.** Patriótico.

civil (ci.*vil*) *adj.* **1.** Relativo ao cidadão em suas relações particulares: *direito civil.* **2.** Que não é militar: *polícia civil.* **3.** Que não é religioso: *casamento civil.* **4.** Que decide causas cíveis: *tribunal civil.* **5.** Relativo ao casamento: *estado civil.* **6.** Que tem civilidade: *O homem civil foge do incivil.* • *s.m.* **7.** Casamento civil, perante o juiz: *Casaram-se somente no civil.*

civilidade (ci.vi.li.*da*.de) *s.f.* **1.** Qualidade de civil. **2.** Boas maneiras, boa educação. **3.** Observância dos usos recebidos na boa sociedade.

civilismo (ci.vi.*lis*.mo) *s.m.* Doutrina ou programa partidário que defende o exercício do poder político por civis.

civilista (ci.vi.*lis*.ta) *adj.* **1.** Relativo ao direito civil ou ao civilismo. • *s.m.* e *f.* **2.** Tratadista de direito civil. **3.** Adepto do civilismo.

civilização (ci.vi.li.za.ção) s.f. **1.** Ato ou efeito de civilizar. **2.** Conjunto de caracteres próprios à vida intelectual, artística, moral e material de um país ou de uma sociedade.

civilizar (ci.vi.li.zar) v. **1.** Tornar(-se) civil, cortês: *É preciso civilizar essa criança rebelde*; *Esta criança deve civilizar-se*. **2.** Levar civilização a ou adquirir civilização: *Talvez seja vantajoso civilizar tribos primitivas*; *Aqueles povos tão primitivos civilizaram-se*. **3.** Tornar-se cortês, polido: *Vejo que com o tempo esse rapaz civilizou-se*. ▶ Conjug. 5.

civismo (ci.vis.mo) s.m. **1.** Virtude do bom cidadão, que cumpre com os seus deveres e exerce os seus direitos, como membro de uma sociedade política. **2.** Dedicação ao interesse público, sentimento cívico.

cizânia (ci.zâ.ni:a) s.f. **1.** Gramínea que cresce em meio ao trigo. **2.** *fig.* Discórdia; rixa.

Cl (*Quím.*) Símbolo de cloro.

clã s.m. **1.** Grupos de famílias que têm ancestrais comuns. **2.** Grupo constituído por uma grande família. **3.** *p. ext.* Reunião de indivíduos da mesma classe, casta ou profissão.

clamar (cla.mar) v. **1.** Bradar, gritar, exclamar, proferir em altas vozes: *A multidão clamava o nome de seu novo presidente*. **2.** Exigir, reclamar: *Os excluídos clamam por justiça*. **3.** Implorar, exorar: *Nas grandes calamidades, o povo clama ao Senhor*. **4.** Soltar altas vozes; gritar publicamente: *João Batista era a voz que clamava no deserto*. ▶ Conjug. 5.

clamor (cla.mor) s.m. **1.** Ato ou efeito de clamar. **2.** Gritaria aflita de quem pede, protesta, ameaça, reclama, queixa-se: *Não é possível deixar de atender o clamor dos pacíficos*. **3.** Expressão de indignação ou descontentamento: *O governo deve ouvir o clamor do povo que quer justiça*.

clamoroso [ô] (cla.mo.ro.so) adj. **1.** Em que há clamor. **2.** Feito com clamor. **3.** Que levanta indignação: *Foi uma injustiça clamorosa*. || f. e pl.: [ó].

clandestino (clan.des.ti.no) adj. **1.** Praticado às escondidas, por estar infringindo a lei. **2.** Feito sem as condições de publicidade exigidas pela lei. • s.m. **3.** Pessoa que se introduz sub-repticiamente a bordo de um navio ou avião etc., para viajar sem documentos nem pagar a passagem. – **clandestinidade** s.f.

claque (cla.que) s.f. Grupo de espectadores pagos ou não para aplaudir um artista ou um espetáculo, a fim de ajudar em seu sucesso ou, às vezes, para vaiar.

clara (cla.ra) s.f. Parte transparente do ovo, constituída de albumina, que envolve a gema.

claraboia [ói] (cla.ra.boi.a) s.f. Abertura no telhado, geralmente circular, coberta e envidraçada, para dar claridade ao interior.

clarão (cla.rão) s.m. Luz forte, que se mostra subitamente e depois desaparece.

clarear (cla.re.ar) v. **1.** Tornar claro ou mais claro: *um creme dental que clareia os dentes*; *Com o novo sabão a roupa clareou*. **2.** Tornar mais inteligível: *Essa explicação clareou minhas ideias sobre o assunto*; *Com a leitura do livro, suas dúvidas clarearam*. **3.** Limpar-se de nuvens (tempo, dia, céu): *Depois do aguaceiro, o tempo clareou*. ▶ Conjug. 14.

clareira (cla.rei.ra) s.f. Espaço dentro de bosque, mata, floresta, no qual faltam ou rareiam árvores.

clareza [ê] (cla.re.za) s.f. **1.** Qualidade do que é claro, inteligível, fácil de entender: *Esse texto é de uma clareza surpreendente*. **2.** Limpidez, transparência: *Percebia-se logo a clareza de suas intenções*.

claridade (cla.ri.da.de) s.f. **1.** Qualidade do que é claro. **2.** Luz intensa.

clarificar (cla.ri.fi.car) v. **1.** Tornar claro ou mais claro, límpido: *Pingou gotas de limão para clarificar o chá*. **2.** Tornar-se claro; tornar-se limpo; purificar-se: *A água da fonte se clarificará quando a chuva cessar*. ▶ Conjug. 5 e 35. – **clarificação** s.f.

clarim (cla.rim) s.m. Instrumento metálico de sopro, de som claro, usado para toques militares.

clarinada (cla.ri.na.da) s.f. Toque de clarim.

clarineta [ê] (cla.ri.ne.ta) s.f. Clarinete.

clarinete [ê] (cla.ri.ne.te) s.m. Instrumento de sopro, de madeira, com bocal de palheta simples, dotado de orifícios e chaves. || clarineta.

clarinetista (cla.ri.ne.tis.ta) s.m. e f. Tocador de clarinete.

clarividência (cla.ri.vi.dên.ci:a) s.f. Capacidade de ver as coisas com clareza.

clarividente (cla.ri.vi.den.te) adj. **1.** Que vê as coisas com clareza. **2.** Esperto, sagaz. • s.m. e f. **3.** Pessoa que tem clarividência.

claro (cla.ro) adj. **1.** Em que há luz, em que há claridade: *manhã clara, quarto claro*. **2.** Pouco intenso, não carregado: *azul-claro, rosa-claro*. **3.** Límpido, transparente: *águas claras* **4.** Fácil de entender: *discurso claro*. **5.** Cuja pele é

claro-escuro

branca: *um rosto claro*. **6.** Olhos azuis ou verdes: *olhos claros.* • *s.m.* **7.** Espaço em branco: *Vamos preencher os claros.* **8.** Clareira: *Pararam num claro da mata.* • *adv.* **9.** Com clareza: *Percebeu claro a intenção.* || *Às claras*: claramente. • *Em claro*: sem dormir.

claro-escuro (cla.ro-es.cu.ro) *s.m.* Imitação em desenho e pintura dos efeitos de luz e sombra: *A pintura barroca tira partido dos claro-escuros.* || pl.: claro-escuros e claros-escuros.

classe (clas.se) *s.f.* **1.** Grupo em que se dividem ou arrumam, por algum critério, seres ou coisas; categoria, ordem. **2.** Categoria social fundada em diferença de condição: *classe proletária.* **3.** Categoria de indivíduos fundada no mérito, na capacidade, na importância; qualidade, categoria: *Um médico de primeira classe.* **4.** Grupo de pessoas distintas de outras por suas ocupações, costumes, opiniões etc.: *a classe dos pedreiros, a classe dos professores, a classe dos teimosos.* **5.** Categoria de coisas, fundada na qualidade, preço, valor, natureza, uso: *passagem de segunda classe.* **6.** (*Biol.*) Cada uma das grandes divisões de um reino da natureza: *a classe dos mamíferos.* **7.** Conjunto de alunos de uma classe.

classicismo (clas.si.cis.mo) *s.m.* Doutrina estética fundada no culto da tradição greco-romana e que confere maior importância às faculdades intelectuais do que às emocionais na criação da obra de arte.

clássico (clás.si.co) *adj.* **1.** De uso nas classes. **2.** Que nas artes, em geral, segue a doutrina estética greco-romana: *Os poetas clássicos do Renascimento.* **3.** Relativo à antiguidade grega ou latina: *filologia clássica.* **4.** Obra artística que serve de modelo; obra exemplar: *O romance* Vidas Secas, *de Graciliano Ramos, é um livro clássico.* • *s.m.* **5.** Autor clássico: *Interessada em cultura, leu todos os clássicos.* **6.** Autor de obra clássica consagrada: *Graciliano Ramos é um clássico.* **7.** *fig.* Jogo de futebol entre dois clubes importantes: *Vamos assistir ao Fla x Flu, o grande clássico deste domingo.* **8.** Antigo currículo do ensino secundário (ensino médio) que priorizava as áreas de humanas.

classificação (clas.si.fi.ca.ção) *s.f.* **1.** Ato ou efeito de classificar. **2.** Distribuição por classes.

classificado (clas.si.fi.ca.do) *adj.* **1.** Que obteve classificação ou qualificação. **2.** Disposto em classe, em ordem. • *s.m.* **3.** Anúncio que se publica em jornal: *Procure o apartamento nos classificados.*

classificador [ô] (clas.si.fi.ca.dor) *adj.* **1.** Que classifica ou se usa para classificar. • *s.m.* **2.** Pasta em que se guardam papéis ou objetos segundo determinada classificação.

classificar (clas.si.fi.car) *v.* **1.** Distribuir(-se) em classes e nos grupos respectivos, baseado num sistema ou método: *Ela classificou todos os livros daquela biblioteca.* **2.** Determinar a classe, ordem, família, gênero, espécie de: *Sentado sob um grande guarda-sol, o cientista classificava as plantas da região.* **3.** Indicar a classe: *Na análise que estavam fazendo, os alunos classificavam as palavras por gênero e número.* **4.** Qualificar-se: *A estagiária classificou-se muito bem no concurso.* ▶ Conjug. 5 e 35. – **classificatório** *adj.*; **classificável** *adj.*

claudicar (clau.di.car) *v.* **1.** Não ter firmeza num dos pés; mancar, capengar: *Ele está claudicando porque torceu o pé.* **2.** Ter mau desempenho; falhar: *A memória do velho professor já claudicava.* **3.** Cometer falta; falhar, errar: *O orador claudicou em seu discurso várias vezes.* ▶ Conjug. 5 e 35. – **claudicação** *s.f.*; **claudicância** *s.f.*; **claudicante** *adj.*

claustro (claus.tro) *s.m.* **1.** Pátio interno de um convento. **2.** Convento ou mosteiro: *As carmelitas vivem no silêncio do claustro.* **3.** Vida monástica: *O jovem noviço logo se adaptou ao claustro.*

claustrofobia (claus.tro.fo.bi.a) *s.f.* (*Med.*) Medo mórbido de ficar em espaços apertados. – **claustrofóbico** *adj.*

cláusula (cláu.su.la) *s.f.* **1.** Cada uma das disposições dum contrato, tratado, testamento, ou qualquer outro documento semelhante, público ou privado; artigo. **2.** (*Gram.*) Oração, frase, sentença.

clausura (clau.su.ra) *s.f.* **1.** Recinto dos conventos e mosteiros onde só podem entrar os monges e as monjas. **2.** *fig.* Reclusão, recolhimento.

clava (cla.va) *s.f.* Arma constituída por um pedaço de pau mais grosso numa das extremidades; maça: "*Mas se ergues da justiça a clava forte / Verás que um filho teu não foge à luta.*" Osório Duque-Estrada, *Hino Nacional Brasileiro.*

clave (cla.ve) *s.f.* (*Mús.*) Sinal colocado no princípio da pauta para servir de referência à indicação das notas musicais: *clave de sol.*

clavícula (cla.ví.cu.la) *s.f.* (*Anat.*) Osso longo da parte superior do tórax que articula o ombro com o esterno. – **clavicular** *adj.*

clemência (cle.mên.ci.a) *s.f.* Inclinação para perdoar; misericórdia.

clepsidra (clep.si.dra) s.f. Relógio de água.

cleptomania (clep.to.ma.ni.a) s.f. (Med.) Tendência irresistível para o furto.

cleptomaníaco (clep.to.ma.ní.a.co) adj. **1.** Relativo a cleptomania. • s.m. **2.** Cleptômano.

cleptômano (clep.tô.ma.no) s.m. Indivíduo que padece de cleptomania.

clerical (cle.ri.cal) adj. **1.** Relativo ao clero. **2.** Do clero.

clericalismo (cle.ri.ca.lis.mo) s.f. **1.** Influência do clero em questões seculares. **2.** Atitude dos que apoiam o clero em todos os seus posicionamentos.

clérigo (clé.ri.go) s.m. Pessoa que recebeu ordens sacras.

clero [é] (cle.ro) s.m. Conjunto dos sacerdotes da Igreja Católica. || *Baixo clero:* **1.** o grupo dos simples padres. **2.** *pej.* em certas categorias profissionais, o grupo que menos se destaca.

clicar (cli.car) v. **1.** Fotografar: *Pare aí, que vou clicar você.* **2.** (*Inform.*) Acionar um comando de um programa de computador, utilizando-se instrumento específico denominado *mouse*. ▶ Conjug. 5 e 35.

clichê (cli.chê) s.m. **1.** Chapa metálica de textos e imagens em relevo, para impressão. **2.** Lugar-comum, ideia ou expressão muito comum; chavão, estereótipo.

clicheria (cli.che.ri.a) s.f. **1.** Oficina onde são confeccionados clichês. **2.** A técnica de fazer clichês.

cliente (cli.en.te) s.m. e f. **1.** Pessoa que consulta habitualmente um médico, um dentista. **2.** Constituinte, em relação ao seu procurador ou advogado. **3.** Freguês de uma loja comercial. **4.** Correntista de um banco.

clientela [é] (cli.en.te.la) s.f. **1.** Conjunto de frequentadores de um estabelecimento comercial; freguês. **2.** Conjunto dos clientes de um médico, de um dentista etc.

clima (cli.ma) s.m. **1.** Conjunto de condições do tempo (pressão atmosférica, temperatura, ventos, umidade etc.) que determina o estado médio da atmosfera nas regiões da Terra. **2.** *fig.* Atmosfera moral e emocional que domina um ambiente.

climatério (cli.ma.té.ri:o) s.m. Período da vida humana que, na mulher, representa o fim de sua capacidade reprodutiva, e, no homem, o declínio de sua potência sexual.

climático (cli.má.ti.co) adj. De ou relativo a clima.

climatização (cli.ma.ti.za.ção) s.f. Conjunto de processos empregados para se obterem, em recinto fechado, condições ambientais de temperatura, umidade, pressão etc. adequadas ao bem-estar dos que nele se encontrem. – **climatizado** adj.; **climatizar** v. ▶ Conjug. 5.

clímax [cs] (clí.max) s.m. **1.** O ponto culminante. **2.** O grau máximo ou ótimo de desenvolvimento de um fenômeno biológico ou social.

clínica (clí.ni.ca) s.f. **1.** Parte prática da Medicina. **2.** Estabelecimento onde se presta atendimento médico, pediátrico, cirúrgico, laboratorial e outros.

clinicar (cli.ni.car) v. **1.** Exercer a clínica; medicar: *Meu médico clinica há 40 anos.* **2.** Ter atendimento médico; consultar-se: *Clinica-se com o mesmo médico há vários anos.* ▶ Conjug. 5 e 35.

clínico (clí.ni.co) adj. **1.** Relativo a clínica. **2.** Que se faz junto ao leito do doente: *cuidados clínicos.* **3.** Diz-se do olho que descobre logo a moléstia do doente: *um olho clínico.* • s.m. **4.** Médico que estuda as doenças e delas trata pela observação direta dos doentes.

clipagem (cli.pa.gem) (*Comun.*) s.f. Atividade profissional de recorte de jornais e revistas que trazem matérias sobre personalidades, empresas, assuntos etc. || *clipping*.

clipe (cli.pe) s.m. **1.** Pequeno prendedor de papéis que consiste em um pedaço de arame dobrado várias vezes em um mesmo plano. **2.** Videoclipe.

clipping [clipin] (Ing.) s.f. Clipagem.

clique (cli.que) s.m. **1.** Ato ou efeito de clicar. **2.** Ruído seco e breve produzido por certos mecanismos.

clister [é] (clis.ter) s.m. (Med.) Injeção de água ou de medicamentos líquidos nos intestinos pelo reto; enema, lavagem.

clitóris (cli.tó.ris) s.m.2n. (Anat.) Pequeno órgão erétil da genitália feminina.

cloaca (clo.a.ca) s.f. **1.** Cano que dá escoamento a imundícies, esgoto. **2.** (*Zool.*) Orifício na extremidade do tubo digestivo de aves para saída do material fecal, urinário e reprodutor das aves, répteis etc. **3.** *fig.* Lugar imundo, malcheiroso.

clonagem (clo.na.gem) s.f. (Biol.) Processo para a obtenção de clones em laboratório através de técnicas de engenharia genética.

clonar (clo.nar) v. **1.** Reproduzir (células, organismos, seres vivos) através do emprego de material genético. **2.** *fig.* Produzir cópia ou

clone

imitação idêntica: *clonar chaves de carro, cartões de crédito etc.* ▶ Conjug. 5.

clone (*clo*.ne) *s.m.* (*Biol.*) **1.** Ser vivo reproduzido artificialmente com o mesmo código genético do ser original. **2.** Cópia idêntica.

clorar (clo.*rar*) *v.* **1.** Tratar água com cloro. **2.** Adicionar cloro a. ▶ Conjug. 20.

cloreto [ê] (clo.re.to) *s.m.* (*Quím.*) Qualquer sal derivado do ácido clorídrico.

clorídrico (clo.rí.dri.co) *adj.* (*Quím.*) Diz-se de um ácido formado por partes iguais de cloro e hidrogênio.

cloro [ó] (*clo*.ro) *s.m.* (*Quím.*) Elemento químico de cor esverdeada e cheiro muito forte, usado como alvejante e desinfetante. || Símbolo: Cl.

clorofila (clo.ro.*fi*.la) *s.f.* Pigmento verde das plantas, encontrado principalmente nas folhas, responsável pela fotossíntese.

clorofluorcarboneto [ê] (clo.ro.flu.or.car.bo.*ne*. to) *s.m.* Gás usado em refrigeração e aerossóis, que concorre para destruir a camada de ozônio da atmosfera.

clorofórmio (clo.ro.*fór*.mi:o) *s.m.* (*Farm., Quím., Med.*) Substância líquida, incolor, volátil e aromática, de ação anestésica. – **clorofórmico** *adj.*

cloroformizar (clo.ro.for.mi.*zar*) *v.* Submeter à ação do clorofórmio para anestesiar. ▶ Conjug. 5.

clorose [ó] (clo.*ro*.se) *s.f.* (*Med.*) Anemia em jovens, causada por distúrbios menstruais.

close [clôse] (Ing.) *s.m.* Fotografia em que o objeto está muito próximo da máquina; primeiro plano.

closet [clôset] (Ing.) *s.m.* Pequeno aposento, normalmente sem janela, onde se guardam roupas de cama, material de limpeza, objetos vários.

close-up [clôs'ap] (Ing.) *s.m. Close.*

clube (*clu*.be) *s.m.* **1.** Local onde, mediante pagamento de cotas ou mensalidades, reúnem-se pessoas para atividades culturais, prática de esportes ou recreações diversas. **2.** Associação onde se discutem assuntos literários, políticos, científicos etc.

cm Símbolo de *centímetro.*

Cm (*Quím.*) Símbolo de *cúrio.*

Co (*Quím.*) Símbolo de *cobalto.*

coabitação (co:a.bi.ta.*ção*) *s.f.* Ato ou efeito de coabitar.

coabitar (co:a.bi.*tar*) *v.* **1.** Habitar ou morar conjuntamente: *Os estudantes coabitavam uma casa de dois andares; Os filhos, antes de constituir família, coabitavam com os pais.* **2.** Viver juntos como marido e mulher: *Afonso e Helena coabitam há dez anos.* ▶ Conjug. 5.

coação (co:a.*ção*) *s.f.* **1.** Ato ou efeito de coagir. **2.** Estado de quem é coagido.

coadjutor [ô] (co:ad.ju.*tor*) *adj.* **1.** Que coadjuva, que auxilia nos serviços. • *s.m.* **2.** Sacerdote que coadjuva um vigário nos serviços paroquiais.

coadjuvante (co:ad.ju.*van*.te) *adj.* **1.** Diz-se de ator ou atriz que atua em papéis secundários: *A atriz coadjuvante estava tão bem quanto a principal.* **2.** Que coadjuva, que auxilia. • *s.m.* e *f.* **3.** Ator ou atriz coadjuvantes: *Os coadjuvantes do filme mereceram o prêmio da Academia.*

coadjuvar (co:ad.ju.*var*) *v.* **1.** Ajudar, auxiliar: *O foguista coadjuvava o maquinista na manutenção da locomotiva.* **2.** Auxiliar-se, ajudar-se mutuamente: *Apesar das diferenças, eles se coadjuvavam no trabalho.* ▶ Conjug. 5.

coador [ô] (co:a.*dor*) *s.m.* Filtro de papel, pano ou metal usado para coar líquidos.

coadunar (co:a.du.*nar*) *v.* **1.** Conformar(-se), combinar(-se), harmonizar(-se): *A cor da cortina não coadunava com a das poltronas; As coisas não se coadunavam.* **2.** Conformar-se, combinar-se, harmonizar-se: *Os temperamentos do casal não se coadunavam.* ▶ Conjug. 5.

coagir (co:a.*gir*) *v.* Obrigar alguém a fazer alguma coisa: *Os guardas coagiam os prisioneiros a permanecer de pé.* ▶ Conjug. 92.

coagulação (co:a.gu.la.*ção*) *s.f.* Passagem de certos líquidos ao estado semissólido: *a coagulação do leite, a coagulação do sangue.*

coagulador [ô] (co:a.gu.la.*dor*) *adj.* **1.** Que provoca coagulação, que coalha. • *s.m.* **2.** Última cavidade do estômago dos ruminantes.

coagulante (co:a.gu.*lan*.te) *adj.* **1.** Que provoca coagulação. • *s.m.* **2.** (*Farm., Med.*) Substância que provoca coagulação.

coagular (co:a.gu.*lar*) *v.* **1.** Promover a coagulação de; coalhar: *O vinagre coagula o leite.* **2.** Ficar coagulado: *O leite coagulou; O sangue coagula-se.* ▶ Conjug. 5. – **coagulável** *adj.*

coágulo (co:*á*.gu.lo) *s.m.* **1.** Parte coagulada de um líquido. (*Med.*) **2.** Matéria sólida de sangue ou de linfa.

coala (co:*a*.la) *s.m.* (*Zool.*) Marsupial australiano, semelhante a um pequeno urso, que vive nas árvores e se alimenta de folhas.

coalhada (co:a.*lha*.da) *s.f.* Leite coalhado, em geral usado como alimento.

coalhar (co:a.*lhar*) *v.* **1.** Tornar(-se) sólido; coagular(-se); talhar(-se): *É preciso coalhar o leite para fazer o queijo; Coalha-se o leite para fazer o queijo.* **2.** Encher(-se) de: *A regata coalhou de velas a baía; Com a regata, a baía coalhou-se de velas.* ▶ Conjug. 5.

coalheira (co:a.*lhei*.ra) *s.f.* (*Zool.*) Abomaso.

coalho (co:a.lho) *s.m.* **1.** (*Med.*) Coágulo. **2.** Substância coagulante usada na fabricação de queijo.

coalizão (co:a.li.*zão*) *s.f.* Acordo ou aliança de nações, partidos políticos etc. para atingir fim comum.

coalizar-se (co:a.li.*zar*-se) *v.* Fazer acordo para um fim comum; unir-se, aliar-se, coligar-se. ▶ Conjug. 5 e 6.

coar (co:*ar*) *v.* **1.** Fazer passar um líquido por coador, peneira ou pano; filtrar: *coar o café.* **2.** Deixar passar através de si: *As persianas da janela coavam a luz da manhã.* **3.** Passar através de, introduzir-se: *A luz do sol coava-se através da densa folhagem.* ▶ Conjug. 25.

coautor [ô] (co:au.*tor*) *s.m.* Autor de uma obra, junto com outra ou outras pessoas.

coautoria (co:au.to.*ri*.a) *s.f.* Qualidade ou condição de coautor.

coaxar [ch] (co:a.*xar*) *v.* **1.** Soltar a voz (falando-se da rã e do sapo): *Os sapos coaxavam a noite inteira.* • *s.m.* **2.** Coaxo: *Daqui se ouve bem o coaxar das rãs no brejo.* ▶ Conjug. 5.

coaxial [cs] (co:a.xi:*al*) *adj.* Que tem um eixo em comum.

coaxo [ch] (co:*a*.xo) *s.m.* **1.** Ato de coaxar. **2.** A voz das rãs e dos sapos.

cobaia (co.*bai*.a) *s.f.* **1.** (*Zool.*) Mamífero roedor usado em experiências científicas; porquinho-da-índia. **2.** Qualquer pessoa, ou animal, que se usa em experiências.

cobalto (co.*bal*.to) (*Quím.*) *s.m.* Metal branco-prateado usado na indústria de aço, cerâmicas e corantes. ‖ Símbolo: Co.

cobarde (co.*bar*.de) *adj. s.m. e f.* Covarde.

cobardia (co.bar.*di*.a) *s.f.* Covardia.

coberta [é] (co.*ber*.ta) *s.f.* **1.** Tudo que serve para cobrir ou abrigar. **2.** Colcha de cama.

coberto [é] (co.*ber*.to) *adj.* **1.** Que se cobriu, que é revestido: *Na sala abandonada, os móveis estavam cobertos.* **2.** Cheio, todo ocupado: *A rua ficou coberta de folhetos políticos.* **3.** Oculto: *O segredo ficou coberto durante duzentos anos.* **4.** Envolvido em camada de açúcar (doce): *Gostei muito daqueles doces cobertos de açúcar.* • *s.m.* **5.** Lugar coberto; alpendre, telheiro. ‖ *A coberto:* com defesa; com abrigo; contra fundos realizáveis na mão do sacado. • *A coberto de:* livre de, defendido contra.

cobertor [ô] (co.ber.*tor*) *s.m.* Pano de lã de fio grosso ou de algodão felpudo que se coloca sobre o lençol para resguardar do frio.

cobertura (co.ber.*tu*.ra) *s.f.* **1.** Tudo o que serve para cobrir: *A cobertura do bolo era de chocolate.* **2.** (*Comun.*) Registro e transmissão de um fato ou de um acontecimento através da mídia: *A cobertura da festa foi feita pela televisão.* **3.** Apartamento construído sobre a laje mais elevada de um prédio: *A cobertura é um tanto quente porque recebe sol o dia inteiro.* **4.** Reserva para pagamento; fundo: *O cheque que me deram não tinha cobertura.* **5.** Apoio e proteção em situação de ataque e defesa: *A artilharia dava cobertura ao avanço dos soldados pelo campo.* **6.** O conjunto de serviços oferecido por planos de saúde ou de seguro: *Meu plano de saúde dá cobertura a internação em quarto individual.*

cobiça (co.*bi*.ça) *s.f.* Desejo ansioso, imoderado, de possuir alguma coisa, principalmente, riquezas; avidez.

cobiçar (co.bi.*çar*) *v.* Ter cobiça de; desejar, ambicionar: *Não se deve cobiçar as coisas dos outros.* ▶ Conjug. 5 e 36.

cobiçoso [ô] (co.bi.*ço*.so) *adj.* Que cobiça, que ambiciona. ‖ f. e pl.: [ó].

cobogó (co.bo.*gó*) *s.m.* Peça de cerâmica vazada, usada em paredes externas para deixar passar o ar e a luz.

cobra [ó] (*co*.bra) *s.f.* **1.** (*Zool.*) Qualquer serpente, venenosa ou não. **2.** *fig.* Pessoa de má índole. • *s.m. e f.* **3.** *gír.* Pessoa talentosa ou perita num assunto ou numa especialidade; experto; cobrão: *Laura e Carlos são cobras em Matemática.*

cobrador [ô] (co.bra.*dor*) *adj.* **1.** Que cobra. • *s.m.* **2.** Pessoa que faz cobranças. **3.** Profissional que recebe dos passageiros a quantia que deve ser paga pelo percurso em veículos de transporte coletivo; trocador.

cobrança (co.*bran*.ça) *s.f.* Ato ou efeito de cobrar.

cobrão (co.*brão*) *s.m. gír.* Cobra (3).

cobrar (co.*brar*) *v.* **1.** Pedir determinada quantia por produto, serviço ou mercadoria recebida: *O bombeiro cobrou pouco pelo conserto das*

cobre

torneiras; O síndico veio cobrar o condomínio. **2.** Exigir o cumprimento de uma promessa: *Ela cobrou do marido a viagem prometida.* ▶ Conjug. 20.

cobre [ó] (co.bre) *s.m.* (*Quím.*) Metal avermelhado, maleável, bom condutor de eletricidade e usado na cunhagem de moedas, medalhas etc. || Símbolo: *Cu*.

cobreiro (co.brei.ro) *s.m.* Nome vulgar do herpes-zóster; cobrelo.

cobrelo [ê] (co.bre.lo) *s.m.* Cobreiro.

cobrição (co.bri.ção) *s.f.* Cópula de quadrúpedes; cobrimento.

cobrimento (co.bri.men.to) *s.m.* Cobrição.

cobrir (co.brir) *v.* **1.** Tapar ou encobrir alguma coisa, alguém ou a si mesmo: *Não queira cobrir o sol com a peneira.* **2.** Estender-se por cima de: *Cobriu o corpo do filho com o seu próprio corpo.* **3.** Fazer reportagem sobre um acontecimento: *Aqueles jornalistas cobriram todas as etapas da eleição do novo papa.* **4.** Proteger: *Um policial prometeu cobrir o deslocamento dos companheiros.* **5.** Ser suficiente para: *O dinheiro da bolsa não cobre as despesas da viagem.* **6.** Percorrer: *Estava muito cansado para cobrir o resto do caminho.* **7.** Fecundar (o macho à fêmea): *O cavalo cobriu a égua.* ▶ Conjug. 76.

coca [ó] (co.ca) *s.f.* **1.** Arbusto frondoso, cujas folhas e casca encerram vários alcaloides, como a cocaína e o *crack.* **2.** Cocaína.

coça [ó] (co.ça) *s.f. coloq.* Sova, surra.

cocada (co.ca.da) *s.f.* Doce feito com coco ralado e açúcar.

cocaína (co.ca.í.na) *s.f.* (*Quím.*) **1.** Substância extraída das folhas da coca. **2.** Droga viciante produzida com essa substância, apresentada geralmente em forma de um pó branco; coca.

cocainomania (co.ca:i.no.ma.ni.a) *s.f.* Vício de consumir cocaína.

cocainômano (co.ca:i.nô.ma.no) *s.m.* Indivíduo vítima da cocainomania.

cocar (co.car) *s.m.* Adorno de penas, para cabeça, usado pelos índios nas suas festas.

coçar (co.çar) *v.* **1.** Esfregar a pele com as unhas ou com objeto áspero: *A mãe coçava docemente a cabeça do filho.* **2.** Produzir coceira: *A picada do mosquito coçava muito.* **3.** Esfregar-se com as unhas ou com objeto áspero: *O macaco coçava-se dentro da jaula.* ▶ Conjug. 20 e 36.

cocção (coc.ção) *s.f.* Ato ou efeito de cozer, cozimento.

cóccix [s] (cóc.cix) *s.m.2n.* (*Anat.*) Pequeno osso que termina a coluna vertebral na parte inferior.

cócega (có.ce.ga) *s.f.* **1.** Sensação peculiar, mista de prazer e irritação, causada por fricções leves e repetidas em certos pontos sensíveis do corpo, causando riso e contrações musculares: *Sinto cócegas na sola dos pés.* **2.** O toque nesses pontos sensíveis: *Não me façam cócegas, por favor!* **3.** *fig.* Desejo muito forte de fazer alguma coisa: *Ela teve cócegas de contar a verdade, mas se conteve.* || Uso mais comum no plural.

coceira (co.cei.ra) *s.f.* Sensação desagradável causada por enfermidade ou agente irritante, que leva o indivíduo a coçar-se em procura de alívio; comichão, prurido.

coche [ô] (co.che) *s.m.* Carruagem de luxo, de estilo antigo, fechada.

cocheira (co.chei.ra) *s.f.* **1.** Casa ou lugar em que se guardam coches e outras carruagens. **2.** Cavalariça.

cocheiro (co.chei.ro) *s.m.* Profissional que guia os cavalos de uma carruagem.

cochichar (co.chi.char) *v.* Falar em voz muito baixa, às vezes, junto da orelha, para que ninguém ouça o que se diz; sussurrar: *A mãe cochichou qualquer coisa no ouvido da filha; Elas cochicham o tempo todo.* ▶ Conjug. 5.

cochicho (co.chi.cho) *s.m.* **1.** Ato ou resultado de cochichar. **2.** Conversa em voz baixa, em tom de segredo; sussurro.

cochilar (co.chi.lar) *v.* **1.** Dormir um sono leve e curto: *Antes de ir deitar-se, ela cochilava um pouco no sofá da sala.* **2.** *fig.* Descuidar-se: *Não se pode cochilar na hora de tomar o trem.* ▶ Conjug. 5.

cochilo (co.chi.lo) *s.m.* **1.** Sono breve e leve; soneca: *Tirei um cochilo depois do almoço.* **2.** Descuido, distração: *Esse erro foi um cochilo do digitador.*

cocho [ô] (co.cho) *s.m.* Vasilha oblonga, feita ordinariamente de uma só peça de madeira na qual se põe água ou comida para o gado.

cochonilha (co.cho.ni.lha) *s.f.* **1.** Corante carmim obtido de um verme que contém ácido carmínico. **2.** O verme que produz esse corante. **3.** Inseto que apresenta muitas variedades e constitui uma praga para as plantas, especialmente as cítricas.

cociente (co.ci:en.te) *s.m.* (*Mat.*) Quociente.

cockpit [*cocpit*] (Ing.) *s.m.* Cabine do piloto ou do copiloto em carro de corrida, avião ou nave espacial.

coco [ó] (co.co) *s.m.* (*Biol.*) Bactéria de forma esférica.

coco¹ [ô] (co.co) *s.m.* **1.** Fruto do coqueiro e de outras palmeiras. **2.** *coloq.* Crânio, cabeça.

coco² [ô] (co.co) *s.m.* (*Folc.*) Cantiga e dança populares acompanhadas de viola ou de palmas.

cocó (co.có) *s.m.* Penteado feminino que consiste em enrodilhar os cabelos no alto ou atrás da cabeça e prender com grampo; coque.

cocô (co.cô) *s.m. coloq.* Excremento, fezes.

coco-da-quaresma (co.co-da-qua.res.ma) *s.m.* Catulé. || pl.: *cocos-da-quaresma*.

cócoras (có.co.ras) *s.f.pl.* Usado na locução *de cócoras*. || De cócoras: agachado, sentado sobre os calcanhares.

cocoricar (co.co.ri.car) *v.* Soltar a voz (o galo). ▶ Conjug. 5 e 35.

cocorote [ó] (co.co.ro.te) *s.m.* Pancada que se dá na cabeça de alguém com o nó dos dedos; cascudo.

cocote [ó] (co.co.te) *s.f.* Meretriz elegante; prostituta de luxo.

cocuruto (co.cu.ru.to) *s.m.* **1.** O alto da cabeça. **2.** Parte mais elevada de algum lugar.

côdea (cô.de:a) *s.f.* Casca dura de pão.

codeína (co.de.í.na) *s.f.* (*Quím.*) Produto anestésico derivado do ópio.

códex [cs] (có.dex) *s.m.* Códice (1).

códice (có.di.ce) *s.m.* **1.** Manuscritos antigos, geralmente sobre pergaminho, organizados em forma de livro; livro de pergaminhos manuscritos; cartapácio, códex. **2.** Compilação de documentos antigos, leis etc.

codificação (co.di.fi.ca.ção) *s.f.* **1.** Ato ou efeito de codificar. **2.** Leis reunidas em forma de código.

codificador [ô] (co.di.fi.ca.dor) *adj.* **1.** Que codifica, que transforma alguma coisa em código. • *s.m.* **2.** (*Eletrôn.*) Circuito que codifica sinais eletrônicos.

codificar (co.di.fi.car) *v.* **1.** Reunir sistematicamente (leis, decretos, princípios, disposições etc.) em código. **2.** Classificar segundo um código: *Já codificaram o documento.* ▶ Conjug. 5 e 35.

código (có.di.go) *s.m.* **1.** Compilação sistemática de leis, decretos, disposições, princípios etc.: *código civil*; *código penal*. **2.** Conjunto de normas de comportamento: *código de conduta*. **3.** Sistema cifrado de linguagem que a torna ininteligível a quem não tiver a chave de compreensão: *A mensagem foi passada em código para o exército aliado*. **4.** Conjunto de regras ou preceitos sobre qualquer matéria: *código de ética*. || *Código de barras*: (*Inform.*) sistema de representação de série alfanumérica para um produto e seu preço por meio de barras paralelas que são interpretadas por dispositivo leitor. • *Código genético*: (*Biol.*) estrutura de moléculas que caracterizam e são exclusivas de um indivíduo ou de uma espécie. • *Código Morse*: (*Comun.*) sistema, inventado por Samuel Morse, de comunicação através de pontos (sons ou lampejos curtos) e linhas (sons e lampejos longos), usado em telegrafia e sinais luminosos.

codinome (co.di.no.me) *s.m.* Nome falso para ocultar a identidade de alguma pessoa ou grupo.

codorna [ó] (co.dor.na) *s.f.* (*Zool.*) Ave pequena de carne delicada e ovos apreciados como acepipe; codorniz.

codorniz (co.dor.niz) *s.f.* (*Zool.*). Codorna.

coedição (co:e.di.ção) *s.f.* Edição feita através de convênio entre editoras.

coeficiente (co:e.fi.ci.en.te) *s.m.* **1.** (*Mat.*) Número que multiplica outro. **2.** Nível, grau: *um alto coeficiente de aprovação*.

coelho (co:e.lho) *s.m.* (*Zool.*) Mamífero roedor, de carne comestível e pele usada para agasalhos.

coentro (co:en.tro) *s.m.* (*Bot.*) Erva hortense de folhas miúdas e flores brancas, usada como condimento em pratos de peixe e frutos do mar.

coerção (co:er.ção) *s.f.* Ato ou efeito de coagir.

coercitivo (co:er.ci.ti.vo) *adj.* Capaz de exercer coerção, coercivo, repressivo: *um decreto coercitivo*.

coercivo (co:er.ci.vo) *adj.* Coercitivo.

coerdar (co.er.dar) *v.* Herdar juntamente com outra ou outras pessoas: *Eu e meus irmãos coerdamos a fazenda de nosso pai*. ▶ Conjug. 8.

coerdeiro (co.er.dei.ro) *adj.* **1.** Que coerda. • *s.m.* **2.** Aquele que coerda.

coerência (co:e.rên.ci:a) *s.f.* Relação lógica entre as ideias e os fatos, entre o discurso e a ação; congruência; coesão.

coerente

coerente (co:e.ren.te) *adj.* **1.** Que tem coerência: *A atitude do policial foi coerente com seu papel.* **2.** Em que há coesão e nexo: *O que você está dizendo não é coerente.*

coesão (co:e.são) *s.f.* **1.** (*Fís.*) Força que determina a adesão recíproca das moléculas. **2.** *fig.* União, harmonia e equilíbrio entre as partes de um todo. **3.** Caráter lógico de um discurso, de um texto; coerência.

coeso [é ou ê] (co.e.so) *adj.* Que apresenta coesão.

coetâneo (co:e.tâ.ne:o) *adj.* **1.** Que vive ou viveu na mesma época de outro. **2.** Que é da mesma idade do outro. • *s.m.* **3.** Aquele que vive ou viveu na mesma época de outro. **4.** Aquele que tem a mesma idade de outro; coevo.

coevo [é] (co:e.vo) *adj.* Coetâneo.

coexistência [z] (co:e.xis.tên.ci:a) *s.f.* **1.** Existência simultânea. **2.** Convivência pacífica de sistemas políticos ou sociais contrários.

coexistir [z] (co:e.xis.tir) *v.* Existir juntamente ou ao mesmo tempo e no mesmo lugar: *Diversas culturas coexistem em nosso país.* ▶ Conjug. 66.

cofiar (co.fi:ar) *v.* Alisar, afagar com a mão (bigode, barba ou cabelo): *Jacó cofiava a barba enquanto buscava uma solução.* || Conferir com *confiar.* ▶ Conjug. 17.

cofre [ó] (co.fre) *s.m.* **1.** Caixa ou móvel com fechadura de segredo na qual se guardam objetos de valor, documentos importantes etc. **2.** *fig.* Conteúdo do cofre; valores: *Dilapidou os cofres do Estado.*

cogitação (co.gi.ta.ção) *s.f.* **1.** Ato ou efeito de cogitar; reflexão: *Gastava horas em cogitações sobre o futuro da família.* **2.** Aquilo que se faz como projeto, plano: *Sua viagem à Europa nunca passou de cogitação.*

cogitar (co.gi.tar) *v.* **1.** Pensar a respeito de: *Cogito acabar hoje esse trabalho; Depois de muito cogitar, decidiu-se pela viagem de avião.* **2.** Tencionar, ter intenção de: *Não cogito de mudar-me do Rio; Não cogito em mudar-me do Rio.* ▶ Conjug. 5.

cognato (cog.na.to) *adj.* **1.** Diz-se de vocábulo que tem raiz comum com outro(s): *Pedra e pedreira são vocábulos cognatos.* • *s.m.* **2.** Vocábulos que têm a mesma raiz: *Escreveu no quadro-negro os cognatos daquela mesma raiz.*

cognição (cog.ni.ção) *s.f.* Capacidade de adquirir conhecimento, de assimilar percepções.

cognome (cog.no.me) *s.m.* **1.** Apelido: *O jovem não gostava de ser chamado por seu cognome.* **2.** Alcunha de caráter histórico; epíteto: *D. Manuel, rei de Portugal, recebeu o cognome de O Venturoso.*

cognominar (cog.no.mi.nar) *v.* Designar(-se) por cognome; apelidar-se: *Logo o cognominaram O Venturoso; O grupo teatral cognominou-se Tablado.* ▶ Conjug. 5.

cognoscível (cog.nos.cí.vel) *adj.* Que pode ser conhecido; que se pode conhecer.

cogote [ó] (co.go.te) *s.m.* Cangote.

cogumelo [é] (co.gu.me.lo) *s.m.* (*Bot.*) Espécie de vegetal desprovido de clorofila que pode ser comestível ou venenoso; fungo. || *Cogumelo atômico*: nuvem em forma de cogumelo, provocada por explosão atômica.

coibir (co:i.bir) *v.* **1.** Fazer cessar, reprimir: *A polícia vem tentando coibir o tráfico de drogas.* **2.** Conter-se, privar-se, abster-se: *Coibiram-se de agir como queriam.* ▶ Conjug. 90.

coice (coi.ce) *s.m.* **1.** Pancada com a pata ou as patas traseiras dada por cavalos, asnos, burros etc., firmando as patas dianteiras. **2.** Parte inferior da coronha da espingarda. **3.** Recuo de arma de fogo no momento do disparo. || *Aos coices*: com tratamento grosseiro, mal-humorado: *Como estava zangado, tratou-nos aos coices.*

coifa (coi.fa) *s.f.* **1.** Exaustor de fogão, aquecedor, lareira etc. **2.** Touca usada pelas mulheres para cobrir os cabelos. **3.** (*Zool.*) Segundo estômago dos ruminantes. **4.** (*Bot.*) Membrana protetora das extremidades da raiz.

coincidência (co:in.ci.dên.ci:a) *s.f.* **1.** O que ocorre por acaso, mas parece intencional ou planejado: *Foi uma coincidência chegarmos aqui na mesma hora.* **2.** Situação em que coisas acontecem ao mesmo tempo, envolvendo as mesmas pessoas: *Por coincidência, a hora de minha aula é a mesma de sua chegada.* **3.** Identidade de ponto de vista, opinião, de interesses etc.: *Faltou coincidência de interesses em nosso negócio.*

coincidir (co:in.ci.dir) *v.* **1.** Dar-se, acontecer ao mesmo tempo: *A data de sua festa e a da minha coincidiram; Minha data coincidiu com a dela.* **2.** Ser idêntico em formas e dimensões: *O relato do primeiro depoente coincidiu com o do segundo.* **3.** Combinar, concordar: *Nossas opiniões a respeito do problema coincidem.* ▶ Conjug. 66.

coiote [ó] (coi.o.te) *s.m.* Espécie de lobo encontrado na América do Norte.

coirmão (co:ir.*mão*) *adj.* **1.** Que pertence ao mesmo grupo e tem os mesmos interesses; sócio. • *s.m.* **2.** Aquele que pertence ao mesmo grupo e que tem os mesmos interesses; sócio.

coisa (*coi*.sa) *s.f.* **1.** Qualquer ser inanimado: *Uma pessoa não pode ser tratada como uma coisa.* **2.** Aquilo que existe ou pode existir: *Que coisa existirá entre eles?* **3.** Qualquer acontecimento, realidade ou fato: *Há coisas sobre as quais ainda não falamos.* **4.** Bem material de valor ou não: *Por favor, leve suas coisas daqui!* || *Coisa de*: cerca de, aproximadamente. • *Não dizer coisa com coisa*: dizer disparates, coisas sem nexo nem lógica. || *cousa*.

coisar (coi.*sar*) *v.* Verbo usado em lugar de qualquer outro que não é lembrado na hora: *Quer coisar essa janela?* ▶ Conjug. 21.

coisificar (coi.si.fi.*car*) *v.* **1.** Reduzir o ser humano, suas crenças, seus ideais a valores exclusivamente materiais. **2.** Tratar como coisa. ▶ Conjug. 5 e 35.

coitado (coi.*ta*.do) *adj.* **1.** Que é digno de pena, desgraçado, digno de piedade. • *s.m.* **2.** Pessoa que é digna de pena, de piedade.

coito (*coi*.to) *s.m.* O ato sexual; cópula.

cola [ó] (*co*.la) *s.f.* **1.** Substância que serve para colar. **2.** Recurso ilícito usado em exames e provas que consiste em copiar de livro ou outras fontes, inclusive de colega, as respostas certas de questões propostas. **3.** A fonte (livro, caderno, papel) usada para a cola.

colaboração (co.la.bo.ra.*ção*) *s.f.* **1.** Ato ou efeito de prestar ajuda para; cooperação. **2.** Artigo de jornal ou editora, feito por pessoa estranha à redação.

colaborador [ô] (co.la.bo.ra.*dor*) *adj.* **1.** Que colabora com alguém ou alguma coisa: *um participante colaborador.* • *s.m.* **2.** Aquele que ajuda alguém ou um grupo numa tarefa qualquer. **3.** Aquele que colabora com alguém no exercício de sua função.

colaborar (co.la.bo.*rar*) *v.* **1.** Trabalhar com uma ou mais pessoas numa obra: *Maria Laura colabora ativamente na campanha de alfabetização de adultos.* **2.** Mandar artigo de colaboração: *O sonho daquele jovem era colaborar no jornal de sua cidade.* **3.** Contribuir: *A injustiça social colabora para o aumento da violência.* ▶ Conjug. 20.

colação (co.la.*ção*) *s.f.* **1.** Concessão de título, grau ou direito. **2.** Cotejo, comparação entre duas coisas semelhantes. **3.** Refeição ligeira. || *Trazer à colação*: citar a propósito. • *Vir à colação*: vir a propósito.

colagem (co.*la*.gem) *s.f.* **1.** Ato ou efeito de colar. **2.** (*Art.*) Composição artística feita com materiais diversos, principalmente recortes, fotos, postais etc., colados lado a lado ou superpostos.

colágeno (co.*lá*.ge.no) *s.m.* Proteína gelatinosa que ocorre no tecido conjuntivo de animais.

colapso (co.*lap*.so) *s.m.* **1.** (*Med.*) Falência do sistema nervoso e circulatório. **2.** *fig.* Desmoronamento, ruína, desintegração.

colar[1] (co.*lar*) *s.m.* Ornato ou insígnia para o pescoço.

colar[2] (co.*lar*) *v.* Receber grau, título ao completar o curso superior: *Alfredo colou grau de licenciado em Letras.* ▶ Conjug. 20.

colar[3] (co.*lar*) *v.* **1.** Unir, pegar com cola (1); grudar: *Luísa colou a etiqueta na capa do caderno.* **2.** *coloq.* Copiar clandestinamente num exame escrito: *O aluno estudioso não precisa colar para obter boas notas.* **3.** Juntar, unir, aderir; conchegar: *Na hora do jogo, ele cola o radinho na orelha.* **4.** *coloq.* Ser aceito como verdade, ser acreditado: *O fato é que sua desculpa não colou.* **5.** Ligar-se, grudar-se com cola: *Pedaços de papel colaram-se na sola de seus sapatos.* ▶ Conjug. 20.

colarinho (co.la.*ri*.nho) *s.m.* **1.** Gola de camisa de pano. **2.** Camada de espuma que se forma na borda do copo de cerveja ou de chope.

colarinho-branco (co.la.ri.nho-*bran*.co) *s.m.* Nome dado aos profissionais que precisam trabalhar de paletó e gravata, como os executivos de grandes empresas. || *Crime de colarinho-branco*: ato ilegal praticado por executivos e funcionários graduados. || *pl.*: *colarinhos-brancos*.

colateral (co.la.te.*ral*) *adj.* **1.** Que está ao lado de outro ou paralelo a ele: *Minha mesa é colateral à de meu amigo.* **2.** Aparentado não em linha reta: *Os sobrinhos são parentes colaterais.* **3.** Aplica-se aos efeitos maléficos de certos medicamentos: *Este remédio cura, mas tem terríveis efeitos colaterais.*

colcha (*col*.cha) *s.f.* Coberta de cama, quase sempre com lavores e franjas.

colchão (col.*chão*) *s.m.* **1.** Retângulo de pano recheado de material flexível que se põe sobre o estrado da cama. **2.** Armação de madeira ou plástico forrada de espuma de borracha ou outro material macio que se estende sobre o estrado da cama.

colcheia

colcheia (col.*chei*.a) *s.f.* (*Mús.*) Figura usada para marcar a duração rítmica que apresenta a metade do valor de uma semínima e o dobro do valor de uma semicolcheia.

colchete [ê] (col.*che*.te) *s.m.* **1.** Pequeno fecho de metal que serve para prender uma parte do vestuário em outra: *colchete de gancho*; *colchete de pressão*. **2.** Sinal de pontuação usado para isolar palavras ou frases de um texto.

colchoaria (col.cho:a.*ri*.a) *s.f.* Local onde se fabricam ou vendem colchões, travesseiros etc.

colchonete [é] (col.cho.*ne*.te) *s.m.* Pequeno colchão fino e maleável, fácil de enrolar para ser transportado.

coldre [ô] (*col*.dre) *s.m.* **1.** Cada um dos dois estojos ou sacos de sola pendentes do arção da sela e que servem para trazer as pistolas ou outras armas. **2.** Estojo de couro que se prende ao cinto para carregar pistolas ou revólveres.

colear (co.le.*ar*) *v.* Mover-se sinuosamente como a serpente quando caminha: *A jararaca ia coleando ao lado do caminho.* ▶ Conjug. 14. – **coleante** *adj.*

coleção (co.le.*ção*) *s.f.* **1.** Conjunto ou reunião de objetos da mesma natureza ou que têm qualquer relação entre si: *coleção de lápis, de caixas de fósforo*. **2.** Conjunto de obras de um mesmo autor ou sobre o mesmo assunto, publicado pela mesma editora: *a coleção Graciliano Ramos, da José Olympio Editora.*

colecionador [ô] (co.le.ci:o.na.*dor*) *adj.* **1.** Que coleciona. • *s.m.* **2.** Aquele que coleciona.

colecionar (co.le.ci:o.*nar*) *v.* Reunir (objetos da mesma natureza), fazer coleção: *Desde a infância, ele coleciona selos.* ▶ Conjug. 5.

colega [é] (co.*le*.ga) *s.m.* e *f.* **1.** Companheiro de colégio. **2.** Pessoa que faz parte de um mesmo corpo, que exerce as mesmas funções ou a mesma profissão que outra ou outras pessoas.

colegial (co.le.gi.*al*) *adj.* **1.** Relativo a colégio, próprio de colégio. • *s.m.* e *f.* **2.** Aluno de colégio.

colégio (co.*lé*.gi:o) *s.m.* **1.** Estabelecimento público ou particular de instrução primária ou secundária. **2.** Corporação de pessoas com a mesma dignidade: *o Sacro Colégio dos Cardeais*. **3.** Totalidade dos eleitores de uma mesma circunscrição: *o colégio eleitoral de São Paulo*. **4.** Todos os alunos de um colégio: *Todo o colégio gosta daquela professora.*

coleguismo (co.le.*guis*.mo) *s.m.* Espírito de solidariedade e lealdade para com os colegas.

coleira (co.*lei*.ra) *s.f.* Espécie de correia que cinge o pescoço dos animais (especialmente cães).

colemia (co.le.*mi*.a) *s.f.* (*Med.*) Enfermidade que consiste na presença de bílis no sangue.

colendo (co.*len*.do) *adj.* Aplica-se a quem é respeitável e digno de admiração: *colenda assembleia de juristas.*

cólera (*có*.le.ra) *s.f.* **1.** Movimento impetuoso da alma contra o que desagrada, ofende ou indigna; raiva, ferocidade. • *s.m.* e *f.* **2.** (*Med.*) Doença infecciosa, aguda, endêmica ou epidêmica, caracterizada por vômitos, diarreia e cãibras.

colérico (co.*lé*.ri.co) *adj.* **1.** Relativo a cólera. **2.** Propenso a cólera. **3.** Cheio de cólera, indignado. • *s.m.* **4.** Doente de cólera.

colesterol (co.les.te.*rol*) *s.m.* (*Med.*) Substância existente em todas as células do corpo, cujo acúmulo descontrolado pode provocar problemas cardiovasculares.

colesterolemia (co.les.te.ro.le.*mi*.a) *s.f.* (*Med.*) Taxa de colesterol no sangue.

coleta [é] (co.*le*.ta) *s.f.* **1.** Ação ou efeito de coletar. **2.** Recolhimento de dinheiro ou donativos para necessitados. **3.** Recolhimento de recursos naturais (alimentos e matéria-prima) não cultivados. **4.** Colheita: *coleta de dados estatísticos.*

coletânea (co.le.*tâ*.ne:a) *s.f.* Obra constituída de textos selecionados e reunidos, de um ou vários autores: *uma coletânea de contos de Machado de Assis*; *uma coletânea de poesias românticas.*

coletar (co.le.*tar*) *v.* Fazer coleta de; colher, arrecadar: *coletar plantas para estudos botânicos.* ▶ Conjug. 8.

colete [ê] (co.*le*.te) *s.m.* Peça do vestuário sem mangas nem gola e que se usa sobre a camisa ou blusa.

coletiva (co.le.*ti*.va) *s.f.* **1.** Exposição ou mostra de trabalhos de diversos artistas num mesmo local: *uma coletiva de pintores do Modernismo*. **2.** Entrevista dada por uma personalidade a vários jornalistas reunidos.

coletividade (co.le.ti.vi.*da*.de) *s.f.* **1.** Qualidade de coletivo. **2.** Grupo de pessoas unidas por interesses, hábitos e costumes; corpo coletivo; sociedade (2).

coletivismo (co.le.ti.*vis*.mo) *s.m.* Sistema social e econômico em que os meios de produção ficam nas mãos e em proveito da coletividade. – **coletivista** *adj. s.m. e f.*

coletivo (co.le.*ti*.vo) *adj.* **1.** Que compreende muitas pessoas ou a elas pertence: *interesse coletivo, patrimônio coletivo.* **2.** Pertencente a uma coletividade. • *s.m.* **3.** (*Gram.*) Substantivo que designa uma coleção de alguma coisa: *Cardume é o coletivo de peixes.* **4.** Veículo público para muitas pessoas. **5.** O que diz respeito a toda a comunidade: *O governo deve se preocupar com o coletivo.* **6.** Redução de treino coletivo, treino em que se simula um jogo real: *No coletivo de hoje, a seleção rendeu pouco.* – **coletivizar** *v.* ▶ Conjug. 5.

coletor [ô] (co.le.*tor*) *adj.* **1.** Que reúne, que colige, que coleta: *É necessário administrar bem os órgãos coletores de impostos.* • *s.m.* **2.** O que colige alguma coisa: *Chegou bem cedo à mata o coletor de látex.* **3.** O que faz coleções. **4.** Funcionário que recebe impostos: *Roberto é o coletor municipal.* **5.** Recipiente em que se juntam coisas.

coletoria (co.le.to.*ri*.a) *s.f.* **1.** Repartição pública onde se pagam os impostos. **2.** Cargo de coletor.

colhão (co.*lhão*) *s.m. chulo* Testículo.

colheita (co.*lhei*.ta) *s.f.* **1.** Ato ou efeito de colher. **2.** O conjunto do que foi colhido em determinada época; safra: *A colheita de trigo não foi grande naquele ano.*

colher [é] (co.*lher*) *s.f.* **1.** Utensílio de mesa, geralmente de metal, composto de um cabo e de uma parte côncava, usado para tirar alimentos líquidos ou pastosos ou levá-los à boca. **2.** Conteúdo de uma colher: *Tome duas colheres de xarope.* **3.** Instrumento de forma semelhante à da colher: *colher de pedreiro.* || *Dar colher de chá*: dar uma oportunidade. • *De colher*: fácil de resolver, acessível. • *Meter a colher*: intrometer-se.

colher [ê] (co.*lher*) *v.* **1.** Separar da planta (flores, frutos ou folhas): *Luluzinha colheu muitas amoras.* **2.** Apanhar, surpreender: *O diretor colheu-os quando iam fugir da aula.* **3.** Alcançar, obter: *O combate foi travado, mas ele não colheu os louros da vitória.* **4.** Apreender, adquirir, perceber: *No colégio é que colhera aquelas boas maneiras.* **5.** Receber em paga: *Quem semeia ventos colhe tempestades.* **6.** Recolher: *Colheu os grãos de café que estavam espalhados.* **7.** Deduzir, inferir: *Colheu-se daí que ele estava mentindo.* **8.** Proceder à colheita: *Só quem planta colhe.* ▶ Conjug. 42.

colherada (co.lhe.*ra*.da) *s.f.* Conteúdo de uma colher.

colibacilo (co.li.ba.*ci*.lo) *s.m.* Bacilo que vive no intestino do homem e dos animais.

colibri (co.li.*bri*) *s.m.* Pequeno pássaro que suga o néctar das flores; beija-flor.

cólica (*có*.li.ca) *s.f.* Dor aguda que tem sede na cavidade abdominal, por causas variadas: *cólica intestinal, cólica menstrual.* • **cólicas** *s.f.pl. fig.* Medo, receio: *Fiquei em cólicas no dia do exame.*

colidir (co.li.*dir*) *v.* **1.** Ir de encontro; abalroar, chocar-se: *O carro colidiu com a árvore; Os dois caminhões colidiram.* **2.** Embater-se, chocar-se: *Nossas ideias colidiam sempre.* ▶ Conjug. 66.

coliforme [ó] (co.li.*for*.me) *s.m.* Nome genérico dos bacilos Gram-negativos encontrados no intestino de homens e animais. || *Coliforme fecal*: coliforme presente nas fezes.

coligação (co.li.ga.*ção*) *s.f.* **1.** Ato ou efeito de coligar. **2.** Aliança de pessoas, grupo ou partidos com vistas a um objetivo comum: *Os partidos de esquerda fizeram uma coligação para eleger o governador.*

coligar (co.li.*gar*) *v.* **1.** Promover união entre; unir: *Um desejo comum coligava todos.* **2.** Ligar-se um partido com outro ou outros para determinado fim: *Os partidos se coligaram para eleger o governador.* ▶ Conjug. 5 e 34.

coligir (co.li.*gir*) *v.* **1.** Reunir em coleção: *O arquivista coligiu as leis do Império sobre esse assunto.* **2.** Ajuntar (o que está esparso): *Seu amigo coligiu os sonetos do poeta que estavam dispersos em vários jornais.* ▶ Conjug. 92.

colina (co.*li*.na) *s.f.* Pequena elevação de terreno; outeiro.

colírio (co.*lí*.ri:o) *s.m.* (*Med.*) Medicamento tópico que se aplica sobre a conjuntiva ocular.

colisão (co.li.*são*) *s.f.* Encontro violento de dois corpos; choque.

coliseu (co.li.*seu*) *s.m.* Anfiteatro usado na Antiguidade para espetáculos teatrais e jogos.

colite (co.*li*.te) *s.f.* (*Med.*) Inflamação do cólon.

collant [colã] (Fr.) *s.m.* **1.** Roupa de fibra elástica aderente ao corpo: *collant de ginástica.* **2.** Roupa colante, inteiriça, que substitui sutiã e calcinha. **3.** Meia-calça de malha.

colmeia (col.*mei*.a) *s.f.* Cortiço construído pelas abelhas com sua cera para seu desenvolvimento e habitação.

colmo [ô] (*col*.mo) *s.m.* **1.** (*Bot.*) Caule das gramíneas caracterizado pela existência de nós: *o colmo da cana-de-açúcar; o colmo dos juncos.*

2. Palha usada para cobrir casas: *O casebre do barqueiro era coberto de colmo.*

colo [ó] (co.lo) *s.m.* **1.** Parte do corpo que une a cabeça ao tronco. **2.** Pescoço, regaço: *Trazia a criança no colo.* **3.** (*Anat.*) Parte estreita entre a cabeça e o corpo de certos ossos: *o colo do fêmur.* **4.** Embocadura estreita de algumas cavidades: *o colo do útero.* **5.** Nome dado à parte do corpo que, quando sentado, compreende as coxas e o abdômen: *A criança não saía do colo da mãe.* **6.** (*Geogr.*) Passagem estreita entre duas montanhas.

colocação (co.lo.ca.*ção*) *s.f.* **1.** Ato ou efeito de colocar. **2.** Lugar obtido numa competição: *O atleta brasileiro alcançou a primeira colocação nos saltos ornamentais.* **3.** Emprego ou trabalho: *A jovem estudante precisava de uma colocação no comércio.*

colocar (co.lo.*car*) *v.* **1.** Pôr sobre si mesmo ou sobre o outro: *Colocar o chapéu sobre a cabeça.* **2.** Pôr, depositar: *Coloque as garrafas vazias sob a pia.* **3.** Posicionar, assumir uma posição: *O casamento colocou-a num lugar de destaque na sociedade.* **4.** Posicionar-se, ocupar seu lugar: *Colocou-se no fim da fila.* **5.** Situar em hierarquia (esportiva, social, moral): *Aquela vitória do adversário colocou nosso clube em último lugar; Coloque-se em seu devido lugar.* **6.** Trazer à consideração, num debate ou numa votação: *O líder colocou a proposta de negociação.* **7.** Empregar(-se): *Meus amigos colocaram-se bem no comércio de tecidos.* **8.** Acomodar-se, instalar-se: *A cantora colocou-se no melhor camarim.* ▶ Conjug. 20 e 35.

cologaritmo (co.lo.ga.*rit*.mo) *s.m.* (*Mat.*) Logaritmo do inverso de um número.

coloidal (co.loi.*dal*) *adj.* Relativo a coloide.

coloide [ói] (co.*loi*.de) *adj.* **1.** Semelhante a cola, de consistência gelatinosa. • *s.m.* **2.** Composto cujas partículas se encontram em suspensão num líquido, por uma espécie de equilíbrio dinâmico.

colombiano (co.lom.bi:*a*.no) *adj.* **1.** Da Colômbia, país da América do Sul. • *s.m. e f.* **2.** O natural ou o habitante desse país.

colombina (co.lom.*bi*.na) *s.f.* Fantasia carnavalesca para mulher, de seda ou cetim branco, saia curta e um bonezinho.

cólon (*có*.lon) *s.m.* (*Anat.*) Nome dado à totalidade do intestino grosso, exceto sua última porção, o reto.

colônia[1] (co.*lô*.ni:a) *s.f.* **1.** Território ocupado e administrado por uma nação fora de suas fronteiras, a ela permanecendo ligado por laços estreitos de subordinação: *Angola foi colônia de Portugal.* **2.** Reunião de indivíduos da mesma nacionalidade que vivem num outro país: *É grande a colônia brasileira em Paris.* **3.** Povoação fundada por emigrantes: *Petrópolis começou como colônia alemã.* **4.** Grupo de pessoas que se estabelecem num lugar para determinado fim; esse lugar: *colônia de pescadores.* **5.** Conjunto de animais inferiores de uma mesma espécie que vivem agrupados: *colônia de pólipos.*

colônia[2] (co.*lô*.ni:a) *s.f.* Água-de-colônia: *Ela usava uma colônia de verão muito suave.*

colonial (co.lo.ni:*al*) *adj.* **1.** Relativo a colônia e a colonos. **2.** (*Biol.*) Que vive em colônia. **3.** Relativo ao período em que o Brasil foi colônia: *arquitetura colonial, móveis coloniais.*

colonialismo (co.lo.ni:a.*lis*.mo) *s.m.* Doutrina ou sistema que preconiza e estabelece o processo de dominação política, econômica e cultural de um povo sobre outro, de um país sobre outro.

colonialista (co.lo.ni:a.*lis*.ta) *adj.* **1.** Referente ou próprio do colonialismo: *uma política colonialista.* **2.** Que coloniza: *um país colonialista.* • *s.m. e f.* **3.** Pessoa partidária do colonialismo: *Os colonialistas tiveram que deixar aquele país.*

colonização (co.lo.ni.za.*ção*) *s.f.* Ato ou efeito de colonizar.

colonizar (co.lo.ni.*zar*) *v.* Ocupar e administrar um país ou uma região com colonos: *Os portugueses colonizaram o Brasil.* ▶ Conjug. 5.

colono (co.*lo*.no) *s.m.* **1.** Membro de uma colônia. **2.** Cultivador de terra pertencente a outrem.

coloquial (co.lo.qui:*al*) *adj.* (*Ling.*) Relativo ao uso espontâneo da língua.

colóquio (co.*ló*.qui:o) *s.m.* **1.** Conversa reservada entre duas ou mais pessoas: *O representante da Associação Comercial manteve um colóquio com o deputado.* **2.** Reunião entre especialistas de uma mesma área para discutir assuntos específicos: *Na semana que vem, haverá um colóquio sobre a obra de José Lins do Rego.*

coloração (co.lo.ra.*ção*) *s.f.* Ato ou efeito de colorir: *Veja que lindas colorações o sol faz no poente.*

colorau (co.lo.*rau*) *s.m.* Pó vermelho feito de urucum ou pimentão que serve para dar colorido aos alimentos.

colorir (co.lo.*rir*) *v.* **1.** Cobrir ou matizar de cor ou de cores: *A menina coloria com lápis de cor* *o desenho de um pássaro.* **2.** *fig.* Tornar mais alegre, mais vivo: *Certas expressões usadas pelo narrador coloriam o relato.* **3.** Disfarçar, dissimular, encobrir: *Não adianta tentar colorir a feia realidade.* **4.** Tomar cor; cobrir-se de cores; tingir-se: *As quaresmeiras da estrada coloriam-se de todos os tons de roxo.* ▶ Conjug. 84 e 76.

colorização (co.lo.ri.za.*ção*) *s.f.* Processo eletrônico que permite dar cor às imagens de um filme realizado originalmente em preto e branco.

colorizar (co.lo.ri.*zar*) *v.* Dar cor às imagens de um filme produzido originalmente em preto e branco. ▶ Conjug. 5.

colossal (co.los.*sal*) *adj.* **1.** Do tamanho de um colosso. **2.** De dimensões extraordinárias.

colosso [ô] (co.*los*.so) *s.m.* **1.** Estátua de extraordinárias dimensões. **2.** Qualquer construção de dimensões fora do comum: *Este novo prédio é um colosso.* **3.** Pessoa muito corpulenta. **4.** Pessoa de qualidades extraordinárias: *Leonardo da Vinci foi um colosso do Renascimento.* **5.** Coisa muito boa, coisa excelente: *A festa de seu aniversário estava um colosso.*

colostro [ô] (co.*los*.tro) *s.m.* Líquido amarelado que sai junto ao leite nos primeiros dias após o parto.

colpite (col.*pi*.te) *s.f.* Inflamação na vagina; vaginite.

coluna (co.*lu*.na) *s.f.* **1.** Esteio cilíndrico, destinado a sustentar ou adornar construções. **2.** Cada uma das disposições verticais do texto de uma página de livro. **3.** Série de números ou de objetos dispostos verticalmente uns sobre os outros. **4.** Seção especializada de jornal ou revista, normalmente assinada. **5.** Seção de tropa disposta em linha para combate: *Quatro colunas do exército inimigo atacaram a cidade.* **6.** *fig.* Sustentáculo, apoio: *Aquele sócio é a coluna do clube.* || *Coluna vertebral:* (Anat.) conjunto de vértebras que, articuladas entre si, formam um eixo ósseo estendido do crânio à bacia; espinhaço.

colunista (co.lu.*nis*.ta) *s.m. e f.* Pessoa que redige coluna ou seção assinada, de jornal ou revista, sobre acontecimentos mundanos ou de setor específico.

com *prep.* Relaciona por subordinação termos ou orações, indicando várias noções, entre outras, de: a) companhia: *Você vai ao cinema com ela?* b) meio ou instrumento: *Cobriu a cabeça com um chapéu.* c) modo: *Acolheu-nos com muita simpatia.* d) estado ou condição: *O menino está com febre.* e) concomitância: *Ele melhorou de vida com a ascensão de seu partido.* f) posse, usufruto: *Ele ficou com a herança do pai.* g) concessão: *O candidato, com todo aquele conhecimento, não foi aprovado.* h) reciprocidade: *Comunicam-se uns com os outros.* i) causa: *Nós nos alegramos com o que vimos.*

coma[1] (*co*.ma) *s.m.* (Med.) Estado patológico caracterizado por sonolência profunda, perda da consciência, abolição da sensibilidade e da motilidade voluntárias, no qual cai o doente em certas moléstias graves.

coma[2] (*co*.ma) *s.f.* **1.** Cabeleira longa e farta. **2.** Folhagem das árvores; copa. **3.** (Astron.) Cauda de um cometa.

comadre (co.*ma*.dre) *s.f.* **1.** Madrinha, em relação aos pais do afilhado. **2.** Mãe do afilhado, em relação aos padrinhos. **3.** Parteira. **4.** Amiga, companheira. **5.** Espécie de urinol achatado usado pelos doentes de cama. **6.** Mulher bisbilhoteira ou mexeriqueira.

comanda (co.*man*.da) *s.f.* Solicitação, por escrito, utilizada nos bares e restaurantes, que controla os pedidos dos usuários.

comandante (co.man.*dan*.te) *adj.* **1.** Que comanda. • *s.m. e f.* **2.** Oficial que exerce a função de comando. **3.** (Náut.) Oficial da Marinha que comanda um navio. **4.** (Mil.) Chefe de qualquer força militar. **5.** (Aer.) Pessoa que exerce o comando de uma aeronave ou espaçonave.

comandar (co.man.*dar*) *v.* **1.** Chefiar ou dirigir como líder: *comandar uma empresa; comandar um grupo de trabalho.* **2.** Dirigir, governar na qualidade de superior, no Exército, na Marinha ou na Aeronáutica: *Aquele oficial comanda um submarino.* ▶ Conjug. 5.

comando (co.*man*.do) *s.m.* **1.** Ato ou efeito de comandar. **2.** Posto ou função de comandante. **3.** Liderança, governo, chefia. **4.** Lugar onde se encontra o comandante. **5.** Pequeno agrupamento militar encarregado de missão especial. **6.** Grupo de autoridades policiais ou fiscalizadoras que faz visita inesperada.

comarca (co.*mar*.ca) *s.f.* Divisão judiciária sob a alçada de juiz de Direito.

comatoso [ô] (co.ma.*to*.so) *adj.* Relativo a coma, estado de coma. || f. e pl.: [ó].

combalir (com.ba.*lir*) *v.* **1.** Enfraquecer, debilitar, destituir de força, de vitalidade: *A longa doença não combaliu o velho general.* **2.** Tornar menos firme; abalar: *As grandes dificuldades nunca combaliram aquela mãe.* **3.** Enfraquecer-

combate

-se, debilitar-se: *A economia do Brasil não se combaliu com a crise política.* ▶ Conjug. 87.

combate (com.*ba*.te) *s.m.* **1.** Ato ou efeito de combater. **2.** Luta, batalha; liça. **3.** *fig.* Esforço para vencer, dominar, extinguir: *O combate ao analfabetismo deve ser constante.* || *Fora de combate*: em estado de não poder continuar a luta.

combatente (com.ba.*ten*.te) *adj.* **1.** Que combate. • *s.m.* e *f.* **2.** Pessoa que participa de um combate, de uma guerra: *os combatentes brasileiros da II Guerra Mundial.*

combater (com.ba.*ter*) *v.* **1.** Lutar contra: *Os cidadãos combateram os invasores; Os cidadãos combateram contra os invasores.* **2.** Lutar a favor: *Os heróis combateram pela liberdade; Os heróis combateram a favor da liberdade.* **3.** Tomar parte num combate: *Aquele jovem soldado nunca combateu.* **4.** *fig.* Fazer esforço por dominar, vencer ou extinguir: *Devemos combater nosso egoísmo.* ▶ Conjug. 39.

combatividade (com.ba.ti.vi.*da*.de) *s.f.* **1.** Qualidade de combativo. **2.** Inclinação instintiva à luta.

combativo (com.ba.*ti*.vo) *adj.* Que tem espírito de luta, que não se recusa a combater: *um jornal combativo; um povo combativo.*

combinação (com.bi.na.*ção*) *s.f.* **1.** Ato ou efeito de combinar. **2.** Reunião ordenada de duas ou mais coisas. **3.** Ajuste, acordo, conchavo. **4.** Mistura harmônica: *O pintor obteve uma bela combinação de cores.* **5.** (*Quím.*) Fenômeno pelo qual dois corpos diferentes, postos em presença um do outro, unem-se formando outro corpo diverso dos primeiros: *A água resulta da combinação de hidrogênio e oxigênio.* **6.** Veste íntima feminina que se usava debaixo do vestido.

combinado (com.bi.*na*.do) *adj.* **1.** Que se combinou: *O preço combinado não foi esse.* **2.** Disposto com harmonia: *As cores não estavam combinadas.* • *s.m.* **3.** Aquilo que se combinou: *O combinado foi que eu ia encontrá-la na praça.* **4.** (*Esp.*) Time formado por jogadores de diferentes clubes: *um combinado de clubes mineiros.* **5.** (*Cul.*) Na culinária japonesa, prato composto de porções de *sushi* e *sashimi.*

combinar (com.bi.*nar*) *v.* **1.** Unir coisas diversas, misturar, aliar: *A composição musical combinava trechos de várias sinfonias.* **2.** Deixar acertado; acordar: *Os colegas combinaram um jogo de futebol depois do expediente; Combinei com ela que iríamos ao cinema.* **3.** Estar em harmonia, ajustar-se: *Seu gênio combina com o meu;* *As cores de sua roupa não combinam.* **4.** (*Quím.*) Juntar em combinação química: *Vamos combinar o ouro com o cobre em partes iguais.* **5.** Aliar-se, juntar-se harmoniosamente: *Nele se combinavam a arte do poeta e a coragem do soldado.* ▶ Conjug. 5.

combo (com.bo) *s.m.* Combinação de dois ou mais produtos que constituem um pacote promocional: *Comprei um combo em que vinham um refrigerante, uma porção de batatas fritas e um hambúrguer.*

comboio [ô] (com.*boi*.o) *s.m.* **1.** Reunião de veículos que caminham juntos, com o mesmo destino. **2.** Reunião de vagões engatados e puxados por locomotiva. **3.** Grupo de navios mercantes que navegam juntos, escoltados por navios de guerra. **4.** Conjunto de carros de munição e mantimentos que acompanham uma expedição militar. – **comboiar** *v.* ▶ Conjug. 23.

comburente (com.bu.*ren*.te) *adj.* **1.** Que queima. **2.** Que abrasa; que produz combustão. • *s.m.* **3.** (*Quím.*) Substância que, reagindo com outras, produz combustão.

combustão (com.bus.*tão*) *s.f.* **1.** Estado de alguma coisa que se consome dando luz e calor; ignição. **2.** (*Quím.*) Emissão de luz e calor que se produz quando uma substância combustível se une ao oxigênio.

combustível (com.bus.*tí*.vel) *adj.* **1.** Que tem a propriedade de se queimar. • *s.m.* **2.** Matéria de cuja combustão se aproveitam o calor e a energia produzidos: *A gasolina é um combustível poluente.*

começar (co.me.*çar*) *v.* **1.** Dar começo a; principiar: *Levantou-se da cadeira e começou um longo discurso.* **2.** Ter início; ter começo: *Entrem, que vai começar o espetáculo!* **3.** Iniciar-se (de alguma maneira): *A festa começou muito animada, mas depois ficou desanimada.* || Usado também como verbo auxiliar, seguido das preposições *a* ou *por* e verbo principal no infinitivo: *Ela começou a estudar piano; Ele começou suas tarefas por arrumar os livros.* ▶ Conjug. 8 e 15.

começo [ê] (co.me.ço) *s.m.* Primeiro tempo da existência de uma coisa, de um ato, de uma época: *No começo da primavera, choveu muito aqui.*

comédia (co.*mé*.di:a) *s.f.* **1.** (*Teat., Cine*) Espetáculo de teatro, cinema ou televisão em que se põem em ação, de modo jocoso, fatos da vida real, costumes, caracteres, tipos. **2.** *fig.* Fato,

comércio

pessoa ou coisa que fazem rir: *O depoimento do banqueiro foi uma comédia*. **3.** Dissimulação, hipocrisia: *A doença dela não passou de comédia*.

comediante (co.me.di:*an*.te) *s.m. e f.* Ator ou atriz de comédia.

comedido (co.me.*di*.do) *adj.* Que sabe moderar seus atos e palavras; contido, morigerado.

comedimento (co.me.di.*men*.to) *s.m.* **1.** Ação e resultado de comedir(-se). **2.** Moderação, modéstia.

comediógrafo (co.me.di:*ó*.gra.fo) *s.m.* Pessoa que escreve comédias.

comemoração (co.me.mo.ra.*ção*) *s.f.* **1.** Ato ou efeito de comemorar: *Este fato não pode ficar sem comemoração*. **2.** Cerimônia ou festa para lembrar ou celebrar algum acontecimento importante: *Na comemoração da Independência, houve queima de fogos*.

comemorar (co.me.mo.*rar*) *v.* **1.** Trazer à memória: *O ano de 2005 comemorou o centenário de Érico Veríssimo*. **2.** Celebrar ou festejar recordando: *Vamos comemorar o aniversário de nossa formatura*. ▶ Conjug. 20.

comemorativo (co.me.mo.ra.*ti*.vo) *adj.* Que comemora; que lembra um acontecimento importante: *Foi emitido um selo comemorativo da importante data*.

comenda (co.*men*.da) *s.f.* **1.** Benefício outrora concedido a eclesiásticos e a cavaleiros de ordens militares. **2.** Condecoração ou distinção de ordem honorífica. **3.** Insígnia de comendador.

comendador [ô] (co.men.da.*dor*) *s.m.* Pessoa distinguida com uma comenda.

comensal (co.men.*sal*) *s.m. e f.* Cada uma das pessoas que comem juntas: *Havia sempre muitos comensais nos almoços de domingo*.

comensurável (co.men.su.*rá*.vel) *adj.* Que se pode medir; mensurável.

comentar (co.men.*tar*) *v.* **1.** Falar de alguém ou alguma coisa, tecendo comentários: *Estávamos falando de Maria e comentando a festa de seu aniversário*. **2.** Analisar criticamente: *Hoje o professor vai comentar os trabalhos que fizemos*. **3.** Explicar acrescentando anotações críticas e observações: *Vamos ler e comentar esse poema de Camões*. **4.** Fazer observações maliciosas: *Todo mundo comenta a vida da vizinha*. ▶ Conjug. 5.

comentário (co.men.*tá*.ri:o) *s.m.* **1.** Ação e resultado de comentar: *Os comentários sobre o fato não são bons*. **2.** Série de notas ou observações críticas e esclarecedoras a respeito de um escrito: *O texto do professor era acompanhado de ótimos comentários*. **3.** Observação a propósito de um fato: *O fato não teve maior importância, mas gerou muitos comentários*. **4.** Interpretação dada a palavra ou atos de outrem: *Não farei comentários ao que você me disse*.

comentarista (co.men.ta.*ris*.ta) *s.m. e f.* Pessoa que faz comentários em jornal, revista, televisão etc.

comer (co.*mer*) *v.* **1.** Introduzir na boca, mastigar e engolir: *O menino comeu dois sapotis*. **2.** Alimentar-se, fazer refeições: *Gostamos muito de comer neste restaurante*. **3.** Consumir: *Essa família come dez quilos de feijão por mês*. **4.** Provocar desgaste; estragar: *As baratas comeram o vestido da noiva*. **5.** Consumir em pouco tempo: *Naquele tempo, em quinze dias, a inflação comia todo o meu salário*. **6.** Omitir, suprimir: *Ela já escreve regularmente, embora, às vezes, coma algumas letras*. **7.** Tomar alimento: *Trabalhou tanto que se esqueceu de comer*. **8.** *fig.* Experimentar intenso sentimento de (ciúme, raiva, inveja): *Ela está se comendo de raiva*. **9.** *chulo* Possuir sexualmente. ▶ Conjug. 39.

comercial (co.mer.ci:*al*) *adj.* **1.** De ou próprio do comércio: *o horário comercial*. **2.** Que se vende facilmente, que dá lucro: *um filme comercial*. • *s.m.* **3.** Anúncio publicitário transmitido por emissora de rádio ou televisão.

comercialização (co.mer.ci:a.li.za.*ção*) *s.f.* Ato ou efeito de pôr um produto no comércio: *Este produto é de fácil comercialização*.

comercializar (co.mer.ci:a.li.*zar*) *v.* Fazer um produto entrar no circuito comercial: *Meu tio resolveu comercializar sua produção de tomates*. ▶ Conjug. 5.

comerciante (co.mer.ci:*an*.te) *adj.* **1.** Que exerce o comércio: *os antigos povos comerciantes do Mediterrâneo*. • *s.m. e f.* **2.** Pessoa que comercia, que faz negócios comerciais: *os comerciantes de café*.

comerciar (co.mer.ci:*ar*) *v.* **1.** Dedicar-se ao comércio: *Aqueles povos comerciavam com seus vizinhos*. **2.** Exercer a profissão de negociante: *Naqueles tempos, ele comerciava na Rua do Bispo*. ▶ Conjug. 17.

comerciário (co.mer.ci:*á*.ri:o) *s.m.* Pessoa que se dedica ao comércio, como empregado.

comércio (co.*mér*.ci:o) *s.m.* **1.** Atividade que tem por objeto a venda, ou, excepcionalmente, a troca de produtos naturais ou industriais; mercancia: *O comércio do pau-brasil foi intenso nos primeiros anos do descobrimento*. **2.** O conjunto de pessoas que se dedicam às atividades comerciais: *O comércio protestou contra o excesso de feriados*. **3.** O conjunto de casas comerciais de uma localidade: *O comércio fechou no dia da padroeira da cidade*. **4.** Relações de negócios ou de sociedade, trato, convivência, troca de pensamentos ou sentimentos: *comércio de amizade; comércio das letras*.

comes (co.mes) *s.m.pl.* Usado na locução *comes e bebes*. || *Comes e bebes*; comidas e bebidas em festas e cerimônias.

comestível (co.mes.*tí*.vel) *adj.* **1.** Que se pode comer. • *s.m.* **2.** Gênero comestível.

cometa [ê] (co.me.ta) *s.m.* (*Astron.*) **1.** Astro geralmente formado de um núcleo pouco denso, quase sempre com uma cauda luminosa e que descreve, em torno do sol, uma elipse muito alongada. **2.** Caixeiro-viajante, mascate.

cometer (co.me.*ter*) *v.* **1.** Levar a efeito, realizar, perpetrar (erros, faltas, crimes): *Os pequenos erros que ele cometeu serão corrigidos*. **2.** Designar (missão, encargo, tarefa) a: *O Governo cometeu a Rio Branco a questão dos limites com países vizinhos*. ▶ Conjug. 41.

cometimento (co.me.ti.*men*.to) *s.m.* **1.** Ato ou efeito de cometer. **2.** Empresa arrojada ou muito arriscada.

comezaina (co.me.*zai*.na) *s.f.* Refeição onde há grande quantidade de comida e bebida.

comezinho (co.me.zi.nho) *adj.* **1.** Bom e fácil de comer. **2.** *fig.* Fácil de entender, simples, comum: *um problema comezinho de Matemática*. **3.** Próprio da vida doméstica, trivial, caseiro: *um fato comezinho na casa de minha avó*.

comichão (co.mi.*chão*) *s.f.* Sensação incômoda na pele ou nas mucosas que leva a pessoa a coçar-se; prurido.

comicidade (co.mi.ci.*da*.de) *s.f.* Qualidade do que é cômico.

comício (co.*mí*.ci:o) *s.m.* Reunião de cidadãos em lugar público para reivindicar alguma coisa ou ouvir candidatos a cargos políticos exporem suas plataformas.

cômico (*cô*.mi.co) *adj.* **1.** Relativo a comédia ou a comediantes. **2.** Burlesco, que provoca riso. • *s.m.* **3.** Ator de comédia, comediante.

comida (co.*mi*.da) *s.f.* **1.** O que se come, o que é próprio para comer; alimento. **2.** O conjunto de pratos típicos de uma região: *a comida baiana; a comida mineira*.

comigo (co.*mi*.go) *pron.* **1.** Com a pessoa que fala: *Ela não se dá mais comigo*. **2.** Na minha companhia: *Você quer sair comigo?* **3.** Sob minha responsabilidade; em meu poder: *Os livros da biblioteca não estão comigo*. **4.** De mim para mim: *Ontem pensei cá comigo mesmo que assim não pode continuar*.

comigo-ninguém-pode (co.mi.go-nin.guém-*po*.de) *s.m.2n.* (*Bot.*) Planta ornamental, de folhas verdes com pintas brancas, muito venenosa.

comilança (co.mi.*lan*.ça) *s.f.* **1.** Ação de comer muito. **2.** Refeição farta. || *comilância*.

comilância (co.mi.*lân*.ci:a) *s.f.* Comilança.

comilão (co.mi.*lão*) *adj.* **1.** Que come muito: *um menino comilão*. • *s.m.* **2.** Aquele que come muito, glutão: *O comilão comeu sua merenda e a dos outros*. || f.: *comilona*.

cominação (co.mi.na.*ção*) *s.f.* Ato ou efeito de cominar.

cominar (co.mi.*nar*) *v.* **1.** Ameaçar com pena no caso de falta de cumprimento de contrato, ou de preceito, ordem, mandato etc.: *Será cominada a pena de multa a quem não cumprir inteiramente essa ordem*. **2.** Impor; infligir, prescrever (castigo, pena): *O juiz cominou-lhe a pena de prisão domiciliar*. ▶ Conjug. 5.

cominatório (co.mi.na.*tó*.ri:o) *adj.* Que determina penalidade em caso de infração.

cominho (co.*mi*.nho) *s.m.* (*Bot.*) Erva aromática cujas folhas e sementes são usadas como condimento.

comiseração (co.mi.se.ra.*ção*) *s.f.* Sentimento de piedade pelos infortúnios alheios; compaixão.

comiserar-se (co.mi.se.*rar*-se) *v.* Ter piedade, compadecer-se: *Comisere-se do pobre acidentado*. ▶ Conjug. 8 e 6.

comissão (co.mis.*são*) *s.f.* **1.** Grupo de pessoas encarregadas de tratar de um assunto: *A comissão de formatura se reunirá hoje*. **2.** Porcentagem paga a alguém que atua como intermediário numa transação comercial: *Paguei ao corretor de imóveis a comissão de 10% do preço do apartamento*. **3.** Incumbência, tarefa, missão: *Ele vivia do que lhe pagavam por pequenas comissões*.

comissariado (co.mis.sa.ri.*a*.do) *s.m.* **1.** Cargo de comissário. **2.** Lugar onde o comissário exerce seu cargo.

comissário (co.mis.*sá*.ri:o) *s.m.* **1.** Representante de um governo ou de uma organização:

compacto

Ele é comissário brasileiro na Organização dos Estados Americanos. **2.** Autoridade policial. || *Comissário de bordo:* funcionário da aviação comercial encarregado de atender os passageiros durante o vôo.

comissionar (co.mis.si:o.*nar*) *v.* Indicar funcionário público para cargo ou função provisório: *O chefe comissionou cinco funcionários para organizar o serviço de atendimento.* ▶ Conjug. 5.

comitê (co.mi.*tê*) *s.m.* **1.** Grupo pouco numeroso de pessoas organizadas para atuar numa atividade específica: *Não faço parte do comitê de recepção.* **2.** Sede ou local onde esse grupo se reúne.

comitiva (co.mi.*ti*.va) *s.f.* **1.** Conjunto de pessoas que acompanham outra ou outras de alta categoria; séquito: *a comitiva do presidente.* **2.** Pessoas que vão juntas a algum lugar, geralmente para resolver alguma coisa; séquito: *A comitiva foi à capital discutir o assunto.*

comível (co.*mí*.vel) *adj.* Que pode ser comido, comestível.

commodity [comóditi] (Ing.) *s.f.* **1.** (Econ.) Matéria-prima de origem mineral, vegetal ou agropecuária destinada à exportação em estado bruto. **2.** Matéria produzida em massa.

como (co.mo) *adv.* **1.** De que modo: *Como vamos fazer isso?* **2.** Com que intensidade: *Como você é inteligente!* • *conj.* **3.** a) aditiva (na correlação não só como): *Não só gostou da festa como dos convidados.* b) causal: *Como estava doente, não fui à festa.* c) comparativa: *Achavam-na linda como uma flor.* d) conformativa: *Fizeram os exercícios como lhes foi ensinado.* e) integrante: *O mapa mostra como chegar à montanha.* || *Assim como:* do mesmo modo que: *Assim como você me ajudou, eu a ajudarei.*

comoção (co.mo.*ção*) *s.f.* **1.** Ato ou efeito de comover ou comover-se: *Ao reencontrar o amigo de outros tempos, foi tomada de uma forte comoção.* **2.** *fig.* Abalo de certa gravidade na ordem pública: *A campanha da vacina, chefiada por Oswaldo Cruz, provocou comoção no Rio de Janeiro.*

cômoda (*cô*.mo.da) *s.f.* Móvel de madeira, munido de gavetas, onde se guardam roupas.

comodato (co.mo.*da*.to) *s.m.* (*Jur.*) Cessão de algum bem por tempo determinado ou indeterminado: *João cedeu seu sítio em regime de comodato.*

comodidade (co.mo.di.*da*.de) *s.f.* **1.** Qualidade ou condição de cômodo. **2.** Bem-estar, conforto: *Nesse trem, você viaja com toda comodidade.* **3.** Estado do que é cômodo: *Morar nesta rua tão sossegada é uma comodidade.*

comodismo (co.mo.*dis*.mo) *s.m.* Modo de ser de quem não gosta de se incomodar com coisa alguma.

comodista (co.mo.*dis*.ta) *adj.* **1.** Que preserva sobretudo a sua comodidade: *Nesta crise, você não pode adotar uma atitude comodista.* • *s.m.* e *f.* **2.** Aquele que preserva sobretudo a sua comodidade: *O comodista não gosta de assumir responsabilidades.*

cômodo (*cô*.mo.do) *adj.* **1.** Que não exige maior esforço e oferece descanso e bem-estar; confortável: *Viajar de trem é muito cômodo.* **2.** Próprio, útil, favorável: *Para quem gosta de caminhar à tarde, o horário de verão é cômodo.* **3.** Baixo, ao alcance de todos (preço): *Alguns artigos são vendidos a preço cômodo.* • *s.m.* **4.** Aposento, divisão de uma casa: *A casa de meu avô tinha muitos cômodos.*

comovedor [ô] (co.mo.ve.*dor*) *adj.* Que comove, comovente.

comovente (co.mo.*ven*.te) *adj.* Comovedor.

comover (co.mo.*ver*) *v.* **1.** Causar emoção; provocar emoção: *Os funerais do grande atleta comoveram o país.* **2.** Enternecer, impressionar: *A leitura desse poema sempre me comoveu.* **3.** Enternecer-se; emocionar-se: *Todos se comoveram com as imagens da tragédia.* ▶ Conjug. 42.

compactação (com.pac.ta.*ção*) *s.f.* Ato, operação ou efeito de compactar.

compactar (com.pac.*tar*) *v.* **1.** Juntar partes componentes para reduzir dimensões ou volumes: *Compactaram a obra para poder editá-la num único volume.* **2.** (*Inform.*) Abreviar codificação de dados para ocupar menor espaço de memória: *Ele compactou alguns de seus arquivos.* **3.** Amassar comprimindo para reduzir volume e facilitar transporte: *Compactavam as latinhas de refrigerante e metiam-nas num saco.* ▶ Conjug. 5 e 33.

compact disc [cómpect disc] (Ing.) *loc. subst.* Pequeno disco em que se podem gravar programas de computador, músicas etc. || sigla: *CD.*

compacto (com.*pac*.to) *adj.* **1.** Que tem os elementos, partes ou unidades componentes muito juntas: *madeira compacta.* **2.** Denso, cerrado: *matagal compacto; multidão compacta.* **3.** De dimensões reduzidas: *apartamento compacto.* **4.** Impresso que encerra muita matéria em pequeno espaço: *um texto compacto.* **5.** (*Comun.*) Retransmissão televisiva ou radiofônica de trechos mais importantes de uma

compactuar

reportagem esportiva ou jornalística: *Vamos assistir a um compacto do jogo de ontem.*

compactuar (com.pac.tu:ar) *v.* Pôr-se de acordo com; agir em conivência com: *Não podemos compactuar com ações injustas.* ▶ Conjug. 5.

compadecer (com.pa.de.cer) *v.* **1.** Condoer-se; penalizar-se; comiserar-se: *A bondosa senhora compadecia-se dos infelizes.* **2.** Acomodar-se; ser compatível; harmonizar-se: *Não se compadecendo com as ideias novas, o empreendimento não iria para a frente.* ▶ Conjug. 41.

compadre (com.*pa*.dre) *s.m.* **1.** Padrinho, em relação aos pais do afilhado. **2.** Pai do afilhado, em relação aos padrinhos. **3.** Amigo íntimo.

compaixão [ch] (com.pai.*xão*) *s.f.* **1.** Pesar que se sente pelo mal alheio. **2.** Dó, piedade.

companheirismo (com.pa.nhei.*ris*.mo) *s.m.* Relacionamento entre companheiros; camaradagem.

companheiro (com.pa.*nhei*.ro) *s.m.* **1.** Aquele que acompanha: *Este é o doutor Fausto, meu companheiro de viagem.* **2.** Aquele que mantém um relacionamento íntimo e harmonioso com alguém: *Os irmãos viviam como companheiros.* **3.** Pessoa que mantém com outra uma relação conjugal estável, fora do casamento: *Depois do divórcio, ele está vivendo com uma companheira.*

companhia (com.pa.*nhi*.a) *s.f.* **1.** Ato de acompanhar: *Venha me fazer companhia.* **2.** Aquele ou aquilo que acompanha: *Pedro foi minha companhia na viagem à Bolívia; Esta mala é sempre minha companhia nas viagens.* **3.** Sociedade comercial ou industrial formada por acionistas: *uma companhia de exploração de petróleo.* **4.** (*Mil.*) Subdivisão de um batalhão ou de um regimento, comandada por um capitão: *Servi o Exército na segunda companhia do regimento.* **5.** (*Teat.*) Pessoal artístico de teatro ou circo: *Na segunda-feira não há espetáculo: descanso da companhia.* || *Companhia de Jesus:* os jesuítas.

comparação (com.pa.ra.*ção*) *s.f.* **1.** Ato ou resultado de comparar; de identificar semelhanças e diferenças entre duas partes. **2.** (*Ling.*) Confronto entre dois termos, definindo-se um deles a partir de uma característica encontrada no outro: *O clima de Campos do Jordão é mais frio que o de Teresópolis.*

comparar (com.pa.*rar*) *v.* **1.** Cotejar; confrontar: *O professor comparou as duas edições do poema.* **2.** Examinar simultaneamente duas coisas para conhecer as semelhanças, as diferenças ou as relações entre elas: *O professor comparou a prova de Pedro com a de Paulo e concluiu que eles não colaram.* **3.** Igualar-se: *Ele não se comparava a ninguém.* ▶ Conjug. 5.

comparável (com.pa.*rá*.vel) *adj.* Que pode ser comparado: *Nada é comparável à paz de espírito.*

comparecer (com.pa.re.cer) *v.* **1.** Apresentar-se em local determinado; aparecer em: *Você deve comparecer à reunião dos ex-alunos.* **2.** (*Jur.*) Ir a juízo perante magistrado ou funcionário judicial, por si ou por seu procurador, para algum ato judicial para que foi intimado ou citado: *Ele compareceu à audiência com o juiz para a qual foi convocado.* ▶ Conjug. 41. – **comparecimento** *s.m.*

comparsa (com.*par*.sa) *s.m. e f.* Acompanhante e parceiro de alguém em ato ilícito; cúmplice.

compartilhar (com.par.ti.*lhar*) *v.* **1.** Tomar parte com outras pessoas numa partilha: *As nações devem saber compartilhar os recursos do Planeta.* **2.** Participar de: *Queremos que todos compartilhem de nossa alegria.* **3.** Dividir com: *Compartilhei com os amigos o lanche que levei.* ▶ Conjug. 5.

compartimentar (com.par.ti.men.*tar*) *v.* Dividir em compartimentos: *É necessário compartimentar este salão para dispor nele os computadores.* ▶ Conjug. 5.

compartimento (com.par.ti.*men*.to) *s.m.* Divisão de uma casa, de uma gaveta, de um vagão, de uma caixa: *O viajante alojou sua bagagem num compartimento do vagão.*

compartir (com.par.*tir*) *v.* Partilhar; compartilhar; repartir: *Os pesquisadores compartiam entre si a grande mesa da biblioteca.* ▶ Conjug. 66.

compassar (com.pas.*sar*) *v.* **1.** Acertar o ritmo ou a cadência; cadenciar: *Os soldados compassavam a marcha pela cadência dos tambores.* **2.** Espaçar pausadamente: *Respondeu, compassando cuidadosamente as palavras.* ▶ Conjug. 5.

compassivo (com.pas.*si*.vo) *adj.* Que tem ou revela compaixão; misericordioso.

compasso (com.*pas*.so) *s.m.* **1.** Instrumento de metal ou madeira, composto de duas hastes, utilizado para traçar circunferência e tomar medidas. **2.** (*Mús.*) Cada uma das divisões de um trecho musical, constituída de tempos agrupados em porções iguais, de dois (compasso binário), de três (compasso ternário), quaternário, quinário etc., marcadas pelo ritmo e escritas na partitura entre traços verticais.

compatibilidade (com.pa.ti.bi.li.*da*.de) s.f. Qualidade e condição do que é compatível, do que se adapta a uma situação: *Ligavam-se por uma grande compatibilidade de gênios*.

compatibilizar (com.pa.ti.bi.li.*zar*) v. Tornar(-se) compatível: *Busca-se compatibilizar o desenvolvimento da Amazônia com a preservação do meio ambiente*. ▶ Conjug. 5.

compatível (com.pa.*tí*.vel) adj. **1.** Que pode coexistir e conciliar-se com outro ou outros: *horários compatíveis; atividades compatíveis*. **2.** (*Inform*.) Condição de peças (*hardware*) e programas (*software*) intercambiáveis sem necessidade de alteração.

compatriota [ó] (com.pa.tri:o.ta) adj. **1.** Que nasceu ou teve origem no mesmo país que o outro: *colegas compatriotas*. • s.m. e f. **2.** Pessoa que nasceu no mesmo país que outra: *Gostamos de conviver com nossos compatriotas*.

compelir (com.pe.*lir*) v. Impelir, obrigar, forçar: *Compeliram-no a aceitar o cargo*. ▶ Conjug. 69.

compendiar (com.pen.di:*ar*) v. Reduzir a compêndio, abreviar, recompilar: *Os pesquisadores compendiaram todas as novas informações sobre a história da cidade*. ▶ Conjug. 17.

compêndio (com.*pên*.di:o) s.m. **1.** Resumo; síntese; sinopse de um ensinamento, uma doutrina ou uma legislação: *um compêndio da legislação trabalhista*. **2.** Livro escolar em que a matéria se acha resumidamente exposta: *compêndio de História do Brasil*.

compendioso [ô] (com.pen.di:o.so) adj. Em forma de compêndio. || f. e pl.: [ó].

compenetrado (com.pe.ne.*tra*.do) adj. **1.** Concentrado, atento. **2.** Consciente de suas obrigações.

compenetrar-se (com.pe.ne.*trar*-se) v. Convencer-se; persuadir-se: *Finalmente o filho compenetrou-se de seus deveres*. ▶ Conjug. 8 e 6.

compensação (com.pen.sa.*ção*) s.f. **1.** Ato ou efeito de compensar, de equilibrar uma coisa por outra de valor contrário: *Por seu trabalho tão árduo, ele receberá uma boa compensação econômica*. **2.** Aquilo que se recebe para estabelecer esse equilíbrio: *uma compensação em dinheiro*. **3.** Pagamento do valor de um cheque depositado em conta bancária: *Depois que o banco compensar seu cheque, eu lhe darei a mercadoria*.

compensado (com.pen.*sa*.do) adj. **1.** Em que houve compensação: *um esforço bem compensado*. **2.** Diz-se da madeira constituída de camadas superpostas, coladas entre si por pressão: *Esta madeira não é maciça, é compensada*. • s.m. **3.** Madeira constituída de camadas superpostas, coladas entre si por pressão: *um armário de compensado*.

compensador [ô] (com.pen.sa.*dor*) adj. **1.** Que compensa: *Quem trabalha precisa de um descanso compensador*. • s.m. **2.** (*Fís.*) Aparelho destinado a corrigir as oscilações e variações de funcionamento de um mecanismo.

compensar (com.pen.*sar*) v. **1.** Igualar em sentido oposto o efeito de uma coisa com o de outra: *Para compensar os dias de folga, trabalharemos no fim de semana*. **2.** Estabelecer a igualdade; contrabalançar, equilibrar: *O pai compensou o que deu a um filho, dando o mesmo valor ao outro*. **3.** Ressarcir, fazer com que a valia de uma coisa supra a desvalia de outra: *Compensaram com isenção de imposto predial os proprietários do terreno por onde passa a estrada de ferro*. || *Compensar a dívida*. (*Jur.*) fazer a sua liquidação, encontrando o crédito com o débito. ▶ Conjug. 5.

competência (com.pe.*tên*.ci:a) s.f. **1.** Qualidade de competente. **2.** Capacidade para apreciar, decidir ou fazer uma coisa: *O novo chefe dirige a seção com muita competência*. **3.** Autoridade para resolver uma questão, tendo em vista uma hierarquia ou uma distribuição de função: *Infelizmente não tenho competência para assinar este documento*.

competente (com.pe.*ten*.te) adj. **1.** Que tem capacidade; que é apto a realizar suas tarefas satisfatoriamente: *Para esse trabalho, ele é competente*. **2.** Que tem autoridade ou qualificação para uma tarefa: *Esta escola é competente para iniciar o novo método de ensino*. **3.** Legal, devido, adequado: *Entre com seu requerimento pelos caminhos competentes*.

competição (com.pe.ti.*ção*) s.f. **1.** Ato ou efeito de competir. **2.** Disputa, concorrência entre dois ou mais oponentes por um prêmio ou resultado qualquer. **3.** Evento em que se realiza tal disputa; certame esportivo, literário etc.: *competição de futebol, competição de remo*.

competidor [ô] (com.pe.ti.*dor*) adj. **1.** Que compete: *os clubes competidores*. • s.m. **2.** Aquele que compete: *Este é o grande competidor brasileiro na maratona*.

competir (com.pe.*tir*) v. **1.** Pretender uma coisa simultaneamente com outrem; rivalizar, emu-

competitivo

lar: *Os dois herdeiros competiam pela posse da fazenda*. **2.** Ser da competência; cumprir, caber: *A decisão final compete ao juiz*. ▶ Conjug. 69.
competitivo (com.pe.ti.*ti*.vo) *adj*. **1.** Relativo a competição. **2.** Que gosta de competir e tem aptidão para isso: *Seu caráter competitivo já o levou a muitas vitórias*. **3.** (*Econ*.) Atividade em que há forte ambiente de competição: *uma indústria competitiva*. **4.** Que pode oferecer vantagens numa competição: *preços competitivos*.
compilação (com.pi.la.*ção*) *s.f.* **1.** Ato ou efeito de compilar: *Será organizada uma compilação de todos os documentos históricos do município*. **2.** Obra compilada: *Ele comprou uma compilação das obras de Gil Vicente*.
compilador (com.pi.la.*dor*) *adj*. **1.** Que compila: *um trabalho compilador*. • *s.m.* **2.** Aquele que faz trabalho de compilação: *O compilador da obra foi um monge da Idade Média*.
compilar (com.pi.*lar*) *v*. **1.** Reunir tirando de uma e outra parte: *compilar documentos da administração colonial do Espírito Santo*. **2.** Coligir textos dispersos formando um todo: *Os filhos de Gil Vicente compilaram as obras do pai*. ▶ Conjug. 5.
complacência (com.pla.*cên*.ci:a) *s.f.* **1.** Tendência a tolerar e aceitar o comportamento dos outros, mesmo que não concorde com ele; tolerância. **2.** Disposição para fazer concessões; condescendência.
compleição (com.plei.*ção*) *s.f.* **1.** Constituição física de uma pessoa: *um bebê de compleição robusta*. **2.** Traço de personalidade; temperamento: *Sua compleição severa sempre se revelava*.
complementar¹ (com.ple.men.*tar*) *adj*. **1.** Que serve de complemento. **2.** Relativo a complemento.
complementar² (com.ple.men.*tar*) *v*. **1.** Acrescentar alguma coisa a: *Complementava seu orçamento com pequenos trabalhos adicionais*. **2.** Completar-se: *Teoria e prática complementam-se*. ▶ Conjug. 5.
complemento (com.ple.*men*.to) *s.m.* **1.** Aquilo que se acrescenta a uma coisa para completar: *Ela obtinha com aulas particulares um complemento para suas economias*. **2.** Acabamento, remate: *A costureira não entregou o vestido porque faltavam alguns complementos*. **3.** (*Gram*.) Palavra ou expressão que completa ou amplia o sentido de um verbo ou de um nome (substantivo e adjetivo): *complemento verbal*; *complemento nominal*.

completar (com.ple.*tar*) *v*. **1.** Tornar completo: *Mário em pouco tempo completou o que faltava em seu trabalho*. **2.** Pôr o que falta para ficar perfeito: *Só faltava uma bela capa para completar a perfeição do trabalho apresentado*. **3.** Complementar: *O vale-transporte completa seu orçamento diário*. ▶ Conjug. 8.
completo [é] (com.*ple*.to) *adj*. **1.** Com tudo quanto deve ter. **2.** A que não falta nada. **3.** Que reúne todas as qualidades que caracterizam um todo.
completude (com.ple.*tu*.de) *s.f.* Qualidade ou estado do que é completo.
complexado [cs] (com.ple.*xa*.do) *adj*. **1.** Que tem complexos: *João é um homem complexado*. • *s.m.* **2.** Pessoa que tem complexo: *O complexado não é feliz*.
complexidade [cs] (com.ple.xi.*da*.de) *s.f.* Qualidade de quem ou do que é complexo: *a complexidade da vida moderna*.
complexo [é] [cs] (com.*ple*.xo) *adj*. **1.** Que abrange várias partes, muitos elementos diversos: *uma estrutura complexa*. **2.** Que não é simples: *um problema complexo*. **3.** Que pode ser considerado sob vários aspectos. • *s.m.* **4.** Conjunto de várias coisas ligadas por nexo comum: *um complexo clínico*; *um complexo esportivo*. **5.** (*Psicn*.) Conjunto de sentimentos e ideias que influencia o comportamento de alguém: *complexo de inferioridade*.
complicação (com.pli.ca.*ção*) *s.f.* **1.** Ato ou efeito de complicar(-se). **2.** Embaraço, dificuldade, complexidade. **3.** (*Med*.) Ocorrência de afecções que dificultam o tratamento: *Com a pneumonia, vieram as complicações respiratórias*.
complicado (com.pli.*ca*.do) *adj*. Que é confuso, difícil de se entender; complexo: *O texto começa simples, mas logo torna-se complicado*.
complicar (com.pli.*car*) *v*. **1.** Tornar complexo; tornar menos simples, mais intricado: *O que complicou o caso foi a declaração da testemunha*. **2.** Tornar confuso; dificultar a compreensão ou a resolução: *Um novo dado veio complicar o problema*. **3.** Enredar, atrapalhar: *O aguaceiro às 18 horas complicou o tráfego*. **4.** Enredar-se, tornar-se difícil: *Sua situação complicou-se com o desemprego*. ▶ Conjug. 5 e 35.
complô (com.*plô*) *s.m.* **1.** Conchavo entre duas ou mais pessoas para prejudicar alguém. **2.** Esse mesmo tipo de ação contra a segurança de um Estado ou de uma instituição.
componente (com.po.*nen*.te) *adj*. **1.** Que entra na composição de um conjunto organizado:

compreensão

os elementos componentes de uma escola de samba; as peças componentes de um computador. • *s.m. e f.* **2.** Elemento componente: *os componentes da equipe de vôlei; os componentes de uma câmara fotográfica.*

compor (com.*por*) *v.* **1.** Formar de várias coisas, construir de diferentes partes: *Com as diferentes flores que trouxe do campo, a mãe compôs um belo arranjo.* **2.** Criar por arte (música, poesia, instalação etc.): *O músico entusiasmado compôs uma rapsódia sobre sua pátria; Ele sempre compôs.* **3.** Fazer parte: *Ele compõe o coral da empresa onde trabalha.* **4.** (*Comun.*) Ordenar as palavras, as linhas, os parágrafos, as colunas de um texto para ser impresso: *O comentarista compôs sua matéria em duas colunas.* **5.** Integrar, fazer parte de: *Já escolheram os professores que comporão a banca.* **6.** Conciliar, entrar ou fazer entrar em acordo: *A OEA compôs com os países de fronteiras litigantes; A nora compôs com a sogra para viverem juntas na casa da fazenda.* **7.** Constar; ser composto; constituir-se: *O período se compõe de quatro orações.* **8.** Apresentar-se decentemente: *Componha-se antes de se apresentar.* || *Compor o rosto*: mostrar-se indiferente depois de haver revelado grande alteração. || part.: *composto* ▶ Conjug. 65.

comporta [ó] (com.*por*.ta) *s.f.* Tipo de porta que regula as águas de um açude, dique ou barragem.

comportamento (com.por.ta.*men*.to) *s.m.* Modo de agir no geral ou em determinadas circunstâncias: *Seu comportamento no baile foi exemplar.*

comportar (com.por.*tar*) *v.* **1.** Agir ou portar-se de determinada maneira: *Antes do final do concurso, ela já se comportava como aprovada.* **2.** Ser capaz de conter: *Esta sala não comporta toda a turma do segundo ano.* **3.** Proceder de maneira correta: *Comporte-se direito, menino!* ▶ Conjug. 20.

composição (com.po.si.*ção*) *s.f.* **1.** Ato ou efeito de compor. **2.** Conjunto dos elementos que compõem alguma coisa: *Cloro e sódio entram na composição do sal de cozinha.* **3.** Produção científica ou artística: *Ela inscreveu sua composição sobre a reprodução das tartarugas no concurso.* **4.** Obra musical: *O pianista apresentou algumas composições de sua autoria.* **5.** Processo tipográfico de ordenação de tipos e sinais para imprimir textos: *Atualmente já não se imprimem textos por composição tipográfica.* **6.** (*Gram.*) Processo de produção vocabular por meio da combinação de dois ou mais radicais: Mestre-sala e planalto são *palavras formadas por composição.* **7.** Exercício de redação sobre um tema: *Ele escreveu uma composição sobre o Dia da Árvore.*

compositor [ô] (com.po.si.*tor*) *adj.* **1.** Que compõe. • *s.m.* **2.** Pessoa que compõe. **3.** Operário especializado na composição manual. **4.** Autor de música original.

composto [ô] (com.*pos*.to) *adj.* **1.** Que não é simples, que consta de dois ou mais elementos. **2.** (*Gram.*) Formado de dois ou mais vocábulos simples, de dois ou mais tempos simples, de dois ou mais termos, de duas ou mais orações: *substantivo composto; sujeito composto; período composto.*

compostura (com.pos.*tu*.ra) *s.f.* Correção e comedimento nas maneiras: *Minha filha, aja sempre com compostura!*

compota [ó] (com.*po*.ta) *s.f.* Conserva de frutas em calda de açúcar.

compoteira (com.po.*tei*.ra) *s.f.* Vaso ou recipiente destinado a guardar compotas e doces.

compra (com.*pra*) *s.f.* **1.** Ato ou efeito de comprar. **2.** Aquilo que se comprou. • *compras s.f.pl.* **3.** Saída para fazer compras: *Ela não está, foi às compras.*

comprar (com.*prar*) *v.* **1.** Adquirir (alguma coisa) por dinheiro: *Com o dinheiro que ganhou, ela comprou roupas novas.* **2.** *fig.* Conseguir a custo de algum esforço ou renúncia: *Comprou o sossego, indo morar sozinho.* **3.** Aceitar uma versão de alguma coisa: *Ela não comprou a história que lhe contaram.* **4.** Tirar cartas do baralho em certos jogos: *Finalmente comprei um ás.* **5.** Fazer compras: *Algumas pessoas preferem comprar nos shoppings.* ▶ Conjug. 5.

comprazer (com.pra.*zer*) *v.* **1.** Fazer o gosto, a vontade: *Ela estudou Direito para comprazer aos pais.* **2.** Sentir prazer, deleitar-se, regozijar-se: *Ele se comprazia em distribuir doces às crianças; Os meninos se comprazivam com a chuvarada de verão.* ▶ Conjug. 53.

compreender (com.pre.en.*der*) *v.* **1.** Conter em si; abranger, incluir: *A festa compreende duas partes: a religiosa e a popular.* **2.** Alcançar com o raciocínio; assimilar, entender: *Com facilidade, o menino compreendeu o problema.* **3.** Perceber as intenções secretas: *Você nem precisa falar; eu a compreendo bem.* ▶ Conjug. 39.

compreensão (com.pre.en.*são*) *s.f.* **1.** Ato ou efeito de compreender: *A criança tinha uma compreensão rápida das coisas.* **2.** Faculdade de compreender, de perceber o sentido das

331

compressa

coisas: *No convívio com os avós, adquiriu uma boa compreensão do italiano.* **3.** Domínio de um assunto: *O mestre tinha grande compreensão dos problemas econômicos do Brasil.* **4.** Capacidade de aceitar e respeitar as questões dos outros: *Pouco lhe podia oferecer, além de minha compreensão.*

compressa [é] (com.pres.sa) *s.f.* Pano, gaze ou algodão dobrado muitas vezes e umedecido em água ou medicamento, que se aplica sobre uma parte doente do corpo.

compressão (com.pres.são) *s.f.* **1.** Ato ou efeito de comprimir, de reduzir um corpo a volume cada vez menor. **2.** (Fís.) Ação ou efeito de uma força premente sobre um corpo. – **compressibilidade** *s.f.*

compressor [ô] (com.pres.sor) *adj.* **1.** Que comprime: *um rolo compressor.* • *s.m.* **2.** Máquina de aplainar e tornar compacto o leito das ruas e estradas. **3.** (Mec.) Aparelho que serve para comprimir um fluido a uma pressão desejada.

comprido (com.pri.do) *adj.* **1.** Que tem grande comprimento. **2.** Longo, extenso (quanto ao espaço e ao tempo). || *Ao comprido*: no sentido do comprimento.

comprimento (com.pri.men.to) *s.m.* Extensão de alguma coisa no sentido longitudinal. || Conferir com *cumprimento*.

comprimido (com.pri.mi.do) *adj.* **1.** Apertado, encolhido • *s.m.* **2.** (Farm., Med.) Pastilha de medicamento.

comprimir (com.pri.mir) *v.* **1.** Reduzir a menor volume, apertando; compactar: *Quanto mais se comprime o ar, mais aumenta sua pressão.* **2.** Apertar-se, compactar-se: *A multidão se comprimia na calçada para ver a passagem dos soldados.* ▶ Conjug. 66.

comprobatório (com.pro.ba.tó.ri:o) *adj.* Que serve para comprovar alguma coisa: *um documento comprobatório.*

comprometedor [ô] (com.pro.me.te.dor) *adj.* Que compromete.

comprometer (com.pro.me.ter) *v.* **1.** Obrigar(-se) por compromisso: *Você comprometeu-se a fazer o trabalho com ele.* **2.** Prejudicar: *O excesso de diversão compromete os estudos.* **3.** Expor alguém a uma situação constrangedora: *Não falei para não comprometer meu amigo.* **4.** Empenhar ou arriscar a palavra, a honra, o dinheiro etc.: *Ela comprometeu todas as suas economias para ir à Europa.* ▶ Conjug. 41. – **comprometimento** *s.m.*

compromisso (com.pro.mis.so) *s.m.* **1.** Acordo entre pessoas que as obriga a fazer alguma coisa: *Os sócios assumiram o compromisso de construir nova sede para o clube.* **2.** Obrigação social ou profissional: *Abriu a agenda e viu todos os compromissos do dia.* – **comprometente** *adj. s.m. e f.*

comprovação (com.pro.va.ção) *s.f.* **1.** Ato ou efeito de comprovar, de demonstrar que uma coisa é verdadeira: *Empenhou-se na comprovação do que dizia.* **2.** Documento para comprovar algo: *Ele trouxe comprovação de que estava no exterior naquele dia.*

comprovante (com.pro.van.te) *adj.* **1.** Que serve para comprovar: *Não existe um documento comprovante de sua doação.* • *s.m.* **2.** Aquilo que serve para comprovar: *Você trouxe o comprovante do depósito bancário?*

comprovar (com.pro.var) *v.* Atestar a veracidade de; confirmar com prova: *O jornalista comprovou sua viagem, mostrando o passaporte carimbado em Tânger.* ▶ Conjug. 20. – **comprovativo** *adj.*

compulsão (com.pul.são) *s.f.* **1.** Impulso irresistível para fazer coisas fora de controle: *compulsão para beber; compulsão para comer demais.* **2.** Coação: *Resistiu à compulsão do amigo para que não fosse à aula.*

compulsar (com.pul.sar) *v.* Manusear consultando documentos, livros etc.: *Compulsamos todos os dicionários em busca da palavra.* ▶ Conjug. 5.

compulsivo (com.pul.si.vo) *adj.* Que age por compulsão: *um fumante compulsivo.*

compulsória (com.pul.só.ri:a) *s.f.* Reforma ou aposentadoria por idade.

compulsório (com.pul.só.ri:o) *adj.* Obrigatório: *O governo cobrou dos contribuintes um imposto compulsório.*

compunção (com.pun.ção) *s.f.* **1.** Lástima de ter cometido faltas graves. **2.** Dor profunda e sincera de haver ofendido alguém. **3.** Contrição.

compungimento (com.pun.gi.men.to) *s.m.* Ato ou efeito de compungir; compunção.

compungir (com.pun.gir) *v.* **1.** Pungir, afligir, atormentar: *A saudade compungia seu coração.* **2.** Enternecer(-se), sensibilizar(-se): *A pobreza daquela casa compungia-me vivamente; Ela compungia-se vendo a pobreza daquela casa.* || Para alguns, defectivo nas formas em que ao radical se seguem [o] ou [a]. ▶ Conjug. 92.

computação (com.pu.ta.ção) s.f. **1.** Ato ou efeito de computar. **2.** (*Inform.*) Conjunto de conhecimentos relativos à fabricação e uso de computadores. **3.** Atividade que emprega computadores para cálculos, registro e processamento de informação. – **computacional** *adj.*

computador [ô] (com.pu.ta.dor) s.m. (*Inform.*) Aparelho eletrônico que funciona a partir de princípios matemáticos, desempenhando, na forma analógica, várias tarefas como armazenar, processar, buscar, classificar, organizar, formatar e apresentar informações.

computar (com.pu.tar) v. **1.** Fazer cálculo do montante de alguma coisa: *computar as faltas*; *computar os votos.* **2.** (*Inform.*) Processar ou analisar em computador: *computar os dados da pesquisa.* ▶ Conjug. 5.

cômputo (côm.pu.to) s.m. Ato ou efeito de computar (1); contagem.

comum (co.*mum*) *adj.* **1.** Que pertence a todos ou a muitos igualmente: *senso comum.* **2.** A que, sem ser próprio de ninguém, todos têm direito: *o patrimônio comum do povo brasileiro.* **3.** Ordinário, normal, habitual: *vida comum.* **4.** De pouco valor, de pouca importância, de qualidade medíocre: *mercadoria comum.* **5.** Sem foro especial: *delito comum.* **6.** Diz-se do lugar ou fonte geral donde se tiram argumentos e provas para qualquer assunto: *a fonte comum.* **7.** (*Gram.*) Diz-se do substantivo que se aplica à totalidade dos seres de uma espécie: *substantivo comum.* • s.m. **8.** O geral, a maioria: *O comum das pessoas gosta de carnaval.* || *Em comum*: conjuntamente; em sociedade.

comuna (co.mu.na) *adj.* **1.** *pej.* Que é comunista: *Luís Carlos é comuna.* • s.m. e f. **2.** *pej.* Pessoa comunista: *Todos dizem que foi um comuna que escreveu o artigo censurado.*

comungar (co.mun.gar) v. **1.** (*Rel.*) Receber a comunhão: *Os fiéis católicos comungam a hóstia consagrada.* **2.** Pertencer a um grupo ou sociedade que tem a mesma crença religiosa, política, literária ou científica: *Os sócios comungam da crença em discos voadores.* ▶ Conjug. 5 e 34.

comunhão (co.mu.*nhão*) s.f. **1.** Ato ou efeito de comungar. **2.** Participação, em comum, em bens, crenças, ideias. **3.** Posse mútua; compartilhamento: *casamento em comunhão de bens.* || *Comunhão dos santos*: comunidade de bens espirituais de um corpo místico cuja cabeça é Jesus Cristo.

comunicação (co.mu.ni.ca.ção) s.f. **1.** Ato ou efeito de comunicar; de transmitir e receber mensagens. **2.** Mensagem transmitida: *Recebemos a comunicação de sua vinda.* **3.** Capacidade de dialogar, de entendimento recíproco: *É necessário haver boa comunicação entre os casais.* **4.** (*Comun.*) Processo e as técnicas de transmitir e receber ideias e mensagens com vistas à troca de informação e conhecimento e à formação de opinião: *A boa comunicação é importante para a formação da cidadania.* **5.** Passagem entre dois espaços; ligação: *Esta sala tem uma comunicação com a suíte principal.* • **comunicações** s.f.pl. **6.** Meios técnicos instalados para se fazer comunicação: *É impressionante o progresso das comunicações nos últimos anos.* **7.** Meios de transportes: *As comunicações daquela cidade foram interrompidas pelas enchentes.* || *Comunicação de massa*: comunicação dirigida ao grande público através dos meios apropriados: rádio, televisão, jornais etc. – **comunicabilidade** s.f.

comunicado (co.mu.ni.ca.do) s.m. Notícia ou aviso que se transmite pelos meios de comunicação.

comunicador [ô] (co.mu.ni.ca.dor) s.m. **1.** Especialista em comunicação; comunicólogo. **2.** Apresentador de programa de rádio ou de televisão etc.

comunicar (co.mu.ni.car) v. **1.** Transmitir alguma coisa a alguém: *O diretor comunicou aos servidores que seus salários teriam um aumento de 50%.* **2.** Entrar em contato com: *Comunique-se com a chefia do departamento.* **3.** Ter ou estabelecer ligação entre espaços: *Um longo corredor comunicava o refeitório com as celas dos frades*; *O Mediterrâneo comunica-se com o mar Vermelho através do canal de Suez.* ▶ Conjug. 5 e 35.

comunicativo (co.mu.ni.ca.ti.vo) *adj.* Que se comunica facilmente; sociável.

comunicólogo (co.mu.ni.có.lo.go) s.m. Profissional formado em cursos de Comunicação ou que trabalha nessa área.

comunidade (co.mu.ni.da.de) s.f. **1.** Qualidade ou condição do que é comum: *comunidade de interesses*; *comunidade de sentimentos.* **2.** Conjunto de pessoas que partilham o mesmo espaço geográfico e traços culturais e religiosos, as tradições e os interesses; sociedade (2): *a comunidade da Mangueira.* **3.** Sociedade de pessoas que vivem em comum e seguem uma regra religiosa: *a comunidade do mosteiro de São Bento.* **4.** Conjunto de pessoas da mesma etnia, do mesmo país ou de uma mesma região, vivendo num determinado local: *a comu-*

comunismo

nidade judaica do Rio de Janeiro; a comunidade japonesa de São Paulo; a comunidade nordestina de Belo Horizonte.

comunismo (co.mu.*nis*.mo) *s.m.* Sistema de organização social, política e econômica, baseado na propriedade coletiva, na distribuição igualitária das riquezas e no fim das classes sociais.

comunista (co.mu.*nis*.ta) *adj.* **1.** Concernente ou pertencente ao comunismo. • *s.m.* e *f.* **2.** Partidário ou adepto do comunismo.

comunitário (co.mu.ni.*tá*.ri:o) *adj.* Relativo a comunidade; próprio da comunidade: *os centros comunitários.*

comutação (co.mu.ta.*ção*) *s.f.* **1.** Ato ou efeito de comutar. **2.** (*Jur.*) Atenuação ou redução de pena. **3.** Permutação, substituição. **4.** (*Eletr.*) Inversão de sentido da corrente elétrica ou conversão de corrente alternada em contínua. **5.** (*Ling.*) Troca de um elemento por outro no paradigma, para se obter nova unidade. **6.** (*Inform.*) Estabelecimento de conexão discada entre um computador e um terminal.

comutador [ô] (co.mu.ta.*dor*) *adj.* **1.** Que comuta. • *s.m.* **2.** (*Eletr.*) Aparelho que serve para mudar a direção das correntes elétricas ou cortar a ligação de um circuito; interruptor.

comutar (co.mu.*tar*) *v.* **1.** Substituir uma coisa por outra: *O lavrador comutava hortaliças por remédios.* **2.** (*Jur.*) Alterar pena ou castigo para outro menor: *D. Maria I comutou a pena de morte dos inconfidentes por degredo perpétuo.* **3.** (*Ling.*) Proceder a uma comutação (5). ▶ Conjug. 5.

comutativo (co.mu.ta.*ti*.vo) *adj.* **1.** Próprio para comutar. **2.** (*Mat.*) Que combina elementos de tal maneira que o resultado é independente da ordem na qual são tomados esses elementos.

comutável (co.mu.*tá*.vel) *adj.* Que pode ser comutado.

conativo (co.na.*ti*.vo) *adj.* Diz-se da função da linguagem que procura influir no comportamento do interlocutor por meio de ordem, pedido ou sugestão.

concatenação (con.ca.te.na.*ção*) *s.f.* Ato ou efeito de concatenar; ligação de ideias, fatos, informações etc. entre si; encadeamento.

concatenar (con.ca.te.*nar*) *v.* **1.** Estabelecer conexão entre ideias, fatos, palavras etc.; encadear: *Vamos concatenar minhas ideias com as suas.* **2.** Articular de forma apropriada: *Ela estava tão nervosa que não concatenava as palavras.* ▶ Conjug. 5.

concavidade (con.ca.vi.*da*.de) *s.f.* **1.** Qualidade ou condição do que é côncavo. **2.** Depressão de terreno.

côncavo (*côn*.ca.vo) *adj.* **1.** Cavado, mais fundo no centro do que nas bordas. • *s.m.* **2.** Concavidade.

côncavo-convexo (côn.ca.vo-con.*ve*.xo) *adj.* Côncavo de um lado e convexo do outro. || pl.: *côncavo-convexos.*

conceber (con.ce.*ber*) *v.* **1.** Gerar: *Apesar da idade, ela concebeu filhos saudáveis.* **2.** Formar ou representar no espírito: *Não consigo conceber a ideia de ficar sem trabalho.* **3.** Criar, inventar, imaginar: *O professor concebeu um novo método de ensinar a língua francesa.* ▶ Conjug. 41.

concebível (con.ce.*bí*.vel) *adj.* Que pode ser concebido.

conceder (con.ce.*der*) *v.* **1.** Dar, outorgar, conferir alguma coisa: *A Academia concedeu um prêmio ao grande poeta brasileiro.* **2.** Admitir ou reconhecer: *Concedo que exagerei na descrição da festa.* **3.** Dar consentimento; consentir; permitir: *Depois de um determinado tempo, concederam-lhe liberdade de sair à noite.* ▶ Conjug. 41.

conceito (con.*cei*.to) *s.m.* **1.** Tudo o que o espírito pode conceber. **2.** Síntese, símbolo. **3.** Mente. **4.** Entendimento. **5.** Juízo. **6.** Ideia concebida pelo espírito acerca de coisa ou pessoa: *Faço bom conceito deste homem.* **7.** Opinião. **8.** Dito com agudez de espírito: *Os escritores do século XVII abusavam dos conceitos.* **9.** Substâncias de uma proposição. **10.** Moralidade de um conto. **11.** Parte da charada na qual se divide a palavra inteira a decifrar.

conceituação (con.cei.tu:a.*ção*) *s.f.* Ato ou efeito de conceituar. – **conceitual** *s.m.* e *f.*

conceituado (con.cei.tu:*a*.do) *adj.* Que goza de bom conceito, de boa reputação.

conceitual (con.cei.tu:*al*) *adj.* **1.** Relativo ao conceito. **2.** Teórico.

conceituar (con.cei.tu:*ar*) *v.* **1.** Formar ou exprimir conceito, definição ou explicação para: *Não é fácil conceituar o pós-moderno.* **2.** Contribuir para formar opinião boa ou má sobre alguém: *Seu bom humor o conceituava bem entre os amigos.* ▶ Conjug. 5.

conceituoso [ô] (con.cei.tu:*o*.so) *adj.* Que contém conceitos; em que há conceito. || f. e pl.: [ó].

concelebrar (con.ce.le.*brar*) *v.* Celebrar em comum: *Unidos concelebraram a feliz notícia; Três sacerdotes concelebraram a missa da festa de São José.* ▶ Conjug. 8.

concentração (con.cen.tra.ção) s.f. **1.** Ato ou efeito de (se) concentrar. **2.** Reunião de pessoas, de animais ou de coisas num determinado lugar: *Houve uma concentração de operários na frente da fábrica*; *A concentração de carros na saída do túnel prejudicou o trânsito*. **3.** (*Esp.*) Lugar onde se isolam atletas para preparação física e psicológica, antes de disputas importantes: *Os jogadores da seleção brasileira descansam na concentração de Teresópolis*. **4.** Mobilização de toda energia e atenção para alcançar um objetivo: *Faltou-lhe concentração para redigir melhor o parecer*.

concentrado (con.cen.tra.do) *adj*. **1.** Reunidos num mesmo lugar: *Os estudantes ficarão concentrados na praça da matriz*. **2.** Que contém grande quantidade de substância dissolvida (falando-se de líquidos): *um suco concentrado*. **3.** Que se aplica com atenção; atento: *O rapaz estava todo concentrado em sua pesquisa*. **4.** Que teve o volume reduzido pela extração de água: *caldo concentrado de carne*. • *s.m.* **5.** Extrato obtido pela eliminação da água: *um concentrado de carne*. **6.** (*Farm., Quím.*) Remédio obtido do princípio ativo bruto de um vegetal, cuja intensidade foi aumentada pela evaporação de seus componentes não ativos: *Use um concentrado de arnica!*

concentrar (con.cen.trar) *v*. **1.** Fazer convergir para um único centro: *A empresa concentrou em São Paulo todos os seus escritórios*. **2.** Dedicar toda a atenção e esforço a: *Concentre sua atenção no que está fazendo*. **3.** Aplicar em um objeto único: *Concentrou todos os seus recursos em ações ao portador*. **4.** Tornar mais denso ou mais ativo (um sal, ácido etc.), diminuindo o líquido em que está. **5.** Não dar expansão: *Às vezes é necessário concentrar a raiva*. ▶ Conjug. 5.

concêntrico (con.cên.tri.co) *adj*. (*Geom.*) Círculos que têm o mesmo centro.

concepção (con.cep.ção) s.f. **1.** Geração de um ser vivo pela fecundação de um óvulo por um espermatozoide: *a concepção de um filho*. **2.** Ato ou efeito de conceber e planejar: *a concepção de um jardim por um urbanista*.

concernente (con.cer.nen.te) *adj*. Que concerne; que diz respeito; relativo, referente; pertinente: *os documentos concernentes à venda da casa*.

concernir (con.cer.nir) *v*. Dizer respeito; referir-se, ter relação: *Veja o que concerne ao seu interesse*; *Isso não lhe concerne*. ▶ Conjug. 69 e 86.

concertamento (con.cer.ta.men.to) *s.m.* Ato de concertar; concerto.

concertar (con.cer.tar) *v*. **1.** Decidir por comum acordo; combinar: *O chefe concertou uma reunião com seus funcionários*. **2.** Chegar a um acordo; conciliar; pactuar: *Concertamos o modo de proceder*. **3.** Fazer ficar certo; endireitar: *A moça concertou o penteado antes de abrir a porta*. **4.** Entrar em concertos; combinações ou ajustes: *O prefeito e o governador concertaram-se para a visita do presidente*. ‖ Conferir com *consertar*. ▶ Conjug. 8.

concertina (con.cer.ti.na) s.f. (*Mús.*) Sanfona.

concertista (con.cer.tis.ta) *s.m. e f.* Músico que se apresenta em concertos.

concerto [ê] (con.cer.to) *s.m.* **1.** Ato de concertar. **2.** Obra musical para instrumento(s) solista(s) e orquestra: *concerto para piano e orquestra*. **3.** Apresentação de obras musicais: *um concerto com orquestra e coral*. **4.** Ajuste, convenção, pacto, conchavo: *Os países em guerra entraram em concerto para suspender a luta*. **5.** Condição de harmonia e de arrumação; arranjo: *Transformar o caos em concerto*. ‖ Conferir com *conserto*.

concessão (con.ces.são) s.f. **1.** Ato ou efeito de conceder autorização; licença: *Finalmente ele obteve a concessão para explorar aquela estrada de ferro*. **2.** Permissão concedida pelo governo a particulares ou empresas para execução e exploração de serviços de utilidade pública: *a concessão do governo para instalar um canal de televisão*. **3.** Ação de ceder, de permitir alguma coisa por tolerância em favor do bem comum: *Os casais precisam fazer concessões mútuas para viver bem*.

concessionária (con.ces.si:o.ná.ri:a) s.f. **1.** Empresa que comercializa veículos de uma determinada marca: *Foi comprar um carro na concessionária*. **2.** Empresa que recebeu uma concessão: *uma empresa concessionária da navegação pelo Tocantins*.

concessionário (con.ces.si:o.ná.ri:o) *adj*. **1.** Que recebe uma concessão. • *s.m.* **2.** Aquele que obtém uma concessão: *Este é o concessionário da nova estrada de ferro*.

concessiva (con.ces.si.va) s.f. **1.** Redução de conjunção concessiva: *Embora é uma concessiva*. **2.** Redução de oração subordinada concessiva: *Essa oração é uma concessiva*.

concessivo (con.ces.si.vo) *adj*. **1.** Relativo a concessão; que envolve concessão. **2.** (*Gram.*) Diz-se das orações subordinadas que expres-

concha

sam uma dificuldade que não impede o fato. **3.** Conjunções subordinativas que iniciam essas orações.

concha (con.cha) s.f. **1.** Envoltório curvo e rígido de certos moluscos, como caracóis e mariscos. **2.** Concreção córnea que reveste o corpo de quelônios como tartarugas, cágados etc. **3.** Colher grande e funda para servir sopa e outros alimentos líquidos. **4.** fig. Pessoa muito discreta e pouco falante. || *Concha acústica*: palco em forma de um quarto de esfera oca, em que se realizam espetáculos para uma plateia que fica ao ar livre.

conchavar (con.cha.var) v. Fazer conchavo, ajuste: *Conchavaram um acordo para enganar a avó.* ▶ Conjug. 5. – **conchavado** adj. s.m.

conchavo (con.cha.vo) s.m. Acordo, ajuste, geralmente de caráter interesseiro ou ilícito.

concidadão (con.ci.da.dão) s.m. Cidadão da mesma cidade, país ou sociedade política que outro. || f.: concidadã; pl.: concidadãos.

conciliábulo (con.ci.li:á.bu.lo) s.m. Reunião secreta com objetivos malévolos.

conciliação (con.ci.li:a.ção) s.f. **1.** Ato ou efeito de conciliar. **2.** Harmonização entre pessoas e coisas ou ideias: *a conciliação entre as duas partes.*

conciliador [ô] (con.ci.li:a.dor) adj. **1.** Que concilia ou gosta de conciliar. • s.m. **2.** Aquele que concilia.

conciliar[1] (con.ci.li:ar) v. **1.** Pôr em harmonia; combinar: *Ela procura conciliar os horários de estudo e de trabalho*; *Meus pais conciliavam rigor e carinho na educação dos filhos*. **2.** Pôr de acordo; reconciliar: *Com bons conselhos, o sacerdote conseguiu reconciliar o casal.* **3.** Atingir, conseguir: *Depois de muito rolar na cama, ele conciliou o sono.* **4.** Pôr-se de acordo: *Brigaram durante anos e finalmente conciliaram-se.* ▶ Conjug. 17.

conciliar[2] (con.ci.li:ar) adj. Relativo a concílio: *as recomendações conciliares.*

concílio (con.cí.li:o) s.m. Assembleia de prelados católicos para decidir pontos de doutrina ou de disciplina eclesiástica; sínodo: *o Concílio Vaticano II.*

concisão (con.ci.são) s.f. **1.** Qualidade de conciso. **2.** Brevidade e correção na informação falada ou escrita: *Esse relatório deveria ter mais concisão.*

conciso (con.ci.so) adj. Que se expõe com poucas palavras; resumido: *estilo conciso.*

conclamação (con.cla.ma.ção) s.f. Ato ou efeito de conclamar.

conclamar (con.cla.mar) v. **1.** Convocar, chamar: *Conclamaram os cidadãos para salvar a cidade.* **2.** Aclamar, eleger: *Conclamaram o grande herói para chefe da expedição.* ▶ Conjug. 5.

conclave (con.cla.ve) s.m. Assembleia de cardeais para a eleição do papa.

concludente (con.clu.den.te) adj. Que conclui; que prova definitivamente; convincente: *Essa é uma prova concludente.*

concluir (con.clu:ir) v. **1.** Chegar ao cabo de coisa começada; terminar; acabar: *Com o dinheiro recebido, ele concluiu a construção de sua casa.* **2.** Ajustar; assentar; firmar: *Nosso governo concluiu um tratado com a Venezuela.* **3.** Deduzir, inferir: *Penso, logo, existo, concluiu o sábio francês.* **4.** Acabar-se; chegar ao fim: *O curso concluiu-se com ótimos resultados.* ▶ Conjug. 80.

conclusão (con.clu.são) s.f. **1.** Ato ou efeito de concluir; fim, acabamento: *Quando será a conclusão de seu curso de cinema?* **2.** Epílogo, fecho: *A conclusão do romance é surpreendente.* **3.** Entendimento que se alcança a partir de observação e análise: *Os cientistas chegaram a conclusões espantosas.*

conclusivo (con.clu.si.vo) adj. **1.** Que contém, indica ou exprime uma conclusão. **2.** (Gram.) Diz-se de conjunção que inicia oração que representa conclusão de outra.

concomitante (con.co.mi.tan.te) adj. Que acompanha; que se manifesta simultaneamente com outro.

concordância (con.cor.dân.ci:a) s.f. **1.** Ato ou efeito de concordar. **2.** Acordo entre pessoas ou coisas: *Houve concordância de todos os moradores para se fazer um novo portão no condomínio.* **3.** (Gram.) Acomodação das flexões do adjetivo às do substantivo que ele qualifica e do verbo ao número e pessoa do sujeito: *Concordância nominal; concordância verbal.*

concordante (con.cor.dan.te) adj. Que concorda, que é harmônico.

concordar (con.cor.dar) v. **1.** Pôr de acordo; harmonizar: *O professor concordou as opiniões de todos.* **2.** Estar de acordo com alguma coisa; ser conforme: *Concordo com tudo o que você disse*; *Concordo em que se faça uma festa no aniversário*; *Concordo sobre todas essas propostas.* **3.** Compartilhar traços gramaticais, como flexões de gênero, número, pessoa etc.: *O verbo concorda com o sujeito em número e pessoa*; *O adjetivo concorda com o substantivo em gênero e número.* ▶ Conjug. 20.

concordata (con.cor.*da*.ta) *s.f.* (*Jur.*) Acerto amigável ou judicial entre o comerciante e seus credores que prevê o alongamento do prazo para recebimento dos créditos e redução ou não dos mesmos.

concordatário (con.cor.da.*tá*.ri:o) *adj.* **1.** Que pediu concordata: *A firma está concordatária.* • *s.m.* **2.** Pessoa física ou jurídica que pede concordata: *Concordatários não poderão concorrer à licitação.*

concorde [ó] (con.*cor*.de) *adj.* Que concorda, que está de acordo, que é da mesma opinião: *A mulher estava concorde com o marido a respeito da compra do sítio.*

concórdia (con.*cór*.di:a) *s.f.* Situação em que há harmonia de vontades; acordo, concordância.

concorrência (con.cor.*rên*.ci:a) *s.f.* **1.** Ato de concorrer. **2.** Pretensão de mais de um à mesma coisa. **3.** Afluência simultânea de muitas pessoas ao mesmo ponto. **4.** Rivalidade entre produtores, fabricantes, empresários, comerciantes. **5.** Chamada de pretendentes à venda de produtos ou à execução de obras.

concorrente (con.cor.*ren*.te) *adj.* **1.** Que concorre. • *s.m.* e *f.* **2.** Pessoa que concorre com outra; competidor; êmulo.

concorrer (con.cor.*rer*) *v.* **1.** Candidatar-se a algum cargo, a uma vaga: *O engenheiro concorrerá ao senado pelo Ceará.* **2.** Afluir ao mesmo lugar; confluir; juntar-se com outros no mesmo lugar: *Toda a cidade concorreu ao desfile de 7 de setembro.* **3.** Competir, disputar: *A ginasta brasileira concorrerá com moças de vários países.* **4.** Contribuir, ajudar: *Sua chegada concorreu para alegrar ainda mais a festa.* **5.** Juntar-se para um efeito comum: *As novas medidas do governo concorreram para acalmar os ânimos.* ▶ Conjug. 42.

concorrido (con.cor.*ri*.do) *adj.* Que atrai concorrência; que é muito frequentado.

concreção (con.cre.*ção*) *s.f.* Ato ou efeito de se tornar concreto, sólido ou real; solidificação: *a concreção da massa de cimento; a concreção de um sonho.*

concretismo (con.cre.*tis*.mo) *s.m.* (*Lit., Art.*) Movimento artístico do início do século XX que se caracteriza pela dissociação da forma dos modelos naturais e valorização dos elementos materiais e visuais da obra.

concretista (con.cre.*tis*.ta) *adj.* **1.** Relativo ao Concretismo. • *s.m.* e *f.* **2.** Adepto do Concretismo.

concretizar (con.cre.ti.*zar*) *v.* Tornar concreto; realizar: *a concretização de um projeto.* ▶ Conjug. 5.

concreto [é] (con.*cre*.to) *adj.* **1.** Que tem existência real e física. **2.** Claramente definido, determinado: *objetivos concretos.* **3.** Determinado, particularizado: *questão concreta.* **4.** (*Gram.*) Diz-se do substantivo que representa coisas que têm existência em si, real ou imaginária: *Fada e ponte* são *substantivos concretos.* • *s.m.* **5.** Mistura de cimento, areia, pedra britada e água, empregada na construção de alvenaria.

concubina (con.cu.*bi*.na) *s.f.* Mulher que vive com um homem, sem ser casada com ele.

concubinato (con.cu.bi.*na*.to) *s.m.* Estado de homem e mulher que vivem juntos, sem serem casados; mancebia.

concunhado (con.cu.*nha*.do) *s.m.* Cunhado de um dos cônjuges em relação ao outro.

concupiscência (con.cu.pis.*cên*.ci:a) *s.f.* **1.** Desejo imoderado de gozos materiais. **2.** Imoderado apetite sexual.

concupiscente (con.cu.pis.*cen*.te) *adj.* Que tem concupiscência; que cobiça.

concursado (con.cur.*sa*.do) *adj.* **1.** Habilitado por concurso: *servidor público concursado.* • *s.m.* **2.** Aquele que se habilitou por concurso: *Os concursados terão uma gratificação.*

concurso (con.*cur*.so) *s.m.* **1.** Prova de seleção entre candidatos a um emprego ou cargo ou a um prêmio ou título: *concurso para professor; concurso de poesia; concurso de Miss Brasil.* **2.** Participação, cooperação: *Neguei meu concurso a tal obra.*

concussão (con.cus.*são*) *s.f.* **1.** Choque ou pancada violenta e seu resultado: *concussão cerebral.* **2.** Extorsão de funcionário público ou autoridade pública, exigindo de outrem qualquer vantagem, seja para si ou para outra pessoa.

condado (con.*da*.do) *s.m.* **1.** Dignidade de conde. **2.** Território sob a jurisdição de um conde. **3.** Divisão administrativa em alguns países, como os Estados Unidos, a Inglaterra e o Canadá.

condão (con.*dão*) *s.m.* Suposto poder sobrenatural para fazer o bem ou o mal: *A fada, com sua varinha de condão, transformou a abóbora em carruagem.*

conde (*con*.de) *s.m.* **1.** Título de nobreza intermediário entre o de marquês e o de visconde. **2.** Senhor de um condado.

condecoração

condecoração (con.de.co.ra.ção) s.f. **1.** Insígnia (medalha, fita, título) com que se homenageiam pessoas por seus méritos.

condecorar (con.de.co.rar) v. Conferir (títulos honoríficos, insígnias, medalhas etc.): *O ministro condecorou o marinheiro com uma medalha.* ▶ Conjug. 20.

condenação (con.de.na.ção) s.f. **1.** Ato ou efeito de condenar. **2.** (Jur.) Pena imposta a um réu por um juiz ou por um tribunal do júri: *condenação a vinte anos de prisão.* **3.** Reprovação, censura, crítica enérgica: *A corrupção merece a condenação pública.*

condenar (con.de.nar) v. **1.** (Jur.) Proferir sentença condenatória; declarar incurso em pena: *Condenou o réu a dez anos de prisão.* **2.** Considerar o doente incurável: *A Medicina já o condenou.* **3.** Considerar alguma coisa imprópria e irrecuperável: *Depois de uma vistoria, os engenheiros condenaram a ponte.* **4.** Reprovar, censurar, refutar: *Os vizinhos condenavam os modos daquela moça.* **5.** Obrigar, forçar: *Condenaram toda a população a trabalhar intensivamente para o inimigo.* **6.** Oferecer provas contra si mesmo; culpar-se: *Com aquelas palavras, ele acabou de se condenar.* ▶ Conjug. 5.

condenável (con.de.ná.vel) adj. Que pode ou deve ser condenado; reprovável.

condensação (con.den.sa.ção) s.f. **1.** Ato ou efeito de condensar. **2.** (Fís.) Passagem de um vapor ao estado líquido.

condensador [ô] (con.den.sa.dor) adj. **1.** Que condensa. • s.m. **2.** (Eletr.) Conjunto de condutores elétricos isolados entre si, que acumulam carga elétrica no campo eletrostático formado entre eles; capacitor. **3.** (Mec.) Peça do sistema de ignição de motor a explosão, paralela ao platinado. **4.** Dispositivo em que se realiza a condensação de um vapor.

condensar (con.den.sar) v. **1.** Resumir uma obra escrita; exprimir em poucas palavras: *O autor condensou seu livro para uso nas escolas.* **2.** (Fís.) Transformar(-se) gás ou vapor em líquido: *As nuvens condensam-se e caem como chuva.* **3.** Engrossar; tornar consistente: *Um pouco de farinha vai condensar o molho.* ▶ Conjug. 5.

condescendência (con.des.cen.dên.ci:a) s.f. **1.** Qualidade de condescendente; tolerância: *Os pais tratavam o filho com muita condescendência.* **2.** Ato ou efeito de condescender.

condescendente (con.des.cen.den.te) adj. **1.** Que demonstra condescendência: *atitude condescendente.* **2.** Complacente, benevolente: *pessoa condescendente.*

condescender (con.des.cen.der) v. **1.** Ser condescendente; ceder; tolerar: *Condescendeu em deixar o filho partir.* **2.** Transigir espontaneamente; consentir por tolerância: *Pedindo tanto, acabo condescendendo com você.* ▶ Conjug. 39.

condessa [ê] (con.des.sa) s.f. **1.** Esposa de um conde. **2.** Fruta-de-conde.

condição (con.di.ção) s.f. **1.** Modo de ser, estado, situação: *Apesar do temporal, o navio chegou em boas condições.* **2.** Qualidade, estado, índole requeridos para exercer uma função ou executar uma tarefa: *Só se aceita quem tiver condições de trabalhar nos fins de semana.* **3.** Exigência imposta a alguém para que algo seja aceito ou aconteça: *Aceitei o contrato nas condições estipuladas.* **4.** Índole, gênio, situação social, caráter: *Sempre se mostrou homem de humilde condição.* **5.** Situação favorável a que uma coisa se realize: *Não houve condição de promovê-lo à série seguinte.*

condicionado (con.di.ci:o.na.do) adj. Sujeito a condição; vinculado: *A concessão de abono está condicionada ao aumento do lucro da empresa.*

condicionador [ô] (con.di.ci:o.na.dor) adj. **1.** Que condiciona. • s.m. **2.** Produto que torna os cabelos mais macios. || *Condicionador de ar*: aparelho para condicionar ou regular a temperatura do ar; ar-condicionado.

condicional (con.di.ci:o.nal) adj. **1.** Que depende de condição. **2.** (Gram.) Diz-se da oração subordinada que exprime a condição, mediante a qual se realizará ou não a ação da oração principal. **3.** Conjunções subordinativas que normalmente iniciam essas orações. • s.f. **4.** (Jur.) Permissão que se concede a presos condenados de cumprirem pena em liberdade sob a condição de estarem reabilitados: *Depois de vários anos de prisão, ele obteve uma condicional.*

condicionar (con.di.ci:o.nar) v. **1.** Estabelecer condições; tornar condicional; submeter a condições: *O pai condicionou a viagem do filho à sua aprovação no vestibular.* **2.** Tornar alguém ou alguma coisa adequados a condições: *É indispensável condicionar esses imigrantes ao clima do Brasil.* **3.** Adquirir ou levar a adquirir um hábito: *Pavlov condicionou o cão a salivar quando ouvia o som de uma campainha; Ela condicionou-se a ficar à janela até que o filho volte.* **4.** Determinar as características de um ser: *A genética condiciona a cor dos olhos das pessoas.* **5.** Guardar em lugar conveniente; embalar, acondicionar: *Condicionou os cristais numa caixa de madeira.* ▶ Conjug. 5.

condigno (con.dig.no) *adj.* Adequado ao mérito; devido, merecido: *O presidente teve uma recepção condigna.*

condimentação (con.di.men.ta.ção) *s.f.* Ato ou efeito de condimentar.

condimentar (con.di.men.tar) *v.* Usar condimento; temperar: *A cozinheira gostava de condimentar os pratos com ervas e pimentas.* ▶ Conjug. 5.

condimento (con.di.men.to) *s.m.* Aquilo que serve para dar melhor gosto a uma comida; tempero, especiaria.

condizente (con.di.zen.te) *adj.* Que condiz, que está de acordo.

condizer (con.di.zer) *v.* Estar em proporção, em harmonia; concordar: *Este chapéu condiz com este vestido.* || part.: *condito.* ▶ Conjug. 57.

condoer (con.do:er) *v.* Compadecer-se; ter dó: *A moça condoeu-se da solidão do rapaz.* ▶ Conjug. 43.

condoído (con.do.í.do) *adj.* Dominado pela compaixão; penalizado: *Todos ficamos condoídos quando ela teve que partir.*

condolência (con.do.lên.ci:a) *s.f.* **1.** Compaixão. • *condolências s.f.pl.* **2.** Pêsames.

condom [*cândom*] (Ing.) *s.m.* Camisa de vênus; preservativo.

condomínio (con.do.mí.ni:o) *s.m.* **1.** Bem imóvel (prédio de apartamentos, casa de campo) de propriedade comum com outra ou outras pessoas: *Moro num condomínio na Tijuca.* **2.** Taxa paga mensalmente para as despesas do condomínio: *Pago meu condomínio com regularidade.* **3.** O conjunto de proprietários de um condomínio: *Amanhã haverá reunião do condomínio.* **4.** (*Jur.*) Domínio comum de várias pessoas sobre uma propriedade: *A fazenda do pai é agora condomínio dos filhos.*

condômino (con.dô.mi.no) *s.m.* Pessoa que tem parte em um condomínio; coproprietário.

condor [ô] (con.dor) *s.m.* (*Zool.*) A maior ave de rapina que se conhece; é de cor negra, tem o pescoço pelado e vive nos Andes, na América do Sul.

condoreiro (con.do.rei.ro) *adj.* **1.** Aplica-se à poesia romântica de estilo elevado, hiperbólico com preocupação social e política: *poesia condoreira.* **2.** Diz-se do poeta que possui tal estilo: *poeta condoreiro.* **3.** Diz-se de escola a que pertencem esses poetas: *escola condoreira.* • *s.m.* **4.** Poeta condoreiro: *Os condoreiros lutaram pela Abolição.*

condução (con.du.ção) *s.f.* **1.** Ação ou efeito de conduzir: *a condução das relações exteriores.* **2.** Transporte, especialmente o coletivo: *Vou esperar a condução para casa.*

conduíte (con.du.í.te) *s.m.* Tubo pelo qual passam fios de instalação elétrica; eletroduto.

conduta (con.du.ta) *s.f.* Modo de conduzir-se, de comportar-se: *A conduta dessa moça não foi das melhores.*

condutância (con.du.tân.ci:a) *s.f.* (*Eletr.*) Propriedade que permite conduzir eletricidade num sistema.

condutibilidade (con.du.ti.bi.li.da.de) *s.f.* (*Eletr.*) Propriedade de um corpo ou de uma substância de serem conduzidos, propagados.

condutividade (con.du.ti.vi.da.de) *s.f.* Propriedade de um corpo de ser condutor.

conduto (con.du.to) *s.m.* **1.** Tubo ou canal para conduzir fluidos e líquidos. **2.** (*Anat.*) Canal do organismo: *conduto auditivo.* **3.** Qualquer porção de alimento que se come com pão, como queijo, salame, mortadela, presunto etc.

condutor [ô] (con.du.tor) *adj.* **1.** Que conduz; que é capaz de conduzir: *fio condutor.* • *s.m.* **2.** Aquele que conduz. **3.** (*Eletr.*) O que é capaz de transportar corrente elétrica; condutor elétrico. **4.** Profissional que cobra ou recolhe passagens em bondes ou trens.

conduzir (con.du.zir) *v.* **1.** Levar ou trazer, dirigindo: *O Senhor é o pastor que me conduz.* **2.** Governar, guiar (no sentido próprio ou figurado): *A ideia da liberdade conduz o povo; Moisés conduziu o povo hebreu através do deserto.* **3.** Transmitir, ser condutor de: *O fio de cobre conduz bem a eletricidade.* **4.** Ir ter; prolongar-se até (caminho): *Esse caminho conduz à fonte.* **5.** Acompanhar por civilidade; levar, conduzir: *O médico conduziu a senhora até a porta.* **6.** Portar-se, comportar-se, haver-se: *Você conduziu-se muito bem durante a crise.* **7.** Dirigir um veículo: *Aprendeu a conduzir caminhão.* ▶ Conjug. 82.

cone (co.ne) *s.m.* (*Geom.*) Sólido de base circular, cuja forma vai-se afunilando até o vértice.

conectar (co.nec.tar) *v.* **1.** Fazer conexão; ligar uma coisa a outra: *Passarelas automáticas conectam o avião com a sala de espera.* **2.** (*Inform.*) Ligar(-se) à rede de computadores: *O professor conectou seu computador à rede da universidade.* **3.** Relacionar fatos, palavras, acontecimentos, com outros: *Conectou aquele acontecimento às palavras que tinha ouvido no barbeiro e descobriu a causa de tudo.* ▶ Conjug. 8 e 33.

conectividade (co.nec.ti.vi.da.de) s.f. 1. (*Inform.*) Capacidade de um computador ou de um programa de operar em ambiente de rede. 2. Capacidade de conectar-se à internet.

conectivo (co.nec.ti.vo) adj. 1. Próprio para estabelecer conexão; para ligar: *tecido conectivo*. • s.m. 2. (*Gram.*) Elemento que serve de ligação entre palavras ou orações.

conector [ô] (co.nec.tor) adj. 1. (*Eletr.*) Que estabelece ligação elétrica ou eletrônica entre dois componentes de um sistema. • s.m. 2. Peça que estabelece ligação elétrica ou eletrônica entre dois componentes de um sistema.

cônego (cô.ne.go) s.m. Título do sacerdote secular que é membro de um cabido.

conexão [cs] (co.ne.xão) s.f. 1. Ligação entre coisas. 2. Relação lógica; nexo: *Logo ele estabeleceu uma conexão entre os dois fatos.* 3. Peça que liga dois tubos ou dois fios.

conexo [é...cs] (co.ne.xo) adj. Que tem conexão, em que há conexão: *assuntos conexos*.

confabulação (con.fa.bu.la.ção) s.f. Ato ou efeito de confabular; troca de ideias sobre um assunto sigiloso.

confabular (con.fa.bu.lar) v. Falar, conversar, trocar ideias, normalmente sobre temas sigilosos: *O representante do partido A confabulou com o do partido B; Os representantes dos partidos confabularam antes da votação.* ▶ Conjug. 5.

confecção (con.fec.ção) s.f. 1. Ato ou efeito de confeccionar. 2. Pequena indústria de roupa. 3. Roupa confeccionada industrialmente, sem encomenda.

confeccionar (con.fec.ci.o.nar) v. Fazer, elaborar, executar: *Confeccionaram toda a roupa para a peça que representaram.* ▶ Conjug. 5.

confederação (con.fe.de.ra.ção) s.f. 1. União de estados independentes que reconhecem um poder central, comum a todos. 2. Associação de pessoas ou de países ou estados com uma finalidade: *Nos Estados Unidos, os estados do sul fizeram uma confederação contra os estados do norte.* 3. Liga de associações ou federações profissionais, sindicais, esportivas etc.: *Confederação Brasileira de Futebol*.

confederar (con.fe.de.rar) v. Associar(-se), unir(-se) em confederação: *O interesse comum confederou as associações de classe; As associações confederaram-se pelo interesse comum.* ▶ Conjug. 8.

confederativo (con.fe.de.ra.ti.vo) adj. Relativo a confederação.

confeitar (con.fei.tar) v. 1. Cobrir doces com açúcar: *Quem confeitou todos esses docinhos?* 2. Enfeitar bolos e tortas com cobertura de massa à base de açúcar: *As doceiras desta terra confeitam maravilhosos bolos.* ▶ Conjug. 18.

confeitaria (con.fei.ta.ri.a) s.f. 1. Estabelecimento em que se fabricam e vendem confeitos, doces, salgados etc. 2. Conjunto desses produtos.

confeito (con.fei.to) s.m. 1. Pequenas pastilhas ou bolinhas de açúcar coloridas, usadas para enfeitar bolos e doces. 2. Amêndoa ou outra semente revestidas de açúcar.

conferência (con.fe.rên.ci.a) s.f. 1. Ato ou efeito de conferir. 2. Reunião de delegados de vários países, tendo por objeto tratar de assunto de interesse internacional. 3. Discurso sobre assunto literário, artístico ou científico. 4. Junta de dois ou mais médicos que delibera sobre o diagnóstico, o prognóstico e o tratamento de moléstia grave.

conferenciar (con.fe.ren.ci.ar) v. Ter conferência; trocar ideias: *Antes de decidir, o médico conferenciou com seus assistentes.* ▶ Conjug. 17.

conferencista (con.fe.ren.cis.ta) s.m. e f. Pessoa que faz conferência.

conferente (con.fe.ren.te) s.m. e f. Pessoa que confere contas, cálculos, documentos etc.: *O conferente não achou erro nos cálculos.*

conferir (con.fe.rir) v. 1. Comparar, para ver se está exato; examinar para ver se está certo: *Conferimos as contas e vimos que estavam corretas; Eles conferiram suas respostas com as do livro.* 2. Dar, outorgar, conceder: *O conselho conferiu ao velho professor o título de emérito.* 3. Estar conforme ou certo: *O retrato falado não conferia com a cara do suspeito; Esse resultado confere.* ▶ Conjug. 69.

confessar (con.fes.sar) v. 1. Revelar o que estava oculto: *Hoje confesso que gostei daquela colega do primário.* 2. Admitir culpa; reconhecer um erro, um crime: *O réu confessou o crime; Ele acabou confessando.* 3. (*Rel.*) No ritual católico, declarar pecados a um confessor: *Confessei meus pecados ao Padre Josafá; Mário confessou-se antes da missa.* 4. Ouvir em confissão: *O padre estava tão velhinho que nem confessava mais.* 5. Declarar-se, reconhecer-se: *Amélia confessava-se aborrecida com o marido.* ▶ Conjug. 8.

confessionário (con.fes.si:o.ná.ri:o) s.m. (Rel.) Numa igreja católica, lugar onde o confessor ouve as confissões.

confesso [é] (con.fes.so) adj. **1.** Que confessou: *Ele é um réu confesso*. **2.** Que foi objeto de confissão: *Isso é um segredo confesso*. **3.** Que se converteu à religião cristã: *Hoje ele é um cristão confesso*. • s.m. **4.** Quem se converteu à religião cristã: *Os confessos receberão os sacramentos*.

confessor [ô] (con.fes.sor) adj. **1.** Que ouve confissão: *um padre confessor*. • s.m. **2.** Sacerdote que ouve confissões: *Padre Antônio é um grande confessor*.

confete [é] (con.fe.te) s.m. Pedacinho redondo de papel colorido que se atira às pessoas no carnaval. || *Jogar confete*: fazer elogios; adular.

confiabilidade (con.fi:a.bi.li.da.de) s.f. Qualidade daquilo ou daquele em que se pode confiar.

confiado (con.fi:a.do) adj. **1.** Que tem confiança. **2.** Que se confiou. **3.** *coloq.* Abusado, atrevido: *um rapaz confiado* • s.m. **4.** Pessoa abusada: *Não dê atenção a esse confiado*.

confiança (con.fi:an.ça) s.f. **1.** Sentimento de quem confia: *O filho tinha imensa confiança em seu pai*. **2.** Segurança íntima: *Agia com plena confiança em sua experiência*. **3.** Bom conceito profissional: *Dr. Pierre é um médico de confiança*. **4.** Esperança firme: *Temos confiança no futuro do Brasil*. **5.** Atrevimento, petulância: *Mais amor e menos confiança*.

confiante (con.fi:an.te) adj. Que confia.

confiar (con.fi:ar) v. **1.** Ter confiança (em alguém ou em alguma coisa): *Os soldados confiavam em seu comandante*. **2.** Entregar com confiança, com segurança; fiar: *Confiou os filhos aos melhores mestres do tempo*. **3.** Contar; revelar: *Confiou todas as suas preocupações ao pai*. **4.** Deixar a cargo de: *Confiou as crianças à babá e foi ao cinema*. || Conferir com *cofiar*. ▶ Conjug. 17.

confiável (con.fi:á.vel) adj. Que merece confiança: *uma informação confiável*.

confidência (con.fi.dên.ci:a) s.f. Segredo ou assunto íntimo revelado a alguém.

confidencial (con.fi.den.ci:al) adj. Que foi comunicado em segredo: *mensagem confidencial*.

confidenciar (con.fi.den.ci:ar) v. Contar segredo; fazer confidência: *Não confidencie a qualquer um seus segredos*. ▶ Conjug. 17.

confidente (con.fi.den.te) adj. **1.** Que recebe confidência; que ouve confidência: *É bom ter um amigo confidente*. • s.m. e f. **2.** Pessoa que recebe confidência: *Você será meu confidente*.

configuração (con.fi.gu.ra.ção) s.f. **1.** A forma como as coisas se apresentam; feitio; conformação. **2.** Disposição geral; organização. **3.** (Inform.) Conjunto dos elementos que determinam a capacidade de um sistema de computador.

configurar (con.fi.gu.rar) v. **1.** Dar figura, dar forma a; representar: *O artista configurou no gesso a imagem do herói*. **2.** (Inform.) Definir padrões para o funcionamento de um programa, um acessório, uma máquina. **3.** Caracterizar(-se) como; representar(-se) como: *Um caso de indisciplina não configura uma desordem total na empresa*; *Maltratar animais configura-se crime*. ▶ Conjug. 5.

confim (con.fim) adj. **1.** Que confina. • *confins* s.m.pl. **2.** Lugar muito distante: *Vive lá nos confins do país*.

confinamento (con.fi.na.men.to) s.m. **1.** Ato ou efeito de confinar. **2.** (Jur.) Pena que impõe ao réu determinado lugar de residência, onde deverá permanecer em relativa liberdade; *o confinamento de Napoleão na ilha de Elba*.

confinar (con.fi.nar) v. **1.** Prender, encerrar; isolar: *Confinaram os doentes na enfermaria*. **2.** Fazer limite com: *A vasta propriedade confinava com a reserva indígena*. **3.** Isolar alguém num lugar onde deve permanecer em relativa liberdade: *Confinaram Napoleão na ilha de Elba*. ▶ Conjug. 5.

confirmação (con.fir.ma.ção) s.f. **1.** Ato ou efeito de confirmar. **2.** (Rel.) Sacramento da crisma.

confirmar (con.fir.mar) v. **1.** Afirmar pela segunda vez para tornar mais firme; ratificar: *Ela telefonou para confirmar que viria hoje*. **2.** Sustentar, firmar, manter, conservar: *O noticiário da TV confirmou a visita da rainha ainda este ano*. **3.** Crismar: *Na cerimônia religiosa, o bispo confirmou vários jovens*. ▶ Conjug. 5.

confiscar (con.fis.car) v. Apreender; apoderar-se de: *Os policiais da fronteira confiscaram muito material de contrabando*. ▶ Conjug. 5.

confissão (con.fis.são) s.f. **1.** Ato ou efeito de confessar(-se). **2.** (Rel.) Sacramento da Igreja Católica que consiste na declaração dos pecados individuais a um sacerdote, para receber dele a absolvição. **3.** Segredo; confidência. **4.** (Rel.) Declaração de fé numa crença ou doutrina.

conflagração (con.fla.gra.ção) s.f. **1.** Incêndio que se alastra. **2.** Luta ou guerra generalizada.

conflagrar (con.fla.grar) v. **1.** Iniciar um conflito; uma guerra: *Um crime conflagrou toda a Europa na I Guerra*. **2.** Incendiar-se totalmente; abrasar-se, guerrear-se: *Felizmente o mundo não se conflagrou numa III Guerra*. ▶ Conjug. 5.

conflitar (con.fli.*tar*) v. Entrar em desacordo, em conflito: *Nossas opiniões sobre o assunto conflitavam sempre.* ▶ Conjug. 5.

conflito (con.*fli*.to) s.m. **1.** Embate de ideias, de interesses, de crenças etc.: *o conflito de gerações.* **2.** Luta, briga: *um conflito armado.*

conflituoso [ô] (con.fli.tu:o.so) *adj.* Em que há conflito; dado a conflitos: *um casamento conflituoso.* || f. e pl.: [ó].

confluência (con.flu:ên.ci:a) s.f. **1.** Ponto de encontro; convergência: *a confluência do rio Negro com o Amazonas.* **2.** Reunião, junção: *uma confluência de interesses.*

confluente (con.flu:en.te) *adj.* **1.** Que conflui. **2.** (*Geogr.*) Que vai desaguar no mesmo ponto que outro (rio ou riacho). • s.m. **3.** Rio confluente: *O rio Paraná e o rio Paraguai são confluentes do rio da Prata.*

confluir (con.flu:*ir*) v. Dirigir-se para o mesmo ponto; convergir: *As duas únicas ruas do vilarejo confluíam para uma praça.* ▶ Conjug. 80.

conformação (con.for.ma.*ção*) s.f. **1.** Configuração, feitio. **2.** Conformidade; resignação.

conformar (con.for.*mar*) v. **1.** Tornar conforme, concordar; adequar: *Devemos conformar o que dizemos com o que fazemos.* **2.** Aceitar um fato com resignação: *João acabou se conformando com a perda do emprego.* ▶ Conjug. 20.

conformativa (con.for.ma.*ti*.va) s.f. **1.** Redução de conjunção conformativa. **2.** Redução de oração subordinada conformativa: *Vamos analisar essa conformativa.*

conformativo (con.for.ma.*ti*.vo) *adj.* **1.** Próprio para conformar. **2.** (*Gram.*) Diz-se das orações subordinadas que exprimem a realização de um fato de acordo com outro. **3.** Conjunções subordinativas que iniciam essas orações.

conforme [ó] (con.*for*.me) *conj.* **1.** De acordo; como, segundo: *Conforme opinião abalizada, o caso tem aspecto diferente.* • *adj.* **2.** Que é igual ou parecido: *posições conformes.* • *conformes* s.m.pl. **3.** *coloq.* O que serve de modelo ou padrão: *Está tudo dentro dos conformes.*

conformidade (con.for.mi.*da*.de) s.f. **1.** Qualidade do que é conforme. **2.** Resignação.

conformismo (con.for.*mis*.mo) s.m. Maneira ou hábito de conformar-se com tudo.

confortar (con.for.*tar*) v. Dar ou receber conforto: *Sua preocupação é confortar os que sofrem; A viúva confortou-se com a solidariedade dos amigos.* ▶ Conjug. 20.

confortável (con.for.*tá*.vel) *adj.* Que dá conforto, que produz comodidade: *uma varanda confortável.*

conforto [ô] (con.*for*.to) s.m. Consolo, alívio: *Sempre encontrou conforto em sua fé.*

confrade (con.*fra*.de) s.m. **1.** Membro de uma confraria. **2.** Colega, companheiro.

confranger-se (con.fran.*ger*-se) v. Entristecer-se, afligir-se: *Confrangia-se diante dos pobres sem teto.* ▶ Conjug. 39, 40 e 47.

confraria (con.fra.*ri*.a) s.f. **1.** Associação religiosa; irmandade regida por estatutos ou compromissos; sodalício. **2.** Associação de pessoas com a mesma profissão, os mesmos hábitos, as mesmas idéias.

confraternizar (con.fra.ter.ni.*zar*) v. **1.** Comemorar com outras pessoas: *Os colegas promovidos confraternizaram num almoço; Os colegas confraternizaram-se.* **2.** Viver fraternalmente, partilhando os sentimentos, crenças, ideias de outrem: *João gosta de confraternizar com seus ex-colegas de quartel; João gosta de confraternizar-se com os colegas.* ▶ Conjug. 5. – **confraternização** s.f.

confrontação (con.fron.ta.*ção*) s.f. Confronto.

confrontante (con.fron.*tan*.te) *adj.* Que confronta: *opiniões confrontantes.*

confrontar (con.fron.*tar*) v. **1.** Comparar, cotejar, contrapor: *Antes da decisão, confrontaram as diversas propostas.* **2.** Entrar em confronto; enfrentar: *Ele não tinha coragem de confrontar aquela situação tão difícil; O caçador confrontou-se com o leão.* ▶ Conjug. 5.

confronto (con.*fron*.to) s.m. **1.** Ato ou efeito de confrontar(-se); confrontação. **2.** Disputa; luta: *Houve um confronto entre policiais e bandidos.* **3.** Cotejo, comparação: *Fizeram um confronto entre as duas cópias quinhentistas.*

confucionismo (con.fu.ci:o.*nis*.mo) s.m. Religião pregada pelo filósofo chinês Confúcio, baseada em princípios morais. – **confucionista** *adj.* s.m. e f.

confundir (con.fun.*dir*) v. **1.** Tomar uma coisa por outra; não distinguir: *Não confunda alhos com bugalhos; Alguns sintomas de enfarte confundem-se com os de má digestão.* **2.** Vexar, humilhar; envergonhar: *As palavras impacientes do coordenador confundiram o menino.* **3.** Perturbar-se; equivocar-se: *Confundi-me todo, quando vi o resultado dos exames.* ▶ Conjug. 66.

confusão (con.fu.*são*) s.f. **1.** Ato ou efeito de confundir. **2.** Falta de ordem ou de método; mistura, baralhada: *Esta estante está uma confusão.* **3.** Falta de clareza ou de exatidão; obscuridade: *Sua explicação, pouco clara, aumentou ainda mais a confusão.* **4.** Barulho, tumulto, briga: *Houve muita confusão durante o sorteio das chaves dos jogos da Copa.* **5.** Falta de reconhecimento das diferenças, das distinções; equívoco: *Queira desculpar, fiz confusão entre você e seu irmão.*

confuso (con.*fu*.so) adj. **1.** Misturado, desordenado, sem método: *Seus papéis estão muito confusos.* **2.** Perplexo; enleado; envergonhado: *Fiquei confuso ao ter que falar com o presidente.* **3.** Pouco claro; ambíguo: *Achei seu discurso um tanto confuso.*

confutar (con.fu.*tar*) v. Expor opinião contrária; refutar: *O filósofo confutou a opinião do jovem advogado.* ▶ Conjug. 5. – **confutação** s.f.

conga (*con*.ga) s.f. **1.** Música popular cubana, de influência africana. **2.** A dança ao ritmo dessa música.

congá (con.*gá*) s.f. Gongá.

congada (con.*ga*.da) s.f. Bailado popular de origem africana em que se representa, entre cantos, a coroação de um rei do Congo.

congelação (con.ge.la.*ção*) s.f. **1.** Ato ou efeito de congelar. **2.** Entorpecimento pelo frio. **3.** (*Fís.*) Passagem do estado líquido ao estado sólido, por resfriamento (água ou substância similares).

congelado (con.ge.*la*.do) adj. **1.** Que se congelou: *lago congelado.* **2.** Que está muito frio: *Meus pés estão congelados.* **3.** Que sofreu congelamento (1) e (3): *peixe congelado; preços congelados.* • s.m. **4.** Alimento conservado em congelador: *Despediu a cozinheira e agora só come congelados.*

congelador [ô] (con.ge.la.*dor*) adj. **1.** Que congela; congelante. • s.m. **2.** Aparelho para congelar líquidos. **3.** Nas geladeiras domésticas, compartimento ou aparelho próprio para fabricar gelo ou congelar alimentos.

congelamento (con.ge.la.*men*.to) s.m. **1.** Ato ou efeito de congelar. **2.** (*Econ.*) Retenção de fundos ou divisas em estabelecimentos bancários, determinada por motivos políticos ou econômicos. **3.** Fixação de valores, preços etc., em certo nível, para proteger a economia popular em épocas anormais. **4.** (*Inform.*) Paralisação repentina do sistema do computador.

congelar (con.ge.*lar*) v. **1.** Fazer passar do estado líquido ao de gelo, por meio do frio; regelar: *Não pode beber agora o refrigerante, porque congelou.* **2.** Tornar frio como o gelo: *Sem aquecimento, a sala congelou.* **3.** Promover ou ordenar congelamento (de preços): *O governo deveria congelar os preços dos remédios.* **4.** (*Inform.*) Parar o computador (e o programa em execução) de responder a comando: *Olhe só: meu computador congelou.* **5.** (*Cine*) Paralisar uma imagem, uma cena: *Vou congelar a cena para atender o telefone.* ▶ Conjug. 8.

congeminar (con.ge.mi.*nar*) v. Imaginar, pensar: *À noite, pôs-se a congeminar ideias de escrever um romance.* ▶ Conjug. 5.

congênere (con.*gê*.ne.re) adj. Do mesmo gênero, idêntico, semelhante, ou que tem a mesma natureza: *Esta planta é congênere daquela.*

congênito (con.*gê*.ni.to) adj. Nascido juntamente com a pessoa; de nascença; inato.

congestão (con.ges.*tão*) s.f. (*Med.*) Afluxo anormal de sangue ou outros fluidos aos vasos de um órgão.

congestionamento (con.ges.ti.o.na.*men*.to) s.m. **1.** Ato ou efeito de congestionar. **2.** Acúmulo de veículos que dificulta o trânsito; engarrafamento.

congestionar (con.ges.ti.o.*nar*) v. **1.** Produzir congestão ou congestionamento em: *O excesso de telefonemas congestionou as linhas.* **2.** Acumular-se nos vasos de órgão (sangue ou outros fluidos): *O resfriado congestionou suas narinas.* **3.** Tornar lento o trânsito; engarrafar: *A passeata dos ferroviários congestionou o trânsito.* ▶ Conjug. 5.

conglomeração (con.glo.me.ra.*ção*) s.f. Ato ou efeito de conglomerar(-se); agregação em massa.

conglomerado (con.glo.me.*ra*.do) adj. **1.** Reunido, amontoado. • s.m. **2.** (*Min.*) Reunião de rochas cimentadas por sílica.

conglomerar (con.glo.me.*rar*) v. Reunir em massa; amontoar, juntar. ▶ Conjug. 8.

congo (*con*.go) s.m. Dança de procedência africana, ligada tradicionalmente à devoção a Nossa Senhora do Rosário e a São Benedito.

congolês (con.go.*lês*) adj. **1.** Do Congo, país da África. • s.m. **2.** O natural ou o habitante desse país.

congonha (con.go.nha) s.f. Nome de várias plantas semelhantes ao mate e do próprio mate.

congraçamento (con.gra.ça.*men*.to) s.m. Ato ou efeito de congraçar.

congraçar (con.gra.*çar*) v. **1.** Reunir harmonizando; reconciliar: *Marcaram um jogo para*

congratulação

congraçar os operários e os chefes. **2.** Fazer as pazes: *Os irmãos congraçaram-se depois de dias de desentendimento.* **3.** Harmonizar-se: *Que todas as nações do mundo se congracem rumo à paz.* ▶ Conjug. 5 e 36.

congratulação (con.gra.tu.la.*ção*) *s.f.* **1.** Ato ou efeito de congratular(-se). • *congratulações s.f.pl.* **2.** Felicitações, parabéns.

congratular (con.gra.tu.*lar*) *v.* **1.** Dirigir felicitação a: *Congratulou a turma pelo êxito alcançado.* **2.** Manifestar que se toma parte na alegria, no bem-estar de outrem; regozijar-se; dar os parabéns: *Congratulei-me com ele no dia de sua entrada para a Escola Militar.* ▶ Conjug. 5.

congregação (con.gre.ga.*ção*) *s.f.* **1.** Ato ou efeito de congregar. **2.** Associação religiosa regular de padres, frades ou freiras: *Congregação Salesiana; Congregação das Filhas da Caridade.* **3.** Reunião de professores em faculdades e institutos universitários para decidir sobre assuntos de ordem didática, disciplinar ou administrativa.

congregar (con.gre.*gar*) *v.* Reunir pessoas em torno de um interesse comum: *A associação congrega mais de mil artesãos.* ▶ Conjug. 8.

congressista (con.gres.*sis*.ta) *adj.* **1.** Relativo a congresso. • *s.m. e f.* **2.** Membro de um congresso.

congresso [é] (con.*gres*.so) *s.m.* **1.** Reunião, ajuntamento; encontro. **2.** Reunião de representantes de determinada área de atividade ou conhecimento para discutir algum assunto: *congresso de cardiologia.* **3.** O poder legislativo federal, constituído pela Câmara dos Deputados e pelo Senado Federal.

congro (con.gro) *s.m.* (*Zool.*) Peixe de forma longa e fina, comestível, que vive em águas profundas.

congruência (con.gru:ên.ci:a) *s.f.* Qualidade de congruente; coerência; propriedade; conveniência.

congruente (con.gru:*en*.te) *adj.* Harmônico, com o fim a que se propõe; coerente, apropriado.

conhaque (co.*nha*.que) *s.m.* Bebida alcoólica destilada, fabricada a partir da fermentação do vinho.

conhecedor [ô] (co.nhe.ce.*dor*) *adj.* **1.** Que conhece. • *s.m.* **2.** Aquele que conhece; perito, especialista.

conhecer (co.nhe.*cer*) *v.* **1.** Fazer ideia, ter conhecimento de: *O guia conhece bem esta região.* **2.** Travar conhecimento, ter relações sociais com: *Meus filhos não conheceram seus avós.* **3.** Ser bom conhecedor de um assunto; saber: *Esse engenheiro conhece muito Informática.* **4.** Reconhecer, distinguir: *Depois de tantos anos, quase não conheci meu velho amigo.* **5.** Ter experiência de: *Você conhece a vida do campo?* **6.** Nomear, designar: *Conhece-se esse período como o neolítico.* **7.** Ter indícios certos de: *Por estes versos se conhece o valor do poeta.* ▶ Conjug. 41.

conhecido (co.nhe.*ci*.do) *adj.* **1.** Diz-se do que se conhece ou se sabe: *Esta é uma história conhecida.* • *s.m.* **2.** Pessoa de quem temos conhecimento ou com quem mantemos relações superficiais: *Ele não é meu amigo, mas sim meu conhecido.*

conhecimento (co.nhe.ci.*men*.to) *s.m.* **1.** Ato ou efeito de conhecer. **2.** Informação que se adquire sobre alguém ou alguma coisa através de estudo, pesquisa ou experiência: *O professor tem um vasto conhecimento de Física e de Matemática* **3.** Cabedal de conhecimentos científicos e culturais; instrução, erudição: *Devemos procurar sempre aumentar nosso conhecimento.*

cônico (*cô*.ni.co) *adj.* Em forma de cone.

conífera (co.*ní*.fe.ra) *s.f.* (*Bot.*) Planta cujos frutos possuem a forma de um cone, como o pinheiro e o cipreste.

coniforme [ó] (co.ni.*for*.me) *adj.* Em forma de cone.

conivência (co.ni.*vên*.ci:a) *s.f.* Colaboração, cumplicidade: *Não se pode ter conivência com quem destrói os bens públicos.*

conivente (co.ni.*ven*.te) *adj.* **1.** Que finge não ver a prática de um ato mau: *Não seja conivente com este erro.* **2.** Cúmplice: *Ele foi conivente com os perturbadores da ordem.*

conjectura (con.jec.*tu*.ra) *s.f.* Juízo incerto baseado em aparências.

conjecturar (con.jec.tu.*rar*) *v.* Formar juízo provável de uma coisa por indícios ou observação: *Pelo que ele disse, conjecturamos que vai ficar na cidade; É melhor perguntar-lhe a verdade do que conjecturar.* ▶ Conjug. 5.

conjugação (con.ju.ga.*ção*) *s.f.* **1.** Ato ou efeito de conjugar. **2.** Reunião; junção. **3.** (*Gram.*) Ação de conjugar um verbo. **4.** (*Gram.*) Conjunto das flexões de modo, tempo, número e pessoa de um verbo. **5.** (*Gram.*) Classe morfológica de um verbo indicado pela vogal temática.

conjugado (con.ju.ga.do) adj. **1.** Junto, ligado. • s.m. **2.** Apartamento constituído de quarto e sala numa só peça, cozinha e banheiro.

conjugal (con.ju.gal) adj. Relativo a condição dos cônjuges, às relações deles entre si; marital: *sociedade conjugal*.

conjugar (con.ju.gar) v. **1.** Unir(-se), ligar(-se): *Conjugue um com outro*; *O pacote turístico conjuga lazer com cultura*; *No projeto, conjugavam-se diferentes atividades educativas*. **2.** Flexionar(-se) um verbo: *Conjugar um verbo no presente do indicativo*. **3.** (*Astron.*) Estar em conjunção (astros): *Marte conjugou-se com Júpiter*. ▶ Conjug. 5 e 34. – **conjugável** adj.

cônjuge (côn.ju.ge) s.m. Cada um dos esposos em relação ao outro; consorte.

conjuminar (con.ju.mi.nar) v. coloq. Combinar, juntar: *Não foi capaz de conjuminar as peças do quebra-cabeça*; *Ele conjuminava as ideias de viver bem e guardar dinheiro*; *Vários fatos se conjuminaram para o êxito da empresa*. ▶ Conjug. 5.

conjunção (con.jun.ção) s.f. **1.** União, ajuntamento, ligação. **2.** Reunião de fatos, conjuntura. **3.** Ocasião, ensejo, oportunidade. **4.** (*Gram.*) Palavra invariável que liga duas orações. **5.** (*Astron.*) Alinhamento de dois astros na mesma linha visual, a partir da observação terrestre.

conjuntiva (con.jun.ti.va) s.f. (*Anat.*) Mucosa que recobre a face posterior das pálpebras e a anterior do globo ocular.

conjuntivite (con.jun.ti.vi.te) s.f. (*Med.*) Inflamação da conjuntiva.

conjuntivo (con.jun.ti.vo) adj. **1.** Que junta; que reúne: *tecido conjuntivo*. **2.** Que serve para estabelecer relações. **3.** Relativo a conjunção: *uma locução conjuntiva*. • s.m. **4.** Antigo nome do subjuntivo.

conjunto (con.jun.to) adj. **1.** Que é junto e simultâneo: *esforço conjunto*. **2.** Contíguo, pegado, unido, anexo: *ideias conjuntas*; *casas conjuntas*. • s.m. **3.** União das partes de um todo; totalidade. **4.** Efeito que resulta dessa união. **5.** Grupo de músicos que constituem uma pequena orquestra. **6.** Roupa feminina de duas ou três peças combinadas.

conjuntura (con.jun.tu.ra) s.f. **1.** Situação na qual há um concurso de circunstâncias e fatores: *conjuntura política*; *conjuntura econômica*. **2.** Oportunidade, momento, ocasião: *Naquela conjuntura, o melhor era ir embora*.

conjuração (con.ju.ra.ção) s.f. **1.** Ato ou efeito de conjurar; conspiração, sublevação: *Houve uma conjuração em Minas no século XVIII*. **2.** Esconjuro, exorcismo. – **conjurado** adj. s.m.

conjurar (con.ju.rar) v. **1.** Afastar (um perigo, um mal, uma doença); esconjurar: *Oswaldo Cruz conjurou a febre amarela do Rio de Janeiro*. **2.** Desviar, evitar (um perigo): *O perigo de uma desclassificação da seleção já foi conjurado*. **3.** Rogar com instância: *Ela conjurava por Deus que lhe dessem o dinheiro*. **4.** Conspirar, insurgir-se: *Conjuraram-se contra o rei*. **5.** Instigar, incitar: *Conjurou os grevistas a saírem em passeata*. ▶ Conjug. 5.

conluiar (con.lui.ar) v. Fazer, formar conluio: *Não se conluie com semelhante indivíduo*. ▶ Conjug. 5.

conluio (con.lui.o) s.m. Combinação entre duas ou mais pessoas em prejuízo de alguém: *Não se meta em conluio com perversos contra uma pessoa honesta*.

conosco [ô] (co.nos.co) pron. **1.** Em nossa companhia: *Venha conosco à praia*. **2.** Em nosso poder; sob nossa responsabilidade: *A bandeira dessa luta ficou conosco*. **3.** Em relação a nós: *Foram corretos conosco*. **4.** Próprio para nós: *Trabalhar à noite não é conosco*.

conotação (co.no.ta.ção) s.f. Sentido figurado, não literal, de teor afetivo, que uma palavra pode sugerir. – **conotativo** adj.

conotar (co.no.tar) v. Adicionar sentido(s) ou significado(s) ao conceito objetivo de uma palavra ou expressão: *Suas palavras elogiosas conotam uma certa bajulação*. ▶ Conjug. 20.

conquanto (con.quan.to) conj. Posto que; se bem que; embora.

conquista (con.quis.ta) s.f. **1.** Ato ou efeito de conquistar. **2.** Pessoa ou coisa que se conquistou.

conquistador [ô] (con.quis.ta.dor) adj. **1.** Que conquista. • s.m. **2.** Pessoa que faz conquistas, sobretudo amorosas: *Aquele galã da novela é um grande conquistador*. **3.** Europeu que vinha para as terras recém-descobertas da América como chefes militares: *Cortez foi o conquistador do México*.

conquistar (con.quis.tar) v. **1.** Ganhar ou alcançar (vitória, prêmio, posto etc.): *Aquele rapaz conquistou o primeiro lugar no vestibular da faculdade*. **2.** Tomar com esforço ou pela força; vencer; subjugar: *Os romanos conquistaram quase todo o mundo conhecido em sua época*. **3.** Ganhar; granjear, adquirir (respeito, afeição, amizade, admiração etc.): *Aos poucos,* *o novato foi conquistando a simpatia dos veteranos.* ▶ Conjug. 5. – **conquistável** *adj.*

consagração (con.sa.gra.*ção*) *s.f.* **1.** Ato ou efeito de consagrar. **2.** Na liturgia católica, momento da missa em que o celebrante pronuncia as palavras rituais sobre o pão e o vinho.

consagrar (con.sa.*grar*) *v.* **1.** Tornar sagrado; conferir condição de sagrado: *Os antigos hebreus consagravam o sábado.* **2.** Oferecer(-se) por culto ou voto; dedicar(-se): *Consagrou-se inteiramente aos pobres; Ela consagra sua vida aos pobres.* **3.** Oferecer em homenagem; prestar, dedicar: *Consagraram a nova igreja a São José.* **4.** Dar ou receber reconhecimento público; notoriedade: *A participação no filme premiado consagrou a jovem atriz.* **5.** Dizer as palavras rituais sobre o pão e o vinho na missa católica: *O sacerdote consagra o pão e o vinho.* ▶ Conjug. 5. – **consagrador** *adj.*; **consagrante** *adj. s.m. e f.*

consanguíneo [güi] (con.san.guí.ne:o) *adj.* **1.** Do mesmo sangue; aparentado. • *s.m.* **2.** Parente por consanguinidade, em oposição ao parente por afinidade.

consanguinidade [güi] (con.san.gui.ni.*da*.de) *s.f.* Relação de parentesco em que há um ascendente comum.

consciência (cons.ci:*ên*.ci:a) *s.f.* **1.** Sentimento que a pessoa tem do que se passa em si mesma. **2.** Julgamento íntimo pelo qual a pessoa aprova as boas ações e condena as más. **3.** Sentimento das faltas cometidas. **4.** Cuidado extremo na execução de um trabalho. **5.** Retidão, honradez: *um homem de consciência.* || *Em sã consciência*: com muita sinceridade.

consciencioso [ô] (cons.ci:en.ci:*o*.so) *adj.* Que tem consciência; que ouve a voz da consciência. || f. e pl.: [ó].

consciente (cons.ci:*en*.te) *adj.* **1.** Que está de posse de seus sentidos: *Desfaleceu, mas já está consciente.* **2.** Que tem consciência: *Ela está consciente de seu papel na família; Esteja consciente de que você agiu corretamente.* **3.** Que tem ciência; que está informado: *Estou consciente do valor de seu trabalho.* • *s.m.* **4.** (*Psiq.*) Conjunto de processos e fatos de que se tem consciência: *Meu consciente logo despertou.*

conscientização (cons.ci:en.ti.za.*ção*) *s.f.* Difusão de ideias que contribuem para que o povo adquira consciência política.

conscientizar (cons.ci:en.ti.*zar*) *v.* **1.** Tornar consciente; sensibilizar: *Vamos conscientizar os pais da necessidade de vacinar seus filhos.* **2.** Despertar em alguém ou na coletividade a consciência política: *Nem sempre a mídia contribui para a conscientização do povo.* ▶ Conjug. 5.

cônscio (*côns*.ci:o) *adj.* Sabedor, conhecedor, ciente do que lhe diz respeito: *Estamos cônscios do que se passa.*

conscrição (cons.cri.*ção*) *s.f.* Alistamento dos cidadãos em idade para o serviço militar.

conscrito (cons.*cri*.to) *adj.* **1.** Alistado, recrutado para o serviço militar. • *s.m.* **2.** Recruta conscrito.

consecução (con.se.cu.*ção*) *s.f.* Ato ou efeito de conseguir.

consecutiva (con.se.cu.*ti*.va) *s.f.* (*Gram.*) **1.** Redução de conjunção subordinativa consecutiva. **2.** Redução de oração subordinada consecutiva: *Essa oração é uma consecutiva.*

consecutivo (con.se.cu.*ti*.vo) *adj.* **1.** Que se segue imediatamente a outro; imediato, sucessivo. **2.** (*Gram.*) Diz-se das orações subordinadas que expressam o efeito ou consequência de um fato. **3.** (*Gram.*) Diz-se da conjunção que inicia essas orações.

conseguinte (con.se.*guin*.te) *adj.* Usado apenas na locução *por conseguinte*: portanto, por consequência.

conseguir (con.se.*guir*) *v.* Obter com esforço; alcançar: *Tanto fez que conseguiu o emprego que queria.* ▶ Conjug. 69.

conselheiro (con.se.*lhei*.ro) *adj.* **1.** Que aconselha, que dá conselhos. • *s.m.* **2.** Membro de um conselho. **3.** Título honorífico antigo, em homenagem de altos serviços prestados ao Estado.

conselho [ê] (con.se.lho) *s.m.* **1.** Opinião ou aviso que se dá a alguém. **2.** Reunião de pessoas encarregadas de dirigir, conduzir, administrar: *conselho de família; conselho editorial.*

consenso (con.*sen*.so) *s.m.* Acordo a que se chega depois da discussão de um assunto, um problema etc.

consensual (con.sen.su:*al*) *adj.* **1.** Relativo a consenso. **2.** Em que há consenso.

consentimento (con.sen.ti.*men*.to) *s.m.* Ato ou efeito de consentir; permissão; anuência.

consentir (con.sen.*tir*) *v.* **1.** Permitir, deixar: *A mãe não consentiu que ela fosse à praia.* **2.** Tornar possível; contribuir: *A ajuda financeira da avó consentiu que ele fizesse a viagem.* **3.** Concordar com; admitir: *Eu consinto que seja como você quer.* **4.** Aprovar, concordar: *Quem cala consente.* ▶ Conjug. 69.

consequência [qüe] (con.se.*quên*.ci:a) *s.f.* **1.** Qualidade de consequente. **2.** Resultado de

consistência

uma ação ou de um fato; efeito. **3.** Complicação resultante de um doença: *A gripe mal curada teve más consequências.* **4.** Implicação, dedução: *Que consequência tiraremos desse fato?*

consequente [qüe] (con.se.quen.te) *adj.* **1.** Que segue a ou resulta de. **2.** Que se infere; que se deduz. **3.** Que procede coerentemente: *João é um rapaz consequente.*

consertar (con.ser.tar) *v.* **1.** Compor, endireitar ou emendar o desarranjo sofrido por um mecanismo, um veículo, objeto etc.: *Consertou o carro numa mecânica de Botafogo.* **2.** Recompor; pôr em boa ordem; ajustar; dar melhor disposição: *Sua redação está boa, mas você precisa consertar alguns parágrafos.* **3.** Melhorar, harmonizar: *Eles tentaram em vão consertar o casamento que ia mal.* || Conferir com *concertar.* ▶ Conjug. 8.

conserto [ê] (con.ser.to) *s.m.* Ato ou efeito de consertar; reparo. || Conferir com *concerto.*

conserva [é] (con.ser.va) *s.f.* **1.** Líquido ou calda em que se conservam alimentos. **2.** Qualquer alimento assim conservado.

conservação (con.ser.va.ção) *s.f.* **1.** Ato ou efeito de conservar. **2.** Manutenção do bom estado de alguma coisa.

conservacionismo (con.ser.va.ci:o.nis.mo) *s.f.* Conjunto de princípios e técnicas que visam a um emprego racional dos recursos naturais, preservando e restaurando o meio ambiente.

conservador [ô] (con.ser.va.dor) *adj.* **1.** Que conserva; que se opõe a mudanças; contrário a inovações. • *s.m.* **2.** Pessoa encarregada da conservação de um arquivo, biblioteca, museu etc.

conservadorismo (con.ser.va.do.ris.mo) *s.m.* Atitude de quem se apega às tradições e rejeita todo tipo de inovação, principalmente as políticas sociais.

conservante (con.ser.van.te) *adj.* **1.** Que conserva: *uma substância conservante.* • *s.m.* **2.** (*Quím.*) Substância usada para conservar os alimentos em bom estado por mais tempo.

conservar (con.ser.var) *v.* **1.** Manter no seu estado atual; impedir que acabe ou se deteriore: *Os refrigeradores conservam os alimentos.* **2.** Não perder; continuar a possuir; guardar: *A moça conservava numa caixa todas as cartas do namorado.* **3.** Manter-se em bom estado de saúde: *Ele se conservava bem com dieta sadia e exercícios físicos.* ▶ Conjug. 8.

conservatório (con.ser.va.tó.ri:o) *s.m.* Estabelecimento destinado ao ensino das artes, especialmente da música.

consideração (con.si.de.ra.ção) *s.f.* **1.** Ato ou efeito de considerar. **2.** Atenção respeitosa que se dá a uma pessoa; deferência: *É uma senhora de muita consideração.* **3.** Observação; opinião; reflexão: *Com relação ao assunto, vou apresentar algumas considerações.*

considerar (con.si.de.rar) *v.* **1.** Examinar algo com atenção e cuidado; sopesar: *O prefeito vai considerar o requerimento dos moradores daquela rua.* **2.** Julgar, qualificar: *Todos consideram Alfredo o mais competente.* **3.** Ter respeito, admiração: *Sempre consideramos muito aquela professora.* **4.** Pensar em; ponderar; refletir sobre: *Ninguém considerou minha proposta.* **5.** Reputar-se, julgar-se: *Ele sempre se considerou o melhor de todos.* ▶ Conjug. 8.

considerável (con.si.de.rá.vel) *adj.* **1.** Que pode ser considerado: *Sua opinião é considerável.* **2.** Notável, importante: *Sorocaba é uma cidade considerável.*

consignação (con.sig.na.ção) *s.f.* **1.** Ato ou efeito de consignar. **2.** Divisão de verba orçamentária. **3.** Depósito efetuado por um devedor em um estabelecimento, determinado por lei. **4.** Transação comercial pela qual a mercadoria é entregue a um comerciante para venda, o qual só presta contas ao fornecedor se a mercadoria for vendida.

consignar (con.sig.nar) *v.* **1.** Colocar um produto à venda num estabelecimento que só prestará contas depois do produto vendido: *A livraria consignou alguns exemplares de meu livro.* **2.** Marcar; registrar; assinalar: *Consignaram o fato nos anais da instituição.* ▶ Conjug. 5 e 33.

consignatário (con.sig.na.tá.ri:o) *s.m.* Aquele que recebe mercadorias em consignação.

consigo (con.si.go) *pron.* **1.** Com a pessoa de quem se fala: *Saiu de casa levando consigo os filhos.* **2.** Em seu poder; sob sua guarda, sob sua responsabilidade: *Guardou consigo os papéis do pai.* **3.** De si para si: *Ia ele pensando consigo mesmo: que coisa maravilhosa!*

consistência (con.sis.tên.ci:a) *s.f.* **1.** Qualidade de consistente. **2.** Densidade: *Deixe a gelatina na geladeira para adquirir mais consistência.* **3.** Espessura, dureza, solidez: *O serviço militar deu consistência a seus músculos.* **4.** Firmeza, coerência: *Seu discurso de defesa não tem consistência.*

consistente (con.sis.*ten*.te) *adj.* **1.** Que tem consistência. **2.** Sólido, espesso, rijo.

consistir (con.sis.*tir*) *v.* **1.** Compor-se de; ser formado de: *A festa consistiu numa cerimônia e num baile.* **2.** Depender essencialmente de; estar firmado em; ter por base; fundar-se; estribar-se: *Sua felicidade consiste em fazer o bem ao próximo.* **3.** Resumir-se; limitar-se: *Sua cultura consistia em falar francês e tocar piano.* ▶ Conjug. 66.

consistório (con.sis.*tó*.ri:o) *s.m.* Assembleia de cardeais presidida pelo papa.

consoada (con.so:*a*.da) *s.f.* **1.** Pequena refeição que se toma à noite nos dias de jejum. **2.** Ceia da noite de Natal.

consoante (con.so:*an*.te) *adj.* **1.** Que soa com outro, que rima com outro. **2.** Que se conforma com outra palavra no som, a partir da vogal tônica (rima): *rimas consoantes.* • *s.f.* **3.** (*Gram.*) Som da fala que, ao ser produzido pela passagem do ar através do aparelho fonador, encontra algum obstáculo. • *prep.* **4.** Segundo, conforme: *Consoante meu ponto de vista, não assinarei o protesto.* • *conj.* **5.** Conforme; segundo, como: *Agiram consoante lhes foi recomendado.*

consolação (con.so.la.*ção*) *s.f.* **1.** Ato ou efeito de consolar(-se). **2.** Alívio, lenitivo, conforto, consolo; reconforto. **3.** Pessoa ou coisa que consola. **4.** Razões alegadas para consolar.

consolar (con.so.*lar*) *v.* Trazer alívio a alguém ou a si mesmo num transe, num sofrimento, numa depressão etc.; reconfortar: *Tentamos consolar os atletas desclassificados*; *Ela se consolava, lendo romances de amor.* ▶ Conjug. 20.

console [ó] (con.so.le) *s.m.* **1.** Pequena mesa de madeira ou outro material, que geralmente tem duas pernas e prende-se à parede. **2.** Terminal de controle para acesso direto do usuário ao computador. || *consolo* [ó].

consolidação (con.so.li.da.*ção*) *s.f.* **1.** Ato ou efeito de consolidar(-se). **2.** Fortalecimento; solidificação. **3.** (Jur.) Fusão de leis relativas a um ramo do Direito: *a Consolidação das Leis do Trabalho.*

consolidar (con.so.li.*dar*) *v.* **1.** Tornar(-se) forte, firme, estável: *Na França, ele consolidou seus conhecimentos de francês*; *A massa de concreto consolidou-se em pouco tempo.* **2.** Estabilizar uma tendência; confirmar: *Em poucos anos, a empresa consolidou uma posição de liderança.* **3.** (Med.) Formar-se em fraturas ósseas um calo para fortalecer a emenda: *Engessou a perna para consolidar a fratura.* **4.** Dar firmeza ou solidez a uma coisa; tomar consistência: *O trabalho não ficaria tão bem se a massa logo consolidasse.* **5.** Fazer-se sólido; firmar-se: *Ao esfriar, a cera consolidou-se.* ▶ Conjug. 5.

consolo [ó] (con.so.lo) *s.m.* Console.

consolo [ô] (con.so.lo) *s.m.* Consolação.

consommé [consomê] (Fr.) *s.m.* (Cul.) Caldo de carne, peixe, galinha ou legume, tomado quente ou frio, em menor quantidade que a sopa.

consonância (con.so.*nân*.ci:a) *s.f.* **1.** Conjunto de sons agradáveis, harmônicos. **2.** Concordância, conformidade, acordo: *Ela tem agido em consonância com seus princípios.*

consonantal (con.so.nan.*tal*) *adj.* (*Gram.*) Relativo a ou formado por consoante: *grupo consonantal.*

consorciar (con.sor.ci:*ar*) *v.* **1.** Unir(-se); associar(-se); fazer parceria: *Para o projeto dos Jogos Pan-americanos, o governo consorciou numerosas empresas*; *É necessário consorciar nosso interesse ao da empresa.* **2.** Casar-se; combinar-se: *Os amigos consorciaram-se para pagar as despesas.* ▶ Conjug. 17.

consórcio (con.*sór*.ci:o) *s.m.* **1.** União de empresas para execução de um grande projeto. **2.** Casamento. **3.** Grupo de pessoas que se cotizam, em prestações mensais, para comprar algum bem, sendo a ordem de entrega a cada membro decidida por sorteio: *Entrei num consórcio para comprar um carro.*

consorte [ó] (con.sor.te) *s.m.* e *f.* Cônjuge.

conspícuo (cons.*pí*.cu:o) *adj.* Que dá na vista de todos; visível, considerável, notável, distinto.

conspiração (cons.pi.ra.*ção*) *s.f.* **1.** Ato ou efeito de conspirar. **2.** Conluio, desígnio formado secretamente contra alguém ou alguma instituição.

conspirar (cons.pi.*rar*) *v.* **1.** Tramar; planejar secretamente: *Os inconfidentes conspiravam contra a metrópole.* **2.** Ter condições favoráveis ou desfavoráveis para que alguma coisa aconteça: *Tudo conspirou para que o dia fosse muito alegre.* ▶ Conjug. 5 – **conspirador** *s.m.*

conspurcar (cons.pur.*car*) *v.* Sujar(-se); manchar(-se), enlamear(-se), aviltar(-se), deslustrar: *O mau político conspurcou o nome de seu partido*; *Evite conspurcar-se com más companhias.* ▶ Conjug. 5 e 35.

constância (cons.*tân*.ci:a) *s.f.* **1.** Qualidade de constante. **2.** Perseverança nos propósitos e nos projetos: *Ele se preparou com muita constância para o vestibular.*

constante (cons.*tan*.te) *adj.* **1.** Que é ou que se mostra permanente; incessante: *Seu sorriso constante alegra nosso grupo.* **2.** Que é persistente; tenaz: *Maria foi constante na sua espera.* **3.** Que é habitual; frequente: *No baile, eles formaram um par constante.* **4.** Que constitui parte de: *Os documentos constantes do processo.*

constar (cons.*tar*) *v.* **1.** Passar por certo, por evidente: *Consta que as provas foram muito boas.* **2.** Contar como provável: *Consta que haverá chuva amanhã.* **3.** Estar escrito: *A adoração dos Magos consta, apenas, no Evangelho de Mateus.* **4.** Ser composto ou formado; consistir: *A prova constará de redação e questões de gramática.* ▶ Conjug. 5.

constatar (cons.ta.*tar*) *v.* **1.** Conferir a exatidão; verificar, perceber: *O pediatra constatou o crescimento da criança.* **2.** Testificar; averiguar, comprovar: *É necessário constatar a veracidade da acusação.* ▶ Conjug. 5.

constelação (cons.te.la.*ção*) *s.f.* **1.** Grupo de estrelas que formam uma determinada figura, da qual tomam o nome: *Escorpião, Cruzeiro do Sul.* **2.** Grupo de pessoas importantes e notáveis: *Uma constelação de grandes cientistas participou da pesquisa.*

consternação (cons.ter.na.*ção*) *s.f.* **1.** Ato ou efeito de consternar ou consternar-se. **2.** Grande desalento, profundo abatimento.

consternar (cons.ter.*nar*) *v.* Provocar tristeza ou abatimento em outros ou senti-los em si mesmo: *A tragédia consternou o país e o mundo; Todos consternaram-se com a triste notícia.* ▶ Conjug. 8.

constipação (cons.ti.pa.*ção*) *s.f.* **1.** Ato ou efeito de constipar. **2.** Prisão de ventre. **3.** Resfriado.

constipar (cons.ti.*par*) *v.* **1.** Causar ou adquirir constipação (2). *Uma alimentação imprópria o constipou; Ele constipou-se por causa da alimentação imprópria.* **2.** Causar constipação (3): *O frio da noite constipou-o.* **3.** Ficar constipado, resfriar-se: *Desagasalhado na noite fria, constipou-se.* ▶ Conjug. 5.

constitucional (cons.ti.tu.ci:o.*nal*) *adj.* **1.** Referente ou próprio da Constituição: *direito constitucional.* **2.** Que tem o respaldo da Constituição: *garantia constitucional.* **3.** Cujos poderes são decorrentes da Constituição e por ela limitados: *regimes constitucionais, monarquia constitucional.* **4.** (*Med.*) Que é próprio da organização físico-psíquica de uma pessoa: *A avó era de constituição forte e decidida.*

constitucionalismo (cons.ti.tu.ci:o.na.*lis*.mo) *s.m.* Sistema dos partidários do regime constitucional.

constitucionalista (cons.ti.tu.ci:o.na.*lis*.ta) *adj.* **1.** Relativo ao constitucionalismo; que defende o constitucionalismo: *teoria constitucionalista do delito; revolução constitucionalista.* • *s.m.* e *f.* **2.** Especialista em Direito Constitucional.

constituição (cons.ti.tu:i.*ção*) *s.f.* **1.** Ato ou efeito de constituir; organização, formação. **2.** Conjunto dos elementos essenciais de um todo, natureza de um todo. **3.** Estado do corpo humano, resultante da força ou fraqueza de seus órgãos. **4.** Lei fundamental que discrimina os poderes de um país, suas atribuições e os direitos e deveres dos cidadãos. – **constitucionalidade** *s.f.*

constituinte (cons.ti.tu:*in*.te) *adj.* **1.** Que constitui, que integra um todo. **2.** Cuja finalidade é elaborar uma constituição: *assembleia constituinte; deputado constituinte.* • *s.m.* e *f.* **3.** Cada um dos componentes de algo: *Os constituintes desse remédio são todos importados.* **4.** Parlamentar eleito para participar da elaboração de uma Constituição: *Miguel é um constituinte do Estado de Pernambuco.* **5.** Assembleia constituinte: *A constituinte de 1946 foi muito liberal.*

constituir (cons.ti.tu:*ir*) *v.* **1.** Ser a base, a parte essencial de: *A água constitui a maior parte das células humanas.* **2.** Formar, compor, organizar: *Os operários constituíram um sindicato.* **3.** Dar procuração a; conferir poderes a: *Constituí João meu representante legal.* **4.** Ser composto de; ter como partes: *A cabeça humana constitui-se de duas partes: o crânio e a face.* **5.** Representar, consistir em: *O voto constitui um dever e um direito.* ▶ Conjug. 80.

constitutivo (cons.ti.tu.*ti*.vo) *adj.* Que constitui; que entra na constituição de: *elementos constitutivos de um sistema.*

constranger (cons.tran.*ger*) *v.* **1.** Forçar alguém a fazer algo: *Constrangeram o rapaz a mentir sobre sua identidade.* **2.** Incomodar; tolher a liberdade; impedir alguém de agir livremente; reprimir: *Constrangeram a criança a não brincar mais.* **3.** Deixar alguém envergonhado, embaraçado: *Aquelas palavras ásperas constrangeram a moça.* ▶ Conjug. 39. – **constrangedor** *adj. s.m.*; **constrangido** *adj.*

constrangimento

constrangimento (cons.tran.gi.*men*.to) *s.m.* Situação incômoda, embaraçosa: *Os pais do delinquente passaram por um constrangimento na delegacia.*

constrição (cons.tri.*ção*) *s.f.* Estreitamento do diâmetro de um corpo por pressão circular sobre o mesmo.

constringir (cons.trin.*gir*) *v.* **1.** Apertar circularmente; estreitar: *Uma dor terrível constringia-lhe o coração.* **2.** Contrair-se: *Seu coração constringia-se de dor.* ▶ Conjug. 66.

constritor [ô] (cons.tri.*tor*) *adj.* Que constringe; que cinge apertando: *um aparelho constritor.*

construção (cons.tru.*ção*) *s.f.* **1.** Ato ou efeito de construir: *a construção de um muro.* **2.** A ação de elaborar, de organizar: *a construção de um projeto.* **3.** (*Ling.*) Conjunto de unidades que, segundo regras de combinação, formam uma unidade maior na hierarquia linguística: *A construção linguística* Futebol Clube, *comum nos nomes de clubes futebolísticos no Brasil, é um anglicismo; em vernáculo, seria* Clube de Futebol. **4.** Edificação, casa, edifício: *Era uma bela construção de dois andares.* **5.** (*Gram.*) Modo de colocar os termos numa frase, numa oração, num período: *A construção desse período não está boa.*

construir (cons.tru.*ir*) *v.* **1.** Erguer obras de engenharia: pontes, casas, prédios etc.: *Levaram três anos para construir essa ponte.* **2.** Formar, montar, organizando as partes que se combinam: *Vejam o avião que os meninos construíram!* **3.** (*Geom.*) Traçar figuras geométricas: *Com o compasso, construiu um círculo.* ▶ Conjug. 79. – **construtivo** *adj.*

construtor [ô] (cons.tru.*tor*) *adj.* **1.** Que constrói. • *s.m.* **2.** Pessoa que constrói casas, edifícios, estádios etc. **3.** Pessoa que planeja, organiza ou constrói: *os construtores da república.*

construtora [ô] (cons.tru.*to*.ra) *s.f.* Empresa de engenharia que constrói, reforma e repara edifícios, estradas, pontes etc.

consubstanciação (con.subs.tan.ci:a.*ção*) *s.f.* **1.** Ação ou efeito de consubstanciar; concretização. **2.** (*Rel.*) Doutrina luterana que afirma a presença substancial do corpo e do sangue de Jesus junto com o pão e o vinho. || Conferir com *transubstanciação*.

consubstancial (con.subs.tan.ci:*al*) *adj.* Diz-se de duas ou mais coisas que têm a mesma substância; que têm a mesma natureza. **2.** (*Rel.*) Dizse das três pessoas da Santíssima Trindade.

consubstanciar (con.subs.tan.ci:*ar*) *v.* **1.** Concretizar: *O projeto consubstancia todas as aspirações daquela comunidade.* **2.** Unir as diversas partes numa só substância: *O relatório final consubstancia todas as ações da empresa durante o ano.* ▶ Conjug. 17.

consuetudinário (con.su:e.tu.di.*ná*.ri:o) *adj.* **1.** Estabelecido pelos costumes; costumeiro, habitual. **2.** Diz-se do direito não escrito, fundado em longo uso: *o direito consuetudinário.*

cônsul (*côn*.sul) *s.m.* **1.** Funcionário de uma embaixada ou de um consulado, encarregado da sessão de passaportes, de dar assistência a seus concidadãos e de representar o embaixador. **2.** Nome de cada um dos dois magistrados supremos na antiga república romana e na primeira república francesa.

consulado (con.su.*la*.do) *s.m.* **1.** Cargo ou dignidade de cônsul. **2.** Local onde o cônsul exerce suas funções. **3.** Tempo durante o qual era exercida na Roma antiga a magistratura consular.

consular (con.su.*lar*) *adj.* Relativo ao cônsul, do cônsul.

consulente (con.su.*len*.te) *adj.* **1.** Que faz consulta. • *s.m.* e *f.* **2.** Pessoa que faz consulta. **3.** Pessoa que pesquisa numa biblioteca: *os consulentes da Biblioteca Nacional.*

consulesa [ê] (con.su.*le*.sa) *s.f.* **1.** Mulher titular de um consulado. **2.** Esposa de um cônsul.

consulta (con.*sul*.ta) *s.f.* **1.** Ato ou efeito de consultar; de buscar informação em dicionários, atlas geográfico, tabelas etc. **2.** Pedido de conselho; parecer, opinião. **3.** Pedido de parecer médico.

consultar (con.sul.*tar*) *v.* **1.** Pedir a alguém ou a um profissional parecer, conselho, opinião, instrução: *Por que você não consulta um psicanalista?*; *Ela consultou uma cartomante sobre seu namorado.* **2.** Procurar esclarecer-se, informar-se, pesquisar alguma coisa: *Consultou o vocabulário acerca da ortografia daquela palavra.* **3.** Observar; examinar antes de decidir: *Consultem primeiro as suas aptidões para esse trabalho.* ▶ Conjug. 5.

consultivo (con.sul.*ti*.vo) *adj.* Que assessora dando parecer: *conselho consultivo.*

consultor [ô] (con.sul.*tor*) *adj.* **1.** Que dá consultas; que responde a elas. • *s.m.* **2.** Profissional que dá parecer sobre assunto de sua especialidade.

consultoria (con.sul.to.*ri*.a) *s.f.* **1.** Cargo ou função de consultor. **2.** Escritório em que trabalha o consultor.

consultório (con.sul.*tó*.ri:o) *s.m.* Gabinete onde atende o profissional de saúde: *o consultório do dermatologista.*

consumação¹ (con.su.ma.*ção*) *s.f.* **1.** Ato ou efeito de consumar, de completar: *a consumação do casamento.* **2.** Final, término, ultimação: *a consumação de uma ansiedade.*

consumação² (con.su.ma.*ção*) *s.f.* Quantia mínima de consumo, efetivado ou não, cobrada em certos bares, boates e casas de espetáculos.

consumado (con.su.*ma*.do) *adj.* **1.** Que se consumou; que se realizou: *um casamento consumado.* **2.** Perfeito, abalizado: *uma obra de arte consumada.*

consumar (con.su.*mar*) *v.* **1.** Realizar, concretizar: *Felizmente as ameaças de invasão não se consumaram.* **2.** Ultimar-se: *Jesus disse antes de morrer na cruz: Consumou-se.* ▶ Conjug. 5.

consumição (con.su.mi.*ção*) *s.f.* Desgosto, mortificação, tormento: *A consumição daquela mãe era a preguiça do filho.*

consumidor [ô] (con.su.mi.*dor*) *adj.* **1.** Que consome; relativo a consumo: *mercado consumidor.* • *s.m.* **2.** Aquele que consome; usuário: *A Saúde Pública faz um alerta aos consumidores de álcool.* **3.** (*Econ.*) Pessoa ou organização que usa ou adquire produtos ou serviços: *os consumidores da indústria automobilística brasileira.*

consumir (con.su.*mir*) *v.* **1.** Utilizar, gastar: *Na minha casa não se consome açúcar.* **2.** Corroer até completa destruição; gastar: *Pouco a pouco, a ferrugem foi consumindo os pilares da ponte.* **3.** Comer, devorar: *Em poucos minutos ele consumiu um prato de macarrão.* **4.** Destruir, extinguir: *O fogo consumiu o velho barracão de madeira.* **5.** Empregar, dedicar inteiramente: *Consumirei todo o tempo naquela ocupação.* **6.** Enfraquecer, abater: *Aquilo consumia o meu ânimo.* **7.** Empregar, aplicar: *Não sei quantos tijolos foram consumidos nesta construção.* **8.** Ralar-se, mortificar-se, afligir-se: *A mãe consumia-se de preocupações.* ▶ Conjug. 77.

consumismo (con.su.*mis*.mo) *s.m.* (*Econ.*) Tendência à aquisição exagerada de bens duráveis e supérfluos.

consumista (con.su.*mis*.ta) *adj.* **1.** Relativo ao consumismo; próprio do consumismo: *uma sociedade consumista.* • *s.m.* e *f.* **2.** Partidário ou praticante do consumismo: *Alguns consumistas gastaram em supérfluos todo seu 13º salário.*

consumo (con.*su*.mo) *s.m.* **1.** Ato ou efeito de consumir; gasto; dispêndio. **2.** Utilização de bens de produção. **3.** Gasto de gêneros alimentícios sujeitos a impostos. **4.** Aplicação de bens na satisfação das necessidades do homem.

conta (con.ta) *s.f.* **1.** Realização de uma operação aritmética; essa operação; cálculo: *Faça a conta do que comprei.* **2.** (*Econ.*) Estado dos débitos e créditos, da receita e da despesa. **3.** Ato de pôr em cálculo o préstimo, o valor que se dá. **4.** Total a ser pago por serviço ou mercadoria: *Vim pagar minha conta.* **5.** Registro de despesas de um comprador a serem pagas posteriormente: *Ponha mais esse quilo de bacalhau na minha conta.* **6.** Glóbulo que se enfia em colar ou rosário: *Seu rosário era de contas azuis.* **7.** Reputação, apreço, estima, importância: *Todos o têm em boa conta.* **8.** Atenção, cuidado, cautela: *Toma conta do menino.* || *Acertar contas com*: conversar com alguém para resolver questões mal resolvidas. • *Estar ou ficar por conta*: *coloq.* estar ou ficar furioso, zangado, indignado. • *Fazer de conta*: supor, imaginar. • *Levar em conta*: dar importância; levar em consideração.

contábil (con.*tá*.bil) *adj.* Relativo a contabilidade: *operação contábil.*

contabilidade (con.ta.bi.li.*da*.de) *s.f.* **1.** Escrituração da receita e da despesa de uma casa comercial, industrial, bancária, de uma administração pública ou particular. **2.** Repartição onde se escrituram receitas e despesas.

contabilista (con.ta.bi.*lis*.ta) *s.m.* e *f.* Perito em contabilidade, contador, guarda-livros.

contabilizar (con.ta.bi.li.*zar*) *v.* **1.** Registrar metodicamente dados numéricos sobre movimentação comercial, financeira etc.; escriturar: *A empresa contabilizou os gastos com o pessoal.* **2.** Ter, possuir, contar: *O banco contabilizou um milhão de clientes. adj.* ▶ Conjug. 5.

conta-corrente (con.ta-cor.*ren*.te) *s.f.* Inscrição em banco ou instituição bancária para guardar dinheiro e emitir cheques. || pl.: *contas-correntes.*

contactar (con.tac.*tar*) *v.* Contatar. ▶ Conjug. 5 e 33.

contacto (con.*tac*.to) *s.m.* Contato.

contactologia (con.tac.to.lo.*gi*.a) *s.f.* Ramo da oftalmologia que se ocupa das lentes de contacto.

contador [ô] (con.ta.*dor*) *adj.* **1.** Que conta, mede, registra • *s.m.* **2.** Profissional formado em Contabilidade; contabilista; guarda-livros. **3.** Aparelho que mede o consumo do gás, da eletricidade. **4.** Antigo móvel, espécie de armário com pequenas gavetas.

contadoria (con.ta.do.*ri*.a) *s.f.* Repartição onde se faz contabilidade e onde trabalham contadores.

contagem (con.*ta*.gem) *s.f.* Ato ou efeito de contar.

contagiante (con.ta.gi:*an*.te) *adj.* Que contagia.

contagiar (con.ta.gi:*ar*) *v.* **1.** Comunicar doença epidêmica; contaminar: *O barbeiro contagia muitas pessoas no Brasil.* **2.** Contaminar-se: *O enfermeiro contagiou-se durante a epidemia.* **3.** *fig.* Corromper(-se), viciar(-se): *As más companhias o contagiaram*; *Contagiou-se com as más companhias.* ▶ Conjug. 17.

contágio (con.*tá*.gi:o) *s.m.* **1.** Transmissão de doença por contato mediato ou imediato. **2.** *fig.* Transmissão de males e de vícios.

contagioso [ô] (con.ta.gi:*o*.so) *adj.* Que se transmite por contágio. || f. e pl.: [ó].

conta-gotas (con.ta-*go*.tas) *s.m.2n.* (*Farm*.) Pequeno tubo de vidro ou plástico, usado para pingar as gotas de um líquido.

contaminar (con.ta.mi.*nar*) *v.* **1.** Transmitir ou contrair doença ou agente de doença: *Doente de conjuntivite, contaminou a família*; *Tenha cuidado para não se contaminar.* **2.** Transmitir ou adquirir (agente de doença): *O vírus da dengue contaminou todos os habitantes daquela rua*; *Todos se contaminaram com o vírus da dengue.* **3.** Espalhar-se (substância poluidora): *O lixo levado pela chuva contaminou a lagoa.* **4.** *fig.* Manchar, viciar, corromper: *Não deixar que a indisciplina contamine a classe.* ▶ Conjug. 5.

contar (con.*tar*) *v.* **1.** Enumerar ou computar (as coisas), considerando-as como unidades homogêneas: *O menino contou as laranjas que havia no cesto.* **2.** Verificar a conta ou o número; calcular, computar: *Contou quantas laranjas e quantos limões havia vendido.* **3.** Ter, de existência ou idade: *Não contava bem oito anos de idade.* **4.** Possuir: *Ele não conta muitos amigos aqui.* **5.** Narrar, referir, relatar: *Hoje contaremos a história de Marco Polo.* **6.** Ter esperança ou confiança em: *Conto com você para conseguir isso.* **7.** Dispor de; incluir em o número de: *Conto João entre meus amigos mais fiéis.* **8.** Ter expectativa ou esperança de: *Não contava que ia encontrar tantos amigos.* || *Contar as horas*: esperar com impaciência e inquietação. ▶ Conjug. 5.

contatar (con.ta.*tar*) *v.* Estabelecer ligação ou contato com: *Hoje mesmo contatarei o técnico.* || *contactar.* ▶ Conjug. 5.

contato (con.*ta*.to) *s.m.* **1.** Ato ou efeito de tocar (um corpo em outro): *O contato da mão com a urtiga irritou-lhe a pele.* **2.** Comunicação, conexão: *O piloto estabeleceu contato com a torre de comando.* **3.** Alguém que serve de ligação com pessoa ou instituição: *Nosso contato naquela empresa é o Silva Matos.* **4.** Cópia de negativo feita sobre papel fotográfico. || *contacto.*

contável (con.*tá*.vel) *adj.* Que pode ser contado; computável.

contêiner (con.*têi*.ner) *s.m.* Caixa de aço de grande porte para acondicionamento de cargas.

contemplação (con.tem.pla.*ção*) *s.f.* **1.** Ato ou efeito de contemplar. **2.** Meditação profunda. **3.** (*Rel.*) Aplicação exclusiva do espírito às coisas divinas, desprezando as do mundo: *Algumas ordens religiosas vivem na contemplação.* **4.** Consideração, benevolência, contemporização: *Ele foi castigado sem contemplação.*

contemplar (con.tem.*plar*) *v.* **1.** Admirar absorto e durante algum tempo: *Ela ficou algum tempo a contemplar aquela rosa.* **2.** Examinar e considerar com atenção: *Carlos contemplou a filha que acabava de chegar.* **3.** Levar em consideração: *O relatório não contemplou o trabalho dos estagiários.* **4.** Conferir alguma distinção a alguém: *A Biblioteca Nacional contemplou o escritor gaúcho com um prêmio.* **5.** Supor, imaginar; meditar: *Nem por hipótese, contemplei essa possibilidade.* **6.** Mirar-se com desvanecimento: *Maravilhada com sua beleza, ela contemplava-se no espelho.* ▶ Conjug. 5.

contemplativo (con.tem.pla.*ti*.vo) *adj.* **1.** Relativo a ou em que há contemplação. **2.** Dedicado à contemplação das coisas divinas: *As monjas carmelitas são contemplativas.* • *s.m.* **3.** Pessoa dada à contemplação: *João foi sempre um contemplativo, não um homem de ação.*

contemporâneo (con.tem.po.*râ*.ne:o) *adj.* **1.** Do mesmo tempo, da mesma época, referindo-se ao que existiu e ao que ainda existe. • *s.m.* **2.** Indivíduo do mesmo ou do nosso tempo. – **contemporaneidade** *s.f.*

contemporizar (con.tem.po.ri.*zar*) *v.* **1.** Acomodar-se à situação e às circunstâncias, de preferência sem entrar em litígio: *Para não se aborrecer, ele contemporizava.* **2.** Aceitar posições alheias; condescender, transigir: *Mário* *sempre contemporizou com as brincadeiras de mau gosto do amigo.* ▶ Conjug. 5. **– contemporização** *s.f.*

contenção (con.ten.*ção*) *s.f.* Ato ou efeito de conter ou conter-se: *muro de contenção*; *contenção de despesas*.

contencioso [ô] (con.ten.ci:o.so) *adj.* **1.** Em que há litígio; litigioso, em que se demanda o direito: *questão contenciosa*. **2.** Incerto, sujeito a dúvidas: *um despacho contencioso.* • *s.m.* **3.** Órgão que tem competência para julgar causas cíveis litigiosas: *contencioso administrativo.* || f. e pl.: [ó].

contenda (con.ten.da) *s.f.* **1.** Ato ou efeito de contender; luta entre duas pessoas ou dois grupos de pessoas por alguma coisa: *Evitemos contendas com os amigos*. **2.** Pendência esforçada, intensa, violenta: *A questão da divisa entre as terras transformou-se em contenda*.

contender (con.ten.*der*) *v.* **1.** Ter contenda, disputa (com alguém): *O fazendeiro contendia com o vizinho por alguns metros quadrados de terra*. **2.** Altercar, litigar, brigar: *Em matéria de política, os dois contendiam sempre*. **3.** Competir, rivalizar: *Ninguém contende com ela em assunto de Matemática.* ▶ Conjug. 39.

contentamento (con.ten.ta.*men*.to) *s.m.* Estado de contente; alegria, satisfação.

contentar (con.ten.*tar*) *v.* Tornar(-se) contente, satisfeito; satisfazer(-se): *É muito fácil contentar as crianças*; *Ela contentava-se com pouco*. ▶ Conjug. 5.

contente (con.*ten*.te) *adj.* Alegre, feliz, prazenteiro.

contento (con.*ten*.to) *s.m.* Contentamento, satisfação. || *A contento*: segundo os desejos.

conter (con.*ter*) *v.* **1.** Ter em si; encerrar em sua substância ou em sua composição: *Este remédio contém bicarbonato de sódio*. **2.** Reprimir ou refrear o movimento ou impulso de um corpo: *Ele conteve os passos*. **3.** *fig.* Não deixar que se manifeste, que opere, que se mova; moderar o ímpeto; tê-lo em certos limites: *A polícia conteve os excessos dos jovens*. **4.** Refrear-se, reprimir-se, moderar-se: *A mãe conteve-se para não chorar de emoção.* ▶ Conjug. 1.

conterrâneo (con.ter.*râ*.ne:o) *adj.* **1.** Que é da mesma terra de alguém (país, cidade, vila, povoação): *Um deputado conterrâneo conseguiu-lhe um emprego.* • *s.m.* **2.** Pessoa que é da mesma terra de alguém: *Meus conterrâneos gostam muito de moqueca*.

contestação (con.tes.ta.*ção*) *s.f.* **1.** Ação de contestar, opondo-se, com objeções. **2.** A expressão dessa ação. **3.** Resposta a um libelo.

contestador [ô] (con.tes.ta.*dor*) *adj.* **1.** Que contesta. • *s.m.* **2.** Pessoa que contesta.

contestar (con.tes.*tar*) *v.* **1.** Negar a exatidão, a veracidade de alguma coisa; refutar, contradizer: *O artigo no jornal contestava a opinião do técnico*. **2.** Responder refutando, replicando: *Contestarei a sua acusação com uma ação judicial*. **3.** Opor-se ao que foi dito: *Ouvindo aquelas palavras, Maria contestou com veemência*. ▶ Conjug. 8.

contestável (con.tes.*tá*.vel) *adj.* Que pode ser contestado. **– contestabilidade** *s.f.*

conteste [é] (con.tes.te) *adj.* Que no depoimento confirma o testemunho de outrem: *testemunhas contestes*.

conteúdo (con.te:*ú*.do) *s.m.* **1.** Aquilo que é contido ou se encerra dentro de qualquer coisa: *o conteúdo de um copo*. **2.** *fig.* Assunto, teor: *o conteúdo do artigo*. **3.** Substância: *uma dissertação sem conteúdo*.

contexto [ês] (con.*tex*.to) *s.m.* **1.** Conjunto das circunstâncias, dos detalhes que acompanham um fato particular ou uma situação; entorno. **2.** O que constitui o texto em sua totalidade: *Fora de seu contexto, este texto perde o sentido*.

contextual [s] (con.tex.tu:*al*) *adj.* Referente ou pertencente ao contexto.

contextualizar [s] (con.tex.tu:a.li.*zar*) *v.* Apresentar as circunstâncias e o contexto em que se dá o fato, manifesta-se a ideia, processa-se o comportamento: *Para melhor compreender o romance, é necessário contextualizá-lo.* ▶ Conjug. 5. **– contextualização** *s.f.*

contextura [s] (con.tex.*tu*.ra) *s.f.* **1.** Entrelaçamento dos fios de um tecido; textura, trama de um pano. **2.** Maneira como se dispõem as partes de um todo; encadeamento.

contigo (con.*ti*.go) *pron.* **1.** Com a pessoa a quem se fala: *Eu não faria isso contigo*. **2.** Em tua companhia: *Vou ao cinema contigo*. **3.** Em teu poder, sob tua responsabilidade: *Deixei os originais do livro contigo*. **4.** Relativo a ti: *Esse assunto é contigo*.

contiguidade [güi] (con.ti.gui.*da*.de) *s.f.* Qualidade ou estado de contíguo; proximidade, vizinhança.

contíguo (con.*tí*.guo) *adj.* Que está ao lado, próximo, junto.

continência (con.ti.*nên*.ci:a) *s.f.* **1.** (*Mil.*) Cumprimento ou saudação formal dos militares, de

continental

um para outro, do subalterno para o superior, do militar de qualquer patente para autoridades militares, civis e religiosas e para a bandeira nacional. **2.** Contenção em palavras e gestos; comedimento. **3.** Abstinência de prazeres sexuais. **4.** (*Med.*) Capacidade de retardar a realização de necessidades fisiológicas.

continental (con.ti.nen.*tal*) *adj.* **1.** Que se situa no continente. **2.** Relativo ao continente, próprio do continente: *O Brasil é um país de dimensões continentais.*

continente (con.ti.*nen*.te) *adj.* **1.** Que contém, que se contém. **2.** Moderado, sóbrio, casto; que tem continência. • *s.m.* **3.** Aquilo que contém alguma coisa. **4.** Grande extensão de terra cercada por águas oceânicas, que constitui cada uma das seis grandes divisões da Terra (Europa, Ásia, África, América, Oceania [Austrália] e Antártica). **5.** Parte continental de uma região em relação a outra que é insular: *Grande parte das pessoas que trabalham em Vitória vivem no continente.*

contingência (con.tin.gên.ci:a) *s.f.* **1.** Qualidade de contingente. **2.** Fato possível, mas incerto; eventualidade.

contingenciar (con.tin.gen.ci:*ar*) *v.* (*Econ.*) Impor limites e regras a (usos de recursos e verbas, orçamentos etc.). ▶ Conjug. 17.

contingente (con.tin.gen.te) *adj.* **1.** Que pode acontecer ou não, conforme as circunstâncias; eventual; aleatório. • *s.m.* **2.** Conjunto de pessoas formado para executar determinada tarefa. **3.** (*Mil.*) Número de militares de uma unidade para executar uma tarefa ou uma missão especial. **4.** Tropas com que um país contribui para um exército aliado: *O contingente brasileiro na II Guerra fixou-se na Itália.* **5.** Quota, quinhão, parcela: *Cada um deve dar seu contingente na luta pela paz.*

continuação (con.ti.nu:a.*ção*) *s.f.* **1.** Ato ou efeito de continuar; prosseguimento; prossecução. **2.** Prolongamento de alguma coisa. **3.** Seguimento, sucessão, sequência.

continuar (con.ti.nu:*ar*) *v.* **1.** Levar avante o começado; não interromper: *Apesar das vaias, ele continuou seu discurso; Ele continuou com seu discurso.* **2.** Prosseguir, dar prosseguimento; perseverar no que se faz: *Mário continuou seus estudos em Recife.* **3.** Durar, perdurar; prosseguir: *Queremos sair, mas a chuva continua muito forte.* **4.** Prolongar-se da mesma forma: *Continua-se a fazer agora, como sempre se fez.* **5.** Permanecer: *Júlio continua prefeito da cidade.* ▶ Conjug. 5.

continuidade (con.ti.nu:i.*da*.de) *s.f.* **1.** Qualidade ou condição do que é contínuo. **2.** Duração contínua; persistência. **3.** (*Cine, Telv.*) Num filme ou novela, a preocupação com o desenvolvimento das sequências.

continuísmo (con.ti.nu:*ís*.mo) *s.m.* Manobra política que visa à permanência de uma pessoa ou de seu grupo no poder.

continuísta (con.ti.nu:*ís*.ta) *adj.* **1.** Que é a favor do continuísmo: *uma manobra continuísta.* • *s.m.* e *f.* **2.** Pessoa que é partidária do continuísmo. **3.** (*Cine, Telv.*) Pessoa encarregada da continuidade (3) de um filme ou de uma novela.

contínuo (con.*tí*.nu:o) *adj.* **1.** Que se estende, sem interrupção, no tempo e no espaço: *a corrente contínua de um rio.* **2.** Que se prolonga sem pausa ou sem divisões: *a faixa contínua na autoestrada.* • *s.m.* **3.** Empregado subalterno de repartições públicas ou estabelecimentos particulares, encarregado de transportar papéis e documentos e desempenhar outros pequenos serviços.

contista (con.*tis*.ta) *s.m.* e *f.* Pessoa que escreve contos.

conto (*con*.to) *s.m.* Narrativa ficcional menor que um romance, com poucos personagens e em torno de um conflito único. || *Conto da carochinha*: história para criança. • *Conto de fadas*: história infantil em que intervêm fadas.

conto do vigário *s.m.* Embuste usado para enganar pessoas ingênuas que esperam obter falsas vantagens. || pl.: *contos do vigário.*

contorção (con.tor.*ção*) *s.f.* **1.** Ato ou efeito de contorcer(-se). **2.** Movimento violento de um ou mais músculos do corpo.

contorcer (con.tor.*cer*) *v.* Torcer parte do corpo fazendo contração: *A serpente contorceu o corpo para dar o bote; Contorcia-se de rir; Contorcia-se de dor.* ▶ Conjug. 42.

contorcionismo (con.tor.ci:o.*nis*.mo) *s.m.* Prática ou exibição de contorções.

contorcionista (con.tor.ci:o.*nis*.ta) *s.m.* e *f.* Pessoa que faz contorções acrobáticas.

contornar (con.tor.*nar*) *v.* **1.** Percorrer o perímetro de; dar volta em torno de: *O carro contornou a praça e entrou na primeira rua à direita.* **2.** Solucionar parcialmente ou adiar a solução de uma crise ou uma situação problemática: *Por enquanto ela está contornando a situação*. **3.** Ficar ou estender-se em torno de: *Algumas casas contornavam a praça.* ▶ Conjug. 20.

contorno [ô] (con.tor.no) *s.m.* **1.** Linha que limita exteriormente um corpo, um objeto, uma figura. **2.** Linha cuja forma determina os relevos, tanto na natureza como nas obras de arte; o arredondado do corpo e dos membros. **3.** Desvio ou retorno nas rodovias.

contra (con.tra) *prep.* **1.** Exprime uma relação de oposição. • *adv.* **2.** Em sentido contrário, contrariamente: *votar contra* • *s.m.* **3.** Oposição sistemática; objeção; obstáculo: *ser do contra*.

contra-atacar (con.tra-a.ta.car) *v.* Revidar um ataque: *O deputado contra-atacou com veemência as acusações do opositor; O time começou perdendo, mas contra-atacou em tempo.* ▶ Conjug. 5 e 35.

contra-ataque (con.tra-a.ta.que) *s.m.* **1.** Ato ou efeito de contra-atacar. **2.** (*Mil.*) Ataque lançado para repelir um ataque inimigo. || pl.: *contra-ataques*.

contra-aviso (con.tra-a.vi.so) *s.m.* Aviso contrário a um antecedente. || pl.: *contra-avisos*.

contrabaixista [ch] (con.tra.bai.xis.ta) *s.m. e f.* Pessoa que toca contrabaixo; contrabaixo.

contrabaixo [ch] (con.tra.bai.xo) *s.m.* **1.** Instrumento musical de cordas, friccionadas por arco, o maior e o mais grave da família do violino. **2.** Músico que toca contrabaixo. **3.** Voz mais grave que a do baixo; baixo profundo. **4.** Cantor que tem essa voz. **5.** Registro de órgão no gênero grave das flautas. • *s.m. e f.* **6.** Contrabaixista.

contrabalançar (con.tra.ba.lan.çar) *v.* Obter equilíbrio ou compensação de alguma coisa, contrapondo medidas, pesos, atribuição de importância etc. a uma situação ou a um fato: *Ele contrabalançava sua falta de estudo com uma inteligência sagaz.* ▶ Conjug. 5 e 36.

contrabandear (con.tra.ban.de.ar) *v.* Introduzir num país mercadorias de outros sem pagar os devidos tributos: *O homem foi preso porque contrabandeava mercadorias na fronteira do Paraguai.* ▶ Conjug. 14.

contrabandista (con.tra.ban.dis.ta) *s.m. e f.* Pessoa que faz contrabandos.

contrabando (con.tra.ban.do) *s.m.* Introdução clandestina de mercadorias proibidas ou sem o pagamento dos impostos devidos.

contração (con.tra.ção) *s.f.* **1.** Ato ou efeito de contrair; movimento pelo qual um corpo se contrai. **2.** (*Anat.*) Retraimento dos músculos. **3.** (*Gram.*) Aglutinação de certas preposições com artigo ou pronome demonstrativo: *Em* do e nesse *ocorre a contração das preposições de e em com o artigo* o *e o demonstrativo* esse.

contracapa (con.tra.ca.pa) *s.f.* Cada um dos lados internos da capa de um livro, revista etc.

contracena (con.tra.ce.na) *s.f.* **1.** (*Teat.*) Cena secundária, na qual o diálogo é simulado e que se desenvolve simultaneamente à cena principal. **2.** Ação ou efeito de contracenar.

contracenar (con.tra.ce.nar) *v.* (*Cine, Teat., Telv.*) Atuar (ator ou atriz) em cena (teatro, cinema, televisão) com outro ator ou atriz: *Casados na vida real, os dois atores contracenaram em numerosas novelas.* ▶ Conjug. 5.

contracepção (con.tra.cep.ção) *s.f.* (*Biol.*) **1.** Método ou técnica que impede a fecundação do óvulo. **2.** Infecundidade provocada pelo uso de anticoncepcionais.

contraceptivo (con.tra.cep.ti.vo) *adj.* **1.** (*Med.*) Pertinente à contracepção. • *s.m.* **2.** (*Med.*) Processo ou medicamento contra a concepção.

contracheque [é] (con.tra.che.que) *s.m.* Documento emitido por empresa pública ou privada que comprova o ganho bruto e as deduções do funcionário.

contracorrente (con.tra.cor.ren.te) *s.f.* **1.** (*Geogr.*) Corrente marítima ou fluvial que flui em sentido contrário à corrente principal. **2.** *fig.* O que se posiciona contra a opinião geral ou o senso comum: *Aquele grande pintor estava na contracorrente do movimento artístico pós-moderno.*

contráctil (con.trác.til) *adj.* Contrátil.

contracultura (con.tra.cul.tu.ra) *s.f.* **1.** Movimento cultural surgido na década de 60, que questionava os valores da cultura ocidental e pregava a sua mudança. **2.** Prática cultural que rejeita os valores culturais dominantes.

contradança (con.tra.dan.ça) *s.f.* **1.** Dança em que os pares formam fila e executam movimentos em sentido contrário. **2.** A música que acompanha esse tipo de dança.

contradição (con.tra.di.ção) *s.f.* Afirmação ou atitude incoerentes com uma afirmação feita ou atitude tomada anteriormente: *cair em contradição*.

contradita (con.tra.di.ta) s.f. **1.** Alegação escrita, apresentada para contradizer ou contestar uma outra. **2.** (Jur.) Alegação que uma parte faz contra a outra.

contraditar (con.tra.di.tar) v. **1.** Desmentir, contestar: *Há quem contradite a teoria da evolução das espécies.* **2.** (Jur.) Fazer objeção à afirmação de uma testemunha. ▶ Conjug. 5.

contraditório (con.tra.di.tó.ri:o) adj. Que se contradiz, que encerra contradição: *um discurso contraditório; uma atitude contraditória.*

contradizer (con.tra.di.zer) v. **1.** Dizer ou expressar oposto: *O documento contradiz as afirmações do suspeito.* **2.** Contestar afirmação, declaração, ideia de alguém: *Contradigo a ideia de que não existe vida em outras galáxias.* **3.** Dizer o contrário do que afirmou: *O suspeito se contradisse muitas vezes.* || part.: contradito. ▶ Conjug. 57.

contrafação (con.tra.fa.ção) s.f. **1.** Ato ou efeito de contrafazer. **2.** Fingimento, disfarce. **3.** Edição de obra sem autorização do autor.

contrafazer (con.tra.fa.zer) v. **1.** Fazer uma coisa tão parecida com outra, que com dificuldade se distingam: *Certos pintores contrafazem obras dos grandes mestres da pintura.* **2.** Reprimir-se, indo contra sua vontade ou índole; violentar-se: *Sempre que me contrafaço, acabo me arrependendo.* || part.: contrafeito. ▶ Conjug. 61.

contrafé (con.tra.fé) s.f. Cópia autêntica de citação ou intimação judicial que o oficial de justiça entrega à pessoa citada.

contrafeito (con.tra.fei.to) adj. **1.** Imitado por contrafação; falsificado. **2.** fig. Que não está à vontade, vexado, constrangido, forçado: *sorriso contrafeito.*

contrafilé (con.tra.fi.lé) s.m. Pedaço de carne bovina localizada na parte média do dorso da rês, usado para fazer bifes.

contraforte [ó] (con.tra.for.te) s.m. **1.** Forro usado para reforçar calçados e roupas. **2.** (Arquit.) Estrutura para reforçar e escorar construções. **3.** (Geogr.) Ramificação montanhosa que se defronta com a cadeia principal.

contragolpe [ó] (con.tra.gol.pe) s.m. **1.** Golpe que se desfere em oposição a outro. **2.** Movimento que visa a anular antecipadamente um golpe que se prepara.

contragosto [ô] (con.tra.gos.to) s.m. Falta de vontade ou gosto. || *A contragosto:* loc. adv. contra a vontade.

contraindicação (con.tra.in.di.ca.ção) s.f. **1.** Indicação oposta a outra. **2.** (Med.) Conjunto de circunstâncias que não permitem aplicar numa doença ou num doente tratamento indicado em outras ocasiões.

contraindicar (con.tra.in.di.car) v. Opor-se a determinado uso ou procedimento, geralmente médico ou odontológico: *O doutor Roberto contraindica essa cirurgia; Meu dentista contra-indica esse creme dental.* ▶ Conjug. 5 e 35.

contrair (con.tra.ir) v. **1.** Encolher(-se), retrair(-se): *contrair os músculos da coxa; Sua face contraiu-se num esgar.* **2.** Adquirir (doenças, costumes, vícios etc.): *Como não cuidou bem da gripe, contraiu uma pneumonia.* **3.** Assumir responsabilidade: *Logo que conseguiu um bom emprego, contraiu matrimônio; É preciso muito cuidado para não contrair dívidas com supérfluo.* ▶ Conjug. 83.

contralto (con.tral.to) s.m. **1.** A mais grave das vozes femininas, abaixo do meio-soprano. **2.** Cantora que tem esta voz. **3.** Instrumento com essa tonalidade.

contramão (con.tra.mão) adj. **1.** Que é de difícil acesso ou muito distante: *É um subúrbio muito contramão.* • s.f. **2.** Direção oposta ao fluxo do trânsito permitido numa via. **3.** Posição que indica opinião ou atitude oposta ao estabelecido pelo senso comum: *Não ande na contramão da História.*

contramedida (con.tra.me.di.da) s.f. Medida para obstar ou neutralizar os efeitos de outra.

contramestre [é] (con.tra.mes.tre) s.m. **1.** Imediato do mestre numa fábrica, numa oficina. **2.** (Náut.) Marinheiro imediato ao mestre.

contraofensiva (con.tra.o.fen.si.va) s.f. Ofensiva que uma tropa realiza após ter sustado a ofensiva do inimigo; contra-ataque.

contraoferta (con.tra.o.fer.ta) s.f. Oferta que visa à substituição de outra que foi rejeitada.

contraordem (con.tra.or.dem) s.f. Ordem que revoga outra anterior ou se opõe a ela.

contraparente (con.tra.pa.ren.te) s.m. e f. Parente por afinidade, cujo vínculo se dá por casamento: *genro, sogra, cunhado etc.*

contraparte (con.tra.par.te) s.f. **1.** Parte oposta a outra. **2.** (Mús.) Trecho musical em contraponto a outro.

contrapartida (con.tra.par.ti.da) s.f. **1.** Lançamento contábil que corresponde e se opõe a outro. **2.** O que serve de compensação; contrapeso.

contrapeso [ê] (con.tra.pe.so) s.m. **1.** Peso suplementar para anular a força de um outro peso. **2.** *fig.* Qualquer coisa que serve para compensar ou contrabalançar uma outra.

contraponto (con.tra.*pon*.to) *s.m.* **1.** Arte e técnica de composição musical em que se sobrepõem melodias executadas concomitantemente. **2.** Trecho musical em que ocorre esse tipo de composição. **3.** *fig.* Algo que contrasta com e complementa ao mesmo tempo: *A segunda aula do mestre foi um contraponto da primeira.*

contrapor (con.tra.*por*) *v.* **1.** Pôr contra; pôr lado a lado (objetos, ideias etc.) para comparar, contrastar etc.; confrontar: *O orador contrapôs duas teorias sobre a origem do homem americano.* **2.** Apresentar(-se) em oposição a alguém ou a algo: *No debate, ele contrapôs bons argumentos para defender-se das críticas a seu sistema; O orientador educacional contrapôs sua opinião à dos representantes de turmas.* || *part.*: contraposto. ▶ Conjug. 65. – **contraposição** *s.f.*

contraproducente (con.tra.pro.du.*cen*.te) *adj.* Que não produz o que se esperava ou produz resultado negativo: *Foi um discurso contraproducente.*

contrapropaganda (con.tra.pro.pa.*gan*.da) *s.f.* Propaganda que se destina a anular os efeitos de outra.

contrapropor [ô] (con.tra.pro.*por*) *v.* Apresentar uma proposta alternativa a outra: *Ao ministro, os funcionários contrapropuseram um aumento maior.* || *part.*: contraproposto. ▶ Conjug. 65.

contraproposta [ó] (con.tra.pro.*pos*.ta) *s.f.* Proposta apresentada em alternativa a uma outra.

contraprova [ó] (con.tra.*pro*.va) *s.f.* **1.** (*Jur.*) Impugnação jurídica dos argumentos contra o réu. **2.** Segunda prova tipográfica. **3.** Prova efetuada para contraditar outra anterior.

contrarregra (con.trar.*re*.gra) *s.m.* e *f.* (*Cine*, *Teat.*, *Telv.*) Profissional encarregado dos acessórios necessários à apresentação de uma peça teatral, uma filmagem ou programa de televisão e da entrada dos atores em cena.

contrarrevolução (con.trar.re.vo.lu.*ção*) *s.f.* Movimento político que objetiva anular os efeitos de uma revolução precedente. – **contrarrevolucionário** *adj. s.m.*

contrariar (con.tra.ri.*ar*) *v.* **1.** Estar em oposição a; fazer oposição a: *Evitemos atitudes que contrariem nossos princípios.* **2.** Aborrecer, incomodar: *A atitude do chefe contrariou os com-*

panheiros. **3.** Dizer, querer, fazer o contrário; contestar: *Sempre se fez de importante, contrariando os outros sem razão.* **4.** Aborrecer-se: *O cliente contrariou-se com o vendedor.* ▶ Conjug. 17.

contrariedade (con.tra.ri:e.*da*.de) *s.f.* **1.** Desgosto, aborrecimento: *A saída do filho trouxe contrariedades ao pai.* **2.** Oposição entre coisas: *contrariedade de objetivos.* **3.** Estorvo, dificuldade, contratempo: *Não esperávamos esta contrariedade no caminho.*

contrário (con.*trá*.ri:o) *adj.* **1.** Que se opõe a ou difere de: *A posição de Pedro era contrária à de Paulo.* **2.** Que está em direção oposta: *a pista contrária.* **3.** Que não concorda com, que contradiz: *Sua opinião é contrária à cobrança de entrada.* **4.** Que está no avesso: *Com pressa, vestiu a blusa do lado contrário.* **5.** Que não é benéfico; que prejudica: *um ambiente contrário aos estudos.* • *s.m.* **6.** Qualquer coisa que é oposta a outra: *Em vez de querer a paz, ele quis o contrário.* || *Ao contrário*: de maneira inversa. • *Caso contrário*: se não for assim. • *Pelo contrário*: de maneira inversa.

contrassenha (con.tras.*se*.nha) *s.f.* Qualquer convenção previamente adotada para decifrar a senha.

contrassenso (con.tras.*sen*.so) *s.m.* Dito ou ato contrário ao senso comum, ao bom-senso; disparate, absurdo.

contrastar (con.tras.*tar*) *v.* **1.** Comparar salientando as diferenças; confrontar: *O vermelho vivo das papoulas contrastava com o ouro do trigal.* **2.** Apresentar disparidade; mostrar-se diferente: *O mutismo do marido contrastava com a tagarelice da mulher.* ▶ Conjug. 5.

contraste (con.*tras*.te) *s.m.* **1.** Oposição ou diferença marcante entre coisas análogas ou da mesma natureza. **2.** Variação de claro e escuro numa fotografia, pintura ou imagem de televisão. **3.** Substância introduzida (por via intravenosa ou oral) no paciente, antes de certos exames radiológicos.

contratador [ô] (con.tra.ta.*dor*) *adj.* **1.** Que contrata, contratante. • *s.m.* **2.** Aquele que contrata.

contratante (con.tra.*tan*.te) *adj.* **1.** Que celebra um contrato: *a firma contratante.* • *s.m.* e *f.* **2.** Aquele que celebra um contrato: *Vou falar com o contratante.*

contratar (con.tra.*tar*) *v.* **1.** Garantir um serviço ou uma tarefa através de contrato: *A empresa contratou os serviços de um segurança noturno.* **2.** Ajustar serviço permanente ou

contratempo

temporário com alguém: *Contratou uma professora para ensinar na fazenda*. **3.** Assumir obrigação por meio de um pacto; combinar: *Finalmente os noivos contrataram casamento*. ▶ Conjug. 5.

contratempo (con.tra.*tem*.po) *s.m.* **1.** Circunstância imprevista ou acontecimento inconveniente que inutilizam projetos ou planos. **2.** Contrariedade, embaraço, obstáculo, dificuldade. || *A contratempo*: fora de propósito.

contrátil (con.*trá*.til) *adj.* Suscetível de contrair-se. || *contráctil*. – **contratilidade** *s.f.*

contrato (con.*tra*.to) *adj.* **1.** Contraído. • *s.m.* **2.** Ato ou efeito de contratar. **3.** Acordo entre pessoas, entidades, governos etc. que estabelece uma série de direitos e deveres a que ficam sujeitos. **4.** Documento que registra, formaliza e legaliza esse acordo.

contratorpedeiro (con.tra.tor.pe.*dei*.ro) *s.m.* Navio de guerra de pequena tonelagem, de grande velocidade, podendo afrontar o alto-mar e destinado a proteger as esquadras e dar caça aos torpedeiros inimigos; destróier.

contratual (con.tra.tu:*al*) *adj.* **1.** Relativo a contrato. **2.** Que faz parte do contrato.

contratura (con.tra.*tu*.ra) *s.f.* **1.** Ação de contrair **2.** (*Med.*) Espasmo muscular produzido por contusão, pela paralisação de músculos antagônicos ou por problemas neurológicos.

contravenção (con.tra.ven.*ção*) *s.f.* Transgressão ou violação de dispositivos legais, contratuais ou regulamentares.

contraveneno (con.tra.ve.*ne*.no) *s.m.* (*Med.*) Medicamento que anula ou atenua a ação de um veneno; antídoto.

contraventor [ô] (con.tra.ven.*tor*) *s.m.* Quem pratica contravenção.

contribuição (con.tri.bu:i.*ção*) *s.f.* **1.** Ato ou efeito de contribuir. **2.** Quota com que o cidadão contribui para a receita do Estado ou para a despesa pública; imposto. **3.** Quota que cabe a cada um numa despesa coletiva previamente combinada. **4.** Subsídio que se dá para um fim qualquer.

contribuinte (con.tri.bu.*in*.te) *adj.* **1.** Que contribui. • *s.m.* e *f.* **2.** Cidadão que paga seus impostos e tributos.

contribuir (con.tri.bu:*ir*) *v.* **1.** Concorrer para determinado fim; cooperar: *Todos os amigos contribuíram para a viagem do poeta*. **2.** Ter participação em determinado resultado: *O belo dia de sol contribuiu para o brilho da festa*.

3. Dar ou pagar cada um a quota que lhe cabe numa ação coletiva: *Você já contribui para as obras da igreja?* **4.** Fornecer, entrar com: *Para a construção da igreja, nós contribuímos com o sino*. **5.** Pagar impostos ao Estado: *Contribuímos para o progresso do Brasil, pagando nossos impostos*. *adj.* ▶ Conjug. 80.

contrição (con.tri.*ção*) *s.f.* Sentimento de culpa ou arrependimento pelos pecados cometidos; dor profunda e sincera de haver ofendido a Deus; compunção. || *Ato de contrição*: oração católica rezada para mostrar esse sentimento.

contristar (con.tris.*tar*) *v.* Tornar(-se) muito triste; penalizar(-se): *A indigência daquele velho contristou o coração da rica senhora*; *Contristei-me com o que vi naquela rua*. ▶ Conjug. 5.

contrito (con.*tri*.to) *adj.* Que sente contrição; arrependido; compungido.

controlar (con.tro.*lar*) *v.* **1.** Exercer controle sobre: *Ela controlava todos os movimentos da casa*. **2.** Não deixar exceder: *Temos que controlar as despesas da casa*. **3.** Refrear emoções e sentimentos: *Ela controlava sua dor para que não percebessem*. **4.** Conter-se; manter o controle de si mesmo: *Ela controlava-se para que ninguém percebesse sua dor*. ▶ Conjug. 20. – **controlador** *adj. s.m.*; **controlável** *adj.*

controle [ô] (con.*tro*.le) *s.m.* **1.** Ato ou efeito de controlar. **2.** Fiscalização exercida sobre algumas atividades ou o poder de exercê-la: *A prefeitura exerce controle sobre as feiras livres*. **3.** Chave, botão ou qualquer outro instrumento destinados a comandar os mecanismos de uma máquina, aparelho ou instrumento. **4.** Capacidade de dominar uma situação com discernimento e reflexos adequados; poder de dominar-se: *Teve controle para evitar uma colisão*.

controvérsia (con.tro.*vér*.sia) *s.f.* Divergência de opiniões quanto a uma ação, proposta ou questão.

controverso [é] (con.tro.ver.so) *adj.* **1.** Que provoca controvérsia: *assunto controverso*. **2.** Diz-se de pessoas cujas ações provocam controvérsia; controvertido, polêmico: *É um dirigente controverso*.

controverter (con.tro.ver.*ter*) *v.* Apresentar objeções a; questionar: *Não quero controverter suas palavras*. ▶ Conjug. 41.

controvertido (con.tro.ver.*ti*.do) *adj.* Controverso.

contudo (con.*tu*.do) *conj.* Expressa contraposição entre termos de uma mesma frase ou

conveniente

de frases diferentes, com *nuances* de ressalva, concessão etc.: *O romance é muito bem escrito, contudo não conquistou muitos leitores.*

contumácia (con.tu.*má*.ci:a) *s.f.* **1.** Qualidade de contumaz; grande teimosia; obstinação. **2.** (*Jur.*) Recusa de comparecer perante a justiça numa causa criminal.

contumacíssimo (con.tu.ma.*cís*.si.mo) *adj.* Superlativo absoluto de *contumaz.*

contumaz (con.tu.*maz*) *adj.* Obstinado em não obedecer a ordens legítimas: *Ele continua contumaz no desrespeito ao juiz.* || sup. abs. *contumacíssimo.*

contundente (con.tun.*den*.te) *adj.* **1.** Que pode causar contusão: *objeto contundente.* **2.** Incontestável, decisivo: *provas contundentes.* – **contundência** *s.f.*

contundir (con.tun.*dir*) *v.* **1.** Ficar contundido, ferir-se, machucar-se: *O atacante se contundiu às vésperas da competição.* **2.** Ter alguma parte do corpo lesionada, contundida, ferida: *Ela nem notou que tinha contundido o pé.* **3.** Causar contusão em, ferir, machucar alguém: *Um incidente de percurso contundiu a bailarina.* ▶ Conjug. 66.

conturbação (con.tur.ba.*ção*) *s.f.* **1.** Ato ou efeito de conturbar(-se). **2.** Perturbação de ânimo.

conturbar (con.tur.*bar*) *v.* Pôr(-se) em desordem e confusão; amotinar(-se); perturbar(-se): *O temporal conturbou o trânsito; A moça conturbou-se com as palavras do namorado.* ▶ Conjug. 5.

contusão (con.tu.*são*) *s.f.* **1.** Ato ou efeito de contundir. **2.** Traumatismo produzido no corpo por pancada ou instrumento contundente.

convalescença (con.va.les.cen.*ça*) *s.f.* **1.** Ato ou efeito de convalescer. **2.** Período de restabelecimento consecutivo a uma doença.

convalescência (con.va.les.*cên*.ci:a) *s.f.* Convalescença.

convalescente (con.va.les.*cen*.te) *adj.* **1.** Em convalescência; que convalesce: *Enquanto você estiver convalescente, deve permanecer aqui, no sítio.* • *s.m.* e *f.* **2.** Pessoa que está em convalescência: *Esta alimentação não é apropriada para um convalescente.*

convalescer (con.va.les.*cer*) *v.* **1.** Recuperar a saúde depois de uma doença ou um acidente; restabelecer-se: *O rapaz está convalescendo de uma pneumonia; Vá convalescer numa aldeia de pescadores.* **2.** Fortalecer; fortificar, recuperar: *Uma retirada bem longa para o sítio era capaz de convalescer meu espírito outra vez.* ▶ Conjug. 41 e 46.

convenção (con.ven.*ção*) *s.f.* **1.** Encontro de pessoas para discutir assuntos de seu interesse; congresso; conferência. **2.** Acordo entre duas ou mais partes; pacto: *A Convenção de Genebra proíbe o uso de gases tóxicos e asfixiantes na guerra.* **3.** Aquilo que depois de combinação prévia passa a ter valor ou ganha sentido: *O sistema métrico decimal é uma convenção válida para a maioria dos países.*

convencer (con.ven.*cer*) *v.* **1.** Persuadir, levar alguém a aceitar algo: *Basta, você me convenceu; Os amigos convenceram-na a sair; Não consegui convencê-lo de que estudasse Medicina; A doença o convenceu de suas limitações.* **2.** Ficar convencido: *Custou-lhe convencer-se de que devia estudar; Logo ele se convenceu da gravidade da situação.* **3.** Ser convincente: *Sua performance não convenceu.* ▶ Conjug. 39 e 46.

convencido (con.ven.*ci*.do) *adj.* **1.** Convicto, seguro, certo: *Agora estou convencido de sua inocência.* **2.** Presunçoso, cheio de empáfia, sem modéstia: *Se você não fosse tão convencido, teria mais amigos.* • *s.m.* **3.** Pessoa presunçosa, cheia de empáfia: *Lá vai o convencido exibir-se para as meninas.*

convencimento (con.ven.ci.*men*.to) *s.m.* **1.** Ato ou efeito de convencer alguém ou a si mesmo. **2.** Atitude presunçosa, cheia de empáfia.

convencional (con.ven.ci:o.*nal*) *adj.* **1.** Relativo a convenção, resultante dela. **2.** Que é aprovado pela tradição e pelo uso: *Prefiro verduras de cultivo orgânico e convencional.* **3.** Sem sinceridade; artificial: *Despediu-se da mulher com um beijo convencional.* • *s.m.* e *f.* **4.** Membro de uma convenção: *Os convencionais marcaram a data da próxima reunião.* – **convencionalismo** *s.m.*; **convencionalista** *adj. s.m.* e *f.*

convencionar (con.ven.ci:o.*nar*) *v.* Estabelecer de comum acordo; combinar: *Convencionaram um sinal para avisar a chegada do homenageado.* ▶ Conjug. 5.

conveniência (con.ve.ni:*ên*.ci:a) *s.f.* **1.** Qualidade de conveniente; do que está de acordo com os interesses de alguém. **2.** Decoro, decência. || *Guardar as conveniências*: acomodar-se aos usos sociais.

conveniente (con.ve.ni:*en*.te) *adj.* **1.** Que convém por sua utilidade e oportunidade. **2.** Adequado, apropriado.

convênio

convênio (con.vê.ni:o) s.m. **1.** Pacto, convenção. **2.** Acordo entre órgãos públicos ou privados para prestação de serviços.
convento (con.ven.to) s.m. **1.** Edifício onde habitam religiosos ou religiosas (frades ou freiras), vivendo em comum e sujeitos à mesma regra: *No convento de Santo Antônio, vivem os frades franciscanos.* **2.** A comunidade religiosa que vive dentro desses princípios: *Todo o convento das clarissas está rezando pela paz.* **3.** *fig.* Casa muito grande.
conventual (con.ven.tu:al) adj. **1.** Relativo a convento, próprio dele: *Ela não se acostumou com a disciplina conventual.* • s.m. e f. **2.** Pessoa residente em convento: *Os conventuais receberam com festa o novo superior.*
convergência (con.ver.gên.ci:a) s.f. **1.** Afluência de duas ou mais coisas para um mesmo ponto. **2.** Coincidência ou afinidade de ações ou pensamentos; confluência.
convergente (con.ver.gen.te) adj. **1.** Que converge; que tende para um ponto comum. **2.** (*Geom.*) Diz-se de linhas retas que convergem para um ponto: *linhas convergentes.* **3.** *fig.* Que segue a mesma linha ou tende a um mesmo fim: *aspirações convergentes.*
convergir (con.ver.gir) v. **1.** Dirigir-se, inclinar-se, tender para um ponto comum: *Todas as ruas da cidade convergiam para a Praça da Matriz.* **2.** Concorrer (de vários pontos) para um determinado lugar: *Burros carregados de lenha convergiam das fazendas para a estação da estrada de ferro.* **3.** *fig.* Tender para o mesmo fim: *Todos os nossos esforços convergiam para a vitória final.* ▶ Conjug. 69.
conversa [é] (con.ver.sa) s.f. **1.** Troca de ideias entre duas ou mais pessoas. **2.** Acerto de contas, busca de entendimento: *Preciso ter uma conversa com você.* **3.** Mentira, patranha, invenção: *Prometeu-me ajuda, mas logo vi que era conversa.* **4.** Diálogo em que um dos interlocutores procura convencer o outro para obter vantagens: *conversa de vendedor.* • s.m. **5.** *coloq.* Pessoa leviana, em cuja palavra não se pode acreditar: *Logo vi que você era um conversa.* || *Conversa mole:* **1.** conversa fiada: *Não me venha com conversa mole.* **2.** pessoa que não cumpre o que promete: *Onde está o que você prometeu? Você é mesmo um conversa mole.* • *Ir na conversa de:* acreditar no que lhe foi dito por alguém. • *Jogar conversa fora:* conversar sobre assuntos banais. • *Passar uma conversa em:* tentar, com lábia, convencer alguém a ceder alguma coisa.

conversador [ô] (con.ver.sa.dor) adj. **1.** Que gosta de conversar: *A professora repreendeu o aluno conversador.* • s.m. **2.** Pessoa que gosta de conversar; falador: *O meu compadre de Carangola é um grande conversador.*
conversa-fiada (con.ver.sa-fi:a.da) s.m. e f. **1.** Pessoa inconsequente, que não cumpre o prometido. **2.** Pessoa que conta vantagens. || pl.: *conversas-fiadas.*
conversão (con.ver.são) s.f. **1.** Ato ou efeito de converter(-se). **2.** Mudança de religião, de partido político, de maneira de viver: *Sua conversão ao catolicismo foi muito comentada.* **3.** Transmutação de uma coisa em outra: *Acreditavam na possibilidade de conversão de qualquer metal em ouro.* **4.** Mudança de direção ou de sentido: *Depois que passou o posto, ele fez a conversão para a direita.* **5.** (*Econ.*) Troca da moeda de um país pela de outro: *conversão de reais em euros.*
conversar (con.ver.sar) v. **1.** Falar com uma ou mais pessoas, trocando ideias: *Conversou com os companheiros do time sobre o próximo jogo; As amigas conversaram a noite toda.* **2.** Palestrar, falar; tratar, discutir: *Ela conversava sobre todos os assuntos.* ▶ Conjug. 8.
conversível (con.ver.sí.vel) adj. **1.** Que pode ser convertido, trocado; convertível. **2.** Cuja capota pode ser arriada. • s.m. **3.** Automóvel conversível.
converso [é] (con.ver.so) adj. **1.** Convertido. • s.m. **2.** Irmão leigo que vive numa congregação ou ordem, sem receber ordenação sacerdotal.
conversor [ô] (con.ver.sor) adj. **1.** Que converte. • s.m. **2.** (*Eletr.*) Aparelho para modificar a forma ou a natureza de uma corrente elétrica de contínua em alternada e vice-versa. **3.** (*Eletrôn.*) Dispositivo que transforma a frequência de um sinal.
converter (con.ver.ter) v. **1.** Mudar(-se), transformar(-se), transmudar(-se) uma coisa em outra: *O patinho feio converteu-se num lindo cisne.* **2.** Fazer mudar de crença, de opinião ou de partido: *Os jesuítas converteram muitos pagãos ao cristianismo; Depois da morte do marido, ela se converteu ao budismo.* **3.** Transformar uma coisa, uma tarefa, uma característica em outra: *Espera-se que a comissão não converta o inquérito em frustração.* **4.** Trocar uma moeda por outra: *Antes de viajar, converteu seus reais em euros.* **5.** Aproveitar penalidade para marcar

convulsivo

pontos: *O atacante converteu a cobrança da falta em gol; Mirou a cesta, arremessou e converteu.* ▶ Conjug. 41.

convertido (con.ver.*ti*.do) *adj.* **1.** Que se converteu. • *s.m.* **2.** Pessoa que se converteu.

convertível (con.ver.*tí*.vel) *adj.* Que pode ser convertido; conversível.

convés (con.*vés*) *s.m.* (*Náut.*) Pavimento superior do navio, geralmente coberto com toldo, onde os passageiros passeiam e conversam.

convescote [ó] (con.ves.*co*.te) *s.m.* Passeio com refeição ao ar livre; piquenique.

convexo [écs] (con.*ve*.xo) *adj.* Curvo ou arredondado para a parte externa. ‖ Conferir com *côncavo*.

convicção (con.*vic*.ção) *s.f.* **1.** Certeza inabalável em alguma coisa: *Ele tem forte convicção política.* **2.** Crenças, ideias, princípios que norteiam a vida de alguém: *Não abro mão de minhas convicções.*

convicto (con.*vic*.to) *adj.* Que tem convicção de alguma coisa; convencido, persuadido.

convidado (con.vi.*da*.do) *adj.* **1.** Que recebe um convite: *A bela estrela é a atriz convidada da nova novela.* • *s.m.* **2.** Pessoa a quem se fez convite: *Já chegaram todos os convidados?*

convidar (con.vi.*dar*) *v.* **1.** Convocar alguém para comparecer a um lugar ou participar de alguma coisa: *Convidou todos os parentes para a ceia de Natal.* **2.** Sugerir, induzir, predispor: *O conforto da sala convidava ao trabalho mental.* ▶ Conjug. 5.

convidativo (con.vi.da.*ti*.vo) *adj.* Que convida; que exerce atração sobre alguém; atraente: *preços convidativos.*

convincente (con.vin.*cen*.te) *adj.* Que convence; que tem o poder de convencer: *argumentação convincente.*

convir (con.*vir*) *v.* **1.** Ser apropriado ou proveitoso; importar, ser útil: *Convém ser prudente ao dirigir automóvel; Convinha não despertar as crianças àquela hora.* **2.** Ajustar-se, condizer: *Essas roupas me convêm para a viagem.* **3.** Admitir, concordar, estar de acordo: *Os rapazes convieram conosco(em) que não estavam certos.* **4.** Entrar em ajuste, pactuar: *Os funcionários convieram em fazer uma festa para o diretor.* ‖ part.: *convindo.* ▶ Conjug. 85.

convite (con.*vi*.te) *s.m.* **1.** Ato de convidar. **2.** Solicitação para comparecer a determinado ato. **3.** Cartão ou papel em que se convida. **4.** Meio de convidar.

conviva (con.*vi*.va) *s.m. e f.* Pessoa que participa como convidado de uma festa, banquete etc.

convivência (con.vi.*vên*.ci:a) *s.f.* Ação ou efeito de conviver, de estar junto com frequência; convívio.

conviver (con.vi.*ver*) *v.* **1.** Ter convivência; viver no mesmo lugar com outra(s) pessoa(s): *Jesus conviveu com os pais até os trinta anos.* **2.** Viver no mesmo espaço físico; viver no mesmo ambiente: *No Pantanal convivem em harmonia as mais diferentes espécies.* **3.** Adaptar-se a uma situação: *Ela acabou aprendendo a conviver com a doença.* ▶ Conjug. 39.

convívio (con.*ví*.vio) *s.m.* Convivência.

convocação (con.vo.ca.*ção*) *s.f.* **1.** Ato de convocar. **2.** Chamado para participar de uma seleção. **3.** (*Mil.*) Chamada para o serviço militar ou para operação de guerra.

convocar (con.vo.*car*) *v.* **1.** Chamar para comparecimento: *O governo federal convoca todos os eleitores para votar no plebiscito de 23 de outubro.* **2.** Constituir, fazer reunir: *Alguns deputados querem que se convoque uma assembleia constituinte.* **3.** Chamar jogadores para participar de uma seleção nacional: *O técnico da seleção vai convocar seis atacantes.* **4.** Chamar para serviço militar ou para operações militares: *O Brasil não vai convocar reservistas para o corpo de paz da ONU no Haiti.* ▶ Conjug. 20 e 35.

convosco [ô] (con.*vos*.co) *pron.* **1.** Com a pessoa ou as pessoas com as quais se fala: *Queremos compartilhar convosco esta alegria.* **2.** Em vossa companhia: *A paz esteja convosco.* **3.** Em vosso poder, sob vossa responsabilidade: *Ó jovens, o futuro do Brasil está convosco.* **4.** De vós para vós: *Falávels convosco mesmo sobre o problema que vos aflige.* **5.** Em relação a vós: *Não ficamos aborrecidos convosco.*

convulsão (con.vul.*são*) *s.f.* **1.** (*Med.*) Contração muscular súbita e involuntária e de acentuada intensidade. **2.** Grande agitação social; movimento popular violento: *convulsão social.*

convulsionar (con.vul.si:o.*nar*) *v.* **1.** Causar transtorno e convulsão: *O forte temporal da tarde convulsionou o trânsito.* **2.** Excitar; estimular a revolta: *Com um discurso inflamado, o orador convulsionou os operários insatisfeitos.* **3.** Sofrer convulsões: *Depois da injeção, o doente convulsionou(-se).* ▶ Conjug. 5.

convulsivo (con.vul.*si*.vo) *adj.* **1.** Em que há convulsão: *movimentos convulsivos.* **2.** (*Med.*) Que provoca convulsão: *medicação convulsiva.* **3.** Descontrolado: *Era um choro convulsivo.*

convulso (con.*vul*.so) *adj.* Convulsivo.

cookie [*cúqui*] (Ing.) *s.m.* **1.** (*Inform.*) Arquivo de texto gerado pelo navegador de internet após sua utilização, contendo informações de identificação de usuário, mantido temporariamente no disco rígido. **2.** (*Cul.*) Espécie de biscoito feito com massa de bolo, crocante, com chocolate e pedacinhos de nozes, amêndoas ou de frutas cristalizadas.

cooperação (co.o.pe.ra.*ção*) *s.f.* Ato de cooperar; colaboração; prestação de auxílio para um fim comum; solidariedade, sinergia.

cooperar (co:o.pe.*rar*) *v.* **1.** Agir ou trabalhar em conjunto para um fim comum: *Todos os colegas cooperaram para que houvesse mais harmonia no grupo.* **2.** Contribuir para que alguma coisa aconteça: *A grande seca cooperou para a alta do preço do milho.* ▶ Conjug. 8. – **cooperativo** *adj.*

cooperativa (co:o.pe.ra.*ti*.va) *s.f.* Associação comercial formada de membros de um grupo econômico ou social, com vistas ao benefício de seus associados.

cooperativado (co:o.pe.ra.ti.*va*.do) *s.m.* Membro de uma cooperativa.

cooperativismo (co:o.pe.ra.ti.*vis*.mo) *s.m.* Sistema econômico e social em que a cooperação é a base sobre a qual se constroem todas as atividades econômicas (industriais, comerciais etc.).

cooperativista (co:o.pe.ra.ti.*vis*.ta) *adj.* **1.** Relativo às sociedades cooperativas ou ao cooperativismo. • *s.m.* e *f.* **2.** Pessoa adepta do cooperativismo.

cooptar (co:op.*tar*) *v.* Atrair alguém para participar de um movimento, partido, crença, ideologia etc.: *A seita coopta gente de baixo poder aquisitivo.* ▶ Conjug. 20 e 33. – **cooptação** *s.f.*

coordenação (co:or.de.na.*ção*) *s.f.* **1.** Ação ou efeito de coordenar. **2.** (*Gram.*, *Ling.*) Ligação sintática entre termos ou orações independentes. || Conferir com *subordinação*. **3.** (*Med.*) Ação do sistema nervoso central que permite à pessoa controlar e dirigir seus movimentos: *coordenação motora.*

coordenada (co:or.de.*na*.da) *s.f.* **1.** (*Geom.*) Referência que permite localizar um ponto no plano ou no espaço. **2.** (*Gram.*) Oração da mesma natureza da outra a que se liga em sequência com ou sem conectivo. • *coordenadas s.f.pl.* **3.** Referência de orientação; diretriz: *Dê-me as coordenadas, que eu chego lá.*

coordenado (co:or.de.*na*.do) *adj.* **1.** Organizado de acordo com certa ordem ou método. **2.** (*Gram.*) Ligado por coordenação: *oração coordenada.*

coordenador [ô] (co:or.de.na.*dor*) *adj.* **1.** Que coordena. • *s.m.* **2.** Pessoa que exerce a coordenação.

coordenadoria (co:or.de.na.do.*ri*.a) *s.f.* **1.** Função ou cargo de coordenador. **2.** Local onde trabalha o coordenador.

coordenar (co:or.de.*nar*) *v.* **1.** Dispor segundo certa ordem e método; organizar; arranjar: *Na ginástica rítmica, é necessário coordenar todos os movimentos do corpo.* **2.** Orientar, dirigir o trabalho de uma equipe: *Cláudio coordena muito bem a equipe.* **3.** Ligar, associar, interligar: *Ela está encarregada de coordenar os cantos com a missa.* **4.** Ligar termos e orações por meio de conjunção coordenativa: *Pedro e Paulo foram a Roma; Ela vestiu-se às pressas e saiu para a rua.* ▶ Conjug. 5.

coordenativo (co:or.de.na.*ti*.vo) **1.** *adj.* Que estabelece coordenação. **2.** Relativo a coordenação. **3.** (*Gram.*) Diz-se de conjunção que estabelece coordenação entre dois termos ou duas orações.

copa [ó] (*co*.pa) *s.f.* **1.** (*Esp.*) Torneio em que se disputa um troféu. **2.** Compartimento da casa, contíguo à cozinha, onde se guardam as louças, os talheres etc. e, geralmente, há uma mesa para refeições. **3.** Taça, vaso. **4.** (*Bot.*) Ramagem superior de uma árvore; coma, fronde. **5.** Parte central e mais alta do chapéu, circundada pela aba. **6.** (*Cul.*) Espécie de salame. • *copas s.f.pl.* **7.** Naipe de baralho onde figuram corações vermelhos.

copado (co.*pa*.do) *adj.* Que tem grande copa (4): *Era uma mangueira muito copada.*

copaíba (co.pa.*í*.ba) *s.f.* (*Bot.*) **1.** Árvore que produz óleo medicinal e madeira avermelhada, usada em marcenaria. **2.** Esse óleo medicinal.

coparticipar (co.par.ti.ci.*par*) *v.* Participar juntamente com outras pessoas: *Todos quiseram coparticipar da organização da festa.* ▶ Conjug. 5.

copázio (co.*pá*.zi:o) *s.m.* Aum. de *copo.*

copeiro (co.*pei*.ro) *s.m.* Profissional que se encarrega dos serviços da copa, serve à mesa e executa outras tarefas domésticas.

cópia (*có*.pi:a) *s.f.* **1.** Reprodução de um texto original, seja por trabalho manuscrito, seja por processos mecânicos. **2.** Reprodução de um texto ou de uma estampa em máquina copiadora, fotocópia, xerocópia ou microfilmagem. **3.** Reprodução de obra de arte, fotografia etc. **4.** Pessoa muito semelhante a outra: *O neto é a cópia do avô.* || *Cópia de segurança:* becape.

copiador [ô] (co.pi:a.*dor*) *s.m.* **1.** Profissional que copia; copista. **2.** Livro em que se fazem cópias de documentos. **3.** Plagiário, imitador.

copiadora [ô] (co.pi:a.*do*.ra) *s.f.* **1.** Estabelecimento comercial onde se fazem cópias. **2.** Máquina que faz cópias. **3.** (*Cine*) Aparelho que faz cópia de filmes, negativos e *slides.*

copiar (co.pi:*ar*) *v.* **1.** Fazer a cópia de, transcrever, trasladar: *Maria copiou em seu caderno vários sonetos de Camões.* **2.** Reproduzir texto ou estampa em máquina copiadora: fotocópia, xerocópia etc.: *Antes de ir para a aula, o professor mandou copiar para os alunos o texto da "Canção do exílio".* **3.** (*Inform.*) Gravar texto, imagem ou artigo para colocá-lo em outros lugares: *Copiou o trabalho em disquete e levou para a escola.* **4.** Reproduzir por qualquer processo: *Copiaremos o discurso do escritor.* **5.** Imitar, plagiar: *Seu romance não tem originalidade; ele copiou de um romancista inglês.* ▶ Conjug. 17.

copidescar (co.pi.des.*car*) *v.* Fazer trabalho de copidesque: *O texto não estava bom, então eu o copidesquei.* ▶ Conjug. 8 e 35.

copidesque (co.pi.des.*que*) *s.m.* **1.** Redação final, melhorada, de uma matéria jornalística ou de qualquer texto escrito dentro das normas e critérios editoriais, gramaticais etc. • *s.m. e f.* **2.** Profissional que faz o copidesque.

copiloto [ô] (co.pi.*lo*.to) *s.m.* (*Aer.*) Piloto auxiliar que eventualmente substitui o comandante da aeronave.

copioso [ô] (co.pi.*o*.so) *adj.* Que há em grande quantidade; abundante: *uma exemplificação copiosa.* || f. e pl.: [ó].

copirraite (co.pir.*rai*.te) *s.m.* (*Jur.*) Direito exclusivo que tem o autor de uma obra artística, literária ou científica quanto a sua publicação, cópia, uso e venda; direito autoral.

copista (co.*pis*.ta) *s.m. e f.* **1.** Profissional que copia; copiador. **2.** *fig.* Pessoa que imita o que outro escreveu. **3.** Homem (mais comumente frade) que antes da invenção da imprensa copiava textos nos mosteiros medievais.

copla [ó] (co.pla) *s.f.* Pequena composição poética em quadras.

copo [ó] (co.po) *s.m.* **1.** Pequeno vaso para beber, sem asa, de forma cilíndrica, de vidro, plástico, alumínio etc. **2.** Conteúdo de um copo: *Bebeu dois copos de limonada.* || *aum.:* copázio e copaço.

copo-de-leite (co.po-de-*lei*.te) *s.m.* (*Bot.*) Planta ornamental de flores brancas ou amarelas, encorpadas de textura, com miolo amarelo em forma de bastonete; cala. || pl.: *copos-de-leite.*

coprologia (co.pro.lo.*gi*.a) *s.f.* Estudo da patologia animal através das fezes; escatologia (1).

copropriedade (co.pro.pri:e.*da*.de) *s.f.* Bem comum a duas ou mais pessoas; condomínio.

coproprietário (co.pro.pri:e.*tá*.ri:o) *s.m.* Pessoa que é dona de um bem com outra ou outras pessoas.

cópula (*có*.pu.la) *s.f.* **1.** Ligação. **2.** Ato sexual; coito, sexo; acasalamento.

copular (co.pu.*lar*) *v.* Ter cópula; acasalar: *O jovem teve desejo de copular com a moça; Eles não querem copular.* ▶ Conjug. 5.

copyright [copiraite] (Ing.) *s.m.* Copirraite.

coque[1] [ó] (co.que) *s.m.* (*Quím.*) Resíduo sólido da destilação do carvão mineral.

coque[2] [ó] (co.que) *s.m.* Pancada na cabeça.

coque[3] [ó] (co.que) *s.m.* Penteado feminino que consiste em enrodilhar os cabelos no alto da cabeça; cocó.

coqueiral (co.quei.*ral*) *s.m.* Aglomeração ou plantação de coqueiros.

coqueiro (co.*quei*.ro) *s.m.* (*Bot.*) Nome comum a todas as palmeiras que dão coco.

coqueiro-da-baía (co.quei.ro-da-ba.*í*.a) *s.m.* Palmeira comum no Brasil, sobretudo no litoral, cujos frutos dão um líquido saboroso e nutritivo (água de coco) e cuja polpa branca é usada como alimento e na confecção de doces. || pl.: *coqueiros-da-baía.*

coqueluche (co.que.*lu*.che) *s.f.* **1.** (*Med.*) Moléstia infecciosa aguda, caracterizada por acessos de tosse convulsiva; atinge preferencialmente as crianças. **2.** Coisa, hábito ou pessoa que gozam, por algum tempo, da preferência ou atenção pública: *Aquela formosa atriz é a coqueluche da cidade.*

coquete [é] (co.*que*.te) *adj.* **1.** Diz-se especialmente da mulher que, pelo prazer de ser admirada, procura despertar o interesse amoroso dos homens. • *s.f.* **2.** Mulher coquete.

coquetel (co.que.*tel*) *s.m.* **1.** Bebida alcoólica preparada com a mistura de várias outras, gelo, açúcar, às vezes suco de frutas etc. **2.** Reunião social realizada para celebrar algum

coquetismo

acontecimento, na qual há consumo de bebidas acompanhadas de salgadinhos.

coquetismo (co.que.*tis*.mo) *s.m.* Qualidade e procedimento de coquete.

cor [ó] *s.f.* Usado na locução *de cor*: de memória. || *De cor e salteado*: de memória, sem esquecer nada.

cor [ô] *s.f.* **1.** Impressão variável que a luz refletida pelos corpos produz no órgão da vista. **2.** Qualquer colorido, exceto o branco e o preto. **3.** Tinta ou combinação de tintas que se empregam na pintura: *todas as cores da paleta de Portinari*. **4.** Marca distintiva ou simbólica de um país, de uma agremiação, partido político etc.: *as cores verde e amarelo do Brasil*.

coração (co.ra.*ção*) *s.m.* **1.** (Anat.) Órgão muscular, situado na cavidade torácica, que é o motor do bombeamento do sangue para se fazer a circulação. **2.** Parte anterior do peito onde se sente pulsar esse órgão. **3.** Qualquer objeto ou estampa que tenha a forma de um coração. **4.** *fig.* Sede suposta da sensibilidade moral, das paixões e sentimentos. **5.** *fig.* Conjunto das faculdades afetivas. **6.** *fig.* Caráter, índole: *ser bom de coração; ser mau de coração*. **7.** *fig.* Generosidade: *Ele tem bom coração*. **8.** *fig.* O ponto central e importante de um lugar: *o coração da floresta*. || *Abrir o coração*: falar de coisas íntimas com sinceridade. • *Com o coração nas mãos*: cheio de preocupação; ansioso. • *De cortar o coração*: muito triste. • *De coração; de todo coração*: com muita sinceridade.

corado (co.*ra*.do) *adj.* **1.** Que tem a face rosada. **2.** Envergonhado, acanhado.

coradouro (co.ra.*dou*.ro) *s.m.* Lugar em que se expõe a roupa ensaboada para clarear. || *quarador, quaradouro*.

coragem (co.*ra*.gem) *s.f.* **1.** Força ou energia moral diante do perigo ou de situações difíceis. **2.** Atitude de ânimo, bravura, intrepidez, denodo: *Enfrentou a tragédia com coragem*. **3.** Constância, perseverança: *Não lhe falta coragem para trabalhar tão arduamente*. **4.** *pej.* Atitude desaforada; ousadia: *Teve a coragem de desafiar o diretor*. **5.** Desembaraço, franqueza, resolução: *Você teve coragem de desafiar sua mãe?*

corajoso [ô] (co.ra.*jo*.so) *adj.* **1.** Que ou quem tem coragem; bravo, destemido, impávido. **2.** Que ou quem tem ânimo, disposição para enfrentar dificuldades. || f. e pl.: [ó].

coral[1] (co.*ral*) *s.m.* **1.** (Zool.) Esqueleto calcário duro, branco, preto, vermelho ou de outras cores de animais marinhos que forma estruturas rochosas chamadas recifes, em torno dos quais há intensa vida marinha. **2.** A cor dominante desses aglomerados: *O coral é uma cor luminosa*. • *adj.2n.* **3.** Que é dessa cor: *bolsa e complementos coral*.

coral[2] (co.*ral*) *s.f.* Serpente venenosa de corpo vermelho-amarelado com anéis negros.

coral[3] (co.*ral*) *adj.* **1.** Relativo a coro: *canto coral*. • *s.m.* **2.** (Mús.) Grupo de pessoas que cantam em conjunto; coro: *O coral da igreja cantou durante a cerimônia*.

coralino (co.ra.*li*.no) *adj.* **1.** Relativo aos corais marinhos: *Diante dos recifes coralinos nadavam peixes coloridos*. **2.** Da cor do coral; coral: *um fragmento coralino*.

corante (co.*ran*.te) *adj.* **1.** Que cora ou dá cor: *pó corante; substância corante*. • *s.m.* **2.** Substância usada para corar: *Os índios usavam urucum e jenipapo como corantes*.

corão (co.*rão*) *s.m.* Alcorão.

corar (co.*rar*) *v.* **1.** Ficar vermelho de raiva ou vergonha: *Quando o rapaz olhou para a menina, ela corou*. **2.** Dar cor a; colorir, tingir: *O sol de verão corou sua pele*. **3.** Branquear ao sol (panos, roupas etc.); quarar: *Aproveitou a manhã de sol para corar a roupa branca*. **4.** Adquirir cor de tostado pela fritura ou calor do forno: *Veja como a carne assada corou bem*. ▶ Conjug. 20.

corbelha [é] (cor.*be*.lha) *s.f.* Cesto em que se fazem arranjos de flores e folhagens.

corça [ô] (*cor*.ça) *s.f.* (Zool.) Fêmea do corço ou do veado.

corcel (cor.*cel*) *s.m.* Cavalo que corre muito.

corço [ô] (*cor*.ço) *s.m.* (Zool.) Pequeno veado. || Conferir com *corso*.

corcova [ó] (cor.*co*.va) *s.f.* **1.** Saliência nas costas ou no peito; bossa, corcunda, giba: *O dromedário tem uma só corcova, e o camelo tem duas*. **2.** Curva saliente e acentuada: *cifose*.

corcovado (cor.co.*va*.do) *adj.* Que tem corcova; corcunda: *Depois de velho, ele ficou meio corcovado*.

corcovear (cor.co.ve*ar*) *v.* Dar corcovos; dar saltos, arqueando o lombo (o cavalo): *O cavalo corcoveou e jogou o peão no chão*. ▶ Conjug. 14.

corcovo [ô] (cor.*co*.vo) *s.m.* **1.** Salto que dá cavalgadura, arqueando o dorso; pinote. **2.** Pequena elevação de terreno.

corcunda (cor.cun.da) adj. **1.** (Anat.) Que tem protuberância no peito ou nas costas; giboso: *um homem corcunda*; *uma mulher corcunda*. • s.f. **2.** Curvatura anormal da coluna, com proeminência dorsal ou peitoral; cifose: *A corcunda desse homem é bem-acentuada*. • s.m. e f. **3.** Pessoa que tem proeminência dorsal ou peitoral acentuada: *O corcunda sabe como se deitar*.

corda [ó] (cor.da) s.f. **1.** Objeto comprido, flexível, aproximadamente cilíndrico, feito de fibras naturais ou artificiais ou de arames, usado para amarrar, ligar, apertar ou prender. **2.** Fio de aço, náilon ou metal que, ao ser tocado, vibra produzindo som em vários instrumentos musicais, ditos, por isso, instrumentos de corda: *corda de violino*; *corda de violoncelo*. **3.** Mecanismo que faz funcionar relógios, brinquedos etc.: *relógio de corda, brinquedo de corda*. **4.** (Geom.) Segmento de reta que une dois pontos de uma curva. || *Cordas vocais*: denominação substituída por *pregas vocais*. • *Com a corda no pescoço*: em dificuldade, principalmente financeira. • *Dar corda a*: provocar, estimular alguém a falar. • *Na corda bamba*: em situação difícil, em dificuldades. • *Roer a corda*: deixar de cumprir um trato; faltar a um compromisso; abandonar um projeto iniciado.

cordame (cor.da.me) s.m. **1.** Conjunto de cordas. **2.** (Náut.) Reunião dos cabos de um navio; cordoalha.

cordão (cor.dão) s.m. **1.** Objeto comprido e flexível, de fibras têxteis, usado para amarrar: barbante, cadarço. **2.** Corrente de ouro, prata ou diferentes metais usada em torno do pescoço. **3.** Grupo de foliões carnavalescos. || *Cordão umbilical*: (Anat.): estrutura que liga o feto à placenta materna e o provê de oxigênio e de nutrientes.

cordato (cor.da.to) adj. **1.** Que facilmente se põe de acordo com outros. **2.** Que age com prudência; sensato.

cordeiro (cor.dei.ro) s.m. **1.** Carneiro ainda novo e tenro: anho, borrego. **2.** *fig.* Pessoa mansa; bondosa, dócil.

cordel (cor.del) s.m. Corda muito delgada; barbante, cordão. || *Cordel*: (Lit.) narrativa popular em versos, vendida em folhetos pendurados em corda, nas feiras populares do Nordeste.

cor-de-rosa (cor-de-ro.sa) s.m.2n. **1.** Cor que se obtém da mistura do vermelho com o branco. • adj. **2.** Que é dessa cor: *blusas cor-de-rosa*. **3.** *fig.* Em que tudo está bem: *vida cor-de-rosa*.

cordial (cor.di:al) adj. **1.** Relativo ao ou do coração. **2.** Afetuoso, franco, sincero. • s.m. **3.** Bebida ou remédio que estimula o coração; estimulante cardíaco. – **cordialidade** s.f.

cordilheira (cor.di.lhei.ra) s.f. Cadeia ou série de montanhas; serrania.

cordoalha (cor.do.a.lha) s.f. Conjunto de cordas; cordame.

cordoaria (cor.do:a.ri.a) s.f. Estabelecimento onde se fabricam ou vendem cordas.

cordura (cor.du.ra) s.f. Qualidade de ser cordato.

coreano (co.re:a.no) adj. **1.** Da Coréia do Norte e da Coréia do Sul, países da Ásia. • s.m. **2.** O natural ou o habitante desses países. **3.** O idioma falado nesses países.

coreia [éi] (co.rei.a) s.f. **1.** Dança da Grécia antiga, acompanhada de cantos. **2.** (Med.) Doença nervosa cujos sintomas são movimentos de contração involuntária dos músculos.

coreografia (co.re:o.gra.fi.a) s.f. **1.** Arte de compor e arranjar os movimentos corporais e figuras em danças e bailados: *Essa coreografia é de Deborah Colker*. **2.** A sequência desses movimentos: *Gostei da coreografia do balé*. – **coreógrafo** s.m.

coreográfico (co.re:o.grá.fi.co) adj. Pertencente ou concernente a coreografia.

corresponsável (cor.res.pon.sá.vel) adj. Responsável juntamente com outro ou outros.

coreto [ê] (co.re.to) s.m. Espécie de palanque coberto, construído ao ar livre, para concertos musicais: *A banda tocava no coreto da praça*.

coriáceo (co.ri:á.ce:o) adj. Com textura semelhante à do couro.

corifeu (co.ri.feu) s.m. **1.** Diretor ou regente dos coros nas tragédias. **2.** Indivíduo principal de uma classe, partido ou profissão. **3.** Caudilho, chefe.

corisco (co.ris.co) s.m. **1.** Centelha produzida nas nuvens eletrizadas; raio; faísca elétrica. **2.** *fig.* Pessoa ou coisa que se movimenta com muita rapidez.

corista (co.ris.ta) s.m. e f. **1.** Pessoa que faz parte dos coros teatrais. **2.** Pessoa que canta no coro das igrejas. **3.** Pessoa que dança nas revistas teatrais ou *shows*.

coriza (co.ri.za) s.f. **1.** (Med.) Corrimento de secreção mucosa pelo nariz. **2.** Inflamação da mucosa nasal por infecção ou alergia.

corja [ó] (cor.ja) s.f. Multidão de pessoas ruins, desprezíveis; súcia, caterva.

córnea (cór.ne:a) s.f. (Anat.) Membrana transparente situada na parte anterior do olho, por diante da pupila.

cornear (cor.ne:ar) v. Pôr chifres em; trair; chifrar: *Apesar do aspecto distinto, ela sempre corneou o marido*.

córneo (cór.ne:o) adj. **1.** Relativo a córnea. **2.** Referente ou semelhante a chifre.

córner (cór.ner) s.m. (Esp.) **1.** Cada um dos quatro cantos de um campo de futebol. **2.** Infração ocorrida quando a bola, tocada por um jogador, contra as linhas de fundo de seu campo, é jogada para fora; escanteio.

corneta [ê] (cor.ne.ta) s.f. **1.** Instrumento de sopro com forma de cone. • s.m. **2.** Soldado que, nos quartéis, toca corneta; corneteiro.

corneteiro (cor.ne.tei.ro) s.m. Soldado que toca corneta em um quartel.

cornífero (cor.ní.fe.ro) adj. Que tem cornos ou excrescências em forma de corno.

corno [ô] (cor.no) s.m. **1.** (Zool.) Cada um dos apêndices duros e recurvados que certos ruminantes têm na cabeça; chifre. **2.** *chulo* Marido a quem a mulher é infiel; cornudo. || pl.: [ó].

cornucópia (cor.nu.có.pi:a) s.f. Vaso, em forma de corno, cheio de flores e frutos, e que antigamente era o símbolo mitológico da fortuna ou abundância e hoje simboliza a agricultura e o comércio.

cornudo (cor.nu.do) adj. **1.** Que tem cornos, chifres. • s.m. **2.** *chulo* Marido a quem a mulher é infiel; corno.

coro [ô] (co.ro) s.m. **1.** Grupo de pessoas que cantam juntas, com harmonia; coral. **2.** O canto produzido por esse grupo. **3.** (Teat.) Conjunto de pessoas que na tragédia recita em uníssono para comentar a ação. || pl.: [ó].

coroa [ô] (co.ro.a) s.f. **1.** Ornamento para a cabeça, símbolo da soberania de um rei ou imperador, comumente feito de metal precioso e incrustado de pedras preciosas. **2.** *fig.* Símbolo do poder real e da monarquia. **3.** Arranjo de flores montado sobre uma base, oferecido em honra dos defuntos ou colocado aos pés dos monumentos dos heróis. **4.** *gír.* Pessoa que já ultrapassou a mocidade; idoso. **5.** Calvície no alto ou no meio da cabeça.

coroação (co.ro:a.ção) s.f. **1.** Ato ou efeito de coroar; coroamento. **2.** Cerimônia em que se coroa alguém; coroamento. **3.** Desfecho feliz de alguma coisa, de um empreendimento: *O jogo final foi a coroação do campeonato*. **4.** Cerimônia religiosa em que crianças vestidas de anjo coroam a imagem da Virgem.

coroamento (co.ro:a.men.to) s.m. **1.** Coroação. **2.** Ornato que remata o alto de um edifício. **3.** Remate.

coroar (co.ro:ar) v. **1.** Cingir de coroa, pôr coroa: *Coroaram a rainha da primavera*. **2.** Elevar à dignidade de rei ou pontífice; aclamar: *Quem coroou D. Pedro I?* **3.** Recompensar, dando uma coroa ou outro prêmio: *A madre superiora coroava todos os anos a menina mais comportada do colégio*. **4.** Encimar com uma coroa: *Coroavam solenemente a imagem da Virgem*. **5.** Servir de fecho ou remate a: *O jovem médico coroou seu doutoramento com uma brilhante tese*. **6.** Colocar a coroa sobre a própria cabeça: *Napoleão Bonaparte coroou-se Imperador dos Franceses*. ▶ Conjug. 25.

coroca [ó] (co.ro.ca) adj. **1.** Decrépito, caduco. • s.m. e f. **2.** Pessoa muito velha e feia.

coroinha (co.ro:i.nha) s.f. **1.** Diminutivo de coroa. • s.m. **2.** Menino que ajuda o sacerdote na celebração da missa e em outras cerimônias católicas.

corola [ó] (co.ro.la) s.f. (Bot.) Parte da flor, formada pelas pétalas e pelo centro.

corolário (co.ro.lá.ri:o) s.m. Afirmação deduzida de uma verdade já demonstrada.

coronária (co.ro.ná.ri:a) s.f. (Anat.) Cada uma das artérias (direita e esquerda) que irrigam o coração.

coronariano (co.ro.na.ri:a.no) adj. (Anat.) Que diz respeito às coronárias: *doenças coronarianas; vasos coronarianos*.

coronel (co.ro.nel) s.m. **1.** (Mil.) Posto da hierarquia do Exército, imediatamente superior ao de tenente-coronel e imediatamente inferior ao de general de brigada; corresponde a capitão de mar e guerra, na Marinha, e a coronel-aviador, na Aeronáutica. **2.** Chefe político, no interior do Brasil.

coronelato (co.ro.ne.la.to) s.m. Posto, qualidade ou funções de coronel.

coronelismo (co.ro.ne.lis.mo) s.m. **1.** Influência dos coronéis na política. **2.** (Econ.) Tipo social do grande proprietário rural de comportamento patriarcal que, por força do consenso geral de um sistema de obrigações e favores, enfeixa em sua pessoa atribuições de caráter privativo e público.

coronha (co.ro.nha) s.f. Parte posterior das armas de fogo, normalmente de madeira, onde se encaixa o cano.

coronhada (co.ro.*nha*.da) *s.f.* Pancada com a coronha.

corpaço (cor.*pa*.ço) *s.m.* Aumentativo de *corpo*.

corpanzil (cor.pan.*zil*) *s.m.* Aumentativo de *corpo*.

corpete [ê] (cor.*pe*.te) *s.m.* Peça do vestuário feminino que se ajusta ao peito.

corpo [ô] (*cor*.po) *s.m.* **1.** (*Anat.*) A estrutura física do homem ou dos animais. **2.** O tronco, para distingui-lo da cabeça e dos membros. **3.** Cadáver. **4.** Qualquer objeto material: *um corpo estranho*. **5.** (*Quím.*) Porção de matéria: *corpo simples, corpo composto*. **6.** Conjunto de profissionais do mesmo ramo: *o corpo docente da escola*. **7.** Parte do vestuário que se ajusta ao tronco: *corpo do vestido*. **8.** Parte central e principal de edifícios: *corpo da igreja*. **9.** Tamanho da letra impressa: *Use corpo 12*. **10.** Consistência, densidade: *Este vinho tem corpo; O mingau adquiriu corpo*. || *Corpo a corpo*: homem contra homem; pessoa contra pessoa, sem armas: *Acabaram a batalha lutando corpo a corpo*. • *De corpo e alma*: com inteira dedicação; totalmente empenhado: *Meteu-se naquela aventura de corpo e alma*. • *Fazer corpo mole*: não se empenhar; não se dedicar. • *Tirar o corpo fora*: desincumbir-se de alguma coisa; safar-se de uma obrigação. || *aum.:* corpanzil, corpaço.

corpo a corpo *s.m.2n.* **1.** Luta de confronto físico, sem armas: *Decidiram a questão num corpo a corpo violento*. **2.** Contato pessoal de um candidato com seus prováveis eleitores: *O candidato a prefeito participará de um corpo a corpo em Madureira*.

corporação (cor.po.ra.*ção*) *s.f.* **1.** Grupo de pessoas que exercem uma mesma atividade profissional: *a corporação dos motoristas de táxi*. **2.** Agremiação, associação, congregação.

corporal (cor.po.*ral*) *adj.* **1.** Concernente ou pertencente ao corpo ou a um corpo; corpóreo: *atividade corporal*. • *s.m.* **2.** Pano de linho branco sobre o qual o sacerdote coloca o cálice e a hóstia, no altar.

corporalidade (cor.po.ra.li.*da*.de) *s.f.* Qualidade ou estado do que é corpóreo.

corporativismo (cor.po.ra.ti.*vis*.mo) *s.m.* Sistema político-econômico baseado no agrupamento das classes produtoras em corporações, sob a fiscalização do Estado.

corporativista (cor.po.ra.ti.*vis*.ta) *adj.* **1.** Que se refere ao corporativismo; do corporativismo: *uma república corporativista*. • *s.m.* e *f.* **2.** Pessoa adepta do corporativismo: *Ele sempre se declarou um corporativista*.

corpóreo (cor.*pó*.re:o) *adj.* **1.** Corporal. **2.** Que tem corpo ou consiste em um corpo material ou físico. **3.** Que tem existência física ou material.

corporificar (cor.po.ri.fi.*car*) *v.* **1.** Atribuir corpo a (o que não/o tem): *O artista corporifica em sua pintura toda a beleza da arte*. **2.** Reunir, em um só corpo, o que está disperso: *corporificar os decretos régios*. **3.** Transformar em fatos; realizar: *Ele conseguiu corporificar alguns de seus projetos*. **4.** Tomar corpo; solidificar-se: *Suas esperanças corporificaram-se*. ▶ Conjug. 5 e 35.

corpulência (cor.pu.*lên*.ci:a) *s.f.* **1.** Qualidade daquele ou daquilo que é corpulento. **2.** Obesidade.

corpulento (cor.pu.*len*.to) *adj.* **1.** Que tem grande corpo. **2.** Obeso.

corpus (Lat.) *s.m.* **1.** Reunião de documentos, dados e informações sobre um assunto. **2.** Toda a obra atribuída a um escritor. **3.** (*Ling.*) Conjunto de material recolhido e bem-delimitado no tempo e no espaço, apto a servir para a descrição linguística. || pl.: *corpora*.

corpúsculo (cor.*pús*.cu.lo) *s.m.* Corpo muitíssimo pequeno.

correção (cor.re.*ção*) *s.f.* **1.** Ação ou efeito de corrigir; retificação, revisão. **2.** Qualidade do que é correto. **3.** Castigo, punição, pena. || *Correção monetária*: (*Econ.*) reajuste de uma quantia em função da variação do valor da moeda. – **correcional** *adj. s.m.*

corre-corre (cor.re-*cor*.re) *s.m.* **1.** Muita pressa, correria. **2.** Confusão, briga, sobretudo em lugar público. || pl.: *corres-corres* e *corre-corres*.

corredeira (cor.re.*dei*.ra) *s.f.* Trecho de um rio em que as águas, por diferença de nível, correm mais velozes; rápido.

corrediço (cor.re.di.ço) *adj.* **1.** Que corre ou escorrega com facilidade: *porta corrediça*. **2.** Habitual, costumeiro: *um fato corrediço*.

corredor [ô] (cor.re.*dor*) *adj.* **1.** Que corre muito. • *s.m.* **2.** Aquele que corre muito. **3.** (*Esp.*) Atleta que participa de uma corrida de velocidade a pé ou em carro de corrida. **4.** Passagem estreita e comprida no interior de uma casa ou num edifício que serve para comunicar as diversas dependências.

corregedor (cor.re.ge.*dor*) *s.m.* (*Jur.*) Magistrado que tem a função de, eventualmente, corrigir

corregedoria

erros e abusos cometidos pelos servidores da Justiça.

corregedoria (cor.re.ge.do.ri.a) s.f. (Jur.) **1.** Cargo ou jurisdição de corregedor. **2.** Área de jurisdição do corregedor.

córrego (cór.re.go) s.m. Pequeno rio; riacho.

correia (cor.rei.a) s.f. **1.** Tira de couro para atar, prender ou cingir. **2.** (Mec.) Tira contínua de material resistente e flexível (tal como couro, borracha, lona, arame etc.) para a transmissão de movimento de uma polia a outra.

correição (cor.rei.ção) s.f. (Jur.) **1.** Diligência procedida pelo corregedor no exercício de suas funções. **2.** Desfilada de formigas ou outros insetos que se deslocam em sucessão.

correio (cor.rei.o) s.m. **1.** Repartição pública para recepção e expedição da correspondência oficial e particular, encomendas etc.; posta. **2.** Local onde funciona essa repartição. **3.** Profissional encarregado de distribuir a correspondência a seus destinatários; carteiro. **4.** Conjunto de cartas que um indivíduo recebe ou expede; correspondência. || *Correio eletrônico:* (Inform.) serviço de envio e recebimento de correspondência, mensagens e arquivos através da rede de computadores; e-mail.

correlação (cor.re.la.ção) s.f. Relação que se estabelece entre uma coisa e outra: *correlação entre o dizer e o fazer.* – **correlativo** adj.

correlacionar (cor.re.la.ci:o.nar) v. **1.** Estabelecer correlação entre: *É necessário correlacionar o peso com a medida.* **2.** Ter correlação: *Muitas vezes o amor e a morte se correlacionam.* ► Conjug. 5. – **correlacionamento** s.m.

correlato (cor.re.la.to) adj. Em que há correlação; que tem dependência recíproca: *termos correlatos.*

correligionário (cor.re.li.gi:o.ná.ri:o) adj. **1.** Que tem a mesma religião, partido ou sistema. • s.m. **2.** Aquele que é da mesma religião, partido ou sistema: *Vamos reunir os correligionários.*

corrente (cor.ren.te) adj. **1.** Que corre; que flui; que não está estagnado. (Aplica-se principalmente à água.): *água corrente.* **2.** Que está em curso; que é vigente: *moeda corrente.* **3.** Que é usualmente aceito, admitido pela maioria dos usuários: *uma palavra de emprego corrente no português do Brasil.* **4.** Amplamente conhecido; notório e sabido: *É voz corrente que a empresa vai mudar de endereço.* **5.** Que está decorrendo; atual: *mês corrente.* • s.f. **6.** Fluxo de água normalmente contínuo e forte; correnteza: *A corrente do rio levava a canoa para o mar.* **7.** Ar em movimento; vento: *Está vindo uma corrente fria do sul.* **8.** Série de elos ou anéis, comumente de metal, entrelaçados uns com os outros, usada para vários fins: *um portão trancado com corrente.* **9.** Série de elos, comumente de metal precioso, usada como ornamento ou insígnia: *Deu-lhe de presente uma corrente de ouro.* || *Corrente elétrica* (Eletr.) **1.** fluxo de cargas elétricas num elemento condutor. **2.** a intensidade desse fluxo. • *Corrente marinha:* (Geogr.) deslocamento de massas de água através do oceano. • *Corrente sanguínea:* (Biol.) circulação do sangue através do sistema circulatório. • *Corrente trifásica:* (Eletr.) corrente elétrica com três tensões alternadas. • *Ao corrente de:* informado sobre; a par de. • *Contra a corrente:* contra a opinião da maioria; em oposição à maioria.

correnteza [ê] (cor.ren.te.za) s.f. Fluxo contínuo e forte das águas de um rio, regato etc.: *É difícil nadar contra a correnteza.*

correntista (cor.ren.tis.ta) s.m. e f. **1.** Pessoa a cujo cargo está o livro de contas-correntes. **2.** Pessoa que tem conta-corrente num banco.

correr (cor.rer) v. **1.** Locomover-se com grande velocidade (pessoa, veículo, trem): *Ele ainda correu para pegar o trem.* **2.** fig. Transcorrer, decorrer: *Este ano está correndo velozmente.* **3.** Participar de uma corrida: *Ele pretende correr na maratona.* **4.** Espalhar-se, propagar-se: *A notícia logo correu pela cidade.* **5.** Fazer deslizar; mover, empurrando ou puxando o que é corrediço: *Correu o ferrolho da porta e ficou lá trancado.* **6.** Ir a; percorrer: *Corri todas as farmácias atrás do remédio.* **7.** Expulsar: *A polícia corria os que queriam perturbar a ordem; Ele os correu de sua casa.* **8.** Passar ou fazer passar ligeiramente: *Agradava-lhe correr a mão pela maciez daquele tecido.* **9.** Estar exposto ou sujeito a (perigo ou risco): *Sua vida corre perigo.* **10.** Escorrer, cair: *Corria-lhe o suor pelo rosto.* || *Correr por conta:* ser pago por: *A subsistência do filho menor corre por conta dos pais.* ► Conjug. 42.

correria (cor.re.ri.a) s.f. Corrida desordenada e ruidosa.

correspondência (cor.res.pon.dén.ci:a) s.f. **1.** Ação ou efeito de corresponder(-se). **2.** Relação de conformidade de algo ou alguém, de certo conjunto ou contexto, com outro, em outro conjunto ou contexto: *a correspondência entre o Português do Brasil e o Português de Portugal.* **3.** Troca de cartas, telegramas, e-mails etc. entre duas pessoas. **4.** Cartas e e-mails que são mandados a jornais e revistas.

correspondente (cor.res.pon.den.te) *adj.* **1.** Que corresponde; que tem relação de correspondência: *Relacione o nome de cada cidade com o Estado correspondente.* • *s.m.* e *f.* **2.** Pessoa que se corresponde com alguém: *Ela tinha um correspondente em Tóquio.* **3.** Pessoa que representa um jornal ou periódico em outro Estado ou país: *Essa notícia vem de nosso correspondente em Lisboa.*

corresponder (cor.res.pon.der) *v.* **1.** Ser adequado, próprio: *Essa roupa não corresponde ao seu tamanho.* **2.** Retribuir com a mesma intensidade: *Nem sempre correspondemos ao amor de Deus para conosco.* **3.** Estar em equivalência; refletir: *Essa imagem que você criou não corresponde à realidade.* **4.** Trocar correspondência (cartas, e-mails): *Eles se correspondem há muitos anos; Só se correspondia com a namorada em francês.* ▶ Conjug. 39.

corretagem (cor.re.ta.gem) *s.f.* Trabalho de intermediação em negócios de compra e venda de imóveis, ações etc.

corretivo (cor.re.ti.vo) *adj.* **1.** Que corrige ou é próprio para corrigir: *medidas corretivas.* • *s.m.* **2.** Correção, repreensão; castigo. **3.** Líquido branco leitoso que serve para cobrir erros de escrita. **4.** Cosmético empregado para corrigir manchas e imperfeições da pele.

correto [é] (cor.re.to) *adj.* **1.** Que não apresenta erros: *linguagem correta.* **2.** Corrigido, emendado: *Depois que o pontuei, o texto ficou correto.* **3.** Adequado, apropriado: *Você agiu de maneira correta.* **4.** Que é moralmente certo: *Não é correto falar mal dos outros.* **5.** Digno, honesto, íntegro: *O candidato é um homem correto.*

corretor[1] [ô] (cor.re.tor) *s.m.* Agente comercial que serve de intermediário entre vendedor e comprador de imóveis, ações etc.

corretor[2] [ô] (cor.re.tor) *adj.* Que serve para corrigir. || Corretor ortográfico: (Inform.) função em processadores de texto de corrigir erros ortográficos.

corretora [ô] (cor.re.to.ra) *s.f.* Instituição que efetua operações na Bolsa de Valores.

corrida (cor.ri.da) *s.f.* **1.** Ato ou efeito de correr. **2.** (*Esp.*) Competição em que o vencedor é o primeiro a alcançar a linha de chegada: *corrida da maratona; corrida de São Silvestre; corrida automobilística.* **3.** Percurso feito em táxi, sobre o qual é calculado o pagamento a ser feito pelo passageiro: *A corrida custou R$ 10,00.* || De corrida: de modo apressado; rapidamente; às pressas.

corrido (cor.ri.do) *adj.* **1.** Que se corre: *quilômetros corridos.* **2.** Decorrido, transcorrido: *São dez dias corridos de minhas férias.* **3.** Sem interrupção, sem folga: *Trabalham oito horas corridas.* **4.** Que foi expulso: *Os camponeses corridos das lavouras buscaram abrigo na paróquia.* **5.** Com pressa, apressado, com correria: *Tive um dia muito corrido.*

corrigenda (cor.ri.gen.da) *s.f.* **1.** Erros a corrigir numa obra literária ou científica; errata. **2.** Admoestação.

corrigir (cor.ri.gir) *v.* **1.** Apontar acertos e erros (numa prova, num exercício): *Hoje já corrigi quarenta provas.* **2.** Reparar (agravo ou injustiça): *Esperemos que a justiça corrija tal iniquidade.* **3.** Censurar, repreender: *Corrigiu o aluno diante de toda a turma.* **4.** Emendar(-se), reformar(-se), mudar a própria conduta: *Ele conseguiu corrigir-se com muita força de vontade.* ▶ Conjug. 92. – **corrigibilidade** *s.f.*

corrimão (cor.ri.mão) *s.m.* Barra, comumente de madeira ou de metal, que corre ao longo de uma escada. || pl.: *corrimãos* e *corrimões.*

corrimento (cor.ri.men.to) *s.m.* (*Med.*) Secreção anormal de alguma parte do corpo.

corriola [ó] (cor.ri.o.la) *s.f.* gír. Bando, quadrilha, turma.

corriqueiro (cor.ri.quei.ro) *adj.* Que corre ou circula habitualmente; trivial, banal: *problemas corriqueiros.*

corroborar (cor.ro.bo.rar) *v.* Comprovar, confirmar: *Sua palavra vem corroborar minha opinião.* ▶ Conjug. 20. – **corroborante** *adj.*; **corroborativo** *adj.*

corroer (cor.ro.er) *v.* **1.** Roer a pouco e pouco; carcomer, gastar: *Os insetos corroeram parte do livro raro.* **2.** Danificar, destruir paulatinamente: *O tempo corroeu a pintura dessa casa.* **3.** Depravar, desnaturar: *A preguiça corroeu-lhe a alma.* ▶ Conjug. 43.

corromper (cor.rom.per) *v.* **1.** Ter má influência sobre alguém ou sofrer má influência de alguém: *O poder corrompe aqueles que não estão preparados para o ter; Ele não se corrompeu com o poder que lhe deram.* **2.** Subornar ou deixar-se subornar: *O espião corrompeu-os com dinheiro.* **3.** Decompor(-se), estragar(-se), tornar(-se) podre: *O forte calor corrompeu o peixe que ficou fora da geladeira; Com o forte calor, o peixe corrompeu-se.* **4.** Alterar(-se), adulterar(-se): *Os fungos corromperam alguns documentos da biblioteca; Alguns documentos antigos se corromperam.* ▶ Conjug. 39.

corrosão

corrosão (cor.ro.são) s.f. **1.** Ato ou efeito de corroer. **2.** Deterioração gradativa de alguns metais por agentes químicos e físicos.
corrosivo (cor.ro.si.vo) adj. **1.** Que corrói. **2.** Que destrói ou desorganiza. **3.** Cáustico. • s.m. **4.** Substância corrosiva.
corrupção (cor.rup.ção) s.f. **1.** Ação ou efeito de corromper(-se). **2.** Depravação, desmoralização, devassidão. **3.** Decomposição, putrefação.
corrupiar (cor.ru.pi:ar) v. Girar ou fazer girar; rodopiar. ▶ Conjug. 17.
corrupio (cor.ru.pi:o) s.m. **1.** Jogo infantil que consiste em duas crianças, frente a frente, darem-se as mãos e, juntando os pés, voltearem rapidamente. **2.** Volta que se dá em torno de si mesmo; giro, rodopio.
corruptela [é] (cor.rup.te.la) s.f. Palavra ou expressão falada ou escrita incorretamente.
corruptível (cor.rup.tí.vel) adj. **1.** Que se pode corromper: *corpo corruptível*. **2.** Capaz de se deixar corromper por suborno: *um juiz corruptível*.
corrupto (cor.rup.to) adj. **1.** Que se deixa subornar: *político corrupto*. **2.** Moralmente degenerado: *sociedade corrupta*. **3.** Que passou por processo de corrupção: *comida corrupta*.
corruptor [ô] (cor.rup.tor) adj. **1.** Que corrompe. • s.m. **2.** Pessoa que corrompe.
corsário (cor.sá.ri:o) s.m. **1.** Navio que pratica corso (1). **2.** Capitão desse tipo de navio. **3.** Pirata.
corso¹ [ô] (cor.so) s.m. **1.** Ataque a navio mercante de uma nação inimiga. **2.** Pirataria. **3.** Antigo cortejo carnavalesco de carros ou carruagens. || Conferir com *corço*.
corso² [ô] (cor.so) adj. **1.** Da Córsega, ilha francesa no Mediterrâneo. • s.m. **2.** O natural ou o habitante da Córsega.
cortada (cor.ta.da) s.f. (*Esp.*) Em esporte como o vôlei, batida súbita e violenta.
cortado (cor.ta.do) adj. **1.** Que se cortou: *cabelo cortado a navalha*. **2.** Interrompido, interceptado: *comunicação cortada*. • s.m. **3.** Apuro, dificuldade: *Passei um cortado com essa tosse*.
cortador [ô] (cor.ta.dor) adj. **1.** Que serve para cortar. • s.m. **2.** Máquina que serve para cortar: *cortador de grama*. **3.** No vôlei, jogador especialista em cortada.
cortante (cor.tan.te) adj. **1.** Que corta, que tem gume: *objeto cortante*; *ferramenta cortante*. **2.** Agudo, estridente (diz-se do som): *um silvo cortante*. **3.** Frio, gélido: *um frio cortante*. **4.** Pungente, lancinante: *um grito cortante*. **5.** Ferino, mordaz: *sarcasmo cortante*.
cortar (cor.tar) v. **1.** Dividir ou partir com instrumento cortante: *Cortou o pão com a faca serrilhada*. **2.** Tirar, com instrumento cortante, parte de; aparar: *Cortar as unhas*. **3.** Separar, com instrumento de corte, uma parte de um todo: *Cortar uma rosa da roseira*. **4.** Fazer incisão em: *O seringueiro corta a casca da árvore para colher o látex*. **5.** Abater, derrubar com ferramenta cortante, como serra ou machado: *Cortar uma árvore*. **6.** Ceifar, segar: *Cortar o trigo*. **7.** (*Med.*) Dividir ou separar com instrumento cortante; operar: *O médico cortou-lhe o apêndice em tempo*. **8.** Decepar, degolar: *Cortou-lhe a orelha com um golpe de espada*. **9.** Afeiçoar (tecido, papel ou semelhantes) a um modelo, mediante ferramenta cortante (tal como tesoura apropriada); talhar: *cortar um vestido*. **10.** (*Geom.*) Dividir em segmentos: *O diâmetro corta a circunferência em duas semicircunferências*. **11.** Atalhar o progresso ou o efeito de (azar, doença, mal etc.): *Cortou o mal pela raiz*. **12.** Suprimir, eliminar: *Cortou pão e massas da sua alimentação*. **13.** Avançar dentro de; atravessar: *Aviões cortavam o ar em todas as direções*. **14.** Riscar, cancelar, suprimir: *Cortaram-lhe algumas palavras do artigo*. **15.** Encurtar o trajeto, atravessando o terreno entre uma volta de estrada ou caminho: *Cortou caminho por um atalho*. **16.** Atravancar, impedir, obstruir: *Cortar uma passagem*. **17.** Interromper: *Cortar a conversa*. **18.** Fazer malograr; frustrar: *A morte cortou seus planos ambiciosos*. **19.** Cruzar com; atravessar: *A Rua Buenos Aires corta a Avenida Rio Branco*. **20.** Ultrapassar repentinamente um carro à sua frente: *Não corte na curva, que é perigoso!* **21.** Eliminar, de um grupo de candidatos, uma ou mais pessoas que não satisfazem no teste a que são submetidas: *O técnico cortou vários jogadores*. **22.** O mesmo que dispensar: *As fábricas foram obrigadas a cortar milhares de empregados*. **23.** Reduzir em quantidade; abaixar, diminuir: *Cortar os gastos*. **24.** Ferir-se com instrumento cortante: *Cortou-se, quando abria o peixe*. ▶ Conjug. 20.
corte [ó] (cor.te) s.m. **1.** Ação ou efeito de cortar(-se). **2.** Golpe, incisão ou talho com instrumento cortante. **3.** Fio ou gume de instrumento cortante. **4.** Derrubada de árvores. **5.** Modo de talhar uma roupa: *O corte desse alfaiate é famoso*. **6.** Porção de pano necessária para fazer uma roupa ou uma peça de

vestuário: *A noiva comprou um corte de cetim.* **7.** Interrupção; suspensão temporária: *Haverá corte de luz.* **8.** Abertura talhada em um morro para dar passagem a uma estrada: *Vamos pelo corte do Cantagalo.*

corte [ô] (cor.te) *s.f.* **1.** Residência de um soberano. **2.** Gente que habitualmente rodeia o soberano. **3.** Cidade ou lugar em que reside o soberano. **4.** Círculo de aduladores. **5.** Denominação dada aos tribunais. **6.** Assiduidade junto de uma pessoa, para lhe ganhar as boas graças; galanteio. || *Corte marcial*: Tribunal para julgar crimes militares.

cortejar (cor.te.*jar*) *v.* **1.** Tentar conquistar uma mulher; galantear: *Não é correto cortejar a mulher de outro.* **2.** Tratar com cortesia por interesse; adular: *Ele corteja o chefe para ver se é o escolhido.* ▶ Conjug. 10 e 37.

cortejo [ê] (cor.te.jo) *s.m.* **1.** Ação de cortejar. **2.** Grupo de pessoas que acompanham, com certa solenidade, um enterro, uma visita de autoridade etc.; préstito.

cortês (cor.tês) *adj.* **1.** Que usa de cortesia ou urbanidade. **2.** Bem-educado, delicado, polido.

cortesã (cor.te.sã) *s.f.* **1.** Dama da corte. **2.** Prostituta que leva vida luxuosa.

cortesão (cor.te.são) *s.m.* **1.** Homem que frequenta a corte. **2.** Homem de maneiras distintas e amáveis. || pl.: *cortesãos.*

cortesia (cor.te.si.a) *s.f.* **1.** Qualidade da pessoa cortês; gentileza. **2.** Atitude ou gesto educado, amável. **3.** Presente oferecido por empresas a seus fregueses.

córtex [cs] (cór.tex) *s.m.* **1.** (*Bot.*) Casca de árvore. **2.** (*Anat.*) Camada superficial do cérebro e outros órgãos. || *córtice.*

cortiça (cor.ti.ça) *s.f.* Casca espessa, porosa e leve de certas árvores, com que se fabricam rolhas, boias, flutuadores para redes etc.

córtice (cór.ti.ce) *s.m.* Córtex.

cortiço (cor.ti.ço) *s.m.* Casa grande de habitação coletiva das classes pobres; cabeça de porco.

corticoide [ói] (cor.ti.coi.de) *adj.* **1.** (*Biol., Quím.*) Relativo a corticoide. **2.** Que é usado como anti-inflamatório. • *s.m.* **3.** Designativo de cada um dos hormônios do córtex das glândulas suprarrenais ou de qualquer outro composto natural ou sintético de atividade semelhante. **4.** (*Biol., Quím.*) Cada um dos vários esteroides, dos quais muitos são hormônios extraídos do córtex das suprarrenais. || *corticosteroide.*

corticosteroide [ói] (cor.ti.cos.te.roi.de) *s.m.* Corticoide.

cortina (cor.ti.na) *s.f.* **1.** Peça de pano suspensa para adornar ou resguardar portas e janelas. **2.** (*Mil.*) Qualquer coisa que protege ou encobre os movimentos de uma tropa, como se fosse uma intensa cortina: *cortina de fogo; cortina de fumaça.*

cortinado (cor.ti.na.do) *s.f.* **1.** Cortina grande. **2.** Armação com cortinas em torno de cama ou berço, para proteção contra insetos.

cortisona (cor.ti.so.na) *s.f.* Hormônio produzido natural ou sinteticamente, usado como anti-inflamatório.

coruja (co.ru.ja) *s.f.* **1.** (*Zool.*) Nome dado a várias aves de rapina, geralmente noturnas, úteis por darem caça a pequenos roedores e répteis. • *adj. fig.* **2.** Diz-se dos pais que gabam qualidades reais ou pretensas qualidades dos filhos: *pai coruja; mãe coruja.* • *s.m.* e *f.* **3.** *gír.* Pessoa que exerce ou pratica sua profissão à noite.

corvejar (cor.ve.jar) *v.* Imitar a voz do corvo; crocitar. ▶ Conjug. 10 e 37.

corveta [ê] (cor.ve.ta) *s.f.* (*Náut.*) Antigo navio de guerra, de três mastros, semelhante à fragata, porém menor; modernamente, navio pequeno e rápido para caçar submarinos.

corvina (cor.vi.na) *s.f.* (*Zool.*) Peixe marinho de qualidade média, comestível.

corvo [ô] (cor.vo) *s.m.* (*Zool.*) Grande pássaro onívoro, algo rapinante, de cor comumente preta, lustrosa, de granido estridente.

cós [ó] *s.m.* Tira de pano que remata certas peças de vestuário, especialmente as calças e saias, no lugar em que cingem a cintura. || pl.: *coses.*

cosseno (cos-se.no) *s.m.* (*Mat.*) Seno de complemento de um ângulo ou arco dados.

coser (co.ser) *v.* **1.** Ligar, unir com pontos de agulha: *Ela coseu os babados no vestido.* **2.** Unir por pontos de costura os bordos (de ferida, talho, incisão): *O enfermeiro coseu a ferida causada pela pedrada.* **3.** Fazer trabalho de costura; costurar: *Minha tia cose muito bem.* || Conferir com *cozer.* ▶ Conjug. 42.

cosido (co.si.do) *adj.* **1.** Costurado: *camisa costurada.* **2.** Bem junto a: *Atravessou a sala cosido à parede.* || Conferir com *cozido.*

cosmética (cos.mé.ti.ca) *s.f.* **1.** Estudo e prática da higiene corporal, voltados para o embelezamento; cosmetologia. **2.** Indústria de fabricação de produtos para a beleza.

cosmético

cosmético (cos.mé.ti.co) *s.m.* Substância ou preparado para embelezar, preservar ou alterar a aparência do rosto de uma pessoa ou para limpar, colorir, amaciar ou proteger a pele, cabelo, unhas, lábios, olhos ou dentes.

cosmetologia (cos.me.to.lo.gi.a) *s.f.* Cosmética.

cósmico (cós.mi.co) *adj.* Pertencente ou concernente a universo, ao cosmo.

cosmo [ó] (cos.mo) *s.m.* Cosmos.

cosmogonia (cos.mo.go.ni.a) *s.f.* **1.** A origem do mundo e do universo. **2.** Qualquer teoria que trata da origem do universo.

cosmologia (cos.mo.lo.gi.a) *s.f.* Ciência das leis gerais que regem a origem do universo e o modo como se estrutura.

cosmonauta (cos.mo.nau.ta) *s.m. e f.* Astronauta.

cosmonáutica (cos.mo.náu.ti.ca) *s.f.* Astronáutica.

cosmonave (cos.mo.na.ve) *s.f.* Nave espacial.

cosmopolita (cos.mo.po.li.ta) *adj.* **1.** Em que vivem pessoas de várias partes do mundo: *Paris e Londres são cidades cosmopolitas*. **2.** Que viajou por vários países, que conhece bem o exterior e se adapta bem fora de seu país: *Os diplomatas são, por dever de ofício, cosmopolitas*. **3.** Que demonstra ter conhecimento e influência de outros países: *Seus hábitos diferentes mostram que ele é um homem cosmopolita.* • *s.m. e f.* **4.** Pessoa cosmopolita: *Nosso embaixador naquela capital é um cosmopolita*.

cosmopolitismo (cos.mo.po.li.tis.mo) *s.m.* Caráter, qualidade e estilo de vida de cosmopolita.

cosmos [ó] (cos.mos) *s.m.2n.* O universo, a natureza, considerados como um todo organizado e harmonioso.

cossaco (cos.sa.co) *s.m.* **1.** Soldado da antiga Rússia czarista recrutado entre os cossacos. **2.** Indivíduo pertencente a um grupo étnico das estepes russas.

costa [ó] (cos.ta) *s.f.* **1.** (*Geogr.*) Faixa de terra ao longo do mar; litoral. **2.** (*Geogr.*) Faixa de mar ao longo da terra firme: *A costa brasileira se estende da foz do Oiapoque à foz do Chuí.* • *costas s.f.pl.* **3.** (*Anat.*) Parte posterior do tronco humano; dorso. **4.** Parte posterior dos objetos; verso. **5.** Parte oposta ao gume: *costas da faca*. || *carregar* (*algo*) *nas costas*: fazer sozinho o que deveria ser feito com o concurso de todo o grupo. • *Pelas costas*: traiçoeiramente; na ausência. • *Ter as costas largas*: aceitar responsabilidades que seriam de outra(s) pessoa(s). • *Ter as costas quentes*: ser protegido por alguém mais forte. • *Voltar as costas a alguém*: manifestar desprezo por alguém.

costado (cos.ta.do) *s.m.* Revestimento exterior do casco de uma embarcação.

costa-riquenho (cos.ta-ri.que.nho) *adj.* **1.** Da Costa Rica, país da América Central. • *s.m.* **2.** O natural ou o habitante desse país. || *pl.*: *costa-riquenhos*.

costear (cos.te:ar) *v.* **1.** Navegar junto da costa: *Costeou quase todo o litoral*. **2.** Percorrer em torno, rodear; andar ao longo de: *Costeou as muralhas da velha cidade*. ▶ Conjug. 14.

costeiro (cos.tei.ro) *adj.* **1.** Referente a costa ou que nela navega: *navegação costeira*. **2.** Situado na costa: *uma aldeia costeira*.

costela [é] (cos.te.la) *s.f.* Cada um dos 12 pares de ossos, chatos, alongados e curvos, que se estendem das vértebras ao esterno e cujo conjunto forma a caixa torácica dos vertebrados.

costeleta [ê] (cos.te.le.ta) *s.f.* **1.** Costela de rês, separada com carne aderente. **2.** Faixa de barba de cada lado do rosto; suíça.

costumar (cos.tu.mar) *v.* Ter por costume ou hábito: *Costumávamos ler até tarde da noite*. ▶ Conjug. 5.

costume[1] (cos.tu.me) *s.m.* **1.** Prática ou comportamento habitual: *Tenho o costume de ler antes de dormir*. **2.** Modo habitual de viver de uma comunidade ou povo: *A estrangeira logo se habituou aos costumes brasileiros*.

costume[2] (cos.tu.me) *s.m.* **1.** Roupa de homem (calça, paletó e, por vezes, colete). **2.** Vestuário feminino formado de casaco e saia.

costumeiro (cos.tu.mei.ro) *adj.* Que é comum ou frequente; usual, habitual.

costura (cos.tu.ra) *s.f.* **1.** Ato ou efeito de costurar. **2.** Conjunto de técnicas empregadas para costurar: *curso de costura*. **3.** Linha de junção de duas peças de tecido, costuradas uma com a outra: *A costura da bainha está se desfazendo*.

costurar (cos.tu.rar) *v.* **1.** Unir peças de tecido com linha e agulha; coser: *Costurou o bolso que estava solto*; *Ela não sabia costurar*. **2.** Trabalhar como costureira: *Em poucas horas costurou o vestido e o entregou*; *Ela costura para a loja de confecção*. ▶ Conjug. 5.

costureiro (cos.tu.rei.ro) *s.m.* **1.** Pessoa que costura profissionalmente. **2.** Profissional que

couraçado

idealiza e desenha coleções de roupas e dirige confecções de alta-costura.

cota [ó] (co.ta) *s.f.* **1.** Quantia com que cada indivíduo contribui para determinado fim: *Já dei minha cota para nossa festa anual.* **2.** Parcela de um todo; prestação: *Em vez de pagar integralmente o preço do imóvel, pague em cotas.* **3.** Parte de um todo destinado a cada pessoa; quinhão: *Você já recebeu sua cota da herança do pai.* **4.** Fração de um fundo de investimento. || *quota*.

cotação (co.ta.*ção*) *s.f.* **1.** Ação ou efeito de cotar. **2.** (*Econ.*) Preço corrente das mercadorias, dos papéis de crédito, títulos da dívida pública etc.: *a cotação do café.* **3.** Indicação desses preços. **4.** Apreço, conceito, reputação.

cotangente (co.tan.gen.te) *s.f.* (*Mat.*) Função trigonométrica inversa à tangente.

cota-parte (co.ta-*par*.te) *s.f.* Parcela individual a pagar ou a receber. || *quota-parte*; pl.: *cotas-partes*.

cotar (co.*tar*) *v.* **1.** Avaliar o preço ou taxa de: *cotar o barril de petróleo.* **2.** Marcar o valor do dia: *cotar os títulos na Bolsa.* **3.** (*Geol.*) Marcar o nível ou altura de: *Os geógrafos cotaram aquela cadeia de montanhas.* || *quotar*. ▶ Conjug. 20.

cotejar (co.te.*jar*) *v.* Confrontar, comparar: *cotejar as assinaturas; cotejar dois textos.* ▶ Conjug. 10.

cotejo [ê] (co.*te*.jo) *s.m.* Ação ou efeito de cotejar; confrontação.

cotidiano (co.ti.di.*a*.no) *adj.* **1.** Que ocorre diariamente. • *s.m.* **2.** Conjunto das atividades diárias de uma pessoa ou de uma comunidade. || *quotidiano*.

cotilédone (co.ti.lé.do.ne) *s.m.* (*Bot.*) Folha embrionária responsável pela nutrição da planta no início de seu desenvolvimento, tanto como órgão de reserva como órgão de fotossíntese.

cotista (co.*tis*.ta) *s.m. e f.* **1.** Pessoa que possui cotas de sociedades mercantis ou de clubes. **2.** Pessoa que faz parte de um grupo social a que a lei assegura uma cota percentualmente determinada de vagas para acesso a concursos públicos. • *adj.* **3.** Diz-se de quem é cotista (1) e (2): *aluno cotista*. || *quotista*.

cotizar (co.ti.*zar*) *v.* **1.** Dividir em cotas: *Vamos cotizar as despesas da festa.* **2.** Reunir-se a fim de contribuir para uma despesa comum: *Os alunos se cotizaram para pagar a passagem do professor.* || *quotizar*. ▶ Conjug. 5.

coto [ô] (co.to) *s.m.* **1.** Parte do braço ou da perna que fica depois da amputação. **2.** Resto de tocha, vela etc.

cotó (co.*tó*) *adj.* **1.** Mutilado de braço ou perna. **2.** Que não tem rabo (animal): *um cão cotó*. • *s.m. e f.* **3.** Pessoa aleijada de braço ou perna.

cotoco [ô] (co.*to*.co) *s.m.* **1.** Pedaço muito pequeno de qualquer coisa. **2.** Pessoa muito pequena. **3.** Coto (1).

cotonete [é] (co.to.*ne*.te) *s.m.* Haste flexível com pequenas porções de algodão em cada extremidade, usada para higiene.

cotonicultor [ô] (co.to.ni.cul.*tor*) *s.m.* Lavrador que cultiva o algodão.

cotonicultura (co.to.ni.cul.*tu*.ra) *s.f.* Plantação, cultivo de algodão.

cotonifício (co.to.ni.*fí*.ci:o) *s.m.* Estabelecimento em que se fabricam fios e tecidos de algodão.

cotovelada (co.to.ve.*la*.da) *s.f.* Golpe dado com o cotovelo.

cotovelo [ê] (co.to.*ve*.lo) *s.m.* **1.** (*Anat.*) Articulação do braço com o antebraço. [Na nova terminologia anatômica, *cotovelo* é substituído por *cúbito*.] **2.** Parte da manga do vestuário que cobre essa parte do braço. **3.** Ângulo fechado; canto, esquina. || *Falar pelos cotovelos*: falar muito, falar demasiado.

cotovia (co.to.*vi*.a) *s.f.* (*Zool.*) Ave pequena, que vive nos campos da Europa, Ásia e África, notável por seu canto, executado em voo vertical.

coturno (co.*tur*.no) *s.m.* **1.** Bota de cano alto, amarrada com cordões, geralmente usada por militares. **2.** (*Teat.*) Calçado de solas muito altas que era usado pelos atores trágicos. || *De alto/baixo coturno*: que está em alta/baixa posição hierárquica.

coudelaria (cou.de.la.*ri*.a) *s.f.* Haras.

country [*cãntri*] (Ing.) *adj.* **1.** Diz-se daquilo que é ligado ao campo. • *s.m.* **2.** Estilo característico dos meios rurais norte-americanos que se manifesta em diversos setores, como na música, decoração, no vestuário etc.

couraça (cou.*ra*.ça) *s.f.* **1.** Armadura para as costas e o peito. **2.** Casca ou escamas que envolvem o corpo de certos animais. **3.** Revestimento de aço com que se protegem os navios ditos encouraçados contra a artilharia.

couraçado (cou.ra.*ça*.do) *adj.* **1.** Revestido de alguma substância espessa e resistente. • *s.m.* **2.** (*Náut.*) Encouraçado.

couro

couro (cou.ro) s.m. **1.** Pele espessa e dura de alguns animais: *couro de crocodilo*. **2.** Pele de certos animais, depois de curtida e preparada para confecção de roupas, calçados etc. **3.** *coloq.* A pele humana. || *Couro cabeludo*: pele que envolve a cabeça, onde nascem os cabelos. • *Dar no couro*: estar apto a cumprir uma tarefa. • *Tirar o couro*: exigir esforço demasiado de alguém; explorar o freguês, o cliente.

cousa (cou.sa) s.f. Coisa.

couto (cou.to) s.m. Lugar que serve de abrigo ou esconderijo.

couve (cou.ve) s.f. (*Bot.*) Planta comestível, de folhas largas e grossas, de que existem muitas variedades.

couve-flor (cou.ve-*flor*) s.f. Variedade de couve de caule curto, do qual saem florescências comestíveis. || pl.: *couves-flor* e *couves-flores*.

couvert [*cuvér*] (Fr.) s.m. Petiscos (azeitonas, pastas, torradas, manteiga) servidos antes do primeiro prato. || *Couvert artístico*: valor que se soma à conta de bares e restaurantes que apresentam música ao vivo ou número artístico.

cova [ó] (co.va) s.f. **1.** Buraco que se faz na terra para se plantar uma semente ou uma muda de planta. **2.** Abertura que se cava na terra para se sepultarem corpos de pessoas ou de animais mortos; sepultura. **3.** Buraco onde vivem ou se escondem animais; toca. **4.** Caverna, antro. || *Descer à cova*: morrer. • *Estar com os pés na cova*: estar prestes a morrer.

covarde (co.var.de) adj. **1.** Que não tem coragem; medroso. • s.m. e f. **2.** Pessoa que não tem coragem; que não tem firmeza; pessoa medrosa. || *cobarde*.

covardia (co.var.di.a) s.f. **1.** Falta de coragem. **2.** Ação desleal, aproveitando a fraqueza de outro: *Maltratar crianças é covardia*. || *cobardia*.

coveiro (co.vei.ro) s.m. **1.** Profissional que trabalha nos cemitérios, abrindo sepulturas para enterrar os mortos. **2.** Pessoa que contribui para o fracasso de alguma coisa: *Aquele jogador foi o coveiro de nossas esperanças nesse campeonato*.

covil (co.vil) s.m. **1.** Cova de feras. **2.** Lugar onde se escondem ladrões, bandidos e salteadores.

covinha (co.vi.nha) s.f. **1.** Cova pequena. **2.** Pequena cavidade no queixo ou que se abre nas bochechas quando se ri.

covo [ó] (co.vo) s.m. Armadilha de pesca feita de esteira ou taquaras.

cowboy [*caubói*] (Ing.) s.m. Caubói.

coxa [ô] [ch] (co.xa) s.m. (*Anat.*) Parte da perna entre o quadril e o joelho.

coxear [ch] (co.xe.*ar*) v. Andar puxando de uma perna; capengar, mancar, claudicar: *Ele passou a coxear depois do acidente*. adj. ▶ Conjug. 14.

coxia [ch] (co.xi.a) s.f. **1.** Espaço lateral de ambos os lados no fundo do palco, atrás dos bastidores. **2.** Lugar para o cavalo na estrebaria; baia. || *De coxia*: diz-se de palpite ou informação privilegiada.

coxilha [ch] (co.xi.lha) s.f. Campina de relevo ondulado, em geral coberta de pastagem.

coxim [ch] (co.*xim*) s.m. **1.** Almofada para assento ou encosto. **2.** Espécie de sofá sem costas. **3.** Parte da sela em que se senta o cavaleiro.

coxo [ô] [ch] (co.xo) adj. **1.** Que coxeia; claudicante. **2.** Que tem uma perna mais curta do que outra; manco. • s.m. **3.** Pessoa que coxeia, que manca.

cozedura (co.ze.du.ra) s.f. **1.** Ação ou efeito de cozer; de preparar alimentos ao fogo; cozimento; cocção. **2.** Aquecimento de uma matéria-prima no fogo, como primeira etapa da fabricação de um produto: *cozedura do barro para fabricação de tijolo*.

cozer (co.zer) v. Preparar alimentos ao fogo ou calor; cozinhar: *cozer a carne em fogo brando*. || Conferir com *coser*. ▶ Conjug. 42.

cozido (co.zi.do) adj. **1.** Que se cozeu. • s.m. **2.** (*Cul.*) Prato de origem ibérica, que varia, no Brasil, de acordo com a região; seus componentes básicos são carne de vaca e porco, linguiça, verduras e batatas. || Conferir com *cosido*.

cozimento (co.zi.men.to) s.m. Ação de cozer; cozedura; cocção.

cozinha (co.zi.nha) s.f. **1.** Compartimento da casa no qual se preparam os alimentos. **2.** Os pratos característicos de uma região, de um país: *cozinha mineira; cozinha italiana*.

cozinhar (co.zi.*nhar*) v. **1.** Preparar alimento ao fogo ou ao calor; cozer: *cozinhar feijão*. **2.** Trabalhar como cozinheiro: *Ela cozinha na minha casa*. **3.** *coloq.* Iludir; embromar, enrolar: *Em vez de contar logo a verdade, ele fica cozinhando*. ▶ Conjug. 5.

cozinheiro (co.zi.*nhei*.ro) s.m. Aquele que cozinha, sobretudo profissionalmente.

Cr (*Quím.*) Símbolo de *cromo*.

craca (cra.ca) *s.f.* (*Zool.*) Tipo de crustáceo marinho que se desenvolve em rochas, corais, esteios de cimento etc.

crachá (cra.chá) *s.m.* Cartão com foto e dados pessoais que se usa preso ao peito para a identificação da pessoa em empresas, congressos, encontros etc.

crack [crac] (Ing.) *s.m.* Narcótico produzido a partir de cocaína e apresentado em forma de cristais.

cracker [cráquer] (Ing.) *s.m. e f.* Especialista em programas, sistemas e redes de computador que invade sistemas e computadores alheios com intenção de causar danos e roubar dados e valores.

craniano (cra.ni.*a*.no) *adj.* (*Anat.*) Pertencente ou concernente a crânio.

crânio (cr*â*.ni:o) *s.m.* **1.** (*Anat.*) Caixa óssea que encerra e protege o cérebro. **2.** *coloq.* Pessoa muito inteligente ou que conhece muito bem um assunto: *Carlos é um crânio em cálculo.*

crápula (cr*á*.pu.la) *adj.* **1.** Vil, calhorda, canalha: *um assassino crápula.* • *s.m. e f.* **2.** Pessoa vil, desonesta; salafrário: *Afaste-se desse crápula!*

crapuloso [ô] (cra.pu.*lo*.so) *adj.* Característico de crápula: *um comportamento crapuloso.* || f. e pl.: [ó].

craque[1] (cra.que) *s.m.* Ruína financeira: *o craque da bolsa.*

craque[2] (cra.que) *s.m.* (*Esp.*) **1.** Jogador de futebol que se tornou célebre: *Cláuderson é o melhor craque do campeonato.* **2.** Indivíduo admirável em sua atividade ou área de conhecimento: *Dr. Cardoso é um craque na Medicina.*

crase (cra.se) *s.f.* **1.** (*Gram.*) Contração ou fusão de duas vogais iguais numa só, como o vocábulo *seriíssimo* que informalmente se torna *seríssimo* ou o *à* resultante da fusão de *a* + *a*; em sentido restrito, contração da preposição *a* com o artigo ou pronome *a* ou da preposição *a* com o *a* inicial dos pronomes demonstrativos *aquele(s)*, *aquela(s)* e *aquilo*. **2.** Designação do acento grave que indica essa contração.

crasear (cra.se.*ar*) *v.* (*Gram.*) Colocar o acento grave sobre o *a* para indicar a crase. ▶ Conjug. 14.

crasso (cras.so) *adj.* **1.** Grosseiro; extremo: *erros crassos de ortografia.* **2.** Grande, completo. **3.** Excessivo, desmedido: *uma ignorância crassa.*

cratera [é] (cra.te.ra) *s.f.* **1.** Grande concavidade; grande buraco: *A bomba abriu uma grande cratera.* **2.** (*Geol.*) Abertura por onde o vulcão expele as lavas e gases. **3.** Depressão formada pelo impacto de um meteorito.

cravar (cra.*var*) *v.* **1.** Fazer entrar ou penetrar; fincar(-se): *cravar pregos; A flecha cravou-se na árvore.* **2.** Engastar (pedra em joia): *Cravou o diamante no anel.* **3.** Fixar(-se) o olhar: *Ela cravou os olhos no namorado; Seus olhos cravaram-se nos da mãe.* ▶ Conjug. 5.

craveira (cra.vei.ra) *s.f.* **1.** Abertura na ferradura por onde se fixa o cravo. **2.** Régua para medir a altura de uma pessoa. **3.** Instrumento usado pelo sapateiro para medir os pés. **4.** Medida padronizada; bitola.

craveiro (cra.vei.ro) *s.m.* **1.** Planta que produz o cravo. **2.** Pessoa que faz cravos e ferraduras.

craveiro-da-índia (cra.vei.ro-da-*ín*.di:a) *s.m.* Planta que dá o cravo-da-índia. || pl.: *craveiros-da-índia*.

cravejar (cra.ve.*jar*) *v.* **1.** Fixar por meio de cravos: *O ferrador cravejou as ferraduras de seu muar.* **2.** Engastar (pedras) em joias: *O ourives cravejou o bracelete de brilhantes; O ourives cravejou diamantes no bracelete.* ▶ Conjug. 10.

cravelha [ê] (cra.ve.lha) *s.f.* (*Mús.*) Pequena chave, nas extremidades dos instrumentos de cordas, que serve para as afinar.

cravista (cra.*vis*.ta) *s.m. e f.* Tocador de cravo.

cravo[1] (*cra*.vo) *s.m.* **1.** Prego. **2.** (*Med.*) Calo doloroso e aprofundado na planta do pé. **3.** Ponto escuro, sobretudo no rosto, causado pela obstrução sebácea dos poros.

cravo[2] (*cra*.vo) *s.m.* Instrumento de cordas e teclados, predecessor do piano.

cravo[3] (*cra*.vo) *s.m.* (*Bot.*) Flor aromática, de pétalas recortadas, de cores variadas.

cravo-da-índia (cra.vo-da-*ín*.di:a) *s.m.* Condimento originário da Ásia, usado em compotas e vinhas-d'alhos. || pl.: *cravos-da-índia*.

crawl [cráu] (Ing.) *adj.* (*Esp.*) Diz-se de modalidade de nado rápido, caracterizado pelo batimento permanente dos pés e por braçadas alternadas, o que permite um deslocamento do corpo com pouco atrito na superfície da água: *nado crawl.* • *s.m.* **2.** Esse nado.

crayon [creion] (Fr.) *s.m.* **1.** Lápis de desenho. **2.** Desenho feito com esse lápis. || *creiom*.

creche [é] (cre.che) *s.f.* Instituição, pública ou privada, que cuida de crianças durante o dia, enquanto os pais trabalham.

credencial (cre.den.ci:*al*) *adj.* **1.** Que concede crédito, poder, autoridade. • *s.f.* **2.** Cartão de identificação que autoriza a entrada e a participação em eventos. **3.** Ações ou títulos que abonam uma pessoa. • *credenciais s.f.pl.*

credenciar

4. Carta que um ministro ou um embaixador entrega ao chefe de um Estado, ao qual é enviado, para se fazer acreditar junto dele: *O novo embaixador da China apresentou suas credenciais ao presidente da República.*

credenciar (cre.den.ci:*ar*) *v.* **1.** Dar credenciais: *O governo credenciou o diplomata na Nicarágua.* **2.** Dar direito, crédito ou poderes a: *Seu conhecimento o credencia como presidente*; *Seus estudos o credenciam a coordenar os serviços.* **3.** Ficar qualificado: *O jornalista credenciou-se junto ao órgão responsável pelo evento.* ▶ Conjug. 17.

crediário (cre.di:á.ri:o) *s.m.* **1.** Plano de pagamento de compras a prestações. **2.** Dívida contraída nesse tipo de compras.

credibilidade (cre.di.bi.li.*da*.de) *s.f.* Qualidade do que é crível, de quem merece crédito.

creditar (cre.di.*tar*) *v.* **1.** Considerar como causa ou autor de: *O êxito do negócio deve ser creditado à competência de Mário.* **2.** Depositar (uma quantia) na conta bancária de alguém: *Vou creditar R$ 500,00 na sua conta.* ▶ Conjug. 5.

crédito (*cré*.di.to) *s.m.* **1.** Confiança que as qualidades de uma pessoa inspiram: *Você é uma pessoa digna de crédito.* **2.** Pagamento a prazo: *Comprei esse aparelho a crédito.* **3.** Consideração, influência, valimento: *Ele é um homem de crédito.* **4.** Quantia depositada em conta bancária: *O extrato bancário registra um saldo de R$ 2.000,00.* **5.** Quantia a que se tem direito: *Ela ainda tem um crédito de R$ 130,00 na minha loja.* **6.** Indicação dos nomes dos artistas e colaboradores de um filme, um programa de TV, um livro, um projeto etc.

credo [é] (*cre*.do) *s.m.* **1.** Os princípios básicos de uma fé religiosa. **2.** Oração da Igreja Católica que resume os princípios básicos da fé. **3.** Momento da missa em que se reza essa oração: *Ela chegou à missa no credo.*

credor [ô] (cre.*dor*) *adj.* **1.** Que emprestou dinheiro ou fez venda por crediário. • *s.m.* **2.** Aquele que empresta dinheiro ou faz venda a crédito. **3.** Pessoa que, por algum motivo, é merecedora de consideração, estima ou respeito.

crédulo (cré.du.lo) *adj.* **1.** Que crê facilmente em qualquer coisa; ingênuo. • *s.m.* **2.** Aquele que crê facilmente em qualquer coisa; aquele que é ingênuo. – **credulidade** *s.f.*

creiom (crei.*om*) *s.m.* Crayon.

cremação (cre.ma.*ção*) *s.f.* Ação de destruir pelo fogo, especialmente cadáveres humanos; incineração.

cremalheira (cre.ma.*lhei*.ra) *s.f.* **1.** Barra dentada para levantar ou baixar uma peça móvel. **2.** Peça munida de dentes que se encaixam em outra numa estrutura de engrenagem como nos relógios de corda. **3.** Via férrea de montanha, com trilho central dentado em que se encaixam as rodas motoras dentadas da locomotiva.

cremar (cre.*mar*) *v.* Incinerar (cadáveres). ▶ Conjug. 5.

crematório (cre.ma.*tó*.ri:o) *adj.* **1.** Relativo a cremação. **2.** Usado para fazer cremação: *forno crematório.* • *s.m.* **3.** Local em que se fazem cremações.

creme (*cre*.me) *adj.* **1.** De cor levemente amarelada, como a da nata do leite. • *s.m.* **2.** Substância espessa, gordurosa, que se forma no leite; nata. **3.** Substância cosmética ou farmacêutica, semelhante ao creme no aspecto ou consistência: *creme de barbear*; *creme hidratante.* **4.** Manjar feito de leite, farinha, ovos e açúcar. **5.** *fig.* O que há de melhor numa sociedade; nata, escol, fina flor.

cremoso [ô] (cre.*mo*.so) *adj.* **1.** Rico em creme. **2.** Da consistência do creme. || f. e pl.: [ó].

crença (*cren*.ça) *s.f.* **1.** Fé religiosa. **2.** Aquilo em que se crê com fé e convicção.

crendice (cren.*di*.ce) *s.f.* Superstição, mito (3).

crente (*cren*.te) *adj.* **1.** Que acredita em alguma coisa. • *s.m.* e *f.* **2.** Sectário de uma religião. **3.** Membro de uma igreja protestante; evangélico.

creolina (cre:o.*li*.na) *s.f.* Nome comercial de um desinfetante líquido.

crepe [é] (*cre*.pe) *s.m.* **1.** Tecido leve de seda ou lã, fino e ondulado. **2.** (*Cul.*) Panqueca fina preparada com massa leve à base de farinha, leite e ovos e servida com recheio doce ou salgado.

creperia (cre.pe.*ri*.a) *s.f.* Estabelecimento onde se fazem e se vendem crepes.

crépido (*cré*.pi.do) *adj. poét.* Crespo, ondulado.

crepitante (cre.pi.*tan*.te) *adj.* Que crepita; que produz estalos.

crepitar (cre.pi.*tar*) *v.* Dar estalidos como a madeira que se queima: *A fogueira crepitava na noite fria e estrelada.* ▶ Conjug. 5.

crepom (cre.*pom*) *s.m.* **1.** Diz-se do papel de seda encrespado. • *s.m.* **2.** Fazenda de seda encrespada; crepe grosso.

crepúsculo (cre.*pús*.cu.lo) *s.m.* Claridade fraca e indireta, característica dos momentos de transição entre o dia e a noite e vice-versa: *crepúsculo matutino*; *crepúsculo vespertino*.

crer v. **1.** Acreditar, ter como verdadeiro: *Cremos no futuro do Brasil*. **2.** Aceitar como verdadeiro; ter confiança em: *Ela não crê na Medicina chinesa*. **3.** Julgar-se, presumir-se: *Ele se crê um grande poeta*. ▶ Conjug. 49.

crescendo (cres.cen.do) *s.m.* **1.** (*Mús.*) Aumento progressivo da intensidade do som até chegar a um forte ou um fortíssimo. **2.** (*Mús.*) Crescendo aplicado na execução de um trecho de música. **3.** *fig.* Progressão, desenvolvimento progressivo de algo: *O comércio exterior vai num crescendo*.

crescente (cres.cen.te) *adj.* **1.** Que cresce; que aumenta. **2.** Diz-se da maré que sobe: *a maré crescente*. **3.** Diz-se da Lua entre nova e cheia: *a lua crescente*. **4.** (*Gram.*) Diz-se do ditongo em que a semivogal precede a vogal. • *s.m.* **5.** Quarto crescente; forma de Lua, com menos de um semicírculo iluminado. **6.** A religião muçulmana.

crescer (cres.cer) *v.* **1.** Desenvolver-se, aumentando em tamanho, altura, largura, comprimento, volume, intensidade etc.: *O menino cresceu*; *Crescia o ruído da chuva na calçada*. **2.** Aumentar em quantidade; multiplicar-se: *O número de favelas cresce nas grandes cidades*. **3.** Aumentar ou adquirir (importância, qualidade, autoridade etc.): *Os pais querem sempre ver os filhos crescerem em sua profissão*. **4.** Desenvolver-se em determinadas condições: *Esta criança cresce saudável*. ▶ Conjug. 41.

crescido (cres.ci.do) *adj.* **1.** Que cresceu; que se desenvolveu: *Como este menino está crescido!* **2.** Volumoso: *Tem a barriga crescida por estar grávida*.

crespo [ê] (cres.po) *adj.* **1.** Encaracolado, frisado: *cabelos crespos*. **2.** Agitado, encapelado, ondulado: *mar crespo*.

crestar (cres.tar) *v.* **1.** Queimar(-se) superficialmente; tostar, requeimar: *Não deixe o pão crestar*. **2.** Secar por ação do frio ou do calor: *A geada crestou as flores do jardim*; *As flores crestaram-se sob o forte sol de janeiro*. ▶ Conjug. 8.

cretáceo (cre.tá.ce:o) *adj.* **1.** Diz-se do primeiro período da era mesozoica: *período cretáceo*. • *s.m.* **2.** O período cretáceo: *O cretáceo é o primeiro período da era mesozoica*.

cretense (cre.ten.se) *adj.* **1.** De Creta, ilha grega no Mediterrâneo. • *s.m. e f.* **2.** O natural ou o habitante dessa ilha.

cretinice (cre.ti.ni.ce) *s.f.* Qualidade ou comportamento de cretino; cretinismo.

cretinismo (cre.ti.nis.mo) *s.m.* **1.** Burrice, imbecilidade; cretinice. **2.** (*Med.*) Doença crônica provocada pelo mau funcionamento da glândula tireoide, que causa parada de desenvolvimento físico e mental.

cretino (cre.ti.no) *adj.* **1.** Pouco inteligente; tolo, imbecil: *uma brincadeira cretina*. **2.** (*Med.*) Indivíduo que sofre de cretinismo; retardado.

cretone (cre.to.ne) *s.m.* Fazenda muito forte, de linho ou algodão, usada geralmente na confecção de colchas e cortinas.

cria (cri.a) *s.f.* **1.** Animal recém-nascido: *A vaca lambe sua cria*. **2.** Pessoa criada em casa alheia: *Chegou ainda bebê e tornou-se cria da casa*.

criação (cri:a.ção) *s.f.* **1.** Ação ou efeito de criar; invenção; concepção. **2.** Totalidade dos seres criados. **3.** Ato atribuído a Deus de dar existência a todos os seres e ao mundo. **4.** Estabelecimento, formação, fundação, instituição: *O imperador do Brasil estimulou a criação de órgãos culturais*. **5.** O processo de alimentar e educar uma criança. **6.** O conjunto dos animais domésticos mantidos para abate, venda, aproveitamento de produtos etc.

criacionismo (cri:a.ci:o.nis.mo) *s.m.* Teoria relativa à criação dos seres vivos, oposta ao transformismo e fundada no texto do *Gênese*, literalmente interpretado.

criadagem (cri:a.da.gem) *s.f.* Conjunto dos empregados de uma casa.

criado (cri:a.do) *adj.* **1.** Que teve criação, que se criou. **2.** Que se alimentou e educou; crescido, adulto. • *s.m.* **3.** Pessoa paga para fazer serviços domésticos; empregado, doméstico, serviçal. **4.** Fórmula cortês pela qual, oralmente ou por escrito, um homem se refere a si mesmo ou se põe à disposição de alguém.

criado-mudo (cri:a.do-mu.do) *s.m.* Mesa ou móvel de cabeceira.

criador [ô] (cri:a.dor) *adj.* **1.** Que cria, inventa, concebe: *um talento criador*. • *s.m.* **2.** Aquele a quem se atribui a criação do mundo e de todas as coisas; Deus. **3.** Quem se dedica à criação de animais para abate, venda etc.: *criador de carneiros*. **4.** Fazendeiro de gado.

criança (cri:an.ça) *s.f.* **1.** Ser humano, de pouca idade, menino ou menina. **2.** *fig.* Pessoa ingênua, inexperiente, infantil.

criançada (cri:an.ça.da) *s.f.* **1.** Grupo de crianças. **2.** Atitude infantil; criancice.

criancice (cri:an.ci.ce) s.f. Atitude imatura, própria de criança; infantilidade.

criançola [ó] (cri:an.ço.la) s.m. Adulto que se porta como criança.

criar (cri.ar) v. **1.** Dar existência a, tirar do nada: *No princípio, Deus criou o céu e a Terra.* **2.** Formular em mente; imaginar, inventar: *Maurício de Sousa criou a turma da Mônica.* **3.** Estabelecer, fundar, instituir: *A Cruz Vermelha foi criada para proteger as vítimas da guerra.* **4.** Começar a ter, adquirir: *O jovem industrial está criando uma promissora empresa.* **5.** Amamentar: *Segundo a lenda, uma loba criou os fundadores de Roma.* **6.** Alimentar, educar e sustentar (uma criança): *Algumas mães criam sozinhas os filhos.* **7.** Cultivar (plantar): *O professor aposentado cria orquídeas na serra.* **8.** Passar a ter; adquirir: *criar coragem; criar vergonha.* **9.** Ser causa de; causar: *Ele gosta de criar confusão.* **10.** Manter animais como atividade econômica ou por gosto: *criar cabras; criar canários.* **11.** Crescer, desenvolver-se: *Ele nasceu no Uruguai, mas criou-se no Brasil.* ▶ Conjug. 17.

criatividade (cri:a.ti.vi.da.de) s.f. **1.** Capacidade de inventar, de criar, de inovar, de conceber na imaginação. **2.** Qualidade de quem ou do que é inovador, original.

criativo (cri:a.ti.vo) adj. **1.** Relativo a criatividade: *engenho criativo.* **2.** Que possui muita inventividade, muita criatividade.

criatório (cri.a.tó.ri:o) s.m. Local onde se criam animais: *criatório de caramujos.*

criatura (cri:a.tu.ra) s.f. **1.** Ser ou coisa resultante de criação: *o Criador e suas criaturas.* **2.** Pessoa: *Alfredo é uma ótima criatura.*

cri-cri (cri-cri) s.m. **1.** Voz do grilo. • s.m. e f. **2.** Pessoa maçante, entediante. || pl.: *cri-cris.*

cri-crilar (cri-cri.lar) v. Emitir o cri-cri (grilo): *Os grilos cri-crilavam no silêncio da noite.* ▶ Conjug. 5.

crime (cri.me) adj. **1.** Criminal: *processo crime.* • s.m. **2.** Violação da lei penal: *Pescar com dinamite é crime.* **3.** Atividade ilegal; delinquência. **4.** Ato ou situação condenável, de consequências negativas: *É um crime ver tantas crianças fora da escola.*

criminal (cri.mi.nal) adj. (Jur.) Relativo a crime: *Ele não tem antecedentes criminais.*

criminalidade (cri.mi.na.li.da.de) s.f. (Jur.) **1.** Qualidade de criminoso. **2.** Prática de crimes. **3.** A história e a estatística dos crimes.

criminalista (cri.mi.na.lis.ta) s.m. e f. (Jur.) Especialista em Direito Penal. – **criminalística** s.f.

criminalizar (cri.mi.na.li.zar) v. (Jur.) Considerar algo como crime: *A lei criminaliza o porte de drogas.* ▶ Conjug. 5.

criminoso [ô] (cri.mi.no.so) adj. **1.** (Jur.) Que comete crime. **2.** Pertencente ou concernente a crime. **3.** Em que há crime. **4.** Contrário às leis morais ou sociais. • s.m. **5.** Indivíduo que, por ação ou omissão, infringiu a norma penal. || f. e pl.: [ó].

crina (cri.na) s.f. Conjunto de pelos compridos e flexíveis que guarnecem o pescoço e a cauda do cavalo, do burro, da zebra e de outros animais.

criogenia (cri:o.ge.ni.a) s.f. (Fís.) Estudo da produção de baixas temperaturas e de seus efeitos.

criogênico (cri:o.gê.ni.co) adj. **1.** (Fís.) Concernente ou pertencente à criogenia. **2.** (Fís.) Capaz de produzir e manter baixa temperatura.

crioulo (cri:ou.lo) adj. **1.** Aplicava-se antigamente a pessoa de raça branca, nascida nas colônias europeias do ultramar, principalmente da América. **2.** Aplica-se também a negros nascidos no Brasil. **3.** Que é nativo de certa região, em oposição ao que vem do exterior: *cavalo crioulo; cana crioula; dialeto crioulo.* • s.m. **4.** Indivíduo descendente de europeus, nascido numa das colônias de ultramar, especialmente na América. **5.** Negro nascido no Brasil, por oposição ao originário da África. **6.** (Ling.) Cada uma das línguas, essencialmente orais, surgidas da mistura da língua dos colonizadores europeus com as línguas nativas.

crioterapia (cri:o.te.ra.pi.a) s.f. Tratamento de eliminação de sinais, verrugas etc. da pele pelo congelamento com nitrogênio.

cripta (crip.ta) s.f. **1.** Galeria subterrânea de antigas igrejas onde se enterravam os mortos. **2.** Capela sob o piso de algumas igrejas. **3.** Caverna, gruta.

criptografar (crip.to.gra.far) v. **1.** Transcrever uma mensagem em código, de modo que só quem o domina pode entendê-la: *O oficial criptografou a mensagem enviada aos aliados.* **2.** Codificar dados para impedir que sejam conhecidos por quem ignora o código: *Criptografou alguns dados de sua base.* ▶ Conjug. 5.

criptografia (crip.to.gra.fi.a) s.f. **1.** Escrita cifrada: *Convém usar criptografia na transmissão desses dados.* **2.** Conjunto de técnicas usadas para cifrar um texto: *O tenente é técnico em criptografia.*

criptograma (crip.to.gra.ma) s.m. Sinal ou mensagem cifrados.

criptônimo (crip.tô.ni.mo) s.m. Pseudônimo de alguém, muito frequentemente um autor, cujo nome real nunca se revelou ou nunca se identificou com segurança.

criptônio (crip.tô.ni:o) s.m. (Quím.) Um dos gases raros ou nobres do ar atmosférico, usado em lâmpadas fosforescentes, fotografia etc. || Símbolo: Kr.

crisálida (cri.sá.li.da) s.f. (Zool.) **1.** Estágio intermediário entre o da lagarta e o da mariposa ou da borboleta. **2.** Casulo que as envolve nessa fase.

crisântemo (cri.sân.te.mo) s.m. (Bot.) Planta ornamental, originária da Ásia, de flores brancas, amarelas, rosas e outras cores; monsenhor.

crise (cri.se) s.f. **1.** (Med.) Alteração repentina que sobrevém ao quadro de uma doença ou estado crônico. **2.** Acidente súbito que sobrevém a uma pessoa em estado aparente de boa saúde: *Teve uma crise de asma; de reumatismo*. **3.** Estado de súbito desequilíbrio mental ou emocional: *uma crise de choro; uma crise de raiva*. **4.** Momento de dificuldade na evolução de um processo ou situação: *uma crise econômica; uma crise política*. **5.** Conjuntura cheia de incertezas, aflições ou perigos: *a crise da adolescência; a crise dos quarenta anos*. **6.** Deficiência, falta, penúria: *Foram anos de crise*.

crisma (cris.ma) s.m. (Rel.) **1.** Óleo santo usado em vários sacramentos da Igreja Católica. • s.f. **2.** O sacramento da confirmação.

crismar (cris.mar) v. **1.** Ministrar o sacramento da crisma: *No domingo, o bispo crismará alguns jovens*. **2.** Receber o sacramento da crisma: *Crismei-me na catedral de Vitória*. ▶ Conjug. 5.

crisoberilo (cri.so.be.ri.lo) s.m. (Min.) Pedra semipreciosa de cor esverdeada da qual se obtém um metal, o berílio, muito usado em computadores e reatores nucleares.

crisol (cri.sol) s.m. (Quím.) Recipiente de material refratário, usado em experiências químicas; cadinho.

crisólita (cri.só.li.ta) s.f. Pedra preciosa dourada ou verde-amarelada; crisólito.

crisólito (cri.só.li.to) s.m. Crisólita.

crispar (cris.par) v. **1.** Contrair(-se): *Crispar os lábios de ira*. **2.** Encrespar(-se), franzir(-se): *A água do lago crispava-se com o vento*. ▶ Conjug. 5. – **crispação** s.f.; **crispamento** s.m.

crista (cris.ta) s.f. **1.** (Zool.) Excrescência carnosa na cabeça do galo e de outros galináceos. **2.** Proeminência na cabeça de alguns répteis. **3.** Penacho da cabeça de certas aves. **4.** Ornamento em forma de crista. **5.** Parte mais alta de alguma coisa. || *De crista caída*: desanimado. • *Na crista da onda*: na moda; em evidência.

cristal (cris.tal) s.m. **1.** (Quím.) Sólido constituído de vários átomos dispostos de acordo com uma forma geométrica própria de cada substância: *cristal de enxofre octaédrico*. **2.** (Min.) Quartzo vítreo incolor e transparente. **3.** Vidro límpido, leve e delicado que produz belo som quando tocado. **4.** Objeto feito de cristal: *Guardou os cristais e a prataria no armário*. || *Cristal líquido*: líquido cujas moléculas se dispõem com a regularidade do cristal sólido, usado nas telas de computadores portáteis e nos mostradores de certos brinquedos e relógios eletrônicos.

cristaleira (cris.ta.lei.ra) s.f. Armário envidraçado para guardar cristais, vidros, compoteiras etc.

cristalino (cris.ta.li.no) adj. **1.** Pertencente a cristal ou de sua natureza. **2.** fig. Puro, limpo, claro: *águas cristalinas, voz cristalina*. **3.** Sem ruídos, sem interferências: *som cristalino*. • s.m. **4.** (Anat.) Corpo transparente situado no globo ocular, em forma de lentilha, através do qual se refratam os raios luminosos que vão formar a imagem na retina.

cristalizar (cris.ta.li.zar) v. **1.** Fazer tomar forma e contextura cristalinas: *cristalizar o açúcar*. **2.** Permanecer no mesmo estado ou situação: *Seu modo de ver as coisas cristalizou-se havia anos*. **3.** Cozinhar frutas no açúcar e deixá-las secar: *A doceira cristalizava rodelas de abacaxi*. ▶ Conjug. 5.

cristalografia (cris.ta.lo.gra.fi.a) s.f. Ciência que descreve os cristais e estuda sua formação e estrutura.

cristandade (cris.tan.da.de) s.f. **1.** O mundo cristão considerado como uma unidade. **2.** Qualidade de cristão.

cristão (cris.tão) adj. **1.** Que professa e segue o cristianismo: *um povo cristão*. **2.** Que é adequado e compatível com a doutrina cristã: *um procedimento cristão*. • s.m. **3.** Pessoa batizada numa igreja cristã e que segue a doutrina de Cristo. **4.** Pessoa; criatura: *Não há nesta sala nenhum cristão para me acudir?*

cristão-novo (cris.tão-no.vo) s.m. Judeu convertido ao cristianismo. || pl.: *cristãos-novos*.

cristianismo (cris.ti:a.nis.mo) s.m. O conjunto das várias denominações cristãs, baseadas nos ensinamentos de Cristo, transmitido por seus apóstolos e evangelistas.

cristianizar (cris.ti:a.ni.*zar*) v. Tornar(-se) cristão: *Os missionários cristianizavam os pagãos; Muitos indianos se cristianizaram com a pregação de São Francisco Xavier.* ▶ Conjug. 5. – **cristianização** s.f.

cristo (cris.to) s.m. **1.** Imagem de Cristo: *Comprou um cristo barroco.* **2.** *fig.* Pessoa vítima de injustiças, de perseguições: *É um cristo aquele homem.*

cristologia (cris.to.lo.gi.a) s.f. Estudo da personalidade, história e doutrina de Jesus Cristo.

critério (cri.té.ri:o) s.m. **1.** (*Filos.*) Norma intelectual que permite julgar, avaliar, decidir. **2.** Faculdade de identificar o correto do incorreto; discernimento. || *A critério de*: de acordo com o juízo de.

criterioso [ô] (cri.te.ri:o.so) adj. Que tem bom critério, que revela juízo claro e seguro. || f. e pl.: [ó].

crítica (*crí*.ti.ca) s.f. **1.** Análise para avaliação qualitativa de alguma coisa. **2.** Expressão do julgamento de uma obra artística, literária ou científica. **3.** O conjunto dos que exercem a crítica na mídia. **4.** Avaliação desfavorável: *Seu procedimento foi alvo de crítica.*

criticar (cri.ti.*car*) v. **1.** Examinar e analisar alguma coisa, notando sua qualidade e seus defeitos: *O jornalista criticou com benevolência o romance do jovem escritor.* **2.** Fazer comentários desfavoráveis sobre pessoas ou coisas: *As comadres criticavam as maneiras da vizinha.* ▶ Conjug. 5 e 35.

crítico (*crí*.ti.co) adj. **1.** Pertencente ou concernente a crítica: *um excessivo rigor crítico.* **2.** Que contém crítica, julgamento ou censura: *Ninguém escapava àquele olhar crítico.* **3.** De ou relativo a crise: *um momento crítico; uma idade crítica.* • s.m. **4.** Pessoa que julga obras literárias, artísticas ou científicas: *Os críticos receberam bem a obra da pintora brasileira.*

crivar (cri.*var*) v. **1.** Fazer muitos furos: *O bandido crivou a parede de balas.* **2.** Encher: *O repórter crivou o candidato de perguntas.* ▶ Conjug. 5.

crível (*crí*.vel) adj. Que pode ser crido.

crivo (cri.vo) s.m. **1.** Joeira ou peneira de fio metálico. **2.** Qualquer coisa cheia de furos em toda a superfície. **3.** Espécie de bordado feito em bastidor, que forma uma espécie de grade. **4.** *fig.* Avaliação minuciosa; prova: *Passou pelo crivo de uma banca examinadora.*

croata (cro:*a*.ta) adj. **1.** Da Croácia, país da Europa. • s.m. e f. **2.** O natural ou o habitante desse país. • s.m. **3.** Idioma falado nesse país.

crocante (cro.*can*.te) adj. Que produz um ruído seco quando mordido: *bolacha crocante.*

croché (cro.*ché*) s.m. Tecido rendado executado à mão com uma agulha provida de um gancho na extremidade e utilizado na confecção de peças ornamentais de vestuário e outras. || *crochê*.

crochê (cro.*chê*) s.m. Croché.

crocitar (cro.ci.*tar*) v. **1.** Soltar a voz (o corvo, o abutre, a coruja). **2.** Imitar a voz do corvo; corvejar. ▶ Conjug. 5.

crocodilo (cro.co.*di*.lo) s.m. **1.** Grande réptil anfíbio, carnívoro, de fortes mandíbulas, encontrado na Ásia, África, América e Austrália, em água doce, salobra ou salgada. **2.** Couro de crocodilo usado na fabricação de calçados, cintos, bolsas etc.: *um sapato de crocodilo.*

croissant [croassã] (Fr.) s.m. Pequeno pão amanteigado em forma de meia-lua.

cromado (cro.*ma*.do) adj. **1.** Que contém cromo, revestido de cromo: *metal cromado.* • s.m. **2.** Acessório cromado de um veículo.

cromagem (cro.*ma*.gem) s.f. Ato ou efeito de cromar.

cromar (cro.*mar*) v. Revestir (um objeto de metal) com uma camada de cromo. ▶ Conjug. 5.

cromática (cro.*má*.ti.ca) s.f. **1.** Ciência que estuda as cores. **2.** Arte de combinar as cores.

cromático (cro.*má*.ti.co) adj. **1.** Relativo a cores. **2.** (*Mús.*) Composto de uma série de semitons: *escala cromática.*

cromatina (cro.ma.*ti*.na) s.f. (*Biol.*) Substância do núcleo das células vivas, formadora dos cromossomos.

cromatismo (cro.ma.*tis*.mo) s.m. **1.** Distribuição harmoniosa das cores. **2.** (*Mús.*) Uso da escala cromática, formada por semitons.

cromo¹ (*cro*.mo) s.m. (*Quím.*) Metal prateado e maleável usado na fabricação de aço inoxidável. || Símbolo: Cr.

cromo² (*cro*.mo) s.m. **1.** (*Art.*) Desenho impresso a cores. **2.** Impressão litográfica a cores. **3.** Estampa colorida.

cromo³ (*cro*.mo) s.m. Couro de extraordinária maciez e resistência, tratado com sais de cromo, usado na fabricação de calçados.

cromosfera [é] (cro.mos.fe.ra) s.f. Camada vermelha da atmosfera solar, composta especialmente de hidrogênio.

cromossoma (cro.mos.so.ma) s.m. Cromossomo.

cromossomo (cro.mos.so.mo) s.m. (*Biol.*) Componente do núcleo celular que contém o código genético. || *cromossoma*.

crônica (crô.ni.ca) s.f. (*Lit.*) **1.** Narração histórica, por ordem cronológica de acontecimentos. **2.** Narrativa curta sobre temas do cotidiano. **3.** Coluna ou seção especializada dentro de uma revista ou jornal: *crônica política*; *crônica social*.

crônico (crô.ni.co) adj. **1.** (*Med.*) Diz-se de estado doentio prolongado: *alergia crônica*; *reumatismo crônico*. **2.** Que persiste e não se modifica: *mau humor crônico*; *otimismo crônico*.

cronista (cro.nis.ta) s.m. e f. Pessoa que escreve crônicas.

cronograma (cro.no.gra.ma) s.m. Cálculo das etapas e prazos previstos para a execução de um projeto de trabalho.

cronologia (cro.no.lo.gi.a) s.f. (*Hist.*) **1.** Estudo das divisões do tempo e do estabelecimento das datas históricas. **2.** Ordem de ocorrência dos fatos.

cronológico (cro.no.ló.gi.co) adj. Relativo a cronologia ou ao tempo.

cronometragem (cro.no.me.tra.gem) s.f. Medição de duração por meio de cronômetro.

cronometrar (cro.no.me.trar) v. Marcar pelo cronômetro a duração de um fato: *cronometrar uma corrida*. ▶ Conjug. 8.

cronometria (cro.no.me.tri.a) s.f. Estudo das técnicas para medição dos intervalos de tempo e manutenção de sua unidade. – **cronométrico** adj.; **cronometrista** s.m. e f.

cronômetro (cro.nô.me.tro) s.m. Instrumento de precisão para medir intervalos do tempo em frações de segundos.

crooner [*crúner*] (Ing.) s.m. e f. Vocalista de um conjunto musical.

croquete [é] (cro.que.te) s.m. (*Cul.*) Bolinho frito de carne moída, camarão, peixe etc.

croqui (cro.qui) s.m. Esboço feito à mão de desenho ou pintura.

crosta [ô] (cros.ta) s.f. **1.** Camada espessa e dura que se forma sobre um corpo. **2.** Casca que se forma sobre uma ferida. || *Crosta terrestre*: a superfície da Terra.

cru adj. **1.** Que não está cozido: *carne crua*. **2.** Sem preparação: *couro cru*. **3.** Sem dissimulação: *Verdade nua e crua*. **4.** Bárbaro, desumano, cruel: *um assassino cru*. **5.** Inexperiente: *Este estagiário ainda está meio cru*.

crucial (cru.ci.al) adj. Muito importante; essencial; decisivo.

cruciante (cru.ci.an.te) adj. Que crucia; que aflige; que tortura. – **cruciar** v. ▶ Conjug. 17.

cruciferário (cru.ci.fe.rá.ri:o) s.m. Pessoa que leva a cruz nas procissões e outros atos litúrgicos.

crucificação (cru.ci.fi.ca.ção) s.f. Ato ou efeito de crucificar. || *crucifixão*.

crucificar (cru.ci.fi.car) v. **1.** Pregar na cruz; infligir o suplício da cruz: *Crucificaram Jesus entre dois ladrões*. **2.** fig. Criticar duramente; falar mal de: *Ninguém tem o direito de crucificar o colega em sua ausência*. ▶ Conjug. 5 e 35.

crucifixão [cs] (cru.ci.fi.xão) s.f. Crucificação.

crucifixo [cs] (cru.ci.fi.xo) adj. **1.** Crucificado. • s.m. **2.** Imagem de Cristo crucificado.

crudelíssimo (cru.de.lís.si.mo) adj. Superlativo absoluto de *cruel*.

cruel (cru.el) adj. **1.** Que maltrata; malvado: *um inimigo cruel*. **2.** Que causa sofrimento: *uma tarefa cruel*. **3.** Pungente, doloroso: *uma enfermidade cruel*. **4.** Insensível, duro, intransigente: *um patrão cruel*. **5.** Sangrento, sanguinolento: *um crime cruel*. **6.** Contrário ao que se desejava: *um destino cruel*.

crueldade (cru:el.da.de) s.f. **1.** Qualidade de cruel; maldade; perversidade. **2.** Ato cruel.

cruento (cru:en.to) adj. **1.** Em que há derramamento de sangue; sangrento. **2.** Cruel, sanguinário.

crupe (cru.pe) s.m. (*Med.*) Infecção que afeta a laringe, causando dificuldade respiratória e, às vezes, oclusão da glote e asfixia; difteria laringiana.

crupiê (cru.pi:ê) s.m. Empregado que, nas casas de jogo, dirige o jogo, paga e recebe o dinheiro das apostas.

crustáceo (crus.tá.ce:o) s.m. (*Zool.*) Animal marinho recoberto de uma casca dura, como a lagosta, o caranguejo e o siri.

cruz s.f. **1.** Antigo instrumento de suplício, formado de duas peças atravessadas uma sobre a outra, em que se pregavam criminosos. **2.** fig. Sofrimento, martírio. **3.** fig. A paixão e a morte de Cristo. **4.** Símbolo do cristianismo. || *Assinar em cruz*: **1.** assinar (o analfabeto), traçando uma cruz. **2.** assinar sem ler o que está assinando.

cruzada (cru.za.da) s.f. **1.** (Hist.) Expedição dos países cristãos, na Idade Média, a fim de expulsar da Terra Santa os muçulmanos. **2.** fig. Movimento ou campanha preparada para a defesa de um interesse ou a propagação de uma ideia: *uma cruzada em defesa da Mata Atlântica*.

cruzado[1] (cru.za.do) s.m. Cavaleiro que tomava parte nas cruzadas medievais contra os muçulmanos.

cruzado[2] (cru.za.do) adj. **1.** Disposto em forma de cruz. **2.** Diz-se do cheque em que se colocam dois traços para que não possa ser descontado imediatamente, mas depositado em conta-corrente. • s.m. **3.** Moeda brasileira que substituiu o cruzeiro em 1986. || *Cruzado novo*: moeda introduzida em 1989 e que vigorou até 1990, quando voltou o cruzeiro.

cruzador [ô] (cru.za.dor) adj. **1.** Que cruza. • s.m. **2.** (Náut.) Navio de guerra usado para lançamento de mísseis, escolta de comboios etc.

cruzamento (cru.za.men.to) s.m. **1.** Ato ou efeito de cruzar. **2.** Ponto onde duas ruas ou avenidas se cruzam. **3.** Ajuntamento sexual de animais.

cruzar (cru.zar) v. **1.** Dispor em forma de cruz; dar forma de cruz: *Cruzou os talheres e levantou-se da mesa*. **2.** Atravessar, cortar, interceptar: *A linha férrea cruzava a pequena cidade de norte a sul*. **3.** Encontrar alguma coisa ou alguém que caminha em sentido contrário: *A caminho da escola, cruzou com o amigo que ia à praia*; *Os transeuntes cruzavam-se em várias direções*. **4.** Percorrer o mar, tocando em uma série de portos: *O velho marujo tinha cruzado os sete mares*. **5.** Juntar animais para que procriem; acasalar: *Meu cachorro cruzou com uma cadela de raça*. **6.** Apor diagonalmente dois riscos paralelos num cheque para que não seja descontado no guichê: *Por favor, cruze o cheque, que é ao portador!* **7.** Estabelecer ligação, correspondência entre: *Os países aliados cruzavam informações*. ▶ Conjug. 5.

cruzeiro (cru.zei.ro) s.m. **1.** Grande cruz erguida em lugar de destaque: *morros, cemitérios, adro de igrejas etc*. **2.** Viagem turística em navio de passageiros, através de vários portos. **3.** Moeda brasileira que vigorou de 1942 a 1967, e de março a julho de 1990. || *Cruzeiro novo*: moeda introduzida em 1967 em substituição ao cruzeiro. || *Cruzeiro real*: moeda de transição para o real criada em agosto de 1993, vigorando até julho de 1994, quando foi substituída pelo real.

Cs (Quím.) Símbolo de *césio*.

cu s.m. *chulo* Ânus.

Cu (Quím.) Símbolo de *cobre*.

cuba (cu.ba) s.f. **1.** Tonel grande em que se guarda vinho nas adegas. **2.** Vasilha grande para líquidos que serve para vários usos nas indústrias. **3.** A bacia de uma pia.

cuba-libre (cu.ba-li.bre) s.f. Bebida composta de refrigerantes à base de cola, rum, gelo e uma rodela de limão. || pl.: *cubas-libres*.

cubano (cu.ba.no) adj. **1.** De Cuba, país da América Central, no Caribe. • s.m. **2.** O natural ou o habitante desse país.

cubar (cu.bar) v. **1.** Determinar o volume de um sólido: *O engenheiro cubou a caixa-d'água da estação*. **2.** Elevar um número ao cubo. ▶ Conjug. 5.

cúbico (cú.bi.co) adj. **1.** Relativo ao cubo, medida de volume. **2.** Que tem a forma de cubo.

cubículo (cu.bí.cu.lo) s.m. **1.** Pequeno aposento. **2.** Cela de convento. **3.** Cela de penitenciária.

cubismo (cu.bis.mo) s.m. (Art.) Movimento artístico surgido por volta de 1910 e que se caracteriza pela decomposição e geometrização das formas naturais.

cubista (cu.bis.ta) adj. (Art.) **1.** Relativo ao Cubismo. • s.m. e f. **2.** Artista adepto do Cubismo.

cúbito (cú.bi.to) s.m. Cotovelo.

cubo (cu.bo) s.m. **1.** (Geom.) Sólido limitado por seis faces quadradas iguais. **2.** Qualquer sólido semelhante a esse: *cubos de gelo*. **3.** (Mat.) A terceira potência de um número.

cuca[1] (cu.ca) s.m. (Cul.) Redução de *mestre-cuca*; cozinheiro.

cuca[2] (cu.ca) s.f. (Folc.) Figura de mau aspecto com a qual se mete medo às crianças; bicho-papão.

cuca[3] (cu.ca) s.f. gír. Cabeça, mente.

cuca[4] (cu.ca) s.f. Certo bolo de origem alemã.

cuco (cu.co) s.m. **1.** (Zool.) Ave da Europa cujo canto é composto de duas notas. **2.** Relógio de pêndulo em que as horas são anunciadas por um cuco mecânico que surge de dentro da caixa.

cueca [é] (cu:e.ca) s.f. Peça íntima do vestuário masculino, usada sob as calças, da cintura para baixo, cobrindo, sobretudo, as nádegas e a genitália. || *cuecas*.

cuecas (cu:e.cas) s.f.pl. Cueca.

cueiro (cu:ei.ro) s.m. Pano no qual se envolvem as crianças recém-nascidas.

cuia (cui.a) *s.f.* **1.** (*Bot.*) Fruto redondo de casca muito dura. **2.** Recipiente feito com a casca deste fruto, cortado pelo meio ao comprido. **3.** Qualquer recipiente semelhante a cuia.

cuiabano (cui.a.*ba*.no) *adj.* **1.** De Cuiabá, capital do Estado de Mato Grosso. • *s.m.* **2.** O natural ou o habitante dessa capital.

cuíca (cu:*í*.ca) *s.f.* (*Mús.*) **1.** Instrumento popular, constituído de um pequeno barril, fechado numa das bocas com uma pele bem esticada, em cujo centro se prende uma vara que, ao ser atritada com a palma da mão, produz um som rouco característico. **2.** Mamífero de hábitos noturnos, semelhante ao gambá.

cuidado (cui.*da*.do) *s.m.* **1.** Atenção zelosa; precaução: *Tenha cuidado com as ondas muito fortes!* **2.** Encargo, incumbência, responsabilidade, conta: *Deixou as crianças aos cuidados da mãe.* **3.** Zelo, desvelo, atenção especial: *Ele necessita de cuidados médicos.* • *adj.* **4.** Que recebeu bom trato: *roupa sempre bem-cuidada.* • *interj.* **5.** Frase nominal exclamativa que expressa aviso ou advertência: *Cuidado! O sinal vai fechar!*

cuidadoso [ô] (cui.da.*do*.so) *adj.* Que tem ou demonstra cuidado; zeloso. || f. e pl.: [ó].

cuidar (cui.*dar*) *v.* **1.** Ter cuidado (3) com alguma coisa ou alguém ou com si próprio: tratar, tomar conta de alguém ou de alguma coisa: *Ela cuidava das crianças e de seus deveres escolares.* **2.** Assumir a responsabilidade de alguma coisa; encarregar-se de: *A mãe cuidava do jantar das crianças.* **3.** Imaginar, supor, julgar: *Ele cuidava que seria recebido pelo chefe.* **4.** Ter preocupação, prevenir-se: *Cuide-se bem durante minha ausência!* ▶ Conjug. 5.

cujo (cu.jo) *pron. rel.* Indica a posse do que representa o substantivo que o segue: *O negociante cujos artigos se encontram à venda acabou de sair da loja; A casa cuja dona viajou está fechada; O amigo em cuja casa me hospedei viajou para a Europa.*

culatra (cu.*la*.tra) *s.f.* Parte posterior do cano de qualquer arma de fogo.

culinária (cu.li.*ná*.ri:a) *s.f.* **1.** Arte de cozinhar. **2.** O conjunto de pratos característicos de cada região ou de cada país: *a culinária paraense; a culinária francesa.*

culinário (cu.li.*ná*.ri:o) *adj.* Relativo a cozinha ou a culinária.

culminação (cul.mi.na.ção) *s.f.* **1.** Ato ou efeito de culminar. **2.** (*Astron.*) Elevação máxima de um astro acima do horizonte.

culminância (cul.mi.*nân*.ci:a) *s.f.* **1.** Ponto mais alto, auge, apogeu. **2.** (*Astron.*) Ponto em que um astro culmina, isto é, atinge sua maior elevação sobre o horizonte; culminação.

culminante (cul.mi.*nan*.te) *adj.* Que culmina, que é o mais elevado: *O pico da Neblina é o ponto culminante do Brasil.*

culminar (cul.mi.*nar*) *v.* Atingir seu ponto culminante; chegar ao auge: *A carreira da atriz culminou com um convite para filmar nos Estados Unidos.* ▶ Conjug. 5.

culote [ó] (cu.*lo*.te) *s.m.* **1.** Calça larga nos quadris e justa dos joelhos para baixo, usada, sobretudo, em equitação. **2.** *coloq.* Gordura localizada na parte lateral dos quadris.

culpa (*cul*.pa) *s.f.* **1.** Responsabilidade atribuída a alguém por ato ou por omissão representável ou criminosa: *Nem sempre os pais têm culpa dos erros dos filhos.* **2.** Conduta da qual pode provir dano ou ofensa grave a alguém: *A poluição dos mananciais resulta em grave culpa social.* **3.** Falta voluntária a uma obrigação ou a um princípio ético. **4.** Responsabilidade por ação ou por omissão prejudicial, criminosa ou reprovável. **5.** Transgressão de preceitos religiosos; pecado: *Confessou suas culpas a um confessor.* **6.** (*Jur.*) Violação ou inobservância de uma regra de conduta de que resulta lesão ao direito alheio. – **culpabilidade** *s.f.*

culpado (cul.*pa*.do) *adj.* **1.** Que tem culpa; que é responsável por ato reprovável ou criminoso. **2.** Tomado por sentimento de culpa. • *s.m.* **3.** (*Jur.*) Pessoa culpada; réu.

culpar (cul.*par*) *v.* **1.** Atribuir(-se) culpa; declarar(-se) culpado, incriminar(-se): *Culparam a moça de não ser atenciosa com os clientes; O diretor culpou a turma pela desordem da sala; Ele se culpava pelo desastre.* **2.** Indicar alguma coisa como causa: *Culparam a chuva pelo fracasso da festa.* ▶ Conjug. 5.

culpável (cul.*pá*.vel) *adj.* **1.** A quem se pode atribuir culpa. **2.** Censurável, repreensível.

culposo [ô] (cul.*po*.so) *adj.* **1.** Que tem culpa. **2.** (*Jur.*) Diz-se de ação que, embora denote culpa, não foi intencional. || f. e pl.: [ó].

cultismo (cul.*tis*.mo) *s.m.* (*Lit.*) Estilo barroco que priorizava a forma.

cultivador [ô] (cul.ti.va.*dor*) *adj.* **1.** Que cultiva. • *s.m.* **2.** Pessoa que cultiva.

cultivar (cul.ti.*var*) *v.* **1.** Plantar e cuidar para que se desenvolva: *Naquela fazenda cultiva-se milho.* **2.** Lavrar a terra para que produza: *Queremos cultivar esta terra tão fértil.* **3.** (*Biol.*) Criar animais: *Ele cultivava escargots na serra.*

cultivo

4. Criar artificialmente por meio de técnicas especiais: *Cultivam-se pérolas nessas ilhas*. **5.** Dedicar-se a (estudo, saber, conhecimento teórico e/ou prático); aplicar-se regularmente a: *O velho mestre cultivava com entusiasmo as belas-letras*; *Aquele jovem cultiva o físico, mas não o espírito*. **6.** Empenhar-se em manter por longo tempo: *Cultive o bom humor para ter boa saúde!* ▶ Conjug. 5.

cultivo (cul.*ti*.vo) *s.m.* Ato ou efeito de cultivar.

culto¹ (*cul*.to) *adj.* Que é bem instruído; que tem muita cultura: *Um jovem muito culto*.

culto² (*cul*.to) *s.m.* **1.** (*Rel.*) Veneração a Deus, às divindades e aos santos. **2.** Ritual religioso: *Temos liberdade de culto*. **3.** Apego a alguém ou a alguma coisa: *culto à memória de Carmen Miranda*.

cultuar (cul.tu:*ar*) *v.* Tratar como objeto de culto; prestar culto a; venerar: *Alguns leitores cultuam esse poeta brasileiro*. ▶ Conjug. 5.

cultura (cul.*tu*.ra) *s.f.* **1.** Ato, efeito ou modo de cultivar a terra ou certas plantas: *a cultura mecanizada*; *a cultura do arroz nas várzeas*. **2.** A criação de determinados animais: *a cultura do bicho-da-seda*; *a cultura de camarões da Indonésia*. **3.** (*Biol.*) Propagação de micro-organismos ou de tecido vivo em um meio nutritivo preparado, usados para análises clínicas: *cultura de bactérias na urina*. **4.** O conjunto de conhecimentos de uma pessoa: *Nosso professor tem uma grande cultura*. **5.** O conhecimento acumulado pela humanidade através das gerações: *a cultura ocidental*; *a cultura do Oriente*; *a cultura árabe*. **6.** Valores, costumes e estética de um certo período: *cultura clássica*; *cultura pré-colombiana*. – **cultural** *adj.*

cumbuca (cum.*bu*.ca) *s.f.* Vasilha para líquidos feita de cabaça.

cume (*cu*.me) *s.m.* **1.** Parte mais elevada do monte, montanha; píncaro. **2.** *fig.* O ponto mais alto que se pode atingir: *o cume da carreira*.

cumeada (cu.me:*a*.da) *s.f.* Sequência de cumes de montanhas.

cumeeira (cu.me:*ei*.ra) *s.f.* **1.** A parte mais alta do telhado. **2.** Peça de madeira que, colocada horizontalmente, serve de apoio às extremidades superiores dos caibros.

cúmplice (*cúm*.pli.ce) *s.m. e f.* **1.** Pessoa que tomou parte num crime ou delito; comparsa. **2.** Parceiro em algum trabalho ou projeto.

cumplicidade (cum.pli.ci.*da*.de) *s.f.* **1.** Qualidade de cúmplice. **2.** Ato de cúmplice.

cumprimentar (cum.pri.men.*tar*) *v.* **1.** Fazer ou apresentar cumprimentos, saudações: *Ao entrar no recinto, cumprimentou os presentes*. **2.** Dirigir elogios a; felicitar: *Depois do jogo, foi ao vestiário cumprimentar os campeões*. ▶ Conjug. 5.

cumprimento (cum.pri.*men*.to) *s.m.* **1.** Ato ou efeito de cumprir; de executar uma tarefa: *o cumprimento do dever*. **2.** Palavras de civilidade ou gesto de cortesia com que se saúda alguém. • **cumprimentos** *s.m.pl.* **3.** Saudações, lembranças: *Cumprimentos a seu pai!* || Conferir com **comprimento**.

cumprir (cum.*prir*) *v.* **1.** Pôr em prática, executar pontualmente o que foi predeterminado: *Cumprir todas as etapas do circuito automobilístico*. **2.** Completar (mandato, tempo de prisão etc.): *O senador cumpriu seu mandato até o fim*; *O réu vai cumprir vinte anos de prisão*. **3.** Ser necessário; ser conveniente; convir: *Cumpre não esquecer o objetivo deste trabalho*. **4.** Ser da responsabilidade de; caber a: *Cumpre à banca examinadora a avaliação do candidato*. **5.** Acontecer; realizar-se: *Cumpriu-se tudo como foi previsto*. ▶ Conjug. 66.

cumular (cu.mu.*lar*) *v.* **1.** Oferecer, conceder em grande quantidade: *Cumulou de bens os famintos*. **2.** Ter como resultado; chegar a: *Os desentendimentos entre os sócios cumularam com o fim da sociedade*. ▶ Conjug. 5. – **cumulação** *s.f.*

cumulativo (cu.mu.la.*ti*.vo) *adj.* Que aumenta gradativamente com a passagem do tempo ou com acréscimos periódicos.

cúmulo (*cú*.mu.lo) *s.m.* **1.** O mais alto grau, o auge, o suprassumo: *Isso é o cúmulo da gentileza*. **2.** Tipo de nuvem grande e branca que lembra flocos de algodão.

cúmulo-cirro (cú.mu.lo-*cir*.ro) *s.m.* Nuvem constituída pela acumulação de diminutos cristais de gelo. || pl.: *cúmulos-cirro* e *cúmulos-cirros*.

cúmulo-estrato (cú.mu.lo-es.*tra*.to) *s.m.* Nuvem formada de massas escuras e arredondadas, dispostas em grupo. || pl.: *cúmulo-estratos* e *cúmulos-estratos*.

cúmulo-nimbo (cú.mu.lo-*nim*.bo) *s.m.* Nuvem pesada e escura de grande espessura, típica de trovoada e aguaceiro. || pl.: *cúmulo-nimbos* e *cúmulos-nimbos*.

cuneiforme (cu.nei.*for*.me) *adj.* Que tem forma de cunha: *escrita cuneiforme*.

cunha (cu.nha) s.f. **1.** Instrumento afilado de ferro que serve para rachar, calçar e levantar objetos. **2.** Pistolão.

cunhã (cu.nhã) s.f. reg. Mulher jovem.

cunhada (cu.nha.da) s.f. **1.** Irmã de um dos cônjuges em relação ao outro. **2.** A esposa em relação aos irmãos do marido.

cunhado (cu.nha.do) s.m. **1.** Irmão de um dos cônjuges em relação ao outro. **2.** Marido em relação aos irmãos da esposa.

cunhagem (cu.nha.gem) s.f. Ato de cunhar moedas.

cunhar (cu.nhar) v. **1.** Criar vocábulos novos na língua vernácula: *As atividades da vida contemporânea levam a língua a cunhar novas palavras.* **2.** Fabricar moedas imprimindo nelas imagens e palavras: *O governo vai cunhar novas moedas de R$ 1.* ▶ Conjug. 5.

cunho (cu.nho) s.m. **1.** Peça gravada de ferro temperado com a qual se marcam moedas ou medalhas. **2.** Sinal gravado em moedas ou medalhas. **3.** fig. Caráter, especialidade, marca: *ilustração de cunho didático*.

cunicultura (cu.ni.cul.tu.ra) s.f. Criação de coelhos.

cupão (cu.pão) s.m. Cupom.

cupidez [ê] (cu.pi.dez) s.f. **1.** Qualidade de cúpido. **2.** Cobiça, ambição.

cúpido (cú.pi.do) adj. **1.** Que cobiça dinheiro ou bens materiais; ambicioso. **2.** Tomado por desejos amorosos, sensuais.

cupim (cu.pim) s.m. **1.** (Zool.) Pequeno inseto que se alimenta de madeira. **2.** (Zool.) Toutiço dos touros. **3.** A carne desse toutiço. **4.** Montes de terra que certos cupins formam para sua habitação.

cupincha (cu.pin.cha) s.m. e f. coloq. Pessoa muito amiga; camarada: *João é meu cupincha desde o maternal.*

cupinzeiro (cu.pin.zei.ro) s.m. Ninho de cupins.

cupom (cu.pom) s.m. **1.** Espécie de cédula ou cartão destacável que dá ao portador direito a alguma coisa (prêmio, entrada, participação em concurso etc.) **2.** Papel destacável de títulos, que indica os juros e dividendos a que o portador tem direito. || *cupão*.

cúpreo (cú.pre:o) adj. **1.** Relativo a cobre. **2.** Que tem a cor do cobre; cúprico.

cúprico (cú.pri.co) adj. **1.** Cúpreo. **2.** (Quím.) Diz-se de um óxido de cobre.

cupuaçu (cu.pu:a.çu) s.m. **1.** (Bot.) Árvore da região amazônica de cujos frutos se faz uma espécie de mingau muito apreciado. **2.** O fruto desta árvore.

cúpula (cú.pu.la) s.f. **1.** (Arquit.) Parte superior de algumas construções cujo interior é côncavo e o exterior convexo; abóbada. **2.** fig. Conjunto dos principais dirigentes de um partido, de uma instituição etc. **3.** fig. Reunião de caráter internacional de chefes de estado ou de governo; cimeira: *cúpula dos países sul-americanos*.

cura[1] (cu.ra) s.f. **1.** Ação ou processo de curar(-se); recuperação da saúde. **2.** Processo de curar ou secar ao sol ou ao calor do fogo (queijo, peixe, carne etc.) **3.** Recuperação, solução: *Sua paixão pelo futebol não tem cura.*

cura[2] (cu.ra) s.m. Pároco de aldeia.

curaçau (cu.ra.çau) s.m. Licor feito com cascas de laranja-da-terra.

curado (cu.ra.do) adj. **1.** Que se recuperou de doença. **2.** Seco ou defumado ao sol ou ao calor: *queijo curado*.

curador [ô] (cu.ra.dor) s.m. **1.** Pessoa responsável por obras de arte numa exposição, num museu ou numa galeria. **2.** (Jur.) Pessoa legal ou judicialmente encarregada de zelar pelos interesses de quem não tem condições de fazer por si.

curadoria (cu.ra.do.ri.a) s.f. **1.** Cargo de curador. **2.** Lugar onde o curador exerce suas funções.

curandeirice (cu.ran.dei.ri.ce) s.f. Ação de curandeiro.

curandeirismo (cu.ran.dei.ris.mo) s.m. Atividade de curandeiro.

curandeiro (cu.ran.dei.ro) s.m. **1.** Indivíduo que procura curar doentes por processos sem título nem conhecimentos médicos. **2.** Charlatão.

curar (cu.rar) v. **1.** Restabelecer a saúde de: *O médico curou os doentes.* **2.** Debelar (doenças, feridas etc.): *O remédio curou a gripe; Maria curou-se da malária.* **3.** Fazer perder algum defeito moral ou hábito prejudicial: *O incentivo dos amigos curou-lhe o vício do tabaco; Curou-se do vício com o incentivo dos amigos.* **4.** Secar ao sol, ao fumeiro ou simplesmente ao ar: *A fazendeira curou o queijo de cabra.* **5.** Cuidar de; preocupar-se com: *Não curava da vida de ninguém.* ▶ Conjug. 5.

curare (cu.ra.re) s.m. Substância venenosa e paralisante, extraída de certos cipós, e usada pelos índios na pesca e para envenenar suas flechas.

curatela [é] (cu.ra.te.la) s.f. Cargo, poder ou função de curador.

curativo (cu.ra.ti.vo) adj. 1. Que cura; próprio para curar: *o poder curativo de certas ervas.* • s.m. 2. (Med.) Limpeza e aplicação de remédios a um ferimento, um corte, uma ferida; penso: *fazer um curativo.* 3. Material (gaze, esparadrapo, pomada etc.) usado nesse tipo de tratamento: *Vamos trocar este curativo.*

curau (cu.rau) s.m. 1. Creme de milho verde. 2. Comida feita com carne salgada e farinha de mandioca.

curável (cu.rá.vel) adj. Que pode ser curado.

curdo (cur.do) adj. 1. De ou relativo ao povo curdo. • s.m. 2. Indivíduo dos curdos, grupo étnico que não tem país próprio e vive nas fronteiras do Iraque, Irã, Turquia, Síria e parte da antiga União Soviética. 3. A língua falada por esse povo.

cureta [ê] (cu.re.ta) s.f. (Med.) Instrumento cirúrgico usado para fazer curetagem.

curetagem (cu.re.ta.gem) s.f. (Med.) Raspagem da parede interna de um órgão para retirar lesões, vestígios de infecção, e em abortos.

curetar (cu.re.tar) v. Raspar com cureta. ▶ Conjug. 8.

cúria (cú.ri:a) s.f. Conjunto dos tribunais pontifícios e das autoridades que colaboram com o papa no Vaticano ou com os bispos em suas dioceses.

curiango (cu.ri:an.go) s.m. (Zool.) Ave noturna; bacurau.

curiboca [ó] (cu.ri.bo.ca) s.m. e f. Cariboca.

curie (cu.ri.e) s.m. (Fís.) Unidade de medida de radioatividade.

curinga (cu.rin.ga) s.m. Carta de baralho que pode assumir valor variável.

curió (cu.ri:ó) s.m. (Zool.) Pássaro canoro das Américas Central e do Sul, cujo macho é negro e a fêmea, parda.

cúrio (cú.ri:o) s.m. (Quím.) Elemento químico artificial usado como fonte de calor em baterias termonucleares. || Símbolo: *Cm.*

curiosa [ó] (cu.ri:o.sa) s.f. Parteira sem habilitação.

curiosidade (cu.ri:o.si.da.de) s.f. 1. Característica de quem é curioso. 2. Interesse por saber ou conhecer alguma coisa: *Tenho curiosidade de conhecer o Amazonas; Você não tem curiosidade em conhecer Paris?* 3. Desejo de saber tudo sobre a vida alheia; bisbilhotice. 4. Objeto raro ou original: *Encontraram algumas curiosidades entre os velhos papéis de meu avô.* 5. Fato interessante e não esperado: *Uma curiosidade é que, com tanto barulho, a criança não tenha acordado.*

curioso [ô] (cu.ri:o.so) adj. 1. Que tem muito desejo de ver, saber, aprender coisas novas. 2. Que ou quem gosta muito de saber da vida alheia; indiscreto, bisbilhoteiro. 3. Que é original, interessante ou estranho: *Vejam que fato curioso!* 4. Dedicado como amador a alguma atividade: *um farmacêutico curioso.* • s.m. 5. Pessoa que exerce uma atividade sem ser profissional da área: *Isso é coisa para profissional e não para curiosos.* || f. e pl.: [ó].

curitibano (cu.ri.ti.ba.no) adj. 1. De Curitiba, capital do Estado do Paraná. • s.m. 2. O natural ou o habitante dessa capital.

curra (cur.ra) s.f. Violência sexual praticada por duas ou mais pessoas.

curral (cur.ral) s.m. Lugar cercado onde se recolhe o gado.

currar (cur.rar) v. Violentar sexualmente; estuprar. ▶ Conjug. 5.

currículo[1] (cur.rí.cu.lo) s.m. Conjunto de matérias de um curso. – **curricular** s.f.

currículo[2] (cur.rí.cu.lo) s.m. Forma reduzida e adaptada de *curriculum vitae.*

curriculum vitae (Lat.) loc. subst. Dados sobre formação escolar e experiência profissional que devem ser apresentados quando alguém se candidata a um emprego ou posto. || pl.: *curricula vitae.*

curry [*cúri*] (Ing.) s.m. Ver caril.

cursar (cur.sar) v. 1. Seguir o curso de: *Cursaram o segundo ano de francês.* 2. Fazer os estudos em determinada escola: *Meus primos cursaram o Colégio Pedro II.* ▶ Conjug. 5.

cursilho (cur.si.lho) s.m. Movimento da Igreja, surgido em 1948, destinado a orientar católicos leigos no sentido da reflexão e da vivência da fé. – **cursilhista** s.m. e f.

cursinho (cur.si.nho) s.m. 1. Curso de preparação para o vestibular. 2. Pequeno curso.

cursivo (cur.si.vo) adj. 1. Escrito à mão. • s.m. 2. Letra ou escrita cursiva: *Não escreva em gótico; prefira o cursivo.*

curso (cur.so) s.m. **1.** Programa de ensino para a formação em determinada área: *curso de Direito; curso de Medicina*. **2.** Cada um dos ciclos da formação escolar ou universitária: *curso de graduação; curso de pós-graduação*. **3.** Estabelecimento onde é lecionado o curso: *Vejo você amanhã no curso*. **4.** Fluxo, sentido do movimento da água em córregos, rios, fontes etc.: *Os bandeirantes seguiam o curso do rio Tietê*. **5.** Movimento real ou aparente dos astros: *A lua seguia seu curso no céu; O sol já estava na metade de seu curso*. ‖ *Dar (livre) curso a*: deixar ou fazer algo seguir; soltar: *Ela deu livre curso a sua imaginação*.

cursor [ô] (cur.sor) s.m. (*Inform*.) Sinal que se movimenta na tela do computador por meio do *mouse*, para indicar o local onde o próximo caractere a ser digitado deve aparecer.

curta (cur.ta) s.m. (*Cine, Telv*.) Forma reduzida de curta-metragem.

curta-metragem (cur.ta-me.tra.gem) s.m. (*Cine, Telv*.) Filme de duração máxima de trinta minutos, rodado para fins artísticos, educativos ou comerciais. ‖ pl.: *curtas-metragens*. ‖ Conferir com *longa-metragem*.

curtição (cur.ti.ção) s.f. **1.** Ato ou efeito de curtir. **2.** *coloq*. Atividade que proporciona prazer: *Lavar o carro foi uma curtição*.

curtido (cur.ti.do) adj. **1.** Que se curtiu. **2.** Preparado por curtimento. **3.** Habituado a suportar o calor, o frio e outras intempéries; calejado.

curtimento (cur.ti.men.to) s.m. Ação ou processo de curtir couro e peles de animais.

curtir (cur.tir) v. **1.** Preparar couros, peles etc. para fins industriais, pondo de molho em líquido adequado: *É necessário curtir o couro antes de usá-lo*. **2.** Endurecer, enrijar, expondo ao tempo: *O jangadeiro curtiu seu rosto ao sol e ao vento do mar*. **3.** Padecer, sofrer, suportar: *Curti uma doença que parecia incurável*. **4.** *coloq*. Desfrutar com grande prazer: *Curtir um carnaval no Rio*. **5.** Gostar muito de uma pessoa: *O rapaz curtia muito sua colega de classe*. ▶ Conjug. 66.

curto[1] (cur.to) adj. **1.** De comprimento pequeno: *cabelo curto; calça curta*. **2.** De pouca duração: *um filme curto; um discurso curto*. **3.** *coloq*. Escasso, pouco, parco: *O dinheiro anda muito curto nesta casa*.

curto[2] (cur.to) s.m. (*Eletr*.) Forma reduzida de curto-circuito.

curto-circuito (cur.to-cir.cui.to) s.m. (*Eletr*.) Interrupção da passagem da corrente elétrica de um circuito, causada pela baixa resistência entre dois pontos de potencial diferente. ‖ pl.: *curtos-circuitos*.

curtume (cur.tu.me) s.m. **1.** Estabelecimento onde se curtem couros e peles. **2.** Curtimento de couros e peles.

curumi (cu.ru.mi) s.m. Menino, garoto. ‖ *curumim*.

curumim (cu.ru.mim) s.m. Curumi.

curupira (cu.ru.pi.ra) s.m. (*Folc*.) Ente fantástico das matas, que tem os pés às avessas, isto é, com os calcanhares para a frente e os dedos para trás.

cururu (cu.ru.ru) s.m. (*Zool*.) Espécie de sapo; sapo-cururu.

curva (cur.va) s.f. **1.** Linha cuja direção muda progressivamente, sem fazer ângulos. **2.** Direção tortuosa de um corpo no espaço: *A grande ave descreveu uma curva no ar, antes de pousar na árvore*. **3.** Traço que indica graficamente alteração de algum fenômeno: *As curvas representam quedas nas vendas do produto*.

curvado (cur.va.do) adj. Que se curvou; curvo.

curvar (cur.var) v. **1.** Tornar curvo, dobrar, encurvar: *A forte ventania curvou a amendoeira*. **2.** Inclinar(-se) para diante ou para baixo: *A senhora curvou a cabeça; Curvou-se para amarrar o sapato*. **3.** Inclinar a cabeça ou o corpo em sinal de respeito ou cumprimento: *Ele curvou-se diante do príncipe*. ▶ Conjug. 5.

curvatura (cur.va.tu.ra) s.f. **1.** Ato ou efeito de curvar; arqueamento. **2.** Parte curva de um corpo ou objeto.

curvilíneo (cur.vi.lí.ne:o) adj. **1.** Que tem linhas curvas: *corpo curvilíneo*. **2.** Que forma curvas: *movimento curvilíneo*.

curvo (cur.vo) adj. Curvado.

cuscuz (cus.cuz) s.m. **1.** (*Cul*.) Iguaria norte-africana feita de semolina, cozida no vapor, com legumes e carnes; cuscuz marroquino. **2.** (*Cul*.) Iguaria de farinha de milho, com sardinha, tomate, cebola etc. cozida no vapor; cuscuz paulista. **3.** (*Cul*.) Bolo de farinha de tapioca, coco ralado e açúcar, embebidos em leite fervendo; cuscuz de tapioca.

cuscuzeira (cus.cu.zei.ra) s.f. Forma para preparar cuscuz.

cusparada (cus.pa.ra.da) s.f. **1.** Ato ou efeito de cuspir. **2.** Porção abundante de cuspe lançada.

cuspe (cus.pe) s.m. Saliva. ‖ *cuspo*.

cuspir (cus.pir) v. **1.** Expelir saliva da boca: *Não se deve cuspir no chão*. **2.** Lançar da boca: *Como não gostou do doce, cuspiu-o longe*. **3.**

fig. Arremessar, lançar, arrojar, atirar: *A metralhadora cuspia bala para todos os lados.* ▶ Conjug. 76.

cuspo (cus.po) *s.m.* Saliva, cuspe.

custa (cus.ta) *s.f.* Usada apenas na locução à(s) custa(s) de. ‖ À(s) custa(s) de: Ao preço de, às expensas de, com o sacrifício de: *Enriqueceu (à)s custa(s) do trabalho alheio.*

custar (cus.*tar*) *v.* **1.** Ter determinado preço: *O linho custa trinta reais o metro; Esse brinquedo custa caro.* **2.** Causar, acarretar consequências: *O sacrifício custou-lhe lágrimas; Esta tua falta pode custar-te o emprego.* **3.** Ser difícil, trabalhoso: *Subir ladeira custa muito.* **4.** Demorar, levar tempo, tardar: *Ela custou a chegar aqui; Custou-lhe chegar aqui.* ▶ Conjug. 5.

custear (cus.te:*ar*) *v.* Prover ao custo à medida que se vai tornando necessário; subsidiar: *Meu pai custeou os estudos de Medicina de seu afilhado.* ▶ Conjug. 14.

custeio (cus.tei.o) *s.m.* **1.** Ação de custear. **2.** Soma de todos os custos de um projeto: *O clube arcou com o custeio do campeonato de vôlei.*

custo (cus.to) *s.m.* **1.** (*Econ.*) Quantia a ser paga por um bem ou serviço: *o custo de manutenção de um carro.* **2.** Esforço físico ou mental, dificuldade: *Foi um custo carregar todas essas pedras.* ‖ A custo: com dificuldade, com esforço: *A custo atravessei a rua inundada com o temporal.* • Custo Brasil: (*Econ.*) o nível de custo necessário para a produção de bens no Brasil. • Custo de vida: nível de recursos necessários para atender às necessidades de uma família: *O custo de vida está muito alto.*

custódia (cus.tó.di:a) *s.f.* **1.** (*Jur.*) Guarda ou proteção de uma pessoa ou de uma coisa: *O pai não pode perder a custódia dos filhos.* **2.** Lugar seguro onde se guarda alguém ou alguma coisa: *As joias estão na custódia do banco.* **3.** (*Rel.*) Aro circular geralmente de ouro, guarnecido de raios, no qual estão engastadas duas lâminas circulares de cristal, destinadas a receber entre si a hóstia consagrada em exposição para adoração dos fiéis; ostensório.

custodiar (cus.to.di:*ar*) *v.* Manter em custódia; proteger, guardar. ▶ Conjug. 17.

custódio (cus.tó.di:o) *adj.* Que guarda, protege, defende: *anjo custódio.*

custoso [ô] (cus.*to*.so) *adj.* **1.** Que custa muito dinheiro; caro, dispendioso: *sapatos custosos.* **2.** Que é difícil, árduo, trabalhoso: *trabalho custoso.* ‖ f. e pl.: [ó].

cutâneo (cu.tâ.ne:o) *adj.* Relativo a pele, da pele.

cutelaria (cu.te.la.*ri*.a) *s.f.* **1.** Fábrica de instrumentos de corte. **2.** O trabalho do cuteleiro.

cuteleiro (cu.te.*lei*.ro) *s.m.* O que faz ou vende instrumentos de corte, como facas, navalhas, tesouras etc.

cutelo [é] (cu.te.lo) *s.m.* Instrumento de corte, composto de uma lâmina semicircular e de um cabo de madeira, usado para cortar carnes.

cutia (cu.*ti*.a) *s.f.* (*Zool.*) Mamífero roedor de rabo curto, do tamanho de um coelho.

cutícula (cu.*tí*.cu.la) *s.f.* Película dos dedos junto à extremidade inferior das unhas.

cutilada (cu.ti.*la*.da) *s.f.* Golpe de cutelo.

cútis (*cú*.tis) *s.f.2n.* Pele do rosto; tez.

cutucada (cu.tu.*ca*.da) *s.f. coloq.* Ato ou efeito de cutucar. ‖ *catucada.*

cutucão (cu.tu.*cão*) *s.m.* Cutucada forte. ‖ *catucão.*

cutucar (cu.tu.*car*) *v.* **1.** Tocar ligeiramente alguém com o dedo, com o cotovelo, com o joelho, com o pé, para fazer uma advertência que não se quer fazer oralmente: *Cutucou o colega que estava dormindo.* **2.** Tocar com muita frequência: *Não fique cutucando a ferida.* ‖ *catucar.* ▶ Conjug. 5 e 35.

cuxá [ch] (cu.*xá*) *s.m.* (*Cul.*) Comida feita com folhas de vinagreira e quiabos, a que se junta gergelim torrado e em pó, de mistura com farinha fina de mandioca, e que depois de bem cozida se deita sobre o arroz.

czar *s.m.* Título do soberano do antigo império russo, também usado pelos soberanos búlgaros e sérvios. ‖ *tzar.*

czarda (czar.da) *s.f.* Dança húngara.

czarina (cza.*ri*.na) *s.f.* Título da imperatriz da Rússia. ‖ *tzarina.*

czarismo (cza.*ris*.mo) *s.m.* Sistema político autocrático em vigor na Rússia até 1917. ‖ *tzarismo.*

czarista (cza.*ris*.ta) *adj.* **1.** Que diz respeito ao czarismo. • *s.m.* e *f.* **2.** Pessoa partidária do czarismo. ‖ *tzarista.*

Dd

d *s.m.* **1.** Quarta letra do alfabeto português. **2.** O número quinhentos em algarismos romanos.

dáblio (dá.bli:o) *s.m.* Nome da letra W. || *dábliu.*

dábliu (dá.bli:u) *s.m.* Dáblio.

dadivoso [ô] (da.di.vo.so) *adj.* Que gosta de dar; generoso. || f. e pl.: [ó].

dado¹ (da.do) *adj.* **1.** Que se deu. **2.** Propenso, inclinado a (algo): *Não era um chefe dado a grandes liberalidades com os empregados.* **3.** Que é afável, ameno, tratável: *Era uma pessoa muito dada.* • *pron. indef.* **4.** Determinado, certo, algum: *Em dadas circunstâncias, ela mostra seu lado frágil e emotivo.* • *s.m.* **5.** Informação organizada para análise ou usada para tomar decisões. **6.** (*Inform.*) Informação adequada para ser processada pelo computador. || *Dado que*: considerando que, já que: *Responderei de modo conciso à sua pergunta, dado que abordarei esse ponto na próxima aula.*

dado² (da.do) *s.m.* Pequeno cubo que apresenta as seis faces numeradas de um a seis, usado em diversos jogos.

daí (da.í) Contração da preposição *de* com o advérbio *aí.*

dalai-lama (da.lai-la.ma) *s.m.* Título do chefe supremo dos budistas do Tibete. || pl.: *dalai-lamas.*

dali (da.li) Contração da preposição *de* com o advérbio *ali.*

dália (dá.li:a) *s.f.* **1.** (*Bot.*) Planta ornamental. **2.** Flor dessa planta.

daltônico (dal.tô.ni.co) *adj.* (*Med.*) **1.** Relativo a daltonismo. **2.** Que sofre de daltonismo. • *s.m.* **3.** Aquele que sofre de daltonismo.

daltonismo (dal.to.nis.mo) *s.m.* (*Med.*) Anomalia na percepção das cores, particularmente o vermelho e o verde.

dama (da.ma) *s.f.* **1.** Mulher nobre ou distinta. **2.** Mulher que toma parte em um baile. **3.** Carta de jogar com a figura de uma mulher. **4.** Peça de xadrez. • *damas s.f.pl.* **5.** Jogo constituído de um tabuleiro com 64 casas brancas e pretas e com 24 pedras brancas e pretas.

damasco (da.mas.co) *s.m.* Fruto carnoso, de tom alaranjado, muito consumido seco.

danação (da.na.ção) *s.f.* **1.** Ato ou efeito de danar. **2.** Condenação ao inferno. **3.** Raiva, hidrofobia.

danado (da.na.do) *adj.* **1.** Maldito, condenado: *alma danada.* **2.** *coloq.* Enorme, imenso: *Na gravidez, ela sentia uma fome danada.* **3.** *coloq.* Furioso, zangado: *Meu pai fica danado quando não lhe obedeço.* **4.** *coloq.* Hábil, jeitoso, esperto: *Aquele menino danado conseguiu consertar meu computador.* **5.** Atacado de raiva (cão).

danar (da.nar) *v.* **1.** Causar dano a: *A guerra danou seriamente a estrutura da cidade.* **2.** Sofrer dano: *Naquele terreno cheio de serpentes, o gado corre o risco de danar-se.* **3.** *coloq.* Desgraçar-se, arruinar-se: *Ele não veio quando chamei; agora, danou-se, porque a torta acabou.* || Usado como auxiliar, exprime 'início da ação': *danar a rir, a chorar, a chover etc.* ▶ Conjug. 5.

dança (dan.ça) *s.f.* Série de movimentos cadenciados do corpo, feitos como exercício ou diversão e quase sempre ao som de música.

dançante (dan.çan.te) *adj.* Em que se dança: *festa dançante.*

dançar (dan.çar) *v.* **1.** Mover o corpo, segundo as regras da dança; bailar: *O rapaz dançou um bolero.* **2.** Mover-se por estar excessivamente largo: *Emagreceu tanto que a roupa está dançando no corpo dela.* **3.** Oscilar, agitar-se: *A chama da vela dançava de um lado para o outro.* **4.** *coloq.* Sair-se mal: *Ele foi sorteado, mas como não estava presente dançou.* ▶ Conjug. 5 e 36.

dançarino (dan.ça.ri.no) *s.m.* Pessoa que dança profissionalmente.

danceteria (dan.ce.te.ri.a) *s.f.* Casa noturna onde se pode beber e dançar.

dândi

dândi (dân.di) s.m. Homem elegante que se veste apuradamente.

danificar (da.ni.fi.car) v. Causar dano; estragar, deteriorar, prejudicar: *A chuva danificou a mercadoria*. ▶ Conjug. 5 e 35. – **danificação** s.f.

daninho (da.ni.nho) adj. Que danifica: *erva daninha*.

dano (da.no) s.m. Mal causado a pessoas ou coisas.

danoso [ô] (da.no.so) adj. Que causa dano; prejudicial. || f. e pl.: [ó].

dantes (dan.tes) Contração da preposição *de* com o advérbio *antes*.

dantesco [ê] (dan.tes.co) adj. **1.** Relativo a Dante Alighieri, poeta italiano (1265-1321), célebre autor da *Divina Comédia*: *Para alguns, o poema dantesco teve inspiração política*. **2.** Terrível, espantoso: *Como esquecer a cena dantesca daquela criança africana, esquálida, dando o último suspiro?*

daquele [ê] (da.que.le) Contração da preposição *de* com o pronome demonstrativo *aquele*.

daqui (da.qui) Contração da preposição *de* com o advérbio *aqui*.

daquilo (da.qui.lo) Contração da preposição *de* com o pronome demonstrativo *aquilo*.

dar v. **1.** Ceder gratuitamente; doar, presentear: *Deu todos os seus bens*; *Deram um belo presente à filha*; *"Quem dá aos pobres empresta a Deus."* (prov.). **2.** Entregar: *Dei a caderneta ao porteiro*; *O rapaz deu o pedido de demissão ao chefe*. **3.** Pagar: *Deu dez mil reais no carro sem hesitar*; *Dei cem reais pelo dicionário*. **4.** Prescrever, ditar: *O comandante deu uma ordem enérgica*. **5.** Produzir: *A roseira não deu flores este ano*. **6.** Considerar: *Ele deu o problema como resolvido*. **7.** Realizar, promover: *Deu um concerto em homenagem ao grande maestro*; *A faculdade dará um curso de inglês para a comunidade*. **8.** Emitir, enunciar: *Dei bons conselhos a ela*. **9.** Resultar em; tornar-se: *Água e açúcar dão boa solução*. **10.** Manifestar, revelar: *Depois da anestesia, deu sinais de nervosismo*. **11.** Exalar, emanar: *O armário fechado dava mau cheiro*. **12.** Soltar, emitir: *Dava uivos de alegria*. **13.** Publicar, divulgar, comunicar: *A TV deu o fim da guerra*; *Os jornais não deram a boa nova*. **14.** Infligir, impor: *dar uma punição*. **15.** Infundir, inspirar: *Sua aparência dá medo*. **16.** Ser causa determinante: *Os bichinhos de pelúcia me dão alergia*. **17.** Proporcionar, propiciar: *O nascimento de um filho dá tanta alegria*; *Dei-lhe nova oportunidade*. **18.** Fornecer: *A lista telefônica não dá o número*. **19.** Ensinar, lecionar: *A professora deu conta de dividir hoje*. **20.** Ceder para uso ou serviço: *Deram-me todo um andar*. **21.** Aplicar: *Deu-lhe boas palmadas*. **22.** Ministrar, administrar: *Este professor deu aulas para a minha turma ano passado*. **23.** Destinar, dedicar, consagrar: *Dava todo seu tempo à pesquisa da cura do câncer*. **24.** Conceder, outorgar: *O juiz deu ganho de causa à empresa*; *A Academia deu a Saramago o Nobel*. **25.** Causar, ocasionar: *Dava problemas ao colégio*. **26.** Expressar, enunciar: *Daria parabéns a todos*. **27.** Fazer adquirir; imprimir: *O presidente deu nova feição ao país*. **28.** Atribuir: *Ninguém lhe dava a idade que tinha*. **29.** Bater, espancar: *Deu no ladrão com violência*. **30.** Ter vista ou saída: *O terraço dá para a praia*. **31.** Achar, encontrar: *Deu com o amigo na portaria*. **32.** Tomar conhecimento; perceber, notar: *O empregado não dava pela chegada do freguês*. **33.** Terminar em; desembocar: *A rua dá na praia*. **34.** Chegar, bastar: *O salário não daria para as despesas*. **35.** Adquirir o hábito: *O aluno deu de chegar tarde ao colégio*. **36.** Ser sorteado em jogo: *Que número deu hoje na loteria?* **37.** Bater, soar: *Já deram duas horas?* **38.** Entregar-se a novos hábitos: *Deu para usar boné*. **39.** Ter inclinação para: *Minha filha dá para advocacia*. **40.** *chulo* Entregar-se sexualmente: *A moça dá para qualquer um*; *Dizem que ela já deu*. **41.** Sair-se (bem ou mal): *Ele só se deu bem na vida*. **42.** Consagrar-se, dedicar-se: *Deu-se por inteiro ao trabalho*. **43.** Ter lugar; acontecer: *A Inconfidência Mineira deu-se em 1789*. **44.** Ter convivência harmoniosa com: *Ele não se dá com o cunhado*; *Minha mulher e minha mãe sempre se deram muito bem*. ▶ Conjug. 38.

dardejar (dar.de.jar) v. Arremessar, lançar (dardos, setas etc.): *Dardejou uma seta ferindo mortalmente o animal*; *fig. Dardejou sobre a moça um olhar felino*. ▶ Conjug. 10 e 37. – **dardejante** adj.

dardo (dar.do) s.m. Arma de arremesso em forma de lança curta e delgada, usada por guerreiros ou por atletas.

darwinismo (dar.wi.nis.mo ou da.r:wi.nis.mo) s.m. (Biol.) Teoria da evolução biológica desenvolvida pelo inglês Charles Darwin, a qual afirma que as espécies evoluem através da seleção natural das variações herdadas que aumentam a habilidade individual para sobreviver. || Na pronúncia, o w soa tanto como *u* quanto como *v*. – **darwinista** adj. s.m. e f.

data (da.ta) s.f. Indicação da época em que um fato sucede, com indicação de dia, mês e ano.

datar (da.tar) v. **1.** Pôr data em: *O fiscal datou o documento.* **2.** Durar, existir: *A sua doença data de longo tempo.* ▶ Conjug. 5. – **datação** s.f.; **datado** adj.

datilografar (da.ti.lo.gra.far) v. Escrever à máquina: *datilografar uma carta.* ▶ Conjug. 5. – **datilografia** s.f.

datilógrafo (da.ti.ló.gra.fo) s.m. Aquele que tem por ofício datilografar.

datiloscopia (da.ti.los.co.pi.a) s.f. Procedimento de identificação pelas impressões digitais. – **datiloscópico** adj.; **datiloscopista** s.m. e f.

dativo (da.ti.vo) adj. **1.** (Jur.) Nomeado pelo juiz, e não por disposição legal: *defensor dativo.* • s.m. **2.** (Gram.) Caso da declinação nominal latina, e de algumas outras línguas, que corresponde à função de objeto indireto.

dB (Eletr., Eletrôn.) Símbolo de *decibel*.

d.C. Abreviação de *depois de Cristo*.

de prep. Relaciona por subordinação termos ou orações reduzidas, indicando várias noções, entre outras: **1.** O ponto de origem no espaço ou no tempo: *Voltou de Maceió mais descansado e animado; A reunião será de 8 a 10 h.* **2.** Modo: *Bebeu a cachaça de um gole só.* **3.** Causa: *Fiquei rouca de tanto falar.* **4.** Finalidade: *máquina de lavar roupa; goma de mascar.* **5.** Quantidade, preço, medida: *jogo de quatro peças; Comprou uma casa de duzentos mil reais; Arrumou um namorado de 1.90 m.* **6.** Instrumento ou meio: *moinhos de vento; Viajamos de avião.* **7.** Possuidor: *o livro de Joana.* **8.** Matéria: *mesa de madeira.* **9.** Assunto: *Falou horas dos filhos e do marido.*

dê s.m. Nome da letra D.

deambular (de.am.bu.lar) v. Andar sem direção determinada: *A princesa deambulava tranquila pelo bosque.* ▶ Conjug. 5. – **deambulação** s.f.

deão (de.ão) s.m. (Rel.) Dignitário eclesiástico que preside o cabido; decano. || f.: deã; pl.: deãos, deães, deões.

debacle (de.ba.cle) s.f. Ruína, colapso, falência.

debaixo [ch] (de.bai.xo) adv. **1.** Em posição inferior e na mesma direção da vertical: *Saia daí debaixo, menino!* || *Debaixo de*: **1.** Na parte inferior de: *A chave caiu debaixo do armário.* **2.** Recebendo os efeitos de: *Saiu de casa debaixo de chuva*; fig. *Deixou o palco debaixo de vaias.*

debalde (de.bal.de) adv. Em vão; inutilmente, embalde: *Debalde fui visitá-la, na esperança de que me recebesse.*

debandada (de.ban.da.da) s.f. Ato ou efeito de debandar.

debandar (de.ban.dar) v. **1.** Sair do bando: *Alguns prefeitos do partido debandaram para outras legendas.* **2.** Pôr-se em fuga: *No começo da revolta havia trezentas pessoas, mas quase todas debandaram, restando apenas 19.* ▶ Conjug. 5.

debate (de.ba.te) s.m. Ato ou efeito de debater.

debater (de.ba.ter) v. **1.** Defender (duas ou mais pessoas) pontos de vista contrários: *Governo e representantes da sociedade debateram o valor do salário-mínimo; O professor debateu com os alunos a postura da escola em relação ao uso de drogas.* **2.** Agitar-se, fazendo grandes esforços para resistir, para se soltar: *O ancião debatia-se nas mãos do enfermeiro.* ▶ Conjug. 69. – **debatedor** s.m.

debelar (de.be.lar) v. Vencer, dominar, subjugar: *O imperador debelou uma insurreição numa das províncias;* fig. *O remédio debelou a gripe.* ▶ Conjug. 8. – **debelatório** adj.

debênture (de.bên.tu.re) s.f. Título de dívida amortizável emitido por empresa, que garante ao comprador uma renda fixa. – **debenturista** adj. s.m. e f.

debicar (de.bi.car) v. **1.** Comer uma pequena quantidade de; provar: *A criança debicou o bolo.* **2.** Escarnecer, zombar, motejar: *O homem debicou o adversário; Debicou dos dotes do colega.* **3.** Tirar ou puxar com o bico: *A ave debicou o alimento.* ▶ Conjug. 5 e 35.

débil (dé.bil) adj. **1.** Sem força ou resistência: *organismo débil.* **2.** Pouco perceptível: *voz débil.* **3.** Pouco enérgico: *Era um homem débil, que sempre fez o que lhe ditaram.* • s.m. e f. **4.** Débil mental (2). || *Débil mental*: **1.** pessoa que padece de atraso no desenvolvimento mental; débil. **2.** Bobo, idiota, débil.

debilidade (de.bi.li.da.de) s.f. Qualidade, estado ou condição de débil; fraqueza.

debilitar (de.bi.li.tar) v. Tornar(-se) débil. *A gripe debilitou o organismo; Ele debilitou-se após o divórcio.* ▶ Conjug. 5. – **debilitação** s.f.; **debilitado** adj.

debiloide [ói] (de.bi.loi.de) adj. pej. **1.** Que tem atraso mental. • s.m. e f. **2.** Débil mental.

debitar (de.bi.tar) v. Lançar (determinada quantia na conta devedora de alguém): *O banco não pode debitar dívida em conta corrente.* ▶ Conjug. 5.

débito (dé.bi.to) s.m. Dívida.

debochar

debochar (de.bo.*char*) *v.* **1.** Zombar: *Os meninos debocharam do novo corte de cabelo da irmã.* **2.** Menosprezar: *Há alguns séculos riram e debocharam de Copérnico, porque ele afirmava que a Terra não era o centro do Sistema Solar.* ▶ Conjug. 20.

deboche [ó] (de.*bo*.che) *s.m.* **1.** Zombaria, escárnio. **2.** Desregramento de costumes.

debrear (de.bre:*ar*) *v.* Embrear. ▶ Conjug. 14. – **debreagem** *s.f.*

debruar (de.bru:*ar*) *v.* Pôr debrum em: *A costureira debruou o vestidinho da menina.* ▶ Conjug. 5.

debruçar (de.bru.*çar*) *v.* **1.** Estender-se até meio corpo (sobre algo): *O homem debruçou-se na mesa e pegou a mão da mulher.* **2.** *fig.* Empregar muito tempo e esforço em (trabalho, estudo): *Walter Benjamin debruçou-se sobre a Paris do século XIX.* ▶ Conjug. 5 e 36.

debrum (de.*brum*) *s.m.* Fita ou cadarço que se dobra e prega sobre a orla de um tecido para enfeitar ou para segurar a trama.

debulha (de.*bu*.lha) *s.f.* Ato ou efeito de debulhar.

debulhar (de.bu.*lhar*) *v.* **1.** Tirar os grãos de: *As cozinheiras debulharam o milho e, após a moagem, fizeram o angu.* **2.** Desmanchar-se em, desfazer-se em: *debulhar-se em lágrimas.* ▶ Conjug. 5.

debutante (de.bu.*tan*.te) *s.f.* Moça que vai ao primeiro baile de luxo, ao fazer 15 anos.

debutar (de.bu.*tar*) *v.* Estrear, principalmente na vida social: *As moças debutam aos quinze anos; Ela debutou em 1989 como cantora.* ▶ Conjug. 5.

debuxar [ch] (de.bu.*xar*) *v.* Desenhar (algo) em linhas gerais; esboçar: *Debuxou a fachada de nossa futura casa de campo.* ▶ Conjug. 5.

década (dé.ca.da) *s.f.* Período de dez anos; decênio.

decadência (de.ca.*dên*.ci:a) *s.f.* **1.** Ato ou efeito de decair. **2.** Estado do que decai. – **decadente** *adj.*

decaedro [é] (de.ca.e.dro) *s.m.* (*Geom.*) Poliedro de dez faces.

decágono (de.*cá*.go.no) *s.m.* (*Geom.*) Polígono de dez lados e dez ângulos.

decair (de.ca.*ir*) *v.* **1.** Diminuir, baixar: *A temperatura decaiu muito desde ontem; O preço dessa máquina decaiu 50%.* **2.** Perder (uma pessoa ou coisa) o que constituía sua força, importância, valor etc.: *O império decaiu e nunca mais recuperou o seu esplendor; Lutou para que o ensino público não decaísse.* ▶ Conjug. 83. – **decaído** *adj. s.m.*

decalcar (de.cal.*car*) *v.* Reproduzir (desenho) por meio de decalque: *A menina decalcou a figurinha no braço.* ▶ Conjug. 5 e 35.

decalcomania (de.cal.co.ma.*ni*.a) *s.f.* Processo pelo qual se passam para uma superfície desenhos estampados num papel especial; decalque.

decálogo (de.*cá*.lo.go) *s.m.* **1.** O conjunto dos dez mandamentos da lei de Deus. **2.** Conjunto de dez leis.

decalque (de.*cal*.que) *s.m.* **1.** Decalcomania. **2.** O desenho decalcado.

decanato (de.ca.*na*.to) *s.m.* **1.** Cargo ou dignidade de decano. **2.** (*Astrol.*) A terça parte de um signo do zodíaco.

decano (de.*ca*.no) *s.m.* **1.** Diretor de um centro em uma universidade. **2.** Deão. **3.** Aquele que é o mais antigo em cargo, função ou plenário.

decantação (de.can.ta.*ção*) *s.f.* Processo que permite separar, por diferença de resistência à gravidade, duas substâncias, sendo líquida pelo menos uma delas.

decantado[1] (de.can.*ta*.do) *adj.* Que se decantou[1].

decantado[2] (de.can.*ta*.do) *adj.* Celebrado em cantos ou poemas: *o decantado Ulisses.*

decantar[1] (de.can.*tar*) *v.* Fazer decantação: *O químico agitou a mistura durante uma hora e decantou o líquido ácido, que ficou no fundo do recipiente.* ▶ Conjug. 5.

decantar[2] (de.can.*tar*) *v.* Celebrar em cantos ou poemas: *Luiz Gonzaga cantou e decantou a graça e os encantos dos nordestinos.* ▶ Conjug. 5.

decapitar (de.ca.pi.*tar*) *v.* Cortar o pescoço, destacando a cabeça: *Elisabete I mandou decapitar sua prima Maria Stuart.* ▶ Conjug. 5. – **decapitação** *s.f.*

decasségui (de.cas.*sé*.gui) *s.m.* Estrangeiro que trabalha temporariamente no Japão.

decenal (de.ce.*nal*) *adj.* **1.** Que dura um decênio. **2.** Que se realiza de dez em dez anos.

decência (de.*cên*.ci:a) *s.f.* **1.** Qualidade de decente. **2.** Conformidade com as regras da época em que se vive, quanto ao vestuário, à linguagem, ao trato social etc.

decênio (de.*cê*.ni:o) *s.m.* Década.

decente (de.*cen*.te) *adj.* **1.** Moralmente bom: *pessoa decente.* **2.** Que não ofende a moral:

um namoro decente e respeitoso. **3.** Limpo e arrumado: *hotel decente*. **4.** De boa qualidade: *música decente*. **5.** Suficiente ainda que não excessivo: *aposentadoria decente*.

decepar (de.ce.*par*) *v.* Cortar violentamente, separando do corpo de que faz parte: *Perseu foi o herói mítico grego que decepou a cabeça de Medusa*. ▶ Conjug. 8.

decepção (de.cep.*ção*) *s.f.* Sentimento de tristeza causado por alguém ou algo que não corresponde ao que se esperava.

decepcionar (de.cep.ci:o.*nar*) *v.* **1.** Causar decepção: *A década de 1990 decepcionou a humanidade*; *Os craques decepcionaram e os esforçados surpreenderam*. **2.** Sofrer decepção: *Os que esperavam um rei se decepcionaram, porque encontraram um servo*. ▶ Conjug. 5.

decerto [é] (de.*cer*.to) *adv.* Certamente, com certeza.

decibel (de.ci.*bel*) *s.m.* (*Eletr.*, *Eletrôn.*) Unidade usada na medida do volume do som. ‖ Símbolo: *dB*.

decidir (de.ci.*dir*) *v.* **1.** Escolher fazer alguma coisa: *Em apenas duas semanas decidiram casar-se*; *Decidi-me a comprar o carro*. **2.** Resolver depois de discussões ou consultas; deliberar: *O comitê decidiu promover um congresso*; *A assembleia decidiu-se pelo fim da greve*. ▶ Conjug. 66.

decíduo (de.*cí*.du:o) *adj.* **1.** Que cai: *folha decídua*; *dentição decídua*.

decifração (de.ci.fra.*ção*) *s.f.* Ato ou efeito de decifrar.

decifrar (de.ci.*frar*) *v.* **1.** Ler linguagem cifrada ou texto mal-escrito: *Champollion foi o primeiro a decifrar os hieróglifos*. **2.** *fig.* Interpretar, compreender, penetrar coisa obscura ou complicada: *Freud decifrou a estrutura do sonho, das fábulas e dos mitos*. ▶ Conjug. 5.

decigrama (de.ci.*gra*.ma) *s.m.* Medida de peso equivalente à décima parte do grama. ‖ Símbolo: *dg*.

decilitro (de.ci.*li*.tro) *s.m.* Medida de capacidade equivalente à décima parte do litro. ‖ Símbolo: *dl*.

decimal (de.ci.*mal*) *adj.* **1.** Cuja base é o número dez. **2.** Diz-se de fração cujo denominador é 10 ou um múltiplo de 10. • *s.f.* **3.** Fração decimal.

decímetro (de.*cí*.me.tro) *s.m.* Medida de comprimento equivalente à décima parte do metro. ‖ Símbolo: *dm*.

décimo (*dé*.ci.mo) *num. ord.* **1.** Que ou o que denota o número dez numa série. • *num. frac.* **2.** Que ou o que é parte de um todo dividido em dez partes iguais.

decisão (de.ci.*são*) *s.f.* **1.** Ato ou efeito de decidir. **2.** (*Esp.*) Partida final de um campeonato.

decisivo (de.ci.*si*.vo) *adj.* **1.** Que decide: *voto decisivo*. **2.** De grande importância: *passo decisivo*; *momento decisivo*.

decisório (de.ci.*só*.ri:o) *adj.* Que implica decisão: *processo decisório*.

deck (Ing.) *s.m.* Ver **deque**.

declamar (de.cla.*mar*) *v.* **1.** Recitar (versos) com entonação e gestos expressivos: *Declamou um poema de sua autoria*. **2.** Falar em voz alta e com tom solene: *O orador da turma declamou um belo discurso*. ▶ Conjug. 5. – **declamação** *s.f.*; **declamatório** *adj.*

declaração (de.cla.ra.*ção*) *s.f.* **1.** Ato ou efeito de declarar(-se). **2.** Texto formal em que se declara algo. **3.** Ato de expressar verbalmente sentimento de amor por alguém.

declarar (de.cla.*rar*) *v.* **1.** Dar a conhecer (especialmente algo reservado ou sigiloso): *Finalmente declarou o seu amor por ela*; *Em plena ditadura, declarou que era de esquerda*. **2.** Proclamar: *declarar guerra, declarar trégua*. **3.** Julgar(-se), considerar(-se): *O juiz declarou o réu culpado*; *Declarou-se inocente*. **4.** Abrir-se com alguém, fazer confidências, mostrar suas pretensões: *Na festa, declarou-se a ela*. ▶ Conjug. 5. – **declarativo** *adj.*; **declaratório** *adj.*

declinação (de.cli.na.*ção*) *s.f.* **1.** Ato ou efeito de declinar. **2.** (*Gram.*) Conjunto de formas que substantivos, adjetivos e pronomes podem apresentar de acordo com a sua função na oração. **3.** (*Gram.*) Cada uma das classes de palavras declinadas da mesma maneira.

declinar (de.cli.*nar*) *v.* **1.** Decair, baixar: *As ações da empresa declinaram hoje*. **2.** Recusar: *declinar um convite*. **3.** (*Gram.*) Enunciar as flexões de (substantivos, adjetivos ou pronomes). ▶ Conjug. 5. – **declinável** *adj.*

declínio (de.*clí*.ni:o) *s.m.* **1.** Diminuição: *Houve um drástico declínio da produção de alimentos na região*. **2.** Decadência: *No final da Idade Média, a nobreza feudal entra em declínio*.

declive (de.*cli*.ve) *s.m.* Inclinação de uma superfície considerada de cima para baixo. ‖ antôn.: *aclive*.

decodificar (de.co.di.fi.*car*) *v.* Interpretar (um código): *Uma equipe de cientistas decodificou*

decolar

o genoma do arroz. || *descodificar.* ▶ Conjug. 5 e 35. – **decodificação** *s.f.*; **decodificador** *adj. s.m.*

decolar (de.co.*lar*) *v.* Levantar voo (aeronave): *O avião decolou às 18 h em ponto.* ▶ Conjug. 20. – **decolagem** *s.f.*

decompor (de.com.*por*) *v.* **1.** Dividir(-se) nas partes constitutivas: *Newton decompôs a luz solar por meio de um prisma; O grupo de rock se decompôs em 1978.* **2.** Apodrecer: *A cenoura pode ser guardada por mais de três semanas sem se decompor.* || part.: *decomposto.* || Conferir com *descompor.* ▶ Conjug. 65. – **decomponível** *adj.*

decomposição (de.com.po.si.*ção*) *s.f.* Ato ou efeito de decompor(-se).

decoração (de.co.ra.*ção*) *s.f.* **1.** Ato ou efeito de decorar². **2.** Adorno, enfeite.

decorador [ô] (de.co.ra.*dor*) *adj.* **1.** Que decora². • *s.m.* **2.** Indivíduo que decora² por profissão.

decorar¹ (de.co.*rar*) *v.* Aprender de cor: *A menina decorava tudo o que lia.* ▶ Conjug. 20.

decorar² (de.co.*rar*) *v.* Dotar (algo) de acessórios que o embelezem: *Célia decorou a casa toda com flores; Além de hotéis, ele decorou várias residências particulares.* ▶ Conjug. 20. – **decorativo** *adj.*

decoreba [é] (de.co.re.ba) *s.f. gír.* Hábito de decorar¹ sem entender.

decoro [ô] (de.co.ro) *s.m.* **1.** Recato, decência. **2.** Dignidade moral. – **decoroso** *adj.*

decorrência (de.cor.rên.ci:a) *s.f.* Derivação, consequência.

decorrer (de.cor.*rer*) *v.* **1.** Originar-se, derivar: *O surto de desenvolvimento decorreu da necessidade de borracha por parte das forças aliadas.* **2.** Passar (o tempo): *Já decorreram dez anos desde que a fábrica se instalou no bairro.* **3.** Suceder, passar-se, acontecer: *Como decorreram as eleições em sua cidade?* ▶ Conjug. 42.

decotado (de.co.ta.do) *adj.* Que tem decote: *roupa decotada.*

decotar (de.co.*tar*) *v.* Abrir decote em: *Depois que emagreceu, mandou decotar todas as blusas e encurtar todas as saias.* ▶ Conjug. 20.

decote [ó] (de.co.te) *s.m.* Corte que se faz no vestuário para deixar o colo ou as costas mais ou menos descobertos.

decrépito (de.*cré*.pi.to) *adj.* **1.** Que está em estado de extrema decadência física devido à velhice (diz-se de pessoa). **2.** Muito usado e arruinado (diz-se de coisa).

decrepitude (de.cre.pi.*tu*.de) *s.f.* Estado de decrépito; caducidade.

decrescer (de.cres.*cer*) *v.* Baixar, diminuir: *Em 2003, a natalidade decresceu 1,3%.* ▶ Conjug. 41. – **decrescente** *adj.*

decréscimo (de.*crés*.ci.mo) *s.m.* Ato ou efeito de decrescer.

decretar (de.cre.*tar*) *v.* **1.** Ordenar por decreto: *O juiz decretou a falência da empresa; O prefeito decretou um novo feriado.* **2.** Determinar, impor: *Já decretei lá em casa que não cozinho mais aos domingos.* ▶ Conjug. 8. – **decretação** *s.f.*

decreto [é] (de.cre.to) *s.m.* **1.** Disposição ou resolução dada por autoridade em assuntos de sua competência. **2.** Decisão, imposição.

decreto-lei (de.cre.to-*lei*) *s.m.* Ato emanado do Poder Executivo dotado de força de lei. || pl.: *decretos-lei* e *decretos-leis.*

decúbito (de.*cú*.bi.to) *s.m.* Posição do corpo quando deitado: *decúbito dorsal, decúbito ventral.*

decuplicar (de.cu.pli.*car*) *v.* Tornar(-se) dez vezes maior: *A nossa dívida decuplicou(-se).* ▶ Conjug. 5 e 35.

décuplo (*dé*.cu.plo) *num. mult.* Número dez vezes maior que outro.

decurso (de.*cur*.so) *s.m.* Transcurso.

dedal (de.*dal*) *s.m.* Utensílio cilíndrico que se põe no dedo para empurrar a agulha de costura.

dedar (de.*dar*) *v. coloq.* Dedurar. ▶ Conjug. 8.

dedeira (de.*dei*.ra) *s.f.* **1.** Proteção de couro, borracha, pano etc. para resguardar o dedo. **2.** Pequeno instrumento, colocado no polegar da mão direita, com o qual o violonista percute as cordas graves.

dedetê (de.de.*tê*) *s.m.* Substância química usada como inseticida.

dedetizar (de.de.ti.*zar*) *v.* Aplicar dedetê em: *A empresa dedetizou todas as escolas municipais.* ▶ Conjug. 5. – **dedetização** *s.f.*

dedicação (de.di.ca.*ção*) *s.f.* Ato ou efeito de dedicar(-se).

dedicar (de.di.*car*) *v.* **1.** Empregar (tempo, esforço etc. a um determinado fim): *O empreendedor deve dedicar todo o tempo possível ao seu negócio.* **2.** Destinar, como expressão de afeto ou admiração, a: *O autor dedicou o livro a seus mestres; O calouro dedicou a música à mãe.* **3.** Ocupar-se de (alguém ou algo): *Madre Teresa* *de Calcutá dedicou-se aos pobres a vida toda; Algum dia ainda me dedicarei só à música.* ▶ Conjug. 5 e 35. – **dedicado** *adj.*

dedicatória (de.di.ca.tó.ri:a) *s.f.* Pequeno escrito com que se dedica (um retrato, um livro, uma obra de arte etc.) a alguém.

dedilhar (de.di.lhar) *v.* **1.** Fazer vibrar com os dedos (cordas de instrumentos musicais): *Pegou o cavaquinho e dedilhou três cordas.* **2.** Executar (música) em instrumento de cordas: *O violonista dedilhou "Luar do Sertão".* ▶ Conjug. 5. – **dedilhado** *s.m.*; **dedilhamento** *s.m.*

dedo [ê] (de.do) *s.m.* Cada uma das partes distintas e articuladas em que terminam a mão e o pé.

dedo-durar (de.do-du.rar) *v. coloq.* Dedurar. ▶ Conjug. 5.

dedo-duro (de.do-du.ro) *s.m. coloq.* Pessoa que denuncia (alguém à autoridade que pode puni-lo). || pl.: *dedos-duros*.

dedução (de.du.ção) *s.f.* **1.** Ato ou efeito de deduzir. **2.** Quantia deduzida. || antôn.: *indução*.

dedurar (de.du.rar) *v. coloq.* Denunciar (alguém à autoridade que pode puni-lo); dedar, dedo-durar: *O menino dedurou um colega para o professor.* ▶ Conjug. 5.

dedutivo (de.du.ti.vo) *adj.* Que procede por dedução: *lógica dedutiva*. || antôn.: *indutivo*.

deduzir (de.du.zir) *v.* **1.** Tirar uma consequência lógica de uma ideia ou de um fato: *Vi o carro na garagem e deduzi que vocês estavam em casa.* **2.** Subtrair (uma quantidade): *Deduziu do imposto o valor das mensalidades da escola do filho.* ▶ Conjug. 82.

defasagem (de.fa.sa.gem) *s.f.* Discrepância, descompasso. – **defasar** *v.* ▶ Conjug. 5.

default [difõut] (Ing.) *s.m.* **1.** (*Inform.*) Valor que é usado por um programa, se o usuário não quiser fazer qualquer alteração à configuração. **2.** (*Econ.*) Declaração de insolvência do devedor decretada pelos credores quando as dívidas não são pagas nos prazos estabelecidos.

defecação (de.fe.ca.ção) *s.f.* Ato de defecar.

defecar (de.fe.car) *v.* Expelir naturalmente as fezes pelo ânus; dejetar: *A enfermeira disse que o paciente ainda não defecou.* ▶ Conjug. 8 e 35.

defecção (de.fec.ção) *s.f.* Abandono de uma causa, de um compromisso etc.: *A vitória do governo ocorreu, apesar da defecção dos parlamentares governistas.*

defectível (de.fec.tí.vel) *adj.* **1.** Que tem defeito; imperfeito. **2.** Suscetível de enganar-se; falível.

defectivo (de.fec.ti.vo) *adj.* **1.** Que tem falta ou faltas; defeituoso. **2.** (*Gram.*) Diz-se de verbo que não se usa em todas as formas de conjugação.

defeito (de.fei.to) *s.m.* **1.** Imperfeição (física ou moral): *Trata-se de uma pessoa de muitas qualidades e pouquíssimos defeitos.* **2.** Mau funcionamento; falha: *A impressora está com defeito.* – **defeituoso** *adj.*

defender (de.fen.der) *v.* **1.** Proteger(-se) para repelir uma agressão, impedir um ataque: *A zebra defende os filhotes contra os/dos predadores; Os cavalos se defendem dando coices.* **2.** Argumentar em favor de: *Defendeu o colega ante a direção do colégio; Sempre defendeu o diálogo como única forma de resolver um conflito.* **3.** *coloq.* Conseguir meios de sustentar-se: *Trabalhou no Natal para defender um trocado; Meu filho já se defende bem e agora quer morar sozinho.* ▶ Conjug. 39.

defenestrar (de.fe.nes.trar) *v.* **1.** Atirar (alguém ou algo) pela janela: *Tirou a fita do som do carro e defenestrou-a.* **2.** *fig.* Demitir ou expulsar: *Defenestrou sumariamente 12 de seus assessores.* ▶ Conjug. 8. – **defenestração** *s.f.*

defensável (de.fen.sá.vel) *adj.* Que pode ser defendido.

defensiva (de.fen.si.va) *s.f.* Posição ou atitude de quem se defende: *Quando dirijo, fico sempre na defensiva.*

defensor [ô] (de.fen.sor) *adj.* **1.** Que defende. • *s.m.* **2.** Pessoa que defende (alguém ou algo).

deferência (de.fe.rên.ci:a) *s.f.* Atenção, consideração.

deferente (de.fe.ren.te) *adj.* (*Anat.*) **1.** Diz-se do canal por onde passa o esperma desde o testículo até a uretra: *ducto deferente*. • *s.m.* (*Anat.*) **2.** Esse canal.

deferimento (de.fe.ri.men.to) *s.m.* Ato ou efeito de deferir.

deferir (de.fe.rir) *v.* Atender ao que se pede ou requer: *O juiz deferiu pedido de classificação da novela na faixa horária de 21 h e etária de 14 anos.* || Conferir com *diferir*. ▶ Conjug. 69.

defesa [ê] (de.fe.sa) *s.f.* **1.** Ato ou efeito de defender(-se). **2.** Coisa que serve para defender(-se). **3.** Exposição de fatos e produção de provas em favor de um réu, mostrando a falta de culpabilidade. **4.** O advogado de um réu em juízo. **5.** (*Esp.*) Conjunto de jogadores cuja missão é defender o gol, a cesta etc.

defeso [ê] (de.fe.so) *adj.* **1.** Proibido: *tema defeso*. • *s.m.* **2.** Época do ano em que é proibido

deficiência

caçar ou pescar a fim de preservar a reprodução das espécies.

deficiência (de.fi.ci:ên.ci:a) s.f. **1.** Qualidade de deficiente. **2.** Falta, carência.

deficiente (de.fi.ci:en.te) adj. **1.** Em que há deficiência. • s.m. e f. **2.** Pessoa com deficiência física ou mental.

deficit (Lat.) s.m. **1.** (Econ.) Excesso da despesa sobre a receita num orçamento. **2.** O que falta para completar uma quantidade. || antôn.: superavit.

deficitário (de.fi.ci.tá.ri:o) adj. (Econ.) Que apresenta deficit.

definhar (de.fi.nhar) v. Tornar(-se) magro, extenuado: *Aos poucos a droga vai definhando o viciado*; *Ela definhava(-se) a olhos vistos*. ▶ Conjug. 5. – **definhamento** s.m.

definição (de.fi.ni.ção) s.f. **1.** Ato ou efeito de definir(-se). **2.** Enunciado com que se define (algo). **3.** Decisão. **4.** Nitidez (de uma imagem).

definido (de.fi.ni.do) adj. **1.** Exato, preciso. **2.** Resolvido. **3.** (Gram.) Diz-se do artigo que denota que aquilo que é designado pelo substantivo a que precede já é conhecido pelo receptor.

definir (de.fi.nir) v. **1.** Fixar com clareza e precisão a significação de uma palavra ou a natureza de uma coisa: *É difícil definir a palavra saudade*; *Um pesquisador definiu bem o dilema enfrentado pela ciência: "é um salto no escuro"*. **2.** Determinar os limites de: *Em 1713, o Tratado de Utrecht definiu os limites entre o Brasil e a Guiana Francesa*. **3.** Fixar, estabelecer: *Ainda não definimos uma data para o casamento*; *O técnico já definiu a equipe que irá jogar*. **4.** Tomar uma resolução; decidir: *Ele ainda não se definiu quanto à carreira que seguirá*. ▶ Conjug. 66.

definitivo (de.fi.ni.ti.vo) adj. Tal como deve ficar; final: *dentição definitiva*; *versão definitiva*.

deflação (de.fla.ção) s.f. (Econ.) Queda do nível geral dos preços. || antôn.: inflação.

deflagração (de.fla.gra.ção) s.f. Ato ou efeito de deflagrar.

deflagrar (de.fla.grar) v. **1.** Arder, fazendo explosão ou lançando grande chama: *O fogo deflagrou por volta das 17 h*. **2.** Surgir ou fazer surgir repentinamente: *Em 1903, Oswaldo Cruz deflagrou sua campanha contra a febre amarela*; *Um novo conflito deflagrou na região*. ▶ Conjug. 5.

deflorar (de.flo.rar) v. **1.** Fazer perder a virgindade; desvirginar, desflorar: *Como a deflorou, não podia repudiá-la*. **2.** Tirar as flores a; desflorar: *A geada deflorou a floresta*. **3.** Perder as flores; desflorar-se: *Os jardins defloram-se no outono*. ▶ Conjug. 2. – **defloração** s.f.; **defloramento** s.m.

defluxo [cs] (de.flu.xo) s.m. (Med.) Coriza. – **defluir** v. ▶ Conjug. 80.

deformação (de.for.ma.ção) s.f. Ato ou efeito de deformar(-se).

deformar (de.for.mar) v. **1.** Alterar a forma de: *A varíola deformou o seu rosto*. **2.** Perder a forma primitiva: *Sua boca deformou-se devido ao hábito de fumar cachimbo*. **3.** Afastar(-se) do correto ou desejável: *A educação rigorosa o deformou*; *Por andar com más companhias, seu caráter deformou-se*. ▶ Conjug. 20.

deformidade (de.for.mi.da.de) s.f. Defeito na conformação de algo, especialmente de um órgão ou de uma parte do corpo; amorfia.

defraudar (de.frau.dar) v. Cometer fraude (em algo ou contra alguém): *defraudar as finanças públicas*; *defraudar os credores*. ▶ Conjug. 5. – **defraudação** s.f.

defrontar (de.fron.tar) v. **1.** Arrostar(-se), enfrentar(-se): *Naquele ano, o país defrontava os problemas advindos da guerra*; *Os dois times defrontaram-se no estádio esta tarde*. **2.** Topar, deparar-se: *O filme é sobre um matuto que se defronta com situações inesperadas*. **3.** Estar situado defronte: *Seu prédio defronta com o meu*. ▶ Conjug. 5. – **defrontação** s.f.

defronte (de.fron.te) adv. Em frente: *Ela mora ali defronte*. || Defronte a: defronte de. • Defronte de: em frente de; defronte a: *Ele gosta de beliscar algo defronte da televisão*.

defumador [ô] (de.fu.ma.dor) adj. **1.** Que defuma. • s.m. **2.** Essência que defuma. **3.** Vaso em que se queimam essências para defumar.

defumar (de.fu.mar) v. **1.** Expor ao fumo para perfumar ou purificar: *Defumou a casa para a chegada do filho*. **2.** Curar ou secar ao fumo; esfumaçar: *defumar peixes, aves, carnes*. ▶ Conjug. 5. – **defumação** s.f.

defunto (de.fun.to) s.m. Pessoa morta; cadáver.

degelar (de.ge.lar) v. **1.** Derreter (coisa congelada): *Degelei quatro bifes para o jantar*. **2.** Derreter-se (o que estava congelado): *A neve das montanhas já começa a degelar-se*. ▶ Conjug. 8.

degelo [ê] (de.ge.lo) s.m. O derretimento do gelo ou da neve.

degeneração (de.ge.ne.ra.ção) s.f. **1.** Ato ou efeito de degenerar. **2.** (*Med.*) Alteração mórbida de tecido orgânico. **3.** *fig.* Depravação, corrupção.

degenerado (de.ge.ne.ra.do) *adj.* **1.** Que degenerou. **2.** Corrompido, depravado. • *s.m.* **3.** Pessoa degenerada.

degenerar (de.ge.ne.rar) *v.* **1.** Perder as qualidades primitivas: *Essa espécie degenerou(-se) devido à má adaptação ao clima.* **2.** Transformar (-se) em algo pior: *Sua tristeza degenerou em loucura.* ▶ Conjug. 8.

degenerativo (de.ge.ne.ra.ti.vo) *adj.* Que causa degeneração: *doença degenerativa.*

deglutição (de.glu.ti.ção) s.f. Ingestão.

deglutir (de.glu.tir) *v.* Engolir: *A criança levou a colher de xarope à boca e o deglutiu.* ▶ Conjug. 66.

degola [ó] (de.go.la) s.f. Ato ou efeito de degolar; degolação.

degolação (de.go.la.ção) s.f. Degola.

degolar (de.go.lar) *v.* **1.** Cortar o pescoço ou a cabeça a; decapitar: *O povo faminto degolou ovelhas, vacas e bezerros e os comeu.* **2.** Cortar a garganta a si próprio: *Ele quase se degolou com a lâmina de barbear.* ▶ Conjug. 20.

degradação (de.gra.da.ção) s.f. Ato ou efeito de degradar(-se).

degradar (de.gra.dar) *v.* **1.** Tornar vil, desprezível: *Os vícios degradam as pessoas; Os homens se degradam num ambiente competitivo.* **2.** Perder ou fazer perder sua qualidade original: *As doenças congênitas degradavam a população daquela cidade; Alguns edifícios se degradam com a maresia.* ▶ Conjug. 5. – **degradante** *adj.*

dégradé [degradê] (Fr.) *adj.* **1.** Diz-se da cor cuja intensidade diminui progressivamente. • *s.m.* **2.** Diminuição progressiva da intensidade de uma cor.

degrau (de.grau) *s.m.* Parte da escada na qual se põe o pé quando se sobe ou desce.

degredado (de.gre.da.do) *adj.* **1.** Desterrado • *s.m.* **2.** O que padece pena de degredo.

degredar (de.gre.dar) *v.* Condenar a degredo: *A rainha degredou o inconfidente para Moçambique.* ▶ Conjug. 8.

degredo [ê] (de.gre.do) *s.m.* **1.** Pena de expulsão do país; desterro. **2.** Lugar onde se cumpre essa pena; desterro.

degringolar (de.grin.go.lar) s.f. Decair, desandar: *O projeto degringolou por falta de verba; A discussão degringolou para uma briga.* – **degringolada** s.f.

degustação (de.gus.ta.ção) s.f. Ato ou efeito de degustar.

degustar (de.gus.tar) *v.* Provar com vagar (um alimento ou bebida) para apreciar o seu sabor: *degustar um vinho, um queijo etc.* ▶ Conjug. 5.

deidade (dei.da.de) s.f. Divindade.

deitar (dei.tar) *v.* **1.** Estender (algo ou alguém) horizontalmente numa superfície: *Deitou o bebê no berço; Deitou-se no chão.* **2.** Dormir, recolher-se: *Já foi deitar(-se).* **3.** Pôr no interior de: *Deitou óleo na panela.* **4.** Atirar, arremessar, lançar: *Deitar pérolas aos porcos.* || *Deitar e rolar: coloq.* Tirar proveito de uma situação, agindo com abuso: *A imprensa deitou e rolou, ilustrando o caso com caricaturas fortíssimas.* ▶ Conjug. 18.

deixa [ch] (dei.xa) s.f. **1.** Fala ou ação que enseja outra fala ou ação. **2.** Sinal indicativo visual, sonoro etc. de que o ator deve entrar em cena ou começar a falar.

deixar [ch] (dei.xar) *v.* **1.** Separar-se de, largar, pôr de lado, abandonar: *Depois de anos de casamento, deixou o marido.* **2.** Afastar-se de, sair de: *Deixamos Paris à noite.* **3.** Desistir: *Finalmente ele deixou de fumar.* **4.** Demitir-se de: *O treinador da seleção inglesa deixará o cargo.* **5.** Permitir: *Não deixaram meu filho se defender.* **6.** Adiar: *Deixaram a viagem para depois do casamento.* **7.** Fazer que algo fique em algum lugar: *Seu irmão deixou um chocolate para você na caixa.* **8.** Legar: *Ele deixou vários imóveis para a viúva e para os filhos.* **9.** Causar, transmitir: *Ele nos deixou uma ótima impressão.* **10.** Ter como resultado; produzir: *O conflito deixou 15 mortos.* ▶ Conjug. 18.

déjà-vu [dejavi] (Fr.) *s.m.* Sensação de já ter visto algo ou de ter vivido situação semelhante à atual.

dejeção (de.je.ção) s.f. **1.** Evacuação de matérias fecais. **2.** A matéria dejetada.

dejetar (de.je.tar) *v.* Defecar. ▶ Conjug. 8.

dejeto [é] (de.je.to) *s.m.* Excremento, fezes.

delação (de.la.ção) s.f. Ato ou efeito de delatar.

delatar (de.la.tar) *v.* **1.** Denunciar(-se) como culpado: *Apesar de ter sido torturado, não delatou ninguém; Delatou os companheiros ao chefe; Resolveu ligar para a polícia e delatar-se.* **2.** Deixar perceber; revelar: *Suas mãos suadas*

delator

delatavam seu nervosismo. || Conferir com *dilatar.* ► Conjug. 5.
delator [ô] (de.la.*tor*) *adj.* **1.** Que delata. • *s.m.* **2.** Aquele que delata; alcaguete.
dele [ê] (de.le) Contração da preposição *de* com o pronome pessoal *ele.*
delegação (de.le.ga.*ção*) *s.f.* **1.** Ato ou efeito de delegar. **2.** Conjunto de pessoas que agem por delegação de outras ou de um governo.
delegacia (de.le.ga.*ci*.a) *s.f.* Repartição em que o delegado exerce suas funções (policiais, fiscais, sanitárias etc.).
delegado (de.le.*ga*.do) *s.m.* **1.** Chefe de uma delegacia policial. **2.** Aquele que é autorizado por outrem a representá-lo. **3.** Aquele que tem a seu cargo serviço público dependente de autoridade superior.
delegar (de.le.*gar*) *v.* **1.** Autorizar (alguém) para que aja em seu lugar ou como seu representante: *O presidente delegou ao vice-presidente um conjunto de competências.* **2.** Autorizar (alguém) para que se encarregue de algo no seu lugar: *O chefe registrou as tarefas que delegou e a quem as delegou.* **3.** Enviar (alguém) para representar um grupo: *Os grevistas delegaram dois representantes para falar com o patrão.* ► Conjug. 8 e 34.
deleitar (de.lei.*tar*) *v.* **1.** Causar deleite: *Um jovem pianista deleitou os convidados com obras de Chopin.* **2.** Sentir deleite: *Lia no original e deleitava-se com as aventuras de Dom Quixote.* ► Conjug. 18.
deleite (de.*lei*.te) *s.m.* Prazer íntimo (físico ou espiritual).
deletar (de.le.*tar*) *v.* (*Inform.*) Apagar, remover, destruir: *deletar um arquivo, um texto etc.* ► Conjug. 8.
deletério (de.le.*té*.ri:o) *adj.* Prejudicial, destrutivo, nocivo.
delfim (del.*fim*) *s.m.* (*Zool.*) Golfinho.
delgado (del.*ga*.do) *adj.* **1.** De pouca espessura. **2.** Magro, de talhe delicado (pessoa).
deliberar (de.li.be.*rar*) *v.* **1.** Decidir, após pensar detidamente ou fazer consultas sobre algo: *A assembleia deliberou o final da paralisação estudantil.* **2.** Pensar detidamente sobre algo para tomar uma decisão: *Deliberamos longamente antes de decidir pelo voto nulo.* ► Conjug. 8. – **deliberação** *s.f.*
deliberativo (de.li.be.ra.*ti*.vo) *adj.* **1.** Relativo a deliberação. **2.** Com poderes para deliberar.

delicadeza [ê] (de.li.ca.*de*.za) *s.f.* **1.** Qualidade de delicado. **2.** Ação delicada; obséquio, cortesia, amabilidade. **3.** Coisa delicada.
delicado (de.li.*ca*.do) *adj.* **1.** Débil, fraco: *uma saúde delicada.* **2.** Suave no trato; obsequioso, afável, cortês: *pessoa delicada.* **3.** Sutil: *um perfume delicado.* **4.** Complicado, constrangedor: *um assunto delicado.*
delicatéssen (de.li.ca.*tés*.sen) *s.f.* Estabelecimento comercial onde se vendem iguarias finas prontas para servir.
delícia (de.*lí*.ci:a) *s.f.* **1.** Grande prazer. **2.** Coisa deliciosa.
deliciar (de.li.ci:*ar*) *v.* **1.** Causar delícia: *Meu filho deliciou-me com a declamação de um poema de Pessoa.* **2.** Sentir delícia: *Lia e deliciava-se com o livro.* ► Conjug. 17.
delicioso [ô] (de.li.ci:*o*.so) *adj.* **1.** Gostoso, saboroso: *O jantar estava delicioso.* **2.** Agradável: *Passamos uma temporada deliciosa em Petrópolis.* || f. e pl.: [ó].
delikatessen (Al.) *s.f.* Ver *delicatéssen.*
delimitar (de.li.mi.*tar*) *v.* Fixar os limites; demarcar: *Em 1955, Café Filho delimitou uma área de 50 mil km², onde hoje é o atual Distrito Federal.* ► Conjug. 5. – **delimitação** *s.f.*
delinear (de.li.ne:*ar*) *v.* **1.** Traçar as linhas gerais de uma figura: *Enquanto conversavam, delineou o rosto da namorada num guardanapo de papel.* **2.** *fig.* Dar uma ideia sucinta ou uma descrição geral: *Naquela época, delineou o que viria a ser o arcabouço da sua teoria.* ► Conjug. 14. – **delineamento** *s.m.*
delinquência [qüen] (de.lin.*qüên*.ci:a) *s.f.* **1.** Ação de delinquente. **2.** Qualidade de delinquente.
delinquente [qüen] (de.lin.*quen*.te) *adj.* **1.** Que delinquiu. • *s.m.* e *f.* **2.** Pessoa que cometeu um delito; fora da lei, marginal.
delinquir [qüi] (de.lin.*quir*) *v.* Cometer delito: *É preciso achar novos meios de recuperar uma pessoa que um dia delinquiu.* ► Conjug. 87.
delirar (de.li.*rar*) *v.* **1.** Ter delírio (1): *A coitadinha delirava de febre.* **2.** Dizer ou fazer despropósitos: *Não estou delirando, é verdade que ganhei na loteria!* ► Conjug. 5. – **delirante** *adj.*
delírio (de.*lí*.ri:o) *s.m.* **1.** Confusão mental, frequentemente resultante de febre alta, caracterizada por alucinações e incoerências. **2.** Grande entusiasmo: *O espetáculo levou ao delírio milhares de pessoas.*
delito (de.*li*.to) *s.m.* **1.** Falta punida pela lei; crime. **2.** Culpa, pecado.

delituoso [ô] (de.li.tu:o.so) *adj.* Em que há delito: *ato delituoso*. || f. e pl.: [ó].

delonga (de.lon.ga) *s.f.* Ato ou efeito de delongar; demora, dilação.

delongar (de.lon.gar) *v.* **1.** Retardar, atrasar: *As cerimônias de abertura da Copa do Mundo delongaram o início do jogo inaugural.* **2.** Tornar(-se) mais demorado; alongar(-se): *Caudalosos discursos delongaram a sessão; A assembleia delongou-se, por causa de tanta discussão.* ▶ Conjug. 5 e 34.

delta (del.ta) *s.m.* **1.** Quarta letra do alfabeto grego. **2.** (*Geogr.*) Disposição em forma triangular tomada pelo desaguadouro de um rio que se abre em muitos braços.

demagogia (de.ma.go.gi.a) *s.f.* Atitude política de excitar as paixões populares, em busca de proveito político. – **demagógico** *adj.*

demagogo [ô] (de.ma.go.go) *adj.* **1.** Que age com demagogia: *político demagogo.* **2.** Em que há demagogia: *governo demagogo.* • *s.m.* **3.** Pessoa demagoga.

demais (de.mais) *adv.* **1.** Em excesso, em demasia: *O hábito de comer demais à noite atrapalha o sono.* • **demais** *pron. indef. pl.* **2.** Os restantes, os outros: *João, venha cá; os demais (alunos) devem permanecer sentados.* || *Por demais*: em excesso, demasiadamente: *Ele é por demais guloso.*

demanda (de.man.da) *s.f.* **1.** Ato ou efeito de demandar. **2.** Procura, busca: *A demanda por fontes energéticas não poluentes tem crescido.* **3.** (*Jur.*) Processo judicial.

demandar (de.man.dar) *v.* **1.** Exigir, reclamar, pedir: *A cirurgia demandou cuidados especiais no pós-operatório.* **2.** (*Jur.*) Intentar ação judicial contra alguém: *A síndica demandou os condôminos inadimplentes.* ▶ Conjug. 5.

demão (de.mão) *s.f.* Camada de tinta ou cal aplicada a uma superfície. || pl.: *demãos*.

demarcar (de.mar.car) *v.* **1.** Assinalar os limites com marcos ou outros sinais: *demarcar uma reserva indígena.* **2.** Fixar, determinar: *O governo demarcou um prazo para a retirada das tropas do exército do local.* ▶ Conjug. 5 e 35. – **demarcação** *s.f.*; **demarcatório** *adj.*

demarcativo (de.mar.ca.ti.vo) *adj.* Próprio para demarcar.

demasia (de.ma.si.a) *s.f.* Excesso. || *Em demasia*: em excesso.

demasiado (de.ma.si:a.do) *adj.* **1.** Que é em demasia; excessivo, supérfluo: *A professora repetiu demasiadas vezes que queria silêncio na sala.* • *adv.* **2.** Em demasia: *uma época demasiado conturbada.*

demência (de.mên.ci:a) *s.f.* Loucura.

demente (de.men.te) *adj.* **1.** Que se acha em estado de demência, privado da faculdade de entender e raciocinar. • *s.m. e f.* **2.** Pessoa demente.

demérito (de.mé.ri.to) *s.m.* Falta de mérito; desmerecimento.

demissão (de.mis.são) *s.f.* Ato ou efeito de demitir(-se).

demissionário (de.mis.si:o.ná.ri:o) *adj.* Que se demitiu, que apresentou sua demissão.

demitir (de.mi.tir) *v.* **1.** Privar de um emprego: *A dois dias do fim do prazo, alguns juízes recusam-se a demitir parentes.* **2.** Deixar um emprego: *A direção da empresa demitiu-se em bloco.* ▶ Conjug. 66.

demo¹ (de.mo) *s.m.* Demônio.

demo² (de.mo) *adj.* **1.** Diz-se de fita ou CD de áudio ou vídeo que serve para demonstração. • *s.m.* **2.** Essa fita ou esse CD.

democracia (de.mo.cra.ci.a) *s.f.* **1.** Forma de governo na qual o povo exerce a soberania, através de seus representantes eleitos por votação. **2.** Estado cuja forma de governo é uma democracia.

democrata (de.mo.cra.ta) *adj.* **1.** Que professa princípios democráticos. • *s.m. e f.* **2.** Pessoa democrata.

democrático (de.mo.crá.ti.co) *adj.* Relativo a democracia.

demodê (de.mo.dê) *adj.* Fora de moda.

demografia (de.mo.gra.fi.a) *s.f.* Estudo estatístico das populações humanas. – **demográfico** *adj.*

demógrafo (de.mó.gra.fo) *s.m.* Especialista em demografia.

demolir (de.mo.lir) *v.* **1.** Derrubar (uma construção): *demolir um edifício.* **2.** Destruir (algo não material): *demolir uma teoria.* ▶ Conjug. 84 e 76. – **demolição** *s.f.*

demônio (de.mô.ni:o) *s.m.* Espírito que representa o mal; demo. – **demoníaco** *adj.*

demonstração (de.mons.tra.ção) *s.f.* **1.** Ato ou efeito de demonstrar. **2.** Coisa que serve para demonstrar algo. **3.** Mostra, exibição.

demonstrar (de.mons.trar) *v.* **1.** Provar uma verdade por meio de raciocínio ou evidência; comprovar: *demonstrar um teorema; Sua palestra demonstrou-nos o quanto as novas técnicas dependem de pesquisa e formação educacional.*

demonstrativo

2. Fazer ver ou deixar ver; mostrar: *O momento de demonstrar desagrado com um político é na eleição.* ▶ Conjug. 5.

demonstrativo (de.mons.tra.*ti*.vo) *adj.* **1.** Próprio para demonstrar. **2.** (*Gram.*) Diz-se do pronome que serve para mostrar ou assinalar aquilo que foi designado pelo nome a que substitui ou acompanha. • *s.m.* **3.** (*Gram.*) Pronome demonstrativo.

demora [ó] (de.*mo*.ra) *s.f.* Ato ou efeito de demorar.

demorar (de.mo.*rar*) *v.* **1.** Custar, tardar: *A universidade demorou a emitir o seu diploma; Seja paciente: um bom emprego demora (a aparecer).* **2.** Deter-se, entreter-se: *Demorou(-se) por algum tempo diante de uma pintura.* **3.** Ficar, permanecer: *O médico não (se) demorou muito no quarto do paciente.* ▶ Conjug. 20.

demover (de.mo.*ver*) *v.* **1.** Fazer mudar de opinião, de intento; dissuadir: *O pai conseguiu demovê-lo da ideia de comprar uma moto; Finalmente ele se demoveu da intenção de abandonar o cargo.* **2.** Mover(-se) de um lugar para outro: *Nem a chuva demoveu os banhistas da praia; A multidão demoveu-se para deixar passar o rei.* ▶ Conjug. 42.

dendê (den.*dê*) *s.m.* **1.** (*Bot.*) Espécie de palmeira africana; dendezeiro. **2.** Fruto dessa palmeira, de onde se extrai um óleo usado como tempero. **3.** Esse óleo; azeite-de-dendê.

dendezeiro (den.de.*zei*.ro) *s.m.* Dendê (1).

denegar (de.ne.*gar*) *v.* Não atender a; indeferir; negar, recusar. *Na sentença, o juiz denegou a segurança requerida.* ▶ Conjug. 8 e 34. – **denegação** *s.f.*

denegrir (de.ne.*grir*) *v.* Macular, manchar (a honra, a reputação etc. de alguém); infamar, injuriar: *Deu uma resposta a todos que duvidaram do seu valor e denegriram a sua imagem.* ▶ Conjug. 72.

dengo (den.go) *s.m.* **1.** Faceirice, requebro. **2.** Meiguice. **3.** Manha, birra.

dengoso [ô] (den.*go*.so) *adj.* Cheio de dengo. || f. e pl.: [ó].

dengue (den.gue) *s.m.* **1.** Delicadeza exagerada; melindre. **2.** Faceirice, dengo. • *s.2g.* **3.** Doença infecciosa caracterizada por febre e por dores de cabeça e musculares.

denguice (den.*gui*.ce) *s.f.* Qualidade de dengoso.

denodado (de.no.*da*.do) *adj.* **1.** Corajoso, ousado: *o denodado capitão.* **2.** Que denota coragem, ousadia: *esforço denodado.*

denodo [ô] (de.*no*.do) *s.m.* Desembaraço na hora do perigo; coragem.

denominação (de.no.mi.na.*ção*) *s.f.* **1.** Ato ou efeito de denominar. **2.** Nome.

denominador [ô] (de.no.mi.na.*dor*) *adj.* **1.** Que denomina. • *s.m.* **2.** O que denomina. **3.** (*Mat.*) Numa fração ordinária, termo que fica abaixo do traço horizontal. || *Denominador comum:* característica comum a um conjunto de pessoas ou objetos.

denominar (de.no.mi.*nar*) *v.* **1.** Dar nome a; nomear: *As alunas denominaram seu grupo (de) As Margaridas.* **2.** Designar(-se) pelo nome ou qualificativo: *Denomina-se graúdo o carvão que não sofre beneficiamento algum; Costuma denominar-se intelectual, mas nunca escreveu um livro.* ▶ Conjug. 5. – **denominativo** *adj.*

denotação (de.no.ta.*ção*) *s.f.* **1.** Ato de denotar. **2.** Sentido literal de uma palavra.

denotar (de.no.*tar*) *v.* Ser signo de: *A palavra escuridão denota 'ausência de luz'; O rosto de cada um dos presentes denotava espanto.* ▶ Conjug. 20. – **denotativo** *adj.*

densidade (den.si.*da*.de) *s.f.* **1.** Qualidade do que é denso. **2.** Número de habitantes por km^2.

denso (den.so) *adj.* **1.** Que tem muita massa em relação ao volume: *ar denso.* **2.** Compacto: *cabeleira densa.* **3.** Espesso: *Deixar ferver até ficar uma calda densa.* **4.** Intenso: *discurso denso.*

dentada (den.*ta*.da) *s.f.* **1.** Ato de morder. **2.** Ferida feita com dente.

dentadura (den.ta.*du*.ra) *s.f.* **1.** Conjunto dos dentes de uma pessoa ou animal. **2.** Conjunto de dentes artificiais que servem para substituir os naturais.

dental (den.*tal*) *adj.* **1.** Relativo a dente. **2.** (*Ling.*) Diz-se de consoante cuja articulação se dá no contato da ponta da língua com os dentes frontais superiores: *O t e o d são consoantes dentais.* • *s.f.* (*Ling.*) **3.** Essa consoante: *Foram feitos exercícios sobre as dentais.*

dentar (den.*tar*) *v.* **1.** Dar dentada em; morder: *Não conseguiu escapar da traíra que o dentou.* **2.** Dentear. ▶ Conjug. 5.

dente (den.te) *s.m.* (*Anat.*) Cada um dos corpos duros e brancos que estão implantados nas mandíbulas do homem e de outros animais e que servem especialmente para comer. **2.** Saliência de certos objetos ou instrumentos. **3.** Objeto cuja configuração dá ideia de um dente.

dentear (den.te:ar) v. Fazer dentes, recortar em dentes; dentar: *dentear uma roda, dentear o papel.* ▶ Conjug. 14.

dentição (den.ti.ção) s.f. **1.** Erupção dos dentes. **2.** Tipo ou disposição de um conjunto de dentes.

dentifrício (den.ti.frí.ci:o) adj. **1.** Que serve para limpar os dentes. • s.m. **2.** Pasta dentifrícia.

dentina (den.ti.na) s.f. Marfim dos dentes.

dentista (den.tis.ta) s.m. e f. Profissional formado em Odontologia; cirurgião-dentista.

dentre (den.tre) Contração da preposição *de* com a preposição *entre*: *Escolheu um candidato dentre os vinte que se apresentaram.*

dentro (den.tro) adv. No interior: *Entre, aqui dentro você ficará mais abrigado.* || *Dentro de:* no interior de, no espaço de: *Não quero cães dentro de casa!* • *Dentro em pouco:* em seguida, logo: *Já ornamentavam o recinto que dentro em pouco iria receber a multidão de fiéis.*

dentuço (den.tu.ço) adj. **1.** Que tem dentes grandes e salientes. • s.m. **2.** Pessoa dentuça.

denúncia (de.nún.ci:a) **1.** Ato ou efeito de denunciar. **2.** Documento em que se denuncia.

denunciar (de.nun.ci:ar) v. **1.** Dar o nome de alguém como sendo culpado por um delito ou dano: *Esse juiz já denunciou uma máfia.* **2.** Fazer conhecer ao público (um fato negativo, irregular ou abusivo): *Ele denunciou a tortura no Brasil.* **3.** Dar(-se) a perceber; revelar(-se): *O bafômetro denuncia o motorista que bebeu; Ele acabou se denunciando ao fazer aquele comentário.* ▶ Conjug. 17. – **denunciação** s.f.; **denunciante** adj. s.m. e f.

deparar (de.pa.rar) v. **1.** Encontrar, topar: *Ao entrar em casa, deparou(-se) com um buquê de flores.* **2.** Apresentar-se inesperadamente: *Deparou-se-me na rua um cenário estranho.* ▶ Conjug. 5.

departamento (de.par.ta.men.to) s.m. **1.** Divisão administrativa em uma organização pública ou privada. **2.** Divisão da estrutura universitária que agrupa disciplinas afins: *departamento de letras vernáculas.* – **departamental** adj.

depauperar (de.pau.pe.rar) v. **1.** Tornar pobre esgotando os recursos paulatinamente: *Os juros altos depauperaram a classe média.* **2.** Debilitar(-se), enfraquecer(-se): *O excesso de trabalho depauperou a sua saúde; O organismo depaupera-se rapidamente.* ▶ Conjug. 8. **depauperação** s.f.; **depauperamento** s.m.; **depauperante** adj.

depenar (de.pe.nar) v. **1.** Tirar as penas: *depenar uma galinha.* **2.** Perder as penas: *O passarinho depenou-se.* **3.** fig. Extorquir dinheiro de: *Ela depenou o marido no divórcio.* ▶ Conjug. 5.

dependência (de.pen.dên.ci:a) s.f. **1.** Estado ou condição de dependente. **2.** Subordinação, sujeição. **3.** Objeto acessório ou anexo a outro: *as dependências de uma casa.*

dependente (de.pen.den.te) adj. **1.** Que depende. • s.m. e f. **2.** O que está sujeito a outro, embora forme corpo à parte. **3.** Pessoa que consome habitualmente determinadas substâncias, especialmente drogas. **4.** Aquele que não tem recursos próprios e que vive a expensas de outra. **5.** Aluno que passa de ano com a condição de cursar novamente a matéria em que foi reprovado.

depender (de.pen.der) v. **1.** Estar condicionado ou determinado por (alguém ou algo): *A nossa sorte depende do que ele disser.* **2.** Estar sob a autoridade (de alguém ou de uma instituição): *O padre diocesano depende do bispo.* **3.** Ter (uma pessoa ou coisa) como recurso para seu sustento ou funcionamento: *Ele depende de remédios caros para sobreviver.* **4.** Ter (uma pessoa) necessidade de (outra ou de uma coisa) para seu normal funcionamento físico ou psíquico: *depender de remédios; Ela depende da mãe até para escolher um vestido.* ▶ Conjug. 39.

dependura (de.pen.du.ra) s.f. Pendura.

dependurar (de.pen.du.rar) v. Pendurar(-se). ▶ Conjug. 5.

depilar (de.pi.lar) v. Arrancar pelos a (a si mesmo, a outrem ou a uma parte do corpo): *depilar a perna; Ela depila-se no cabeleireiro.* ▶ Conjug. 5. – **depilação** s.f.

depilatório (de.pi.la.tó.ri:o) adj. Que serve para depilar: *cera depilatória.*

deplorar (de.plo.rar) v. Ter a tristeza de constatar (algo); lamentar: *Recém-chegado da Europa, deplorou o aspecto desagradável de nossas ruas.* ▶ Conjug. 20. – **deploração** s.f.

deplorável (de.plo.rá.vel) adj. Lamentável.

depoente (de.po:en.te) adj. **1.** Que depõe em juízo. • s.m. e f. **2.** Pessoa que depõe em juízo.

depoimento (de.po:i.men.to) s.m. **1.** Ato ou efeito de depor. **2.** (Jur.) Testemunho.

depois (de.pois) adv. Em seguida (no tempo e no espaço); posteriormente: *Comeram pizza e depois tomaram sorvete; À frente da excursão, vinha o professor; depois, vinham os alunos.*

depor

|| **Depois de:** em seguida a; atrás de: *Depois da escola, vou ao balé; Vire à direita depois do posto de gasolina.* • **Depois que:** a partir do momento em que: *Depois que começou a trabalhar, João amadureceu muito.*

depor (de.*por*) v. **1.** Tirar à força, ou por medida excepcional, de cargo, posto, função etc.: *Era partidário do movimento que depôs o presidente.* **2.** (*Jur.*) Fazer depoimento em juízo: *As testemunhas depuseram de forma crível.* **3.** Dar indícios de: *Seu passado incerto depõe contra a sua reputação.* || part.: deposto. ▶ Conjug. 65.

deportar (de.por.*tar*) v. Desterrar para algum lugar distante: *A ditadura Vargas deportou Olga Benário para a Alemanha; O governo deportou os imigrantes ilegais.* ▶ Conjug. 20. – **deportação** s.f.

deposição (de.po.si.*ção*) s.f. Ato ou efeito de depor.

depositar (de.po.si.*tar*) v. **1.** Pôr (dinheiro, coisas de valor etc.) no banco: *Hoje mesmo depositarei o cheque na sua conta bancária.* **2.** Pôr, colocar: *Depositou os óculos sobre a escrivaninha.* **3.** Separar-se de um líquido (uma substância que esteja em suspensão), caindo no fundo: *O açúcar depositou-se no fundo do copo.* **4.** Pôr (alguma coisa imaterial) em: *O povo depositou muita esperança no novo governo; Ele deposita muita confiança nesse amigo.* ▶ Conjug. 5. – **depositante** adj. s.m. e f.

depositário (de.po.si.*tá*.ri:o) s.m. **1.** Pessoa que recebe em depósito. **2.** Pessoa que recebe em confiança; confidente.

depósito (de.*pó*.si.to) s.m. **1.** Ato ou efeito de depositar. **2.** Aquilo que se depositou. **3.** Lugar onde se deposita algo; repositório. **4.** Estado daquilo que está depositado, protegido.

depravação (de.pra.va.*ção*) s.f. **1.** Ato ou efeito de depravar. **2.** Condição de depravado.

depravado (de.pra.*va*.do) adj. **1.** De costumes viciosos e degradados; corrupto, perverso, pervertido. • s.m. **2.** Pessoa depravada.

depravar (de.pra.*var*) v. Corromper(-se) moralmente; perverter(-se): *O poder depravou--os; Ficou cego pelo dinheiro e depravou-se.* ▶ Conjug. 5.

deprê (de.*prê*) adj. gír. Deprimido.

depreciação (de.pre.ci:a.*ção*) s.f. Baixa de preço, de valor.

depreciar (de.pre.ci:*ar*) v. **1.** Fazer baixar o preço ou o valor: *Depreciar o real diminuiria as exportações.* **2.** Baixar de preço, perder o valor: *A moeda se depreciou 2% ante o dólar.* ▶ Conjug. 17.

depreciativo (de.pre.ci:a.*ti*.vo) adj. Relativo a depreciação: *sentido depreciativo.*

depredar (de.pre.*dar*) v. **1.** Destruir, arruinar: *Alguns estudantes que não estavam ligados a entidades estudantis depredaram vários ônibus.* **2.** Saquear, roubar: *Sua casa foi invadida por delinquentes que a depredaram.* ▶ Conjug. 8. – **depredação** s.f.

depreender (de.pre.en.*der*) v. **1.** Concluir por inferência; deduzir: *Depreendemos da leitura do texto que a pobreza implica exclusão.* **2.** Compreender, perceber: *O pesquisador, por meio de um questionário, depreendeu o ritmo diário de cada participante.* ▶ Conjug. 39. – **depreensão** s.f.

depressa [é] (de.*pres*.sa) adv. Com pressa; rapidamente, sem demora.

depressão (de.pres.*são*) s.f. **1.** Lugar onde o terreno forma uma cavidade. **2.** Estado de desânimo, de profunda tristeza e de angústia. **3.** Diminuição de atividade ou desenvolvimento: *depressão econômica.*

depressivo (de.pres.si.vo) adj. **1.** Relativo a depressão: *estado depressivo.* **2.** Que sofre de depressão. • s.m. **3.** Pessoa depressiva.

deprimir (de.pri.*mir*) v. Entristecer(-se), desanimar(-se): *A demissão a deprimiu muito; Costuma deprimir-se na passagem de ano.* ▶ Conjug. 66.

depurar (de.pu.*rar*) v. Purificar(-se): *depurar o sangue; Sentiu que depurara a alma de certos males; Seu estilo depurou-se com os anos.* ▶ Conjug. 5. – **depuração** s.f.

depurativo (de.pu.ra.*ti*.vo) adj. **1.** Que depura. • s.m. **2.** (*Med.*) Medicamento próprio para depurar o sangue.

deputado (de.pu.*ta*.do) s.m. Representante eleito para fazer parte da Assembleia Legislativa ou da Câmara de Deputados: *deputado estadual, deputado federal.*

deque [é] (de.*que*) s.m. **1.** Convés. **2.** Piso ou plataforma feita de tábuas geralmente paralelas.

deriva (de.*ri*.va) s.f. **1.** Desvio de rota que sofre um navio ou um avião por efeito de correntes marítimas ou aéreas. **2.** (*Ling.*) Tendência para que apontam diversas mudanças ocorridas numa língua. || **À deriva:** ao sabor da corrente ou do vento.

derivação (de.ri.va.*ção*) *s.f.* **1.** Ato ou efeito de derivar. **2.** (*Gram.*) Método de formação de palavras que consiste na modificação de um vocábulo mediante adição de prefixos e sufixos.

derivado (de.ri.va.do) *adj.* **1.** Que deriva de (outra coisa). • *s.m.* Produto obtido a partir de outro: *A gasolina é um dos derivados do petróleo.* **3.** (*Gram.*) Vocábulo formado por derivação.

derivar (de.ri.*var*) *v.* **1.** Ter origem em: *Não nos responsabilizamos por danos que derivem da utilização indevida do produto.* **2.** Desviar-se um navio ou um avião por efeito de correntes marítimas ou aéreas: *A embarcação derivou durante vários dias.* **3.** Desviar-se do rumo ou direção original: *De repente a conversa derivou para a campanha política.* **4.** Tirar (uma palavra de outra que é sua origem): *A palavra pedreiro deriva de pedra.* ▶ Conjug. 5.

derivativo (de.ri.va.*ti*.vo) *adj.* **1.** Que deriva. • *s.m.* **2.** Atividade ou distração que faz esquecer preocupações ou aborrecimentos.

derma [é] (der.ma) *s.m.* (*Anat.*) Derme.

dermatite (der.ma.*ti*.te) *s.f.* (*Med.*) Inflamação da pele.

dermatologia (der.ma.to.lo.gi.a) *s.f.* (*Med.*) Parte da Medicina que estuda a pele, sua estrutura, suas funções e suas doenças. – **dermatológico** *adj.*

dermatologista (der.ma.to.lo.gis.ta) *s.m. e f.* Médico especialista em Dermatologia.

dermatose [ó] (der.ma.to.se) *s.f.* (*Med.*) Qualquer doença da pele.

derme [é] (der.me) *s.f.* (*Anat.*) Camada da pele situada sob a epiderme. ‖ *derma.*

derradeiro (der.ra.dei.ro) *adj.* **1.** Último: *prazo derradeiro.* **2.** Final: *suspiro derradeiro.*

derramar (der.ra.*mar*) *v.* **1.** Fazer com que (algo) saia do recipiente em que está: *O menino derramou todo o leite no chão.* **2.** Sair do recipiente em que está espalhando-se: *O vinho derramou-se pela mesa.* **3.** *fig.* Manifestar-se com exagero: *derramar-se em lágrimas; derramar-se em elogios.* ▶ Conjug. 5. – **derramamento** *s.m.*

derrame (der.*ra*.me) *s.m.* (*Med.*) Acumulação anormal de líquido em cavidades do corpo.

derrapar (der.ra.*par*) *v.* Deslizar (um veículo ou uma roda): *O carro derrapou na pista molhada.* ▶ Conjug. 5. – **derrapagem** *s.f.*; **derrapante** *adj.*

derrear (der.re:*ar*) *v.* **1.** Curvar(-se): *A moça derreou a cabeça; As palmeiras derreavam-se ao vento.* **2.** Abater(-se), extenuar(-se): *A doença do marido derreou-a; Ela derreou-se com a dupla jornada de trabalho.* ▶ Conjug. 14. – **derreado** *adj.*; **derreamento** *s.m.*

derredor [ó] (der.re.dor) *adv.* Ao redor.

derreter (der.re.*ter*) *v.* **1.** Tornar(-se) líquido mediante calor: *O sol derreteu a neve; O sorvete derrete-se fora da geladeira.* **2.** Ser excessivamente amoroso ou solícito: *Diante da moça, derrete-se todo; Derreteu-se em elogios ao chefe.* ▶ Conjug. 41.

derretimento (der.re.ti.*men*.to) *s.m.* Ato ou efeito de derreter(-se).

derribar (der.ri.*bar*) *v.* Derrubar. ▶ Conjug. 5.

derrocada (der.ro.ca.da) *s.f.* **1.** Desmoronamento, ruína. **2.** *fig.* Decadência, degradação.

derrocar (der.ro.*car*) *v.* Fazer cair (um governo, um regime ou um chefe de governo): *O povo daquele país derrocou o regime monárquico.* ▶ Conjug. 20 e 35.

derrogar (der.ro.*gar*) *v.* Revogar parcialmente (lei): *A Constituição Federal de 1988 derrogou a lei de imprensa.* ▶ Conjug. 20 e 34. – **derrogação** *s.f.*; **derrogatório** *adj.*

derrota [ó] (der.ro.ta) *s.f.* Perda de uma batalha, uma competição etc. – **derrotismo** *s.m.*; **derrotista** *adj. s.m.*

derrotar (der.ro.*tar*) *v.* Vencer (uma batalha, uma competição etc.): *Davi derrotou Golias.* ▶ Conjug. 20.

derrubar (der.ru.*bar*) *v.* **1.** Fazer cair no solo: *derrubar uma pessoa, uma jarra, uma árvore, um prédio.* **2.** Fazer cair (um governo, um regime, um chefe ou membro do governo): *Uma blitz em taxistas derrubou o secretário de transportes.* **3.** *fig.* Prejudicar: *Para se afirmar, ele tem necessidade de derrubar os outros.* ‖ *derribar.* ▶ Conjug. 5.

derruir (der.ru.*ir*) *v.* Destruir(-se), desmoronar(-se): *O tempo derrui a juventude; As chuvas derruíram a cidade; O casamento parecia derruir-se.* ▶ Conjug. 80.

dervixe [ch] (der.vi.xe) *s.m.* (*Rel.*) Monge muçulmano.

desabafar (de.sa.ba.*far*) *v.* Revelar o que sente: *Ele desabafa seus problemas com o primeiro que encontra; Ela chorou, desabafou(-se) e depois pediu-me desculpas.* ▶ Conjug. 5.

desabafo (de.sa.ba.fo) *s.m.* Ato ou efeito de desabafar(-se).

desabalado (de.sa.ba.la.do) *adj.* Desordenado, precipitado: *corrida desabalada.* – **desabalar** *v.* ▶ Conjug. 5.

desabar

desabar (de.sa.*bar*) v. **1.** Vir abaixo: *O bar que desabou já havia sido autuado.* **2.** Cair violentamente: *Desabou um temporal sobre a cidade.* **3.** *fig.* Perder o controle: *Quando ele disse a ela que queria separar-se, ela desabou.* ▶ Conjug. 5. – **desabamento** s.m.

desabilitar (de.sa.bi.li.*tar*) v. **1.** Tornar inapto: *Os juízes consideraram que não existem antecedentes para desabilitar o magistrado.* **2.** (*Inform.*) Tornar inativo; desativar: *Já desabilitou o editor que estava usando?* ▶ Conjug. 5.

desabitado (de.sa.bi.*ta*.do) adj. Que não é habitado; desértico.

desabituar (de.sa.bi.tu:*ar*) v. Desacostumar(-se). ▶ Conjug. 5.

desabonar (de.sa.bo.*nar*) v. Perder a boa fama; desacreditar: *A demora na entrega não desabonou o vendedor, que é correto e honesto.* ▶ Conjug. 5. – **desabonador** adj.; **desabono** s.m.

desabotoar (de.sa.bo.to:*ar*) v. Soltar os botões de: *Encalorado, tirou a gravata e desabotooua a camisa.* ▶ Conjug. 25.

desabrido (de.sa.*bri*.do) adj. Áspero, desagradável: *jeito desabrido; temperamento desabrido.*

desabrigar (de.sa.bri.*gar*) v. Deixar sem abrigo: *A enchente do rio já desabrigou mais de cem famílias.* ▶ Conjug. 5 e 34. – **desabrigado** adj. s.m.; **desabrigo** s.m.

desabrochar (de.sa.bro.*char*) v. **1.** Transformar-se (o botão em flor): *As rosas que você me deu desabrocharam(-se).* **2.** Desenvolver(-se): *Aos 15 anos, geralmente a menina desabrocha(-se).* ▶ Conjug. 20. – **desabrochamento** s.m.

desabusado (de.sa.bu.*sa*.do) adj. Insolente, atrevido: *humor desabusado.*

desacatar (de.sa.ca.*tar*) v. Não acatar; desrespeitar; desobedecer: *desacatar uma ordem, desacatar uma pessoa.* ▶ Conjug. 5.

desacato (de.sa.*ca*.to) s.m. Ato ou efeito de desacatar.

desacautelar (de.sa.cau.te.*lar*) v. **1.** Não ter cautela com; desprecaver: *É lamentável que não tenha havido o devido aproveitamento das sementes, porque desacautelamos o plantio.* **2.** Ser descuidado, imprudente; desprecaver-se: *Desacautelou-se e foi roubado.* ▶ Conjug. 8. – **desacautelado** adj.

desacelerar (de.sa.ce.le.*rar*) v. **1.** Diminuir a velocidade; retardar: *O sinal ficou vermelho, mas o motorista não desacelerou.* **2.** Diminuir o crescimento, o ritmo, o progresso: *A alta dos juros desacelerou as vendas a prazo.* ▶ Conjug. 8. – **desaceleração** s.f.

desacerto [ê] (de.sa.*cer*.to) s.m. **1.** Falta de acerto; erro. **2.** Despropósito, tolice.

desacomodar (de.sa.co.mo.*dar*) v. Fazer com que (alguém ou algo) deixe de estar acomodado: *Quando recebia os parentes de fora, tinha de desacomodar os filhos; Aprender coisas novas desacomoda a cabeça.* ▶ Conjug. 20.

desacompanhado (de.sa.com.pa.*nha*.do) adj. Sem companhia, só, isolado.

desacompanhar (de.sa.com.pa.*nhar*) v. Deixar de acompanhar: *A sorte nunca o desacompanhou.* ▶ Conjug. 5.

desaconselhar (de.sa.con.se.*lhar*) v. Dissuadir (alguém) da resolução que quer tomar: *A polícia desaconselhou qualquer jogo no estádio onde vinte torcedores foram feridos.* ▶ Conjug. 9. – **desaconselhável** adj.

desacordado[1] (de.sa.cor.*da*.do) adj. Que perdeu os sentidos.

desacordado[2] (de.sa.cor.*da*.do) adj. Que anulou um acordo.

desacordo [ô] (de.sa.*cor*.do) s.m. Falta de acordo; desinteligência, divergência.

desacorrentar (de.sa.cor.ren.*tar*) v. Soltar(-se) de corrente: *O super-herói desacorrentou a mocinha;* fig. *Não é fácil desacorrentar-se de crenças antigas.* ▶ Conjug. 5.

desacostumar (de.sa.cos.tu.*mar*) v. Fazer perder ou perder o costume de; desabituar(-se): *O hábito de assistir a vídeos desacostumou-o de ir ao cinema; Os adultos desacostumam-se de observar as coisas singelas.* ▶ Conjug. 5.

desacreditar (de.sa.cre.di.*tar*) v. Fazer perder ou perder o crédito: *A revelação das atrocidades nazistas desacreditou a eugenia científica; Com essas práticas ilícitas, a classe política desacreditou-se.* ▶ Conjug. 5.

desafeição (de.sa.fei.*ção*) s.f. Falta de afeição; desafeto.

desafeiçoar[1] (de.sa.fei.ço:*ar*) v. Fazer perder a afeição ou perder a afeição: *Os escândalos financeiros desafeiçoaram-no de seu país; Rapidamente a criança desafeiçoou-se da antiga babá.* ▶ Conjug. 25.

desafeiçoar[2] (de.sa.fei.ço:*ar*) v. Fazer perder a feição: *Com uma lei complementar, evitaríamos desafeiçoar a Constituição.* ▶ Conjug. 25.

desafeito (de.sa.*fei*.to) adj. Que não está afeito a; desacostumado: *Desafeito à política partidária, nunca se candidatou a cargo nenhum.*

desaferrar (de.sa.fer.*rar*) *v.* **1.** Soltar (algo aferrado): *desaferrar um navio; desaferrar-se de grilhões.* **2.** Fazer desistir ou desistir: *É preciso desaferrá-lo dessa ideia absurda; Parece que desaferrou-se do hábito de criticar os outros.* ▶ Conjug. 8.

desaferrolhar (de.sa.fer.ro.*lhar*) *v.* Correr o ferrolho para abrir: *desaferrolhar a porta.* ▶ Conjug. 20.

desafetação (de.sa.fe.ta.*ção*) *s.f.* Falta de afetação, naturalidade.

desafeto¹ [é] (de.sa.*fe*.to) *s.m.* **1.** Falta de afeto. **2.** Inimigo.

desafeto² [é] (de.sa.*fe*.to) *adj.* Oposto, adverso: *desafeto a um regime político.*

desafiar (de.sa.fi.*ar*) *v.* **1.** Propor um desafio (a alguém); afrontar, provocar, reptar: *Desafiou o amigo a repetir o que dissera.* **2.** Excitar, estimular, despertar: *O fenômeno desafiava a inteligência humana havia mais de setenta anos.* **3.** Enfrentar (algo que encerra um risco ou uma punição): *Era um atrevimento que desafiava os costumes da época; Desafiou a lei vigente e cometeu a eutanásia.* ▶ Conjug. 17. – **desafiador** *adj. s.m.;* **desafiante** *adj.*

desafinar (de.sa.fi.*nar*) *v.* Fazer perder ou perder a afinação: *Um aluno desafinou uma das cordas do meu violão; Ela canta muito bem, não desafina nunca.* ▶ Conjug. 5. – **desafinação** *s.f.*

desafio (de.sa.*fi*:o) *s.m.* **1.** Ato ou efeito de desafiar. **2.** Provocação que se faz a alguém para ver se é capaz de fazer algo. **3.** Tarefa difícil de ser executada.

desafivelar (de.sa.fi.ve.*lar*) *v.* Soltar a fivela de: *Só se deve desafivelar o cinto de segurança quando o avião para na pista.* ▶ Conjug. 8.

desafogar (de.sa.fo.*gar*) *v.* **1.** Tornar(-se) menos sobrecarregado: *A consulta processual pela internet desafogou os cartórios; Depois da inauguração do metrô, o trânsito desafogou-se.* **2.** Aliviar(-se), desabafar(-se): *desafogar as mágoas; Precisava encontrar-se com um amigo para falar e desafogar-se.* ▶ Conjug. 20 e 34.

desafogo [ô] (de.sa.*fo*.go) *s.m.* **1.** Alívio, desopressão. **2.** Folga financeira; abastança.

desaforado (de.sa.fo.*ra*.do) *adj.* Atrevido, insolente: *menino desaforado, recado desaforado.*

desaforo [ô] (de.sa.*fo*.ro) *s.m.* Insolência, atrevimento, insulto.

desafortunado (de.sa.for.tu.*na*.do) *adj.* **1.** Que é desamparado pela sorte. • *s.m.* **2.** Pessoa desafortunada.

desafronta (de.sa.*fron*.ta) *s.f.* Desagravo.

desafrontar (de.sa.fron.*tar*) *v.* Desagravar(-se). ▶ Conjug. 5.

desagasalhado (de.sa.ga.sa.*lha*.do) *adj.* **1.** Sem agasalho. **2.** Descoberto ou insuficientemente coberto.

deságio (de.*sá*.gi:o) *s.m.* **1.** *(Econ.)* Diferença, para menos, entre o valor de mercado e o preço de compra de um título de crédito. **2.** Depreciação.

desagradar (de.sa.gra.*dar*) *v.* Não agradar; descontentar, desgostar: *O enredo escolhido desagradou (a)os carnavalescos mais tradicionais.* ▶ Conjug. 5.

desagradável (de.sa.gra.*dá*.vel) *adj.* Que desagrada, capaz de desagradar.

desagrado (de.sa.*gra*.do) *s.m.* Falta de agrado; desprazer.

desagravar (de.sa.gra.*var*) *v.* Reparar uma ofensa feita (a alguém ou a si próprio); desafrontar(-se): *desagravar alguém de um insulto; desagravar-se de injúrias.* ▶ Conjug. 5.

desagravo (de.sa.*gra*.vo) *s.m.* Reparação de uma ofensa; desafronta.

desagregar (de.sa.gre.*gar*) *v.* **1.** Separar (o que estava agregado): *O episódio desagregou a família.* **2.** Separar-se, desunir-se: *Sem o Estado, a sociedade desagrega-se.* ▶ Conjug. 8 e 34. – **desagregação** *s.f.*

desaguadouro (de.sa.gua.*dou*.ro) *s.m.* Conduto por onde se dá a saída das águas; vala, canal.

desaguar (de.sa.*guar*) *v.* Desembocar: *O rio Amazonas deságua no oceano Atlântico.* ▶ Conjug. 29.

desaire (de.*sai*.re) *s.m.* **1.** Falta de elegância ou distinção. **2.** Vexame, desdouro, mancha.

desairoso [ô] (de.sai.*ro*.so) *adj.* Em que há desaire. || f. e pl.: [ó].

desajeitado (de.sa.jei.*ta*.do) *adj.* **1.** Desengonçado, desastrado: *andar desajeitado, rapaz desajeitado.* **2.** Desarrumado, desordenado: *cabelo desajeitado.* – **desajeitar** *v.* ▶ Conjug. 18.

desajuizado (de.sa.ju:i.*za*.do) *adj.* Sem juízo; inconsequente, imaturo, desassisado.

desajustado (de.sa.jus.*ta*.do) *adj.* **1.** Que se desajustou: *parafuso desajustado.* **2.** Emocionalmente desequilibrado. • *s.m.* **3.** Pessoa emocionalmente desequilibrada.

desajustar (de.sa.jus.*tar*) *v.* **1.** Perder ou fazer perder o ajuste: *Um forte tranco desajustou uma vértebra de sua coluna; A legislação de-*

desalentar

sajustou-se à realidade. **2.** Desequilibrar(-se) emocionalmente: *As brigas constantes dos pais desajustaram a menina; Na época da adolescência, desajustou-se na escola.* ▶ Conjug. 5. – **desajustamento** *s.m.*; **desajuste** *s.m.*

desalentar (de.sa.len.*tar*) *v.* **1.** Tirar o alento: *O autoritarismo político desalentou a organização da sociedade.* **2.** Perder o alento: *O professor não deve desalentar-se em sua tarefa de ensinar o aluno a pensar.* ▶ Conjug. 5.

desalento (de.sa.*len*.to) *s.m.* Falta de alento.

desalinhado (de.sa.li.*nha*.do) *adj.* **1.** Que está fora de alinhamento: *carro desalinhado.* **2.** Desmazelado, desordenado: *traje desalinhado.*

desalinhar (de.sa.li.*nhar*) *v.* **1.** Tirar do alinhamento: *Uma brisa desalinhava seus longos cabelos.* **2.** Sair do alinhamento: *Após o desfile, os soldados desalinharam-se.* ▶ Conjug. 5.

desalinhavar (de.sa.li.nha.*var*) *v.* Tirar os alinhavos de: *desalinhavar a costura.* ▶ Conjug. 5.

desalinho (de.sa.*li*.nho) *s.m.* Falta de alinho: *Suas roupas estavam em um desalinho completo.*

desalmado (de.sal.*ma*.do) *adj.* Desumano, perverso, desnaturado.

desalojar (de.sa.lo.*jar*) *v.* Fazer sair ou sair do lugar onde estava: *O tornado desalojou mais de cem pessoas; Com a descoberta de Copérnico, o homem desalojou-se do centro do universo.* ▶ Conjug. 20 e 37. – **desalojamento** *s.m.*

desamarrar (de.sa.mar.*rar*) *v.* **1.** Soltar da amarra, desprender (o que estava amarrado): *desamarrar os tênis.* **2.** Desatar-se, soltar-se: *O laço desamarrou(-se).* ▶ Conjug. 5.

desamarrotar (de.sa.mar.ro.*tar*) *v.* Alisar, estender (o que está amarrotado): *Desamarrotei o vestido alisando-o com as mãos.* ▶ Conjug. 20.

desamassar (de.sa.mas.*sar*) *v.* Desfazer o amassado de: *Desamassou o papel, dobrou-o e colocou-o no bolso.* ▶ Conjug. 5.

desambição (de.sam.bi.*ção*) *s.f.* Falta de ambição.

desambientado (de.sam.bi:en.*ta*.do) *adj.* Que está fora do seu ambiente. – **desambientar** *v.* ▶ Conjug. 5.

desamontoar (de.sa.mon.to:*ar*) *v.* Desfazer (o que está amontoado): *Desamontoou as almofadas que estavam sobre o sofá para sentar-se.* ▶ Conjug. 25.

desamor [ô] (de.sa.*mor*) *s.m.* Falta de amor.

desamparar (de.sam.pa.*rar*) *v.* Deixar de amparar: *Os amigos nunca o desampararam nas horas difíceis.* ▶ Conjug. 5.

desamparo (de.sam.*pa*.ro) *s.m.* Falta de auxílio ou de proteção.

desancar (de.san.*car*) *v.* **1.** Bater muito em: *José desancou os colegas com uns belos sopapos.* **2.** Criticar severamente: *Em sua coluna, o economista desancou a política econômica recessiva do governo.* ▶ Conjug. 5 e 35.

desandar (de.san.*dar*) *v.* **1.** Decair, retroceder: *Sua sorte começou a desandar ao chegar àquela cidade.* **2.** Alterar-se, talhar: *O mingau desandou.* **3.** Ter diarreia: *O intestino do paciente desandou.* || Usado como auxiliar, exprime início da ação: *desandar a rir, a chorar, a chover* etc. ▶ Conjug. 5.

desanimar (de.sa.ni.*mar*) *v.* **1.** Tirar o ânimo: *A chuva não desanimou os componentes da escola de samba.* **2.** Perder o ânimo: *Em vez de desanimar-se, pense positivamente.* ▶ Conjug. 5. – **desanimação** *s.f.*

desânimo (de.sa.ni.mo) *s.m.* Falta de ânimo.

desanuviar (de.sa.nu.vi:*ar*) *v.* **1.** Dissipar as nuvens de: *Uma brisa desanuviava o céu.* **2.** Limpar-se de nuvens: *O céu desanuviou-se e agora brilha um sol límpido.* **3.** *fig.* Desassombrar(-se), serenar(-se): *desanuviar a mente; Todos riram muito da piada e a tensão desanuviou-se.* ▶ Conjug. 17.

desapaixonar [ch] (de.sa.pai.xo.*nar*) *v.* **1.** Fazer perder a paixão: *Tentei lembrar o que aconteceu este ano, o que me desapaixonou, o que me apaixonou.* **2.** Perder a paixão: *Com a convivência, a pessoa irá desapaixonar-se, restando o amor.* ▶ Conjug. 5.

desaparafusar (de.sa.pa.ra.fu.*sar*) *v.* **1.** Tirar o parafuso de; desparafusar: *Zeca desaparafusou, descolou e desencaixou cada peça do seu robô.* **2.** Soltar-se, afrouxar-se, desparafusar-se: *O cinto de segurança desaparafusou-se sozinho.* ▶ Conjug. 5.

desaparecer (de.sa.pa.re.*cer*) *v.* **1.** Deixar de estar à vista: *Meus óculos desapareceram.* **2.** Deixar de existir: *Os dinossauros desapareceram do planeta há 65 milhões de anos.* ▶ Conjug. 41. – **desaparecimento** *s.m.*; **desaparição** *s.f.*

desapartar (de.sa.par.*tar*) *v.* Separar, afastar: *desapartar uma briga.* ▶ Conjug. 5.

desapegar (de.sa.pe.*gar*) *v.* Desfazer(-se) o apego: *O casamento desapegou-o da vida boêmia; Desapegou-se dos negócios mundanos e retirou-se para a floresta.* ▶ Conjug. 8 e 34.

desapego [ê] (de.sa.*pe*.go) *s.m.* **1.** Falta de apego, indiferença, desamor, desafeição. **2.** Facilidade de abandonar aquilo a que se tinha afeiçoado.

desaperceber (de.sa.per.ce.*ber*) *v.* Desperceber. ▶ Conjug. 41.

desapercebido (de.sa.per.ce.*bi*.do) *adj.* **1.** Que não foi notado; despercebido: *O fato passou desapercebido (a todos).* **2.** Desprovido (do necessário): *O hospital está desapercebido de medicamentos.*

desapertar (de.sa.per.*tar*) *v.* Tornar(-se) menos apertado: *desapertar o cinto; O parafuso desapertou-se.* ▶ Conjug. 8.

desaperto [ê] (de.sa.per.to) *s.m.* Ato ou efeito de desapertar(-se).

desapiedado (de.sa.pi:e.*da*.do) *adj.* Que não sente piedade; malvado, cruel. – **desapiedar** *v.* ▶ Conjug. 8.

desapoiar (de.sa.poi:*ar*) *v.* Não apoiar: *Ele apoiou o político numa eleição e desapoiou na seguinte.* ▶ Conjug. 23.

desapontar (de.sa.pon.*tar*) *v.* **1.** Não conseguir satisfazer as expectativas de: *O time desapontou a torcida.* **2.** Sentir-se frustrado em suas expectativas: *Gostei do livro, mas desapontei-me com o filme.* ▶ Conjug. 5. – **desapontado** *adj.*; **desapontamento** *s.m.*

desapossar (de.sa.pos.*sar*) *v.* **1.** Tirar da posse; desapropriar, desempossar: *A revolução desapossou os aristocratas de todas as suas riquezas.* **2.** Renunciar à posse; desempossar-se: *Desapossou-se de todos os seus bens.* ▶ Conjug. 20.

desapreço [ê] (de.sa.*pre*.ço) *s.m.* Falta de apreço.

desaprender (de.sa.pren.*der*) *v.* Esquecer (o que se aprendera): *A população desaprendeu a exigir nota fiscal.* ▶ Conjug. 39.

desapropriar (de.sa.pro.pri:*ar*) *v.* **1.** Desapossar, expropriar: *A globalização desapropriou os trabalhadores de sua habilidade para negociar com o capital nacional.* **2.** Tornar bem público (propriedade particular); expropriar: *Jango desapropriou, para a reforma agrária, propriedades às margens de ferrovias e rodovias.* ▶ Conjug. 17. – **desapropriação** *s.f.*

desaprovar (de.sa.pro.*var*) *v.* Não aprovar; reprovar: *Com o olhar, desaprovou a atitude do filho.* ▶ Conjug. 20. – **desaprovação** *s.f.*

desaprumar (de.sa.pru.*mar*) *v.* **1.** Desviar(-se) do prumo: *Encostei na cerca e desaprumei-a; O quadro de registros da sala de reunião desaprumou (-se).* **2.** Perturbar(-se): *Tamanhos contratempos desaprumaram o chefe; Seu governo desaprumou(-se) e ele renunciou.* ▶ Conjug. 5.

desaprumo (de.sa.*pru*.mo) *s.m.* Desvio do prumo.

desaquecer (de.sa.que.*cer*) *v.* Fazer cessar o aquecimento; esfriar: *Deve-se aquecer e desaquecer a garganta antes e depois da apresentação.* ▶ Conjug. 41 e 46. – **desaquecimento** *s.m.*

desarmar (de.sar.*mar*) *v.* **1.** Tirar as armas de: *Foi feita uma campanha para desarmar a população; Com um golpe certeiro, o policial desarmou o bandido.* **2.** Reduzir os armamentos de: *desarmar um país, uma região.* **3.** Deixar (alguém) sem argumentos para discutir: *Ele desarmou o aluno mostrando as contradições do seu discurso.* **4.** Separar as peças de (um objeto); desmontar: *Ele desarma todos os brinquedos que ganha.* ▶ Conjug. 5. – **desarmamento** *s.m.*; **desarme** *s.m.*

desarmonia (de.sar.mo.*ni*.a) *s.f.* Falta de harmonia.

desarmonizar (de.sar.mo.ni.*zar*) *v.* Perder ou fazer perder a harmonia: *Alguns prédios desarmonizam a cidade; Se os interesses se desarmonizam, o casal tende a separar-se.* ▶ Conjug. 5.

desarraigar (de.sar.rai.*gar*) *v.* **1.** Arrancar pela raiz ou com raízes: *desarraigar uma planta.* **2.** Sair ou fazer sair (alguém) do lugar em que vive: *Os conquistadores desarraigaram os indígenas de suas terras.* **3.** *fig.* Extirpar completamente: *desarraigar um hábito, um vício.* ▶ Conjug. 5 e 34. – **desarraigamento** *s.m.*

desarranjar (de.sar.ran.*jar*) *v.* **1.** Pôr(-se) em desordem: *Desarranjou todos os papéis e não achou o que queria; Sua cabeleira desarranjou-se.* **2.** *coloq.* Causar ou sofrer diarreia: *A água não filtrada desarranjou o bebê; O intestino do paciente desarranjou(-se).* ▶ Conjug. 5 e 37.

desarranjo (de.sar.*ran*.jo) *s.m.* **1.** Ato ou efeito de desarranjar. **2.** Falta de arranjo. **3.** Enguiço. **4.** *coloq.* Diarreia.

desarrazoar (de.sar.ra.zo:*ar*) *v.* Falar ou fazer disparates; disparatar: *Ele desarrazoou ao pedir que o chamassem de doutor.* ▶ Conjug. 25.

desarrazoado (de.sar.ra.zo:*a*.do) *adj.* Em que não há razão: *alegação desarrazoada.*

desarrear (de.sar.re:*ar*) *v.* Tirar os arreios de: *Rapidamente o forasteiro desarreou o cavalo em que veio.* ▶ Conjug. 14.

desarrochar (de.sar.ro.*char*) *v.* Desfazer o arrocho de: *Fazem-se necessárias mudanças para desarrochar a renda do trabalhador.* ▶ Conjug. 20.

desarrolhar (de.sar.ro.*lhar*) *v.* Tirar a rolha de: *Desarrolhou a garrafa de vinho trazida pelo convidado.* ▶ Conjug. 20.

desarrumar

desarrumar (de.sar.ru.*mar*) v. Desfazer a arrumação de: *desarrumar a mala*. ▶ Conjug. 5. – **desarrumação** s.f.

desarticulação (de.sar.ti.cu.la.*ção*) s.f. **1.** Ato ou efeito de desarticular. **2.** Falta de articulação.

desarticular (de.sar.ti.cu.*lar*) v. **1.** Desfazer a articulação (de alguém ou de seus ossos ou membros): *A sucuri é capaz de desarticular os ossos de sua mandíbula para que possa engolir presas*. **2.** Desorganizar (algo ou um grupo de pessoas): *A polícia desarticulou uma organização especializada em fabricar carteiras de identidade*. ▶ Conjug. 5.

desarvorado (de.sar.vo.*ra*.do) adj. **1.** Confuso, desorientado. **2.** Que foge desordenadamente. **3.** (*Náut.*) Que voga sem governo, desaparelhado.

desarvorar (de.sar.vo.*rar*) v. **1.** Desorientar(-se): *A tempestade desarvorou os cavalos; Quando soube da sua demissão, desarvorou-se.* **2.** Safar-se, fugir desordenadamente: *Com o estouro, os alunos desarvoraram porta afora*. **3.** (*Náut.*) Perder ou fazer perder o mastro: *A tempestade desarvorou a barca sete dias após o encalhe; A corveta desarvorou no Mediterrâneo e regressou a Lisboa sem cumprir sua missão.* ▶ Conjug. 20.

desasseio (de.sas.*sei*.o) s.m. Falta de asseio.

desassisado (de.sas.si.*sa*.do) adj. Que não tem siso; desajuizado.

desassistir (de.sas.sis.*tir*) v. Não dar assistência a: *desassistir a população*. ▶ Conjug. 66.

desassociar (de.sas.so.ci.*ar*) v. Desfazer o vínculo; separar: *Ele desassocia aquilo que ele faz daquilo que ele diz; É difícil desassociar-se daquilo que se cria*. ▶ Conjug. 17.

desassombrado (de.sas.som.*bra*.do) adj. **1.** Que não é sombrio; ensolarado. **2.** *fig.* Franco, sincero. **3.** *fig.* Isento de temor; ousado, valente.

desassombrar (de.sas.som.*brar*) v. Livrar do medo, da tristeza, do ódio, da suspeita: *A polícia prendeu o bandido desassombrando a cidade e os lugares vizinhos*. ▶ Conjug. 5.

desassombro (de.sas.*som*.bro) s.m. **1.** Destemor, ousadia. **2.** Franqueza, confiança.

desassossegado (de.sas.sos.se.*ga*.do) adj. Sem sossego; inquieto.

desassossegar (de.sas.sos.se.*gar*) v. Tirar o sossego; inquietar, preocupar: *A preocupação com a dívida desassossegou o meu sono*. ▶ Conjug. 8 e 34.

desassossego [ê] (de.sas.sos.se.go) s.m. Falta de sossego; inquietação.

desastrado (de.sas.*tra*.do) adj. **1.** Que redundou em desastre: *dia desastrado*. **2.** Desajeitado, incapaz de fazer bem qualquer coisa. • s.m. **3.** Pessoa desastrada.

desastre (de.*sas*.tre) s.m. **1.** Evento imprevisto que implica grave destruição, geralmente com vítimas. **2.** Fracasso total. **3.** Pessoa desajeitada ou azarada.

desastroso [ô] (de.sas.*tro*.so) adj. **1.** Em que há desastre. **2.** Que produz desastre. || f. e pl.: [ó].

desatar (de.sa.*tar*) v. **1.** Soltar (o que estava atado): *desatar um nó, um laço, um embrulho*; (fig.) *desatar alguém de um sofrimento*. **2.** Soltar-se, desprender-se: *As cordas que o prendiam desataram-se*; (fig.) *desatar-se de uma obrigação, de um compromisso*. || Usado como auxiliar, exprime início da ação: *desatar a rir, a chorar, a chover etc.* ▶ Conjug. 5. – **desatamento** s.m.

desatarraxar [ch] (de.sa.tar.ra.*xar*) v. Desapertar a tarraxa; desenroscar: *Desatarraxou a lâmpada queimada para substituí-la por uma nova*. ▶ Conjug. 5.

desataviar (de.sa.ta.vi.*ar*) v. Tirar os atavios, os enfeites; desenfeitar: *desataviar o estilo; Helena desataviou-se antes de deitar*. ▶ Conjug. 17.

desatenção (de.sa.ten.*ção*) s.f. **1.** Falta de atenção. **2.** Falta de respeito para com alguém.

desatencioso [ô] (de.sa.ten.ci:o.so) adj. **1.** Que não dá atenção. **2.** Em que há desatenção. || f. e pl.: [ó].

desatender (de.sa.ten.*der*) v. **1.** Desconsiderar: *O auditor desatendeu (a) diversas normas brasileiras de contabilidade*. **2.** Não fazer caso de, não dar assistência a: *desatender (a) um doente; A comissão desatendeu a/à minha queixa*. ▶ Conjug. 39.

desatento (de.sa.*ten*.to) adj. Não atento; distraído.

desatinar (de.sa.ti.*nar*) v. Perder ou fazer perder o tino, a razão: *A falência da empresa desatinou-o; Quando o casamento acabou, ele desatinou.* ▶ Conjug. 5.

desatino (de.sa.*ti*.no) s.m. **1.** Falta de tino; insensatez. **2.** Ato ou dito que denota desatino; disparate.

desativar (de.sa.ti.*var*) v. Tornar inativo: *O governador Carlos Lacerda desativou o serviço de bondes*. ▶ Conjug. 5.

desatolar (de.sa.to.*lar*) v. **1.** Tirar do atoleiro: *A turma do resgate desatolou vários veículos*. **2.** Sair do atoleiro: *É recomendável o uso de correntes para desatolar-se da neve ou da lama*. ▶ Conjug. 20.

descabelar

desatracar (de.sa.tra.*car*) *v.* **1.** Separar (uma embarcação) do cais ou de outra embarcação a que esteja atracada: *desatracar um navio*. **2.** Separar-se (uma embarcação de outra ou do cais): *O navio só irá desatracar após a chegada do minério ao porto*. **3.** Separar(-se) (pessoas ou animais que estão engalfinhados): *O policial apareceu a tempo de desatracar o velhinho e o ladrão; Com a chegada do pai, os dois irmãos desatracaram-se*. ▶ Conjug. 5 e 35.

desatravancar (de.sa.tra.van.*car*) *v.* **1.** Remover o que impede a passagem por: *Vamos desatravancar o quarto vendendo parte dos móveis*. **2.** Desembaraçar, facilitar: *Foi feito um esforço concentrado no tribunal para desatravancar a pauta de julgamento*. ▶ Conjug. 5 e 35.

desatrelar (de.sa.tre.*lar*) *v.* Desprender(-se), soltar(-se): *O baú desatrelou-se da carreta e atropelou uma dona de casa*; (fig.) *Alguns países desatrelaram sua moeda do dólar*. ▶ Conjug. 8.

desatualizado (de.sa.tu:a.li.*za*.do) *adj.* Que está fora da época atual; ultrapassado.

desautorar (de.sau.to.*rar*) *v.* Desautorizar(-se): *O livro publicado desautorou as teorias do economista; O ministro se desautorou perante a população*. ▶ Conjug. 20.

desautorizar (de.sau.to.ri.*zar*) *v.* **1.** Perder ou fazer perder a autoridade moral; desautorar (-se): *O diretor desautorizou o professor diante dos alunos; Por suas incoerências, ela desautorizou-se como mãe*. **2.** Não dar autorização para: *O instituto desautorizou o projeto urbanístico, sob o argumento de que se trata de área de preservação permanente*. ▶ Conjug. 5.

desavença (de.sa.ven.ça) *s.f.* Quebra de boas relações entre pessoas ou coletividades; dissensão.

desavergonhado (de.sa.ver.go.*nha*.do) *adj.* **1.** Que perdeu a vergonha. • *s.m.* **2.** Pessoa desavergonhada. – **desavergonhar** *v.* ▶ Conjug. 5. – **desavergonhamento** *s.m.*

desavindo (de.sa.*vin*.do) *adj.* Que anda em desavença com outro(s): *casal desavindo*.

desavir (de.sa.*vir*) *v.* Pôr(-se) em desavença: *O estímulo exagerado à competição desaveio os funcionários da empresa; Desaveio-se com os colegas da turma*. || *part*.: *desavindo*. ▶ Conjug. 85.

desavisado (de.sa.vi.*sa*.do) *adj.* Falto de prudência; desajuizado, leviano.

desbancar (des.ban.*car*) *v.* Vencer, suplantar: *Coqueirão é o trecho da praia de Ipanema que desbancou o Posto 9*. ▶ Conjug. 5 e 35.

desbaratar (des.ba.ra.*tar*) *v.* **1.** Desfazer(-se): *desbaratar uma quadrilha; A rede de apoio desbaratou-se com a prisão dos bandidos*. **2.** Gastar excessivamente: *Desbaratou a fortuna da família no jogo*. ▶ Conjug. 5. – **desbaratamento** *s.m.*

desbarrancar (des.bar.ran.*car*) *v.* Desmanchar (-se) (barranco ou encosta): *A chuva de ontem desbarrancou vários morros; Com a intensificação da chuva, a encosta desbarrancou*. ▶ Conjug. 5 e 35. – **desbarrancamento** *s.m.*

desbastar (des.bas.*tar*) *v.* **1.** Tornar menos basto, espesso: *A família, cujas primeiras gerações desbastaram a floresta, hoje se dedica ao reflorestamento*. **2.** Tornar menos grosseiro: *desbastar o mármore, a madeira etc*. ▶ Conjug. 5. – **desbastamento** *s.m.*; **desbaste** *s.m.*

desbeiçar (des.bei.*çar*) *v.* **1.** Cortar o beiço de: *desbeiçar uma pessoa*. **2.** Cortar ou gastar os bordos de: *desbeiçar uma meia; desbeiçar uma xícara*. ▶ Conjug. 18.

desbloquear (des.blo.que:*ar*) *v.* **1.** Fazer com que (algo) deixe de estar bloqueado: *desbloquear um teclado, uma conta bancária, um cartão de crédito etc*. **2.** Voltar a deixar livre a passagem (a um lugar que estava bloqueado): *Introduziram-lhe um cateter para desbloquear a artéria*. ▶ Conjug. 14. – **desbloqueio** *s.m.*

desbocado (des.bo.*ca*.do) *adj.* **1.** Que usa de linguagem chula ou inconveniente. • *s.m.* **2.** Pessoa desbocada.

desbotamento (des.bo.ta.*men*.to) *s.m.* Ato ou efeito de desbotar.

desbotar (des.bo.*tar*) *v.* Perder ou fazer perder a cor: *Comprei uma camiseta e na primeira lavagem ela desbotou; O sol desbotou as lombadas dos livros que estão na estante perto da janela*. ▶ Conjug. 20. – **desbotado** *adj.*

desbragado (des.bra.*ga*.do) *adj.* **1.** Descomedido, exagerado. • *s.m.* **2.** Pessoa desbragada. – **desbragamento** *s.m.*

desbravar (des.bra.*var*) *v.* Percorrer (terras desconhecidas ou mal conhecidas para conhecê--las, estudá-las): *O livro resgata a saga dos pioneiros que desbravaram o interior paulista*. ▶ Conjug. 5. – **desbravador** *adj. s.m.*; **desbravamento** *s.m.*

desburocratizar (des.bu.ro.cra.ti.*zar*) *v.* Eliminar a burocracia de: *A Defesa Civil desburocratizou o atendimento a municípios em emergência*. ▶ Conjug. 5. – **desburocratização** *s.f.*

descabelar (des.ca.be.*lar*) *v.* **1.** Tirar ou despentear os cabelos (a si mesmo ou a outrem):

descabido

Na briga, descabelou a irmã; Descabelou-se de puro nervosismo. **2.** *fig.* Desesperar(-se): *As travessuras do filho a descabelavam; Os parentes descabelavam-se em busca de notícias sobre as vítimas da tragédia.* ▶ Conjug. 8 – **descabelamento** s.m.

descabido (des.ca.*bi*.do) *adj.* Sem cabimento; despropositado, impróprio.

descadeirado (des.ca.dei.*ra*.do) *adj.* **1.** Cansado, extenuado. **2.** Que tem dor nas cadeiras. **3.** Diz-se do animal que, por má conformação, arrasta as patas traseiras.

descafeinado (des.ca.fe:i.*na*.do) *adj.* Diz-se de café de que se retirou a cafeína.

descaída (des.ca.*í*.da) *s.f.* **1.** Decadência, degeneração. **2.** Abatimento, prostração. **3.** Deslize cometido por ingenuidade ou inconsciência; lapso.

descaimento (des.ca:i.*men*.to) *s.m.* **1.** Ato ou efeito de descair. **2.** Estado do que descaiu.

descair (des.ca.*ir*) *v.* **1.** Curvar-se, vergar-se, inclinar-se: *Com a seca, a amoreira descaiu.* **2.** Baixar, pender: *O seu semblante descaiu.* **3.** Sofrer decadência; decair: *O time não descaiu e até se prepara para ser vencedor.* ▶ Conjug. 83.

descalabro (des.ca.*la*.bro) *s.m.* **1.** Dano grave; prejuízo, perda. **2.** Ruína total; derrota.

descalçar (des.cal.*çar*) *v.* **1.** Despir(-se) daquilo com que estava calçado (pé, perna, mão): *Sempre descalça os sapatos antes de entrar em casa; O menino descalçou-se outra vez.* **2.** Tirar o calço a: *descalçar a mesa.* **3.** Tirar o calçamento a: *descalçar o caminho.* ▶ Conjug. 5 e 36.

descalço (des.*cal*.ço) *adj.* Que não está calçado.

descalibrado (des.ca.li.*bra*.do) *adj.* Que não está com o calibre adequado.

descamar (des.ca.*mar*) *v.* Escamar. ▶ Conjug. 5. – **descamação** s.f.

descambar (des.cam.*bar*) *v.* **1.** Cair (sol, noite): *Nos fins de tarde, observávamos o sol descambar sobre o mar.* **2.** Tender para: *A caminhonete vinha descambando para a direita.* **3.** Passar a um estado pior; degenerar: *A discussão descambou para a briga.* ▶ Conjug. 5.

descaminho (des.ca.*mi*.nho) *s.m.* **1.** Desvio do caminho correto. **2.** Extravio, perda, sumiço. **3.** Exportação ilegal.

descamisado (des.ca.mi.*sa*.do) *adj.* **1.** Que não tem camisa. **2.** Muito pobre, miserável, esfarrapado. • *s.m.* *fig.* **3.** Pessoa pobre, maltrapilha.

descampado (des.cam.*pa*.do) *adj.* **1.** Sem árvores, sem habitações. • *s.m.* **2.** Terreno plano, extenso, inculto, sem árvore e despovoado.

descansado (des.can.*sa*.do) *adj.* **1.** Que descansou. **2.** Tranquilo, despreocupado. **3.** Lento, vagaroso.

descansar (des.can.*sar*) *v.* **1.** Recompor(-se) do cansaço: *descansar a mente, os pés, o corpo; No sétimo dia, o Criador descansou.* **2.** Parar temporariamente um movimento ou um trabalho: *Descansou um pouco debaixo de uma árvore e, logo depois, voltou a caminhar.* **3.** Deitar, especialmente para dormir: *Depois do almoço, gosta de descansar um pouco.* **4.** Morrer, falecer: *Depois de tanto sofrimento, descansou.* **5.** Apoiar: *A criança descansou a cabeça no ombro do pai.* **6.** (*Cul.*) Pôr à parte para que fermente: *descansar a massa da pizza.* ▶ Conjug. 5.

descanso (des.*can*.so) *s.m.* **1.** Repouso do corpo ou do espírito. **2.** Cessação de movimento, de trabalho. **3.** Folga, sesta. **4.** Tranquilidade, sossego. **5.** Lentidão, morosidade. **6.** Coisa sobre a qual outra se apoia: *Pôs a travessa quente de lasanha sobre o descanso.*

descapitalizar (des.ca.pi.ta.li.*zar*) *v.* (*Econ.*) **1.** Reduzir o capital de: *O real sobrevalorizado prejudicou as exportações e descapitalizou o produtor.* **2.** Ficar sem capital: *A região descapitalizou-se e perdeu em dinamismo e importância.* ▶ Conjug. 5. – **descapitalização** s.f.

descaracterizar (des.ca.rac.te.ri.*zar*) *v.* Perder ou fazer perder o característico, a qualidade peculiar: *Um ato de vandalismo descaracterizou o casarão histórico; Com a grande afluência de turistas, a pequena cidade descaracterizou-se.* ▶ Conjug. 5. – **descaracterização** s.f.

descarado (des.ca.*ra*.do) *adj.* **1.** Que não tem vergonha; atrevido, deslavado. • *s.m.* **2.** Pessoa descarada.

descaramento (des.ca.ra.*men*.to) *s.m.* Falta absoluta de pejo ou vergonha; desfaçatez, descaro.

descarga (des.*car*.ga) *s.f.* **1.** Ato ou efeito de descarregar. **2.** Disparo simultâneo de várias armas de fogo. **3.** Série de tiros sucessivos. **4.** Válvula que, ao ser acionada por determinado tempo, faz jorrar quantidade de água suficiente para limpar o vaso sanitário. **5.** Passagem brusca de uma carga elétrica por um gás, geralmente acompanhada de faíscas.

descarnado (des.car.*na*.do) *adj.* **1.** Um tanto magro. **2.** Apoucado de carnes.

descarnar (des.car.*nar*) *v.* **1.** Despegar a carne de (osso): *O convidado descarnou uma gorda ripa de costela.* **2.** Tornar(-se) muito magro: *A doença descarnou-o; Seu rosto descarnou-se.* ▶ Conjug. 5.

descaro (des.*ca*.ro) *s.m.* Descaramento.

descaroçador [ô] (des.ca.ro.ça.*dor*) *adj.* **1.** Que descaroça. • *s.m.* **2.** Máquina ou instrumento de descaroçar: *descaroçador de algodão.*

descaroçar (des.ca.ro.*çar*) *v.* Tirar o caroço ou os caroços a: *Descascou, cortou e descaroçou os pêssegos antes de cozinhá-los.* ▶ Conjug. 20 e 36. – **descaroçamento** *s.m.*

descarregamento (des.car.re.ga.*men*.to) *s.m.* Descarga.

descarregar (des.car.re.*gar*) *v.* **1.** Tirar a carga de: *descarregar um navio.* **2.** Tirar (uma carga): *descarregar os sacos de trigo.* **3.** Aliviar-se de (ira, frustração etc.) fazendo com que recaiam sobre alguém: *Quando chegou em casa, descarregou na mulher toda a raiva que acumulara no trabalho.* **4.** Tornar mais leve, descontraído: *descarregar o semblante, descarregar o ambiente.* **5.** Desembocar (uma corrente de água) em: *O rio descarrega suas águas no mar.* **6.** Retirar a carga explosiva de (arma). **7.** Disparar (arma de fogo) até que acabe sua carga. **8.** (*Eletr.*) Perder a carga elétrica: *A bateria descarregou.* ▶ Conjug. 8 e 34. – **descarregador** *adj. s.m.*

descarrilar (des.car.ri.*lar*) *v.* Sair dos trilhos: *Com a freada brusca, o trem descarrilou.* || *descarrilhar, desencarrilar, desencarrilhar.* ▶ Conjug. 5. – **descarrilamento** *s.m.*

descarrilhar (des.car.ri.*lhar*) *v.* Descarrilar. ▶ Conjug. 5. – **descarrilhamento** *s.m.*

descartar (des.car.*tar*) *v.* **1.** Rejeitar (a carta de baralho que não serve): *Descartou um seis de copas.* **2.** Eliminar, excluir: *O delegado descartou a hipótese de suicídio.* **3.** Jogar no lixo: *Usou o lenço de papel e descartou-o em seguida.* ▶ Conjug. 5.

descartável (des.car.*tá*.vel) *adj.* Que se pode ou se deve descartar: *Na festa, usaremos copos descartáveis.*

descarte (des.*car*.te) *s.m.* **1.** Ato ou efeito de se descartar. **2.** Conjunto de cartas que o jogador rejeita.

descasar (des.ca.*sar*) *v.* **1.** Desfazer o casamento; separar(-se): *O papa não quis descasar o rei da Inglaterra; Ele casou e descasou uma porção de vezes; Descasaram-se mas ficaram amigos.* **2.** Separar (algo que estava emparelhado): *descasar meias.* ▶ Conjug. 5. – **descasado** *adj. s.m.*

descascar (des.cas.*car*) *v.* **1.** Perder ou fazer perder a casca ou a camada externa de (algo): *descascar uma laranja; Minha pele está descascando.* **2.** *coloq.* Repreender severamente: *Ele não entendeu a situação e descascou para cima de mim.* ▶ Conjug. 5 e 35.

descaso (des.*ca*.so) *s.m.* Pouco-caso; desprezo, menosprezo.

descendência (des.cen.*dên*.ci:a) *s.f.* Conjunto de descendentes: *Aquele casal idoso já tem uma descendência numerosa.*

descendente (des.cen.*den*.te) *adj.* **1.** Que descende. **2.** Que decresce: *ordem descendente.* • *s.m. e f.* **3.** Pessoa que descende de outra.

descender (des.cen.*der*) *v.* Ter por antepassado(s); proceder, originar-se: *Ela se vangloria de descender de uma das mais ilustres famílias da cidade.* ▶ Conjug. 39.

descenso (des.*cen*.so) *s.m.* Descida: *O time luta contra o descenso na última rodada.*

descentralização (des.cen.tra.li.za.*ção*) *s.f.* Ato ou efeito de descentralizar.

descentralizar (des.cen.tra.li.*zar*) *v.* Fazer com que (algo) deixe de estar centralizado: *descentralizar o poder.* ▶ Conjug. 5.

descentrar (des.cen.*trar*) *v.* Desviar(-se) do centro geométrico: *descentrar(-se) um eixo.* ▶ Conjug. 5.

descer (des.*cer*) *v.* **1.** Ir do alto ao baixo: *Ele desceu a escada num segundo.* **2.** Pôr ou trazer para baixo: *Pediu ao marido que descesse as malas que estavam sobre o armário.* **3.** Baixar: *A febre desceu; Com o boicote dos consumidores, os preços da carne desceram.* **4.** Pôr o pé no chão, ao sair de um meio de transporte: *descer do carro, do ônibus, do barco, do cavalo.* ▶ Conjug. 41.

descerrar (des.cer.*rar*) *v.* **1.** Abrir (o que estava fechado ou unido); separar: *descerrar os lábios, as pálpebras, as janelas.* **2.** Pôr à vista, retirando o véu; descobrir: *O político descerrou a placa comemorativa.* **3.** Abrir-se: *As grandes portas da igreja descerraram-se.* ▶ Conjug. 8.

descida (des.*ci*.da) *s.f.* **1.** Ato ou efeito de descer; descenso. **2.** Terreno inclinado considerado de cima para baixo; ladeira, declive.

desclassificar (des.clas.si.fi.*car*) *v.* **1.** Tirar (um concorrente) de uma competição, concurso

descoberta

etc.: *O time paulista desclassificou os paranaenses.* **2.** Tirar de uma classe ou categoria: *O júri desclassificou o homicídio de doloso para culposo.* **3.** Degradar, desacreditar, aviltar, desonrar: *Motivos sérios desclassificam o projeto apresentado.* ▶ Conjug. 5. e 35. – **desclassificação** *s.f.*

descoberta [é] (des.co.*ber*.ta) *s.f.* **1.** Ato ou efeito de descobrir. **2.** Coisa que se descobriu.

descobrimento (des.co.bri.*men*.to) *s.m.* Ato ou efeito de descobrir; descoberta.

descobrir (des.co.*brir*) *v.* **1.** Achar alguma coisa que estava escondida ou era desconhecida: *Descobriram novas jazidas de ouro na África; Os chineses descobriram a pólvora.* **2.** Dar-se conta de alguma coisa; perceber: *Descobrimos que fomos enganados por uma quadrilha de estelionatários.* **3.** Tirar (o que esteja cobrindo o corpo ou qualquer outra coisa): *Já que fazia calor, a babá descobriu o bebê; Descubra a panela para que a água evapore mais rápido; descobrir uma estátua, uma placa comemorativa etc.* || part.: *descoberto.* ▶ Conjug. 76. – **descoberto** *adj.*; **descobridor** *adj. s.m.*

descodificar (des.co.di.fi.*car*) *v.* Decodificar. ▶ Conjug. 5 e 35.

descolar (des.co.*lar*) *v.* **1.** Despegar (o que estava colado); separar: *Tive de usar o soro fisiológico para descolar minhas pálpebras; descolar uma figurinha do álbum; O menino não (se) descola da mãe.* **2.** *gír.* Conseguir, arranjar: *Descolei um estágio numa firma de arquitetura.* ▶ Conjug. 20. – **descolamento** *s.m.*

descoloração (des.co.lo.ra.*ção*) *s.f.* Ato ou efeito de descolorar.

descolorar (des.co.lo.*rar*) *v.* Descolorir. ▶ Conjug. 20.

descolorir (des.co.lo.*rir*) *v.* Tirar ou perder a cor; descolorar(-se): *Resolveu descolorir o cabelo para ficar na moda; Com o passar do tempo, o quadro descoloriu(-se).* ▶ Conjug. 84 e 76.

descomedido (des.co.me.di.do) *adj.* Que não é comedido: *um desejo descomedido e insaciável de consumir.*

descomedimento (des.co.me.di.*men*.to) *s.m.* Ato ou efeito de descomedir-se; exagero, excesso, imoderação.

descomedir-se (des.co.me.*dir*-se) *v.* Não se comedir, exceder-se: *O cozinheiro descomediu-se no sal.* ▶ Conjug. 84, 71 e 67.

descompassar (des.com.pas.*sar*) *v.* Sair ou fazer sair do compasso: *A solidão descompassa o coração das pessoas; As pulsações do paciente descompassaram(-se).* ▶ Conjug. 5.

descompasso (des.com.*pas*.so) *s.m.* **1.** Falta de compasso, de ritmo. **2.** Falta de harmonia; desajuste, desacordo: *o descompasso entre a teoria e a prática.*

descompensar (des.com.pen.*sar*) *v.* **1.** Alterar, abater, debilitar: *A notícia nefasta descompensou-o visivelmente.* **2.** Perder temporariamente o equilíbrio emocional devido a uma situação de estresse: *Revoltou-se tanto com a rigidez dos pais que descompensou.* ▶ Conjug. 5. – **descompensação** *s.f.*

descomplicar (des.com.pli.*car*) *v.* Fazer cessar a complicação de: *A informatização da empresa descomplicará a vida do cliente.* ▶ Conjug. 5 e 35. – **descomplicação** *s.f.*

descompor (des.com.*por*) *v.* **1.** Perder ou fazer perder o alinho, a harmonia; desalinhar(-se): *Cuidado que o vento vai descompor seu penteado!; Os cachos de seu cabelo se descompuseram com a chuva.* **2.** Repreender severamente; censurar: *Descompôs o vizinho que amassou o seu carro.* || part.: *descomposto.* Conferir com *decompor.* ▶ Conjug. 65. – **descomposição** *s.f.*

descomposto [ô] (des.com.*pos*.to) *adj.* A que falta alinho, harmonia: *O aluno foi impedido de entrar no colégio, porque estava suado e com a roupa descomposta.*

descompostura (des.com.pos.*tu*.ra) *s.f.* **1.** Falta de compostura; desalinho. **2.** Repreensão severa; censura.

descomunal (des.co.mu.*nal*) *adj.* Muito grande; exagerado: *força descomunal.*

desconcentrar (des.con.cen.*trar*) *v.* **1.** Tirar ou perder a concentração: *A borboleta entrou pela janela e desconcentrou a turma; O atleta desconcentrou-se, permitindo que o rival ampliasse sua vantagem.* **2.** Deixar ou fazer deixar de convergir para um único centro: *desconcentrar o poder; Naquela cidade, a renda desconcentrou-se e a pobreza diminuiu.* ▶ Conjug. 5. – **desconcentração** *s.f.*

desconcertado (des.con.cer.*ta*.do) *adj.* **1.** Sem harmonia; desacertado: *vozes desconcertadas.* **2.** Sem jeito; embaraçado: *Ficou desconcertado diante de tamanha generosidade.*

desconcertante (des.con.cer.*tan*.te) *adj.* Que desconcerta: *Fez-me uma pergunta desconcertante.*

desconcertar (des.con.cer.*tar*) *v.* **1.** Ficar ou deixar (alguém) ficar sem saber o que dizer ou fazer; surpreender(-se): *Foi um lance político que desconcertou a oposição; O público desconcertou-se* completamente com o quadro de Picasso. **2.** Perder ou fazer perder a arrumação; desarranjar (-se): *Distraída, desconcertava os bibelôs que estavam sobre a mesa; Sua vida desconcertou-se depois que começou a beber.* ▶ Conjug. 8.

desconcerto [ê] (des.con.cer.to) *s.m.* Ato ou efeito de desconcertar(-se).

desconchavo (des.con.cha.vo) *s.m.* Falta de ajuste: *a lei e seu desconchavo com a realidade.*

desconectar (des.co.nec.tar) *v.* **1.** Interromper uma conexão; desligar: *desconectar um aparelho (da tomada).* **2.** Interromper-se (uma conexão): *Cansada de navegar, desconectou-se da internet.* ▶ Conjug. 8 e 33.

desconexão [cs] (des.co.ne.xão) *s.f.* **1.** Falta de conexão; desligamento. **2.** Incoerência.

desconexo [écs] (des.co.ne.xo) *adj.* **1.** Sem conexão; desligado. **2.** Incoerente.

desconfiado (des.con.fi:a.do) *adj.* **1.** Que não confia. • *s.m.* **2.** Pessoa que não confia.

desconfiança (des.con.fi:an.ça) *s.f.* Sentimento de quem desconfia.

desconfiar (des.con.fi:ar) *v.* Não confiar: *Os policiais desconfiaram que os documentos eram falsos; Muitos internautas desconfiam da segurança de senhas na internet.* ▶ Conjug. 17.

desconfiômetro (des.con.fi:ô.me.tro) *s.m. joc.* Capacidade de perceber quando se é inoportuno, inconveniente ou maçante; semancol: *Ele não tem o menor desconfiômetro: sempre liga depois das 11 h da noite.*

desconforme [ó] (des.con.for.me) *adj.* **1.** Que não está de acordo ou em harmonia com: *diplomas desconformes com a lei.* **2.** Que tem forma irregular e desarmoniosa; desproporcionado: *corpo desconforme.*

desconformidade (des.con.for.mi.da.de) *s.f.* Qualidade ou condição de desconforme.

desconfortável (des.con.for.tá.vel) *adj.* **1.** Que não oferece comodidade física: *cadeira desconfortável.* **2.** Que provoca mal-estar, constrangimento: *situação desconfortável.*

desconforto [ô] (des.con.for.to) *s.m.* Falta de conforto.

descongelamento (des.con.ge.la.men.to) *s.m.* Ato ou efeito de descongelar.

descongelar (des.con.ge.lar) *v.* **1.** Fazer com que (algo) deixe de estar congelado; degelar: *Mandou descongelar os bifes para o jantar.* **2.** Deixar de estar congelado; degelar-se: *A cerveja já (se) descongelou.* ▶ Conjug. 8.

descongestionamento (des.con.ges.ti:o.na.men.to) *s.m.* Ato ou efeito de descongestionar(-se).

descongestionar (des.con.ges.ti:o.nar) *v.* **1.** Tirar a congestão a: *Descalçou os sapatos para descongestionar os pés.* **2.** Perder a congestão: *O trânsito foi-se descongestionando aos poucos.* ▶ Conjug. 5. – **descongestionante** *adj. s.m.*

desconhecer (des.co.nhe.cer) *v.* **1.** Não conhecer: *O aluno mostrou que desconhece o assunto.* **2.** Não reconhecer (alguém ou algo) por encontrá-lo muito mudado: *Depois que pintei os cabelos, todo mundo me desconheceu.* ▶ Conjug. 41.

desconhecido (des.co.nhe.ci.do) *adj.* **1.** Que não é conhecido: *matéria desconhecida; fisionomia desconhecida.* • *s.m.* **2.** Pessoa que não é conhecida: *Um desconhecido se aproximou e lhe pediu um cigarro.*

desconhecimento (des.co.nhe.ci.men.to) *s.m.* Falta de conhecimento; ignorância.

desconjuntado (des.con.jun.ta.do) *adj.* Desajeitado, desengonçado: *corpo desconjuntado; andar desconjuntado.*

desconjuntar (des.con.jun.tar) *v.* **1.** Deslocar (-se), desencaixar(-se): *A ventania desconjuntou o telhado do quiosque; Meu ombro desconjuntou-se durante o jogo.* **2.** Desmanchar(-se), desfazer(-se): *A menina desconjuntou a boneca toda; O objeto desconjuntou-se nos quatorze cubos iniciais.* **3.** *fig.* Desarticular(-se): *A ditadura militar desconjuntou o quadro político brasileiro; Com a morte do líder, o partido desconjuntou-se.* ▶ Conjug. 5.

desconjurar (des.con.ju.rar) *v.* Esconjurar. ▶ Conjug. 5.

desconsideração (des.con.si.de.ra.ção) *s.f.* Falta de consideração.

desconsiderar (des.con.si.de.rar) *v.* Não considerar: *O juiz desconsiderou o depoimento da testemunha.* ▶ Conjug. 8.

desconsolado (des.con.so.la.do) *adj.* Que está sem consolo; triste: *Ela ficou desconsolada com a morte do irmão; O jogador perdeu o gol e saiu do campo desconsolado.*

desconsolar (des.con.so.lar) *v.* **1.** Causar desconsolo a: *A atitude dos governantes desconsolou os eleitores.* **2.** Sofrer desconsolo: *Os brasileiros se desconsolaram com a derrota na Copa de 1950.* ▶ Conjug. 20. – **desconsolação** *s.f.*

desconsolo [ô] (des.con.so.lo) *s.m.* Grande pena; desgosto: *Para desconsolo dos pais, o filho resolveu ir morar no exterior.*

desconstruir (des.cons.tru:*ir*) *v.* **1.** Desfazer, destruir: *desconstruir quimeras.* **2.** Destruir para reconstruir em novas bases: *Atualmente se tenta desconstruir a imagem do indígena criada pelo etnocentrismo.* ▶ Conjug. 79.

descontaminar (des.con.ta.mi.*nar*) *v.* Tirar a contaminação a: *descontaminar a baía de Guanabara.* ▶ Conjug. 5.

descontar (des.con.*tar*) *v.* **1.** Subtrair de um total; deduzir, abater: *Ao declarar o Imposto de Renda, descontou seus gastos com saúde e educação.* **2.** Subtrair de quantia depositada em banco: *descontar um cheque.* **3.** Revidar, descarregar: *Descontou sua raiva no filho.* **4.** (*Econ.*) Deduzir quantia do valor nominal de: *descontar uma nota promissória, uma letra de câmbio, uma duplicata.* ▶ Conjug. 5.

descontentamento (des.con.ten.ta.*men*.to) *s.m.* Desgosto, insatisfação, dissabor.

descontentar (des.con.ten.*tar*) *v.* Tornar(-se) descontente: *A eclosão da guerra descontentou o mundo; Os trabalhadores descontentaram-se com a queda do poder de compra dos salários.* ▶ Conjug. 5.

descontente (des.con.*ten*.te) *adj.* Que não está contente; insatisfeito.

descontextualizar (des.con.tex.tu:a.li.*zar*) *v.* Tirar (algo) de seu contexto habitual: *Você descontextualizou minhas declarações.* ▶ Conjug. 5. – **descontextualização** *s.f.*

descontinuidade (des.con.ti.nu:i.*da*.de) *s.f.* **1.** Qualidade de descontínuo. **2.** Falta de continuidade.

descontínuo (des.con.*tí*.nu:o) *adj.* Que não é contínuo; interrompido.

desconto (des.*con*.to) *s.m.* **1.** Redução de soma ou quantidade; abatimento. **2.** Quantia que se desconta. **3.** (*Econ.*) Quantia deduzida do valor nominal de notas promissórias, letras de câmbio e duplicatas.

descontrair (des.con.tra.*ir*) *v.* **1.** Perder ou fazer perder a contração: *descontrair os músculos; Após verificar que havia passado no concurso, seu rosto descontraiu-se.* **2.** Perder ou fazer perder o constrangimento: *O anfitrião procurava descontrair os convidados; Achou muita graça da piada e descontraiu-se.* ▶ Conjug. 83. – **descontração** *s.f.*; **descontraído** *adj.*

descontrolar (des.con.tro.*lar*) *v.* **1.** Tirar o controle a: *A ação humana descontrolou o clima.* **2.** Perder o controle: *Descontrolou-se e gritou insultos aos vizinhos.* ▶ Conjug. 20.

descontrole [ô] (des.con.*tro*.le) *s.m.* Perda de controle.

desconversar (des.con.ver.*sar*) *v.* Mudar de assunto numa conversa: *Na entrevista, o político desconversou, saindo pela tangente.* ▶ Conjug. 8.

desconvidar (des.con.vi.*dar*) *v.* Retirar o convite: *Primeiro me convidou para a festa e depois me desconvidou.* ▶ Conjug. 5.

descorante (des.co.*ran*.te) *adj.* **1.** Que descora. • *s.m.* **2.** Substância descorante.

descorar (des.co.*rar*) *v.* **1.** Tirar a cor a; desbotar: *O sol descorou o sofá.* **2.** Perder a cor; desbotar: *Com a lavagem, o casaco descorou.* ▶ Conjug. 20. – **descoramento** *s.m.*

descoroçoar (des.co.ro.ço:*ar*) *v.* **1.** Perder ou fazer perder o ânimo, a coragem; desanimar: *O acidente não descoroçoou o alpinista; Ele sempre descoroçoava diante da primeira dificuldade.* **2.** Decepcionar(-se): *O estado em que se encontrava a casa descoroçoou a faxineira; O professor descoroçoou-se com o resultado das provas.* ▶ Conjug. 25.

descortês (des.cor.*tês*) *adj.* Que não é cortês.

descortesia (des.cor.te.si.a) *s.f.* **1.** Falta de cortesia. **2.** Ato ou dito descortês.

descortinar (des.cor.ti.*nar*) *v.* Revelar(-se): *A internet descortinou um novo mundo para nós; Um campo de pesquisa descortinou-se para ele.* ▶ Conjug. 5.

descortino (des.cor.*ti*.no) *s.m.* **1.** Ato ou efeito de descortinar. **2.** *fig.* Qualidade de ver ao longe, percepção aguda; perspicácia: *A obra do artista teve a marca de seu descortino e determinação.*

descoser (des.co.*ser*) *v.* **1.** Desfazer a costura; descosturar: *O alfaiate descoseu a bainha da calça.* **2.** Romper-se a costura; descosturar-se: *A colcha descoseu-se.* ▶ Conjug. 42.

descosturar (des.cos.tu.*rar*) *v.* Descoser(-se). ▶ Conjug. 5.

descredenciamento (des.cre.den.ci:a.*men*.to) *s.m.* Ato ou efeito de descredenciar.

descredenciar (des.cre.den.ci:*ar*) *v.* Tirar as credenciais a: *O Ministério da Educação descredenciou mais uma faculdade.* ▶ Conjug. 17.

descrédito (des.*cré*.di.to) *s.m.* Perda de crédito ou reputação: *A astrologia caiu em descrédito no meio científico.*

descrença (des.*cren*.ça) *s.f.* Perda ou falta de crença; incredulidade: *O povo revelou sua descrença no poder público; Passou a ter uma descrença em relação à democracia representativa.*

descrente (des.cren.te) *adj.* **1.** Que descrê; incrédulo: *Sentindo-se descrente no futuro da humanidade, calou-se.* • *s.m. e f.* **2.** Pessoa que descrê; incrédulo: *Milhares de descrentes votaram nulo nessas eleições.*

descrer (des.crer) *v.* **1.** Deixar de crer em: *A corrupção pode levar-nos a descrer das nossas instituições.* **2.** Não acreditar em; negar: *Ele é uma pessoa que descrê no amor.* **3.** Duvidar de: *Ela descrê de suas possibilidades para conquistar alguém.* ▶ Conjug. 49.

descrever (des.cre.ver) *v.* **1.** Representar, por meio da fala ou da escrita, as características de: *Enquanto almoçava, descrevia a casa onde morava.* **2.** Seguir uma trajetória, especialmente curva: *A bala descreveu uma trajetória fora do normal.* || part.: *descrito*. ▶ Conjug. 41.

descrição (des.cri.ção) *s.f.* Ato ou efeito de descrever. || Conferir com *discrição*.

descriminação (des.cri.mi.na.ção) *s.f.* (*Jur.*) Descriminalização. || Conferir com *discriminação*.

descriminalização (des.cri.mi.na.li.za.ção) *s.f.* (*Jur.*) Ato de não considerar mais como crime o que antes era previsto como tal; descriminação: *O tema da descriminalização da maconha é polêmico.*

descriminalizar (des.cri.mi.na.li.zar) *v.* (*Jur.*) **1.** Excluir a criminalidade de; descriminar: *descriminalizar o aborto.* **2.** Isentar de culpa; descriminar: *descriminalizar o usuário de drogas.* ▶ Conjug. 5.

descriminar (des.cri.mi.nar) *v.* (*Jur.*) Descriminalizar. || Conferir com *discriminar*. ▶ Conjug. 5.

descritivo (des.cri.ti.vo) *adj.* **1.** Que descreve ou serve para descrever: *texto descritivo; frase descritiva.* **2.** (*Geom.*) Que permite a representação de figuras de três dimensões em uma superfície plana: *geometria descritiva.*

descruzar (des.cru.zar) *v.* Desfazer o cruzamento: *descruzar as pernas.* ▶ Conjug. 5.

descuidado (des.cui.da.do) *adj.* **1.** Que demonstra falta de cuidado naquilo que faz: *aluno descuidado.* **2.** Próprio de pessoa descuidada: *maneiras descuidadas.* • *s.m.* **3.** Pessoa descuidada.

descuidar (des.cui.dar) *v.* **1.** Não tomar o devido cuidado com (alguém ou algo); descurar: *Descuidou do negócio e acabou falindo.* **2.** Deixar de estar atento: *Aquele editor nunca se descuidou do seu compromisso com os autores iniciantes; Ela se descuidou na gravidez e engordou muito.* ▶ Conjug. 5.

descuido (des.cui.do) *s.m.* **1.** Falta de cuidado. **2.** Ato ou palavra impensados.

desculpa (des.cul.pa) *s.f.* **1.** Ato ou efeito de desculpar(-se). **2.** Manifestação de constrangimento por um comportamento incorreto: *Pediu desculpas pelo que fez.* **3.** Pretexto, justificativa: *Sempre apresenta uma desculpa para faltar ao trabalho.*

desculpar (des.cul.par) *v.* **1.** Tirar ou atenuar a culpa; perdoar: *Desculpou a vendedora pela indelicadeza.* **2.** Pedir desculpas: *Desculpou-se por ter faltado ao respeito com o chefe.* **3.** Justificar(-se): *A professora desculpou as minhas faltas; Chegou atrasado e desculpou-se dizendo que ficara preso em um engarrafamento.* ▶ Conjug. 5. – **desculpável** *adj.*

descumpridor [ô] (des.cum.pri.dor) *s.m.* O que não cumpre: *um descumpridor de seus deveres.*

descumprimento (des.cum.pri.men.to) *s.m.* Falta de cumprimento.

descumprir (des.cum.prir) *v.* Não cumprir: *Descumpriu o contrato e não saiu do apartamento dentro do prazo previsto.* ▶ Conjug. 66.

descupinizar (des.cu.pi.ni.zar) *v.* Exterminar o cupim de: *Descupinizou todos os móveis de madeira de sua casa.* ▶ Conjug. 5. – **descupinização** *s.f.*

descurar (des.cu.rar) *v.* Não cuidar; descuidar: *A editora não descurou (d)a parte gráfica do livro.* ▶ Conjug. 5.

desde (des.de) *prep.* A contar de (no espaço e no tempo); a começar de, a partir de: *Parei de fumar desde o ano passado.* || *Desde que*: **1.** desde o tempo em que: *Desde que tive filhos, não pude trabalhar mais.* **2.** com a condição de que: *Você vai à praia desde que termine seus deveres de casa.*

desdém (des.dém) *s.m.* **1.** Ato ou efeito de desdenhar. **2.** Indiferença arrogante.

desdenhar (des.de.nhar) *v.* **1.** Tratar com indiferença ou desprezo: *Desdenhou a ajuda oferecida pelo rapaz; Desdenhava dos que se atreviam a contestá-lo.* **2.** Não fazer caso; menoscabar: *Agora o time busca a taça que tanto desdenhou.* ▶ Conjug. 5.

desdenhoso [ô] (des.de.nho.so) *adj.* Que tem ou em que há desdém. || f. e pl.: [ó].

desdentado (des.den.ta.do) *adj.* **1.** Que não tem alguns ou todos os dentes. • *s.m.* (*Zool.*) **2.** Mamífero terrestre, sem dentes ou com poucos dentes, como o tamanduá e o tatu.

desdita (des.di.ta) *s.f.* Desgraça, infortúnio, infelicidade.

desditoso [ô] (des.di.to.so) adj. 1. Em que há desdita: *fato desditoso*. 2. Infeliz, desventurado: *velhinho desditoso*. || f. e pl.: [ó].

desdizer (des.di.zer) v. 1. Negar (o que foi dito antes); desmentir: *Desdisse ontem tudo o que havia dito na véspera*. 2. Retratar-se: *Ele se desculpou pelo desabafo, mas não se desdisse*. || part.: desdito. ▶ Conjug. 57.

desdobramento (des.do.bra.men.to) s.m. Ato ou efeito de desdobrar(-se).

desdobrar (des.do.brar) v. 1. Desfazer a dobra de: *Desdobrou o bilhete e leu-o*. 2. *fig*. Prolongar-se no tempo e no espaço: *A reunião desdobrou-se para além do tempo previsto; Suas terras desdobravam-se até a fronteira do país*. 3. Dividir em dois ou mais elementos: *O autor desdobrou o conto em duas partes*. 4. Dividir-se em: *O poema desdobra-se em estrofes*. 5. *fig*. Esforçar-se: *A mulher moderna desdobra-se entre a casa e o trabalho*. ▶ Conjug. 20.

desdouro (des.dou.ro) s.m. Desonra, deslustre, mácula: *Não há desdouro em querer um salário melhor e uma vida mais digna*. – **desdourar** v. ▶ Conjug. 22.

deseducar (de.se.du.car) v. Prejudicar a educação de, educar mal: *A mídia tendenciosa deseduca o cidadão*. ▶ Conjug. 5 e 35. – **deseducação** s.f.

desejar (de.se.jar) v. 1. Querer (algo): *Desejou seguir a carreira acadêmica*. 2. Fazer votos: *Desejo que você consiga bons amigos; Desejo-te uma ótima viagem*. 3. Sentir atração sexual por: *Desejava todas as mulheres que conhecia*. ▶ Conjug. 10. – **desejável** adj.

desejo [ê] (de.se.jo) s.m. 1. Ato de desejar. 2. Coisa que se deseja. 3. Apetite sexual.

desejoso [ô] (de.se.jo.so) adj. Que tem desejo (de algo). || f. e pl.: [ó].

deselegante (de.se.le.gan.te) adj. 1. Que não tem elegância: *pessoa deselegante*. 2. Que revela falta de elegância: *comportamento deselegante*. – **deselegância** s.f.

desemaranhar (de.se.ma.ra.nhar) v. 1. Desembaraçar(-se), desenredar(-se): *desemaranhar (-se) o cabelo*. 2. Esclarecer, aclarar, explicar: *desemaranhar um problema*. ▶ Conjug. 5.

desembaçar (de.sem.ba.çar) v. Recuperar ou fazer recuperar a transparência: *Esfregou o espelho do banheiro com a toalha para desembaçá-lo; Depois que abrimos a janela, o vidro desembaçou-se*. ▶ Conjug. 5 e 36.

desembainhar (de.sem.ba:i.nhar) v. 1. Sacar da bainha (estojo): *desembainhar a espada*. 2. Desfazer a bainha (dobra) de: *desembainhar um lenço*. ▶ Conjug. 26.

desembalar (de.sem.ba.lar) v. Tirar da embalagem: *Ele desembalou as compras e guardou-as na geladeira*. ▶ Conjug. 5.

desembaraçado (de.sem.ba.ra.ça.do) adj. 1. Isento ou livre de embaraços. 2. Diligente, expedito.

desembaraçar (de.sem.ba.ra.çar) v. 1. Livrar (-se) de embaraço: *Com o pente, desembaraçou o cabelo; Desembaraçou-se dos fregueses e saiu para almoçar*. 2. Tornar-se expedito, ativo: *Depois que foi morar sozinho, desembaraçou-se muito*. ▶ Conjug. 5 e 36.

desembaraço (de.sem.ba.ra.ço) s.m. 1. Ato ou efeito de desembaraçar. 2. Ausência de impedimento, de obstáculo. 3. Qualidade ou comportamento de quem é desembaraçado.

desembaralhar (de.sem.ba.ra.lhar) v. Arrumar, ordenar (o que estava embaralhado): *desembaralhar as ideias*. ▶ Conjug. 5.

desembarcadouro (de.sem.bar.ca.dou.ro) s.m. Lugar onde se desembarca; desembarque.

desembarcar (de.sem.bar.car) v. 1. Sair ou fazer sair (alguém ou algo) de um meio de transporte: *O capitão desembarcou o passageiro que estava fazendo confusão a bordo; Os viajantes desembarcaram*. 2. Saltar em terra; aportar: *Desembarcou do trem às 20 h em ponto; Desembarquei no Brasil sem falar português*. ▶ Conjug. 5 e 35.

desembargador [ô] (de.sem.bar.ga.dor) s.m. (Jur.) Juiz do Tribunal de Justiça do Estado ou do Tribunal Regional Federal.

desembargar (de.sem.bar.gar) v. 1. Tirar obstáculo de; desimpedir: *desembargar a ciclovia; desembargar o saber da vaidade*. 2. (Jur.) Desembaraçar: *O ministro mandou desembargar as obras paralisadas*. 3. (Jur.) Retirar o ônus de; livrar (um bem) de encargos. ▶ Conjug. 5 e 34.

desembargo (de.sem.bar.go) s.m. (Jur.) Ato ou efeito de desembargar.

desembarque (de.sem.bar.que) s.m. 1. Ato ou efeito de desembarcar. 2. Lugar em que se desembarca.

desembestado (de.sem.bes.ta.do) adj. 1. Que desembestou. 2. Exagerado, descomedido: *consumo desembestado*.

desembestar (de.sem.bes.tar) v. Sair correndo; disparar: *O cavalo perdeu o freio e desembes-*

tou. || Usado como auxiliar, exprime início impetuoso de ação: *Maria desembestou a falar e não parou mais.* ▶ Conjug. 8.

desembocadura (de.sem.bo.ca.du.ra) *s.f.* (*Geogr.*) **1.** Ato ou efeito de desembocar. **2.** Local em que uma corrente de água desemboca em outra (no mar, no rio etc.); foz, desaguadouro. || *embocadura*.

desembocar (de.sem.bo.*car*) *v.* **1.** Desaguar em, confluir para: *O rio desemboca no mar.* **2.** Ter seu término em; dar em: *A rua do Ouvidor desemboca no Largo de São Francisco.* **3.** *fig.* Acabar em: *As discussões sobre as eleições desembocaram em briga.* ▶ Conjug. 20 e 35.

desembolsar (de.sem.bol.*sar*) *v.* **1.** Tirar do bolso ou da bolsa: *Desembolsou o dinheiro e pagou o ônibus.* **2.** Gastar, despender: *Desembolsei uma grande quantia para comprar minha casa nova.* ▶ Conjug. 20.

desembolso [ô] (de.sem.*bol*.so) *s.m.* **1.** Ato ou efeito de desembolsar. **2.** Gasto, dispêndio. **3.** Quantia desembolsada.

desembrear (de.sem.bre.*ar*) *v.* Soltar a embreagem de: *desembrear o carro.* ▶ Conjug. 14.

desembrulhar (de.sem.bru.*lhar*) *v.* **1.** Tirar do embrulho: *desembrulhar um presente.* **2.** *fig.* Esclarecer, aclarar, desenredar: *desembrulhar uma confusão, um enredo, uma dificuldade.* ▶ Conjug. 5.

desembuchar (de.sem.bu.*char*) *v.* Desabafar, falando: *Afinal, desembuchou tudo o que sabia sobre o caso.* ▶ Conjug. 5.

desempacar (de.sem.pa.*car*) *v.* Andar ou fazer andar (o que estava empacado); desemperrar: *O burro desempacou*; *fig.* Finalmente a seleção desempacou; *O Congresso desempacou o projeto.* ▶ Conjug. 5 e 35.

desempacotar (de.sem.pa.co.*tar*) *v.* Tirar do pacote; desembrulhar: *desempacotar a mercadoria.* ▶ Conjug. 20.

desemparelhar (de.sem.pa.re.*lhar*) *v.* **1.** Separar (um par de pessoas ou coisas): *desemparelhar elétrons.* **2.** Desunir-se (um par de pessoas ou coisas): *Na quadrilha, ora os casais emparelhavam-se, ora desemparelhavam-se.* ▶ Conjug. 9.

desempatar (de.sem.pa.*tar*) *v.* Desfazer (um empate): *O time da casa desempatou no final do jogo*; *O atacante aproveitou a distração do goleiro e desempatou o jogo.* ▶ Conjug. 5.

desempate (de.sem.*pa*.te) *s.m.* Ato ou efeito de desempatar.

desempenar (de.sem.pe.*nar*) *v.* **1.** Deixar de estar empenado, torto; endireitar(-se): *A porta desempenou(-se).* **2.** Desmanchar o empeno de, destorcer: *desempenar o aro da bicicleta.* ▶ Conjug. 5.

desempenhar (de.sem.pe.*nhar*) *v.* **1.** Realizar (um papel ou função): *A universidade desempenhou um importante papel na redemocratização do país.* **2.** Executar (tarefa, trabalho): *Médico, desempenhava atividades clínicas e docentes.* **3.** Desenvolver-se de um modo determinado: *Em seu novo cargo, se desempenha com brilhantismo.* **4.** Representar (papel teatral): *Em duas décadas, desempenhou muitos papéis principais em novelas.* **5.** (*Jur.*) Resgatar (coisa penhorada): *desempenhar uma joia.* **6.** (*Jur.*) Cumprir (uma obrigação): *Desempenhou a contento a sua obrigação contratual.* ▶ Conjug. 5.

desempenho (de.sem.pe.*nho*) *s.m.* Ato ou efeito de desempenhar.

desempeno (de.sem.pe.*no*) *s.m.* **1.** Ato ou efeito de desempenar. **2.** Nivelamento. **3.** Utensílio composto de duas réguas, que serve para verificar se uma superfície está desempenada.

desemperrar (de.sem.per.*rar*) *v.* **1.** Reativar mecanismo emperrado, enguiçado: *desemperrar a fechadura.* **2.** Tornar a funcionar bem: *Depois de dois dias na França, seu francês desemperrou.* ▶ Conjug. 8.

desempilhar (de.sem.pi.*lhar*) *v.* Desarrumar (uma pilha de objetos): *desempilhar papéis.* ▶ Conjug. 5.

desempoçar (de.sem.po.*çar*) *v.* **1.** Tirar de poça: *desempoçar a água.* **2.** Desfazer uma poça em: *desempoçar o quintal.* ▶ Conjug. 20.

desempoeirar (de.sem.po:ei.*rar*) *v.* Tirar a poeira a: *desempoeirar os livros.* ▶ Conjug. 18.

desempossar (de.sem.pos.*sar*) *v.* Desapossar.

desempregado (de.sem.pre.ga.do) *adj.* **1.** Que não tem emprego. • *s.m.* **2.** Aquele que não tem emprego.

desempregar (de.sem.pre.*gar*) *v.* Fazer perder o emprego; demitir: *A falência daquela empresa desempregou cinco mil pessoas.* ▶ Conjug. 8 e 34.

desemprego [ê] (de.sem.*pre*.go) *s.m.* Falta de emprego.

desencadeamento (de.sen.ca.de:a.*men*.to) *s.m.* Ato ou efeito de desencadear(-se).

desencadear (de.sen.ca.de:*ar*) *v.* **1.** Dar início a (um processo); produzir, gerar: *A crise econômica desencadeou uma debandada de jovens do país.* **2.** Iniciar-se de modo súbito e impetuoso: *A partir do Concílio Vaticano II, desencadeou-se*

desencaixar

um amplo processo de renovação na vida religiosa. ▶ Conjug. 14.

desencaixar [ch] (de.sen.cai.xar) v. **1.** Sair do encaixe: *O espelho desencaixou-se do retrovisor*. **2.** Tirar do encaixe: *Desencaixou a peça para examiná-la melhor*. ▶ Conjug. 5. – **desencaixe** s.m.; **desencaixotamento** s.m.

desencaixotar [ch] (de.sen.cai.xo.tar) v. Fazer com que algo deixe de estar encaixotado: *Desencaixotou o aparelho de jantar que ganhou*. ▶ Conjug. 20.

desencalacrar (de.sen.ca.la.crar) v. Sair ou fazer sair de dificuldades financeiras: *Conseguiu um emprego e rapidamente desencalacrou-se*; *A herança recebida desencalacrou toda a família*. ▶ Conjug. 5.

desencalhar (de.sen.ca.lhar) v. **1.** Sair ou fazer sair do encalhe: *Oito homens desencalharam uma baleia que estava presa na praia*; *O navio desencalhou, devido à ação dos rebocadores*. **2.** joc. Conseguir casar-se quando já não esperava mais fazê-lo: *Ela desencalhou aos cinquenta anos*. ▶ Conjug. 5. – **desencalhe** s.m.

desencaminhar (de.sen.ca.mi.nhar) v. Desviar(-se) do caminho certo: *Alguns componentes da excursão desencaminharam-se*; fig. *As más companhias desencaminharam-no*. ▶ Conjug. 5. – **desencaminhamento** s.m.

desencantamento (de.sen.can.ta.men.to) s.m. Ato ou efeito de desencantar(-se).

desencantar (de.sen.can.tar) v. **1.** Perder ou fazer perder o encanto: *O beijo da princesa desencantou o príncipe que tinha virado sapo*; *Alice se desencanta do seu sonho*. **2.** Desiludir(-se), decepcionar(-se): *Aquele rapaz me desencantou com a sua atitude irresponsável*; *Desencantei-me da política*. ▶ Conjug. 5.

desencanto (de.sen.can.to) s.m. **1.** Ato ou efeito de desencantar. **2.** Desilusão, decepção.

desencapar (de.sen.ca.par) v. **1.** Tirar a capa, a cobertura: *No final do ano, desencapou todos os cadernos*. **2.** Ter a capa danificada: *Os fios se desencaparam*. ▶ Conjug. 5.

desencarceramento (de.sen.car.ce.ra.men.to) s.m. Ato ou efeito de desencarcerar.

desencardir (de.sen.car.dir) v. Tirar o encardido a; clarear, branquear: *O dono da casa desencardiu os azulejos sujos antes de vendê-la*. ▶ Conjug. 66.

desencargo (de.sen.car.go) s.m. **1.** Alívio, depressão: *desencargo de consciência*. **2.** Ato de desobrigar-se de um encargo.

desencarnar (de.sen.car.nar) v. (Rel.) Perder a existência corpórea, passando para o mundo espiritual; falecer, morrer: *Desencarnou no dia 15 de janeiro de 1926*. ▶ Conjug. 5. – **desencarnação** s.f.

desencarregar (de.sen.car.re.gar) v. Aliviar(-se); desobrigar(-se): *O capitão desencarregou o sargento da missão*; *Ele se desencarregou de fazer a chamada*. ▶ Conjug. 8 e 34.

desencarrilar (de.sen.car.ri.lar) v. Descarrilar. ▶ Conjug. 5.

desencarrilhar (de.sen.car.ri.lhar) v. Descarrilar. ▶ Conjug. 5.

desencavar (de.sen.ca.var) v. Tirar do esquecimento; descobrir: *O sambista foi ao baú e desencavou partituras inéditas do compositor*. ▶ Conjug. 5.

desencilhar (de.sen.ci.lhar) v. Tirar a cilha a: *desencilhar um cavalo*. ▶ Conjug. 5.

desencontrado (de.sen.con.tra.do) adj. **1.** Que vai em direção oposta à de outro: *ponteiros desencontrados*. **2.** Sem harmonia; desacertado: *passos desencontrados*; fig. *pensamentos desencontrados*.

desencontrar-se (de.sen.con.trar-se) v. **1.** Não se encontrar: *Este ano minhas férias se desencontraram das de meu marido*. **2.** Discordar de, divergir de: *Há ideias que se desencontram com a doutrina católica*. ▶ Conjug. 5 e 6.

desencontro (de.sen.con.tro) s.m. Ato ou efeito de desencontrar-se.

desencorajar (de.sen.co.ra.jar) v. Perder ou fazer perder a coragem: *Não me desencorajei e perseverei nos meus objetivos*; *O pai desencorajou os interesses musicais do rapaz*. ▶ Conjug. 5 e 37. – **desencorajamento** s.m.

desencordoar (de.sen.cor.do.ar) v. Tirar as cordas a: *desencordoar o violão*. ▶ Conjug. 25.

desencorpar (de.sen.cor.par) v. Fazer diminuir em corpo ou em volume: *A falta de ginástica desencorpou a ex-atleta*. ▶ Conjug. 20.

desencostar (de.sen.cos.tar) v. Tirar ou fazer tirar (do encosto ou de outro apoio): *desencostar o dedo da campainha*; *Desencostei-me da parede e levantei-me*. ▶ Conjug. 20.

desencravar (de.sen.cra.var) v. Arrancar (o que estava cravado): *desencravar um prego*; *O protagonista desencravou o punhal do peito*. ▶ Conjug. 5.

desencurvar (de.sen.cur.var) v. Desfazer(-se) a curvatura; endireitar(-se): *Ela desencurvou a postura depois que começou a fazer ioga*; *A vara desencurvou-se*. ▶ Conjug. 5.

desendividar (de.sen.di.vi.*dar*) v. Saldar a dívida (de alguém ou própria): *Em sua palestra, disse que precisamos desendividar o país; Desendividou-se e passou a aplicar suas economias na poupança.* ▶ Conjug. 5.

desenfadar (de.sen.fa.*dar*) v. Recrear(-se), divertir (-se), distrair(-se): *A chegada do neto desenfadou seu cotidiano; Costuma desenfadar-se indo ao cinema.* ▶ Conjug. 5.

desenfado (de.sen.*fa*.do) s.m. Ato ou efeito de desenfadar(-se).

desenfaixar (de.sen.fai.*xar*) v. Soltar as faixas (de alguém ou próprias): *O médico desenfaixou meu braço e tirou as ataduras de meu rosto; A criança desenfaixou-se, porque estava sentindo calor.* ▶ Conjug. 5.

desenfastiar (de.sen.fas.ti.*ar*) v. **1.** Tirar o fastio a; despertar o apetite de: *Comeremos uns pedacinhos de queijo para desenfastiar o estômago.* **2.** Distrair(-se), divertir(-se): *Abriu o livro para desenfastiar o espírito; Desenfastiou-se lendo um bom romance.* ▶ Conjug. 17.

desenfeitar (de.sen.fei.*tar*) v. Tirar os enfeites (de alguém, de algo ou próprios): *Após a festa, desenfeitou a sala; A cidade se desenfeitou, depois que passaram as festas de final de ano.* ▶ Conjug. 18.

desenfeitiçar (de.sen.fei.ti.*çar*) v. Livrar de feitiço; desencantar: *Circe desenfeitiçou os marinheiros (do encanto que lançara sobre eles).* ▶ Conjug. 5.

desenferrujar (de.sen.fer.ru.*jar*) v. **1.** Tirar a ferrugem de: *Desenferrujou as dobradiças da porta; Com a pintura nova, a geladeira desenferrujou-se.* **2.** *fig.* Mover(-se), exercitar(-se): *desenferrujar as articulações; desenferrujar a língua; Fazendo ginástica, desenferrujei-me.* ▶ Conjug. 5 e 37.

desenformar (de.sen.for.*mar*) v. Tirar da forma: *desenformar o bolo.* ▶ Conjug. 20.

desenfrear (de.sen.fre.*ar*) v. Tirar o freio a: *desenfrear um cavalo; fig. desenfrear os pensamentos, os sentimentos.* ▶ Conjug. 14.

desenfurnar (de.sen.fur.*nar*) v. **1.** Trazer à vista (o que estava guardado): *Com o frio, foi obrigado a desenfurnar os casacos.* **2.** Tirar ou sair de um estado de isolamento: *Só encontrou namorada depois que se desenfurnou; Após a defesa da tese de doutorado, desenfurnei-me.* ▶ Conjug. 5.

desengaiolar (de.sen.gai.o.*lar*) v. Tirar da gaiola; libertar: *desengaiolar um passarinho; fig. desengaiolar a criatividade.* ▶ Conjug. 5.

desengajar-se (de.sen.ga.*jar*-se) v. Deixar de engajar-se: *Jamais se desengajou da política.* ▶ Conjug. 5, 6 e 37. – **desengajado** adj. s.m.

desenganado (de.sen.ga.*na*.do) adj. **1.** Que não tem mais chance de cura. • s.m. **2.** Doente desenganado.

desenganar (de.sen.ga.*nar*) v. **1.** Tirar ou sair de engano; desiludir(-se): *A cigana desenganou o rapaz quanto à possibilidade de ganhar na loteria; Aos quarenta anos, desenganou-se das ambições.* **2.** Tirar as esperanças de cura de: *O médico desenganou o paciente.* ▶ Conjug. 5.

desengano (de.sen.*ga*.no) s.m. Sentimento negativo que se experimenta ao comprovar que uma pessoa ou coisa não corresponde ao que se esperava dela; decepção, desilusão.

desengarrafar (de.sen.gar.ra.*far*) v. **1.** Tirar da garrafa: *desengarrafar o vinho.* **2.** Desfazer (um congestionamento de veículos): *desengarrafar o trânsito.* ▶ Conjug. 5.

desengasgar (de.sen.gas.*gar*) v. Tirar o engasgo a: *Bebi água para desengasgar a espinha de peixe; Bateu nas costas do pai para desengasgá-lo.* ▶ Conjug. 5 e 34.

desengastar (de.sen.gas.*tar*) v. Tirar do engaste: *desengastar um brilhante do broche.* ▶ Conjug. 5.

desengatar (de.sen.ga.*tar*) v. **1.** Desprender (algo) do engate: *Desengatou a locomotiva.* **2.** Soltar a embreagem: *A marcha do carro desengatou e eu não consegui frear.* ▶ Conjug. 5.

desengate (de.sen.*ga*.te) s.m. Ato ou efeito de desengatar.

desengatilhar (de.sen.ga.ti.*lhar*) v. **1.** Soltar o gatilho: *desengatilhar a arma.* **2.** Causar, provocar: *Afirmou que o estresse desengatilha o surgimento de espinhas.* ▶ Conjug. 5.

desengonçado (de.sen.gon.*ça*.do) adj. Desconjuntado, desajeitado: *andar desengonçado.* – **desengonçar** v. ▶ Conjug. 5.

desengordurar (de.sen.gor.du.*rar*) v. Tirar a gordura ou as nódoas de gordura: *desengordurar a feijoada; Desengordurou os pratos com água fervente.* ▶ Conjug. 5.

desengrenar (de.sen.gre.*nar*) v. Soltar a engrenagem de: *Desengrenou o veículo na ladeira.* ▶ Conjug. 5.

desengrossar (de.sen.gros.*sar*) v. Tornar(-se) menos grosso; afinar, desgastar(-se): *A moça desengrossou a cintura fazendo ginástica; O caldo desengrossou-se quando acrescentei mais água.* ▶ Conjug. 20.

desenhar (de.se.*nhar*) v. **1.** Fazer o desenho de: *A criança desenhou uma árvore no papel.*

desenhista

2. Fazer (um projeto): *Ela desenha móveis e acessórios para escritório.* **3.** Delinear-se: *Na cartomante, viu o futuro desenhar-se à sua frente.* ▶ Conjug. 5.

desenhista (de.se.*nhis*.ta) *s.m. e f.* **1.** Pessoa que desenha profissionalmente. **2.** Pessoa que domina a arte de desenhar. || *Desenhista industrial*: profissional formado em Desenho Industrial; *designer*.

desenho (de.se.nho) *s.m.* **1.** Representação dos objetos por meio de linhas e sombras. **2.** Arte e técnica de desenhar. **3.** Delineamento dos contornos de uma figura. **4.** Projeto, plano. || *Desenho animado*: sequência de desenhos que contam uma história. • *Desenho industrial*: conjunto de técnicas, conceitos e procedimentos que se aplicam ao projeto e ao desenvolvimento de produtos destinados à produção em série, tendo em vista seus aspectos funcionais, estéticos e culturais; *design*.

desenlaçar (de.sen.la.*çar*) *v.* **1.** Desfazer o laço de: *Desenlaçou o roupão e entrou no banho.* **2.** Soltar(-se), desprender(-se): *O jardineiro desenlaçou os ramos das duas roseiras; Desenlacei-me dos braços do meu pai e entrei no ônibus.* ▶ Conjug. 5.

desenlace (de.sen.*la*.ce) *s.m.* **1.** Final de um acontecimento, ou de uma obra narrativa ou dramática; desfecho. **2.** Morte.

desenlamear (de.sen.la.me:*ar*) *v.* **1.** Tirar a lama a: *desenlamear o sapato, a calçada; fig. desenlamear uma reputação.* **2.** Limpar-se da lama: *Pedi um pano úmido no bar e desenlameei-me.* ▶ Conjug. 14.

desenovelar (de.se.no.ve.*lar*) *v.* Desfazer, desenrolar (o que estava enovelado): *No ateliê, havia muita lã para desenovelar; fig. Na análise, conseguiu desenovelar seu passado.* ▶ Conjug. 8.

desenquadrar (de.sen.qua.*drar*) *v.* **1.** Excluir de quadro (lista, conjunto): *A fiscalização desenquadrou as empresas irregulares.* **2.** (*Cine, Fot., Telev.*) Desfazer o enquadramento: *O fotógrafo tirou a iluminação e desenquadrou a paisagem.* ▶ Conjug. 5.

desenraizar (de.sen.ra:i.*zar*) *v.* **1.** Arrancar pela raiz; desarraigar, erradicar: *Desenraizou o mato que avançava sobre a plantação.* **2.** Sair ou fazer sair da terra natal; erradicar: *A escravatura desenraizou os angolanos; Diante da crise econômica por que passava seu país, optou por desenraizar-se.* ▶ Conjug. 26. – **desenraizamento** *s.m.*

desenrascar (de.sen.ras.*car*) *v.* **1.** Sair ou fazer sair de enrascada: *Chamou alguém para desenrascar o menino que subira na árvore; Tinha grande habilidade para se desenrascar das situações difíceis.* **2.** (*Náut.*) Desembaraçar (bandeira, vela, cabo etc.). ▶ Conjug. 5 e 35.

desenredar (de.sen.re.*dar*) *v.* Deixar ou fazer deixar de estar enredado: *fig. Soube desenredar-se bem das intrigas dos inimigos; Penélope desenredava à noite a tela que tecia de dia.* ▶ Conjug. 8.

desenrolar (de.sen.ro.*lar*) *v.* **1.** Estender (o que estava enrolado): *Tirou o diploma do canudo e desenrolou-o.* **2.** *fig.* Explicar, expor, narrar com minúcias: *Explicou o fato desenrolando os episódios um a um.* **3.** Tirar o envoltório de: *Chegou da feira, desenrolou o peixe e temperou-o.* **4.** Suceder, acontecer: *O parto desenrolou-se tranquilamente.* ▶ Conjug. 20.

desenroscar (de.sen.ros.*car*) *v.* **1.** Desfazer as roscas de; estirar: *desenroscar as pernas.* **2.** Tirar da rosca; desaparafusar: *A mãe desenroscou a tampinha da garrafa de refrigerante para o menino.* **3.** Estirar-se: *A cobra desenroscou-se e deu o bote.* ▶ Conjug. 20 e 35.

desenrugar (de.sen.ru.*gar*) *v.* **1.** Desfazer as rugas ou as pregas de: *desenrugar o lençol.* **2.** Perder as rugas: *Com o uso do creme, sua testa desenrugou-se.* ▶ Conjug. 5 e 34.

desensaboar (de.sen.sa.bo:*ar*) *v.* Tirar o sabão a; enxaguar: *Abriu a torneira para desensaboar o corpo.* ▶ Conjug. 25.

desensacar (de.sen.sa.*car*) *v.* Tirar do saco ou da saca: *desensacar a farinha, o feijão, o açúcar.* ▶ Conjug. 5 e 35.

desensebar (de.sen.se.*bar*) *v.* Tirar o sebo a: *desensebar o fogão.* ▶ Conjug. 8.

desentender-se (de.sen.ten.*der*-se) *v.* Entrar em desacordo: *O jogador desentendeu-se com o treinador; Eles se desentenderam e romperam o relacionamento.* ▶ Conjug. 39 e 40.

desentendimento (de.sen.ten.di.*men*.to) *s.m.* Ato ou efeito de desentender-se.

desenterrar (de.sen.ter.*rar*) *v.* **1.** Tirar (alguém ou algo) do lugar em que estava enterrado: *O arqueólogo desenterrou um fóssil milenar.* **2.** Trazer (alguém ou algo que estava esquecido) à luz ou à memória: *Desenterrei uma foto antiga que há muito não via.* ▶ Conjug. 8. – **desenterramento** *s.m.*

desentoar (de.sen.to:*ar*) *v.* **1.** (*Mús.*) Sair do tom; desafinar: *Cantou a música inteira sem desentoar.* **2.** Não condizer; destoar: *Aquela mansão desentoava das modestas casas que estavam ao redor.* ▶ Conjug. 25.

desentocar (de.sen.to.*car*) v. Tirar ou sair da toca: *Na caçada, ajudou a desentocar os coelhos; fig. Os turistas desentocaram-se somente após o término do temporal.* ▶ Conjug. 20 e 35.

desentorpecer (de.sen.tor.pe.*cer*) v. Perder ou fazer perder o entorpecimento: *Espreguiçou-se para desentorpecer as pernas; fig. A leitura dos poemas fez desentorpecerem-se sentimentos adormecidos.* ▶ Conjug. 41.

desentortar (de.sen.tor.*tar*) v. Endireitar. ▶ Conjug. 20.

desentranhar (de.sen.tra.*nhar*) v. **1.** Tirar as entranhas a (um animal): *O peixeiro desentranhava os peixes antes de vendê-los.* **2.** *fig.* Descobrir (algo recôndito) em: *O crítico desentranhou a poesia contida na prosa.* ▶ Conjug. 5.

desentristecer (de.sen.tris.te.*cer*) v. **1.** Tirar a tristeza a: *Ouvir música desentristece o coração.* **2.** Sair da tristeza: *Resolveu viajar para desentristecer-se.* ▶ Conjug. 41.

desentulhar (de.sen.tu.*lhar*) v. Livrar do entulho: *Depois da obra, teve de desentulhar a casa.* ▶ Conjug. 5.

desentupir (de.sen.tu.*pir*) v. Fazer cessar o entupimento; desobstruir: *Desentupiu o ralo para que a água escoasse.* ▶ Conjug. 78.

desenvolto [ô] (de.sen.*vol*.to) adj. **1.** Desembaraçado, desinibido: *pessoa desenvolta.* **2.** Que se desenvolve com facilidade: *estilo desenvolto.*

desenvoltura (de.sen.vol.*tu*.ra) s.f. Qualidade de desenvolto.

desenvolver (de.sen.vol.*ver*) v. **1.** Crescer ou fazer crescer: *O pinheiro desenvolveu-se bem depois que o colocamos no sol; Toma vitaminas para desenvolver os músculos.* **2.** Fazer progredir ou progredir; expandir(-se), aprimorar(-se): *O curso desenvolveu nos alunos o gosto pela leitura; O aprendizado desenvolvia-se conforme o tempo avançava.* **3.** Elaborar: *Aprendeu a desenvolver relatórios num curso de redação.* **4.** Desenrolar-se, prosseguir: *A aula de hoje desenvolveu-se sem maiores transtornos.* **5.** Multiplicar(-se), propagar(-se): *A falta de higiene da população ajudou a desenvolver o vírus; O vício do jogo desenvolveu-se entre os jovens.* **6.** Dar rendimento: *A moto desenvolveu 120 km/h.* ▶ Conjug. 42.

desenvolvimentismo (de.sen.vol.vi.men.*tis*.mo) s.m. (*Econ.*) Escola econômica que defende uma política governamental de incremento da produção, principalmente através da industrialização. – **desenvolvimentista** adj. s.m. e f.

desenvolvimento (de.sen.vol.vi.*men*.to) s.m. **1.** Ato ou efeito de desenvolver(-se). **2.** (*Econ.*) Expansão de um sistema econômico que compreende aumento da produção e da renda. || *Desenvolvimento sustentável*: desenvolvimento econômico que leva em conta as consequências ambientais da atividade econômica, baseando-se no uso de recursos que podem ser renovados.

desenxabido [ch] (de.sen.xa.*bi*.do) adj. **1.** Que não tem sabor; insosso. **2.** *fig.* Sem graça; desanimado.

desequilibrado (de.se.qui.li.*bra*.do) adj. **1.** Que não está em equilíbrio. **2.** Desproporcional, desarmonioso. • s.m. **3.** Que padece de desequilíbrio psíquico.

desequilibrar (de.se.qui.li.*brar*) v. **1.** Perder ou fazer perder (alguém ou algo) o equilíbrio físico: *Desequilibrou o adversário com uma rasteira; O cavaleiro se desequilibrou e caiu do cavalo.* **2.** Desestabilizar(-se), desigualar(-se): *O atacante desequilibrou o jogo marcando dois gols; A balança comercial desequilibrou-se devido ao aumento das importações.* **3.** Perder ou fazer perder o equilíbrio mental: *O divórcio desequilibrou-o; Não consegui realizar seu projeto de vida e desequilibrou-se.* ▶ Conjug. 5.

desequilíbrio (de.se.qui.*lí*.bri:o) s.m. **1.** Falta de equilíbrio. **2.** Transtorno mental ou emocional.

deserção (de.ser.*ção*) s.f. **1.** Ato ou efeito de desertar. **2.** (*Mil.*) Delito do militar que abandona, sem permissão, as Forças Armadas.

deserdado (de.ser.*da*.do) adj. **1.** Que foi excluído de herança. • s.m. **2.** Pessoa deserdada.

deserdar (de.ser.*dar*) v. Privar da herança (um herdeiro): *deserdar um filho.* ▶ Conjug. 8.

desertar (de.ser.*tar*) v. **1.** (*Mil.*) Abandonar, sem licença, o serviço militar: *O oficial desertou e foi preso.* **2.** Abandonar uma causa ou um compromisso: *Uma de nossas funcionárias desertou levando informações de nosso projeto.* ▶ Conjug. 8.

desértico (de.*sér*.ti.co) adj. Relativo a deserto.

desertificar (de.ser.ti.fi.*car*) v. Transformar(-se) em deserto: *Mudanças no eixo da Terra desertificaram a África; Certas áreas do país se desertificaram.* ▶ Conjug. 5 e 35. – **desertificação** s.f.

deserto [é] (de.*ser*.to) adj. **1.** Que não está habitado ou em que não há gente. • s.m. **2.** Região seca, frequentemente arenosa, de baixa pluviosidade e vegetação esparsa.

desertor

desertor [ô] (de.ser.*tor*) *s.m.* **1.** Militar que deserta; trânsfuga. **2.** Pessoa que abandona uma causa ou um compromisso; trânsfuga.

desesperação (de.ses.pe.ra.*ção*) *s.f.* Desespero.

desesperado (de.ses.pe.*ra*.do) *adj.* **1.** Que perdeu a esperança. **2.** Que perdeu o sossego, a tranquilidade. **3.** Que se tornou agressivo devido à perda da esperança. **4.** Que denota desesperação: *tentativa desesperada*. • *s.m.* **5.** Pessoa desesperada.

desesperador [ô] (de.ses.pe.ra.*dor*) *adj.* Que causa desespero: *situação desesperadora*.

desesperança (de.ses.pe.*ran*.ça) *s.f.* Falta de esperança.

desesperançar (de.ses.pe.ran.*çar*) *v.* **1.** Tirar a esperança: *A forte crise econômica por que passava o país desesperançou a população*. **2.** Perder a esperança: *Diante de tantas guerras, o mundo começou a desesperançar-se*. ▶ Conjug. 5.

desesperar (de.ses.pe.*rar*) *v.* **1.** Perder a esperança: *Jamais (se) desespere em meio às aflições da vida*. **2.** Perder ou fazer perder a tranquilidade ou o sossego: *As evasivas do amigo o desesperavam; Vendo que ele não chegava, (me) desesperei*. **3.** Tornar(-se) enfurecido; exasperar(-se): *A falta de limites dos alunos desesperou a professora; Desesperou-se quando soube que fora traído pelos amigos*. ▶ Conjug. 8.

desespero [ê] (de.ses.pe.ro) *s.m.* **1.** Ato ou efeito de desesperar(-se); desesperação. **2.** Estado de profunda tristeza causado pela falta de esperança; desesperação.

desestabilizar (de.ses.ta.bi.li.*zar*) *v.* **1.** Tirar a estabilidade: *A expulsão do jogador desestabilizou o time*. **2.** Perder a estabilidade: *Meu carro se desestabilizou completamente na curva*. ▶ Conjug. 5. – **desestabilização** *s.f.*

desestatizar (de.ses.ta.ti.*zar*) *v.* **1.** Passar para o setor privado (empresa do setor público); privatizar: *O governo desestatizou as companhias elétricas*. **2.** Diminuir a presença do Estado em: *O Estado desestatizou setores e passou a fiscalizar e regulamentar por meio das agências de regulamentação*. ▶ Conjug. 5. – **desestatização** *s.f.*

desestimulante (de.ses.ti.mu.*lan*.te) *adj.* Que desestimula.

desestimular (de.ses.ti.mu.*lar*) *v.* **1.** Tirar o estímulo a: *A falta de patrocínio desestimulou o atleta*. **2.** Perder o estímulo: *Desestimulou-se com o péssimo resultado da prova*. ▶ Conjug. 5.

desestímulo (de.ses.*tí*.mu.lo) *s.m.* Falta ou perda de estímulo.

desfaçatez [ê] (des.fa.ça.*tez*) *s.f.* Falta de vergonha; atrevimento, cinismo, descaramento.

desfalcar (des.fal.*car*) *v.* **1.** Apoderar-se fraudulentamente de: *Ele desfalcou os cofres públicos (em mais de 1 milhão de reais)*. **2.** Tirar parte de; reduzir, diminuir: *Um acidente desfalcou a equipe (de seus melhores jogadores)*. ▶ Conjug. 5 e 35.

desfalecer (des.fa.le.*cer*) *v.* **1.** Perder os sentidos; desmaiar: *A mocinha desfaleceu quando soube da partida do noivo*. **2.** Enfraquecer, decair: *Mesmo com todas as dificuldades de trabalho, os ânimos dos professores não desfaleceram*. ▶ Conjug. 41.

desfalecimento (des.fa.le.ci.*men*.to) *s.m.* **1.** Perda dos sentidos. **2.** Estado daquele que desfalece. **3.** Perda da força; enfraquecimento: *o desfalecimento do Estado*.

desfalque (des.*fal*.que) *s.m.* Ato ou efeito de desfalcar.

desfavor [ô] (des.fa.*vor*) *s.m.* Desserviço, prejuízo. || *Em desfavor*: contra: *Apresentou argumentos em desfavor da construção da nova usina*.

desfavorável (des.fa.vo.*rá*.vel) *adj.* Não favorável: *O mercado de trabalho ainda é desfavorável para a mulher*.

desfavorecer (des.fa.vo.re.*cer*) *v.* **1.** Dar a alguém menos vantagens que a outros: *Quando fez a doação de seus bens, o pai desfavoreceu o filho caçula*. **2.** Dificultar, prejudicar: *A época de Natal desfavoreceu nossa negociação*. ▶ Conjug. 41.

desfazer (des.fa.*zer*) *v.* **1.** Fazer o contrário do que se tinha feito antes: *desfazer um laço, desfazer as malas; Já era hora de desfazer o acampamento*. **2.** Fazer com que deixe de existir: *desfazer um mistério, uma dúvida, uma intriga*. **3.** Deixar de existir: *O casamento desfez-se, como era de esperar*. **4.** Fazer com que (algo que fora acordado) não chegue a realizar-se: *desfazer um negócio*. **5.** Decompor em partes: *desfazer uma cadeira, uma estante*. **6.** Converter(-se) em líquido: *O sol vai pouco a pouco desfazendo a neve do topo das montanhas; Fora da geladeira, a gelatina desfez-se*. **7.** Tornar-se mole, macio, tenro: *De tão fofo, o bolo desfaz-se na boca*. **8.** Manifestar com veemência: *desfazer-se em amabilidades*. **9.** Dar ou vender: *Desfez-se do cão só para poder viajar*. **10.** Livrar-se de: *Conseguiram desfazer-se de* *todos os bajuladores; Desfez-se, afinal, do fardo que carregava.* **11.** Amesquinhar, diminuir, desdenhar: *Desfez da sabedoria dos que o cercavam.* || part.: *desfeito*. ▶ Conjug. 61.

desfechar (des.fe.*char*) *v.* **1.** Disparar (arma de fogo, tiro): *O acusado desfechou os tiros que causaram a morte da vítima.* **2.** Dar, aplicar, desferir: *Desfechou-me um terrível golpe; fig. desfechar um olhar.* ▶ Conjug. 12.

desfecho [ê] (des.*fe*.cho) *s.m.* **1.** Desenlace, conclusão. **2.** Disparo, tiro. **3.** Arremesso.

desfeita (des.*fei*.ta) *s.f.* Ofensa, ultraje, desconsideração: *Fez-me uma desfeita inqualificável, ao não aceitar o meu convite.*

desfeitear (des.fei.te:*ar*) *v.* Fazer desfeita a; desconsiderar, insultar, ultrajar: *Desfeiteou o chefe na frente dos colegas.* ▶ Conjug. 14.

desfeito (des.*fei*.to) *adj.* **1.** Que se desfez. **2.** Que mudou completamente de forma; destruído, desmanchado. **3.** Dado por nulo ou inexistente; anulado. **4.** Derretido, dissolvido, diluído.

desferir (des.fe.*rir*) *v.* Aplicar, desfechar, acertar (um golpe): *O adversário desferiu-lhe vários golpes na região da cabeça.* ▶ Conjug. 69.

desfiar (des.fi:*ar*) *v.* **1.** Desfazer(-se) em fios: *Para fazer este bordado, é preciso desfiar o tecido; A barra de sua saia está se desfiando.* **2.** Passar os dedos pelas contas de (rosário, terço) rezando: *Desfiou um rosário pedindo que o filho se empregasse.* **3.** Referir, expor minuciosamente: *Desfiou os sucessos de sua carreira; fig. desfiar um rosário de queixas.* **4.** Reduzir a fibras: *desfiar o frango, a carne, o bacalhau.* ▶ Conjug. 17.

desfibrar (des.fi.*brar*) *v.* Tirar as fibras de: *desfibrar a carne; fig. Nem as fortes decepções que sofreu o desfibraram.* ▶ Conjug. 5.

desfigurar (des.fi.gu.*rar*) *v.* **1.** Alterar ou ter alterada a figura, a forma, o aspecto, as feições: *A queimadura desfigurou o seu rosto; Ela se desfigurou de tanta plástica que fez.* **2.** Alterar, adulterar, deturpar: *Desfiguraram completamente o texto do poeta.* ▶ Conjug. 5.

desfiladeiro (des.fi.la.*dei*.ro) *s.m.* Passagem estreita entre montanhas; estreito, garganta.

desfilar (des.fi.*lar*) *v.* **1.** Marchar em fila: *Meus alunos desfilarão na parada de 7 de setembro.* **2.** Suceder-se, passarem uns após outros: *No delírio, séculos e séculos desfilavam perante si.* **3.** Caminhar diante de uma plateia exibindo-se: *As misses desfilaram com trajes típicos.* **4.** Sair dançando e cantando numa escola de samba: *Este ano ele vai desfilar em pelo menos três escolas.* ▶ Conjug. 5.

desfile (des.*fi*.le) *s.m.* Ato ou efeito de desfilar.

desflorar (des.flo.*rar*) *v.* Deflorar. ▶ Conjug. 20. – **desfloração** *s.f.*; **desfloramento** *s.m.*

desfocar (des.fo.*car*) *v.* Tirar o foco de: *desfocar uma imagem, desfocar a câmera.* ▶ Conjug. 20 e 35.

desfolhar (des.fo.*lhar*) *v.* **1.** Tirar as folhas ou as pétalas a: *Distraída, desfolhava a margarida.* **2.** Perder as folhas ou as pétalas: *A amendoeira desfolhou-se no outono.* ▶ Conjug. 20.

desforra [ó] (des.*for*.ra) *s.f.* Reparação de afronta; vingança, revanche.

desforrar (des.for.*rar*) *v.* Obter desforra (de); vingar(-se), desafrontar(-se): *desforrar uma humilhação; O time tinha perdido na primeira rodada, mas agora desforrou-se, vencendo o adversário por igual resultado.* ▶ Conjug. 20.

desfraldar (des.fral.*dar*) *v.* Abrir ao vento; despregar, soltar: *desfraldar as velas; desfraldar uma bandeira.* ▶ Conjug. 5.

desfranzir (des.fran.*zir*) *v.* **1.** Desfazer as pregas ou rugas a: *desfranzir a saia, desfranzir o cenho.* **2.** Desenrugar-se: *Ao ver o neto, sua testa desfranziu-se.* ▶ Conjug. 68.

desfrutar (des.fru.*tar*) *v.* **1.** Sentir prazer com; gozar, usufruir: *desfrutar d(a) vida; desfrutar (de) vantagens.* **2.** Deliciar-se com; apreciar, fruir: *desfrutar (de) uma obra de arte.* ▶ Conjug. 5. – **desfrutável** *adj.*

desfrute (des.*fru*.te) *s.m.* Ato ou efeito de desfrutar.

desgalhar (des.ga.*lhar*) *v.* Cortar os galhos a: *O vento desgalhou todas as árvores.* ▶ Conjug. 5.

desgarrar (des.gar.*rar*) *v.* **1.** Desviar(-se) do rumo: *O vento desgarrou dois navios da frota; A embarcação desgarrou-se no início da tempestade.* **2.** Afastar(-se) do grupo: *Os tiros desgarraram a manada; Uma rês brava desgarrou-se da boiada.* ▶ Conjug. 5.

desgastar (des.gas.*tar*) *v.* **1.** Perder ou fazer perder parte de sua superfície pelo atrito ou uso: *Qualquer desalinhamento existente desgasta os pneus do carro; O calçado está novo, mas a sola se desgastou muito.* **2.** Perder ou fazer perder parte de sua força ou poder: *O excesso de aparição na mídia desgastou a imagem daquele ator; As relações desgastam-se muito com a rotina.* ▶ Conjug. 5. – **desgastante** *adj.*

desgaste (des.*gas*.te) *s.f.* Ato ou efeito de desgastar(-se).

desgostar (des.gos.*tar*) *v.* **1.** Causar ou sofrer desgostos, aborrecimentos, contrariedades: *A teimosia do filho desgostou os pais; Desgostou-se*

desgosto

inutilmente, pois não pretendi ofendê-lo. **2.** Não gostar: *Ele não gosta nem desgosta de macarrão.* **3.** Perder o gosto que sentia: *Desgostou-se da literatura e nunca mais escreveu.* ▶ Conjug. 20.

desgosto [ô] (des.gos.to) *s.m.* Sentimento negativo causado por uma pessoa ou coisa que não correspondeu a nossos desejos ou esperanças: *Teve um estresse emocional por causa de um desgosto amoroso.* – **desgostoso** *adj.*

desgovernar (des.go.ver.nar) *v.* Governar mal ou perder o governo; desnortear(-se), desorientar(-se): *Citou vários políticos que insistem em desgovernar o país; O carro desgovernou-se e bateu em um poste.* ▶ Conjug. 8.

desgoverno [ê] (des.go.ver.no) *s.m.* **1.** Falta de governo ou de orientação. **2.** Desordem.

desgraça (des.gra.ça) *s.f.* **1.** Acontecimento que causa um prejuízo ou uma dor muito grandes: *Via-se a desgraça nos olhos dos refugiados.* **2.** Situação lamentável, especialmente no aspecto econômico: *A doença prolongada do pai foi a desgraça que se abateu sobre aquela família de treze filhos.* **3.** Situação de quem perdeu a graça de alguém; desconsideração, desfavor: *Acusado de traição, o filósofo caiu em desgraça junto à rainha.* **4.** *coloq.* Pessoa incapaz, inepta, inábil ou coisa malfeita: *Aquele garçom é uma desgraça, não traz nunca o que pedimos; A pintura do apartamento ficou uma desgraça.*

desgraçado (des.gra.ça.do) *adj.* **1.** Atingido pela desgraça ou por desgraças. **2.** Que não é feliz; infeliz, desafortunado, desditoso, desventurado. **3.** Que é desprezível; abjeto, vil. **4.** Que causa ou implica desgraça: *amor desgraçado.* • *s.m.* **5.** Pessoa desgraçada.

desgraçar (des.gra.çar) *v.* **1.** Causar desgraça a: *A droga já desgraçou muitas vidas.* **2.** Sofrer desgraça: *Dizia a lenda que quem cortasse aquela árvore se desgraçava.* ▶ Conjug. 5 e 36.

desgraceira (des.gra.cei.ra) *s.f. coloq.* Série de desgraças.

desgracioso [ô] (des.gra.ci.o.so) *adj.* Falto de graça; deselegante, desajeitado, desengonçado. ‖ f. e pl.: [ó].

desgrenhado (des.gre.nha.do) *adj.* **1.** Diz-se do cabelo despenteado: *Olhou para uma foto de Einstein com o cabelo desgrenhado.* **2.** Que tem o cabelo em desordem: *A mulher, desgrenhada como sempre, o esperava para jantar.*

desgrenhar (des.gre.nhar) *v.* **1.** Emaranhar, despentear: *desgrenhar os cabelos.* **2.** Despentear-se: *De tanto correr, a criança desgrenhou-se toda.* ▶ Conjug. 5.

desgrudar (des.gru.dar) *v.* **1.** Descolar(-se), soltar(-se): *Conseguiu desgrudar o chiclete da sola do sapato; Na hora do parto, a placenta desgruda(-se) da parede do útero.* **2.** Afastar(-se), separar(-se): *Não desgrudava os olhos dela; Não (se) desgruda do computador.* ▶ Conjug. 5.

desguarnecer (des.guar.ne.cer) *v.* **1.** Desprover do que seria necessário: *A alteração desguarneceu mais ainda a marcação no meio do campo.* **2.** Privar (um lugar) de tropas que o defendam: *O governador desguarneceu a fortaleza, permitindo que a esquadra penetrasse a baía.* ▶ Conjug. 41. – **desguarnecimento** *s.m.*

desiderato (de.si.de.ra.to) *s.m.* Aquilo que se deseja; aspiração.

desídia (de.sí.di.a) *s.f.* **1.** Inércia, indolência, preguiça. **2.** Desleixo, descaso, negligência.

desidratação (de.si.dra.ta.ção) *s.f.* **1.** Ato ou efeito de desidratar(-se). **2.** (*Med.*) Alteração causada pela falta de água no organismo.

desidratar (de.si.dra.tar) *v.* Extrair ou perder água: *Aprendeu como desidratar flores; No verão, é importante tomar muita água para não se desidratar.* ▶ Conjug. 5.

design [dizáin] (Ing.) *s.m.* Desenho industrial.

designação (de.sig.na.ção) *s.f.* **1.** Ato de designar. **2.** Palavra ou palavras que servem para designar alguém ou algo; nome. **3.** Determinação, indicação.

designar (de.sig.nar) *v.* **1.** Denominar, qualificar: *Este termo designa as plantas ou animais que sofreram modificações genéticas.* **2.** Indicar ou destinar (uma pessoa ou coisa) para determinado fim: *O governo já designou o encarregado da missão para a reorganização do setor energético.* **3.** Ser o sinal ou símbolo de alguma coisa: *A serpente designa prudência.* **4.** Marcar, assinalar, fixar, determinar: *Faltou designar o dia para o encontro.* ▶ Conjug. 5 e 33.

designativo (de.sig.na.ti.vo) *adj.* **1.** Que designa. **2.** Próprio para designar.

designer [dizáiner] (Ing.) *s.m. e f.* Desenhista industrial.

desígnio (de.sig.ni.o) *s.m.* Propósito, intenção: *os desígnios divinos.*

desigual (de.si.gual) *adj.* **1.** Que não é igual; diverso, diferente. **2.** Em que há variações, mudanças: *É um escritor de obra muito desigual.* **3.** Em que não há equilíbrio: *uma sociedade economicamente desigual.*

desintegração

desigualar (de.si.gua.*lar*) v. Tornar(-se) desigual: *A lei não pode desigualar os cidadãos; Os gêmeos só se desigualavam na altura.* ▶ Conjug. 5.

desigualdade (de.si.gual.*da*.de) s.f. **1.** Condição, estado ou qualidade de desigual. **2.** Falta de igualdade.

desiludir (de.si.lu.*dir*) v. **1.** Tirar a ilusão ou as ilusões a: *Soubemos de algumas coisas do passado dele que nos desiludiram um pouco.* **2.** Perder a ilusão ou as ilusões: *Tarde me desiludi dos amigos fingidos.* ▶ Conjug. 66.

desilusão (de.si.lu.*são*) s.f. **1.** Desengano, decepção. **2.** Perda de ilusão.

desimpedido (de.sim.pe.*di*.do) adj. **1.** Livre, desobstruído. **2.** Sem compromisso.

desimpedir (de.sim.pe.*dir*) v. Livrar do impedimento, do obstáculo; desembargar: *Criticaram a demora do poder público em desimpedir as vias bloqueadas.* ▶ Conjug. 71.

desinchar (de.sin.*char*) v. **1.** Desfazer(-se) a inchação, desintumescer(-se): *Por terem propriedades calmantes, as batatas são ótimas para desinchar as pálpebras; Depois de tomar os antibióticos, o pé dele desinchou.* **2.** *fig.* Desfazer(-se) a vaidade: *desinchar o ego de alguém; Com a paródia feita pelo humorista, o político desinchou-se.* ▶ Conjug. 5.

desincompatibilizar (de.sin.com.pa.ti.bi.li.*zar*) v. **1.** Tirar a incompatibilidade a; reconciliar: *Um inimigo externo desincompatibilizou os dois partidos nacionais.* **2.** Deixar de estar incompatibilizado: *Perguntaram se o vice-prefeito poderia permanecer no cargo sem se desincompatibilizar se quisesse pleitear reeleição.* ▶ Conjug. 5.

desincorporar (de.sin.cor.po.*rar*) v. **1.** Tirar da corporação; separar: *O decreto mandou desincorporar os servidores.* **2.** Desanexar, desmembrar, desligar: *A Câmara autorizou o município a desincorporar área de sua propriedade.* **3.** Separar-se, desmembrar-se, desligar-se: *Desincorporou-se dos republicanos e foi para outra frente de combate.* ▶ Conjug. 20. – **desincorporação** s.f.

desincumbir-se (de.sin.cum.*bir*-se) v. Cumprir uma incumbência; desencarregar-se: *Desincumbiu-se a contento do seu mister.* ▶ Conjug. 66 e 67.

desindexar [cs] (de.sin.de.*xar*) v. (*Econ.*) Deixar de corrigir (preços, salários) com base em índices econômicos: *desindexar a economia.* ▶ Conjug. 8. – **desindexação** s.f.

desinência (de.si.*nên*.ci:a) s.f. (*Gram.*) Segmento fônico posposto ao tema das palavras variáveis, que indica as várias flexões: *Em possamos, o a é desinência modo-temporal e o mos, desinência número-pessoal.*

desinfecção (de.sin.fec.*ção*) s.f. Destruição dos germes nocivos à saúde.

desinfeliz (de.sin.fe.*liz*) adj. s.m. e f. *coloq.* Infeliz.

desinfetante (de.sin.fe.*tan*.te) adj. **1.** Que desinfeta. • s.m. **2.** Substância própria para desinfetar.

desinfetar (de.sin.fe.*tar*) v. Destruir os germes bacterianos de: *Os bombeiros desinfetaram vários possíveis focos de disseminação e ensinaram a população a se proteger contra o mosquito.* ▶ Conjug. 8.

desinflacionar (de.sin.fla.ci:o.*nar*) v. Conter a inflação, fortalecer a moeda: *desinflacionar a economia.* ▶ Conjug. 5.

desinflamar (de.sin.fla.*mar*) v. Cessar ou fazer cessar a inflamação: *A garganta desinflamou (-se), mas ainda estou tossindo muito; O remédio desinflamará o seu tendão.* ▶ Conjug. 5. – **desinflamação** s.f.

desinformação (de.sin.for.ma.*ção*) s.f. **1.** Ato ou efeito de desinformar. **2.** Falta de informação. **3.** Informação desvirtuada com o propósito de enganar.

desinformado (de.sin.for.*ma*.do) adj. Não informado ou mal-informado.

desinformar (de.sin.for.*mar*) v. Deixar de informar ou informar erroneamente: *Apesar de seus defeitos, a nota desinformou menos que a notícia publicada no mesmo dia.* ▶ Conjug. 20.

desinibido (de.si.ni.*bi*.do) adj. Que não tem ou não demonstra timidez, inibição; desembaraçado.

desinibir (de.si.ni.*bir*) v. **1.** Tirar a inibição de: *A informalidade da recepção desinibiu os visitantes.* **2.** Perder a inibição: *A aula de teatro pode ajudá-lo a desinibir-se.* ▶ Conjug. 66. – **desinibição** s.f.

desinquietar (de.sin.qui:e.*tar*) v. **1.** Perturbar a paz, a tranquilidade de: *A notícia de uma guerra iminente desinquietou a população.* **2.** Perder a paz, a tranquilidade: *Desinquietou-se com a demora em ser atendido.* ▶ Conjug. 8. – **desinquietação** s.f.

desinquieto [é] (de.sin.qui:*e*.to) adj. **1.** Muito inquieto; agitado, desassossegado. **2.** Travesso, levado.

desintegração (de.sin.te.gra.*ção*) s.f. **1.** Ato ou efeito de desintegrar(-se). **2.** Estado do que se desintegrou.

desintegrar (de.sin.te.*grar*) v. Dividir(-se) em fragmentos ou em distintos componentes: *Um acidente desintegrou o ônibus espacial Colúmbia; O satélite desintegrou-se horas depois de ter sido lançado.* ▶ Conjug. 5.

desinteligência (de.sin.te.li.*gên*.ci:a) s.f. **1.** Desacordo, divergência, desarmonia. **2.** Inimizade, malquerença.

desinteressado (de.sin.te.res.*sa*.do) adj. **1.** Que não demonstra envolvimento; indiferente: *aluno desinteressado.* **2.** Que não age por interesse; desprendido: *amigo desinteressado.* **3.** Que denota desinteresse: *ajuda desinteressada.*

desinteressar (de.sin.te.res.*sar*) v. Perder ou fazer perder o interesse: *O tom de voz monótono do professor desinteressou os alunos; Há muito que deixou o partido e desinteressou-se da política.* ▶ Conjug. 8. – **desinteressante** adj.

desinteresse [ê] (de.sin.te.*res*.se) s.m. **1.** Falta de interesse. **2.** Atitude daquele que age sem buscar lucro ou proveito.

desintoxicar [cs] (de.sin.to.xi.*car*) v. Livrar(-se) de uma intoxicação: *Fez uma dieta para desintoxicar o organismo; Ele já se desintoxicou e não é mais dependente da droga.* ▶ Conjug. 5 e 35. – **desintoxicação** s.f.

desintumescer (de.sin.tu.mes.*cer*) v. Desinchar(-se). ▶ Conjug. 8 e 46.

desistir (de.sis.*tir*) v. Não continuar em um intento; abdicar, renunciar: *Desista de tão arrojada empresa; desistir de um cargo.* ▶ Conjug. 66. – **desistência** s.f.

desjejum (des.je.*jum*) s.m. Primeira refeição do dia; café da manhã.

desktop [*désctop*] (Ing.) s.m. (*Inform.*) **1.** Computador de mesa. **2.** Representação na tela por meio de ícones e menus, a qual simula uma mesa de trabalho.

deslacrar (des.la.*crar*) v. Quebrar o lacre: *Deslacrou a carta e começou a lê-la.* ▶ Conjug. 5.

deslanchar (des.lan.*char*) v. coloq. **1.** Dar impulso a; disparar: *O romance publicado em 1990 deslanchou sua carreira de escritor.* **2.** Ter andamento, ir para a frente: *O projeto finalmente deslanchou.* ▶ Conjug. 5.

deslavado (des.la.*va*.do) adj. **1.** Que perdeu a cor; desbotado. **2.** coloq. Atrevido, descarado, petulante: *mentira deslavada.*

desleal (des.le:*al*) adj. Que não é leal; infiel, falso.

deslealdade (des.le:al.*da*.de) s.f. **1.** Qualidade de desleal. **2.** Ato desleal; felonia.

deslegitimar (des.le.gi.ti.*mar*) v. Tirar a legitimidade a: *deslegitimar as eleições.* ▶ Conjug. 5. – **deslegitimação** s.f.

desleixado [ch] (des.lei.*xa*.do) adj. Descuidado, negligente.

desleixar [ch] (des.lei.*xar*) v. Deixar de cuidar(-se); negligenciar(-se), descuidar(-se): *Desleixou o seu trabalho na empresa; Depois do nascimento do filho, ela desleixou-se completamente.* ▶ Conjug. 18.

desleixo [ch] (des.*lei*.xo) s.m. Descuido, incúria, negligência, desmazelo.

desligado (des.li.*ga*.do) adj. **1.** Que teve a ligação ou conexão cortada ou interrompida: *Seu celular está desligado; O gás se encontra desligado por conta de um pequeno vazamento.* **2.** Que deixou de ter vínculo com instituição, órgão, empresa: *funcionário desligado.* **3.** coloq. Desatento, aéreo, distraído: *pessoa desligada.*

desligamento (des.li.ga.*men*.to) s.m. Ato ou efeito de desligar(-se).

desligar (des.li.*gar*) v. **1.** Cortar ou interromper a ligação ou conexão de: *Quem desligou a televisão (da tomada)?* **2.** Perder ou fazer perder o vínculo com instituição, órgão, empresa: *Os setores que mais desligaram funcionários foram o de serviços e o de construção civil; Resolveu desligar-se da empresa.* **3.** Alhear-se, alienar-se: *Quando estava apaixonado, desligava(-se) (de tudo).* ▶ Conjug. 5 e 34.

deslindar (des.lin.*dar*) v. **1.** Destrinçar, esclarecer: *Conseguimos deslindar a charada.* **2.** Investigar, esmiuçar: *É preciso deslindar todos os fios da trama textual.* ▶ Conjug. 5. – **deslindamento** s.m.; **deslinde** s.m.

deslizamento (des.li.za.*men*.to) s.m. **1.** Ato ou efeito de deslizar; deslize. **2.** Deslocamento de terra em encostas; deslize.

deslizar (des.li.*zar*) v. **1.** Escorregar suavemente; resvalar: *A pista molhada fez o automóvel deslizar; A patinadora deslizava sobre o gelo.* **2.** Afastar-se do bom caminho: *Sempre foi honesto, nunca deslizou.* ▶ Conjug. 5.

deslize (des.*li*.ze) s.m. **1.** Deslizamento. **2.** fig. Desvio da linha de conduta. **3.** Engano involuntário; lapso.

deslocamento (des.lo.ca.*men*.to) s.m. Ato ou efeito de deslocar(-se).

deslocar (des.lo.*car*) v. **1.** Mudar de um lugar para outro: *O terremoto deslocou ilhas e mudou o mapa da Ásia; Novamente, a frente fria deslocou-se para leste.* **2.** Desconjuntar(-se),

desarticular(-se): *deslocar uma perna; Meu braço deslocou-se.* ▶ Conjug. 20 e 35.

deslumbrar (des.lum.*brar*) *v.* **1.** Causar deslumbramento a; encantar: *A voz incomparável da cantora deslumbrou a plateia.* **2.** Deixar-se fascinar ou seduzir: *Ícaro deslumbrou-se com a bela imagem do sol e voou em sua direção.* **3.** Ofuscar a vista ou turvá-la com demasiada ou repentina luz: *Na saída do cinema, a luz da tarde deslumbrou-os.* ▶ Conjug. 5. – **deslumbrado** *adj.*; **deslumbramento** *s.m.*

deslustrar (des.lus.*trar*) *v.* **1.** Tirar brilho a: *Um sucessivo número de empates deslustrou a festa.* **2.** *fig.* Desonrar(-se), macular(-se), conspurcar(-se): *Este ato deslustra a família; Sua biografia deslustrou-se quando se deixou perder nos caminhos da ilegalidade.* ▶ Conjug. 5.

deslustre (des.*lus*.tre) *s.m.* Ato ou efeito de deslustrar(-se).

desmaiar (des.mai.*ar*) *v.* Perder os sentidos; desfalecer: *Desmaiou de emoção pela vitória do seu time.* ▶ Conjug. 5.

desmaio (des.*mai*.o) *s.m.* Perda dos sentidos, das forças; desfalecimento.

desmamar (des.ma.*mar*) *v.* **1.** Suspender a amamentação de: *Quando o filho completou dois anos, desmamou-o.* **2.** Deixar de mamar, perder o hábito de mamar: *Esta semana minha filha desmamou.* ▶ Conjug. 5. – **desmame** *s.m.*

desmancha-prazeres (des.man.cha-pra.*ze*.res) *s.m. e f. 2n. coloq.* Pessoa que perturba o prazer alheio.

desmanchar (des.man.*char*) *v.* **1.** Desfazer(-se): *desmanchar o tricô; O barquinho de papel desmanchou-se na água.* **2.** Acabar com a existência de: *A polícia desmanchou uma rede de pedofilia.* **3.** Tornar sem efeito; revogar, anular: *desmanchar um contrato.* **4.** Destruir, demolir: *Desmanchou o quarto e ampliou a sala.* ▶ Conjug. 5.

desmanche (des.*man*.che) *s.m.* **1.** Ato ou efeito de desmanchar(-se). **2.** Oficina onde veículos roubados são desmontados para fins ilícitos.

desmando (des.*man*.do) *s.m.* **1.** Ato indisciplinar; desobediência. **2.** Abuso, exagero, excesso.

desmantelar (des.man.te.*lar*) *v.* **1.** Derrubar, demolir, arruinar (uma construção): *Desmantelou a parede.* **2.** Desmanchar, destruir: *A polícia desmantelou uma rede de tráfico de drogas.* ▶ Conjug. 8. – **desmantelamento** *s.m.*

desmarcar (des.mar.*car*) *v.* **1.** Cancelar ou transferir (um compromisso): *Precisou desmarcar o encontro; Resolveu desmarcar o casamento.* **2.** Tirar a marca ou os marcos a: *Desmarcaram a página do livro em que parei a leitura; Na tela seguinte, desmarcar a opção "mostrar anotações".* **3.** (*Esp.*) Livrar-se (um jogador de outro que o marca): *O jogador queria desmarcar-se da defesa adversária, mas não conseguia.* ▶ Conjug. 5 e 35.

desmascarar (des.mas.ca.*rar*) *v.* **1.** Tirar a máscara a (outrem ou a si mesmo): *No final da peça, as crianças desmascararam os atores; O folião desmascarou-se depois do baile.* **2.** *fig.* Revelar as intenções ocultas de; desmoralizar: *A devassa que fizeram desmascarou o gerente.* **3.** *fig.* Tirar a si mesmo a máscara; revelar os próprios intentos: *Com aquela atitude infantil, desmascarou-se diante do chefe.* ▶ Conjug. 5. – **desmascaramento** *s.m.*

desmastrear (des.mas.tre.*ar*) *v.* **1.** Tirar o mastro ou os mastros a; desarvorar: *desmastrear o navio.* **2.** Perder o mastro ou os mastros; desarvorar-se: *Com a ventania, a embarcação desmastreou-se.* ▶ Conjug. 14.

desmatar (des.ma.*tar*) *v.* Derrubar árvores de (uma floresta): *A fábrica de papel já desmatou uma área grande da Mata Atlântica.* ▶ Conjug. 5. – **desmatamento** *s.m.*

desmazelar-se (des.ma.ze.*lar*-se) *v.* Descuidar-se, desleixar-se: *Depois dos quarenta anos, desmazelou-se e engordou.* ▶ Conjug. 8 e 6. – **desmazelado** *adj.*

desmazelo [ê] (des.ma.*ze*.lo) *s.m.* Negligência, desleixo, descuido.

desmedido (des.me.*di*.do) *adj.* Que ultrapassa as medidas; desmesurado, exagerado: *ambição desmedida.*

desmembrar (des.mem.*brar*) *v.* **1.** Separar os membros de: *A menina desmembrou a boneca toda.* **2.** *fig.* Separar uma parte ou mais partes de um todo; dividir em partes: *desmembrar um país.* **3.** *fig.* Separar-se, desligar-se: *O Panamá desmembrou-se da Colômbia.* ▶ Conjug. 5. – **desmembramento** *s.m.*

desmemoriado (des.me.mo.ri.*a*.do) *adj.* **1.** Sem memória. • *s.m.* **2.** (*Med.*) Indivíduo que sofre de amnésia. – **desmemoriar** *v.* ▶ Conjug. 17.

desmentido (des.men.*ti*.do) *adj.* **1.** Que se desmentiu; refutado, negado. • *s.m.* **2.** Declaração com que se desmente uma afirmação; refutação, negação.

desmentir (des.men.*tir*) *v.* **1.** Declarar que (alguém) mente; contradizer, desdizer: *Tinha mania de desmentir os pais.* **2.** Demonstrar a falsidade de uma afirmação ou de um fato:

desmerecer

Não houve quem desmentisse a gravidade da situação. **3.** Contradizer-se: *Durante o interrogatório, o acusado desmentiu-se várias vezes.* ▶ Conjug. 69.

desmerecer (des.me.re.*cer*) *v.* **1.** Deixar de merecer; tornar-se indigno de: *desmerecer a confiança de alguém.* **2.** Diminuir as qualidades de: *Nunca desmereci o belo trabalho que você fez.* **3.** Depreciar-se, menosprezar-se: *Pare de se desmerecer, você é muito inteligente!* ▶ Conjug. 41 e 46. – **desmerecimento** *s.m.*

desmesurado (des.me.su.*ra*.do) *adj.* Desmedido.

desmilinguir-se [güi] (des.mi.lin.*guir*-se) *v. coloq.* **1.** Desmanchar-se, desfazer-se: *A gelatina desmilinguiu-se fora da geladeira.* **2.** Perder a força, o vigor; enfraquecer-se, debilitar-se: *O boxeador se desmilinguiu com os golpes do adversário.* ▶ Conjug. 87 e 67.

desmilitarizar (des.mi.li.ta.ri.*zar*) *v.* **1.** Tirar ou perder o caráter militar: *desmilitarizar o controle aéreo; A nobreza inglesa se desmilitarizou precocemente.* **2.** Proibir tropas e instalações militares em: *O Tratado de 1959 desmilitarizou a Antártida.* ▶ Conjug. 5.

desmiolado (des.mi:o.*la*.do) *adj.* **1.** Sem miolo. **2.** Sem juízo, doido, tresloucado, extravagante. • *s.m.* **3.** Pessoa sem juízo, doida, tresloucada.

desmistificar (des.mis.ti.fi.*car*) *v.* Desfazer o caráter místico de: *Marx desmistificou as relações capitalistas.* ▶ Conjug. 5 e 35. – **desmistificação** *s.f.*

desmitificar (des.mi.ti.fi.*car*) *v.* Tirar o caráter de mito a: *Aquele professor desmitificou muitos bichos de sete cabeças.* ▶ Conjug. 5 e 35. – **desmitificação** *s.f.*

desmobilhar (des.mo.bi.*lhar*) *v.* Desmobiliar. ▶ Conjug. 5.

desmobiliar (des.mo.bi.li:*ar*) *v.* Desguarnecer de mobília, tirar a mobília de: *desmobiliar uma casa.* || *desmobilhar.* ▶ Conjug. 28.

desmobilizar (des.mo.bi.li.*zar*) *v.* Desfazer a mobilização de: *desmobilizar um exército, um grupo; Os manifestantes só se desmobilizaram no início da noite.* ▶ Conjug. 5. – **desmobilização** *s.f.*

desmontar (des.mon.*tar*) *v.* **1.** Descer ou fazer descer da montaria: *Desmontou a criança (do cavalo); O cavaleiro desmontou(-se) com o cavalo andando.* **2.** Separar as peças de; desmanchar: *É preciso mandar desmontar o carburador.* **3.** Causar constrangimento a; desconcertar: *A surpreendente resposta da filha o desmontou.* ▶ Conjug. 5. – **desmontável** *adj.*

desmonte (des.*mon*.te) *s.m.* Ato de desmontar.

desmoralização (des.mo.ra.li.za.*ção*) *s.f.* Ato ou efeito de desmoralizar.

desmoralizar (des.mo.ra.li.*zar*) *v.* **1.** Tirar ou perder a moral ou os princípios morais: *Os inúmeros casos de corrupção desmoralizaram o Congresso Nacional; Certos políticos continuam a se desmoralizar perante a opinião pública.* **2.** Tirar ou perder o moral ou o ânimo: *A derrota não desmoralizou os jogadores; Com a expulsão do jogador, o time desmoralizou-se e sofreu o segundo gol.* ▶ Conjug. 5.

desmoronar (des.mo.ro.*nar*) *v.* Vir abaixo ou fazer vir abaixo: *O vendaval desmoronou o velho casarão; A encosta de uma montanha desmoronou(-se) dentro do mar; fig. A morte da mãe desmoronou o lar; Com o fim do namoro, seu mundo desmoronou(-se).* ▶ Conjug. 5. – **desmoronamento** *s.m.*

desmotivar (des.mo.ti.*var*) *v.* Tirar ou perder a motivação ou o estímulo: *Ao saber o valor do salário, a candidata se desmotivou; Mesmo a forte chuva não desmotivou o público presente.* ▶ Conjug. 5. – **desmotivação** *s.f.*

desmunhecado (des.mu.nhe.*ca*.do) *adj.* **1.** *coloq.* Efeminado, maricas. • *s.m.* **2.** *coloq.* Homem efeminado.

desmunhecar (des.mu.nhe.*car*) *v.* Mostrar-se efeminado: *O ator desmunhecava muito quando fazia papel de mulher.* ▶ Conjug. 8 e 35.

desnacionalizar (des.na.ci:o.na.li.*zar*) *v.* **1.** Tirar ou perder o caráter nacional: *O fast-food desnacionaliza os costumes alimentares locais; Sua arte desnacionalizou-se afastando-se da tradição popular.* **2.** Passar o controle de (setor da economia ou empresa nacional) para grupos estrangeiros: *desnacionalizar a economia; A nossa indústria se desnacionalizou.* ▶ Conjug. 5. – **desnacionalização** *s.f.*

desnatadeira (des.na.ta.*dei*.ra) *s.f.* Máquina que separa do leite a nata, usada na fabricação da manteiga.

desnatado (des.na.*ta*.do) *adj.* De que se retirou a gordura: *leite desnatado.*

desnatar (des.na.*tar*) *v.* Tirar a nata (ao leite): *desnatar o leite.* ▶ Conjug. 5.

desnaturado (des.na.tu.*ra*.do) *adj.* **1.** Que não é conforme aos sentimentos naturais do homem; desumano, cruel, impiedoso: *mãe desnaturada.* **2.** (*Quím.*) Diz-se de álcool ou sal a que foram adicionadas outras substâncias. • *s.m.* **3.** Indivíduo desnaturado.

desonroso

desnaturalizar (des.na.tu.ra.li.*zar*) *v.* **1.** Tirar ou perder as características ou propriedades naturais: *A linguagem arrancou o homem da natureza, ela nos desnaturalizou para sempre; Perdido em sua vaidade e superficialidade, o homem desnaturalizou-se.* **2.** Tirar o caráter natural a: *Afirmou que a crítica desnaturaliza o mundo, o torna mais complexo e menos óbvio.* **3.** (*Quím.*) Desnaturar. ▶ Conjug. 5. – **desnaturalização** *s.f.*

desnaturar (des.na.tu.*rar*) *v.* **1.** Alterar a natureza de: *O fato de o único apartamento ser alugado não o desnatura como bem de família; A alta temperatura pode desnaturar a enzima.* **2.** (*Quím.*) Adicionar determinadas substâncias a; desnaturalizar: *desnaturar o sal, o álcool.* ▶ Conjug. 5.

desnível (des.*ní*.vel) *s.m.* Diferença de nível: *O desnível na pista pode ter sido a causa do acidente.*

desnivelar (des.ni.ve.*lar*) *v.* **1.** Tirar do nivelamento: *desnivelar um terreno.* **2.** Deixar de estar nivelado: *Não calce a mesa porque ela pode desnivelar-se.* ▶ Conjug. 8.

desnorteado (des.nor.te:*a*.do) *adj.* Que perdeu o norte ou rumo. • *s.m.* Aquele que perdeu o rumo ou norte.

desnortear (des.nor.te:*ar*) *v.* Perder ou fazer perder o norte; desorientar(-se): *Segundo a lenda, o curupira costuma desnortear os caçadores com um assobio estridente; O time acabou por se desnortear e entregar a vitória ao adversário.* ▶ Conjug. 14.

desnudar (des.nu.*dar*) *v.* Tornar(-se) desnudo; despir(-se): *Abaixou o xale desnudando os braços; Dirigiu-se ao banheiro e começou a desnudar-se.* ▶ Conjug. 5. – **desnudamento** *s.m.*

desnudo (des.*nu*.do) *adj.* Despido, nu.

desnutrição (des.nu.tri.*ção*) *s.f.* **1.** Ato ou efeito de desnutrir(-se); subnutrição. **2.** Carência alimentar; subnutrição.

desnutrir (des.nu.*trir*) *v.* Não (se) nutrir ou nutrir(-se) mal: *Não comendo, a gestante se desnutre e desnutre o bebê.* ▶ Conjug. 66. – **desnutrido** *adj. s.m.*

desobedecer (de.so.be.de.*cer*) *v.* Não obedecer: *Não desobedeça a seu pai; desobedecer à lei.* ▶ Conjug. 41.

desobediência (de.so.be.di:*ên*.ci:a) *s.f.* **1.** Ato de desobedecer. **2.** Qualidade de desobediente.

desobediente (de.so.be.di:*en*.te) *adj.* **1.** Que não obedece: *criança desobediente.* • *s.m. e f.* **2.** Pessoa que tem por hábito desobedecer.

desobrigar (de.so.bri.*gar*) *v.* Liberar(-se) ou desencarregar(-se) de uma obrigação: *Desobriguei-o da canseira de vir aqui diariamente; Desobrigo-me desta responsabilidade.* ▶ Conjug. 5 e 34.

desobstruir (de.sobs.tru:*ir*) *v.* Fazer cessar a obstrução de; desimpedir, desatravancar, desopilar: *A prefeitura desobstruiu o canal e limpou as ruas.* ▶ Conjug. 80. – **desobstrução** *s.f.*

desocupação (de.so.cu.pa.*ção*) *s.f.* **1.** Ato ou efeito de desocupar(-se). **2.** Falta de trabalho ou ocupação.

desocupado (de.so.cu.*pa*.do) *adj.* **1.** Que não tem ocupação; ocioso. **2.** Desempregado. **3.** Livre, disponível: *A linha do telefone está desocupada.* • *s.m.* **4.** Indivíduo desocupado.

desocupar (de.so.cu.*par*) *v.* **1.** Deixar de ocupar, sair de (lugar em que se vive): *desocupar um imóvel.* **2.** Desembaraçar-se de (trabalho, obrigação); desimpedir-se: *Quando eu me desocupar um pouco, faço-lhe uma visita.* **3.** Tornar vazio; esvaziar: *Desocupe o armário.* **4.** Deixar de usar: *Já desocuparam o banheiro.* ▶ Conjug. 5.

desodorante (de.so.do.*ran*.te) *adj.* **1.** Que desodoriza. • *s.m.* **2.** Cosmético que neutraliza o odor da transpiração.

desodorizar (de.so.do.ri.*zar*) *v.* Tirar o odor a: *Um caminhão que desodoriza o lixo circulará pela cidade.* ▶ Conjug. 5.

desolação (de.so.la.*ção*) *s.f.* **1.** Tristeza profunda. **2.** Ruína ou destruição.

desolar (de.so.*lar*) *v.* **1.** Causar profunda tristeza a: *A perda da mãe desolara o pobre filho.* **2.** Despovoar, devastar, arruinar: *O furacão desolou a cidade.* ▶ Conjug. 8.

desonerar (de.so.ne.*rar*) *v.* Isentar de ônus ou encargo a: *A medida desonera novos investimentos e estimula o crescimento econômico.* ▶ Conjug. 8.

desonestidade (de.so.nes.ti.*da*.de) *s.f.* **1.** Falta de honestidade. **2.** Ato desonesto.

desonesto [é] (de.so.*nes*.to) *adj.* **1.** A que falta honestidade. • *s.m.* **2.** Pessoa desonesta.

desonra (de.*son*.ra) *s.f.* Perda da honra ou do conceito que se tinha.

desonrar (de.son.*rar*) *v.* **1.** Tirar ou perder a honra: *A pobreza não desonra ninguém; Um político que se curva a uma ameaça insolente dessas se desonra definitivamente.* **2.** Estuprar, violentar: *Prometeu vingança contra um cavaleiro que lhe desonrara a filha.* ▶ Conjug. 5.

desonroso [ô] (de.son.*ro*.so) *adj.* Que desonra. || f. e pl.: [ó].

desopilar

desopilar (de.so.pi.*lar*) *v.* Desobstruir. || Desopilar o fígado: comunicar alegria, fazer esquecer a tristeza. ▶ Conjug. 5.

desopressão (de.so.pres.*são*) *s.f.* Ato ou efeito de desoprimir(-se); desafogo, alívio.

desoprimir (de.so.pri.*mir*) *v.* **1.** Livrar da opressão: *Desoprimiu o povo do tirano.* **2.** Libertar-se, aliviar-se: *Desoprimiu-se-lhe o coração.* ▶ Conjug. 66.

desoras [ó] (de.so.ras) *s.f.pl.* Usado na locução *a desoras.* || *A desoras*: fora de horas; a altas horas da noite.

desordeiro (de.sor.*dei*.ro) *adj.* **1.** Que promove a desordem, que gosta de arruaças. • *s.m.* **2.** Pessoa desordeira.

desordem (de.sor.*dem*) *s.f.* **1.** Falta de ordem ou de disposição correta: *a desordem do guarda-roupas.* **2.** Alteração da ordem; tumulto, confusão.

desordenado (de.sor.de.*na*.do) *adj.* Confuso, caótico.

desordenar (de.sor.de.*nar*) *v.* Pôr(-se) em desordem: *As crianças espalharam os brinquedos, desordenando o quarto; Caíram fortes chuvas, e a procissão mais uma vez se desordenou.* ▶ Conjug. 5.

desorganização (de.sor.ga.ni.za.*ção*) *s.f.* **1.** Ato ou efeito de desorganizar(-se). **2.** Falta de organização.

desorganizar (de.sor.ga.ni.*zar*) *v.* **1.** Destruir ou alterar a organização de: *O bombardeio das estradas de ferro desorganizou completamente os transportes e as comunicações no país.* **2.** Destruir-se ou alterar-se (a organização de algo): *Com o elevado desemprego e com o aumento da informalidade, o mercado de trabalho se desorganizou ainda mais.* ▶ Conjug. 5.

desorientação (de.so.ri:en.ta.*ção*) *s.f.* **1.** Ato ou efeito de desorientar(-se). **2.** Falta de orientação.

desorientar (de.so.ri:en.*tar*) *v.* **1.** Perder ou fazer perder a orientação; desnortear(-se): *A tempestade desorientou os pilotos; Os aviões se desorientaram com a névoa repentina.* **2.** Desconcertar, confundir: *O comentário mordaz do colega desorientou-o; Costuma desorientar-se diante de pessoas famosas.* ▶ Conjug. 5. – **desorientado** *adj.*

desossar (de.sos.*sar*) *v.* Tirar os ossos a: *É mais econômico desossar o peito de frango em casa.* ▶ Conjug. 20.

desova [ó] (de.so.va) *s.f.* **1.** Ação de desovar. **2.** Época da desova.

desovar (de.so.*var*) *v.* **1.** Pôr ovos (as fêmeas dos peixes, anfíbios, moluscos, crustáceos ou insetos). **2.** *gír. fig.* Deixar (cadáver) em lugar diferente de onde foi assassinado. ▶ Conjug. 20.

desoxirribonucleico [ei *ou* éi] (de.so.xir.ri.bo.nu.*clei*.co) *adj.* (*Biol.*) Diz-se do ácido que carrega a informação genética (sigla: *ADN* ou *DNA*), encontrado no núcleo e no citoplasma das células. || *desoxirribonucleico.*

despachado (des.pa.*cha*.do) *adj.* **1.** Que se despachou. **2.** Desembaraçado, expedito.

despachante (des.pa.*chan*.te) *s.m. e f.* Pessoa que se encarrega do despacho de requerimentos e outros papéis nas repartições públicas.

despachar (des.pa.*char*) *v.* **1.** Enviar, expedir: *despachar uma mensagem, uma encomenda; O monarca despachou seus emissários ao país vizinho.* **2.** (*Jur.*) Pôr despacho em: *O juiz despachou no mesmo dia minha liminar.* **3.** (*Jur.*) Proferir despacho (em um processo): *O juiz despachou às folhas 105-v, determinando que se aguardasse a realização do leilão.* **4.** Terminar um trabalho ou uma tarefa; resolver, desembaraçar: *Despache logo esse serviço.* **5.** Mandar embora; despedir: *despachar um empregado; fig. despachar um namorado.* **6.** Resolver ou tratar assuntos ou negócios com: *O governador despachou com seu vice a manhã toda.* **7.** Atender: *A espera foi pequena, pois o médico depressa me despachou.* **8.** Apressar-se: *Vamos, despacha-te que já não posso esperar!* ▶ Conjug. 5.

despacho (des.*pa*.cho) *s.m.* **1.** Ato ou efeito de despachar. **2.** Decisão de autoridade pública sobre processo ou documento submetido à sua apreciação. **3.** (*Rel.*) Oferenda às divindades afro-brasileiras, depositada geralmente nas encruzilhadas, visando a obter certos favores; ebó, macumba.

desparafusar (des.pa.ra.fu.*sar*) *v.* Desaparafusar (-se). ▶ Conjug. 5.

despautério (des.pau.*té*.ri:o) *s.m.* Grande tolice ou disparate; despropósito.

despedaçar (des.pe.da.*çar*) *v.* **1.** Fazer em pedaços; rasgar, partir, dilacerar: *A criança despedaçou o documento; fig. Ele me despedaçou com a sua ira.* **2.** Quebrar-se, desfazer-se, rebentar-se, arrebentar-se: *A nave espacial se despedaçou no mar; fig. Sentiu que seu coração se despedaçava dentro do peito.* ▶ Conjug. 5 e 36. – **despedaçamento** *s.m.*

despertar

despedida (des.pe.di.da) s.f. **1.** Ato ou efeito de despedir(-se). **2.** Palavra ou gesto que se usa para despedir(-se).

despedir (des.pe.dir) v. **1.** Dispensar os serviços de: *despedir um empregado*. **2.** Deixar o emprego; demitir-se: *Aborrecido com ordens superiores, o diretor demitiu-se*. **3.** Separar-se (de pessoa com quem se está) com palavras ou gestos: *Despediu-se dando dois beijinhos em cada um dos presentes*. **4.** Fazer sair: *Tratei de despedir a criança para que não perturbasse a conversa*. **5.** Lançar, arremessar, arrojar: *despedir setas*. ▶ Conjug. 71.

despegar (des.pe.gar) v. **1.** Desunir, separar (o que estava pegado): *Com cuidado, despegou o esparadrapo da pele*. **2.** Descolar-se, desprender-se: *De repente, minha atenção se despegou do palco e passou para a plateia*. **3.** Tornar(-se) indiferente; desafeiçoar(-se): *A traição dos amigos despegou-o da política; Aprendeu a despegar-se dos bens materiais*. ▶ Conjug. 8 e 34.

despeitado (des.pei.ta.do) adj. **1.** Que sente despeito; ressentido. • s.m. **2.** Pessoa despeitada.

despeito (des.pei.to) s.m. Sentimento causado por um fracasso ou desilusão e que desperta o desejo de vingança. || *A despeito de*: apesar de, não obstante: *A despeito de inúmeras tentativas, nunca conseguiu aprender a dirigir*.

despejar (des.pe.jar) v. **1.** Entornar, vazar (conteúdo): *Despejou a água da panela na pia*; *O caminhão despejou o lixo no aterro*. *fig. Despejou tudo o que sabia na prova*. **2.** (Jur.) Promover ação de despejo contra: *Queria ser indenizada pelo proprietário que a despejou de um apartamento*. ▶ Conjug. 10.

despejo [ê] (des.pe.jo) s.m. **1.** Ato ou efeito de despejar. **2.** (Jur.) Desocupação de prédio alugado resultante de ação judicial movida pelo locador.

despencar (des.pen.car) v. **1.** Cair desastradamente de grande altura: *O elevador despencou do quinto andar*; *fig. O investimento em saúde e educação despencou nos últimos anos*. **2.** Separar-se da penca: *despencar uvas*; *As bananas se despencaram todas*. **3.** Correr de maneira precipitada: *Ao toque do recreio, a turma despencou(-se) escada abaixo*. ▶ Conjug. 5 e 35.

despender (des.pen.der) v. **1.** Fazer despesa; gastar: *despender dinheiro com os necessitados*; *Quanto despendeu para defender-se na ação judicial?* **2.** Fazer uso de; gastar, empregar: *despender energia, tempo etc.* ▶ Conjug. 39.

despenhadeiro (des.pe.nha.dei.ro) s.m. Precipício.

despenhar (des.pe.nhar) v. **1.** Cair do alto: *Um helicóptero norte-americano despenhou-se no Iraque*. **2.** Arremessar, precipitar de grande altura: *Despenharam do morro o cofre, com o intuito de parti-lo*. **3.** Arruinar(-se): *O término do namoro despenhou-o no vácuo*; *Era difícil reter a nação que se despenhava*. ▶ Conjug. 5.

despensa (des.pen.sa) s.f. Compartimento da casa ou armário em que se guardam comestíveis. || Conferir com *dispensa*.

despentear (des.pen.te.ar) v. Desfazer(-se) o penteado: *O vento despenteou-lhe o topete*; *Seus longos cabelos nunca se despenteiam*; *De tanto fazer piruetas, o dançarino despenteou-se todo*. ▶ Conjug. 14.

desperceber (des.per.ce.ber) v. Não perceber, não notar; desaperceber: *Descobriu qualidades nos outros que sua arrogância sempre despercebera*. ▶ Conjug. 41. – **despercebimento** s.m.

despercebido (des.per.ce.bi.do) adj. Que não foi notado; desapercebido: *O ator passou despercebido entre os repórteres*.

desperdiçar (des.per.di.çar) v. Gastar inutilmente, sem proveito: *Apague a luz quando sair do quarto para não desperdiçar energia!* ▶ Conjug. 5. – **desperdiçado** adj. s.m.

desperdício (des.per.dí.ci:o) s.m. Ato ou efeito de desperdiçar.

despersonalizar (des.per.so.na.li.zar) v. Perder ou fazer perder a personalidade: *O uniforme despersonaliza as pessoas*; *Muitos adultos se despersonalizam escondendo-se atrás do comportamento coletivo*. ▶ Conjug. 5. – **despersonalização** s.f.

despersuadir (des.per.su:a.dir) v. **1.** Fazer mudar de ideia; dissuadir: *Conseguiu despersuadi-lo de seus projetos absurdos*. **2.** Mudar de opinião: *Finalmente despersuadiu-se da ideia de se mudar de apartamento*. ▶ Conjug. 66.

despersuasão (des.per.su:a.são) s.f. Ato ou efeito de despersuadir.

despertador [ô] (des.per.ta.dor) adj. **1.** Que desperta. • s.m. **2.** Relógio dotado de uma campainha que soa no momento em que se quer despertar.

despertar (des.per.tar) v. **1.** Acordar, tirar do sono, espertar: *Todos os dias despertava os seis filhos um a um*. **2.** Sair do sono: *Despertou cedo e saiu*. **3.** Fazer sair (do estado de tor-

desperto

por ou de inércia): *Só isso poderia despertá-lo da inércia.* **4.** Sair (do estado de torpor ou de inércia): *Com a volta da democracia, as pessoas despertaram de sua alienação.* **5.** Excitar, estimular: *despertar o apetite; A atitude do companheiro despertou-lhe o antigo ódio.* **6.** Dar origem a; produzir: *despertar suspeitas, despertar ciúmes.* || part.: *despertado* e *desperto.* ▶ Conjug. 8.

desperto [é] (des.*per*.to) *adj.* Acordado, vigilante.

despesa [ê] (des.*pe*.sa) *s.f.* **1.** Ato ou efeito de despender. **2.** Emprego do dinheiro na satisfação de necessidades; gasto, dispêndio.

despetalar (des.pe.ta.*lar*) *v.* **1.** Arrancar as pétalas a: *Distraído, despetalava a margarida.* **2.** Perder as pétalas: *A rosa despetalou-se.* ▶ Conjug. 5.

despicar (des.pi.*car*) *v.* Vingar(-se). ▶ Conjug. 5 e 35.

despiciendo (des.pi.ci.*en*.do) *adj.* Que deve ser desprezado; desprezível, desdenhável.

despido (des.*pi*.do) *adj.* **1.** Que está sem roupa; desnudo, nu. **2.** *fig.* Livre, isento: *despido de preconceitos.*

despique (des.*pi*.que) *s.m.* Vingança por ofensa ou desprezo.

despir (des.*pir*) *v.* **1.** Tirar o vestuário, a roupa a (alguém ou si mesmo); desvestir: *Despiu o filho e colocou-o na banheira; Sempre se despe antes de se pesar.* **2.** Tirar do corpo (o vestuário ou parte dele): *despir o sobretudo.* **3.** Despojar (-se) de; abandonar: *A vida despiu-o de qualquer orgulho; despir-se de vaidades.* ▶ Conjug. 69.

despirocado (des.pi.ro.*ca*.do) *adj. gír.* Enlouquecido, desvairado, doido.

despirocar (des.pi.ro.*car*) *v. gír.* Enlouquecer, desvairar, endoidar: *Ele despirocou depois que a mulher o abandonou.* ▶ Conjug. 20 e 35.

despistar (des.pis.*tar*) *v.* **1.** Desorientar, desnortear: *Os traficantes misturaram à droga bolinhas de naftalina para despistar o faro dos cães.* **2.** Iludir, desfazendo as suspeitas: *A novelista escreveu um capítulo falso para despistar a imprensa.* ▶ Conjug. 5. – **despistamento** *s.m.*

desplante (des.*plan*.te) *s.m.* Atrevimento, audácia, ousadia, desfaçatez.

despojar (des.po.*jar*) *v.* **1.** Privar (alguém de algo) com violência: *Os colonizadores despojaram os indígenas de suas terras e de sua liberdade.* **2.** Tirar (algo a uma pessoa ou coisa): *Despojou o poema de qualquer procedimento retórico.* **3.** Desprender-se voluntariamente de algo: *Antes de entrar para uma ordem franciscana, despojou-se de tudo o que possuía.* ▶ Conjug. 5. – **despojado** *adj.*; **despojamento** *s.m.*

despojo [ô] (des.*po*.jo) *s.m.* **1.** Conjunto de coisas que se tomam ao vencido. • *despojos s.m.pl.* **2.** Restos, fragmentos. || *Despojos mortais:* o cadáver, as cinzas, o que resta de uma pessoa morta. || pl.: [ó].

despoluir (des.po.lu.*ir*) *v.* Fazer cessar a poluição de: *despoluir um rio, uma praia, uma cidade.* ▶ Conjug. 80. – **despoluição** *s.f.*

despontar (des.pon.*tar*) *v.* Começar a aparecer; assomar, surgir: *No terceiro mês de gravidez, a barriga ainda não despontou, mas já mudou o seu formato.* ▶ Conjug. 5.

desporte [ó] (des.*por*.te) *s.m.* Esporte. – **desportista** *adj. s.m.* e *f.*; **desportivo** *adj.*

desporto [ô] (des.*por*.to) *s.m.* Esporte. || pl.: [ó].

desposar (des.po.*sar*) *v.* Contrair matrimônio (com); casar(-se): *Na mitologia grega, Édipo desposa a própria mãe e torna-se rei de Tebas; Já em idade avançada, desposou-se com uma viúva.* ▶ Conjug. 20.

déspota (*dés*.po.ta) *adj.* **1.** Diz-se de governante dotado de poder irrestrito e que o exerce arbitrariamente. **2.** Diz-se de pessoa que se arroga autoridade tirânica. • *s.m.* e *f.* **3.** Soberano absoluto. **4.** Pessoa extremamente autoritária. – **despótico** *adj.*

despotismo (des.po.*tis*.mo) *s.m.* **1.** Condição de déspota. **2.** Ação própria de déspota; tirania. **3.** Forma de governo na qual todos os poderes estão reunidos nas mãos de uma só pessoa.

despovoar (des.po.vo.*ar*) *v.* Tornar(-se) desabitado ou deserto: *As catástrofes ambientais despovoaram regiões inteiras; A cidade despovoou-se e só com a descoberta de diamante voltou a florescer.* ▶ Conjug. 25. – **despovoação** *s.f.*; **despovoamento** *s.m.*

desprazer (des.pra.*zer*) *v.* **1.** Não agradar a; desagradar: *Seu ar arrogante a todos desprazia.* • *s.m.* **2.** Falta de prazer; desgosto, desagrado. ▶ Conjug. 53.

desprecatado (des.pre.ca.*ta*.do) *adj.* Desprecavido, desprevenido, desacautelado. – **desprecatar-se** *v.* ▶ Conjug. 5 e 6.

desprecaver (des.pre.ca.*ver*) *v.* Desacautelar (-se). ▶ Conjug. 45.

desprecavido (des.pre.ca.*vi*.do) *adj.* Que não tem ou não teve precaução; desprecatado, desprevenido.

despregar[1] (des.pre.*gar*) *v.* **1.** Soltar, separar, arrancar (o que estava pregado): *Vai despregar* a cadeira do chão para ele cair como da última vez? **2.** Desviar, apartar os olhos ou vista da direção em que olhavam: *Não despregava os olhos do inimigo.* **3.** Desprender-se, soltar-se: *Meu assento despregou-se, como estava programado, e o paraquedas abriu-se.* ▶ Conjug. 8 e 34.

despregar² (des.pre.*gar*) *v.* **1.** Desfazer, soltar (o que estava fazendo pregas): *despregar uma calça.* **2.** Desfraldar: *despregar a bandeira.* ▶ Conjug. 8 e 34.

desprender (des.pren.*der*) *v.* **1.** Soltar(-se), separar(-se): *Levantou o filho pelo pé livre e, com a outra mão, desprendeu (das ferragens) o pé entalado; Uma peça que se desprendeu da nave teria causado sua explosão.* **2.** Desligar-se afetivamente de; desapegar-se: *desprender-se de bens materiais.* **3.** Desviar: *Não desprendia minha atenção da aula.* ▶ Conjug. 39. – **desprendimento** *s.m.*

desprendido (des.pren.*di*.do) *adj.* Que não demonstra interesse por vantagens ou bens materiais; generoso, desinteressado, abnegado.

despreocupação (des.pre:o.cu.pa.*ção*) *s.f.* Falta de preocupação.

despreocupar (des.pre:o.cu.*par*) *v.* **1.** Tirar a preocupação a: *O telefonema do filho despreocupou-a.* **2.** Deixar de preocupar-se: *O time despreocupou-se com a defesa e acabou sofrendo um gol.* ▶ Conjug. 5.

despreparo (des.pre.*pa*.ro) *s.m.* Falta de preparo, especialmente para exercer uma atividade profissional ou realizar uma tarefa: *o despreparo do jovem para o mercado de trabalho; o despreparo da nossa polícia.* – **despreparado** *adj.*

despressurizar (des.pres.su.ri.*zar*) *v.* Cessar ou fazer cessar a pressão atmosférica em (um avião ou nave espacial): *A violência da queda despressurizou a cabine do avião; A nave despressurizou-se quando entrou de novo na atmosfera.* ▶ Conjug. 5. – **despressurização** *s.f.*

desprestigiar (des.pres.ti.gi:*ar*) *v.* **1.** Tirar o prestígio a: *Vários governos desprestigiaram a educação.* **2.** Perder o prestígio: *A classe política desprestigiou-se.* ▶ Conjug. 17.

desprestígio (des.pres.*tí*.gi:o) *s.m.* Falta ou perda de prestígio.

despretensão (des.pre.ten.*são*) *s.f.* Falta de pretensão; modéstia.

despretensioso [ô] (des.pre.ten.si:*o*.so) *adj.* Que não tem pretensão; modesto. ‖ f. e pl.: [ó].

desprevenido (des.pre.ve.*ni*.do) *adj.* **1.** Desprecavido, desacautelado. **2.** *coloq.* Sem dinheiro no bolso.

desprezar (des.pre.*zar*) *v.* **1.** Sentir ou mostrar desprezo por: *No final da novela, o galã despreza a moça rica e se casa com a pobre.* **2.** Não levar em consideração: *O país despreza questões que podem aumentar a produtividade; desprezar a fração decimal.* ▶ Conjug. 8.

desprezível (des.pre.*zí*.vel) *adj.* **1.** Digno de desprezo. **2.** Diz-se de uma quantidade que pode ser desprezada, por ter valor muito pequeno em relação às outras; despiciendo.

desprezo [ê] (des.pre.zo) *s.m.* **1.** Falta de apreço ou estima; desconsideração, desdém. **2.** Ação de desprezar.

desprimor [ô] (des.pri.*mor*) *s.m.* **1.** Falta de primor, de capricho, de esmero. **2.** Descortesia, indelicadeza.

desprimoroso [ô] (des.pri.mo.*ro*.so) *adj.* **1.** Que não tem primor; imperfeito. **2.** Descortês, incivil. ‖ f. e pl.: [ó].

desproporção (des.pro.por.*ção*) *s.f.* Falta de proporção.

desproporcional (des.pro.por.ci:o.*nal*) *adj.* Que não apresenta proporção.

despropositado (des.pro.po.si.*ta*.do) *adj.* Fora de propósito; inoportuno.

despropósito (des.pro.*pó*.si.to) *s.m.* **1.** Dito ou feito inoportuno ou desarrazoado; desatino, disparate, absurdo, despautério. **2.** Grande quantidade; exagero.

desproteção (des.pro.te.*ção*) *s.f.* Falta de proteção; abandono, desamparo.

desproteger (des.pro.te.*ger*) *v.* Deixar sem proteção: *Este macaco jamais desprotegeu sua fêmea ou deixou seus bebês famintos.* ▶ Conjug. 41 e 47.

desproveito (des.pro.*vei*.to) *s.m.* **1.** Falta de proveito; desperdício. **2.** Detrimento, prejuízo.

desprover (des.pro.*ver*) *v.* Tirar as provisões ou privar do necessário: *desprover o país de meios de defesa.* ▶ Conjug. 59.

desprovido (des.pro.*vi*.do) *adj.* Que carece de.

despudor [ô] (des.pu.*dor*) *s.m.* Falta de pudor; impudor, imoralidade. – **despudorado** *adj. s.m.*

desqualificado (des.qua.li.fi.*ca*.do) *adj.* **1.** Que perdeu as boas qualidades. **2.** Eliminado de disputa; desclassificado.

desqualificar (des.qua.li.fi.*car*) *v.* **1.** Fazer perder as boas qualidades: *O exemplo é falho e não pode desqualificar a hipótese.* **2.** Eliminar de uma competição: *A organização desqualificou o piloto que desrespeitou o regulamento.* **3.**

desquitar

(*Jur.*) Excluir a circunstância qualificadora de (um crime). ▶ Conjug. 5 e 35. – **desqualificação** s.f.

desquitar (des.qui.*tar*) v. **1.** Separar judicialmente (os cônjuges) por desquite: *O juiz na mesma hora os desquitou e fez a partilha de bens*. **2.** Separar-se (um cônjuge do outro) judicialmente: *Faz dois anos que João se desquitou de Maria*. ▶ Conjug. 5. – **desquitado** *adj. s.m.*

desquite (des.qui.te) s.m. (*Jur.*) Dissolução da sociedade conjugal, com separação de corpos e bens do marido e da mulher, mas sem quebra do vínculo matrimonial.

desratizar (des.ra.ti.*zar*) v. Extinguir os ratos de (um lugar): *Desratizaram a casa antes de viajar*. ▶ Conjug. 5. – **desratização** s.f.

desrazão (des.ra.*zão*) s.f. Falta de razão.

desregrado (des.re.*gra*.do) *adj.* **1.** Que não está de acordo com as regras estabelecidas. **2.** Que não tem moral; libertino, devasso. • *s.m.* **3.** Pessoa desregrada.

desregramento (des.re.gra.*men*.to) s.m. **1.** Falta de regra ou de regularidade. **2.** Descomedimento, desmando, exagero. **3.** Devassidão, libertinagem.

desregrar (des.re.*grar*) v. **1.** Tirar da ordem ou da regra estabelecida: *As dívidas desregraram a vida da família*. **2.** Tornar irregular: *A troca de fuso horário desregrou o meu organismo*. **3.** Descomedir-se, exceder-se: *Desregrou-se na bebida*. ▶ Conjug. 8.

desregulamentar (des.re.gu.la.men.*tar*) v. Fazer que deixe de estar submetido a regras: *O governo desregulamentou o setor bancário, abrindo-o ao exterior*. ▶ Conjug. 5. – **desregulamentação** s.f.

desregular (des.re.gu.*lar*) v. **1.** Fazer que deixe de estar regulado: *Um pássaro pousou no ponteiro do relógio e o desregulou*. **2.** Deixar de estar regulado: *O sono das crianças se desregula nas férias*. ▶ Conjug. 5. – **desregulação** s.f.

desrespeitar (des.res.pei.*tar*) v. **1.** Faltar ao respeito; desacatar: *O aluno que desrespeitar o professor será suspenso*. **2.** Transgredir, desobedecer: *A emenda desrespeitaria uma cláusula pétrea da Constituição*. ▶ Conjug. 18.

desrespeito (des.res.*pei*.to) s.m. Falta de respeito; desacato, desconsideração.

desrespeitoso [ô] (des.res.pei.*to*.so) *adj.* Em que não há respeito: *tratamento desrespeitoso*. || f. e pl.: [ó].

dessalinizar (des.sa.li.ni.*zar*) v. Tirar o sal de: *dessalinizar a água do mar*. ▶ Conjug. 5. – **dessalinização** s.f.

desse [ê] (*des*.se) Contração da preposição *de* com o pronome demonstrativo *esse*.

dessecar (des.se.*car*) v. Secar por completo: *O tempo dessecou a raiz das plantas*; *fig*. *O sofrimento desseca a alma*. || Conferir com *dissecar*. ▶ Conjug. 8 e 35. – **dessecação** s.f.

dessedentar (des.se.den.*tar*) v. **1.** Saciar a sede a: *Parou várias vezes para dessedentar o cavalo*; *fig*. *Essas foram as fontes que dessedentaram a alma do artista*. **2.** Matar a própria sede: *O gado dessedentava-se com avidez à beira do córrego*. ▶ Conjug. 5.

dessemelhança (des.se.me.*lhan*.ça) s.f. Falta de semelhança; diferença.

dessemelhante (des.se.me.*lhan*.te) *adj.* Diferente.

desserviço (des.ser.*vi*.ço) s.m. Mau serviço; desfavor.

desservir (des.ser.*vir*) v. Fazer mau serviço: *O escritor disse que fazer ideologia com o texto é desservir a arte*. ▶ Conjug. 69.

dessoldar (des.sol.*dar*) v. **1.** Tirar a solda a: *dessoldar o componente de uma placa*. **2.** Perder a solda: *A água vazou porque os canos se dessoldaram*. ▶ Conjug. 20.

dessorar (des.so.*rar*) v. **1.** Tirar o soro a: *Deixou a coalhada dessorar por três dias e obteve um queijo*. **2.** *fig*. Tirar ou perder a força; enfraquecer(-se), debilitar(-se): *Algumas adversidades dessoraram seu espírito*; *De repente seu ânimo dessorou-se*. ▶ Conjug. 20.

destacamento (des.ta.ca.*men*.to) s.m. **1.** Ato ou efeito de destacar. **2.** (*Mil.*) Corpo que se separa da tropa para executar tarefa específica.

destacar (des.ta.*car*) v. **1.** Encarregar (uma pessoa um um grupo de pessoas) de determinada missão: *O governo destacou uma tropa da Polícia Militar para executar o despacho judicial*. **2.** Desprender(-se) de algo: *destacar uma folha do caderno*; *Com o tempo, várias páginas deste livro destacaram-se*. **3.** Exceder em intensidade ou importância em relação a: *A graça da bailarina solista a destacava entre as demais*; *Sua inteligência destaca-se no grupo*. **4.** Aparecer ou fazer aparecer mais visível ou chamativo do que o que o rodeia: *Em seus romances, o autor destacava os pobres e os boêmios*; *Sua camisa vermelha destaca-se na multidão*. ▶ Conjug. 5 e 35. – **destacado** *adj.*

destampar (des.tam.*par*) v. Tirar a tampa; destapar: *Destampou a panela para engrossar o caldo*. ▶ Conjug. 5.

destampatório (des.tam.pa.*tó*.ri:o) s.m. **1.** Discussão acalorada; gritaria. **2.** Disparate, despropósito.

434

destapar (des.ta.*par*) v. **1.** Descobrir ou abrir (o que estava tapado): *Quando o barulho parou, destapamos os ouvidos*. **2.** Destampar. ▶ Conjug. 5.

destaque (des.*ta*.que) s.m. **1.** Qualidade ou estado daquilo que se destaca; realce, relevo. **2.** Figura ou assunto em evidência: *A posse do presidente foi o destaque da semana*. **3.** No desfile de escolas de samba, pessoa luxuosamente fantasiada que fica fora das alas.

destarte (des.*tar*.te) adv. Assim, deste modo.

deste [ê] (des.te) Contração da preposição *de* com o pronome demonstrativo *este*.

destelhar (des.te.*lhar*) v. Tirar as telhas de: *O vendaval destelhou várias casas da região*. ▶ Conjug. 9.

destemido (des.te.*mi*.do) adj. **1.** Corajoso, valente, impávido: *rapaz destemido*. **2.** Que denota audácia, ousadia: *Decidiram concretizar seu destemido projeto*.

destemor [ô] (des.te.*mor*) s.m. Falta de temor; audácia, bravura, coragem.

destemperado (des.tem.pe.*ra*.do) adj. **1.** Imoderado, descomedido, temperamental. **2.** Diluído em água; aguado: *tinta destemperada*. • s.m. **3.** Pessoa temperamental.

destemperar (des.tem.pe.*rar*) v. **1.** Perder a calma, sair de si: *Se você se destemperar, perderá a razão*. **2.** Perder ou fazer perder a têmpera: *destemperar o metal; O aço destemperou-se*. **3.** Diluir com água ou outro líquido; aguar: *destemperar a tinta*. ▶ Conjug. 8.

destempero [ê] (des.tem.*pe*.ro) s.m. Falta de moderação; desatino, arrebatamento.

desterrar (des.ter.*rar*) v. **1.** Expulsar de um país: *Sua Majestade desterrou o traidor para a África*. **2.** Ir-se de um país; expatriar-se, emigrar: *Desterrou-se para não ser preso*. ▶ Conjug. 8.

desterro [ê] (des.*ter*.ro) s.m. **1.** Ato ou efeito de desterrar(-se). **2.** Lugar onde reside o desterrado. **3.** Estado do desterrado.

destilação (des.ti.la.*ção*) s.f. Operação que consiste em separar, por ação do calor, uma substância volátil de um sólido ou da mistura líquida em que está contida, esfriando em seguida seu vapor para reduzi-la a líquido.

destilar (des.ti.*lar*) v. **1.** Submeter à destilação: *destilar o álcool*. **2.** Secretar gota a gota; gotejar: *destilar suor*. **3.** *fig.* Instilar, insinuar: *Quando fala, destila amargura*. ▶ Conjug. 5.

destilaria (des.ti.la.*ri*.a) s.f. Estabelecimento onde se faz destilação.

destinação (des.ti.na.*ção*) s.f. **1.** Uso ou emprego a que se destina algo. **2.** Lugar a que se dirige alguém ou a que uma coisa é endereçada.

destinar (des.ti.*nar*) v. **1.** Reservar algo para um objetivo determinado: *Todo mês destina 20% do seu salário para lazer*. **2.** Fixar de antemão: *Os deuses já haviam destinado sua vitória*. ▶ Conjug. 5.

destinatário (des.ti.na.*tá*.ri:o) s.m. Indivíduo a quem se envia ou destina alguma coisa.

destino (des.*ti*.no) s.m. **1.** Suposta força que determinaria de modo inexorável o curso dos acontecimentos; fatalidade, sina, fado. **2.** Sucessão de fatos e circunstâncias que se supõe determinada pelo destino. **3.** Lugar para onde alguém ou algo se dirige: *A carta chegará amanhã ao destino*. **4.** Aplicação, emprego para que se reserva alguma coisa.

destituição (des.ti.tu:i.*ção*) s.f. **1.** Ato de destituir(-se); demissão, deposição. **2.** Falta, privação, carência.

destituir (des.ti.tu:*ir*) v. **1.** Demitir(-se), exonerar(-se): *O diretor destituiu-o do cargo; Cedendo a pressões, destituiu-se da direção do hospital*. **2.** Privar(-se), despojar(-se): *Destituíram-nos das vantagens que gozavam; Na festa, o chefe destituiu-se do tom formal usual*. ▶ Conjug. 80.

destoar (des.to:*ar*) v. **1.** Discordar, divergir: *A opinião daquele professor destoou das dos outros membros da banca*. **2.** Não condizer, não ser próprio; desentoar: *Tal procedimento destoa de seus modos habituais*. **3.** Sair do tom; desafinar, desentoar: *No coro, nenhuma das vozes destoava*. ▶ Conjug. 25. – **destoante** adj.

destorcer (des.tor.*cer*) v. Endireitar (o que estava torcido): *destorcer o volante de um carro, destorcer um arame*. || Conferir com *distorcer*. ▶ Conjug. 42 e 46.

destra [é ou ê] (des.tra) s.f. A mão direita. || Conferir com *sinistra*.

destrambelhado (des.tram.be.*lha*.do) adj. **1.** Que comete disparates; disparatado. **2.** Que age atrapalhadamente; desorganizado. • s.m. **3.** Pessoa destrambelhada. – **destrambelhar** v. ▶ Conjug. 9.

destrancar (des.tran.*car*) v. Tirar a tranca a: *Destrancou a porta e entrou*. ▶ Conjug. 5 e 35.

destrançar (des.tran.*çar*) v. Desfazer a trança ou o emaranhado de: *destrançar o cabelo, destrançar fios*. ▶ Conjug. 5 e 36.

destratar (des.tra.*tar*) v. Tratar mal; desrespeitar, insultar: *Foi demitido porque destratava os clientes*. || Conferir com *distratar*. ▶ Conjug. 5.

destravar (des.tra.*var*) v. **1.** Soltar (o que estava travado): *destravar o teclado, destravar a língua*.

destreinado

2. Deixar de estar travado: *Esta tranca faz um ruído quando se destrava.* ▶ Conjug. 5.

destreinado (des.trei.*na*.do) *adj.* Sem treino.

destreza [ê] (des.*tre*.za) *s.f.* Qualidade de destro.

destrinçar (des.trin.*çar*) *v.* **1.** Dizer, expor minuciosamente; deslindar; esmiuçar: *O professor destrinçou os critérios utilizados pela banca do concurso.* **2.** Achar a solução de; resolver: *destrinçar um problema, destrinçar um enigma.* **3.** Separar as partes de: *destrinçar um frango assado.* || **destrinchar.** ▶ Conjug. 5 e 36.

destrinchar (des.trin.*char*) *v.* Destrinçar. ▶ Conjug. 5.

destro [é *ou* ê] (des.tro) *adj.* **1.** Que se serve sobretudo da mão direita; direito. **2.** Hábil, perito, ágil.

destrocar (des.tro.*car*) *v.* Desfazer a troca de: *Inseguro, troca e destroca várias vezes tudo o que compra.* ▶ Conjug. 20.

destroçar (des.tro.*çar*) *v.* **1.** Dividir em troços; despedaçar, quebrar: *Enfurecido, o aluno destroçou o caderno do colega*; *fig. A desnutrição infantil é de destroçar o coração.* **2.** Derrotar completamente: *O exército nacional destroçou o inimigo.* **3.** Arruinar, devastar, assolar: *A guerra destroçou o país.* ▶ Conjug. 20.

destroços [ó] (des.*tro*.ços) *s.m.pl.* Sobras daquilo que foi destroçado.

destróier (des.*trói*.er) *s.m.* Contratorpedeiro.

destronar (des.tro.*nar*) *v.* **1.** Tirar do trono: *destronar um rei.* **2.** *fig.* Destituir de lugar preeminente; desprestigiar: *Quando nascer, o bebê vai destronar o caçula.* ▶ Conjug. 5.

destroncar (des.tron.*car*) *v.* **1.** Sair ou fazer sair do seu ponto de articulação normal; torcer, luxar: *Com um contragolpe fulminante, o judoca destroncou o pescoço do adversário*; *Seu tornozelo destroncou.* **2.** Sofrer destroncamento de um membro: *Ele destroncou o braço.* ▶ Conjug. 5 e 35. – **destroncamento** *s.m.*

destruição (des.tru.i.*ção*) *s.f.* Ato ou efeito de destruir.

destruidor [ô] (des.tru.i.*dor*) *adj.* **1.** Que destrói; destrutivo. • *s.m.* **2.** O que destrói.

destruir (des.tru.*ir*) *v.* **1.** Derrubar, demolir: *Uma explosão destruiu um prédio nesta madrugada.* **2.** Desfazer, desmanchar: *A polícia destruiu o esconderijo da quadrilha*; *fig. destruir uma imagem, um sonho, um coração.* **3.** Aniquilar, extinguir, exterminar: *O fogo destruiu 25 toneladas de milho.* ▶ Conjug. 79.

destrutivo (des.tru.*ti*.vo) *adj.* Destruidor: *comportamento destrutivo.*

desumanidade (de.su.ma.ni.*da*.de) *s.f.* **1.** Indiferença pelo sofrimento alheio. **2.** Ato desumano, cruel.

desumanizar (de.su.ma.ni.*zar*) *v.* Tornar(-se) desumano: *Um ambiente competitivo desumaniza as pessoas*; *As relações no trabalho se desumanizaram.* ▶ Conjug. 5.

desumano (de.su.*ma*.no) *adj.* **1.** Que não é humano; cruel, desnaturado: *pessoa desumana.* **2.** Que denota desumanidade: *tratamento desumano, prisão desumana.*

desunião (de.su.ni:*ão*) *s.f.* Ato ou efeito de desunir(-se).

desunir (de.su.*nir*) *v.* **1.** Desfazer a união de: *desunir os elos de uma corrente*; *Algumas questões religiosas desuniram a comunidade.* **2.** Deixar de estar unido: *Diversos fatores levaram o grupo a se desunir.* ▶ Conjug. 66.

desusado (de.su.*sa*.do) *adj.* **1.** Que pouco se usa; raro, estranho: *A imprensa tem mostrado um desusado interesse pelo Japão.* **2.** Que caiu em desuso; antiquado: *termo desusado, vocabulário desusado.*

desuso (de.*su*.so) *s.m.* Falta de uso ou costume.

desvairado (des.vai.*ra*.do) *adj.* **1.** Que está fora de si; exaltado, alucinado, desnorteado, desorientado. • *s.m.* **2.** Aquele que está desvairado.

desvairar (des.vai.*rar*) *v.* **1.** Causar alucinação a; enlouquecer: *A morte trágica do filho desvairou-o*; *Tragédias como essa desvairam.* **2.** Ficar desvairado, alucinado, enlouquecido: *Sentia que ia desvairar(-se).* ▶ Conjug. 5. – **desvairamento** *s.m.*

desvalia (des.va.*li*.a) *s.f.* **1.** Falta de valia. **2.** Falta de proteção; desamparo.

desvalido (des.va.*li*.do) *adj.* **1.** Sem proteção; desamparado. • *s.m.* **2.** Pessoa desvalida.

desvalor [ô] (des.va.*lor*) *s.m.* Falta de valor.

desvalorização (des.va.lo.ri.za.*ção*) *s.f.* Ato ou efeito de desvalorizar(-se).

desvalorizar (des.va.lo.ri.*zar*) *v.* **1.** Tirar o valor de; depreciar: *A mãe sempre desvalorizava seus atos.* **2.** Perder o valor; depreciar-se: *Ele se desvaloriza ao aceitar essas condições de trabalho*; *Esta semana o dólar desvalorizou-se.* ▶ Conjug. 5.

desvanecer (des.va.ne.*cer*) *v.* **1.** Fazer desaparecer ou desaparecer; apagar(-se), dissipar(-se), desfazer(-se); esvaecer(-se): *Aquelas palavras desvaneceram nossos temores*; *Nossa fé des-*

desvaneceu-se. 2. Sentir ou fazer sentir orgulho ou vaidade; esvaecer(-se): *O poder desvaneceu aquele professor; Desvaneceu-se ainda mais após sua reeleição.* **3.** Desbotar, esmaecer: *O azul da velha calça desvaneceu-se.* ▶ Conjug. 41 e 46.

desvanecimento (des.va.ne.ci.*men*.to) *s.m.* Ato ou efeito de desvanecer(-se).

desvantagem (des.van.*ta*.gem) *s.f.* Situação de inferioridade, condição desfavorável.

desvantajoso [ô] (des.van.ta.*jo*.so) *adj.* Não vantajoso, que oferece desvantagem: *acordo desvantajoso.* || f. e pl.: [ó].

desvão (des.*vão*) *s.m.* **1.** Recanto escondido. **2.** Espaço entre o telhado e o forro de uma casa onde se deixam objetos fora de uso; sótão. || pl.: *desvãos.*

desvario (des.va.*ri*:o) *s.m.* Ato de loucura; desatino, desvairamento, delírio, vertigem.

desvelar¹ (des.ve.*lar*) *v.* **1.** Passar (a noite) em claro; não dormir: *Desvelava (noites) ao lado da avó.* **2.** Causar vigília, tirar o sono a: *O café e o chá preto desvelam-me.* **3.** Ocupar-se com grande zelo de; esmerar-se, empenhar-se, esforçar-se: *Ela se desvelava para agradar aos outros.* ▶ Conjug. 8.

desvelar² (des.ve.*lar*) *v.* **1.** Descobrir, desvendar: *desvelar uma placa comemorativa.* **2.** Revelar, aclarar: *Ele tentava desvelar o segredo da fusão a frio.* **3.** Patentear-se, revelar-se, mostrar-se: *Um novo mundo desvelava-se diante de si.* ▶ Conjug. 8.

desvelo [ê] (des.*ve*.lo) *s.m.* **1.** Zelo, cuidado, atenção, afã. **2.** Dedicação extrema; carinho. **3.** O objeto dessa dedicação.

desvencilhar (des.ven.ci.*lhar*) *v.* **1.** Soltar, desenredar, desprender, livrar: *Com alívio, desvencilhei meu pescoço daquela gravata.* **2.** Desprender-se, livrar-se, desembaraçar-se: *À noite, procura desvencilhar-se do trabalho e das preocupações cotidianas.* ▶ Conjug. 5.

desvendar (des.ven.*dar*) *v.* **1.** Tirar a venda dos olhos de: *Quando todos entraram na sala, desvendaram o aniversariante.* **2.** Tornar patente ou manifesto; revelar, solucionar, descobrir: *A polícia desvendou aquele mistério; A atriz sempre recusou-se a desvendar seus segredos para os repórteres.* ▶ Conjug. 5.

desventura (des.ven.*tu*.ra) *s.f.* Má sorte; desgraça, infortúnio, desdita, infelicidade.

desvestir (des.ves.*tir*) *v.* Despir(-se). ▶ Conjug. 69.

desviar (des.vi:*ar*) *v.* **1.** Mudar a direção de: *A mãe não desviava o olhar do filho travesso.* **2.** Alterar a aplicação ou a destinação de: *Desviaram mais uma vez as verbas da Saúde.* **3.** Afastar-se: *O navio desviou-se da sua rota.* ▶ Conjug. 17.

desvincar (des.vin.*car*) *v.* **1.** Tirar o vinco de: *desvincar as folhas do livro.* **2.** Perder o vinco, a ruga, a prega: *Sua calça desvincou-se.* ▶ Conjug. 5 e 35.

desvincular (des.vin.cu.*lar*) *v.* **1.** Desligar (o que estava vinculado): *É preciso não desvincular o homem de seu contexto histórico.* **2.** Desligar-se: *A Arte, a Filosofia e a Ciência se desvincularam da Religião.* ▶ Conjug. 5. – **desvinculação** *s.f.*

desvio (des.*vi*:o) *s.m.* **1.** Ato ou efeito de desviar(-se). **2.** Via ou caminho que saem de outros mais importantes. **3.** Caminho alternativo àquele que se segue normalmente. **4.** Mudança de caminho, rumo, direção. **5.** Aplicação indébita, subtração fraudulenta: *desvio de verbas.*

desvirar (des.vi.*rar*) *v.* Virar em sentido contrário, restabelecendo a posição normal: *Ao entrar no escritório, desvirou as mangas da camisa.* ▶ Conjug. 5.

desvirginar (des.vir.gi.*nar*) *v.* Tirar a virgindade a; deflorar, desflorar. ▶ Conjug. 5.

desvirtuar (des.vir.tu:*ar*) *v.* **1.** Fazer que (algo) perca suas propriedades originais: *desvirtuar a natureza jurídica de um contrato.* **2.** Perder (algo) suas propriedades originais: *O Natal, como evento religioso, desvirtuou-se.* ▶ Conjug. 5. – **desvirtuamento** *s.m.*

desvitalizar (des.vi.ta.li.*zar*) *v.* Tirar a vitalidade a; enfraquecer: *A violência desvitalizou o turismo na cidade.* ▶ Conjug. 5.

detalhar (de.ta.*lhar*) *v.* Contar ou descrever (algo) com detalhes: *O entrevistador pedia que o candidato detalhasse sua vida acadêmica.* ▶ Conjug. 5. – **detalhamento** *s.m.*

detalhe (de.*ta*.lhe) *s.m.* Item ou aspecto de pouca importância ou que não é essencial; minúcia, pormenor.

detecção (de.tec.*ção*) *s.f.* Ato ou efeito de detectar.

detectar (de.tec.*tar*) *v.* Descobrir (a presença ou a existência de): *O programa detectou um vírus na mensagem que você enviou; Os astrônomos detectaram a existência de mais uma galáxia.* ▶ Conjug. 8 e 33.

detector [ô] (de.tec.*tor*) *s.m.* Aparelho destinado a detectar a presença de alguma coisa ou a existência de determinada condição.

detenção

detenção (de.ten.*ção*) *s.f.* **1.** Ato de deter. **2.** Prisão provisória dos réus indiciados, até o julgamento.

detento (de.*ten*.to) *s.m.* **1.** Aquele que está preso provisoriamente até o julgamento. **2.** Preso, prisioneiro.

detentor [ô] (de.ten.*tor*) *adj.* **1.** Que detém. • *s.m.* **2.** Aquele que detém: *o detentor de um troféu.*

deter (de.*ter*) *v.* **1.** Parar ou fazer parar: *Por um momento, deteve o olhar na avó; Parecia apressado, mas subitamente deteve-se.* **2.** Privar de liberdade: *A polícia deteve o principal suspeito do roubo.* **3.** Dedicar tempo e atenção a: *Quando contava o caso, detinha-se nos pormenores mais bizarros.* **4.** Conservar em seu poder; reter, guardar: *Detinha várias ações da companhia; Por muito tempo detive comigo seus segredos.* **5.** Deixar-se estar; ficar: *Foi diante daqueles quadros que me detive horas.* **6.** Conter-se, reprimir-se: *deter lágrimas, riso; Teve vontade de esbofetear o assaltante, mas deteve-se.* ▶ Conjug. 1.

detergente (de.ter.*gen*.te) *adj.* **1.** Que limpa dissolvendo as impurezas. • *s.m.* **2.** Produto detergente.

deteriorar (de.te.ri:o.*rar*) *v.* Alterar(-se) tornando(-se) pior: *O calor deteriorou a maionese; Seu estado de saúde deteriorou-se nos últimos dias.* ▶ Conjug. 20. – **deterioração** *s.f.*; **deteriorável** *adj.*

determinação (de.ter.mi.na.*ção*) *s.f.* **1.** Ato ou efeito de determinar(-se). **2.** Resolução, decisão inabalável.

determinado (de.ter.mi.*na*.do) *adj.* **1.** Preciso, fixo, demarcado, delimitado: *O contrato será por prazo determinado.* **2.** Firme, resoluto, decidido: *pessoa determinada.* • *pron. indef.* **3.** Certo, algum, dado: *Num determinado dia, ela partiu para nunca mais voltar.* • *s.m.* (Ling.) **4.** Termo que, em sintaxe, tem seu significado completado por outro(s) termo(s) que a ele se subordina(m), como, por exemplo, *mesa* em *a mesa redonda.*

determinante (de.ter.mi.*nan*.te) *adj.* **1.** Que determina. • *s.m.* **2.** Aquilo que determina. **3.** (Ling.) Termo que, em sintaxe, completa a ideia principal contida em um outro termo a que se acha subordinado, como, por exemplo, *a* e *redonda* em *a mesa redonda.*

determinar (de.ter.mi.*nar*) *v.* **1.** Indicar ou dizer com precisão; precisar: *Não é fácil determinar se se trata de uma obra antiga ou moderna.* **2.** Prescrever, ordenar, sentenciar, decretar: *O juiz determinou a prisão preventiva do réu.* **3.** Motivar, causar, ocasionar: *Esses fatos determinaram forçosamente a atitude por ele tomada.* **4.** Estabelecer: *A mãe determinou o dia da semana em que seria feita a faxina da casa.* **5.** Decidir(-se): *Os dois líderes determinarão o término do conflito; Este ano determinei-me a parar de fumar.* ▶ Conjug. 5. – **determinador** *adj. s.m.*

determinismo (de.ter.mi.*nis*.mo) *s.m.* (Fil.) Doutrina segundo a qual todos os acontecimentos estão determinados por aqueles que os antecederam.

determinista (de.ter.mi.*nis*.ta) *adj.* **1.** Relativo ao determinismo. • *s.m. e f.* **2.** Pessoa adepta do determinismo.

detestar (de.tes.*tar*) *v.* Ter aversão a: *Os adolescentes detestavam acordar cedo; As duas irmãs detestam-se.* ▶ Conjug. 8.

detestável (de.tes.*tá*.vel) *adj.* Digno de ser detestado.

detetive (de.te.*ti*.ve) *s.m.* **1.** Policial que investiga crimes. **2.** Pessoa que se contrata para fazer investigações de interesse particular.

detido (de.*ti*.do) *adj.* **1.** Que se deteve. • *s.m.* **2.** Indivíduo preso provisoriamente. **3.** Prisioneiro, preso.

detonação (de.to.na.*ção*) *s.f.* **1.** Ato ou efeito de detonar. **2.** Estrondo causado por uma explosão.

detonador [ô] (de.to.na.*dor*) *adj.* **1.** Que detona. • *s.m.* **2.** Dispositivo que provoca a detonação de cargas explosivas.

detonar (de.to.*nar*) *v.* **1.** Causar a explosão de; explodir: *detonar uma bomba.* **2.** *fig.* Deflagrar: *A privatização da estatal detonou uma crise política.* ▶ Conjug. 5.

detrair (de.tra.*ir*) *v.* Abater o crédito de; criticar, depreciar, detratar: *Ele tem o vício de detrair e ironizar os outros.* ▶ Conjug. 83.

detrás (de.*trás*) *adv.* Na parte posterior ou oposta à frente. ‖ *Detrás de*: em lugar posterior a; por detrás de: *O tiroteio prosseguia detrás do morro.* • *Por detrás*: pela retaguarda, pelas costas, na ausência: *Ele levou um golpe por detrás.* • *Por detrás de*: detrás de.

detratar (de.tra.*tar*) *v.* Detrair. ▶ Conjug. 5.

detrator [ô] (de.tra.*tor*) *adj.* **1.** Que detrata. • *s.m.* **2.** Pessoa que detrata.

detrimento (de.tri.*men*.to) *s.m.* Dano, perda, prejuízo: *Pesquisador critica valorização da* quantidade em detrimento da qualidade dos trabalhos.

detrito (de.tri.to) *s.m.* Resto, sobra, resíduo.

deturpar (de.tur.*par*) *v.* Modificar, deformar, adulterar, distorcer: *deturpar uma ideia.* ▶ Conjug. 5. – **deturpação** *s.f.*

deus *s.m.* **1.** Nas religiões monoteístas, ser supremo, criador de todo o universo. **2.** Nas religiões politeístas, ser imortal dotado de atributos sobrenaturais, ao qual geralmente se atribui uma função particular no governo do universo. **3.** *fig.* O objeto dos maiores desejos, para o qual se sacrifica tudo o mais: *O dinheiro é o deus dele.* ‖ Na acepção 1, escreve-se com inicial maiúscula.

deus-dará (deus-da.*rá*) *s.m.* Usado apenas na locução *ao deus-dará*: ao acaso, à sorte.

deus nos acuda *s.m.2n.* Balbúrdia, confusão, desordem, tumulto: *Quando o leão apareceu, foi um deus nos acuda.*

devagar (de.va.*gar*) *adv.* Vagarosamente, sem pressa.

devanear (de.va.ne:*ar*) *v.* **1.** Absorver-se em ideias vagas ou fantasiosas; imaginar, fantasiar: *Terminada a tarefa, pôs-se a devanear.* **2.** Dizer ou fazer disparates; delirar: *A febre o fazia devanear.* ▶ Conjug. 14.

devaneio (de.va.*nei*.o) *s.m.* **1.** Ideia vaga ou quimérica. **2.** Fantasia, imaginação, sonho.

devassa (de.*vas*.sa) *s.f.* Apuração minuciosa para averiguar, por meio de pesquisa de provas e da inquirição de testemunhas, possíveis irregularidades.

devassado (de.vas.*sa*.do) *adj.* **1.** Diz-se da propriedade particular exposta à vista do público. **2.** Que foi objeto de devassa.

devassar (de.vas.*sar*) *v.* **1.** Invadir e pôr a descoberto (o que é defeso ou vedado): *devassar um processo judicial.* **2.** Ter vista para dentro: *Este apartamento devassa a casa vizinha.* **3.** Divulgar, tornar público: *devassar a vida alheia.* ▶ Conjug. 5.

devassidão (de.vas.si.*dão*) *s.f.* **1.** Qualidade ou conduta de devasso; licenciosidade, libertinagem. **2.** Desregramento de costumes.

devasso (de.*vas*.so) *adj.* **1.** Que é libertino, licencioso. • *s.m.* **2.** Indivíduo devasso.

devastação (de.vas.ta.*ção*) *s.f.* **1.** Ato ou efeito de devastar. **2.** Destruição, ruína, estrago.

devastar (de.vas.*tar*) *v.* **1.** Destruir completamente; arruinar, assolar: *A seca devastou os cultivos do Nordeste do país.* ▶ Conjug. 5.

devedor [ô] (de.ve.*dor*) *adj.* **1.** Que deve. • *s.m.* **2.** Pessoa que deve.

dever (de.*ver*) *v.* **1.** Ter dívidas: *Devo dinheiro e favores; Já não devo nada a ninguém.* **2.** Estar agradecido por: *Sucesso e riqueza, deve-os ao amigo.* **3.** Seguido de verbo no infinitivo, indica: a) probabilidade, suposição: *Deve chover hoje.* b) obrigação: *Apesar de tudo, deverás manter a calma quando falar com o chefe.* c) necessidade: *Todos devem fazer pelo menos três refeições por dia.* • *s.m.* **4.** Obrigação, tarefa: *dever de casa; É dever de todos zelar pela vida no planeta.* ▶ Conjug. 41.

deveras [é] (de.ve.ras) *adv.* Na verdade, realmente, a valer.

deverbal (de.ver.*bal*) *adj.* (*Gram.*) **1.** Diz-se de substantivo que deriva regressivamente de um verbo, por exemplo, *voo*, de *voar*. • *s.m.* (*Gram.*) **2.** Substantivo deverbal.

devido (de.*vi*.do) *s.m.* Aquilo que se deve. ‖ *Devido a*: Em consequência de, por causa de, graças a: *Devido ao calor, dormi mal esta noite.*

devoção (de.vo.*ção*) *s.f.* **1.** Sentimento religioso. **2.** Observância das práticas religiosas. **3.** Dedicação, afeto.

devolução (de.vo.lu.*ção*) *s.f.* Ato de devolver; restituição.

devoluto (de.vo.*lu*.to) *adj.* Vago, desocupado: *espaços devolutos, terras devolutas.*

devolver (de.vol.*ver*) *v.* **1.** Mandar ou dar de volta; restituir: *Enfim, devolveu-me o livro que tomara emprestado.* **2.** Retrucar, replicar: *Devolveu-lhe as ofensas recebidas.* ▶ Conjug. 42.

devoniano (de.vo.ni:*a*.no) *s.m.* O quarto dos seis períodos da era paleozoica. • *adj.* Diz-se desse período: *o período devoniano.*

devorar (de.vo.*rar*) *v.* **1.** Comer com voracidade: *Devoramos a lasanha em um segundo.* **2.** Consumir totalmente: *A doença devora-a pouco a pouco; O incêndio devorou a floresta.* **3.** Ler com avidez: *devorar livros, documentos.* **4.** Afligir, atormentar: *Não encontra lenitivo para as mágoas que o devoram.* ▶ Conjug. 20. – **devorador** *adj. s.m.*

devotado (de.vo.*ta*.do) *adj.* **1.** Oferecido em voto. **2.** Dedicado.

devotar (de.vo.*tar*) *v.* Dedicar(-se), consagrar (-se): *Devotamos-lhe grande afeição; devotar-se ao trabalho.* ▶ Conjug. 20.

devoto [ó] (de.*vo*.to) *adj.* **1.** Que tem ou revela devoção; religioso, beato. **2.** Dedicado, afeiçoado; *amigo devoto.* • *s.m.* **3.** Pessoa que tem ou revela devoção: *um devoto de São José*. **4.** Venerador, admirador: *um devoto das letras e das artes*.

dez [é] *num. card*. **1.** Nove mais um. • *s.m.* **2.** Representação gráfica desse número (10 em algarismos arábicos; X em algarismos romanos).

dezembro (de.*zem*.bro) *s.m.* Décimo segundo e último mês do ano.

dezena (de.*ze*.na) *s.f.* Conjunto de dez unidades.

dezesseis (de.zes.*seis*) *num. card*. **1.** Quinze mais um. • *s.m.* **2.** Representação gráfica desse número (16 em algarismos arábicos; XVI em algarismos romanos).

dezessete [é] (de.zes.*se*.te) *num. card*. **1.** Dezesseis mais um. • *s.m.* **2.** Representação gráfica desse número (17 em algarismos arábicos; XVII em algarismos romanos).

dezoito (de.*zoi*.to) *num. card*. **1.** Dezessete mais um. • *s.m.* **2.** Representação gráfica desse número (18 em algarismos arábicos; XVIII em algarismos romanos).

dezenove [ó] (de.ze.*no*.ve) *num. card*. **1.** Dezoito mais um. • *s.m.* **2.** Representação gráfica desse número (19 em algarismos arábicos; XIX em algarismos romanos).

dg Símbolo de *decigrama*.

dia (*di*.a) *s.m.* **1.** Período de tempo que corresponde a uma volta completa da Terra sobre seu eixo. **2.** Parte do dia em que há luz solar. **3.** Tempo atmosférico que faz no dia de que se fala: *Hoje o dia amanheceu nublado*. **4.** Ocasião adequada, propícia; oportunidade: *O dia da revanche chegará*. || *Dia a dia*: **1.** dia após dia. **2.** o cotidiano: *Algumas receitas facilitam o dia a dia da dona de casa*. • *Dia D*: dia decisivo, importante, em que a sorte será lançada. • *Em dia*: **1.** com regularidade, sem atraso, pontualmente: *É bom estar com as contas em dia*. **2.** estar atualizado; acompanhar: *Ele está sempre em dia com as novidades da informática*. • *Estar com/Ter os dias contados*: estar à beira da morte, desenganado.

diabete [é] (di:a.*be*.te) *s.m.* e *f.* (*Med*.) Diabetes.

diabetes [é] (di:a.*be*.tes) *s.m.* e *f.* 2*n*. (*Med*.) Distúrbio metabólico caracterizado pelo alto nível de açúcar no sangue. || *diabete*.

diabético (di:a.*bé*.ti.co) *adj*. **1.** Relativo a diabetes. **2.** Que sofre de diabetes. • *s.m.* **3.** Pessoa diabética.

diabo (di:*a*.bo) *s.m.* **1.** Espírito do mal; demônio. **2.** Pessoa má, travessa ou esperta. **3.** Substitui ou complementa a enumeração de muitos fatos: *Irritada, ela xingou, bateu na mesa, chutou a porta, o diabo*. **4.** Usa-se como expletivo: *Onde diabo você estava?* || *Dizer o diabo*: falar mal de; criticar: *Quando viu que era o alvo das nossas brincadeiras, ela disse o diabo de todo mundo*. • *Dos diabos*: excessivo: *Estava um calor dos diabos naquele dia*.

diabólico (di:a.*bó*.li.co) *adj*. Próprio do diabo; maligno: *A trama era diabólica, mas acabamos por desvendá-la*.

diabrura (di:a.*bru*.ra) *s.f.* **1.** Travessura, peraltice. **2.** Obra do diabo.

diacho (di:*a*.cho) *s.m. coloq*. Diabo.

diácono (di:*á*.co.no) *s.m.* Na Igreja Católica, eclesiástico imediatamente inferior ao sacerdote.

diacrítico (di:a.*crí*.ti.co) *adj*. (*Gram*.) Diz-se de sinal gráfico que se apõe a uma letra para indicar um valor fonológico especial: *Na ortografia do português, são sinais diacríticos a cedilha, os acentos circunflexo, agudo e grave, o trema e o til*.

diacronia (di:a.cro.*ni*.a) *s.f.* (*Ling*.) Método de estudo que tem por objeto descrever as regras que presidiram a evolução de uma língua ao longo do tempo.

diacrônico (di:a.*crô*.ni.co) *adj*. **1.** Relativo a diacronia. **2.** Que ocorre ao longo do tempo.

diadema (di:a.*de*.ma) *s.m.* **1.** Ornato circular com que os soberanos cingiam a cabeça. **2.** Espécie de meia coroa aberta por detrás que as mulheres usam para adornar a fronte; tiara.

diáfano (di:*á*.fa.no) *adj*. Que deixa passar a luz, permitindo que se distinga a forma dos objetos. – **diafaneidade** *s.f.*

diafragma (di:a.*frag*.ma) *s.m.* **1.** (*Anat*.) Músculo que separa o tórax do abdômen. **2.** (*Fot*.) Disco provido de uma abertura fixa e outra regulável, que controla a entrada de luz. **3.** (*Med*.) Dispositivo anticoncepcional de uso interno, feito de látex de borracha, que bloqueia totalmente o colo do útero.

diagnosticar (di:ag.nos.ti.*car*) *v*. (*Med*.) Determinar a existência de (uma doença), por meio da observação de seus sintomas e de outros exames: *Levei meu filho ao pediatra e este diagnosticou uma asma leve*. ▶ Conjug. 5 e 35.

diagnóstico (di:ag.*nós*.ti.co) *s.m.* Identificação de algo, especialmente de uma doença, por meio de exames e análises.

diagonal (di:a.go.*nal*) *adj*. **1.** (*Geom*.) Diz-se da reta que une dois vértices não consecutivos de um polígono ou dois vértices de um poliedro não pertencentes à mesma face. **2.** Que possui direção oblíqua. • *s.f.* **3.** Linha diagonal.

diagrama (di:a.*gra*.ma) *s.m.* Representação gráfica de fenômenos, ou das relações entre eles, por meio de figuras geométricas; gráfico, esquema.

diagramar (di:a.gra.*mar*) *v.* Dispor graficamente os textos e figuras de: *diagramar um jornal, um livro, uma revista, um cartaz.* ▶ Conjug. 5. – **diagramação** *s.f.*; **diagramador** *adj. s.m.*

dialetal (di:a.le.*tal*) *adj.* Relativo a dialeto.

dialética (di:a.*lé*.ti.ca) *s.f.* (*Fil.*) **1.** Busca da verdade pelo diálogo, pela discussão. **2.** Método de pensamento que opõe ideias ou fatos contraditórios com o intuito de resolver as contradições.

dialético (di:a.*lé*.ti.co) *adj.* **1.** Relacionado com a prática do diálogo e da discussão. **2.** Diz-se de todo processo que evolui por contraposições e sínteses.

dialeto [é] (di:a.*le*.to) *s.m.* (*Ling.*) Variante linguística de uma região ou de um grupo social.

dialogar (di:a.lo.*gar*) *v.* Estabelecer diálogo com: *Eles parecem ser pais que dialogam com os filhos.* ▶ Conjug. 5 e 34.

diálogo (di:*á*.lo.go) *s.m.* **1.** Fala entre duas ou mais pessoas; interlocução. **2.** Fala entre duas ou mais pessoas que buscam chegar a um acordo.

diamante (di:a.*man*.te) *s.m.* Pedra preciosa, muito brilhante e dura, constituída de carbono puro cristalizado.

diâmetro (di:*â*.me.tro) *s.m.* (*Geom.*) **1.** Segmento de reta que une dois pontos de um círculo, passando pelo seu centro. **2.** Medida desse segmento de reta. – **diametral** *adj.*

diante (di:*an*.te) *adv.* Usado apenas nas locuções *diante de, em diante* e *por diante.* || *Diante de:* **1.** em frente a: *Diante de seus olhos apareceram beija-flores.* **2.** na presença de: *Diante do diretor, o aluno negou tudo.* **3.** por causa de: *Diante de tamanha força, desistiu de lutar.* • *Em diante* ou *por diante:* para frente: *Daqui em diante é só estrada de terra; Daqui por diante você trabalhará em nova função.*

dianteira (di:an.*tei*.ra) *s.f.* **1.** Parte anterior; frente: *dianteira do caminhão.* **2.** Ponto mais à frente; vanguarda: *Na dianteira da corrida, vinha o campeão.* || antôn.: traseira.

dianteiro (di:an.*tei*.ro) *adj.* Que está ou vai na frente: *O pneu dianteiro furou.*

diapasão (di:a.pa.*são*) *s.m.* (*Mús.*) **1.** Haste de metal que produz sempre a mesma nota musical, usada como referência na afinação de vozes e instrumentos. **2.** Toda a extensão dos sons praticáveis por uma voz ou instrumento: *Esta nota está fora do diapasão da clarineta.*

diapositivo (di:a.po.si.*ti*.vo) *s.m.* (*Fot.*) Imagem positiva sobre suporte transparente, destinada a ser projetada.

diária (di:*á*.ri:a) *s.f.* **1.** Remuneração paga por dia de trabalho. **2.** O que se paga por dia num hotel ou num hospital.

diário (di:*á*.ri:o) *adj.* **1.** Que se faz ou sucede todos os dias: *oração diária, programação diária.* • *s.m.* **2.** Livro em que se anotam os acontecimentos de cada dia: *diário íntimo, diário escolar, diário de bordo.* **3.** Jornal que sai todos os dias.

diarista (di:a.*ris*.ta) *adj.* **1.** Que recebe por dia trabalhado. • *s.m.* e *f.* **2.** Pessoa que trabalha sem salário fixo, ganhando somente os dias em que presta serviço.

diarreia [éi] (di:ar.*rei*.a) *s.f.* Evacuação de fezes mais líquidas e abundantes que o normal; desarranjo, andaço.

diáspora (di:*ás*.po.ra) *s.f.* **1.** (*Hist.*) Dispersão do povo judeu pelo mundo. **2.** Dispersão de um povo pelo mundo.

diástole (di:*ás*.to.le) *s.f.* (*Biol., Med.*) Movimento de dilatação do coração. || Conferir com *sístole.*

diatribe (di:a.*tri*.be) *s.f.* Crítica violenta contra alguém ou algo: *O dirigente lançou uma nova diatribe contra o país vizinho.*

dica (*di*.ca) *s.f. coloq.* Informação útil: *Se ele não me desse uma dica, eu não teria encontrado o local da festa.*

dicção (dic.*ção*) *s.f.* **1.** Modo de articular as palavras quando se fala: *O ator da peça disse que fez um curso para melhorar sua dicção.* **2.** Modo de expressar-se: *uma dicção solene.*

dicionário (di.ci:o.*ná*.ri:o) *s.m.* Livro que contém uma lista de palavras de uma língua ou de termos referentes a determinada matéria, colocados geralmente em ordem alfabética e acompanhados de informações, como definição, etimologia, uso, ou da tradução equivalente: *dicionário geral, dicionário de Física, dicionário bilíngue.*

dicionarista (di.ci:o.na.*ris*.ta) *adj. s.m.* e *f.* Lexicógrafo.

dicionarizar (di.ci:o.na.ri.*zar*) *v.* **1.** Incluir em dicionário: *dicionarizar um neologismo.* **2.** Organizar em forma de dicionário: *Terminou dicionarizando sua obra sobre língua portuguesa.* ▶ Conjug. 5.

dicotiledônea (di.co.ti.le.*dô*.ne:a) *s.f.* (*Bot.*) Planta cujo embrião possui dois cotilédones.

dicotomia (di.co.to.*mi*.a) *s.f.* Divisão em dois elementos, especialmente quando estes são opostos. – **dicotômico** *adj.*

dicroico [ói] (di.croi.co) *adj.* Diz-se de espelho ou lente que filtram os raios infravermelhos, sem afetar os outros comprimentos de onda do espectro luminoso.

didata (di.da.ta) *s.m. e f.* Aquele que ensina; professor.

didática (di.dá.ti.ca) *s.f.* **1.** A arte de ensinar. **2.** O estudo dos métodos de ensino.

didático (di.dá.ti.co) *adj.* **1.** Próprio para o ensino, cuja finalidade é o ensino: *Os livros didáticos ainda não chegaram às escolas públicas este ano*. **2.** Que é pedagogicamente eficiente: *Seus exemplos, muito didáticos, fizeram com que todos logo compreendessem a situação*.

diedro [é] (di.e.dro) *adj.* (Geom.) **1.** Que é formado por duas faces planas que se encontram numa aresta: *ângulo diedro*. • *s.m.* (Geom.) **2.** Ângulo diedro.

diesel [*dízel*] (Ing.) *s.m.* **1.** Motor de combustão interna e de compressão elevada. • *adj.* **2.** Diz-se dos motores com essas características ou dos veículos por eles movidos: *motor diesel, locomotiva diesel*. **3.** Diz-se de combustível, geralmente derivado do petróleo, usado nesses motores: *óleo diesel*.

diet [*dáiet*] (Ing.) *adj.* Diz-se de alimento isento de um ou mais ingredientes da fórmula original, destinado a pessoas com restrição a algum tipo de substância: *iogurte diet, refrigerante diet*.

dieta [é] (di:e.ta) *s.f.* **1.** Quota de alimentos sólidos e líquidos que uma pessoa habitualmente ingere por dia. **2.** (Med.) Regime alimentar prescrito pelo médico a um doente ou convalescente.

dietético (di:e.té.ti.co) *adj.* **1.** Relativo a dieta. **2.** Diz-se de alimento apropriado para determinada dieta.

dietista (di:e.tis.ta) *s.m. e f.* Especialista em regime alimentar.

difamar (di.fa.mar) *v.* Tentar destruir a fama, imputando fato ofensivo à reputação: *A atriz deu uma entrevista à televisão, difamando o diretor do filme*. ▶ Conjug. 5. – **difamação** *s.f.*; **difamador** *adj. s.m.*; **difamatório** *adj.*

diferença (di.fe.ren.ça) *s.f.* **1.** Qualidade ou estado que fazem que uma pessoa ou coisa seja diferente: *a diferença entre um homem e uma mulher*. **2.** (Mat.) Resto que fica de uma quantidade de que se subtrai outra. • *diferenças s.f.pl.* **3.** Divergência, desacordo: *Não havia necessidade de os vizinhos irem resolver suas diferenças na Justiça*. || *Fazer diferença entre*: tratar de modo distinto: *Não fazia diferença entre o filho biológico e o adotivo*.

diferençar (di.fe.ren.çar) *v.* Diferenciar. ▶ Conjug. 5.

diferenciação (di.fe.ren.ci:a.ção) *s.f.* Ato ou efeito de diferenciar(-se).

diferencial (di.fe.ren.ci:al) *adj.* **1.** Relativo a diferença. **2.** Que indica ou estabelece diferença: *acento diferencial*. • *s.m.* **3.** Diferença que torna um produto, um serviço ou uma empresa competitivos em relação a outros: *O diferencial daquela empresa é a originalidade*. • *s.m.* **4.** (Mec.) Combinação de engrenagem de automóveis a qual permite às rodas motrizes seguir nas curvas percursos de extensão diferente sem deixar de estar sujeitas ao esforço do motor. • *s.f.* **5.** (Mat.) Produto da derivada de uma função pelo acréscimo da variável independente.

diferenciar (di.fe.ren.ci:ar) *v.* **1.** Perceber ou estabelecer diferença entre: *Não sabia diferenciar o ruído dos fogos de artifício do estampido das metralhadoras; Era um professor que não diferenciava alunos*. **2.** Constituir a diferença entre: *O que diferenciava os dois irmãos era o temperamento*. **3.** Ser diferente: *O queijo branco se diferencia do amarelo por ser fresco; Nossas opiniões se diferenciam bem*. **4.** Tornar-se diferente do que está ao redor: *Ele se diferenciou muito de sua família; Algumas células do embrião se diferenciam em células que vão formar a placenta*. || *diferençar*. ▶ Conjug. 17.

diferente (di.fe.ren.te) *adj.* **1.** Que difere, que não é igual: *Serviram um prato diferente, que eu nunca havia comido*. **2.** Outro, que não é o mesmo: *Ela gostava de voltar para casa por um caminho diferente do habitual*. • *pron. indef.* **3.** Vários, muitos: *Vendiam pizzas de diferentes sabores*.

diferir (di.fe.rir) *v.* **1.** Ser diferente: *Seu corpo não diferia muito do das meninas de sua idade*. **2.** Não estar em harmonia com; divergir: *Sua maneira de pensar difere muito da minha; Suas opiniões diferiam muito*. **3.** Adiar, retardar: *diferir o pagamento de uma dívida*. || Conferir com *deferir*. ▶ Conjug. 69. – **diferimento** *s.m.*

difícil (di.fí.cil) *adj.* **1.** Que não se pode fazer sem esforço, paciência, aprendizado ou inteligência: *tarefa difícil, convivência difícil*. **2.** Obscuro, confuso, complicado: *um texto difícil de entender*. **3.** Que não se contenta facilmente: *Ela está se tornando uma pessoa difícil*. **4.** Pouco provável: *É difícil que aconteçam dois desastres aéreos na mesma semana*. || sup. abs.: *dificílimo* e *dificilíssimo*.

dificílimo (di.fi.cí.li.mo) *adj.* Superlativo absoluto de difícil.

dificuldade (di.fi.cul.*da*.de) *s.f.* **1.** Qualidade de difícil: *a dificuldade de uma prova, de um concurso.* **2.** Condição ou circunstância que dificulta algo: *É um percurso cheio de dificuldades.*

dificultar (di.fi.cul.*tar*) *v.* Tornar(-se) difícil: *O clima da cidade dificultava a cura do tuberculoso; Com a nova lei, a vida de quem paga aluguel dificultou-se.* ▶ Conjug. 5.

dificultoso [ô] (di.fi.cul.*to*.so) *adj.* Que implica dificuldade: *O paciente apresenta respiração dificultosa.* || f. e pl.: [ó].

difteria (dif.te.*ri*.a) *s.f.* (*Med.*) Doença infecciosa, caracterizada pela aparição de falsas membranas, especialmente na garganta. – **diftérico** *adj.*

difundir (di.fun.*dir*) *v.* **1.** Fazer que algo se estenda em todas as direções: *Uma pequena lâmpada difundia a luz pelo quarto.* **2.** Espalhar-se, propagar-se: *Sua fama difundiu-se depressa.* ▶ Conjug. 69. – **difusor** *adj. s.m.*

difusão (di.fu.*são*) *s.f.* **1.** Ato ou efeito de difundir(-se). **2.** Qualidade de difuso.

difuso (di.*fu*.so) *adj.* **1.** Que se estende por uma zona ampla: *luz difusa.* **2.** Prolixo e pouco preciso: *texto difuso.* **3.** (*Med.*) Que aparece em múltiplos pontos: *A doença se caracteriza por uma dor crônica e difusa.*

digerir (di.ge.*rir*) *v.* **1.** Transformar os alimentos em substâncias assimiláveis: *Uma estudante chinesa descobriu um verme que digere plástico orgânico.* **2.** Assimilar mentalmente: *Não conseguia digerir a teoria antropológica que havia no livro.* **3.** Conformar-se com; aceitar: *A seleção ainda não digeriu a perda da Copa.* ▶ Conjug. 69.

digestão (di.ges.*tão*) *s.f.* Processo de transformação dos alimentos em substâncias assimiláveis.

digestivo (di.ges.*ti*.vo) *adj.* **1.** Relativo a digestão. **2.** Que facilita a digestão: *chá digestivo.* • *s.m.* **3.** Substância ou medicamento digestivos.

digesto [é] (di.ges.to) *s.m.* **1.** Coleção de regras, decisões ou preceitos, principalmente sobre matéria jurídica. **2.** Resumo muito condensado. **3.** Coleção desses resumos.

digestório (di.ges.*tó*.ri:o) *adj.* **1.** Relativo a digestão; digestivo. **2.** (*Anat.*) Diz-se de sistema formado por órgãos que realizam a digestão dos alimentos.

digitação (di.gi.ta.*ção*) *s.f.* Ato ou efeito de digitar.

digitador [ô] (di.gi.ta.*dor*) *s.m.* Profissional que faz serviços de digitação.

digital (di.gi.*tal*) *adj.* **1.** Relativo aos dedos: *impressões digitais.* **2.** (*Mat.*) Relativo a dígito. **3.** (*Inform.*) Diz-se de máquina que apresenta seus dados por meio de dígitos: *relógio digital.* **4.** (*Inform.*) Relativo a um dispositivo que pode ler, escrever ou armazenar dados numa forma numérica: *computador digital.* **5.** (*Inform.*) Capaz de ser lido por um computador: *foto digital.*

digitalizar (di.gi.ta.li.*zar*) *v.* (*Inform.*) Dar forma digital a: *A Biblioteca Nacional digitalizou as obras de seu acervo que já caíram em domínio público.* ▶ Conjug. 5.

digitar (di.gi.*tar*) *v.* **1.** Pressionar teclas com os dedos: *digitar um número de telefone.* **2.** Introduzir dados em computador por meio de toques com os dedos: *digitar um texto.* ▶ Conjug. 5.

dígito (*dí*.gi.to) *s.m.* **1.** (*Mat.*) Algarismo. **2.** (*Inform.*) Número inteiro, positivo, menor que a base de um sistema numérico dado.

digladiar (di.gla.di:*ar*) *v.* **1.** Lutar com espada ou gládio: *Os lutadores romanos digladiavam(-se) até que um deles ficasse em posição para matar o outro.* **2.** Combater ou discutir: *Diferentes facções políticas digladiavam(-se) no próprio partido.* ▶ Conjug. 17.

dignar-se (dig.*nar*-se) *v.* Ter a condescendência de: *O governador não se dignou (a, de) vir à cidade depois da tragédia.* ▶ Conjug. 5 e 33.

dignidade (dig.ni.*da*.de) *s.f.* **1.** Qualidade de digno. **2.** Cargo honorífico e de autoridade.

dignificar (dig.ni.fi.*car*) *v.* Tornar(-se) digno ou mais digno: *Para os muçulmanos, o véu é entendido como algo que dignifica a mulher; Seu objetivo era aprender um ofício e dignificar-se.* ▶ Conjug. 5 e 35. – **dignificante** *adj.*

dignitário (dig.ni.*tá*.ri:o) *s.m.* Pessoa investida de uma dignidade (cargo).

digno (*dig*.no) *adj.* **1.** Que merece; merecedor: *um livro digno de figurar em qualquer biblioteca.* **2.** Que está em conformidade com as qualidades de: *um romance policial digno dos grandes autores do gênero.* **3.** Que merece respeito por suas qualidades: *um homem digno.* **4.** Próprio da pessoa digna: *gesto digno.* **5.** Decente: *um salário digno.*

dígrafo (*dí*.gra.fo) *s.m.* (*Gram.*) Grupo de duas letras que representam um só som, como, por exemplo, *ch, lh, rr, ss* etc.

digressão (di.gres.*são*) *s.f.* Afastamento do assunto principal em uma fala ou discurso.

dilação

dilação (di.la.*ção*) s.f. **1.** Adiamento, prorrogação: *O doutorando requereu dilação do prazo de defesa.* **2.** Demora, delonga: *Comecemos sem dilação uma nova era no partido.*

dilacerante (di.la.ce.*ran*.te) adj. Que dilacera.

dilacerar (di.la.ce.*rar*) v. **1.** Rasgar fazendo (algo) em pedaços; despedaçar, lacerar: *Foi atacado por uma leoa, que dilacerou seu braço.* **2.** *fig.* Torturar(-se), mortificar(-se), afligir(-se): *A saudade dilacera seu coração; Ele se dilacerava em dúvidas.* ▶ Conjug. 8. – **dilaceração** s.f.; **dilaceramento** s.m.

dilapidar (di.la.pi.*dar*) v. **1.** Dissipar, esbanjar, malbaratar: *Dilapidou a fortuna paterna.* **2.** Destruir, arruinar: *dilapidar o meio ambiente; dilapidar monumentos.* ▶ Conjug. 5. – **dilapidação** s.f.

dilatação (di.la.ta.*ção*) s.f. **1.** Ato ou efeito de dilatar(-se). **2.** (*Fís.*) Aumento do volume sob a ação do calor. **3.** Parte em que algo se dilata: *O estômago é uma dilatação do esôfago.*

dilatar (di.la.*tar*) v. **1.** Aumentar ou fazer aumentar de volume ou de tamanho: *dilatar os pulmões; No escuro, a pupila se dilata.* **2.** Estender(-se) no espaço ou no tempo: *As cruzadas dilataram a fé e o território; dilatar um prazo; O período da adolescência dilatou-se nos dias de hoje.* || Conferir com *delatar*. ▶ Conjug. 5.

dileção (di.le.*ção*) s.f. Afeto ou carinho especial: *Todos os alunos sentiam-se objeto de sua dileção.*

dilema (di.*le*.ma) s.m. Situação em que é preciso escolher entre duas opções mutuamente exclusivas.

diletante (di.le.*tan*.te) adj. **1.** Que se dedica a uma atividade sem ser profissional nela. • s.m. e f. **2.** Aficionado que se dedica a uma atividade sem ser profissional nela. – **diletantismo** s.m.

dileto [é] (di.*le*.to) adj. Preferido na estima, muito querido: *filho dileto.*

diligência[1] (di.li.*gên*.ci:a) s.f. **1.** Qualidade de diligente. **2.** Ação que se realiza para resolução de algo; providência, medida.

diligência[2] (di.li.*gên*.ci:a) s.f. Carro grande puxado a cavalos destinado ao transporte de viajantes.

diligenciar (di.li.gen.ci:*ar*) v. Empregar todos os meios para; empenhar-se por: *O professor diligenciava interessar os alunos pela literatura.* ▶ Conjug. 17.

diligente (di.li.*gen*.te) adj. **1.** Que atua ou trabalha com presteza e cuidado; ligeiro, rápido: *trabalhador diligente.* **2.** Que denota diligência: *atuação diligente.*

diluir (di.lu:*ir*) v. **1.** Tornar menos concentrada (uma solução), mediante adição de líquido dissolvente: *Antes de começar a pintar, diluiu a tinta com solvente.* **2.** Dissolver(-se) (uma substância sólida em um líquido): *Primeiro dilua o pó da gelatina em água quente; O açúcar se dilui na água.* **3.** Fazer que perca força ou identidade: *Esse autor afirma que a globalização diluiu o sentimento nacional; De tanto ser citado, o conteúdo da frase de Hamlet diluiu-se ao longo dos anos.* ▶ Conjug. 80. – **diluente** adj.; **diluição** s.f.

diluviano (di.lu.vi:a.no) adj. **1.** Relativo ao dilúvio. **2.** *fig.* Muito abundante, torrencial: *chuvas diluvianas.*

dilúvio (di.*lú*.vi:o) s.m. **1.** Grande inundação causada por chuvas torrenciais, especialmente o dilúvio universal descrito na Bíblia. **2.** *fig.* Chuva muito intensa que causa inundação.

dimanar (di.ma.*nar*) v. Derivar, provir, proceder: *Seu encanto dimana do brilho de seus olhos.* ▶ Conjug. 5.

dimensão (di.men.*são*) s.f. **1.** Grandeza mensurável que determina a porção de espaço ocupada por um corpo. **2.** Cada uma das extensões que se consideram na medição dos corpos (comprimento, largura e altura). **3.** Tamanho: *Só tinha dinheiro para comprar um carro popular e de reduzidas dimensões.* **4.** Aspecto: *Recuperar a dimensão humana do médico é um desafio da própria formação médica.* **5.** Importância, valor: *Ele mesmo não tinha ideia da dimensão do seu gesto.*

dimensionar (di.men.si:o.*nar*) v. Estabelecer a dimensão de: *A empresa ainda não dimensionou o volume de óleo derramado no local.* ▶ Conjug. 5. – **dimensionamento** s.m.

dímer (*dí*.mer) s.m. Dispositivo usado para regular a luminosidade de uma lâmpada.

diminuendo (di.mi.nu:*en*.do) s.m. (*Mat.*) Número do qual se subtrai outro; minuendo, subtraendo.

diminuição (di.mi.nu:i.*ção*) s.f. **1.** Ato ou efeito de diminuir. **2.** (*Mat.*) Subtração.

diminuir (di.mi.nu:*ir*) v. **1.** Tornar menor: *Chá e descanso vão diminuir sua dor de cabeça.* **2.** Depreciar(-se), desvalorizar(-se): *Suas repetidas tolices diminuíram seu prestígio na empresa; O medo de ser demitido o fazia diminuir-se cada vez mais.* **3.** Passar a ser menor: *Vimos a inflação diminuir, mas o desemprego aumentou.*

4. Subtrair, deduzir: *Seu Manoel diminuiu dez reais no preço da nossa conta.* ▶ Conjug. 80.

diminutivo (di.mi.nu.*ti*.vo) *adj.* (*Ling.*) **1.** Diz-se de sufixo que expressa diminuição ou afeto. • *s.m.* (*Ling.*) **2.** Palavra formada com esse sufixo: *Em 'ele já está um homenzinho', o diminutivo comporta um misto de noções entre afeição e familiaridade*; *Sua mãe ainda o chama pelo seu nome no diminutivo, Carlinhos.*

diminuto (di.mi.*nu*.to) *adj.* **1.** Muito pequeno; minúsculo: *espaço diminuto.* **2.** Diminuído, reduzido: *orçamento diminuto.*

dinâmica (di.*nâ*.mi.ca) *s.f.* **1.** (*Fís.*) Parte da mecânica que estuda o movimento em relação com as forças que o produzem. **2.** Sucessão de fatos ou fenômenos encadeados entre si: *Os alunos gostam da dinâmica da aula desse professor.*

dinâmico (di.*nâ*.mi.co) *adj.* **1.** Relativo a movimento. **2.** Que muda ou se altera constantemente: *um trabalho dinâmico.* **3.** Que se destaca por sua grande atividade; ativo, enérgico: *um professor dinâmico.* **4.** (*Fís.*) Relativo a dinâmica.

dinamismo (di.na.*mis*.mo) *s.m.* Qualidade de dinâmico: *O seu dinamismo era contagiante, envolvendo a todos nós em um novo ritmo de trabalho.*

dinamitar (di.na.mi.*tar*) *v.* Explodir pelo uso de dinamite: *dinamitar um prédio.* ▶ Conjug. 5.

dinamite (di.na.*mi*.te) *s.f.* Explosivo feito à base de nitroglicerina misturada a outras substâncias.

dinamizar (di.na.mi.*zar*) *v.* Imprimir dinamismo em: *O programador visual dinamizou o jornal com ilustrações e caricaturas.* ▶ Conjug. 5. – **dinamização** *s.f.*

dínamo (*dí*.na.mo) *s.m.* Gerador que transforma a energia mecânica em elétrica.

dinamômetro (di.na.*mô*.me.tro) *s.m.* Instrumento para medir forças mecânicas.

dinar (di.*nar*) *s.m.* Moeda de diversos países árabes.

dinastia (di.nas.*ti*.a) *s.f.* **1.** Sequência de soberanos pertencentes à mesma família ou linhagem. **2.** Série de pessoas, pertencentes à mesma família ou nacionalidade, que se destacam numa atividade profissional: *dinastia de músicos.*

dinheiro (di.*nhei*.ro) *s.m.* **1.** Meio de pagamento utilizado nas trocas, constituído por moedas e bilhetes. **2.** Riqueza, recursos financeiros: *Fulano tem dinheiro.*

dinossauro (di.nos.*sau*.ro) *s.m.* **1.** (*Paleo.*) Réptil fóssil gigantesco, com cabeça pequena, pescoço e cauda longos. **2.** *pej.* Pessoa cujas crenças ou conhecimentos são considerados ultrapassados.

diocesano (di:o.ce.*sa*.no) *adj.* **1.** Relativo a diocese. • *s.m.* **2.** Prelado que pertence a uma diocese.

diocese [é] (di:o.ce.se) *s.f.* Circunscrição territorial sujeita à administração eclesiástica de um bispo, episcopado.

díodo (*dí:*o.do) *s.m.* (*Eletr.*) Dispositivo composto de dois semicondutores que possibilita a passagem da corrente elétrica num sentido, opondo grande resistência à sua passagem em sentido contrário.|| *diodo.*

diodo [ô] (di:o.do) *s.m.* (*Eletr.*) Díodo.

dionisíaco (di:o.ni.*sí*.a.co) *adj.* **1.** Relativo a Dionísio, deus do vinho e da alegria. **2.** Descomedido, desinibido, espontâneo, efusivo.

dióxido [cs] (di:*ó*.xi.do) *s.m.* (*Quím.*) Composto resultante da combinação de um radical com dois átomos de oxigênio.

diploma (di.*plo*.ma) *s.m.* Documento oficial que confere e atesta um título, um grau: *diploma de doutor, diploma de segundo grau.*

diplomacia (di.plo.ma.*ci*.a) *s.f.* **1.** Parte da política relativa às relações exteriores dos Estados. **2.** Conjunto das negociações internacionais efetivadas por meio das embaixadas. **3.** Corpo dos funcionários encarregados das relações exteriores. **4.** *fig.* Habilidade empregada numa conversação ou no tratamento de um assunto delicado.

diplomar (di.plo.*mar*) *v.* **1.** Conferir diploma a: *A universidade diplomou mais de mil alunos este ano.* **2.** Receber diploma: *Meu pai diplomou-se por esta faculdade.* ▶ Conjug. 5. – **diplomação** *s.f.*; **diplomado** *adj. s.m.*

diplomata (di.plo.*ma*.ta) *s.m. e f.* **1.** Pessoa que representa oficialmente um país junto a outro. **2.** *fig.* Pessoa hábil em tratar pessoas ou assuntos delicados.

diplomático (di.plo.*má*.ti.co) *adj.* Relativo a diplomacia.

díptero (*díp*.te.ro) *adj.* **1.** (*Zool.*) Que tem duas asas (diz-se de inseto). • *s.m.* **2.** (*Zool.*) Inseto que possui duas asas membranosas e aparelho bucal sugador, como a mosca e o mosquito. **3.** (*Arquit.*) Edifício ou templo clássico com uma fileira dupla de colunas à volta.

dique (di.que) s.m. Muro construído para conter a passagem das águas; eclusa.

direção (di.re.ção) s.f. **1.** Ato ou efeito de dirigir(-se). **2.** Cargo de diretor. **3.** Corpo de diretores de uma empresa. **4.** Lugar onde se reúnem ou trabalham os diretores. **5.** Sentido, lado para onde um objeto se move, prolonga ou está voltado. **6.** Linha que um corpo deve percorrer sendo acionado por uma força. **7.** Conjunto das peças que, comandadas pelo volante, permitem orientar as rodas diretrizes do veículo. **8.** (Cine, Teat., Telv.) Ação e profissão de diretor.

direcional (di.re.ci:o.nal) adj. **1.** Relativo a direção. **2.** Que atua numa direção: antena direcional.

direcionar (di.re.ci:o.nar) v. Dar direção a; encaminhar, dirigir: Direcionou a sua carreira para a composição e arranjos de obras musicais. ▶ Conjug. 5. – **direcionamento** s.m.

direita (di.rei.ta) s.f. **1.** A mão direita; destra. **2.** O lado direito: Mantenha a direita. **3.** Conjunto dos que defendem ideias e posições políticas conservadoras.

direitista (di.rei.tis.ta) adj. **1.** Que é partidário dos regimes políticos de direita; conservador, reacionário. • s.m. e f. **2.** Pessoa conservadora, reacionária.

direito (di.rei.to) adj. **1.** Que está do lado oposto ao do coração: olho direito, mão direita. **2.** Destro. **3.** Que segue ou se estende em linha reta; linear (em oposição a curvo, torto): Minha coluna está direita? **4.** Reto, íntegro, justo: pessoas direitas. **5.** Conforme à lei ou à justiça: Não é direito pegar emprestadas as coisas dos outros e não as devolver. • s.m. **6.** Aquilo que é justo, reto e conforme à lei. **7.** (Jur.) Faculdade legal de praticar ou não um ato, de fruir ou de dispor de alguma coisa, ou de exigir algo de outra pessoa ou da sociedade: os direitos do cidadão. **8.** (Jur.) O objeto da justiça. **9.** (Jur.) Conjunto de leis ou normas que regulam as relações dos homens em sociedade. **10.** (Jur.) Disciplina que tem por objeto o estudo dessas normas. **11.** O lado principal, ou mais perfeito de um tecido (em oposição ao avesso). • adv. **12.** Corretamente, bem: agir direito, comer direito. || antôn.: esquerdo.

diretiva (di.re.ti.va) s.f. Diretriz.

diretivo (di.re.ti.vo) adj. Diretor.

direto [é] (di.re.to) adj. **1.** Que está ou vai em linha reta. **2.** Que não tem interrupções ou desvios. **3.** Que não tem intermediários. **4.** Sem rodeios nem cirunlóquios: linguagem direta. **5.** (Gram.). Diz-se de complemento verbal que não leva preposição e que passa a ser sujeito se se muda a oração para a voz passiva: objeto direto. • adv. **6.** Sem paradas, sem desvios: Vá direto ao que interessa; Entrou e foi direto para o quarto.

diretor [ô] (di.re.tor) adj. **1.** Que dirige; diretivo: normas diretoras. • s.m. **2.** Indivíduo que dirige uma instituição ou é membro de uma diretoria. **3.** (Cine, Teat., Telv.) Pessoa que dirige a realização de um filme, a representação de uma peça de teatro, a apresentação de um espetáculo etc.

diretoria (di.re.to.ri.a) s.f. **1.** Conjunto de membros encarregados de uma direção. **2.** Cargo de diretor. **3.** Gestão de diretor.

diretório (di.re.tó.ri:o) s.m. **1.** Conselho diretivo de uma associação ou partido. **2.** (Inform.) Dispositivo capaz de armazenar arquivos. **3.** (Inform.) Lista dos arquivos contidos nesse dispositivo de armazenamento.

diretriz (di.re.triz) s.f. **1.** Conjunto de princípios e normas de procedimento; diretiva. **2.** Linha normativa de um procedimento; diretiva.

dirigente (di.ri.gen.te) adj. **1.** Que dirige. • s.m. e f. **2.** Pessoa que desempenha uma função ou cargo diretivo, especialmente em política.

dirigibilidade (di.ri.gi.bi.li.da.de) s.f. Qualidade do que é dirigível.

dirigir (di.ri.gir) v. **1.** Ir ou fazer que (alguém ou algo) vá a um lugar: A aeromoça dirigiu os passageiros para outro avião; O xerife dirigiu seus passos para o salão; As tropas dirigem-se para a fronteira. **2.** Pôr algo em determinada direção: A partir de então, jurou dirigir toda sua energia para o trabalho. **3.** Guiar, controlar a trajetória de (um veículo): Dirigia o automóvel da família às escondidas; Se beber, não dirija; se dirigir, não beba. **4.** Fazer que (algo) tenha como destino ou objetivo alguém ou algo: Depois daquele escândalo, ninguém mais dirigiu qualquer petição ao gabinete do ministro; Dirigia gracejos a todas as mulheres que passavam; Não me dirija mais a palavra! **5.** Indicar ou ordenar (a alguém) o modo de agir ou se comportar-se: É o inconsciente que dirige toda a vida das pessoas; Dirigia tudo: a empresa, a casa, cada passo da esposa e a vida particular dos filhos. **6.** Encarregar-se pelo modo de se realizar ou desenvolver algo: dirigir um filme, uma peça de teatro, um espetáculo. **7.** Fazer (alguém ou algo) destinatário do que se diz ou escreve: Dirigiu-se ao público em

discriminar

inglês. **8.** Ter como destino ou objetivo: *Onde quer que vá, os olhares dirigem-se naturalmente para ela.* ▶ Conjug. 92.

dirigismo (di.ri.gis.mo) *s.m.* Intervencionismo.

dirigível (di.ri.gí.vel) *adj.* **1.** Que pode ser dirigido. • *s.m.* **2.** Balão provido de motores que permitem sua dirigibilidade.

dirimir (di.ri.mir) *v.* Suprimir, resolvendo definitivamente: *Sua explicação foi capaz de dirimir todas as dúvidas.* ▶ Conjug. 66.

discar (dis.car) *v.* **1.** Acionar determinado número, através de disco ou de botões digitais, para iniciar ligação telefônica: *discar um número de telefone; Mal comecei a discar, o telefone deu sinal de ocupado.* **2.** Ligar para alguém ou algum lugar: *À noite vamos discar para você.* ▶ Conjug. 5 e 35. – **discagem** *s.f.*

discente (dis.cen.te) *adj.* Relativo a aluno: *corpo discente.*

discernimento (dis.cer.ni.men.to) *s.m.* Ato de discernir.

discernir (dis.cer.nir) *v.* Perceber ou distinguir com clareza: *Não consegue discernir as causas da sua tristeza; A grande sabedoria consiste em saber discernir o que é bom do que é ruim; A inexperiência o impede de discernir entre os amigos e os interesseiros.* ▶ Conjug. 69.

disciplina (dis.ci.pli.na) *s.f.* **1.** Conjunto de normas de conduta que regem determinada organização, atividade etc.: *disciplina militar, disciplina escolar, disciplina alimentar.* **2.** Obediência a essas normas: *A carreira de atleta exige disciplina.* **3.** Capacidade para aceitar essas normas: *Quem não tem disciplina não consegue viver no quartel.* **4.** Ramo do conhecimento, considerado como matéria a ser ensinada: *Neste período só poderei cursar quatro disciplinas.*

disciplinado (dis.ci.pli.na.do) *adj.* Que tem ou mostra disciplina; obediente, dedicado, organizado: *aluno disciplinado.*

disciplinar¹ (dis.ci.pli.nar) *v.* Submeter(-se) à disciplina: *A leitura e o estudo ajudam a disciplinar a memória; Conseguiu disciplinar-se e agora sai para caminhar todas as manhãs.* ▶ Conjug. 5.

disciplinar² (dis.ci.pli.nar) *adj.* Relativo a disciplina: *normas disciplinares.*

discípulo (dis.cí.pu.lo) *s.m.* Aquele que recebe ou já recebeu ensinamentos (de um professor); aprendiz, aluno.

disc jockey [*disque jóquei*] (Ing.) *s.m. e f.* **1.** Aquele que seleciona e toca os discos em casas noturnas ou festas particulares; discotecário. **2.** Apresentador de programa radiofônico musical; discotecário.

disco (dis.co) *s.m.* **1.** Qualquer objeto achatado e circular. **2.** Chapa circular, geralmente de vinil ou plástico, usada para gravar ou reproduzir sons. **3.** (*Inform.*) Suporte de informação em forma de disco: *disco flexível, disco rígido.* || *Disco voador:* suposta nave extraterrestre.

discoide [ói] (dis.coi.de) *adj.* Que tem a forma de disco.

discordância (dis.cor.dân.ci:a) *s.f.* Qualidade de discordante.

discordante (dis.cor.dan.te) *adj.* Que está em desacordo ou em desarmonia; divergente, discorde.

discorde [ó] (dis.cor.de) *adj.* Discordante.

discórdia (dis.cór.di:a) *s.f.* Falta de acordo ou harmonia; divergência, desacordo; desentendimento, desavença, conflito, rixa, disputa, cizânia.

discorrer (dis.cor.rer) *v.* Discursar sobre, dissertar a respeito de, falar de: *O professor Antônio discorria sobre Física com tranquilidade e inspiração.* ▶ Conjug. 42.

discoteca [é] (dis.co.te.ca) *s.f.* Casa noturna onde se dança ao som de música gravada.

discotecário (dis.co.te.cá.ri:o) *s.m. Disc jockey.*

discrepância (dis.cre.pân.ci:a) *s.f.* Falta de acordo; discordância.

discrepante (dis.cre.pan.te) *adj.* Que discrepa; divergente.

discrepar (dis.cre.par) *v.* Estar em desacordo: *Sua versão discrepou das demais; Não tolera quem discrepa de suas ideias; Seus depoimentos discrepam em vários pontos.* ▶ Conjug. 8.

discreto [é] (dis.cre.to) *adj.* **1.** Que não chama atenção: *maquiagem discreta.* **2.** Que sabe guardar segredo; reservado: *pessoa discreta.*

discrição (dis.cri.ção) *s.f.* Qualidade do que é discreto. || Conferir com *descrição.*

discricionário (dis.cri.ci:o.ná.ri:o) *adj.* Irrestrito, incondicional, sem limites: *poder discricionário.*

discriminação (dis.cri.mi.na.ção) *s.f.* Ato ou efeito de discriminar. || Conferir com *descriminação.*

discriminar (dis.cri.mi.nar) *v.* **1.** Diferenciar, distinguir: *discriminar o bom do ruim; É preciso saber discriminar entre o que é proveitoso e o que é apenas perda de tempo; A planilha discriminava cada material que fora usado na obra.* **2.** Estabelecer diferenças com base em precon-

discursar

ceitos: *Ele foi acusado de discriminar negros em seu estabelecimento.* || Conferir com *discriminar*. ▶ Conjug. 5. – **discriminatório** *adj.*

discursar (dis.cur.*sar*) *v.* Pronunciar discurso: *Quando entrei na sala, o mestre discursava sobre o Rio antigo.* ▶ Conjug. 5.

discursivo (dis.cur.*si*.vo) *adj.* **1.** Relativo a discurso. **2.** Dissertativo: *A prova só conterá questões discursivas.*

discurso (dis.*cur*.so) *s.m.* **1.** Texto dito em público ou escrito com essa finalidade. **2.** Expressão do pensamento por meio da linguagem verbal: *Ele tem um discurso de esquerda.* **3.** Falação entediante ou pomposa: *Lá vem ele com aquele discurso moralista.* || Discurso direto: (*Ling.*) Reprodução exata das palavras de alguém, geralmente grafada entre aspas ou após um travessão, como no quarto verso a seguir: "Eu, ontem, me embriagando / de uísque com guaraná / ouvi tua voz murmurando: / – São dois pra lá, dois pra cá." (João Bosco e Aldir Blanc, em *Falso Brilhante*) || Discurso indireto: (*Ling.*) Reprodução das palavras de alguém com o uso da terceira pessoa: "Vai, minha tristeza, e diz a ela / que sem ela não pode ser. / Diz-lhe, numa prece, que ela regresse / porque eu não posso mais sofrer." (Tom Jobim e Vinicius de Moraes, em *Chega de Saudade*).

discussão (dis.cus.*são*) *s.f.* Ato ou efeito de discutir.

discutir (dis.cu.*tir*) *v.* **1.** Falar com veemência (duas ou mais pessoas) defendendo pontos de vista contrários: *Pai e filho discutiam sobre os horários de chegada em casa.* **2.** Altercar, desentender-se: *Os adolescentes discutiram por causa da namorada de um deles.* **3.** Examinar um assunto por meio de sucessivas argumentações; debater: *Se você não aceita discutir suas diretrizes, está desperdiçando o capital intelectual de sua equipe.* **4.** Pôr em dúvida; questionar, contestar: *Ninguém discute o seu talento.* ▶ Conjug. 66.

discutível (dis.cu.*tí*.vel) *adj.* **1.** Passível de ser discutido: *assuntos discutíveis.* **2.** Questionável, duvidoso: *gosto discutível.*

disenteria (di.sen.te.*ri*.a) *s.f.* (*Med.*) Infecção intestinal, geralmente acompanhada de cólicas, diarreia e eventual sangramento.

disfarçar (dis.far.*çar*) *v.* **1.** Modificar(-se) para evitar reconhecimento; mascarar(-se): *disfarçar a voz, a caligrafia*; *Disfarçou-se para conseguir sair do país.* **2.** Ocultar, esconder: *Pôs a mão na boca, tentando disfarçar o riso.* **3.** Assumir outra aparência: *Disfarçou-se de médico e transitou livremente pelo hospital.* **4.** Dissimular, despistar: *Disfarça e olha a criatura linda que está vindo aí.* ▶ Conjug. 5 e 36.

disfarce (dis.*far*.ce) *s.m.* **1.** Ato de disfarçar(-se). **2.** Roupa ou objeto usado para disfarçar: *Os óculos eram parte do seu disfarce de moça estudiosa.*

disforme [ó] (dis.*for*.me) *adj.* **1.** De forma diferente da comum. **2.** Monstruoso, grotesco.

disfunção (dis.fun.*ção*) *s.f.* (*Med.*) Alteração no funcionamento de um órgão, glândula etc.

disjungir (dis.jun.*gir*) *v.* Desprender, desunir, separar: *disjungir os elos de uma corrente.* || Para alguns, defectivo nas formas em que ao radical se seguem [o] ou [a]. ▶ Conjug. 92.

disjuntor [ô] (dis.jun.*tor*) *s.m.* (*Eletr.*) Dispositivo que interrompe automaticamente um circuito elétrico quando a corrente excede o valor máximo.

díspar (*dís*.par) *adj.* Desigual.

disparada (dis.pa.*ra*.da) *s.f.* Corrida impetuosa.

disparar (dis.pa.*rar*) *v.* **1.** Fazer ir longe (projétil) usando uma arma; desfechar: *disparar flechas, balas, torpedos.* **2.** Atirar com arma de fogo: *Durante a perseguição, os policiais dispararam nos fugitivos.* **3.** Correr precipitadamente: *O menino fez com que a boiada disparasse.* **4.** Dirigir-se apressadamente para algum lugar; correr, fugir: *Quando soube do acidente, disparou para o hospital.* **5.** Dirigir a palavra com veemência: *disparar argumentos contra o opositor.* **6.** Subir muito; aumentar: *O lucro dos bancos disparou nos últimos anos.* ▶ Conjug. 5.

disparatar (dis.pa.ra.*tar*) *v.* Desarrazoar. ▶ Conjug. 5. – **disparatado** *adj.*

disparate (dis.pa.*ra*.te) *s.m.* Dito ou ato desarrazoados; desatino, despautério.

disparidade (dis.pa.ri.*da*.de) *s.f.* Qualidade de díspar; desigualdade.

disparo (dis.*pa*.ro) *s.m.* Ato ou efeito de disparar; tiro.

dispêndio (dis.*pên*.di:o) *s.m.* Despesa, gasto, consumo.

dispendioso [ô] (dis.pen.di:*o*.so) *adj.* Que importa numa grande despesa; custoso. || f. e pl.: [ó].

dispensa (dis.*pen*.sa) *s.f.* **1.** Ato ou efeito de dispensar. **2.** Documento em que se concede a dispensa. || Conferir com *despensa*.

dispensar (dis.pen.*sar*) *v.* **1.** Eximir (de uma obrigação ou da sujeição a certa norma); isentar,

448

desobrigar: *Dispensei-o de vir aqui; O professor dispensou a turma mais cedo.* **2.** Prescindir de; não precisar de: *dispensar o apoio para fazer algo.* **3.** Dar ou conceder (atenção, afeto, honra etc.): *O governador eleito prometeu que dispensará atenção especial às áreas da educação e da saúde.* **4.** Não se julgar obrigado; eximir-se, abster-se: *Dispensei-me de incluir notas explicativas no texto.* ▶ Conjug. 5.

dispensário (dis.pen.sá.ri:o) *s.m.* Estabelecimento de beneficência, pública ou privada, onde se presta assistência médica e farmacêutica.

dispensável (dis.pen.sá.vel) *adj.* Que pode ser dispensado.

dispepsia (dis.pep.si.a) *s.f.* (Med.) Má digestão.

dispersão (dis.per.são) *s.f.* **1.** Ato ou efeito de dispersar(-se). **2.** Condição de disperso; distração.

dispersar (dis.per.sar) *v.* **1.** Espalhar(-se) em múltiplas direções; dissipar(-se): *A polícia dispersou os manifestantes com gás lacrimogêneo; Os judeus se dispersaram pelo mundo.* **2.** Dividir (a atenção) em múltiplas direções; distrair(-se): *A borboleta que entrou na sala dispersou a atenção dos alunos; Parei de ler este livro porque me dispersava muito durante a leitura.* ▶ Conjug. 8.

dispersivo (dis.per.si.vo) *adj.* **1.** Que produz dispersão. **2.** Desatento.

disperso [é] (dis.per.so) *adj.* **1.** Espalhado, separado. **2.** Desatento, dispersivo; distraído.

displasia (dis.pla.si.a) *s.f.* (Med.) Anomalia no desenvolvimento de um órgão. – **displásico** *adj.*

display [displei] (Ing.) *s.m.* **1.** Visor ou tela que exibe informações em aparelhos eletrônicos; mostrador. **2.** Cartaz ou qualquer outro material publicitário; mostruário.

displicência (dis.pli.cên.ci:a) *s.f.* **1.** Descaso, negligência. **2.** Desleixo nas maneiras e no vestir.

displicente (dis.pli.cen.te) *adj.* **1.** Que mostra displicência. • *s.m. e f.* **2.** Pessoa displicente.

dispneia [éi] (disp.nei.a) *s.f.* (Med.) Dificuldade de respirar.

disponibilidade (dis.po.ni.bi.li.da.de) *s.f.* Estado ou qualidade de disponível.

disponível (dis.po.ní.vel) *adj.* De que se pode dispor.

dispor (dis.por) *v.* **1.** Colocar em ordem; arrumar: *Antes de começar a cozinhar, dispôs todos os ingredientes em tigelas sobre a mesa.* **2.** Preparar(-se): *dispor a criança para estudar; Dispôs-se a ouvir-me.* **3.** Ter a posse, ser senhor: *dispor de dinheiro em caixa.* **4.** Usar livremente; servir-se de: *Quando precisar, disponha (de minha ajuda); dispor do dinheiro que se possui.* **5.** Estabelecer normas para; prescrever, determinar: *Este projeto de lei dispõe sobre a ocupação do solo urbano.* **6.** Estar pronto ou resolvido: *Dispôs-se a deixar o país; Dispunha-se a entrar para a universidade.* || part.: *disposto.* ▶ Conjug. 65.

disposição (dis.po.si.ção) *s.f.* **1.** Distribuição segundo certa ordem: *a disposição dos bailarinos no palco.* **2.** Estado físico ou psíquico: *Acordou com boa disposição.* **3.** Ânimo, vontade: *Agora estamos sem disposição para jogar.* **4.** Prescrição regulamentar, ordem: *Salvo disposição contrária, a lei começa a vigorar em todo o país.* || **À disposição de:** às ordens de; ao dispor de: *Deixou seu carro à nossa disposição.*

dispositivo (dis.po.si.ti.vo) *s.m.* **1.** Peça ou mecanismo que facilita o funcionamento de um aparelho. **2.** Aquilo que dispõe; regra, preceito, prescrição, artigo de lei.

disposto [ô] (dis.pos.to) *adj.* **1.** Que se dispôs. **2.** Inclinado, propenso: *O país está disposto a fazer parceria com os países vizinhos.* **3.** Física e emocionalmente bem: *Praticar exercícios me faz sentir mais disposta.*

disputa (dis.pu.ta) *s.f.* Ato ou efeito de disputar.

disputar (dis.pu.tar) *v.* **1.** Lutar para conseguir (algo ou alguém que outro também deseja): *Os partidos políticos disputavam o poder; Disputou com o marido a guarda do filho.* **2.** Rivalizar, concorrer: *Nossas praias disputam com as mais belas do mundo.* **3.** Jogar numa competição desportiva: *disputar uma partida de tênis.* ▶ Conjug. 5.

disquete [é] (dis.que.te) *s.m.* (Inform.) Pequeno disco magnético usado para instalação de programas, cópias de segurança, transferência de dados entre computadores não interligados.

disritmia (dis.rit.mi.a) *s.f.* (Med.) Transtorno do ritmo fisiológico de qualquer natureza: *disritmia da fala, disritmia cerebral.*

dissabor [ô] (dis.sa.bor) *s.m.* Desgosto, mágoa, descontentamento, agrura.

dissecação (dis.se.ca.ção) *s.f.* Ação de dissecar.

dissecar (dis.se.car) *v.* **1.** Dividir metodicamente em partes (um ser vivo ou um cadáver) para estudar sua estrutura. **2.** *fig.* Examinar minuciosamente; analisar: *Prepare-se que eu vou dissecar seu artigo.* || Conferir com *dessecar.* ▶ Conjug. 5 e 35.

disseminação (dis.se.mi.na.ção) *s.f.* Ato ou efeito de disseminar(-se).

disseminar (dis.se.mi.*nar*) v. Difundir(-se), propagar(-se): *O uso de câmeras digitais disseminou-se; As borboletas disseminam o pólen.* ▶ Conjug. 5.

dissensão (dis.sen.*são*) s.f. **1.** Divergência de sentimentos, opiniões ou interesses; dissídio. **2.** Desavença, desacordo.

dissentir (dis.sen.*tir*) v. **1.** Discordar, discrepar, divergir: *dissentir das ideias correntes.* **2.** Estar em desarmonia, não combinar: *Às vezes o que se faz dissente do que se pensa.* ▶ Conjug. 69.

dissertação (dis.ser.ta.*ção*) s.f. **1.** Ação de dissertar. **2.** Breve desenvolvimento de um tema, por escrito. **3.** Monografia apresentada por candidatos a concurso ou ao mestrado.

dissertar (dis.ser.*tar*) v. Fazer um desenvolvimento escrito ou oral sobre um assunto: *O candidato dissertou sobre a cura da tuberculose.* ▶ Conjug. 8.

dissertativo (dis.ser.ta.*ti*.vo) adj. **1.** Próprio de dissertação: *discurso dissertativo.* **2.** Com desenvolvimento do tema proposto; discursivo: *prova dissertativa.*

dissidência (dis.si.*dên*.ci:a) s.f. **1.** Qualidade ou condição de dissidente. **2.** Ação de pessoa ou grupo dissidente.

dissidente (dis.si.*den*.te) adj. **1.** Que diverge das ideias, dos princípios ou da doutrina estabelecidos pela maioria. • s.m. **2.** Pessoa que diverge das ideias, dos princípios ou da doutrina estabelecidos pela maioria.

dissídio (dis.*sí*.di:o) s.m. **1.** Conflito de ideias, interesses ou sentimentos; dissensão, divergência. **2.** (Jur.) Ação que se processa na justiça do trabalho para conciliação de conflito de interesses, individual ou coletivo, entre empregador e empregado.

dissílabo (dis.*sí*.la.bo) adj. (Gram.) **1.** Que possui duas sílabas. • s.m. (Gram.) **2.** Palavra dissílaba.

dissimulado (dis.si.mu.*la*.do) adj. Que tem por hábito dissimular; hipócrita • s.m. Pessoa dissimulada: *O dissimulado não é confiável.*

dissimular (dis.si.mu.*lar*) v. **1.** Encobrir, ocultar: *dissimular um erro.* **2.** Dar uma ideia falsa de; disfarçar: *dissimular o próprio caráter.* **3.** Não revelar sentimentos, fingir indiferença: *Só dissimulando muito bem é que viveriam ali.* ▶ Conjug. 5. – **dissimulação** s.f.

dissipação (dis.si.pa.*ção*) s.f. Ação de dissipar(-se).

dissipar (dis.si.*par*) v. **1.** Fazer desaparecer: *O vento dissipa as nuvens; dissipar suspeitas.* **2.** Esbanjar, dilapidar, desperdiçar: *O jovem dissipou o patrimônio herdado.* **3.** Desaparecer, desvanecer: *Acesa a luz, dissipou-se a sensação de mistério.* ▶ Conjug. 5.

disso (dis.so) Contração da preposição *de* com o pronome demonstrativo *isso*.

dissociar (dis.so.ci:*ar*) v. **1.** Separar, desunir, desagregar (o que estava associado): *dissociar ideias; O Estado dissociou-se da religião.* **2.** Separar-se, desunir-se: *Dissociou-se do partido.* ▶ Conjug. 17. – **dissociação** s.f.

dissolução (dis.so.lu.*ção*) s.f. **1.** Ato ou efeito de dissolver(-se). **2.** Líquido no qual está dissolvida uma substância. **3.** Depravação moral.

dissoluto (dis.so.*lu*.to) adj. Libertino, licencioso, devasso.

dissolvente (dis.sol.*ven*.te) adj. **1.** Que dissolve. • s.m. e f. **2.** Aquilo que dissolve; solvente.

dissolver (dis.sol.*ver*) v. **1.** Passar ou fazer passar para solução: *dissolver sal na água; O açúcar cristal não se dissolve bem na bebida fria.* **2.** Desaparecer ou fazer desaparecer: *Às dez da manhã, a neblina já se dissolvera;* fig. *O discurso do presidente dissolveu o grande medo inicial do mercado financeiro.* **3.** Pôr fim legal em: *dissolver um casamento; dissolver a Assembleia Legislativa.* **4.** Desmembrar-se, desfazer-se: *A polícia cercou a praça e dissolveu a multidão; Esse grupo de rock dissolveu-se há mais de vinte anos.* ▶ Conjug. 42.

dissonância (dis.so.*nân*.ci:a) s.f. **1.** (Mús.) Conjunto de sons que impressionam desagradavelmente ao ouvido. **2.** fig. Falta de consonância ou harmonia.

dissonante (dis.so.*nan*.te) adj. Em que há dissonância: *acorde dissonante, opiniões dissonantes.*

dissuadir (dis.su:a.*dir*) v. Fazer desistir de (ideias, propósitos, opiniões etc.): *Fez tudo para dissuadir-me da viagem.* ▶ Conjug. 5.

dissuasão (dis.su:a.*são*) s.f. Ato ou efeito de dissuadir. – **dissuasivo** adj.

distanásia (dis.ta.*ná*.sia) s.f. (Med.) Morte lenta e com muito sofrimento.

distância (dis.*tân*.ci:a) s.f. **1.** Espaço ou período de tempo que medeia entre dois pontos ou acontecimentos. **2.** Diferença: *Há uma distância enorme entre o que ele diz e o que ele faz.* || A distância: **1.** longe. **2.** sem familiaridade.

distanciar (dis.tan.ci:*ar*) v. Pôr(-se) distante; afastar(-se): *A discórdia familiar distanciou-o dos irmãos; É preciso distanciar-se da situação para analisá-la.* ▶ Conjug. 17. – **distanciamento** s.m.

distante (dis.*tan*.te) adj. Que não está perto; afastado: *uma época distante, um país distante;* fig. *olhar distante.*

distar (dis.*tar*) v. **1.** Ser ou estar distante: *O aeroporto dista 15 km do centro da cidade.* **2.** Diferençar-se, divergir: *Uma resposta firme dista muito do insulto.* ▶ Conjug. 5.

distender (dis.ten.*der*) v. **1.** Estender-se, estirar: *Os dois meninos puxaram a mola e a distenderam completamente; A faixa elástica não se distende além de certa largura.* **2.** Afrouxar-se, relaxar-se: *Suas sábias palavras distenderam os ânimos; Seus músculos distenderam-se e ele caiu em sono profundo.* ▶ Conjug. 39.

distensão (dis.ten.*são*) s.f. **1.** Ato ou efeito de distender(-se). **2.** (*Med.*) Estiramento de músculos, ligamentos etc.

distenso (dis.ten.so) adj. (*Ling*) Diz-se do registro da língua (falada ou escrita) com menor grau de formalidade.

dístico (*dís*.ti.co) s.m. Grupo de dois versos.

distinção (dis.tin.*ção*) s.f. **1.** Ato ou efeito de distinguir(-se). **2.** Diferença. **3.** Elegância de maneiras ou de porte. **4.** Honra concedida a alguém; honraria, condecoração.

distinguir (dis.tin.*guir*) v. **1.** Perceber a diferença que há de uma(s) coisa(s) para outra(s): *A sabedoria consiste sobretudo em poder distinguir o bom caráter do mau caráter; Não sabia distinguir quem eram seus aliados.* **2.** Ser característica de; singularizar: *A inteligência o distingue dos demais.* **3.** Sobressair-se: *Seu estilo narrativo distingue-se dos demais.* **4.** Perceber pelos sentidos; divisar: *A tripulação distinguiu o submarino; Distingues o barulho das máquinas?* **5.** Mostrar consideração especial por; preferir: *distinguir uma pessoa.* **6.** Tratar de forma desigual: *distinguir entre pobres e ricos.* ▶ Conjug. 66.

distintivo (dis.tin.*ti*.vo) adj. **1.** Que estabelece distinção: *marca distintiva.* • s.m. **2.** Sinal que serve para distinguir; insígnia, emblema.

distinto (dis.tin.to) adj. **1.** Que não é igual; diferente, diverso. **2.** Que tem distinção de maneiras; elegante, gentil: *um senhor distinto.* **3.** Claro, inteligível, perceptível: *vozes distintas.* **4.** Notável, ilustre: *distinto público.*

distorção (dis.tor.*ção*) s.f. **1.** Deformação de imagens, sons, sinais, ondas etc. **2.** (*Med.*) Deslocamento de uma parte do corpo. **3.** *fig.* Alteração do sentido; adulteração, deturpação.

distorcer (dis.tor.*cer*) v. **1.** Interpretar modificando intencionalmente o significado: *distorcer as palavras de alguém.* **2.** Mudar a forma característica de: *A lente usada na foto distorceu o meu nariz.* || Conferir com *destorcer.* ▶ Conjug. 42.

distração (dis.tra.*ção*) s.f. **1.** Ato ou efeito de distrair(-se); dispersão. **2.** Espetáculo, jogo, atividade que serve para descansar; divertimento, lazer.

distraído (dis.tra.*í*.do) adj. **1.** Que se distrai com facilidade. • s.m. **2.** Pessoa distraída.

distrair (dis.tra.*ir*) v. **1.** Desviar a atenção de: *Ganharam a batalha porque conseguiram distrair o exército inimigo.* **2.** Desviar a atenção de aborrecimentos, preocupações etc.; entreter, divertir: *O trabalho me distrai; Tais leituras distraem-nos da dura realidade.* **3.** Recrear-se, divertir-se: *Gosta de se distrair indo ao cinema.* **4.** Esquecer-se, descuidar-se: *Distraí-me e o leite ferveu, entornando-se.* ▶ Conjug. 83.

distratar (dis.tra.*tar*) v. Desfazer, rescindir (pacto ou contrato). || Conferir com *destratar.* ▶ Conjug. 5.

distribuição (dis.tri.bu.i.*ção*) s.f. **1.** Ato ou efeito de distribuir. **2.** Repartição de um produto aos locais em que deve ser comercializado: *distribuição de um filme.* **3.** Disposição das partes de um todo: *a distribuição dos cômodos num apartamento.*

distribuidor [ô] (dis.tri.bu.i.*dor*) adj. **1.** Que distribui. • s.m. **2.** Comerciante que se encarrega da venda dos produtos de um determinado fabricante. **3.** (*Mec.*) Dispositivo que distribui a corrente elétrica em motor a explosão.

distribuir (dis.tri.bu.*ir*) v. **1.** Dividir, repartir: *Distribuiu a verba pelos diversos departamentos do Ministério.* **2.** Doar a (várias pessoas): *distribuir alimento aos pobres.* **3.** Dispor espacialmente: *distribuir os móveis pela casa.* **4.** Pôr produtos à disposição dos consumidores: *Montou uma firma que distribuirá o açúcar da região.* **5.** Conferir (tarefa, atribuição etc.) a cada pessoa de um grupo: *O editor reuniu os redatores para distribuir as pautas da revista.* ▶ Conjug. 80. – **distributivo** adj.

distrito (dis.*tri*.to) s.m. **1.** Subdivisão administrativa de um município. **2.** Delegacia de polícia. || *Distrito federal*: numa república federativa, território onde se encontra a sede do governo central, e que não pertence a nenhum dos estados. – **distrital** adj.

distúrbio (dis.*túr*.bi:o) s.m. **1.** Alteração da ordem pública; perturbação, desordem, alvoroço. **2.** (*Med.*) Transtorno no funcionamento de um órgão, de uma função fisiológica etc.

ditado (di.*ta*.do) s.m. **1.** Aquilo que se dita para ser escrito. **2.** Exercício ortográfico que se faz ditando um trecho. **3.** Frase popular, curta e anô-

ditador

nima, que contém uma observação moral, um conceito ou um conselho; provérbio, adágio.

ditador [ô] (di.ta.*dor*) *s.m.* **1.** Indivíduo que concentra todos os poderes de um Estado. **2.** *fig.* Indivíduo que procura impor sua vontade aos outros.

ditadura (di.ta.*du*.ra) *s.f.* **1.** Forma de governo que concentra todo o poder em mãos de uma só pessoa, um órgão colegiado ou uma classe. **2.** Estado cuja forma de governo é uma ditadura.

ditame (di.*ta*.me) *s.m.* **1.** Aquilo que se dita. **2.** Determinação, ordem: *ditames da lei*. **3.** Preceito ou regra imposta pela razão; aviso: *ditames da consciência*.

ditar (di.*tar*) *v.* **1.** Falar ou ler para outrem escrever: *O chefe ditou a carta à secretária*. **2.** Sugerir, inspirar: *Faça o que o seu coração ditar*. **3.** Impor: *ditar ordens*. ▶ Conjug. 5.

ditatorial (di.ta.to.ri:*al*) *adj.* Relativo a ditador ou a ditadura.

dito (*di*.to) *adj.* **1.** Que se disse; mencionado, referido. • *s.m.* **2.** O que se disse. **3.** Ditado, provérbio.

dito-cujo (di.to-*cu*.jo) *s.m.* Pessoa de quem não se quer ou não se pode mencionar o nome; fulano. || pl.: *ditos-cujos*.

ditongo (di.*ton*.go) *s.m.* (*Gram.*) Grupo de dois fonemas vocálicos pronunciados na mesma sílaba, como, por exemplo, *ai* em *baile* e *ui* em *ruivo*.

ditoso [ô] (di.*to*.so) *adj.* Feliz, venturoso. || f. e pl.: [ó].

diurese [é] (di:u.*re*.se) *s.f.* (*Med.*) Excreção da urina.

diurético (di.u.ré.ti.co) *adj.* **1.** Diz-se de substância que favorece a secreção urinária. • *s.m.* **2.** Substância diurética.

diurno (di:*ur*.no) *adj.* **1.** Que se faz ou que sucede de dia: *curso diurno, sonolência diurna*. **2.** Que se faz ou que sucede durante as 24 horas do dia: *O cientista observou a variação diurna da composição mineral da planta*.

diuturno (di:u.*tur*.no) *adj.* Que tem longa duração: *trabalho diuturno*.

diva (*di*.va) *s.f.* **1.** Deusa, divindade. **2.** Atriz ou cantora notável.

divã (di.*vã*) *s.m.* Espécie de sofá sem encosto nem braços e que pode ser usado como leito.

divagar (di.va.*gar*) *v.* Pensar ou falar sem ater-se a um tema: *Discutamos a questão sem divagar*. ▶ Conjug. 5 e 34. – **divagação** *s.f.*

divergência (di.ver.*gên*.ci:a) *s.f.* **1.** Ato ou efeito de divergir. **2.** Discordância. – **divergente** *adj.*

divergir (di.ver.*gir*) *v.* **1.** Estar em desacordo com; discordar: *Infelizmente divirjo da maioria; Os argumentos divergem, mas ambos os debatedores defendem a mesma coisa*. **2.** Afastar-se progressivamente: *Na base da folha as nervuras laterais saem divergindo*. ▶ Conjug. 69 e 92.

diversão (di.ver.*são*) *s.f.* **1.** Ato ou efeito de divertir(-se). **2.** Passatempo, distração, divertimento. **3.** (*Mil.*) Manobra que tem por fim desviar a atenção do inimigo do ponto que se pretende atacar.

diversidade (di.ver.si.*da*.de) *s.f.* Qualidade do que é diverso; pluralidade.

diversificar (di.ver.si.fi.*car*) *v.* **1.** Tornar diverso, fazer variar: *diversificar as atividades*. **2.** Ficar diverso; diferenciar-se: *As demandas e expectativas em relação ao conhecimento diversificaram-se nas últimas décadas*. ▶ Conjug. 5 e 35.

diverso [é] (di.ver.so) *adj.* **1.** Diferente, distinto: *realidades diversas*. **2.** Variado: *material diverso*. • **diversos** *pron. indef. pl.* **3.** Vários, muitos: *O espetáculo reuniu diversas estrelas da música popular brasileira*.

diverticulite (di.ver.ti.cu.*li*.te) *s.f.* (*Med.*) Inflamação de um divertículo.

divertículo (di.ver.*tí*.cu.lo) *s.m.* (*Anat.*) Apêndice oco em forma de saco.

divertimento (di.ver.ti.*men*.to) *s.m.* Distração, diversão, entretenimento.

divertir (di.ver.*tir*) *v.* **1.** Causar riso ou alegria em; distrair, entreter: *Apenas com sua presença consegue divertir as crianças*. **2.** Distrair(-se), entreter(-se): *Levei meu filho para nadar no clube e ele se divertiu bastante*. ▶ Conjug. 69.

dívida (*dí*.vi.da) *s.f.* **1.** Quantia de dinheiro que uma pessoa deve a outra. **2.** Dever de retribuir um favor recebido. || *Dívida externa*: (*Econ.*) totalidade dos débitos garantidos pelo governo de um país, resultantes de empréstimos contraídos pelo governo, empresas estatais e setor privado junto a países estrangeiros. • *Dívida pública*: (*Econ.*) conjunto das obrigações financeiras assumidas pelo governo junto a pessoas físicas e jurídicas residentes no próprio país, para fazer face ao *deficit* orçamentário.

dividendo (di.vi.*den*.do) *s.m.* **1.** (*Mat.*) Na operação de divisão, o número que vai ser dividido por outro, chamado *divisor*. **2.** (*Econ.*) Parte dos lucros que, em uma sociedade anônima, corresponde a cada ação formadora de seu capital.

dividir (di.vi.*dir*) *v.* **1.** Separar as diversas partes de; partir: *Dividiremos o trabalho em seções.* **2.** Partir-se: *Primeiramente o zigoto se divide em duas células.* **3.** Repartir (algo entre vários): *Dividiu a mesada com os irmãos.* **4.** Separar (coisas contíguas); limitar, demarcar: *Um muro divide os dois terrenos.* **5.** Pôr em discórdia; desunir: *A disputa pela herança dividiu a família.* **6.** (*Mat.*) Efetuar a operação de divisão. ▶ Conjug. 66.

divinal (di.vi.*nal*) *adj.* Divino.

divinatório (di.vi.na.*tó*.ri:o) *adj.* Relativo a adivinhação: *artes divinatórias.*

divindade (di.vin.*da*.de) *s.f.* **1.** Atributo ou natureza do que é divino. **2.** O ser divino; deidade, potestade.

divinizar (di.vi.ni.*zar*) *v.* **1.** Atribuir natureza divina a: *divinizar as forças naturais.* **2.** *fig.* Idolatrar, exaltar, engrandecer: *A tendência geral é divinizar os escritores da moda.* ▶ Conjug. 5.

divino (di.*vi*.no) *adj.* **1.** Próprio de um deus ou de Deus. **2.** Muito bom ou muito bonito; maravilhoso, divinal: *uma sobremesa divina, uma voz divina.*

divisa (di.*vi*.sa) *s.f.* **1.** Linha divisória; marco, limite, raia, fronteira: *Polícia busca sequestradores na divisa entre Minas Gerais e São Paulo.* **2.** Sinal distintivo; emblema, distintivo. **3.** Palavra ou frase curta que expressa as ideias de um indivíduo, grupo, partido, país ou qualquer corporação; lema, mote. **4.** Moeda considerada com referência a outras. • *divisas s.f.pl.* (*Econ.*) Reservas em moeda estrangeira de que uma nação dispõe.

divisão (di.vi.*são*) *s.f.* **1.** Ato ou efeito de dividir (-se). **2.** Cada uma das partes em que se dividiu um todo. **3.** Linha ou parede divisória. **4.** Compartimento de um armário, gaveta, caixa etc. **5.** Discórdia, dissensão. **6.** (*Mat.*) Operação que tem por fim determinar o maior número de vezes que uma quantidade contém outra. **7.** (*Mil.*) Parte de um exército, formada de uma ou mais brigadas.

divisar (di.vi.*sar*) *v.* Avistar, perceber, distinguir: *Divisamos terra logo ao amanhecer.* ▶ Conjug. 5.

divisionário (di.vi.si:o.*ná*.ri:o) *adj.* **1.** Relativo a divisão, especialmente à divisão militar. **2.** Diz-se da moeda que representa frações da unidade monetária.

divisível (di.vi.*sí*.vel) *adj.* **1.** Que pode ser dividido. **2.** (*Mat.*) Diz-se do número que se divide exatamente, sem deixar resto.

divisor [ô] (di.vi.*sor*) *adj.* **1.** Que divide. • *s.m.* (*Mat.*) **2.** Número pelo qual se divide outro, chamado *dividendo*.

divisória (di.vi.*só*.ri:a) *s.f.* **1.** Linha que divide ou limita. **2.** Parede fina que estabelece divisões interiores em um aposento.

divorciar (di.vor.ci:*ar*) *v.* **1.** Fazer o divórcio de: *O juiz que os divorciou era um senhor de idade.* **2.** Obter o divórcio: *Divorciaram-se após o nascimento do primeiro filho.* ▶ Conjug. 17.

divórcio (di.*vór*.ci:o) *s.m.* **1.** Dissolução legal do vínculo do matrimônio; repúdio. **2.** Separação, desunião.

divulgar (di.vul.*gar*) *v.* Tornar público; propalar, publicar, propagar, difundir: *O governo divulgou hoje um novo plano de crescimento.* ▶ Conjug. 5 e 34. – **divulgação** *s.f.*; **divulgador** *adj. s.m.*

dizer (di.*zer*) *v.* **1.** Comunicar (algo) por palavras; proferir, enunciar: *Naquela situação, ele não sabia o que dizer.* **2.** Exprimir de qualquer outro modo: *Seu olhar dizia tudo.* **3.** Recitar, declamar: *O ator disse muito bem o monólogo.* **4.** Rezar, entoar: *O padre disse missa no hospital.* **5.** Ordenar, determinar, prescrever: *Alguém sabe o que a lei diz sobre quem comete agressão a símbolo religioso?* **6.** Afirmar de si; chamar-se: *Diz-se inteligente.* **7.** Pretextar, alegar: *Diz-se doente para não sair.* • *s.m.* **8.** Expressão, palavra, dito: *No dizer dela, as coisas não se passaram dessa forma.* || *part.: dito.* ▶ Conjug. 57.

dízima (*dí*.zi.ma) *s.f.* Contribuição ou imposto equivalente à décima parte de um rendimento. || *Dízima periódica:* (*Mat.*) numeral decimal em que o último ou os últimos algarismos se repetem periódica e infinitamente.

dizimar (di.zi.*mar*) *v.* **1.** Causar grande mortandade em: *A gripe vai dizimar aquela população.* **2.** Tornar raro; desfalcar, diminuir: *A abertura da época de caça pode dizimar espécies.* ▶ Conjug. 5.

dízimo (*dí*.zi.mo) *s.m.* **1.** (*Rel.*) Em algumas religiões, tributo que os fiéis pagam. **2.** A décima parte; décimo.

dl Símbolo de *decilitro*.

dm Símbolo de *decímetro*.

DNA (*Biol.*) Ver *desoxirribonucleico*.

do Contração da preposição *de* com o artigo ou pronome demonstrativo *o*: *a bola do menino; Só nos arrependemos do que não fazemos.*

dó[1] *s.m.* Pena, piedade, compaixão: *Demitiu a funcionária sem dó nem piedade.*

dó[2] *s.m.* **1.** (*Mús.*) Primeira nota da escala de dó maior. **2.** (*Mús.*) Sinal que representa essa nota.

doação (do:a.ção) *s.f.* **1.** Ato ou efeito de doar (-se). **2.** Aquilo que se doa. **3.** (*Jur.*) Contrato ou documento pelo qual uma pessoa transfere gratuitamente a outra a propriedade de um bem.

doar (do:ar) *v.* **1.** Transmitir gratuitamente a outrem (bens, dinheiro etc.); dar, conceder: *Doei uma certa quantia à Santa Casa*. **2.** Dar voluntariamente para transfusões ou transplantes: *doar sangue, córnea, medula etc.* **3.** Dedicar(-se), devotar(-se): *Doou-se de corpo e alma para o projeto*. ▶ Conjug. 25. – **doador** *adj. s.m.*

dobar (do.*bar*) *v.* Enrolar formando novelo: *dobar a lã*. ▶ Conjug. 20.

dobra [ó] (do.bra) *s.f.* **1.** Parte de algo voltada sobre si mesma. **2.** Vinco, prega, dobradura: *Pegue a marca da dobra para saber onde é o meio do lençol e corte dois buracos para os olhos*.

dobradiça (do.bra.*di*.ça) *s.f.* Peça, geralmente de metal, formada por duas chapas, unidas por eixo comum de modo que, estando fixas em objetos diferentes, um destes pode girar sobre o outro.

dobradinha (do.bra.*di*.nha) *s.f.* **1.** (*Cul.*) Guisado feito com o estômago do boi. **2.** Dupla.

dobrado (do.*bra*.do) *adj.* **1.** Duplicado. **2.** Enrolado, voltado para si. • *s.m.* **3.** (*Mús.*) Música para marcha militar. || *Cortar um dobrado*: suportar um trabalho duro ou uma situação penosa.

dobradura (do.bra.*du*.ra) *s.f.* Ato ou efeito de dobrar.

dobrar (do.*brar*) *v.* **1.** Tornar(-se) duas vezes maior em quantidade ou intensidade: *O novo presidente disse que dobrará o número de funcionários da empresa; O ritmo de emissões de gás carbônico dobrou em cinco anos*. **2.** Virar uma parte de (algo) totalmente sobre outra: *A diarista passou, dobrou e guardou toda a roupa*. **3.** Formar curva ou ângulo em; vergar: *O peso das laranjas dobrou o galho da laranjeira; Ele dobrou a folha de zinco*. **4.** Inclinar-se, curvar-se: *Tirou o chapéu e dobrou-se em cumprimento*. **5.** Passar, mudando de direção, ao outro lado; virar: *dobrar o Cabo da Boa Esperança; A fila dobrava a esquina*. **6.** Soar (os sinos) com ritmo lento que denota luto: *Os sinos dobram a finados*. **7.** *coloq.* Induzir alguém a pensar ou fazer o contrário da sua primeira intenção ou opinião; fazer ceder: *Não consegui dobrar o meu velho*. ▶ Conjug. 20. – **dobrável** *adj.*

dobre [ó] (do.bre) *s.m.* Toque de sino.

dobro [ô] (do.bro) *num. mult.* Número duas vezes maior que outro.

doca [ó] (do.ca) *s.f.* Parte de um porto, ladeada de muros e cais, para carga, descarga e abrigo de embarcações.

doce [ô] (do.ce) *adj.* **1.** Agradável ao gosto, com o sabor análogo ao do mel ou ao do açúcar. **2.** Que não é salgado: *água doce*. **3.** Temperado com açúcar: *café doce*. **4.** Meigo, afetuoso. **5.** Suave. • *s.m.* **6.** Produto culinário onde entra açúcar ou mel. || sup. abs.: *docíssimo, dulcíssimo*.

doceiro (do.cei.ro) *s.m.* Indivíduo que faz ou vende doces.

docência (do.cên.ci:a) *s.f.* Atividade de docente.

docente (do.cen.te) *adj.* **1.** Que ensina. **2.** Que diz respeito aos professores e ao ensino: *corpo docente*. • *s.m.* e *f.* **3.** Professor.

dócil (dó.cil) *adj.* **1.** Que aprende facilmente: *Os cães geralmente são dóceis*. **2.** De temperamento fácil; flexível: *rapaz dócil*. – **docilidade** *s.f.*

documentação (do.cu.men.ta.ção) *s.f.* **1.** Ação de documentar(-se). **2.** Conjunto de documentos concernentes a (alguém ou algo): *O passageiro foi detido por usar documentação falsa*. **3.** Conjunto de documentos destinados a provar determinados fatos.

documentar (do.cu.men.*tar*) *v.* **1.** Provar com documentos: *documentar uma declaração*. **2.** Munir-se de documentos para provar algo: *Documentou-se bem na sua defesa*. ▶ Conjug. 5.

documentário (do.cu.men.*tá*.ri:o) *adj.* **1.** Relativo a documento, com valor de documento. • *s.m.* **2.** (*Cine*) Filme que apresenta cenas tomadas da realidade, com propósitos informativos.

documentarista (do.cu.men.ta.*ris*.ta) *s.m.* e *f.* Cineasta que realiza filmes documentários.

documento (do.cu.*men*.to) *s.m.* Escrito que serve de prova ou proporciona uma informação. – **documental** *adj.*

doçura (do.çu.ra) *s.f.* **1.** Qualidade de doce; dulçor. **2.** Ternura, meiguice.

dodecaedro [é] (do.de.ca.e.dro) *s.m.* (*Geom.*) Poliedro de 12 faces.

dodecafonismo (do.de.ca.fo.*nis*.mo) *s.m.* (*Mús.*) Sistema que utiliza indistintamente os 12 sons da escala cromática, dispostos em série. – **dodecafônico** *adj.*

dodecágono (do.de.*cá*.go.no) *s.m.* (*Geom.*) Polígono de 12 lados.

dodói (do.*dói*) *adj. fam.* **1.** Doente. • *s.m. fam.* **2.** Machucado, doença, dor.

doença (do:en.ça) *s.f.* **1.** Alteração fisiológica do organismo. **2.** Alteração do funcionamento ou estado normal de: *as doenças da sociedade*. **3.** Comportamento anormal: *O ciúme que ele sente da mulher é uma doença*.

doente (do:en.te) *adj.* **1.** Que sofre de problemas orgânicos ou mentais. **2.** Fanático, apaixonado: *Ele é doente por uma pescaria*. • *s.m. e f.* **3.** Pessoa doente.

doentio (do:en.ti:o) *adj.* **1.** Nocivo à saúde; insalubre: *lugar doentio*. **2.** Com caráter patológico: *curiosidade doentia*. **3.** Fácil de adoecer, de saúde precária; enfermiço.

doer (do:er) *v.* **1.** Estar ou ficar dolorido: *Meu dente não para de doer*. **2.** Causar dor (física ou moral): *Tomar injeção dói um pouquinho*; *Ver crianças pedindo esmolas dói*. **3.** Ressentir-se, condoer-se, magoar-se: *Ela se doeu do silêncio dos amigos naquele momento*. || **De doer:** *pej.* em excesso; muito: *Ela fez um boneco feio de doer*. ▶ Conjug. 43.

dogma [ó] (*dog*.ma) *s.m.* **1.** Verdade fundamental e indiscutível de uma doutrina, especialmente religiosa; mistério. **2.** Proposição apresentada como indiscutível.

dogmático (dog.*má*.ti.co) *adj.* **1.** Relativo a dogma. **2.** *fig.* Que não admite discussão; autoritário: *argumento dogmático*.

dogmatismo (dog.ma.*tis*.mo) *s.m.* Tendência ou atitude dogmática.

doideira (doi.*dei*.ra) *s.f.* Ato, dito ou comportamento de doido; doidice.

doidice (doi.*di*.ce) *s.f.* Doideira.

doidivanas (doi.di.*va*.nas) *s.m. e f. 2n. coloq.* Pessoa estouvada, leviana, imprudente.

doido (*doi*.do) *adj.* **1.** Que perdeu a razão; louco, demente. **2.** Insensato, temerário, imprudente: *motorista doido*. **3.** Extravagante, incomum: *penteado doido*. **4.** *fig.* Encantado, contentíssimo: *O menino está doido com a bicicleta nova*. **5.** Entusiasta, apaixonado: *Sou doida por criança*. • *s.m.* **6.** Pessoa doida.

dois *num. card.* **1.** Um mais um. • *s.m.* **2.** Representação gráfica desse número (2 em algarismos arábicos; II em algarismos romanos). || *dous*.

dois-pontos (dois-*pon*.tos) *s.m.2n.* Sinal de pontuação (:) que precede uma citação, enumeração, esclarecimento etc.

dólar (*dó*.lar) *s.m.* Moeda dos Estados Unidos da América e de diversos outros países.

dolarização (do.la.ri.za.*ção*) *s.f.* (*Econ.*) Estabelecimento do dólar norte-americano como padrão monetário de uma economia. – **dolarizar** *v.*

doleiro (do.*lei*.ro) *s.m.* Pessoa que compra e vende dólares no mercado paralelo.

dolência (do.*lên*.ci:a) *s.f.* Mágoa, dor. – **dolente** *adj.*

dólmã (*dól*.mã) *s.m.* Casaco justo e abotoado de cima a baixo que faz parte dos uniformes militares.

dolo [ó] (*do*.lo) *s.m.* **1.** Engano, fraude, astúcia, má-fé. **2.** (*Jur.*) Ato de que resultou crime quando o agente quis o resultado advindo ou assumiu o risco de produzi-lo.

dolorido (do.lo.*ri*.do) *adj.* **1.** Em que há dor; dorido: *dente dolorido*, *exame dolorido*. 2. Que denota dor: *No filme, ela cantava "Por toda a minha vida" num tom dolorido*.

doloroso [ô] (do.lo.*ro*.so) *adj.* Que provoca dor ou tristeza: *amputação dolorosa*; *a dolorosa consciência do artista*. || f. e pl.: [ó].

doloso [ô] (do.*lo*.so) *adj.* Em que há dolo: *omissão dolosa*. || f. e pl.: [ó].

dom¹ *s.m.* **1.** Dote natural: *Herdou do pai o dom da escrita*. **2.** Dádiva, presente: *A liberdade é um dom divino*.

dom² *s.m.* Título honorífico de monarcas e de membros do alto clero, usado antes do nome próprio, e não antes do sobrenome.

domar (do.*mar*) *v.* **1.** Tornar (um animal) manso e obediente; amansar, domesticar: *domar um cavalo*. **2.** Subjugar, vencer: *domar o inimigo*; *fig. As barragens domaram o rio*. **3.** Reprimir, refrear: *domar impulsos, sentimentos*. ▶ Conjug. 5. – **domador** *adj. s.m.*

domesticar (do.mes.ti.*car*) *v.* Domar. ▶ Conjug. 5 e 35. – **domesticação** *s.f.*

doméstico (do.*més*.ti.co) *adj.* **1.** Relativo à casa, à vida da família. **2.** Diz-se do animal criado em casa. **3.** Que se situa dentro das fronteiras de um país: *voo doméstico*; *portos domésticos*. • *s.m.* **4.** Empregado que faz o serviço da casa.

domiciliar¹ (do.mi.ci.li:*ar*) *v.* **1.** Dar residência a: *domiciliar os refugiados*. **2.** Fixar domicílio: *domiciliar-se no campo*. ▶ Conjug. 17.

domiciliar² (do.mi.ci.li:*ar*) *adj.* Relativo a domicílio: *assistência domiciliar*.

domicílio (do.mi.*cí*.li:o) *s.m.* Lugar onde a pessoa estabelece a habitação fixa; residência: *entrega em domicílio*; *Levamos a domicílio*.

dominação (do.mi.na.*ção*) *s.f.* Ato ou efeito de dominar.

dominância (do.mi.*nân*.ci:a) *s.f.* Condição de dominante.

dominante (do.mi.*nan*.te) *adj.* Que domina: *O tema dominante da reunião foi a falta de oportunidades para os jovens*; *A cor dominante nos vestidos das moças era o verde.*

dominar (do.mi.*nar*) *v.* **1.** Ter (uma pessoa, um país, um território) sob sua autoridade: *A Espanha dominou Portugal de 1580 a 1640.* **2.** Submeter (alguém) a sua vontade: *Aquela mulher domina o marido.* **3.** Reprimir(-se), refrear(-se): *dominar o ciúme*; *Tive vontade de estapear o menino que bateu no meu filho, mas dominei-me.* **4.** Exercer uma influência decisiva sobre: *Na primeira metade do século XX, as ideias de Freud dominaram as explicações sobre o funcionamento da mente.* **5.** Conhecer profundamente: *dominar uma técnica, um assunto, uma língua.* **6.** Ser o ponto mais alto de (um lugar): *A capela branca no alto do monte domina toda a cidade.* **7.** Ser o mais importante, destacado ou abundante (em um lugar): *O individualismo domina na cultura ocidental.* ▶ Conjug. 5. – **dominador** *adj. s.m.*

domingo (do.*min*.go) *s.m.* Dia da semana que se segue ao sábado.

domingueiro (do.min.*guei*.ro) *adj.* **1.** Relativo ao domingo. **2.** Que se usa no domingo: *traje domingueiro.*

dominical (do.mi.ni.*cal*) *adj.* Relativo ao Senhor ou ao domingo.

domínio (do.*mí*.ni:o) *s.m.* **1.** Ato ou efeito de dominar(-se); dominação. **2.** (*Jur.*) Direito de usar e dispor de uma coisa. **3.** Território submetido à autoridade de um rei ou de um Estado. **4.** Território com governo autônomo, mas com certa dependência de outro Estado. **5.** (*Inform.*) Segmento final de um endereço eletrônico que identifica o tipo de entidade proprietária de determinada página: *O domínio registrado pela Academia Brasileira de Letras é www.academia.org.br.* || *Domínio público*: regulamentação legal segundo a qual a reprodução de uma obra (artística, literária etc.) torna-se isenta de pagamento de direitos autorais, após alguns anos da morte do autor. • *Ser de domínio público*: ser sabido por todos.

dominó (do.mi.*nó*) *s.m.* Jogo composto de 28 peças retangulares divididas em duas partes, cada uma das quais marcada com pontos de 0 a 6. || *Efeito dominó*: efeito que consiste em uma série de acontecimentos similares desencadeada por um fato inicial.

domo (*do*.mo) *s.m.* (*Arquit.*) Superfície externa de uma abóbada esférica ou convexa.

dona (*do*.na) *s.f.* **1.** Tratamento de consideração dispensado às senhoras. **2.** Proprietária. **3.** Título honorífico feminino correspondente a Dom. || *Dona de casa*: mulher que administra o lar.

donaire (do.*nai*.re) *s.m.* **1.** Garbo, elegância, graça, gentileza. **2.** Enfeite, adorno. **3.** Dito engraçado; gracejo.

donatário (do.na.*tá*.ri:o) *s.m.* **1.** Indivíduo que recebeu uma doação. **2.** (*Hist.*) Titular de uma capitania hereditária.

donativo (do.na.*ti*.vo) *s.m.* Doação que se faz com fins altruístas ou beneficentes.

donde (*don*.de) (Contração da preposição *de* com o advérbio *onde*. **1.** Indica origem: *Donde vens?* **2.** Indica conclusão: *Ela se calou, donde todos terem pensado que ela concordara com a maioria.*

doninha (do.*ni*.nha) *s.f.* (*Zool.*) Pequeno mamífero carnívoro, com cerca de 30 cm.

dono (*do*.no) *s.m.* Proprietário, possuidor.

donzela [é] (don.*ze*.la) *s.f.* **1.** Na Idade Média, mulher jovem de origem nobre. **2.** Moça virgem.

dopar (do.*par*) *v.* Administrar(-se) droga (especialmente atleta ou cavalo para aumentar seu rendimento em uma competição): *Nesse tipo de golpe, parece que o ladrão dopa a vítima com um sonífero*; *Se o jogador se dopou, deve ser punido.* ▶ Conjug. 20.

doping [*dópin*] (Ing.) *s.m.* **1.** (*Esp.*) Utilização ilegal, por parte do atleta, de substâncias químicas que melhorem seu desempenho. **2.** No turfe, aplicação de substâncias químicas num cavalo para melhorar seu desempenho.

dor *s.f.* **1.** Sensação desagradável ou penosa, resultante de lesão, contusão ou alteração orgânica. **2.** Sofrimento moral.

doravante (do.ra.*van*.te) *adv.* De agora em diante, para o futuro.

dorido (do.*ri*.do) *adj.* Dolorido.

dormência (dor.*mên*.ci:a) *s.f.* **1.** Insensibilidade parcial ou total de uma parte do corpo, sobretudo das extremidades; formigamento. **2.** Estado de quem dorme ou está entorpecido.

dormente (dor.*men*.te) *adj.* **1.** Que está em torpor; insensível: *pernas dormentes.* **2.** Que dorme. • *s.m.* **3.** Cada uma das vigas transversais em que se assentam os trilhos de uma linha férrea.

dormida (dor.*mi*.da) *s.f.* **1.** Ação de dormir. **2.** Tempo durante o qual se dorme. **3.** Lugar onde se pernoita.

dorminhoco [ô] (dor.mi.*nho*.co) *adj.* **1.** Que dorme muito, que gosta muito de dormir. • *s.m.* **2.** Pessoa dorminhoca. || f.: [ó].

dormir (dor.*mir*) v. **1.** Estar num estado de suspensão dos sentidos e de todo movimento consciente, para repousar o corpo: *Esta noite dormi muito bem*; *dormir uma boa noite de sono* **2.** Ter relações sexuais (com): *Ela já dormiu com o namorado*; *Já dormiram juntos uma vez.* ▶ Conjug. 76.

dormitar (dor.mi.*tar*) v. Dormir com sono pouco profundo: *Dormitou várias vezes durante a palestra.* ▶ Conjug. 5.

dormitório (dor.mi.*tó*.ri:o) s.m. Quarto de dormir, especialmente coletivo.

dorsal (dor.*sal*) adj. Relativo a dorso: *espinha dorsal*.

dorso [ô] (dor.*so*) s.m. **1.** Parte posterior do tronco do homem e de outros vertebrados; costas. **2.** Parte superior de uma parte do corpo ou de um objeto: *dorso do pé, dorso do punho, dorso do cartucho.* **3.** Parte posterior de um objeto: *dorso de uma cadeira, de um livro.*

dosar (do.*sar*) v. **1.** Dividir em doses: *Usou o conta-gotas para dosar o medicamento.* **2.** *fig.* Estabelecer doses adequadas de algo: *Os compositores dosaram reverência e ousadia ao criar arranjos para as obras do mestre.* ▶ Conjug. 20. – **dosagem** s.f.

dose [ó] (do.*se*) s.f. **1.** Quantidade fixa de substância que entra num composto químico ou farmacêutico. **2.** Porção de medicamento que se toma de uma vez ou a intervalos precisos. **3.** Quantidade, porção: *dose de bebida*. || *Ser dose* (*para elefante* ou *leão*): ser excessivo para alguém suportar: *Trabalhar dez horas por dia é dose.*

dossel (dos.*sel*) s.m. Cobertura ornamental, sustentada por colunas, que decora e enobrece um leito, um trono, um altar.

dossiê (dos.si:*ê*) s.m. Coleção de documentos concernentes a um processo, a um indivíduo ou a qualquer assunto.

dotação (do.ta.*ção*) s.f. **1.** Ato ou efeito de dotar. **2.** Quantia prevista no orçamento para determinado serviço público; verba. **3.** Renda instituída em favor de estabelecimento, fundação, pessoa.

dotar (do.*tar*) v. **1.** Prendar, favorecer, beneficiar (com algum dote natural): *A natureza dotou-o de uma inteligência aguda.* **2.** Consignar (verba orçamentária) a: *O governo dotou a Secretaria de Segurança de recursos na área de pessoal.* **3.** Estabelecer uma renda a (uma fundação, um estabelecimento, uma pessoa etc.): *O banqueiro dotou a fundação de uma participação no capital do banco de mais de 20%.* ▶ Conjug. 20. – **dotado** adj.

dote [ó] (do.*te*) s.m. **1.** Qualidade física ou intelectual dada pela natureza; dom. **2.** Conjunto de bens que uma mulher leva para o matrimônio. **3.** Conjunto de bens que uma freira leva quando entra para o convento.

dourado (dou.ra.*do*) s.m. **1.** Cor do ouro. **2.** (*Zool.*) Peixe de coloração dourada cuja carne é muito apreciada. • adj. **3.** Da cor do ouro. **4.** Revestido de camada ou folha de ouro: *brinco dourado.* **5.** *fig.* Alegre, feliz: *juventude dourada, anos dourados.*

dourar (dou.*rar*) v. **1.** Revestir com camada de ouro: *dourar um colar, uma pulseira etc.* **2.** Fritar ou assar até adquirir a cor do ouro: *Doure a cebola e o alho numa panela; Deixe o frango dourar no forno.* **3.** Imprimir a ouro: *dourar a lombada de um livro.* ▶ Conjug. 22.

dous num. card. Dois.

douto (dou.*to*) adj. **1.** Que tem vastos conhecimentos, que revela erudição; muito instruído, sábio: *douto magistrado.* **2.** Que demonstra sabedoria: *doutas argumentações.*

doutor [ô] (dou.*tor*) s.m. **1.** O que obteve o mais alto grau universitário, após apresentar tese. **2.** Título que, por cortesia, se dá a qualquer diplomado em curso superior. **3.** Médico. || *Doutor honoris causa*: que recebeu o título universitário como homenagem, sem ter cursado ou prestado exame.

doutorado (dou.to.ra.*do*) s.m. **1.** Curso de pós-graduação que confere o título de doutor, mediante a apresentação e defesa de uma tese; doutoramento. **2.** Grau que se obtém ao término desse curso.

doutoral (dou.to.*ral*) adj. **1.** Relativo a doutor ou a doutorado. **2.** *pej.* Decisivo e cheio de superioridade; pedante, sentencioso: *ar doutoral.*

doutoramento (dou.to.ra.men.*to*) s.m. **1.** Ato de doutorar(-se). **2.** Doutorado (1).

doutorando (dou.to.ran.*do*) s.m. Indivíduo que se prepara para receber o grau de doutor.

doutorar (dou.to.*rar*) v. **1.** Conferir grau de doutor: *Pela importância da sua tese, a universidade o doutorou com o grau máximo com louvor.* **2.** Obter o grau de doutor: *Doutorou-se em Matemática pela Universidade de Lisboa, em 2000.* ▶ Conjug. 20.

doutrina (dou.tri.*na*) s.f. Conjunto de princípios fundamentais que constituem um sistema religioso, filosófico, político ou de qualquer

doutrinar

ramo de conhecimento que se pretende divulgar: *doutrina espírita*.

doutrinar (dou.tri.*nar*) v. **1.** Instruir (alguém) em uma matéria, especialmente uma crença ou doutrina: *Os jesuítas doutrinaram os aborígenes e os converteram à fé cristã*. **2.** Incutir em (alguém) uma crença particular com o objetivo de dirigir sua ação: *O governo daquele país doutrina seu povo a odiar o país vizinho*. ▶ Conjug. 5. – **doutrinação** s.f.

doutrinário (dou.tri.*ná*.ri:o) s.m. Relativo a doutrina ou que a contém.

download [*daunloud*] (Ing.) (Inform.) Ver *baixar*. || *Fazer download*: (Inform.) baixar.

doze [ô] (*do*.ze) num. card. **1.** Onze mais um. • s.m. **2.** Representação gráfica desse número (12 em algarismos arábicos; XII em algarismos romanos).

dracma (*drac*.ma) s.f. Moeda da Grécia antes da adoção do euro.

draconiano (dra.co.ni:*a*.no) adj. Excessivamente severo: *lei draconiana*.

draga (*dra*.ga) s.f. Espécie de escavadeira destinada a desobstruir o fundo dos mares, lagos, rios etc. dos depósitos e entulhos que aí se formam.

dragão (dra.*gão*) s.m. **1.** Animal fabuloso, representado com garras de leão, asas de morcego e cauda de serpente. **2.** (*Mil.*) Soldado de cavalaria que também combatia a pé: *os Dragões da Independência*.

dragar (dra.*gar*) v. Limpar com draga: *dragar um rio, um canal etc*. ▶ Conjug. 20 e 34. – **dragagem** s.f.

drágea (*drá*.ge:a) s.f. **1.** (*Farm.*) Espécie de pílula com revestimento açucarado. **2.** (*Cul.*) Guloseima que consiste numa amêndoa coberta com uma pasta endurecida de açúcar.

dragona (dra.*go*.na) s.f. Galão dourado que os militares usam em cada ombro como distintivo.

drag queen [*dreg qüin*] (Ing.) loc. subst. Homem homossexual que se veste de mulher.

drama (*dra*.ma) s.m. **1.** (*Teat.*) Obra literária destinada a representação teatral. **2.** (*Lit.*, *Teat.*) O gênero teatral. **3.** (*Cine*, *Lit.*, *Teat.*, *Telv.*) Obra caracterizada por um conteúdo emocional intenso e cujo argumento desenvolve episódios centrados numa situação conflitante. **4.** Acontecimento ou situação dolorosa: *Como estava acima do seu peso, comprar roupa era um drama para ela*. || *Fazer um drama*: exagerar a gravidade de algo: *Fez um drama porque a mulher gastara muito na feira*.

dramalhão (dra.ma.*lhão*) s.m. pej. Drama longo, de pouco valor, cheio de lances altamente trágicos.

dramático (dra.*má*.ti.co) adj. **1.** Relativo a drama. **2.** Que representa dramas: *atriz dramática*. **3.** Diz-se de gênero literário que agrupa as obras que se caracterizam pela forma dialogada e pela ênfase na ação. **4.** Patético, comovente: *situação dramática*.

dramatizar (dra.ma.ti.*zar*) v. **1.** Dar forma de peça teatral a: *dramatizar uma narração com diálogos*; *A turma dramatizou situações do mercado de trabalho discutidas em sala de aula*. **2.** Tornar dramático: *A cobertura da mídia exagerou e dramatizou o episódio*. ▶ Conjug. 5. – **dramatização** s.f.

dramaturgia (dra.ma.tur.*gi*.a) s.f. **1.** Arte de escrever peças de teatro. **2.** Conjunto de dramas de um autor ou de uma época. **3.** Arte e técnica usadas na adaptação e montagem de uma obra teatral.

dramaturgo (dra.ma.*tur*.go) s.m. Autor de peças teatrais; teatrólogo.

drapeamento (dra.pe:a.*men*.to) s.m. Drapejamento.

drapear (dra.pe:*ar*) v. Drapejar. ▶ Conjug. 14.

drapejamento (dra.pe.ja.*men*.to) s.m. Ato ou efeito de drapejar; drapeamento.

drapejar (dra.pe.*jar*) v. **1.** Fazer pregas soltas e harmoniosas (em um pano ou vestimenta); drapear: *drapejar uma saia*. **2.** Agitar-se, ondear-se, drapear: *Na passeata, as bandeiras dos descontentes drapejavam*. ▶ Conjug. 10.

drástico (*drás*.ti.co) adj. Enérgico, eficaz: *medida drástica*, *remédio drástico*.

drenagem (dre.na.*gem*) s.f. **1.** Ato ou efeito de drenar. **2.** Conjunto de operações e de meios para drenar. **3.** Saída ou perda continuada de algo: *drenagem de recursos humanos*.

drenar (dre.*nar*) v. **1.** Fazer escoar o excesso de líquido de (um terreno) por meio de valas, fossas, tubos etc. **2.** (*Med.*) Retirar, com dreno, líquido, secreção etc. de: *drenar um abscesso*. ▶ Conjug. 5.

dreno (*dre*.no) s.m. **1.** Tubo que serve para drenar. **2.** (*Med.*) Tubo, gaze ou qualquer substância com que se assegura a saída de líquido de cavidade, de ferida, de abscesso.

driblar (dri.*blar*) v. **1.** Enganar os adversários no futebol, por meio de negaças ou fintas, com o corpo ou com a bola; fintar. **2.** *fig*. Esquivar-se de; evitar: *driblar dificuldades*. ▶ Conjug. 5.

drible (*dri*.ble) s.m. Ato ou efeito de driblar; finta.

drinque (drin.que) *s.m.* Bebida alcoólica que se toma antes das refeições.

drive [draive] (Ing.) *s.m.* (*Inform.*) Dispositivo eletromecânico de entrada e saída, que serve para ler e gravar informações em discos; unidade de disco.

droga [ó] (dro.ga) *s.f.* **1.** Substância química, natural ou sintética, estimulante ou narcótica, que leva à dependência e é capaz de causar danos à saúde física e psíquica de quem a consome; entorpecente. **2.** Qualquer substância empregada como ingrediente em farmácia, química etc. **3.** *coloq.* Coisa de má qualidade ou de pouco valor. **4.** *coloq.* Coisa desagradável.

drogar (dro.gar) *v.* Ministrar droga a (alguém ou a si mesmo): *Ele não se drogou, alguém o drogou pondo uma substância na sua bebida.* ▶ Conjug. 20 e 34. – **drogado** *adj. s.m.*

drogaria (dro.ga.ri.a) *s.f.* Loja onde se vendem produtos farmacêuticos e de perfumaria industrializados.

dromedário (dro.me.dá.ri:o) *s.m.* (*Zool.*) Mamífero da família do camelo, de uma só corcova.

druida (drui.da) *s.m.* Sacerdote dos antigos celtas.

dual (du:al) *adj.* Relativo a dois; de dois.

dualidade (du:a.li.da.de) *s.f.* **1.** Condição de dual; dualismo. **2.** Coexistência de dois elementos diversos numa mesma pessoa ou coisa; dualismo.

dualismo (du:a.lis.mo) *s.m.* **1.** (*Fil., Rel.*) Doutrina que afirma a existência de dois princípios essencialmente irredutíveis: *corpo e espírito, bem e mal etc.* **2.** Dualidade.

duas (du.as) *num. card.* Na quantidade dois (usado para substantivos femininos): *duas passagens.*

dubiedade (du.bi:e.da.de) *s.f.* Qualidade de dúbio; dúvida, incerteza, hesitação.

dúbio (dú.bi:o) *adj.* Que oferece dúvida; duvidoso, ambíguo, incerto, indeciso, vago.

dubitável (du.bi.tá.vel) *adj.* De que se pode duvidar; ambíguo, impreciso.

dublagem (du.bla.gem) *s.f.* **1.** Ato ou efeito de dublar. **2.** (*Cine, Telv.*) Substituição da fita sonora original de um filme pelo registro de outras vozes em uma língua diferente. **3.** (*Cine, Telv.*) Gravação de diálogos feita após a filmagem, sincronizando-se as falas dos atores com sua imagem projetada na tela.

dublar (du.blar) *v.* Fazer a dublagem de: *Ela forçava muito a voz para dublar personagens infantis de desenhos animados.* ▶ Conjug. 5. – **dublador** *adj. s.m.*

dublê (du.blê) *s.m. e f.* Profissional que substitui um ator em cenas perigosas, de nudez etc.

ducado¹ (du.ca.do) *s.m.* **1.** Terras que formam o domínio de um duque. **2.** Título de duque.

ducado² (du.ca.do) *s.m.* Moeda de ouro de vários países.

ducal (du.cal) *adj.* Relativo a duque, próprio de duque.

ducentésimo (du.cen.té.si.mo) *num. ord.* **1.** Que ou o que denota o número duzentos numa série. • *num. frac.* **2.** Que ou o que é parte de um todo dividido em duzentas partes iguais.

ducha (du.cha) *s.f.* **1.** Jorro de água dirigido sobre o corpo de uma pessoa, com fins terapêuticos ou higiênicos. **2.** Chuveiro com jato. **3.** Banho desse chuveiro.

dúctil (dúc.til) *adj.* **1.** Que pode ser batido, estirado, alongado sem se quebrar: *ferro dúctil.* **2.** *fig.* Que se amolda às conveniências; dócil, contemporizador: *presidente dúctil.* – **ductilidade** *s.f.*

ducto (duc.to) *s.m.* **1.** Tubulação que serve para levar algo de um lugar para outro; canal, conduto: *ducto submarino de petróleo.* **2.** (*Anat.*) Cavidade estreita, mais ou menos alongada, destinada a dar passagem a líquidos ou gases ou alojar órgãos: *ducto medular.* ∥ *duto.*

duelar (du:e.lar) *v.* Bater-se em duelo: *O mítico chefe da tribo Apache duelou com o dragão usando arco e flecha.* ▶ Conjug. 8.

duelo [é] (du:e.lo) *s.m.* **1.** Combate entre duas pessoas, precedido por desafio e com regulamento apropriado. **2.** Qualquer luta ou enfrentamento: *duelo verbal*; *Os dois times já estão prontos para o duelo.*

duende (du:en.de) *s.m.* (*Folc.*) Entidade fantástica que, segundo as tradições populares, habita casas ou lugares desertos, praticando travessuras e inquietando pessoas.

dueto [ê] (du:e.to) *s.m.* (*Mús.*) **1.** Composição musical para duas vozes ou dois instrumentos; duo. **2.** Canto a duas vozes; duo.

dulcificar (dul.ci.fi.car) *v.* **1.** Tornar doce; adoçar: *dulcificar o chá.* **2.** *fig.* Abrandar, mitigar, suavizar, amenizar: *O repouso dulcifica as inquietações e angústias provocadas pelo trabalho.* ▶ Conjug. 5 e 35.

dulcíssimo (dul.cís.si.mo) Superlativo absoluto de doce.

dulçor [ô] (dul.çor) *s.m.* Doçura.

dulçoroso [ô] (dul.ço.ro.so) *adj.* Cheio de dulçor. ∥ f. e pl.: [ó].

dumping [*dampin*] (Ing.) s.m. Venda de um produto no país estrangeiro por um preço inferior ao do mercado interno ou dos outros concorrentes estrangeiros, a fim de eliminar a concorrência.

duna (du.na) s.f. (*Geol.*) Monte de areia móvel formado pela ação do vento, característico dos desertos ou litorais arenosos.

duo (du.o) s.m. Dueto.

duodécimo (du:o.dé.ci.mo) num. ord. **1.** Que ou o que denota o número 12 numa série. • *num. frac.* **2.** Que ou o que é parte de um todo dividido em doze partes iguais.

duodeno (du.o.de.no) s.m. (*Anat.*) A primeira parte do intestino delgado.

dupla (du.pla) s.f. Grupo de dois; par, duo, casal.

duplex [écs] (du.*plex*) adj. **1.** Diz-se de apartamento de dois pavimentos. • s.m.2n. **2.** Apartamento duplex.

dúplex [cs] (dú.plex) adj. s.m.2n. Duplex.

duplicar (du.pli.*car*) v. **1.** Multiplicar por dois, dobrar: *duplicar a receita do bolo.* **2.** Fazer cópia de: *duplicar uma fita cassete.* ▶ Conjug. 5 e 35. – **duplicação** s.f.

duplicata (du.pli.*ca*.ta) s.f. **1.** Cópia, reprodução. **2.** Segundo exemplar (de selo, moeda ou qualquer peça de coleção). **3.** (*Econ.*) Título de crédito pelo qual o comprador se obriga a pagar no prazo estipulado a importância da fatura.

dúplice (dú.pli.ce) num. mult. **1.** Número duas vezes maior que outro; duplo. • adj. **2.** Dissimulado, falso, fingido: *caráter dúplice.* – **duplicidade** s.f.

duplo (du.plo) num. mult. **1.** Que ou o que é duas vezes maior que outro: *O duplo de dois é quatro.* • adj. **2.** Formado por dois elementos: *CD duplo.* • s.m. **3.** Pessoa de grande semelhança física com outra; sósia.

duque¹ (du.que) s.m. Título de nobreza mais elevado.

duque² (du.que) s.m. Pedra ou carta de jogar que vale dois pontos.

duquesa [ê] (du.que.sa) s.f. **1.** Senhora que possui o título de nobreza correspondente ao de duque. **2.** Mulher de duque.

durabilidade (du.ra.bi.li.*da*.de) s.f. Qualidade de durável; duração.

durável (du.*rá*.vel) adj. Que pode durar muito.

duração (du.ra.*ção*) s.f. **1.** Espaço de tempo que decorre entre o começo e o fim de (uma ação, um fenômeno). **2.** Durabilidade **3.** Prazo de validade.

duradouro (du.ra.*dou*.ro) adj. Que dura muito ou pode durar muito: *relacionamento duradouro.*

duralumínio (du.ra.lu.*mí*.ni:o) s.m. (*Quím.*) Liga constituída de alumínio com magnésio, cobre e manganês, de grande resistência.

dura-máter (du.ra-*má*.ter) s.f. (*Anat.*) A membrana mais externa e resistente das que envolvem o cérebro e a medula espinhal.

durante (du.*ran*.te) prep. **1.** Ao longo de: *O número de turistas na cidade dobrou durante o carnaval.* **2.** Em um momento no transcurso de: *Teve um forte acesso de tosse durante o concerto.*

durar (du.*rar*) v. **1.** Ter uma duração de: *A cirurgia durou três horas.* **2.** Manter-se ou conservar-se em bom estado (por um período de tempo): *O efeito da escova dura uma semana; Esta geladeira não durou muito.* **3.** Continuar a existir ao longo do tempo: *Mesmo com essa doença, ele ainda pode durar muito.* ▶ Conjug. 5.

durex [écs] (du.*rex*) s.m.2n. Fita adesiva. || Da marca registrada *Durex.*

dureza [ê] (du.re.za) s.f. Qualidade de duro.

duro (du.ro) adj. **1.** Que oferece grande resistência à pressão: *metal duro.* **2.** Que não se pode dobrar; rígido, rijo: *lente dura.* **3.** Que oferece resistência à ação: *A marcha deste carro está muito dura.* **4.** Diz-se de ovo cozido. **5.** Que exige grande esforço; árduo: *trabalho duro.* **6.** fig. Difícil de convencer; inflexível, intransigente: *cabeça dura.* **7.** fig. Insensível, cruel, implacável: *coração duro, pessoa dura.* **8.** coloq. Sem dinheiro. • s.m. **9.** coloq. Pessoa sem dinheiro.

duto (du.to) s.m. Ducto.

dúvida (dú.vi.da) s.f. **1.** Estado de espírito próprio de quem não sabe como agir ou em que acreditar. **2.** (*Fil.*) Atitude mental de quem suspende temporariamente suas certezas. **3.** Questão que implica dúvida: *Antes de aplicar a prova, o professor tirou as dúvidas dos alunos.* || *Sem dúvida*: com certeza.

duvidar (du.vi.*dar*) v. **1.** Ter dúvida de: *Alguém duvidava que esse filme ia ser bom?* **2.** Não confiar; suspeitar, desconfiar: *Duvidava das boas intenções dele.* **3.** Não crer; ser cético, questionar: *Duvidava da origem divina do universo.* **4.** Achar impossível: *Duvido que ele já tenha jogado bem futebol.* ▶ Conjug. 5.

dzeta

duvidoso [ô] (du.vi.do.so) *adj.* **1.** Que oferece dúvida: *sentido duvidoso*. **2.** Incerto, arriscado, perigoso: *negócio duvidoso*. **3.** Que tem ou mostra dúvida; indeciso, irresoluto, hesitante: *Não respondeu, apenas cofiou o bigode, duvidoso*. **4.** Suspeito, equívoco: *costumes duvidosos*. || f. e pl.: [ó].

duzentos (du.zen.tos) *num. card.* **1.** Duas vezes cem. • *s.m.* **2.** Representação gráfica desse número (200 em algarismos arábicos; CC em algarismos romanos).

dúzia (dú.zi:a) *s.f.* Conjunto de 12 objetos da mesma natureza: *uma dúzia de bananas*.

DVD *s.m.* Disco que armazena dados audiovisuais de alta resolução.

DVD *player* [devedê plêier] (Ing.) *s.m.* Aparelho para tocar DVDs.

dzeta [é] (dze.ta) *s.m.* Sexta letra do alfabeto grego.

e¹ *s.m.* **1.** A quinta letra do alfabeto português. **2.** Segunda das cinco letras representativas do sistema vocálico. **3.** (*Fís.*) Símbolo de *elétron*.

e² *conj.* (*Gram.*) Une palavras, termos da oração ou orações com a mesma função: *Ela entrou na loja e comprou um vestido.*

é *s.m.* Nome da letra e.

E Símbolo de *este* ou *leste*.

ébano (é.ba.no) *s.m.* **1.** (*Bot.*) Árvore que fornece madeira escura, pesada e muito resistente. **2.** Madeira dessa árvore. **3.** Cor de ébano.

ebó (e.bó) *s.m.* (*Rel.*) Oferenda a Exu e outras divindades; despacho.

ebola [ó] (e.bo.la) *s.m.* (*Med.*) Vírus mortífero que produz hemorragia interna no doente.

ébrio (é.bri:o) *adj.* **1.** Que está com a mente turvada devido ao consumo excessivo de bebidas alcoólicas ou que toma bebidas usualmente: *Como bebia desde a juventude, na maturidade tornou-se um ébrio.* • *s.m* **2.** Pessoa ébria; bêbado, beberrão.

ebulição (e.bu.li.ção) *s.f.* **1.** Ato ou efeito de ferver. **2.** *fig.* Agitação, inquietação: *Gramado está em ebulição com o festival de cinema.*

ebúrneo (e.búr.ne:o) *adj.* **1.** De marfim. **2.** Que se parece com o marfim, na cor ou na textura: *palidez ebúrnea.*

ecdótica (ec.dó.ti.ca) *s.f.* Estudo destinado a descobrir e corrigir erros de um texto transmitido, ou várias vezes editado, de formas divergentes, preparando aquela que será a sua edição crítica; crítica textual; edição crítica: *A ecdótica da obra de Castro Alves é um desafio fascinante.*

echarpe (e.char.pe) *s.f.* Faixa comprida e estreita que se coloca em volta do pescoço ou sobre os ombros e as costas, usada para enfeitar ou para agasalhar.

eclâmpsia (e.clâmp.si:a) *s.f.* (*Med.*) Enfermidade que produz convulsões em mulheres grávidas.

ecler [é] (e.cler) *s.m.* (*Cul.*) Bomba (4) doce: *ecler de creme; ecler de chocolate.*

eclesiástico (e.cle.si:ás.ti.co) *adj.* **1.** Da Igreja, em especial da Igreja Católica. • *s.m.* **2.** Pessoa que pertence ao clero; sacerdote, padre.

eclético (e.clé.ti.co) *adj.* Que conjuga elementos de diferentes estilos, ideias e tendências.

ecletismo (e.cle.tis.mo) *s.m.* **1.** Qualidade do que é eclético. **2.** Postura intelectual, moral ou estética caracterizada pela escolha de determinada conduta entre várias posições consagradas, sem rigidez ou compromisso com nenhuma delas.

eclipse (e.clip.se) *s.m.* **1.** (*Astron.*) Ocultamento de um astro pela interposição de outro entre ele e o observador (como no eclipse solar), ou diminuição de luminosidade de um astro pela interposição de outro entre ele e sua fonte luminosa (como no eclipse lunar). **2.** *fig.* Ausência, desaparecimento, obscurecimento. – **eclipsar** *v.* ▶ Conjug. 5. – **eclíptico** *adj.*

eclodir (e.clo.dir) *v.* Surgir de forma violenta; explodir, irromper: *Em 1932, eclodiu a Revolução Constitucionalista em São Paulo; O tsunami eclodiu inesperadamente, assustando o mundo.* ▶ Conjug. 76.

écloga (é.clo.ga) *s.f.* (*Lit.*) Poema que se volta para temas campestres, bucólicos, dialogados ou não, em que geralmente são encontradas figuras de pastores. || *égloga.*

eclosão (e.clo.são) *s.f.* Ato ou efeito de eclodir.

eclusa (e.clu.sa) *s.f.* Conjunto de duas ou mais comportas, usado para reter ou deixar fluir a água, permitindo a subida ou descida de uma embarcação entre trechos de um rio ou canal em desnível; dique: *As eclusas do canal do Panamá são as maiores do mundo.*

eco [é] (e.co) *s.m.* **1.** (*Fís.*) Repetição de som produzida pelo encontro de ondas sonoras com um obstáculo. **2.** *fig.* Receptividade, repercussão: *Nossas advertências não tiveram eco; O eco de seu sucesso correu mundo.*

ecoar (e.co:*ar*) v. **1.** Gerar eco: *O grito de Zumbi ecoou no Quilombo*. **2.** Soar de novo; reverberar (no espaço ou no tempo): *Os acordes da guitarra ecoaram por toda noite*. **3.** *fig.* Refletir, reproduzir: *A renúncia do político ecoou o desejo da população*. ▶ Conjug. 25.

ecocardiografia (e.co.car.di:o.gra.*fi*.a) s.f. (*Med.*) Exame do coração e de seu funcionamento feito com o emprego de ultrassom.

ecocardiograma (e.co.car.di:o.gra.ma) s.m. (*Med.*) Imagem gráfica do coração obtida através da ecocardiografia.

ecografia (e.co.gra.*fi*.a) s.f. (*Med.*) Ultrassonografia.

ecologia (e.co.lo.*gi*.a) s.f. (*Biol.*) Estudo das relações entre os seres vivos e o meio ambiente.

ecológico (e.co.*ló*.gi.co) adj. **1.** Relativo a Ecologia. **2.** Que leva em consideração o meio ambiente.

ecologista (e.co.lo.*gis*.ta) adj. **1.** Relativo a Ecologia. • s.m. e f. **2.** Quem se dedica à Ecologia; ecólogo.

ecólogo (e.*có*.lo.go) s.m. Ecologista: *O ecólogo é um profissional que compreende as questões ambientais de maneira sistêmica*.

economês (e.co.no.*mês*) s.m. *joc.* Jargão tecnicista utilizado pelos economistas, de difícil compreensão para os leigos.

economia (e.co.no.*mi*.a) s.f. **1.** (*Econ.*) Ciência que tem por objeto o conhecimento dos fenômenos de produção, circulação e distribuição de riquezas e bens materiais. **2.** (*Econ.*) Conjunto de atividades de produção, circulação e distribuição de riquezas e bens materiais de um país ou região. **3.** Administração prudente dos gastos. **4.** *fig.* Moderação de esforços ou recursos; parcimônia: *economia de palavras, de gestos, de forças*. **5.** Dinheiro guardado (em um banco ou em casa); poupança. || Na última acepção, usa-se também no plural: *Ele pode guardar suas economias em um banco*.

econômico (e.co.*nô*.mi.co) adj. **1.** Relativo a Economia. **2.** Que economiza.

economista (e.co.no.*mis*.ta) s.m. e f. Profissional formado em Economia.

economizar (e.co.no.mi.*zar*) v. **1.** Acumular (dinheiro): *Economizei sessenta reais este mês*. **2.** Administrar os gastos com prudência: *Sempre economizava uma parte da mesada para comprar roupa no final do mês*. **3.** Gastar com parcimônia; não desperdiçar: *economizar dinheiro; economizar tempo, energia; Com a compra do carro novo, economiza na gasolina*. ▶ Conjug. 5.

ecosfera [é] (e.cos.*fe*.ra) s.f. (*Biol.*) Agrupamento dos ecossistemas do planeta Terra; biociclo, biosfera.

ecossistema (e.cos.sis.*te*.ma) s.m. (*Biol.*) **1.** Sistema ecológico constituído por seres vivos e elementos não vivos que interagem entre si e com o meio; biossistema. **2.** Parte desse ecossistema.

ecoturismo (e.co.tu.*ris*.mo) s.m. Turismo que busca preservar o meio ambiente.

ectoplasma (ec.to.*plas*.ma) s.m. **1.** (*Biol.*) Camada externa do citoplasma de alguns microrganismos, como a ameba. **2.** (*Rel.*) Substância que emanaria dos médiuns durante o transe, para dar forma a materializações espirituais.

ecumênico (e.cu.*mê*.ni.co) adj. **1.** Que convive ou dialoga com diferentes religiões: *culto ecumênico*. **2.** Relativo a ecumenismo. **3.** Que pertence à esfera humana; universal.

ecumenismo (e.cu.me.*nis*.mo) s.m. (*Rel.*) Corrente de pensamento que preconiza a união de todas as igrejas cristãs. – **ecúmeno** adj. s.m.

eczema (ec.*ze*.ma) s.m. (*Med.*) Reação inflamatória que aparece na pele, propiciando o surgimento de bolhas; erupção cutânea.

edáfico (e.*dá*.fi.co) adj. Relativo a solo, especialmente em sua relação com os fenômenos biológicos: *fauna edáfica; vegetação edáfica*.

edema (e.*de*.ma) s.m. (*Med.*) Acúmulo exagerado de líquido no organismo, causando inchação no tecido celular ou em diferentes órgãos do corpo: *edema pulmonar*.

edematoso [ô] (e.de.ma.*to*.so) adj. Que tem edema; edemático. || f. e pl.: [ó].

éden (*é*.den) **1.** (*Rel.*) Paraíso bíblico na Terra, onde teriam habitado Adão e Eva. **2.** *fig.* Lugar maravilhoso, cheio de paz e delícias; paraíso. || Na acepção 1, é usado com maiúscula.

edênico (e.*dê*.ni.co) adj. **1.** Relativo a Éden. **2.** Delicioso, maravilhoso, paradisíaco.

edição (e.di.*ção*) s.f. **1.** Ato ou efeito de editar. **2.** Ato ou efeito de editorar. **3.** Empreendimento editorial. **4.** (*Art. Gráf.*) Conjunto dos exemplares impressos na mesma ocasião ou, ainda, determinada tiragem de jornais e revistas. **5.** (*Rádio, Telv.*) Cada transmissão de um determinado programa radiofônico ou telejornalístico: *A próxima edição de nosso telejornal vai ao ar às 18h*. || *Edição crítica*: ecdótica. • *Edição diplomática*: edição que reproduz um texto fielmente.

edificação

edificação (e.di.fi.ca.*ção*) *s.f.* **1.** Ato ou efeito de edificar(-se). **2.** Construção, edifício, monumento. **3.** *fig.* Crescimento (moral, religioso etc.); evolução: *O estudo leva à edificação do ser humano.*

edificante (e.di.fi.*can*.te) *adj.* **1.** Que edifica. **2.** Instrutivo, educativo.

edificar (e.di.fi.*car*) *v.* **1.** (*Arquit.*) Fazer levantar do chão; construir: *Comprou tijolos, pois pensava em edificar uma casa nova.* **2.** *fig.* Estabelecer, fundar, desenvolver: *O economista edificou uma nova teoria sobre finanças.* **3.** *fig.* Desenvolver(-se) moralmente: *Com o ensino diário, procurava edificar seus discípulos; O saber edifica; Edificava-se com a leitura de textos interessantes.* ▶ Conjug. 5 e 35.

edifício (e.di.*fí*.ci:o) *s.m.* Construção constituída de vários andares, erigida com materiais sólidos, composta de apartamentos ou destinada a abrigar repartições, oficinas, escolas etc.; prédio.

edifício-garagem (e.di.*fí*.ci:o-ga.*ra*.gem) *s.m.* Edifício que funciona como estacionamento para automóveis, motocicletas ou outros veículos. || pl.: *edifícios-garagens* ou *edifícios-garagem*.

edil (e.*dil*) *s.m.* Membro da câmara municipal; vereador: *câmara dos edis.* – **edílico** *adj.*

edipiano (e.di.pi:a.no) *adj.* **1.** Relativo a Édipo, mito da Grécia Antiga, retratado como personagem na obra teatral *Édipo Rei*, de Sófocles (496-406 a.C.). **2.** (*Psicn.*) Relativo ao complexo de Édipo, conceito criado pelo psicanalista Sigmund Freud (1856-1939). • *s.m.* **3.** (*Psicn.*) Pessoa que tem esse complexo.

edital (e.di.*tal*) *s.m.* **1.** (*Jur.*) Ato oficial, publicado pela imprensa ou divulgado em locais públicos ou meios midiáticos (jornais, internet etc.), que regulamenta concursos, concorrências e outros procedimentos de ordem pública, como anunciar intimações, licitações etc.: *Saiu o edital do concurso para o Banco do Brasil.* • *adj.* **2.** Relativo a édito. **3.** Tornado público por meio de editais.

editar (e.di.*tar*) *v.* **1.** Reproduzir, publicar e distribuir (um texto ou outra obra gráfica, original ou não): *Desejava editar seu texto no jornal do bairro.* **2.** (*Art. Gráf.*) Preparar um texto para publicação; editorar: *O escritor editou seu livro para publicação.* **3.** (*Jur.*) Fazer publicar; elaborar (lei, portaria, medida provisória etc.): *O governo editou uma nova medida provisória.* **4.** (*Jorn.*) Fazer a seleção e modificação final de matéria jornalística a ser publicada: *O jornalista editava as principais reportagens do dia.* **5.** (*Cine, Rádio, Telv.*) Fazer a seleção e recombinação de materiais gravados ou filmados, montagem: *Editei o filme para seu lançamento no próximo mês.* **6.** (*Inform.*) Fazer a seleção e recombinação de dados ou informações em computador: *O programador editou o arquivo de fotografias.* ▶ Conjug. 5.

édito (*é*.di.to) *s.m.* (*Jur.*) Ordem, mandato ou citação encontrada num edital.

editor [ô] (e.di.*tor*) *adj.* **1.** Que edita. • *s.m.* **2.** Aquele que edita; editorador. || *Editor de texto* (*Inform.*): programa de computador que cria ou modifica um arquivo de texto.

editora [ô] (e.di.*to*.ra) *s.f.* **1.** Empresa ou instituição que edita impressos (livros, jornais, partituras etc.) ou produtos digitais. **2.** Empresa que edita discos fonográficos; gravadora. **3.** Estabelecimento em que se dá a edição.

editoração (e.di.to.ra.*ção*) *s.f.* (*Art. Gráf., Comun., Inform.*) Ato ou efeito de editorar. || *Editoração eletrônica* (*Art. Gráf., Inform.*): preparação técnica de originais para publicação por meio de uso da informática.

editorador [ô] (e.di.to.ra.*dor*) *s.m.* (*Art. Gráf., Comun., Inform.*) Quem editora; editor.

editorar (e.di.to.*rar*) *v.* (*Art. Gráf., Comun., Inform.*) Preparar tecnicamente (originais para publicação de textos em meios impressos, produção de sites da internet ou de programas multimídia em CD-ROM; editar. ▶ Conjug. 20.

editoria (e.di.to.*ri*.a) *s.f.* (*Art. Gráf., Comun., Inform.*) Cada uma das seções de um veículo jornalístico (de um jornal, revista etc.) sob a incumbência de um editor especializado: *editoria de turismo.*

editorial (e.di.to.ri:*al*) *adj.* (*Comun.*) **1.** Relativo a edição, a editor ou a editorial. • *s.m.* **2.** (*Comun.*) Texto, assinado ou não, de diretores e/ou de editorialistas que se afinam com a linha de pensamento do veículo.

editorialista (e.di.to.ri:a.*lis*.ta) *s.m. e f.* (*Comun.*) Jornalista encarregado de redigir editoriais.

edredão (e.dre.*dão*) *s.m.* Edredom.

edredom (e.dre.*dom*) *s.m.* Coberta acolchoada com plumas, fibras sintéticas, entre outros materiais, usada para cobrir pessoas ou camas. || *edredão*. || pl.: *edredons* e *edredões*.

educação (e.du.ca.*ção*) *s.f.* **1.** Ato ou efeito de educar(-se). **2.** Ensino, instrução: *A educação infantil é a primeira etapa do ensino fundamen-*

tal. **3.** Constituição e aprimoramento físico, intelectual e moral do ser humano para o convívio social: *O país deve promover a educação de seus cidadãos*. **4.** Exercício das normas sociais; sociabilidade, cortesia. **5.** Os métodos científicos empregados no processo da educação; pedagogia: *Paulo Freire foi um dos grandes teóricos da Educação*.

educacional (e.du.ca.ci:o.*nal*) *adj*. Relativo a educação; educativo.

educador [ô] (e.du.ca.*dor*) *adj*. **1.** Que educa. • *s.m.* **2.** Aquele que educa.

educandário (e.du.can.*dá*.ri:o) *s.m.* Instituição que se dedica à educação.

educando (e.du.*can*.do) *s.m.* Aquele a que se dá educação; estudante, aluno.

educar (e.du.*car*) *v*. **1.** Ensinar, instruir: *A campanha de alfabetização já educou mais de cem mil jovens*. **2.** Aprimorar(-se) na formação intelectual e moral: *Questiona-se, atualmente, como educar a nova geração; Eduquei-me para ser um bom médico*. **3.** Desenvolver, apurar: *Eduquei meu olhar admirando os quadros de Van Gogh.* ▶ Conjug. 5 e 35.

educativo (e.du.ca.*ti*.vo) *adj*. **1.** Relativo a educação; educacional: *crédito educativo*. **2.** Que proporciona educação: *Assistir àquele documentário foi muito educativo*.

edulcorante (e.dul.co.*ran*.te) *adj*. **1.** Que edulcora. • *s.m.* **2.** (*Farm*., *Quím*.) Substância colocada em bebidas ou alimentos que proporciona um sabor doce, usada como substituta do açúcar; adoçante.

edulcorar (e.dul.co.*rar*) *v*. **1.** (*Farm*., *Quím*.) Colocar em (bebidas ou alimentos) substância que dá sabor doce: *edulcorar sucos, chá, compotas*. **2.** *fig*. Amenizar, atenuar, adoçicar: *D. Pedro I teve sua imagem edulcorada pela história oficial*. ▶ Conjug. 20.

efe [é] (e.*fe*) *s.m.* Nome da letra *f*.

efebo [ê] (e.*fe*.bo) *s.m.* (*Lit*.) Rapaz na fase da puberdade; adolescente.

efeito (e.*fei*.to) *s.m.* **1.** Coisa produzida por uma causa; fruto, produto, resultado: *Os efeitos do desemprego podem ser observados pelas ruas*. **2.** Impressão, sensação: *A advertência produziu efeito positivo sobre os faltosos*. **3.** Eficácia, eficiência: *O uso de tinta azul no lugar de vermelha já não levava ao mesmo efeito desejado*. **4.** Efetivação, execução: *Levou a efeito sua proposta de comprar um carro*. **5.** Finalidade, propósito: *Usava peruca para o efeito de parecer mais jovem*. ‖ *Com efeito*: com certeza, na verdade, decerto. • *Efeito cascata*: (*Econ*.) reação de formação de vários efeitos econômicos, que se dá em etapas, desencadeada por uma mesma causa, em analogia ao fluxo de uma queda-d'água: *Em efeito cascata, com a desvalorização da moeda, vários bancos quebraram*. • *Efeito dominó*: (*Econ*.) reação de encadeamento causada por um fenômeno econômico inicial, gerando um novo, em analogia às pedras enfileiradas do dominó (que derrubam umas às outras): *Em efeito dominó, os problemas com a agricultura atingiram o produtor rural e o fabricante de fertilizantes*. • *Efeito estufa*: aumento da absorção da radiação solar pela atmosfera terrestre, ocasionada pela poluição, principalmente por dióxido de carbono, elevando a temperatura média na superfície do planeta, ocasionando várias perturbações meteorológicas. • *Efeitos especiais*: (*Art.*, *Cine*, *Rádio*, *Teat.*, *Telv.*) efeitos visuais ou sonoros produzidos por meio da utilização de recursos eletrônicos, fotográficos, de miniaturização, de simulação etc., empregados para a criação de cenas. • *Fazer efeito*: (*Med*.) produzir (através do uso de remédio) a consequência esperada: *A injeção fez efeito*. • *Para todos os efeitos*: de qualquer jeito, de qualquer modo, na prática.

efeméride (e.fe.*mé*.ri.de) *s.f.* **1.** Acontecimento notável ocorrido em determinada data. **2.** Acontecimento importante que se recorda em seu aniversário: *A prefeitura deveria comemorar as efemérides dos grandes escritores*. – **efemeridade** *s.f.*

efêmero (e.*fê*.me.ro) *adj*. Que tem duração passageira; passadiço, temporário, transitório.

efeminado (e.fe.mi.*na*.do) *adj*. **1.** Que apresenta modos femininos. **2.** Homossexual. • *s.m.* **3.** Aquele que é homossexual. ‖ *afeminado*.

efeminar (e.fe.mi.*nar*) *v*. Ficar ou fazer ficar efeminado; assumir ou fazer assumir maneiras femininas: *O mimo das tias efeminou-o*; *Para viver uma manicure na peça, o ator vestiu uma saia e efeminou-se*. ‖ *afeminar*. ▶ Conjug. 5.

efervescência (e.fer.ves.*cên*.ci:a) *s.f.* **1.** Formação de borbulhas gasosas em um líquido. **2.** Fervura, ebulição. **3.** *fig*. Alvoroço, excitação: *efervescência popular*.

efervescente (e.fer.ves.*cen*.te) *adj*. **1.** Que está em efervescência: *pastilha efervescente*. **2.** *fig*. Alvoroçado, exaltado: *cidade efervescente*. – **efervescer** *v*. ▶ Conjug. 41 e 46.

efetivar (e.fe.ti.*var*) *v*. **1.** Alcançar ou fazer alcançar estabilidade (num emprego, num cargo); tornar(-se) efetivo: *A empresa efetivou os con-*

tratados; Efetivou-se como professor de Português. **2.** Concretizar(-se), efetuar(-se): *Efetivei o pagamento dos funcionários; Efetivou-se a inscrição dos candidatos.* ▶ Conjug. 5.

efetivo (e.fe.ti.vo) *adj.* **1.** Concreto, verdadeiro, inquestionável: *Esta é a prova efetiva da fraude.* **2.** Com estabilidade; com permanência: *funcionário efetivo.* • *s.m.* **3.** (*Mil.*) O número de integrantes de uma corporação: *O efetivo do Exército é, hoje, menor do que antes.* – **efetividade** *s.f.*

efetuar (e.fe.tu.ar) *v.* **1.** Concretizar(-se), efetivar(-se): *Efetuamos a transação; Efetuou-se o pagamento da compra do mês passado.* **2.** (*Mat.*) Fazer (uma operação matemática): *efetuar uma soma.* ▶ Conjug. 5. – **efetuação** *s.f.*

eficácia (e.fi.cá.ci.a) *s.f.* Qualidade de eficaz: *a eficácia de um tratamento.*

eficaz (e.fi.caz) *adj.* **1.** Que produz o efeito esperado: *argumento eficaz; remédio eficaz.* **2.** Que é eficiente; competente, capaz: *funcionária eficaz.* || sup. abs.: *eficacíssimo.*

eficiência (e.fi.ci.ên.ci.a) *s.f.* Qualidade de eficiente; eficácia.

eficiente (e.fi.ci.en.te) *adj.* Capaz, competente: *mecânico eficiente.*

efígie (e.fí.gi.e) *s.f.* **1.** Representação gráfica, plástica ou fotográfica, geralmente apresentada em relevo, de uma pessoa, de uma personagem ou de uma divindade. **2.** Imagem.

eflorescência (e.flo.res.cên.ci.a) *s.f.* **1.** (*Bot.*) Constituição e nascimento da flor. **2.** *fig.* Nascimento, aparecimento. **3.** (*Med.*) Erupção cutânea.

efluente (e.flu.en.te) *adj.* **1.** Que se desprende de alguns corpos de forma imperceptível. **2.** Resíduo ou dejeto despejado no meio ambiente.

eflúvio (e.flú.vi.o) *s.m.* **1.** Emanação que se desprende de um corpo; exalação. **2.** *poét.* Fragrância, aroma, perfume.

efó (e.fó) *s.m.* (*Cul.*) Prato característico da cozinha baiana, de origem africana, feito com camarão, taioba, azeite-de-dendê e pimenta.

efusão (e.fu.são) *s.f.* **1.** Escoamento de um líquido ou de um gás; dispersão. **2.** *fig.* Expansão emotiva; demonstração ostensiva de sentimentos; arrebatamento.

efusivo (e.fu.si.vo) *adj.* **1.** Relativo a efusão. **2.** Que se derrama em gestos emotivos; entusiasmado, expansivo. – **efusividade** *s.f.*

égide (é.gi.de) *s.f.* **1.** Escudo. **2.** *fig.* Proteção, apoio, amparo: *sob a égide da lei; sob a égide do Código de Defesa do Consumidor.*

egípcio (e.gíp.ci.o) *adj.* **1.** Do Egito, país da África. • *s.m.* **2.** O natural ou o habitante desse país. **3.** Língua falada no Egito Antigo.

egiptologia (e.gip.to.lo.gi.a) *s.f.* Estudo da história e da cultura do Egito Antigo. – **egiptológico** *adj.*

egiptólogo (e.gip.tó.lo.go) *s.m.* Estudioso que se dedica à egiptologia.

égloga (é.glo.ga) *s.f.* (*Lit.*) Écloga.

ego [é] (e.go) *s.m.* **1.** O eu do indivíduo; o eu. **2.** (*Psicn.*) Conteúdo da personalidade que abrange o consciente e parte do inconsciente do ser humano.

egocêntrico (e.go.cên.tri.co) *adj.* **1.** Que se considera o centro das atenções: *homem egocêntrico.* **2.** Próprio da pessoa egocêntrica: *atitude egocêntrica.*

egocentrismo (e.go.cen.tris.mo) *s.m.* Qualidade ou atitude do egocêntrico.

egoísmo (e.go.ís.mo) *s.m.* Qualidade ou atitude de uma pessoa que cuida somente de seus interesses.

egoísta (e.go.ís.ta) *adj.* **1.** Que só cuida de seus próprios interesses. • *s.m.* **2.** Pessoa egoísta.

egrégio (e.gré.gi.o) *adj.* Que causa admiração; célebre, ilustre: *Ele acatou a decisão do egrégio Tribunal de Justiça.*

egresso [é] (e.gres.so) *adj.* **1.** Que deixou alguma instituição, grupo ou lugar; que saiu: *Encontrou um aluno egresso do curso de inglês.* • *s.m.* **2.** Aquele que deixou alguma instituição, grupo ou lugar; quem saiu: *O egresso da universidade é sempre bem recebido em casa.*

égua (é.gua) *s.f.* **1.** (*Zool.*) A fêmea do cavalo. **2.** *pej. fig.* Prostituta, meretriz. || *Lavar a égua*: dar-se bem; obter grande vantagem: *Seu time lavou a égua no jogo de ontem.*

eh *interj.* Empregada habitualmente para dar ânimo a alguém.

ei *interj.* **1.** Empregada habitualmente para despertar a atenção de alguém. **2.** Exprime cumprimento, saudação.

eia *interj.* **1.** Empregada habitualmente para incitar, estimular. **2.** Exprime surpresa, espanto.

ei-lo (ei-lo) Combinação do advérbio *eis* com o pronome oblíquo *lo.*

eira (ei.ra) *s.f.* **1.** Lugar com chão de terra batida, laje ou cimento, utilizado para debulhar, trilhar, limpar e secar cereais e legumes. **2.** Lugar onde se junta sal, ao lado das salinas. || *Sem eira nem beira*: *coloq. fig.* sem posses; miserável: *um homem sem eira nem beira.*

eis *adv.* Aqui está: *Eis o caderno que eu comprei.* || *Eis que*: repentinamente: *Eis que chegou o juiz e marcou um pênalti.*

eito (ei.to) *s.m.* **1.** Pedaço de terra que era lavrado pelos escravos: *escravos do eito.* **2.** Trecho de terra usado para fazer uma plantação: *O trabalhador recebeu um eito de cana.*

eiva (ei.va) *s.f.* **1.** Rachadura, brecha, fenda ou corte em artefatos de porcelana, cerâmica, vidro etc. **2.** Mancha que aparece numa fruta quando está apodrecendo. **3.** *fig.* Deformidade física ou moral; defeito, mácula.

eivar (ei.*var*) *v.* **1.** Ficar manchado: *O vaso eivou-se de terra.* **2.** *fig.* Contagiar(-se), viciar(-se): *Eivou o artigo de calúnias; Eivou-se de maus pensamentos.* ▶ Conjug. 18. – **eivado** *adj.*

eixo (ei.xo) *s.m.* **1.** (*Fís.*) Linha em torno da qual um corpo efetua um movimento de rotação: *Os planetas giram em torno de seus próprios eixos.* **2.** Linha imaginária que corta um corpo em partes simétricas ou equilibradas: *eixo da cabeça.* **3.** Linha imaginária que une dois pontos geográficos: *eixo Rio–Belo Horizonte.* **4.** (*Mec.*) Peça que articula uma ou mais partes de um mecanismo que gira em torno desta; pivô: *eixo de um exaustor.* **5.** (*Mec.*) Barra alongada e cilíndrica, usualmente de metal, em cujas pontas são fixadas as rodas de um veículo ou máquina. **6.** *fig.* Ideia principal; a questão central; a essência: *O eixo de pensamento daquele filósofo é o racionalismo.* **7.** (*Geom.*) Reta comum aos planos de um feixe. || *Entrar nos eixos*: *coloq. fig.* **1.** voltar a ter equilíbrio, bom senso. **2.** readequar-se. • *Fora dos eixos*: *coloq. fig.* sem equilíbrio mental; desnorteado. • *Pôr nos eixos*: *coloq. fig.* fazer voltar à ordem; adequar.

ejaculação (e.ja.cu.la.ção) *s.f.* Ato ou efeito de ejacular.

ejacular (e.ja.cu.*lar*) *v.* **1.** Lançar esperma de si; emitir. **2.** Lançar (um líquido) de si; verter. ▶ Conjug. 5. – **ejaculatório** *adj.*

ejeção (e.je.ção) *s.f.* Ato ou efeito de ejetar.

ejetar (e.je.*tar*) *v.* Lançar(-se) para fora com vigor; arremessar a distância; expulsar, expelir: *O drive ejetou o CD; Ejetou-se do avião em chamas.* ▶ Conjug. 8.

ejetor [ô] (e.je.*tor*) *adj.* **1.** Que ejeta. • *s.m.* **2.** Qualquer mecanismo que faz lançar (algo ou alguém) para fora. **3.** (*Mec.*) Bomba do tipo jato. **4.** Bocal por onde se escoa um fluido sob pressão. **5.** Peça que serve para extrair as cápsulas ou os cartuchos já detonados das armas de fogo.

ela [é] (e.la) *pron. pess.* Pronome pessoal reto feminino da terceira pessoa. || *Agora é que são elas*: *coloq.* momento em que se descobre uma dificuldade. • *Elas por elas*: *coloq.* retribuição com a mesma atitude ou ato.

elã (e.lã) *s.m.* **1.** Movimento repentino; arroubo, impulso. **2.** Ardor, arrebatamento: *no elã do momento.*

elaboração (e.la.bo.ra.ção) *s.f.* Ato ou efeito de elaborar.

elaborar (e.la.bo.*rar*) *v.* **1.** Preparar gradativamente e com cuidado; organizar: *Elaborava o projeto do novo edifício.* **2.** Idealizar, criar: *Elaborou um plano emergencial para combater a dengue.* **3.** Investigar a fundo; aprofundar: *O aluno pode elaborar mais as questões dadas.* **4.** (*Psicn.*) Operação mental que propicia uma nova interpretação dos fatos por parte de um paciente. ▶ Conjug. 20.

elasticidade (e.las.ti.ci.*da*.de) *s.f.* **1.** Qualidade de elástico. **2.** (*Mec.*) Propriedade apresentada por um corpo ao retornar à forma de origem, após sofrer modificação por ação de forças externas. **3.** Flexibilidade, maleabilidade: *elasticidade da pele*; (*fig.*) *elasticidade dos preços*; *elasticidade de opinião.*

elástico (e.*lás*.ti.co) *adj.* **1.** Que apresenta elasticidade. **2.** Que volta fisicamente à forma original, após ser esticado, comprimido, curvado etc.; maleável: *cama elástica.* **3.** *fig.* Que se amplia, se estende: *interpretação elástica.* **4.** *fig.* Que se adapta às circunstâncias; flexível, condescendente: *caráter elástico.* • *s.m.* **5.** Tira de borracha, geralmente com formato circular, que serve para envolver objetos. **6.** (*Esp.*) Tipo de drible em que o jogador faz uma manobra com a bola sem deixá-la escapar do controle do pé.

eldorado (el.do.*ra*.do) *s.m.* **1.** País imaginário que os conquistadores espanhóis do século XVI pensavam localizar-se na América do Sul. **2.** Lugar onde a riqueza é abundante, e a vida, cheia de prazeres.

ele [ê] (e.le) *pron. pess.* Forma reta, tônica, da terceira pessoa do singular. || Usado em complementos antecedido de preposição: *Não vivo sem ele*; na linguagem coloquial, utilizado para substituir o pronome *o*: *Eu vi ele.* • *Que só ele*: *coloq.* como ninguém mais: *Bonito que só ele.*

ele [é] (e.le) *s.m.* Nome da letra *l*.

elefante (e.le.*fan*.te) *s.m.* **1.** (*Zool.*) Mamífero herbívoro, de grande tamanho, com longas

elefantíase

orelhas, tromba e presas de marfim, encontrado na África e na Ásia. **2.** *fig. pej.* Pessoa muito gorda. || *Elefante branco: coloq. fig.* Coisa sem nenhuma ou praticamente nenhuma valia ou préstimo; trambolho. || *f.: elefanta.*

elefantíase (e.le.fan.tí.a.se) *s.f.* (*Med.*) Doença crônica que se manifesta nas pernas ou nos órgãos genitais externos, provocada pela obstrução dos vasos linfáticos ou sanguíneos.

elegância (e.le.gân.ci.a) *s.f.* Qualidade de elegante.

elegante (e.le.gan.te) *adj.* **1.** Que apresenta porte, roupa ou comportamento que denota bom gosto ou distinção: *mulher elegante; terno elegante; atitude elegante.* **2.** Que apresenta requinte; fino, chique: *hotel elegante;* design *elegante; homem elegante.* **3.** Que apresenta estilo apurado, correto: *escrita elegante; texto elegante.* • *s.m. e f.* **4.** Pessoa elegante.

eleger (e.le.ger) *v.* **1.** Designar ou ser designado por meio de votação: *Os operários elegeram o novo presidente do sindicato; Os sócios o elegeram diretor do clube; Elegeu-se deputado no ano corrente.* **2.** Escolher: *Elegi a roupa que pretendo usar à noite.* || part.: *elegido e eleito.* ▶ Conjug. 41 e 47.

elegia (e.le.gi.a) *s.f.* (*Lit.*) Poema lírico em que se lamenta uma morte ou outro acontecimento causador de tristeza.

elegíaco (e.le.gí.a.co) *adj.* **1.** Relativo a elegia. **2.** Melancólico, pesaroso: *poeta elegíaco.*

elegibilidade (e.le.gi.bi.li.da.de) *s.f.* Qualidade de elegível.

elegível (e.le.gí.vel) *adj.* Que está em condições de ser eleito.

eleição (e.lei.ção) *s.f.* **1.** Ato ou efeito de eleger. **2.** Escolha por meio de votação; pleito.

eleitor [ô] (e.lei.tor) *s.m.* Pessoa que elege.

eleitorado (e.lei.to.ra.do) *s.m.* Soma do número de eleitores de um determinado candidato, lugar ou grupo social: *eleitorado evangélico; eleitorado brasileiro.*

eleitoral (e.lei.to.ral) *adj.* **1.** Relativo a eleitores. **2.** Relativo a eleição.

eleitoreiro (e.lei.to.rei.ro) *adj. pej.* Diz-se de ato, medida ou manobra que tem por objetivo a autopromoção de um candidato à eleição ou de um candidato já eleito, sem proveito para a sociedade: *ato eleitoreiro; pacote eleitoreiro; golpe eleitoreiro.*

elementar (e.le.men.tar) *adj.* **1.** Relativo a elemento. **2.** Sem complicação; comum, simples, rudimentar: *visão elementar.* **3.** Relativo aos primeiros rudimentos de alguma forma de conhecimento: *matemática elementar.* **4.** Reduzido ao fundamental; mínimo, básico, essencial: *função elementar de uma célula.*

elemento (e.le.men.to) *s.m.* **1.** Cada uma das partes integrantes de um todo; componente. **2.** Dado, informação: *O promotor não possui elementos para incriminá-lo.* **3.** Pessoa, indivíduo, sujeito: *Ninguém sabe dizer o que torna um cidadão um elemento suspeito.* **4.** Meio, veículo: *A língua como elemento aglutinador dos povos.* • **elementos** *s.m.pl.* **5.** Primeiras noções; rudimentos, princípios: *elementos de geometria.* || (*Quím.*) *Elemento químico:* tipo de átomo que tem propriedades químicas definidas e que não pode ser decomposto; corpo simples: *O hidrogênio é um elemento químico.*

elencar (e.len.car) *v.* Fazer a relação, a lista: *Podemos elencar as características da poesia simbolista; Elencou os aspectos negativos do projeto.* ▶ Conjug. 5 e 35.

elenco (e.len.co) *s.m.* **1.** Listagem, rol. **2.** (*Cine, Rádio, Teat., Telv.*) Conjunto dos atores e atrizes que constituem uma companhia ou tomam parte em espetáculos, programas etc. **3.** Relação desses artistas. || (*Cine, Rádio, Teat., Telv.*) *Elenco de apoio:* parte do elenco composta por atores e atrizes que interpretam personagens secundários em espetáculos, programas etc.

elepê (e.le.pê) *s.m.* Disco fonográfico, feito de vinil, gravado com sulcos finos, tocado com duração de 20 a 30 minutos de cada lado, com velocidade de 33 1/3 rotações por minuto; *long-play.*

eletivo (e.le.ti.vo) *adj.* **1.** Relativo a eleição. **2.** A que se pode ou não dar preferência; opcional: *curso eletivo; disciplina eletiva; estágio eletivo.* **3.** Que é ocupado ou assumido por meio de eleição: *mandato eletivo; cargo eletivo.*

eletricidade (e.le.tri.ci.da.de) *s.f.* (*Fís.*) **1.** Forma de energia conduzida pela corrente elétrica gerada por meio de fenômenos provocados pela presença de cargas elétricas em repouso ou em movimento. **2.** Especialidade que pesquisa estes fenômenos.

eletricista (e.le.tri.cis.ta) *adj.* **1.** Que trabalha com eletricidade: *técnico eletricista; mecânico eletricista; engenheiro eletricista.* • *s.m. e f.* **2.** Pessoa que se ocupa com o conserto de aparelhos elétricos, instalações elétricas etc.; técnico ou especialista em eletricidade.

elétrico (e.lé.tri.co) *adj.* **1.** Relativo a eletricidade. **2.** Que utiliza eletricidade para funcionar: *forno elétrico; barbeador elétrico.* **3.** *fig.* Que está excitado, agitado: *repórter elétrico; criança elétrica.*

eletrificação (e.le.tri.fi.ca.*ção*) s.f. Ato ou efeito de eletrificar.

eletrificar (e.le.tri.fi.*car*) v. **1.** Tornar elétrico: *O vizinho eletrificou a cerca instalada no muro de sua casa.* **2.** Dotar um lugar de eletricidade: *O governo pretende eletrificar vários bairros da cidade.* **3.** *fig.* Tornar agitado; inflamar: *eletrificar a multidão.* ▶ Conjug. 5 e 35.

eletrização (e.le.tri.za.*ção*) s.f. Ato ou efeito de eletrizar(-se).

eletrizante (e.le.tri.*zan*.te) adj. **1.** Que eletriza. **2.** *fig.* Vibrante, emocionante.

eletrizar (e.le.tri.*zar*) v. **1.** *fig.* Encher(-se) de entusiasmo; animar(-se): *A banda eletrizou a multidão com seu show; O país eletrizava-se sempre que ouvia a sua voz.* **2.** (*Fís.*) Fazer com que se torne elétrico: *eletrizar um corpo.* ▶ Conjug. 5.

eletro [é] (e.le.tro) s.m. (*Med.*) **1.** Redução de *eletrocardiograma*. **2.** Redução de *eletroencefalograma*.

eletroacústica (e.le.tro:a.*cús*.ti.ca) s.f. (*Fís.*) Parte da eletrônica que trata da conversão da eletricidade em energia acústica ou vice-versa.

eletroacústico (e.le.tro:a.*cús*.ti.co) adj. **1.** (*Fís.*) Relativo a eletroacústica. **2.** (*Mús.*) Relativo a produção, gravação, transmissão e reprodução de sons por meios eletrônicos.

eletrocardiografia (e.le.tro.car.di:o.gra.*fi*.a) s.f. (*Med.*) Análise do registro gráfico da atividade elétrica do coração, com o fim de observar se este apresenta ou não uma patologia.

eletrocardiógrafo (e.le.tro.car.di:*ó*.gra.fo) s.m. (*Med.*) Aparelho usado para fazer eletrocardiograma.

eletrocardiograma (e.le.tro.car.di:o.*gra*.ma) s.m. (*Med.*) Registro gráfico da atividade elétrica do coração, com o fim de observar se este apresenta ou não uma patologia.

eletrochoque [ó] (e.le.tro.*cho*.que) s.m. (*Psiq.*) Tratamento feito por meio de aplicação de descarga elétrica no cérebro do paciente.

eletrocutar (e.le.tro.cu.*tar*) v. Causar a morte por meio de choque elétrico: *Um fio de alta tensão atingiu o carro e quase eletrocutou o motorista.* ▶ Conjug. 5. – **eletrocussão** s.f.; **eletrocutor** s.m.

eletrodinâmica (e.le.tro.di.*nâ*.mi.ca) s.f. (*Fís.*) Parte da Física que trata das interações dos fenômenos elétricos, magnéticos e mecânicos. – **eletrodinâmico** adj.

elétrodo (e.*lé*.tro.do) s.m. (*Eletr.*) Componente metálico através do qual se conduz ou se retira uma corrente elétrica de um sistema. || *eletrodo.*

eletrodo [ô] (e.le.*tro*.do) s.m. (*Eletr.*) Elétrodo.

eletrodoméstico (e.le.tro.do.*més*.ti.co) s.m. **1.** Aparelho de uso doméstico que é alimentado por energia elétrica. • adj. **2.** Diz-se dos aparelhos dessa natureza; utensílio eletrodoméstico.

eletroencefalografia (e.le.tro:en.ce.fa.lo.gra.*fi*.a) s.f. (*Med.*) Análise do registro gráfico das atividades elétricas do cérebro.

eletroencefalográfico (e.le.tro:en.ce.fa.lo.*grá*.fi.co) adj. (*Med.*) Relativo a eletroencefalografia.

eletroencefalógrafo (e.le.tro:en.ce.fa.*ló*.gra.fo) s.m. (*Med.*) Aparelho que registra as atividades elétricas do cérebro mediante a colocação de eletrodos em vários lugares do couro cabeludo.

eletroencefalograma (e.le.tro:en.ce.fa.lo.*gra*.ma) s.m. (*Med.*) Registro gráfico das atividades elétricas do cérebro obtido por meio de eletroencefalógrafo.

eletroímã (e.le.tro:*í*.mã) s.m. (*Fís.*) Dispositivo composto por um núcleo, geralmente de ferro, envolto por uma bobina pela qual passa uma corrente elétrica, fazendo-o adquirir propriedades magnéticas; eletromagneto.

eletrola [ó] (e.le.*tro*.la) s.f. Toca-discos, vitrola.

eletrólise (e.le.*tró*.li.se) s.f. (*Quím.*) Reação química obtida pela passagem de uma corrente elétrica através de um eletrodo mergulhado numa solução ou em sal fundido.

eletrolítico (e.le.tro.*lí*.ti.co) adj. (*Quím.*) Relativo a eletrólise.

eletrólito (e.le.*tró*.li.to) s.m. (*Quím.*) Substância que, em solução ou fundida, pode conduzir corrente elétrica.

eletromagnético (e.le.tro.mag.*né*.ti.co) adj. (*Fís.*) Relativo a eletromagnetismo.

eletromagnetismo (e.le.tro.mag.ne.*tis*.mo) s.m. (*Fís.*) Estudo dos fenômenos resultantes da ação mútua entre campo magnético e elétrico.

eletromagneto [é] (e.le.tro.mag.ne.to) s.m. (*Fís.*) Eletroímã.

eletromotriz (e.le.tro.mo.*triz*) adj. (*Eletr., Eletrôn.*) Diz-se de força ou energia que faz impulsionar os elétrons dentro de um circuito, produzindo corrente elétrica.

elétron (e.lé.tron) s.m. (*Fís.*) Partícula elementar, com carga negativa, que entra na composição do átomo. || Símbolo: e.

eletronegativo (e.le.tro.ne.ga.*ti*.vo) adj. **1.** (*Fís., Quím.*) Diz-se de elemento que atrai elétrons, gerando íons negativos. **2.** (*Eletrôn.*) Diz-se de eletrodo com potencial mais baixo que de um outro.

eletrônica (e.le.*trô*.ni.ca) s.f. (*Fís.*) **1.** Parte da Física que trata da emissão, do comportamento e dos efeitos de elétrons em estado livre. **2.** Tecnologia fundada nos conhecimentos que têm por fim a produção de dispositivos eletrônicos.

eletrônico (e.le.*trô*.ni.co) adj. **1.** Relativo a eletrônica. **2.** De ou pertencente ao elétron: *retificador eletrônico.*

eletropositivo (e.le.tro.po.si.*ti*.vo) adj. **1.** (*Fís., Quím.*) Diz-se de elemento que libera elétrons, gerando íons positivos. **2.** (*Eletrôn.*) Diz-se de eletrodo com potencial mais alto que de um outro.

eletrostática (e.le.tros.*tá*.ti.ca) s.f. (*Fís.*) Estudo dos campos elétricos estacionários e cargas elétricas em repouso.

eletrostático (e.le.tros.*tá*.ti.co) adj. (*Fís.*) Relativo a eletrostática.

eletrotécnica (e.le.tro.*téc*.ni.ca) s.f. **1.** Casa comercial que vende peças ou conserta aparelhos elétricos ou eletrônicos. **2.** (*Eletr.*) Eletrotecnia.

eletrotécnico (e.le.tro.*téc*.ni.co) adj. (*Eletr.*) **1.** Relativo a eletrotécnica. • s.m. **2.** (*Eletr.*) Aquele que trabalha com eletrotécnica.

elevação (e.le.va.*ção*) s.f. **1.** Ato ou efeito de elevar(-se). **2.** Alta, aumento, subida. **3.** Parte mais alta; ponto mais acima; ponto elevado.

elevado (e.le.*va*.do) adj. **1.** Que se eleva ou se elevou. **2.** Que está num nível acima; alto: *colesterol elevado; consumo elevado.* **3.** De grande alcance; superior, sublime: *desempenho elevado; sentimento elevado.* • s.m. **4.** Via urbana que permite o tráfego de carros, motocicletas ou trens acima do nível do chão: *O motorista seguiu pelo elevado da Perimetral em direção à Avenida Brasil.*

elevador [ô] (e.le.va.*dor*) adj. **1.** Que eleva. • s.m. **2.** Cabine impulsionada por um motor que serve para fazer subir ou descer pessoas ou objetos por diferentes andares de um edifício ou de uma construção; ascensor.

elevar (e.le.*var*) v. **1.** Pôr(-se) em lugar mais alto; erguer(-se), alçar(-se): *Na ginástica, elevei com força o corpo do chão e senti dor; O pai da noiva elevou o copo e brindou o casamento; A torre do castelo elevava-se sobre toda a cidade.* **2.** Aumentar (a quantidade ou o valor) ou sofrer um aumento (de quantidade ou de valor): *A seca elevou os preços do trigo; A população mundial elevou-se rapidamente.* **3.** Aumentar o volume (da voz ou de um som); amplificar: *Na reunião, elevou a voz para pedir silêncio.* **4.** Mudar(-se) para um cargo mais alto; promover(-se): *O governador elevou o distrito à categoria de município; Elevaram-no a diretor da firma.* ▶ Conjug. 8.

elevatória (e.le.va.*tó*.ri:a) s.f. Estação elevatória: *A elevatória de esgoto bruto tem forma circular.*

elevatório (e.le.va.*tó*.ri:o) adj. **1.** Que é usado para elevar. **2.** Relativo a elevação.

elfo (*el*.fo) s.m. Entidade própria do ar, pertencente à mitologia escandinava, que representa o ar, o fogo, a terra etc.

elidir (e.li.*dir*) v. **1.** Fazer elisão de; eliminar, cortar, excluir: *O advogado apresentou argumentos para elidir as penalidades impostas pelo juiz.* **2.** Sofrer elisão; desaparecer, sumir: *A alegria elidiu-se; O e da preposição de se elide ao encontrar-se com o(s) artigo(s) o(s)/a(s).* ▶ Conjug. 66.

eliminar (e.li.mi.*nar*) v. **1.** Fazer sair; alijar, tirar, excluir: *Com belas jogadas, o time eliminou o adversário; Eliminei as notas de rodapé de meu texto.* **2.** Acabar com; extinguir: *O aquecimento global elimina a nossa fauna; Devemos eliminar o trabalho escravo da face da terra.* **3.** Fazer sair do organismo (substância ou elemento); expelir: *eliminar cálculos renais; eliminar gases do estômago.* **4.** Matar: *O protagonista do filme eliminou o inimigo.* ▶ Conjug. 5. – **eliminação** s.f.

eliminatória (e.li.mi.na.*tó*.ri:a) s.f. Prova, disciplina, competição ou concurso de cunho eliminatório.

eliminatório (e.li.mi.na.*tó*.ri:o) adj. **1.** Que elimina. **2.** Diz-se de prova, disciplina, competição ou concurso que pode levar o candidato ou competidor à eliminação por meio da nota obtida.

elipse (e.*lip*.se) s.f. **1.** (*Geom.*) Curva fechada, delineada em torno de dois pontos fixos num plano (chamados *focos*), na qual se observa que a soma das distâncias entre qualquer ponto da curva e os focos é constante. **2.** (*Gram.*) Omissão de uma ou mais palavras numa frase, que podem ser subentendidas, sem prejuízo da clareza do sentido: *Na frase "Pedro foi ao cinema e João, ao teatro", ocorre a elipse do verbo ir.*

elíptico (e.líp.ti.co) *adj.* **1.** Relativo a elipse. **2.** (*Geom.*) Que tem forma de elipse. **3.** (*Gram.*) Que foi omitido por elipse. || *elítico*.

elisão (e.li.são) *s.f.* **1.** Ato ou efeito de elidir. **2.** (*Ling.*) Perda da vogal final de um vocábulo em contato com a vogal inicial do vocábulo seguinte: *Em um copo d'água ocorre a elisão do* e (*de água*).

elite (e.li.te) *s.f.* **1.** Aquilo que há de melhor ou o que mais se destaca em um grupo social; alta--roda; nata, fina flor, escol: *tropa de elite*; *elite cultural*. **2.** Parcela minoritária da sociedade que detém o poder político ou econômico.

elítico (e.lí.ti.co) *adj.* Elíptico.

elitismo (e.li.tis.mo) *s.m.* **1.** Tendência a favorecer ou dar preferência à elite. **2.** Ideologia baseada na crença de que algumas pessoas são superiores a outras e, por isso, devem dominar as supostas inferiores.

elitista (e.li.tis.ta) *adj.* **1.** Relativo a elitismo. **2.** Que pertence ou é partidário da elite. *s.m.* e *f.* **3.** Pessoa elitista.

elitizar (e.li.ti.zar) *v.* Dar cunho elitista; converter à condição de elite: *O alto preço dos alimentos elitiza o consumo de produtos essenciais à saúde*. – **elitização** *s.f.*

elixir [ch] (e.li.xir) *s.m.* **1.** (*Farm.*) Solução farmacêutica, com propriedades balsâmicas ou relaxantes, composta de diferentes substâncias aromáticas ou medicinais dissolvidas em álcool, éter, vinho etc. **2.** Bebida que apresenta efeito mágico ou milagroso; filtro. ▶ Conjug. 5.

elmo (el.mo) *s.m.* Capacete que faz parte da armadura, usado na Antiguidade e na Idade Média para proteger a cabeça dos combatentes.

elo [é] (e.lo) *s.m.* **1.** Cada um dos anéis metálicos que constituem uma corrente. **2.** *fig.* Ligação entre pessoas ou coisas; vínculo: *O que constrói o elo social é a consciência de cidadania*.

elocução (e.lo.cu.ção) *s.f.* **1.** Modo de expressar-se, principalmente, mas não apenas, ao falar: *Segundo Aristóteles, a elocução diz respeito mais ao ator do que ao poeta*. **2.** Escolha e arranjo de palavras e frases no discurso.

elogiar (e.lo.gi:ar) *v.* Enaltecer as qualidades de (alguém ou de algo); louvar; aplaudir, incensar: *O diretor da escola elogiou os professores e os alunos*. ▶ Conjug. 17.

elogio (e.lo.gi:o) *s.m.* **1.** Manifestação favorável a alguém ou a alguma coisa: *O técnico elogiou o desempenho dos jogadores na Copa do Mundo.* **2.** Discurso de enaltecimento a alguém; encômio; loa. – **elogioso** *adj.*

eloquência [ü] (e.lo.quên.ci:a) *s.f.* **1.** Habilidade de falar ou expressar-se com fluidez e desembaraço; facúndia. **2.** Faculdade de persuadir ou comover através da palavra.

eloquente [ü] (e.lo.quen.te) *adj.* **1.** Que mostra eloquência. **2.** *fig.* Que convence; persuasivo.

elucidação (e.lu.ci.da.ção) *s.f.* Ato ou efeito de elucidar.

elucidar (e.lu.ci.dar) *v.* Tornar claro; explicar: *Aquele livro pode elucidar algumas dúvidas do aluno.* ▶ Conjug. 5.

elucidário (e.lu.ci.dá.ri:o) *s.m.* Obra que elucida os sentidos de palavras aparentemente incompreensíveis ou que não apresentam clareza.

elucidativo (e.lu.ci.da.ti.vo) *adj.* Que elucida.

elucubração (e.lu.cu.bra.ção) *s.f.* Ato ou efeito de elucubrar; lucubração.

elucubrar (e.lu.cu.brar) *v.* Fazer uma reflexão longa e profunda, geralmente de cunho pouco realista: *Elucubrei soluções para o problema apresentado, mas não as encontrei; Elucubrou horas sobre o seu futuro; Ele não para de elucubrar; O professor elucubrou sobre a obra de seu autor preferido.* ▶ Conjug. 5.

em *prep.* **1.** Une subordinando palavras, termos da oração ou orações reduzidas e indica: a) lugar, situação: *Os pinguins vivem em regiões muito frias.* b) tempo, duração: *O projeto tornar-se-á realidade em três anos.* c) modo, estado: *A publicação está disponível em versão eletrônica.* d) meio, instrumento: *Ele fez o discurso em português.* e) finalidade, destinação: *Os bons professores se empenham em promover o ensino e a educação.* f) preço, avaliação: *O prejuízo foi contabilizado em milhões.* g) movimento: *De grão em grão a galinha enche o papo.* **2.** Introduz complemento: *Ele falou em viajar esse final de semana; A crença em Deus é algo pessoal.*

ema (e.ma) *s.f.* (*Zool.*) Maior e mais pesada ave brasileira, parecida com um avestruz, podendo medir até 1,70 m de altura; nhandu.

emagrecer (e.ma.gre.cer) *v.* Perder peso: *Fez dieta e emagreceu mais do que esperava.* ▶ Conjug. 41 e 46.

emagrecimento (e.ma.gre.ci.men.to) *s.m.* Ato ou efeito de emagrecer.

e-mail [imêiu] (Ing.) *s.m.* (*Inform.*) Correio eletrônico. || pl.: *e-mails*.

emanar

emanar (e.ma.*nar*) *v.* **1.** Proceder de; originar-se: *Todo poder emana do povo*. **2.** Exalar-se, evolar-se: *Sentiu o cheiro bom que emanava de sua roupa*. ▶ Conjug. 5. – **emanação** *s.f.*

emancipação (e.man.ci.pa.*ção*) *s.f.* **1.** Ato ou efeito de emancipar(-se). **2.** (*Jur.*) Antecipação da maioridade de uma pessoa, que adquire plena capacidade jurídica para administrar seus negócios e dispor de seus bens a partir dos 16 anos de idade.

emancipar (e.man.ci.*par*) *v.* Tornar(-se) independente, libertar(-se): *O novo Código Civil emancipa a mulher brasileira; O Brasil emancipou-se de Portugal em 1822*. ▶ Conjug. 5.

emaranhar (e.ma.ra.*nhar*) *v.* **1.** Entrelaçar(-se) em desordem; embaraçar(-se): *Emaranhou o novelo enquanto tricotava; Os cipós emaranhavam-se nas árvores*. **2.** Confundir(-se), enlear(-se): *emaranhar as ideias; emaranhar-se numa teia de compromissos*. ▶ Conjug. 5. – **emaranhamento** *s.m.*

emascular (e.mas.cu.*lar*) *v.* Tirar ou perder a virilidade; castrar(-se): *As leis do Corão proíbem emascular muçulmanos*; (fig.) *Emasculou-se financeiramente, demitindo-se do trabalho*. ▶ Conjug. 5. – **emasculação** *s.f.*

emassar (e.mas.*sar*) *v.* Aplicar massa em (superfícies); cobrir: *Deve-se emassar a parede antes de pintá-la*. ▶ Conjug. 5.

embaçar (em.ba.*çar*) *v.* Perder ou fazer perder a transparência; turvar(-se), embaciar(-se): *O frio embaçou a tela do monitor; Com a chuva, os vidros da sala se embaçaram*; (fig.) *A raiva embaça a visão e faz confundir a justiça com a vingança*. || **embaciar**. ▶ Conjug. 5 e 36. – **embaçamento** *s.m.*

embaciar (em.ba.ci:*ar*) *v.* Embaçar. ▶ Conjug. 17.

embainhar (em.ba:i.*nhar*) *v.* **1.** Colocar na bainha (estojo): *Após a aula de esgrima, embainhou a espada*. **2.** Fazer a bainha (dobra): *Comprei uma máquina para embainhar tecidos*. ▶ Conjug. 26.

embaixada (em.bai.*xa*.da) *s.f.* **1.** Representação diplomática de um país junto a outro: *A embaixada do Brasil na Inglaterra enviou nota contra matéria publicada num jornal londrino*. **2.** Residência ou lugar onde o embaixador exerce suas funções. **3.** (*Esp.*) No futebol, controle que o jogador mantém sobre a bola, através de pequenos pontapés, sem que ela caia no chão.

embaixador [ô] (em.bai.xa.*dor*) *s.m.* **1.** Diplomata que exerce o posto mais elevado dentro da carreira, credenciado como representante do governo diante de outra nação ou em organismo internacional. **2.** Pessoa enviada como emissária, mensageiro: *Nomeei meu melhor amigo como meu embaixador de assuntos amorosos*.

embaixadora [ô] (em.bai.xa.*do*.ra) *s.f.* Mulher que desempenha as mesmas funções de um embaixador.

embaixatriz (em.bai.xa.*triz*) *s.f.* Mulher casada com embaixador.

embaixo (em.*bai*.xo) *adv.* Em lugar ou nível inferior: *O hemisfério norte se situa em cima, e o hemisfério sul, embaixo*. || *Embaixo de*: em situação espacial imediatamente inferior; sob: *embaixo da cama; O apartamento embaixo do nosso vagou; protegeu-se da chuva embaixo da marquise*. || antôn.: em cima.

embalador¹ [ô] (em.ba.la.*dor*) *s.m.* Profissional que faz embalagens, que empacota mercadorias.

embalador² [ô] (em.ba.la.*dor*) *adj.* Que embala, balança ou acalanta.

embalagem (em.ba.*la*.gem) *s.f.* **1.** Acondicionamento de objetos em recipiente. **2.** Invólucro usado para embalar; envoltório.

embalar¹ (em.ba.*lar*) *v.* Envolver em papel ou acomodar em pacotes, embrulhos, caixas, volumes etc.: *Embalou os presentes para a noite de Natal*. ▶ Conjug. 5.

embalar² (em.ba.*lar*) *v.* **1.** Balançar (uma criança) no berço ou no colo; ninar: *A mulher embalava a criança com cantigas*. **2.** Pôr(-se) em movimento cadenciado; balançar(-se): *Embalava a cadeira de balanço e cochilava; Embalou-se na rede da sala*. **3.** Impulsionar, precipitar, acelerar: *Deixou o carro embalar na descida*. ▶ Conjug. 5.

embalde (em.*bal*.de) *adv.* Em vão; debalde: *Deixaram o rapaz horas e horas esperando embalde*.

embalo (em.*ba*.lo) *s.m.* **1.** Ato ou efeito de embalar(-se). **2.** Movimento, impulso, balanço: *o embalo do carro*. **3.** *gír.* Festa, balada: *o embalo de ontem à noite*. **4.** *gír.* Agitação, euforia: *No embalo da festa, resolveu virar a noite*.

embalsamamento (em.bal.sa.ma.*men*.to) *s.m.* Ato ou efeito de embalsamar.

embalsamar (em.bal.sa.*mar*) *v.* **1.** Empregar substâncias capazes de preservar (os cadáveres) da putrefação: *Alguns povos antigos embalsamavam seus mortos*. **2.** Impregnar de perfume: *A flor silvestre embalsama os ares*. ▶ Conjug. 5. – **embalsamador** *adj. s.m.*

embananar (em.ba.na.*nar*) *v. coloq.* Colocar(-se) em situação embaraçosa; complicar(-se): *A* *notícia embananou a minha cabeça; Na hora de pagar, eu me embananei com o preço.* ▶ Conjug. 5. – **embananamento** s.m.

embandeirar (em.ban.dei.*rar*) v. Ornamentar (-se) com bandeiras: *Embandeiraram a rua para a festa junina; Com o aniversário da Independência, a cidade embandeirou-se.* ▶ Conjug. 18.

embaraçante (em.ba.ra.*çan*.te) adj. Embaraçoso.

embaraçar (em.ba.ra.*çar*) v. **1.** Entrelaçar (-se) em desordem; emaranhar, embolar(-se): *embaraçar o barbante; Os fios do telefone se embaraçaram.* **2.** Causar ou experimentar a sensação de embaraço; constranger(-se): *Os argumentos usados pelo juiz o embaraçaram; Embaraçou-se diante da discussão dos funcionários.* ▶ Conjug. 5 e 36.

embaraço (em.ba.*ra*.ço) s.m. **1.** Aquilo que causa complicação; estorvo, impedimento: *A sonegação constitui um embaraço para o fisco.* **2.** Perplexidade, constrangimento: *A pergunta do eleitor provocou embaraço no candidato.*

embaraçoso [ô] (em.ba.ra.*ço*.so) adj. Que provoca ou apresenta embaraço; constrangedor, embaraçante: *comportamento embaraçoso.* ǁ f. e pl.: [ó].

embarafustar (em.ba.ra.fus.*tar*) v. Entrar de forma precipitada, com ímpeto: *Embarafustou (-se) pelo beco à procura do assaltante.* ǁ barafustar(-se). ▶ Conjug. 5.

embaralhar (em.ba.ra.*lhar*) v. **1.** Misturar, intercalando as cartas de um baralho: *Quem vai embaralhar as cartas?* **2.** fig. Desordenar(-se), confundir(-se): *Nervoso, o aluno embaralhava as respostas; Os réus embaralhavam-se diante das acusações do juiz.* ǁ baralhar. ▶ Conjug. 5. – **embaralhamento** s.m.

embarcação (em.bar.ca.*ção*) s.f. Estrutura côncava flutuante que serve para carregar pessoas ou cargas.

embarcadouro (em.bar.ca.*dou*.ro) s.m. Local próprio para embarque ou desembarque de passageiro ou carga; cais, porto.

embarcar (em.bar.*car*) v. **1.** Entrar ou fazer entrar em uma embarcação (pessoa ou coisa): *Os estivadores embarcaram a carga no navio; Os marinheiros não puderam embarcar ontem.* **2.** fig. Entrar em uma situação arriscada ou difícil: *Embarquei numa situação da qual não consigo sair.* **3.** coloq. fig. Morrer: *Embarcou desta para outra.* ▶ Conjug. 5 e 35.

embargar (em.bar.*gar*) v. **1.** Não permitir; impedir: *O trânsito ruim embargou a chegada do funcionário.* **2.** Impedir a manifestação; conter, reprimir, refrear: *O medo embargou-lhe a fala.* **3.** (Jur.) Pôr embargo a: *Embargar a execução de uma sentença.* ▶ Conjug. 5 e 34.

embargo (em.*bar*.go) s.m. (Jur.) **1.** Impedimento, obstáculo ou embaraço judicial, solicitado por meio de suspensão (da execução de uma sentença ou despacho) ou interdição do uso (de bens ou coisas), por uma pessoa, para evitar uma ação de outra pessoa que seja prejudicial a seus interesses ou direitos; arresto: *Contra a decisão do juiz, caberá embargo de declaração.* **2.** Aquilo que causa impedimento; empecilho, barreira: *Mesmo com o embargo da prefeitura, continuaram a construir a cerca.* ǁ *Embargo econômico*: medidas adotadas por um Estado ou por uma organização de Estados, que consistem em restringir ou mesmo impedir totalmente qualquer tipo de transação econômica com outro Estado: *A Rússia e o Japão embargaram compras de outros fornecedores devido à gripe aviária.*

embarque (em.*bar*.que) s.m. **1.** Ato ou efeito de embarcar. **2.** Lugar onde se embarca.

embasamento (em.ba.sa.*men*.to) s.m. **1.** Ato ou efeito de embasar. **2.** Proposição que serve de base para um raciocínio; fundamento, razão: *Ele propôs um projeto sem embasamento teórico.* **3.** (Arquit.) Fundação que serve de base para a sustentação de uma construção; alicerce.

embasar (em.ba.*sar*) v. **1.** Apoiar(-se) num fundamento; basear(-se) em: *Embasou o relatório com sólida teoria sobre o assunto; Embasava-se na leitura para discutir suas ideias.* **2.** (Arquit.) Fazer o embasamento de; alicerçar: *embasar o revestimento.* ▶ Conjug. 5.

embasbacar (em.bas.ba.*car*) v. coloq. Tornar(-se) basbaque, estupefato; admirar(-se), pasmar (-se): *A surpresa embasbacou a todos; Cada vez mais vermelho, embasbacou e perdeu a voz; Embasbacou-se quando viu o prédio demolido.* ▶ Conjug. 5 e 35.

embate (em.*ba*.te) s.m. **1.** Ataque violento, briga, colisão: *O embate entre os soldados provocou várias mortes.* **2.** fig. Objeção, refutação, resistência: *Com o embate, o partido de oposição se retirou da Câmara.*

embatucar (em.ba.tu.*car*) v. **1.** coloq. Ficar cismado, apreensivo; preocupar-se: *Embatuquei com a notícia e fiquei o dia todo pensando nisso.* **2.** coloq. Fazer ficar ou ficar sem ação ou resposta; calar(-se): *O professor embatucou o aluno com sua pergunta; Com o discurso do colega, o deputado embatucou.* ▶ Conjug. 5 e 35.

embaúba (em.ba.*ú*.ba) s.f. (Bot.) Árvore de porte médio, com tronco reto e ramificação somente na parte superior, com folhas duras e

embebedar

ásperas esbranquiçadas na parte inferior, originária das áreas tropicais das Américas, nascidas em locais pouco iluminados, que pode ser usada para extração de polpa ou para ornamentação. || *imbaúba, umbaúba*.

embebedar (em.be.be.*dar*) *v.* **1.** Embriagar(-se): *Embebedou o amigo com o vinho que trouxera de Portugal; Embebedava-se sempre que bebia conhaque.* **2.** *fig.* Tornar(-se) enlevado; extasiar(-se): *Embebedou os ouvintes com suas palavras; Embebedei-me com sua beleza.* ▶ Conjug. 8.

embeber (em.be.*ber*) *v.* **1.** Fazer(-se) penetrar (por um líquido); sorver, absorver: *Hércules embebeu a ponta de sua flecha no veneno da hidra; Embebi a bucha com sabão líquido; O algodão embebeu-se de iodo rapidamente.* **2.** Tornar encharcado; ensopar, empapar: *Embebi a camisa de água sanitária e a manchei.* **3.** *fig.* Ficar tomado (por uma ideia, por um desejo etc.): *Embebia-se dos clássicos portugueses.* **4.** *fig.* Fazer-se penetrar; impregnar-se (cheiro, fumaça etc.): *Embebi-me com o seu perfume.* ▶ Conjug. 41.

embelezamento (em.be.le.za.*men*.to) *s.m.* Ato ou efeito de embelezar(-se).

embelezar (em.be.le.*zar*) *v.* Tornar(-se) (mais) belo; enfeitar(-se): *O novo calçamento embelezava a cidade; Embelezou-se para a festa de formatura.* ▶ Conjug. 8.

embevecer (em.be.ve.*cer*) *v.* Causar enlevo; encantar(-se), extasiar(-se): *Embeveceu o auditório com sua voz; Embevecia-se ao ver os quadros da exposição.* ▶ Conjug. 41.

embevecimento (em.be.ve.ci.*men*.to) *s.m.* Ato ou efeito de embevecer.

embicar (em.bi.*car*) *v.* **1.** (*Náut.*) Mergulhar a proa de (uma embarcação): *Embicou o navio para o porto.* **2.** Fazer tomar ou tomar direção; orientar(-se): *A ave embicava a cabeça para baixo e para cima; A rua ia se estreitando até embicar-se à esquerda.* **3.** Ir de encontro a; esbarrar: *O carro embicou com o acostamento e derrapou.* **4.** Pôr na forma de bico: *embicar o guardanapo.* **5.** *fig.* Fazer oposição; implicar: *Embicava com a vizinha sempre que a encontrava.* ▶ Conjug. 5 e 35.

embira (em.*bi*.ra) *s.f.* Entrecasca fibrosa que se retira de diferentes plantas, que serve para produzir cordas, estopas, entre outros.

embirrar (em.bir.*rar*) *v.* **1.** Mostrar implicância com; antipatizar: *Embirrei com a vizinha nova.* **2.** Apresentar birra; fazer pirraça: *Esta menina embirra com tudo!* **3.** Mostrar obstinação em; teimar: *Embirrou em não voltar à cidade naquele dia.* ▶ Conjug. 5.

emblema (em.*ble*.ma) *s.m.* **1.** Símbolo, seguido ou não de legenda, que representa uma associação, empresa, instituição, sociedade, estabelecimento, entre outros, que pode ser composto por um logotipo, uma imagem etc. **2.** Distintivo que traz esse símbolo; insígnia.

emblemático (em.ble.*má*.ti.co) *adj.* **1.** Relativo a emblema. **2.** Que serve de modelo; exemplar: *A ética pode ser considerada emblemática no mundo de hoje.*

emboaba (em.bo:*a*.ba) *s.m.* e *f.* (*Hist.*) Nome pejorativo pelo qual os bandeirantes paulistas e seus descendentes, na época do Brasil colônia, especialmente em regiões de Minas Gerais, chamavam os portugueses e brasileiros de outras procedências que se embrenhavam pelo sertão à cata de ouro e pedras preciosas.

embocadura (em.bo.ca.*du*.ra) *s.f.* **1.** Entrada (de um lugar estreito); boca: *embocadura de um rio; embocadura de uma rua.* **2.** Parte do freio que entra pela boca de animal de carga ou de montaria. **3.** (*Mús.*) Parte de instrumento de sopro que se emboca para a produção do som. **4.** (*Mús.*) Maneira de embocar um instrumento de sopro. **5.** *fig.* Inclinação, pendor, vocação: *Ele tem embocadura para a Medicina.* **6.** Foz. || *desembocadura*.

embocar (em.bo.*car*) *v.* Trazer um instrumento à boca para tirar sons: *Embocar o saxofone.* ▶ Conjug. 20 e 35.

emboçar (em.bo.*çar*) *v.* Passar emboço; preparar para a colocação de reboco: *emboçar uma parede; emboçar um quarto.* ▶ Conjug. 20 e 36.

emboço [ô] (em.*bo*.ço) *s.m.* Primeira demão de argamassa que se aplica na parede para prepará-la para o reboco.

embolada (em.bo.*la*.da) *s.f.* (*Mús.*) Toada que apresenta refrão, improvisada ou não, que conjuga melodia e poesia declamatória, podendo ser cantada ou dialogada, servindo de desafio para dois cantadores.

embolar[1] (em.bo.*lar*) *v.* Entrar em luta corporal (com alguém), rolando pelo chão: *Durante a partida, embolou com o jogador do time rival; A vizinha e o comerciante embolaram-se pela calçada.* ▶ Conjug. 20.

embolar[2] (em.bo.*lar*) *v.* **1.** Tomar ou fazer tomar configuração de bolo ou rolo; emaranhar(-se):

Embolou o lençol e jogou-o no chão; Enquanto batia, a roupa embolava-se na máquina de lavar. **2.** *coloq. fig.* Confundir(-se), embaraçar(-se): *A prova estava difícil e embolou a cabeça do aluno; Embolei-me com o horário e cheguei atrasado.* ▶ Conjug. 20.

embolia (em.bo.li.a) *s.f.* (*Med.*) Entupimento súbito de um vaso sanguíneo, em geral uma artéria, por um corpo estranho (êmbolo), conduzido pela corrente circulatória.

êmbolo (êm.bo.lo) *s.m.* **1.** (*Mec.*) Peça cilíndrica que realiza movimento de vaivém no interior de seringas, bombas, cilindros de motores ou máquinas etc., e que serve para transformar a pressão de um gás em energia mecânica ou para comprimir ou impelir uma substância líquida ou gasosa; pistom. **2.** (*Med.*) Corpo estranho, sólido ou gasoso, que se desloca pela corrente circulatória e obstrui um vaso sanguíneo, provocando embolia.

embolorar (em.bo.lo.rar) *v.* Envolver(-se) de bolor; mofar: *O móvel antigo embolorou; A umidade embolorou o pão; A toalha embolorou-se no armário.* ▶ Conjug. 20. – **emboloramento** *s.m.*

embolotar (em.bo.lo.tar) *v. coloq.* Cobrir-se de bolotas; encaroçar: *Com a alergia, embolotou(-se).* ▶ Conjug. 20.

embolsar (em.bol.sar) *v.* **1.** Pôr no bolso ou na bolsa: *O vendedor ambulante embolsou o dinheiro da féria do dia.* **2.** Apoderar-se de; ganhar; receber: *Com o lançamento do filme, embolsou uma grande quantia.* ▶ Conjug. 20.

embolso [ô] (em.bol.so) *s.m.* Ato ou efeito de embolsar.

embonecar (em.bo.ne.car) *v.* Embelezar(-se) com exagero; adornar(-se) excessivamente; emperiquitar(-se), empetecar(-se): *Embonecou a irmã com a nova maquiagem; Embonecava-se todos os sábados para ir às reuniões.* ▶ Conjug. 8 e 35. – **embonecamento** *s.m.*

embora (em.bo.ra) *conj.* (*Gram.*) **1.** Exprime ideia de concessão; ainda que, apesar de que: *Embora chovesse, mantivemos o compromisso; O número de leitores não aumentou significativamente, muito embora a quantidade de publicações tenha aumentado.* • *adv.* **2.** Exprime ideia de saída, distanciamento, partida: *O adolescente rebelde foi embora de casa.*

emborcar (em.bor.car) *v.* **1.** Pôr(-se) de borco, de boca para baixo: *Depois de catar o feijão, emborquei a panela; A canoa emborcou, ferindo os marinheiros.* **2.** Derramar na boca e beber com voracidade; virar: *Ontem, emborquei vários copos de cerveja e fiquei bêbado.* **3.** *coloq.* Levar um tombo; cair: *Tropeçou e emborcou no meio da rua.* ▶ Conjug. 20 e 35.

embornal (em.bor.nal) *s.m.* Bornal: *O estudante levou um embornal com jogos para a escola; Colocou o embornal no cavalo para alimentá-lo.*

emborrachado (em.bor.ra.cha.do) *adj.* Que é feito de, contém ou é revestido de borracha: *piso emborrachado; cabo emborrachado.*

emboscada (em.bos.ca.da) *s.f.* **1.** Manobra que consiste em aguardar num lugar propício para assaltar de surpresa o inimigo; tocaia, espera. **2.** Ato de traição; cilada, arapuca, armadilha.

emboscar (em.bos.car) *v.* **1.** Colocar-se em emboscada; encobrir-se para efetuar um ataque: *Emboscou-se no mato para assaltar a diligência.* **2.** Efetuar um ataque de emboscada: *O pistoleiro emboscou o trem pagador.* ▶ Conjug. 20 e 35.

embotamento (em.bo.ta.men.to) *s.m.* Ato ou efeito de embotar(-se); adormecimento (3).

embotar (em.bo.tar) *v.* **1.** Perder ou fazer perder o gume ou fio de corte: *A umidade enferrujou e embotou o alicate de unha; Usado diariamente para cortar carne, o facão embotou-se.* **2.** *fig.* Perder ou fazer perder o vigor, a força, a energia; debilitar(-se): *Comer demais prejudica o estômago e embota a digestão; Conforme passava o tempo, sua visão se embotava cada vez mais.* **3.** *fig.* Perder ou fazer perder a acuidade; insensibilizar(-se): *A dura realidade embotou sua capacidade de sonhar; Mesmo diante da guerra, seus sentimentos não se embotaram.* ▶ Conjug. 20.

embrabecer (em.bra.be.cer) *v.* Embravecer. ▶ Conjug. 41 e 46.

embranquecer (em.bran.que.cer) *v.* Tornar(-se) branco; branquear: *A aplicação do flúor embranqueceu seus dentes; Com a colocação da água sanitária, a camisa embranqueceu(-se).* ▶ Conjug. 41 e 46.

embranquecimento (em.bran.que.ci.men.to) *s.m.* Ato ou efeito de embranquecer; branquear.

embravecer (em.bra.ve.cer) *v.* **1.** Ficar ou fazer ficar bravo, enfurecer(-se): *A divulgação da pesquisa de opinião embraveceu vários leitores; O diretor, quando viu seu filme cortado do festival, embraveceu(-se).* **2.** Fazer com que se movimente muito; encrespar(-se), agitar(-se) (o mar): *A tempestade embraveceu o mar assustadoramente.* || **embrabecer.** ▶ Conjug. 41 e 46.

embreagem

embreagem (em.bre:a.gem) s.f. (Mec.) Dispositivo localizado entre o motor e a caixa de mudanças (câmbio), composto de duas peças (pedal e disco), que permite a troca de marchas de um veículo.

embrear (em.bre:ar) v. Fazer funcionar a embreagem; debrear: *embrear o trator*; *É possível trocar o óleo da motocicleta sem embrear?* ▶ Conjug. 14.

embrenhar (em.bre.nhar) v. Ocultar(-se), confinar(-se) (na brenha, no mato etc.): *O instrutor embrenhou sua equipe no sertão mineiro*; *Embrenhei-me na mata virgem à procura de novas espécies.* ▶ Conjug. 5.

embriagado (em.bri:a.ga.do) adj. **1.** Que se embriagou, se embebedou, se alcoolizou. **2.** Com os sentidos perturbados; atordoado, zonzo. **3.** *fig.* Que está deslumbrado, maravilhado, extasiado: *embriagado de amor*; *embriagado com suas ideias.* • s.m. **4.** Pessoa embriagada.

embriagar (em.bri:a.gar) v. **1.** Tornar(-se) bêbado; alcoolizar(-se), embebedar(-se): *Embriagou os visitantes com um bom vinho*; *Tomar muita cerveja embriaga*; *Embriagou-se e acabou dormindo.* **2.** Produzir embriaguez: *O álcool é uma bebida que embriaga e envenena o corpo*; (fig.) *Ler faz enredar, embriagar e sonhar.* **3.** *fig.* Deslumbrar(-se), maravilhar(-se), extasiar(-se): *O discurso embriagou os ouvintes*; *Só Wagner, com sua música formidável, (me) embriaga de fato.* ▶ Conjug. 5 e 34.

embriaguez (em.bri:a.guez) s.f. **1.** Ato ou efeito de embriagar. **2.** Bebedeira. **3.** *fig.* Deslumbramento, êxtase.

embrião (em.bri:ão) s.m. **1.** (Biol.) Ser vivo nos seus primeiros estágios de desenvolvimento (no ser humano, entre a metade da segunda semana e o fim da oitava semana depois da concepção). **2.** (Bot.) Elemento da semente que se desenvolve para dar origem a uma planta; germe. **3.** *fig.* Causa primeira, base, origem: *o embrião de uma ideia.*

embriologia (em.bri:o.lo.gi.a) s.f. **1.** (Med.) Estudo dos fenômenos concernentes ao desenvolvimento do embrião e do feto humano. **2.** (Biol.) Estudo dos fenômenos relativos ao desenvolvimento de um organismo, a partir do ovo fertilizado até sua formação completa ou, nos mamíferos, até o nascimento. – **embriológico** adj.; **embriologista** s.m. e f.

embrionário (em.bri.o.ná.ri:o) adj. **1.** (Biol., Med.) Relativo a embrião. **2.** Que mostra semelhança com ou tem origem em um embrião e seus elementos. **3.** *fig.* Que está se constituindo: *ideia embrionária.*

embrocação (em.bro.ca.ção) s.f. **1.** Aplicação de medicamento líquido sobre alguma parte do corpo. **2.** (Farm., Med.) Remédio líquido para uso externo, para fazer embrocação (1).

embromar (em.bro.mar) v. **1.** *coloq.* Adiar a concretização de um compromisso assumido; protelar algo, iludindo; enrolar: *O noivo casou, depois de muito embromar.* **2.** *coloq.* Enganar, aproveitando-se da boa-fé (de alguém); calotear: *Embromou até o fim do mês o cliente e acabou não pagando sua dívida.* ▶ Conjug. 5. – **embromação** s.f.

embrulhada (em.bru.lha.da) s.f. **1.** *coloq.* Falta de ordem, confusão: *Fez uma embrulhada com os relatórios e perdeu-os.* **2.** *coloq.* Perturbação, estorvo, complicação: *Meteu-se numa embrulhada financeira.*

embrulhar (em.bru.lhar) v. **1.** Envolver em papel (um presente, uma mercadoria etc.), formando do embrulho; empacotar: *Embrulhou a garrafa com uma folha de jornal.* **2.** Cobrir-se com agasalho; enrolar(-se): *Após o banho, as crianças embrulharam o cachorro na toalha*; *Embrulhei-me na manta.* **3.** *fig.* Fazer acreditar em algo que não é verdadeiro; ludibriar: *Embrulhou o amigo e não pagou o que devia.* **4.** *coloq. fig.* Perturbar(-se), confundir(-se), enrolar(-se): *Com a cabeça confusa, embrulhou os fatos*; *Embrulhei-me com tanto trabalho, que desisti.* **5.** *coloq.* Produzir náuseas; enjoar: *Aquela sujeira embrulhou meu estômago.* ▶ Conjug. 5.

embrulho (em.bru.lho) s.m. Aquilo que se encontra embrulhado; pacote, volume.

embrutecer (em.bru.te.cer) v. Ficar ou fazer ficar bruto, rude, grosseiro: *A miséria embrutece as pessoas*; *Com a guerra, o soldado embruteceu(-se).* ▶ Conjug. 41 e 46.

embrutecimento (em.bru.te.ci.men.to) s.m. Ato ou efeito de embrutecer(-se).

embuçado (em.bu.ça.do) adj. Rebuçado (1).

embuchar[1] (em.bu.char) v. **1.** Encher-se de comida até não caber mais; empanturrar-se: *embuchar um cozido.* **2.** *coloq. fig.* Engravidar(-se), emprenhar(-se): *Embuchei a filha de João*; *Soube que Ana embuchou novamente.* **3.** *coloq. fig.* Não saber responder ou não saber contestar; calar-se, embatucar: *Pego em flagrante, o ladrão embuchou.* ▶ Conjug. 5.

embuchar[2] (em.bu.char) v. Introduzir uma bucha em: *embuchar um parafuso.* ▶ Conjug. 5.

emburrar (em.bur.rar) v. **1.** *coloq.* Fixar-se em uma ideia; empacar (em analogia com um

emigrante

burro): *Por mais que ouvisse argumentos contrários, emburrou e insistiu na decisão.* **2.** *coloq.* Aborrecer-se, agastar-se, amuar-se, melindrar-se: *O menino fechou a cara e emburrou.* ▶ Conjug. 5.

emburrecer (em.bur.re.cer) *v. coloq. fig.* Ficar ou fazer ficar burro; estúpido, bruto: *Alguns críticos acreditam que assistir novela emburrece as pessoas; Privado do convívio com seus semelhantes, o homem emburreceu.* ▶ Conjug. 41 e 46. – **emburrecimento** *s.m.*

embuste (em.bus.te) *s.m.* Estratagema que faz uso de ardis; mentira astuciosa; impostura: *Foi vítima de um embuste e perdeu tudo.*

embusteiro (em.bus.tei.ro) *adj.* **1.** Que recorre a embuste. • *s.m.* **2.** Pessoa embusteira.

embutido (em.bu.ti.do) *adj.* **1.** Que se embutiu. **2.** Que foi amoldado no interior de: *bolso embutido; microfone embutido;* (fig.) *O consumidor pagou a taxa embutida no financiamento.* • *s.m.* **3.** Ato ou efeito de embutir. **4.** Salsicha, salsichão, linguiça ou qualquer outro produto comestível que é composto por uma tripa recheada com carne de ave, de boi, de porco etc.

embutir (em.bu.tir) *v.* Amoldar (algo) no interior de; encaixar: *O pedreiro embutiu o ar-condicionado na parede;* (fig.) *O novo critério de cobrança pode embutir um aumento nas tarifas.* ▶ Conjug. 66.

eme (e.me) *s.m.* Nome da letra *m*.

emenda (e.men.da) *s.f.* **1.** Ato ou efeito de emendar(-se). **2.** Qualquer elemento manufaturado que se prende a outro para fazer aumentar o tamanho (de algo), reparar um defeito etc.; remendo. **3.** Lugar onde estes elementos se juntam. **4.** (*Art. Gráf.*) Ato de corrigir um texto, realizado por um revisor. **5.** (*Art. Gráf.*) Cada uma das correções feitas pelo revisor. **6.** *fig.* Aperfeiçoamento da conduta moral (de alguém). **7.** (*Jur.*) Modificação ou alteração, em parte ou no todo, do conteúdo de um projeto de lei; substitutivo.

emendar (e.men.dar) *v.* **1.** Fazer correção em; rever, consertar: *Emendei a redação de meu relatório para melhorá-lo.* **2.** Fazer modificação em; alterar: *A deputada emendou o projeto de lei proposto por um partido de oposição.* **3.** Unir(-se) (partes) para formar um todo; juntar, reunir: *Emendou os fuxicos para enfeitar sua bolsa; Emendou um retalho com outro para fazer um pano de prato; Os desenhos da parede se emendaram de lado a lado.* **4.** Mostrar-se arrependido; regenerar-se: *Emendou-se e mudou de vida.* **5.** *fig.* (*Esp.*) Dar continuidade a uma jogada efetuada por um outro jogador: *O jogador emendou, com rapidez, um passe bem executado pelo colega.* ▶ Conjug. 5.

ementa (e.men.ta) *s.f.* **1.** Registro escrito de alguma coisa ouvida, vista, pensada ou lida, para uso posterior; apontamento. **2.** Texto resumido contendo ideias essenciais; sumário, sinopse, resumo. **3.** (*Jur.*) Resumo dos princípios expostos em uma sentença ou em um acórdão, ou o resumo do conteúdo de uma norma a ser assinada por uma autoridade.

emergência (e.mer.gên.ci.a) *s.f.* **1.** Ato ou efeito de emergir. **2.** Circunstância acidental que exige medidas urgentes; incidente, contingência. **3.** (*Med.*) Mudança repentina do estado de saúde (de alguém) ou agravamento de uma doença que exige atenção médica com urgência. – **emergencial** *adj.*

emergente (e.mer.gen.te) *adj.* **1.** Que emerge. **2.** Que está se alçando a uma condição econômica ou social mais elevada: *grupo social emergente.* **3.** Que está se desenvolvendo: *país emergente.* • *s.m.* **4.** Pessoa emergente; novo-rico.

emergir (e.mer.gir) *v.* **1.** Fazer vir ou vir à superfície: *O submarino emergiu rapidamente e depois mergulhou; Após ser carregada pela onda, emergi e voltei a respirar.* **2.** *fig.* Surgir, manifestar-se: *Da tese da aluna emergiu uma nova faceta de Mário de Andrade.* || antôn.: *imergir.* • part.: *emergido* e *emerso.* ▶ Conjug. 74.

emérito (e.mé.ri.to) *adj.* **1.** Que possui conhecimentos ou competência excepcionais em uma determinada área de conhecimento; eminente: *professora emérita.* **2.** Diz-se de um título universitário outorgado a um professor.

emersão (e.mer.são) *s.f.* **1.** Ato ou efeito de emergir. **2.** (*Astron.*) Surgimento de um astro após este ter sido eclipsado por outro.

emerso [é] (e.mer.so) *adj.* Que emergiu.

emético (e.mé.ti.co) *adj.* **1.** Relativo a vômito. **2.** Que produz vômito: *Algumas drogas apresentam efeitos eméticos.* • *s.m.* **3.** (*Farm., Quím., Med.*) Medicamento ou substância que produz vômito: *O médico recomendou o uso de um emético eficaz.*

emigração (e.mi.gra.ção) *s.f.* Ato ou efeito de emigrar. || Conferir com *imigração.*

emigrado (e.mi.gra.do) *adj. s.m.* Emigrante.

emigrante (e.mi.gran.te) *adj.* **1.** Que emigra. • *s.m.* **2.** Pessoa que emigra; emigrado. || Conferir com *imigrante.*

emigrar

emigrar (e.mi.*grar*) v. **1.** Sair ou ser expulso de um país para outro, com fixação de residência permanente ou não; expatriar(-se): *No final do século XIX e início do século XX, muitos italianos emigraram (da Itália) para o Brasil; Por não concordar com a política econômica do país, o cientista emigrou.* **2.** Mudar periodicamente (animal) de uma região para outra: *Há aves aquáticas que emigram no verão.* || Conferir com *migrar* e *imigrar*. ▶ Conjug. 5.

eminência (e.mi.*nên*.ci:a) s.f. **1.** Qualidade de eminente; proeminência. **2.** Aquilo que se sobressai, formando uma saliência; relevo: *A casa fica em uma eminência perto do rio.* **3.** *fig.* Pessoa que apresenta superioridade moral, intelectual, profissional etc.; excelência: *Esse professor é uma eminência em Matemática.* **4.** Tratamento dado a cardeais. || *Eminência parda:* pessoa que de forma oculta influencia e/ou manobra outra que detém algum tipo de poder: *O Chalaça foi uma eminência parda junto a d. Pedro I.* || Conferir com *iminência*.

eminente (e.mi.*nen*.te) adj. **1.** Que se destaca pela altura; alto, proeminente: *montanha eminente.* **2.** O que se destaca pela qualidade; excelente: *professora eminente.* || Conferir com *iminente*.

emir (e.*mir*) s.m. Título conferido a dirigentes de determinados países árabes.

emirado (e.mi.*ra*.do) s.m. **1.** Território governado por emir. **2.** Cargo de emir.

emissão (e.mis.*são*) s.f. **1.** Ato ou efeito de emitir.

emissário (e.mis.*sá*.ri:o) adj. **1.** Que cumpre a missão de transmitir uma mensagem, informar-se de algo ou tratar de um assunto a pedido de alguém: *agente emissário.* • s.m. **2.** Pessoa enviada para cumprir uma missão; enviado, mensageiro, embaixador: *O prefeito mandou um emissário para conversar com o governador.* **3.** Conduto que leva o esgoto sanitário e/ou pluvial a uma estação depuradora ou o derrama em local apropriado, em um rio ou no mar: *O emissário submarino de Ipanema está em obras.*

emissor [ô] (e.mis.*sor*) adj. **1.** Que emite (algo). **2.** (*Comun.*) Que codifica e transmite uma mensagem a um receptor por meio de um canal de comunicação. • s.m. **3.** Pessoa que emite (algo); emitente. **4.** (*Comun.*) Pessoa que codifica e transmite uma mensagem a um receptor.

emissora [ô] (e.mis.*so*.ra) s.f. (*Rádio, Telv.*) Empresa ou estação que produz ou transmite programas de rádio ou de televisão.

emitente (e.mi.*ten*.te) adj. **1.** Que emite; emissor. • s.m. e f. **2.** Pessoa que emite; emissor. **3.** (*Econ., Jur.*) Pessoa (física ou jurídica) que é responsável pela emissão de um título de crédito (cheque, letra de câmbio, nota promissória, entre outros), a favor de um credor ou para resgate próprio.

emitir (e.mi.*tir*) v. **1.** Lançar de si: *O sol emitia uma luz forte, iluminando o ambiente.* **2.** Expressar-se de forma oral ou escrita; manifestar-se: *O jurista emitiu um parecer sobre o caso; Levou um susto e emitiu um grito estridente.* **3.** Pôr em circulação (dinheiro ou título): *É considerado crime emitir cheque sem fundo; No próximo mandato, o governo terá que emitir menos.* ▶ Conjug. 66.

emoção (e.mo.*ção*) s.f. Reação afetiva provocada por diferentes situações, agradáveis ou desagradáveis, que se manifesta por meio de sentimentos como raiva, alegria etc.

emocional (e.mo.ci:o.*nal*) adj. Emotivo: *desenvolvimento emocional.*

emocionar (e.mo.ci:o.*nar*) v. Fazer sentir ou sentir emoção; comover(-se): *Seu texto emocionava profundamente os leitores; Aquela melodia sempre o emocionava; Ao rever a antiga casa, emocionou-se.* ▶ Conjug. 5. — **emocionante** adj.

emoldurar (e.mol.du.*rar*) v. Botar na moldura; enquadrar: *Emoldurou a pintura que ganhou da irmã.* ▶ Conjug. 5.

emoliente (e.mo.li:*en*.te) adj. (*Farm., Med.*) **1.** Que amacia ou acalma. • s.m. **2.** Substância usada para amolecer ou acalmar a pele, ou para acalmar uma superfície irritada: *loção emoliente.*

emolumento (e.mo.lu.*men*.to) s.m. (*Jur.*) **1.** Vantagem concedida a um indivíduo, além do que recebe pelo desempenho de seu cargo ou ofício; gratificação. **2.** Contribuição paga por todo indivíduo que se beneficie de um serviço prestado por uma repartição pública. **3.** Remuneração recebida pelos notários e oficiais registradores em função da prestação de seus serviços.

emotivo (e.mo.*ti*.vo) adj. **1.** Relativo a emocional: *jeito emotivo.* **2.** Que se deixa levar pela emoção. • s.m. **3.** Pessoa emotiva. — **emotividade** s.f.

empacar (em.pa.*car*) v. **1.** Cessar de mover-se, sem que se possa obrigar a retomar a andadura; estacar. **2.** *coloq. fig.* Não conseguir ir adiante; tolher-se: *Empacou naquela questão e não fez o resto da prova.* ▶ Conjug. 5 e 35.

empachado (em.pa.*cha*.do) *adj.* Que está com o estômago excessivamente cheio de comida; empanturrado, empanzinado. – **empachar** *v.* ▶ Conjug. 5.

empacho (em.*pa*.cho) *s.m.* **1.** Obstrução, embaraço. **2.** Mal-estar proveniente de ingestão de excesso de comida.

empacotar (em.pa.co.*tar*) *v.* **1.** Fazer um pacote ou botar num pacote; embrulhar, embalar: *Empacotei as compras do supermercado*; *À medida que empacotava suas roupas, as colocava no carro*. **2.** *coloq. fig.* Perder a vida; falecer, morrer: *Ele empacotou no meio da rua*. ▶ Conjug. 20. – **empacotadeira** *s.f.*; **empacotamento** *s.m.*

empada (em.*pa*.da) *s.f.* (*Cul.*) Salgadinho feito com massa composta de farinha de trigo, manteiga, margarina ou gordura hidrogenada, gema de ovo e sal, recheado com carne, frango, camarão etc. e assado no forno, dentro de pequenas formas [ô].

empadão (em.pa.*dão*) *s.m.* (*Cul.*) Salgado feito com a mesma massa da empada, recheado com carne, frango, camarão etc. e assado no forno em forma [ô] grande.

empáfia (em.*pá*.fi:a) *s.f.* Orgulho excessivo; arrogância, presunção: *Cheio de empáfia, fechou a porta aos vizinhos*.

empalhar (em.pa.*lhar*) *v.* **1.** Colocar palha para preservar ou dar forma a: *empalhar um pássaro*. **2.** Entrelaçar fios de tira seca e flexível como palha, vime, junco, taquara ou outra planta ou material, compondo um tecido: *empalhar móveis*. ▶ Conjug. 5. – **empalhador** *s.m.*; **empalhamento** *s.m.*

empalidecer (em.pa.li.de.*cer*) *v.* Fazer perder ou perder a cor; tornar(-se) pálido: *O excesso de maquiagem empalideceu o rosto da atriz*; *Ficou sem tomar sol e empalideceu muito*. ▶ Conjug. 41 e 46.

empanado¹ (em.pa.*na*.do) *adj.* **1.** Que está sem brilho; baço. **2.** *reg.* Que está vestido com roupa de pano e não com veste de couro. • *s.m.* **3.** *reg.* Pessoa empanada.

empanado² (em.pa.*na*.do) *adj.* (*Cul.*) Que é passado no ovo batido e na farinha de qualquer tipo antes de ser frito: *camarão empanado*.

empanar¹ (em.pa.*nar*) *v.* **1.** Tornar(-se) opaco; embaçar(-se), ofuscar(-se): *Ao beber, sua respiração empanou o copo*; *A lente do microscópio empanou-se*; (fig.) *Seu hábito de fumar empanava seu encanto pessoal*; *Na última década, o brilho da atriz empanou-se*. **2.** *fig.* Fazer cair ou cair em descrédito; macular(-se): *A atitude agressiva do cantor empanou sua fama de simpático*; *Com o resultado negativo, a pesquisa empanou-se*. ▶ Conjug. 5.

empanar² (em.pa.*nar*) *v.* (*Cul.*) Envolver (um alimento) em algum tipo de farinha e depois no ovo, para fritar: *Empanou o peixe para fritá-lo*. ▶ Conjug. 5.

empanturrar (em.pan.tur.*rar*) *v.* Fartar(-se) de comida; empanzinar(-se), empachar(-se), embuchar(-se) (1): *Serviu tantos salgadinhos que empanturrou os convidados*; *Empanturrou os filhos de comida antes de sair*; *Empanturrava-se de massas até passar mal*. ▶ Conjug. 5. – **empanturramento** *s.m.*

empanzinar (em.pan.zi.*nar*) *v.* Empanturrar(-se), empachar(-se): *Temos comida suficiente para empanzinar cem famintos glutões*; *Eles se empanzinaram de pizza*. ▶ Conjug. 5. – **empanzinamento** *s.m.*

empapar (em.pa.*par*) *v.* **1.** Tornar(-se) molhado em excesso; encharcar(-se), ensopar(-se), embeber(-se): *Empapei o miolo de pão no leite*; *Com a chuva, meu tênis se empapou*. **2.** Deixar com consistência de papa: *empapar o arroz*. ▶ Conjug. 5.

empapuçado (em.pa.pu.*ça*.do) *adj.* **1.** Que está inchado; papudo: *olho empapuçado*. **2.** *gír.* Que está cheio: *Estou empapuçado desse assunto*; *empapuçado de refrigerante*. – **empapuçamento** *s.m.*; **empapuçar** *v.* ▶ Conjug. 5 e 36.

emparedar (em.pa.re.*dar*) *v.* **1.** Fechar com parede (um espaço): *O pedreiro emparedou o jardim*. **2.** Encerrar(-se) entre paredes; enclausurar-se: *O pai emparedou o filho num seminário*; *Naquele século, as freiras se emparedavam nos conventos*. **3.** *fig.* Cercear, bloquear: *As ditaduras emparedam a democracia*. **4.** *fig.* Isolar, limitar: *emparedar o convívio*. ▶ Conjug. 8.

emparelhar (em.pa.re.*lhar*) *v.* **1.** Colocar(-se) em parelha, lado a lado: *Emparelhei os talheres em cima da mesa*; *Na curva, emparelhou seu carro com o meu*; *Os cavalos de corrida emparelharam(-se)*. **2.** Colocar(-se) no mesmo nível; equiparar(-se): *O autor emparelha a qualidade de seu primeiro livro com o último*; *A venda de livros com a de jornais emparelharam(-se)*. ▶ Conjug. 9.

empastar (em.pas.*tar*) *v.* **1.** Transformar(-se) em pasta: *Empastei a ricota para o canapé*; *Com o calor, o feijão empastou(-se)*. **2.** Cobrir(-se) de pasta: *O suor empastava seus cabelos*; *Meus*

empatar

dedos empastaram-se de cola. ▶ Conjug. 5. – **empastamento** s.m.

empatar (em.pa.*tar*) v. **1.** Terminar uma competição com placar igual; igualar(-se): *No xadrez, empatou duas partidas e venceu três; No jogo de domingo, o Fluminense empatou com o Flamengo; Apesar de disputada, a competição empatou;* (fig.) *Em simpatia, Carmem empata com Rosa.* **2.** Colocar obstáculo; atrapalhar: *O mau funcionamento do computador empatou nosso projeto.* **3.** Tomar tempo; ocupar: *A visita inesperada empatou meu domingo.* **4.** Aplicar (tempo ou dinheiro) sem saber se terá retorno: *Por causa do carro, empatei toda minha poupança; Empatei todo meu dinheiro naquele sítio.* ▶ Conjug. 5.

empate (em.pa.te) s.m. **1.** Ato ou efeito de empatar. **2.** Resultado de uma competição em que não houve vencedor nem perdedor: *O empate foi um resultado justo.*

empatia (em.pa.*ti*.a) s.f. **1.** (*Psican.*) Identificação afetiva com outra pessoa, que se caracteriza pela capacidade de poder se colocar no lugar do outro e imaginar quais são seus sentimentos e sensações. **2.** Identificação afetiva que leva à compreensão e à fruição estética de um objeto: *empatia com uma escultura.* || Conferir com *antipatia* e *simpatia*. – **empático** adj.

empavonado (em.pa.vo.*na*.do) adj. Enfeitado como um pavão; exibido: *Saiu empavonado com uma roupa de linho.*

empecilho (em.pe.*ci*.lho) s.m. Pessoa ou coisa que torna difícil ou impede o acontecimento de algo; obstáculo; impedimento, embaraço, entrave.

empedernido (em.pe.der.*ni*.do) adj. **1.** Que endureceu; petrificado: *solo empedernido.* **2.** fig. Que se desumanizou; insensível: *conservadorismo empedernido.* – **empedernir** v. ▶ Conjug. 86.

empedrar (em.pe.*drar*) v. **1.** Revestir com pedra; cobrir, pavimentar: *empedrar a estrada.* **2.** Tornar-se duro como pedra; cristalizar-se: *O sal empedra; O leite empedrou-se no peito da mãe.* **3.** fig. Tornar(-se) desumano, insensível; empedernir(-se): *A dor faz empedrar a imaginação; Com a dureza da vida, empedrou(-se).* ▶ Conjug. 8.

empenado (em.pe.*na*.do) adj. **1.** Que empenou; deformado, torto: *porta empenada.* **2.** Que está fora de prumo; inclinado: *muro empenado.*

empenar (em.pe.*nar*) v. Deformar-se por ação de um choque, da umidade e/ou do calor: *Passou por um buraco e empenou a roda dianteira; A porta do meu armário empenou.* ▶ Conjug. 5.

empenhar (em.pe.*nhar*) v. **1.** Dar (algo) em garantia para conseguir um empréstimo; penhorar; hipotecar: *Empenhei meus anéis para comprar um armário.* **2.** Pôr empenho; esforçar(-se); aplicar(-se): *Empenhamos todas as nossas energias e vencemos; Ele empenhou todos os seus esforços para tê-la de volta; Para passar no vestibular, empenhei-me com afinco.* **3.** (*Econ.*) Comprometer-se a pagar (o governo) dinheiro usado para determinada despesa pública: *As verbas já foram empenhadas na construção da estrada.* || *Empenhar a palavra*: assumir compromisso; obrigar-se: *Empenhei minha palavra de que cuidaria de seu filho com carinho.* ▶ Conjug. 5.

empenho (em.pe.*nho*) s.m. **1.** Ato ou efeito de empenhar(-se). **2.** Esforço empregado para a realização de algo; dedicação, interesse: *Demonstrou a mesma fé e o mesmo empenho para concretizar sua missão.* **3.** Influência, prestígio: *O empenho de parentes livrou-o das acusações.* **4.** (*Econ.*) Compromisso de pagamento assumido pelo governo de pagar uma dívida pública, levando em consideração a verba disponível e a dotação orçamentária.

emperiquitar (em.pe.ri.qui.*tar*) v. Embonecar (-se), empetecar(-se). ▶ Conjug. 5.

emperrar (em.per.*rar*) v. **1.** Tornar(-se) de difícil movimento; travar(-se): *A ferrugem pode emperrar o portão; Os pedais emperraram(-se).* **2.** fig. Criar obstáculo; impedir, dificultar, obstruir: *A comissão eleitoral emperrou a votação.* ▶ Conjug. 8. – **emperramento** s.m.

empertigado (em.per.ti.*ga*.do) adj. **1.** Que se empertigou; aprumado. **2.** fig. Que mostra orgulho exagerado; arrogante, presunçoso.

empertigar (em.per.ti.*gar*) v. **1.** Esticar(-se) para ficar ereto; aprumar(-se); endireitar(-se): *Após sair da reunião, empertigou o corpo; Os atletas empertigaram-se para ouvir o Hino Nacional.* **2.** fig. Tornar-se altivo, arrogante: *Empertigou-se para falar com o chefe.* ▶ Conjug. 5 e 34.

empestar (em.pes.*tar*) v. **1.** Contaminar(-se), com peste; infeccionar(-se), pestear(-se): *As doenças empestavam seu corpo; O rapaz empestou-se com o novo vírus.* **2.** Tornar(-se) pestilento; infestar(-se): *Os ratos empestavam o edifício; Com a falta de higiene, o hospital empestara-se.* **3.** fig. Espalhar(-se) (num ambiente); disseminar(-se): *A fumaça do incenso empestou a sala; Um novo vírus empestou o programa do computador; A cozinha empestou-se com o* *cheiro de carne*. **4.** *fig.* Corromper, depravar: *A corrupção empesta nossa sociedade.* || **empestear.** ▶ Conjug. 8.

empestear (em.pes.te:*ar*) *v.* Empestar. ▶ Conjug. 14.

empetecar (em.pe.te.*car*) *v. coloq.* Embonecar (-se), emperiquitar(-se). ▶ Conjug. 8 e 35.

empilhadeira (em.pi.lha.*dei*.ra) *s.f.* Máquina móvel utilizada para empilhar e/ou acomodar produtos ou cargas em armazéns, fábricas, ferrovias, portos etc.

empilhar (em.pi.*lhar*) *v.* Dispor(-se) em pilhas; amontar(-se): *Empilharam os livros e saíram*; *As tábuas se empilhavam dentro do armazém.* ▶ Conjug. 5. – **empilhamento** *s.m.*

empinar (em.pi.*nar*) *v.* **1.** Tornar saliente; fazer sobressair: *empinar o bumbum*; *empinar o peito*. **2.** Levantar-se sobre as patas traseiras (cavalgadura): *Meu cavalo empinou-se e relinchou.* **3.** Elevar no ar: *As crianças empinavam pipas no campo de futebol.* || *Empinar o nariz*: *coloq. fig.* Adotar uma atitude antipática: *Empinou o nariz e não me respondeu.* ▶ Conjug. 5. – **empinamento** *s.m.*

empipocar (em.pi.po.*car*) *v.* **1.** *coloq.* Produzir ou formar bolhas ou pústulas em: *A alergia empipoca-lhe a pele*; *Com o sarampo, minha pele empipocou.* **2.** *coloq.* Ficar com bolhas ou pústulas: *Com a catapora, meu corpo empipocou.* ▶ Conjug. 20 e 35.

empírico (em.*pí*.ri.co) *adj.* **1.** Baseado na experiência e na observação: *estudo empírico.* **2.** Que se conhece por meio da experiência e da observação; experimental: *universo empírico.* • *s.m.* **3.** Pessoa cujo saber se funda na experiência e na observação: *Ele é essencialmente um empírico.*

empirismo (em.pi.*ris*.mo) *s.m.* **1.** (*Fil.*) Doutrina que rejeita o racionalismo e acredita que todo conhecimento deriva da experiência e da observação. **2.** Atitude de quem apenas valoriza os conhecimentos que advêm da prática. **3.** (*Med.*) Prática que considera apenas a experiência e ignora a metodologia científica.

emplacamento (em.pla.ca.*men*.to) *s.m.* **1.** Ato ou efeito de emplacar. **2.** Colocação de placa.

emplacar (em.pla.*car*) *v.* **1.** Fixar placa ou chapa em: *No ano passado, o Detran emplacou vários carros.* **2.** *coloq. fig.* Conseguir bom resultado; atingir, alcançar: *O disco emplacou a marca de cem mil cópias*; *O novo produto emplacou no mercado.* ▶ Conjug. 5 e 35.

emplastar (em.plas.*tar*) *v.* Emplastrar. ▶ Conjug. 5.

emplasto (em.*plas*.to) *s.m.* Emplastro.

emplastrar (em.plas.*trar*) *v.* **1.** Aplicar emplastro em: *A vizinha emplastrou a queimadura com pomada.* **2.** Cobrir com (uma substância); aplicar: *Emplastrou o muro com argamassa.* **3.** Cobrir (em excesso) com substância gordurosa ou pegajosa: *Emplastrei o móvel da sala com óleo de peroba.* **4.** Ficar aderente a; grudar: *O gel de seu cabelo emplastrou.* || **emplastar.** ▶ Conjug. 5.

emplastro (em.*plas*.tro) *s.m.* **1.** Preparado que se assemelha a uma pasta, para uso medicinal externo, que evita irritações, inflamações e faz expectorar, entre outros usos, feito geralmente com gorduras e resinas que amolecem em contato com a pele, aderindo à parte em que são aplicadas. **2.** (*Med.*) Adesivo anti-inflamatório que se aplica diretamente ou com uso de gaze sobre a pele. || *emplasto.*

emplumar (em.plu.*mar*) *v.* Enfeitar(-se) ou envolver(-se) com plumas ou penas: *O índio emplumou seu pescoço*; *Emplumei-me para o baile de carnaval.* ▶ Conjug. 5.

empoar (em.po:*ar*) *v.* **1.** Cobrir(-se) de poeira; empoeirar: *As obras empoaram as louças*; *Depois do trecho de terra, o automóvel empoara-se todo.* **2.** Pôr pó de arroz em si mesmo ou em alguém: *A maquiadora empoou o ator*; *A senhora empoava-se para sair.* ▶ Conjug. 25.

empobrecer (em.po.bre.*cer*) *v.* **1.** Fazer ficar ou ficar pobre: *A instabilidade empobrece o país*; *Com a crise econômica, empobreceu(-se).* **2.** Provocar a redução ou o esgotamento de recursos; depauperar: *A seca empobreceu o solo nordestino*; (*fig.*) *A prática da corrupção empobreceu a política.* ▶ Conjug. 41 e 46. – **empobrecimento** *s.m.*

empoçar (em.po.*çar*) *v.* Juntar ou fazer juntar (líquido), formando poça: *O aguaceiro empoçou o caminho para o sítio*; *Com a infiltração, a sala empoçou.* || Conferir com *empossar.* ▶ Conjug. 20 e 36.

empoeirar (em.po:ei.*rar*) *v.* Cobrir(-se) de pó ou poeira; empoar(-se): *O trânsito dos carros empoeirou os móveis da casa*; *O menino se empoeirou, correndo na areia do pátio.* ▶ Conjug. 18.

empola [ô] (em.*po*.la) *s.f.* **1.** (*Med.*) Pequena bolha que aparece na pele devido à inflamação, queimadura ou enfermidades diversas. **2.** Bolha de água fervendo.

empolar

empolar (em.po.*lar*) *v.* **1.** Fazer cobrir ou cobrir-se de empolas (1): *A tinta entornou e empolou o braço do rapaz; Depois de pegar tanto sol, minha pele empolou(-se).* **2.** *fig.* Ficar ou fazer ficar afetado, pretensioso: *Para se exibir, empolou a voz; Empolava-se todo quando estava entre os amigos.* ▶ Conjug. 20. – **empolamento** *s.m.*

empoleirar (em.po.lei.*rar*) *v.* Subir ou fazer subir no poleiro: *O criador empoleirou o melro; O papagaio empoleirou-se.* ▶ Conjug. 18.

empolgação (em.pol.ga.*ção*) *s.f.* **1.** Ato ou efeito de empolgar(-se). **2.** Excitação, entusiasmo.

empolgante (em.pol.*gan*.te) *adj.* Que empolga.

empolgar (em.pol.*gar*) *v.* Tornar(-se) entusiasmado; arrebatar(-se), excitar(-se): *O show empolgou a multidão; Sempre que pensava na viagem, empolgava-se.* ▶ Conjug. 20 e 34.

empombar (em.pom.*bar*) *v. coloq.* Ficar ou fazer ficar irritado com (pessoa ou coisa); zangar(-se): *O que o empombava era o ar de superioridade do vizinho; Empombei(-me) com o comentário do vizinho.* ▶ Conjug. 5. – **empombação** *s.f.*

emporcalhar (em.por.ca.*lhar*) *v.* **1.** Sujar(-se) como um porco; tornar(-se) imundo: *Emporcalhou a roupa, jogando futebol; Caí em uma poça de lama e emporcalhei-me.* **2.** *fig.* Degradar(-se), aviltar(-se): *Emporcalhava sua imagem com suas atitudes incorretas; Com o excesso de corrupção, a política emporcalhou-se.* ▶ Conjug. 5.

empório (em.*pó*.ri:o) *s.m.* **1.** Porto ou lugar com grande afluência de pessoas, onde se pratica o comércio internacional; entreposto. **2.** Local onde se faz comércio de mercadorias diversas; mercado, bazar. **3.** Loja de secos e molhados; armazém.

empossar (em.pos.*sar*) *v.* (*Jur.*) **1.** Passar (um cargo a alguém); dar posse a: *O prefeito empossará os professores concursados; O diretor empossou-o no cargo de projetista.* **2.** Assumir um cargo oficial: *Empossei-me hoje no emprego.* || Conferir com **empoçar.** ▶ Conjug. 20.

empreendedor [ô] (em.pre.en.de.*dor*) *adj.* **1.** Que empreende. • *s.m.* **2.** Pessoa que empreende.

empreender (em.pre.en.*der*) *v.* **1.** Colocar em execução; realizar: *Empreendi uma campanha contra o fumo.* **2.** Pôr-se em marcha; tentar, arriscar: *Empreendeu duas expedições ao Himalaia.* ▶ Conjug. 39.

empreendimento (em.pre.en.di.*men*.to) *s.m.* **1.** Ato ou efeito de empreender. **2.** Aquilo que se realizou; empresa: *A Barra da Tijuca foi depredada pelos empreendimentos imobiliários.*

empregado (em.pre.ga.do) *adj.* **1.** Que tem emprego; colocado: *soldador empregado.* **2.** Que foi aplicado; usado, utilizado: *O material empregado é da melhor qualidade.* • *s.m.* **3.** Pessoa que possui emprego ou função em estabelecimento público ou particular; assalariado. || *Empregado doméstico:* pessoa que presta serviços para uma pessoa ou família, numa residência, em troca de salário: *Atualmente, o empregado doméstico também goza de direitos trabalhistas.*

empregador [ô] (em.pre.ga.*dor*) *adj.* **1.** Que emprega. • *s.m.* **2.** Pessoa física ou jurídica que emprega (alguém) mediante contrato e recebimento de salário.

empregar (em.pre.*gar*) *v.* **1.** Admitir ou ser admitido (para fazer um trabalho): *Empregou o filho e a mulher como seus auxiliares diretos; Demorei quase um ano para conseguir empregar-me de novo.* **2.** Servir-se de; usar, utilizar, aplicar: *Empregou todo seu dinheiro na Bolsa de Valores; Ele foi preso por empregar material de baixa qualidade na construção dos edifícios.* **3.** Despender (tempo) para realizar (algo): *Empregou dez dias no novo projeto.* ▶ Conjug. 8 e 34.

empregatício (em.pre.ga.*tí*.ci:o) *adj.* Relativo a emprego: *vínculo empregatício.*

emprego [ê] (em.*pre*.go) *s.m.* **1.** Ato ou efeito de empregar; uso, utilização, aplicação: *O emprego da tecnologia cresceu no Brasil.* **2.** Cargo, ofício ou função exercida por pessoa física, mediante recebimento de salário; ocupação profissional; serviço, cargo, ofício, função: *A criminalidade aumenta porque há cada vez menos emprego para nossa juventude.* **3.** Local de trabalho: *Não sei onde fica o emprego de Maurício.*

empreguismo (em.pre.*guis*.mo) *s.m.* Prática de prometer ou conceder empregos em troca de votos ou favores, com o fim de alcançar propósitos políticos.

empreitada (em.prei.*ta*.da) *s.f.* **1.** Trabalho que é feito mediante contrato oral ou escrito, sem vínculo empregatício, no qual se cumpre determinada tarefa em troca de remuneração previamente acordada. **2.** *fig.* Fazer alguma coisa que dá muito trabalho: *Mudar de casa é uma empreitada árdua!*

empreitar (em.prei.*tar*) *v.* Dar ou assumir (trabalho) por empreitada: *O coronel resolveu empreitar o desmatamento de sua fazenda; Empreitou a construção de um trecho da estrada.* ▶ Conjug. 18.

empreiteira (em.prei.*tei*.ra) *s.f.* Empresa que realiza obras por empreitada.

empreiteiro (em.prei.*tei*.ro) *adj.* **1.** Que realiza obras por empreitada. • *s.m.* **2.** Pessoa física ou jurídica que realiza obras por empreitada.

emprenhar (em.pre.*nhar*) *v. coloq.* Ficar ou fazer ficar prenhe; engravidar; embuchar: *Emprenhou a mulher; Emprenhou do noivo, antes do casamento; A vaca emprenhou.* ▶ Conjug. 5.

empresa [ê] (em.*pre*.sa) *s.f.* **1.** Organização econômica, civil ou comercial, voltada para a produção e/ou comercialização de bens ou serviços, visando ao lucro (privada) ou ao bem coletivo (pública). **2.** Aquilo que se empreende; empreendimento.

empresar (em.pre.*sar*) *v.* Empresariar. ▶ Conjug. 8.

empresariado (em.pre.sa.ri:*a*.do) *s.m.* Categoria que reúne empresários.

empresarial (em.pre.sa.ri:*al*) *adj.* Relativo a empresa, empresário ou empresariado.

empresariar (em.pre.sa.ri:*ar*) *v.* **1.** Administrar, dirigir como empresário; empresar: *Durante anos, empresariou a firma do pai.* **2.** Representar (artista, atleta, banda, *shows* etc.) como empresário; empresar: *Empresariava artistas famosos havia muitos anos.* ▶ Conjug. 17.

empresário (em.pre.*sá*.ri:o) *s.m.* **1.** Pessoa que administra ou possui uma empresa. **2.** Profissional que gerencia os negócios de outro profissional (em particular, artistas e atletas): *O empresário do jogador negociou a venda de seu passe.*

emprestar (em.pres.*tar*) *v.* **1.** Pôr (algo) à disposição (de alguém) por certo tempo, sob condições: *Emprestei meus livros e fiquei sem eles; O dublador emprestou sua voz ao personagem.* **2.** Pôr dinheiro à disposição (de alguém) para ser devolvido com juros: *Os bancos brasileiros emprestam dinheiro a juros altíssimos; O Banco do Brasil emprestou um milhão de reais aos pequenos produtores.* **3.** Dar, conferir, imprimir: *Um novo emprego emprestaria um novo ânimo à sua vida.* ▶ Conjug. 8.

empréstimo (em.*prés*.ti.mo) *s.m.* **1.** Ato ou efeito de emprestar. **2.** Aquilo que foi ou será emprestado: *O empréstimo do livro deverá ser renovado.* **3.** (*Econ.*) Quantia de dinheiro cedida (à pessoa física ou jurídica), mediante o compromisso de devolução com pagamento de juros: *Os juros daquele empréstimo me arruinaram.* **4.** (*Ling.*) Inclusão de vocábulo no léxico de uma língua que se dá devido ao contato desta com outra.

emproado (em.pro:*a*.do) *adj.* Que é ou aparenta ser excessivamente vaidoso; convencido, presunçoso, pretensioso.

emproar-se (em.pro:*ar*-se) *v.* Ficar emproado; pavonear-se: *Emproava-se diante dos amigos.* ▶ Conjug. 25 e 6.

empulhação (em.pu.lha.*ção*) *s.f.* Mentira, tapeação, má-fé, logro, engano.

empunhadura (em.pu.nha.*du*.ra) *s.f.* Parte por onde se empunha (instrumentos, armas, ferramentas); punho: *empunhadura do arco do violino; empunhadura da pistola.*

empunhar (em.pu.*nhar*) *v.* Apanhar ou segurar pelo punho ou pela empunhadura (instrumentos, armas, ferramentas): *O espadachim empunhou a espada para a aula de esgrima; O escritor empunhou a caneta e escreveu.* ‖ *Empunhar bandeira: fig.* Tornar-se adepto (de uma doutrina, de uma ideologia, de uma religião etc.) e defender com empenho um ponto de vista: *O sociólogo empunhou a bandeira da ética.* ▶ Conjug. 5.

empurra-empurra (em.*pur*.ra-em.*pur*.ra) *s.m.* Circunstância em que as pessoas se aglomeram e se empurram. ‖ pl.: *empurra-empurras.*

empurrão (em.pur.*rão*) *s.m.* Ato ou efeito de empurrar.

empurrar (em.pur.*rar*) *v.* **1.** Fazer deslocar-se com vigor; impelir com força: *Empurrou o carro e tirou-o do atoleiro;* (fig.) *A torcida empurrou o time para a vitória.* **2.** Colocar (alguém ou algo) ou colocar-se a certa distância; afastar (-se): *Empurrei delicadamente o abajur e o acendi; As pessoas se empurravam para chegar mais próximo da entrada.* **3.** *coloq. fig.* Colocar (algo) como imposição; impor, impingir: *A vendedora empurrou o produto ao cliente; Empurrei a ideia do novo projeto ao chefe.* ▶ Conjug. 5.

empuxo [ch] (em.*pu*.xo) *s.m.* (*Mec.*) Força exercida de baixo para cima em qualquer corpo mergulhado num fluido submetido à ação da gravidade.

emudecer (e.mu.de.*cer*) *v.* Ficar ou fazer ficar silencioso, momentaneamente ou não: *A atuação da atriz emudeceu a plateia; Com o curto, as caixas de som emudeceram(-se).* ▶ Conjug. 41 e 46. – **emudecimento** *s.m.*

emulação

emulação (e.mu.la.ção) s.f. Desejo de competição; concorrência, rivalidade: *A emulação entre os agentes econômicos faz parte da concorrência.*
emulador [ô] (e.mu.la.dor) s.m. (*Inform.*) Hardware e software que fazem com que um computador, dispositivo ou programa comportem-se como outro, imitando suas funções.
emular (e.mu.lar) v. **1.** Procurar igualar ou superar (alguém ou algo); ombrear, disputar, equiparar, competir, concorrer, rivalizar: *Virgílio emula Homero em genialidade; A sobrinha emula com a tia em estupidez.* **2.** (*Inform.*) Fazer com que um dispositivo ou sistema se comporte da mesma maneira que outro dispositivo ou sistema: *emular um jogo; emular uma conexão.* ▶ Conjug. 5.
êmulo (ê.mu.lo) adj. **1.** Que apresenta emulação. • s.m. **2.** Pessoa que deseja a emulação; competidor, concorrente, rival.
emulsão (e.mul.são) s.f. (*Quím.*) **1.** Composto de dois líquidos que não se misturam, um dos quais se dispersa dentro do outro em forma de gotas muito pequenas. **2.** (*Farm.*) Produto farmacológico preparado em forma de emulsão, usado com o fim de tornar mais fácil a absorção de medicamentos oleosos: *emulsão de óleo de fígado de bacalhau.* || *Emulsão fotográfica*: Camada sensível à luz, composta de gelatina e sais de prata, que recobre chapas, filmes e papéis fotográficos.
emurchecer (e.mur.che.cer) v. Ficar ou fazer ficar murcho: *O tempo emurcheceu seu rosto; O inseticida fez o arbusto emurchecer(-se)*; (fig.) *Os corruptos fizeram emurchecer a esperança nos eleitores; Ao saber que não passou no concurso, seu sonho emurcheceu(-se).* ▶ Conjug. 41 e 46.
enaltecedor [ô] (e.nal.te.ce.dor) adj. **1.** Que enaltece. • s.m. **2.** Pessoa que enaltece.
enaltecer (e.nal.te.cer) v. Fazer elogio exacerbado (a alguém ou algo); glorificar, engrandecer, louvar, exaltar, elogiar: *Na homenagem, o orador enalteceu o trabalho do famoso arquiteto.* ▶ Conjug. 41 e 46. – **enaltecimento** s.m.
enamorado (e.na.mo.ra.do) adj. **1.** Que está apaixonado. • s.m. **2.** Pessoa apaixonada.
enamorar-se (e.na.mo.rar-se) v. **1.** Ficar apaixonado; enlevar-se: *Quando se conheceram, enamoraram-se.* **2.** Sentir um desejo forte por (algo): *Voltou à loja para comprar um vestido do qual se enamorara.* ▶ Conjug. 20 e 6.

encabeçar (en.ca.be.çar) v. **1.** Ocupar a posição de líder; ficar na direção; chefiar, dirigir, liderar: *Ela encabeçou o movimento de defesa dos direitos da mulher.* **2.** Aparecer em primeiro lugar; vir à frente: *O nome do deputado encabeçava a lista dos políticos corruptos.* ▶ Conjug. 8 e 36. – **encabeçamento** s.m.
encabrestar (en.ca.bres.tar) v. **1.** Prender com cabresto (uma besta): *Encabrestou seu cavalo para montar.* **2.** fig. Submeter; dominar, subjugar, sujeitar: *O coronelismo encabrestou as camadas sociais mais pobres.* ▶ Conjug. 8.
encabular (en.ca.bu.lar) v. Tornar(-se) retraído, envergonhado, acanhado, vexado; constranger(-se): *A pergunta do professor encabulou o aluno; Encabulava(-se) toda vez que alguém a encarava.* ▶ Conjug. 5. – **encabulação** s.f.
encaçapar (en.ca.ça.par) v. **1.** Colocar (a bola de sinuca) na caçapa; matar: *Quando jogava, ele encaçapava todas as bolas.* **2.** gír. Golpear fisicamente (alguém); bater, surrar, espancar: *Durante a discussão, teve vontade de encaçapar o motorista.* **3.** coloq. fig. Obter, ganhar: *Pretendia encaçapar mais votos que na eleição passada; A equipe encaçapou o time adversário.* ▶ Conjug. 5.
encadeação (en.ca.de:a.ção) s.f. Encadeamento, concatenação.
encadeamento (en.ca.de:a.men.to) s.m. **1.** Ato ou efeito de encadear; concatenação, encadeação. **2.** Sequência de fenômenos, ideias ou fatos que se correlacionam: *encadeamento de ideias; encadeamento argumentativo.* || *Encadeamento narrativo* (Lit.): diz-se das narrativas que se sucedem de forma linear, com o final da primeira preparando o início da seguinte.
encadear (en.ca.de:ar) v. Dispor(-se) por meio de ligações feitas em sequência; concatenar(-se): *O autor encadeava frases para desenvolver um tema; Com o tempo, encadeou-se nele uma série de problemas de saúde.* ▶ Conjug. 14.
encadernação (en.ca.der.na.ção) s.f. **1.** (*Art. Gráf.*) Operação de encadernar. **2.** A capa dura de um livro.
encadernador [ô] (en.ca.der.na.dor) adj. **1.** Que encaderna. • s.m. **2.** Pessoa cujo trabalho consiste em encadernar.
encadernar (en.ca.der.nar) v. (*Art. Gráf.*) Reunir em volume, cobrindo com capa dura, cadernos que constituam um livro: *Mandou encadernar seu livro raro.* ▶ Conjug. 8.

encafifar (en.ca.fi.*far*) *v. coloq.* **1.** Meter na cabeça; teimar, cismar: *Encafifou com aquela ideia e não quis mais conversar.* **2.** Deixar intrigado, curioso, em confusão: *Assisti a um filme que me encafifou.* ▶ Conjug. 5.

encagaçar (en.ca.ga.*çar*) *v. chulo* Provocar ou sentir cagaço; amedrontar(-se), acovardar(-se): *Ameaçou de tal forma que conseguiu encagaçar o adversário; Encagaçou com a ideia de morrer; Escutou tanto barulho que se encagaçou.* ▶ Conjug. 5 e 36.

encaixar (en.cai.*xar*) *v.* **1.** Fazer a interpenetração de um objeto em outro, formando uma junção; ajustar(-se): *Melhor encaixar os componentes com o computador desligado; Só fiquei tranquilo depois de verificar se a peça sobressalente encaixava(-se) bem.* **2.** *fig.* Ser conveniente; vir a calhar; adequar(-se), ajustar(-se): *Seu perfil profissional encaixava(-se) perfeitamente no emprego oferecido.* **3.** *fig.* Inserir(-se), introduzir(-se): *Encaixou sua proposta ao projeto inicial; Com empenho, conseguiu encaixar-se na delegação.* **4.** (*Esp.*) No futebol, agarrar a bola, envolvendo-a com os braços e puxando-a para si: *O goleiro pulou como um gato e encaixou (a bola).* ▶ Conjug. 5. – **encaixamento** *s.m.*

encaixe (en.*cai*.xe) *s.m.* **1.** Ato ou efeito de encaixar(-se). **2.** Cavidade de um objeto que se destina a encaixar em outro: *encaixe da janela.* **3.** Lugar em que os objetos se encaixam; ponto de junção: *encaixe da placa com a luminária.*

encaixotador [ô] (en.cai.xo.ta.*dor*) *adj.* **1.** Que encaixota. • *s.m.* **2.** Pessoa que tem a função de encaixotar.

encaixotar (en.cai.xo.*tar*) *v.* Colocar em caixote ou caixa: *Encaixotou os livros para a mudança.* ▶ Conjug. 20. – **encaixotamento** *s.m.*

encalacrar (en.ca.la.*crar*) *v. coloq.* **1.** Pôr(-se) em situação difícil; embaraçar(-se), enrolar(-se): *A existência de provas encalacrou de vez o suspeito; Com a delação, encalacrou-se de vez.* **2.** Enfrentar dificuldade econômica; endividar-se: *Solicitei um empréstimo e me encalacrei.* ▶ Conjug. 5.

encalço (en.*cal*.ço) *s.m.* **1.** Ato ou efeito de seguir de perto. **2.** Pista, rastro, indício, vestígio. || *Estar no encalço de*: perseguir por meio de pista: *A polícia estava no encalço dos bandidos.* • *Ir ao encalço de*: ir atrás, procurar: *Ele foi ao encalço do pai que não via há muitos anos.*

encalhar (en.ca.*lhar*) *v.* **1.** Encostar(-se) no fundo e parar de flutuar (geralmente, uma embarcação ou um animal marinho): *encalhar um barco; Uma baleia encalhou em uma praia de Florianópolis.* **2.** *fig.* Ficar parado; estacionar, estagnar: *Meu pedido de aposentadoria encalhou.* **3.** *fig.* Não conseguir vender bem (publicações ou mercadorias): *Sempre que lançava um livro, este encalhava.* **4.** *joc.* Não ter se casado por não encontrar com quem; ficar solteiro: *Não quis casar e encalhou.* ▶ Conjug. 5.

encalhe (en.*ca*.lhe) *s.m.* **1.** Ato ou efeito de encalhar. **2.** Impedimento, emperramento: *O encalhe do projeto se deu por falta de verba.* **3.** Mercadoria que não foi vendida por falta de interesse do comprador: *Com medo de encalhe, os ambulantes venderam todo o estoque de refrigerante.*

encalombar (en.ca.lom.*bar*) *v.* Formar calombo, inchaço: *Com a batida, meu braço encalombou.* ▶ Conjug. 5.

encalombado (en.ca.lom.*ba*.do) *adj.* Que encalombou: *corpo encalombado.*

encaminhar (en.ca.mi.*nhar*) *v.* **1.** Indicar ou tomar o caminho; guiar(-se), conduzir(-se), orientar(-se), dirigir(-se): *A enfermeira encaminhou os pacientes (para a sala de espera); Encaminhei-me em direção ao corredor.* **2.** Fazer seguir o curso; remeter, endereçar, enviar: *O funcionário encaminhou (ao diretor) um pedido de aumento.* **3.** Orientar para uma certa direção; impelir, conduzir: *A entrevistadora foi incumbida de encaminhar o debate; Encaminhou o assunto com a perícia de um mestre.* **4.** Mostrar o caminho do crescimento (moral, espiritual, profissional etc.); aconselhar, guiar, orientar, inspirar: *No mundo atual, é complicado encaminhar alunos e filhos.* ▶ Conjug. 5. – **encaminhamento** *s.m.*

encampar (en.cam.*par*) *v.* **1.** (*Jur.*) Retomar (o governo), por motivo de interesse público, mediante uma indenização, um serviço concedido temporariamente a uma empresa privada: *Segundo alguns, o governo estadual deveria encampar os serviços telefônicos.* **2.** *fig.* Incorporar (uma ideia, uma ação etc.); absorver, seguir, adotar: *A universidade resolveu encampar a iniciativa de modernização do acervo da biblioteca.* ▶ Conjug. 5. – **encampação** *s.f.*

encanador [ô] (en.ca.na.*dor*) *s.m.* Pessoa que conserta ou instala encanamentos; bombeiro.

encanamento (en.ca.na.*men*.to) *s.m.* **1.** Ato ou efeito de encanar. **2.** Rede de canos que conduz água, esgotos, gás, fios elétricos e telefônicos etc.; tubulação, canalização.

encanar¹ (en.ca.*nar*) *v.* Transportar por meio de canos ou canais; canalizar: *encanar o gás.* ▶ Conjug. 5.

encanar² (en.ca.*nar*) *v.* **1.** Colocar em cana, na cadeia; prender; encarcerar: *O delegado mandou encanar o assaltante.* **2.** *gír.* Preocupar-se exageradamente (com alguém ou com algo); angustiar-se; encucar-se: *Encanou com o sumiço do amigo e não dormiu; Não encana, tudo vai se resolver!* **3.** (*Med.*) Alinhar ossos ou fragmentos ósseos para corrigir uma fratura: *encanar o braço.* (5) – **encanado** *adj.*

encanecer (en.ca.ne.*cer*) *v.* Ficar branco (o cabelo, os pelos do corpo, a barba); embranquecer: *Com o passar dos anos, seu cabelo encaneceu(-se).* ▶ Conjug. 41 e 46.

encanecido (en.ca.ne.*ci*.do) *adj.* **1.** Que se encaneceu. **2.** Que se tornou branco ▶ Conjug. 5.

encantado (en.can.*ta*.do) *adj.* **1.** Que sofreu encantamento: *Era uma fada encantada; sapo encantado.* **2.** Fascinado, deslumbrado, maravilhado: *Ficou encantado com o novo apartamento.* • *s.m.* **3.** Para os indígenas e caboclos, seres sobrenaturais que vivem em lugares sagrados (o céu, as águas etc.): *O encantado tem poderes mágicos e habita a selva.* **4.** (*Rel.*) Nome que se dá aos espíritos que são venerados no candomblé de caboclo; orixá.

encantador [ô] (en.can.ta.*dor*) *adj.* **1.** Que encanta. • *s.m.* **2.** Pessoa que encanta.

encantamento (en.can.ta.*men*.to) *s.m.* **1.** Ato ou efeito de encantar(-se). **2.** Feitiço, magia, bruxaria, encanto. **3.** Sensação de arrebatamento; fascinação, deslumbramento, encanto.

encantar (en.can.*tar*) *v.* **1.** Lançar encanto ou feitiço sobre (alguém ou algo) ou ser alvo de encanto ou feitiço: *O curupira encantou o menino na mata; Na lua cheia, o boto encantou-se.* **2.** Provocar ou vivenciar arrebatamento; deslumbrar(-se), fascinar(-se), maravilhar(-se): *O desempenho da orquestra encantou o público; Encantei-me com a bondade daquele homem.* **3.** Fazer agrado a: cativar, deliciar, atrair: *Encantou a amiga com sua ajuda.* ▶ Conjug. 5.

encanto (en.*can*.to) *s.m.* Encantamento.

encapar (en.ca.*par*) *v.* **1.** Cobrir (algo), protegendo com capa: *O aluno sempre encapava seus cadernos da escola; O artesão encapou a tampa do pote de vidro.* **2.** (*Art. Gráf.*) Colocar capa em; encadernar: *A editora escolheu um tipo de papel sofisticado para encapar os livros da autora.* **3.** Colocar revestimento (em fio, cabo etc.): *Encapei o fio com fita isolante.* ▶ Conjug. 5.

encapelar (en.ca.pe.*lar*) *v.* Ficar ou fazer ficar agitado; mover(-se) com força; encrespar (-se), enfurecer(-se), levantar(-se) (o mar, o oceano, a lagoa etc.): *O mau tempo encapelou o lago; As vagas encapelaram-se com fúria.* ▶ Conjug. 8.

encapetado (en.ca.pe.*ta*.do) *adj.* Endiabrado.

encapotar (en.ca.po.*tar*) *v.* Vestir(-se) ou cobrir(-se) com capote ou capa: *A mãe encapotou a criança devagar; Encapotei-me por causa do frio.* ▶ Conjug. 20.

encapsular (en.cap.su.*lar*) *v.* (*Farm.*) Pôr, fechar ou conter em cápsula: *encapsular substâncias.* ▶ Conjug. 5.

encapuzar (en.ca.pu.*zar*) *v.* Cobrir(-se) ou proteger(-se) com capuz: *No filme, o bandido encapuzou e algemou o herói; Encapuzava-se para não ser visto por ninguém.* ▶ Conjug. 5.

encaracolar (en.ca.ra.co.*lar*) *v.* Colocar(-se) em forma de caracol, em espiral; enrolar (-se), enroscar(-se): *Procurou o cabeleireiro para encaracolar o cabelo; Com o permanente, suas mechas encaracolaram(-se).* ▶ Conjug. 20.

encarapinhado (en.ca.ra.pi.*nha*.do) *adj.* Diz-se de cabelo crespo e lanoso.

encarapitar (en.ca.ra.pi.*tar*) *v.* **1.** Instalar(-se) em lugar alto; acomodar(-se) em cima: *Encarapitei o papagaio no poleiro; O macaco encarapitou-se numa árvore.* **2.** *fig.* Acomodar(-se) sem querer tirar ou sair (de um cargo, de uma função, de uma posição etc.): *O chefe encarapitou o seu neto na função desejada por todos; O deputado encarapitou-se no cargo.* ▶ Conjug. 5.

encarar (en.ca.*rar*) *v.* **1.** Olhar cara a cara, de frente (alguém): *A moça encarou-o com vergonha.* **2.** Analisar com cuidado; considerar, estudar, examinar: *Começo a encarar a hipótese de passar um longo período sem emprego.* **3.** *fig.* Enfrentar, confrontar, afrontar: *Encarava a vida com coragem.* ▶ Conjug. 5.

encarcerar (en.car.ce.*rar*) *v.* **1.** Encerrar em cárcere; prender, aprisionar: *O governo de Getúlio Vargas encarcerou o escritor Graciliano Ramos;* (fig.) *Uma dúvida o encarcerava e o torturava.* **2.** *fig.* Retirar-se do convívio social; enclausurar-se, isolar-se: *O cantor encarcerou-se no seu quarto e não quis mais sair.* ▶ Conjug. 8. – **encarceramento** *s.m.*

encardido (en.car.*di*.do) *adj.* **1.** Que ou o que se encardiu. **2.** Que apresenta aspecto amarelecido ou acinzentado por estar mal-lavado, por uso contínuo ou pela passagem do tempo:

camisa encardida. **3.** Diz-se de pele que apresenta aspecto amarelecido, acinzentado: *O excesso de poeira deixava a nossa pele encardida*.

encardir (en.car.*dir*) *v.* Ficar com ou mostrar aspecto amarelecido ou acinzentado por estar mal-lavado, por uso contínuo ou pela passagem do tempo: *A água ferruginosa encardiu a roupa*; *Com os anos, a colcha encardiu(-se)*. ▶ Conjug. 66.

encarecer (en.ca.re.*cer*) *v.* **1.** Ficar ou fazer ficar caro; elevar ou fazer elevar o preço de: *O alto preço do transporte encarecia a obra*; *As mercadorias importadas encareceram*. **2.** Recomendar com instância: *Encareceu a todos silêncio*; *Encareceu à namorada que ela voltasse*. **3.** Louvar, exaltar: *O professor encarecia os dotes de seus alunos*. ▶ Conjug. 41 e 46. – **encarecimento** *s.m.*

encargo (en.*car*.go) *s.m.* **1.** Aquilo de que se é incumbido; compromisso, responsabilidade, dever, obrigação: *Aquela instituição tem por encargo cuidar da divulgação de seus produtos*. **2.** (*Econ.*) Despesa, ônus: *encargo fiscal*. **3.** Cargo, função: *encargo de gabinete*. ‖ *Encargos sociais*: obrigações trabalhistas que as empresas pagam a seus empregados, por mês ou por ano, além do salário.

encarnação (en.car.na.*ção*) *s.f.* **1.** Ato ou efeito de encarnar. **2.** (*Rel.*) Materialização, temporária ou não, de uma divindade, de uma entidade, de um espírito etc.: *Buda é considerado a encarnação de Vishnu*. **3.** (*Rel.*) Cada uma das materializações de uma divindade, de uma entidade, de um espírito etc.: *Eu fui uma princesa na encarnação passada*. **4.** *fig.* Pessoa que representa ou evoca uma ideologia, um princípio etc.: *Ele é a encarnação viva de um modelo coletivo esquecido: a prática da solidariedade*. **5.** *coloq.* Gozação com o fim de ridicularizar ou implicar com alguém; provocação: *Já estava cansado da encarnação do cunhado*.

encarnado (en.car.*na*.do) *adj.* **1.** Que encarnou: *espírito encarnado*. **2.** Que é da cor encarnada: *vestido encarnado*. **3.** Que se materializou. • *s.m.* **4.** Cor vermelha, igual ou parecida à da carne ou do sangue; escarlate.

encarnar (en.car.*nar*) *v.* **1.** (*Rel.*) Corporificar, temporariamente ou não, uma divindade, uma entidade, um espírito etc.; entrar em transe mediúnico; ser ou estar possuído: *O caboclo encarnou(-se) no filho de santo*. **2.** *fig.* Ser a personificação de ou evocar uma ideologia, um princípio etc.: *John Lennon encarnou os ideais de liberdade de uma geração*. **3.** *fig.* Personificar, representar (um personagem, um papel etc.): *Fernanda Montenegro encarnou Dora no filme* Central do Brasil. **4.** *coloq.* Zombar de ou implicar com alguém; provocar: *Sempre encarnava no colega da escola*. ▶ Conjug. 5.

encarniçado (en.car.ni.*ça*.do) *adj.* **1.** *fig.* Que é cruel, violento, feroz: *leoa encarniçada*. **2.** Que se mostra exaltado; ardoroso, inflamado, veemente: *Aquele homem é um inimigo encarniçado da corrupção*.

encarniçar (en.car.ni.*çar*) *v.* **1.** Gerar excitação; açular, estimular, instigar: *Encarniçava o ódio dos oponentes*. **2.** Ficar enfurecido; encolerizar-se, exasperar-se: *Encarniçou-se com as ideias do partido*. ▶ Conjug. 41 e 36. – **encarniçamento** *s.m.*

encaroçar (en.ca.ro.*çar*) *v.* **1.** Ficar cheio de caroços; embolotar: *O mingau encaroçou(-se)*. **2.** *coloq.* Criar erupções (na pele); embolotar: *Meu braço encaroçou(-se)*. ▶ Conjug. 20 e 36.

encaroçado (en.ca.ro.*ça*.do) *adj.* Que se encheu de caroços; caroçudo.

encarquilhar (en.car.qui.*lhar*) *v.* Cobrir(-se) de pregas; enrugar(-se): *O excesso de sol encarquilhou sua pele*; *À medida que o tempo passava, encarquilhava-se*. ▶ Conjug. 5. – **encarquilhamento** *s.m.*

encarregado (en.car.re.*ga*.do) *adj.* **1.** Que possui a responsabilidade de cuidar (de algo) ou executar (uma tarefa, um negócio etc.). • *s.m.* **2.** Pessoa que é incumbida de cuidar (de algo) ou executar (uma tarefa, um negócio etc.). **3.** Operário mais experiente e capaz que, como auxiliar do mestre de obras, dirige os serviços de grupos de operários subalternos.

encarregar (en.car.re.*gar*) *v.* Tornar(-se) responsável por (tarefa, negócio, serviço etc.); dar ou tomar para si um encargo: *Encarregou o filho de molhar as plantas*; *Encarreguei-me de divulgar o show*. ▶ Conjug. 8 e 34.

encarreirar (en.car.rei.*rar*) *v.* **1.** Pôr em carreira, em fila; alinhar: *O engarrafamento encarreirou os veículos*. **2.** *fig.* Pôr no bom caminho; encaminhar; orientar, guiar: *Educou e encarreirou os filhos*. ▶ Conjug. 18.

encarrilhar (en.car.ri.*lhar*) *v.* **1.** Botar nos carris, calhas ou trilhos: *Encarrilhou o trem na linha*. **2.** *fig.* Seguir ou fazer seguir um bom caminho; orientar: *O governo prometeu encarrilhar a economia do país*; *O Direito deve encarrilhar para promover o bem comum*. ▶ Conjug. 5.

encartar (en.car.*tar*) *v.* (*Art. Gráf.*) Inserir ou intercalar encartes entre os cadernos de uma

encarte

publicação: *Encartou um CD na revista de rock*. ▶ Conjug. 5.

encarte (en.*car*.te) *s.m.* (*Art. Gráf.*) **1.** Folhas contendo anúncio ou matéria paga que são inseridas ou intercaladas entre os cadernos de uma publicação: *encarte de ofertas*. **2.** (*Art. Gráf.*) Ato ou efeito de inserir ou intercalar uma ou muitas folhas contendo anúncio ou matéria paga entre os cadernos de uma publicação.

encasacado (en.ca.sa.*ca*.do) *adj.* **1.** Que veste casaca ou casaco: *diplomata encasacado*. **2.** *coloq.* Que está bem agasalhado: *Com o frio, saí encasacado*.

encasacar-se (en.ca.sa.*car*-se) *v.* **1.** Vestir(-se) com casaca ou casaco: *Frio intenso fez encasacar os gaúchos da fronteira; Encasacava-se até cobrir as orelhas*. **2.** Trajar ou fazer trajar roupas formais, para serem utilizadas em cerimônias: *O pai encasacou o noivo para o cerimonial; Encasaquei-me para ir ao teatro*. ▶ Conjug. 5, 6 e 35.

encasquetar (en.cas.que.*tar*) *v. coloq.* Pensar com insistência (em alguém ou em alguma coisa); cismar: *A estudante encasquetou que iria casar com o namorado*. ▶ Conjug. 8.

encastelar (en.cas.te.*lar*) *v.* **1.** Resguardar(-se) em um castelo, em um forte ou em outro lugar seguro: *Encastelou a filha para protegê-la dos mouros; Na Idade Média, os cavaleiros encastelavam-se para fugir do ataque inimigo*. **2.** *fig.* Isolar-se do mundo; fugir da realidade; alienar-se: *Quando perdi meu marido, encastelei-me*. ▶ Conjug. 8. – **encastelamento** *s.m.*

encastoado (en.cas.to:*a*.do) *adj.* Que está embutido; encravado, encaixado, engastado: *Comprei um anel com um rubi encastoado*.

encasular (en.ca.su.*lar*) *v.* **1.** Meter-se no casulo: *A lagarta encasula-se para virar mariposa*. **2.** *fig.* Recolher-se, enclausurar-se: *Aos sábados, encasula-se sempre em casa*. ▶ Conjug. 5. – **encasulamento** *s.m.*

encatarrado (en.ca.tar.*ra*.do) *adj.* Que tem catarro.

encatarrar (en.ca.tar.*rar*) *v.* Encher(-se) de catarro: *A exposição demorada ao frio o encatarrou; Com a pneumonia, encatarrou-se*. ▶ Conjug. 5.

encavalado (en.ca.va.*la*.do) *adj.* acavalado: *dente encavalado*.

encavalar (en.ca.va.*lar*) *v.* Acavalar. ▶ Conjug. 5.

encavalgamento (en.ca.val.ga.*men*.to) *s.m.* Cavalgamento, *enjambement*.

encefálico (en.ce.*fá*.li.co) *adj.* Relativo a encéfalo.

encefalite (en.ce.fa.*li*.te) *s.f.* (*Med.*) Inflamação do encéfalo.

encéfalo (en.*cé*.fa.lo) *s.m.* (*Anat.*) Agrupamento de órgãos do sistema nervoso central (o cérebro, o cerebelo, a protuberância anular e a medula oblonga), situado na caixa craniana.

encefalografia (en.ce.fa.lo.gra.*fi*.a) *s.f.* (*Med.*) Radiografia do cérebro; encefalograma.

encefalograma (en.ce.fa.lo.*gra*.ma) *s.m.* (*Med.*) Encefalografia.

encenação (en.ce.na.*ção*) *s.f.* **1.** (*Teat.*) Ato ou efeito de encenar. **2.** (*Teat.*) Operação que consiste em pôr em prática procedimentos técnicos e artísticos com o fim de realizar uma peça de teatro; montagem. **3.** *fig.* Comportamento que oculta os verdadeiros sentimentos e propósitos de uma pessoa; fingimento, dissimulação: *Eu acho que a atitude dela é pura encenação*.

encenar (en.ce.*nar*) *v.* **1.** (*Teat.*) Dirigir, ensaiar e pôr em cena uma peça; montar: *Os alunos encenaram uma peça de um autor famoso*. **2.** *fig.* Comportar-se de forma a dissimular os sentimentos e propósitos com o fim de enganar alguém; fingir: *Encenou um desmaio para impressionar o chefe; Ela gosta muito de encenar*. ▶ Conjug. 5.

enceradeira (en.ce.ra.*dei*.ra) *s.f.* Aparelho eletrodoméstico constituído de um motor que faz girar uma ou mais escovas, com as quais se dá brilho aos assoalhos encerados.

encerado (en.ce.*ra*.do) *adj.* **1.** Que foi revestido de cera: *madeira encerada; chão encerado*. • *s.m.* **2.** Lona ou pano grosso coberto com uma camada de cera ou verniz que o torna impermeável; oleado: *Com medo da chuva, cobriu a bicicleta com um encerado*.

encerar (en.ce.*rar*) *v.* Passar cera ou produto que dá brilho em: *Encerei o piso da varanda; encerar um carro*. ▶ Conjug. 8. – **enceramento** *s.m.*

encerrar (en.cer.*rar*) *v.* **1.** Chegar ou fazer chegar ao fim; concluir(-se): *Encerrava as tarefas do dia e tomava banho; As inscrições encerraram-se mês passado*. **2.** Pôr(-se) em lugar fechado; prender(-se); guardar(-se), recolher(-se): *A doença encerrou-o em casa por muito tempo; Há jovens que se encerram em conventos*. **3.** Conter em si; abranger, compreender, incluir: *O texto encerrava elementos da comédia de Aristófanes*. ▶ Conjug. 8. – **encerramento** *s.m.*

encestar (en.ces.*tar*) *v.* **1.** Pôr em cesto ou cesta. **2.** (*Esp.*) Num jogo de basquete, fazer com que a bola entre na cesta, marcando pontos:

O jogador encestou quatorze arremessos numa só noite; Colocou-se na posição de encestar e arremessou. **3.** *coloq.* Dar uma surra em; bater; espancar: *No filme, o homem, nervoso, encestou o vizinho.* ▶ Conjug. 8.

encetar (en.ce.*tar*) *v.* Principiar, iniciar, começar, engrenar (3): *A comissão organizadora encetou a preparação do congresso.* ▶ Conjug. 8. – **encetamento** *s.m.*

encharcar (en.char.*car*) *v.* **1.** Encher(-se) de algum tipo de líquido; molhar(-se) em excesso; ensopar(-se), empapar(-se): *Encharquei minha roupa com um corante líquido para tingi-la; Com o calor, os operários encharcaram-se de suor.* **2.** Tornar(-se) um charco ou um pântano; inundar(-se), alagar(-se): *A chuva diária fez encharcar o solo; No inverno, as ruas se encharcam.* **3.** *coloq. fig.* Ingerir bebida alcoólica em excesso; embriagar-se: *Encharcou-se de uísque e depois dormiu.* ▶ Conjug. 5 e 35. – **encharcamento** *s.m.*

enchente (en.chen.te) *s.f.* **1.** Aumento do nível das águas de um rio ou lago, geralmente por causa de chuvas ou degelo; cheia; inundação. **2.** *fig.* Em grande número; em excesso, em exagero: *Uma enchente de vendedores invadiu o Maracanã.*

encher [ê] (en.*cher*) *v.* **1.** Ficar ou fazer ficar cheio, repleto: *Enchia as garrafas de refresco e as vendia; As estantes encheram(-se) de livros.* **2.** Comer ou beber até fartar(-se); satisfazer(-se), saciar(-se): *O garoto encheu a barriga de refrigerante; Esta semana saí da dieta e me enchi de chocolate.* **3.** Dar (algo) em excesso; abarrotar: *O espectador encheu o palestrante de afrontas.* **4.** Propagar-se por (um espaço); espalhar, irradiar: *Os sons encheram a sala.* **5.** *coloq. fig.* Fazer ficar aborrecido; chatear(-se), importunar(-se), amolar(-se): *Esperar em fila de banco enche; Aquele aluno me encheu na aula de ontem.* ‖ part.: enchido e cheio. ▶ Conjug. 39.

enchimento (en.chi.*men*.to) *s.m.* **1.** Ato ou efeito de encher(-se). **2.** Aquilo que serve para encher ou rechear: *enchimento de almofada; enchimento de parede.*

enchova [ô] (en.*cho*.va) *s.f.* (*Zool.*) Anchova.

encíclica (en.*cí*.cli.ca) *s.f.* (*Rel.*) Documento pontifício dirigido aos membros da Igreja Católica sobre matéria doutrinária.

enciclopédia (en.ci.clo.*pé*.di:a) *s.f.* Obra que se destina à consulta e busca englobar o conjunto dos conhecimentos humanos ou conhecimentos específicos de uma determinada área de conhecimento, distribuindo-os de forma metódica: *enciclopédia jurídica.* – **enciclopédico** *adj.*

enciclopedista (en.ci.clo.pe.*dis*.ta) *adj.* **1.** Que é autor ou colaborador de enciclopédia. • *s.m. e f.* **2.** Pessoa que é autora ou colabora na elaboração de uma enciclopédia.

encilhamento (en.ci.lha.*men*.to) *s.m.* **1.** Ato ou efeito de encilhar. **2.** (*Hist.*) Política financeira posta em prática por Rui Barbosa, após a Proclamação da República, que se caracterizou pelo estímulo à indústria e facilidades creditícias, tendo provocado desvalorização monetária e grande movimento de especulação na Bolsa de Valores.

encilhar (en.ci.*lhar*) *v.* **1.** Apertar (uma besta) com cilhas: *encilhar um jumento.* **2.** Botar arreios em (uma besta); selar[1]: *encilhar um cavalo.* ▶ Conjug. 5. – **encilhada** *s.f.*

encimar (en.ci.*mar*) *v.* **1.** Botar em cima de: *O editor encimou a primeira página do jornal com veemente manchete.* **2.** Situar-se acima de: *Aquele ornamento de mármore encima a fachada do museu.* **3.** *fig.* Coroar, rematar: *A coroa de flores encimou a santa na festa do Divino.* ▶ Conjug. 5.

enciumar (en.ci:u.*mar*) *v.* Ficar ou fazer ficar com ciúme: *Ganhou um prêmio que enciumou o concorrente; Enciumava-se com a ausência da esposa.* ▶ Conjug. 26.

enclausurar (en.clau.su.*rar*) *v.* Afastar-se, voluntariamente ou não, do convívio social; encerrar(-se) em clausura; recolher-se, encasular(-se); emparedar(-se): *Por cautela, o médico enclausurou o paciente; Enclausurava-se sempre que começava a escrever um romance.* ▶ Conjug. 5. – **enclausuramento** *s.m.*

enclave (en.*cla*.ve) *s.m.* Território ou terreno encravado em outro: *enclave urbano.*

ênclise (*ên*.cli.se) *s.f.* **1.** (*Gram.*) Colocação de um pronome pessoal átono depois do verbo. – **enclítico** *adj.*

encoberto [é] (en.co.*ber*.to) *adj.* **1.** Diz-se de tempo nublado; enevoado. **2.** Que está escondido; oculto, velado.

encobrir (en.co.*brir*) *v.* **1.** Impedir ou dificultar a visão, a audição de; esconder: *A poluição encobriu o avião; A música alta encobria o ruído do motor.* **2.** Ficar coberto de nuvens; enevoar: *O tempo encobriu.* **3.** *fig.* Fazer com que fique

encolerizado

oculto; não revelar; ocultar, acobertar: *Encobriram os casos de corrupção com mentiras; A mãe encobriu as saídas da filha.* **4.** *fig.* Não mostrar; dissimular, disfarçar: *Ele tem por hábito encobrir seus sentimentos.* || part.: encoberto. ▶ Conjug. 76. – **encobrimento** *s.m.*

encolerizado (en.co.le.ri.*za*.do) *adj.* **1.** Relativo a cólera. **2.** Furioso, indignado, raivoso.

encolerizar (en.co.le.ri.*zar*) *v.* Provocar ou sentir cólera; tornar(-se) furioso; enraivecer(-se); exasperar(-se): *O jornalista encolerizou a mídia com suas declarações; Ao perceber que havia sido enganado, encolerizou-se.* ▶ Conjug. 5.

encolha [ô] (en.co.lha) *s.f.* Encolhimento. || *Na encolha:* sem ninguém saber; escondido, secretamente: *Ele saiu na encolha.*

encolher (en.co.*lher*) *v.* **1.** Tornar(-se) menor; diminuir ou fazer diminuir; encurtar(-se), estreitar(-se): *A água quente encolheu minha blusa; Lavei minha roupa e ela encolheu.* **2.** Sofrer ou fazer sofrer contração física; retrair(-se), contrair(-se), recolher(-se): *Encolheu a barriga para passar; Quando a gata se assustava, ela se encolhia.* **3.** *fig.* Tornar(-se) menor em amplitude ou importância: *A crise na educação encolheu o número de escolas; O poder aquisitivo da população encolhe cada vez mais.* **4.** *fig.* Mostrar-se intimidado, retraído; humilhar-se: *Com a bronca do pai, o filho encolheu-se.* ▶ Conjug. 42.

encolhimento (en.co.lhi.*men*.to) *s.m.* Ato ou efeito de encolher(-se); encolha.

encomenda (en.co.*men*.da) *s.f.* **1.** Ato ou efeito de encomendar; encomendação. **2.** Aquilo que foi encomendado; tarefa, missão, incumbência. **3.** Solicitação de serviço, de compra etc. || *De encomenda:* coloq. especialmente, a calhar: *Parece que este emprego veio de encomenda para você!*

encomendação (en.co.men.da.*ção*) *s.f.* (Rel.) Oração que se faz por um defunto, antes de seu enterro: *A encomendação do corpo é também considerada a última despedida feita pelos parentes de um morto.*

encomendar (en.co.men.*dar*) *v.* **1.** Fazer um pedido de entrega, de uma compra ou de um serviço: *Encomendei a torta ontem; Ele encomendou um terno para o casamento.* **2.** Dar uma tarefa a; incumbir, encarregar: *Encomendaram um novo samba ao compositor.* **3.** Confiar(-se) à proteção de: *O político encomendou o amigo ao secretário; Encomendei-me a Deus antes de sair de casa.* **4.** (Rel.) Fazer uma oração pela alma ou pelo corpo de um defunto: *Os parentes encomendaram o corpo do tio.* ▶ Conjug. 5.

encômio (en.*cô*.mi:o) *s.m.* Discurso ou fala com que se dirigem elogios a alguém; louvor, enaltecimento: *encômio sobre a justiça.*

encompridar (en.com.pri.*dar*) *v.* **1.** Ampliar o comprimento de; alongar: *Encompridei as mangas do meu casaco.* **2.** *fig.* Fazer ter uma duração maior; prolongar, estender: *Não tinha o que fazer e encompridou a conversa.* ▶ Conjug. 5.

encontradiço (en.con.tra.di.ço) *adj.* Que é fácil de ser encontrado: *A depressão é um sintoma encontradiço em muitos estados emocionais.*

encontrão (en.con.*trão*) *s.m.* Colisão entre dois ou mais corpos; esbarrão; repelão, empurrão, encontro: *Deu, sem querer, um encontrão num passante.*

encontrar (en.con.*trar*) *v.* **1.** Defrontar(-se) com; deparar(-se) com; topar(-se) com: *Minha mãe encontrou um colega de trabalho; Encontrei uma amiga na rua; Ela (se) encontrou com a Vanessa; Eles se encontraram na casa de um amigo comum.* **2.** Achar (alguém ou algo, casualmente ou não); localizar; descobrir: *Encontrei a solução do problema!* **3.** *fig.* Ir de encontro a; chocar-se com; colidir com: *Uma bicicleta encontrou com um táxi; Dois ônibus se encontraram na curva.* **4.** Achar(-se) (em um determinado estado, lugar ou condição): *Encontrou o sobrinho abatido; Ele se encontra em Lisboa.* **5.** Ir ter com alguém; avistar-se: *Hoje, pela manhã, velhos amigos se encontraram; No futuro, ele se encontrará com o professor.* ▶ Conjug. 5.

encontro (en.*con*.tro) *s.m.* **1.** Ato ou efeito de encontrar(-se). **2.** Colisão entre dois ou mais corpos; encontrão. **3.** Agrupamento de profissionais, especialistas ou não, para a apresentação ou discussão de temas ou assuntos específicos; congresso: *O encontro de profissionais da internet foi um sucesso.* **4.** Enfrentamento, competição, disputa: *O encontro dos pugilistas se dará amanhã.* **5.** Confluência de rios: *Presenciou o encontro entre as águas do rio Solimões e do rio Negro.* || *Encontro consonantal* (Gram.): reunião de duas ou mais consoantes numa mesma palavra: *Na palavra drama se observa um encontro consonantal.* • *Ir/vir ao encontro de:* dirigir-se de forma favorável a: *A educação deveria ir/vir ao encontro das expectativas da sociedade.* • *Ir/vir de encontro a:* dirigir-se contra; opor-se a: *O roubo consiste num ato que vai/vem de encontro à ética.*

encrespado

encorajar (en.co.ra.*jar*) v. Encher(-se) de coragem; animar(-se), estimular(-se): *Encorajou o filho a fazer o curso*; *A omissão encoraja o uso de drogas*; *Encorajaram-se e escalaram a pedra da Gávea*. ▶ Conjug. 5 e 27. – **encorajador** *adj. s.m.*; **encorajamento** *s.m.*

encordoamento (en.cor.do:a.*men*.to) *s.m.* **1.** Ato ou efeito de encordoar. **2.** Conjunto de cordas que são postas em instrumentos musicais, raquetes, arcos etc.: *encordoamento de violão*.

encordoar (en.cor.do:*ar*) v. Botar cordas em (instrumentos musicais, raquetes, arcos etc.): *encordoar a guitarra*. ▶ Conjug. 25.

encorpar (en.cor.*par*) v. **1.** Fazer ficar mais espesso, mais denso; engrossar: *Pode-se usar a batata para encorpar a sopa*. **2.** Fazer ficar mais extenso; ampliar: *encorpar a música*. **3.** Ganhar corpo; crescer; desenvolver-se: *Para ser atleta, é necessário encorpar*; *Use aquele xampu para encorpar e dar vigor ao cabelo*. ▶ Conjug. 20. – **encorpamento** *s.m.*

encosta [ó] (en.*cos*.ta) *s.f.* Inclinação de um monte, de uma montanha etc.; declive, vertente: *área de encosta*.

encostado (en.cos.*ta*.do) *adj.* **1.** Que se apoia (em alguém ou alguma coisa); escorado: *Deixei minha bicicleta encostada no muro*. **2.** Que está colocado ao lado, próximo: *Aquela igreja fica encostada ao supermercado*. **3.** Que não interessa mais; que foi posto de lado: *Abandonou muitas ferramentas encostadas na garagem*. **4.** *coloq. fig.* Que não trabalha: desempregado: *Encostado, recebe pela Previdência Social*. • *s.m.* **5.** Pessoa desempregada.

encostar (en.cos.*tar*) v. **1.** Ficar ou fazer ficar próximo; acercar(-se): *Na história, o bandido encostou a faca no peito do herói*; *Encostei a mão no fogo e me queimei*; *Duas motocicletas encostaram(-se) ao lado do carro*. **2.** Apoiar (-se) (em alguém ou alguma coisa); recostar (-se) (1): *A moça encostou a cabeça no ombro do namorado*; *Encostou-se junto à parede, exausta*. **3.** Largar, abandonar, deixar: *Encostou o carro na esquina e continuou o percurso a pé*. **4.** Fechar (sem trancar); cerrar: *Encostar a porta devido ao barulho*. **5.** *coloq. fig.* Ficar sob a dependência (de alguém): *Encostou-se no irmão e parou de trabalhar*. **6.** (*Esp.*) Colocar-se ao lado do adversário, impedindo as suas jogadas: *O técnico mandou o volante encostar no armador do time adversário*. ‖ *Encostar contra a/na parede: coloq.* exigir de alguém uma decisão: *Ontem, ele me encostou contra a/na parede*. ▶ Conjug. 20.

encosto [ô] (en.*cos*.to) *s.m.* **1.** Lugar ou objeto que serve para dar sustentação (a alguém ou algo): *encosto de cabeça*. **2.** Parte posterior de cadeiras, poltronas etc. que serve para descansar as costas; espaldar, recosto (1): *encosto de sofá*. **3.** (*Rel.*) Espírito que se coloca ao lado de uma pessoa para prejudicá-la: *De acordo com a crença popular, para tirar um encosto é preciso ir a uma sessão de descarrego*.

encouraçado (en.cou.ra.*ça*.do) *adj.* **1.** Que tem couraça. **2.** Que é protegido. • *s.m.* **3.** (*Náut.*) Grande navio de guerra, contendo poderosa munição, revestido de couraça de aço compacta; couraçado.

encovado (en.co.*va*.do) *adj.* **1.** *fig.* Diz-se de olhos fundos, que dão a impressão de estar enterrados dentro da cavidade óssea da face: *olhos encovados*. **2.** *fig.* Diz-se de alguém que apresenta aspecto magro ou abatido: *boca encovada*.

encravado (en.cra.*va*.do) *adj.* **1.** Que se alojou; espetado: *farpa encravada*. **2.** Que traz algo incrustado; engastado, cravejado, encastoado: *relógio encravado de pedras preciosas*. **3.** Que não cresceu como devia e penetrou na pele; que se atrofiou: *pelo encravado*; *unha encravada*. **4.** *fig.* Que se localiza no interior de: *bairro encravado no centro da cidade*.

encravar (en.cra.*var*) v. Embutir (algo) em; engastar, incrustar, encastoar: *encravar uma ametista em um anel*. ▶ Conjug. 5.

encrenca (en.*cren*.ca) *s.f.* **1.** Aquilo que dificulta a vida de uma pessoa; complicação, enrascada: *Denúncia falsa colocou o jornalista numa encrenca*. **2.** Situação de conflito; briga, confusão, tumulto: *Por causa do cachorro, encrencou-se com os vizinhos*.

encrencar (en.cren.*car*) v. **1.** Pôr(-se) em situação difícil; complicar(-se), enrascar(-se): *Fez o possível para não encrencar o irmão*; *Ele se encrencou com a polícia*. **2.** Provocar encrenca, conflito, confusão: *O comprador encrencou com a falta da nota fiscal*; *Não aceitou o que foi combinado e resolveu encrencar*. **3.** Parar, enguiçar, emperrar: *O motor da motocicleta encrencou*. ▶ Conjug. 5 e 35.

encrenqueiro (en.cren.*quei*.ro) *adj.* **1.** Que provoca encrenca. • *s.m.* **2.** Pessoa encrenqueira.

encrespado (en.cres.*pa*.do) *adj.* **1.** Que se encrespou. **2.** Diz-se de cabelo crespo. **3.** Que ficou agitado (diz-se do mar, do oceano, da

encrespar

lagoa etc.); encapelado. **4.** *fig.* Irritado, exasperado, indignado: *voz encrespada.*

encrespar (en.cres.*par*) *v.* **1.** Ficar ou fazer ficar crespo; encaracolar: *Ela encrespou o cabelo; As pontas de minha barba encresparam-se.* **2.** Ficar ou fazer ficar agitado (o mar, o oceano, a lagoa etc.); encapelar(-se): *O lago encrespou; Com o mau tempo, o mar encrespou-se; O vento encrespou as águas do mar.* **3.** *fig.* Ficar com raiva; irritar-se, alterar-se, indignar-se, exasperar-se: *Encrespou-se com o empregado.* ▶ Conjug. 8.

encruado (en.cru:*a*.do) *adj.* **1.** Que não se desenvolve; paralisado. **2.** Que tornou(-se) cruel; desumano. **3.** Que não cozinhou. **4.** *coloq.* Que não conseguiu casar, encalhado. **5.** Que está escondido; oculto.

encruar (en.cru:*ar*) *v.* **1.** *coloq. fig.* Não desenvolver; paralisar-se: *Comecei um projeto, mas ele encruou.* **2.** *fig.* Ficar ou fazer ficar cruel, desumano; endurecer: *A violência encrua a mente dos bandidos; Com a dureza da vida, seu coração encruou.* **3.** Não cozinhar o suficiente (um alimento): *Adicionar recheio com o forno quente pode encruar a massa; O empadão encruou.* ▶ Conjug. 5.

encruzilhada (en.cru.zi.*lha*.da) *s.f.* **1.** Local em que se cruzam estradas, ruas, atalhos etc.; cruzamento. **2.** *fig.* Circunstância complicada, embaraçosa; dilema.

encucado (en.cu.*ca*.do) *adj. coloq.* Preocupado; cismado, encanado: *Fiquei encucada com o que me disseram ontem.*

encucar (en.cu.*car*) *v. coloq.* Enfiar (uma ideia) na cabeça; pensar insistentemente em algo; cismar; preocupar-se, encanar-se: *Encuquei com o resultado do concurso; Notei vários fatos que me encucaram.* ▶ Conjug. 5 e 35.

encurralar (en.cur.ra.*lar*) *v.* **1.** Colocar no curral; cercar: *encurralar um boi no cercado.* **2.** Fechar(-se) num lugar estreito ou sem saída; sitiar(-se): *encurralar um ladrão; Encurralou-se em sua própria casa.* **3.** *fig.* Colocar (alguém) em uma situação difícil: *A oposição encurralou o político corrupto.* ▶ Conjug. 5. – **encurralamento** *s.m.*

encurtar (en.cur.*tar*) *v.* **1.** Ficar ou fazer ficar curto ou mais curto: *encurtar uma saia; Com a bainha, minha calça encurtou(-se).* **2.** Ficar ou fazer ficar menor; limitar(-se), reduzir(-se): *encurtar uma conversa; O trajeto entre sua casa e o trabalho encurtou(-se).* ▶ Conjug. 5. – **encurtamento** *s.m.*

encurvar (en.cur.*var*) *v.* **1.** Curvar. **2.** *fig.* Humilhar-se; rebaixar-se, submeter-se: *Os fiéis se encurvam ante o poder de Deus.* ▶ Conjug. 5.

endemia (en.de.*mi*.a) *s.f.* **1.** (*Med.*) Presença de uma doença ou outro mal que recai, de forma constante ou regular, sobre uma certa região ou população: *A dengue é uma endemia.* **2.** *fig.* Presença constante ou regular de algo que causa dano moral à sociedade: *endemia de corrupção.* || Conferir com *epidemia.*

endemicidade (en.de.mi.ci.*da*.de) *s.f.* Qualidade de endêmico.

endêmico (en.*dê*.mi.co) *adj.* **1.** Relativo a endemia: *surto endêmico.* **2.** Que é peculiar a uma determinada população ou área geográfica: *região endêmica.*

endemoniado (en.de.mo.ni:*a*.do) *adj.* **1.** Que está possuído pelo demônio; possesso. **2.** *fig.* Endiabrado: *garoto endemoniado.* • *s.m.* **3.** Pessoa endemoniada.

endereçar (en.de.re.*çar*) *v.* **1.** Colocar endereço em; sobrescritar: *Sentou-se para endereçar o ofício.* **2.** Fazer seguir (algo) para um lugar; remeter, expedir, enviar: *Endereçou uma carta à redação do jornal.* **3.** Dirigir, encaminhar: *Os médicos endereçaram um apelo ao prefeito.* ▶ Conjug. 5 e 36. – **endereçamento** *s.m.*

endereço [ê] (en.de.*re*.ço) *s.m.* **1.** Conjunto de informações que permitem localizar ou indicam um imóvel: *A consulta à lista telefônica permite descobrir o endereço de uma empresa.* **2.** Nome e localização de uma rua que são escritos em um envelope, papel ou outro material que envolva uma correspondência; sobrescrito: *Não me lembro do endereço da moça.* || *Endereço eletrônico:* (*Inform.*) informação que permite acessar um determinado e-mail ou um *site* da internet.

endeusar (en.deu.*sar*) *v.* **1.** Conferir qualidades divinas a (alguém ou algo); divinizar: *Os gregos endeusavam o conhecimento.* **2.** *fig.* Atribuir(-se) qualidades exageradas; glorificar(-se), idolatrar(-se): *Muitos fãs endeusam seus ídolos; Os narcisistas costumam se endeusar.* ▶ Conjug. 19.

endiabrado (en.di:*a*.*bra*.do) *adj.* **1.** Que não para; encapetado, travesso, levado, desordeiro: *menino endiabrado.* • *s.m.* **2.** Pessoa endiabrada.

endinheirado (en.di.nhei.*ra*.do) *adj.* Que ganha ou tem muito dinheiro; abastado, rico.

endireitar (en.di.rei.*tar*) *v.* **1.** Colocar(-se) direito (alguém ou algo); ajeitar(-se): *Endireitou a antena da televisão; Endireitei-me no sofá.* **2.** *fig.*

endurecer

Corrigir(-se) moralmente; emendar(-se): *Foi eleito para endireitar o país*; *Teve uma vida desregrada, mas endireitou-se*. ▶ Conjug. 18.

endívia (en.*dí*.vi:a) *s.f.* Escarola.

endividar (en.di.vi.*dar*) *v.* Ficar com dívidas ou fazer ficar com dívidas: *O pedido de empréstimo endividou o funcionário*; *Comprei um apartamento e me endividei*. ▶ Conjug. 5.

endocardite (en.do.car.*di*.te) *s.f.* (*Med.*) Lesão causada por um processo inflamatório do endocárdio.

endocárdio (en.do.*cár*.di:o) *s.m.* (*Anat.*) Membrana que envolve as cavidades internas do coração.

endocarpo (en.do.*car*.po) *s.m.* (*Bot.*) Parede interna dos frutos que fica em contato com os caroços ou sementes.

endocraniano (en.do.cra.ni:*a*.no) *adj.* (*Med.*) Que se localiza no interior do crânio: *tumor endocraniano*.

endócrino (en.*dó*.cri.no) *adj.* (*Med.*) Diz-se de órgãos e estruturas que lançam suas secreções no sangue ou na linfa e de hormônios que desempenham uma atividade reguladora sobre outros órgãos ou tecidos: *glândulas endócrinas*.

endocrinologia (en.do.cri.no.lo.*gi*.a) *s.f.* (*Med.*) Estudo e tratamento de doenças relacionadas com as glândulas endócrinas e com a produção de seus hormônios.

endocrinológico (en.do.cri.no.*ló*.gi.co) *adj.* Relativo a endocrinologia.

endocrinologista (en.do.cri.no.lo.*gis*.ta) *s.m.* e *f.* Médico que é especialista em endocrinologia.

endodontia (en.do.don.*ti*.a) *s.f.* (*Odont.*) Especialidade que trata da prevenção, diagnóstico e tratamento de doenças e lesões que atingem a polpa, o tecido que cerca a raiz e a própria raiz do dente.

endoenças (en.do:*en*.ças) *s.f.pl.* (*Rel.*) Cerimônias religiosas católicas que são realizadas na Quinta-Feira Santa: *procissão das endoenças*.

endogamia (en.do.ga.*mi*.a) *s.f.* União que ocorre entre membros de um mesmo grupo social, étnico, econômico etc. ‖ Conferir com *exogamia*.

endógeno (en.*dó*.ge.no) *adj.* 1. Que é produzido pelo próprio organismo. 2. (*Biol.*) Diz-se do que tem origem, se desenvolve ou é próprio de um organismo. ‖ Conferir com *exógeno*.

endoidar (en.doi.*dar*) *v.* Endoidecer. ▶ Conjug. 21.

endoidecer (en.doi.de.*cer*) *v.* 1. Tornar(-se) doido; enlouquecer, endoidar, ensandecer: *O consumo excessivo de álcool pode endoidecer uma pessoa*; *Conforme endoidecia, seus delírios aumentavam*. 2. *fig.* Tornar(-se) irritado, exasperar(-se): *Ele enlouqueceu o pai com suas atitudes*; *Aquele barulho endoidecia a vizinhança*. ▶ Conjug. 41 e 46.

endométrio (en.do.*mé*.tri:o) *s.m.* (*Anat.*) Mucosa que envolve o interior do útero.

endoplasma (en.do.*plas*.ma) *s.m.* (*Biol.*) Parte central do citoplasma de uma célula.

endorfina (en.dor.*fi*.na) *s.f.* (*Biol.*) Substância química natural produzida pelo sistema nervoso central que é distribuída por todo o corpo após a prática de exercícios físicos, possuindo propriedades analgésicas semelhantes às da morfina.

endoscopia (en.dos.co.*pi*.a) *s.f.* (*Med.*) Exame que inspeciona visualmente o interior de uma cavidade ou de um conduto do corpo, realizado com o uso de endoscópio. – **endoscópico** *adj.*

endoscópio (en.dos.*có*.pi:o) *s.m.* (*Med.*) Aparelho constituído por um tubo oco, flexível ou não, com sistema de iluminação, câmera e dispositivos para a realização de pequenas cirurgias.

endosperma [é] (en.dos.*per*.ma) *s.m.* (*Bot.*) Tecido vegetal encontrado nas sementes de algumas plantas, que contém reservas nutrientes usadas para alimentar embriões que estão se desenvolvendo.

endossar (en.dos.*sar*) *v.* 1. (*Jur.*) Colocar endosso em: *endossar um cheque*; *Endossou a nota promissória em favor da sociedade*. 2. *fig.* Dar apoio a; solidarizar(-se), aprovar: *Endossou o programa defendido pelo coordenador do projeto*. ▶ Conjug. 20.

endosso [ô] (en.*dos*.so) *s.m.* 1. (*Jur.*) Assinatura colocada no verso de um título de crédito, com o objetivo de transferi-lo para uma outra pessoa, juntamente com os direitos dele advindos. 2. *fig.* Apoio, solidariedade, aprovação.

endovenoso [ô] (en.do.ve.*no*.so) *adj.* (*Med.*) Intravenoso. ‖ f. e pl.: [ó].

endurecer (en.du.re.*cer*) *v.* 1. Ficar ou fazer ficar duro; solidificar(-se): *Endureci o creme com maisena*; *À medida que o pedreiro terminava a obra, o concreto endurecia*. 2. Ficar ou

endurecimento

fazer ficar (mais) duro; enrijecer(-se): *Os exercícios endureceram minhas coxas; De tanto ficar agachada, minhas pernas endureceram.* **3.** *fig.* Tornar(-se) insensível; desumanizar(-se): *Endureceu o coração para não ceder às pressões do filho; Diante de tanto sofrimento, endureceu.* **4.** *fig.* Tornar(-se) mais rigoroso: *O governo endureceu as regras para a arrecadação de impostos; As ações sobre os camelôs endureceram.* ▶ Conjug. 41 e 46. – **endurecedor** *adj. s.m.*

endurecimento (en.du.re.ci.*men*.to) *s.m.* **1.** Ato ou efeito de endurecer. **2.** *fig.* Adoção de atitudes mais rigorosas, mais rígidas: *endurecimento das leis.*

enduro (en.*du*.ro) *s.m.* (*Esp.*) Prova de resistência de longa duração para motoristas de veículos motorizados, especialmente de motocicletas, realizada em lugares acidentados.

ene (e.ne) *s.m.* Nome da letra *n.*

eneágono (e.ne:*á*.go.no) *s.m.* (*Geom.*) Polígono de nove lados. – **eneagonal** *adj.*

eneassílabo (e.ne:as.*sí*.la.bo) *adj.* Diz-se de verso ou palavra que tem nove sílabas.

enegrecer (e.ne.gre.*cer*) *v.* Escurecer (2). ▶ Conjug. 41 e 46. – **enegrecimento** *s.m.*

enema (e.*ne*.ma) (Med.) Clister.

êneo (ê.ne:o) *adj.* **1.** Relativo a bronze. **2.** Que é feito de bronze.

energética (e.ner.gé.ti.ca) *s.f.* (*Fís.*) Estudo da energia.

energético (e.ner.gé.ti.co) *adj.* **1.** Relativo a energética ou a energia. **2.** Que gera ou propaga energia. • *s.m.* **3.** Alimento energético. **4.** Bebida energética.

energia (e.ner.gi.a) *s.f.* **1.** (*Fís.*) Potencial que um corpo, uma substância ou um sistema físico têm de produzir movimento, superar resistências e efetuar alterações físicas. **2.** *fig.* Potência física; força, vigor, vitalidade, disposição: *Uma boa alimentação proporciona energia ao atleta.* **3.** *fig.* Potência moral; firmeza, empenho: *O juiz atuou com energia naquele caso de corrupção.* **4.** *coloq.* Luz, eletricidade: *Com o temporal, minha casa ficou sem energia.* ‖ **Energia calórica**: energia encontrada nas proteínas, gorduras e carboidratos dos alimentos: *O excesso de energia calórica leva à obesidade.* • **Energia elétrica**: (*Eletr.*) energia gerada por fontes naturais (sol, água etc.) ou por outro tipo de energia (hidráulica, mecânica etc.) que serve para iluminar locais ou colocar em funcionamento aparelhos elétricos, entre outros usos. • **Energia nuclear**: (*Fís.*) energia obtida por meio de alterações do núcleo de um átomo; energia atômica: *Os raios X constituem uma forma de energia nuclear.*

enérgico (e.nér.gi.co) *adj.* **1.** Que possuiu ou mostra energia física; vigoroso, forte: *pugilista enérgico.* **2.** *fig.* Que mostra força moral; vigoroso: *protesto enérgico.* **3.** *fig.* Que mostra severidade; rigidez, rigor: *pai enérgico.*

energizar (e.ner.gi.*zar*) *v.* Transmitir ou receber energia (alguém ou algo): *Acredita-se que a ioga energiza o corpo de quem a pratica; Após receber uma carga elétrica, o circuito energizou-se.* ▶ Conjug. 5. – **energização** *s.f.*; **energizante** *adj.*

energúmeno (e.ner.*gú*.me.no) *s.m.* Pessoa que inspira desprezo e falta de confiança; vil, boçal, estúpido: *candidato energúmeno.*

enervante (e.ner.*van*.te) *adj.* Que enerva; irritante, exasperante.

enervar (e.ner.*var*) *v.* Tornar(-se) nervoso; irritar(-se), exasperar(-se), impacientar(-se): *O mau desempenho dos jogadores enervou o juiz; Com o barulho, enervou(-se).* ▶ Conjug. 8.

enésimo (e.*né*.si.mo) *adj.* Que substitui um número extremamente grande: *Já é a enésima vez que ele tenta o vestibular.*

enevoado (e.ne.vo:*a*.do) *adj.* Envolto em névoa ou em nevoeiro; encoberto, nublado: *céu enevoado*; (*fig.*) *aspecto enevoado.*

enevoar (e.ne.vo:*ar*) *v.* **1.** Envolver(-se) de névoa ou de nevoeiro; nublar(-se), encobrir(-se), enfumaçar(-se): *A fumaça enevoou o ar; O dia enevoou-se.* **2.** *fig.* Fazer ficar triste, melancólico: *A tristeza enevoou seu coração.* ▶ Conjug. 25.

enfadar (en.fa.*dar*) *v.* Entediar. ▶ Conjug. 5.

enfado (en.*fa*.do) *s.m.* Sensação de tédio; agastamento, enfaro.

enfaixar (en.fai.*xar*) *v.* Enrolar ou prender com faixa: *O enfermeiro enfaixou o braço do paciente.* ▶ Conjug. 5.

enfardadeira (en.far.da.dei.ra) *s.f.* Máquina agrícola que serve para fazer fardos de feno, palha etc.

enfardar (en.far.*dar*) *v.* Dispor em fardo ou em feixe; enfeixar, ensacar: *enfardar algodão.* ▶ Conjug. 5.

enfarinhar (en.fa.ri.*nhar*) *v.* **1.** Passar farinha em; polvilhar: *enfarinhar um tabuleiro.* **2.** Converter em farinha; esfarelar; esfarinhar: *enfarinhar o aipim.* ▶ Conjug. 5.

enfaro (en.*fa*.ro) *s.m.* **1.** Sensação de enjoo, de nojo; fastio. **2.** *fig.* Enfado.

enfartar (en.far.*tar*) *v.* Infartar. ▶ Conjug. 5.

enfarte (en.*far*.te) *s.m.* Infarte, enfarto.

enfarto (en.*far*.to) *s.m.* Infarte, infarto.

ênfase (*ên*.fa.se) *s.f.* **1.** Aquilo que se destaca; relevo, realce: *Seu projeto dava ênfase à inclusão social por meio da educação.* **2.** (*Ling.*) Relevo dado a uma parte de uma enunciação, com o fim de destacar a escolha ou o sentido de uma ou mais palavras.

enfastiar (en.fas.ti.*ar*) *v.* Entediar. ▶ Conjug. 17.

enfático (en.*fá*.ti.co) *adj.* Que dá ou mostra ênfase: *tom enfático.*

enfatiotado (en.fa.ti:o.*ta*.do) *adj.* Que se veste com esmero: *noivo enfatiotado.*

enfatizar (en.fa.ti.*zar*) *v.* Dar ênfase a; destacar, ressaltar, salientar: *enfatizar uma proposta.* ▶ Conjug. 5.

enfear (en.fe:*ar*) *v.* Ficar ou fazer ficar feio: *Aquele monumento enfeia a cidade; A atriz se enfeou para dar vida à personagem.* ▶ Conjug. 14.

enfeitar (en.fei.*tar*) *v.* **1.** Pôr(-se) um enfeite; adornar(-se), embelezar(-se): *As bandeirinhas enfeitaram a festa; A moça enfeitou-se para ver o namorado.* **2.** (*Esp.*) No futebol, fazer uma manobra de efeito com a bola: *O centroavante enfeitou a jogada; O jogador enfeitou demais e perdeu a bola.* ▶ Conjug. 18.

enfeite (en.*fei*.te) *s.m.* Ornamento, adorno, alfaia (2).

enfeitiçar (en.fei.ti.*çar*) *v.* **1.** Encantar (1 e 2). **2.** Fazer mal a alguém através de rituais ou magias: *Fez um amuleto para enfeitiçar um desafeto.* ▶ Conjug. 5 e 36. – **enfeitiçamento** *s.m.*

enfeixar (en.fei.*xar*) *v.* Enfardar. ▶ Conjug. 18.

enfermagem (en.fer.*ma*.gem) *s.f.* **1.** Técnica ou função de cuidar de pessoas doentes ou idosas. **2.** Serviço de enfermaria prestado por uma pessoa ou por uma instituição. **3.** Conjunto dos enfermeiros de uma clínica, de um hospital etc. **4.** Curso para formar enfermeiros.

enfermar (en.fer.*mar*) *v.* Tornar(-se) enfermo: *O sereno o enfermou; Minha mãe enfermou.* ▶ Conjug. 8.

enfermaria (en.fer.ma.ri.a) *s.f.* **1.** Lugar reservado ao tratamento de pessoas doentes. **2.** Quarto coletivo de um hospital, de uma clínica etc. onde pessoas doentes ficam internadas.

enfermeiro (en.fer.*mei*.ro) *s.m.* **1.** Pessoa formada em enfermagem. **2.** Pessoa que cuida de doentes ou de idosos em casa ou em instituições.

enfermiço (en.fer.*mi*.ço) *adj.* Que fica doente com facilidade; doentio, valetudinário.

enfermidade (en.fer.mi.*da*.de) *s.f.* Alteração, permanente ou não, do estado normal de saúde (física ou psíquica); doença, moléstia.

enfermo [ê] (en.*fer*.mo) *adj.* **1.** Que está doente. • *s.m.* **2.** Pessoa doente.

enferrujar (en.fer.ru.*jar*) *v.* **1.** Criar ou fazer criar ferrugem; oxidar(-se): *A chuva enferrujou o portão; Alguns metais não enferrujam; O prego enferrujou-se.* **2.** *fig.* Perder ou fazer perder a agilidade (devido à ação do tempo ou à falta de prática): *A falta de leitura enferrujou meu raciocínio; Não dirijo há tantos meses que enferrujei; Sem a prática da ginástica, seus movimentos enferrujaram-se.* ▶ Conjug. 5 e 37.

enfestar (en.fes.*tar*) *v.* Dobrar (tecido, papel) pelo meio. || Conferir com *infestar.* ▶ Conjug. 8.

enfezado (en.fe.*za*.do) *adj.* Que está com raiva; zangado, irritado, aborrecido.

enfezar (en.fe.*zar*) *v.* Ficar ou fazer ficar com raiva; zangar(-se), irritar(-se), aborrecer(-se): *Enfezou a mãe com a sua atitude; Não quis pagar o que me devia e eu (me) enfezei.* ▶ Conjug. 8.

enfiada (en.fi:*a*.da) *s.f.* **1.** Ato ou efeito de enfiar. **2.** Sequência de objetos enfiados em fio. **3.** Sequência de objetos organizados em fila. **4.** Sequência de ações, palavras, acontecimentos etc. **5.** (*Esp.*) No futebol, passar a bola diretamente para outro jogador, para que este faça um gol: *O atacante fez uma enfiada pelo alto.* || **De enfiada**: *coloq.* **1.** de uma vez só; rapidamente: *Leu aquele livro de enfiada.* **2.** (*Esp.*) no futebol, vitória ou derrota num jogo, com muitas diferenças de gols; goleada: *Nosso time ganhou deles de enfiada.*

enfiar (en.fi:*ar*) *v.* **1.** Colocar (um fio) em um orifício: *Com paciência, enfiava uma linha (em uma agulha) para costurar.* **2.** Colocar (pedras, contas etc.) em um fio: *enfiar as pedras de um colar.* **3.** Levar para dentro; meter, introduzir: *Enfiou a pipoca na boca e engasgou.* **4.** Meter-se, entrar: *Com o frio, enfiou-se embaixo das cobertas.* **5.** Penetrar com profundidade; cravar, enterrar, espetar: *Enfiou a espada no peito do inimigo.* **6.** Golpear, bater: *Perdeu a direção e enfiou o carro num muro.* **7.** Pôr, calçar, vestir: *Enfiou o tênis rapidamente; Enfiei a camisa para sair.* **8.** *coloq. fig.* Ir, meter-se: *Não sei onde o pessoal se enfiou.* ▶ Conjug. 17.

enfileirar (en.fi.lei.*rar*) *v.* Ordenar(-se) em filas ou fileiras; alinhar(-se): *O menino enfileirou seus carrinhos; Os soldados enfileiraram-se no pátio.* ▶ Conjug. 18.

enfim

enfim (en.*fim*) *adv.* Afinal, por fim, finalmente: *Enfim, autorizou a compra do carro.* || Até que enfim: finalmente: *Até que enfim vou almoçar!*

enfisema (en.fi.se.ma) *s.m.* (*Med.*) Concentração patológica de ar em tecidos ou órgãos do corpo que costuma acontecer principalmente nos pulmões.

enfocar (en.fo.*car*) *v.* Focalizar: *Enfocou uma estrela com um telescópio; O debate enfocou a importância da ecologia para o futuro da humanidade.* ▶ Conjug. 20 e 35.

enfoque [ó] (en.*fo*.que) *s.m.* Modo de tratar um tema, um problema etc.; foco: *Ele abordou a matéria com um enfoque científico.*

enforcado (en.for.ca.do) *adj.* **1.** Que morreu por meio de uso de forca ou laço. **2.** Que experimentou algum tipo de estrangulamento. **3.** *coloq. fig.* Que se encontra em situação financeira difícil; endividado: *Fiz tantas dívidas que fiquei enforcado.*

enforcar (en.for.*car*) *v.* **1.** Içar (a si mesmo ou alguém) pelo pescoço, usando corda ou laço pendurados em uma forca ou em lugar alto, levando à morte por estrangulação: *Enforcou o caubói na árvore; De acordo com a Bíblia, Judas enforcou-se.* **2.** Causar asfixia a; estrangular: *Abraçou-me tanto que quase me enforcou.* **3.** *coloq. fig.* Contrair dívidas; endividar-se: *Comprei uma geladeira cara e me enforquei.* **4.** *coloq. fig.* Não comparecer a (trabalho, escola, compromisso etc.); faltar; matar: *Enforcou a reunião e foi à praia.* **5.** *coloq. fig.* Casar-se: *Ele se enforcou no sábado.* ▶ Conjug. 20 e 35. – **enforcamento** *s.m.*

enfraquecer (en.fra.que.*cer*) *v.* **1.** Ficar ou fazer ficar fraco; debilitar(-se): *Ler com pouca iluminação, enfraquece a visão; Fiquei sem comer e enfraqueci(-me).* **2.** Perder ou fazer perder a disposição; desanimar(-se); abater(-se): *A depressão enfraqueceu seu ânimo; À medida que o tempo passava, sua vontade enfraquecia(-se).* ▶ Conjug. 41 e 46. – **enfraquecimento** *s.m.*

enfrentar (en.fren.*tar*) *v.* **1.** Fazer face a; encarar: *Enfrentava uma grave crise conjugal; Enfrentou-se com o concorrente num grande debate.* **2.** Efetuar um combate frente a frente; lutar com: *Enfrentei o ladrão que quis me assaltar; No passado, as nações europeias enfrentavam-se em disputas religiosas.* **3.** Competir, concorrer, disputar: *O boxeador enfrentou o adversário com determinação; Os times enfrentaram-se na última rodada do campeonato.* ▶ Conjug. 5. – **enfrentamento** *s.m.*

enfronhar (en.fro.*nhar*) *v.* **1.** Botar fronha em: *enfronhar um travesseiro.* **2.** *fig.* Penetrar; inserir-se: *Enfronhei-me na área de vendas para conseguir uma colocação.* ▶ Conjug. 5.

enfumaçar (en.fu.ma.*çar*) *v.* Envolver(-se) em fumaça ou fumo; enevoar(-se): *O fogão a lenha enfumaça a casa; Com tantos fumantes, o ambiente enfumaçou-se.* ▶ Conjug. 5 e 36.

enfunar (en.fu.*nar*) *v.* **1.** Tornar(-se) inflado; inchar(-se): *O vento enfunou a vela do barco; Com o movimento, a saia dela enfunou(-se).* **2.** *fig.* Tornar(-se) presunçoso; envaidecer(-se): *A vitória fácil enfunou-o; Enfunou-se todo com os elogios.* ▶ Conjug. 5.

enfurecer (en.fu.re.*cer*) *v.* **1.** Causar ou sentir fúria; encolerizar(-se), irar(-se): *A matança dos animais enfureceu os ecologistas; Com tanta injustiça, enfureceu; Indignava-se e enfurecia-se quando pensava no assunto.* **2.** Levantar(-se) com fúria; encapelar(-se): *O mar enfureceu-se.* ▶ Conjug. 41 e 46. – **enfurecimento** *s.m.*

enfurnar (en.fur.*nar*) *v.* **1.** Meter(-se) numa cavidade profunda; *enfurnar um coelho; enfurnar-se uma raposa.* **2.** *fig.* Colocar(-se) em lugar escondido; guardar(-se): *Não sei onde ele enfurna seu dinheiro; Enfurnou-se na fazenda e não quis mais trabalhar.* ▶ Conjug. 5.

engabelar (en.ga.be.*lar*) *v. coloq.* Levar (alguém) ao engano; iludir, enrolar: *Engabelou a namorada com falsas promessas.* || *engambelar.* ▶ Conjug. 8. – **engabelação** *s.f.*

engaiolar (en.ga:i.o.*lar*) *v.* **1.** Colocar em gaiola: *engaiolar um pássaro.* **2.** *coloq.* Colocar em cadeia; aprisionar, encarcerar: *engaiolar um ladrão.* ▶ Conjug. 20. – **engaiolamento** *s.m.*

engajamento (en.ga.ja.men.to) *s.m.* **1.** Ato ou efeito de engajar(-se). **2.** Contrato para prestação de serviços: *engajamento de uma empresa.* **3.** (*Mil.*) Ato através do qual uma pessoa se alista para prestar serviço militar ativo; alistamento: *engajamento na Marinha.* **4.** Empenho em defesa de uma causa; comprometimento: *engajamento político.*

engajar (en.ga.*jar*) *v.* **1.** (*Mil.*) Alistar(-se) nas Forças Armadas: *engajar um jovem; Engajou-se no Exército ano passado.* **2.** Levar (alguém ou a si mesmo) a aderir a uma causa; comprometer (-se): *A luta contra o desmatamento engajou milhares de defensores da ecologia; Engajou-se no combate às doenças epidêmicas.* ▶ Conjug. 5 e 37.

engalanar (en.ga.la.*nar*) *v.* Cobrir(-se) de galas, de ornamentos; adornar(-se), enfeitar(-se):

engalanar uma cidade; Engalanou-se para ir a uma festa. ▶ Conjug. 5.

engalfinhar-se (en.gal.fi.*nhar*-se) *v.* **1.** Agarrar-se ao adversário numa briga; atracar-se: *As crianças engalfinharam-se por um brinquedo.* **2.** *fig.* Ter uma discussão calorosa (com alguém); polemizar, disputar: *O deputado engalfinhou-se com um vereador da oposição.* ▶ Conjug. 5 e 6.

engambelar (en.gam.be.*lar*) *v.* Engabelar. ▶ Conjug. 8.

enganar (en.ga.*nar*) *v.* **1.** Acreditar ou levar a acreditar no que é falso; iludir, mentir, tapear, ludibriar: *Algumas propagandas enganam os consumidores; Os peritos enganaram-se quanto à autenticidade do quadro.* **2.** Induzir(-se) ao erro; confundir(-se): *Com um chute perfeito, enganou o goleiro; Ele não me engana!* **3.** Cometer adultério; trair: *Enganou a esposa durante anos.* ▶ Conjug. 5. – **enganação** *s.f.;* **enganador** [ô] *adj. s.m.*

enganchar (en.gan.*char*) *v.* **1.** Prender, fixar ou suspender com gancho ou objeto parecido: *enganchar um peixe; enganchar uma faixa.* **2.** Prender-se a (alguém ou algo), enroscar-se, engatar(-se): *Enganchou a camisa na maçaneta; A roda do carro enganchou-se.* ▶ Conjug. 5.

engano (en.ga.no) *s.m.* **1.** Ato ou efeito de enganar(-se). **2.** Erro, desacerto, equívoco, cometido voluntariamente ou não: *Levei sua chave por engano!*

enganoso [ô] (en.ga.*no*.so) *adj.* **1.** Que engana; falso, enganador. **2.** Que se mostra ilusório; tendencioso: *anúncio enganoso.* ‖ f. e pl.: [ó].

engarrafamento (en.gar.ra.fa.*men*.to) *s.m.* **1.** Ato ou efeito de engarrafar: *engarrafamento de bebidas.* **2.** Congestionamento: *Com o aumento da venda de carros, aumentaram os índices de engarrafamento na cidade.*

engarrafar (en.gar.ra.*far*) *v.* **1.** Pôr em garrafa; envasar: *Engarrafou o vinho para vendê-lo.* **2.** Obstruir um caminho, impedindo o deslocamento (de pessoas, de veículos etc.); congestionar: *engarrafar o trânsito; Com a batida, a ponte engarrafou.* ▶ Conjug. 5.

engasgar (en.gas.*gar*) *v.* **1.** Ficar ou fazer ficar engasgado; suforcar(-se), entalar(-se): *A carne engasgou-o; Não conseguia comer direito porque sempre engasgava; A criança se engasgou com o pão.* **2.** *coloq. fig.* Parar ou fazer parar de funcionar, momentaneamente ou não: *engasgar um motor; O carro engasgava em subidas e curvas.* **3.** *fig.* Ficar ou fazer ficar sem fala: *A pergunta engasgou o apresentador; Ficou tão emocionado que se engasgou.* ▶ Conjug. 5 e 34.

engasgo (en.*gas*.go) *s.m.* **1.** Ato ou efeito de engasgar(-se). **2.** Obstrução na garganta; sufocação: *Não mastigar bem os alimentos pode causar engasgo.* **3.** *fig.* Obstáculo emocional que impede a fala: *Há músicas que provocam engasgos.*

engastar (en.gas.*tar*) *v.* Encaixar, embutir (uma pedra) em; cravejar (2): *engastar um rubi (em um anel).* ▶ Conjug. 5.

engaste (en.*gas*.te) *s.m.* **1.** Ato ou efeito de engastar. **2.** Elemento da joia no qual a pedra preciosa é fixada.

engatar (en.ga.*tar*) *v.* **1.** Unir pelo uso de engate ou objeto parecido; atrelar: *O operador engatou um vagão a um trem; engatar um trailer num jipe.* **2.** (Mec.) Engrenar (marcha) para colocar um veículo em movimento: *O motorista engatou a primeira marcha e partiu.* **3.** *fig.* Principiar, iniciar, encetar, entabular: *Ele engatou num sono profundo e nada o acordava.* ▶ Conjug. 5.

engate (en.ga.te) *s.m.* **1.** Ato ou efeito de engatar. **2.** Peça que serve para unir objetos. **3.** Peça ou conjunto de peças que servem para atrelar vagões a trens, animais a carros etc.

engatilhar (en.ga.ti.*lhar*) *v.* **1.** Preparar o gatilho (de uma arma) para fazê-la disparar: *engatilhar um rifle.* **2.** *fig.* Pôr em condições de atingir um objetivo: *Engatilhou uma série de projetos voltados para o cinema.* ▶ Conjug. 5.

engatinhar (en.ga.ti.*nhar*) *v.* **1.** Andar de gatinhas, apoiando as mãos e os joelhos no chão: *O bebê engatinhava calmamente pelo chão.* **2.** *fig.* Encontrar-se no início; estar caminhando para um estágio mais avançado: *Meu projeto ainda engatinha, mas deve ficar pronto no próximo mês.* ▶ Conjug. 5.

engavetamento (en.ga.ve.ta.*men*.to) *s.m.* **1.** Ato ou efeito de engavetar. **2.** *coloq. fig.* Choque em série de veículos, provocando um encaixe entre eles.

engavetar (en.ga.ve.*tar*) *v.* **1.** Colocar ou guardar em gaveta: *Engavetei a roupa passada.* **2.** Impedir ou atrasar o trâmite de (um processo, um requerimento etc.): *Engavetou o pedido de liberação de verbas para o projeto.* **3.** *coloq. fig.* Causar ou sofrer choque (veículo), provocando encaixe: *Nessa manhã, sete veículos engavetaram(-se) na rodovia.* ▶ Conjug. 8.

engendrar (en.gen.*drar*) *v.* **1.** Fazer existir; gerar: *engendrar um filho.* **2.** Elaborar ou conceber

engenharia

(algo); criar, arquitetar, inventar: *engendrar novas ideias.* ▶ Conjug. 9. – **engendramento** *s.m.*

engenharia (en.ge.nha.*ri*.a) *s.f.* **1.** Ciência e técnica aplicadas aos recursos naturais, utilizadas com o fim de se obter benefícios para o ser humano: *engenharia mecânica.* **2.** Conjunto de operações executadas por um engenheiro. **3.** Curso universitário para formar engenheiros. || *Engenharia genética:* (Biol.) ciência e técnica utilizadas para se obter artificialmente a alteração de genes e a reprodução de organismos; bioengenharia.

engenheiro (en.ge.*nhei*.ro) *s.m.* Profissional formado em engenharia.

engenho (en.ge.nho) *s.m.* **1.** Habilidade física ou mental que uma pessoa tem para criar, inventar; talento, destreza: *Ele é um homem de engenho.* **2.** O exercício dessa habilidade; criação: *As fábricas são produtos do engenho humano.* **3.** Máquina ou aparelho. **4.** Máquina para moer cana-de-açúcar; moenda. **5.** Propriedade rural que produz cana-de-açúcar: *No século XVI, foram construídos vários engenhos no Brasil.*

engenhoca [ó] (en.ge.*nho*.ca) *s.f.* **1.** *pej.* Aparelho que apresenta mau funcionamento. **2.** Aparelho criado de forma rudimentar. **3.** Engenho de pequeno porte.

engenhoso [ô] (en.ge.*nho*.so) *adj.* **1.** Que é dotado de engenho; criativo: *pensador engenhoso.* **2.** Feito com engenho, que revela engenho: *brinquedo engenhoso.* || f. e pl.: [ó]. – **engenhosidade** *s.f.*

engessar (en.ges.*sar*) *v.* **1.** Passar ou colocar gesso em; gessar: *O pedreiro engessou o teto para rebaixá-lo.* **2.** Envolver com gesso para imobilizar uma parte do corpo fraturada; gessar: *engessar a perna.* **3.** *fig.* Tornar menor o raio de ação; conter: *A crise política engessou o desenvolvimento econômico daquele país.* ▶ Conjug. 8.

englobar (en.glo.*bar*) *v.* Juntar ou fazer juntar para formar um todo; abranger, incluir, reunir, compreender, incorporar: *O projeto engloba ações sociais, políticas e econômicas.* ▶ Conjug. 20.

engodo [ô] (en.go.do) *s.m.* **1.** Isca ou ceva que são utilizadas para capturar animais, em especial aves ou peixes: *Para melhorar uma pesca pode-se preparar um engodo.* **2.** *fig.* Aquilo que é usado para iludir alguém: *Baseou o seu discurso em um engodo.*

engolir (en.go.*lir*) *v.* **1.** Fazer passar (algo) da boca ao esôfago e do esôfago ao estômago; deglutir: *O doente engoliu um pedaço de carne com dificuldade.* **2.** Comer com avidez; devorar: *O animal engoliu a comida e voltou para a toca.* **3.** *coloq. fig.* Acreditar na veracidade de; crer, aceitar: *Engolia os argumentos do marido sem questionar nada.* **4.** *coloq. fig.* Sofrer calado; aguentar, tolerar, aturar: *Os dirigentes engoliram os insultos da torcida.* ▶ Conjug. 76.

engomar (en.go.*mar*) *v.* Colocar goma em (roupa, tecido): *Lavou peça por peça e depois engomou-as.* **2.** Passar a ferro (roupa): *Engomava um vestido para ir a uma festa.* ▶ Conjug. 5.

engorda [ó] (en.gor.da) *s.f.* **1.** Ato ou efeito de engordar; ceva. **2.** Pasto que serve de alimento para engordar o gado.

engordar (en.gor.*dar*) *v.* **1.** Tornar(-se) gordo ou mais gordo: *As granjas engordam os perus para o Natal; As meninas comeram muito e engordaram.* **2.** *fig.* Tornar(-se) maior, aumentar, ampliar, enriquecer: *Engordou sua conta bancária através dos lucros; Com o corte efetuado nas despesas, os cofres engordaram.* ▶ Conjug. 20.

engordurar (en.gor.du.*rar*) *v.* **1.** Sujar(-se) com gordura: *Engordurou o livro comendo pipoca; Alguns produtos de limpeza mancham e engorduram; Engordurou-se ao fritar o bife.* **2.** Ser tomado pela gordura; envolver-se de gordura: *Fez tantas frituras que a cozinha se engordurou.* ▶ Conjug. 5.

engraçado (en.gra.*ça*.do) *adj.* Que provoca o riso; cômico, divertido: *vídeo engraçado.*

engraçar (en.gra.*çar*) *v.* **1.** Ter afinidade por; simpatizar, gostar, agradar-se: *O gerente engraçou com ele e o contratou.* **2.** *coloq.* Entusiasmar-se com; apaixonar-se: *O rapaz se engraçou da irmã da amiga e resolveu namorá-la.* **3.** *coloq.* Mostrar-se atrevido, desrespeitoso: *Sempre se engraçava com mulher já comprometida.* ▶ Conjug. 5 e 36.

engradado (en.gra.*da*.do) *adj.* **1.** Que possui grade: *porta engradada.* • *s.m.* **2.** Armação (de plástico, de madeira etc.) que serve para proteger uma carga durante seu transporte: *engradado de cerveja.*

engradar (en.gra.*dar*) *v.* Botar em engradado: *engradar um novilho; engradar um produto.* ▶ Conjug. 5.

engrandecer (en.gran.de.*cer*) *v. fig.* Tornar(-se) grande; elevar(-se), valorizar(-se): *O tombamento daquela igreja engrandeceu a cidade; Com a presença daquele artista, o evento (se) engrandeceu.* ▶ Conjug. 41 e 46. – **engrandecimento** *s.m.*

engravatar-se (en.gra.va.*tar*-se) *v.* **1.** Botar gravata: *Engravatou-se para trabalhar.* **2.** Vestir-se com elegância: *Engravatou-se para ir a uma festa.* ▶ Conjug. 5 e 6.

engravidar (en.gra.vi.*dar*) *v.* Ficar ou fazer ficar grávida; emprenhar, embuchar: *O marido engravidou a mulher; Engravidou do vizinho; Teve um namoro com ele e engravidou.* ▶ Conjug. 5.

engraxar (en.gra.*xar*) *v.* Passar graxa em (sapatos, bolsas etc.), dar polimento; lustrar: *O militar engraxou suas botas.* ▶ Conjug. 5.

engraxate (en.gra.*xa*.te) *s.m.* Pessoa que engraxa sapatos, bolsas etc.

engrenagem (en.gre.*na*.gem) *s.f.* **1.** Ato ou efeito de engrenar. **2.** (*Mec.*) Jogo de rodas dentadas utilizado para transmitir força e/ou movimento a um mecanismo. **3.** *fig.* Os elementos que estruturam uma empresa, uma instituição etc.; organização, sistema: *engrenagem de um curso.*

engrenar (en.gre.*nar*) *v.* **1.** (*Mec.*) Encaixar os dentes de uma roda dentada nos dentes de outra, produzindo força e/ou movimento. **2.** (*Mec.*) Engatar a engrenagem de um veículo: *engrenar um carro.* **3.** *fig.* Fazer começar; encetar, entabular: *Engrenou uma carreira promissora.* **4.** *coloq. fig.* Obter bom resultado; dar certo: *A banda engrenou.* ▶ Conjug. 5.

engrinaldar (en.gri.nal.*dar*) *v.* Botar grinalda em (alguém ou si mesmo): *engrinaldar uma noiva; Engrinaldei-me de rosas.* ▶ Conjug. 5.

engrolar (en.gro.*lar*) *v.* Articular mal as palavras, embolando-as: *Engrolou um padre-nosso sem nexo.* ▶ Conjug. 20.

engrossar (en.gros.*sar*) *v.* **1.** Ficar ou fazer ficar mais grosso; espessar(-se), adensar(-se): *Engrossou o molho com farinha de trigo; Misture os ingredientes e leve-os ao fogo até engrossar.* **2.** Ficar ou fazer ficar mais volumoso; aumentar: *Engrossava a fileira de estudantes que tentaram o vestibular; Ganhei peso e minhas pernas engrossaram.* **3.** Ficar ou fazer ficar (a voz) mais grave ou mais ríspida: *Tomando coragem, engrossei a voz e respondi à pergunta; Com o passar dos anos, minha voz engrossou.* **4.** *coloq. fig.* Tratar de forma grosseira; ser indelicado com: *O chefe engrossou com o empregado; Quando perdia a cabeça, engrossava.* **5.** *coloq. fig.* Tornar-se violento: *De repente, a situação engrossou.* ▶ Conjug. 20.

engrupir (en.gru.*pir*) *v. coloq.* Enganar com astúcia; iludir, ludibriar, tapear: *Com aquela cara de anjo, ele engrupiu todo mundo.* ▶ Conjug. 66.

enguia (en.*gui*.a) *s.f.* (*Zool.*) Peixe alongado, parecido com uma cobra, comestível, que pode dar choque elétrico quando atacado.

enguiçar (en.gui.*çar*) *v.* Parar ou fazer parar devido a mau funcionamento; danificar(-se), quebrar(-se): *O curto-circuito enguiçou o aparelho; Meu carro enguiçou esta manhã.* ▶ Conjug. 5 e 36.

enguiço (en.*gui*.ço) *s.m.* **1.** Ato ou efeito de enguiçar. **2.** *fig.* Mau-olhado, quebranto, agouro.

engulho (en.*gu*.lho) *s.m.* Sensação de enjoo; ânsia de vômito; náusea: *Senti um engulho no estômago!* – **engulhar** *v.* ▶ Conjug. 5.

enigma (e.*nig*.ma) *s.m.* **1.** Aquilo que é de difícil compreensão ou solução; mistério: *O delegado considerou aquele crime um enigma.* **2.** Aquilo que se tenta definir por suas qualidades ou particularidades: *Édipo resolveu o enigma proposto pela Esfinge.*

enigmático (e.nig.*má*.ti.co) *adj.* **1.** Relativo a enigma. **2.** Que é misterioso; indecifrável, obscuro. **3.** Que representa uma incógnita.

enjambement (Fr.) *s.m.* Ver cavalgamento, encavalgamento.

enjaular (en.jau.*lar*) *v.* **1.** Colocar ou prender (animal) em jaula: *enjaular um tigre.* **2.** Colocar em cadeia; encarcerar, prender: *Depois de denúncia anônima, a polícia enjaulou o traficante.* ▶ Conjug. 5.

enjeitado (en.jei.*ta*.do) *adj.* **1.** Que se enjeitou. • *s.m.* **2.** Pessoa que foi abandonada; desamparado: *Ele é um enjeitado social.*

enjeitar (en.jei.*tar*) *v.* **1.** Não aceitar (alguém ou algo); recusar, rejeitar, repelir: *Nunca enjeitou trabalho.* **2.** Deixar sozinho ou sem condições de sobrevivência; abandonar, desamparar: *Enjeitou o filho logo que este nasceu.* ▶ Conjug. 18.

enjoado (en.jo:*a*.do) *adj.* **1.** Que enjoa; nauseado: *Comeu demais e ficou enjoado.* **2.** *coloq. fig.* Que causa irritação; aborrecido: *barulho enjoado.*

enjoar (en.jo:*ar*) *v.* **1.** Ficar ou fazer ficar com enjoo; nausear(-se), enojar(-se), marear(-se): *O balanço do barco enjoou a tripulação; Todas as vezes que passeava de barco, enjoava.* **2.** Sentir enjoo por; enfastiar-se: *Enjoei de carne vermelha.* **3.** *coloq. fig.* Causar ou sentir aversão; repugnar(-se), enojar(-se): *Aquela lenga-lenga diária a enjoou; Enjoou da hipocrisia do colega.* **4.** *coloq. fig.* Ficar ou fazer ficar com tédio; enfastiar(-se), aborrecer(-se): *Jogar palavras cruzadas me en-*

enjoativo

joa; *Enjoei dessa música; Viu tantos programas na televisão que enjoou.* ▶ Conjug. 25.

enjoativo (en.jo:a.*ti*.vo) *adj.* **1.** Que produz enjoo, náusea. **2.** *coloq. fig.* Que faz ficar com tédio; enfastiado, aborrecido.

enjoo (en.*jo*.o) *s.m.* **1.** Ato ou efeito de enjoar. **2.** Vontade de vomitar; náusea. **3.** *coloq. fig.* Enfado, aborrecimento, tédio.

enlaçar (en.la.*çar*) *v.* **1.** Enfeitar, ornamentar com laço: *enlaçar os cabelos.* **2.** *fig.* Envolver (alguém ou algo); abraçar(-se), apertar, estreitar: *A serpente enlaçava a vítima; Ela me enlaçou o pescoço com os braços; Encontraram-se e enlaçaram-se.* **3.** *fig.* Juntar(-se), unir(-se), aliar(-se): *Enlaçou elogios e críticas; Seu trabalho procura enlaçar a teoria de Freud à de Lacan; A morte se enlaça à vida.* ▶ Conjug. 5 e 36.

enlace (en.*la*.ce) *s.m.* **1.** Ato ou efeito de enlaçar(-se). **2.** Casamento, matrimônio: *enlace matrimonial.*

enlamear (en.la.me:*ar*) *v.* **1.** Manchar(-se) de lama; sujar(-se): *O barro enlameou seus sapatos; Com o temporal, a calçada enlameou-se.* **2.** *fig.* Comprometer a reputação (de alguém ou a própria); aviltar(-se), desonrar(-se): *Uma série de escândalos enlameou seu nome; Com atitudes ilícitas, alguns políticos enlamearam-se.* ▶ Conjug. 14.

enlanguescer (en.lan.gues.*cer*) *v.* **1.** Ficar sem forças; perder o vigor; enfraquecer-se, debilitar-se: *Com a gripe, enlanguesceu(-se).* **2.** *fig.* Ficar triste; abater(-se), desanimar(-se): *Ao recordar o passado, enlanguescia(-se).* ▶ Conjug. 41 e 46.

enlatado (en.la.*ta*.do) *adj.* **1.** Que foi colocado ou conservado em lata: *Acredita-se que um produto enlatado apresenta um alto teor de umidade.* **2.** Diz-se de produto comestível vendido em lata: *salsicha enlatada.* • *s.m.* **3.** *coloq. fig.* Filmes, programas, desenhos, novelas etc. importados que apresentam baixa qualidade artística (cultura de massa), vendidos em lotes, veiculados em cinemas, rádios ou televisões do país: *A programação daquela emissora incluía vários enlatados.*

enlatar (en.la.*tar*) *v.* Colocar ou conservar em lata: *Aquela fábrica enlata sardinhas.* ▶ Conjug. 5.

enlear (en.le:*ar*) *v.* **1.** Prender, tolhendo os movimentos; amarrar, atar, emaranhar: *enlear uma tira de couro.* **2.** *fig.* Conduzir(-se) a uma situação problemática; envolver, implicar, enrascar: *Enleou o funcionário no roubo; Enleou-se nas mentiras do amigo.* **3.** *fig.* Confundir(-se), emaranhar(-se), perturbar(-se), embaraçar

(-se): *Aquela atitude o enleou; Com tantos personagens, a história enleou-se.* ▶ Conjug. 14.

enleio (en.*lei*.o) *s.m.* **1.** Ato ou efeito de enlear (-se). **2.** *fig.* Comprometimento, envolvimento, enredamento. **3.** *fig.* Perplexidade, confusão, embaraço.

enlevar (en.le.*var*) *v.* Sentir ou fazer sentir enlevo; encantar(-se), deleitar(-se), maravilhar (-se): *Aquela música enlevava a alma; Enlevou-se com as palavras do poeta.* ▶ Conjug. 8. – **enlevamento** *s.m.*

enlevo [ê] (en.*le*.vo) *s.m.* Ato ou efeito de enlevar(-se); encanto, arrebatamento, deleite: *enlevo espiritual.*

enlouquecer (en.lou.que.*cer*) *v.* **1.** Ficar ou fazer ficar louco; endoidecer(-se), endoidar(-se), ensandecer(-se): *A doença o enlouqueceu gradativamente; Aquele matemático enlouqueceu nos últimos anos de vida.* **2.** *coloq. fig.* Perder ou fazer perder a cabeça: *Aquele barulho enlouquecia o vizinho; Com a apresentação da banda, a garotada enlouqueceu.* ▶ Conjug. 41 e 46. – **enlouquecimento** *s.m.*

enluarado (en.lu:a.*ra*.do) *adj.* Coberto ou atravessado pela luz da lua: *céu enluarado.*

enlutar (en.lu.*tar*) *v.* **1.** Vestir-se de luto: *Enlutou-se para ir ao enterro.* **2.** *fig.* Ficar ou fazer ficar desconsolado; consternar(-se), afligir(-se), desconsolar(-se): *A morte do cientista enlutou o país; Com a catástrofe, a cidade enlutou-se.* ▶ Conjug. 5.

enobrecer (e.no.bre.*cer*) *v.* **1.** Receber ou conceder um título de nobreza (por diploma ou alvará de nobreza); nobilitar(-se): *A distribuição de títulos efetuada por D. João VI enobreceu vários membros da elite colonial; No século XIX, ao enobrecer-se, a burguesia passa a ser recebida nos meios aristocráticos.* **2.** *fig.* Mostrar ou adquirir grandeza moral; engrandecer(-se), dignificar (-se): *Enobreceu o país com sua genialidade admirável; Com a presença do cientista, a instituição enobreceu-se.* ▶ Conjug. 41 e 46. – **enobrecedor** [ô] *adj. s.m.*; **enobrecimento** *s.m.*

enodoar (e.no.do:*ar*) *v.* **1.** Encher(-se) de nódoas; sujar(-se), manchar(-se): *enodoar uma roupa.* **2.** *fig.* Desacreditar(-se) publicamente; difamar, desonrar, macular: *O escândalo enodoou sua imagem; Com suas atitudes reprováveis, enodoou-se.* ▶ Conjug. 25.

enófilo (e.*nó*.fi.lo) *adj.* **1.** Que aprecia vinho. **2.** Que se ocupa com comércio de vinho. • *s.m.* **3.** Pessoa que aprecia vinho. **4.** Pessoa que se ocupa com comércio de vinho. – **enofilia** *s.f.*

enojar (e.no.*jar*) *v.* **1.** Ficar ou fazer ficar com nojo; nausear(-se), enjoar(-se): *Um cheiro azedo enojou-a; Quando vi o cachorro morto, enojei-me.* **2.** *fig.* Provocar ou sentir repulsa, descontentamento: *O assassinato enojou a sociedade; Ao ver tanta corrupção, enojou-se.* ▶ Conjug. 20.

enologia (e.no.lo.*gi*.a) *s.f.* Estudo do vinho, sua produção e conservação. – **enólogo** *adj. s.m.*

enorme [ó] (e.*nor*.me) *adj.* **1.** Que é muito grande; desmedido: *prédio enorme.* **2.** *fig.* Que se mostra excessivo: *preconceito enorme.* **3.** *fig.* Que é preocupante; sério: *sofrimento enorme.*

enormidade (e.nor.mi.*da*.de) *s.f.* **1.** Qualidade de enorme. **2.** Quantidade enorme; desmesura: *Isso se deve a uma enormidade de razões.* **3.** *fig.* Importância, valor, significância, tamanho: *Não se deu conta da enormidade de seu crime.*

enovelar (e.no.ve.*lar*) *v.* **1.** Enrolar(-se) (fio, linha etc.) para produzir novelo: *enovelar o algodão; enovelar-se.* **2.** *fig.* Fazer ficar confuso; emaranhar, complicar: *enovelar uma história.* ▶ Conjug. 8. – **enovelamento** *s.m.*

enquadramento (en.qua.dra.*men*.to) *s.m.* **1.** Ato ou efeito de enquadrar(-se). **2.** (*Cine, Fot., Telv.*) Delimitação da imagem que se quer reproduzir por meio do uso de uma câmera.

enquadrar (en.qua.*drar*) *v.* **1.** Emoldurar: *enquadrar uma gravura.* **2.** *fig.* Fazer com que se torne compatível; adaptar-se, adequar-se, ajustar-se, amoldar-se: *O empregado enquadrou-se às regras da empresa.* **3.** Conter em si; compreender, incluir, abranger: *Aquela profissão enquadra vários tipos de atividades.* **4.** (*Cine, Fot., Telv.*) Delimitar a imagem que se quer reproduzir por meio do uso de uma câmera: *Enquadrou a paisagem e fotografou-a; Aproximou-se o máximo possível e enquadrou com precisão.* **5.** *fig.* Submeter (alguém) a inquérito administrativo; indiciar, incriminar: *O delegado enquadrou o suspeito; O juiz enquadrou o acusado na lei de crimes hediondos.* ▶ Conjug. 5.

enquanto (en.*quan*.to) *conj.* (*Gram.*) **1.** Durante o tempo em que: *Deixava a torneira aberta enquanto escovava os dentes.* **2.** Exprime: a) ideia de proporção; ao passo que; à medida que: *Enquanto muitos se divertem, outros sofrem de depressão.* b) ideia de conformidade; na qualidade de; como: *Enquanto juiz, era um profissional admirável.* || *Enquanto isso*: nesse intervalo; nesse ínterim: *Fazia a comida na cozinha; enquanto isso, seu marido trabalhava.*

• *Por enquanto*: no momento, por agora: *Por enquanto, continuo me dedicando ao meu projeto antigo.*

enquete [é] (en.*que*.te) *s.f.* (*Comun.*) Pesquisa de opinião que reúne depoimentos de um certo número de pessoas, com o fim de se obter uma estatística prévia sobre um assunto escolhido; sondagem.

enrabichado (en.ra.bi.*cha*.do) *adj. coloq.* Envolvido, apaixonado, enamorado: *Está enrabichado pela mulher do vizinho.* – **enrabichar** *v.* ▶ Conjug. 5.

enraivecer (en.rai.ve.*cer*) *v.* Provocar ou sentir raiva; zangar(-se), encolerizar(-se), enfurecer(-se): *Enraiveceu sua família mudando de emprego; Quando souberam da fraude, enraiveceram(-se).* ▶ Conjug. 41 e 46. – **enraivecido** *adj.*

enraizar (en.ra:i.*zar*) *v.* Criar ou fazer criar raiz; fixar(-se), radicar(-se), estabelecer(-se): *enraizar valores; A organização enraizou-se em várias cidades.* ▶ Conjug. 26. – **enraizamento** *s.m.*

enrascada (en.ras.*ca*.da) *s.f.* Situação de dificuldade; complicação, apuro, aperto: *Meteu-se numa tremenda enrascada.*

enrascar (en.ras.*car*) *v. fig.* Colocar(-se) em dificuldade; complicar(-se), apurar(-se): *enrascar uma pessoa; Com tantas dívidas a pagar, enrascou-se.* ▶ Conjug. 5 e 35.

enredar (en.re.*dar*) *v.* **1.** Prender(-se) num emaranhado; entrelaçar(-se), embaraçar(-se): *enredar os cabelos; O pássaro enredou-se na armadilha e foi capturado.* **2.** *fig.* Ficar ou fazer ficar em dificuldades; confundir(-se), complicar(-se): *Enredou a mídia com falsas informações; Enredava as pessoas em negócios espúrios; Ele se enredou em suas próprias teorias.* **3.** *fig.* Envolver em intriga; indispor: *Enredou o filho contra a nora; Gostava de enredar.* ▶ Conjug. 8. – **enredamento** *s.m.*

enredo [ê] (en.*re*.do) *s.m.* **1.** Ato ou efeito de enredar(-se). **2.** (*Cine, Lit., Teat., Telv.*) Série de fatos que compõem a ação em uma obra de ficção; intriga, trama, entrecho: *enredo de um romance.* **3.** *fig.* Comentário intrigante; fofoca, fuxico, mexerico: *Vive fazendo enredo da vida alheia.*

enregelar (en.re.ge.*lar*) *v.* **1.** Ficar ou fazer ficar gelado; resfriar(-se); congelar(-se): *O frio enregelou a plantação; Com a neve, o lago enregelou(-se).* **2.** *fig.* Causar (em alguém) ou sentir um medo excessivo: *A violência daquele assassinato enregelou meu coração; Ao escutar aqueles gritos, enregelou(-se) de pavor.* ▶ Conjug. 8.

enricar (en.ri.*car*) *v. coloq.* Enriquecer: *A venda de melancia enricou o comerciante; Enricou de maneira ilícita.* ▶ Conjug. 5 e 35.

enrijar (en.ri.*jar*) *v.* Enrijecer. ▶ Conjug. 5 e 37.

enrijecer (en.ri.je.*cer*) *v.* Ficar ou fazer ficar rijo, forte (o físico ou a moral); endurecer(-se), fortalecer(-se), enrijar(-se): *Os exercícios abdominais enrijecem a musculatura; Com a prática do poder, enrijeceu-se.* ▶ Conjug. 41 e 46.

enriquecer (en.ri.que.*cer*) *v.* **1.** Ficar ou fazer ficar rico; enricar(-se): *Acredita-se que a globalização enriqueceu os países mais ricos; Com a aquisição de novos bens, enriqueceram.* **2.** *fig.* Adquirir ou fazer adquirir uma condição melhor; desenvolver(-se), aprimorar(-se): *Enriqueceu o acervo com três coleções; Com o acréscimo de conhecimentos, enriquecia(-se).* **3.** *fig.* Embelezar, ornar, enfeitar: *Aquele arranjo enriqueceu sua música.* ▶ Conjug. 41 e 46. – **enriquecedor** *adj.*; **enriquecimento** *s.m.*

enrodilhar (en.ro.di.*lhar*) *v.* **1.** Adotar ou fazer adotar uma forma de rosca; enroscar(-se), enrolar(-se): *Enrodilhou os braços no pescoço do pai; O cão enrodilhou-se junto à poltrona.* **2.** *fig.* Envolver-se, enredar-se: *Enrodilhou-se em pensamentos sombrios.* ▶ Conjug. 5.

enrolação (en.ro.la.*ção*) *s.f. gír.* Ato ou efeito de enrolar, de enganar; embromação: *Encheu sua prova de enrolação.*

enrolado (en.ro.*la*.do) *adj.* **1.** Que se enrolou. **2.** Que tem forma de rolo. **3.** *gír.* Que é complicado; confuso, atrapalhado: *problema enrolado.* • *s.m.* **4.** Pessoa enrolada.

enrolador [ô] (en.ro.la.*dor*) *adj.* **1.** Que enrola. **2.** Que põe em forma de rolo. **3.** *gír.* Que engana, tapeia; embromador, enrolão. • *s.m.* **4.** *gír.* Pessoa que enrola. **5.** *gír.* Pessoa que engana, que tapeia. **6.** *gír.* Pessoa desocupada.

enrolamento (en.ro.la.*men*.to) *s.m.* **1.** Ato ou efeito de enrolar(-se). **2.** Bobina: *enrolamento de motores elétricos.*

enrolar (en.ro.*lar*) *v.* **1.** Ficar ou fazer ficar com forma de rolo: *Enrolei e recheei a massa; O tapete enrolou-se.* **2.** Ficar ou fazer ficar com forma de espiral; enroscar: *Ele enrola bobinas; A linha enrolava(-se) no carretel.* **3.** Pôr(-se) em volta de; envolver(-se), circundar, contornar, rodear: *Enrolou uma toalha no cabelo; A linha da pipa enrolou-se num cabo elétrico.* **4.** Embrulhar, empacotar: *Enrolou o doce em um papel colorido.* **5.** *fig.* Ficar ou fazer ficar complicado; atrapalhar(-se): *enrolar uma situação; Estava atrasada e enrolou-se.* **6.** *gír.* Induzir (alguém) ao engano; tapear, engabelar: *Enrolou a noiva por dez anos.* **7.** *gír.* Fazer algo com lentidão; embromar, retardar: *Enrolou o amigo e não respondeu diretamente a pergunta; O comprador enrolou e não pagou.* ▶ Conjug. 20.

enroscar (en.ros.*car*) *v.* **1.** Enrolar(-se) em torno de (alguém ou algo): *Enroscou a corda no braço; O cipó enroscou-se no tronco.* **2.** Girar em forma de espiral: *enroscar uma tampa; enroscar um parafuso.* **3.** Abraçar(-se), envolver(-se): *Enroscou os braços em volta dela; Enroscou-se no travesseiro e dormiu.* ▶ Conjug. 20 e 35.

enroupar (en.rou.*par*) *V.* Agasalhar (2).

enrouquecer (en.rou.que.*cer*) *v.* Tornar(-se) rouco: *A água gelada enrouqueceu minha voz; De tanto gritar, enrouqueceram.* ▶ Conjug. 41 e 46. – **enrouquecimento** *s.m.*

enrubescer (en.ru.bes.*cer*) *v.* Ficar ou fazer ficar com rubor; avermelhar(-se), afoguear(-se), corar: *Enrubesceu sua face com maquiagem; Sentiu tanto calor que seu rosto enrubesceu; Enrubesceu-se de vergonha.* ▶ Conjug. 41 e 46. – **enrubescimento** *s.m.*

enrugar (en.ru.*gar*) *v.* **1.** Ficar ou fazer ficar com rugas; encarquilhar(-se): *O tempo enrugou seu rosto; Com a idade, sua pele enrugou(-se).* **2.** *fig.* Ficar ou fazer ficar franzido; crispar(-se), sulcar(-se): *As explosões vulcânicas enrugaram o solo; Surpreso, sua testa enrugou(-se).* **3.** *fig.* Ficar ou fazer ficar amarrotado; amassar(-se), amarfanhar(-se): *enrugar um tecido; Com a água, a página do livro enrugou(-se).* ▶ Conjug. 5 e 34. – **enrugamento** *s.m.*

enrustido (en.rus.*ti*.do) *adj.* **1.** Disfarçado; oculto: *preconceito enrustido.* **2.** Que oculta sua homossexualidade. **3.** Que é introvertido. • *s.m.* **4.** *coloq.* Homossexual que oculta a sua condição. **5.** Pessoa enrustida. – **enrustir** *v.* ▶ Conjug. 66.

ensaboar (en.sa.bo:*ar*) *v.* Passar sabão (em alguém, em si mesmo, em algo); lavar(-se): *Ensaboou as mãos e enxaguou-as; Desligou o chuveiro e ensaboou-se.* ▶ Conjug. 25. – **ensaboado** *adj.*

ensacador [ô] (en.sa.ca.*dor*) *adj.* **1.** Que ensaca. • *s.m.* **2.** Pessoa que ensaca. **3.** Máquina que serve para ensacar. **4.** Pessoa que compra, ensaca e revende café.

ensacar (en.sa.*car*) *v.* Colocar em saco ou em saca; enfardar, empacotar: *ensacar açúcar.* ▶ Conjug. 5 e 35. – **ensacamento** *s.m.*

ensaiar (en.sai.*ar*) *v.* **1.** Empregar meios para conseguir (algo); tentar, planejar, projetar: *Ensaiou parar de fumar, mas não conseguiu.* **2.** Exercitar ou fazer exercitar metodicamente (preparando um espetáculo, um evento etc.); treinar: *O diretor ensaiou o elenco da nova peça; A quadrilha ensaia hoje.* **3.** Repetir metodicamente (com o fim de memorização); estudar: *A atriz ensaiou o texto para a apresentação.* ▶ Conjug. 5.

ensaio¹ (en.*sai*:o) *s.m.* **1.** Treino destinado a preparar (uma pessoa ou várias) para apresentação em espetáculos, eventos etc.; exercício. **2.** Experiência, tentativa.

ensaio² (en.*sai*:o) *s.m.* Texto teórico que apresenta ou defende pontos de vista sobre determinado assunto. – **ensaísta** *s.m.* e *f.*

ensaístico (en.sa.*ís*.ti.co) *adj.* **1.** Relativo a ensaio². **2.** Que apresenta características de ensaio: *discurso ensaístico.*

ensandecer (en.san.de.*cer*) *v.* Enlouquecer, endoidar, endoidecer: *ensandecer uma pessoa; A multidão ensandeceu-se.* ▶ Conjug. 41 e 46.

ensanguentar [ü] (en.san.guen.*tar*) *v.* Ficar ou fazer ficar cheio de sangue: *Ao longo da história, muitas guerras ensanguentaram o mundo; Nos filmes policiais, os bandidos sempre levam tiros e se ensanguentam.* ▶ Conjug. 5.

ensarilhar (en.sa.ri.*lhar*) *v.* **1.** Apoiar armas umas nas outras: *ensarilhar as baionetas.* **2.** Depor (armas): *Os bandidos ensarilharam suas armas.* ▶ Conjug. 5.

enseada (en.se:*a*.da) *s.f.* Pequena baía com ou sem porto ou ancoradouro; angra.

ensebado (en.se.*ba*.do) *adj.* **1.** Que se ensebou. **2.** Coberto de gordura: *corda ensebada.* **3.** Sujo de gordura; gorduroso: *avental ensebado.* **4.** Com aspecto engordurado; *cabelo ensebado.* **5.** *coloq.* Presunçoso, vaidoso: *tipo ensebado.*

ensebar (en.se.*bar*) *v.* **1.** Cobrir (algo) de sebo: *ensebar uma corda.* **2.** Sujar(-se) com gordura ou algo gorduroso; engordurar(-se): *ensebar os dedos; De tanto ser manuseado, o livro ensebou-se.* **3.** *coloq. fig.* Fazer ficar complicado ou demorado; protelar, dificultar: *Ensebou e não foi trabalhar.* ▶ Conjug. 8.

ensejar (en.se.*jar*) *v.* **1.** Tornar fácil; facilitar, possibilitar: *Não identificaram o motivo que ensejou aquele crime; O crescimento da economia enseja a criação de novos empregos.* **2.** Apresentar-se o momento propício: *Com o surgimento de novas tecnologias, ensejaram-se vários debates sobre seus usos.* ▶ Conjug. 10 e 37.

ensejo [ê] (en.*se*.jo) *s.m.* **1.** Ato ou efeito de ensejar(-se). **2.** Momento propício; ocasião, situação, circunstância, oportunidade, feita, conjunção (3): *As eleições darão ensejo a novas mudanças.*

ensimesmado (en.si.mes.*ma*.do) *adj.* Que se voltou para dentro de si mesmo; introvertido, concentrado, pensativo, absorto: *homem ensimesmado.* – **ensimesmar-se** *v.* ▶ Conjug. 8 e 6.

ensinamento (en.si.na.*men*.to) *s.m.* **1.** Ato ou efeito de ensinar; ensino. **2.** Reunião de ideias ou valores que são ensinados; doutrina: *O colégio onde estudo adota o ensinamento religioso.* **3.** Aquilo que serve de lição, de exemplo: *Podemos ganhar experiência com os ensinamentos que a vida nos proporciona.*

ensinar (en.si.*nar*) *v.* **1.** Indicar o rumo a; orientar, doutrinar, educar: *Ensinou os filhos a buscar valores importantes.* **2.** Dar aula (de); dar lições a; lecionar: *Aquela professora ensina biologia; Ensinava o aluno a resolver equações; Qual a relação entre aprender e ensinar?* **3.** Instruir por meio de experiência: *Ensinou o amigo a montar o quebra-cabeça.* **4.** Indicar, apontar, mostrar: *Ensinei-lhe o caminho da faculdade.* **5.** Treinar (um animal); adestrar: *O dono ensinou o cachorro a rolar no chão.* ▶ Conjug. 5.

ensino (en.*si*.no) *s.m.* **1.** Ato ou efeito de ensinar. **2.** Conjunto de métodos e técnicas usadas para ensinar. || *Ensino fundamental:* aquele que é ministrado inicialmente aos alunos e se divide em duas partes: a primeira, da 1ª à 4ª série (antigo primário), e a segunda, da 5ª à 8ª série (antigo ginásio). Ambas compunham o antigo 1º grau. • *Ensino médio:* aquele que dá seguimento ao ensino fundamental e é composto por três séries (antigos científico ou clássico). Compunha o antigo 2º grau. • *Ensino supletivo:* aquele que pode substituir o ensino fundamental ou o ensino médio e é ministrado para adolescentes e adultos, em cursos de menor duração. • *Ensino superior:* aquele que é ministrado após o término do curso médio. É também chamado de graduação.

ensolarado (en.so.la.*ra*.do) *adj.* Que foi atravessado pela luz do sol; iluminado: *domingo ensolarado.*

ensopado (en.so.*pa*.do) *adj.* **1.** Que se ensopou; encharcado, empapado: *roupa ensopada.* **2.** (Cul.) Que foi ensopado: *carne ensopada.* • *s.m.* **3.** (Cul.) Aquilo que foi refogado e cozido em panela, formando um caldo; guisado, cozido: *ensopado de chuchu.*

ensopar (en.so.*par*) *v.* **1.** Ficar ou fazer ficar cheio de água ou outro líquido; encharcar(-se), empapar(-se), embeber(-se): *Ensopei o*

ensurdecer

pano com querosene; *Com tanto uso, a toalha ensopou-se.* **2.** (Cul.) Guisar, cozer, cozinhar: *Ensopou a carne em molho de tomate.* ▶ Conjug. 20.

ensurdecer (en.sur.de.cer) *v.* **1.** Ficar ou fazer ficar sem o sentido da audição: *Uma doença de ouvido ensurdeceu Beethoven; Ensurdeceu quando era criança; O som do apito quase me ensurdece.* **2.** Perturbar a mente ou os sentidos; atordoar(-se), aturdir(-se): *O ruído das máquinas o ensurdecia; Aquele barulho era de ensurdecer.* **3.** Ficar ou fazer ficar abafado; atenuar(-se), enfraquecer(-se): *O trovão ensurdeceu o barulho da rua; Com o som dos tambores, os apitos ensurdeceram.* **4.** *fig.* Não considerar; desatender, desprezar, desobedecer: *Ensurdeceu aos pedidos do pai.* ▶ Conjug. 41 e 46. – **ensurdecedor** *adj.*; **ensurdecimento** *s.m.*

entabular (en.ta.bu.*lar*) *v.* **1.** Dar começo a (uma forma de comunicação); principiar, iniciar, começar, encetar: *Entabulou um diálogo com o amigo.* **2.** Estabelecer, instaurar: *Entabulou um contrato de compra e venda.* ▶ Conjug. 5.

entalado (en.ta.*la*.do) *adj.* **1.** Que ficou preso em lugar estreito; comprimido: *Estava com a barriga entalada na roleta.* **2.** Que ficou com a garganta tapada; engasgado: *Engasgou com um osso entalado na garganta.* **3.** *fig.* Que ficou sem resposta; engasgado: *Desabafou o que estava entalado há dias.* – **entalar** *v.* ▶ Conjug. 5.

entalhador [ô] (en.ta.lha.*dor*) *adj.* **1.** Que entalha. • *s.m.* **2.** Pessoa que entalha; gravador, escultor. **3.** Ferramenta usada para entalhar.

entalhar (en.ta.*lhar*) *v.* Fazer entalhe ou talho de; gravar, esculpir: *Ele conhecia a arte de entalhar madeiras; Não queria companhia: gostava de entalhar sozinho.* ▶ Conjug. 5.

entalhe (en.*ta*.lhe) *s.m.* **1.** Ato ou efeito de entalhar. **2.** Corte feito na madeira ou outro material; incisão, sulco, ranhura. **3.** Obra esculpida ou gravada em madeira; talha. **4.** Objeto que possui entalhes. || entalho.

entalho (en.*ta*.lho) *s.m.* Entalhe.

entanto (en.*tan*.to) *adv.* Desusado. Atualmente só ocorre na locução *no entanto.* || *No entanto*: exprime ideia de oposição; entretanto, todavia, contudo, mas, porém: *Aquela TV tem uma tela grande; no entanto, sua imagem é ruim.*

então (en.*tão*) *adv.* **1.** Nesse ou naquele momento: *As autoridades liberaram o acesso a documentos até então proibidos.* **2.** Naquela época: *Aquele político era então um candidato a vereador.* **3.** Em tempo futuro; mais tarde: *Quando conseguir ocupar o cargo, então fará algo pela comunidade.* **4.** Nesse caso; nessa situação: *Podemos, então, avaliar as diversas formas de resolver o problema.* • *conj.* **5.** Dá ideia de conclusão; desse modo; assim sendo; portanto, logo: *Eu contei ontem; então, não me diga que não sabia!*

entardecer (en.tar.de.cer) *v.* **1.** Chegar a tarde; cair a tarde: *Entardeceu, e ele ainda não chegou.* • *s.m.* **2.** O cair da tarde; o pôr do sol; ocaso, poente: *Quando chega o entardecer, o céu muda de cor.* ▶ Conjug. 41 e 46.

ente (en.te) *s.f.* **1.** Aquilo que existe; coisa, objeto, matéria. **2.** Ser humano; pessoa, indivíduo: *ente amado.* **3.** Criatura que existe na imaginação ou na ficção. **4.** Entidade: *ente público.*

enteado (en.te:*a*.do) *s.m.* Filho de casamento anterior, em relação ao novo marido de sua mãe ou à nova esposa de seu pai.

entediar (en.te.di:*ar*) *v.* Ficar ou fazer ficar com tédio; enfastiar(-se), enfadar(-se), aborrecer(-se): *Sua conferência entediou a plateia; Passava uns dias na casa da tia e se entediava.* ▶ Conjug. 17. – **entediante** *adj.*

entendedor [ô] (en.ten.de.*dor*) *adj.* **1.** Que entende. • *s.m.* **2.** Diz-se de pessoa que entende de um assunto em especial; conhecedor, especialista, perito, entendido.

entender (en.ten.*der*) *v.* **1.** Assimilar (algo) intelectualmente; compreender, captar, perceber: *Entendi o texto usado na aula de ontem; Já expliquei, mas ele não entende!* **2.** Estar familiarizado com; conhecer, saber, dominar: *Ele entendia francês e italiano; Eles entendiam muito de economia.* **3.** Perceber por meio da audição; ouvir, escutar: *Mesmo com tanto barulho, entendi o que ela dizia.* **4.** Chegar à conclusão; deduzir, depreender, inferir: *O juiz entendeu que aquele caso merecia ser reexaminado.* **5.** Resolver-se a; decidir, pretender: *Não entendeu o que deveria fazer para mudar sua vida; Ele entendeu de mudar o horário da viagem em cima da hora.* **6.** Pôr-se em harmonia com; conciliar-se, avir-se: *Entendia-se muito bem com ele.* • *s.m.* **7.** Juízo, opinião, julgamento, entendimento: *No meu entender, ele não deveria fazer isso.* ▶ Conjug. 39. – **entendimento** *s.m.*

entendido (en.ten.*di*.do) *adj.* **1.** Que se entendeu. **2.** Que foi assimilado intelectualmente; compreendido. **3.** Que entende de um assun-

entorpecer

to em especial. • *s.m.* **4.** Pessoa que entende de um assunto em especial; entendedor, especialista, perito. **5.** *coloq.* Homossexual.

enterite (en.te.*ri*.te) *s.f.* (*Med.*) Inflamação do intestino delgado.

enternecer (en.ter.ne.*cer*) *v.* Tornar(-se) terno, afetuoso, amoroso: *Aquela cena me enterneceu*; *Enternecia-se quando via os filhos.* ▶ Conjug. 41 e 46. – **enternecimento** *s.m.*

enterrar (en.ter.*rar*) *v.* **1.** Colocar debaixo da terra: *Os piratas enterraram o tesouro.* **2.** Colocar (uma pessoa ou um animal mortos) em túmulo; sepultar, inumar: *Enterrou o gato que morreu ontem.* **3.** Enfiar profundamente; cravar: *Naquela cena, o bandido enterra uma faca na barriga do herói.* **4.** *fig.* Ir ao enterro de: *Enterrei minha vizinha esta manhã.* **5.** *fig.* Permanecer vivo após a morte de alguém; sobreviver: *Já enterrou seus avós paternos.* **6.** *fig.* Ser o motivo da morte de: *Aquele cigarro irá enterrá-lo.* **7.** *fig.* Não deixar vir à tona; esconder, encobrir, ocultar: *Enterraram as investigações sobre aquele roubo.* **8.** *fig.* Pôr fim a; encerrar, finalizar: *Enterramos nosso passado e recomeçamos.* **9.** *fig.* Ficar ou fazer ficar sem dinheiro; arruinar(-se): *Com tantas dívidas, enterrou sua empresa*; *O empresário enterrou seus recursos em uma empresa falida*; *Fez um mau negócio e enterrou-se.* **10.** (*Esp.*) Enfiar a bola, com o jogador colocado bem próximo da cesta, de cima para baixo, num jogo de basquete: *O jogador enterrou sete vezes com a mão direita.* ▶ Conjug. 8.

enterro [ê] (en.*ter*.ro) *s.m.* **1.** Ato ou efeito de enterrar. **2.** Cerimônia de sepultamento; funeral: *Não quis ir ao enterro da tia.*

entesourar (en.te.sou.*rar*) *v.* Juntar (bens); acumular, amontoar, guardar: *entesourar ouro.* ▶ Conjug. 22.

entidade (en.ti.*da*.de) *s.f.* **1.** Aquilo que tem ou que se supõe ter existência; ente, ser. **2.** Organização, instituição, empresa, ente: *entidade beneficente.*

entoação (en.to:a.*ção*) *s.f.* **1.** Ato ou efeito de entoar. **2.** Inflexão da voz na fala ou no canto; entonação. **3.** (*Ling.*) Elevação ou abaixamento da voz com que se enuncia uma frase, constituindo uma linha melódica; entonação.

entoar (en.to.*ar*) *v.* **1.** Cantar: *Entoou uma melodia triste.* **2.** Dizer em voz alta; recitar, declamar: *Os monjes entoaram um salmo.* **3.** Dar o tom, a altura da voz ou de um instrumento: *entoar uma nota musical.* ▶ Conjug. 25.

entocar (en.to.*car*) *v.* **1.** Colocar(-se) em toca; esconder(-se): *Entocou o rato com a ajuda de uma vara*; *Os tatus costumam entocar-se.* **2.** *coloq. fig.* Colocar (alguém, algo ou a si mesmo) em lugar oculto; esconder(-se): *Entocou o CD para escondê-lo do irmão*; *Entoquei-me na casa de um amigo.* ▶ Conjug. 20 e 35.

entojo [ô] (en.*to*.jo) *s.m.* Sensação de repulsa; nojo: *Certas comidas me dão entojo.*

entomófago (en.to.*mó*.fa.go) *adj.* **1.** (*Bot., Zool.*) Que se alimenta de insetos. • *s.m.* **2.** (*Bot., Zool.*) Animal ou planta que se alimenta de insetos.

entomofilia (en.to.mo.fi.*li*.a) *s.f.* (*Bot.*) Transporte de um pólen de uma flor para outra, ou dentro de uma mesma flor, geralmente feito por meio de água, vento ou com a ajuda de insetos.

entomologia (en.to.mo.lo.*gi*.a) *s.f.* (*Zool.*) Estudo dos insetos. – **entomológico** *adj.*; **entomologista** *adj. s.m.* e *f.*; **entomólogo** *s.m.*

entonação (en.to.na.*ção*) *s.f.* Entoação.

entontecer (en.ton.te.*cer*) *v.* **1.** Ficar ou fazer ficar tonto, com vertigens: *O cheiro de éter entonteceu o enfermeiro*; *Bati a cabeça no armário e entonteci(-me).* **2.** *fig.* Ficar ou fazer ficar com os sentidos perturbados; aturdir(-se), desnortear(-se): *A velocidade das informações me entonteceu*; *Sua beleza (me) entontecia.* ▶ Conjug. 41 e 46. – **entontecimento** *s.m.*

entornar (en.tor.*nar*) *v.* **1.** Jogar para fora, derramando o conteúdo de; derramar, despejar, virar: *Entornei a sopa na toalha da mesa.* **2.** Encher até extravasar o conteúdo para fora de; transbordar: *Enchia tanto o copo que entornava o seu conteúdo*; *O leite ferveu e entornou(-se).* **3.** *coloq. fig.* Tomar bebida alcoólica em excesso; beber muito; embriagar-se: *Ontem, entornou tudo o que podia*; *Ele costuma entornar.* ▶ Conjug. 20.

entorno [ô] (en.*tor*.no) *s.m.* **1.** Vizinhança, ambiente. **2.** Arredor, cercania. **3.** (*Ling.*) Situação do discurso; contexto.

entorpecente (en.tor.pe.cen.te) *adj.* **1.** Que entorpece; entorpecedor. • *s.m.* **2.** Aquilo que entorpece. **3.** (*Farm., Quím.*) Substância que age no sistema nervoso central e provoca um estado de torpor, causando a dependência e danos físicos e/ou psíquicos em seu usuário; alucinógeno, droga, estupefaciente.

entorpecer (en.tor.pe.*cer*) *v.* **1.** Ficar ou fazer ficar em estado de torpor; drogar(-se): *O vinho me entorpeceu*; *Entorpeceu(-se) toman-*

entorse

do uma droga. **2.** *fig.* Ficar ou fazer ficar sem vigor; debilitar(-se), enfraquecer(-se): *A notícia da morte do pai o entorpeceu; Seu poder entorpeceu(-se).* ▶ Conjug. 41 e 46. – **entorpecimento** s.m.

entorse [ó] (en.tor.se) s.m. (Med.) Lesão que ocorre em uma articulação provocada por um movimento que a amplia mais do que é capaz de suportar; distensão, jeito, torcedura.

entortar (en.tor.tar) v. **1.** Ficar ou fazer ficar torto; deformar(-se); empenar(-se): *Existem muitas técnicas para entortar metais; A grade estava tão enferrujada que entortou(-se).* **2.** Ficar ou fazer ficar curvo, arqueado; curvar(-se): *Entortei a cabeça para ver melhor o palco; Usou tanta força que o cabo do garfo entortou(-se).* **3.** *fig.* Conduzir(-se) à decadência moral; perder(-se), corromper(-se) desencaminhar(-se): *Aquele roubo entortou sua vida; Minha estrada entortou(-se).* **4.** *coloq. fig.* Beber a ponto de não conseguir ficar em pé normalmente; embriagar(-se), embebedar(-se): *Bebeu tanto na festa que entortou.* ▶ Conjug. 29.

entrada (en.tra.da) s.f. **1.** Ato ou efeito de entrar. **2.** Local pelo qual se entra: *Esperava o amigo na entrada do edifício.* **3.** Consentimento dado a alguém para ingressar em; admissão: *Solicitou sua entrada como sócio.* **4.** Cartão ou impresso que permite o acesso a; ingresso, bilhete, tíquete, convite: *Comprei uma entrada para o concerto de amanhã.* **5.** Momento em que algo principia; começo: *a entrada da primavera.* **6.** Momento conveniente; ocasião propícia: *Ele está só esperando uma entrada para falar com ele.* **7.** Acesso, trânsito: *Aquele político tem entrada garantida em todas as esferas do poder.* **8.** Primeira parcela de algum pagamento a ser efetuado em prestações; sinal: *Comprei uma televisão e paguei a entrada.* **9.** (Cul.) Primeiro prato servido em uma refeição; antepasto: *O menu oferece cinco opções de entrada.* **10.** Parte da fronte que se estende à cabeça e apresenta pouco ou nenhum cabelo: *Ele tem uma entrada grande, mas não chega a ser careca.* **11.** Palavra que encabeça um verbete de dicionário; cabeça, lema: *Neste dicionário, a entrada do verbete está em negrito.* **12.** (Inform.) Fornecimento de informações a um computador. **13.** (Hist.) Expedição que era organizada com o fim de explorar uma região desconhecida e consolidar a posse de um território já conquistado durante o período colonial: *O bandeirante Fernão Dias Paes participou de entradas em Minas Gerais.* ‖ Conferir com bandeira. ‖ *Entrada violenta:* (Esp.) Investida agressiva dirigida por um jogador contra o adversário, com o objetivo de interromper a sua jogada: *O atacante sofreu uma entrada violenta do lateral do outro time.*

entrançado (en.tran.ça.do) adj. Que se entrelaçou (1).

entranha (en.tra.nha) s.f. **1.** Órgão oco, com paredes formadas por várias camadas, situado no abdômen ou tórax; víscera. • **entranhas** s.f.pl. **2.** O conjunto desses órgãos. **3.** Ventre materno; útero. **4.** *fig.* Profundeza, âmago, interior: *Com a perfuração em busca de petróleo, alcançou as entranhas da terra.*

entranhar (en.tra.nhar) v. **1.** Meter profundamente; cravar: *Entranhou a faca na carne e a cortou.* **2.** Fixar-se profundamente; arraigar-se, assentar-se: *Colocou o tempero e esperou que ele se entranhasse bem;* (fig.) *O famoso "jeitinho" se entranhou no imaginário brasileiro.* **3.** Meter-se pelo interior de (um lugar); internar-se, embrenhar-se: *Entranhou-se nas matas e sumiu.* ▶ Conjug. 5.

entrante (en.tran.te) adj. **1.** Que entra: *conexão entrante.* **2.** Que está para entrar ou começar: *empresa entrante.*

entrar (en.trar) v. **1.** Ir ou vir para dentro; adentrar(-se): *Entramos no carro e partimos; Parou na porta porque não sabia se deveria entrar.* **2.** Penetrar no interior de; introduzir-se, invadir: *A chuva entrou pela janela com força.* **3.** Começar, encetar, iniciar, abrir: *Entrei o ano com muitas esperanças.* **4.** Ser admitido; integrar-se: *Aquele estudante entrou para o grupo de teatro.* **5.** Começar a ficar (em determinado estado, situação etc.); passar a; estar: *Os bancários entraram em greve semana passada.* **6.** Chegar a; atingir, alcançar: *Entrou na casa dos 80 anos com muita serenidade.* **7.** Fazer valer; apresentar, intervir, interpor: *Se eu tivesse provas, entraria com uma ação contra aquele homem.* **8.** Tomar parte em; intrometer-se, meter-se, envolver-se, imiscuir-se: *Entrava na conversa, mesmo sem ser convidado.* **9.** Contribuir para; colaborar, participar: *Entramos com quinhentos reais para a compra de uma nova máquina.* **10.** Apresentar-se em determinado lugar; chegar, comparecer: *Entro às sete horas da manhã no curso.* **11.** Incorporar, encarnar: *A atriz entrou no personagem rapidamente.* **12.** (Inform.) Introduzir informações em um computador. **13.** *colq. fig.* Beber ou comer demais: *Entrou nos salgadinhos e saiu da dieta.* ‖ *Entrar bem:* sair-se mal: *O bandido roubou e entrou bem: acabou preso.* ▶ Conjug. 5.

entravar (en.tra.*var*) *v.* **1.** Botar entrave em; atravancar, obstruir, travar: *entravar uma adutora.* **2.** *fig.* Impossibilitar a ação; dificultar, embaraçar, impedir: *A burocracia entravou o andamento do processo.* ▶ Conjug. 5.

entrave (en.*tra*.ve) *s.m.* **1.** Ato ou efeito de entravar. **2.** Aquilo que atrapalha; dificuldade, obstáculo, embaraço, impedimento, empecilho: *O preconceito é um grave entrave para o ensino dos deficientes.*

entre (en.tre) *prep.* (*Gram.*) **1.** No meio de; a meio de: *Colocou o sofá entre a estante e a mesa.* **2.** A meio-termo de: *Vivia entre a alegria e a tristeza.* **3.** Cerca de, perto de, por volta de: *Combinou com ele entre quatro e cinco horas.* **4.** Dentro de, no interior de: *Morava entre quatro paredes e não saía.* **5.** Diante de: *Entre tantas roupas, não sabia qual escolher.* **6.** Em meio a: *Ficou confuso entre tanta bagunça.* **7.** Junto de: *Vivia entre amigos.* **8.** Por meio de: *Entre coisas boas e ruins, minha vida mudou.* || *Entre si:* com reciprocidade: *Conversavam entre si sobre todos os problemas que surgiam.*

entreaberto (en.tre:a.*ber*.to) *adj.* Que não se abriu completamente: *janela entreaberta.*

entreabrir (en.tre:a.*brir*) *v.* **1.** Abrir(-se) parcialmente: *Acordou e entreabriu os olhos devagar; Seus lábios se entreabriram.* **2.** Começar a abrir-se em flor; desabrochar-se: *O botão daquela rosa (se) entreabriu.* || part.: *entreaberto.* ▶ Conjug. 66.

entreato (en.tre:*a*.to) *s.m.* **1.** (*Teat.*) Intervalo entre dois atos de um espetáculo teatral; intervalo. **2.** (*Mús., Teat.*) Encenação dramática curta ou pequeno número musical que são apresentados nesse intervalo; interlúdio.

entrecasca (en.tre.*cas*.ca) *s.f.* (*Bot.*) A parte interna da casca de uma árvore: *entrecasca do caule.*

entrecerrar (en.tre.cer.*rar*) *v.* Fechar(-se) parcialmente; entrefechar(-se): *Entrecerrou a porta por causa do barulho; Seus olhos se entrecerraram.* ▶ Conjug. 8.

entrecho (en.*tre*.cho) *s.m.* Enredo.

entrechoque (en.tre.*cho*.que) *s.m.* **1.** Choque físico entre pessoas ou coisas: *entrechoque de armas.* **2.** *fig.* Choque de interesses, de ideias etc.: *entrechoque de culturas.*

entrecortado (en.tre.cor.*ta*.do) *adj.* **1.** Que se entrecortou. **2.** Que é interrompido por intervalos: *leitura entrecortada.*

entrecortar (en.tre.cor.*tar*) *v.* **1.** Cortar em forma de cruz: *entrecortar uma tela.* **2.** *fig.* Interromper por meio de intervalos: *Entrecortou as suas palavras com soluços.* **3.** *fig.* Fazer o cruzamento de; atravessar-se, cruzar-se: *Os episódios da história entrecortaram-se.* ▶ Conjug. 20.

entrecruzar (en.tre.cru.*zar*) *v.* Apresentar ou fazer apresentar pontos de interseção; cruzar (-se): *O cachorro entrecruzou as patas e dormiu; No Brasil, entre os séculos XVI e XVIII, diversas culturas entrecruzaram-se.* ▶ Conjug. 5.

entrefechar (en.tre.fe.*char*) *v.* Entrecerrar(-se). ▶ Conjug. 12.

entreforro [ô] (en.tre.*for*.ro) *s.m.* Entretela (2).

entrega [é] (en.*tre*.ga) *s.f.* **1.** Ato ou efeito de entregar(-se). **2.** Aquilo que é entregue. **3.** Transmissão (de algo) a alguém; transferência, cessão: *entrega das chaves.* **4.** Ato de dedicar-se (a alguém ou a algo) com confiança; consagração: *entrega à verdade.*

entregador [ô] (en.tre.ga.*dor*) *adj.* **1.** Que entrega. • *s.m.* **2.** Pessoa que entrega.

entregar (en.tre.*gar*) *v.* **1.** Levar (algo) às mãos de alguém; dar: *Entregou a encomenda ontem; Sempre entregavam o jornal em domicílio.* **2.** Efetuar a devolução; devolver, restituir: *Entreguei a bicicleta do meu amigo.* **3.** Pôr (alguém, algo ou a si próprio) aos cuidados de; confiar(-se): *O pesquisador entregou os dados da pesquisa ao chefe; O acusado entregou-se (à polícia).* **4.** Denunciar (alguém) em ato de traição; delatar, trair: *Entregaram o bandido (pelo telefone).* **5.** Pôr(-se) a serviço de; dedicar(-se), consagrar(-se): *Aquela mulher entregou sua vida à causa dos miseráveis; Entregou-se às tarefas diárias.* **6.** Deixar-se vencer por; abandonar-se: *Entregou-se à doença e não lutou mais.* || part.: *entregado* e *entregue.* ▶ Conjug. 8 e 34.

entregue [é] (en.*tre*.gue) *adj.* **1.** Que se entregou. **2.** Que foi dado nas mãos de; confiado: *documento entregue.* **3.** Que está voltado para algo em especial; dedicado, devotado: *entregue à pesquisa.* **4.** Que está sem forças; cansado: *entregue ao sono.*

entreguismo (en.tre.*guis*.mo) *s.m.* Ideologia ou prática política que visa entregar ao capital estrangeiro, para exploração, os recursos naturais do país.

entreguista (en.tre.*guis*.ta) *adj.* **1.** Relativo a entreguismo. **2.** Que é entreguista. • *s.m. e f.* **3.** Pessoa entreguista.

entrelaçar (en.tre.la.*çar*) *v.* **1.** Atar, amarrando um no outro; enlaçar, entretecer(-se): *entrelaçar*

entrelinha

fios de lã; Entrelaçou uma fita amarela com uma fita azul e fez um estandarte; Os galhos da árvore entrelaçaram-se. **2.** Pôr as mãos ou os dedos uns entre os outros: *Entrelacei meus dedos atrás da cabeça e dormi; Entrelaçou minhas mãos nas suas; Os dedos dos namorados entrelaçaram-se.* **3.** *fig.* Fazer sofrer ou sofrer combinação; mesclar-se, confundir-se: *Entrelaçou vida e obra de forma indissociável; Entrelaçava fatos reais com ficcionais; Neste texto, entrelaçam-se arte e educação.* ▶ Conjug. 5 e 36. − **entrelaçamento** *s.m.*

entrelinha (en.tre.*li*.nha) *s.f.* **1.** Espaçamento entre duas linhas de um texto. **2.** Aquilo que é escrito neste espaço. • *entrelinhas s.f.pl.* **3.** Aquilo que se mostra implícito em um texto: *Fez um discurso cheio de entrelinhas.*

entremear (en.tre.me:*ar*) *v.* Colocar(-se) entre duas coisas; interpor(-se), intercalar(-se), entremeter(-se), entretecer(-se): *Entremeou linhas coloridas; Entremeei a leitura de um clássico com a de um texto jornalístico; Naquela obra, vê-se que os comentários e a teoria entremeiam-se.* ▶ Conjug. 14.

entremeio (en.tre.*mei*.o) *s.m.* **1.** Aquilo que se encontra entre dois espaços, dois momentos etc.: *Formou-se no entremeio do final da década de 80 e início de 90.* **2.** Renda ou faixa bordada posta entre duas partes lisas; tira: *Colocou um entremeio dourado no vestido.*

entrementes (en.tre.*men*.tes) *adv.* **1.** Nesse meio-tempo; nesse ínterim, nesse entretempo: *Entrementes, ele conquistou o cargo de administrador.* • *conj.* **2.** No entanto, entretanto, todavia: *Íamos ao cinema, entrementes a chuva forte impediu-nos.*

entremeter (en.tre.me.*ter*) *v.* Entremear(-se). ▶ Conjug. 41.

entremostrar (en.tre.mos.*trar*) *v.* Mostrar(-se) parcialmente: *A abertura da porta entremostrava uma tarde ensolarada; Sua conversa entremostrou um desejo de mudar de vida; Uma planta entremostrou-se na rachadura da pedra.* ▶ Conjug. 20.

entrenó (en.tre.*nó*) *s.m.* (*Bot.*) Parte do caule que se localiza entre dois nós.

entreolhar-se (en.tre:o.*lhar*-se) *v.* Olhar-se um ao outro, no mesmo instante: *Os dois amigos se entreolharam com cumplicidade.* ▶ Conjug. 20 e 6.

entreouvir (en.tre:ou.*vir*) *v.* Ouvir (algo) de maneira pouco clara, confusa: *Entreouviu a conversa de seus pais sobre suas notas baixas.* ▶ Conjug. 75.

entreposto [ô] (en.tre.*pos*.to) *s.m.* **1.** Lugar onde são guardadas ou vendidas mercadorias de empresas privadas ou públicas. **2.** Empório (1).

entressafra (en.tres.*sa*.fra) *s.f.* O tempo transcorrido entre duas safras de um mesmo produto.

entressola [ó] (en.tres.*so*.la) *s.f.* Parte do sapato que se encontra entre a palmilha e a sola.

entretanto (en.tre.*tan*.to) *adv.* **1.** Entrementes. • **2.** *conj.* No entanto; mas, porém, senão, contudo, todavia: *Sou paulista; entretanto, vivo no Rio de Janeiro.* || *No entretanto*: neste ínterim: *No entretanto, ele chegava ao cargo de reitor da universidade.*

entretecer (en.tre.te.*cer*) *v.* **1.** Entremear(-se), entrelaçar(-se) (1): *entretecer fios de palha; Em seu projeto, textos e imagens entreteceram-se.* **2.** Incluir uma coisa em outra; introduzir: *Entreteceu novos arranjos em sua música.* **3.** *fig.* Planejar a intriga de (uma obra ficcional); urdir, armar, maquinar, tramar: *Entreteceu uma narrativa interessante.* ▶ Conjug. 41 e 46.

entretela [é] (en.tre.*te*.la) *s.f.* **1.** (*Art.*) Tela usada como revestimento para reforçar uma tela de pintura. **2.** Tela feita de um tecido grosso que é colocada para servir de reforço entre o forro e o tecido de uma roupa; entreforro.

entretenimento (en.tre.te.ni.*men*.to) *s.m.* **1.** Ato ou efeito de entreter(-se); divertir(-se). **2.** Aquilo que distrai, que provoca diversão: *Procura sempre diversas formas de entretenimento, como ir ao teatro ou à praia.*

entreter (en.tre.*ter*) *v.* **1.** Prender a atenção de; distrair: *Entretinha o filho para que ele não chorasse.* **2.** Proporcionar a ou desfrutar de recreação; distrair(-se), alegrar(-se), divertir(-se): *A prática de esportes entretém as pessoas; Entreteve as crianças com seus malabarismos; Foi ao cinema e entreteve-se.* **3.** Tornar-se objeto de entretenimento; ocupar, preencher: *Há muitos jogos que entretêm.* **4.** Deter(-se), reter(-se), atrasar(-se): *Entreteve o amigo para que não fosse embora; Entretiveram-se vendo TV enquanto chovia.* ▶ Conjug. 1.

entretítulo (en.tre.*ti*.tu.lo) *s.m.* (*Comun.*) **1.** Cada um dos títulos que subdividem um texto jornalístico. **2.** Trecho de pequena extensão que aparece entre parênteses dentro do título de uma matéria jornalística.

entrevar (en.tre.*var*) *v.* Ficar ou fazer ficar sem movimento: *O acidente o entrevou; Com a doença, seus músculos entrevaram(-se).* ▶ Conjug. 8.

entrever (en.tre.*ver*) *v.* **1.** Ver parcialmente, de forma confusa; avistar; divisar: *Pela fresta da* *janela entreviu o namorado.* **2.** Ver (alguém) rapidamente; avistar-se, encontrar-se: *Entreviram-se numa esquina movimentada.* **3.** *fig.* Sentir antes de ver; prever, adivinhar, antever, pressentir: *Entreviu os benefícios que o tratamento lhe traria.* || part.: entrevisto. ▶ Conjug. 59.

entrevero [ê] (en.tre.ve.ro) *s.m.* Discussão inflamada; altercação, embate, luta, contenda, briga: *Dias após o entrevero, os amigos voltaram a falar-se.*

entrevista (en.tre.vis.ta) *s.f.* **1.** (*Comun.*) Coleta de opinião realizada por um repórter com o fim de elaborar matéria jornalística; depoimento. **2.** (*Comun.*) Informações colhidas nesta coleta que se transformam em notícias. **3.** Encontro previamente combinado; reunião. || *Entrevista coletiva:* (*Comun.*) tipo de entrevista que é feita simultaneamente por vários jornalistas: *Aquele político dará uma entrevista coletiva para esclarecer o assunto.* • *Entrevista exclusiva:* (*Comun.*) tipo de entrevista que é feita apenas por um repórter e que é divulgada por apenas um veículo de comunicação: *Aquele político deu uma entrevista exclusiva a um jornal da grande imprensa.*

entrevistar (en.tre.vis.tar) *v.* Realizar ou ter entrevista com: *O repórter entrevistou o astronauta; Entrevistei o escritor sobre seu novo romance; Entrevistaram-se com os consultores.* ▶ Conjug. 5.

entrincheirar (en.trin.chei.rar) *v.* **1.** Defender (-se) por meio de uso de trincheiras ou barricadas: *Após entrincheirar a tropa, o comandante retirou-se; Os soldados entrincheiraram-se nas montanhas.* **2.** *fig.* Proteger(-se), preservar (-se), resguardar(-se): *Entrincheirava sua revolta num silêncio pesado; Entrincheirou-se por trás de uma expressão estudada.* ▶ Conjug. 18. – **entrincheiramento** *s.m.*

entristecer (en.tris.te.cer) *v.* **1.** Ficar ou fazer ficar triste; magoar(-se) consternar(-se), penalizar(-se): *A solidão não o entristecia; Entristeceu(-se) sinceramente com o sofrimento do amigo.* **2.** *fig.* Anuviar-se, nublar-se: *Com a chuva, o dia entristeceu(-se).* ▶ Conjug. 41 e 46. – **entristecimento** *s.m.*

entroncado (en.tron.ca.do) *adj.* *fig.* Que é corpulento: *Ele era moreno e entroncado.*

entroncamento (en.tron.ca.men.to) *s.m.* Lugar em que duas ou mais vias férreas ou rodoviárias se encontram: *Aquele entroncamento se situa entre duas estradas conhecidas.*

entroncar (en.tron.car) *v.* Formar um só corpo com; unir-se a, ligar-se: *A partir daquele sinal de trânsito as duas ruas se entroncam; Aquela rua (se) entronca com a avenida depois do posto de gasolina.* ▶ Conjug. 5 e 35.

entronizar (en.tro.ni.zar) *v.* **1.** Subir ou fazer subir ao trono: *entronizar(-se) um príncipe.* **2.** Pôr em altar ou em local de honra: *Entronizou a estátua da santa.* **3.** *fig.* Fazer crescer em conceito, fama etc.; enaltecer, engrandecer, valorizar: *entronizar uma nova moda.* ▶ Conjug. 5. – **entronização** *s.f.*

entropia (en.tro.pi.a) *s.f.* (*Fís.*) Grandeza termodinâmica que mede parte da energia que não pode ser convertida em trabalho.

entrosamento (en.tro.sa.men.to) *s.m.* **1.** Ato ou efeito de entrosar(-se). **2.** Bom relacionamento entre pessoas; entendimento, acordo: *O diretor lamentou a falta de entrosamento entre os colegas do setor.*

entrosar (en.tro.sar) *v.* Pôr(-se) em harmonia com; ambientar(-se), adaptar(-se), encaixar (-se), integrar(-se): *O amistoso serviu para entrosar a equipe; Com o tempo, nos entrosamos bem e fizemos vários trabalhos juntos.* ▶ Conjug. 20.

entrouxar (en.trou.xar) *v.* **1.** Fazer trouxa de: *Entrouxou sua roupa e foi embora.* **2.** (*Cul.*) Colocar recheios em: *Entrouxou o repolho com carne moída.* ▶ Conjug. 22.

entrudo (en.tru.do) *s.m.* Festa popular antiga que antecedeu o carnaval moderno, cujos participantes atiravam água, farinha, ovos etc. uns nos outros.

entubar (en.tu.bar) *v.* **1.** Pôr tubo em: *entubar esgotos.* **2.** (*Med.*) Enfiar tubo em cavidade (de um paciente): *Entubaram o bebê para que respirasse melhor.* **3.** (*Esp.*) Surfar em uma onda que apresenta forma de tubo: *O surfista entubou por alguns segundos.* ▶ Conjug. 5.

entulhar (en.tu.lhar) *v.* *fig.* Encher(-se) demais; entupir(-se), abarrotar(-se), atulhar(-se): *Entulhou a casa de objetos inúteis; Com tanta roupa, minha mala entulhou-se.* ▶ Conjug. 5.

entulho (en.tu.lho) *s.m.* **1.** Ato ou efeito de entulhar(-se). **2.** Resto de material de uma construção ou de uma demolição; escombros: *É grande a quantidade de entulho produzido pela construção civil.* **3.** Aquilo que não serve mais; bagulho: *Encheu a garagem de entulho.* **4.** Qualquer material que sirva para encher, aterrar, nivelar um buraco, um terreno etc.: *Misturou areia e pedra e fez um entulho para aplainar o chão do terreno.*

entupir (en.tu.pir) *v.* **1.** Fazer fechar ou fechar-se; obstruir(-se), vedar(-se), tapar(-se): *A aler-*

enturmar

gia entupiu seu nariz; O resto de comida entupiu o cano da pia; A veia do paciente entupiu; A tubulação do esgoto entupiu-se. **2.** Encher(-se) demais; abarrotar(-se), entulhar(-se), atulhar(-se): *O excesso de carros entope as calçadas; A enfermeira entupiu o paciente de comprimidos; As crianças entupiram-se de atividades.* **3.** *fig.* Encher(-se) de; fartar(-se), empanturrar(-se): *A mãe entupiu o filho (de comida); Durante o dia, entupia-se de cafezinho.* ▶ Conjug. 78. – **entupimento** *s.m.*

enturmar (en.tur.*mar*) *v.* Entrar ou fazer entrar para uma turma, um grupo: juntar(-se). agregar (-se), reunir(-se): *O professor enturmou os novos alunos (com os antigos); Ele começou a trabalhar ontem, mas logo se enturmou.* ▶ Conjug. 5.

entusiasmar (en.tu.si.as.*mar*) *v.* Ficar ou fazer ficar cheio de animação; animar(-se), agitar(-se), alvoroçar(-se), arrebatar(-se), excitar(-se): *Entusiasmou o filho com uma promessa de viagem; Os alunos entusiasmaram-se com o projeto.* ▶ Conjug. 5. – **entusiástico** *adj.*; **entusiasmante** *adj.*; **entusiasta** *adj. s.m. e f.*

entusiasmo (en.tu.si.*as*.mo) *s.m.* **1.** Ato ou efeito de entusiasmar(-se). **2.** Grande contentamento ou animação; júbilo. **3.** Sensação de arrebatamento; paixão, ardor, ímpeto, fervor. **4.** Admiração (por alguém ou por algo); encantamento, enlevo.

enumerar (e.nu.me.*rar*) *v.* **1.** Mostrar um a um; contar: *Enumerou os benefícios daquela dieta.* **2.** Fazer uma lista de; listar, especificar, numerar, relacionar: *Enumerei os produtos de limpeza para comprá-los.* ▶ Conjug. 8.

enunciação (e.nun.ci:a.*ção*) *s.f.* **1.** Ato ou efeito de enunciar(-se). **2.** Ato ou efeito de exprimir(-se) de modo escrito ou oral. **3.** Asserção, tese. **4.** (*Ling.*) Utilização individual de uma língua por um falante.

enunciado (e.nun.ci:*a*.do) *adj.* **1.** Que se enunciou; expresso, exposto: *ideia enunciada.* • *s.m.* **2.** Aquilo que se enunciou. **3.** (*Ling.*) Frase, oração ou texto (oral ou escrito) que produz comunicação entre as pessoas.

enunciar (e.nun.ci:*ar*) *v.* Exprimir de forma oral ou por escrito: *O estudioso enunciou sua teoria (aos ouvintes).* ▶ Conjug. 17.

enurese [é] (e.nu.re.se) *s.f.* (*Med.*) Micção involuntária que acontece de forma natural entre o segundo e o terceiro anos de vida ou, mais tarde, devido a doenças congênitas ou infecções.

envaidecer (en.vai.de.*cer*) *v.* Ficar ou fazer ficar vaidoso, orgulhoso; vangloriar(-se), assoberbar (-se): *A vitória daquele atleta envaideceu o país; A artista envaideceu-se com os elogios.* ▶ Conjug. 41 e 46. – **envaidecedor** *adj.*; **envaidecimento** *s.m.*

envasar (en.va.*sar*) *v.* Envasilhar: *envasar um vinho.* ▶ Conjug. 5.

envasilhar (en.va.si.*lhar*) *v.* Botar em vasilha, garrafa etc.; engarrafar: *envasilhar uma bebida.* ▶ Conjug. 5. – **envasilhamento** *s.m.*

envelhecer (en.ve.lhe.*cer*) *v.* **1.** Ficar ou fazer ficar velho ou mais velho: *O passar dos anos o enveleceu; À medida que o tempo passava, envelhecia.* **2.** Ficar ou fazer ficar com aspecto de velho ou mais velho: *Aquele corte de cabelo a envelheceu; Com o uso, o asfalto envelheceu.* ▶ Conjug. 41 e 46. – **envelhecimento** *s.m.*

envelopar (en.ve.lo.*par*) *v.* Botar em envelope: *envelopar um material; envelopar uma carta.* ▶ Conjug. 20. – **envelopamento** *s.m.*

envelope [ó] (en.ve.*lo*.pe) *s.m.* Invólucro de papel utilizado para guardar um material ou para enviar cartas; sobrecarta, sobrescrito.

envenenar (en.ve.ne.*nar*) *v.* **1.** Botar veneno em: *Envenenei o pão para dá-lo aos ratos.* **2.** Tomar ou fazer tomar veneno: *Lucrécia Bórgia, personagem histórica, envenenou seus maridos; Ingeriu um produto tóxico e envenenou-se.* **3.** Contaminar com veneno; poluir: *Poluentes envenenam rios e mares.* **4.** Impregnar(-se) com veneno; intoxicar(-se): *Pesticidas envenenaram várias pessoas; Com o uso excessivo de agroquímicos, a plantação envenenou-se.* **5.** *fig.* Fazer corromper ou corromper-se; estragar(-se): *A falta de oportunidades envenenou sua vida; Com o crescimento da violência, o país se envenena cada vez mais.* **6.** (*Mec.*) Modificar a parte mecânica de um veículo para que seu motor obtenha um melhor desempenho: *envenenar o motor de um carro.* ▶ Conjug. 5. – **envenenamento** *s.m.*

enveredar (en.ve.re.*dar*) *v.* **1.** Tomar uma vereda, um caminho estreito; seguir, dirigir-se, encaminhar-se, ir: *enveredar por uma estrada.* **2.** *fig.* Adotar um caminho (ideológico, moral, intelectual, profissional etc.); encaminhar-se, guiar-se, orientar-se: *Estudava violão popular, mas enveredei pelo clássico.* ▶ Conjug. 8.

envergadura (en.ver.ga.*du*.ra) *s.f.* **1.** Ato ou efeito de envergar(-se)[1]. **2.** Espaço existente entre as pontas de duas asas abertas de pássaros e de morcegos. **3.** Espaço existente entre as pontas de duas asas abertas de um avião. **4.** *fig.* Importância; magnitude, peso, valor, grandeza: *Apresentou um projeto de grande envergadura.* **5.** *fig.*

enxadrismo

Capacidade, habilidade, competência, aptidão, talento: *envergadura moral*.

envergar¹ (en.ver.*gar*) *v*. Usar como vestuário; trajar, portar, usar, vestir: *O diplomata envergava ternos de linho de alta qualidade*. ▶ Conjug. 8 e 34.

envergar² (en.ver.*gar*) *v*. Ficar ou fazer ficar curvo; arquear-se, curvar(-se), dobrar(-se): *envergar um arco*; *As grades envergaram e caíram*; *Carregou tanto peso que sua coluna envergou (-se)*. ▶ Conjug. 8 e 34.

envergonhar (en.ver.go.*nhar*) *v*. **1.** Sentir ou fazer sentir vergonha; encabular(-se), vexar(-se): *O desempenho dos jogadores envergonhou o técnico*; *Os índios não se envergonham da nudez*. **2.** Comprometer a reputação de; macular, manchar, desonrar, aviltar: *A prática da ditadura envergonhou a nação*. ▶ Conjug. 5.

envernizar (en.ver.ni.*zar*) *v*. **1.** Pôr verniz em: *O carpinteiro envernizou a porta*. **2.** Dar brilho a; lustrar, polir: *envernizar um par de sapatos*. ▶ Conjug. 5.

enviado (en.vi.*a*.do) *adj*. **1.** Que se enviou. • *s.m.* **2.** Pessoa que leva ou traz encomendas; portador, mensageiro, emissário. **3.** Pessoa que representa um país em uma missão diplomática; representante.

enviar (en.vi.*ar*) *v*. **1.** Fazer expedir; despachar, endereçar, remeter: *Enviei uma carta*; *Sempre enviava algum dinheiro à mãe*. **2.** Mandar (alguém ou algo) para; encaminhar, conduzir: *O rapaz enviou um recado ao irmão*. **3.** Mandar (alguém) em missão: *O governo enviou um representante à zona de conflito*. **4.** Atirar em direção a; desfechar, arremessar, lançar: *enviar um olhar de desprezo*. ▶ Conjug. 17.

envidar (en.vi.*dar*) *v*. Empenhar-se com afinco; aplicar(-se), utilizar, usar: *A empresa envidou esforços para atingir sua meta de produção*. ▶ Conjug. 5.

envidraçado (en.vi.dra.*ça*.do) *adj*. Que possui vidraças: *janela envidraçada*.

envidraçar (en.vi.dra.*çar*) *v*. Pôr vidro(s) ou vidraça em: *envidraçar uma varanda*. ▶ Conjug. 5 e 36.

enviesar (en.vi:e.*sar*) *v*. **1.** Colocar, dobrar ou cortar de viés, de forma diagonal: *enviesar uma saia*. **2.** Tornar-se vesgo; entortar (os olhos): *enviesar o olhar*. ▶ Conjug. 8.

envilecer (en.vi.le.*cer*) *v*. Transformar(-se) em vil; aviltar(-se), desprestigiar(-se), desonrar(-se), humilhar(-se): *A covardia envilece o homem*; *Alguns políticos perderam a dignidade e envileceram(-se)*. ▶ Conjug. 41 e 46.

envio (en.*vi*:o) *s.m.* **1.** Ato ou efeito de enviar. **2.** Remessa, expedição, despacho: *envio de processos*.

enviuvar (en.vi:u.*var*) *v*. Ficar ou fazer ficar viúvo: *Aquela tragédia enviuvou duas mulheres*; *Ela enviuvou muito jovem*. ▶ Conjug. 26.

envolto [ô] (en.*vol*.to) *adj*. **1.** Que se envolveu. **2.** Que está coberto, abrigado, tapado, embrulhado, enrolado: *bebê envolto por um cobertor*. **3.** Que está rodeado, circundado, cercado: *Caso envolto em mistério*.

envoltório (en.vol.*tó*.ri:o) *s.m.* Invólucro, embalagem (2).

envolvente (en.vol.*ven*.te) *adj*. **1.** Que envolve. **2.** Que cativa, seduz, atrai, encanta, prende: *ritmo envolvente*.

envolver (en.vol.*ver*) *v*. **1.** Pôr (algo) em volta de; cobrir(-se), enrolar(-se), cingir(-se), embrulhar(-se): *Envolveram-no com um cobertor*; *O enfermeiro envolveu a mão do paciente com uma atadura*; *A moça envolveu-se num xale preto e saiu*; (fig.) *A luz o envolveu docemente*; *A escuridão envolvia a casa do administrador*. **2.** Incluir ou fazer incluir; abranger, conter, abarcar, encerrar, compreender: *Aquele projeto envolve pesquisa em várias áreas do saber*. **3.** Ter como consequência; implicar, acarretar, resultar, importar, ocasionar: *O acidente envolveu despesas médicas e hospitalares*. **4.** Causar deslumbramento; atrair, cativar, fascinar, seduzir: *O sorriso enigmático da Mona Lisa envolve seus admiradores*. **5.** Relacionar-se amorosamente e/ou sexualmente: *O funcionário envolveu-se com a colega de trabalho*. **6.** Ocupar inteiramente; penetrar; invadir, dominar: *O silêncio envolvia o ambiente*. **7.** Expor(-se) a; implicar(-se), enredar(-se): *O escândalo envolveu políticos e assessores*; *Envolveu seus filhos em negócios ilegais*; *Aquele homem sempre se envolve em confusões*. **8.** Tomar parte em; intrometer-se, imiscuir-se, meter-se: *O empresário envolveu-se num negócio arriscado*. ‖ part.: *envolto* e *envolvido*. ▶ Conjug. 42. – **envolvimento** *s.m.*

enxada [ch] (en.*xa*.da) *s.f.* Ferramenta composta por uma placa de metal acoplada a um cabo, usada para capinar, revolver a terra, misturar concreto etc.

enxadrezado [ch] (en.xa.dre.*za*.do) *adj*. Que é composto por quadrados alternados, como num tabuleiro de xadrez: *saia enxadrezada*. – **enxadrezar** *v*. ▶ Conjug. 8.

enxadrismo [ch] (en.xa.*dris*.mo) *s.m.* Arte, técnica ou prática do jogo de xadrez.

enxadrista

enxadrista [ch] (en.xa.*dris*.ta) *adj.* **1.** Relativo a jogo de xadrez: *jovem enxadrista*. • *s.m.* e *f.* **2.** Pessoa que joga ou estuda o jogo de xadrez; xadrezista.

enxadrístico [ch] (en.xa.*drís*.ti.co) *adj.* Relativo a enxadrismo: *torneio enxadrístico*.

enxaguar [ch] (en.xa.*guar*) *v.* Retirar o sabão (de alguém, de si mesmo ou de algo) com água; lavar: *Enxaguei a roupa hoje de manhã.* ► Conjug. 29.

enxágue [ch] (en.*xá*.gue) *s.m.* Ato ou efeito de enxaguar.

enxame [ch] (en.*xa*.me) *s.m.* **1.** Grupo de abelhas que compõem uma colmeia. **2.** Grupo de diferentes insetos: *enxame de moscas*. **3.** *fig.* Grande número de pessoas, animais ou coisas; multidão, monte: *enxame de camelôs*. – **enxamear** *v.* ► Conjug. 14.

enxaqueca [ch...ê] (en.xa.*que*.ca) *s.f.* (*Med.*) Dor intensa na cabeça que pode ser precedida de outros sintomas como indisposição, vômito, alterações no campo visual, entre outros.

enxárcia [ch] (en.*xár*.ci:a) *s.f.* (*Náut.*) Conjunto de cabos e degraus feitos de corda, madeira ou ferro que firmam o mastro de uma embarcação a vela.

enxerga [ch...ê] (en.*xer*.ga) *s.f.* **1.** Colchão tosco, rústico, geralmente de palha. **2.** Cama tosca, rústica; catre.

enxergão [ch] (en.xer.*gão*) *s.m.* **1.** Tipo de colchão tosco, maior que a enxerga, de palha, usado para dormir ou para forrar a cama, embaixo de outro colchão. **2.** Estrado de arame usado em camas.

enxergar [ch] (en.xer.*gar*) *v.* **1.** Perceber pela visão; distinguir pelo uso dos olhos; ver: *Enxerguei uma mancha na roupa de meu filho*; *Após a operação, voltou a enxergar*. **2.** Alcançar (com a visão) o que está distante, descortinar, avistar, ver: *Do térreo enxergou a janela da namorada e a chamou*. **3.** *fig.* Atentar para; perceber, concluir; deduzir; inferir, observar, notar: *O empresário enxergou uma oportunidade para expandir seus negócios*. **4.** *fig.* Considerar, julgar, ver: *O juiz não enxergou o fato suficiente para a prisão do acusado*; *Muitos perderam a capacidade de se enxergar*. || *Enxergar longe*: *coloq. fig.* ter perspicácia; mostrar-se esperto: *Aquele publicitário enxergava longe*. • *Não se enxergar*: *coloq.* não saber o seu devido lugar: *Tem gente que não se enxerga!* ► Conjug. 8 e 34.

enxerido [ch] (en.xe.*ri*.do) *adj.* **1.** Que se intromete; intrometido, atrevido, abelhudo: *vizinha enxerida*. • *s.m.* **2.** Pessoa enxerida. – **enxerimento** *s.m.*

enxertar [ch] (en.xer.*tar*) *v.* **1.** Fazer enxerto (em): *enxertar uma muda*; *enxertar um tipo de rosa em outra*. **2.** (*Med.*) Implantar um tecido ou órgão retirados de uma mesma pessoa ou de outra pessoa em alguma parte do corpo; fazer um transplante (em): *enxertar células*; *enxertar uma medula óssea em uma pessoa*. **3.** *fig.* Introduzir(-se), inserir(-se), acrescentar (-se): *enxertar parágrafos num texto*; *A cultura italiana enxertou-se na cultura paulista no início do século XX*. ► Conjug. 8.

enxertia [ch] (en.xer.*ti*.a) *s.f.* Ato ou efeito de enxertar; enxerto: *enxertia de uma planta*; *enxertia óssea*.

enxerto [ch...ê] (en.xer.to) *s.m.* **1.** Ato ou efeito de enxertar. **2.** Técnica agrícola que associa uma planta a outra, gerando uma terceira, híbrida, que apresenta características de ambas; enxertia. **3.** A planta enxertada. **4.** (*Med.*) Implante de um tecido ou órgão retirados de uma mesma pessoa ou de outra pessoa em alguma parte do corpo, efetuado por meio de processo cirúrgico.

enxó [ch] (en.*xó*) *s.f.* Ferramenta composta de uma chapa de aço cortante acoplada a um cabo de forma curvada, usado por carpinteiros e tanoeiros para afinar uma madeira grossa.

enxofre [ch...ô] (en.xo.fre) *s.m.* (*Quím.*) Elemento químico não metálico, sólido, que ocorre na natureza em grandes depósitos subterrâneos, e pode ser utilizado na fabricação de pólvora e outros produtos. || Símbolo: S.

enxotar [ch] (en.xo.*tar*) *v.* Pôr para fora; retirar, expulsar, afugentar: *enxotar o demônio*; *Meu irmão enxotou o gato da cozinha*. ► Conjug. 20.

enxoval [ch] (en.xo.*val*) *s.m.* Conjunto de roupas ou de utensílios reunido para um determinado fim, como casamento, nascimento, inauguração de uma casa nova etc.

enxovalhar [ch] (en.xo.va.*lhar*) *v.* **1.** Tornar(-se) sujo; sujar(-se), manchar(-se), enodoar(-se), emporcalhar(-se) (1): *Entrou com os sapatos molhados e enxovalhou o tapete*; *Com a chuva, a roupa pendurada enxovalhou-se*. **2.** *fig.* Manchar ou fazer manchar (a reputação, o nome etc.); macular(-se), desonrar(-se), deslustrar (-se): *As notícias de corrupção enxovalharam a classe política*; *Com suas atitudes discutíveis, sua imagem enxovalhou-se*. **3.** *fig.* Dirigir insultos a; insultar, ofender, afrontar, desacatar, destratar: *Enxovalhou a mulher gritando-lhe*

desaforos. 4. Ficar ou fazer ficar amassado; amassar(-se), amarrotar(-se), amarfanhar(-se): *enxovalhar(-se) uma roupa.* ▶ Conjug. 5.

enxovia [ch] (en.xo.vi.a) *s.f.* Parte localizada no térreo ou no subterrâneo de antigas prisões, em que eram colocados os presos mais perigosos; masmorra, calabouço, cárcere.

enxugar [ch] (en.xu.gar) *v.* **1.** Deixar seco ou secar-se; tirar ou fazer tirar a umidade: *Após o banho, enxugava os pés cuidadosamente; Aplique o produto e depois enxugue com pano seco; Suava tanto que teve que se enxugar.* **2.** Pôr fim a (lágrimas); estancar, cessar, interromper: *Enxuguei minhas lágrimas para que ninguém me visse chorando.* **3.** *fig.* Pôr fim ou reduzir o excesso de: *A reforma administrativa enxugou o quadro de funcionários.* || *Enxugar o mercado*: (*Econ.*) Diminuir a circulação de moeda com a venda de títulos: *Os responsáveis pela política econômica resolveram enxugar o mercado.* || part.: *enxugado* e *enxuto.* ▶ Conjug. 5 e 34. – **enxugadouro** *s.m.*; **enxugamento** *s.m.*

enxúndia [ch] (en.xún.di.a) *s.f.* Gordura animal, especialmente de porco e de galinha; banha.

enxurrada [ch] (en.xur.ra.da) *s.f.* **1.** Corrente abundante de água formada por chuvas fortes; enchente, jorro. **2.** *fig.* Grande número de; porção, monte, abundância: *Disse uma enxurrada de desaforos ao vizinho.*

enxuto [ch] (en.xu.to) *adj.* **1.** Que se enxugou. **2.** Que não se encontra molhado; que está seco: *roupa enxuta.* **3.** *coloq.* Que não aparenta a idade que tem; que mostra boa aparência; que tem corpo elegante: *homem enxuto.* **4.** *fig.* Que não apresenta excessos: *texto enxuto.*

enzima (en.zi.ma) *s.f.* (*Biol.*, *Quím.*) Proteína que atua no metabolismo da célula como um catalisador, provocando o aumento da velocidade de reações químicas no mesmo. – **enzimático** *adj.*

eoceno (e:o.ce.no) *adj.* **1.** (*Geol.*) Diz-se do segundo período da Época Terciária, compreendido entre o Paleoceno e o Mioceno, tendo começado há mais ou menos 55 milhões de anos antes da atualidade e tendo durado 30 milhões de anos, que se caracterizou pela expansão de plantas angiospermas e pelo predomínio de mamíferos na África e nas Américas. • *s.m.* **2.** (*Geol.*) Época eocena.

eólico (e:ó.li.co) *adj.* **1.** Relativo a vento: *erosão eólica.* **2.** Que vibra ou se move pela ação do vento: *harpa eólica.*

eolítico (e:o.lí.ti.co) *adj.* **1.** (*Geol.*) Diz-se do período mais antigo do Paleolítico, momento da pré-história que o homem se utilizava da pedra lascada. • *s.m.* **2.** (*Geol.*) Época eolítica.

epicarpo (e.pi.car.po) *s.m.* (*Bot.*) Parte externa do pericarpo dos frutos; casca.

epiceno (e.pi.ce.no) *s.m.* **1.** (*Gram.*) Substantivo designativo de nomes de animais que, apresentando um só gênero gramatical, se aplicam indiferentemente a ambos os sexos, cuja distinção é feita com o auxílio dos vocábulos macho ou fêmea: *cobra macho*; *jacaré fêmea.* • *adj.* **2.** (*Gram.*) Diz-se desses substantivos.

epicentro (e.pi.cen.tro) *s.m.* (*Geol.*) Primeiro ponto da superfície terrestre atingido por um terremoto.

épico (é.pi.co) *adj.* **1.** (*Lit.*) Relativo a epopeia; epopeico. **2.** Que narra em verso os feitos de um herói, histórico ou lendário, ou de uma coletividade; epopeico: *teatro épico.* • *s.m.* **3.** (*Lit.*) Poeta autor de epopeia.

epicurismo (e.pi.cu.ris.mo) *s.m.* **1.** (*Fil.*) Doutrina do filósofo grego Epicuro (341-270 a.C.) e de seus discípulos, que propunha uma filosofia prática, de cunho moral, que se adaptasse à cultura de sua época, caracterizada pela busca do bem por meio de prazeres comedidos e espirituais. **2.** *fig.* Vida voluptuosa, desregrada, luxuriante. – **epicurista** *adj. s.m.* e *f.*

epidemia (e.pi.de.mi.a) *s.f.* **1.** (*Med.*) Incidência de doença ou de outro mal que se propaga com rapidez, afetando temporária e simultaneamente um grande número de pessoas de uma mesma população: *epidemia de Aids.* **2.** *fig.* Propagação rápida de um comportamento ou de um costume: *O uso de telefones celulares é uma epidemia mundial.* || Conferir com *endemia.* – **epidêmico** *adj.*

epidemiologia (e.pi.de.mi:o.lo.gi.a) *s.m.* (*Med.*) Estudo da incidência, distribuição, disseminação e controle de doenças que afetam uma população. – **epidemiologista** *adj. s.m.* e *f.*

epiderme [é] (e.pi.der.me) *s.f.* **1.** (*Anat.*) Camada externa da pele que recobre a superfície do corpo. **2.** (*Zool.*) Camada celular do corpo dos animais invertebrados; hipoderme. **3.** (*Bot.*) Camada de células que recobre as plantas quando são ainda novas e as protege contra a perda de água. – **epidérmico** *adj.*

epifania (e.pi.fa.ni.a) *s.f.* **1.** (*Rel.*) Festa cristã que comemora a adoração dos Reis Magos. **2.** (*Rel.*) Manifestação que revela Deus ou outra divindade.

epífise

epífise (e.pí.fi.se) *s.f.* **1.** (*Anat.*) Parte dilatada de um osso que se ossifica separadamente e depois se consolida com a parte principal desse mesmo osso. **2.** (*Med.*) Glândula endócrina que se situa no cérebro e que segrega hormônios e enzimas.

epigástrio (e.pi.gás.tri:o) *s.m.* (*Anat.*) Parte mediana superior da parede do abdômen. – **epigástrico** *adj.*

epiglote [ó] (e.pi.glo.te) *s.f.* (*Anat.*) Pequena cartilagem que se localiza na laringe, em forma de folha, que fecha durante a deglutição, impedindo a entrada de sólidos ou líquidos na traqueia ou nos brônquios.

epígono (e.pí.go.no) *adj.* **1.** Que segue ou imita as ideias de um grande mestre nas artes ou nas ciências. **2.** Que continua a produção de um movimento artístico ou científico. • *s.m.* **3.** Discípulo, seguidor ou imitador das ideias de um grande mestre nas artes ou nas ciências. **4.** Pessoa que continua a produção de um movimento artístico ou científico.

epígrafe (e.pí.gra.fe) *s.f.* **1.** Fragmento de um texto pequeno usado como citação no princípio de um livro, de capítulo, de um discurso, de um poema etc.; mote (2). **2.** (*Jur.*) Pequeno texto que aparece no começo de uma lei, com o fim de esclarecer a que esta se destina e sua data. **3.** Inscrição (3).

epigrama (e.pi.gra.ma) *s.m.* **1.** (*Lit.*) Breve composição em verso de caráter satírico; sátira. **2.** Frase espirituosa, picante, maliciosa, dita com o objetivo de zombar de alguém ou de alguma coisa.

epilepsia (e.pi.lep.si.a) *s.f.* (*Med.*) Transtorno nervoso crônico que provoca crises que se manifestam por meio de ausência de consciência, convulsões, perdas sensoriais ou psíquicas, problemas motores e perturbações do sistema nervoso.

epiléptico (e.pi.lép.ti.co) *adj.* **1.** Relativo a epilepsia: *ataque epiléptico*. **2.** Que sofre de epilepsia: *paciente epiléptico*. • *s.m.* **3.** Pessoa epiléptica. ‖ *epilético.*

epilético (e.pi.lé.ti.co) *adj. s.m.* Epiléptico.

epílogo (e.pí.lo.go) *s.m.* **1.** (*Lit.*) Final de uma obra literária que traz um resumo da trama; desfecho, fecho, final. **2.** (*Teat.*) Quadro final em que é exposta a intenção do autor ou que traz o desfecho de uma peça de teatro.

episcopado (e.pis.co.pa.do) *s.m.* (*Rel.*) **1.** Cargo ou dignidade de bispo. **2.** Período em que um bispo exerce sua função. **3.** Região que abrange várias paróquias que estão a cargo de um bispo; bispado, diocese. **4.** A corporação de bispos.

episcopal (e.pis.co.pal) *adj.* **1.** Relativo a bispo. **2.** Relativo a Igreja anglicana e suas ramificações. • *s.m.* **3.** (*Rel.*) Membro da Igreja episcopal.

episódio (e.pi.só.di:o) *s.m.* **1.** Aquilo que acontece devido a causas naturais ou não; fato, incidente, evento, ocorrência, acontecimento: *A morte de Ayrton Senna foi um episódio triste da nossa história.* **2.** (*Rádio, Telv.*) Parte de uma obra que se exibe em série: *Amanhã passará o segundo episódio daquele seriado.* **3.** (*Lit.*) Cada uma das ações que aparecem em uma obra literária e que possuem uma certa independência em relação ao todo: *A história de Inês é um episódio tocante da obra de Camões.* – **episódico** *adj.*

epistemologia (e.pis.te.mo.lo.gi.a) *s.f.* (*Fil.*) Estudo crítico de como se produz o conhecimento da realidade e da cientificidade desse conhecimento; teoria do conhecimento. – **epistemológico** *adj.*

epístola (e.pís.to.la) *s.f.* **1.** (*Rel.*) Cada uma das cartas ou lições escritas pelos apóstolos às primeiras comunidades cristãs contidas no Novo Testamento. **2.** (*Rel.*) Parte da missa em que se lê pequeno trecho de uma epístola (1). **3.** Carta, correspondência. **4.** (*Lit.*) Texto em verso ou prosa escrito em forma de carta. – **epistolar** *adj.*

epitáfio (e.pi.tá.fi:o) *s.m.* **1.** Palavra ou frase que são inscritas em túmulos. **2.** Discurso breve de enaltecimento a uma pessoa morta.

epitalâmio (e.pi.ta.lâ.mi:o) *s.m.* (*Lit., Mús.*) Canto ou poema compostos para um casamento.

epitélio (e.pi.té.li:o) *s.m.* (*Med.*) Tecido celular composto por camadas fortemente unidas entre si que recobrem a superfície externa ou as cavidades do corpo. – **epitelial** *adj.*

epíteto (e.pí.te.to) *s.m.* **1.** Palavra, expressão ou frase que se juntam a um nome ou a um pronome para qualificá-lo: *O pai da aviação é um epíteto que se refere a Santos Dumont, o inventor do avião.* **2.** Vocábulo usado para qualificar alguém positiva ou negativamente; alcunha, apelido, cognome.

epítome (e.pí.to.me) *s.m.* **1.** Resumo de um livro de qualquer área de conhecimento, usado com fins didáticos. **2.** Resumo de uma teoria, de uma doutrina etc.

epizootia (e.pi.zo.o.ti.a) s.f. (Vet.) Incidência de uma infecção ou doença entre animais de uma determinada espécie, que ocorre em um certo período de tempo ou território: *epizootia de raiva*.

épsilo (ép.si.lo) s.m. Épsilon.

épsilon (ép.si.lon) s.m. Quinta letra do alfabeto grego. || *épsilo*.

época (é.po.ca) s.f. **1.** Período de tempo específico: *Na época de meus bisavós, as mulheres não usavam calça comprida*. **2.** Momento marcado por acontecimentos históricos, culturais ou sociais importantes: *Na época da escravidão, os negros eram maltratados*. **3.** Período em que acontecem determinados fenômenos ou eventos; estação: *época da colheita*. **4.** (Geol.) Unidade que marca a divisão dos períodos geológicos: *época glacial*. || *Fazer época*: deixar lembrança duradoura; destacar-se: *Aquele ator fez época no teatro de revista*.

epopeia [éi] (e.po.pei.a) s.f. (Lit.) Poema longo que traz a narração de ações grandiosas de um herói histórico ou lendário, ou de uma coletividade: *A epopeia Os lusíadas, escrita por Luís de Camões, narra os feitos de Vasco da Gama*.

epopeico [éi] (e.po.pei.co) adj. Épico (1 e 2).

epóxi [cs] (e.pó.xi) s.m. (Quím.) Composto formado pela ligação de um átomo de oxigênio e dois átomos de carbono, com uso industrial para a produção de adesivos, revestimentos, isolantes térmicos, resinas etc.

equação (e.qua.ção) s.f. (Mat.) **1.** Expressão matemática que se iguala a outra por meio de uso de incógnitas, as quais se procura determinar: *equação de 2ª grau*. **2.** *fig*. Conjunto de pontos complexos de uma questão que são levantados com o fim de aclará-la: *Meus problemas são uma equação sem fim*.

equacionar (e.qua.ci.o.nar) v. Pôr em equação; levantar os pontos complexos de uma questão com o objetivo de solucioná-la: *O governo equacionou as questões sociais relativas ao desemprego*. ▶ Conjug. 5. – **equacionamento** s.m.

equador [ô] (e.qua.dor) s.m. (Geol.) Linha imaginária que forma um círculo em torno do globo terrestre, dividindo-o em duas partes de igual distância, chamadas setentrional e meridional; linha equinocial. – **equatorial** adj.

equalização (e.qua.li.za.ção) s.f. **1.** Ato ou efeito de equalizar (1); uniformização, nivelamento. **2.** (Eletrôn.) Correção das distorções de sinais de gravação e de reprodução, compensando as deformações na intensidade das frequências, para que o som reproduzido se assemelhe ao original.

equalizador [ô] (e.qua.li.za.dor) adj. **1.** Que equaliza (1). • s.m. **2.** (Eletrôn.) Circuito eletrônico destinado ao processo de equalização.

equalizar (e.qua.li.zar) v. **1.** Fazer com que (algo) fique uniforme; igualar, nivelar, uniformizar: *O produtor equalizou o preço da soja*. **2.** (Eletrôn.) Fazer a equalização de: *Aquela aparelhagem servia para mixar e equalizar sons*. ▶ Conjug. 5.

equânime (e.quâ.ni.me) adj. Que apresenta integridade; reto, justo, imparcial: *condenação equânime*.

equatoriano (e.qua.to.ri.a.no) adj. **1.** Do Equador, país da América do Sul. • s.m. **2.** O natural ou o habitante desse país.

equestre [qüé] (e.ques.tre) adj. Relativo a cavalo, cavaleiro, cavalaria ou equitação: *turismo equestre*.

equiângulo [qüi] (e.qui.ân.gu.lo) adj. (Geom.) Que apresenta ângulos internos iguais: *retângulo equiângulo*.

equidade [qui ou qüi] (e.qui.da.de) s.f. **1.** Senso de justiça, com reconhecimento de igualdade de direitos. **2.** Igualdade, imparcialidade, retidão. || *equidade*.

equídeo [qüí] (e.quí.de:o) adj. **1.** Relativo a cavalo: *rebanho equídeo*. • s.m. **2.** (Zool.) Animal que pertence à família dos equídeos. • s.m. pl. **3.** (Zool.) Família de mamíferos à qual pertencem o cavalo, a zebra e os jumentos, animais que se caracterizam por possuir cascos e apenas o terceiro dedo desenvolvido.

equidistante [qüi] (e.qui.dis.tan.te) adj. Diz-se de pessoas ou coisas que se encontram a igual distância: *linhas equidistantes*. – **equidistância** s.f.

equilátero [qui ou qüi] (e.qui.lá.te.ro) adj. (Geom.) Que apresenta lados iguais: *triângulo equilátero*.

equilibrar (e.qui.li.brar) v. **1.** Ficar ou fazer ficar em equilíbrio: *Equilibrou as cartas uma sobre as outras e fez um castelo*; *A bailarina se equilibrava sobre o arame e não caía*. **2.** *fig*. Contrapesar, contrabalançar, compensar: *Fez mudanças para equilibrar o orçamento*; *Tenta equilibrar trabalho com lazer*. **3.** *fig*. Ficar ou fazer ficar em harmonia; harmonizar(-se), estabilizar(-se): *Aos poucos, equilibrou sua vida pessoal*; *Com os exercícios, seu corpo e sua mente equilibraram-se*. ▶ Conjug. 5.

equilíbrio (e.qui.*lí*.bri:o) *s.m.* **1.** Condição de um corpo que se encontra numa posição estável sobre um apoio, sem cair: *Perdeu o equilíbrio na escada e se machucou.* **2.** *fig.* Igualdade entre forças diferentes ou opostas: *Busco o equilíbrio entre o consumo de alimentos saudáveis e os doces.* **3.** *fig.* Condição de constância; estabilidade: *O governo pretende manter o equilíbrio fiscal.* **4.** *fig.* Firmeza mental e emocional; autocontrole, autodomínio, estabilidade: *Os orientais acreditam que se pode alcançar o equilíbrio por meio da meditação.*

equilibrista (e.qui.li.*bris*.ta) *adj.* **1.** Que se equilibra. • *s.m. e f.* **2.** Pessoa hábil em exercícios e jogos de equilíbrio. – **equilibrismo** *s.m.*

equimose [ó] (e.qui.*mo*.se) *s.f.* (*Med.*) Mancha formada na pele, mais ou menos escura, resultante de derramamento de sangue que se localiza embaixo da pele, em consequência de traumatismos ou de excesso de plaquetas; pisadura.

equino [qüi] (e.*qui*.no) *adj.* (*Zool.*) **1.** Relativo a equídeos, principalmente a cavalo: *gado equino.* • *s.m.* **2.** Espécime dos equídeos.

equinócio (e.qui.*nó*.ci:o) *s.m.* (*Astron.*) Dia do ano em que o Sol corta o equador celeste, fazendo com que a duração do dia seja igual à da noite em toda a Terra.

equinodermo [é] (e.qui.no.*der*.mo) *adj.* (*Zool.*) **1.** Relativo a equinodermo. • *s.m.* **2.** Espécime dos equinodermos. • *s.m.pl.* **3.** Família de animais marinhos invertebrados, cobertos por espinhos, como o ouriço, a estrela-do-mar etc.

equipagem (e.qui.*pa*.gem) *s.f.* Pessoal de bordo de navio ou de avião; tripulação.

equipamento (e.qui.pa.*men*.to) *s.m.* **1.** Ato ou efeito de equipar(-se). **2.** Conjunto de ferramentas, aparelhos etc. necessários para o desempenho de uma atividade qualquer: *equipamento de mergulho.*

equipar (e.qui.*par*) *v.* Abastecer(-se) com o necessário; aparelhar(-se), preparar(-se), munir (-se): *Equipou sua academia com diversos aparelhos para a prática de musculação; O hospital pediu verbas para equipar-se.* ▶ Conjug. 5.

equiparar (e.qui.pa.*rar*) *v.* **1.** Atribuir a ou adquirir igual valor, força, peso etc.; nivelar (-se), igualar(-se): *equiparar os custos; O jurado equiparou a conduta do réu com a de um criminoso; O desempenho do aluno e do irmão equipararam-se.* **2.** Conceder paridade a: *equiparar direitos; O decreto equiparou os salários dos professores municipais aos dos professores estaduais.* ▶ Conjug. 5.

equipe (e.*qui*.pe) *s.f.* **1.** Grupo de pessoas organizado para efetuar um trabalho ou uma determinada atividade; quadro: *equipe de reportagem.* **2.** (*Esp.*) Grupo de pessoas que participam em conjunto de uma competição esportiva; time: *equipe de vôlei.* || *Espírito de equipe:* espírito de solidariedade que anima os membros de um grupo.

equitação (e.qui.ta.*ção*) *s.f.* Técnica ou prática de andar a cavalo.

equitativo [qui ou qüi] (equi.ta.*ti*.vo) *adj.* Que apresenta equidade; justo, imparcial.

equivalente (e.qui.va.*len*.te) *adj.* **1.** Que apresenta o mesmo valor, força, peso etc. • *s.m.* **2.** Aquilo que equivale a: *Recebeu de indenização o equivalente a um salário mínimo.* – **equivalência** *s.f.*

equivaler (e.qui.va.*ler*) *v.* Ser comparado (a algo) e considerado idêntico em valor, força, peso etc.; igualar-se, nivelar-se: *Acredita-se que o carboidrato da cerveja não equivale a um pão; Ambos se equivalem quanto à bondade e à generosidade.* ▶ Conjug. 50.

equivocar-se (e.qui.vo.*car*-se) *v.* Acreditar em algo que não é verdadeiro; confundir-se, enganar-se: *O comerciante equivocou-se nas contas e cobrou a mais.* ▶ Conjug. 20, 6 e 35.

equívoco (e.*quí*.vo.co) *adj.* **1.** Que se presta à interpretação; que apresenta mais de um sentido; ambíguo, duvidoso: *postura equívoca.* • *s.m.* **2.** Efeito de equivocar-se; erro, engano, mal-entendido: *Cometeu um equívoco, acusando-o.*

era [é] (e.ra) *s.f.* **1.** Período de tempo contado a partir de acontecimentos históricos, culturais ou sociais importantes. **2.** Qualquer período de tempo; época: *Anuncia-se o fim de uma era.* **3.** (*Geol.*) Divisão de tempo geológico que compreende um ou mais períodos: *era mesozoica.* || Conferir com *hera*.

erário (e.*rá*.ri:o) *s.m.* (*Econ.*) **1.** Conjunto de bens e valores pertencentes ao Estado; tesouro, fazenda, fisco. **2.** Órgão governamental encarregado da arrecadação de tributos destinados ao erário.

ereção (e.re.*ção*) *s.f.* **1.** Ato ou efeito de erigir (-se) ou erguer(-se). **2.** Erguimento ou enrijecimento do pênis. – **erétil** *adj.*

eremita (e.re.*mi*.ta) *s.m. e f.* **1.** Pessoa mística que vive solitária, por penitência, no deserto; ermitão. **2.** *fig.* Pessoa solitária; ermitão.

ereto [é] (e.re.to) *adj.* **1.** Que se ergueu; levantado, aprumado, reto: *postura ereta*. **2.** Que endureceu; enrijecido, duro, rijo, teso.

ergometria (er.go.me.tri.a) *s.f.* (*Med.*) Medida da potência de trabalho produzido por uma pessoa, obtida pelo uso de um ergômetro. – **ergométrico** *adj.*

ergômetro (er.gô.me.tro) *s.m.* (*Med.*) Aparelho que serve para medir a potência de um trabalho, executado por uma pessoa em um determinado período de tempo.

ergonomia (er.go.no.mi.a) *s.f.* Estudo das relações entre o homem, o ambiente e seu trabalho.

erguer (er.guer) *v.* **1.** Pôr no alto ou mais alto; levantar, elevar, alçar: *Ergueu a mão e fez sinal para o ônibus*. **2.** Fazer uma construção; construir, edificar, levantar, erigir: *Os operários ergueram o prédio em seis meses*. **3.** Ficar ou fazer ficar na vertical, em pé; levantar(-se): *Ergueu o bibelô que havia caído sobre o móvel; O doente erguia-se do sofá e caminhava sempre que podia*. **4.** Sobressair em relação a; mostrar-se, aparecer, revelar-se, surgir: *No meio de uma floresta do México se ergue um templo asteca*. **5.** Lançar (o olhar) para o alto: *Quando o professor se aproximou, o aluno ergueu os olhos*. **6.** Fazer soar mais alto (a voz): *O pai pediu-lhe que não erguesse a voz*. **7.** Fazer-se ouvir: *Sua voz se ergueu e tomou a plateia*. **8.** *fig.* Dar vida a; animar, alentar: *Com seu discurso, tentou erguer o ânimo do povo*. ▶ Conjug. 41 e 46. – **erguimento** *s.m.*

eriçar (e.ri.çar) *v.* **1.** Ficar ou fazer ficar arrepiado; arrepiar; encrespar(-se), ouriçar(-se), arrufar (1): *A cabeleireira eriçou o cabelo da cliente; Com o frio, os pelos de seu braço eriçaram-se*. **2.** *fig.* Tornar-se irritado; irritar-se, enfurecer-se, encolerizar-se: *Eriçou-se com o discurso do oponente*. ▶ Conjug. 5 e 36. – **eriçamento** *s.m.*

erigir (e.ri.gir) *v.* **1.** Erguer (2): *erigir uma igreja*; *O governo erigiu um monumento ao dramaturgo*. **2.** *fig.* Estabelecer o princípio de; criar, fundar, instituir: *A proposta erigia um novo modelo de escola*. **3.** Passar (alguém ou algo) para um nível mais alto; promover: *Em 1822, o imperador decidiu erigir em cidade a Vila de Porto Alegre*. || part.: erigido e ereto. ▶ Conjug. 92.

erisipela [é] (e.ri.si.pe.la) *s.f.* (*Med.*) Doença infecciosa aguda, produzida por estreptococos, formando bolhas na pele e no tecido subcutâneo.

ermida (er.mi.da) *s.f.* **1.** Pequena igreja ou capela, localizada em lugar longínquo ou desabitado. **2.** Igreja pequena.

ermitão (er.mi.tão) *s.m.* **1.** Eremita (1 e 2). **2.** Pessoa que toma conta de uma ermida. || f.: *ermitã* e *ermitoa*; pl.: *ermitões*, *ermitães* e *ermitãos*.

ermo [ê] (er.mo) *adj.* **1.** Que está despovoado, isolado: *cidade erma*. • *s.m.* **2.** Lugar sem habitantes; descampado, deserto: *Viveu naquele ermo por três anos*.

erodir (e.ro.dir) *v.* Produzir erosão em: *A pressão da água erodiu as paredes do canal*. ▶ Conjug. 75.

erógeno (e.ró.ge.no) *adj.* Que provoca sensações eróticas: *zona erógena*.

erosão (e.ro.são) *s.f.* **1.** Ato ou efeito de erodir. **2.** (*Geol.*) Desgaste, decomposição e modificação do relevo terrestre efetuados pela água, vento, gelo, entre outros agentes. – **erosivo** *adj.*

erótico (e.ró.ti.co) *adj.* **1.** Relativo a erotismo. **2.** Que desperta ou produz o desejo sexual: *fantasia erótica*. **3.** Que tem como objeto o amor ou o prazer sexual: *filme erótico*.

erotismo (e.ro.tis.mo) *s.m.* Condição ou qualidade de erótico. – **erotização** *s.f.*

erradicar (er.ra.di.car) *v.* **1.** Tirar pela raiz; arrancar, desenraizar, desarraigar: *erradicar uma planta*; *O fazendeiro erradicou três mil mudas doentes de sua fazenda*. **2.** *fig.* Fazer desaparecer (algo), destruindo; extirpar, eliminar, acabar, destruir: *O prefeito daquela cidade erradicou o trabalho infantil*; *Debate-se a necessidade de erradicar a fome do mundo*. ▶ Conjug. 5 e 35. – **erradicação** *s.f.*

erradio (er.ra.di.o) *adj.* **1.** Errante (1): *astro erradio*. **2.** Que está desorientado; desnorteado: *comportamento erradio*.

errado (er.ra.do) *adj.* **1.** Que possui erro: *Escolhi a resposta errada*. **2.** Que resultou de um engano: *Comprei o livro errado*. **3.** Que não segue a direção correta ou apropriada: *Tomei o atalho errado*. **4.** Que não é moralmente correto: *Faz coisas erradas, como roubar e matar*. || *Dar errado*: *coloq.* não alcançar o resultado esperado: *Tudo deu errado ao mesmo tempo*.

errante (er.ran.te) *adj.* **1.** Que vagueia; que anda ao acaso, sem destino certo; vagabundo, erradio: *cavaleiro errante, andante*[1]. **2.** Que não tem moradia fixa; nômade: *povo errante*.

errar (er.rar) *v.* **1.** Cometer erro; enganar-se, confundir-se, equivocar-se: *O astrólogo errou sua previsão*; *Reconheço que errei na minha escolha*; *Ele não admite que erra*. **2.** Não atingir

errata

a; falhar: *O atleta arremessou a bola, mas errou a cesta*. **3.** Andar ao acaso, sem destino certo; vaguear, percorrer, vagar, perambular: *Errou a noite toda e voltou para casa pela manhã; Errava pela cidade, sem saber para onde ir*. ▶ Conjug. 8.

errata (er.*ra*.ta) *s.f.* (*Art. Graf.*) Relação dos erros cometidos numa obra, a ela anexada e publicada separadamente, com indicação das correções a fazer; corrigenda.

erre [é] (er.re) *s.m.* Nome da letra *r*.

erro [ê] (er.ro) *s.m.* **1.** Ato ou efeito de errar. **2.** Qualidade do que é incorreto; imprecisão, inexatidão. **3.** Ideia ou conceito que não condiz com a realidade; engano, desacerto, equívoco. **4.** Comportamento censurável; desvio.

errôneo (er.*rô*.ne:o) *adj.* **1.** Que apresenta erro; equivocado, incorreto, errado: *uso errôneo*. **2.** Que contradiz a verdade; falso: *juízo errôneo*.

eructar (e.ruc.*tar*) *v.* Arrotar (1). ▶ Conjug. 5 e 33. – **eructação** *s.f.*

erudição (e.ru.di.*ção*) *s.f.* **1.** Conhecimento amplo obtido ao longo da vida, principalmente através da leitura. **2.** Qualidade de erudito.

eruditismo (e.ru.di.*tis*.mo) *s.m.* **1.** Alarde da própria cultura; afetação. **2.** Mania de erudição.

erudito (e.ru.*di*.to) *adj.* **1.** Que mostra erudição. • *s.m.* **2.** Pessoa erudita.

erupção (e.rup.*ção*) *s.f.* **1.** Aparecimento rápido: *erupção dos dentes permanentes*. **2.** (*Med.*) Aparecimento, na pele ou nas mucosas, de manchas, pústulas etc., provocadas por vírus ou bactérias. **3.** (*Geol.*) Emissão, violenta ou não, de lava, cinzas, fumaça etc. por um vulcão.

erva [é] (er.va) *s.f.* **1.** (*Bot.*) Planta de pequeno porte, cujo caule contém muito pouco tecido lenhoso. **2.** *gír.* Dinheiro. **3.** *gír.* Maconha. || *Erva daninha*: **1.** toda planta que nasce em local e momento indesejado, prejudicando a agricultura. **2.** *fig.* pessoa que causa prejuízo a alguém ou a algo.

erva-cidreira (er.va-ci.*drei*.ra) *s.f.* (*Bot.*) Planta aromática e medicinal, com origem no Mediterrâneo, com folhas ovais e flores brancas ou rosadas; citronela, melissa. || pl.: *ervas-cidreiras*.

ervado (er.*va*.do) *adj.* **1.** Que está coberto de erva: *campo ervado*. **2.** Que está cheio de veneno retirado de erva: *dardo ervado*.

erva-doce (er.va-*do*.ce) *s.f.* (*Bot.*) Planta aromática e medicinal; anis (1), funcho. || pl.: *ervas-doces*.

erval (er.*val*) *s.m.* Área coberta com plantas em que predomina a erva-mate ou congonha.

erva-mate (er.va-*ma*.te) *s.f.* (*Bot.*) Planta nativa da América do Sul que apresenta tronco cujas folhas são usadas no preparo de uma bebida popular no Brasil; mate. || pl.: *ervas-mate* e *ervas-mates*.

ervanário (er.va.*ná*.ri:o) *s.m.* Herbanário.

ervateiro (er.va.*tei*.ro) *adj.* **1.** Relativo a cultivo ou comércio de erva-mate: *setor ervateiro*. • *s.m.* **2.** Pessoa que negocia ou cultiva erva-mate.

ervilha (er.*vi*.lha) *s.f.* **1.** (*Bot.*) Planta trepadeira da família das leguminosas que apresenta vagens alongadas, geralmente verdes, com sementes. **2.** A vagem dessa planta. **3.** A semente dessa planta, fresca ou cozida; esta última é conhecida como *petit-pois*.

ervilhal (er.vi.*lhal*) *s.m.* Plantação de ervilhas.

esbaforido (es.ba.fo.*ri*.do) *adj.* **1.** Que está com dificuldade para respirar; sem fôlego; ofegante: *Subiu as escadas, esbaforido*. **2.** Que se apressou; apressado: *O rapaz correu esbaforido para pegar o ônibus*.

esbagaçar (es.ba.ga.*çar*) *v.* Transformar(-se) em bagaços; despedaçar(-se): *esbagaçar uma fruta; Na corrida, esbagacei minha motocicleta; Caiu e se esbagaçou*. ▶ Conjug. 5 e 36.

esbaldar-se (es.bal.*dar*-se) *v. coloq.* Divertir-se intensamente; curtir (4): *Foi à festa e se esbaldou*. ▶ Conjug. 5 e 6.

esbandalhar (es.ban.da.*lhar*) *v.* **1.** Transformar em trapos; esfarrapar: *O mochileiro esbandalhou a roupa fazendo trilha*. **2.** Fazer em pedaços; despedaçar, destruir, estourar, arrebentar: *Usou tanto que esbandalhou o aparelho de som*; (*fig.*) *esbandalhar a vida*. ▶ Conjug. 5.

esbanjar (es.ban.*jar*) *v.* **1.** Gastar exageradamente, sem controle; desperdiçar, dissipar, dilapidar: *Esbanjou a fortuna do pai*. **2.** *fig.* Ter muito: *Ela esbanja inteligência e charme*. ▶ Conjug. 5 e 37. – **esbanjamento** *s.m.*

esbarrada (es.bar.*ra*.da) *s.f.* **1.** Ato ou efeito de esbarrar; esbarrão: *Dei uma esbarrada na mesa e caí*. **2.** Parada inesperada, provocada pelo cavaleiro, que faz uma cavalgadura escorregar sobre as patas traseiras: *esbarrada de um cavalo*.

esbarrão (es.bar.*rão*) *s.m.* Encontrão (1), esbarrada (1), esbarro: *Sem querer, deu um esbarrão no amigo*.

escabroso

esbarrar (es.bar.*rar*) *v.* **1.** Colidir fisicamente com (alguém ou algo); ir de encontro; encontrar, topar, chocar-se: *O rapaz esbarrou num idoso e pediu desculpa*; *Esbarraram-se na saída do elevador.* **2.** Encontrar (alguém ou algo) por acaso: *Esbarrei com minha irmã em pleno centro da cidade.* **3.** *fig.* Defrontar-se de maneira inesperada; deparar-se, deter-se: *Preparava seu discurso quando esbarrou com um assunto delicado.* ▶ Conjug. 5.

esbarro (es.bar.ro) *s.m.* Esbarrão.

esbelto [é] (es.*bel*.to) *adj.* **1.** Que revela elegância; elegante, gracioso, garboso: *atriz esbelta.* **2.** Que tem o corpo esguio; magro: *silhueta esbelta.*

esbirro (es.*bir*.ro) *s.m.* Agente de polícia; policial, tira.

esboçar (es.bo.*çar*) *v.* **1.** (*Art.*) Fazer o esboço de; desenhar os primeiros contornos de; delinear, traçar, tracejar, debuxar: *esboçar um retrato.* **2.** Dar uma forma inicial a ou tomar uma forma inicial: *O empresário esboçou um plano para atrair investimentos*; *No século XVI, esboçou-se o projeto de um objeto a que chamamos hoje de telefone.* **3.** *fig.* Deixar entrever; entremostrar: *Quando soube do acontecido, esboçou uma reação de surpresa.* ▶ Conjug. 5 e 36.

esboço [ô] (es.*bo*.ço) *s.m.* **1.** (*Art.*) Traçado inicial de um desenho de uma obra de arte. **2.** Produção inicial de uma obra ou de um trabalho. **3.** Conhecimento inicial; noção. **4.** Aquilo que tem início, mas não chega a ser finalizado. **5.** Resumo, síntese.

esbodegar (es.bo.de.*gar*) *v.* *coloq.* Efetuar a destruição de; estragar, danificar, quebrar: *O menino esbodegou o aviãozinho que ganhou no Natal*; (fig.) *Andei de bicicleta e me esbodeguei todo.* ▶ Conjug. 8 e 34.

esbofetear (es.bo.fe.te.*ar*) *v.* Dar bofetada(s) em: *No meio da discussão, esbofeteou o rival.* ▶ Conjug. 14.

esbordoar (es.bor.do.*ar*) *v.* Dar bordoada em; golpear, bater, surrar: *O vaqueiro esbordoou o boi até a morte.* ▶ Conjug. 25.

esbórnia (es.*bór*.ni:a) *s.f.* *coloq.* Diversão ou comemoração desregrada; farra, boêmia, festança, gandaia, folia.

esboroar (es.bo.ro.*ar*) *v.* Ficar ou fazer ficar reduzido a pó; desfazer(-se), pulverizar(-se): *O excesso de chuvas esboroou o asfalto*; *O solo úmido esboroa-se facilmente*; (fig.) *A falta de dinheiro esboroou seu desejo*; *Nossos sonhos esboroaram-se.* ▶ Conjug. 25.

esborrachar (es.bor.ra.*char*) *v.* **1.** Sofrer ou fazer sofrer um choque ou compressão até ficar deformado; esmagar, achatar, amassar: *A roda do carro esborrachou a bola do garoto*; *Com a batida, sua bicicleta esborrachou-se.* **2.** Cair, tombar, estatelar-se: *Os meninos perderam o equilíbrio e se esborracharam no chão.* ▶ Conjug. 5.

esbranquiçado (es.bran.qui.*ça*.do) *adj.* **1.** Que apresenta cor branca ou quase branca; alvacento: *papel esbranquiçado.* **2.** Que perdeu a cor; que está desbotado: *camisa esbranquiçada.*

esbraseado (es.bra.se:*a*.do) *adj.* **1.** Afogueado. **2.** Muito quente.

esbravejar (es.bra.ve.*jar*) *v.* Gritar encolerizado; vociferar, bradar: *esbravejar palavrões*; *Ele sempre esbraveja contra tudo e contra todos*; *Ficou tão irritado com a sua demissão que esbravejou.* ▶ Conjug. 10 e 37.

esbugalhar (es.bu.ga.*lhar*) *v.* Arregalar (os olhos): *Ela esbugalhou os olhos, assustada.* ▶ Conjug. 5.

esbulhar (es.bu.*lhar*) *v.* **1.** Privar da posse; desapossar, espoliar: *Sem caráter, esbulhou os bens da família.* **2.** Apossar-se (de algo que pertence a alguém) ilegalmente; roubar, usurpar, apoderar-se: *O funcionário esbulhou a empresa.* ▶ Conjug. 5.

esburacar (es.bu.ra.*car*) *v.* Ficar ou fazer ficar com buracos: *A prefeitura esburacou a rua para consertar o encanamento*; *Com as chuvas, as estradas esburacaram-se.* ▶ Conjug. 5 e 35.

escabeche [é] (es.ca.be.che) *s.m.* (*Cul.*) Molho refogado que contém azeite, vinagre, pimenta, louro, tomate, coentro, entre outros temperos, usado principalmente em pratos feitos com peixe.

escabelo [ê] (es.ca.*be*.lo) *s.m.* **1.** Banco com encosto e/ou braços, formado pelo assento de uma arca ou baú. **2.** Banquinho para descanso dos pés.

escabiose [ó] (es.ca.bi:*o*.se) *s.f.* (*Med.*) Doença contagiosa da pele, transmitida por ácaros, provocando coceira, vermelhidão, bolhas e placas; sarna.

escabreado (es.ca.bre:*a*.do) *adj.* **1.** Que é desconfiado; cismado, cabreiro: *Ficou escabreado com a situação.* **2.** Que se mostra mal-humorado: *homem escabreado.*

escabroso [ô] (es.ca.*bro*.so) *adj.* **1.** Que apresenta um forte declive; íngreme, escarpado: *caminho escabroso.* **2.** *fig.* Que choca; que abala; chocante, escandaloso: *caso escabroso.*

escada

3. *fig.* Que é indecente; indecoroso, imoral: *atitude escabrosa.* || f. e pl.: [ó].

escada (es.*ca*.da) *s.f.* **1.** Estrutura fixa ou móvel que possui degraus para subir ou descer. **2.** *fig.* Meio de alguém conseguir algum tipo de ascensão: *Seus conhecimentos serviram de escada para que ele obtivesse um cargo melhor.* || *Escada rolante*: escada que apresenta degraus que se movem por meio de dispositivo mecânico e elétrico.

escadaria (es.ca.da.*ri*.a) *s.f.* Escada comprida, com grande quantidade de degraus, geralmente separada por degraus maiores que formam patamares.

escafandrista (es.ca.fan.*dris*.ta) *s.m. e f.* Pessoa que mergulha usando escafandro.

escafandro (es.ca.*fan*.dro) *s.m.* Veste impermeável que é usada por mergulhadores profissionais, utilizada juntamente com um aparelho que serve para respirar debaixo d'água.

escafeder-se (es.ca.fe.*der*-se) *v. coloq.* Desaparecer apressadamente; sumir: *Passou pela porta correndo e escafedeu-se.* ▶ Conjug. 41 e 40.

escala (es.*ca*.la) *s.f.* **1.** Grandeza que mede a relação entre um objeto e sua representação, em tamanho menor, em um desenho; proporção: *escala geométrica.* **2.** Lugar em que os aviões, navios, ônibus etc. param por um certo período de tempo, para embarque e/ou desembarque de passageiros ou de cargas, ou para abastecimento, entre outras atividades; parada: *Aquele voo fará escala em São Paulo.* **3.** O tempo gasto nessa parada. **4.** Quadro que exibe a divisão dos horários de um trabalho; tabela: *escala de plantões.* **5.** Grau ou nível que serve de parâmetro para estabelecer comparações entre duas coisas: *escala de valores.* **6.** (*Mús.*) Sequência de notas musicais que apresentam entre si variações de semitons ou tons.

escalada (es.ca.*la*.da) *s.f.* **1.** Ato ou efeito de escalar. **2.** (*Esp.*) Prática que consiste em escalar montanhas, rochas ou paredes erguidas em clubes e academias, que utiliza algumas técnicas do montanhismo. **3.** Ampliação, aumento, intensificação: *escalada da violência.*

escalafobético (es.ca.la.fo.*bé*.ti.co) *adj.* **1.** *coloq.* Que é esquisito; diferente: *situação escalafobética.* **2.** Que é sem jeito; desajeitado, desengonçado: *Aquele homem é meio escalafobético!*

escalão (es.ca.*lão*) *s.m.* Cada um dos níveis hierárquicos dentro de uma instituição ou organização; grau, nível: *Aquele administrador pertence ao mais alto escalão da empresa.*

escalar¹ (es.ca.*lar*) *adj.* Que é representado por meio de escala.

escalar² (es.ca.*lar*) *v.* **1.** Tentar chegar à parte mais alta de; subir, atingir, galgar: *Alpinistas de diferentes nacionalidades escalaram o Everest.* **2.** (*Esp.*) Praticar escalada: *Fui à Academia para escalar.* **3.** (*Esp.*) Escolher os jogadores que participarão de uma competição: *O técnico escalou a equipe para o próximo amistoso.* **4.** Designar (uma pessoa ou um grupo de pessoas) para cumprir um determinado horário de trabalho: *O diretor escalou os enfermeiros para o plantão do final de semana.* **5.** Convidar (uma pessoa ou um grupo de pessoas) para fazer parte de um elenco: *O produtor escalou um ator famoso para fazer o filme.* **6.** Vencer etapas, atingindo um nível mais alto: *O médico escalou mais um degrau de sua carreira.* ▶ Conjug. 5. – **escalação** *s.f.*

escalavrar (es.ca.la.*vrar*) *v.* **1.** Escoriar(-se); arranhar(-se), esfolar(-se): *escalavrar o joelho.* **2.** *fig.* Provocar dano a; deteriorar, danificar: *escalavrar a sensibilidade de alguém.* ▶ Conjug. 5.

escaldado (es.cal.*da*.do) *adj.* **1.** Que foi colocado em água fervendo: *camarão escaldado.* **2.** Em que foi despejada água fervendo: *salsicha escaldada.* **3.** *fig.* Que possui experiência de uma vida dura: *Era um homem escaldado pelos fracassos anteriores.*

escalda-pés (es.cal.da-*pés*) *s.m.2n.* Mergulho e banho dos pés em água quente.

escaldar (es.cal.*dar*) *v.* **1.** Pôr ou lavar com água fervendo: *A cozinheira escaldou um pedaço de paio para colocá-lo no feijão.* **2.** Ficar ou fazer ficar muito quente; queimar(-se): *escaldar de febre*; *Sob o sol do meio-dia, seus pés escaldavam.* **3.** (*Cul.*) Cozinhar com refogado; guisar: *escaldar uma carne.* **4.** *fig.* Exaltar, inflamar: *escaldar os ânimos.* ▶ Conjug. 5. – **escaldante** *adj.*

escaleno (es.ca.*le*.no) *adj.* (*Geom.*) Diz-se de triângulo que apresenta lados e ângulos com tamanhos diferentes, desiguais: *triângulo escaleno.*

escaler [é] (es.ca.*ler*) *s.m.* (*Náut.*) Embarcação pequena, com proa estreita e popa larga, acionada pelo uso de remo, vela ou motor, usada para transporte ou outros serviços.

escalonar (es.ca.lo.*nar*) *v.* Ordenar em etapas ou séries (o pagamento de uma dívida, uma semeadura etc.): *O governo propôs escalonar as dívidas do município.* ▶ Conjug. 5. – **escalonamento** *s.m.*

escalope [ó] (es.ca.*lo*.pe) s.m. (*Cul.*) Fatia fina e pequena de qualquer carne ou peixe, cortada em sentido transversal e servida com diversos acompanhamentos.

escalpelar[1] (es.cal.pe.*lar*) v. Fazer um corte ou dissecar com escalpelo: *escalpelar um rato*. ▶ Conjug. 8.

escalpelar[2] (es.cal.pe.*lar*) v. **1.** Tirar o couro cabeludo de: *No passado, muitas tribos primitivas tinham por costume escalpelar os inimigos*. **2.** *fig.* Exigir ao máximo de: *O professor escalpelou a turma no último teste; Aquela prova me escalpelou.* ▶ Conjug. 8.

escalpelo [ê] (es.cal.pe.lo) s.m. (*Med.*) Faca pequena, muito cortante, com cabo longo, usada em cirurgias para cortar a pele, os músculos etc.

escalpo (es.*cal*.po) s.m. Couro cabeludo que foi retirado do crânio.

escama (es.*ca*.ma) s.f. **1.** (*Zool.*) Estrutura em forma de lâmina que recobre alguns tipos de peixes, de répteis ou as pernas de algumas aves. **2.** (*Med.*) Descascado que sai da pele devido a infecções, inflamações ou lesões.

escamado (es.ca.*ma*.do) adj. Que ficou sem escamas: *peixe escamado*.

escamar (es.ca.*mar*) v. **1.** Tirar as escamas de (um peixe); descamar: *O pescador escamava os peixes e os cortava em postas*. **2.** Fazer perder ou perder a camada epitelial da pele; descascar(-se), esfoliar(-se), descamar(-se): *O ácido escamou a pele de seu rosto; Meu couro cabeludo escamou(-se) um pouco*. ▶ Conjug. 5. – **escamação** s.f.

escambo (es.*cam*.bo) s.m. **1.** Troca de uma mercadoria por outra, ou de uma mercadoria por algum tipo de serviço, sem uso de dinheiro. **2.** Qualquer troca.

escamoso [ô] (es.ca.*mo*.so) adj. Que apresenta ou está coberto de escamas. || f. e pl.: [ó].

escamotear (es.ca.mo.te:*ar*) v. **1.** Manter encoberto; disfarçar, encobrir, esconder, ocultar: *O suspeito escamoteou informações que serviriam para esclarecer o caso*. **2.** Roubar às escondidas; afanar, furtar, surrupiar: *escamotear dinheiro*. ▶ Conjug. 14.

escâncara (es.*cân*.ca.ra) s.f. Aquilo que está à vista; descoberto. || Mais usado na locução *às escâncaras*: À vista de todos; abertamente: *Praticava nepotismo às escâncaras*.

escancarar (es.can.ca.*rar*) v. **1.** Abrir completamente: *Escancarou a porta da frente para varrer a calçada; Com o vento forte, as janelas escancararam-se*. **2.** *fig.* Trazer a público; expor, exibir, mostrar: *Ele escancarou a sua vida para todos*. ▶ Conjug. 5.

escandalizar (es.can.da.li.*zar*) v. Sentir ou provocar indignação; chocar(-se): *Os recentes acontecimentos escandalizaram o país; Escandalizei-me com os seus comentários*. ▶ Conjug. 5.

escândalo (es.*cân*.da.lo) s.m. **1.** Aquilo que contraria crenças ou costumes da sociedade: *Aquele assassinato provocou escândalo*. **2.** Aquilo que provoca grande confusão; tumulto, escarcéu: *Achou o preço exorbitante e fez escândalo na loja*. **3.** Indignação que se sente diante de um escândalo: *Aquela denúncia de roubo provocou escândalo nos eleitores*. – **escandaloso** adj.

escandinavo (es.can.di.*na*.vo) adj. **1.** Da Escandinávia, região da Europa que abrange a Dinamarca, a Noruega e a Suécia. • s.m. **2.** O natural ou o habitante dessa região.

escandir (es.can.*dir*) v. **1.** (*Lit.*) Separar as sílabas métricas de um verso: *escandir uma redondilha*. **2.** Pronunciar enfaticamente cada sílaba de um verso ou de uma palavra. ▶ Conjug. 66.

escanear (es.ca.ne:*ar*) v. (*Inform.*) Fazer cópia digital por meio do uso de um escâner: *escanear um texto*. ▶ Conjug. 14.

escâner (es.*câ*.ner) s.m. (*Inform.*) Aparelho usado para a reprodução digital de textos, imagens, impressos etc., através de leitura ótica; *scanner*.

escangalhar (es.can.ga.*lhar*) v. Perder ou fazer com que perca o bom funcionamento ou a utilidade; estragar(-se), quebrar(-se), destruir(-se): *Meu filho escangalhou o brinquedo novo; Meu carro escangalhou-se;* (fig.) *Escangalhei minha vida, indo para outra cidade; Meu namoro se escangalhou*. || *Escangalhar-se de rir*: *coloq.* rir muito, com gosto: *Vi o filme e me escangalhei de rir*. ▶ Conjug. 5.

escanhoar (es.ca.nho:*ar*) v. Barbear(-se) de baixo para cima, após fazer a barba normalmente: *escanhoar o queixo; O ator escanhoou-se com esmero*. ▶ Conjug. 25.

escaninho (es.ca.*ni*.nho) s.m. **1.** Compartimento pequeno, encontrado em móveis, gavetas, cofres etc.; divisão. **2.** *fig.* No íntimo, no interior; recôndito, recanto: *escaninho da alma*. || *Escaninho digital*: (*Inform.*) Pasta em que se guardam arquivos no computador.

escansão (es.can.*são*) s.f. Ato ou efeito de escandir.

escanteio

escanteio (es.can.*tei*.o) *s.m. (Esp.)* **1.** No futebol, lance em que a bola sai pela linha de fundo, após ser tocada por um jogador de time adversário, *corner*. **2.** No futebol, jogada que decorre desse lance, *corner*. **3.** No futebol, local onde ocorre essa jogada. || *Chutar para escanteio*: coloq. *fig.* Botar de lado; livrar-se: *Minha namorada me chutou para escanteio.*

escapada (es.ca.*pa*.da) *s.f.* **1.** Fuga apressada: *Na escapada, caiu no meio-fio.* **2.** Ausência temporária; escapadela, escapulida: *Dei uma escapada rápida do trabalho.* **3.** Fuga de uma situação complicada; escape: *Os soldados participaram de uma grande escapada.*

escapadela [é] (es.ca.pa.*de*.la) *s.f.* Escapada (2).

escapamento (es.ca.pa.*men*.to) *s.m.* **1.** Ato ou efeito de escapar(-se); escape. **2.** Vazamento, escoamento: *escapamento de gás.*

escapar (es.ca.*par*) *v.* **1.** Pôr(-se) a salvo de; safar(-se), salvar(-se), escapulir, sobreviver(1): *Esca-pei de um assalto essa manhã; Houve um incên-dio na escola, mas os alunos escaparam.* **2.** Pôr-se em fuga; debandar, evadir-se, escapulir: *Aquele preso escapou da penitenciária; Amarrei-os bem para que não escapassem.* **3.** Livrar-se de; esquivar-se, safar-se, escapulir: *Escapou da conversa monótona, refugiando-se na varanda.* **4.** Soltar-se; vazar: *O gás escapou do encanamento; Se o fogão não for bem instalado, o gás escapa.* **5.** Fugir do entendimento, do controle: *Sabia que alguma coisa me escapava.* **6.** Soltar-se de onde estava preso; desprender-se, despegar-se, cair, escapulir: *O copo escapou das minhas mãos e caiu.* ▶ Conjug. 5.

escapatória (es.ca.pa.*tó*.ri:a) *s.f.* Motivo apresentado como justificativa para quebra de compromisso; desculpa, pretexto, subterfúgio: *Tentou fugir do assunto, mas não encontrou escapatória.*

escape (es.*ca*.pe) *s.m.* **1.** Ato ou efeito de escapar(-se); escapamento. **2.** Fuga, escapada (3). **3.** Cano ou pequeno buraco por onde escoam gases ou líquidos.

escapismo (es.ca.*pis*.mo) *s.m.* Evasão da realidade e de seus problemas.

escapula (es.ca.*pu*.la) *s.f.* Escapada, fuga.

escápula (es.*cá*.pu.la) *s.f.* **1.** Tipo de prego que apresenta a cabeça achatada em ângulo reto, que serve para pendurar um objeto. **2.** Arrimo, apoio, esteio, escora. **3.** (*Anat.*) Osso grande, chato e triangular, localizado na parte posterior do ombro.

escapulário (es.ca.pu.*lá*.ri:o) *s.m.* (*Rel.*) Objeto de devoção, formado por dois quadradinhos de pano bento, que contém orações escritas e é trazido ao pescoço pelos devotos; bentinho, breve (3).

escapulida (es.ca.pu.*li*.da) *s.f.* Escapada curta; escapadela, fugida.

escapulir (es.ca.pu.*lir*) *v.* Escapar (1, 2, 3 e 6).

escara (es.*ca*.ra) *s.f.* (*Med.*) Crosta escura formada pela morte de células da pele, que ocorre devido à compressão de partes do corpo quando o paciente está de cama, e também por queimaduras ou pela ação de substâncias corrosivas. ▶ Conjug. 77.

escarafunchar (es.ca.ra.fun.*char*) *v.* **1.** Examinar minuciosamente; esquadrinhar, investigar, vasculhar: *O jornalista escarafunchou a vida amorosa da atriz.* **2.** Revirar em busca de (algo); fuçar, revolver, remexer: *Escaranfunchei o quarto para procurar meu livro.* **3.** Limpar com dedo ou palito; esgaravatar, esgravatar: *escarafunchar os dentes.* ▶ Conjug. 5.

escaramuça (es.ca.ra.*mu*.ça) *s.f.* Briga, contenda, luta, conflito: *Levou um soco durante uma escaramuça.* – **escaramuçar** *v.* ▶ Conjug. 5 e 36.

escaravelho [ê] (es.ca.ra.*ve*.lho) *s.m.* (*Zool.*) Besouro.

escarcéu (es.car.*céu*) *s.m. fig.* Mistura desordenada de vozes; algazarra, alvoroço, confusão, gritaria, rebuliço.

escargot [escargô] (Fr.) (*Zool.*) *s.m.* Tipo de lesma comestível muito apreciada na culinária francesa.

escarlate (es.car.*la*.te) *adj.* **1.** Que tem cor vermelha muito viva e forte; encarnado. • *s.m.* **2.** Cor vermelha viva e forte; encarnado.

escarlatina (es.car.la.*ti*.na) *s.f.* (*Med.*) Doença infectocontagiosa aguda, causada por uma complicação da faringite, provocada por uma bactéria (estreptococo), caracterizada por febre, manchas vermelho-escuras e descamação da pele.

escarmento (es.car.*men*.to) *s.m.* **1.** Advertência severa; reprimenda, repreensão, censura: *escarmento de Deus.* **2.** Exemplo instrutivo; lição, ensinamento, experiência: *Sua obra serviu de escarmento aos homens.* – **escarmentar** *v.* ▶ Conjug. 5.

escarnecer (es.car.ne.*cer*) *v.* Fazer escárnio de; zombar, caçoar, troçar, ridicularizar, achincalhar: *O ladrão escarnecia a vítima; Ele escarneceu do sofrimento do adversário.* ▶ Conjug. 41 e 46. – **escarnecimento** *s.m.*

esclerose

escarninho (es.car.*ni*.nho) *adj.* **1.** Que mostra escárnio: *ar escarninho.* • *s.m.* **2.** Ato de escarnecer de alguém ou algo; zombaria, troça.

escárnio (es.*cár*.ni:o) *s.m.* **1.** Ato de rir de alguém ou algo; zombaria, troça, caçoada, chacota. **2.** Ato de desprezar alguém ou algo; desdém, desprezo, menosprezo.

escarola [ó] (es.ca.*ro*.la) *s.f.* Tipo de chicória originária da Ásia e da Europa, plantada com cuidados especiais e utilizada habitualmente em saladas; endívia.

escarpa (es.*car*.pa) *s.f.* Terreno que apresenta grande inclinação; ladeira íngreme.

escarrado (es.car.*ra*.do) *adj.* **1.** Que se escarrou. **2.** *coloq. fig.* Que é parecido com alguém ou algo: *Ele é escarrado a cara da mãe.*

escarranchado (es.car.ran.*cha*.do) *adj.* Que está montado ou sentado com as pernas abertas: *Seguia montado no cavalo e trazia o filho escarranchado atrás.*

escarrapachar (es.car.ra.pa.*char*) *v.* **1.** Abrir bem (as pernas): *O rapaz escarrapachou as pernas (na banqueta); Escarrapachou-se no aparelho de musculação.* **2.** Sentar-se à vontade, com as pernas abertas; esparramar-se: *Ele se escarrapachou no sofá.* ▶ Conjug. 5.

escarrar (es.car.*rar*) *v.* Expectorar, cuspir: *O doente escarrou sangue; Ele tossia e escarrava.* ▶ Conjug. 5.

escarro (es.*car*.ro) *s.m.* Secreção expelida pela boca.

escarvar (es.car.*var*) *v.* Cavar superficialmente (o solo): *As patas do cavalo escarvavam a terra; O touro, agitado, escarvou.* ▶ Conjug. 5.

escassear (es.cas.se:*ar*) *v.* Tornar-se menos farto; faltar, rarear: *Com a crise, a carne escasseava.* ▶ Conjug. 14.

escassez [ê] (es.cas.*sez*) *s.f.* **1.** Pouca quantidade. **2.** Falta do que é necessário à vida; privação, carência, carestia, necessidade, pobreza.

escasso (es.*cas*.so) *adj.* **1.** Que é pouco; minguado, parco, rarefeito(2): *dinheiro escasso.* **2.** Que é carente; desprovido: *população escassa.*

escatologia[1] (es.ca.to.lo.*gi*.a) *s.f.* Crença ou doutrina teológica sobre o fim do mundo e dos homens. – **escatológico**[1] *adj.*

escatologia[2] (es.ca.to.lo.*gi*.a) *s.f.* **1.** Coprologia. **2.** Obscenidade, pornografia. – **escatológico**[2] *adj.*

escavação (es.ca.va.*ção*) *s.f.* **1.** Ato ou efeito de escavar. **2.** Cavidade de profundidade variável existente em uma superfície; buraco, fosso. **3.** Retirada de terra do solo com o fim de nivelação ou terraplenagem. **4.** *fig.* Investigação profunda; pesquisa.

escavadeira (es.ca.va.*dei*.ra) *s.f.* Máquina que faz buracos e revolve a terra.

escavar (es.ca.*var*) *v.* **1.** Abrir buracos em; tirar terra de; esburacar: *O operário escavou o asfalto.* **2.** *fig.* Fazer pesquisa profunda; pesquisar, investigar, esquadrinhar: *Escavava o passado em busca da memória da família.* ▶ Conjug. 5.

esclarecer (es.cla.re.*cer*) *v.* **1.** Fazer ficar claro; aclarar, elucidar, explicar: *Cientistas esclareceram as dúvidas quanto às novas descobertas.* **2.** Fazer saber; informar(-se), instruir(-se): *O coordenador esclareceu que o curso teria curta duração; A etiqueta do produto esclarecia a data de validade ao consumidor; Buscou esclarecer-se sobre o assunto.* ▶ Conjug. 41 e 46. – **esclarecedor** *adj.*

esclarecido (es.cla.re.*ci*.do) *adj.* **1.** Que foi explicado; elucidado: *fato esclarecido.* **2.** Que é culto; instruído: *mulher esclarecida.*

esclarecimento (es.cla.re.ci.*men*.to) *s.m.* **1.** Ato ou efeito de esclarecer(-se). **2.** Aquilo que elucida; explicação. **3.** Aquilo que informa; instrução.

esclera [é] (es.*cle*.ra) *s.f.* (*Anat.*) Membrana externa, branca e opaca do globo ocular que forma a parte branca do olho.

esclerênquima (es.cle.*rên*.qui.ma) *s.m.* (*Bot.*) Camada protetora que apresenta consistência de madeira, situada geralmente ao redor do caule, raiz e semente, que funciona como mecanismo de defesa de uma planta.

escleroproteína (es.cle.ro.pro.te.*í*.na) *s.f.* (*Biol., Quím.*) Proteína fibrosa que estrutura, protege e sustenta os tecidos conectivos e o esqueleto.

esclerosado (es.cle.ro.*sa*.do) *adj.* **1.** Que se esclerosou. **2.** *coloq.* Diz-se de pessoa que sofreu esclerose no sistema nervoso central. **3.** *coloq. pej.* Diz-se de pessoa que age como se tivesse perdido a lucidez; caduco.

esclerosar (es.cle.ro.*sar*) *v.* **1.** (*Med.*) Desenvolver ou fazer desenvolver uma esclerose: *esclerosar(-se) as coronárias.* **2.** *coloq. pej.* Parecer que perdeu a lucidez; agir como caduco: *Ele esclerosou(-se) de vez!* ▶ Conjug. 20.

esclerose [ó] (es.cle.*ro*.se) *s.f.* **1.** (*Med.*) Doença provocada por distúrbios metabólicos, hormonais ou enzimáticos que provoca o endurecimento de um tecido celular em diferentes partes do corpo. **2.** (*Bot.*) Endurecimento dos

esclerótica

tecidos celulares das plantas, em especial, da polpa dos frutos.

esclerótica (es.cle.ró.ti.ca) s.f. (*Anat.*) Denominação substituída por *esclera*.

escoadouro (es.co:a.dou.ro) s.m. Conduto por onde escoam líquidos, excrementos etc.; canal, cano, fosso, sumidouro, vazadouro.

escoar (es.co:ar) v. **1.** Passar ou fazer passar (um líquido) de um lugar para outro: *A água escoava pela calha*; *Os dejetos escoaram rapidamente*. **2.** Ser colocado em circulação (mercadorias etc.): *Os portos escoam grande parte das exportações brasileiras*. **3.** Percorrer ou fazer percorrer (no trânsito); fluir ou fazer fluir (o trânsito): *O guarda ajudou a escoar o trânsito*; *Depois do engarrafamento, o trânsito escoou*. **4.** Decorrer (o tempo), transcorrer, passar: *O prazo para a inscrição escoou(-se) a semana passada*. **5.** Desaparecer gradualmente; esvair-se: (fig.) *Com a decepção, meus sonhos escoaram*. ▶ Conjug. 25. – **escoamento** s.m.

escocês (es.co.cês) adj. **1.** Da Escócia (Reino Unido), país da Europa. **2.** Relativo ao idioma falado minoritariamente nesse país. **3.** Diz-se de pano que apresenta listras cruzadas, de várias cores. • s.m. **4.** O natural ou o habitante desse país. **5.** Gaélico(2).

escoicear (es.coi.ce:ar) v. **1.** Desferir coice(s) em: *A égua escoiceava o vaqueiro na barriga e nas pernas*; *A mula escoiceou*. **2.** fig. Tratar mal; agredir, maltratar, ofender: *Escoiceou o oponente com insultos*. ▶ Conjug. 14.

escoimar (es.coi.mar) v. Tirar as falhas, os defeitos; depurar; limpar: *O magistrado escoimou as imperfeições daquela lei*. ▶ Conjug. 21.

escol [ó] (es.col) s.m. Elite.

escola [ó] (es.co.la) s.f. **1.** Instituição pública ou privada de ensino coletivo. **2.** Soma dos alunos, professores e funcionários dessa instituição. **3.** Soma dos adeptos ou discípulos de uma doutrina, teoria ou autor. **4.** Prédio de uma escola. || *Escola de samba*: associação recreativa que reúne sambistas, compositores, passistas etc. que organiza ensaios e desfiles de carnaval. • *Fazer escola*: obter seguidores: *Aquela metodologia fez escola entre os professores de história*.

escolado (es.co.la.do) adj. **1.** Que é esperto; macaco velho, sabido, vivo, ladino: *garoto escolado*. **2.** Que é conhecedor; experiente: *compositor escolado*.

escolar (es.co.lar) adj. **1.** Relativo a escola ou próprio dela: *merenda escolar*. • s.m. e f. **2.** Pessoa que estuda em uma escola; estudante, aluno.

escolaridade (es.co.la.ri.da.de) s.f. Nível de estudo alcançado por uma pessoa: *A falta de renda gera baixa escolaridade*.

escolarizar (es.co.la.ri.zar) v. Passar ou fazer passar por processo de aprendizado em escola: *Aquele projeto escolariza analfabetos*; *O número de pessoas que se escolarizaram ainda é baixo*. ▶ Conjug. 5. – **escolarização** s.f.

escolástica (es.co.lás.ti.ca) s.f. (*Fil.*) Doutrina cristã que predominou na Idade Média, entre os séculos XI e XVI, que combinava religião e a filosofia de Aristóteles e de Platão. – **escolástico** adj.

escolha [ô] (es.co.lha) s.f. **1.** Ato ou efeito de escolher. **2.** Aquilo por que se opta; preferência. || *Múltipla escolha*: método utilizado em provas e concursos que propicia a escolha de uma resposta entre as opções oferecidas.

escolher (es.co.lher) v. Eleger entre dois ou mais; preferir, optar, selecionar: *Ele já escolheu o nome que vai dar à filha*; *Os editores escolheram a data de publicação da obra*. ▶ Conjug. 42.

escolho [ô] (es.co.lho) s.m. **1.** Abrolho (2). **2.** fig. Obstáculo, dificuldade, embaraço, empecilho. || pl.: [ó].

escoliose [ó] (es.co.li:o.se) s.f. (*Med.*) Desvio lateral da coluna vertebral.

escolta [ó] (es.col.ta) s.f. Uma ou mais pessoas contratadas, ou policiais, que acompanham ou defendem pessoas ou objetos transportados.

escoltar (es.col.tar) v. **1.** Acompanhar (para proteger alguém ou algo): *Um forte esquema de segurança escoltou o presidente até o hotel*. **2.** Ir junto de; acompanhar: *Escoltei minha mãe até o ponto do ônibus*. ▶ Conjug. 20.

escombros (es.com.bros) s.m.pl. Aquilo que sobrou de uma demolição ou que está em ruínas; destroços, entulhos: *escombros de um edifício*; (fig.) *escombros da memória*.

esconde-esconde (es.con.de-es.con.de) s.m. Jogo infantil em que uma criança se esconde para ser procurada por outras. || pl.: *esconde-escondes*, *escondes-escondes*.

esconder (es.con.der) v. **1.** Botar (alguém ou algo) em lugar no qual não possa ser encontrado com facilidade; ocultar(-se), encobrir (-se): *O dono da casa escondeu o cofre atrás do quadro*; *O saci se escondia na floresta*. **2.** Guardar em segredo; ocultar: *O estudante escondia da amiga que gostava dela*; *Escondeu-lhes a origem do dinheiro*. **3.** Deixar encoberto;

dissimular, disfarçar: *Suas palavras escondiam graves ameaças; O pai escondeu com um sorriso o seu desgosto.* **4.** Tirar a visibilidade de; tapar: *A nuvem escondeu o sol.* ▶ Conjug. 29.

esconderijo (es.con.de.ri.jo) *s.m.* Local onde se esconde alguém ou algo.

escondidas (es.con.di.das) *s.f.pl.* ‖ Mais usado na locução *às escondidas*: em segredo, ocultamente: *Eles se casaram às escondidas.*

esconjurar (es.con.ju.rar) *v.* **1.** Expulsar, desconjurar: *Esconjurou o demônio que acreditava ter se apossado do irmão.* **2.** Lançar maldição a; amaldiçoar, desconjurar: *Revoltado, esconjurava o inimigo; Ela esconjurou por toda a noite.* ▶ Conjug. 5.

esconjuro (es.con.ju.ro) *s.m.* **1.** Ato ou efeito de esconjurar; maldição. **2.** Oração para afugentar o demônio e os maus espíritos; exorcismo.

esconso (es.con.so) *adj.* **1.** Que está inclinado; enviesado, oblíquo: *terreno esconso.* **2.** Que é obscuro, disfarçado; dissimulado: *objetivos esconsos.* • *s.m.* **3.** Local escondido; recanto: *becos esconsos.*

escopeta [ê] (es.co.pe.ta) *s.f.* Tipo de espingarda de repetição, leve, com cano curto.

escopo [ô] (es.co.po) *s.m.* **1.** Ponto de mira; alvo. **2.** Objetivo, meta, fim, finalidade: *escopo de um projeto.*

escora [ó] (es.co.ra) *s.f.* **1.** Peça de madeira ou de ferro que serve para apoiar; esteio, amparo, sustentação. **2.** *fig.* Aquilo que dá apoio; amparo, arrimo: *Após a morte do pai, ele foi a escora da família.*

escorar (es.co.rar) *v.* **1.** Botar escora em; sustentar: *O pedreiro escorou o muro com um pedaço de pau.* **2.** Apoiar(-se) para não cair: *escorar uma árvore de Natal; Escorei a bicicleta na parede; Escorava-se no braço do filho para não cair.* **3.** *fig.* Amparar-se em (alguém ou em algo): *O acusado escorou-se nas declarações da testemunha.* ▶ Conjug. 20.

escorbuto (es.cor.bu.to) *s.m.* (*Med.*) Doença causada pela carência de vitamina C, que pode causar debilidade, hemorragias na gengiva, entre outros sintomas.

escorchar (es.cor.char) *v. fig.* Cobrar preço excessivo; explorar, extorquir, roubar: *O cambista escorchou o ingênuo torcedor.* ▶ Conjug. 20.
– **escorchante** *adj.*

escore [ó] (es.co.re) *s.m.* (*Esp.*) Resultado dado em números de uma competição esportiva; placar, contagem.

escória (es.có.ri:a) *s.f.* **1.** Substância de natureza sílica que sobra do processo de fusão de metais: *escória vulcânica.* **2.** *fig.* Pessoa desprezível, vil, reles; cafajeste, canalha: *Aquele corrupto é a escória do país.*

escoriação (es.co.ri:a.ção) *s.f.* Ferimento leve na pele que pode ser causado por arranhões, atritos, coceiras ou picadas; ferida.

escoriar (es.co.ri:ar) *v.* Esfolar(-se), ralar (-se) (2): *escoriar um braço; No acidente, o rapaz escoriou-se.* ▶ Conjug. 17.

escorpiano (es.cor.pi:a.no) *adj.* (*Astrol.*) **1.** Que nasce sob o signo de Escorpião (de 23 de outubro a 21 de novembro). • *s.m.* (*Astrol.*) **2.** Pessoa nascida sob o signo de Escorpião.

escorpião (es.cor.pi:ão) *s.m.* (*Zool.*) Artrópode com apêndices em forma de pinças e rabo terminado em ferrão que é usado para inocular veneno em seus inimigos.

escorraçar (es.cor.ra.çar) *v.* Afastar com violência; expulsar, enxotar, afugentar, espantar: *O vizinho escorraçou o cachorro que entrara na cozinha;* (fig.) *O voto escorraçou aquele político da prefeitura.* ▶ Conjug. 5 e 36.

escorredor [ô] (es.cor.re.dor) *s.m.* Utensílio doméstico, usado para fazer escorrer um líquido (de algo): *escorredor de macarrão.*

escorrega [é] (es.cor.re.ga) *s.m.* Brinquedo infantil composto por uma prancha lisa e inclinada, com uma escada de acesso, usado pelas crianças para escorregar; escorregador.

escorregada (es.cor.re.ga.da) *s.f.* **1.** Escorregadela, escorregão (1). **2.** *fig.* Erro cometido por descuido; engano, erro, lapso, deslize: *Cometeu uma leve escorregada em seu discurso.*

escorregadela [é] (es.cor.re.ga.de.la) *s.f.* Escorregada, escorregão (1).

escorregadio (es.cor.re.ga.di:o) *adj.* Em que se pode escorregar; escorregadiço, resvaladiço. (1).

escorregadiço (es.cor.re.ga.di.ço) *adj.* Escorregadio.

escorregador [ô] (es.cor.re.ga.dor) *s.m.* Escorrega.

escorregão (es.cor.re.gão) *s.m.* **1.** Resvalo, tombo, escorregadela; escorregada: *Levei um escorregão no corredor molhado.* **2.** *fig.* Desvio, erro: *Você cometeu um escorregão ao escrever com s a palavra certeza.*

escorregar (es.cor.re.gar) *v.* **1.** Perder o equilíbrio e deslizar sob o próprio peso; resvalar: *A criança escorregou ao pisar na casca de banana.* **2.** Causar escorregões: *Aquele chão escorre-*

escorreito

gava muito. **3.** Deslizar, correr: *Escorregou os dedos sobre o móvel para sentir se estava com poeira.* **4.** *fig.* Escorrer (3): *O dinheiro escorregava entre os meus dedos.* **5.** *fig.* Incorrer em erro; errar, falhar: *O apresentador escorregou no português.* ▶ Conjug. 8 e 34.

escorreito (es.cor.*rei*.to) *adj.* **1.** Que não possui falha ou lesão: *postura escorreita.* **2.** Que é perfeito, correto; apurado: *linguagem escorreita.*

escorrer (es.cor.*rer*) *v.* **1.** Tirar um líquido de; escoar, entornar, verter: *A mãe escorreu o macarrão para servi-lo.* **2.** Correr em fio (um líquido); pingar, gotejar: *As lágrimas escorriam pelo seu rosto.* **3.** *fig.* Passar; escorregar: *O tempo escorria lentamente.* ▶ Conjug. 42.

escoteirismo (es.co.tei.*ris*.mo) *s.m.* Escotismo.

escoteiro (es.co.*tei*.ro) *adj.* **1.** Relativo a escotismo. • *s.m.* **2.** Pessoa que pratica escotismo.

escotilha (es.co.*ti*.lha) *s.f.* (*Náut.*) Abertura de uma embarcação, usada para passagem de pessoal, carga, luz ou ar.

escotismo (es.co.*tis*.mo) *s.m.* Corrente fundada por um militar inglês, disseminada por várias partes do mundo, que busca a educação física e moral de crianças e adolescentes por meio de práticas extraescolares; escoteirismo.

escova¹ [ô] (es.*co*.va) *s.f.* Objeto formado por uma placa, atravessada por cerdas e acoplada a um cabo, que é usado para pentear, limpar, alisar etc.

escova² [ô] (es.*co*.va) *s.f.* **1.** Ato de escovar; escovadela. **2.** Alisamento ou penteado feito com o uso de escova e secador: *escova progressiva.*

escovadela [é] (es.co.va.*de*.la) *s.f.* **1.** Ato de escovar. **2.** Ato de escovar levemente: *Antes de sair deu uma escovadela no cabelo.* **3.** *fig.* Reprovação que se dirige a alguém; reprimenda, repreensão, censura: *Levou uma escovadela do pai.*

escovão (es.co.*vão*) *s.m.* **1.** Escova grande. **2.** Escova grande e com cabo longo, usada para limpar, encerar ou polir o assoalho.

escovar (es.co.*var*) *v.* **1.** Pentear com escova: *Minha mãe escovava os cabelos todas as noites.* **2.** Limpar (algo) com escova: *Escove os dentes após as refeições.* **3.** Dar lustre a alguém; polir: *O soldado escovou suas botas.* ▶ Conjug. 20.

escrachar (es.cra.*char*) *v. coloq.* Acabar com o bom nome de; depreciar; desvalorizar, desmoralizar, difamar: *Ele escrachou os políticos que são corruptos.* ▶ Conjug. 20. − **escracho** *s.m.*

escravatura (es.cra.va.*tu*.ra) *s.f.* **1.** Tráfico de escravos. **2.** Escravidão (1 e 2). **3.** Conjunto de escravos.

escravidão (es.cra.vi.*dão*) *s.f.* **1.** Sistema socioeconômico no qual um sujeito é considerado juridicamente objeto de outro, podendo este dispor livremente da pessoa escravizada; escravatura, escravismo: *A escravidão negra no Brasil começou no século XVII.* **2.** Condição de escravo; servidão, cativeiro, escravatura: *escravidão de um índio.* **3.** *fig.* Condição de submissão; servilismo, subserviência, sujeição: *Aquele trabalhador rural vive na escravidão.* **4.** *fig.* Condição de dependência; vício: *O alcoolismo é uma escravidão.*

escravismo (es.cra.*vis*.mo) *s.m.* **1.** Prática da escravidão. **2.** Escravidão (1).

escravizar (es.cra.vi.*zar*) *v.* **1.** Levar à condição de escravo; sujeitar: *Os portugueses escravizaram milhares de índios durante a colonização do Brasil.* **2.** *fig.* Dominar ou ser dominado; subjugar(-se), submeter(-se): *Aquele empresário escravizava seus funcionários; Aquele cachorro escravizou-se ao dono.* **3.** *fig.* Provocar fascínio em; encantar, seduzir, enfeitiçar: *Aquela mulher escravizou meu coração!; Seu olhar me escraviza.* ▶ Conjug. 5.

escravo (es.*cra*.vo) *adj.* **1.** Diz-se de pessoa que se tornou propriedade de alguém: *negro escravo.* **2.** *fig.* Que se submeteu a alguém ou a algo: *esposa escrava.* **3.** *fig.* Que faz trabalhar excessivamente: *trabalho escravo.* **4.** *fig.* Que se encantou com alguém. • *s.m.* **5.** Pessoa que é propriedade de outra; cativo. **6.** *fig.* Pessoa que está submetida a outra. **7.** *fig.* Pessoa que trabalha em excesso. **8.** *fig.* Pessoa que está encantada com outra.

escravocracia (es.cra.vo.cra.*ci*.a) *s.f.* Domínio dos escravocratas: *escravocracia brasileira.*

escravocrata (es.cra.vo.*cra*.ta) *adj.* **1.** Em que se dá a escravidão: *período escravocrata.* **2.** Que é defensor da escravidão: *elite escravocrata.* • *s.m.* e *f.* **3.** Pessoa escravista.

escrete [é] (es.*cre*.te) *s.m.* (*Esp.*) Seleção (4).

escrevente (es.cre.*ven*.te) *s.m* e *f.* Escriturário (1), copista, amanuense (1). **2.** (*Jur.*) Ajudante do escrivão; auxiliar de cartório, tabelionato ou escrivania: *escrevente juramentado.*

escrever (es.cre.*ver*) *v.* **1.** Representar por meio de sinais gráficos; grafar: *O aluno escreveu uma frase.* **2.** Colocar em forma de texto; redigir: *Escreveu uma redação sobre a cultura negra; Alguns filósofos escreveram sobre o amor; Muitos*

escudo

cronistas escreviam diariamente. **3.** Redigir uma correspondência, um bilhete etc.: *A moça escrevia sempre para a família.* **4.** Praticar a profissão de escritor: *Aquele autor escreve muito.* **5.** Criar (composições); compor: *Carlos Gomes escreveu a ópera O guarani.* || part.: *escrito.* ▶ Conjug. 41.

escrevinhar (es.cre.vi.*nhar*) *v.* **1.** Escrever de forma pouco legível; rabiscar: *Ninguém entendeu o que ele escrevinhou.* **2.** *pej.* Escrever futilidades: *Escrevinhava umas quadrinhas para passar o tempo; Ele gostava de escrevinhar.* ▶ Conjug. 5.

escriba (es.*cri*.ba) *s.m.* **1.** Doutor da lei, entre os judeus. **2.** Escrivão, copista. **3.** Mau escritor.

escrínio (es.*crí*.ni:o) *s.m.* **1.** Escrivaninha. **2.** Pequeno cofre usado para guardar joias; porta-joias.

escrita (es.*cri*.ta) *s.f.* **1.** Ato ou efeito de escrever; escritura. **2.** Representação da língua falada ou de ideias por meio de sinais gráficos. **3.** Sistema de sinais gráficos que servem para a representação de algo: *escrita matemática*. **4.** (*Lit.*) Modo, arte, técnica ou método de expressão literária; estilo: *escrita barroca*. **5.** A forma de escrever de cada um; caligrafia, letra. **6.** Escrituração mercantil.

escrito (es.*cri*.to) *adj.* **1.** Que foi representado por meio de sinais gráficos; grafado: *português escrito*. **2.** Que foi transformado em texto: *resumo escrito*. • *s.m.* **3.** Aquilo que foi representado por meio de sinais gráficos, em qualquer tipo de suporte. **4.** Aquilo que foi redigido.

escritor [ô] (es.*cri*.tor) *s.m.* Pessoa que escreve livros, especialmente de ficção.

escritório (es.cri.*tó*.ri:o) *s.m.* **1.** Cômodo de um imóvel usado para trabalhos intelectuais; gabinete (1). **2.** Sala ou grupo de salas usadas para administração de negócios, atendimento a clientes etc.

escritura (es.cri.*tu*.ra) *s.f.* **1.** Ato ou efeito de escrever; escrita. **2.** (*Jur.*) Documento, particularmente título de propriedade de imóvel. **3.** Modo ou estilo de escrever: *escritura pós-moderna*. **4.** A Bíblia. || *Sagradas Escrituras:* A Bíblia.

escriturar (es.cri.tu.*rar*) *v.* Fazer o registro metódico das transações comerciais, dos documentos de uma repartição pública etc.; exarar, lavrar (5): *escriturar os gastos.* ▶ Conjug. 5. – **escrituração** *s.f.*

escriturário (es.cri.tu.*rá*.ri:o) *s.m.* Profissional que escritura.

escrivania (es.cri.va.*ni*.a) *s.f.* (*Jur.*) Trabalho de escrivão.

escrivaninha (es.cri.va.*ni*.nha) *s.f.* **1.** Mesa usada para escrever, com gavetas ou não. **2.** Armário ou mesa com escaninhos ou não; escrínio (1).

escrivão (es.cri.*vão*) *s.m.* (*Jur.*) Funcionário público que tem por encargo escrever os atos de um processo ou os atos determinados por uma autoridade judicial ou por um tribunal. || f.: *escrivã*.

escroque [ó] (es.*cro*.que) *s.m.* Pessoa que tenta se apropriar ou se apropria fraudulentamente de bens alheios; vigarista, trapaceiro.

escroto [ô] (es.*cro*.to) *adj.* **1.** *pej. chulo* Que inspira repugnância: *sujeito escroto.* • *s.m.* **2.** Pele em forma de bolsa que envolve os testículos. **3.** *pej. chulo* Pessoa repugnante. – **escrotal** *adj.*

escrúpulo (es.*crú*.pu.lo) *s.m.* **1.** Dúvida sob um ponto de vista moral; inquietação, incerteza. **2.** Caráter íntegro; princípio. **3.** Grande cuidado; zelo. – **escrupuloso** *adj.*

escrutar (es.cru.*tar*) *v.* Investigar cuidadosamente; sondar, pesquisar: *escrutar dados.* ▶ Conjug. 5.

escrutinar (es.cru.ti.*nar*) *v.* Realizar um escrutínio; apurar votos de: *escrutinar uma eleição.* ▶ Conjug. 5.

escrutínio (es.cru.*tí*.ni:o) *s.m.* **1.** Votação que se faz com o uso de uma urna; eleição, pleito. **2.** Apuração de votos; conferência, contagem. **3.** *fig.* Investigação cuidadosa; exame, pesquisa.

escudar (es.cu.*dar*) *v.* **1.** Colocar(-se) a salvo de; proteger(-se), defender(-se): *O soldador escudou o rosto (com uma máscara); Com medo, escudei-me atrás do muro.* **2.** *fig.* Ter apoio em; respaldar-se, amparar-se, estribar-se, apoiar-se, sustentar-se: *Sua defesa se escuda em fatos reais.* ▶ Conjug. 5.

escudeiro (es.cu.*dei*.ro) *s.m.* **1.** (*Hist.*) Na Idade Média, jovem iniciante no ofício de cavaleiro que carregava o escudo e armas do nobre ao qual servia. **2.** Soldado que empunhava arma e escudo para proteger imperadores ou reis. **3.** Título de nobreza de nível inferior.

escuderia (es.cu.de.*ri*.a) *s.f.* Empresa que fabrica carros de corrida e contrata pilotos e técnicos, compondo uma equipe para participar de competições.

escudo (es.*cu*.do) *s.m.* **1.** Placa feita com diversos materiais, usada para defender o corpo de um guerreiro, de um soldado ou de um

esculachar

policial. **2.** *fig.* Aquilo que serve para proteger: *Na briga, usou a mesa como escudo.* **3.** Peça em que são representadas as armas de um país, um brasão de família etc. **4.** (*Econ.*) Unidade monetária de Portugal antes da adoção do euro.

esculachar (es.cu.la.*char*) *v. coloq.* Esculhambar. ▶ Conjug. 5.

esculhambação (es.cu.lham.ba.*ção*) *s.f.* **1.** *coloq.* Ato e efeito de esculhambar. **2.** *coloq.* Falta de organização; desorganização, desordem, confusão, bagunça. **3.** *coloq.* Advertência enérgica; repreenda, censura, reprovação, repreensão.

esculhambar (es.cu.lham.*bar*) *v.* **1.** *coloq.* Fazer bagunça; desorganizar, bagunçar, esculachar: *Aquela obra esculhambou meu quarto.* **2.** *coloq.* Advertir com aspereza; repreender, censurar, reprovar, esculachar: *Ele esculhambava todo mundo quando estava irritado.* **3.** *coloq.* Causar dano a; estragar, quebrar: *Meu filho esculhambou o brinquedo novo.* ▶ Conjug. 5.

esculpir (es.cul.*pir*) *v.* (*Art.*) Amoldar uma matéria com o objetivo de criar uma escultura; modelar, cinzelar, lavrar, entalhar: *Aleijadinho esculpiu imagens de anjos e de santos.* ▶ Conjug. 66.

escultor [ô] (es.cul.*tor*) *s.m.* (*Art.*) Artista que faz esculturas; entalhador.

escultura (es.cul.tu.ra) *s.f.* (*Art.*) Obra de arte com três dimensões que representa alguém ou algo, feita em diversos tipos de materiais.

escultural (es.cul.tu.*ral*) *adj.* **1.** Relativo a escultura. **2.** *fig.* Que apresenta formas bem torneadas ou perfeitas: *corpo escultural.*

escuma (es.*cu*.ma) *s.f.* Espuma (1).

escumadeira (es.cu.ma.*dei*.ra) *s.f.* Utensílio feito de metal, plástico ou outro material, constituído de uma concha rasa com muitos furos, presa num cabo longo, usado para escorrer a gordura de frituras ou para tirar a espuma de líquidos.

escumar (es.cu.*mar*) *v.* Espumar (1 e 2). ▶ Conjug. 5.

escumilha (es.cu.*mi*.lha) *s.f.* **1.** Chumbo pequeno, usado para a pesca e para caçar pássaros. **2.** (*Bot.*) Extremosa. **3.** Gaze (1).

escuna (es.*cu*.na) *s.f.* (*Náut.*) Embarcação ligeira com dois mastros e velas latinas.

escuras (es.*cu*.ras) *s.f.pl.* || Usado na locução *às escuras.* **1.** Sem luz; sem iluminação: *A cidade estava às escuras no dia do temporal.* **2.** *fig.* Sem saber do que se trata; às cegas: *Assinei o documento às escuras.* **3.** *fig.* Às escondidas: *Ele fez tudo às escuras.*

escurecer (es.cu.re.*cer*) *v.* **1.** Ficar ou fazer ficar sem luz: *Escurecia o quarto para dormir; O palco escureceu e o espetáculo começou; O quarto escureceu-se.* **2.** Ficar ou fazer ficar escuro progressivamente; enegrecer: *A atriz escureceu os cabelos; Com o tempo, a prata escureceu(-se).* **3.** Ficar ou fazer ficar anuviado; nublar(-se): *O temporal escureceu a tarde; Minha vista escureceu-se.* **4.** Fazer-se noite; anoitecer: *Escureceu e ele voltou para casa.* ▶ Conjug. 41 e 46. – **escurecimento** *s.m.*

escuridão (es.cu.ri.*dão*) *s.f.* **1.** Ausência de luz; breu, negrume, trevas: *Não enxergava na escuridão do quarto.* **2.** *fig.* Sem conhecimento; ignorância: *Não sabia ler e escrever: vivia numa escuridão.*

escuro (es.*cu*.ro) *adj.* **1.** Em que não há luz: *sala escura.* **2.** Que está nublado: *céu escuro.* **3.** Que apresenta tonalidade negra ou próxima do negro: *roupa escura.* **4.** Diz-se de pessoa negra: *rapaz escuro.* • *s.m.* **5.** Pessoa negra. **6.** Local sem luz ou com pouca luz.

escusar (es.cu.*sar*) *v.* **1.** Pedir desculpa; desculpar-se: *escusou-se do/pelo atraso.* **2.** Desobrigar-se de fazer algo; isentar-se, liberar-se: *O funcionário escusou-se de fazer parte da comissão.* **3.** Não ser necessário; não precisar: *Escusa dizer que não iremos com você.* ▶ Conjug. 5. – **escusável** *adj.*

escuso (es.*cu*.so) *adj.* **1.** Que é ilícito; duvidoso: *negócio escuso.* **2.** Que se encontra oculto; encoberto: *recanto escuso.*

escuta (es.*cu*.ta) *s.f.* **1.** Ato ou efeito de escutar; audição. **2.** Terminal por onde se escuta: *escuta sem fio.* • *s.m.* e *f.* **3.** Pessoa que vigia alguém para obter informações; espião. || *À escuta*: de prontidão; vigilante: *Colocou-se à escuta na porta da suspeita.* • *Escuta telefônica*: sistema utilizado para ouvir ou gravar conversas mantidas por telefone: *A escuta telefônica deve ser autorizada pelo governo.*

escutar (es.cu.*tar*) *v.* **1.** Ouvir com cuidado: *Escutei seu desabafo sem julgá-la; O professor escutava todos os seus alunos.* **2.** Perceber um som; ouvir: *Os vizinhos escutaram um barulho estranho; Sou surda: Se você não gritar, não escuto.* **3.** *fig.* Levar em conta a opinião de alguém: *Ele escuta muito o pai.* ▶ Conjug. 5.

esfregar

esdrúxulo (es.drú.xu.lo) *adj.* **1.** Que é esquisito; extravagante, excêntrico: *situação esdrúxula*. **2.** Diz-se de verso que é finalizado com palavra proparoxítona. • *s.m.* **3.** Verso esdrúxulo.

esfacelar (es.fa.ce.*lar*) *v.* **1.** Ficar ou fazer ficar em pedaços; despedaçar(-se), quebrar(-se), destruir(-se): *O choque esfacelou a asa do avião; Com a explosão, os vagões esfacelaram-se.* **2.** *fig.* Desfazer-se, pulverizar-se, destruir-se: *A globalização esfacelou as fronteiras entre países; Sua família se esfacelou.* ▶ Conjug. 8. – **esfacelamento** *s.m.*

esfaimado (es.fai.*ma*.do) *adj. s.m.* Faminto.

esfalfar (es.fal.*far*) *v.* Sentir ou provocar muito cansaço; esgotar(-se), fatigar(-se), extenuar(-se): *Aquele trabalho me esfalfou; O time se esfalfou no gramado.* ▶ Conjug. 5. – **esfalfamento** *s.m.*

esfaquear (es.fa.que:*ar*) *v.* Dar(-se) uma facada: *O réu é suspeito de esfaquear a velha senhora; Esfaqueou-se na tentativa de suicidar-se.* ▶ Conjug. 14.

esfarelar (es.fa.re.*lar*) *v.* Ficar ou fazer ficar em farelos; esfarinhar(-se), esmigalhar(-se), pulverizar(-se), esfarinhar(-se): *Os cupins esfarelaram a capa do livro; O biscoito se esfarela facilmente;* (fig.) *A falta de verbas esfarelou o projeto; Seu orgulho esfarelou-se.* ▶ Conjug. 8. – **esfarelamento** *s.m.*

esfarinhar (es.fa.ri.*nhar*) *v.* Esfarelar. ▶ Conjug. 5.

esfarrapado (es.far.ra.*pa*.do) *adj.* **1.** Que se esfarrapou; rasgado: *casaco esfarrapado*. **2.** *fig.* Que não apresenta coerência; inconsistente, ilógico: *desculpa esfarrapada*.

esfarrapar (es.far.ra.*par*) *v.* Ficar reduzido a farrapos; rasgar, esbandalhar: *O tecido esfarrapou-se todo.* ▶ Conjug. 5.

esfenoide [ó] (es.fe.*noi*.de) *s.m.* (*Anat.*) Osso localizado na parte da frente da base do crânio.

esfera [é] (es.*fe*.ra) *s.f.* **1.** (*Geom.*) Sólido redondo cuja superfície apresenta pontos com a mesma distância do ponto interior central; orbe (1). **2.** (*Geom.*) Qualquer objeto que apresente formato de uma bola; globo: *A bola de futebol é uma esfera.* **3.** *fig.* Campo em que uma pessoa exerce autoridade, desempenha uma atividade etc.: *esfera pública.* **4.** *Orbe (2).* – **esférico** *adj.*

esferográfica (es.fe.ro.grá.fi.ca) *s.f.* Caneta esferográfica.

esfiapar (es.fi:a.*par*) *v.* Desmanchar(-se) em fios; ficar ou fazer ficar em fiapos; desfiar(-se), desfazer(-se): *O cozinheiro esfiapou o bacalhau para fazer uma salada; A colcha esfiapou(-se).* ▶ Conjug. 5.

esfíncter (es.*fínc*.ter) *s.m.* (*Anat.*) Conjunto de fibras musculares circulares ou oblíquas que contornam um canal, um vaso ou a abertura de um órgão oco, podendo se contrair e se abrir: *esfíncter anal.*

esfinge (es.*fin*.ge) *s.f.* Na mitologia grega, monstro representando uma mulher alada com corpo de leoa. – **esfingético** *adj.*; **esfíngico** *adj.*

esfirra (es.*fir*.ra) *s.f.* (*Cul.*) Tipo de pastel árabe de forno, feito com massa dobrada em forma de triângulo ou círculo, que pode ser recheado com carne moída, frango, queijo, espinafre etc.

esfolar (es.fo.*lar*) *v.* **1.** Sofrer ou fazer sofrer ferimentos leves; escoriar(-se), ferir(-se), arranhar(-se): *Com a queda, esfolou o joelho; A sandália esfolou-lhe o dedo mínimo.* **2.** *coloq.* Cobrar preço muito alto; explorar: *Aquele comerciante me esfolou!* ▶ Conjug. 20. – **esfoladura** *s.f.*

esfoliar (es.fo.li:*ar*) *v.* **1.** Tirar as células mortas da superfície da pele, escamar: *esfoliar o rosto.* **2.** Desprender ou fazer desprender pequenas lascas de (uma superfície): *esfoliar(-se) a casca de uma fruta.* ▶ Conjug. 17. – **esfoliação** *s.f.*; **esfoliante** *adj. s.m.* e *f.*

esfomeado (es.fo.me:a.do) *adj. s.m.* Faminto.

esforçar-se (es.for.*çar*-se) *v.* Empenhar-se ao máximo; lutar: *A aluna esforçou-se para ser aprovada em Matemática.* ▶ Conjug. 20, 6 e 36.

esforço [ô] (es.*for*.ço) *s.m.* Emprego de força ou energia: *esforço muscular.* || pl.: [ó].

esfrangalhar (es.fran.ga.*lhar*) *v.* *fig.* Reduzir a frangalhos; dilacerar: *esfrangalhar os nervos.* ▶ Conjug. 5.

esfrega [é] (es.*fre*.ga) *s.f.* **1.** Ato de esfregar; esfregação (1). **2.** *coloq.* Bronca, repreensão, reprimenda: *Ele tomou uma esfrega do chefe.* **3.** *coloq.* Surra, espancamento, coça: *Deu uma esfrega no vizinho e quebrou seu braço.*

esfregação (es.fre.ga.*ção*) *s.f.* **1.** Ato de esfregar; esfrega (1). **2.** *coloq.* Troca sensual de carícias. **3.** *coloq.* Bolinação.

esfregão (es.fre.*gão*) *s.m.* Pano usado para esfregar; rodilha.

esfregar (es.fre.*gar*) *v.* **1.** Provocar fricção entre dois ou mais elementos: *Peguei o sabão e esfreguei as duas mãos; Antes da massagem, esfregou-se com óleo.* **2.** Ficar ou fazer ficar mais limpo

esfriar

por meio de fricção; limpar, lustrar, polir: *Esfregava o chão da cozinha toda semana; Esfregou-se debaixo do chuveiro.* **3.** Roçar(-se), coçar(-se): *O menino esfregou os olhos; O cachorro se esfregou na grade.* **4.** *coloq.* Trocar carícias sensualmente; agarrar-se, atracar-se, amassar-se, roçar-se: *O casal se esfregava acintosamente no cinema.* **5.** Tocar o corpo de (alguém) furtivamente; bolinar: *O homem se esfregou na moça dentro do trem.* ▶ Conjug. 8 e 34.

esfriar (es.fri:*ar*) *v.* **1.** Ficar ou fazer ficar frio ou mais frio; resfriar(-se): *A mãe esfria sempre a mamadeira do bebê; Conversava com o irmão enquanto a comida esfriava; O magma esfriou-se e cristalizou-se.* **2.** *fig.* Ficar ou fazer ficar insensível; insensibilizar(-se), endurecer (-se): *Os sofrimentos esfriaram seu coração; Meu casamento esfriou(-se).* **3.** Ficar ou fazer ficar mais calmo; acalmar(-se), tranquilizar (-se), serenar(-se): *A apresentação de provas esfriou as discussões sobre o caso; Com o fim da briga, os ânimos esfriaram(-se).* ▶ Conjug. 17. – **esfriamento** *s.m.*

esfumaçar (es.fu.ma.*çar*) *v.* **1.** Encher de fumaça: *esfumaçar um ambiente.* **2.** Defumar: *esfumaçar uma linguiça.* ▶ Conjug. 5 e 36.

esfuminho (es.fu.*mi*.nho) *s.m.* (*Art.*) Bastão feito de pelica, feltro ou papel enrolados que é utilizado para dar sombreamento a um desenho feito a lápis, carvão ou pastel.

esfuziante (es.fu.zi:*an*.te) *adj.* **1.** Que está cheio de alegria; radiante, exultante: *sorriso esfuziante.* **2.** Que é barulhento; ruidoso: *aplausos esfuziantes.*

esfuziar (es.fu.zi:*ar*) *v.* **1.** Soprar fortemente: *O vendaval esfuziava contra as janelas.* **2.** Provocar zumbido; assobiar, sibilar: *A bala esfuziou e penetrou na parede.* ▶ Conjug. 17.

esgalgado (es.gal.*ga*.do) *adj.* **1.** *fig.* Que é esguio como um galgo: *cipreste esgalgado.* **2.** *fig.* Que é comprido e delgado: *pescoço esgalgado.*

esganado (es.ga.*na*.do) *adj.* **1.** Que foi estrangulado; asfixiado, enforcado. **2.** *coloq.* Que tem muita fome; que come muito; guloso: *bebê esganado.* **3.** *coloq. fig.* Que é ávido, sôfrego. • *s.m.* **4.** Pessoa esganada.

esganar (es.ga.*nar*) *v.* Estrangular: *Aquele homem esganou a mulher e foi a julgamento.* ▶ Conjug. 5. – **esganação** *s.f.*

esganiçar (es.ga.ni.*çar*) *v.* **1.** Fazer a voz ficar estridente, parecido com ganidos de um cão: *Para debochar do amigo, esganiçou a voz.* **2.** Cantar ou falar num tom mais agudo: *Esgani-* *çou-se para cantar mais alto que o concorrente.* ▶ Conjug. 5 e 36.

esgaravatar (es.ga.ra.va.*tar*) *v.* || **esgravatar.** ▶ Conjug. 5.

esgarçar (es.gar.*çar*) *v.* **1.** Desmanchar ou ter os fios desmanchados (um tecido); desfiar(-se), esfiapar(-se), puir(-se): *O arame esgarçou a cortina; A faixa do vestido esgarçou(-se).* **2.** *fig.* Desfazer-se, fragmentar-se: *esgarçar(-se) um projeto; As fronteiras entre o público e o privado (se) esgarçaram.* ▶ Conjug. 5 e 36.

esgazear (es.ga.ze:*ar*) *v.* Fazer um olhar desvairado: *Revoltado, esgazeou os olhos e esmurrou a mesa.* ▶ Conjug. 14.

esgoelar (es.go:e.*lar*) *v.* **1.** Falar aos berros; berrar, gritar: *O vizinho esgoelava palavrões na calçada; O bebê chora e esgoela quando está com fome; Na reunião, os participantes esgoelaram-se para serem ouvidos.* **2.** Estrangular (1): *Esgoelou o inimigo com força.* ▶ Conjug. 8.

esgotamento (es.go.ta.*men*.to) *s.m.* **1.** Ato ou efeito de esgotar; esvaziar. **2.** Estado de fadiga profunda; cansaço forte; exaustão.

esgotar (es.go.*tar*) *v.* **1.** Gastar completamente; exaurir(-se), dissipar(-se), consumir(-se): *O uso indevido do solo esgota as reservas naturais brasileiras; Com o excesso de uso, a energia da bateria esgotou(-se).* **2.** Vender ou ser vendido, sem sobras: *A campanha esgotou os jornais das bancas; A primeira edição esgotou em um ano; Com as vendas antecipadas, os ingressos esgotaram-se.* **3.** *fig.* Ficar ou fazer ficar muito cansado; fatigar(-se), exaurir(-se): *O excesso de trabalho me esgotou; Minhas forças (se) esgotaram.* **4.** *fig.* Pesquisar com profundidade: *Esgotei o assunto na minha tese.* **5.** *fig.* Usar todos os meios possíveis para alcançar (algo): *Esgotei meus recursos e não consegui convencê-lo.* **6.** Chegar ao fim; terminar: *O prazo se esgotou.* ▶ Conjug. 20.

esgoto [ô] (es.*go*.to) *s.m.* Sistema subterrâneo de tubulação através do qual são escoadas as águas pluviais ou os dejetos de um bairro, uma região, uma cidade etc.; sumidouro (1).

esgravatar (es.gra.va.*tar*) *v.* Escarafunchar (3): || esgaravatar. ▶ Conjug. 5.

esgrima (es.*gri*.ma) *s.f.* (*Esp.*) **1.** Ato de esgrimir. **2.** Arte e técnica de lutar com espada, florete, sabre etc. **3.** Conjunto de técnicas que compõem esta luta.

esgrimir (es.gri.*mir*) *v.* **1.** (*Esp.*) Praticar esgrima: *O herói esgrimiu sua espada.* **2.** *fig.* Entrar em

esmola

controvérsia; argumentar, debater, polemizar, discutir: *O autor esgrimia suas ideias contra o adversário*. ▶ Conjug. 66.

esgrimista (es.gri.mis.ta) *adj*. **1**. Que pratica esgrima: *jovem esgrimista*. • *s.m. e f*. **2**. (*Esp*.) Pessoa que conhece ou pratica esgrima.

esgueirar-se (es.guei.rar-se) *v*. Afastar-se sorrateiramente; desaparecer, sumir: *No meio da festa, esgueirou-se pela porta sem que ninguém notasse*. ▶ Conjug. 18 e 6.

esguelha [ê] (es.gue.lha) *s.f.* Soslaio, viés, través. ‖ *De esguelha*: de lado, de soslaio: *Ele me olhava de esguelha, desconfiado*.

esguichar (es.gui.char) *v*. Lançar ou sair com vigor por tubo, cano ou buraco: *A mangueira esguichava água sobre o jardim*; *O petróleo esguichou, espesso*. ▶ Conjug. 5.

esguicho (es.gui.cho) *s.m*. **1**. Ato ou efeito de esguichar. **2**. Jato (contínuo ou não) de um líquido. **3**. Peça fixada na ponta de um tubo ou de uma mangueira para fazer a água esguichar.

esguio (es.gui:o) *adj*. **1**. Que é alto e magro: *homem esguio*. **2**. Que é comprido e estreito: *planta esguia*.

eslavo (es.la.vo) *adj*. **1**. De parte da Europa central e oriental. • *s.m*. **2**. O natural ou o habitante dessa região. **3**. Um dos idiomas falados nessa região.

eslovaco (es.lo.va.co) *adj*. **1**. Da República Eslovaca, país da Europa central. • *s.m*. **2**. O natural ou o habitante desse país. **3**. Idioma falado nesse país.

esloveno [ê] (es.lo.ve.no) *adj*. **1**. Da República da Eslovênia, país do Centro-Sul da Europa. • *s.m*. **2**. O natural ou o habitante desse país. **3**. Idioma falado nesse país.

esmaecer (es.ma:e.cer) *v*. **1**. Perder a cor ou o brilho; desbotar, descorar: *Aquela tinta não borra nem esmaece*. **2**. *fig*. Apagar, diluir: *Só o tempo esmaece essa sua dor*. **3**. *fig. poét*. Perder a força; enfraquecer, esmorecer: *Sua esperança não esmaecia*. ▶ Conjug. 41 e 46. – **esmaecimento** *s.m*.

esmagador [ô] (es.ma.ga.dor) *adj*. **1**. Que esmaga: *máquina esmagadora*. **2**. *fig*. Que oprime: *culpa esmagadora*. **3**. Que é indiscutível: *argumento esmagador*.

esmagar (es.ma.gar) *v*. **1**. Diminuir ou ter diminuído o volume devido à pressão ou choque; comprimir(-se), amassar(-se), achatar(-se), esmigalhar(-se): *O trator esmagou as chapas de alumínio*; *Os caquis caíram e esmagaram-se*. **2**. *fig*. Dar cabo de; destruir, eliminar, exterminar: *A nova medida do governo esmagou a possibilidade de mudança*. **3**. *fig*. Obter grande vitória sobre (alguém ou algo); vencer: *Aquele time esmagou o adversário*. ▶ Conjug. 5 e 34. – **esmagamento** *s.m*.

esmaltar (es.mal.tar) *v*. Cobrir com esmalte: *esmaltar uma mesa*. ▶ Conjug. 5. – **esmaltagem** *s.f.*

esmalte (es.mal.te) *s.m*. **1**. Líquido transparente ou opaco que se solidifica quando passado em uma superfície, usado para proteger ou enfeitar: *esmalte de unha*. **2**. Tinta para acabamento. **3**. (*Odont*.) Material que cobre externamente a coroa do dente.

esmeralda (es.me.ral.da) *s.f.* **1**. (*Min*.) Pedra preciosa verde. • *adj*. **2**. Diz-se da cor verde própria dessa pedra. **3**. Que tem a mesma cor da esmeralda, ou parecida: *saia esmeralda*. – **esmeraldino** *adj*.

esmerar-se (es.me.rar-se) *v*. Esforçar-se para fazer (algo) com perfeição; empenhar-se, caprichar: *O engenheiro esmerou-se no projeto do edifício*. ▶ Conjug. 8 e 6.

esmeril (es.me.ril) *s.m*. **1**. (*Min*.) Pedra de amolar. **2**. Óxido de ferro gerado pela decomposição de terras roxas.

esmerilar (es.me.ri.lar) *v*. Esmerilhar. ▶ Conjug. 5.

esmerilhar (es.me.ri.lhar) *v*. **1**. Polir ou lixar com esmeril: *esmerilhar uma peça*. **2**. *fig*. Ficar ou fazer ficar melhor; apurar(-se): *esmerilhar(-se) um verso*. ‖ *esmerilar*. ▶ Conjug. 5. – **esmerilhamento** *s.m*.

esmero [ê] (es.me.ro) *s.m*. **1**. Cuidado com os pormenores; capricho, zelo: *Texto escrito com esmero*. **2**. Apuro extremo; elegância, distinção, graça, refinamento: *Vestir-se com esmero*.

esmigalhar (es.mi.ga.lhar) *v*. Fazer em migalhas; despedaçar, esmagar (1): *esmigalhar um pão*. ▶ Conjug. 5. – **esmigalhamento** *s.m*.

esmiuçar (es.mi:u.çar) *v*. Examinar minuciosamente; investigar, esquadrinhar, pesquisar: *O detetive esmiuçou a vida da moça*. ▶ Conjug. 26 e 36.

esmo [ê] (es.mo) *s.m*. ‖ Usado na locução *a esmo*: ao acaso; à toa: *Andou horas a esmo*.

esmola [ó] (es.mo.la) *s.f.* **1**. Dinheiro dado a um pedinte; ajuda. **2**. Aquilo que é dado por caridade. **3**. *pej*. Aquilo que é recebido como esmola: *Meu salário é uma esmola!*

esmolambado (es.mo.lam.ba.do) adj. **1.** Que está com a roupa em molambos; molambento; esfarrapado: *mendigo esmolambado.* • s.m. **2.** Pessoa ou coisa esmolambada.

esmolar (es.mo.lar) v. **1.** Pedir esmola; mendigar: *Esmolou um trocado na rua; Mendigos esmolavam na porta da igreja; Uma criança vestida com trapos esmolava.* **2.** *fig.* Pedir com humildade: *esmolar um sorriso.* ▶ Conjug. 20.

esmoler [é] (es.mo.ler) adj. **1.** Que dá esmolas constantemente; caridoso. • s.m. e f. **2.** Pessoa que dá esmolas. **3.** Pessoa que vive de esmolas; pedinte, mendigo.

esmorecer (es.mo.re.cer) v. **1.** Ficar sem ânimo; desanimar, enfraquecer: *Apesar da dureza da vida, nunca esmoreceu.* **2.** Ficar menos intenso; perder a vivacidade: *A luz da vela esmorecia lentamente.* ▶ Conjug. 41 e 46. – **esmorecimento** s.m.

esmurrar (es.mur.rar) v. Dar murros em; bater, socar: *Minha mãe esmurrou a porta com força.* ▶ Conjug. 5.

esnobar (es.no.bar) v. **1.** Agir como se fosse superior a; exibir-se, pavonear-se: *Esnobava os vizinhos com seu carro novo.* **2.** Fazer pouco caso de; menosprezar, desprezar: *O rapaz esnobou a namorada.* ▶ Conjug. 20. – **esnobação** s.f.

esnobe [ó] (es.no.be) adj. **1.** Que mostra esnobismo; pedante, presunçoso, pretensioso: *homem esnobe.* • s.m. e f. **2.** Pessoa esnobe.

esnobismo (es.no.bis.mo) s.m. **1.** Ostentação de pretensa superioridade; presunção. **2.** Conduta de quem imita ou se relaciona apenas com pessoas de classe social alta, deprezando os pobres.

esôfago (e.sô.fa.go) s.m. (*Anat.*) Parte do tubo digestivo que liga a faringe ao estômago. – **esofágico** adj.

esotérico (e.so.té.ri.co) adj. **1.** Relativo a esotérico ou esoterismo. **2.** Diz-se de quem pratica o esoterismo. **3.** Que é misterioso; enigmático. • s.m. **4.** Pessoa esotérica. || Conferir com *exotérico.*

esoterismo (e.so.te.ris.mo) s.m. **1.** Conjunto de doutrinas constituídas por ideias e práticas, religiosas e espiritualistas, que apresentam influências de algumas religiões orientais e das ciências ocultas. **2.** (*Fil.*) Doutrina ou visão de mundo que acredita que o ensino da verdade (científica, filosófica ou religiosa) deva ser restrito apenas a iniciados.

espaçar (es.pa.çar) v. Fazer ou apresentar espaços entre (lugar ou tempo); espacejar: *Espaçava as visitas à tia; As mamadas do bebê espaçaram-se.* ▶ Conjug. 5 e 36. – **espaçamento** s.m.

espacejar (es.pa.ce.jar) v. **1.** Espaçar. **2.** (*Art. Gráf.*) Deixar espaço entre letras ou palavras de uma composição ou entre blocos de composição; espaçar. ▶ Conjug. 10 e 37. – **espacejamento** s.m.

espacial (es.pa.ci:al) adj. Relativo a espaço: *estação espacial.*

espaço (es.pa.ço) s.m. **1.** Extensão universal, composta de matéria e energia que abrange o sistema solar, a galáxia e as estrelas; universo, cosmos. **2.** Extensão que apresenta limites, definida em uma, duas ou três dimensões. **3.** Extensão que separa um ponto de outro; distância: *espaço entre um armário e uma mesa.* **4.** Extensão de tempo; duração, intervalo: *Tudo aconteceu no espaço de um segundo.* **5.** Lugar, vão, capacidade: *Nesta sala há espaço para vinte cadeiras.* **6.** *fig.* Circunstância favorável; oportunidade: *Durante a reunião, encontrou espaço para defender suas ideias.*

espaçonave (es.pa.ço.na.ve) s.f. Nave espacial; cosmonave.

espaçoso [ô] (es.pa.ço.so) adj. **1.** Que é amplo; extenso, grande, vasto: *apartamento espaçoso.* **2.** *coloq.* Que não tem limite; que não respeita o espaço do outro; abusado, invasivo (2): *mulher espaçosa.* || f. e pl.: [ó].

espada (es.pa.da) s.f. **1.** Arma branca, com punho, constituída por uma lâmina de ferro ou de aço, comprida, reta e pontiaguda, afiada em um ou em ambos os lados. • adj. **2.** Que é viril; machão: *homem espada.* • *espadas* s.f.pl. **3.** Um dos naipes do baralho, de cor preta: *rei de espadas.*

espadachim (es.pa.da.chim) s.m. Aquele que luta ou esgrima com espada.

espadana (es.pa.da.na) s.f. Qualquer coisa ou objeto que apresenta formato de espada.

espadaúdo (es.pa.da.ú.do) adj. Que possui ombros largos; atlético, forte: *rapaz espadaúdo.*

espádua (es.pá.du:a) s.f. (*Anat.*) Ombro.

espaguete [é] (es.pa.gue.te) s.m. (*Cul.*) **1.** Massa alimentícia de farinha de trigo em forma de fios compridos. **2.** Prato feito com essa massa. **3.** (*Eletrôn.*) Fio de plástico flexível usado para isolar fios condutores descobertos.

espairecer (es.pai.re.cer) v. Evitar os problemas, buscando distrair(-se); desanuviar(-se),

entreter(-se): *A atriz espairecia a cabeça na praia; Meu tio viajou para espairecer.* ▶ Conjug. 41 e 46. – **espairecimento** s.m.

espaldar (es.pal.*dar*) s.m. Encosto da cadeira, cama etc.; respaldo(4).

espalhafato (es.pa.lha.*fa*.to) s.m. Estardalhaço (1 e 2). – **espalhafatoso** adj.

espalhar (es.pa.*lhar*) v. **1**. Lançar em várias direções; esparramar: *O aluno espalhou os livros sobre a carteira*. **2**. Partir ou fazer partir em várias direções; dispersar(-se): *A ventania espalhava a poeira pelo chão; Os judeus espalharam-se pelo mundo*. **3**. Levar ou ser levado a público; divulgar ou ser divulgado; difundir(-se); propagar(-se): *Aquele repórter espalhava notícias falsas; A história espalhou-se rapidamente*. **4**. Alastrar-se rapidamente; propagar-se, disseminar-se: *A epidemia de dengue espalhou-se pela cidade*. **5**. coloq. Esparramar-se: *Ele se espalhou no sofá*. ▶ Conjug. 5.

espalmar (es.pal.*mar*) v. **1**. Abrir (a mão); distender, estender, estirar: *Sentou no piano e espalmou a mão no teclado*. **2**. (*Esp*.) No futebol, desviar (a bola) com as palmas das mãos: *O goleiro espalmou a bola para escanteio*. ▶ Conjug. 5. – **espalmado** adj.

espanador [ô] (es.pa.na.*dor*) s.m. Utensílio composto por um cabo curto preso a um buquê de penas (sintéticas ou não), usado para tirar o pó de superfícies.

espanar (es.pa.*nar*) v. Retirar o pó com espanador: *A mulher espanou os móveis para a festa*. ▶ Conjug. 5.

espancar (es.pan.*car*) v. Dar pancadas em; surrar, bater: *Os jagunços espancaram o comerciante*. ▶ Conjug. 5 e 35. – **espancamento** s.m.

espanhol (es.pa.*nhol*) adj. **1**. Da Espanha, país da Europa. • s.m. **2**. O natural ou o habitante desse país. **3**. Idioma falado nesse país e na América Latina; castelhano.

espantalho (es.pan.ta.lho) s.m. **1**. Boneco, geralmente feito de palha, ou algum outro objeto, que é usado para afugentar as aves. **2**. *fig. pej.* Pessoa feia ou com má aparência.

espantar (es.pan.*tar*) v. **1**. Ficar ou fazer ficar com medo; amedrontar(-se), assustar(-se): *O homem vestido de monstro espantava as crianças; Ouviu um barulho estranho e espantou-se*. **2**. Ficar ou fazer ficar surpreso; surpreender(-se), admirar(-se), maravilhar(-se): *A beleza da mulher espantou-o; Os turistas espantaram-se com o tamanho do monumento*. **3**. Pôr em fuga; afugentar, afastar, enxotar, repelir: *O uso de repelente espanta os mosquitos*. ▶ Conjug. 5.

espanto (es.*pan*.to) s.m. **1**. Ato ou efeito de espantar(-se). **2**. Sentimento de medo; susto, alvoroço, inquietação. **3**. Sentimento de admiração; fascínio, surpresa. – **espantoso** adj.

esparadrapo (es.pa.ra.*dra*.po) s.m. Tira de material aderente, feita de diferentes materiais, usada para prender curativos ou imobilizar membros com traumatismos.

espargir (es.par.*gir*) v. **1**. Espalhar pequenas gotas (de um líquido) sobre; borrifar, aspergir: *O padre espargiu água benta sobre os fiéis*. **2**. Espalhar, irradiar: *A lua espargia uma luz prateada*. ▶ Conjug. 92.

esparramar (es.par.ra.*mar*) v. **1**. Espalhar(-se) de forma desordenada: *O menino esparramou seus brinquedos no chão; O lixo se esparramava na calçada*. **2**. Derramar, despejar, entornar: *O menino esparramou o leite na toalha*. **3**. *coloq. fig.* Ficar à vontade; refestelar-se, espalhar-se: *O rapaz esparramou-se na cama*. ▶ Conjug. 5.

esparrela [é] (es.par.*re*.la) s.f. *fig.* Ardil usado para iludir; engano, logro, cilada.

esparso (es.*par*.so) adj. Que se espalhou; disperso, ralo: *chuvisco esparso*.

espartano (es.par.*ta*.no) adj. **1**. De Esparta, cidade da Grécia antiga. • s.m. **2**. O natural ou o habitante dessa cidade. **3**. *fig.* Pessoa rigorosa, austera, severa.

espartilho (es.par.*ti*.lho) s.m. Antiga cinta feita com lâminas de aço ou barbatanas de baleia, usada por moças e senhoras para comprimir a cintura e torná-la elegantes; colete.

espasmo (es.*pas*.mo) s.m. (*Med*.) Contração muscular involuntária e brusca; convulsão. – **espasmódico** adj.

espatifar (es.pa.ti.*far*) v. **1**. Ficar ou fazer ficar em pedaços; quebrar(-se), despedaçar(-se), fragmentar(-se): *Meu irmão espatifou o celular do caçula; Os copos caíram e espatifaram-se*. **2**. Cair com força; estatelar-se: *O motoqueiro se espatifou na calçada*. **3**. *coloq. fig.* Bater com força: *O boxeador espatifou a cara do adversário*. ▶ Conjug. 5.

espátula (es.*pá*.tu.la) s.f. **1**. Utensílio, geralmente de metal ou madeira, com formato de uma faca, sem fio, usado para tirar grampos de escritório, abrir folhas de livros, envelopes etc. **2**. Utensílio, geralmente de metal, com formato de uma faca mais larga e cabo curto,

espavorido

usada para mexer, misturar ou espalhar qualquer tipo de material pastoso.

espavorido (es.pa.vo.*ri*.do) *adj.* Que sente muito pavor; apavorado, aterrorizado: *criança espavorida.*

especial (es.pe.ci.*al*) *adj.* **1.** Que é específico de alguém ou algo; particular: *Ela tem um jeito especial.* **2.** Que é privativo; reservado: *Aquele hotel dispõe de transporte especial.* **3.** Que apresenta função específica: *A loja vende tinta especial usada em pinturas barrocas.* **4.** Que é fora do comum; extraordinário, excepcional: *Aquele restaurante serve um prato especial.* **5.** Que desperta bons sentimentos: *amigo especial.*

especialidade (es.pe.ci:a.li.*da*.de) *s.f.* **1.** Qualidade ou condição do que é especial. **2.** Campo de conhecimento; ocupação, profissão, ramo: *A patologia clínica é uma especialidade da Medicina.* **3.** Aquilo a que alguém se dedica ou faz bem: *Sua especialidade é galinha ao molho pardo.*

especialista (es.pe.ci:a.*lis*.ta) *adj.* **1.** Que domina uma ou mais áreas de conhecimento: *médico especialista.* **2.** Que faz (algo) benfeito. • *s.m. e f.* **3.** Pessoa especialista. **4.** Pessoa que faz (algo) benfeito.

especialização (es.pe.ci:a.li.za.*ção*) *s.f.* **1.** Ato, processo ou efeito de especializar(-se). **2.** Curso de pós-graduação.

especializar (es.pe.ci:a.li.*zar*) *v.* Tornar(-se) especialista em: *Aquele curso pretende especializar seus funcionários; Seu filho especializou-se em informática.* ▶ Conjug. 5.

especiaria (es.pe.ci:a.*ri*.a) *s.f.* Erva, casca, semente ou outra parte de uma planta que é usada como aromatizante ou para fins medicinais; condimento, tempero: *O cravo é uma especiaria.*

espécie (es.pé.ci:e) *s.f.* **1.** (*Biol.*) Cada um dos grupos de seres vivos que apresentam semelhanças entre si e pertencem à mesma família, diferenciando-se dos demais. **2.** Aquilo que não pode ser definido com precisão; variedade, tipo: *Aquele professor é uma espécie de guru da turma.* **3.** Condição, situação: *Naquele bairro mora gente de toda espécie.* || *Causar espécie:* provocar espanto; surpreender: *A notícia daquele atentado causou espécie nos espectadores.* • *Em espécie:* em dinheiro: *Aquela loja só aceita pagamento em espécie.*

especificar (es.pe.ci.fi.*car*) *v.* Precisar (algo) ou ser precisado com exatidão: *O diretor especifi-*

cou as normas da empresa; Especificou-se que função lhe caberia. ▶ Conjug. 5 e 35. – **especificação** *s.f.*

especificidade (es.pe.ci.fi.ci.*da*.de) *s.f.* Qualidade do que é específico.

específico (es.pe.*cí*.fi.co) *adj.* Que é exclusivo; especial: *programa específico para gestantes.*

espécime (es.pé.ci.me) *s.m.* (*Biol., Zool.*) Indivíduo ou representante de uma espécie. || *espécimen.*

espécimen (es.pé.ci.men) *s.m. Espécime.* || pl.: *espécimens, espécimenes.*

espectador [ô] (es.pec.ta.*dor*) *s.m.* **1.** Pessoa que assiste a um espetáculo. **2.** Pessoa que testemunha um fato.

espectro [é] (es.*pec*.tro) *s.m.* **1.** Ser sobrenatural; fantasma, aparição, sombra, visão. **2.** Prenúncio que ameaça: *Os países pobres temem o espectro da fome.* **3.** Pessoa magra demais, esquálida: *Aquele homem parece um espectro.* – **espectral** *adj.*

espectroscopia (es.pec.tros.co.*pi*.a) *s.f.* (*Fís., Quím.*) Método de análise que se baseia na obtenção e observação de substâncias em vapor, em solução etc.

especulação (es.pe.cu.la.*ção*) *s.f.* **1.** Ato ou efeito de especular (2). **2.** (*Econ.*) Operação de compra ou venda de títulos, imóveis etc. aproveitando a oscilação dos preços, com o fim de se obter lucro rápido: *especulação imobiliária.* **3.** Proposição sem base sólida; conjectura, suposição: *A reforma econômica anunciada é pura especulação da imprensa.*

especular[1] (es.pe.cu.*lar*) *adj.* **1.** Relativo a espelho. **2.** Que apresenta propriedades semelhantes à de um espelho: *refletor especular.*

especular[2] (es.pe.cu.*lar*) *v.* **1.** Formular hipótese(s): *Especulamos sobre a possibilidade de uma futura mudança.* **2.** Prevalecer-se de (situação de poder, cargo etc.) para obter privilégios; aproveitar-se: *Alguns políticos especulam com seus mandatos.* **3.** (*Econ.*) Comprar ou vender títulos, imóveis etc., aproveitando a oscilação dos preços, com o fim de se obter lucro; negociar: *Muitos empresários especulam na Bolsa de Valores.* ▶ Conjug. 5.

especulativo (es.pe.cu.la.*ti*.vo) *adj.* Relativo a especulação (2 e 3).

espéculo (es.pé.cu.lo) *s.m.* (*Med.*) Instrumento usado para aumentar uma cavidade do corpo, facilitando o exame interno ou o uso concomitante de outro instrumento.

espelhar (es.pe.*lhar*) *v.* **1.** Produzir reflexo como um espelho; refletir: *As águas do mar espelhavam o azul do céu*. **2.** Aplicar revestimento de espelho: *O operário espelhou o elevador daquele prédio*. **3.** *fig.* Tornar claro; manifestar, expressar, retratar: *A miséria de um país espelha o descaso de seus governantes*. **4.** *fig.* Seguir o exemplo de (alguém ou algo): *O rapaz espelhou-se no pai e tornou-se dentista*. ▶ Conjug. 9. – **espelhamento** *s.m.*; **espelhante** *adj.*

espelho [ê] (es.pe.*lho*) *s.m.* **1.** Superfície polida e brilhante que reflete a imagem de pessoas e objetos: *o espelho de um banheiro*. **2.** Placa que envolve um interruptor, uma tomada, uma fechadura etc. **3.** *fig.* Aquilo que serve de exemplo; modelo: *Ela é um espelho de virtudes*. **4.** *fig.* Retrato, imagem, reflexo: *A mídia sensacionalista é o espelho de uma sociedade violenta*.

espelho-d'água [ê] (es.pe.lho-d'*á*.gua) *s.m.* A superfície de uma longa extensão de água de um rio, um lago etc. || pl.: *espelhos-d'água*.

espelunca (es.pe.*lun*.ca) *s.f. pej.* Lugar sujo e frequentado por pessoas estranhas.

espeque [é] (es.pe.*que*) *s.m.* Cabo, geralmente de metal, que é preso às extremidades de uma barraca de acampamento para fixá-la no chão.

espera [é] (es.pe.*ra*) *s.f.* **1.** Ato ou efeito de esperar. **2.** Demora, atraso, adiamento. **3.** Expectativa, esperança.

esperança (es.pe.*ran*.ça) *s.f.* **1.** Sentimento otimista que leva à espera da concretização de desejos. **2.** Aquele ou aquilo de que(m) se espera alguma coisa. **3.** (*Zool.*) Inseto verde de corpo alongado que possui asas, antenas longas e emite um som característico. – **esperançoso** *adj.*

esperanto (es.pe.*ran*.to) *s.m.* (*Ling.*) Língua artificial idealizada como meio de comunicação internacional pelo oftalmologista e filólogo polonês Ludwig Lazar Zamenhof (1859-1917).

esperar (es.pe.*rar*) *v.* **1.** Ficar na expectativa de; aguardar: *Esperei a chegada de minha irmã*; *O vizinho esperava pela namorada*; *Ela esperou, ansiosa, mas ele não apareceu*. **2.** Torcer para que aconteça (algo); desejar, ansiar: *Espero que não chova amanhã*; *Ele trouxe a resposta que esperamos*. **3.** Presumir (algo) como verdadeiro; supor, imaginar: *Não esperávamos chegar tão longe!* **4.** Ter fé; confiar, crer: *esperar em Deus*. **5.** Estar grávida: *esperar um bebê*. ▶ Conjug. 8. – **esperável** *adj.*

esperma (es.per.ma) *s.m.* Fluido espesso, viscoso, branco amarelado, expelido por diferentes glândulas durante a ejaculação masculina, e que contém espermatozoides; sêmen.

espermacete [é] (es.per.ma.ce.te) *s.m.* (*Farm.*, *Quím.*) Substância gordurosa retirada da cabeça das baleias, utilizada para a fabricação de velas, ceras, sabões, cremes etc.

espermatogênese (es.per.ma.to.gê.ne.se) *s.f.* (*Biol.*) Processo celular que gera os espermatozoides.

espermatozoide [ó] (es.per.ma.to.zoi.de) *s.m.* (*Biol.*) Célula sexual masculina produzida nos testículos que fecunda o óvulo, gerando bebês.

espermicida (es.per.mi.ci.da) *adj.* **1.** Diz-se da substância que destrói espermatozoides: *pomada espermicida*. • *s.m.* **2.** (*Farm.*, *Quím.*) Essa substância.

espernear (es.per.ne:*ar*) *v.* **1.** Mexer as pernas com grande agitação; debater-se: *O bebê gritava e esperneava*. **2.** *fig.* Efetuar protesto; reclamar, revoltar-se, insurgir-se: *Indignado, esperneou contra as injustiças*; *Os adversários não gostaram do resultado da eleição e espernearam*. ▶ Conjug. 14. – **esperneio** *s.m.*

espertalhão (es.per.ta.*lhão*) *adj. coloq. pej.* **1.** Que acredita ser muito esperto; que tenta enganar as pessoas; sabichão, finório, esperto: *sujeito espertalhão*. • *s.m.* **2.** Pessoa espertalhona; sabichão, finório, esperto. || f.: *espertalhona*.

esperteza [ê] (es.per.te.za) *s.f.* **1.** Qualidade ou ato de ser esperto; sagacidade. **2.** Ato de enganar alguém; astúcia.

esperto [é] (es.per.to) *adj.* **1.** *fig.* Que é inteligente, perspicaz: *garoto esperto*. **2.** Que tenta enganar as pessoas; espertalhão. **3.** *gír.* Bacana: *carro esperto*. || Conferir com *experto*.

espesso [ê] (es.pes.so) *adj.* **1.** Que tem diâmetro maior; grosso: *revestimento espesso*. **2.** Que tem consistência de pasta; cremoso; pastoso: *creme espesso*. **3.** Que é denso; volumoso, basto, cerrado: *bigode espesso*. – **espessar** *v.* ▶ Conjug. 8.

espessura (es.pes.su.ra) *s.f.* **1.** Qualidade do que é espesso (1); grossura: *espessura de uma madeira*. **2.** Medida do que é espesso (1): *espessura de 5 cm*. **3.** Densidade, consistência: *espessura de uma gemada*. **4.** Qualidade do que é basto: *espessura de uma barba*.

espetacular (es.pe.ta.cu.*lar*) *adj.* **1.** Relativo a espetáculo. **2.** Que provoca encanto; que chama

espetáculo

atenção pela beleza ou exuberância; espetaculoso, pomposo: *final espetacular*. **3.** Que é muito bom; excelente, ótimo: *atleta espetacular*. **4.** Que é intenso, forte: *inverno espetacular*.

espetáculo (es.pe.*tá*.cu.lo) *s.m.* **1.** (*Cine, Teat., Telv.*) Qualquer exibição pública, ao vivo ou não, de teatro, canto, dança, circo etc.; encenação, representação: *espetáculo televisivo*. **2.** Qualquer imagem que impressione e atraia o olhar; visão, panorama: *A vista da minha janela é um espetáculo!* **3.** *fig.* Evento que sobressai por sua beleza, qualidade técnica etc.; atração, diversão: *O futebol brasileiro é um grande espetáculo.* || *Dar um espetáculo*: causar escândalo: *O bêbado deu um espetáculo na porta do bar*. • *Um espetáculo*: maravilhoso, excelente: *Esse artigo ficou um espetáculo*.

espetaculoso [ô] (es.pe.ta.cu.*lo*.so) *adj.* **1.** Espetacular (2). **2.** Que é espalhafatoso; ridículo: *roupa espetaculosa*. || f. e pl.: [ó].

espetar (es.pe.*tar*) *v.* **1.** Enfiar (em alguém ou em si mesmo), parcial ou totalmente, a ponta de um objeto pontiagudo ou áspero; furar (-se), machucar(-se): *A costureira espetou a agulha no dedo; Espetou-se nos espinhos da roseira.* **2.** Provocar incômodo; pinicar: *A gola alta espetava meu pescoço; Não uso esse casaco de lã porque ele espeta.* **3.** Fisgar com o uso de objeto pontudo: *espetar um pedaço de linguiça.* **4.** Fixar com algo pontudo; fincar, pregar: *A coordenadora espetou um comunicado no quadro de avisos.* **5.** *fig.* Provocar constrangimento; embaraçar: *O jornalista espetou o político com seus artigos.* ▶ Conjug. 8.

espetinho (es.pe.*ti*.nho) *s.m.* **1.** (*Cul.*) Espeto onde se enfiam pedacinhos de carne, camarão, miúdos etc., para grelhar; churrasquinho, brochete. **2.** O próprio espeto (de metal ou madeira).

espeto [ê] (es.*pe*.to) *s.m.* **1.** Vara comprida, de metal ou de madeira, em que se enfiam aves, pedaços de carne etc., para assar. **2.** *fig.* Pessoa esguia, muito magra. **3.** *coloq. fig.* Pessoa ou acontecimento maçante: *Aquela mulher é um espeto!*

espevitado (es.pe.vi.*ta*.do) *adj. fig.* Que faz muitos gestos ou fala muito; agitado; animado, vivo: *garoto espevitado*. – **espevitamento** *s.m.*

espezinhar (es.pe.zi.*nhar*) *v.* Tratar com desprezo; desconsiderar, menosprezar; humilhar: *Espezinhava a mulher e foi abandonado.* ▶ Conjug. 5.

espia¹ (es.*pi*.a) *s.m. e f.* Espião.

espia² (es.*pi*.a) (*Náut.*) Cabo usado para prender uma embarcação ao cais, a uma boia etc.

espiada (es.pi:a.da) *s.f.* Ato ou efeito de olhar rapidamente; espiadela, olhada.

espiadela [é] (es.pi:a.*de*.la) *s.f.* Espiada.

espião (es.pi:*ão*) *s.m.* **1.** Profissional que se infiltra numa instituição, empresa etc. para obter informações ou dados secretos; agente secreto, espia. **2.** Pessoa que segue ou observa alguém de forma oculta; olheiro. || f.: *espiã*.

espiar (es.pi:*ar*) *v.* **1.** Observar secretamente: *Espiava o que acontecia pelo buraco da fechadura.* **2.** Perceber pelo sentido da visão; olhar, observar, contemplar, ver: *Espiamos a paisagem pela janela do trem.* || Conferir com *expiar*. ▶ Conjug. 17.

espicaçar (es.pi.ca.*çar*) *v.* **1.** Furar levemente com objeto pontiagudo; picar: *espicaçar um boi.* **2.** *fig.* Causar aflição a; afligir, magoar, atormentar, perturbar, aferrar(2): *O promotor espicaçou os brios do acusado.* **3.** *fig.* Avivar (alguém ou algo); instigar, estimular, animar, despertar: *espicaçar uma plateia.* ▶ Conjug. 5 e 36.

espichar (es.pi.*char*) *v.* **1.** Tornar mais comprido; esticar, alongar, estender, estirar: *O menino espichou o pescoço para olhar sobre o muro; O vaqueiro espichou-se na rede e dormiu.* **2.** *coloq. fig.* Crescer, desenvolver: *Seu filho espichou!* **3.** *fig.* Durar ou fazer durar mais tempo; prolongar(-se): *Os amigos espicharam o papo noite adentro; As negociações espicharam-se por um mês.* ▶ Conjug. 5.

espiga (es.*pi*.ga) *s.f.* Haste alongada e afilada que carrega os grãos de certos tipos de plantas: *espiga de milho*.

espigado (es.pi.*ga*.do) *adj. coloq.* **1.** Diz-se de pessoa que é alta e magra: *rapaz espigado.* **2.** Diz-se do cabelo que se arrepiou.

espigão (es.pi.*gão*) *s.m. coloq.* Edifício que tem muitos andares; arranha-céu.

espigar (es.pi.*gar*) *v.* **1.** Formar uma espiga (um pé de milho, trigo etc.): *O clima quente espigou o milho; Existe um prazo certo para o trigo espigar.* **2.** *fig.* Crescer, desenvolver-se: *As crianças espigam rápido hoje em dia!* ▶ Conjug. 5 e 34.

espinafrar (es.pi.na.*frar*) *v. coloq.* Censurar (alguém ou algo) asperamente; criticar, desmoralizar, desacreditar: *A apresentadora espinafrou o comportamento da imprensa; Os estudiosos espinafraram com sua tese.* ▶ Conjug. 5. – **espinafração** *s.f.*

espinafre (es.pi.*na*.fre) *s.m.* (*Bot.*) Planta comestível originária da Ásia, com folhas em forma de setas e pequenas flores verdes.

espingarda (es.pin.gar.da) *s.f.* Arma de fogo, portátil, de cano longo, que pode ser apoiada no ombro, utilizada para a caça, combate etc.

espinha (es.pi.nha) *s.f.* **1.** (*Anat.*) Coluna vertebral; espinhaço. **2.** Estrutura óssea que compõe o esqueleto dos peixes. **3.** Lesão cutânea; acne. || *Espinha dorsal*: **1.** coluna vertebral. **2.** *fig.* a parte principal de uma estrutura: *a espinha dorsal de um projeto*.

espinhaço (es.pi.nha.ço) *s.m.* Coluna vertebral.

espinhal (es.pi.nhal) *adj.* **1.** (*Anat.*) Relativo a espinha ou a coluna vertebral: *medula espinhal*. • *s.m.* **2.** Local em que se encontra uma grande quantidade de arbustos espinhosos.

espinheiro (es.pi.nhei.ro) *s.m.* (*Bot.*) Arbusto de casca fina que possui muitos espinhos.

espinhela [é] (es.pi.nhe.la) *s.f. coloq.* A extremidade inferior do osso esterno. || *Espinhela caída*: *coloq.* nome popular de doenças ligadas à espinhela.

espinhento (es.pi.nhen.to) *adj.* **1.** (*Bot.*) Que possui muitos espinhos: *cáctus espinhento*. **2.** Que tem muitas espinhas ou acnes: *adolescente espinhento*.

espinho (es.pi.nho) *s.m.* **1.** (*Bot.*) Ponta dura, comprida ou curta, encontrada em folhas, caules ou raízes de algumas plantas. **2.** (*Zool.*) Pelo espesso e resistente encontrado em alguns animais, como o ouriço e o porco-espinho. **3.** *fig.* Aflição, tormento, sofrimento: *O caminho da minha vida tem sido cheio de espinhos*. – **espinhoso** *adj.*

espinotear (es.pi.no.te:ar) *v.* **1.** Dar pinotes: *O cavalo velho espinoteava como um potro novo*. **2.** *fig.* Reclamar, espernear, esbravejar: *espinotear de raiva*. ▶ Conjug. 14.

espionar (es.pi:o.nar) *v.* **1.** Atuar como espião (1): *O detetive espionou e perseguiu o suposto assassino; Aquele agente secreto espionava e vendia as informações*. **2.** Seguir ou observar de forma oculta; espreitar, espiar (1), vigiar, investigar: *Descobri que a vizinha espiona a minha vida; Espionava e foi pego de surpresa*. ▶ Conjug. 5. – **espionagem** *s.f.*

espiral (es.pi.ral) *s.f.* **1.** (*Geom.*) Curva que descreve uma infinidade de voltas em torno de um ponto fixo. **2.** Qualquer objeto que tenha forma de espiral. • *adj.* **3.** Que é constituído de voltas, como uma espiral: *estrutura espiral*.

espiralar (es.pi.ra.lar) *v.* Ficar ou fazer ficar com formato de espiral: *espiralar(-se) um fio*. ▶ Conjug. 5.

espírita (es.pí.ri.ta) *adj.* (*Rel.*) **1.** Relativo a espiritismo: *doutrina espírita*. **2.** Que é seguidor do espiritismo: *médico espírita*. • *s.m. e f.* **3.** Pessoa espírita.

espiritismo (es.pi.ri.tis.mo) *s.m.* (*Rel.*) Doutrina filosófico-religiosa que tem por fundamento a busca do aperfeiçoamento moral do homem e a crença na sobrevivência da alma e a existência da comunicação, por intermédio da mediunidade, entre vivos e mortos, entre os espíritos encarnados e os desencarnados.

espírito (es.pí.ri.to) *s.m.* **1.** A parte não corporal do ser humano; alma. **2.** Conjunto de traços psicológicos e/ou morais de uma pessoa; caráter, temperamento, índole: *Moderna, tem espírito aberto*. **3.** Agudeza de inteligência; sagacidade: *Ele é um homem de espírito*. **4.** Aquilo que é percebido; significado, sentido: *Finalmente ele entendeu o espírito do projeto*. **5.** (*Rel.*) Entidade sobrenatural ou imaginária: *espírito do bem*. || *Em espírito*: sem a presença material; em pensamento: *Estarei presente em espírito à sua formatura*. • *Espírito de porco*: *coloq.* pessoa que desagrada por atos ou palavras: *Ele estragou tudo com seu espírito de porco!*

espírito-santense (es.pí.ri.to-san.ten.se) *adj.* **1.** Do Estado do Espírito Santo. • *s.m. e f.* **2.** O natural ou o habitante desse estado; capixaba. || pl.: *espírito-santenses*.

espiritual (es.pi.ri.tu:al) *adj.* **1.** Relativo a espírito, opondo-se ao carnal e ao mental; metafísico(2): *conflito espiritual*. **2.** Relativo a religião; místico, ascético: *retiro espiritual*.

espiritualidade (es.pi.ri.tu:a.li.da.de) *s.f.* **1.** Qualidade do que é espiritual. **2.** Grande religiosidade; misticismo.

espiritualismo (es.pi.ri.tu:a.lis.mo) *s.m.* (*Fil., Rel.*) Cada uma das doutrinas que acreditam na sobrevivência da alma e na existência da comunicação entre os vivos e os mortos através da mediunidade. – **espiritualista** *adj. s.m. e f.*

espiritualizar (es.pi.ri.tu:a.li.zar) *v.* (*Rel.*) Voltar ou fazer voltar para o mundo espiritual, despojando-se de apegos terrenos: *espiritualizar o corpo; Ele se espiritualizou*. ▶ Conjug. 5. – **espiritualização** *s.f.*

espirituoso [ô] (es.pi.ri.tu:o.so) *adj.* Que possui uma inteligência vivaz e bom humor: *rapaz espirituoso*. || f. e pl.: [ó].

espirradeira (es.pir.ra.dei.ra) *s.f.* (*Bot.*) Arbusto venenoso que apresenta flores rosas, vermelhas, amarelas e brancas, usadas para ornamentar jardins e parques.

espirrar

espirrar (es.pir.*rar*) v. **1.** Dar espirro: *Estava com alergia e espirrava sem parar.* **2.** Lançar ou ser lançado para fora; esguichar: *Espirrou um pouco de cola no papel!; Quando o fogo está muito alto, o óleo espirra.* ▶ Conjug. 5.

espirro (es.*pir*.ro) s.m. Mecanismo respiratório complexo e análogo ao da tosse diferenciando-se desta pelo fato de que em sua fase respiratória inspira-se maior quantidade de ar e, no clímax, os gases são expulsos com maior força explosiva e ruído, levando de roldão secreções ou materiais estranhos que se encontrem nas fossas nasais e na boca.

esplanada (es.pla.*na*.da) s.f. **1.** Área plana e de grande extensão, situada na frente ou em torno de edifícios importantes: *Esplanada dos Ministérios.* **2.** Área plana e de grande extensão, decorrente de uma demolição: *esplanada do Castelo.*

esplêndido (es.*plên*.di.do) adj. Que é grandioso; suntuoso, luxuoso, deslumbrante: *cenário esplêndido.*

esplendor [ô] (es.plen.*dor*) s.m. **1.** Brilho transmitido ou refletido por um corpo; fulgor, resplendor. **2.** fig. Qualidade do que é grandioso; luxo, opulência. – **esplendoroso** adj.

espocar (es.po.*car*) v. Rebentar com barulho forte; estalar, estourar, pipocar, explodir: *Os fogos espocaram na noite de Ano-Novo.* ▶ Conjug. 20 e 35.

espojar-se (es.po.*jar*-se) v. Rolar no chão, deitado; revolver-se, retorcer-se: *Os porcos se espojam na lama.* ▶ Conjug. 20, 6 e 37.

espoleta [ê] (es.po.*le*.ta) s.f. coloq. Pessoa irrequieta; endiabrado, travesso.

espoliar (es.po.li:*ar*) v. Despojar de forma ilícita; saquear, roubar: *Espoliou vários parentes (de partes da herança).* ▶ Conjug. 17. – **espoliação** s.f.

espólio (es.*pó*.li:o) s.m. (Jur.) Herança (2).

esponja (es.*pon*.ja) s.f. **1.** Qualquer material, natural ou sintético, usado para o banho ou para limpar, esfregar ou lavar louças ou outros objetos. **2.** coloq. fig. Pessoa que bebe em excesso; alcoólatra, bêbado, beberrão. **3.** (Zool.) Animal marinho ou de água doce, com corpo poroso e esqueleto interno composto por fibras orgânicas. **4.** (Zool.) O esqueleto desse animal. – **esponjoso** adj.

esponsal (es.pon.*sal*) adj. **1.** Relativo a esposos: *amor esponsal.* • **esponsais** s.m.pl. **2.** Cerimônia de casamento; núpcias: *Os pais de Maria e Sérgio convidam para os esponsais de seus filhos.*

espontâneo (es.pon.*tâ*.ne.o) adj. **1.** Que é feito de forma voluntária: *doação espontânea.* **2.** Que acontece de forma natural: *combustão espontânea.* **3.** (Bot.) Diz-se de vegetal que nasce e se desenvolve sem ser cultivado pelo homem; selvagem, silvestre. – **espontaneidade** s.f.

espora [ó] (es.*po*.ra) s.f. Objeto de metal, com ponta(s), que é preso no calcanhar de um cavaleiro para instigar uma montaria a acelerar o passo ou a correr.

esporádico (es.po.*rá*.di.co) adj. Que acontece raramente; eventual: *exercício esporádico.*

esporão (es.po.*rão*) s.m. **1.** (Anat., Zool.) Saliência observada nas asas ou nos pés de alguns tipos de aves. **2.** (Med.) Saliência óssea na parte inferior e posterior do pé.

esporear (es.po.re:*ar*) v. Incitar com espora: *esporear um cavalo; O cavaleiro montou e esporeou de leve.* ▶ Conjug. 14.

esporo [ó] (es.*po*.ro) s.m. (Biol.) Célula que funciona como semente e é responsável pela reprodução assexuada de determinados organismos.

esporro [ô] (es.*por*.ro) s.m. chulo **1.** Esperma expelido; sêmen. **2.** gír. Repreenda dura; descompostura. **3.** coloq. Barulho intenso. **4.** coloq. Escândalo.

esporte (es.*por*.te) s.m. **1.** Cada uma das atividades físicas desenvolvidas por uma pessoa ou por um grupo, com regularidade ou não, com o fim de recreação ou competição; exercício, esporto, desporte. • adj. **2.** Com estilo informal: *traje esporte.* || *Por esporte:* feito com amadorismo: *Participo de caçadas por esporte.* – **esportista** adj.

esportiva (es.por.*ti*.va) s.f. **1.** Qualidade de quem aceita ganhar ou perder com tranquilidade. **2.** fig. Qualidade de quem lida bem com as adversidades.

esportivo (es.por.*ti*.vo) adj. **1.** Relativo a esporte: *centro esportivo.* **2.** Que é adequado à prática de um esporte: *bicicleta esportiva.* **3.** Diz-se de roupa, calçados etc. que são informais. – **esportividade** s.f.

esporulação (es.po.ru.la.*ção*) s.f. (Biol.) Ato ou efeito de produzir esporos.

esposa [ô] (es.*po*.sa) s.f. Mulher que é casada com um homem; mulher.

esposar (es.po.*sar*) v. Formar ou fazer formar vínculo conjugal; unir(-se), casar(-se): *O padre esposou-os; Esposou a filha com o amigo; Meu*

esquecer

irmão e minha vizinha esposaram-se. ▶ Conjug. 20.

esposo [ô] (es.po.so) *s.m.* Pessoa que está ligada a outra pelo matrimônio.

espraiar (es.prai.ar) *v.* **1.** Espalhar(-se) pelas margens; esparramar(-se), estender(-se): *O mar espraiou suas ondas; Com a inundação, as águas do rio espraiaram(-se) pelos campos.* **2.** *fig.* Disseminar(-se), irradiar(-se), propagar(-se): *O nazismo espraiou o ódio e o preconceito pela Alemanha; No século XIX, a industrialização espraiou-se pela Europa.* **3.** *fig.* Estender-se; alongar-se: *O diálogo espraiou-se em tom amistoso.* **4.** *fig.* Afastar o pensamento de; espairecer, distrair: *espraiar o estresse.* ▶ Conjug. 5. – **espraiamento** *s.m.*

espreguiçadeira (es.pre.gui.ça.dei.ra) *s.f.* Cadeira confortável com encosto reclinado ou reclinável e apoio para os pés.

espreguiçar (es.pre.gui.çar) *v.* **1.** Esticar: *espreguiçar os braços; Espreguiçar é um bom alongamento para o corpo.* **2.** Esticar-se, alongar-se: *Despertou e espreguiçou-se.* ▶ Conjug. 5 e 36.

espreita (es.prei.ta) *s.f.* Ato ou efeito de espreitar; vigia. || *À espreita:* de tocaia: *Ficou à espreita no mato.*

espreitar (es.prei.tar) *v.* **1.** Observar de forma oculta; vigiar, espiar: *O detetive espreitou o suspeito pelo retrovisor; Enquanto muitos dormem, outros espreitam.* **2.** Ficar à espreita; emboscar, tocaiar: *O predador espreitava sua vítima; O caçador espreitava atentamente.* ▶ Conjug. 18.

espremedor [ô] (es.pre.me.dor) *adj.* **1.** Que espreme: *máquina espremedora.* • *s.m.* **2.** Utensílio usado para espremer: *espremedor de frutas.*

espremer (es.pre.mer) *v.* **1.** Comprimir para tirar o líquido de: *espremer uma laranja.* **2.** Pôr(-se) em aperto; comprimir(-se), apertar(-se), pressionar: *A criança espremeu os olhos com força; Espremeu-se para passar entre os dois carros.* **3.** Tirar de dentro; extrair: *Espremi um cravo no rosto.* **4.** *coloq. fig.* Causar opressão a; oprimir, afligir, atormentar: *O bandido espremeu a vítima para que falasse.* ▶ Conjug. 39.

espuma (es.pu.ma) *s.f.* **1.** Substância composta por bolhas muitíssimo pequenas que se formam ao redor de sabonetes, sabões etc., quando molhados, ou à superfície de determinados líquidos quando são fervidos, batidos ou fermentados; escuma. **2.** Baba espumosa que sai da boca de pessoas ou animais. **3.** Material sintético, poroso e leve, usado na fabricação de colchões, sofás etc. – **espumoso** *adj.*

espumadeira (es.pu.ma.dei.ra) *s.f.* Escumadeira.

espumante (es.pu.man.te) *adj.* **1.** Que espuma: *sabão espumante.* **2.** *coloq. fig.* Que está irritado, furioso, enraivecido, exasperado: *Ele estava com a boca espumante de raiva.* • *s.m.* **3.** Tipo de vinho que produz espuma.

espumar (es.pu.mar) *v.* **1.** Formar ou lançar espuma; escumar: *A água oxigenada espuma quando colocada sobre um ferimento.* **2.** Encher de espuma; ensaboar; escumar: *espumar o corpo.* **3.** *coloq. fig.* Demonstrar raiva: *Ele gritava e espumava, desesperado.* ▶ Conjug. 5.

espúrio (es.pú.ri:o) *adj.* **1.** Que é falso; fraudulento, ilegítimo: *documento espúrio.* **2.** Que foge à ética; desonesto, ilícito: *acordo espúrio.*

esquadra (es.qua.dra) *s.f.* **1.** (*Mil.*) Conjunto de navios de guerra que constituem uma força militar. **2.** (*Mil.*) A soma dos navios de guerra de um país; frota, armada, marinha. **3.** (*Esp.*) Esquadrão (3).

esquadrão (es.qua.drão) *s.m.* **1.** (*Mil.*) Conjunto de navios de guerra, menor que uma esquadra, que constitui uma força militar. **2.** (*Mil.*) Seção de um regimento de cavalaria. **3.** (*Esp.*) Equipe de competidores; quadro, time, esquadra (3).

esquadria (es.qua.dri.a) *s.f.* Armação de alumínio, madeira, ferro etc., usada para fixar portas e janelas.

esquadrilha (es.qua.dri.lha) *s.f.* (*Mil.*) Grupo de aviões usados para uma ação militar.

esquadrinhar (es.qua.dri.nhar) *v.* Examinar atentamente; averiguar, pesquisar: *O piloto esquadrinhou a área do acidente.* – ▶ Conjug. 5. **esquadrinhamento** *s.m.*

esquadro (es.qua.dro) *s.m.* Instrumento em forma de triângulo, utilizado em desenho para traçar ângulos ou medir linhas perpendiculares.

esquálido (es.quá.li.do) *adj.* **1.** Diz-se de pessoa que está extremamente magra ou demonstra desnutrição; esquelético, depauperado. **2.** *fig.* Que apresenta pouca quantidade ou é pequeno ou fino: *texto esquálido.*

esquartejar (es.quar.te.jar) *v.* Cortar (um corpo) em pedaços; despedaçar, retalhar: *Foi preso porque matou e esquartejou um homem.* ▶ Conjug. 10 e 37. – **esquartejamento** *s.m.*

esquecer (es.que.cer) *v.* **1.** Não (se) recordar de; não (se) lembrar: *No banco, sempre esqueço a minha senha; Depois de tanto tempo, esqueci do*

esquecimento

meu primeiro amor; *Os rapazes esqueceram-se de avisar que iam voltar tarde.* **2.** Largar (algo) sem perceber; abandonar, deixar: *Minha irmã esqueceu seu casaco no metrô.* **3.** Deixar de lado; abandonar: *Esqueci meu passado naquele álbum de fotografias.* ▶ Conjug. 41 e 46.

esquecimento (es.que.ci.*men*.to) *s.m.* **1.** Ato, processo ou efeito de esquecer(-se). **2.** Ausência de memória. **3.** Abandono, descaso, indiferença.

esqueite (es.*quei*.te) *s.m.* **1.** Prancha de madeira, fibra ou outro material, estreita e alongada, com duas ou quatro rodinhas; skate. **2.** (*Esp.*) Esporte praticado com essa prancha; skate.

esquelético (es.que.*lé*.ti.co) *adj.* **1.** Relativo a esqueleto: *músculo esquelético*. **2.** *fig.* Extremamente magro; esquálido, cadavérico: *aparência esquelética*.

esqueleto [ê] (es.que.*le*.to) *s.m.* **1.** Estrutura constituída de ossos dos seres vertebrados; ossatura. **2.** O que sobra dessa estrutura depois da morte de um animal; ossada. **3.** Estrutura interna ou externa dos seres invertebrados. **4.** *fig.* Pessoa excessivamente magra. **5.** *fig.* Estrutura essencial de algo; esboço: *esqueleto de um projeto*.

esquema (es.*que*.ma) *s.m.* **1.** Figura ou diagrama inicial de uma obra; desenho, esboço. **2.** Estrutura essencial de um trabalho ou de um texto; esboço, resumo. **3.** Projeto voltado para um fim determinado; planejamento: *esquema de trânsito*. **4.** Plano voltado para fins escusos: *esquema do tráfico*. – **esquemático** *adj.*

esquematizar (es.que.ma.ti.*zar*) *v.* **1.** Representar graficamente através de esquema; esboçar, desenhar: *esquematizar um projeto*. **2.** Traçar a estrutura essencial de; esboçar, resumir: *esquematizar uma monografia*. **3.** Fazer um plano de; planejar, programar, projetar: *esquematizar o trânsito*. ▶ Conjug. 5. – **esquematização** *s.f.*

esquentar (es.quen.*tar*) *v.* **1.** Aumentar ou fazer aumentar a temperatura de; aquecer(-se): *Esquentei o café para o lanche*; *Com o frio, esquentavam-se usando mais edredons.* **2.** *fig.* Ficar ou fazer ficar mais animado; agitar(-se), movimentar(-se), acalorar(-se): *A banda esquentou a plateia*; *Conforme o tempo passava, a conversa esquentava.* **3.** *coloq.* Ficar ou fazer ficar irritado; aborrecer(-se), preocupar(-se): *As discordâncias esquentavam os ânimos*; *Ele esquenta à toa*; *Os diretores se esquentaram com a direção do projeto.* || *Esquentar a cabeça: coloq. fig.* preocupar(-se), atormentar(-se). • *Esquen-* *tar cadeira/lugar: coloq.* ficar sempre no mesmo lugar: *Não esquenta a cadeira em nenhuma empresa em que trabalha!* ▶ Conjug. 5.

esquerda [ê] (es.*quer*.da) *s.f.* **1.** Mão esquerda. **2.** O lado do corpo em que se localiza o coração. **3.** Conjunto de pessoas ou partidos políticos que defendem uma reforma ou uma revolução de caráter socialista. **4.** A ideologia desse conjunto de pessoas ou partidos políticos. **5.** (*Esp.*) No futebol, a perna esquerda.

esquerdismo (es.quer.*dis*.mo) *s.m.* **1.** Manifestação de opiniões ou atos de pessoas de esquerda. **2.** Militantes ou simpatizantes da ideologia de esquerda.

esquerdista (es.quer.*dis*.ta) *adj.* **1.** Que faz parte da esquerda: *militante esquerdista*. • *s.m. e f.* **2.** Pessoa que pratica ou defende a ideologia de esquerda.

esquerdo [ê] (es.*quer*.do) *adj.* **1.** Relativo ao lado esquerdo: *lateral esquerdo*. **2.** Que se situa do lado esquerdo: *punho esquerdo*.

esquete [é] (es.*que*.te) *s.m.* (*Rádio*, *Teat.*, *Telv.*) Quadro breve, geralmente cômico, improvisado ou não, com unidade dramática, representada em rádio, televisão ou teatro.

esqui (es.*qui*) *s.m.* **1.** Prancha alongada e estreita que se encaixa nos pés ou no calçado para deslizar sobre a neve ou sobre a água. **2.** (*Esp.*) Esporte praticado com essa prancha.

esquiar (es.qui.*ar*) *v.* (*Esp.*) Deslocar-se com esqui sobre a neve ou sobre a água: *Quebrou a perna enquanto esquiava.* ▶ Conjug. 17. – **esquiador** *s.m.*

esquife (es.*qui*.fe) *s.m.* Caixão.

esquilo (es.*qui*.lo) *s.m.* (*Zool.*) Mamífero roedor que vive geralmente em árvores, com cauda longa e peluda.

esquimó (es.qui.*mó*) *adj.* **1.** Do Norte do Ártico (Alasca, parte do Canadá e Groenlândia). • *s.m. e f.* **2.** O natural ou o habitante dessa região. **3.** *s.m.* Cada uma das duas línguas faladas nessa região.

esquina (es.*qui*.na) *s.f.* **1.** Parte de uma calçada que se situa no fim de um quarteirão. **2.** Ponto de encontro entre duas ruas, avenidas etc.

esquisito (es.qui.*si*.to) *adj.* **1.** Que é estranho, diferente: *dança esquisita*. **2.** Que é feio: *casaco esquisito*. – **esquisitice** *s.f.*

esquistossomíase (es.quis.tos.so.*mí*.a.se) *s.f.* (*Med.*) Doença contraída em local que contenha água doce (rios, lagos etc.) através da penetração pela pele das larvas de um esquistossomo; esquistossomose.

esquistossomo [ô] (es.quis.tos.so.mo) *s.m.* (*Biol.*) Parasita que provoca a esquistossomíase.

esquistossomose [ó] (es.quis.tos.so.*mo*.se) *s.f.* (*Med.*) Esquistossomíase.

esquivar-se (es.qui.*var*-se) *v.* **1.** Desvencilhar-se (com o corpo); escapar, desviar-se, livrar-se: *esquivar-se de um golpe*. **2.** *fig.* Desvencilhar-se de uma situação difícil ou desagradável: *O político esquivou-se das perguntas capciosas.* ▶ Conjug. 5 e 6. – **esquiva** *s.f.*; **esquivança** *s.f.*

esquivo (es.*qui*.vo) *adj.* **1.** Que foge ao contato social; arredio. **2.** Que é tímido; introvertido.

esquizofrenia (es.qui.zo.fre.*ni*.a) *s.f.* (*Psican.*) Doença mental crônica (um tipo de psicose) que provoca perturbações no pensamento, no sentido de si próprio e na relação com o mundo exterior, com delírios e alucinações. – **esquizofrênico** *adj.*

esse [é] (es.se) *s.m.* Nome da letra s.

esse [ê] (es.se) *pron. dem.* O que está mais afastado do falante e mais próximo de quem ouve.

essência (es.*sên*.ci:a) *s.f.* **1.** A parte central de; base, centro, cerne, eixo, substância (4). **2.** (*Farm., Quím.*) Substância oleosa, aromática ou alimentícia, extraída de determinadas plantas ou fabricada artificialmente; aroma. **3.** Ponto de vista; espírito, sentido. **4.** Resumo das ideias principais; síntese.

essencial (es.sen.ci:*al*) *adj.* **1.** Que é a base de; fundamental, indispensável, substancial (3): *A educação ecológica é essencial para a preservação do meio ambiente.* **2.** Relativo a essência (2): *óleo essencial.* • *s.m.* **3.** Aquilo que é essencial.

estabanado (es.ta.ba.*na*.do) *adj.* **1.** Que é desastrado; desajeitado, trapalhão. **2.** Que é amalucado; adoidado.

estabelecer (es.ta.be.le.*cer*) *v.* **1.** Fazer vigorar; instituir, determinar: *estabelecer uma lei.* **2.** Fazer ter começo; instaurar, principiar, criar: *A nova pedagogia estabelece a importância da inclusão social; Vários jornalistas estabelecem a relação entre mídia e ética.* **3.** Fixar domicílio; fixar-se, instalar-se, radicar-se: *No início do século XX, muitos italianos estabeleceram-se em São Paulo.* **4.** Abrir, inaugurar, fundar (loja, empresa etc.): *Aquele grupo farmacêutico estabeleceu laboratórios por todo o país; A empresa estabeleceu-se em princípios de janeiro.* **5.** Marcar, combinar, fixar: *O proprietário estabeleceu um prazo para a mudança.* ▶ Conjug. 41 e 46.

estabelecimento (es.ta.be.le.ci.*men*.to) *s.m.* **1.** Ato ou efeito de estabelecer(-se). **2.** Lugar em que são efetuadas transações comerciais; casa comercial; loja. **3.** Organização, instituição.

estabilidade (es.ta.bi.li.*da*.de) *s.f.* **1.** Condição do que é firme, seguro: *estabilidade de uma escada.* **2.** Condição do que se torna constante; manutenção, permanência: *estabilidade econômica.*

estabilizador [ô] (es.ta.bi.li.za.*dor*) *adj.* **1.** Que estabiliza: *agente estabilizador.* • *s.m.* **2.** (*Eletr.*) Aparelho ou peça que mantém constante a tensão de uma corrente elétrica.

estabilizar (es.ta.bi.li.*zar*) *v.* Ficar ou fazer ficar estável; equilibrar(-se), firmar(-se): *As ações do governo estabilizaram a moeda; O crescimento populacional estabilizou(-se).* ▶ Conjug. 5. – **estabilização** *s.f.*

establishment [istéblichiment] (Ing.) *s.m.* **1.** A ideologia econômica e política que permeia uma sociedade ou uma nação. **2.** Elite de um país. **3.** Grupo que detém o poder em uma instituição ou em um meio profissional.

estábulo (es.*tá*.bu.lo) *s.m.* Lugar coberto onde é colocado o gado.

estaca (es.*ta*.ca) *s.f.* Objeto em forma de bastão, constituído de madeira, ferro, concreto ou outro material, usado para a construção de uma cerca, para delimitar um terreno, sustentar uma planta, uma estrutura etc.; finca (1).

estação (es.ta.*ção*) *s.f.* **1.** Local em que param ônibus e trens para embarque e desembarque de passageiros; parada, terminal. **2.** Cada uma das quatro épocas do ano; sazão. **3.** Época do ano em que ocorrem determinados fenômenos ou eventos; temporada. **4.** Época em que se cultiva ou se colhe um determinado produto agrícola; ciclo, tempo, período. **5.** (*Rádio, Telv.*) Local em que se encontram emissores ou receptores de rádio ou televisão. **6.** Local em que se vai para descansar ou fazer tratamento médico: *estação de águas.* **7.** Repartição pública; posto. || *Alta/baixa estação*: temporada em que se observa o auge ou o declínio de uma determinada atividade, de uma determinada moda etc. • *Estação espacial/orbital*: (*Astron.*) nave sem propulsão, tripulada ou não, posta em órbita à volta da Terra ou de outro corpo celeste, usada como observatório astronômico, laboratório etc.

estacar (es.ta.*car*) *v.* **1.** Deter ou fazer deter; interromper(-se), empacar (1): *estacar o passo; Diante do obstáculo, o animal estacou.* **2.** *fig.*

estacionamento

Ficar perplexo, embaraçado; hesitar; vacilar: *Estacou, surpreso com a situação.* ▶ Conjug. 5 e 35.

estacionamento (es.ta.ci:o.na.*men*.to) s.m. **1.** Ato ou efeito de estacionar. **2.** Local, geralmente amplo, dividido em vagas, destinado a guardar veículos. **3.** Vaga.

estacionar (es.ta.ci:o.*nar*) v. **1.** Parar (um veículo) em uma certa posição: *O manobrista estacionou o carro do cliente; Sempre estaciona ao longo do meio-fio.* **2.** Parar; permanecer; deter-se: *O furacão estacionou acima daquela península.* **3.** *fig.* Estagnar (2): *Os índices de inflação estacionaram.* ▶ Conjug. 5. – **estacionário** *adj.*

estada (es.*ta*.da) s.f. Estadia.

estadia (es.ta.*di*.a) s.f. **1.** Permanência por um determinado tempo; estada, demora. **2.** Tempo gasto com essa permanência.

estádio (es.*tá*.di:o) s.m. **1.** Campo para a realização de provas e jogos esportivos. **2.** Estágio (2).

estadista (es.ta.*dis*.ta) s.m. e f. Pessoa que governa; dirigente.

estado (es.*ta*.do) s.m. **1.** Condição de alguém ou algo em um certo momento: *estado de felicidade.* **2.** Sociedade politicamente organizada; país, nação. || Nesta acepção, com e inicial maiúsculo. **3.** Conjunto de instituições que compõem a administração pública de um país; Governo. || Nesta acepção, com e inicial maiúsculo. **4.** Conjunto de poderes que governam um país; Governo. **5.** Regime político: *estado democrático.* **6.** Território decorrente da divisão geográfica e política de um país: *Estado de Minas Gerais.* **7.** Situação em que se encontra a estrutura molecular de uma matéria: *estado gasoso.* || *Estado civil*: (*Jur.*) situação jurídica de uma pessoa dentro da família, e social dentro do país, que pode ser solteiro, casado, viúvo, separado ou divorciado. • *Estado interessante*: *coloq.* gravidez. • *Estado de direito*: (*Jur.*) situação de um Estado que respeita a Constituição e as leis que o regem. • *Estado de sítio*: situação política excepcional, originada de ameaça externa ou de perturbação interna da ordem social, durante a qual o governo pode decretar, total ou parcialmente, a suspensão de garantias constitucionais.

estado-maior (es.ta.do-mai.*or*) s.m. (*Mil.*) Grupo de oficiais que assessoram um comandante militar. || pl.: *estados-maiores*.

estadual (es.ta.du:*al*) *adj.* Relativo a estado (6): *universidade estadual.*

estadunidense (es.ta.du.ni.*den*.se) *adj.* **1.** Dos Estados Unidos da América; América do Norte; norte-americano. **2.** O natural ou o habitante desse país; norte-americano.

estafa (es.*ta*.fa) s.f. Estresse. – **estafante** *adj.*

estafar (es.ta.*far*) v. Ficar ou fazer ficar muito cansado; fatigar(-se), exaurir(-se), estressar (-se): *O excesso de ruído estafa o trabalhador; Naquele trabalho, ninguém (se) estafava.* ▶ Conjug. 5.

estafermo [ê] (es.ta.*fer*.mo) s.m. Estupor (3 e 4).

estafeta [ê] (es.ta.*fe*.ta) s.m. e f. Enviado, mensageiro; carteiro.

estafilococo [ó] (es.ta.fi.lo.*co*.co) s.m. (*Biol.*) Tipo de bactéria em forma de coco, organizada em cachos, que provoca várias doenças, bem como as toxinas responsáveis pela intoxicação alimentar.

estagiar (es.ta.gi:*ar*) v. Fazer estágio (1): *Meu primo estagiou por seis meses numa empresa de mineração.* ▶ Conjug. 17.

estagiário (es.ta.gi:*á*.ri:o) *adj.* **1.** Que faz estágio: *jovem estagiário.* • s.m. **2.** Pessoa que faz estágio.

estágio (es.*tá*.gi:o) s.m. **1.** Aprendizado prático inicial por que passa um profissional em início de carreira, por um determinado período de tempo; treinamento. **2.** Cada uma das etapas de uma evolução; fase, estádio.

estagnar (es.tag.*nar*) v. **1.** Paralisar: *As medidas propostas estagnaram o país.* **2.** Ficar em estado estacionário: *Após a morte da esposa, sua vida estagnou-se.* ▶ Conjug. 5 e 33. – **estagnação** s.f.

estalactite (es.ta.lac.*ti*.te) s.f. (*Min.*) Forma alongada e pontiaguda que pende dos tetos de grutas ou subterrâneos, que resulta da dissolução de bicarbonato de cálcio na água. || Conferir com *estalagmite*.

estalagem (es.ta.*la*.gem) s.f. Albergue (1).

estalagmite (es.ta.lag.*mi*.te) s.f. (*Min.*) Forma alongada e pontiaguda que se eleva dos chãos de grutas ou subterrâneos, que resulta de pingos de água da chuva que caem, carregadas de bicarbonato de cálcio. || Conferir com *estalactite*.

estalar (es.ta.*lar*) v. **1.** Provocar ruído seco ou estalido em: *estalar os dedos; O chicote do domador estalava no ar.* **2.** Provocar estrondo: *Os relâmpagos estalaram, rápidos.* **3.** Causar uma rachadura em; rachar, fender-se: *Conforme caminhávamos, o piso estalava.* **4.** Provocar estalos por meio de uso de fogo ou brasa; crepitar: *Saído do forno, o pão estalava.* **5.**

estar

coloq. Fritar um ovo sem misturar a gema à clara; estrelar (3). **6.** *fig.* Latejar, palpitar: *Com tantos problemas, minha cabeça estalava.* ▶ Conjug. 5.

estaleiro (es.ta.*lei*.ro) *s.m.* Local onde são construídas ou consertadas embarcações, geralmente de grande porte.

estalido (es.ta.*li*.do) *s.m.* **1.** Estalo (1 e 2). **2.** Estalo mais fraco.

estalo (es.*ta*.lo) *s.m.* **1.** Som seco observado em algo que se parte ou racha; estalido. **2.** Som de madeira ou carvão colocados no fogo; estalido. **3.** Estouro, estrondo. || *De estalo*: repentino, súbito: *Ele parou de estalo, assustado.* • *Ter um estalo*: ter uma ideia inspirada: *Teve um estalo e apontou a solução para o problema.*

estame (es.*ta*.me) *s.m.* (*Bot.*) Órgão masculino das flores que contém os grãos de pólen.

estampa (es.*tam*.pa) *s.f.* **1.** Representação de uma figura impressa ou gravada, com o uso de uma chapa, em papel ou outro material; desenho, gravura, ilustração. **2.** *fig.* Aparência, figura, porte, presença.

estampado (es.tam.*pa*.do) *adj.* **1.** Que apresenta estampa(s); estamparia (4): *vestido estampado.* **2.** Que foi impresso; publicado: *uma notícia estampada em uma revista.* **3.** Que se percebe com clareza; evidente, visível: *um sorriso estampado no rosto.* • *s.m.* **4.** Tecido estampado. **5.** Conjunto de estampas de um tecido; estamparia (4); padrão.

estampar (es.tam.*par*) *v.* **1.** Fazer a representação de um desenho, por impressão ou gravação, com o uso de uma matriz, em papel ou outro material usado como suporte: *A artesã estampou o rosto do artista (na camiseta).* **2.** Exibir com destaque em; divulgar, publicar: *Aquele jornal estampou fotos do escândalo político.* **3.** *fig.* Tornar(-se) visível; exibir(-se), evidenciar(-se), mostrar(-se): *O chefe estampou no rosto um ar de descontentamento.* ▶ Conjug. 5. – **estampagem** *s.f.*

estamparia (es.tam.pa.*ri*.a) *s.f.* **1.** Arte e técnica de imprimir desenhos em tecido, papel, metal, entre outros materiais. **2.** Local em que se estampam tecidos ou outro material. **3.** Loja em que são vendidas estampas. **4.** Estampado (1) e (5).

estampido (es.tam.*pi*.do) *s.m.* Som seco, forte ou fraco: *estampido de um tiro.*

estampilha (es.ta.*pi*.lha) *s.f.* Selo postal, fiscal ou forense.

estancar (es.tan.*car*) *v.* **1.** Parar ou fazer parar o fluxo de; deter(-se), estagnar(-se) (1): *estancar o sangue de um corte*; *À medida que o remédio fazia efeito, o sangramento estancava(-se).* **2.** *fig.* Ter ou dar fim a: *estancar uma crise política*; *Com as medidas tomadas pelo governo, o processo de favelização estancou(-se).* **3.** Deter o passo; parar: *Ao ouvir um barulho estranho, estancou.* ▶ Conjug. 5 e 35. – **estancamento** *s.m.*

estância[1] (es.*tân*.ci:a) *s.f.* **1.** Local em que se vai para descanso, tratamento médico etc.; estação. **2.** Casa, moradia. **3.** (*Lit.*) Estrofe.

estância[2] (es.*tân*.ci:a) *s.f.* Propriedade rural de grande extensão; fazenda.

estancieiro (es.tan.ci:*ei*.ro) *s.m.* Proprietário de uma estância (2).

estandarte (es.tan.*dar*.te) *s.m.* Símbolo que representa um país, uma instituição religiosa ou civil, um clube etc.; bandeira.

estande (es.*tan*.de) *s.m.* Espaço utilizado para exposição ou comercialização de produtos em feiras ou outros eventos.

estanho (es.*ta*.nho) *s.m.* (*Quím.*) Elemento químico branco-prateado, maleável, utilizado para fazer ligas metálicas. || Símbolo: *Sn*.

estanque (es.*tan*.que) *adj.* Sem interligação; isolado: *compartimentos estanques.*

estante (es.*tan*.te) *s.f.* **1.** Móvel com prateleiras, aberto ou fechado, utilizado para guardar livros, pastas, CDs etc. **2.** (*Mús.*) Estrutura portátil, utilizada como apoio para leitura de partituras.

estapafúrdio (es.ta.pa.*fúr*.di:o) *adj.* Que é estranho; bizarro: *desfecho estapafúrdio.*

estapear (es.ta.pe:*ar*) *v.* Dar tapas; esbofetear, bater: *A atriz, indignada, estapeou o repórter.* ▶ Conjug. 14.

estaquear (es.ta.que:*ar*) *v.* Fixar com uso de estacas: *estaquear uma planta.* ▶ Conjug. 14.

estar (es.*tar*) *v.* **1.** Achar-se em determinado estado, condição ou situação; encontrar-se: *Ela está um pouco gripada*; *Estamos sem dinheiro.* **2.** Comparecer, apresentar-se: *Eles estiveram no local combinado.* **3.** Aparecer em (algum lugar); ir, visitar: *Estive na casa de minha irmã.* **4.** Colocar (roupa, acessórios etc.) em; vestir, trajar, usar: *A viúva estava com um véu preto.* **5.** Situar-se em (um determinado local); localizar-se, encontrar-se, ficar: *O hotel está a cem quilômetros daqui.* **6.** Manter um relacionamento afetivo com; envolver-se,

estardalhaço

ligar-se: *Estou com ele há seis anos.* **7.** Estar de acordo; assentir, consentir: *Estava com o chefe e não abria mão disso.* **8.** Resumir-se em; consistir, residir: *A dificuldade está na falta de documentação.* **9.** Apresentar um certo valor ou preço; custar: *Aquele apartamento está muito caro!* **10.** Ter a presença de; acompanhar-se, cercar-se: *Ela estava com os filhos.* || Usado: a) em saudação: *Como você está?* b) como verbo de ligação: *Seu nariz está vermelho!* c) como verbo auxiliar acompanhado de gerúndio, para expressar continuidade: *Estou cursando uma faculdade.* d) como verbo impessoal, indicando condição climática: *Está frio hoje!* || *Estar a fim de*: coloq. **1.** ter vontade de; querer: *Estou a fim de comprar um carro.* **2.** querer manter algum tipo de relacionamento amoroso com: *Ele está a fim da colega.* • *Estar em todas*: coloq. pôr-se em evidência: *Aquele ator está em todas!* • *Estar para*: estar na iminência de: *Estive para pedir demissão, mas desisti.* • *Estar para o que der e vier*: estar disposto a qualquer coisa: *Ele está ao lado dela para o que der e vier.* • *Estar por*: **1.** estar na iminência de: *Sua esposa esteve por deixar o Brasil.* **2.** restar pouco a ser feito: *Sua vida estava por um fio.* • *Estar por fora*: coloq. não saber do que se trata: *Minha mãe está por fora do assunto.* • *Não estar nem aí*: coloq. não dar importância a: *Ela não está nem aí para o que possa acontecer.* ▶ Conjug. 4.

estardalhaço (es.tar.da.*lha*.ço) *s.m.* **1.** coloq. Situação de bagunça; barulho, desordem, confusão, gritaria, balbúrdia, espalhafato. **2.** coloq. Ostentação, exibição, alarde, espalhafato.

estarrecer (es.tar.re.*cer*) *v.* Provocar surpresa ou pavor; aterrorizar(-se): *Alguns fatos da atualidade estarreceram o mundo; A cidade estarreceu(-se) com o nível alto de criminalidade.* ▶ Conjug. 41 e 46. – **estarrecimento** *s.m.*

estatal (es.ta.*tal*) *adj.* Relativo a Estado (2,3 e 4): *empresa estatal.*

estatelar (es.ta.te.*lar*) *v.* **1.** Bater ou fazer bater contra uma superfície; chocar(-se), colidir(-se): *No acidente, os turistas estatelaram os ossos no chão; O jogador estatelou-se no gramado.* **2.** *fig.* Ficar ou fazer ficar espantado; assombrar(-se), espantar(-se), estarrecer(-se): *Estatelou-se com a notícia.* ▶ Conjug. 8.

estática (es.*tá*.ti.ca) *s.f.* **1.** (*Mec.*) Estudo dos corpos em equilíbrio quando sob ação de uma ou mais forças. **2.** Ruído apresentado por aparelhos de rádio, provocado por ondas eletromagnéticas formadas na atmosfera.

estático (es.*tá*.ti.co) *adj.* **1.** Que está parado; imóvel: *postura estática.* **2.** Que está estagnado; paralisado: *economia estática.* **3.** (*Fís.*) Diz-se do processo de atuação de forças sobre um corpo em equilíbrio. || Conferir com *extático.*

estatística (es.ta.*tís*.ti.ca) *s.f.* (*Mat.*) **1.** Parte da Matemática que pesquisa, analisa e organiza dados numéricos. **2.** O resultado dessa pesquisa.

estatístico (es.ta.*tís*.ti.co) *adj.* **1.** Relativo a Estatística: *boletim estatístico.* • *s.m.* **2.** Pessoa que estuda ou se forma em Estatística.

estatizar (es.ta.ti.*zar*) *v.* Passar para o setor público (empresa de setor privado); nacionalizar: *A Bolívia estatizou suas reservas de petróleo.* ▶ Conjug. 5. – **estatização** *s.f.*; **estatizante** *adj.*

estátua (es.*tá*.tu.a) *s.f.* Figura em relevo, de três dimensões, modelada, esculpida ou fundida em metal, que representa um ser animado.

estatuaria (es.ta.tu:a.*ri*.a) *s.f.* Conjunto de estátuas.

estatuária (es.ta.tu.*á*.ri:a) *s.f.* Arte e técnica de fazer estátuas; escultura.

estatuário (es.ta.tu.*á*.ri:o) *adj.* **1.** Relativo a estátuas: *conjunto estatuário barroco.* • *s.m.* **2.** Pessoa que faz estátuas; escultor.

estatueta [ê] (es.ta.tu:*e*.ta) *s.f.* Estátua pequena.

estatuir (es.ta.tu:*ir*) *v.* (*Jur.*) Regulamentar por meio de estatuto; prescrever, decretar: *estatuir uma lei.* ▶ Conjug. 80.

estatura (es.ta.*tu*.ra) *s.f.* **1.** Altura de uma pessoa; tamanho. **2.** *fig.* Importância, envergadura, magnitude, relevância.

estatutário (es.ta.tu.*tá*.ri:o) *adj.* **1.** (*Jur.*) Relativo a estatuto: *regime estatutário.* **2.** (*Jur.*) Que foi registrado em estatuto: *lei estatutária.* **3.** Que é regido por estatuto próprio do poder público: *vínculo estatutário.* • *s.m.* **4.** Funcionário cujo vínculo empregatício é regido por estatuto próprio do poder público.

estatuto (es.ta.*tu*.to) *s.m.* (*Jur.*) Lei ou regulamento que estabelece os princípios que devem ser seguidos por uma coletividade ou por uma instituição pública ou privada.

estável (es.*tá*.vel) *adj.* **1.** Que é invariável; inalterável, constante: *temperatura estável.* **2.** Que está seguro; firme, fixo: *estante estável.* **3.** Que é permanente; duradouro: *união estável.* **4.** Que possui estabilidade no emprego; efetivo: *funcionário estável.* || sup. abs.: *estabilíssimo.*

este[1] [ê] (es.te) *pron. dem.* O que está mais próximo do falante.

este² [é] (es.te) *adj. s.m.* Leste. || Símbolo: *E.* • Abreviação: *L.*

esteio (es.*tei*.o) *s.m.* **1.** Escora (1). **2.** *fig.* Aquilo de dá apoio; amparo, arrimo: *Após a morte do pai, ele foi o esteio da família.*

esteira¹ (es.*tei*.ra) *s.f.* **1.** Tecido tosco obtido pelo entrelaçamento de palha, junco, taquara ou material sintético. **2.** Tapete feito desse tecido. || *Esteira rolante*: tapete que se move por meio de um mecanismo, usado para transportar pessoas ou coisas, ou para exercícios de caminhada ou exames.

esteira² (es.*tei*.ra) *s.f.* **1.** (*Náut.*) Rastro espumoso que uma embarcação a motor deixa na água ao navegar; sulco. **2.** *fig.* Vestígio deixado por pessoa ou animal; trilha, sinal. || *Ir na esteira de*: *coloq.* seguir junto.

estelar (es.te.*lar*) *adj.* **1.** Relativo a estrela: *explosão estelar*. **2.** (*Cine, Rádio, Teat., Telv.*) Que é constituído por pessoas famosas: *elenco estelar.*

estelionatário (es.te.li:o.na.*tá*.ri:o) *s.m.* (*Jur.*) Pessoa que pratica estelionato.

estelionato (es.te.li:o.*na*.to) *s.m.* (*Jur.*) Obtenção, para si ou para outrem, de vantagem ilícita, com lesão do patrimônio alheio; fraude.

estêncil (es.*tên*.cil) *s.m.* (*Art. Gráf.*) Matriz (6).

estender (es.ten.*der*) *v.* **1.** Fazer ficar mais amplo; alongar-se, alargar-se: *Com a obra, os operários estenderam a casa por todo o terreno.* **2.** Lançar-se em uma ou várias direções; espalhar-se, espraiar-se: *Suas terras se estendiam além da fronteira.* **3.** Distender para mais longe: esticar (2), espichar: *Estendi a mão e alcancei o copo; Nas mãos do menino, o barbante se estendeu o máximo possível.* **4.** Desmanchar a dobra de; desdobrar, abrir, esticar (3), alisar: *A mãe estendeu o lençol sobre a cama.* **5.** Prolongar a duração de, esticar (4): *O empresário estendeu o prazo da temporada; Ele sempre estendia suas aulas por mais alguns minutos.* **6.** Deitar(-se), estirar(-se), esticar(-se) (5): *Estendi-me na areia da praia; Estendeu-se na cama para dormir um pouco.* **7.** Esticar (a roupa) na corda ou no varal para secar; pendurar: *Minha irmã estendeu a roupa no quintal.* **8.** Apresentar (algo) a alguém: *Estendeu-lhe um banquinho para sentar.* **9.** *fig.* Tornar abrangente: *Os premiados estenderam seus agradecimentos aos ausentes.* ▶ Conjug. 39.

estenia (es.te.*ni*.a) *s.f.* (*Med.*) Estado de força e atividade.

estenografar (es.te.no.gra.*far*) *v.* Escrever de forma abreviada, com o uso de caracteres próprios da estenografia; taquigrafar: *A secretária estenografou uma carta; Atualmente, com o uso do computador, as pessoas não estenografam mais.* ▶ Conjug. 5.

estenografia (es.te.no.gra.*fi*.a) *s.f.* Processo de escrita formado por sinais abreviativos e convencionais, que permitem rápida transcrição das palavras enquanto são faladas; taquigrafia.

estentor [ô] (es.ten.*tor*) *s.m.* Pessoa que tem voz possante.

estepe¹ [é] (es.*te*.pe) *s.f.* (*Geogr.*) **1.** Campo com vegetação rasteira e escassa que é encontrado em áreas frias e secas. **2.** A vegetação desses campos.

estepe² [é] (es.*te*.pe) *s.m.* Pneu de reserva que substitui outro furado, rasgado etc.

éster (*és*.ter) *s.m.* (*Quím.*) Classe de substâncias que resultam da condensação de um ácido com um álcool.

estercar (es.ter.*car*) *v.* Adubar com esterco (a terra, o solo etc.); estrumar: *estercar um terreno.* ▶ Conjug. 8 e 35.

esterco [ê] (es.*ter*.co) *s.m.* **1.** Matéria sólida excretada por organismo animal; excremento, fezes. **2.** Estrume (1 e 2), adubo.

estéreo (es.*té*.re:o) *adj.* **1.** Redução de *estereofônico*: *som estéreo*. **2.** (*Eletrôn.*) Diz-se de aparelho que funciona através de sistema estereofônico: *televisão estéreo.* • *s.m.* **3.** (*Eletrôn.*) Aparelho estereofônico.

estereofonia (es.te.re:o.fo.*ni*.a) *s.f.* (*Eletrôn.*) Técnica de gravação, transmissão ou reprodução de som, que o distribui por dois ou mais canais conectados a caixas com alto-falantes, com o intuito de produzir contrastes e relevos entre sons agudos e graves.

estereofônico (es.te.re:o.*fô*.ni.co) *adj.* Relativo a estereofonia; estéreo.

estereoscopia (es.te.re:os.co.*pi*.a) *s.f.* (*Cine, Fot.*) Processo que produz, por meio da utilização de uma câmera especial, imagens fotográficas ou filmadas em três dimensões. – **estereoscópio** *s.m.*

estereotipar (es.te.re:o.ti.*par*) *v.* Encaixar (a si mesmo, alguém ou algo) em ideias preconcebidas; padronizar(-se): *A imprensa estereotipou os políticos como corruptos; Historicamente, estereotipou-se a mulher como um ser submisso.* ▶ Conjug. 5. – **estereotipagem** *s.f.*

estereotipia (es.te.re:o.ti.*pi*.a) *s.f.* (*Art. Gráf.*) **1.** Processo através do qual se obtém a reprodução de uma forma tipográfica por meio de uso de uma matriz. **2.** Oficina onde se utiliza esse processo.

estereótipo (es.te.re:ó.ti.po) *s.m.* **1.** Ideia preconcebida, geralmente preconceituosa, sobre alguém ou algo; lugar-comum, clichê. **2.** Modelo criado por uma ideia preconcebida; padrão. **3.** (*Art. Gráf.*) Chapa usada no processo da estereotipia; clichê.

estéril (es.té.ril) *adj.* **1.** Diz-se de pessoas que não podem procriar; infértil: *homem estéril*. **2.** Que não dá frutos; improdutivo: *solo estéril*. **3.** *fig.* Que é inútil; vão: *discussão estéril*. **4.** Que foi desinfetado; asséptico: *pinça estéril*. • *s.m.* **5.** Pessoa estéril.

esterilidade (es.te.ri.li.*da*.de) *s.f.* Condição de estéril; infecundidade.

esterilizador [ô] (es.te.ri.li.za.*dor*) *adj.* **1.** Que esteriliza. • *s.m.* **2.** Aparelho que esteriliza.

esterilizar (es.te.ri.li.*zar*) *v.* **1.** Tirar os germes de; desinfetar, higienizar: *esterilizar uma seringa*. **2.** Ficar ou fazer ficar infértil: *Aquele acidente esterilizou-a; Com a radiação, muitas mulheres esterilizaram-se*. **3.** Ficar ou fazer ficar improdutivo: *esterilizar(-se) uma semente*. **4.** *fig.* Frustrar, malograr: *A situação econômica esterilizou suas propostas*. ▶ Conjug. 5. – **esterilização** *s.f.*; **esterilizante** *adj.*

esterlino (es.ter.*li*.no) *adj.* **1.** Relativo a libra, moeda da Grã-Bretanha. • *s.m.* **2.** Essa moeda.

esterno [é] (es.ter.no) *s.m.* (*Anat.*) Osso chato que se articula com algumas costelas e com a clavícula, localizado no tórax dos animais vertebrados (com exceção dos peixes). || Conferir com *externo*.

esteroide [ói] (es.te.*roi*.de) *s.m.* Composto natural ou artificial que possui importante função metabólica e hormonal no ser humano, nos outros animais e nos vegetais.

esterqueira (es.ter.*quei*.ra) *s.f.* Lugar onde se lança esterco; estrumeira.

estertor [ô] (es.ter.*tor*) *s.m.* **1.** Respiração ruidosa produzida pelas pessoas que estão agonizando. **2.** (*Med.*) Ruído produzido pela respiração anormal de quem está doente, ouvido com a ajuda de estetoscópio. || *Nos estertores*: no final: *Nos estertores do século XX, vê-se um grande desenvolvimento tecnológico mundial*.

esteta [é] (es.*te*.ta) *s.m. e f.* **1.** Pessoa que cultua os valores estéticos. **2.** (*Fil.*) Especialista que se dedica a estudos sobre o papel do belo na arte.

estética (es.*té*.ti.ca) *s.f.* **1.** Característica do que é belo; beleza. **2.** *coloq.* Aparência física: *Ela cuida de sua estética*. **3.** Atividade de quem é esteticista. **4.** (*Fil.*) Estudo sobre o papel do belo na arte.

esteticista (es.te.ti.*cis*.ta) *adj.* **1.** Diz-se de quem se dedica a tratamentos de cabelos, da pele etc. • *s.m. e f.* **2.** Profissional que se dedica a tratamentos de cabelos, da pele etc.

estético (es.*té*.ti.co) *s.f.* **1.** Que apresenta beleza ou bom gosto: *efeito estético*. **2.** Relativo a beleza: *tratamento estético*. **3.** (*Fil.*) Relativo a estética (4).

estetoscópio (es.te.tos.*có*.pi:o) *s.m.* (*Med.*) Instrumento usado para auscultar os ruídos produzidos pelas batidas cardíacas, pela respiração, pela circulação etc.

estévia (es.*té*.vi:a) *s.f.* (*Bot.*) Arbusto de onde é extraído um tipo de adoçante.

estiada (es.ti:*a*.da) *s.f.* Parada temporária de chuva ou tempestade; estiagem (3).

estiagem (es.ti:*a*.gem) *s.f.* **1.** Seca. **2.** Tempo seco que sucede a chuvas ou tempestades. **3.** Estiada.

estiar (es.ti:*ar*) *v.* Interromper-se a chuva; parar de chover: *O tempo começou ensolarado, choveu e depois estiou*. ▶ Conjug. 17.

estibordo [ó] (es.ti.*bor*.do) *s.m.* (*Era., Náut.*) Boreste.

esticada (es.ti.*ca*.da) *s.f.* **1.** Ato de esticar. **2.** *coloq.* Gasto de tempo maior do que o previsto com alguma atividade programada ou não: *Fomos a Salvador e na volta demos uma esticada ao sul da Bahia*.

esticado (es.ti.*ca*.do) *adj.* **1.** Que se esticou: *barbante esticado*. **2.** Que não apresenta rugas ou pregas; liso: *colcha esticada*.

esticar (es.ti.*car*) *v.* **1.** Ficar mais longo ou largo: *Aquela malha estica*. **2.** Distender para mais longe: estender (2), espichar: *Os garotos esticavam o pescoço para ver os componentes do circo*. **3.** Desmanchar a dobra de; desdobrar, abrir, estender (3), alisar: *Esticou a manta sobre a cadeira*. **4.** *coloq. fig.* Prolongar ou fazer prolongar a duração de; estender (4): *Esticou a noite numa conversa agradável; A festa esticou-se pela manhã afora*. **5.** Deitar-se, estender-se (5): *Com preguiça, esticou-se na rede*. **6.** *coloq. fig.* Prolongar (uma viagem, um passeio etc.): *Alguns funcionários esticaram as férias; Depois do jantar, esticamos em uma boate*. **7.** *coloq.* Alisar (os cabelos): *Nunca se esticou tanto o cabelo com formol como atualmente*. ▶ Conjug. 5 e 35.

estigma (es.*tig*.ma) *s.m.* **1.** *fig.* Aquilo que é visto negativamente por um grupo social ou por toda a sociedade: *O estigma do câncer afasta as pessoas do paciente.* **2.** *fig.* Qualificação desonrosa; rótulo, marca: *O estigma geralmente é oriundo do preconceito.* **3.** (*Bot.*) Parte da flor onde são depositados os grãos de pólen para a germinação.

estigmatizar (es.tig.ma.ti.*zar*) *v. fig.* Marcar de forma negativa; condenar, discriminar, tachar: *A imprensa, às vezes, estigmatiza os políticos.* ▶ Conjug. 5.

estilete [ê] (es.ti.*le*.te) *s.m.* **1.** Punhal que apresenta lâmina fina. **2.** Qualquer lâmina fina. **3.** (*Bot.*) Parte da planta localizada entre o ovário e o estigma.

estilha (es.*ti*.lha) *s.f.* Lasca, cavaco (1).

estilhaçar (es.ti.lha.*çar*) *v.* Fazer(-se) em pedaços; despedaçar(-se), quebrar(-se): *A explosão estilhaçou a vidraça; Os vasos caíram no chão e estilhaçaram(-se).* ▶ Conjug. 5 e 36.

estilhaço (es.ti.*lha*.ço) *s.m.* Fragmento ou lasca de objeto que se despedaçou depois de um choque ou de uma explosão.

estilingue (es.ti.*lin*.gue) *s.m.* Atiradeira.

estilista (es.ti.*lis*.ta) *s.m.* e *f.* **1.** Profissional que se dedica a criar novos padrões para móveis, roupas etc. **2.** Artista que possui estilo próprio. **3.** Pessoa que escreve com elegância.

estilística (es.ti.*lís*.ti.ca) *s.f.* (*Ling*) Estudo da expressividade da linguagem verbal (3).

estilístico (es.ti.*lís*.ti.co) *adj.* **1.** Relativo a estilo (3): *perfil estilístico.* **2.** Relativo a Estilística: *estudo estilístico.*

estilizar (es.ti.li.*zar*) *v.* **1.** Produzir um estilo (1); aprimorar, apurar: *estilizar uma roupa.* **2.** (*Art.*) Representar por meio da arte: *estilizar uma paisagem.* ▶ Conjug. 5. – **estilização** *s.f.*

estilo (es.*ti*.lo) *s.m.* **1.** Forma especial de expressão que caracteriza um modo de ser, de se vestir etc., de uma pessoa ou de um grupo social. **2.** (*Art., Lit.*) Conjunto de características apresentadas por uma determinada linguagem artística. **3.** (*Ling.*) Conjunto de recursos expressivos utilizados por um autor em uma obra literária. **4.** Elegância, distinção, refinamento.

estima (es.*ti*.ma) *s.f.* **1.** Consideração que se tem por uma pessoa; apreço, deferência, respeito. **2.** Sentimento de amizade; afeição, afeto, carinho.

estimação (es.ti.ma.*ção*) *s.f.* Ato ou efeito de estimar; estimativa. ‖ *De estimação*: diz-se de animal ou coisa por que se tem afeto: *animal de estimação.*

estimar (es.ti.*mar*) *v.* **1.** Sentir estima; apreciar: *Ele estimava o irmão acima de tudo; Os dois amigos estimavam-se muito.* **2.** Fazer a estimativa de; avaliar, aquilatar, calcular: *Estimo em cem reais o valor deste livro.* **3.** Fazer votos; desejar: *Estimo as melhoras ao seu pai.* ▶ Conjug. 5.

estimativa (es.ti.ma.*ti*.va) *s.f.* Previsão aproximada de; cálculo, avaliação, parecer: *estimativa de crescimento da economia.* – **estimativo** *adj.*

estimulante (es.ti.mu.*lan*.te) *adj.* **1.** Que estimula, incita: *jogo estimulante.* **2.** Diz-se de substância que aumenta a atividade de um organismo. • *s.m.* **3.** (*Farm.*) Substância que estimula.

estimular (es.ti.mu.*lar*) *v.* **1.** Provocar o estímulo de; incentivar, encorajar, entusiasmar: *Estimulei meu filho (a estudar Matemática).* **2.** Tornar mais intenso; ativar, aguçar: *Aquelas medidas estimularam a produção nacional.* ▶ Conjug. 5. – **estimulação** *s.f.*

estímulo (es.*tí*.mu.lo) *s.m.* **1.** Aquilo que estimula; incentivo. **2.** (*Med.*) Aquilo que desencadeia uma atividade fisiológica ou provoca a modificação de uma função ou de um processo do metabolismo.

estio (es.*ti*.o) *s.m.* Verão.

estiolar (es.ti.o.*lar*) *v.* Enfraquecer(-se), atrofiar(-se), debilitar(-se): *Uma intempérie estiolou a plantação; À medida que os adversários avançavam, o moral da tropa se estiolava.* ▶ Conjug. 20. – **estiolamento** *s.m.*; **estiolado** *adj.*

estipêndio (es.ti.*pên*.di.o) *s.m.* Ordenado, salário.

estipular (es.ti.pu.*lar*) *v.* Fixar com precisão; determinar, estabelecer, marcar: *A empreiteira estipulou o prazo (para o término da obra).* ▶ Conjug. 5. – **estipulação** *s.f.*

estirada (es.ti.*ra*.da) *s.f.* Estirão.

estirão (es.ti.*rão*) *s.m.* **1.** Caminhada por uma extensão longa; estirada, tirada. **2.** Distância entre dois pontos de uma caminhada longa; estirada, tirada.

estirar (es.ti.*rar*) *v.* **1.** Esticar, estender: *estirar um papel.* **2.** Distender (tendão, nervo etc.); deslocar: *estirar um músculo.* **3.** Deitar-se, estender-se, esticar-se: *Estirou as pernas no banquinho; A visita estirou-se no colchonete.* **4.** Fazer cair; jogar no chão: *Com um chute, o adversário estirou-o na calçada.* ▶ Conjug. 5.

estirpe (es.*tir*.pe) *s.f.* **1.** Conjunto das gerações anteriores de um indivíduo ou de uma família;

estiva

linhagem, genealogia. **2.** Origem. **3.** *fig.* Categoria, classe, esfera, qualidade: *Este é um cientista de boa estirpe!*

estiva (es.*ti*.va) *s.f.* **1.** (*Náut.*) Trabalho de carregar ou descarregar cargas de uma embarcação. **2.** (*Náut.*) Grupo de estivadores de uma embarcação ou de um porto. **3.** Pesagem ou contagem de produtos alimentícios realizada pela alfândega.

estivador (es.ti.va.*dor*) *s.m.* (*Náut.*) Trabalhador que carrega ou descarrega uma embarcação.

estival (es.ti.*val*) *adj.* **1.** Relativo a estio, a verão: *seca estival.* **2.** Que germina ou cresce durante o estio, o verão: *lenho estival.*

estocada (es.to.*ca*.da) *s.f.* **1.** Golpe com a ponta da espada, faca ou outro objeto pontiagudo e cortante. **2.** *fig.* Alusão mordaz: *A testemunha deu uma leve estocada no acusado.*

estocar (es.to.*car*) *v.* Guardar para fazer estoque de; armazenar, conservar: *O empresário estocou toda a sua produção.* ▶ Conjug. 20 e 35. – **estocagem** *s.f.*

estofado (es.to.*fa*.do) *adj.* **1.** Que foi revestido com estofo (1): *sofá estofado.* **2.** Que foi recheado com estofo (2): *armação estofada.* • *s.m.* **3.** Poltrona, sofá etc. revestido com estofo (1). **4.** Poltrona, sofá etc. recheado com estofo (2). || Conferir com es*tufado.*

estofador [ô] (es.to.fa.*dor*) *s.m.* Profissional que estofa móveis.

estofar (es.to.*far*) *v.* Pôr estofo em: *estofar uma cadeira.* ▶ Conjug. 20. – **estofamento** *s.m.*

estofo [ô] (es.*to*.fo) *s.m.* **1.** Tecido decorativo utilizado para revestir almofadas, poltronas, sofás etc. **2.** Espuma, algodão ou outro material que sirva como enchimento de colchões, sofás etc. **3.** *fig.* Grande capacidade; competência: *É um profissional com estofo!*

estoicismo (es.toi.*cis*.mo) *s.m.* **1.** (*Fil.*) Doutrina fundada por Zenão de Cício (334-262 a.C.), na Grécia antiga, que acreditava na serenidade e imparcialidade do homem diante das imposições do destino como o caminho certo para torná-lo um sábio. **2.** *fig.* Resignação diante de problemas e acontecimentos. **3.** *fig.* Caráter severo; rigidez, austeridade, rigor.

estoico [ó] (es.*toi*.co) *adj.* **1.** (*Fil.*) Que é adepto do estoicismo: *pensamento estoico.* **2.** Que apresenta estoicismo (2 e 3). • *s.m.* **3.** (*Fil.*) Pessoa adepta do estoicismo. **4.** Pessoa estoica (2 e 3).

estojo [ô] (es.*to*.jo) *s.m.* **1.** Objeto retangular de madeira, plástico ou outro material usado para guardar lápis, canetas etc.: *estojo escolar.* **2.** Qualquer objeto que sirva de invólucro para outro(s): *estojo de maquiagem.*

estola [ó] (es.*to*.la) *s.f.* **1.** (*Rel.*) Faixa larga, de lã, seda ou brocado usada como parte das vestes de um sacerdote quando este oficia uma cerimônia. **2.** Tipo de xale estreito usado em volta dos ombros ou do pescoço.

estômago (es.*tô*.ma.go) *s.m.* (*Anat.*) Órgão do sistema digestivo, situado entre o esôfago e o duodeno, em que os alimentos são fragmentados por enzimas. – **estomacal** *adj.*

estomatite (es.to.ma.*ti*.te) *s.f.* (*Med.*) Inflamação da mucosa da boca.

estoniano (es.to.ni:*a*.no) *adj.* **1.** Da Estônia, país da Europa. • *s.m.* **2.** O natural ou o habitante desse país. **3.** Idioma falado nesse país.

estontear (es.ton.te.*ar*) *v.* **1.** Ficar ou fazer ficar desorientado; atordoar, aturdir, desnortear: *Os acontecimentos eram tantos que a estonteavam; O calor era tão forte que a multidão estonteou(-se).* **2.** *fig.* Ficar ou fazer ficar maravilhado; deslumbrar, encantar, extasiar: *A magnitude do museu estonteou os visitantes.* ▶ Conjug. 14. – **estonteante** *adj.*

estopa [ó] (es.*to*.pa) *s.f.* **1.** Resíduo de fibra do qual se obtém o fio cardado. **2.** Resto de fios enredados, geralmente usado em oficinas mecânicas para limpeza de carros ou outros objetos.

estopim (es.to.*pim*) *s.m.* **1.** Fio ou acessório que conduz uma chama até uma carga de explosivos e provoca a sua combustão. **2.** *fig.* Aquilo que deflagra uma situação: *A sua atitude foi o estopim da discussão.*

estoque[1] [ó] (es.*to*.que) *s.m.* **1.** Espada sem fio que fere apenas pela ponta. **2.** Faca tosca.

estoque[2] [ó] (es.*to*.que) *s.m.* **1.** Quantidade de produtos guardados para uso. **2.** Quantidade de mercadorias guardadas para venda. **3.** Lugar em que mercadorias são armazenadas.

estoquista (es.to.*quis*.ta) *s.m.* e *f.* Pessoa que cuida da escrituração de um estoque.

estore [ó] (es.*to*.re) *s.m.* Cortina usada em janelas, que se abre e se fecha por meio de um mecanismo que a enrola ou desenrola.

estória (es.*tó*.ri:a) *s.f.* História (2).

estornar (es.tor.*nar*) *v.* Lançar em débito ou em crédito quantia igual a outra indevidamente lançada em crédito ou débito em um livro-caixa, em conta-corrente etc. ▶ Conjug. 20.

estorno [ô] (es.tor.no) s.m. Ato ou efeito de estornar.

estorricar (es.tor.ri.car) v. Tornar extremamente seco, até queimar; ressecar, calcinar (3): *O sol forte estorricava minha cabeça; Esqueci o sanduíche na chapa e ele estorricou.* || esturricar. ▶ Conjug. 5 e 35.

estorvar (es.tor.var) v. 1. Causar embaraço a; atrapalhar, complicar: *A obra estorvava o trânsito.* 2. Tornar impossível; impedir, frustrar: *A falta de luz estorvou a continuação dos trabalhos.* ▶ Conjug. 5. – **estorvamento** s.f.

estorvo [ô] (es.tor.vo) s.m. 1. Aborrecimento, contrariedade, irritação. 2. Pessoa ou fato que provoca constrangimento; inconveniente.

estourado (es.tou.ra.do) adj. 1. Que estourou: *pneu estourado.* 2. *fig.* Que se esgotou; expirado, vencido: *prazo estourado.* 3. *fig.* Diz-se de pessoa que se enraivece com facilidade. 4. *coloq. fig.* Diz-se de pessoa que se encontra extremamente cansada; fatigado. • s.m. 5. Pessoa estourada.

estourar (es.tou.rar) v. 1. Romper com violência; rebentar, rasgar, furar: *Os ladrões estouraram os vidros do carro; A bomba d'água estourou.* 2. Explodir, fazendo grande barulho; detonar, rebentar: *Os morteiros estouraram em meio à festa.* 3. *coloq. fig.* Chegar ao limite; esgotar-se: *A data da inscrição estourou.* 4. *fig.* Perder a cabeça; descontrolar-se, encolerizar-se, enraivecer-se: *Sempre que recebia uma má notícia, estourava.* 5. *fig.* Eclodir, causando impacto; repercutir, propalar-se: *O escândalo estourou na imprensa.* 6. *fig.* Obter sucesso: *Aquele samba estourou no carnaval do ano passado.* ▶ Conjug. 26.

estouro (es.tou.ro) s.m. 1. Barulho forte provocado por uma explosão; estrondo. 2. Debandada de pessoas ou de animais; dispersão. 3. *fig.* Briga, discussão. 4. Repercussão, eclosão.

estouvado (es.tou.va.do) adj. 1. Diz-se de pessoa desastrada; imprudente. • s.m. 2. Pessoa estouvada.

estrábico (es.trá.bi.co) adj. 1. (Med.) Que sofre de estrabismo; vesgo: *paciente estrábico.* • s.m. 2. Pessoa estrábica.

estrabismo (es.tra.bis.mo) s.m. (Med.) Desvio do eixo ocular que impede a fixação em um ponto dos dois olhos simultaneamente.

estraçalhar (es.tra.ça.lhar) v. 1. Ficar ou fazer ficar em pedaços; arrebentar(-se), esmigalhar(-se): *A leoa estraçalhou a presa; O avião estraçalhou-se ao levantar vôo.* 2. *coloq. fig.* Provocar abatimento físico ou moral: *Ele estraçalhou minha esperança (de trabalhar em outro lugar).* ▶ Conjug. 5. – **estraçalhamento** s.m.

estrada (es.tra.da) s.f. 1. Via longa, de mão única ou dupla, que faz a ligação entre distritos, cidades, estados e países. 2. *fig.* Modo de proceder que leva a um determinado caminho: *estrada do futuro.* || Estrada de ferro: ferrovia. • Estrada de rodagem: rodovia.

estrado (es.tra.do) adj. 1. Tipo de plataforma, geralmente de madeira, usada para elevar pessoas ou coisas acima do nível do chão; palanque, tablado. 2. Armação, geralmente de madeira, que se coloca em uma cama para sustentar o colchão.

estragão (es.tra.gão) s.m. Planta aromática, com sabor picante, usada como condimento.

estragar (es.tra.gar) v. 1. Pôr(-se) em mau estado; deteriorar(-se); danificar(-se): *As queimadas estragaram os pastos; A carne do almoço estragou!* 2. *fig.* Provocar ou sofrer dano psicológico; prejudicar(-se): *Ele estragou o meu rádio; Com a guerra, sua vida estragou-se.* 3. *fig.* Dar mimo em excesso: *Dizem que os avós estragam os netos.* 4. *fig.* Alterar os traços principais; adulterar, desfigurar: *Os editores estragaram o texto daquele autor.* ▶ Conjug. 5 e 34.

estrago (es.tra.go) s.m. 1. Ato, processo ou efeito de estragar. 2. Dano material; avaria, deterioração. 2. Dano psicológico; aniquilamento, fraqueza. 3. *coloq.* Gasto excessivo; desperdício, esbanjamento.

estrambótico (es.tram.bó.ti.co) adj. *coloq.* Que é extravagante; excêntrico: *atitude estrambótica.*

estrangeirado (es.tran.gei.ra.do) adj. Que se comporta, tem aspecto ou fala como estrangeiro: *elite estrangeirada.*

estrangeirice (es.tran.gei.ri.ce) s.f. Aquilo que é feito ou dito para copiar outros povos.

estrangeirismo (es.tran.gei.ris.mo) s.m. 1. (Ling.) Uso de palavra, expressão ou construção sintática de uma língua estrangeira que é incorporada por outra língua. 2. Estrangeirice.

estrangeiro (es.tran.gei.ro) adj. 1. Que é natural de outro país. 2. Que não pertence ao mesmo grupo social; estranho, forasteiro, forâneo. • s.m. 3. Conjunto dos outros países; exterior. 4. Pessoa estrangeira. 5. Pessoa forasteira.

estrangular (es.tran.gu.lar) v. 1. Comprimir(-se) o pescoço, impossibilitando a respiração de: asfixiar(-se), sufocar(-se), enforcar(-se), esgoelar(-se) (2): *O malvado estrangulava o gato*

estranhar

sem mostrar culpa; *O bandido estrangulou-se com uma corda.* **2.** Estreitar(-se) demais; apertar(-se), asfixiar(-se), sufocar(-se): *Essa gola apertada me estrangula!* **3.** *fig.* Impedir que se manifeste; conter, abafar, reprimir: *O medo estrangulou sua voz.* ▶ Conjug. 5. – **estrangulamento** *s.m.*

estranhar (es.tra.*nhar*) *v.* **1.** Surpreender-se com o que é considerado diferente; espantar-se, admirar-se: *Estranhei seu comportamento e suas roupas.* **2.** Não se habituar com: *Estranhamos o lugar desde que chegamos.* **3.** *coloq.* Incomodar(-se) com; rejeitar: *O cachorro estranhou os vizinhos; Os dois se estranharam no trabalho.* ▶ Conjug. 5. – **estranhamento** *s.m.*

estranheza (es.tra.*nhe*.za) *s.f.* **1.** Qualidade de estranho. **2.** Sentimento de assombro; admiração, espanto, pasmo. **3.** Sentimento de desprezo; desdém.

estranho (es.tra.*nho*) *adj.* **1.** Que é pouco comum; bizarro, esquisito: *roupa estranha.* **2.** Que é de fora; forasteiro: *homem estranho.* **3.** Que é misterioso; enigmático: *casa estranha.* • *s.m.* **4.** Pessoa, animal ou coisa pouco comum. **5.** Pessoa de fora.

estranja (es.*tran*.ja) *s.f. coloq.* Estrangeiro (3 e 4).

estratagema (es.tra.ta.ge.ma) *s.m.* **1.** (*Mil.*) Esquema usado para iludir o inimigo; manobra, plano. **2.** *fig.* Ato de iludir com astúcia; ardil, estratégia, trama.

estratégia (es.tra.*té*.gi:a) *s.f.* **1.** (*Mil.*) Planejamento e execução de operações de guerra utilizados com o fim de solucionar conflitos ou de defender um país. **2.** (*Mil.*) Manobra de um exército para colocar-se em posição favorável em relação ao inimigo; tática. **3.** Estratagema (2).

estratégico (es.tra.*té*.gi.co) *adj.* **1.** Relativo a estratégia: *planejamento estratégico.* **2.** Em que se observa estratégia: *visão estratégica.* **3.** Que é ardiloso: *jogada estratégica.*

estrategista (es.tra.te.*gis*.ta) *adj.* **1.** (*Mil.*) Diz-se de militar que elabora estratégias. **2.** Diz-se de pessoa que se utiliza de estratégia para chegar a um determinado fim. • *s.m.* e *f.* **3.** (*Mil.*) Pessoa versada em estratégia.

estratificação (es.tra.ti.fi.ca.*ção*) *s.f.* **1.** Ato ou efeito de estratificar(-se). **2.** (*Geol.*) Processo de superposição de estratos ou camadas que se acumulam, formando uma rocha. **3.** Agrupamento de elementos que apresentam as mesmas características. **4.** Diferenciação de camadas ou classes sociais conforme seus valores culturais, econômicos, políticos etc. **5.** *fig.* Cristalização de uma ideia, um sentimento etc.; estagnação: *estratificação de valores.*

estratificar (es.tra.ti.fi.*car*) *v.* **1.** (*Geol.*) Assentar(-se) em estratos ou em camadas: *estratificar(-se) um solo.* **2.** Agrupar elementos que apresentam as mesmas características: *estratificar os resultados de uma pesquisa.* **3.** Diferenciar um grupo social conforme seus valores culturais, econômicos, políticos etc.: *estratificar o perfil cultural de uma comunidade.* **4.** *fig.* Cristalizar uma ideia, um sentimento etc.; estagnar-se: *estratificar hábitos.* ▶ Conjug. 5 e 35.

estrato (es.*tra*.to) *s.m.* **1.** (*Geol.*) Qualquer superfície que compõe um processo de sedimentação. **2.** Segmento social que apresenta valores culturais, econômicos, políticos etc. semelhantes. **3.** Tipo de nuvem cinzenta que se forma em altitude abaixo de 2.500 metros. || Conferir com **extrato**.

estratosfera [é] (es.tra.tos.*fe*.ra) *s.f.* Camada da atmosfera composta principalmente de nitrogênio que se encontra entre a troposfera e a ionosfera, entre dez e cinquenta quilômetros de altitude. – **estratosférico** *adj.*

estreante (es.tre:*an*.te) *adj.* **1.** Que faz uma estreia; iniciante, novato, principiante: *artista estreante.* • *s.m.* e *f.* **2.** Pessoa estreante.

estrear (es.tre.*ar*) *v.* **1.** Colocar pela primeira vez; inaugurar: *Estreei um vestido ontem.* **2.** Mostrar(-se) ao público pela primeira vez: *O dramaturgo estreou seu primeiro espetáculo em 1970; Os filmes estrearam(-se) nesse final de semana.* **3.** Exercer pela primeira vez um cargo, uma função, uma profissão etc.; iniciar, principiar: *Estreou como diretor no ano passado.* **4.** Inaugurar, principiar: *Estrearam um novo tipo de música na rádio.* ▶ Conjug. 15.

estrebaria (es.tre.ba.*ri*.a) *s.f.* Cavalariça.

estrebuchar (es.tre.bu.*char*) *v.* Sacudir(-se) com violência; debater(-se), contorcer(-se): *O animal estrebuchava(-se) com força.* ▶ Conjug. 5.

estreia [é] (es.*trei*.a) *s.f.* **1.** Ato ou efeito de estrear. **2.** O primeiro uso de algo. **3.** A primeira apresentação de um artista ou de um espetáculo. **4.** O primeiro trabalho artístico, científico etc. **5.** Inauguração, abertura.

estreito (es.*trei*.to) *adj.* **1.** Que apresenta pouco espaço: *sala estreita.* **2.** Fino, delgado: *corda estreita.* **3.** Apertado, justo: *vestido estreito.* **4.** *fig.* Que demonstra limitação de espírito ou visão; mesquinho: *visão estreita.* **5.** *fig.* Que caracteriza intimidade; íntimo: *amizade estreita.*

6. (*Geogr.*) Canal natural, com pouca largura, que liga dois mares. **7.** (*Geogr.*) Desfiladeiro. – **estreiteza** *s.f.*

estrela [ê] (es.tre.la) *s.f.* **1.** (*Astron.*) Objeto celeste com formato de esfera, cuja parte central apresenta temperatura e pressão elevadas, propagando radiações eletromagnéticas, emitindo luz; corpo celeste, astro. **2.** (*Astron.*) Qualquer astro. **3.** Figura que apresenta cinco ou seis pontas que saem do centro de uma esfera. **4.** (*Cine, Teat., Telv.*) Artista que chegou ao estrelato; celebridade; astro. **5.** Pessoa que se torna famosa devido a seu desempenho em alguma atividade; celebridade, personalidade. **6.** *fig.* Sorte, destino. || *Estrela cadente*: (*Astron.*) corpo celeste que se torna incandescente ao atravessar a atmosfera; meteoro (2). • *Ver estrelas*: *coloq. fig.* ficar atordoado por ter sofrido um choque ou ter se machucado: *Senti tanta dor no braço que vi estrelas.*

estrela-d'alva (es.tre.la-d'al.va) *s.f.* (*Astron.*) *coloq.* Planeta Vênus. || pl.: *estrelas-d'alva*.

estrela de davi *s.f.* (*Rel.*) Estrela de seis pontas formada por dois triângulos superpostos representando o judaísmo. || pl.: *estrelas de davi*.

estrelado (es.tre.la.do) *adj.* **1.** Que tem estrelas: *céu estrelado*. **2.** Que tem formato de estrela: *brinco estrelado*. **3.** (*Cul.*) Diz-se de ovo frito. **4.** (*Cine, Teat., Telv.*) Que apresenta pessoas famosas: *filme estrelado por Antônio Fagundes*.

estrela-do-mar (es.tre.la-do-mar) *s.f.* (*Zool.*) Animal marinho rastejante e predador, cujo corpo apresenta forma de estrela. || pl.: *estrelas-do-mar*.

estrelar (es.tre.lar) *v.* **1.** Ficar ou fazer ficar cheio de estrelas ou de algo que seja semelhante: *Os paetês estrelavam a fantasia da cantora*; *A noite estrelou-se*. **2.** (*Cine, Teat., Telv.*) Atuar como atriz ou ator principal de um filme, um espetáculo, um seriado etc.; protagonizar: *Aquela atriz estrelou um drama famoso*. **3.** (*Cul.*) Estalar (5). ▶ Conjug. 8.

estrelato (es.tre.la.to) *s.m.* Condição de quem se encontra no auge de uma carreira; fama, glória, notoriedade.

estrelinha (es.tre.li.nha) *s.f.* **1.** Tipo de fogo de artifício comprido como um barbante, segurado pelos dedos indicador e polegar e colocado de cabeça para baixo, que, quando aceso, emite pequenas faíscas que parecem estrelas. **2.** (*Cul.*) Tipo de massa de macarrão com formato de estrela.

estrelismo (es.tre.lis.mo) *s.m. pej.* Comportamento esnobe de pessoa que quer ser tratada com favorecimento especial.

estremadura (es.tre.ma.du.ra) *s.f.* Fronteira (1). – **estremar** *v.* ▶ Conjug. 5.

estreme (es.tre.me) *adj.* Que é puro, sem contaminação: *vinho estreme*. **2.** *fig.* Diz-se de língua que não se mescla com outra.

estremecer (es.tre.me.cer) *v.* **1.** Tremer ou fazer tremer; sacudir(-se), balançar(-se): *O vento estremeceu a vidraça*; *Com o terremoto, os edifícios estremeceram(-se)*. **2.** *fig.* Provocar ou sofrer desestabilização; abalar(-se), afetar(-se): *Os assassinatos estremeciam o país*; *Com a briga, a relação entre os amigos estremeceu*. **3.** *fig.* Sentir um calafrio; assustar-se, sobressaltar-se: *Quando ouviu aquele barulho estranho, estremeceu*. ▶ Conjug. 41 e 46. – **estremeção** *s.m.*; **estremecimento** *s.m.*

estrênuo (es.trê.nu:o) *adj.* **1.** Que é corajoso; destemido, valente: *atitude estrênua*. **2.** Que é cuidadoso; diligente: *trabalhador estrênuo*. **3.** Que é persistente; perseverante, tenaz: *Foi um defensor estrênuo da democracia*.

estrepar (es.tre.par) *v. coloq.* **1.** Machucar-se com estrepe; ferir-se, espetar-se: *Caiu sobre um espinheiro e estrepou-se*. **2.** *coloq.* Dar-se mal: *Aceitei o convite dele e me estrepei*. ▶ Conjug. 8.

estrepe [é] (es.tre.pe) *s.m.* **1.** Aquilo que é pontiagudo ou tem formato de espinho. **2.** Dificuldade, embaraço.

estrepitar (es.tre.pi.tar) *v.* Fazer estrépito; soar, vibrar: *Os foguetes estrepitaram na noite de São João*. ▶ Conjug. 5.

estrépito (es.tré.pi.to) *s.m.* Estrondo (1). – **estrepitante** *adj.*; **estrepitoso** *adj.*

estrepolia (es.tre.po.li.a) *s.f. coloq.* Estripulia.

estreptococo [ó] (es.trep.to.co.co) *s.m.* (*Biol.*) Bactéria com formato de coco ou de ovo que faz parte da flora bacteriana normal do ser humano, mas que pode também produzir doenças, situando-se em diferentes partes do corpo, entre elas a boca, os intestinos e a vagina.

estressar (es.tres.sar) *v.* (*Med.*) Ficar ou fazer ficar com estresse; esgotar(-se), fatigar(-se), estafar(-se): *A forte turbulência estressou os passageiros do avião*; *Estressou-se com as freadas bruscas do motorista*. ▶ Conjug. 8. – **estressante** *adj.*

estresse [é] (es.tres.se) *s.m.* Fadiga aguda ou crônica causada pela reação do organismo a

estria

infecções ou traumas físicos ou psicológicos; estafa, fadiga.

estria (es.tri.a) s.f. **1.** Lista fina que sulca a superfície de um corpo; ranhura, sulco. **2.** (Med.) Lista fina e pequena, a princípio branca, tornando-se, posteriormente, vermelha, que surge no abdômen, mamas, nádegas e coxas devido ao enfraquecimento dos tecidos elásticos do corpo.

estriar (es.tri.ar) v. Abrir estrias em; sulcar: *estriar uma superfície.* ▶ Conjug. 17.

estribar (es.tri.bar) v. **1.** Apoiar(-se) nos estribos: *estribar os pés; O jóquei estribou(-se) com firmeza.* **2.** fig. Servir de base a; basear(-se), fundamentar(-se), sustentar(-se): *O advogado estribou a defesa numa série de depoimentos; O projeto estribou-se em bibliografia apurada.* ▶ Conjug. 5.

estribeira (es.tri.bei.ra) s.f. Estribo curto usado em equitação. || *Perder as estribeiras: coloq.* perder o controle; desnortear-se: *Quando soube que ia ser demitido, perdeu as estribeiras.*

estribilho (es.tri.bi.lho) s.m. (Lit., Mús.) Refrão.

estribo (es.tri.bo) s.m. **1.** Aro grande, geralmente de metal, colocado nos dois lados de uma montaria para servir de encaixe aos pés e dar firmeza a um cavaleiro. **2.** Degrau usado para subir ou descer de um veículo; apoio. **3.** (Anat.) Menor osso da orelha média.

estricnina (es.tric.ni.na) s.f. (Quím.) Alcaloide tóxico, incolor e de gosto amargo, usado para matar ratos.

estridente (es.tri.den.te) adj. **1.** Que apresenta som forte e agudo: *voz estridente.* **2.** Que faz muito ruído: *campainha estridente.*

estridor [ô] (es.tri.dor) s.m. **1.** Estrondo (1). **2.** (Med.) Respiração ruidosa que se deve geralmente a uma obstrução das vias respiratórias.

estridular (es.tri.du.lar) v. Produzir som estridente, agudo: *A cigarra estridula.* ▶ Conjug. 5.

estrídulo (es.trí.du.lo) adj. **1.** Que produz som estridente: *alarma estrídulo.* • s.m. **2.** Som estrídulo.

estrilar (es.tri.lar) v. **1.** Estridular: *Os grilos estrilam.* **2.** coloq. Falar aos berros; bravejar, vociferar: *O jogador estrilou quando viu o cartão vermelho.* **3.** coloq. Opor-se com palavras; protestar, reclamar: *Com a alta dos preços, os consumidores estrilaram.* ▶ Conjug. 5.

estrilo (es.tri.lo) s.m. **1.** coloq. Grito de raiva. **2.** coloq. Reclamação, repreensão, bronca.

estripar (es.tri.par) v. Tirar as tripas de; eviscerar: *estripar um peixe.* ▶ Conjug. 5. – **estripador** adj. s.m.

estripulia (es.tri.pu.li.a) s.f. coloq. Travessura, bagunça. || *estrepolia.*

estrito (es.tri.to) adj. **1.** Que não permite analogia ou extensão; específico, restrito: *lei estrita.* **2.** Que é preciso; exato: *sentido estrito.* **3.** Que é completo; absoluto: *segurança estrita.*

estro [é] (es.tro) s.m. **1.** (Biol.) Cio. **2.** fig. Imaginação artística, talento, inspiração.

estrofe [ó] (es.tro.fe) s.f. (Lit.) Grupo de versos em que se divide um poema; estância. – **estrófico** adj.

estrogênio (es.tro.gê.ni:o) s.m. (Biol., Quím.) Hormônio encontrado no corpo humano responsável pelos caracteres sexuais femininos secundários.

estrogonofe [ó] (es.tro.go.no.fe) s.m. (Cul.) Prato preparado com camarão ou carnes de boi ou ave picadas, acrescidas de creme de leite, cogumelos e *ketchup.*

estroina (es.troi.na) adj. **1.** Que é insensato; leviano: *marido estroina.* **2.** Que é perdulário; esbanjador: *herdeiro estroina.* – **estroinice** s.f.

estrompado (es.trom.pa.do) adj. coloq. **1.** Que se gastou pelo excesso de uso; estragado: *torneira estrompada.* **2.** coloq. Que está fatigado; extenuado: *cavalo estrompado.* – **estrompar** v. ▶ Conjug. 5.

estrôncio (es.trôn.ci:o) s.m. (Quím.) Elemento químico branco-prateado, da família dos metais, maleável e bom condutor de eletricidade. || Símbolo: Sr.

estrondo (es.tron.do) s.m. **1.** Barulho forte e prolongado; estrépito, estridor (1), explosão, estouro. **2.** Agitação desordenada; alvoroço, estardalhaço: *A notícia causou estrondo.* – **estrondoso** adj.

estropiar (es.tro.pi:ar) v. **1.** Cortar um membro de (si mesmo ou alguém); aleijar(-se), deformar(-se), mutilar(-se): *A batida estropiou a perna do motorista; Com a guerra, muitos estropiaram-se.* **2.** fig. Modificar os traços essenciais de; adulterar, alterar: *estropiar um texto.* **3.** Cansar muito; exaurir, extenuar, esfalfar, fatigar: *estropiar o corpo.* ▶ Conjug. 17.

estropício (es.tro.pí.ci:o) s.m. Dano de qualquer natureza; avaria, estrago, prejuízo. || Conferir com *estrupício.*

estrugir (es.tru.gir) v. Soar ou vibrar com força; estourar, retumbar: *Sua voz estrugiu no silêncio.* ▶ Conjug. 66 e 92.

estrumar (es.tru.*mar*) *v.* Adubar. ▶ Conjug. 5.

estrume (es.*tru*.me) *s.m.* **1.** Matéria composta pela mistura de excrementos de animais com palha; adubo, esterco. **2.** Matéria orgânica composta de restos de folhas ou outras partes de um vegetal, usada para a fertilização do solo; adubo, esterco.

estrumeira (es.tru.*mei*.ra) *s.f.* Esterqueira.

estrupício (es.tru.*pí*.ci:o) *s.m. coloq.* Pessoa ou coisa que incomoda; estorvo. || Conferir com *estropício*.

estrutura (es.tru.tu.ra) *s.f.* **1.** Organização de elementos que compõem um todo: *estrutura de um romance*. **2.** Conjunto de elementos que se inter-relacionam; sistema: *estrutura administrativa*. **3.** Parte essencial de algo; âmago, fundamento: *estrutura de um discurso*. **4.** Aquilo que dá sustentação; arcabouço, armação, esqueleto: *estrutura de um edifício*. **5.** *fig.* Conjunto de traços psicológicos e morais; temperamento; natureza: *Ele não tem estrutura para aguentar tanto sofrimento!* – **estrutural** *adj.*

estruturalismo (es.tru.tu.ra.*lis*.mo) *s.m.* Teoria ou método que observa os fenômenos da realidade em suas inter-relações. – **estruturalista** *adj. s.m. e f.*

estruturar (es.tru.tu.*rar*) *v.* **1.** Organizar elementos, compondo uma estrutura; criar, construir: *estruturar um prédio*. **2.** Organizar um plano de; planejar, elaborar: *estruturar um banco de dados*. **3.** *fig.* Obter estabilidade emocional ou material: *Ele estruturou sua vida sobre bases sólidas; Estruturaram-se e superaram a crise do casamento*. ▶ Conjug. 5. – **estruturação** *s.f.*

estuário (es.tu:*á*.ri:o) *s.m.* (*Geogr.*) **1.** Desembocadura alargada de um rio, em forma triangular, quando este deságua num oceano. **2.** *fig.* Ponto de convergência entre vários elementos: *Aquela doutrina é o estuário de diferentes formas de pensamento*.

estucar (es.tu.*car*) *v.* **1.** Cobrir com estuque; emboçar, rebocar: *estucar uma parede*. **2.** Fazer trabalho com estuque: *estucar peças*. ▶ Conjug. 5 e 35.

estudante (es.tu.*dan*.te) *adj.* **1.** Que estuda. • *s.m. e f.* **2.** Pessoa que estuda. – **estudantil** *adj.*

estudar (es.tu.*dar*) *v.* **1.** Usar a inteligência para aprender: *estudar Matemática; Estudava Português duas horas por dia*. **2.** Frequentar curso de: *Ele estuda Sociologia; Já se formou; não estuda mais*. **3.** Guardar na memória; decorar; gravar, memorizar: *Ela estudou toda a tabela periódica*. **4.** Pensar sobre (algo); meditar, refletir: *Os ecologistas estudaram uma maneira de deter a poluição do planeta*. **5.** Fazer um exame minucioso de (si mesmo, alguém ou algo); analisar(-se), observar(-se): *Estudava o adversário com o intuito de se defender; Estudou-se para pensar por que dissera aquilo*. **6.** Praticar regularmente; treinar, exercitar: *Estudei expressão corporal na faculdade de teatro*. **7.** *fig.* Simular, afetar, aparentar, fingir: *Estudou um gesto forçado*. ▶ Conjug. 5.

estúdio (es.*tú*.di:o) *s.m.* **1.** Local de trabalho de um artista ou de um artesão; ateliê. **2.** (*Cine, Rádio, Telv.*) Prédio, sala ou qualquer outro espaço físico que abrigue equipamento utilizado em filmagens, gravações, transmissões de programas etc. **3.** Escritório (1). **4.** Apartamento pequeno.

estudo (es.*tu*.do) *s.m.* **1.** Ato ou efeito de estudar. **2.** Uso da inteligência com o fim de aprendizagem; aprendizado, instrução. **3.** Exame minucioso; análise, pesquisa. **4.** Obra artística ou científica. **5.** Exercício com vistas a aprimorar um conhecimento. – **estudioso** *adj. s.m.*

estufa (es.*tu*.fa) *s.f.* **1.** Galpão ou sala aquecidos, usados para preservação de plantas ou filhotes de animais. **2.** Parte do fogão situada abaixo do forno, que se mantém aquecida enquanto o forno está ligado. **3.** Máquina de laboratório usada para esterilizar instrumentos ou para cultivo de bactérias. **4.** *fig.* Lugar aquecido ou abafado demais.

estufado (es.tu.*fa*.do) *adj.* **1.** Que foi seco em estufa: *madeira estufada*. **2.** Que se inflou: *peito estufado*. **3.** Diz-se de alimento que foi refogado; guisado: *arroz estufado*. • *s.m.* **4.** Camarão, carne de boi ou de outro animal que, após refogado, é cozido em fogo lento com a panela tapada; guisado. || Conferir com *estofado*.

estufar[1] (es.tu.*far*) *v.* **1.** Secar ou aquecer em estufa. **2.** Refogar em fogo brando; guisar. ▶ Conjug. 5.

estufar[2] (es.tu.*far*) *v.* **1.** *coloq.* Ficar ou fazer ficar mais volumoso; encher(-se), inchar(-se), inflar(-se): *A ventania estufou a rede; De tanto comer, sua barriga estufou-se*. **2.** *coloq. fig.* Tornar-se presunçoso; envaidecer(-se): *Quando soube que foi o único escolhido, estufou-se*. ▶ Conjug. 5.

estugar (es.tu.*gar*) *v.* **1.** Caminhar com pressa; acelerar; apressar-se: *estugar o passo*. **2.** Estimular (alguém ou algo); incitar, instigar: *estugar um burro*. ▶ Conjug. 5 e 34.

estultice (es.tul.*ti*.ce) s.f. Estultícia.

estultícia (es.tul.*tí*.ci:a) s.f. Asneira, parvoíce, tolice. || *estultice*.

estulto (es.*tul*.to) adj. Que é estúpido; néscio, parvo, tolo: *indivíduo estulto*.

estupefaciente (es.tu.pe.fa.ci:en.te) adj. **1.** Diz-se de substância psicotrópica; entorpecente (3): *droga estupefaciente*. **2.** *fig*. Que provoca assombro: *estatística estupefaciente*. • s.m. **3.** (*Farm., Med.*) Substância estupefaciente.

estupefato (es.tu.pe.*fa*.to) adj. **1.** Que se entorpeceu: *paciente estupefato*. **2.** Que se assombrou; atônito, espantado: *O país ficou estupefato com a notícia*. – **estupefação** s.f.

estupendo (es.tu.*pen*.do) adj. Que provoca espanto; admirável: *filme estupendo*.

estupidez [ê] (es.tu.pi.*dez*) s.f. **1.** Qualidade de estúpido. **2.** Ato de pessoa estúpida; tolice. **3.** Ato de pessoa grosseira; descortesia, indelicadeza.

estupidificar (es.tu.pi.di.fi.*car*) v. Ficar ou fazer ficar estúpido; brutalizar(-se), embrutecer(-se), bestializar(-se): *estupidificar(-se) a opinião pública*. ▶ Conjug. 5 e 35.

estúpido (es.*tú*.pi.do) adj. **1.** Que é idiota; imbecil, tolo: *novela estúpida*. **2.** Que é grosseiro; indelicado, rude: *jeito estúpido*. • s.m. **3.** Pessoa estúpida.

estupor [ô] (es.tu.*por*) s.m. **1.** (*Med.*) Estado inconsciente do qual o paciente sai apenas por meio de uso de estímulos artificiais. **2.** *coloq*. Estado de espanto; surpresa, pasmo. **3.** *fig. pej*. Pessoa desagradável ou feia; estaferno. **4.** *fig. pej*. Pessoa muito parada; estaferno.

estuporar (es.tu.po.*rar*) v. **1.** Fazer cair em estupor; assombrar; espantar: *O tamanho do animal estuporou as crianças*. **2.** *fig*. Provocar estrago em; arruinar: *Estuporei o CD que ganhei*. **3.** *fig*. Ficar fatigado; cansar-se: *Estuporei-me com aquele trabalho*. **4.** *fig*. Sofrer ou fazer sofrer um ferimento; machucar(-se): *Estuporei um dedo naquela máquina*; *Caiu e estuporou-se*. ▶ Conjug. 20.

estuprar (es.tu.*prar*) v. Obrigar (alguém) a ter relações sexuais com o uso da violência; violar, violentar: *estuprar uma mulher*. ▶ Conjug. 5.

estupro (es.*tu*.pro) s.m. Crime que se caracteriza por obrigar uma pessoa a manter relações sexuais à força.

estuque (es.*tu*.que) s.m. **1.** Massa usada em revestimento feita com a mistura de pó de mármore, areia fina, cal, gesso, água e/ou cola. **2.** Revestimento feito com essa massa. **3.** Taipa.

esturjão (es.tur.*jão*) s.m. (*Zool*.) Tipo de peixe encontrado no hemisfério norte que fornece um tipo de ova da qual se produz o caviar.

esturricar (es.tur.ri.*car*) v. Estorricar. ▶ Conjug. 5 e 35.

esvaecer (es.va:e.*cer*) v. **1.** Desvanecer: *Com a morte da mãe, esvaeceu a oportunidade de reconciliação*; *As crises esvaeceram(-se) com a recuperação da economia*. **2.** Ficar sem forças; arrefecer-se, esmorecer-se: *Minha esperança esvaneceu(-se)*. || *esvanecer*. ▶ Conjug. 41 e 46.

esvair (es.va.*ir*) v. **1.** Fazer desaparecer; desvanecer, dissipar, dispersar: *O vento esvaiu as nuvens*; *Ao fechar a caixa, esvaiu-se o cheiro de chocolate*. **2.** Chegar ao fim, acabar, findar: *Minhas esperanças esvaíram-se*. **3.** *fig*. Esvaziar-se até a última gota; esgotar-se, exaurir-se, desfazer-se: *Esvaiu-se em lágrimas quando soube do acontecido*. **4.** Ficar para trás; passar, transcorrer: *Sua vida esvaía-se rapidamente*. **5.** Perder os sentidos; desmaiar, desfalecer: *Esvaiu-se com o susto*. ▶ Conjug. 83.

esvanecer (es.va.ne.*cer*) v. Esvaecer. ▶ Conjug. 41 e 46.

esvaziar (es.va.zi.*ar*) v. **1.** Ficar ou fazer ficar vazio: *Esvaziei a mala depois que cheguei da viagem*; *O tanque de gasolina do meu carro esvaziou-se*. **2.** *fig*. Perder ou tirar a importância de: *A valorização excessiva dos bens materiais esvaziou os valores éticos*; *As atividades políticas esvaziaram-se*. ▶ Conjug. 17. – **esvaziamento** s.m.

esverdear (es.ver.de:*ar*) v. Ficar ou fazer ficar da cor verde ou semelhante a verde: *O uso de lentes de contato esverdeou os olhos da atriz*; *Os campos esverdearam(-se)*. ▶ Conjug. 14. – **esverdeado** adj.

esvoaçar (es.vo:a.*çar*) v. **1.** Mover-se no ar por meio de uso de asas ou de algum mecanismo; adejar, voar: *As pombas, assustadas, esvoaçaram(-se)*. **2.** Mover(-se) no ar; ondular(-se), tremular(-se): *As cortinas esvoaçavam(-se) com a brisa*. **3.** *fig*. Agitar-se, revolver-se: *Suas lembranças esvoaçavam pelo quarto*. ▶ Conjug. 5 e 36. – **esvoaçante** adj.

eta [é] (e.ta) s.m. Sétima letra do alfabeto grego.

eta [ê] (e.ta) interj. Expressão de espanto ou de alegria.

et alii (Lat.) E outros. || Usado em bibliografia para indicar que a obra possui três ou mais autores.

etano (e.ta.no) *s.m.* (*Quím.*) Gás incolor, presente no gás natural, que é usado como combustível.

etanol (e.ta.*nol*) *s.m.* (*Quím.*) Álcool (1).

etapa (e.*ta*.pa) *s.f.* Cada momento ou parte de um processo; estágio, fase.

etário (e.*tá*.ri:o) *adj.* Concernente ou próprio da idade: *faixa etária*.

etc. Abreviação de *et cetera*.

et cetera (Lat.) E as demais coisas. || Abreviação: *etc.*

éter (*é*.ter) *s.m.* **1.** (*Quím.*) Composto resultante da combinação de duas moléculas de álcool e da perda de uma molécula de água. **2.** Espaço celeste. || *Éter etílico*: (*Quím., Med.*) líquido volátil e inflamável, usado como dissolvente orgânico ou como anestésico.

etéreo (e.*té*.re:o) *adj.* **1.** Que é volátil; fluido, vaporoso: *extrato etéreo*. **2.** *fig.* Que é elevado; sublime: *beleza etérea*. **3.** *fig.* Que é divino; celestial: *entidade etérea*.

eternidade (e.ter.ni.*da*.de) *s.f.* **1.** Qualidade do que é eterno. **2.** (*Rel.*) Vida que principia após a morte carnal de uma pessoa; além-túmulo. **3.** *fig.* Tempo longo: *Aquela prova durou uma eternidade!*

eternizar (e.ter.ni.*zar*) *v.* **1.** Tornar(-se) eterno; imortalizar(-se): *As grandes obras eternizam o homem; Vários traços da cultura helênica eternizaram-se na arte mundial.* **2.** *fig.* Ficar ou fazer ficar célebre; perpetuar(-se); imortalizar(-se): *A qualidade de sua pintura eternizou-o; A obra de Cervantes eternizou-se.* **3.** *fig.* Ficar ou fazer ficar com longa duração; estender(-se): *A boa qualidade de suas canções eternizou o seu sucesso; Suas dores eternizaram-se.* ▶ Conjug. 5.

eterno [é] (e.*ter*.no) *adj.* **1.** Que é infindo; incessante, interminável: *vida eterna*. **2.** Que é imutável; inalterável: *amor eterno*. **3.** *fig.* Que é imortal; perene: *musa eterna*.

éthos (Grego) Etos. *s.m.2n.*

ética (*é*.ti.ca) *s.f.* **1.** (*Fil.*) Estudo dos valores e normas que permeiam a conduta humana dentro da vida prática. **2.** (*Fil.*) Conjunto desses valores e normas.

ético (*é*.ti.co) *adj.* **1.** (*Fil.*) Relativo a ética. **2.** Que possui ética (2).

etileno (e.ti.*le*.no) *s.m.* (*Quím.*) Composto gasoso, incolor e inflamável.

etílico (e.*tí*.li.co) *adj.* (*Quím.*) Diz-se de compostos orgânicos derivados do etilo, derivado do etano: *álcool etílico*. **2.** Que foi causado pelo álcool; alcoólico: *estado etílico*.

étimo (*é*.ti.mo) *s.m.* (*Ling.*) Termo que dá origem a uma palavra.

etimologia (e.ti.mo.lo.*gi*.a) *s.f.* **1.** (*Ling.*) Estudo da origem e evolução histórica das palavras. **2.** (*Ling.*) Origem de uma palavra. – **etimológico** *adj.*; **etimologista** *adj. s.m. e f.*; **etimólogo** *s.m.*

etiologia (e.ti:o.lo.*gi*.a) *s.f.* (*Med.*) **1.** Estudo das origens e causas das doenças. **2.** Causa de uma doença, de origem genética ou adquirida. – **etiológico** *adj.*

etíope (e.*tí*:o.pe) *adj.* **1.** Da Etiópia, país da África. • *s.m. e f.* **2.** O natural ou o habitante desse país. **3.** Idioma falado nesse país.

etiqueta [ê] (e.ti.*que*.ta) *s.f.* **1.** Conjunto de regras observadas em ocasiões formais; norma, protocolo. **2.** Rótulo afixado em um produto que contém informações sobre o mesmo. **3.** Marca que identifica um produto famoso.

etiquetar (e.ti.que.*tar*) *v.* **1.** Pôr etiqueta em (um produto); rotular: *etiquetar uma garrafa*. **2.** *fig.* Qualificar ou desqualificar alguém; classificar, rotular, taxar: *Sempre etiquetava os colegas de trabalho.* ▶ Conjug. 8.

etnia (et.*ni*.a) *s.f.* Grupo humano que apresenta especificidades sociais, como a cultura, a língua e a religião, que o diferencia de outros.

étnico (*ét*.ni.co) *adj.* **1.** Relativo a etnia: *diversidade étnica*. **2.** Que pertence a uma determinada etnia: *grupo étnico*.

etnocentrismo (et.no.cen.*tris*.mo) *s.m.* Atitude preconceituosa baseada na convicção de que uma determinada cultura é superior e deve se constituir em modelo para as demais. – **etnocêntrico** *adj.*

etnografia (et.no.gra.*fi*.a) *s.f.* Estudo e registro descritivo de uma cultura ou de um aspecto cultural de uma etnia. – **etnográfico** *adj.*; **etnógrafo** *s.m.*

etnologia (et.no.lo.*gi*.a) *s.f.* **1.** Estudo comparativo de várias culturas a partir de dados apresentados pela etnografia. **2.** Estudo das culturas indígenas. – **etnológico** *adj.*

etnônimo (et.*nô*.ni.mo) *s.m.* Termo que designa uma etnia, uma nação, uma tribo etc.

etologia (e.to.lo.*gi*.a) *s.f.* **1.** Estudo do comportamento dos seres vivos em seus *habitat* e/ou fora deles. **2.** Estudo do comportamento dos seres humanos em suas relações sociais. – **etológico** *adj.*

etos [é] (e.tos) *s.m.2n.* Aquilo que predomina no comportamento ou na cultura de um grupo social; *éthos*.

etrusco (e.*trus*.co) *adj.* **1.** Da Etrúria, atual Toscana, região da Itália, país da Europa. • *s.m.* **2.** O natural ou o habitante dessa região. **3.** Idioma falado pelos antigos etruscos.

eu *pron. pess.* **1.** Forma reta, tônica, da primeira pessoa do singular. • *s.m.* **2.** A individualidade de um ser humano. **3.** A maneira de ser de uma pessoa em um dado momento.

eucalipto (eu.ca.*lip*.to) *s.m.* (*Bot.*) Árvore que apresenta madeira de várias cores e fornece celulose e óleo, originária da Austrália e do leste da Malásia, cultivada também com o fim de reflorestamento.

eucaliptol (eu.ca.lip.*tol*) *s.m.* (*Farm.*, *Quím.*) Substância usada para reforçar a ação de um medicamento.

eucaristia (eu.ca.ris.*ti*.a) *s.f.* (*Rel.*) **1.** Na Igreja Católica, sacramento litúrgico do sacrifício do corpo e sangue de Jesus Cristo sob as espécies do pão e do vinho. **2.** Celebração desse sacramento; missa. **3.** Parte central do culto cristão. **4.** Hóstia consagrada. – **eucarístico** *adj.*

euclidiano (eu.cli.di:*a*.no) *adj.* **1.** Relativo a Euclides (cerca de 300 a.C.), geômetra grego: *geometria euclidiana*. **2.** Relativo a Euclides da Cunha (1866-1909), escritor brasileiro: *obra euclidiana*. • *s.m.* **3.** Estudioso ou admirador da obra desse escritor.

eufemismo (eu.fe.*mis*.mo) *s.m.* (*Ling.*) Figura de linguagem que substitui um termo grosseiro por outro mais suave.

eufonia (eu.fo.*ni*.a) *s.f.* Som ou sequência de sons produzida pela junção de fonemas agradáveis ao ouvido.

euforia (eu.fo.*ri*.a) *s.f.* Estado de excitação; arrebatamento. – **eufórico** *adj.*

eugenia (eu.ge.*ni*.a) *s.f.* **1.** (*Med.*) Disciplina que se baseia na genética, na engenharia genética e no ácido desoxirribonucleico humano, visando contribuir para o melhoramento do patrimônio genético da humanidade. **2.** Ideologia que se baseia na crença da existência e superioridade de uma "raça" humana que deveria se sobrepor às demais.

eulalia (eu.la.*li*.a) *s.f.* Boa articulação da fala; boa dicção.

eunuco (eu.*nu*.co) *s.m.* **1.** Homem cujos testículos foram extirpados; castrado. **2.** No Oriente, homem castrado que tomava conta de um harém.

eurasiano (eu.ra.si:*a*.no) *adj. s.m.* Eurasiático.

eurásico (eu.*rá*.si.co) *adj. s.m.* Eurasiático.

eurasiático (eu.ra.si:*á*.ti.co) *adj.* **1.** Relativo à Europa e à Ásia concomitantemente. **2.** Diz-se de quem é filho de asiático com europeia ou vice-versa. • *s.m.* **3.** Pessoa eurasiática; eurasiano, eurásico.

eureca [é] (eu.*re*.ca) *interj.* Heureca.

euro (*eu*.ro) *s.m.* Moeda dos países que fazem parte da União Europeia desde de 1999.

eurodólar (eu.ro.*dó*.lar) *s.m.* Moeda norte-americana resultante de gastos e/ou empréstimos feitos pelos Estados Unidos, depositada em bancos comerciais da Europa, Oriente Médio e Japão.

europeu (eu.ro.*peu*) *adj.* **1.** Da Europa. • *s.m.* **2.** O natural ou o habitante desse continente. || f.: *europeia*.

eutanásia (eu.ta.*ná*.si:a) *s.f.* **1.** (*Med.*) Prática de abreviar a vida de um paciente que esteja com uma doença incurável ou em estado de coma. **2.** (*Jur.*) Crime decorrente dessa prática.

evacuar (e.va.cu:*ar*) *v.* **1.** Fazer sair de área militar ou zona perigosa; remover: *Durante o incêndio, a polícia evacuou o prédio*. **2.** Expelir fezes; defecar, obrar: *O paciente evacuou sem parar*. **3.** Expelir (algo) do corpo: *No hospital, evacuou sangue*. ▶ Conjug. 5. – **evacuação** *s.f.*

evadir (e.va.*dir*) *v.* Fugir, escapar: *Os presos evadiram-se durante a noite*. ▶ Conjug. 66.

evangelho [é] (e.van.ge.*lho*) *s.m.* **1.** (*Rel.*) Cada ensinamento de Jesus Cristo existente no Novo Testamento. **2.** (*Rel.*) Cada um dos quatro livros dos apóstolos inseridos no Novo Testamento. || Nesta acepção, usado com inicial maiúscula. **3.** (*Rel.*) Parte da missa em que se lê uma passagem do Novo Testamento. **4.** *fig.* Preceito estabelecido; dogma: *Ele fez do Código Civil o seu evangelho*.

evangélico (e.van.*gé*.li.co) *adj.* (*Rel.*) **1.** Relativo a evangelho. **2.** Relativo a igrejas que seguem o Evangelho (2); protestante. • *s.m.* **3.** Membro de uma dessas igrejas; protestante.

evangelismo (e.van.ge.*lis*.mo) *s.m.* (*Rel.*) Sistema moral e/ou religioso baseado no Evangelho (2).

evangelista (e.van.ge.*lis*.ta) *s.m.* Cada um dos quatro apóstolos (Marcos, João, Lucas e Mateus) autores dos evangelhos.

evangelizar (e.van.ge.li.*zar*) *v.* (*Rel.*) Converter (alguém) por meio do Evangelho (2); doutrinar: *Aquele pastor evangelizou dezenas de pessoas.* ▶ Conjug. 5. – **evangelização** s.f.

evaporar (e.va.po.*rar*) v. **1.** Fazer passar ou passar ao estado de gás ou vapor; volatilizar(-se): *A seca evaporou lagoas inteiras; A maior parte dos solventes (se) evapora de forma rápida.* **2.** *fig.* Sumir ou fazer sumir; dissipar(-se): *A situação econômica evaporou seu patriotismo; Com a fraude, o dinheiro evaporava(-se).* ▶ Conjug. 20. – **evaporação** s.f.

evasão (e.va.*são*) s.f. **1.** Ato ou efeito de evadir(-se); fuga, escapada. **2.** Ato de largar (um lugar, uma pessoa, uma situação etc.) sem pensar em voltar; abandono, desistência.

evasiva (e.va.*si*.va) s.f. Desculpa pouco consistente; pretexto, rodeio, subterfúgio.

evasivo (e.va.*si*.vo) adj. Que é pouco claro; sem consistência: *proposta evasiva*.

evento (e.*ven*.to) s.m. **1.** Aquilo que é observado; acontecimento, ocorrência. **2.** Acontecimento que visa atrair a atenção do público e/ou da imprensa para uma instituição.

eventual (e.ven.tu:*al*) adj. **1.** Que depende do acaso; aleatório, fortuito: *parceiro eventual*. **2.** Que não é frequente; esporádico: *colaborador eventual*. – **eventualidade** s.f.

evidência (e.vi.*dên*.ci:a) s.f. **1.** Qualidade de evidente. **2.** Aquilo que é claro; transparência. **3.** Aquilo que serve para comprovar; prova. **4.** Aquilo que se sobressai; destaque.

evidenciar (e.vi.den.ci:*ar*) v. **1.** Ficar ou fazer ficar evidente, claro; manifestar(-se): *As provas evidenciaram uma possível ligação do réu com a vítima; Com o desmatamento, evidenciou-se a necessidade de uma política ecológica.* **2.** Ter destaque; sobressair-se: *As mudanças evidenciaram-se entre tantas apreensões.* ▶ Conjug. 17.

evidente (e.vi.*den*.te) adj. Que é indiscutível; manifesto: *objetivo evidente*.

eviscerar (e.vis.ce.*rar*) v. Tirar as vísceras a; estripar: *eviscerar um coelho*. ▶ Conjug. 8. – **evisceração** s.f.

evitar (e.vi.*tar*) v. **1.** Esquivar-se de (alguém, algo ou uma situação); desviar-se: *Evitou o irmão, pois se sentia culpado.* **2.** Servir de obstáculo a; impedir, impossibilitar, frustrar: *Dei-lhe um conselho e evitei uma nova briga.* **3.** Proteger (alguém) de; poupar, resguardar: *A esposa evitou-lhe mais essa decepção.* ▶ Conjug. 5.

evocar (e.vo.*car*) v. **1.** Invocar: *evocar o diabo*. **2.** Fazer voltar à memória; lembrar; rememorar, recordar: *Aquelas casas evocaram sua infância*.

3. (*Jur.*) Mudar (uma causa) de um tribunal para outro: *evocar um processo*. ▶ Conjug. 20 e 35. – **evocação** s.f.

evocativo (e.vo.ca.*ti*.vo) adj. Que evoca; evocatório: *potencial evocativo*.

evocatório (e.vo.ca.tó.ri:o) adj. Evocativo.

evolar-se (e.vo.*lar*-se) v. **1.** *poét.* Exalar (um cheiro): *evolar-se o aroma de uma flor.* **2.** *fig.* Desfazer-se no espaço; dissipar-se: *Com o tempo, sua tristeza evolou-se.* ▶ Conjug. 20 e 6.

evolução (e.vo.lu.*ção*) s.f. **1.** Ato, processo ou efeito de evoluir. **2.** Processo gradativo de mudança; desenvolvimento, progresso, transformação. **2.** Movimento contínuo e harmonioso. **3.** (*Biol.*) Processo de transformação das espécies que se dá com o passar do tempo.

evolucionismo (e.vo.lu.ci:o.*nis*.mo) s.m. (*Biol.*) Qualquer doutrina que acredita que todos os organismos descendem de uma única forma de vida simples; transformismo. – **evolucionista** adj. s.m. e f.

evoluído (e.vo.lu.*í*.do) adj. **1.** Que sofreu evolução (1): *comunidade evoluída*. **2.** *fig.* Diz-se de pessoa sem preconceitos; arrojado, moderno: *homem evoluído*.

evoluir (e.vo.lu.*ir*) v. **1.** Transformar-se gradativamente; desenvolver-se, progredir: *A humanidade evoluiu (com o passar dos séculos).* **2.** Fazer movimentos contínuos e harmônicos: *Aquela escola de samba evoluiu com segurança.* ▶ Conjug. 80.

evolutivo (e.vo.lu.*ti*.vo) adj. Relativo a evolução: *processo evolutivo*.

exação [z] (e.xa.*ção*) s.f. **1.** (*Jur.*) No direito administrativo, ato de arrecadar ou receber impostos, taxas ou outro tipo de renda devidos aos cofres públicos. **2.** Precisão, correção, exatidão.

exacerbar [z] (e.xa.cer.*bar*) v. **1.** Ficar ou fazer ficar intenso; agravar, piorar: *A miséria exacerbou a questão social; Com a crise, as discussões exacerbaram-se.* **2.** Ficar irritado; exasperar-se: *No fim da partida, os dirigentes exacerbaram-se.* ▶ Conjug. 8. – **exacerbação** s.f.

exagerar [z] (e.xa.ge.*rar*) v. **1.** Ir além do normal; exceder-se, descomedir-se: *Sempre exagerava na bebida e passava mal.* **2.** Aumentar a proporção de; acentuar, ampliar: *Ele exagerou o papel da violência na sociedade.* ▶ Conjug. 8.

exagero [z...ê] (e.xa.*ge*.ro) s.m. **1.** Ato ou efeito de exagerar(-se); exceder-se, descomedir-se. **2.** Falta de comedimento; abuso, excesso. **3.**

exalar

Ato de tornar maior; ampliação, aumento. **4.** Exacerbação de uma ou mais características; distorção.

exalar [z] (e.xa.*lar*) v. **1.** Espalhar(-se) (algo) em; emanar(-se), evolar(-se): *As flores exalaram um cheiro gostoso; A fumaça exalou(-se) por todos os cantos.* **2.** *fig.* Deixar escapar; proferir, soltar: *O ferido exalou um gemido surdo e abafado.* || *Exalar o último suspiro*: *poét.* falecer, morrer: *Com muitas dores, exalou seu último suspiro.* ▶ Conjug. 5. – **exalação** s.f.

exaltar [z] (e.xal.*tar*) v. **1.** Enaltecer com palavras; aclamar, glorificar, louvar: *O presidente exaltou a figura do deputado.* **2.** Dar relevo a; ressaltar, salientar: *O estudioso exaltara a importância da ecologia.* **3.** Exasperar-se, irritar-se, enfurecer-se: *Durante o jogo, alguns ânimos se exaltaram.* ▶ Conjug. 5. – **exaltação** s.f.

exame [z] (e.*xa*.me) s.m. **1.** Ato de examinar; análise, investigação, pesquisa. **2.** (Med.) Avaliação clínica do estado de saúde de um paciente. **3.** (Med.) Resultado dessa avaliação. **4.** Prova ministrada a um aluno ou a um candidato, com o fim de medir seus conhecimentos; avaliação. **5.** Inspeção de equipamentos, máquinas etc.; revisão, vistoria.

examinar [z] (e.xa.mi.*nar*) v. **1.** Considerar com atenção; analisar, apreciar, ponderar: *A comissão examinou o projeto de lei.* **2.** (Med.) Fazer a avaliação clínica do estado de saúde de um paciente: *O médico examinou o doente.* **3.** (Med.) Analisar material coletado num exame clínico: *examinar as amostras de sangue de um paciente.* **4.** Submeter um aluno ou candidato a uma prova, num teste etc.; avaliar: *Várias escolas examinaram seus alunos da quarta série.* **5.** Fazer autoexame: *Examinei-me da cabeça aos pés.* ▶ Conjug. 5.

exangue [z] (e.*xan*.gue) adj. (Med.) **1.** Que perdeu muito sangue: *pessoa exangue.* **2.** *fig.* Que está sem forças; fraco, debilitado: *nação exangue.*

exânime [z] (e.*xâ*.ni.me) adj. **1.** Que está desfalecido; desmaiado: *corpo exânime.* **2.** *fig.* Que está sem disposição; apático: *voz exânime.*

exantema [z] (e.xan.*te*.ma) s.m. (Med.) Erupção cutânea que acompanha certas doenças infecciosas.

exarar [z] (e.xa.*rar*) v. Registrar por escrito; escriturar, lavrar: *O juiz exarou o despacho.* ▶ Conjug. 5.

exasperar [z] (e.xas.pe.*rar*) v. Ficar ou fazer ficar com raiva; encolerizar(-se): *D. Quixote exasperava-se constantemente com Sancho Pança; A atitude injusta do chefe exasperou o funcionário.* ▶ Conjug. 8. – **exasperação** s.f.; **exasperante** adj.

exatidão [z] (e.xa.ti.*dão*) s.f. **1.** Qualidade de exato; precisão. **2.** Esmero, correção, perfeição.

exato [z] (e.*xa*.to) adj. **1.** Que está certo; correto: *direção exata.* **2.** Que é preciso; perfeito: *modelo exato.* **3.** Que é irretocável; impecável: *frase exata.*

exaurir [z] (e.xau.*rir*) v. **1.** Ficar ou fazer ficar fatigado; esfalfar(-se), extenuar(-se), estafar(-se): *A funcionária exauriu-se com suas tarefas; Aquelas manobras exauriam a tropa.* **2.** Ficar ou fazer ficar esgotado; consumir(-se), gastar(-se): *Esse modelo de administração já se exauriu; As explorações em série exauriram as reservas de petróleo.* ▶ Conjug. 84 e 66.

exaustão [z] (e.xaus.*tão*) s.f. **1.** Ato ou efeito de exaurir(-se). **2.** Fadiga intensa, física ou mental; esgotamento, prostração. **3.** Estado de quem sente essa fadiga. **4.** Esgotamento de um recurso: *exaustão industrial.* – **exaustivo** adj.

exausto [z] (e.*xaus*.to) adj. **1.** Que se esgotou física ou mentalmente; extenuado, fatigado: *viajante exausto.* **2.** Que se exauriu (2): *terra exausta.*

exaustor [z...ô] (e.xaus.*tor*) s.m. Aparelho que serve para renovar o ar de um ambiente.

exceção (ex.ce.*ção*) s.f. **1.** Ato ou efeito de excetuar; exclusão. **2.** Aquilo que foge de uma regra ou de um padrão. **3.** Situação de privilégio; vantagem. **4.** Ressalva, restrição.

excedente (ex.ce.*den*.te) adj. **1.** Que excede: *capacidade excedente.* • s.m. **2.** Pessoa ou coisa que sobra.

exceder [ê] (ex.ce.*der*) v. **1.** Superar em (peso, valor, tamanho etc.); ultrapassar: *A temperatura excedia a média (em quase dez graus).* **2.** Cometer excessos: *Os deputados excederam-se em suas atribuições.* **3.** *fig.* Ficar com raiva; exasperar-se: *Excedi-me e gritei com ela.* ▶ Conjug.41.

excelência (ex.ce.*lên*.ci:a) s.f. **1.** Qualidade de excelente; perfeição. **2.** Forma de tratamento utilizada para se dirigir a autoridades. || *Por excelência*: acima de tudo; essencialmente: *Ele é um político por excelência.*

excelente (ex.ce.*len*.te) adj. Que possui qualidade superior: *artigo excelente.* || sup. abs.: excelentíssimo.

excelentíssimo (ex.ce.len.*tís*.si.mo) *adj.* **1.** Forma de tratamento utilizada para se dirigir a altas autoridades. **2.** Superlativo absoluto de *excelente*.

excelso [é] (ex.*cel*.so) *adj.* **1.** Que é elevado; sublime: *graça excelsa*. **2.** Que é ilustre; insigne: *tribunal excelso*.

excentricidade (ex.cen.tri.ci.*da*.de) *s.f.* Qualidade de excêntrico.

excêntrico (ex.*cên*.tri.co) *adj.* **1.** Que está longe do centro: *eixo excêntrico*. **2.** *fig.* Que é esquisito; bizarro, esdrúxulo, exótico: *gosto excêntrico*. • *s.m.* **3.** *fig.* Pessoa excêntrica.

excepcional (ex.cep.ci.o.*nal*) *adj.* **1.** Que é incomum; diferente, raro: *caráter excepcional*. **2.** Que é notável; extraordinário: *inteligência excepcional*. **3.** Que é fruto de privilégio: *atendimento excepcional*. **4.** Diz-se de indivíduo com deficiência física ou mental. • *s.m.* **5.** Pessoa com deficiência física ou mental. – **excepcionalidade** *s.f.*

excerto [é] (ex.*cer*.to) *s.m.* Trecho extraído de uma obra; fragmento, passagem.

excessivo (ex.ces.*si*.vo) *adj.* **1.** Que é exagerado; desmedido: *custo excessivo*. **2.** Que é dispensável; desnecessário: *formalidade excessiva*.

excesso [é] (ex.*ces*.so) *s.m.* **1.** Aquilo que é exagerado. **2.** Aquilo que sobra. **3.** Atitude descontrolada; abuso, desmando.

exceto [é] (ex.*ce*.to) *prep.* À exceção de; afora, menos, salvo, senão: *O metrô funciona todos os dias, exceto feriados*.

excetuar (ex.ce.tu:*ar*) *v.* **1.** Fazer exceção de; excluir: *Citou todos os autores, sem excetuar nenhum*. **2.** Isentar, livrar: *O comerciante excetuou do pagamento as dívidas antigas*. ▶ Conjug. 5.

excipiente (ex.ci.pi:*en*.te) *s.m.* (*Farm.*, *Quím.*) Substância que serve para ligar, dissolver ou alterar a consistência ou o sabor de um medicamento.

excitação (ex.ci.ta.*ção*) *s.f.* **1.** Ato ou efeito de excitar(-se). **2.** Estado de agitação física ou mental; alvoroço. **3.** Estímulo sexual.

excitante (ex.ci.*tan*.te) *adj.* **1.** Que excita (1): *passeio excitante*. **2.** Que provoca estímulo sexual: *imagem excitante*. • *s.m.* e *f.* **3.** Substância que excita (1); estimulante.

excitar (ex.ci.*tar*) *v.* **1.** Estimular ou ter uma reação (física ou mental); acender(-se), inflamar (-se): *Aquele encontro excitou nossa memória*; *Os jornalistas excitaram-se com a ideia de entrevistá-lo*. **2.** Suscitar ou sentir desejo sexual: *Nada mais o excitava*; *Excitava-se com o corpo desnudo da mulher*. ▶ Conjug. 5. – **excitabilidade** *s.f.*; **excitável** *adj.*

exclamação (ex.cla.ma.*ção*) *s.f.* **1.** Ato de exclamar; expressão de alegria, surpresa, raiva etc. **2.** (*Gram.*) Pontuação usada numa frase escrita para expressar alegria, surpresa, raiva etc. – **exclamativo** *adj.*

exclamar (ex.cla.*mar*) *v.* Expressar alegria, surpresa, raiva etc. com ênfase; bradar: *Não sei! – exclamou o homem (com ódio)*; *Obrigada! – exclamou*. ▶ Conjug. 5.

excluído (ex.clu:*í*.do) *adj.* **1.** Que foi ignorado devido à etnia, ao gênero, ao nível social etc.: *Grande parte da população é excluída do processo social*. **2.** Que foi colocado de lado; abandonado: *Os candidatos excluídos têm direito à revisão de prova*.

excluir (ex.clu:*ir*) *v.* **1.** Ignorar (alguém) devido à etnia, ao gênero, ao nível social etc.: *A sociedade brasileira colonial excluía os escravos*. **2.** Colocar(-se) para fora; retirar(-se), elidir(1), eliminar(1): *O partido excluiu o deputado (de seus quadros)*; *Por protesto, excluiu-se da lista dos possíveis candidatos*. **3.** Prescindir, dispensar: *A advertência do juiz não excluiu a punição do jogador*. ▶ Conjug. 80. – **excludente** *adj.*

exclusão (ex.clu.*são*) *s.f.* Ato ou efeito de excluir(-se).

exclusive (ex.clu.*si*.ve) *adv.* Sem a inclusão de: *Esse concurso é dirigido a graduados, exclusive engenheiros*.

exclusividade (ex.clu.si.vi.*da*.de) *s.f.* **1.** Qualidade de exclusivo. **2.** (*Jur.*) Direito que uma pessoa ou instituição detém sobre um produto ou serviço; monopólio.

exclusivismo (ex.clu.si.*vis*.mo) *s.m.* **1.** Predisposição ou atitude de excluir as outras pessoas; intolerância, intransigência. **2.** Predisposição ou atitude de quem quer tudo para si.

exclusivo (ex.clu.*si*.vo) *adj.* **1.** Que exclui: *A hostilidade social é um ato exclusivo*. **2.** Que é restrito; privado: *acesso exclusivo*.

excogitar (ex.co.gi.*tar*) *v.* **1.** Elaborar pela imaginação; imaginar, inventar: *Excogitou um ardil para enganá-la*. **2.** Pesquisar (algo ou alguém); investigar, examinar: *Os cientistas excogitaram um novo tipo de transplante*. **3.** Cogitar profundamente; meditar, ruminar: *Constantemente excogitava sobre o significado da vida*. ▶ Conjug. 5.

excomungar (ex.co.mun.*gar*) v. **1.** (*Rel.*) Excluir um membro da Igreja Católica, privando-o do uso dos sacramentos e da participação dos ofícios divinos: *O papa excomungou um bispo rebelde.* **2.** Amaldiçoar, esconjurar: *O torcedor excomungava o time que perdeu.* ▶ Conjug. 5 e 34.

excomunhão (ex.co.mu.*nhão*) s.f. **1.** Ato ou efeito de excomungar. **2.** (*Rel.*) Exclusão de um membro da Igreja Católica com privação do uso dos sacramentos e da participação dos ofícios divinos.

excreção (ex.cre.*ção*) s.f. **1.** Ato de eliminar os dejetos e resíduos de um metabolismo animal. **2.** O produto sólido dessa excreção; excremento, fezes. **3.** Urina, suor etc. expelidos por um organismo animal.

excremento (ex.cre.*men*.to) s.m. Matéria fecal; excreção (2), fezes, dejeto.

excrescência (ex.cres.*cên*.ci:a) s.f. **1.** Ponto em relevo numa superfície; saliência, protuberância. **2.** *fig.* Aberração, deformidade. **3.** (*Med.*) Tumor benigno pequeno.

excretar (ex.cre.*tar*) v. Sair ou fazer sair do corpo (excreção sólida ou líquida); eliminar, expelir, expulsar, segregar: *excretar fezes.* ▶ Conjug. 8.

excretor [ô] (ex.cre.*tor*) adj. Que excreta; excretório: *glândula excretora.*

excretório (ex.cre.*tó*.ri:o) adj. Excretor.

excruciante (ex.cru.ci:*an*.te) adj. Que é doloroso; lancinante: *sofrimento excruciante.*

excursão (ex.cur.*são*) s.f. **1.** Passeio curto. **2.** Passeio com longa duração, realizado geralmente com o auxílio de um guia e com trajetória predeterminada; viagem. **3.** Viagem com o fim de apresentação artística; turnê.

excursionar (ex.cur.si:o.*nar*) v. **1.** Fazer excursão; passear, viajar: *Meus amigos excursionaram pelo Nordeste do Brasil.* **2.** Ir em excursão: *A banda excursionou pela Europa.* ▶ Conjug. 5. – **excursionismo** s.m.

execrar [z] (e.xe.*crar*) v. Sentir horror a (alguém ou si mesmo); abominar(-se), detestar(-se), odiar(-se): *Execrei o modo como ele agiu ontem.* ▶ Conjug. 8.

execrável [z] (e.xe.*crá*.vel) adj. Que causa horror; detestável: *atitude execrável.*

executante [z] (e.xe.cu.*tan*.te) adj. **1.** Que executa. • s.m. e f. **2.** Pessoa que executa.

executar [z] (e.xe.cu.*tar*) v. **1.** Concretizar por meio de ação; efetuar, efetivar, fazer, realizar: *executar um projeto.* **2.** Cumprir algo que foi proposto; desempenhar, encarregar-se: *Os participantes executaram as tarefas de forma satisfatória.* **3.** (*Mús.*, *Teat.*, *Telv.*) Interpretar (uma música, um papel etc.) de forma artística: *A orquestra executou uma ópera.* **4.** Punir com pena de morte; justiçar, supliciar: *A justiça executou o condenado.* **5.** *coloq.* Matar intencionalmente; assassinar: *Os traficantes executaram aquele homem a tiros.* **6.** (*Jur.*) Obrigar uma pessoa física ou jurídica a cumprir um dever resultante de uma sentença judicial. **7.** (*Inform.*) Executar uma instrução de um programa. ▶ Conjug. 5. – **execução** s.f.; **executável** adj.

executivo [z] (e.xe.cu.*ti*.vo) adj. **1.** Que realiza: *comitê executivo.* **2.** Que executa leis ou normas: *mandado executivo.* • s.m. **3.** Pessoa que ocupa um alto cargo em uma empresa. **4.** O Poder Executivo. || Na última acepção usado com letra maiúscula.

executor [z...ô] (e.xe.cu.*tor*) adj. **1.** Que executa. **2.** Relativo a pena de morte. • s.m. **3.** Pessoa que executa. **4.** Pessoa encarregada de tirar a vida de outra em cumprimento de pena de morte; carrasco.

exegese [z...gé] (e.xe.ge.se) s.f. Ato de interpretar um texto, uma obra etc. com o fim de torná-la mais clara para um leitor; comentário, explanação.

exegeta [z...gé] (e.xe.ge.ta) s.m. e f. Pessoa que faz exegese; comentarista, intérprete.

exemplar [z] (e.xem.*plar*) adj. **1.** Que serve de exemplo; modelar: *trabalho exemplar.* **2.** Que serve de lição; edificante: *gesto exemplar.* • s.m. **3.** Cada impresso de uma mesma edição; volume. **4.** Cada indivíduo de uma mesma espécie; espécime. **5.** Cada objeto de uma mesma produção; peça. – **exemplaridade** s.f.

exemplário [z] (e.xem.*plá*.ri:o) s.m. Livro ou coleção de exemplos.

exemplificar [z] (e.xem.pli.fi.*car*) v. Esclarecer com o uso de exemplos; explanar, elucidar: *O professor exemplificou o conceito com um caso que realmente aconteceu.* ▶ Conjug. 5 e 35. – **exemplificação** s.f.

exemplo [z] (e.xem.plo) s.m. **1.** Aquilo que pode ser imitado; modelo. **2.** Aquilo que serve de lição; ensinamento. **3.** Aquilo que serve para esclarecer ou ilustrar; amostra. || *A exemplo de:* tomando (o citado) como exemplo: *A lei municipal de Caxias deve ser modificada, a exemplo de Niterói.* • *Por exemplo:* expressão utilizada antes da citação de um exemplo:

Muitos alimentos engordam; por exemplo, os doces.

exéquias [z] (e.xé.qui:as) *s.f.pl.* Cerimônias fúnebres; funeral.

exequível [qü̈i] (e.xe.quí.vel) *adj.* Que é possível: *valor exequível.*

exercer [z] (e.xer.cer) *v.* **1.** Cumprir (função, tarefa etc.); desempenhar, executar: *Ele exerce uma função administrativa.* **2.** Produzir, provocar, causar: *O professor exerce uma grande influência sobre o aluno.* **3.** Fazer sentir: *Ele exerceu sua força, dando duras ordens aos subordinados.* ▶ Conjug. 41 e 46.

exercício [z] (e.xer.cí.ci:o) *s.m.* **1.** Ato de exercer ou exercitar. **2.** Prática de atividade física; ginástica. **3.** Prática constante de uma atividade com fim de desenvolver uma habilidade; estudo, treinamento. **4.** Tarefa escolar. **5.** Desempenho de função ou cargo; atuação. **6.** (*Econ.*) Período de doze meses em que um orçamento de uma empresa deve ser executado.

exército [z] (e.xér.ci.to) *s.m.* **1.** (*Mil.*) Uma das três Forças Armadas que se encarrega da defesa, por terra, de um país. || Nesta acepção, é usado com inicial maiúscula. **2.** (*Mil.*) Reunião de tropas que participam de um combate. **3.** *fig.* Multidão, legião: *Um exército de miseráveis avançou sobre a comida.*

exibicionismo [z] (e.xi.bi.ci:o.nis.mo) *s.m.* **1.** Gosto de pavonear-se. **2.** (*Psicn.*) Tipo de perversão sexual em que o indivíduo obtém prazer exibindo a alguém sua genitália.

exibicionista [z] (e.xi.bi.ci:o.nis.ta) *adj.* **1.** Que é exibido (2): *atitude exibicionista.* **2.** (*Psicn.*) Que apresenta perversão sexual. • *s.m. e f.* **3.** Pessoa exibicionista.

exibido [z] (e.xi.bi.do) *adj.* **1.** Que foi mostrado: *programa exibido.* **2.** Que gosta de chamar a atenção; exibicionista (1): *rapaz exibido.*

exibir [z] (e.xi.bir) *v.* **1.** Expor(-se) à visão de outra pessoa; apresentar(-se), mostrar(-se): *O cineasta exibiu as primeiras imagens de seu novo filme; Exibia-se como pianista em diferentes teatros.* **2.** Mostrar(-se) com alarde; pavonear(-se): *O rapaz exibia seus músculos na praia; Na vernissage, o artista exibiu-se para todos.* ▶ Conjug. 66. – **exibição** *s.f.*

exigência [z] (e.xi.gên.ci:a) *s.f.* **1.** Ato ou efeito de exigir. **2.** Aquilo que se impõe; obrigação. **3.** Aquilo que se faz necessário; inevitável. **4.** Aquilo que se pretende; vontade.

exigente [z] (e.xi.gen.te) *adj.* **1.** Que pede com firmeza: *professora exigente.* **2.** Que é difícil de contentar: *comprador exigente.*

exigir [z] (e.xi.gir) *v.* **1.** Impor (algo) a (alguém); determinar, ordenar: *O empresário exigiu a contratação de um segurança para protegê-lo.* **2.** Reclamar um direito; reivindicar: *Os funcionários exigiram seus direitos trabalhistas.* **3.** Ter necessidade de; precisar: *A situação exigia cuidado.* ▶ Conjug. 92.

exíguo [z] (e.xí.guo) *adj.* **1.** Que apresenta proporções pequenas; diminuto: *espaço exíguo.* **2.** Que é insuficiente; escasso, reduzido: *prazo exíguo.*

exilado [z] (e.xi.la.do) *adj.* **1.** Que está no exílio; expatriado, desterrado: *político exilado.* • *s.m.* **2.** Pessoa exilada.

exilar [z] (e.xi.lar) *v.* **1.** Condenar(-se) ao exílio; expatriar(-se), desterrar(-se): *O governo exilou seus oponentes; Com os problemas políticos do país, exilaram-se na Suécia.* **2.** *fig.* Afastar(-se) do convívio social; isolar(-se), retirar(-se): *A doença o exilou (da convivência familiar); De vez em quando, exilavam-se no sítio.* ▶ Conjug. 5.

exílio [z] (e.xí.li:o) *s.m.* **1.** Afastamento, voluntário ou não, da terra natal; degredo, desterro. **2.** Lugar em que um exilado mora. **3.** *fig.* Lugar isolado.

exímio [z] (e.xí.mi:o) *adj.* Que se destaca por sua grande habilidade; competente, eficiente: *jogador exímio.*

eximir [z] (e.xi.mir) *v.* **1.** Isentar(-se) de obrigação; desobrigar(-se): *A separação não exime o pai de cuidar dos filhos; A empresa eximiu-se de pagar o seguro.* **2.** Livrar-se de (algo); esquivar-se, furtar-se: *O assessor eximiu-se de culpa pelo fracasso da campanha.* ▶ Conjug. 66.

existência [z] (e.xis.tên.ci:a) *s.f.* **1.** Condição de pessoa ou coisa que existe. **2.** Forma de existir; vida. **3.** Período de vida desde o nascimento até a morte. **4.** Período de duração de algo. – **existencial** *adj.*

existencialismo [z] (e.xis.ten.ci:a.lis.mo) *s.m.* (*Fil.*) Doutrina que dá primazia à existência sobre a essência e sublinha a importância da liberdade e da possibilidade de escolha na vida do ser humano. – **existencialista** *adj. s.m. e f.*

existente [z] (e.xis.ten.te) *adj.* **1.** Que existe. **2.** Que tem vida; vivente. • *s.m. e f.* **3.** Aquilo que tem vida.

existir [z] (e.xis.tir) *v.* **1.** Ter existência; viver: *Esses personagens existiram realmente.* **2.** Durar por um período determinado; permanecer, subsistir: *Esse bar existe desde 1930.* **3.** Haver: *Existia uma rivalidade entre eles.* ▶ Conjug. 66.

êxito [z] (ê.xi.to) s.m. **1.** Sucesso, triunfo. **2.** Resultado, fruto, consequência, efeito. – **exitoso** adj.

ex-líbris [écs] (Lat.) s.m.2n. Pequena estampa colada em um livro com o nome de seu dono, indicando posse.

êxodo [z] (ê.xo.do) s.m. **1.** Emigração em massa: *Uma política agrária mais consequente evitará o êxodo da população rural.* **2.** Fuga, escapada: *O êxodo da clientela levou o bar a se modernizar.*

exogamia [z] (e.xo.ga.mi.a) s.f. União que ocorre entre membros de grupos sociais, étnicos, econômicos etc. diferentes. || Conferir com *endogamia.*

exógeno [z] (e.xó.ge.no) adj. **1.** Que provém de uma causa externa: *fator exógeno.* **2.** (Biol.) Diz-se do que tem origem externa ou pertence ao meio ambiente e afeta o indivíduo. || Conferir com *endógeno.*

exonerar [z] (e.xo.ne.rar) v. **1.** Dispensar(-se) de um cargo ou de uma função; desligar(-se), destituir(-se): *O diretor exonerou o empregado (do cargo administrativo); O professor exonerou-se por motivos particulares.* **2.** (Jur.) Livrar(-se) de uma obrigação ou de um encargo: *O recurso o exonerou do pagamento da dívida; O fiador exonerou-se da fiança.* ▶ Conjug. 8. – **exoneração** s.f.

exorar [z] (e.xo.rar) v. Clamar (3).

exorbitância [z] (e.xor.bi.tân.ci:a) s.f. **1.** Qualidade do que exorbita. **2.** fig. Aquilo que ultrapassa um limite; descomedimento, excesso. **3.** Preço alto. – **exorbitante** adj.

exorbitar [z] (e.xor.bi.tar) v. Ir além do limite; abusar, exagerar, extrapolar: *Aqueles policiais exorbitaram de suas funções; O empresário exorbitou e perdeu seu cargo público.* ▶ Conjug. 5.

exorcismo [z] (e.xor.cis.mo) s.m. **1.** (Rel.) Oração ou rito cujo fim é o de expulsar o demônio ou os maus espíritos do corpo de alguém; esconjuro(2). **2.** fig. Eliminação, extirpação. – **exorcista** adj. s.m. e f.

exorcizar [z] (e.xor.ci.zar) v. **1.** Expulsar, por meio de oração ou ritual, o demônio ou os maus espíritos do corpo de alguém: *exorcizar um possesso.* **2.** fig. Fazer desaparecer; resolver: *Ele exorcizou seu passado.* ▶ Conjug. 5.

exórdio [z] (e.xór.di:o) s.m. A primeira parte de um discurso; introdução, preâmbulo, prólogo.

exortar [z] (e.xor.tar) v. Persuadir por meio de palavras; aconselhar, convencer, influenciar, admoestar (2): *O orador exortava os presentes a participar do debate.* ▶ Conjug. 20. – **exortação** s.f.

exosfera [z...é] (e.xos.fe.ra) s.f. Última camada da atmosfera.

exotérico [z...é] (e.xo.té.ri.co) adj. Diz-se de ensino dirigido a um público grande. || Conferir com *esotérico.*

exótico [z] (e.xó.ti.co) adj. **1.** Que é diferente; esquisito, estranho, excêntrico (2): *animal exótico.* **2.** Que é oriundo de outro país; estrangeiro: *folclore exótico.* – **exotismo** s.m.

expandir (ex.pan.dir) v. **1.** Ficar ou fazer ficar maior, mais volumoso: *A agricultura expandiu suas fronteiras; O mercado interno expandiu-se muito esse ano.* **2.** Crescer, alastrar-se: *A epidemia expandiu-se rapidamente.* **3.** Mostrar-se à vontade, descontraído: *Ele se expande quando está conosco.* ▶ Conjug. 66.

expansão (ex.pan.são) s.f. **1.** Ato ou efeito de expandir(-se). **2.** fig. Expressão espontânea de sentimentos; arrebatamento, efusão.

expansionismo (ex.pan.si:o.nis.mo) s.m. Tendência para expandir-se. – **expansionista** adj. s.m. e f.

expansivo (ex.pan.si.vo) adj. **1.** fig. Que é efusivo; comunicativo. **2.** Que pode se expandir: *força expansiva.* – **expansividade** s.f.

expatriar (ex.pa.tri:ar) v. Exilar(-se) (1): *expatriar um oponente; Meu bisavô expatriou-se no Brasil.* ▶ Conjug. 17. – **expatriação** s.f.

expectante (ex.pec.tan.te) adj. Que espera e observa: *conduta expectante.*

expectativa (ex.pec.ta.ti.va) s.f. Estado ou situação de espera.

expectorante (ex.pec.to.ran.te) adj. **1.** Diz-se de substância que ajuda a expectorar. **2.** (Farm., Med.) Substância expectorante.

expectorar (ex.pec.to.rar) v. (Med.) Lançar para fora de si (escarro, sangue etc.) pela boca; cuspir, escarrar, expelir: *expectorar sangue; A paciente expectorou com força.* ▶ Conjug. 20. – **expectoração** s.f.

expedição (ex.pe.di.ção) s.f. **1.** Ato ou efeito de expedir; envio, despacho, remessa. **2.** Viagem feita em grupo com o objetivo de estudar ou explorar a fauna, a flora, o solo etc. de um lugar. **3.** (Mil.) Envio de tropas a um local com o objetivo de efetuar uma operação militar; campanha. **4.** Setor que expede mercadorias. **5.** Despacho.

expedicionário (ex.pe.di.ci:o.ná.ri:o) adj. **1.** Que participa de expedição. • s.m. **2.** Pessoa que participa de uma expedição: *Darwin embarcou no navio Beagle como expedicionário*. **3.** (Mil.) Soldado que participou da Força Expedicionária Brasileira durante a II Guerra Mundial; pracinha.

expediente (ex.pe.di:en.te) *s.m.* **1.** Horário de funcionamento. **2.** Serviço, trabalho. **3.** Artifício usado para sair de uma situação difícil. **4.** Qualquer documento oficial de uma repartição. **5.** Despacho.

expedir (ex.pe.*dir*) *v.* **1.** Mandar (algo) para (alguém); enviar, despachar, remeter: *O empregado expediu um malote (para a filial)*. **2.** Fazer seguir; emitir, despachar: *A Secretaria de Esportes expediu um ofício*. **3.** Ordenar a publicação de (lei, decreto); promulgar: *expedir uma portaria*. **4.** Mandar (alguém) com um objetivo determinado: *expedir um mensageiro*. ▶ Conjug. 71.

expedito (ex.pe.di.to) *adj.* Desembaraçado.

expelir (ex.pe.*lir*) *v.* **1.** Expectorar: *expelir catarro*. **2.** Lançar para fora; soltar: *expelir gases; expelir sangue do nariz*. ▶ Conjug. 69.

expender (ex.pen.*der*) *v.* **1.** Ter gasto; desembolsar, despender, gastar: *Na compra, ele expendeu grandes quantias*. **2.** Explicar minuciosamente; apresentar, expor: *A defesa expendeu sua tese com argumentação sólida*. ▶ Conjug. 39.

expensas (ex.pen.sas) *s.f.pl.* Despesas, contas, custas. || Mais usado nas locuções *à expensa de* ou *às expensas de*: às custas de: *Ela vive à expensa do marido*.

experiência (ex.pe.ri:ên.ci:a) *s.f.* **1.** Ato ou efeito de experimentar(-se). **2.** Experimento científico; experimentação, ensaio, teste. **3.** Conhecimento obtido ao longo da vida; conhecimento, sabedoria. **4.** Conhecimento específico advindo de uma determinada prática. **5.** Tentativa, prova. – **experimental** *adj.*

experiente (ex.pe.ri:en.te) *adj.* **1.** Que tem experiência: *médico experiente*. • *s.m.* e *f.* **2.** Pessoa experiente.

experimentação (ex.pe.ri.men.ta.ção) *s.f.* Experimento.

experimentar (ex.pe.ri.men.*tar*) *v.* **1.** Pôr à prova; provar, testar: *A cozinheira experimentou a sopa*. **2.** Colocar sobre si para ver se cabe; calçar, vestir: *Ela experimentou o vestido novo e gostou*. **3.** Passar por; sentir, sofrer, vivenciar: *Com a perda, experimentou sentimentos fortes*. ▶ Conjug. 5.

experimento (ex.pe.ri.men.to) *s.m.* **1.** Ato ou efeito de experimentar(-se). **2.** Observação e classificação científica de um fenômeno; experimentação, experiência.

expert [ecspér] (Fr.) *s.m.* e *f.* Experto.

experto [é] (ex.per.to) *adj.* **1.** Que detém um grande conhecimento sobre determinado assunto; especialista, perito, mestre: *consultor experto*. • *s.m.* **2.** Pessoa experta; *expert*. || Conferir com *esperto*.

expiação (ex.pi:a.ção) *s.f.* Ato ou efeito de expiar(-se). **2.** Castigo, pena, penitência. **3.** Purgação, redenção, salvação.

expiar (ex.pi:*ar*) *v.* **1.** Reparar ou fazer reparar (falta, pecado etc.); remir(-se): *Ele expiou seus crimes na prisão; As más ações se expiam*. **2.** Sofrer as consequências de: pagar, padecer, sofrer: *Expiou sua audácia com grandes castigos*. || Conferir com *espiar*. ▶ Conjug. 17.

expiatório (ex.pi:a.tó.ri:o) *adj.* **1.** Relativo a expiação: *bode expiatório*. **2.** Próprio para expiação: *templo expiatório*.

expiração (ex.pi.ra.ção) *s.f.* **1.** (Med.) Ato de fazer sair o ar dos pulmões. **2.** Vencimento, fim, término.

expirar (ex.pi.*rar*) *v.* **1.** (Med.) Fazer sair o ar dos pulmões: *Ele expirou profundamente*. **2.** *fig.* Vencer, findar, terminar: *Expirou a data da inscrição no curso*. **3.** Perder a vida; morrer, falecer: *Ele expirou ontem*. ▶ Conjug. 5.

explanar (ex.pla.*nar*) *v.* **1.** Explicar com detalhes; elucidar, esclarecer: *Os engenheiros explanaram os mecanismos da nova invenção*. **2.** Contar por escrito ou oralmente; narrar, relatar: *O professor explanava a história da música com entusiasmo*. ▶ Conjug. 5. – **explanação** *s.f.*

expletivo (ex.ple.ti.vo) *adj.* **1.** Que completa: *valor expletivo*. **2.** (Gram.) Diz-se de termo usado para realçar um ou mais elementos de uma oração: *Na frase: "Vê lá o que vai fazer", o termo lá é expletivo*. • *s.m.* **3.** Termo expletivo.

explicação (ex.pli.ca.ção) *s.f.* **1.** Ato ou efeito de explicar(-se). **2.** Explanação, esclarecimento. **3.** Lição, aula. **4.** Satisfação, desculpa, justificativa.

explicar (ex.pli.*car*) *v.* **1.** Fazer com que fique claro ou compreensível; esclarecer, elucidar, explanar: *Ele explicou (à mãe) detalhes de seu projeto*. **2.** Ensinar uma lição a; instruir: *Aquela professora explicava Matemática (aos alunos)*. **3.** Alegar como pretexto; desculpar, justificar: *Explicou sua ida ao cinema como uma forma de estudar*. ▶ Conjug. 5 e 35.

explicativo (ex.pli.ca.ti.vo) *adj.* **1.** Que explica: *texto explicativo*. **2.** (Gram.) Diz-se de conjunção coordenativa que exprime explicação.

explicitar

explicitar (ex.pli.ci.*tar*) v. Fazer com que fique claro; aclarar, esclarecer, explicar: *Os estudos explicitaram os usos daquelas expressões.* ▶ Conjug. 5.

explícito (ex.plí.ci.to) *adj.* Que é evidente; claro, óbvio: *objetivo explícito.*

explodir (ex.plo.*dir*) v. **1.** Provocar explosão; detonar, estourar: *Os fogos explodiam, iluminando o céu.* **2.** *fig.* Fazer-se ouvir de súbito; irromper: *As risadas explodiram por todos os lados; O público explodia em palmas.* **3.** Tornar maior; aumentar, ampliar-se, crescer: *Com a liquidação, as vendas explodiram.*|| Os tratadistas a respeito deste verbo se dividem em dois grupos: para uns, é defectivo nas formas em que ao radical se seguem [o] ou [a]; para outros, essas formas podem se conjugadas, porém com o radical apresentando duas possibilidades: 1) o [o] transforma-se em [u]; 2) o [o] mantém-se mas com a pronúncia /ó/. ▶ Conjug. 76.

explorador [ô] (ex.plo.ra.*dor*) *adj.* **1.** Que explora; aproveitador, oportunista: *marido explorador.* **2.** Que explora; batedor: *alpinista explorador.* **3.** Que explora; estudioso, pesquisador: *botânico explorador.* • *s.m.* **4.** Pessoa oportunista. **5.** Pessoa que desvenda ou abre caminho. **6.** Pessoa que estuda.

explorar (ex.plo.*rar*) v. **1.** Passar através de, estudando ou observando: *O exército explorou a região em busca do inimigo.* **2.** Realizar estudos; analisar, conhecer, examinar: *Em sua pesquisa, explorava novos tipos de vírus.* **3.** Tirar proveito com fins lucrativos: *Aquela empresa explora serviços de telefonia móvel.* **4.** Cobrar preço injusto; aproveitar-se: *Explorava os fregueses, praticando monopólio.* **5.** Abusar da boa-fé; aproveitar-se, enganar, ludibriar: *Explorava o irmão, contando mentiras.* ▶ Conjug. 20. – **exploração** *s.f.*; **explorável** *adj.*

explosão (ex.plo.*são*) *s.f.* **1.** Estouro violento; detonação. **2.** Manifestação súbita. **3.** *fig.* Aumento, crescimento.

explosivo (ex.plo.si.vo) *adj.* **1.** Que cresce rapidamente: *inflação explosiva.* **2.** Que é inflamável: *carga explosiva.* **3.** Que é violento: *caráter explosivo.* • *s.m.* **4.** (*Quím.*) Substância inflamável.

expoente (ex.po:en.te) *s.m.* e *f.* **1.** Pessoa que expõe; expoente. **2.** Pessoa que se destaca devido à sua profissão, posição social; celebridade, vulto. **3.** (*Mat.*) Número colocado acima e à direita de outro, com um tipo menor, para indicar quantas vezes este deve ser multiplicado por si mesmo.

exponente (ex.po.nen.te) *s.m.* e *f.* Expoente.

exponencial (ex.po.nen.ci:*al*) *adj.* **1.** (*Mat.*) Relativo a expoente: *função exponencial.* **2.** Que se destaca; célebre, notável, ilustre: *figura exponencial.*

expor (ex.*por*) v. **1.** Mostrar(-se) publicamente; exibir(-se), mostrar(-se): *Ele expôs sua coleção de selos (aos amigos); O texto se expõe com toda a sua grandeza aos nossos olhos.* **2.** Ficar ou fazer ficar visível: *Expôs a barriga (à irmã), mostrando que estava grávida; Com o tempo, seu ferimento se expôs.* **3.** Colocar(-se) em risco; arriscar(-se), aventurar(-se): *Ele expunha seu corpo (ao exército inimigo); Eu me expus, indo àquele bairro à noite.* **4.** Revelar, narrando ou explicando; esclarecer, elucidar: *Ele expôs (ao amigo) os motivos de sua demissão.* **5.** Ficar ou fazer ficar sob a ação de um agente externo; submeter(-se), sujeitar(-se): *As crianças se expunham demais ao sol; Ela expôs seu fracasso ao desprezo público.* **6.** Participar de uma exposição: *Famoso, expõe em várias cidades do mundo.* ▶ Conjug. 65. – **exposto** *adj.*

exportação (ex.por.ta.ção) *s.f.* **1.** Ato ou efeito de exportar. **2.** (*Econ.*) Aquilo que é exportado.

exportador [ô] (ex.por.ta.dor) *adj.* **1.** Que exporta: *empresa exportadora.* • *s.m.* **2.** Pessoa (física ou jurídica) que exporta.

exportar (ex.por.*tar*) v. **1.** Vender bens e serviços em outro estado, município ou país: *exportar tecnologia; Aquele produtor exporta para a França.* **2.** Remeter (algo) para fora: *A cidade exportava ideias para todo o país.* **3.** (*Inform.*) Levar informações de um sistema ou programa para outro ou transportar os dados de um arquivo em um formato diferente: *exportar dados.* ▶ Conjug. 20. – **exportável** *adj.*

exposição (ex.po.si.*ção*) *s.f.* **1.** Ato ou efeito de expor(-se). **2.** Evento que expõe obras de arte à visitação pública; exibição, mostra. **3.** Evento que expõe e/ou vende produtos ou serviços; feira, salão. **4.** Explanação, oral ou escrita; palestra, explanação.

expositivo (ex.po.si.ti.vo) *adj.* **1.** Relativo a exposição. **2.** Que expõe: *gramática expositiva.*

expositor [ô] (ex.po.si.tor) *adj.* **1.** Que expõe: *empresa expositora.* • *s.m.* **2.** Pessoa que expõe um trabalho numa exposição.

expressão (ex.pres.são) *s.f.* **1.** Ato ou efeito de expressar(-se). **2.** Manifestação por meio de gestos, palavras ou atitudes. **3.** Frase, dito, locução. **4.** Forma de mostrar, através do rosto, um determinado estado de espírito; fisionomia, semblante, ar. **5.** Vigor de ânimo; vivacidade, brilho. **6.** Importância, valor. **7.** Personificação; encarnação. || *Expressão idiomática:* (Ling.) grupo de palavras que perdem seus significados originais, ganhando um novo significado: *Cair duro é uma expressão idiomática.*

expressar (ex.pres.*sar*) *v.* **1.** Dar(-se) a conhecer por meio de gestos, palavras ou atitudes; exprimir(-se), manifestar(-se), mostrar(-se), revelar(-se): *Ele expressou sua opinião (sobre o assunto)*; *Lia e expressava-se muito bem.* **2.** Expressar(-se) por meio da arte; exprimir (-se): *Com poucas cores, sua pintura expressa um sentimento profundo*; *O artista expressou-se por meio de novas técnicas.* **3.** Representar, exprimir, significar, simbolizar: *As publicações expressavam os interesses da classe médica.* **4.** Comunicar-se, expressar-se, exprimir-se, falar: *O orador expressou-se com clareza.* ▶ Conjug. 8.

expressionismo (ex.pres.si:o.*nis*.mo) *s.m.* (*Art.*) Tendência artística que tem por objetivo expressar, deformando ou exagerando, as sensações e emoções do artista. – **expressionista** *adj. s.m. e f.*

expressividade (ex.pres.si.vi.*da*.de) *s.f.* Qualidade de expressivo.

expressivo (ex.pres.si.*vo*) *adj.* **1.** Que (se) dá a conhecer com clareza: *pensamento expressivo.* **2.** Que mostra vivacidade: *gargalhada expressiva.* **3.** Que é significativo: *crescimento expressivo.*

expresso [é] (ex.*pres*.so) *adj.* **1.** Que se deu a conhecer por meio de gestos, palavras ou atitudes: *sentimento expresso.* **2.** Que é imperativo; categórico: *recomendação expressa.* **3.** Que é preparado rapidamente: *café expresso.* **4.** Que é enviado rapidamente: *carta expressa.* **5.** Que não admite paradas: *via expressa.* • *s.m.* **6.** Trem expresso.

exprimir (ex.pri.*mir*) *v.* Expressar. ▶ Conjug. 66.

exprobrar (ex.pro.*brar*) *v.* Fazer crítica a; censurar, desaprovar, reprovar: *Exprobrou(-lhe) a franqueza, afastando-se.* ▶ Conjug. 20.

expropriar (ex.pro.pri.*ar*) *v.* (*Jur.*) Desapropriar: *A Prefeitura expropriou parte dos imóveis (de um dos sócios da empresa).* ▶ Conjug. 17. – **expropriação** *s.f.*

expugnar (ex.pug.*nar*) *v.* Tomar de assalto; conquistar, dominar: *expugnar uma fortaleza.* ▶ Conjug. 5 e 33.

expulsar (ex.pul.*sar*) *v.* **1.** Mandar (alguém) embora ou para fora: *No século XVI, os portugueses expulsaram os franceses (do Rio de Janeiro).* **2.** (*Med.*) Expelir um corpo do organismo. ▶ Conjug. 5. – – **expulsão** *s.f.*

expulso (ex.*pul*.so) *adj.* **1.** Que foi posto para fora: *jogador expulso do campo.* **2.** Que foi excluído: *membro expulso do clube.*

expungir (ex.pun.*gir*) *v.* **1.** Fazer desaparecer; apagar, riscar: *O poeta expungiu da coleção os versos de que não gostava.* **2.** Fazer com que fique isento; livrar: *O prefeito expungiu a população de baixa renda do imposto predial e territorial urbano.* || Para alguns, defectivo nas formas em que ao radical se seguem [o] ou [a]. ▶ Conjug. 92.

expurgar (ex.pur.*gar*) *v.* **1.** Depurar, limpar: *o revisor expurgou o texto de erros grosseiros.* **2.** Pôr para fora; excluir, expulsar: *O Congresso expurgou os maus representantes (do Parlamento).* **3.** Livrar-se, purificar-se: *Com o batismo, o cristão expurga-se do pecado original.* ▶ Conjug. 5 e 34. – **expurgação** *s.f.*; **expurgado** *adj.*

expurgatório (ex.pur.ga.*tó*.ri:o) *adj.* **1.** Que expurga. • *s.m.* **2.** Relação dos livros que a Igreja Católica considera heréticos.

expurgo (ex.*pur*.go) *s.m.* **1.** Ato ou efeito de expurgar(-se). **2.** Limpeza das impurezas. **2.** Expulsão, eliminação: *O novo secretário-geral procedeu a um expurgo no quadro de funcionários.*

exsudar (ex.su.*dar*) *v.* Expelir em forma de gotas ou de suor; porejar: *exsudar um líquido*; *A resina exsudava do tronco da seringueira.* ▶ Conjug. 5. – **exsudação** *s.f.*

exsudato (ex.su.*da*.to) *s.m.* (*Med.*) Líquido produzido pelo organismo, que sai de tecidos com inflamação ou cavidades vizinhas.

êxtase (*éx*.ta.se) *s.m.* **1.** (*Rel.*) Estado de espiritualidade intenso provocado pelo contato com o mundo divino. **2.** Forte sentimento de alegria, prazer etc.; arrebatamento, enleio.

extasiado (ex.ta.si:*a*.do) *adj.* Que está em êxtase: *O romance deixou o leitor extasiado.*

extasiar (ex.ta.si:*ar*) *v.* Provocar ou entrar em êxtase: *O novo filme do diretor extasiou a crítica*; *Os espanhóis extasiaram-se ante a visão do Novo Mundo.* ▶ Conjug. 17.

extático (ex.*tá*.ti.co) *adj.* Relativo a êxtase: *estado extático.* || Conferir com *estático*.

extemporâneo (ex.tem.po.râ.ne:o) *adj.* **1.** Que está fora ou além do tempo apropriado; tardio, temporão (1): *colheita extemporânea.* **2.** Que aparece numa ocasião imprópria; inoportuno: *comportamento extemporâneo.*

extensão (ex.ten.*são*) *s.f.* **1.** Ato ou efeito de estender(-se). **2.** Tamanho (de algo); dimensão, proporção. **3.** Duração ao longo do tempo; permanência. **4.** Aquilo que tem longo alcance; importância, relevância. **5.** Aquilo que se desenvolveu; ampliação, aumento. – **extensível** *adj.*

extensivo (ex.ten.*si*.vo) *adj.* **1.** Que se estende: *escala extensiva.* **2.** Que é abrangente: *curso extensivo.*

extenso (ex.*ten*.so) *adj.* **1.** Que é amplo; espaçoso, vasto: *sala extensa.* **2.** Que é comprido; longo: *obra extensa.* **3.** Que é demorado; longo: *horário extenso.* || *Por extenso*: sem abreviações: *Escreveu seu nome por extenso.*

extensor [ô] (ex.ten.*sor*) *adj.* **1.** Que estende: *cabo extensor.* **2.** (*Anat.*) Diz-se de músculo que, contraído, determina o tamanho de uma parte articulada do corpo. • *s.m.* **3.** Aparelho de ginástica usado para exercitar os músculos.

extenuante (ex.te.nu.*an*.te) *adj.* Que extenua; cansativo, exaustivo, fatigante: *exercício extenuante.*

extenuar (ex.te.nu.*ar*) *v.* Cansar muito; exaurir, fatigar, prostrar: *O excesso de trabalho extenuava a diarista; O rapaz extenuou-se capinando todo o quintal.* ▶ Conjug. 5. – **extenuação** *s.f.*

exterior [ô] (ex.te.ri.*or*) *adj.* **1.** Que está do lado de fora; externo: *mundo exterior.* **2.** Relativo a outro país; internacional: *comércio exterior.* **3.** Que não faz parte da essência (de algo); estranho: *Aquele é um dado exterior ao projeto.* • *s.m.* **4.** País estrangeiro. **5.** Aparência de alguém ou de algo; ar, aspecto, fachada.

exterioridade (ex.te.ri:o:ri.*da*.de) *s.f.* Qualidade daquilo que é exterior.

exteriorizar (ex.te.ri:o:ri.*zar*) *v.* Externar. ▶ Conjug. 5. – **exteriorização** *s.f.*

exterminar (ex.ter.mi.*nar*) *v.* **1.** Matar de forma cruel; assassinar, trucidar: *Ao longo da história, as guerras exterminaram grandes populações.* **2.** Acabar com; eliminar, extirpar: *O novo produto exterminou os insetos (da plantação).* ▶ Conjug. 5. – **exterminação** *s.f.*; **exterminador** *adj. s.m.*

extermínio (ex.ter.*mí*.ni:o) *s.m.* Ato ou efeito de exterminar.

externa [é] (ex.ter.na) *s.f.* (*Cine, Telv.*) Captação, emissão de imagens, gravação ou filmagem realizada fora de estúdio.

externar (ex.ter.*nar*) *v.* Dar(-se) a conhecer (ideias, sentimentos etc.) a outrem; demonstrar, expressar, exprimir, exteriorizar, mostrar, revelar: *Em seu discurso, externou uma grande dúvida sobre o fato; Suas angústias externavam-se sem freios.* ▶ Conjug. 8.

externato (ex.ter.*na*.to) *s.m.* Estabelecimento de ensino em que o aluno só permanece durante o horário de aulas.

externo [é] (ex.ter.no) *adj.* **1.** Que se localiza do lado de fora: *parede externa.* **2.** Relativo a internacional: *política externa.* **3.** Diz-se de aluno que não reside na escola. • *s.m.* **4.** Aluno externo. || Conferir com *esterno.*

extinção (ex.tin.*ção*) *s.f.* **1.** Ato ou efeito de extinguir(-se). **2.** Fim de uma espécie animal ou vegetal.

extinguir (ex.tin.*guir*) *v.* **1.** Apagar(-se): *Os bombeiros extinguiram o incêndio; Com o tempo, o fogo extinguiu-se.* **2.** Destruir (algo) totalmente; aniquilar, exterminar: *Os desmatamentos extinguiram várias espécies.* **3.** Desaparecer ou fazer desaparecer, dissipar(-se): *O prefeito extinguiu o cargo de diretor; Os dinossauros extinguiram-se há mais de sessenta milhões de anos; (fig.) A forte amizade extinguia a rivalidade entre os dois; Suas esperanças extinguiram-se.* **4.** Saldar uma dívida ou obrigação; quitar: *extinguir um débito.* **5.** Tornar (algo) sem efeito; abolir, anular, revogar: *extinguir uma lei.* ▶ Conjug. 66 e 93. – **extinguível** *adj.*

extinto (ex.*tin*.to) *adj.* **1.** Que se extinguiu. **2.** Diz-se de vulcão que não expele mais cinzas, lavas etc.

extintor [ô] (ex.tin.*tor*) *adj.* **1.** Que extingue: *agente extintor.* • *s.m.* **2.** Aparelho utilizado para apagar incêndios.

extirpar (ex.tir.*par*) *v.* **1.** Arrancar pela raiz; desenraizar, erradicar: *O botânico extirpou a erva-de-passarinho da árvore.* **2.** Retirar por meio de cirurgia (quisto, tumor etc.); remover: *extirpar um mioma.* **3.** *fig.* Acabar com; exterminar, extinguir: *A democracia ainda não extirpou o preconceito da nossa sociedade.* ▶ Conjug. 5. – **extirpação** *s.f.*

extorquir (ex.tor.*quir*) *v.* Obter (algo) por meio de violência ou coação: *O golpista extorquiu dinheiro (do comerciante).* ▶ Conjug. 84 e 76.

extorsão (ex.tor.*são*) *s.f.* **1.** Ato ou efeito de extorquir; ladroeira, roubo. **2.** *fig.* Cobrança abusiva de impostos ou taxas. – **extorsivo** *adj.*

extra (ex.tra) *adj.* **1.** Que está fora de um padrão ou rotina; extraordinário: *edição extra.* **2.** Que é adicional: *taxas extras.* **3.** Que é de boa qualidade: *vinho extra.* **4.** Diz-se de pagamento recebido por um trabalho complementar. **5.** (*Cine, Teat., Telv.*) Diz-se de pessoa que participa de um espetáculo como figurante; ponta. • *s.m.* **6.** Pessoa que trabalha como extra.

extração (ex.tra.*ção*) *s.f.* **1.** Ato ou efeito de extrair; retirada. **2.** Proveniência, origem. **3.** (*Med.*) Cirurgia em que se extrai um corpo estranho do organismo. **4.** Sorteio de números efetuado em loteria.

extraclasse (ex.tra.*clas*.se) *adj.* Que é feito fora da sala de aula: *atividades extraclasse.*

extraconjugal (ex.tra.con.ju.*gal*) *adj.* Que existe ou é feito fora do casamento: *relacionamento extraconjugal.*

extracurricular (ex.tra.cur.ri.cu.*lar*) *adj.* Que não pertence à grade de um curso ou de uma escola: *estágio extracurricular.*

extraditar (ex.tra.di.*tar*) *v.* Entregar um réu ou um refugiado a seu país de origem, por requisição do mesmo: *O México extraditou quatro traficantes para os Estados Unidos.* ▶ Conjug. 5. – **extradição** *s.f.*

extraescolar (ex.tra.es.co.*lar*) *adj.* Que ocorre ou é feito fora da escola: *práticas extraescolares.*

extrair (ex.tra.*ir*) *v.* **1.** Retirar (algo) de algum lugar: *Os técnicos extraíram petróleo (do solo).* **2.** Tirar por meio de cirurgia; extirpar: *O médico extraiu um tumor (do paciente).* **3.** Arrancar com força; tirar: *Os garimpeiros extraíam toneladas de cobre (das minas);* (fig.) *O torturador extraiu várias informações do sequestrado.* **4.** Destacar uma parte; retirar: *O professor extraiu um trecho do romance.* **5.** Colher, tirar: *Extraí vários ensinamentos daquela situação.* **6.** (*Mat.*) Obter a raiz de um número: *extrair a raiz quadrada.* ▶ Conjug. 83.

extrajudicial (ex.tra.ju.di.ci.*al*) *adj.* (*Jur.*) Que se passa fora de uma ação judicial: *notificação extrajudicial.*

extranumerário (ex.tra.nu.me.*rá*.ri:o) *adj.* **1.** Que não faz parte do quadro de funcionários efetivos: *professor extranumerário.* • *s.m.* **2.** Funcionário extranumerário.

extraoficial (ex.tra.o.fi.ci:*al*) *adj.* Que está fora do âmbito oficial: *listagem extraoficial.*

extraordinário (ex.tra.or.di.ná.ri:o) *adj.* **1.** Que é extra (1): *sessão extraordinária.* **2.** Que é excepcional; notável: *talento extraordinário.* **3.** Que é incomum; diferente: *aspecto extraordinário.* **4.** Que é inacreditável; espantoso: *acontecimento extraordinário.* **5.** Que se ocupa de assunto ou tarefa especial: *ministro extraordinário.*

extrapolar (ex.tra.po.*lar*) *v.* **1.** Ir além de; ultrapassar: *O município extrapolou sua competência no caso.* **2.** *coloq.* Ir além do razoável; exceder-se: *Ela extrapolou, gritando desaforos.* ▶ Conjug. 20.

extrassensorial (ex.tras.sen.so.ri:*al*) *adj.* Que vai além dos sentidos: *mundo extrassensorial.*

extraterrestre [é] (ex.tra.ter.*res*.tre) *adj.* **1.** Que é de fora da Terra: *vida extraterrestre.* • *s.m.* e *f.* **2.** Ser extraterrestre; alienígena.

extraterritorial (ex.tra.ter.ri.to.ri:*al*) *adj.* Que se situa além de um território: *expansão extraterritorial.*

extrativismo (ex.tra.ti.*vis*.mo) *s.m.* **1.** Atividade econômica de extração ou coleta de produtos naturais não cultivados. **2.** Método empregado nessa atividade, sem levar em conta a preservação do meio ambiente. – **extrativista** *adj.*

extrato (ex.*tra*.to) *s.m.* **1.** Aquilo que se extraiu de algo: *extrato de tomate.* **2.** Trecho, fragmento, passagem. **3.** (*Quím.*) Essência, perfume. **4.** (*Econ.*) Relação simplificada, emitida por um banco, do saldo, débitos e os créditos de um cliente. || Conferir com *estrato.*

extrauterino (ex.tra.u.te.*ri*.no) *adj.* Que foi feito ou está fora do útero: *desenvolvimento extrauterino.*

extravagância (ex.tra.va.*gân*.ci:a) *s.f.* **1.** Qualidade de extravagante. **2.** Atitude ou pensamento fora dos padrões habituais. **3.** Gasto exagerado; desperdício, esbanjamento.

extravagante (ex.tra.va.*gan*.te) *adj.* **1.** Que é diferente; excêntrico: *modelo extravagante.* **2.** Que é gastador; esbanjador: • *s.m.* e *f.* **3.** Pessoa extravagante.

extravasar (ex.tra.va.*sar*) *v.* Manifestar(-se) claramente; expressar(-se): *Ela extravasou sua angústia chorando; Sua frustração extravasava-se através do ódio.* ▶ Conjug. 5. – **extravasamento** *s.m.*

extraviar (ex.tra.vi:ar) v. **1.** Mudar ou fazer mudar a direção; desviar(-se): *A tempestade extraviou o barco; Minhas cartas se extraviaram, chegando um mês depois.* **2.** Desaparecer ou fazer desaparecer; extraviar(-se), perder(-se): *A companhia aérea extraviou a bagagem do turista; As notas fiscais extraviavam-se constantemente.* **3.** Praticar roubo; fraudar: *O funcionário extraviou a verba da campanha.* ▶ Conjug. 17.

extrema-direita (ex.tre.ma-di.rei.ta) s.m. **1.** Conjunto de pessoas, partidos políticos ou facções que defendem posições ultraconservadoras. **2.** A ideologia desse conjunto de pessoas ou partidos políticos. **3.** (*Esp.*) Ponta-direita. || pl.: *extremas-direitas*.

extremado (ex.tre.ma.do) adj. **1.** Que é desmedido; exagerado: *esforço extremado.* **2.** Que é radical; drástico: *decisão extremada.*

extrema-esquerda (ex.tre.ma-es.quer.da) s.m. **1.** Conjunto de pessoas, partidos políticos ou facções que defendem modificações revolucionárias na estrutura da sociedade, posicionando-se, geralmente, contra o capitalismo. **2.** A ideologia desse conjunto de pessoas ou partidos políticos. **3.** (*Esp.*) Ponta-esquerda. || pl.: *extremas-esquerdas*.

extrema-unção (ex.tre.ma-un.ção) s.f. (*Rel.*) Sacramento da Igreja Católica que consiste na unção de um enfermo. || pl.: *extremas-unções*.

extremar (ex.tre.mar) v. **1.** Pôr em destaque; assinalar, ressaltar, salientar: *A miséria extrema as diferenças sociais; As diferenças se extremam conforme adentramos o interior do país.* **2.** Ir além do limite; exagerar-se, exceder-se: *Em pouco tempo, extremou-se a violência no país.* ▶ Conjug. 5.

extremidade (ex.tre.mi.da.de) s.f. **1.** Barra, beirada. **2.** Fim, limite. **3.** Ponta, extremo. **4.** Mãos, pés e ponta do nariz; membros.

extremismo (ex.tre.mis.mo) s.m. Posição política que aponta o radicalismo como solução para as questões sociais. – **extremista** adj. s.m. e f.

extremo (ex.tre.mo) adj. **1.** Que se localiza no ponto mais distante; afastado, longínquo: *região extrema.* **2.** Que é intenso; forte: *raiva extrema.* **3.** Que é preocupante; sério: *condição extrema.* **4.** Que é final; último: *tentativa extrema.* • s.m. **5.** Ponto mais distante; extremidade. || *Ao/em extremo*: em excesso: *Elas são cuidadosas ao/em extremo.*

extremosa [ó] (ex.tre.mo.sa) s.f. (*Bot.*) Planta pequena, ornamental e medicinal, originária da China, que apresenta flores brancas ou róseas; escumilha.

extremoso [ô] (ex.tre.mo.so) adj. **1.** Que é afetuoso; dedicado: *pai extremoso.* **2.** Que é exagerado; descomedido: *defensora extremosa do feminismo.* || f. e pl.: [ó].

extrínseco (ex.trín.se.co) adj. **1.** Que é exterior; estranho: *evolução extrínseca.* **2.** Que é convencional; estipulado: *valor extrínseco.* || antôn.: *intrínseco.*

extroversão (ex.tro.ver.são) s.f. **1.** Qualidade de extrovertido; desinibição. **2.** (*Psicn.*) Tendência apresentada por algumas pessoas, de se voltarem para fora de si mesmas, com boa adaptação social. || Conferir com *introversão*.

extrovertido (ex.tro.ver.ti.do) adj. **1.** Que se volta para fora; comunicativo: *estilo extrovertido.* • s.m. **2.** Pessoa extrovertida. || Conferir com *introvertido*.

exu [ch] (e.xu) s.m. *coloq.* Espírito do mal; demônio, diabo.

exuberância [z] (e.xu.be.rân.ci.a) s.f. **1.** Qualidade de exuberante. **2.** Grande quantidade; abundância, fartura, riqueza. **3.** *fig.* Vigor de ânimo; energia, entusiasmo.

exuberante [z] (e.xu.be.ran.te) adj. **1.** Que é farto; abundante: *corpo exuberante.* **2.** Que é impetuoso; vivo: *tipo exuberante.* **3.** Que chama a atenção; deslumbrante: *paisagem exuberante.*

exultante [z] (e.xul.tan.te) adj. Que está alegre; esfuziante: *ânimo exultante.*

exultar [z] (e.xul.tar) v. Sentir ou expressar alegria; regozijar-se: *Exultava diante da perspectiva de uma viagem à Europa.* ▶ Conjug. 5. – **exultação** s.f.

exumar [z] (e.xu.mar) v. **1.** Tirar da sepultura; desenterrar: *exumar um corpo.* **2.** Tirar do esquecimento; desencavar: *Aquele estudioso exumou (das cinzas) o pensamento radical.* ▶ Conjug. 5. – **exumação** s.f.

ex-voto (ex-vo.to) s.m. Qualquer objeto que se coloca em igreja ou capela para pagar uma promessa; milagre (3). || pl.: *ex-votos*.

f *s.m.* Sexta letra do alfabeto português.

F (*Quím.*) Símbolo de *flúor*.

fá *s.m.* (*Mús.*) **1**. Quarta nota da escala de dó maior. **2**. Sinal que representa essa nota.

fã *s.m. e f.* **1**. Admirador exaltado de determinado artista de rádio, cinema, televisão. **2**. Admirador de alguém ou alguma coisa.

fabordão (fa.bor.*dão*) *s.m.* Falso-bordão.

fábrica (*fá*.bri.ca) *s.f.* **1**. Ato ou efeito de fabricar; fabricação, fabrico: *pano de boa fábrica*. **2**. Construção, arquitetura, edificação: *casa de fábrica admirável*. **3**. Estabelecimento industrial que reúne mão de obra especializada e é equipado com maquinaria e instalações próprias para produzir bens de consumo ou máquinas.

fabricação (fa.bri.ca.*ção*) *s.f.* Ato, efeito ou modo de fabricar ou criar objetos, fatos, ideias etc.; fabrico.

fabricante (fa.bri.*can*.te) *adj.* **1**. Que fabrica: *uma firma fabricante de sabonete*. • *s.m. e f.* **2**. Pessoa ou empresa que fabrica ou é responsável pela fabricação de alguma coisa.

fabricar (fa.bri.*car*) *v.* **1**. Produzir (artefatos) a partir de matéria-prima, especialmente em fábrica: *Depois de aposentado, ele resolveu fabricar sapatos*. **2**. Criar, edificar, construir: *Um pardal fabricou seu ninho na minha varanda*. **3**. Engendrar, maquinar, inventar, efetuar: *Nas horas vagas gostava de fabricar boatos*. ▶ Conjug. 5 e 35.

fabrico (fa.*bri*.co) *s.m.* Ato ou efeito de fabricar alguma coisa; fabricação.

fabril (fa.*bril*) *adj.* Relativo a ou próprio de fábrica ou de fabricante.

fábula (*fá*.bu.la) *s.f.* **1**. Pequena narrativa de caráter alegórico, em prosa ou em verso, de onde se tira uma lição moral. **2**. História mentirosa ou fantasista. **3**. *coloq.* Grande soma de dinheiro: *Ganhou uma fábula na loteria*.

fabulação (fa.bu.la.*ção*) *s.f.* Ato ou efeito de substituir a realidade pela fantasia.

fabulário (fa.bu.*lá*.ri:o) *s.m.* Coleção de fábulas.

fabulista (fa.bu.*lis*.ta) *s.m. e f.* Narrador ou autor de fábulas.

fabuloso [ô] (fa.bu.*lo*.so) *adj.* **1**. Que não é real; que é imaginário: *As sereias são seres fabulosos*. **2**. Que é muito bom; fantástico: *Foi uma festa fabulosa*. || f. e pl.: [ó].

faca (*fa*.ca) *s.f.* Instrumento cortante, formado por uma lâmina metálica e um cabo. || *Entrar na faca*: *coloq.* passar por uma cirurgia. • *Estar com / ter a faca e o queijo na mão*: ter o domínio de uma situação. • *Pôr / encostar a faca no peito de alguém*: forçar alguém a fazer alguma coisa com ameaça ou chantagem.

facada (fa.*ca*.da) *s.f.* **1**. Ato ou efeito de golpear alguém com uma faca. **2**. *fig. coloq.* Pedido de dinheiro a alguém. **3**. *fig. coloq.* Preço muito elevado de produto ou serviço: *A conta da pintura da sala foi uma facada*.

façanha (fa.*ça*.nha) *s.f.* **1**. Feito heroico ou de difícil realização; proeza: *A realização de sua missão diplomática foi uma verdadeira façanha*. **2**. *irôn.* Ação perversa ou imprudente.

facão (fa.*cão*) *s.m.* Faca pesada de lâmina larga.

facção (fac.*ção*) *s.f.* **1**. Parte dissidente de um partido ou de um grupo. **2**. Grupo de pessoas que agem contra o bem comum: *a facção criminosa daquela comunidade*.

faccioso [ô] (fac.ci:o.so) *adj.* Que se coloca do lado de uma facção, de um grupo: *um jornal faccioso*. || f. e pl.: [ó].

face (*fa*.ce) *s.f.* **1**. (*Anat.*) Parte anterior da cabeça humana; rosto. **2**. Cada um dos lados do rosto. **3**. Aparência, fisionomia: *uma face angustiada*. **4**. Aspecto ou característica de alguém: *a face reformadora daquele político*. **5**. Um dos lados de alguma coisa: *edredom de dupla face*. **6**. Lado de moeda ou medalha em que está a efígie. **7**. (*Geom.*) Superfície plana

facécia

que define um poliedro. **8.** Fachada, frente. || *Em face de*: diante de, perante; na presença de; em virtude de. • *Face a face*: em frente uma da outra (duas pessoas). • *Fazer face a*: **1.** resistir a, opor-se: *Os habitantes fizeram face aos invasores.* **2.** custear: *Com esse dinheiro faremos face às despesas.*

facécia (fa.cé.ci:a) *s.f.* Dito zombeteiro.

faceiro (fa.cei.ro) *adj.* **1.** Que gosta de se enfeitar; garboso. **2.** Alegre, contente, risonho.

faceta [ê] (fa.ce.ta) *s.f.* **1.** Pequena face ou superfície de um objeto. **2.** Cada um dos aspectos particulares apresentados por uma pessoa ou coisa.

fachada (fa.cha.da) *s.f.* **1.** Face da frente de uma casa ou edificação. **2.** Um dos lados de uma casa ou de um edifício. **3.** *fig.* Aparência ou aspecto, geralmente ilusório. **4.** *coloq.* Rosto, cara.

facho (*fa*.cho) *s.m.* **1.** Archote, farol, luzeiro. **2.** Objeto que emite luz.

facial (fa.ci:al) *adj.* Relativo à face, ao rosto; da face, do rosto: *creme facial*; *expressão facial.*

fácil (*fá*.cil) *adj.* **1.** Que se pode fazer sem esforço, obstáculo ou dificuldade: *tarefa fácil.* **2.** Claro, sem confusão nem obscuridade, simples: *um texto fácil de entender.* **3.** Que tem muita probabilidade de acontecer ou de se realizar: *Nesse tempo frio e úmido, é fácil pegar um resfriado.* **4.** Dócil, afável: *uma criança de gênio fácil.* || sup. abs.: *facílimo* e *facilíssimo.*

facílimo (fa.cí.li.mo) *adj.* Superlativo absoluto de fácil.

facilidade (fa.ci.li.da.de) *s.f.* **1.** Qualidade do que é fácil: *a facilidade da questão.* **2.** Ausência de embaraços, dificuldades, obstáculos: *Fez a viagem com facilidade.* **3.** Dom, aptidão, propensão: *Tem facilidade para música.* • *facilidades s.f.pl.* **4.** Meios para se fazer ou obter alguma coisa com facilidade: *Proporcionaram-lhe todas as facilidades para a viagem.*

facilitar (fa.ci.li.*tar*) *v.* **1.** Tornar fácil ou mais fácil: *Os novos eletrodomésticos facilitam a vida das donas de casa.* **2.** Agir sem cautela; descuidar-se: *Não facilite, que o cão é bravo.* **3.** Pôr à disposição; disponibilizar: *A bibliotecária facilitou ao pesquisador toda a documentação ligada ao fato.* ▶ Conjug. 5.

facínora (fa.cí.no.ra) *adj.* **1.** Perverso, cruel. • *s.m.* e *f.* **2.** Pessoa que comete crimes com perversidade; malfeitor.

fã-clube (fã-*clu*.be) *s.m.* Grupo organizado dos fãs de um artista, de um jogador de futebol etc. || pl.: *fã-clubes.*

fac-similar (fac-si.mi.*lar*) *adj.* Relativo a fac-símile; reproduzido em fac-símile. || pl.: *fac-similares.*

fac-símile (fac-*sí*.mi.le) *s.m.* Reprodução exata, por processo mecânico, da letra de alguém, de desenho, gravura, composição tipográfica etc. || pl.: *fac-símiles.*

factível (fac.*tí*.vel) *adj.* Que se pode fazer ou realizar. || *fatível.*

factoide [ói] (fac.*toi*.de) *s.m. gír.* Fato fictício que é apresentado como real e usado politicamente como propaganda.

factótum (fac.*tó*.tum) *s.m.* Pessoa que assume fazer tudo para outra ou para um grupo.

factual (fac.tu:*al*) *adj.* Que se refere a fatos; que se baseia em fatos: *depoimento factual*; *uma história factual.*

faculdade (fa.cul.*da*.de) *s.f.* **1.** Capacidade inata ou adquirida. **2.** Aptidão intelectual ou física: *O homem tem a faculdade de falar, as aves de voar.* **3.** Propriedade das substâncias: *O ímã tem a faculdade de atrair o ferro.* **4.** Estabelecimento superior de ensino: *faculdade de Medicina.*

facultar (fa.cul.*tar*) *v.* **1.** Facilitar, permitir ou não impedir que uma coisa seja feita: *Os diretores facultaram a entrada de todos no clube.* **2.** Dar ensejo a que se realize ou se manifeste algo: *A inauguração do hotel facultou a criação de empregos na região.* ▶ Conjug. 5.

facultativo (fa.cul.ta.*ti*.vo) *adj.* **1.** Que oferece opção de ser ou não ser feito ou exercido; não obrigatório: *É facultativa a matrícula naquela matéria.* • *s.m.* **2.** Médico.

facúndia (fa.*cún*.di:a) *s.f.* Facilidade de falar em público; eloquência.

facundo (fa.*cun*.do) *adj.* De palavra fácil, que fala bem.

fada (*fa*.da) *s.f.* **1.** Ente sobrenatural imaginário, do sexo feminino, a quem se atribuem poderes geralmente para o bem. **2.** *fig.* Mulher bondosa: *Você é a fada benfazeja de minha vida.*

fadado (fa.*da*.do) *adj.* Destinado a alguma coisa; predestinado: *fadado à consagração pública.*

fadário (fa.*dá*.ri:o) *s.m.* **1.** Destino traçado por um poder sobrenatural e irresistível. **2.** Vida de desgostos e trabalhos.

fadiga (fa.*di*.ga) *s.f.* Sensação de grande cansaço e pouca energia; canseira, esgotamento.

fadista (fa.*dis*.ta) *adj.* **1.** Que diz respeito ao fado. • *s.m.* e *f.* **2.** Pessoa que canta, toca ou compõe o fado.

fado (fa.do) *s.m.* **1.** (*Mús.*) Música popular de Portugal, de linha melódica singela, geralmente sobre casos de amor infelizes. **2.** Sorte, destino, fortuna, fadário.

fagote [ó] (fa.go.te) *s.m.* (*Mús.*) **1.** Instrumento musical de sopro, feito de madeira, dotado de palheta dupla e chaves com extensão de três oitavas. **2.** Tocador de fagote: *Maurício é o fagote da orquestra.*

fagotista (fa.go.tis.ta) *s.m. e f.* Tocador de fagote; fagote (2).

fagueiro (fa.guei.ro) *adj.* **1.** Que afaga, que faz meiguices; meigo. **2.** Ameno, suave, sereno, agradável: *tardes fagueiras.* **3.** Contente, satisfeito.

fagulha (fa.gu.lha) *s.f.* Partícula de matéria inflamada, desprendida de alguma coisa que está em chamas; faísca, centelha.

fahrenheit [farenráit] (Al.) *s.m.* **1.** Escala de medida de temperatura usada nos países de língua anglo-saxã, segundo a qual a água ferve a 212 graus fahrenheit. • *adj.* **2.** Relativo a essa escala de medida de temperatura: *termômetro fahrenheit.*

faiança (fai.an.ça) *s.f.* Louça de material argiloso, recoberta com verniz ou vidrada.

faina (fai.na) *s.f.* **1.** Serviços executados pela tripulação de um navio. **2.** *fig.* Qualquer trabalho prolongado e constante; lida.

fair play [férplei] (Ing.) *loc. subst.* **1.** Respeito às regras de uma competição esportiva, de uma negociação etc. **2.** Moderação e serenidade diante de uma situação desfavorável: *Nunca perdia o fair play.*

faisão (fai.são) *s.m.* (*Zool.*) Ave galinácea de bela plumagem e carne excelente. || f.: *faisã, faisoa*; pl.: *faisães, faisões.*

faísca (fa.ís.ca) *s.f.* **1.** Partícula incandescente desprendida de um corpo em brasa ou do atrito entre dois corpos; centelha, fagulha. **2.** Fenômeno luminoso que acompanha uma descarga elétrica; raio, corisco.

faiscar (fa:is.car) *v.* **1.** Produzir partículas incandescentes: *A fricção do palito de fósforo na lixa da caixa faiscou uma pequena chama.* **2.** Brilhar como faísca: *O brilhante de seu anular faiscava à luz do sol.* ▶ Conjug. 26 e 35.

faixa [ch] (fai.xa) *s.f.* **1.** Tira de tecido, muito mais longa que larga, própria para cingir a cintura. **2.** Intervalo entre dois limites (de idade, distância ou valor): *faixa salarial; faixa etária.* **3.** Cada uma das músicas de um disco, de um CD: *Ouça com atenção a terceira faixa do CD.* **4.** Parte da rua marcada com tiras brancas, destinada à travessia de pedestres: *Só atravesse a rua na faixa.* **5.** Nas vias urbanas, espaço longitudinal destinado ao trânsito específico de cada tipo de veículo: *faixa preferencial; faixa para ônibus.*

faixa-preta (fai.xa-pre.ta) *s.m.* **1.** O grau mais alto conferido a praticantes de lutas corporais orientais, como jiu-jítsu, judô e caratê: *Ele se esforça para chegar à faixa-preta.* • *s. m. e f.* **2.** Pessoa que alcançou esse grau: *Meu irmão é faixa-preta no caratê.* || pl.: *faixas-pretas.*

fajuto (fa.ju.to) *adj. gír.* **1.** Adulterado, falsificado, falso: *um documento fajuto.* **2.** De má qualidade, ruim: *uma redação fajuta.*

fala (fa.la) *s.f.* **1.** Ato ou efeito de falar. **2.** Capacidade ou aptidão de se expressar verbalmente. **3.** Parte do diálogo dita por um dos interlocutores. **4.** Exposição oral. **5.** (*Ling.*) Manifestação concreta da língua: discurso, alocução. **6.** Maneira de pronunciar; dicção; fonação: *problemas da fala.*

falação (fa.la.ção) *s.f.* **1.** Fala contínua, repetida, monótona: *Acabe de vez com essa falação!* **2.** Discurso, fala de quem não cumpre o que enuncia: *Não fez nada do que disse; foi só falação.* **3.** Rumor produzido por muita gente falando; falatório: *De longe já se ouvia a falação na sala de espera.* || *Deitar falação*: falar longamente: *Os entendidos no assunto deitaram falação sobre o cometa.*

falácia (fa.lá.ci:a) *s.f.* Raciocínio ou argumentação falsa, com aparência de verdade; sofisma.

falacioso [ô] (fa.la.ci:o.so) *adj.* **1.** Que é conscientemente enganador. **2.** Ilusório. || f. e pl.: [ó].

falacíssimo (fa.la.cís.si.mo) *adj.* Superlativo absoluto de *falaz.*

falado (fa.la.do) *adj.* **1.** Expresso por palavras; dito: *cinema falado.* **2.** Muito conhecido; famoso: *Este é o falado doutor Alberto.* **3.** Que tem má fama: *Tanto mentiu, que ficou falado no bairro inteiro.*

falador [ô] (fa.la.dor) *adj.* **1.** Que fala muito. **2.** Indiscreto, maldizente, mexeriqueiro. • *s.m.* **3.** Aquele que fala muito.

falange (fa.lan.ge) *s.f.* **1.** (*Anat.*) Cada um dos ossos que formam os dedos das mãos ou dos pés. **2.** Grupo numeroso de pessoas; multidão. || *Falange proximal*: (*Anat.*) a primeira falange, a que se articula com o metacarpo e o metatarso. • *Falange medial*: (*Anat.*) a segunda falange ou falange média. • *Falange distal*:

falangeta

(*Anat.*) a terceira falange, aquela em que se situa a unha.

falangeta [ê] (fa.lan.ge.ta) *s.f.* (*Anat.*) Denominação substituída por *falange distal*.

falanginha (fa.lan.*gi*.nha) *s.f.* (*Anat.*) Denominação substituída por *falange medial*.

falante (fa.*lan*.te) *adj.* **1.** Que fala: *uma boneca falante.* • *s.m.* e *f.* **2.** Pessoa que fala uma língua: *Precisa-se de um falante de francês.*

falar (fa.*lar*) *v.* **1.** Usar a voz para articular palavras: *Fale mais alto!* **2.** Expressar-se oralmente: *Esta criança ainda não fala.* **3.** Conversar acerca de: *Que é que vocês estão falando?* **4.** Dominar um idioma: *falar francês.* **5.** Fazer-se entender; ser expressivo: *Seus olhos falam de seu interesse.* **6.** Comunicar alguma coisa a alguém; dizer: *Não fale isso a ninguém.* **7.** Conversar, trocar ideias; comunicar-se: *Não fale com o motorista.* **8.** Estar em boas relações de amizade: *Voltamos a nos falar, graças a seu pedido.* **9.** Dizer mal de alguém: *Elas sempre falavam mal da sogra.* • *s.m.* **10.** Linguagem, elocução, maneira de alguém se expressar. **11.** Conjunto de características da linguagem de uma região: *o falar gaúcho; o falar alentejano.* || *Falar grosso*: falar com autoridade, com segurança: *Foi preciso falar grosso para que me obedecessem.* • *Falar mais alto*: prevalecer, sobrepor-se: *Infelizmente, nesse caso, o dinheiro falou mais alto.* • *Falou!*: *gír.* apoiado; isso mesmo. ▶ Conjug. 5.

falastrão (fa.las.*trão*) *adj.* **1.** Que fala demais e, às vezes, comete indiscrições. • *s.m.* **2.** Pessoa que fala demais e, às vezes, comete indiscrições. || f. *falastrona*.

falatório (fa.la.*tó*.ri:o) *s.m.* **1.** Barulho das vozes de muitas pessoas que falam simultaneamente; falação. **2.** Maledicência, boataria.

falaz (fa.*laz*) *adj.* Enganador, fraudulento. || sup. abs.: *falacíssimo*.

falcão (fal.*cão*) *s.m.* (*Zool.*) Ave de rapina, de bico curto e garras fortes, com as quais captura as presas.

falcatrua (fal.ca.*tru*.a) *s.f.* Ação desonesta para lograr alguém; fraude, logro; maracutaia.

falda (*fal*.da) *s.f.* Parte inferior de uma montanha, morro etc.; base, sopé, fralda.

falecer (fa.le.*cer*) *v.* **1.** Ser insuficiente; faltar: *Não me falece vontade de fazer essa viagem.* **2.** Perder a vida, expirar, morrer: *O poeta faleceu em sua cidade natal.* ▶ Conjug. 41 e 46.

falecimento (fa.le.ci.*men*.to) *s.m.* Ato ou efeito de falecer; morte, óbito.

falência (fa.*lên*.ci:a) *s.f.* **1.** Perda das condições de continuidade dos negócios de uma firma ou pessoa por falta de dinheiro para pagamento dos credores. **2.** (*Jur.*) Execução do devedor comerciante, decretada pela Justiça, para permitir o ressarcimento dos credores. **3.** (*Med.*) Interrupção do funcionamento normal de órgãos: *falência renal.*

falésia (fa.*lé*.si:a) *s.f.* (*Geol.*) Barreira de terra ou de rochas escarpadas à beira do mar.

falha (*fa*.lha) *s.f.* **1.** Falta de perfeição; erro, engano. **2.** Imperfeição física ou moral: *falha nos dentes; falha de caráter.* **3.** (*Geol.*) Rachadura na crosta terrestre; fenda: *falha geológica.*

falhar (fa.*lhar*) *v.* **1.** Não dar certo; frustrar(-se), malograr(-se): *Na hora certa, o plano falhou.* **2.** Deixar de funcionar ou funcionar mal: *Sua vista está falhando.* **3.** Deixar de cumprir uma promessa; não corresponder à expectativa: *É bom que você não falhe à sua promessa.* **4.** Deixar de ocorrer ou não ocorrer como era esperado: *Minhas esperanças não vão falhar.* ▶ Conjug. 5.

falho (*fa*.lho) *adj.* **1.** Que apresenta falha ou que é desprovido de alguma coisa. **2.** Que se frustrou, frustrado.

fálico (*fá*.li.co) *adj.* Referente ao falo ou semelhante a ele: *símbolo fálico; objeto fálico.*

falir (fa.*lir*) *v.* **1.** Não ter recursos com que pagar os credores: *Esta casa comercial faliu.* **2.** (*Jur.*) Ter a falência decretada. **3.** Não ser bem-sucedido; malograr: *Faliram todos os esforços para evitar a separação do casal.* ▶ Conjug. 86.

falível (fa.*lí*.vel) *adj.* **1.** Que pode falir ou falhar. **2.** Que se pode enganar. **3.** Em que pode haver erro ou falha.

falo (*fa*.lo) *s.m.* **1.** Representação do pênis, símbolo da força geradora e da fecundidade da natureza. **2.** (*Anat.*) Pênis.

falsário (fal.*sá*.ri:o) *adj.* **1.** Que falsifica documentos, notas, objetos de arte etc. • *s.m.* **2.** Pessoa que elabora falsos documentos, obras de arte, notas etc. ou falsifica os verdadeiros; embusteiro, impostor.

falsear (fal.se:*ar*) *v.* **1.** Imitar obra de arte autêntica para passá-la por verdadeira: *O falsário falseou uma pintura de Portinari.* **2.** Adulterar, falsificar, deturpar: *Ganhava dinheiro falseando documentos.* **3.** Pisar em falso: *No meio da pinguela falseou e caiu no córrego; Subindo a escada, falseou o pé e caiu.* ▶ Conjug. 14. — **falseamento** *s.m.*

falseta [ê] (fal.*se*.ta) *s.f.* Atitude desleal.

falsete [ê] (fal.se.te) *s.m.* Voz de homem mais aguda que o normal.

falsidade (fal.si.*da*.de) *s.f.* **1.** Característica do que não é verdadeiro, do que não é autêntico. **2.** Atitude de fingimento, deslealdade, hipocrisia. **3.** Calúnia, difamação. || *Falsidade ideológica*: (Jur.) crime de usar documentos ou afirmações falsas.

falsificação (fal.si.fi.ca.*ção*) *s.f.* **1.** Ato ou efeito de falsificar. **2.** Adulteração de um documento, de um objeto.

falsificado (fal.si.fi.*ca*.do) *adj.* Que é falso; que não é autêntico.

falsificar (fal.si.fi.*car*) *v.* **1.** Adulterar ou imitar com o fim de enganar: *Falsificou o passaporte para poder sair do país*. **2.** Adulterar (remédios, comestíveis e bebidas). **3.** Interpretar falsamente, erroneamente: *Não falsifique os fatos históricos*. ▶ Conjug. 5 e 35.

falso (*fal*.so) *adj.* **1.** Que não é autêntico; falsificado: *documento falso*. **2.** Que não corresponde à verdade; mentiroso: *uma interpretação falsa*. **3.** Desleal, fingido: *um falso amigo*. **4.** Artificial: *pestanas falsas*. || *Em falso*: sem firmeza.

falso-bordão (fal.so-bor.*dão*) *s.m.* **1.** (Mús.) Técnica de improvisação usada no século XV para harmonizar o canto gregoriano. **2.** Palavra, locução ou expressão que, sempre repetidas, servem de apoio a um discurso repetitivo e enfadonho; fabordão. || pl.: *falsos-bordões*.

falta (*fal*.ta) *s.f.* **1.** Ato ou efeito de faltar; ausência: *Sua falta foi muito sentida*. **2.** Privação, carência: *Não haverá falta de energia neste verão*. **3.** Erro, infração: *É falta grave deixar as crianças sem escola*. **4.** Transgressão: *O jogador cometeu três faltas e foi repreendido pelo treinador*. **5.** Pecado, culpa: *Perdão, Senhor, por nossas faltas!*

faltar (fal.*tar*) *v.* **1.** Não haver, ocorrer falta, carência, necessidade de: *Falta-lhe dinheiro para comprar a casa*. **2.** Não comparecer; estar ausente: *Alguns alunos faltaram à aula; Você faltou ao encontro que marcamos*. **3.** Falecer ou desaparecer: *Faltou-lhe o pai naquele momento de sua formação*. **4.** Não cumprir; falhar: *Ela faltou a seu compromisso*. **5.** Não prestar ajuda, auxílio, apoio: *Na hora da dificuldade, os amigos faltaram*. **6.** Ser necessário para completar: *Ainda lhe faltam dois períodos para a formatura; Faltam ainda cinco quilômetros para chegarmos à vila*. ▶ Conjug. 5.

falto (*fal*.to) *adj.* Carente, desprovido.

faltoso [ô] (fal.*to*.so) *adj.* **1.** Que faltou, que não compareceu: *aluno faltoso*. **2.** Em que há falta (4): *jogada faltosa*. || f. e pl.: [ó].

fama (*fa*.ma) *s.f.* **1.** Opinião, boa ou má, que o público tem sobre uma pessoa, uma instituição etc.; reputação. **2.** Condição do que é muito conhecido por muita gente; notoriedade, celebridade.

famélico (fa.*mé*.li.co) *adj.* Que tem fome; faminto.

famigerado (fa.mi.ge.*ra*.do) *adj.* Que tem má fama: *o famigerado bandido*.

família (fa.*mí*.li:a) *s.f.* **1.** Grupo de pessoas que têm parentesco entre si, principalmente pai, mãe e filhos. **2.** Grupo de pessoas que possuem os mesmos antepassados; descendência, linhagem. **3.** (Biol.) Uma das classificações científicas dos organismos vivos, constituída por vários gêneros que possuem muitas características comuns. **4.** Grupo de pessoas ou coisas que possuem, por algum critério, características comuns. **5.** (Ling.) Conjunto de palavras que têm a mesma raiz: *Em português os vocábulos falar, confabular e falatório são da mesma família*. **6.** Conjunto de línguas que derivam do mesmo tronco: *família indo-europeia*. || *Ser família*: ser recatado, modesto, de bons costumes.

familiar (fa.mi.li:*ar*) *adj.* **1.** Que diz respeito a família; doméstico: *planejamento familiar*. **2.** Que já é habitual, conhecido: *Sua fisionomia me é familiar*. • *s.m. e f.* **3.** Pessoa da família: *Meus familiares passaram as férias em Guarapari*.

familiaridade (fa.mi.li:a.ri.*da*.de) *s.f.* **1.** Conhecimento, experiência: *Tenho muita familiaridade com esse assunto*. **2.** Atitude que demonstra confiança e intimidade: *Receberam-me com grande familiaridade*.

familiarizar (fa.mi.li:a.ri.*zar*) *v.* **1.** Tornar(-se) familiar, tornar(-se) íntimo: *O jovem queria familiarizar a namorada com os pais e os irmãos; Ela vem tentando se familiarizar com a sogra*. **2.** Tornar(-se) habituado, tornar(-se) acostumado: *Com o tempo, você vai familiarizar o estagiário com os procedimentos da empresa; Ele logo se familiarizou com os hábitos da casa*. ▶ Conjug. 5. – **familiarização** *s.f.*

faminto (fa.*min*.to) *adj.* **1.** Que tem muita fome; esfomeado; famélico; esfaimado. • *s.m.* **2.** Aquele que tem muita fome; aquele que é esfomeado, famélico, esfaimado: *Os famintos serão saciados*.

famoso [ô] (fa.*mo*.so) *adj.* Que se tornou conhecido; que ganhou fama; célebre, ilustre. || f. e pl.: [ó].

fanar (fa.*nar*) *v.* Fazer perder ou perder o viço; murchar(-se): *O calor excessivo fanou as flores;*

fanático

As flores fanaram-se com o calor excessivo. ▶ Conjug. 5.

fanático (fa.ná.ti.co) *adj.* **1.** Que demonstra amor exagerado por alguém ou alguma coisa; que é fã ardoroso de alguém ou alguma coisa: *admirador fanático; Ernesto sempre foi fanático pelo Flamengo.* **2.** Que crê cegamente numa doutrina religiosa ou política e faz questão de demonstrar essa crença. • *s.m.* **3.** Pessoa fanática: *Os fanáticos depredaram a embaixada.*

fanatismo (fa.na.tis.mo) *s.m.* Sentimento exagerado e cego de admiração por alguém ou alguma coisa.

fandango (fan.dan.go) *s.m.* **1.** Dança sapateada de origem espanhola comum no Sul do Brasil. **2.** Baile rural muito animado.

fanfarra (fan.far.ra) *s.f.* **1.** Banda de música formada por instrumentos de metal. **2.** Grupo de percussão e metais que acompanha desfiles militares e escolares.

fanfarrão (fan.far.rão) *adj.* **1.** Que faz alarde de uma valentia apenas aparente; bravateiro. • *s.m.* **2.** Aquele que alardeia uma valentia que não é real. || f. *fanfarrona.*

fanfarronada (fan.far.ro.na.da) *s.f.* Fanfarronice.

fanfarronice (fan.far.ro.ni.ce) *s.f.* Ato de contar bravatas, valentias mentirosas; fanfarronada.

fanho (fa.nho) *adj.* Fanhoso.

fanhoso [ô] (fa.nho.so) *adj.* Que fala com a voz saindo pelo nariz; fanho. || f. e pl.: [ó].

faniquito (fa.ni.qui.to) *s.m. coloq.* Ataque nervoso de pouca duração; chilique; fricote.

fantasia (fan.ta.si.a) *s.f.* **1.** Coisa criada pela imaginação. **2.** Roupa estilizada, que imita traje típico, usada no carnaval. **3.** Joia falsa; bijuteria, imitação de pedras preciosas. **4.** (*Mús.*) Modalidade de peça musical, cuja composição não obedece a padrões rígidos ou previamente estabelecidos. **5.** Gosto excêntrico; capricho.

fantasiar (fan.ta.si.ar) *v.* **1.** Vestir(-se) com fantasia (2): *No carnaval, fantasiou as crianças de tirolês; Fantasiou-se de pirata e foi brincar o carnaval.* **2.** Criar na fantasia; imaginar, idealizar: *Fantasiava uma vida de infindos prazeres.* **3.** Soltar a imaginação, devanear, sonhar, divagar: *Passava horas diante do mar, fantasiando.* ▶ Conjug. 17.

fantasioso [ô] (fan.ta.si:o.so) *adj.* Que fantasia, que tem muita imaginação. || f. e pl.: [ó].

fantasma (fan.tas.ma) *s.m.* **1.** Suposta aparição de defunto; assombração, alma penada, espectro. **2.** *fig.* Possibilidade de alguma coisa ruim que preocupa as pessoas: *o fantasma do desemprego.* **3.** Aparição medonha, espantosa.

fantasmagoria (fan.tas.ma.go.ri.a) *s.f.* **1.** (*Teat.*) Técnica de produzir aparições simuladas, utilizando os efeitos da ilusão de óptica. **2.** Conjunto de visões fantásticas, irreais.

fantasmagórico (fan.tas.ma.gó.ri.co) *adj.* **1.** Relativo a fantasmagoria e a fantasma. **2.** Imaginário, ilusório.

fantástico (fan.tás.ti.co) *adj.* **1.** Existente apenas na imaginação. **2.** Que parece inacreditável; incrível. • *s.m.* **3.** O que pertence ao domínio da ficção, da imaginação.

fantoche [ó] (fan.to.che) *s.m.* **1.** Boneco que se faz mover por meio de cordéis para interpretar papéis em teatro; marionete: *teatro de fantoche.* **2.** *fig.* Pessoa cujas ações são pautadas por outra.

fanzine (fan.zi.ne) *s.m.* (*Comun.*) Publicação dedicada a assuntos musicais, histórias em quadrinhos, cinema, ficção científica feita de modo artesanal por fãs.

faqueiro (fa.quei.ro) *s.m.* Jogo de talheres do mesmo material e marca, normalmente acondicionado em caixa de madeira.

faquir (fa.quir) *s.m.* **1.** Religioso hindu ou muçulmano, mendicante, que vive em rigoroso ascetismo. **2.** Indivíduo que dá espetáculos de resistência a dores físicas e privações. – **faquirismo** *s.m.*

farândola (fa.rân.do.la) *s.f.* **1.** Dança da Provença, sul da França. **2.** Bando de pessoas maltrapilhas.

faraó (fa.ra.ó) *s.m.* Título dos soberanos do antigo Egito.

faraônico (fa.ra.ô.ni.co) *adj.* **1.** Relativo aos faraós ou ao seu tempo. **2.** *fig.* Monumental, grandioso.

farda (far.da) *s.f.* Uniforme, principalmente de militares.

fardamento (far.da.men.to) *s.m.* Conjunto de fardas.

fardão (far.dão) *s.m.* **1.** Farda de gala dos militares. **2.** Veste simbólica dos membros de uma academia.

fardar (far.dar) *v.* Vestir(-se) com farda: *Fardou a tropa para o desfile; Fardou-se com esmero para o desfile.* ▶ Conjug. 5.

fardo (far.do) *s.m.* **1.** Pacote de objetos destinados a transporte. **2.** *fig.* O que é pesado ou custoso de suportar, de fazer ou de carregar; ônus: *Não deixemos que a vida seja um fardo.*

farejar (fa.re.*jar*) *v.* **1.** Aspirar o cheiro; cheirar: *O cão andava sempre farejando.* **2.** Localizar ou perseguir levado pelo cheiro: *O cão farejou logo a presença da caça.* **3.** Procurar algo, guiando-se por sinais ou indícios: *Durante dias farejei uma resposta para aquela questão.* **4.** Adivinhar, pressentir: *Logo farejamos o perigo que nos ameaçava.* ▶ Conjug. 10 e 37.

farelo [é] (fa.re.lo) *s.m.* **1.** Resíduos grosseiros dos cereais moídos. **2.** *fig.* Migalhas, restos: *farelos de pão.*

farfalhar (far.fa.*lhar*) *v.* Produzir sons rápidos e indistintos: *As palhas do coqueiro farfalham ao vento.* ▶ Conjug. 5.

farináceo (fa.ri.*ná*.ce:o) *adj.* **1.** Da natureza da farinha, semelhante à farinha. **2.** Que contém ou produz farinha. • *farináceos s.m.pl.* **3.** Substâncias que contêm fécula ou amido: *Evite o excesso de farináceos na alimentação.*

faringe (fa.*rin*.ge) *s.f.* (*Anat.*) Canal que comunica a boca e as fossas nasais com a parte superior do esôfago.

faringite (fa.rin.*gi*.te) *s.f.* (*Med.*) Inflamação da faringe.

farinha (fa.*ri*.nha) *s.f.* Pó que se obtém pela trituração dos grãos dos cereais ou de qualquer outra semente ou raiz. ‖ *Tirar farinha: coloq.* levar vantagem.

farinheira (fa.ri.*nhei*.ra) *s.f.* Utensílio com que se leva farinha à mesa.

farinhento (fa.ri.*nhen*.to) *adj.* **1.** Que tem muita farinha. **2.** Semelhante à farinha.

farisaico (fa.ri.*sai*.co) *adj.* Próprio de fariseu; hipócrita, fingido.

farisaísmo (fa.ri.sa.*ís*.mo) *s.m.* Hipocrisia, fingimento.

fariseu (fa.ri.*seu*) *s.m.* **1.** Membro de antiga seita judaica de excessivo formalismo religioso. **2.** Pessoa que supervaloriza o formalismo religioso. **3.** Pessoa hipócrita.

farmacêutico (far.ma.*cêu*.ti.co) *adj.* **1.** Relativo a farmácia: *produtos farmacêuticos.* • *s.m.* **2.** Profissional da farmácia: *O farmacêutico vendeu-me o remédio.*

farmácia (far.*má*.ci:a) *s.f.* **1.** Ciência e prática de elaboração de remédios. **2.** Estabelecimento onde se vendem remédios; botica, drogaria. **3.** A profissão de farmacêutico.

fármaco (*fár*.ma.co) *s.m.* Produto ou preparado farmacêutico.

farmacologia (far.ma.co.lo.*gi*.a) *s.f.* Ciência que estuda as drogas, suas origens, produção, características físicas e fisiológicas, assim como suas ações e seu emprego. – **farmacológico** *adj.*

farmacologista (far.ma.co.lo.*gis*.ta) *s.m.* e *f.* Especialista em Farmacologia.

farmacopeia [éi] (far.ma.co.*pei*.a) *s.f.* (*Farm.*) Catálogo das fórmulas das drogas, sua nomenclatura e processos de preparo.

farnel (far.*nel*) *s.m.* **1.** Saco com alimento para uma viagem ou piquenique; alforge, matula. **2.** O conteúdo desse saco.

faro (*fa*.ro) *s.m.* **1.** Olfato dos animais, especialmente dos cães. **2.** Intuição, discernimento.

faroeste [é] (fa.ro:*es*.te) *s.m.* **1.** (*Cine*) Gênero de filmes de lutas, heróis e bandidos inspirados na colonização do oeste dos Estados Unidos, no século XIX. **2.** Lugar onde há muita briga e confusão.

farofa [ó] (fa.*ro*.fa) *s.f.* **1.** (*Cul.*) Prato da culinária brasileira, feito com farinha de mandioca torrada na gordura ou na manteiga e condimentos. **2.** *fam.* Proeza ou façanha falsas.

farofeiro (fa.ro.*fei*.ro) *s.m. pej.* **1.** Pessoa que vai à praia levando almoço, lanche, bebidas etc. **2.** Pessoa presunçosa.

farol (fa.*rol*) *s.m.* **1.** Torre construída na costa, com foco de luz para orientação dos navegantes. **2.** Cada uma das lanternas de um carro: *faróis dianteiros.* **3.** *reg.* Sinal luminoso de trânsito, semáforo. **4.** *fig.* Pessoa que serve de guia, de orientação: *Aquele mestre foi o farol que me guiou na profissão.* **5.** *coloq.* Conversa de quem gosta de se vangloriar, de contar vantagem.

faroleiro (fa.ro.*lei*.ro) *s.m.* **1.** Pessoa encarregada da manutenção e funcionamento de um farol (1). **2.** Quem gosta de contar vantagem.

farolete [ê] (fa.ro.*le*.te) *s.m.* Cada um dos pequenos faróis dianteiros e traseiros de um carro.

farpa (*far*.pa) *s.f.* **1.** Ponta aguda de metal. **2.** Lasca afiada de madeira. **3.** *fig.* Crítica mordaz e contundente.

farpado (far.*pa*.do) *adj.* Que tem pontas agudas e penetrantes como espinho: *arame farpado.*

farpela [é] (far.*pe*.la) *s.f.* **1.** Traje simples e pobre. **2.** A ponta curva da agulha de crochê.

farra (*far*.ra) *s.f.* **1.** Diversão ruidosa de muitas pessoas. **2.** *coloq.* Troça, gozação: *Disse isso só de farra.*

farrapo (far.*ra*.po) *s.m.* **1.** Pedaço de pano velho e gasto pelo tempo e uso; trapo. **2.** Peça de roupa muito velha e rasgada. **3.** (*Hist.*) Apelido dos

farrear

republicanos na Guerra dos Farrapos, no Rio Grande do Sul, em 1835; farroupilha.

farrear (far.re:ar) v. Fazer farra ou participar dela: *Aqueles rapazes farrearam muito nesse fim de semana.* ▶ Conjug. 14.

farripas (far.ri.pas) s.f.pl. Cabelos curtos e escassos.

farrista (far.ris.ta) s.m. e f. Quem gosta de fazer farras.

farroupilha (far.rou.pi.lha) adj. **1.** (*Hist.*) Diz-se da Guerra dos Farrapos (1835-1845) no Rio Grande do Sul. • s.m. e f. **2.** (*Hist.*) Soldado gaúcho ou catarinense da Guerra dos Farrapos; farrapo.

farsa (far.sa) s.f. **1.** Pequena peça teatral cômica. **2.** Mentira, fingimento.

farsante (far.san.te) adj. **1.** Trapaceiro, mentiroso, impostor. • s.m. e f. **2.** Ator ou atriz cômicos; ator ou atriz de farsa.

fartar (far.tar) v. **1.** Matar a fome ou a sede; saciar(-se): *Um sanduíche e um refrigerante fartaram o jovem estudante; Ele fartou-se com um sanduíche e um refrigerante.* **2.** Empanturrar(-se), abarrotar(-se): *A senhora não deve fartar seu filho de balas e bombons; Não deixe seu filho fartar-se de balas e bombons.* **3.** Provocar ou sentir aborrecimento; enfadar-se: *O monótono discurso do orador fartou a plateia; A plateia fartou(-se) com o discurso do orador.* ▶ Conjug. 5.

farto (far.to) adj. **1.** Saciado, satisfeito: *Comeu com vontade e ficou logo farto.* **2.** Em que há abundância: *Lavou seus fartos cabelos na fria fonte.* **3.** fig. Aborrecido, enfastiado: *Já estávamos todos fartos daquela conversa.*

fartum (far.tum) s.m. Mau cheiro exalado por certas coisas ou animais; fedor, catinga.

fartura (far.tu.ra) s.f. **1.** Grande quantidade; abundância: *Nunca tinham visto tamanha fartura de peixes.* **2.** Vida de abundância: *Ele foi muito pobre, mas agora vive na fartura.*

fascículo (fas.cí.cu.lo) s.m. **1.** Cada uma das partes que constituem uma publicação seriada: *A enciclopédia foi vendida em fascículos mensais.* **2.** Pequeno feixe de nervos, tendões, tecidos etc.

fascinação (fas.ci.na.ção) s.f. **1.** Ato ou efeito de fascinar. **2.** Forte atração; encantamento, fascínio.

fascinante (fas.ci.nan.te) adj. Que exerce fascínio; deslumbrante.

fascinar (fas.ci.nar) v. **1.** Provocar forte atração em: *As luzes do circo fascinavam a garotada.* **2.** Seduzir: *A beleza da moça fascinava todos os homens.* **3.** Provocar encantamento em; encantar: *O discurso do paraninfo fascinou a turma de formandos; A poesia fascina.* ▶ Conjug. 5.

fascínio (fas.cí.ni:o) s.m. Forte atração; deslumbramento, fascinação.

fascismo (fas.cis.mo) s.m. (*Hist.*) Regime político totalitário de direita que vigorou na Itália e na Alemanha na década de 1930 e na primeira metade da década de 1940.

fascista (fas.cis.ta) adj. **1.** Relativo a fascismo: *ditadura fascista.* • s.m. e f. **2.** Partidário do fascismo: *Não queremos fascistas no poder.*

fase (fa.se) s.f. **1.** Etapa de um processo: *A adolescência é a fase mais fascinante da vida.* **2.** Cada um dos aspectos que assumem planetas e satélites em função da região iluminada vista da Terra: *as fases da Lua.*

fashion [féchiom] (Ing.) adj. gír. Relativo a moda; que está na moda: *Esta roupa não é fashion; Álvaro é fashion.*

fast-food [fést fud] (Ing.) s.m. **1.** Tipo de refeição leve e rápida, servida em lanchonetes. **2.** Lanchonete que serve esse tipo de refeição.

fastidioso [ô] (fas.ti.di:o.so) adj. Que provoca fastio; monótono; enfadonho. || f. e pl.: [ó].

fastígio (fas.tí.gi:o) s.m. **1.** O ponto mais elevado. **2.** Posição eminente; cume.

fastigioso [ô] (fas.ti.gi:o.so) adj. Que está no fastígio ou em posição elevada. || f. e pl.: [ó].

fastio (fas.ti:o) s.m. **1.** Falta de apetite; inapetência. **2.** Tédio, enfado. **3.** Aversão, repugnância.

fastos (fas.tos) s.m.pl. Registros públicos de fatos; anais.

fastuoso [ô] (fas.tu:o.so) adj. Magnífico, pomposo, luxuoso. || f. e pl.: [ó].

fatal (fa.tal) adj. **1.** Predeterminado pelo destino ou fado: *A morte é o fim fatal de todos.* **2.** Mortal, final: *um acidente fatal; Aquela doença foi fatal para o velho professor.* **3.** Inevitável: *Depois que desrespeitou as normas, sua demissão tornou-se fatal.* **4.** Improrrogável: *Esta será a data fatal para a entrega dos trabalhos.*

fatalidade (fa.ta.li.da.de) s.f. **1.** Qualidade do que é fatal. **2.** Fado, destino.

fatalismo (fa.ta.lis.mo) s.m. Atitude ou doutrina dos que acreditam que existe um destino prefixado e que as ações não podem alterá-lo.

fatalista (fa.ta.*lis*.ta) *adj.* **1.** Relativo a fatalismo, do fatalismo: *uma atitude fatalista.* • *s.m.* e *f.* **2.** Aquele que crê em fatalismo.

fatia (fa.*ti*.a) *s.f.* **1.** Pedaço de pão, queijo, bolo, carne etc., cortado em forma de lâmina e com certa espessura. **2.** *fig.* Parte de um todo; segmento: *Uma grande fatia do eleitorado votará nos candidatos daquele partido.*

fatiar (fa.ti:*ar*) *v.* Cortar em fatias: *A mãe fatiou a carne assada.* ▶ Conjug. 17.

fático (*fá*.ti.co) *adj.* (*Ling.*) Diz-se da função da linguagem que se concentra no próprio canal da comunicação.

fatídico (fa.*tí*.di.co) *adj.* Que faz ou acarreta desgraça; trágico: *uma escolha fatídica.*

fatigado (fa.ti.*ga*.do) *adj.* Que mostra fadiga; cansado: *Você parece fatigado.*

fatigante (fa.ti.*gan*.te) *adj.* Que causa fadiga; cansativo: *tarefa fatigante.*

fatigar (fa.ti.*gar*) *v.* **1.** Causar fadiga; cansar(-se): *A longa jornada de trabalho fatigou os operários*; *Todos fatigaram-se com aquela jornada de trabalho.* **2.** Enfadar(-se), enfastiar(-se): *A longa explicação fatigou os alunos*; *Os alunos fatigaram-se com a longa explicação.* ▶ Conjug. 5 e 34.

fatiota [ó] (fa.ti:*o*.ta) *s.f.* Traje, roupa.

fatível (fa.*tí*.vel) *adj.* Factível.

fato[1] (*fa*.to) *s.m.* **1.** Ato, feito, acontecimento: *Estamos preocupados com fatos recentes da nossa política.* **2.** Aquilo que é verdadeiro, real; verdade, realidade: *A clonagem de células já é um fato.* || *De fato*: realmente, verdadeiramente, com efeito.

fato[2] (*fa*.to) *s.m.* Roupa.

fato[3] (*fa*.to) *s.m.* Coletivo de cabra; gado caprino.

fator [ô] (fa.*tor*) *s.m.* **1.** Causa que concorre para um resultado: *Sua persistência foi fator decisivo para alcançar esse êxito.* **2.** (*Mat.*) Cada um dos termos de uma multiplicação: *A ordem dos fatores não altera o produto.*

fatoração (fa.to.ra.*ção*) *s.f.* (*Mat.*) Decomposição de um número ou polinômio, através de divisões sucessivas até chegar à unidade.

fatual (fa.tu.*al*) *adj.* Relativo a ou que se baseia em fatos.

fátuo (*fá*.tu:o) *adj.* **1.** Tolo, néscio. **2.** Vaidoso, presunçoso. **3.** Passageiro, transitório, fugaz.

fatura (fa.*tu*.ra) *s.f.* Nota de venda que discrimina e especifica quantidade, preço etc. das mercadorias remetidas. || *Liquidar a fatura*: *coloq.* levar até o fim uma disputa, um negócio, uma tarefa etc.

faturamento (fa.tu.ra.*men*.to) *s.m.* Total dos valores obtidos por uma empresa em determinado tempo.

faturar (fa.tu.*rar*) *v.* **1.** Fazer a relação de mercadorias vendidas com os respectivos preços: *O atacadista faturou imediatamente o pedido da loja.* **2.** Acrescentar novo artigo numa fatura: *Fature também, por favor, este dicionário.* **3.** Ganhar muito dinheiro, lucrar bastante: *Faturou um bom dinheiro revendendo produtos importados*; *As fábricas de armas faturam muito com as guerras.* ▶ Conjug. 5.

fauna (*fau*.na) *s.f.* **1.** Conjunto de animais de determinada região: *a fauna da Mata Atlântica.* **2.** *pej.* Conjunto de pessoas: *Veja a fauna que está nesse baile.*

fauno (*fau*.no) *s.m.* **1.** Ser mitológico com pés de bode, cabeça e tronco de homem. **2.** Homem devasso, luxurioso; sátiro.

fausto[1] (*faus*.to) *s.m* Riqueza ostensiva; luxo, pompa, luzimento.

fausto[2] (*faus*.to) *adj.* Feliz, ditoso.

faustoso [ô] (faus.*to*.so) *adj.* Luxuoso, pomposo. || f. e pl.: [ó].

fava (*fa*.va) *s.f.* **1.** Hortaliça que produz uma vagem verde, comestível, com várias sementes. **2.** A vagem dessa planta. || *Favas contadas*: coisa garantida, certa, inevitável: *Sua promoção a chefe são favas contadas.* • *Mandar às favas*: mandar embora para longe; livrar-se de alguma pessoa ou coisa desagradável ou inoportuna: *Aquele namorado arrogante ela mandou às favas.*

favela[1] [é] (fa.*ve*.la) *s.f.* (*Bot.*) Arbusto ou árvore de folhas denteadas, flores brancas e sementes oleaginosas, da qual se faz farinha rica em proteínas.

favela[2] [é] (fa.*ve*.la) *s.f.* Conjunto de habitações precárias, normalmente nas encostas dos morros das cidades, desprovidas de infra-estrutura e de saneamento básico, onde vive parte da população de baixa renda.

favelado (fa.ve.*la*.do) *adj.* **1.** Da favela: *a população favelada.* • *s.m.* **2.** Morador da favela: *os favelados das grandes cidades.*

favo (*fa*.vo) *s.m.* **1.** Cada um dos alvéolos de cera onde as abelhas depositam o mel. **2.** O conjunto dos alvéolos de cera ligados uns aos outros, formando uma peça inteiriça.

favor [ô] (fa.*vor*) *s.m.* **1.** Alguma coisa que se faz amistosamente para alguém ou em favor de alguém; obséquio: *Ela fez o favor de me trazer uma encomenda de Curitiba.* **2.** Benefício feito em favor de alguém: *Devo inúmeros favores a este amigo.* **3.** Simpatia, agrado: *Dois homens disputavam o favor daquela mulher.* || *A favor de*: favorável a: *Éramos a favor da mudança da capital.* • *Em favor de*: em benefício de, em prol de: *campanha em favor das vítimas das enchentes.* • *Fazer o favor de*: expressão de cortesia para fazer um pedido: *Faça-me o favor de vir até aqui.* • *Por favor*: expressão de cortesia que se junta a um pedido: *Traga-me água, por favor!*
favorável (fa.vo.*rá*.vel) *adj.* **1.** Que é a favor de, que apoia alguém ou alguma coisa: *Ele era favorável à reforma administrativa.* **2.** Que favorece; que propicia: *vento favorável à navegação.* **3.** Bom, positivo: *resultados favoráveis.*
favorecer (fa.vo.re.*cer*) *v.* **1.** Ser favorável a; beneficiar: *Na distribuição dos cargos, ele favoreceu os velhos companheiros.* **2.** Dar força a; facilitar: *O chá de cidreira favorece o sono.* **3.** Obter vantagens para si próprio: *Ele favoreceu-se durante o governo do tio.* ▶ Conjug. 41 e 46.
favorecimento (fa.vo.re.ci.*men*.to) *s.m.* Concessão de privilégios ou facilidades a alguém.
favoritismo (fa.vo.ri.*tis*.mo) *s.m.* **1.** A condição de favorito. **2.** Hábito político ou administrativo de favorecimento a alguém em função de prestígio, parentesco, clientelismo; nepotismo. **3.** Pressuposição de vitória de que goza uma das partes em competição: *A vitória desse time confirmou seu favoritismo.*
favorito (fa.vo.*ri*.to) *adj.* **1.** Predileto, preferido: *Goiabada é seu doce favorito.* **2.** Que é mais cotado para vencer: *o candidato favorito à prefeitura.* • *s.m.* **3.** A pessoa favorita de alguém: *Os reis tinham seus favoritos na corte.*
fax [cs] *s.m.2n.* **1.** Sistema de transmissão e reprodução de material gráfico através de linha telefônica: *Enviarei a nota por fax.* **2.** O equipamento que possibilita essa transmissão: *Instalou fax em seu computador.* **3.** O documento transmitido por fax: *Acabo de receber um fax.*
faxina [ch] (fa.*xi*.na) *s.f.* Limpeza geral.
faxinar [ch] (fa.xi.*nar*) *v.* Fazer faxina: *Esta equipe faxina o escritório às sextas.* ▶ Conjug. 5.
faxineiro [ch] (fa.xi.*nei*.ro) *adj.* **1.** Que faz faxina: *empregado faxineiro.* • *s.m.* **2.** Pessoa encarregada da faxina: *Os faxineiros já saíram.*
fax-modem [*facs-môuden*] (Ing.) *s.m.* (*Inform.*) Dispositivo de recepção e transmissão de mensagens escritas e imagens que, acoplado a um computador, possui as funções de *modem* e de fax.
faz de conta *s.m.2n.* **1.** Simulação, fingimento: *Tudo isso não passa de um faz de conta.* **2.** Jogo infantil baseado na imaginação e na fantasia: *As crianças brincavam de faz de conta.*
fazenda (fa.*zen*.da) *s.f.* **1.** Propriedade rural de lavoura e/ou criação; estância. **2.** Tecido, pano. **3.** Conjunto dos bens do Estado; erário, tesouro.
fazendário (fa.zen.*dá*.ri:o) *adj.* **1.** Que se refere às finanças públicas. • *s.m.* **2.** Servidor público do Ministério da Fazenda ou das secretarias estaduais da Fazenda.
fazendeiro (fa.zen.*dei*.ro) *s.m.* Aquele que possui e cultiva fazenda (1).
fazer (fa.*zer*) *v.* **1.** Elaborar, produzir, criar: *As mulheres da vila fazem um artesanato de conchas marinhas.* **2.** Construir, edificar: *Fizeram o prédio de frente para o mar.* **3.** Pôr em prática, executar, realizar: *Fizemos tudo como foi ordenado.* **4.** Dedicar-se a uma atividade (esportiva, artística etc.): *O rapaz faz judô, e a moça faz balé.* **5.** Atuar como; interpretar: *Meu amigo fez Judas na representação sacra.* **6.** Levar a: *Esse poema me fez chorar.* **7.** Dizer, proferir, expressar: *Ele fez uma bela conferência sobre Guimarães Rosa.* **8.** Atingir, obter: *Quantos pontos você fez na loto?* **9.** Tornar, deixar: *A surpresa do brinquedo fez a criança feliz.* **10.** Causar, provocar: *Não faça barulho; Fizeram grande confusão; Aquela comida lhe fez mal.* **11.** Percorrer, perfazer: *Quantos quilômetros este carro faz por hora?* **12.** Completar (idade, aniversário): *Ela fez quinze anos no mês passado.* **13.** Haver (tempo decorrido): *Faz muitos anos que fui à Bahia.* **14.** Estar (temperatura): *Fez muito calor ontem à noite.* **15.** Arrumar: *Abriu as janelas e fez a cama.* **16.** Fingir-se: *Fez-se de morto para enganar o amigo.* **17.** Tratar, embelezar (partes do corpo): *Ela fez as unhas no salão.* || *Fazer com que*: causar, provocar: *A chuva fez com que ninguém viesse à festa.* • *Fazer de tudo*: fazer várias tentativas para; esforçar-se por: *Ela fez de tudo para ser convidada.* • *Fazer por onde*: **1.** procurar maneiras de conseguir ou fazer alguma coisa: *Não foi aprovado nem fez por onde.* **2.** dar motivo a: *Recebeu o prêmio sem fazer por onde.* • *Não fazer por menos*: agir ou reagir rápida e resolutamente: *Agredido, não fez por menos: reagiu à altura.* || part.: feito. ▶ Conjug. 61.

faz-tudo (faz-tu.do) *s.m.2n.* **1.** Pessoa que, tendo múltiplas habilidades, pode ou não explorá-las profissionalmente. **2.** Firma onde se fazem consertos, restaurações e reformas de objetos diversos.

fé *s.f.* **1.** Crença nas verdades de uma religião: *minha fé católica.* **2.** Crédito, confiança: *Tenho muita fé nesse professor.* || *Levar fé*: ter fé em; acreditar em: *Eu não levo fé nesse projeto.*

fealdade (fe:al.da.de) *s.f.* Condição ou estado do que é feio; feiura.

febre [é] (fe.bre) *s.f.* **1.** (*Med.*) Elevação da temperatura do corpo por causa de uma infecção ou doença; pirexia. **2.** *fig.* Estado de exaltação, de excitação. **3.** *fig.* Moda, mania do momento. || *Febre aftosa*: doença eruptiva e contagiosa que ataca o gado bovino. • *Febre amarela*: doença transmitida por mosquitos caracterizada por febre, dores abdominais e musculares e icterícia.

febrento (fe.bren.to) *adj.* Que está com febre; febril.

febrícula (fe.brí.cu.la) *s.f.* Febre fraca e ligeira.

febrífugo (fe.brí.fu.go) *adj.* **1.** Que faz cessar a febre: *Tomou um comprimido febrífugo.* • *s.m.* **2.** (*Farm.*) Medicamento que faz cessar a febre; antitérmico: *Tomou um febrífugo e foi deitar-se.*

febril (fe.bril) *adj.* **1.** Que está com febre; febrento. **2.** *fig.* Excitado, exaltado.

fecal (fe.cal) *adj.* **1.** Que é constituído de fezes: *bolo fecal.* **2.** Que vive nas fezes: *coliforme fecal.* **3.** Causado por fezes: *poluição fecal.*

fechado (fe.cha.do) *adj.* **1.** Que se fechou; que não está aberto: *janelas fechadas.* **2.** Cicatrizado: *corte fechado.* **3.** Concluído, encerrado: *fechado o período de caça.* **4.** Sem grande amplitude: *curva fechada.* **5.** Acertado, combinado: *negócio fechado.* **6.** Que não gosta de se comunicar; sério, circunspecto: *Eduardo é muito fechado*; *Ela está de cara fechada.* **7.** Nublado, escuro (falando do tempo, do clima). **8.** (*Gram.*) Diz-se do timbre das vogais *e* e *o* tônicas como em *você* e *vovô*.

fechadura (fe.cha.du.ra) *s.f.* Mecanismo de metal com lingueta acionada por uma chave que serve para trancar e abrir portas, janelas, gavetas, malas etc.

fechar (fe.char) *v.* **1.** Vedar ou tapar a abertura: *fechar a porta*; *fechar a caixa.* **2.** Recolher e unir as partes componentes: *fechar o paraquedas*; *fechar a sombrinha.* **3.** Cicatrizar, sarar: *A ferida fechou em pouco tempo.* **4.** Impedir, bloquear a passagem: *Fecharam a Rua da República para o trânsito.* **5.** Encerrar o expediente ou o funcionamento: *Fecharam as lojas mais tarde por causa do Natal*; *O consultório fechou por falta de clientes.* **6.** (*Inform.*) Remover da tela por meio de comando: *fechar o arquivo.* **7.** Concluir, finalizar: *Finalmente fechamos o negócio.* **8.** Tornar-se retraído, sério; retrair-se: *Depois daquele desentendimento, o rapaz fechou-se para os colegas.* **9.** Trancar-se, isolar-se dentro de algum lugar: *Ela fechou-se no quarto.* **10.** Tornar-se escuro, nublado (falando-se do tempo): *O tempo fechou de repente*; *De repente o tempo fechou-se.* ▶ Conjug. 12. – **fechamento** *s.m.*

fecho [ê] (fe.cho) *s.m.* **1.** Peça usada para fechar ou cerrar objetos: *O fecho do colar é de ouro.* **2.** Ponto em que se juntam as partes de um todo para fechar: *O fecho da saia ficava acima da cintura.* **3.** *fig.* Acabamento, remate. || *Fecho ecler*: fecho (1) usado em roupas, bolsas etc., constituído de uma fileira de pequenos dentes que se encaixam para fechar e se desencaixam para abrir. • *Fecho éclair*: fecho ecler.

fécula (fé.cu.la) *s.f.* Substância farinácea, rica em carboidratos, extraída de tubérculos e raízes.

fecundação (fe.cun.da.ção) *s.f.* **1.** Ato ou efeito de fecundar(-se). **2.** (*Biol.*) Formação da célula reprodutora pela união do óvulo com o espermatozoide; fertilização.

fecundante (fe.cun.dan.te) *adj.* Que fecunda.

fecundar (fe.cun.dar) *v.* **1.** Transformar um óvulo em embrião, dando origem a um novo ser: *Dá-se a fecundação quando um espermatozoide fecunda um óvulo.* **2.** Tornar prenhe, emprenhar, engravidar: *O garanhão fecundou diversas éguas.* **3.** Tornar fértil; tornar produtivo: *A chuva fecundou a terra árida.* **4.** Tornar fecundo, profícuo: *Grandes paixões fecundam a imaginação.* ▶ Conjug. 5.

fecundidade (fe.cun.di.da.de) *s.f.* **1.** Capacidade de fecundar; fertilidade. **2.** Capacidade de produzir; produtividade: *a fecundidade da terra adubada.* **3.** Inventividade, criatividade: *a fecundidade literária do romantismo brasileiro.*

fecundo (fe.cun.do) *adj.* Capaz de produzir; fértil, feraz: *terra fecunda*; *um autor fecundo.*

fedegoso [ô] (fe.de.go.so) *adj.* **1.** Que cheira mal; fedorento, fedido. • *s.m.* **2.** (*Bot.*) Nome de várias plantas de flores amarelas e frutos em forma de vagem, de odor desagradável, encontradas na Guiana e no Brasil. || f. e pl. do *adj.*: [ó].

fedelho [ê] (fe.de.lho) *s.m.* **1.** Criança recém-saída das fraldas. **2.** Rapaz de pouca maturidade; criançola, pirralho.

fedentina (fe.den.ti.na) *s.f.* Exalação de mau cheiro; fedor.

feder

feder (fe.*der*) v. Exalar mau cheiro; tresandar: *O pobre bêbedo fedia a cachaça; Este remédio fede muito.* ▶ Conjug. 41.

federação (fe.de.ra.*ção*) s.f. União política entre estados autônomos submetidos a um poder central: *Os estados brasileiros formam uma federação sob o nome de República Federativa do Brasil.*

federal (fe.de.*ral*) adj. **1.** Relativo a federação: *governo federal; polícia federal.* **2.** gír. De magnitude; intenso, fora do comum: *uma confusão federal.*

federalismo (fe.de.ra.*lis*.mo) s.m. Forma de governo em que os estados reconhecem um poder central, mas mantêm a autonomia de cada um.

federalista (fe.de.ra.*lis*.ta) adj. **1.** Relativo a federalismo. • s.m. e f. **2.** Adepto do federalismo.

federalizar (fe.de.ra.li.*zar*) v. Tornar(-se) federal: *O reitor espera que o governo federalize a universidade local; Algumas escolas estaduais federalizaram-se.* ▶ Conjug. 5.

federar (fe.de.*rar*) v. Unir(-se) numa federação: *Resolveram federar as associações esportivas do país; As treze colônias inglesas da América federaram-se para se tornarem independentes.* ▶ Conjug. 8.

federativo (fe.de.ra.*ti*.vo) adj. Relativo ou pertencente a uma federação: *Cada estado é uma unidade federativa.*

fedido (fe.*di*.do) adj. Fedorento, fétido.

fedor [ô] (fe.*dor*) s.m. Mau cheiro; fedentina.

fedorento (fe.do.*ren*.to) adj. Que exala mau cheiro; fedido, fétido.

feedback [fídbéc] (Ing.) s.m. Dentro de um sistema ou processo, reação a um estímulo que, por sua vez, provoca novo estímulo, realimentando, assim, o processo; realimentação, retroalimentação.

feérico (fe:é.ri.co) adj. Pertencente ao mundo das fadas, da fantasia; deslumbrante, mágico.

feição (fei.*ção*) s.f. **1.** Figura que alguma coisa tem ou que lhe é dada: *Deu ao retrato as feições de seu pai.* **2.** Aspecto, aparência: *É necessário observar todas as feições do problema.* **3.** fig. Modo, maneira: *Faça tudo à feição do chefe.* • *feições* s.f.pl. **4.** Traços fisionômicos; rosto, semblante.

feijão (fei.*jão*) s.m. **1.** (*Bot.*) Semente seca comestível de uma vagem: *Vamos plantar feijão nesta roça.* **2.** (*Cul.*) Prato preparado com essas sementes: *O feijão faz parte da dieta dos brasileiros.*

feijão com arroz s.m. coloq. Coisa corriqueira; coisa do dia a dia.

feijoada (fei.jo:*a*.da) s.f. (*Cul.*) Prato típico brasileiro preparado com feijão, embutidos, toucinho e carnes diversas, que se come com couve à mineira, farofa, arroz e pedaços de laranja.

feio (*fei*.o) adj. **1.** Desprovido de beleza: *um homem feio; uma mulher feia.* **2.** Que vai contra as normas morais e sociais: *um ato feio.* **3.** Diz-se de uma situação difícil, problemática, perigosa: *A coisa está feia.* **4.** Diz-se do tempo nublado, chuvoso: *O tempo está feio; não dá para ir à praia.* • adv. **5.** De maneira intensa, no sentido negativo: *Nessa escolha você errou feio.* • s.m. **6.** Aquilo que é feio: "Quem ama o feio bonito lhe parece." (prov.) || *Fazer feio*: não ter uma boa atuação.

feioso [ô] (fei.o.so) adj. Um tanto feio. || f. e pl.: [ó].

feira (*fei*.ra) s.f. **1.** Espaço público ao ar livre onde são expostas mercadorias para compra e venda. **2.** Evento em que são apresentados produtos e serviços: *feira de informática.* || *Feira livre*: feira de produtos hortifrutigranjeiros, flores, pescados e frutos do mar.

feirante (fei.*ran*.te) s.m. e f. Pessoa que trabalha na feira (1).

feirense (fei.*ren*.se) adj. **1.** Da cidade de Feira de Santana, no Estado da Bahia. • s.m. e f. **2.** O natural ou o habitante dessa cidade.

feita (*fei*.ta) s.f. Momento, ensejo: *Desta feita você me surpreendeu.*

feitiçaria (fei.ti.ça.*ri*.a) s.f. Ato mágico praticado por feiticeiro para obter alguma coisa; magia. – **feiticeiro** s.m.

feitiço (fei.*ti*.ço) s.m. Ato ou efeito da prática da feitiçaria; bruxaria, malefício. || *Virar o feitiço contra o feiticeiro*: voltarem-se contra alguém as consequências do que praticou contra outrem.

feitio (fei.*ti*:o) s.m. **1.** Forma, aspecto, aparência de alguma coisa: *Na loja havia bolsas de todos os feitios.* **2.** Maneira de ser; índole: *Não era de seu feitio prejudicar ninguém.* **3.** Corte, molde: *Tirou o feitio de seu vestido de uma revista de moda.*

feito[1] (*fei*.to) adj. **1.** Pronto, elaborado: *prato feito.* **2.** Amadurecido, adulto: *O menino de ontem é hoje um homem feito.* • conj. **3.** Como, igual a: *A chuva caía feito um dilúvio.* || part. de *fazer.*

feito² (fei.to) *s.m.* Ação importante; façanha: *A construção de Brasília constituiu um feito memorável.*

feitor [ô] (fei.tor) *s.m.* **1.** Administrador de bens de outras pessoas; gestor. **2.** Aquele que fiscalizava o trabalho dos escravos; capataz.

feitoria (fei.to.ri.a) *s.f.* **1.** Cargo de feitor. **2.** (*Hist.*) Entreposto que se estabelecia nas colônias portuguesas para o comércio com os nativos: *Os portugueses estabeleceram feitorias ao longo da costa brasileira.*

feitura (fei.tu.ra) *s.f.* Ato ou efeito de fazer; confecção.

feiura (fei.u.ra) *s.f.* Qualidade do que é feio; fealdade.

feixe [ch] (fei.xe) *s.m.* **1.** Apanhado de materiais unidos por um cordel, uma fita, uma tira etc.: *um feixe de cana.* **2.** (*Anat.*) No corpo dos seres vivos, um conjunto de fibras de qualquer natureza: *um feixe de nervos.* **3.** (*Fís.*) Faixa de raios luminosos originados de um mesmo ponto: *feixe luminoso.*

fel *s.m.* **1.** Substância viscosa e amarga produzida pelo fígado; bílis. **2.** Qualquer substância muito amarga. **3.** *fig.* Amargura, ressentimento, rancor.

feldspato (felds.pa.to) *s.m.* (*Min.*) Metal que entra na composição de diversas rochas, como o granito.

felicidade (fe.li.ci.da.de) *s.f.* **1.** Qualidade ou estado de quem é ou está feliz. **2.** Bem-estar, satisfação, contentamento: *Ela estava numa felicidade só.* • **felicidades** *s.f.pl.* **3.** Cumprimento que se faz a alguém por algum acontecimento ou data importante.

felicíssimo (fe.li.cís.si.mo) *adj.* Superlativo absoluto de *feliz*.

felicitação (fe.li.ci.ta.ção) *s.f.* **1.** Ato ou efeito de felicitar(-se). • **felicitações** *s.f.pl.* **2.** Cumprimento que se faz a alguém em momentos importantes de sua vida.

felicitar (fe.li.ci.tar) *v.* Transmitir ou receber felicitações, parabéns; congratular-se com: *Quero felicitá-lo por seu aniversário; Todos se felicitaram pela vitória.* ▶ Conjug. 5.

felídeo (fe.lí.de.o) *s.m.* **1.** Espécie de animais mamíferos à qual pertencem os gatos, os leões, as panteras etc. • *adj.* **2.** Pertencente a essa família: *animais felídeos.*

felino (fe.li.no) *s.m.* (*Zool.*) **1.** Animal carnívoro com caninos muito desenvolvidos e patas potentes, da família do gato, do leão, da pantera, do tigre etc. • *adj.* **2.** Relativo a esses animais, especialmente ao gato. **3.** *fig.* De grande agilidade e flexibilidade: *movimentos felinos.*

fender

feliz (fe.liz) *adj.* **1.** Que é ou está contente, satisfeito: *Ela está muito feliz com a aprovação no vestibular.* **2.** Que é bem-sucedido: *Ele não foi muito feliz nos negócios.* **3.** Que ocorreu satisfatoriamente: *As negociações tiveram um final feliz.* || sup. abs.: felicíssimo.

felizardo (fe.li.zar.do) *s.m.* Pessoa que tem muita sorte.

felonia (fe.lo.ni.a) *s.f.* Falta contra a lealdade; deslealdade, infidelidade.

felpa [ê] (fel.pa) *s.f.* **1.** Fio saliente de lã ou algodão, usado em tecidos ditos felpudos; felpo. **2.** Pequena farpa, normalmente de madeira que, acidentalmente, entra na pele.

felpo [ê] (fel.po) *s.m.* Felpa (1).

felpudo (fel.pu.do) *s.m.* **1.** Constituído de tecido com felpas: *toalha felpuda.* **2.** Que tem muito pelo: *um cão felpudo.*

feltro [ê] (fel.tro) *s.m.* Tecido encorpado de lã ou de pelo.

fêmea (fê.me:a) *s.f.* **1.** Animal do sexo feminino: *a fêmea do tamanduá.* **2.** Mulher.

fêmeo (fê.me:o) *adj.* Relativo a fêmea.

feminilidade (fe.mi.ni.li.da.de) *s.f.* Qualidade de feminino.

feminino (fe.mi.ni.no) *adj.* **1.** Relativo a mulher. **2.** (*Gram.*) Diz-se do gênero gramatical que se opõe ao masculino. • *s.m.* **3.** (*Gram.*) O nome desse gênero: *Qual é o feminino de gato?* **4.** Conjunto das características físicas e psicológicas que definem e caracterizam as mulheres: *o eterno feminino.*

feminismo (fe.mi.nis.mo) *s.m.* Movimento em favor da igualdade de direitos entre os homens e as mulheres.

feminista (fe.mi.nis.ta) *adj.* **1.** Que é a favor do feminismo: *a campanha feminista.* • *s.m. e f.* **2.** Pessoa que é adepta do feminismo: *uma reunião de feministas.*

femoral (fe.mo.ral) *adj.* Relativo ao fêmur.

fêmur (fê.mur) *s.m.* (*Anat.*) Osso da coxa.

fenda (fen.da) *s.f.* Abertura estreita e alongada numa superfície.

fender (fen.der) *v.* **1.** Causar ou sofrer fenda em; abrir(-se): *Um terremoto fendeu a crosta terrestre naquele local; A crosta terrestre fendeu-se com o terremoto.* **2.** Separar-se no sentido do comprimento ou da altura; rachar(-se): *O intenso movimento do trânsito fendeu a parede do*

fenecer

velho palácio; *A parede fendeu-se de alto a baixo*. **3.** Fazer sulco em; sulcar: *A quilha do barco ia fendendo as águas claras*. ▶ Conjug. 39.

fenecer (fe.ne.cer) *v.* **1.** Ter fim; acabar-se: *Uma grande civilização que feneceu*. **2.** Murchar (vegetal): *No vaso sem água, as rosas logo feneceram*. ▶ Conjug. 41 e 46.

fenício (fe.ní.ci:o) *adj.* **1.** Da antiga Fenícia, região do Oriente Médio. • *s.m.* **2.** O natural ou o habitante da antiga Fenícia. **3.** A língua semita falada pelos fenícios.

fênico (fê.ni.co) *adj.* Diz-se de um ácido usado na Medicina como anestésico, antisséptico e desinfetante.

fênix [cs *ou* s] (fê.nix) *s.f.* Ave mitológica que se acreditava renascer das próprias cinzas.

feno (fe.no) *s.m.* Erva ceifada e seca usada como forragem.

fenol (fe.nol) *s.m.* Substância sólida ou líquida de odor forte e desagradável, encontrada no alcatrão.

fenomenal (fe.no.me.nal) *adj.* **1.** Relativo a fenômeno. **2.** Extraordinário, fantástico.

fenômeno (fe.nô.me.no) *s.m.* **1.** Qualquer acontecimento da natureza ou da sociedade que pode ser observado: *um fenômeno atmosférico*; *um fenômeno social*. **2.** Fato raro e surpreendente: *Isso que você conseguiu foi um fenômeno*. **3.** Pessoa excepcional naquilo que faz: *O excelente jogador da seleção brasileira é chamado o fenômeno*.

fenótipo (fe.nó.ti.po) *s.m.* Conjunto das características de uma pessoa herdadas por fatores genéticos e adquiridas por influência do meio.

fera [é] (fe.ra) *s.f.* **1.** Animal bravio, geralmente carnívoro. **2.** *fig.* Pessoa cruel, de índole feroz. **3.** *fig.* Pessoa exímia em determinado assunto ou atividade.

feracíssimo (fe.ra.cís.si.mo) *adj.* Superlativo absoluto de *feraz*.

feraz (fe.raz) *adj.* **1.** Apto para produzir. **2.** Fértil, fecundo, úbere. || sup. abs.: *feracíssimo*.

fereza [ê] (fe.re.za) *s.f.* **1.** Braveza das feras; ferocidade. **2.** *fig.* Crueldade, barbaridade, atrocidade.

féria (fé.ri:a) *s.f.* **1.** Total das vendas de um estabelecimento comercial durante certo período. **2.** Remuneração por trabalho realizado; salário: *O pequeno engraxate tinha conseguido uma boa féria*. • *férias s.f.pl.* **3.** Época de descanso a que o trabalhador tem direito, ou de que goza o estudante entre os períodos letivos. **4.** *fig.* Descanso, folga.

feriado (fe.ri:a.do) *s.m.* Dia de uma festividade religiosa ou cívica em que não se trabalha e não há aula.

ferida (fe.ri.da) *s.f.* **1.** Lesão produzida na pele num ser vivo por doença, choque, pancada ou por um golpe de uma arma. **2.** *fig.* Ofensa ou dor moral.

ferido (fe.ri.do) *adj.* **1.** Que recebeu um ou mais ferimentos: *um bombeiro ferido*. **2.** *fig.* Ofendido, magoado: *Senti-me ferido com o que ela me disse*. • *s.m.* **3.** Indivíduo que sofreu um ou mais ferimentos: *Os feridos foram encaminhados ao hospital*.

ferimento (fe.ri.men.to) *s.m.* **1.** Ato ou efeito de ferir. **2.** Lesão, ferida, corte.

ferino (fe.ri.no) *adj.* **1.** Próprio de fera. **2.** Que ofende, que magoa: *Ela tem uma língua ferina*.

ferir (fe.rir) *v.* **1.** Fazer ferimento em, ou sofrê-lo: *O assaltante feriu o bancário*; *Feri-me com este canivete*; *Cuidado que esta ferramenta fere!* **2.** Sofrer ou fazer sofrer moralmente; magoar (-se), ofender(-se): *Suas palavras rudes feriram cruelmente a mulher*; *Feriu-se com a indelicadeza do namorado*. **3.** Contrariar, ir contra: *A intolerância religiosa fere a constituição federal*. ▶ Conjug. 69.

fermentação (fer.men.ta.ção) *s.f.* **1.** Transformação química que ocorre em uma substância orgânica, graças à ação de um microrganismo específico. **2.** Efervescência gasosa derivada da transformação química causada pela presença de um fermento. **3.** Podridão, decomposição de substância orgânica. **4.** *fig.* Efervescência moral; agitação de ideias, conceitos etc.

fermentar (fer.men.tar) *v.* Produzir fermentação, fazer levedar: *Usa-se levedo para fermentar a massa do pão*; *Com este calor, logo a massa fermentou*. ▶ Conjug. 5.

fermento (fer.men.to) *s.m.* **1.** Agente que produz a fermentação de uma substância; lêvedo. **2.** *fig.* Causa, origem, germe: *Suas palavras impensadas foram o fermento da discórdia da família*.

fernando-noronhense (fer.nan.do-no.ro.nhen.se) *adj.* **1.** De Fernando de Noronha; típico dessa ilha oceânica de Pernambuco. • *s.m. e f.* **2.** O natural ou o habitante dessa ilha. || pl. *fernando-noronhenses*.

fero [é] (fe.ro) *adj.* **1.** Que tem características de fera (1); feroz; selvagem; bravio. **2.** Forte, áspero, duro.

ferocidade (fe.ro.ci.*da*.de) *s.f.* Qualidade ou caráter de feroz; fereza.

ferocíssimo (fe.ro.*cís*.si.mo) *adj.* Superlativo absoluto de *feroz*.

feroz [ó] (fe.*roz*) *adj.* Da natureza da fera (1); violento, selvagem, bravio. || sup. abs.: *ferocíssimo*.

ferração (fer.ra.*ção*) *s.f.* Ato ou efeito de marcar o gado com ferro em brasa.

ferrado (fer.*ra*.do) *adj.* **1.** Que recebeu ferradura; que porta ferradura nas patas: *um cavalo ferrado*. **2.** *gír.* Em situação difícil; em apuros.

ferrador [ô] (fer.ra.*dor*) *s.m.* Pessoa que tem por ofício ferrar animais.

ferradura (fer.ra.*du*.ra) *s.f.* Peça de ferro, de forma especial, que se aplica por meio de cravos à face inferior das patas das cavalgaduras, para evitar o desgaste do casco.

ferragem (fer.*ra*.gem) *s.f.* Conjunto ou porção de peças de ferro necessárias para edificações, artefatos etc.

ferramenta (fer.ra.*men*.ta) *s.f.* **1.** Qualquer instrumento usado para trabalhos manuais e mecânicos. **2.** Conjunto de utensílios empregados em determinado ofício.

ferrão (fer.*rão*) *s.m.* **1.** Ponta aguda de ferro; aguilhão. **2.** (*Zool.*) Órgão pontiagudo de que se servem alguns animais para sua defesa e para inoculação de peçonha: *ferrão do escorpião*.

ferrar (fer.*rar*) *v.* **1.** Revestir com chapa de ferro: *Ferraram as naus para a batalha*. **2.** Cravar(-se), enterrar(-se) (ferro, dentes, unhas etc.): *O caçador ferrou o javali*; *A flecha ferrou-se no centro do alvo*. **3.** Pôr ferraduras em (cavalgaduras): *Antes da viagem, ferraram os cavalos*. **4.** Marcar com ferro quente (gado): *O fazendeiro mandou ferrar todo o gado com suas iniciais*. **5.** *gír.* Prejudicar alguém; causar-lhe dano: *Você ferrou seu amigo com essa denúncia*. **6.** *gír.* Sair-se mal num empreendimento: *Ferrei-me na prova de Matemática*. ▶ Conjug. 8.

ferraria (fer.ra.*ri*.a) *s.f.* **1.** Fábrica de ferragens. **2.** Loja ou oficina de ferreiro. **3.** Conjunto de peças de ferro.

ferreiro (fer.*rei*.ro) *s.m.* Profissional que trabalha com ferro.

ferrenho (fer.*re*.nho) *adj.* **1.** Parecido com o ferro na cor ou dureza. **2.** *fig.* Que não cede; inflexível; obstinado: *ódio ferrenho*.

férreo [*fér*.re:o] *adj.* **1.** Feito de ferro. **2.** Que contém ferro; ferruginoso: *água férrea*. **3.** Que não é flexível; que não cede; inflexível: *pulso férreo*.

ferrete [ê] (fer.*re*.te) *s.m.* **1.** Ferro para marcar o gado e, antigamente, escravos ou criminosos. **2.** Marca deixada pelo ferrete. **3.** *fig.* Mancha, estigma. **4.** *fig.* Epíteto, sinal afrontoso, ignominioso.

ferrífero (fer.*rí*.fe.ro) *adj.* Que produz ferro.

ferro [é] (*fer*.ro) *s.m.* **1.** Metal resistente e maleável, facilmente oxidável, largamente empregado na indústria e na arte. **2.** Vários instrumentos feitos desse metal para diferentes usos: *ferro de engomar*. • *ferros s.m.pl.* **3.** Cadeias: *O criminoso foi posto a ferros*. **4.** Âncoras: *A nau lançou ferros diante do porto*. || *A ferro e fogo*: de todas as formas ou por todo e qualquer meio. • *Levar ferro: coloq.* Dar-se mal, ser malsucedido.

ferroada (fer.ro:*a*.da) *s.f.* **1.** Picada com ferrão. **2.** Censura forte.

ferroar (fer.ro:*ar*) *v.* Picar com ferrão: *O escorpião ferroou o pé do caçador*; *Esse tipo de mosquito ferroa à tarde*. ▶ Conjug. 25.

ferro-gusa (fer.ro-*gu*.sa) *s.m.* Ferro derretido em estado intermediário para a produção do aço. || pl.: *ferros-gusa, ferros-gusas*.

ferrolho [ô] (fer.*ro*.lho) *s.m.* Fecho corrediço de ferro com que se trancam portas e janelas.

ferro-velho (fer.ro-*ve*.lho) *s.m.* **1.** Objeto metálico velho que pode ser refundido; sucata. **2.** Estabelecimento onde se realiza o comércio de sucata. || pl.: *ferros-velhos*.

ferrovia (fer.ro.*vi*.a) *s.f.* Sistema de viação, por meio de veículos movidos a vapor ou eletricidade que correm sobre trilhos de ferro; estrada de ferro; via férrea.

ferroviário (fer.ro.vi:*á*.ri:o) *adj.* **1.** Relativo ao transporte que se faz por ferrovia; próprio da ferrovia: *transporte ferroviário*. • *s.m.* **2.** Profissional que trabalha em estrada de ferro.

ferrugem (fer.*ru*.gem) *s.f.* **1.** Substância que resulta da oxidação do ferro. **2.** Óxido de ferro. **3.** Óxido formado sobre outros metais. **4.** *fig.* Emperramento das articulações. **5.** (*Bot.*) Doença causada por fungos que ataca certas plantas, especialmente o trigo.

ferrugento (fer.ru.*gen*.to) *adj.* **1.** Coberto de ferrugem; enferrujado. **2.** *fig.* Velho, antiquado, emperrado.

ferruginoso [ô] (fer.ru.gi.*no*.so) *adj.* **1.** Cheio de ferrugem; ferruginoso, enferrujado. **2.** Que é da natureza do ferro ou da ferrugem. **3.** Que contém ferro; ferroso. **4.** (*Geol.*) Relativo à rocha ou ao terreno que contém ferro. || f. e pl.: [ó].

ferry-boat [*ferribout*] (Ing.) *s.m.* Embarcação utilizada para transportar veículos e passageiros em baías, canais, rios e lagos; balsa.

fértil (fér.til) *adj.* **1.** Capaz de produzir com facilidade: *imaginação fértil; mulher fértil.* **2.** Fecundo, produtivo, feraz: *terreno fértil.* – **fertilidade** *s.f.*

fertilização (fer.ti.li.za.ção) *s.f.* Fecundação.

fertilizante (fer.ti.li.zan.te) *adj.* **1.** Que fertiliza. • *s.m.* **2.** Substância usada para fertilizar a terra; adubo.

fertilizar (fer.ti.li.zar) *v.* Fazer(-se) fértil, produtivo; fecundar: *Use adubo orgânico para fertilizar a horta.* ▶ Conjug. 5.

fervedoiro (fer.ve.doi.ro) *s.m.* Fervedouro.

fervedouro (fer.ve.dou.ro) *s.m.* **1.** Agitação, confusão. **2.** Local de um rio ou córrego em que se forma um poço entre pedras, no qual a água toma uma movimentação espiralada. **3.** Lugar onde se lava o cascalho diamantífero. || *fervedoiro.*

fervente (fer.ven.te) *adj.* **1.** Que está em ebulição: *água fervente.* **2.** *fig.* Ardente, caloroso: *discurso fervente.*

ferver (fer.ver) *v.* **1.** Fazer entrar em ebulição: *Para fazer café, é preciso ferver a água.* **2.** Esterilizar com água em ebulição: *ferver a seringa.* **3.** Estar ou ficar muito quente ou escaldante: *Quando bate o sol da tarde, esta sala ferve.* **4.** *fig.* Agitar-se, animar-se: *Naquele município, a política ferve.* **5.** Concentrar-se em quantidade, fervilhar, pulular: *Insetos ferviam naquele recanto úmido; Com o carnaval a cidade ferve de turistas.* ▶ Conjug. 41.

férvido (fér.vi.do) *adj.* **1.** Que é muito quente; abrasador: *um dia férvido.* **2.** *fig.* Agitado, arrebatado, impetuoso: *uma juventude férvida.* **3.** Apaixonado, fervoroso: *uma paixão férvida.*

fervilhar (fer.vi.lhar) *v.* **1.** Estar em ebulição: *A sopa ainda fervilha na panela.* **2.** Juntar-se em grande número, concorrer em grande quantidade: *A multidão fervilha na praça.* **3.** Estar cheio de: *A praça fervilhava de gente.* ▶ Conjug. 5.

fervor [ô] (fer.vor) *s.m.* **1.** Intensidade do sentimento religioso; devoção: *rezar com fervor.* **2.** *fig.* Grande dedicação; empenho: *treinar com fervor.*

fervoroso [ô] (fer.vo.ro.so) *adj.* **1.** Ardoroso, fervoroso: *um torcedor fervoroso.* **2.** Cheio de devoção: *uma oração fervorosa.* **3.** Dedicado, zeloso: *um fervoroso cultor das letras.* || f. e pl.: [ó].

fervura (fer.vu.ra) *s.f.* **1.** Ebulição. **2.** *fig.* Agitação de ânimo; alvoroço, excitação, efervescência.

festa [é] (fes.ta) *s.f.* **1.** Conjunto de cerimônias com que se celebra um acontecimento: *festa da Independência.* **2.** Reunião de pessoas para comemorar alguma coisa ou para se divertir: *Poucas pessoas foram à festa do Paulo.* **3.** Afago, carícia: *Fez festa à (na) criança.* **4.** Alegria, júbilo. **5.** Solenidade da igreja para memorar um fato, um momento da vida de Cristo ou os dias da Virgem e dos santos: *Festa de Corpus Christi; festa de São Sebastião.* • **festas** *s.f.pl.* **6.** As comemorações do Natal e do Ano-Novo: *Boas-festas!* || *Dia de festa*: dia santificado. • *Festa móvel*: aquela que a cada ano varia de data por depender da fixação da Páscoa: *Corpus Christi é uma festa móvel.*

festança (fes.tan.ça) *s.f.* **1.** Grande festa, ruidosa, de grande júbilo. **2.** Festão.

festão[1] (fes.tão) *s.m.* **1.** Ramalhete de flores e folhas; grinalda. **2.** Faixa bordada usada na extremidade de toalhas de mesa e roupas de cama. **3.** (*Arquit.*) Ornato em forma de grinalda ligeiramente curva, presa pelas duas pontas.

festão[2] (fes.tão) *s.m.* Grande festa; festança.

festeiro (fes.tei.ro) *adj.* **1.** Que frequenta festas; que gosta de festas. • *s.m.* **2.** Quem organiza ou dirige uma festa. **3.** Aquele que é frequentador de festas. **4.** Quem patrocina certas solenidades religiosas.

festejar (fes.te.jar) *v.* **1.** Fazer festa em honra de: *Em junho festejamos Santo Antônio, São João e São Pedro.* **2.** Comemorar, celebrar: *Vamos festejar a conquista do campeonato.* **3.** Acolher com prazer; aplaudir, aprovar: *A multidão festejou os atletas campeões.* **4.** Fazer festas a; acariciar: *A mãe festejou os filhos com muito carinho.* ▶ Conjug. 10 e 37.

festejo [ê] (fes.te.jo) *s.m.* **1.** Ato ou efeito de festejar. **2.** Festa. **3.** Carícia, afago.

festim (fes.tim) *s.m.* **1.** Festejo particular; pequena festa. **2.** Refeição de comidas e bebidas sofisticadas e fartas. **3.** (*Mil.*) Cartucho sem o projétil, utilizado em instrução de tiro simulado: *tiros de festim.*

festival (fes.ti.val) *s.m.* (*Cine, Mús., Teat.*) **1.** Série de eventos ou espetáculos culturais que pode ocorrer com certa periodicidade: *Festival de Cinema de Gramado; Festival de Teatro de Curitiba.* **2.** Grande festa; festa de grande dimensão. **3.** Sucessão de coisas: *um festival de erros.*

festividade (fes.ti.vi.*da*.de) *s.f.* Solenidade, comemoração, geralmente de caráter religioso ou cívico.

festivo (fes.*ti*.vo) *adj.* **1.** Relativo a festa. **2.** Alegre, divertido. **3.** *irôn.* Que não tem seriedade: *esquerda festiva.*

fetal (fe.*tal*) *adj.* (*Anat.*) Relativo a feto, próprio de feto: *posição fetal.*

fetiche (fe.*ti*.che) *s.m.* **1.** Objeto ao qual são atribuídos poderes sobrenaturais e propriedades mágicas e a que se presta culto; feitiço. **2.** (*Psiq.*) Parte do corpo ou objeto a ele ligado que desperta interesse erótico.

fetichismo (fe.ti.*chis*.mo) *s.m.* **1.** Culto a objetos a que são atribuídos poderes sobrenaturais ou mágicos. **2.** (*Psiq.*) Perversão na qual o paciente condiciona sua satisfação sexual à visão ou ao contato de um objeto determinado.

fetichista (fe.ti.*chis*.ta) *adj.* **1.** Relativo a fetiche ou fetichismo. • *s.m. e f.* **2.** Pessoa que pratica o fetichismo.

fétido (*fé*.ti.do) *adj.* Que exala mau cheiro; fedorento, fedido.

feto [é] (*fe*.to) *s.m.* **1.** Embrião de qualquer animal vivíparo depois que adquire aspecto semelhante ao do adulto. **2.** Na espécie humana, ser em desenvolvimento dentro do útero.

feudal (feu.*dal*) *adj.* Relativo a feudo ou a feudalismo.

feudalismo (feu.da.*lis*.mo) *s.m.* (*Hist.*) Sistema político, econômico e social que vigorou na Europa durante a Idade Média, baseado na propriedade da terra do senhor feudal, trabalhada pelos vassalos em regime servil.

feudo (*feu*.do) *s.m.* **1.** Na Idade Média, terra ou outro bem concedido pelo senhor feudal a um vassalo, em troca de obrigações. **2.** Propriedade de um senhor feudal.

fevereiro (fe.ve.*rei*.ro) *s.m.* Segundo mês do ano, com 28 dias, ou 29, nos anos bissextos.

fezes [é] (*fe*.zes) *s.f.pl.* Matéria constituída de resíduos de alimentos não digeríveis que é expelida pelo ânus; excremento.

fezinha (fe.*zi*.nha) *s.f. gír.* Pequena aposta no jogo: *fazer uma fezinha.*

fi *s.m.* Vigésima primeira letra do alfabeto grego.

fiação (fi.a.*ção*) *s.f.* **1.** Ato, modo ou efeito de fiar. **2.** Lugar onde se fia ou tece matéria têxtil. **3.** Conjunto de fios condutores de energia: *fiação elétrica.*

fiacre (fi:*a*.cre) *s.m.* Antiga carruagem de aluguel, puxada por um cavalo.

fiada (fi:*a*.da) *s.f.* **1.** Porção de fios. **2.** Fileira de pedras ou tijolos da mesma altura. **3.** Série de coisas enfileiradas unidas por um fio; fieira.

fiado (fi:*a*.do) *adj.* **1.** Confiado. **2.** Comprado ou vendido a crédito ou em confiança.

fiador [ô] (fi.a.*dor*) *s.m.* Pessoa que se compromete a honrar compromissos assumidos por outrem; garantidor.

fiambre (fi:*am*.bre) *s.m.* Carne, especialmente presunto, preparada para ser comida fria.

fiança (fi.*an*.ça) *s.f.* **1.** Responsabilidade contraída por fiador. **2.** Valor da garantia assumida pelo fiador. **3.** Quantia que o réu de crimes afiançáveis deposita para poder defender-se em liberdade.

fiandeira (fi:an.*dei*.ra) *s.m.* **1.** Mulher que trabalha em fiação. **2.** (*Zool.*) Parte do abdome das aranhas de onde saem os fios da teia.

fiapo (fi:*a*.po) *s.m.* Fio fino e curto.

fiar[1] (fi:*ar*) *v.* **1.** Reduzir a fio (filamentos de matérias têxteis): *fiar o algodão; fiar a lã.* **2.** Urdir tecido ou trama: *Está fiando um cachecol.* **3.** (*Zool.*) Secretar a substância de seu fio: *A aranha fia sua teia.* ▶ Conjug. 17.

fiar[2] (fi:*ar*) *v.* **1.** Ser o fiador de; afiançar; abonar: *Infelizmente não poderei fiá-lo na compra de seu carro novo.* **2.** Confiar, esperar, acreditar: *Fiamos que tudo acabará bem; Na verdade, eu fio em tudo que você está dizendo.* **3.** Vender fiado, vender em confiança: *Esta padaria não fiará mais o pão; Só fiaremos aos antigos clientes.* ▶ Conjug. 17.

fiasco (fi:*as*.co) *s.m.* Resultado mau, vexatório, insuficiente. || *Fazer fiasco*: sair-se mal, não ter o resultado desejado.

fibra (*fi*.bra) *s.f.* **1.** Feixe de filamentos alongados que constituem o tecido animal ou vegetal: *fibra lenhosa; fibra muscular.* **2.** Filamento ou fio de material diverso: *fibra de vidro.* **3.** *fig.* Energia, empenho, caráter: *uma mulher de fibra.* || *Fibra óptica*: material geralmente empregado em cabos de comunicações que podem transmitir sinais ópticos.

fibrilação (fi.bri.la.*ção*) *s.f.* (*Med.*) Sequência de contrações rápidas, involuntárias e descoordenadas das fibras musculares, especialmente as cardíacas.

fibroma (fi.*bro*.ma) *s.m.* (*Med.*) Tumor de caráter benigno, constituído em grande parte de tecido fibroso.

fibrose

fibrose [ó] (fi.bro.se) *s.f.* (*Med.*) Formação patológica de tecido fibroso.

fibroso [ô] (fi.bro.so) *adj.* **1.** Relativo a fibra ou semelhante a ela: *consistência fibrosa*. **2.** Que contém fibras ou é por elas formado: *legumes fibrosos*. || f. e pl.: [ó].

fíbula (fí.bu.la) *s.f.* **1.** Pequena fivela; broche para prender a roupa. **2.** (*Anat.*) Osso longo e fino que forma com a tíbia o esqueleto da perna. || Denominação que substitui *perônio*.

ficar (fi.car) *v.* **1.** Demorar-se em algum lugar: *Ele ficou na cidade, enquanto a família foi para o campo*; *Vou ficar três meses no Rio*. **2.** Estar, situar-se, encontrar-se em algum lugar: *A casa fica a alguns quilômetros daqui*; *Onde fica a saída?* **3.** Restar; subsistir: *Da festa de aniversário, não ficou nem um doce*; *Do velho castelo, ficaram apenas as ruínas*. **4.** Ser adiado; ser postergado: *A reunião ficou para amanhã*. **5.** Caber em herança ou sorte: *O filho mais velho ficou com o relógio do pai*. **6.** Não ir além de; deter-se em: *Nosso levantamento ficou apenas nisso*. **7.** Apoderar-se de; apossar-se de: *O assaltante ficou com todas as joias da senhora*. **8.** Tornar-se, fazer-se: *Ela ficou lívida quando soube do acontecido*; *Maria ficou feliz ao ver seu amigo*; *O prato ficou em pedaços*. **9.** Seguir estando a partir de um momento: *O caminho ficou aberto a quem quiser continuar esta obra*. **10.** *coloq.* Namorar curto tempo e sem consequência: *Carlos e Isabel só ficaram na festa da Patrícia*. ▶ Conjug. 5 e 35.

ficção (fic.ção) *s.f.* **1.** Ato ou efeito de fingir; simulação. **2.** Criação da imaginação; criação fantástica. **3.** Ramo da criação artística (literatura, teatro, cinema) baseado na imaginação: *ficção científica*. **4.** Obra de ficção (3): *O escritor abandonou os ensaios e agora só escreve ficção*.

ficcional (fic.ci:o.nal) *adj.* Que se refere à ficção: *narrativa ficcional*.

ficcionista (fic.ci:o.nis.ta) *adj.* **1.** Ficcional. • *s.m.* e *f.* **2.** Escritor de obras de ficção.

ficha (fi.cha) *s.f.* **1.** Peça circular de plástico com que se marcam os pontos em alguns jogos e que são trocadas, ao final, por dinheiro. **2.** Peça circular de plástico ou pequeno papel que se adquire em bares, cafés e lanchonetes para trocar por café, lanche, refrigerante etc. **3.** Pequena peça, de metal ou plástico, que serve para colocar em funcionamento certos aparelhos: *ficha de fliperama*. **4.** Pedaço retangular de cartão no qual se fazem anotações para ulterior classificação ou pesquisa: *ficha bibliográfica*. **5.** Registro que se faz em seção policial da vida de uma pessoa: *ficha policial*.

fichar (fi.char) *v.* Registrar uma informação em uma ficha (4) para resumo, classificação, catalogação etc.: *Ela está fichando os livros de História de seu pai*. ▶ Conjug. 5.

fichário (fi.chá.ri:o) *s.m.* **1.** Coleção de fichas. **2.** Móvel em que são guardadas fichas classificadas. **3.** Caderno de folhas móveis, o que permite a classificação dos apontamentos pela área de estudo e a renovação das folhas.

fichinha (fi.chi.nha) *s.m.* e *f. gír.* Pessoa de pouco valor, sem importância.

fictício (fic.tí.ci:o) *adj.* **1.** Existente somente na ficção; imaginário: *uma história fictícia*. **2.** Simulado, aparente, fingido: *um remorso fictício*.

fícus (fí.cus) *s.m.* (*Bot.*) Nome comum a diversas plantas, entre as quais a figueira.

fidalgo (fi.dal.go) *adj.* **1.** Que demonstra generosidade: *um gesto fidalgo*. • *s.m.* **2.** Homem com foros de nobreza, herdados de seus antepassados ou conferidos pelo soberano; gentil-homem. – **fidalguia** *s.f.*

fidedigno (fi.de.dig.no) *adj.* Digno de fé, merecedor de crédito: *uma edição fidedigna*.

fidelidade (fi.de.li.da.de) *s.f.* **1.** Qualidade de quem é fiel. **2.** Respeito aos compromissos assumidos ou ao vínculo com alguém ou alguma coisa: *a fidelidade conjugal*.

fidúcia (fi.dú.ci:a) *s.f.* Confiança, segurança.

fieira (fi:ei.ra) *s.f.* **1.** Aparelho para transformar metal em fios. **2.** Barbante com que se faz girar o pião. **3.** Linha de pescar. **4.** Cordão em que se enfiam várias coisas; fiada: *uma fieira de peixes*.

fiel (fi:el) *adj.* **1.** Que corresponde à confiança depositada; leal. **2.** Exato, verdadeiro. **3.** Constante, perseverante. • *s.m.* **4.** Seguidor de uma doutrina; membro de uma igreja, de uma seita, de uma religião. **5.** Ponteiro indicador de equilíbrio entre os pratos de uma balança. || *Ser o fiel da balança* (numa questão): ser o árbitro dela.

figa (fi.ga) *s.f.* **1.** Amuleto em forma de mão fechada com o polegar entre o indicador e o médio, usado para se livrar de maus-olhados, doenças, perigos, malefícios. **2.** Gesto que imita esse amuleto, feito com a intenção de anular o possível azar. || *De uma figa*: locução que sucede o nome de uma coisa que está causando irritação: *Esse motor de uma figa não quer pegar*.

figadal (fi.ga.*dal*) *adj.* **1.** Próprio do fígado; hepático. **2.** *fig.* Muito profundo; visceral, íntimo: *Uma aversão figadal pela arrogância.*

fígado (*fí*.ga.do) *s.m.* **1.** (*Anat.*) Grande glândula anexa ao tubo digestivo reponsável por diversas funções, entre elas a produção da bile. **2.** (*Cul.*) Prato preparado com o fígado bovino, suíno ou de ave: *Hoje no almoço houve fígado.*

figo (*fi*.go) *s.m.* Fruto da figueira, de casca fina, geralmente arrocheada, com polpa comestível, de bom sabor.

figueira (fi.*guei*.ra) *s.f.* (*Bot.*) Árvore que dá o figo.

figura (fi.*gu*.ra) *s.f.* **1.** Representação em desenho, pintura, gravura, foto de uma pessoa, um animal ou uma coisa. **2.** Tipo humano: *Aquele professor foi uma figura.* **3.** A forma ou a configuração de um corpo: *A figura de um homem ficou marcada no pano.* **4.** (*Geom.*) Forma geométrica: *O triângulo é uma figura geométrica.* **5.** (*Teat.*) Cada um dos personagens ou intérpretes de uma peça de teatro. **6.** Cada um dos músicos de um grupo orquestral: *Faltaram algumas figuras da orquestra no concerto de ontem.* || *Fazer figura*: ter importância, dar na vista: *Esta sua camisa faz figura.* • *Fazer boa ou má figura*: ter um bom ou mau desempenho. • *Figuras de retórica*: (*Lit.*) forma estilizada de exprimir o pensamento de modo que seja mais incisivo, convincente, comovente. • *Figuras de sintaxe*: (*Gram.*) formas de expressão em que a construção da frase foge do modelo estrutural lógico, a fim de dar destaque significativo a algum membro da frase. • *Figuras de silogismo*: (*Fil.*) as várias posições do termo médio nas premissas de um silogismo. • *Mudar de figura*: tomar outro aspecto, tornar-se diferente.

figuração (fi.gu.ra.*ção*) *s.f.* **1.** Ato ou efeito de figurar. **2.** (*Cine, Teat., Telv.*) Papel insignificante de um ator; ponta.

figurado (fi.gu.*ra*.do) *adj.* **1.** Que se figurou, que se fez figura. **2.** Que contém figuras. **3.** (*Gram.*) Diz-se do sentido das palavras que não é o próprio, mas tem com este alguma relação ou semelhança.

figurante (fi.gu.*ran*.te) *adj.* **1.** Que figura. • *s.m.* e *f.* **2.** (*Cine, Teat., Telv.*) Ator que entra em uma peça teatral ou televisiva ou em filme com papel insignificante, normalmente sem falas.

figurão (fi.gu.*rão*) *s.m. gír.* Pessoa importante, notável em seu meio.

figurar (fi.gu.*rar*) *v.* **1.** Traçar a imagem de; assemelhar-se a: *O menino via nuvens que figuravam castelos.* **2.** Significar, simbolizar, representar: *Aquela pomba branca no alto da igreja figura o Espírito Santo.* **3.** Participar de; tomar parte em: *Benjamin Constant figurava entre os propagandistas da República.* **4.** Representar na imaginação, imaginar, conceber: *A jovem romântica figurava a vida como um mar de rosas.* **5.** Fingir, aparentar: *Figura estar alegre para não aborrecer o marido.* **6.** Estar incluído, fazer parte: *"O Homem que Sabia Javanês", conto de Lima Barreto, figura em numerosas antologias.* ▶ Conjug. 5.

figurativo (fi.gu.ra.*ti*.vo) *adj.* **1.** Que figura; representativo, simbólico: *Este desenho é figurativo de seu estado de espírito.* **2.** (*Art.*) Diz-se da pintura apegada às formas visíveis na natureza.

figurinha (fi.gu.*ri*.nha) *s.f.* **1.** Pequena figura. **2.** Estampa de coleção que normalmente é colada em álbum. **3.** *gír.* Pessoa diferente, fora do comum: *Que figurinha é este rapaz!* || *Figurinha difícil*: pessoa que se faz de difícil e aparece pouco nos lugares de encontro de amigos e colegas.

figurinista (fi.gu.ri.*nis*.ta) *adj.* **1.** Relativo a figurino. • *s.m.* e *f.* **2.** Desenhista de figurinos. **3.** (*Cine, Teat., Telv.*) Profissional responsável pelos figurinos dos atores.

figurino (fi.gu.*ri*.no) *s.m.* **1.** Desenho ou modelo de roupa criado por profissional da alta-costura. **2.** Revista de modas. **3.** (*Teat.*) A indumentária que os atores usam em cena. **4.** *fig.* Modelo, exemplo: *Não deixe de seguir o figurino.*

fijiano (fi.ji.*a*.no) *adj.* **1.** De Fiji, país da Oceania. • *s.m.* **2.** O natural ou o habitante desse país.

fila¹ (*fi*.la) *s.f.* **1.** Série de pessoas, animais ou objetos dispostos lado a lado ou uns atrás dos outros. **2.** Sequência de pessoas que se vão colocando uma atrás da outra à medida que vão chegando: *Por favor, entre na fila.* **3.** Lista ordenada de nomes de pessoas que se organiza para fins de atendimento: *Seu nome era o último da fila.* || *Furar fila*: não respeitar a ordem de chegada, passando à frente dos outros numa fila.

fila² (*fi*.la) *s.m.* Cão de certa raça desenvolvida no Brasil, normalmente bastante agressivo.

filamentar (fi.la.men.*tar*) *adj.* **1.** Constituído por filamentos. **2.** Filamentoso.

filamento (fi.la.*men*.to) *s.m.* **1.** Fio muito fino. **2.** Elemento alongado e fino de um órgão vege-

filamentoso

tal ou animal, formado por uma ou mais células alongadas. **3.** (*Eletr.*) Na lâmpada elétrica, fio metálico que se torna incandescente pela passagem de corrente elétrica.

filamentoso [ô] (fi.la.men.*to*.so) *adj.* **1.** Formado de filamentos; filamentar. **2.** Que possui filamentos. || f. e pl.: [ó].

filantropia (fi.lan.tro.*pi*.a) *s.f.* **1.** Amor à humanidade. **2.** Sentimento de solidariedade que leva a ajudar as pessoas, independentemente de quaisquer motivações políticas ou religiosas; humanitarismo.

filantrópico (fi.lan.*tró*.pi.co) *adj.* Relativo a filantropia, que pratica a filantropia.

filantropo [ô] (fi.lan.*tro*.po) *adj.* **1.** Que ama a humanidade. **2.** Humanitário. • *s.m.* **3.** Aquele que pratica a filantropia.

filão (fi.*lão*) *s.m.* **1.** Negócio que se explora facilmente. **2.** (*Geol.*) Camada contínua do mesmo material inserido na crosta terrestre; veio. **3.** *fig.* Matriz, veio, fonte de onde se pode extrair bom lucro: *Esse comércio é um filão.*

filar (fi.*lar*) *v.* **1.** Agarrar a presa com os dentes (cão). **2.** *gír.* Obter por artimanha: *Filei um bom almoço na casa de meu colega; Compre seus cigarros; não file.* ► Conjug. 5.

filária (fi.*lá*.ri:a) *s.f.* (*Zool.*) Nome genérico de vermes de forma semelhante a fios alongados e finos que parasitam mamíferos e aves.

filariose [ó] (fi.la.ri:*o*.se) *s.f.* (*Med.*) Doença parasitária causada pela filária.

filarmônica (fi.lar.*mô*.ni.ca) *s.f.* **1.** Sociedade de concertos musicais. **2.** Grande orquestra sinfônica.

filatelia (fi.la.te.*li*.a) *s.f.* **1.** Estudo dos selos postais metodicamente colecionados. **2.** Hábito de colecionar selos postais. – **filatélico** *adj.*

filatelismo (fi.la.te.*lis*.mo) *s.m.* Prática da filatelia.

filatelista (fi.la.te.*lis*.ta) *s.m.* e *f.* Pessoa que coleciona selos.

filé (fi.*lé*) *s.m.* **1.** Peça de carne macia tirada da região lombar de bois, vitelas, porcos e outros animais. **2.** Bife feito com essa carne. **3.** Certo trabalho de agulha em forma de rede. **4.** Fatia de peixe extraída dos dois lados da espinha dorsal, sem espinhas: *filé de linguado.*

fileira (fi.*lei*.ra) *s.f.* **1.** Conjunto de pessoas, objetos ou animais dispostos em fila. • *fileiras s.f.pl.* **2.** Atividade do serviço militar; vida militar; vida de caserna.

filé-mignon (fi.lé-mi.*gnon*) *s.m.* **1.** Parte mais tenra de carne tirada da ponta do filé. **2.** O que há de melhor; a melhor parte: *Ele com-* *prou o filé-mignon dos apartamentos do condomínio.* || pl.: *filés-mignons*.

filete [ê] (fi.*le*.te) *s.m.* **1.** Fio curto e delgado. **2.** Líquido que corre em pequena quantidade: *um filete de sangue; um filete de água.* **3.** (*Anat.*) Ramificação fina de um nervo. **4.** (*Art. Gráf.*) Ornato dourado ou prateado que se põe na encadernação dos livros.

filharada (fi.lha.*ra*.da) *s.f.* Grande quantidade de filhos.

filho (*fi*.lho) *s.m.* **1.** Pessoa considerada em relação aos pais. **2.** Indivíduo que procede de determinada estirpe. **3.** Qualquer indivíduo em relação ao lugar onde nasceu: *Sou filho do Rio de Janeiro.*

filhó (fi.*lhó*) *s.2g.* (*Cul.*) Massa de farinha de trigo batida com ovos, estendida, frita, passada por calda de açúcar e polvilhada de açúcar. || *filhós*.

filho de santo *s.m.* Noviço do culto dos orixás, no candomblé, que é posto em reclusão e aprende os cantos e danças rituais.

filhós (fi.*lhós*) *s.2g.* Filhó. || pl.: *filhoses*.

filhote [ó] (fi.*lho*.te) *s.m.* **1.** Cria de animal. **2.** Animal novo. **3.** Tratamento carinhoso dado ao filho. **4.** *fig.* Indivíduo escandalosamente apadrinhado. **5.** Ação de empresa distribuída a seus acionistas.

filiação (fi.li:a.*ção*) *s.f.* **1.** Relação de parentesco de pais e filhos. **2.** Declaração de quem são os pais de uma pessoa: *Ela não quis revelar sua filiação.* **3.** Ato ou efeito de se filiar (4): *Sua filiação ao partido será amanhã.* **4.** Relação que se estabelece entre coisas que têm uma mesma origem: *Algumas doutrinas políticas têm a mesma filiação.*

filial (fi.li:*al*) *adj.* **1.** Relativo a filho, próprio de filho: *amor filial.* • *s.f.* **2.** Estabelecimento comercial ou industrial ligado a outro, a matriz; sucursal, agência: *A empresa paulista tem filiais em outros estados.* **3.** *fig. pej.* Amante: *A esposa não sabe da filial.*

filiar (fi.li:*ar*) *v.* **1.** Reconhecer como filho. **2.** Adotar como filho: *O atleta filiou o bebê de sua namorada.* **3.** Dar como origem; entroncar, associar: *Filia-se este poeta ao Modernismo.* **4.** Tornar(-se) filiado, sócio ou membro de um grupo ou comunidade: *A nova seita já filiou muita gente; A maioria dos alunos filiou- -se ao grêmio da escola.* **5.** Vincular(-se): *Suas opiniões não se filiavam à doutrina ortodoxa.* ► Conjug. 17.

filiforme [ó] (fi.li.*for*.me) *adj.* **1.** Em forma de fio, delgado como fio. **2.** (*Med.*) Fraco a ponto de quase não deixar perceber a circulação: *pulso filiforme.*

filigrana (fi.li.*gra*.na) *s.f.* **1.** Trabalho de ourivesaria em forma de renda, tecida com fios de ouro ou prata entrelaçados. **2.** Marca-d'água. **3.** *fig.* Trabalho delicado. **4.** *fig.* Detalhe; pormenor.

filipino (fi.li.*pi*.no) *adj.* **1.** Das Filipinas, país da Ásia. • *s.m.* **2.** O natural ou o habitante desse país.

filisteu (fi.lis.*teu*) *adj.* **1.** (*Hist.*) Relativo aos filisteus, antigo povo do litoral da Palestina. • *s.m.* **2.** Pessoa pertencente a esse povo. **3.** Pessoa de mentalidade tacanha e de mau gosto. || f.: *filisteia.*

filmadora [ô] (fil.ma.*do*.ra) *s.f.* Máquina de filmar.

filmar (fil.*mar*) *v.* (*Cine, Telv.*) **1.** Registrar imagens em filme ou vídeo: *O jornalista filmou toda a festa; Este novo diretor nunca filmou.* **2.** Adaptar para o cinema: *O diretor filmou* Vidas secas, *de Graciliano Ramos.* ▶ Conjug. 5.

filme (*fil*.me) *s.m.* **1.** Rolo de película de celuloide em que se registram imagens fotográficas: *Minha câmera fotográfica está sem filme.* **2.** (*Cine, Telv.*) Sequência de cenas projetadas numa tela: *um filme sobre a Copa do Mundo.* **3.** (*Cine*) Obra cinematográfica: *Vamos exibir os filmes de Fellini.* **4.** (*Art. Gráf.*) Fotolito. **5.** Folha finíssima de plástico para envolver alimentos.

filmografia (fil.mo.gra.*fi*.a) *s.f.* Relação completa dos filmes de um diretor, de um ator, atriz, de um país: *a filmografia francesa; a filmografia de Watson Macedo.*

filmoteca [é] (fil.mo.*te*.ca) *s.f.* **1.** Coleção de filmes. **2.** Lugar em que se colecionam filmes.

filo (*fi*.lo) *s.m.* (*Biol.*) Na classificação botânica e zoológica, a primeira subclassificação logo depois de reino.

filó (fi.*ló*) *s.m.* Tecido fino e transparente em forma de rede, usado em véus, cortinas, cortinados.

filologia (fi.lo.lo.*gi*.a) *s.f.* **1.** Ciência que estuda uma língua ou um conjunto de línguas como instrumento da literatura, visando ao conhecimento de seus princípios etimológicos, gramaticais, históricos e lexicológicos. **2.** Linguística. – **filológico** *adj.*

filólogo (fi.*ló*.lo.go) *s.m.* Aquele que se dedica aos estudos e trabalhos de Filologia.

filosofar (fi.lo.so.*far*) *v.* **1.** Falar ou refletir com raciocínios filosóficos: *filosofar sobre o destino do homem.* **2.** *irôn.* Falar como se fosse com raciocínios filosóficos: *Você, em vez de agir, fica aí filosofando.* ▶ Conjug. 20.

filosofia (fi.lo.so.*fi*.a) *s.f.* **1.** Ciência da busca racional das grandes questões básicas do homem, da vida e do universo. **2.** Sistema individual de valores e princípios que regem a conduta.

filosófico (fi.lo.*só*.fi.co) *adj.* Relativo a Filosofia e a filósofo.

filósofo (fi.*ló*.so.fo) *s.m.* **1.** Aquele que se dedica ao estudo da Filosofia ou que se forma em Filosofia. **2.** Aquele que vive tranquilo, que tem serenidade diante dos problemas. **3.** *coloq.* Pessoa excêntrica.

filtrar (fil.*trar*) *v.* **1.** Fazer passar por filtro; coar: *filtrar a água para beber.* **2.** Impedir total ou parcialmente a passagem de: *filtrar os raios solares.* **3.** *fig.* Selecionar: *filtrar os melhores candidatos.* **4.** *fig.* Inocular, infiltrar: *Deixou filtrar o ressentimento em seu coração.* ▶ Conjug. 5.

filtro (*fil*.tro) *s.m.* **1.** Aparelho formado de material poroso que retém impurezas da água e de outros líquidos. **2.** Tudo que serve para filtrar, reter e selecionar: *filtro de café.* **3.** Poção mágica, elixir. || *Filtro de linha*: dispositivo que corrige as oscilações da tensão elétrica para a entrada em aparelhos elétricos. • *Filtro solar*: substância que protege a pele da ação prejudicial das radiações solares, sobretudo dos raios ultravioleta.

fim *s.m.* **1.** Término, encerramento, final: *o fim da guerra.* **2.** O ponto extremo, o limite máximo: *o fim da estrada.* **3.** O desfecho, a conclusão: *o fim da novela.* **4.** O objetivo, a meta, a finalidade: *o fim desejado e alcançado.* || *Fim de semana*: tempo decorrido entre a tarde de sexta-feira e a manhã de segunda-feira. • *A fim*: com vontade e disposição: *Não estou a fim de jogar futebol hoje.* • *A fim de*: **1.** com o objetivo de, para: *Fez uma pausa a fim de esfriar a cabeça.* **2.** interessado em, atraído por: *Você está a fim daquela menina?* • *Por fim*: finalmente. • *Ser o fim da picada*: ser inconveniente, ser desastroso, ser muito ruim: *Sua desistência foi o fim da picada.*

fímbria (*fím*.bri:a) *s.f.* **1.** Guarnição inferior de uma veste, de um manto etc. **2.** Linha que se delimita; borda, orla: *a fímbria da sombra.*

fimose [ó] (fi.*mo*.se) *s.m.* (*Med.*) Estreitamento do prepúcio que impede que a glande se descubra.

final (fi.*nal*) *adj.* **1.** Conclusivo. **2.** Último. **3.** (*Gram.*) Diz-se da conjunção subordinativa que indica finalidade ou intenção. **4.** Redução de oração subordinada final. • *s.m.* **5.** Fim, desfecho, remate. • *s.f.* **6.** Prova esportiva que decide um campeonato.

finalidade (fi.na.li.*da*.de) *s.f.* **1.** Objetivo para o qual se orienta alguma coisa. **2.** Intento, propósito, desígnio.

finalíssima (fi.na.*lís*.si.ma) *s.f.* Grande partida final de um campeonato.

finalista (fi.na.*lis*.ta) *adj.* **1.** Que participa de uma disputa final: *os dois times finalistas*. • *s.m. e f.* **2.** Pessoa ou grupo que se classifica para as finais, em uma competição: *Estes são os finalistas da maratona*.

finalizar (fi.na.li.*zar*) *v.* **1.** Levar ao fim; concluir, terminar: *Durante as férias, ele finalizou o poema*. **2.** Dizer em conclusão: *Com um amém, ele finalizou sua oração*. **3.** (*Esp.*) Chutar para gol: *Passou a bola para Ronaldo, que finalizou*. ▶ Conjug. 5.

finanças (fi.*nan*.ças) *s.f.pl.* **1.** Capital, sob a forma de dinheiro, de que dispõe um governo, uma empresa ou um particular: *As finanças do país vão bem*. **2.** Administração dos recursos financeiros: *Passe no setor de finanças para receber seu cheque*.

financeira (fi.nan.*cei*.ra) *s.f.* Empresa de crédito e financiamento.

financeiro (fi.nan.*cei*.ro) *adj.* Relativo a finanças.

financiar (fi.nan.ci:*ar*) *v.* **1.** Custear as despesas de; prover de recursos financeiros; bancar, subsidiar: *A empresa financiará os estudos dos filhos de seus empregados*. **2.** Prover de recursos financeiros a título de empréstimo ou de subvenção: *O banco financiará ao município dois milhões de reais*. ▶ Conjug. 17.

financista (fi.nan.*cis*.ta) *adj.* **1.** Próprio de financista: *um enfoque financista*. • *s.m. e f.* **2.** Especialista em finanças.

finca (*fin*.ca) *s.f.* **1.** Peça de sustentação; escora, estaca, esteio. **2.** *fig.* Arrimo, apoio.

finca-pé (fin.ca-*pé*) *s.m. fig.* Empenho, persistência; teimosia. ‖ *Fazer finca-pé*: obstinar-se; não mudar de parecer ou resolução. ‖ pl.: *finca-pés*.

fincar (fin.*car*) *v.* Cravar(-se), plantar(-se), enterrar(-se); afincar: *Fincaram uma grande cruz na praia; A fecha fincou-se no tronco da árvore*. ▶ Conjug. 5 e 35.

findar (fin.*dar*) *v.* **1.** Ter fim ou pôr fim: *A festa só findou pela manhã do dia seguinte*. **2.** Dar em, resultar em: *O namoro findou em casamento*. **3.** Chegar ao fim; concluir-se: *A obra só findou em 1950*. ‖ part.: *findado* e *findo*. ▶ Conjug. 5.

findo (*fin*.do) *adj.* Que findou; concluído, acabado: *na semana finda*.

fineza [ê] (fi.*ne*.za) *s.f.* **1.** Qualidade do que é fino e delicado: *a fineza da seda*. **2.** Gentileza, boa educação, polidez, finura: *Teve a fineza de me avisar*. **3.** Elegância, requinte, graça: *Foi uma festa de muita fineza*. **4.** Favor, obséquio: *Faça a fineza de fechar a porta*.

fingido (fin.*gi*.do) *adj.* **1.** Que simula; falso, enganoso: *doença fingida*. • *s.m.* **2.** Pessoa fingida.

fingimento (fin.gi.*men*.to) *s.m.* **1.** Ação de fingir. **2.** Hipocrisia, dissimulação.

fingir (fin.*gir*) *v.* **1.** Tentar passar a ideia daquilo que não se é, não se sente ou não se pensa: *Na verdade, ele fingia sentir remorsos pelo que fez; Ela fingia-se de santa*. **2.** Fazer simulação; fazer de conta; simular: *Vamos fingir que isso aqui é um palco; Para não ir à aula, fingia-se doente*. ▶ Conjug. 66 e 92.

finito (fi.*ni*.to) *adj.* Que tem fim; que tem limite: *um número finito de oportunidades*.

finitude (fi.ni.*tu*.de) *s.f.* Qualidade do que é finito.

finlandês (fin.lan.*dês*) *adj.* **1.** Da Finlândia, país da Europa. • *s.m.* **2.** O natural ou o habitante desse país. **3.** A língua desse país.

fino (*fi*.no) *adj.* **1.** De diâmetro reduzido; de pouca largura ou espessura: *uma cintura fina; uma corda fina*. **2.** Agudo, afiado: *a lâmina fina da navalha; uma agulha muito fina*. **3.** Polido, educado, gentil, refinado: *um rapaz fino*. **4.** Delicado, saboroso: *um doce fino*. **5.** De excelente qualidade: *Usava trajes finos*. • *s.m.* **6.** Coisa fina, de bom gosto, elegante: *Hoje o fino é não fumar*. ‖ *Tirar um fino de*: passar raspando por: *Ao tentar me ultrapassar, o carro dela tirou um fino do meu*.

finório (fi.*nó*.ri:o) *adj.* **1.** Esperto, sagaz. • *s.m.* **2.** Pessoa esperta, sagaz; espertalhão, malandro.

finta (*fin*.ta) *s.f.* (*Esp.*) Ação de desnortear o adversário (na esgrima, no boxe, no futebol); drible.

fintar (fin.*tar*) *v.* (*Esp.*) Driblar: *O atacante fintou o lateral e chutou em gol*. ▶ Conjug. 5.

finura (fi.*nu*.ra) *s.f.* **1.** Reduzida espessura: *Veja a finura deste papel*. **2.** Delicadeza, fineza: É *uma senhora de muita finura*.

fio (*fi*:o) *s.m.* **1.** Fibra fina e longa, extraída de material têxtil: *um fio de seda; um fio de algodão*. **2.** Porção de material de diâmetro circu-

fisiológico

lar fino e flexível: *fio de arame; fio de cabelo.* **3.** Corte, gume de instrumento cortante: *o fio da faca.* **4.** Porção tênue de líquido que escorre: *um fio d'água; um fio de sangue.* **5.** Porção muito tênue de alguma coisa: *um fio de voz; um fio de esperança.* **6.** Encadeamento das partes de um todo: *Perdeu o fio da memória.* || *A fio:* sem interrupção; seguidamente: *Falou horas a fio.* • *De fio a pavio:* do princípio ao fim; por inteiro: *Narrou o acontecimento de fio a pavio.* • *Por um fio:* por pouco; por um triz: *Você escapou por um fio.*

fiorde [ó] (fi:or.de) *s.m.* (*Geogr.*) Golfo estreito, escarpado e profundo, por vezes de grande extensão, característico das costas da Noruega e da Groenlândia.

firewall [fáiar uol] (Ing.) *s.m.* (*Inform.*) Sistema de segurança que filtra o acesso a uma rede.

firma (fir.ma) *s.f.* **1.** Assinatura de uma pessoa em carta ou documento. **2.** Empresa que se dedica a determinado negócio com fim lucrativo.

firmamento (fir.ma.men.to) *s.m.* A abóbada celeste, o céu.

firmar (fir.mar) *v.* **1.** Tornar(-se) firme, seguro, fixo; fixar(-se): *Firmou as estacas para cercar o terreno; Firmou bem os pés na areia; Firmou-se bem no galho da mangueira.* **2.** Conseguir estabilidade: *Aos poucos ele foi-se firmando como chefe do grupo.* **3.** Pôr a firma; assinar, subscrever: *O documento final será firmado por todos os participantes do congresso.* **4.** Validar, sancionar (acordo, contrato etc.): *Os governos dos dois países firmarão um pacto de não agressão.* **5.** Fundamentar(-se), apoiar(-se): *O advogado firmou a defesa de seu cliente em elementos sólidos; Firmou-se nas contradições das testemunhas.* ▶ Conjug. 5.

firme (fir.me) *adj.* **1.** Bem fixo, seguro: *paredes firmes.* **2.** Que não se desfaz, constante: *namoro firme.* **3.** Que não se abate facilmente: *coragem firme.* **4.** Robusto, forte: *pernas sólidas e firmes.* **5.** Inalterável, constante: *tempo firme.* **6.** Que não se abala, que não fraqueja, que não cede: *firme em suas resoluções.* **7.** Que não emite sons falsos nem treme: *voz firme.* **8.** Não submerso ou alagadiço: *terra firme.* **9.** Impassível, imperturbável: *Aguente firme.* **10.** Que não vacila nem treme: *mão firme.*

firmeza [ê] (fir.me.za) *s.f.* Qualidade do que é firme; segurança.

firula (fi.ru.la) *s.f.* **1.** Rodeio, floreio: *um discurso com muita firula.* **2.** No futebol, demonstração de grande habilidade no domínio da bola: *Descontadas as firulas desnecessárias, ele jogou muito bem.*

fiscal (fis.cal) *adj.* **1.** Relativo a fisco, ligado ao fisco: *ano fiscal.* • *s.m. e f.* **2.** Funcionário do fisco. **3.** Pessoa que tem a seu cargo zelar pelo cumprimento de leis, regulamentos etc.

fiscalização (fis.ca.li.za.ção) *s.f.* **1.** Ação ou efeito de fiscalizar. **2.** Instituição encarregada de fiscalizar.

fiscalizar (fis.ca.li.zar) *v.* **1.** Velar pelo cumprimento das leis e dos regulamentos: *É encarregado de fiscalizar as casas de espetáculos.* **2.** Cuidar da observância de: *Você vai ficar encarregado de fiscalizar a obra.* **3.** Exercer o ofício de fiscal: *Agora os fiscais estão fiscalizando com rigor.* ▶ Conjug. 5.

fisco (fis.co) *s.m.* Parte da administração pública encarregada da fiscalização e cobrança dos impostos.

fisga (fis.ga) *s.f.* Ferro bifurcado de pontas farpadas para pescar; arpão.

fisgada (fis.ga.da) *s.f.* **1.** Ato de fisgar; golpe de fisga. **2.** *fig.* Dor aguda e intermitente; pontada.

fisgar (fis.gar) *v.* **1.** Pescar com anzol, fisga ou arpão: *No Pantanal, ele fisgou vários peixes.* **2.** *gír.* Prender, deter: *Finalmente a polícia fisgou o bandido.* **3.** *gír.* Enfeitiçar, despertar paixão: *Na balada, o rapaz fisgou a mocinha.* ▶ Conjug. 5 e 34.

física (fí.si.ca) *s.f.* Ciência que estuda as propriedades gerais da matéria e as leis que as regem.

físico (fí.si.co) *adj.* **1.** Relativo a Física ou a matéria: *leis físicas; espaço físico.* **2.** Relativo ao corpo humano: *exercícios físicos.* • *s.m.* **3.** Profissional formado em Física. **4.** Constituição do corpo humano: *um físico atlético.*

fisiculturismo (fi.si.cul.tu.ris.mo) *s.m.* Conjunto de exercícios físicos que, junto com dieta especial, visa ao aumento do volume dos músculos.

fisiculturista (fi.si.cul.tu.ris.ta) *adj.* **1.** Relativo a fisiculturismo: *exercícios fisiculturistas.* • *s.m. e f.* **2.** Aquele que pratica o fisiculturismo: *O fisiculturista gosta muito de um espelho.*

fisiologia (fi.si:o.lo.gi.a) *s.f.* Ciência que estuda as funções orgânicas e os processos vitais.

fisiológico (fi.si:o.ló.gi.co) *adj.* **1.** Relativo a Fisiologia. **2.** *pej.* Diz-se dos políticos que apoiam sempre o governo, visando a interesses pessoais.

fisiologismo

fisiologismo (fi.si:o.lo.*gis*.mo) *s.m. pej.* Atitude política voltada exclusivamente para o proveito pessoal.

fisiologista (fi.si:o.lo.*gis*.ta) *s.m. e f.* Profissional que se especializa em Fisiologia.

fisionomia (fi.si:o.no.*mi*.a) *s.f.* Conjunto de traços do rosto; semblante: *uma fisionomia tranquila.*

fisionomista (fi.si:o.no.*mis*.ta) *s.m. e f.* Pessoa que guarda bem fisionomias na memória.

fisioterapeuta (fi.si:o.te.ra.*peu*.ta) *s.m. e f.* (*Med.*) Profissional especializado em Fisioterapia.

fisioterapia (fi.si:o.te.ra.*pi*.a) *s.f.* (*Med.*) Emprego de agentes físicos (luz, água, calor) e princípios mecânicos (exercícios, massagens) como recursos terapêuticos. – **fisioterápico** *adj.*

fissão (fis.*são*) *s.f.* (*Fís.*) Divisão de um núcleo atômico pesado (urânio ou plutônio), geralmente por bombardeio de nêutrons, com liberação de enorme quantidade de energia.

fissura (fis.*su*.ra) *s.f.* **1.** Pequena abertura ou greta; fenda. **2.** *gír.* Desejo intenso, sofreguidão, ânsia.

fissurado (fis.su.*ra*.do) *adj.* **1.** Que tem obsessão por: *garoto fissurado por chocolate.* **2.** Que tem fissura (1); rachado: *um osso fissurado.* • *s.m.* **3.** *gír.* Pessoa que tem obsessão por; vidrado: *um fissurado por futebol.*

fístula (*fís*.tu.la) *s.f.* (*Med.*) Comunicação anormal, patológica ou cirúrgica, entre dois órgãos ou entre uma cavidade e a superfície cutânea.

fita (*fi*.ta) *s.f.* **1.** Tecido estreito, reto e delgado, de vários materiais, destinado a atar, ornar, ornamentar etc. **2.** Filme cinematográfico. **3.** *fig.* Atitude tomada para impressionar ou iludir: *Por favor, não faça fita!*

fitar (fi.*tar*) *v.* Fixar a vista nele; olhar fixamente: *A mãe fitou longamente o rosto do filho; Os namorados fitaram-se surpresos.* ▶ Conjug. 5.

fiteiro (fi.*tei*.ro) *adj.* **1.** Que faz fita (3): *um jogador fiteiro.* • *s.m.* **2.** Pessoa que faz fita (3): *Não dê atenção ao fiteiro.* **3.** *reg.* Mostrador onde se expõem pequenos objetos postos à venda.

fito[1] (*fi*.to) *adj.* Fixo, pregado, cravado: *Tinha os olhos fitos no namorado.*

fito[2] (*fi*.to) *s.m.* Alvo, objetivo.

fitogenia (fi.to.ge.*ni*.a) *s.f.* (*Bot.*) Origem, evolução e desenvolvimento das plantas.

fitogeografia (fi.to.ge:o.gra.*fi*.a) *s.f.* (*Bot.*) Parte da Botânica que estuda a distribuição geográfica dos vegetais na superfície da Terra.

fitoplâncton (fi.to.*plânc*.ton) *s.m.* (*Bot.*) Designação genérica dos organismos microscópicos, de natureza vegetal, que vivem em suspensão nas águas doces, salobras e marinhas.

fitoterapia (fi.to.te.ra.*pi*.a) *s.f.* (*Med.*) Tratamento ou prevenção das doenças por meio de plantas ou substâncias de origem vegetal. – **fitoterápico** *adj.*

fivela [é] (fi.*ve*.la) *s.f.* **1.** Peça de metal com um ou mais pinos, que serve para prender cintos, sandálias, sapatos etc. **2.** Peça para prender os cabelos.

fixação [cs] (fi.xa.*ção*) *s.f.* **1.** Ato ou efeito de fixar. **2.** (*Quím.*) Operação química para fixar um corpo volátil. **3.** Processo químico para remover, depois da revelação de fotos, o derivado de prata não sensibilizado. **4.** (*Psiq.*) Apego doentio, exagerado, a uma pessoa ou objeto.

fixador [cs...ô] (fi.xa.*dor*) *adj.* **1.** Que possui a propriedade de fixar. • *s.m.* **2.** Peça para fixar. **3.** Solução química em que se dissolvem as substâncias que não foram impressionadas pela luz nas matrizes fotográficas. **4.** Substância que se usa nos cabelos com o fim de mantê-los penteados.

fixar [cs] (fi.*xar*) *v.* **1.** Tornar(-se) fixo, firme, seguro: *Ele fixou a nova árvore, amarrando-a a uma estaca; A árvore acabou fixando-se.* **2.** Estabelecer morada, vir a residir: *Por que você não fixa residência em Taubaté?; Depois de sua volta, ele fixou-se em Niterói.* **3.** Reter, prender (atenção, olhar): *Fixou os olhos na figura da mãe.* **4.** Guardar na memória, memorizar: *Nunca consegui fixar os nomes dos presidentes da República.* **5.** Determinar, marcar, estabelecer: *Fixamos uma data certa para terminar o trabalho.* ▶ Conjug. 5.

fixo [cs] (*fi*.xo) *adj.* **1.** Preso, pregado: *fixo na parede.* **2.** Que não se desvia; fito: *atenção fixa.* **3.** Inalterável: *prazo fixo; prestações fixas.* **4.** Permanente, durável: *emprego fixo; endereço fixo.* **5.** Determinado, definido: *critérios fixos.*

flã *s.m.* (*Cul.*) Pudim de leite e ovos.

flácido (*flá*.ci.do) *adj.* Sem firmeza e sem elasticidade: *músculos flácidos.*

flagelação (fla.ge.la.*ção*) *s.f.* **1.** Ato ou efeito de flagelar. **2.** Suplício do açoite. **3.** *fig.* Sofrimento, tormento, aflição.

flagelado[1] (fla.ge.*la*.do) *adj.* **1.** Que sofreu flagelo ou calamidade: *um pobre homem flagelado da seca.* • *s.m.* **2.** A vítima de um flagelo ou calamidade: *Os flagelados da enchente ficarão abrigados nas escolas.*

flagelado² (fla.ge.*la*.do) *adj.* (*Biol.*) Dotado de flagelo.

flagelar (fla.ge.*lar*) *v.* **1.** Açoitar com flagelo; mortificar: *Os soldados flagelaram Jesus.* **2.** *fig.* Afligir, afetar: *Enfermidades flagelam o povo.* **3.** *fig.* Castigar(-se), atormentar(-se), torturar(-se): *Não se flagele com esses problemas.* ▶ Conjug. 8.

flagelo¹ [é] (fla.ge.lo) *s.m.* **1.** Açoite, chicote. **2.** Tortura, suplício. **3.** Calamidade, grande desgraça, praga: *o flagelo da fome.*

flagelo² [é] (fla.ge.lo) *s.m.* Filamento para locomoção de células e organismos unicelulares.

flagra (*fla*.gra) *s.m. gír.* Flagrante. || *Pegar em flagra*: Surpreender alguém em flagrante: *O policial pegou o assaltante em flagra.*

flagrante (fla.*gran*.te) *adj.* **1.** Diz-se de ato condenável, observado em execução: *flagrante delito.* **2.** Manifesto, evidente, notório: *um flagrante desinteresse pela educação.* • *s.m.* **3.** Ato em que alguém é surpreendido por outro: *O flagrante do assalto foi registrado na delegacia.* **4.** Comprovação ou documentação desse ato: *O delegado lavrou o flagrante.* || *Em flagrante*: na própria ocasião em que se pratica ato reprovável ou criminoso: *O ladrão foi preso em flagrante.* || Conferir com *fragrante*.

flagrar (fla.*grar*) *v.* Surpreender, apanhar em flagrante: *O guarda flagrou o motorista na contramão.* ▶ Conjug. 5.

flama (*fla*.ma) *s.f.* **1.** Chama, labareda. **2.** *fig.* Ardor, entusiasmo.

flambar (flam.*bar*) *v.* **1.** Fazer a assepsia de, por meio de chama: *flambar a bacia.* **2.** No preparo de certas iguarias, acrescentar bebida alcoólica e atear fogo: *O chef flambou a sobremesa diante do convidado.* ▶ Conjug. 5.

flamboaiã (flam.bo.ai.*ã*) *s.m.* (*Bot.*) Árvore ornamental de florada intensa nas cores vermelha, amarela ou laranja.

flamboyant [flamboaiã] (Fr.) *s.m.* (*Bot.*) Ver *flamboaiã*.

flamejante (fla.me.*jan*.te) *adj.* **1.** Que flameja; que lança flamas; chamejante: *luzes flamejantes.* **2.** Ostentoso, brilhante, vistoso: *uma vitrine flamejante.*

flamejar (fla.me.*jar*) *v.* **1.** Lançar chamas; chamejar, arder: *O que restou do velho sobrado ainda flamejava.* **2.** *fig.* Brilhar, cintilar: *A árvore de Natal flamejava no centro do salão.* ▶ Conjug. 10 e 37.

flamenco (Esp.) (fla.*men*.co) *s.m.* Música e dança espanhola originária da Andaluzia.

flamengo (fla.*men*.go) *adj.* **1.** De Flandres, região da Bélgica e da França. • *s.m.* **2.** O natural ou o habitante dessa região. **3.** Língua falada nessa região. **4.** (*Zool.*) Flamingo.

flamingo (fla.*min*.go) *s.m.* (*Zool.*) Ave pernalta de pescoço longo e plumagem rosa ou vermelha. || *flamengo.*

flâmula (*flâ*.mu.la) *s.f.* **1.** Pequena flama (1). **2.** Pequena bandeira triangular com emblema de escolas, universidades, agremiações esportivas etc. **3.** Bandeira: *"E diga o verde-louro desta flâmula/paz no futuro e glória no passado".* Joaquim Osório Duque-Estrada, *Hino Nacional Brasileiro.*

flanar (fla.*nar*) *v.* Passear sem destino; perambular: *Leva horas flanando pela cidade.* ▶ Conjug. 5.

flanco (*flan*.co) *s.m.* **1.** (*Anat.*) Região lateral do tronco do homem e do animal entre o ilíaco e as falsas costelas; ilharga. **2.** (*Mil.*) Parte lateral de um corpo de tropa ou de um exército. **3.** O lado de um acidente geográfico, como montanha, morro etc.: *Subiu a montanha pelo flanco ocidental.*

flandres (*flan*.dres) *s.m.* Folha de flandres.

flanela [é] (fla.*ne*.la) *s.f.* Tecido macio de lã ou de algodão.

flanelinha (fla.ne.*li*.nha) *s.f.* **1.** Pequena flanela. • *s.m.* e *f.* **2.** *coloq.* Pessoa que toma conta de carros nas ruas em troca de pequena gorjeta.

flanelógrafo (fla.ne.*ló*.gra.fo) *s.m.* Quadro forrado de feltro ou flanela em que se expõem ilustrações para uso didático.

flanquear (flan.que.*ar*) *v.* **1.** Atacar o inimigo ou defender-se dele pelas laterais: *O general ordenou que flanqueassem a tropa inimiga pela direita.* **2.** Marchar ao lado de; ladear: *Os retirantes flanquearam o morro e tomaram a estrada.* ▶ Conjug. 14.

flap [flép] (Ing.) *s.m.* (*Aer.*) Ver *flape*.

flape (*fla*.pe) *s.m.* (*Aer.*) Dispositivo da asa do avião que, aumentando a superfície sustentadora e reduzindo a velocidade, facilita a aterrissagem.

flash [fléche] (Ing.) *s.m.* **1.** Lâmpada que produz clarão breve e intenso que permite a realização de fotografia quando não há luz natural suficiente. **2.** (*Comun.*) Informação importante dada de forma breve, com prioridade sobre a programação da emissora que a transmite. **3.** (*Cine, Telv.*) No cinema e na televisão, cena muito curta.

flashback [fléche béc] (Ing.) s.m. **1.** (*Lit., Cine, Teat.*) Cena de um tempo passado, interpolada no tempo presente de uma narrativa. **2.** *fig.* Lembrança, memória, recordação.

flat [flét] (Ing.) s.f. Apartamento com serviços incluídos.

flato (*fla.*to) s.m. Flatulência.

flatulência (fla.tu.*lên.*ci:a) s.f. **1.** Acúmulo de gases no sistema digestório; flato. **2.** *fig.* Vaidade; jactância.

flatulento (fla.tu.*len.*to) adj. **1.** Que é da natureza do flato. **2.** Sujeito a flatulência (1); flatuoso. **3.** Que produz flatulência (1).

flatuoso [ô] (fla.tu:o.so) adj. Flatulento. || f. e pl.: [ó].

flauta (*flau.*ta) s.f. **1.** (*Mús.*) Instrumento musical de sopro, cilíndrico, fechado em sua extremidade superior e dotado de orifícios. • s.m. e f. **2.** Flautista. || *Levar na flauta*: *gír.* Ser irresponsável em relação às coisas e às pessoas.

flautim (flau.*tim*) s.m. (*Mús.*) Instrumento musical de sopro, semelhante à flauta, porém menor e que dá uma oitava acima desta.

flautista (flau.*tis.*ta) s.m. e f. **1.** Pessoa que toca flauta. **2.** Fabricante de flautas.

flebite (fle.*bi.*te) s.f. (*Med.*) Inflamação das veias.

flecha [é] (*fle.*cha) s.f. **1.** Arma constituída por uma haste de madeira, ou metálica, de extremidade pontiaguda, arremessada por meio de arco; seta. **2.** Sinal com essa forma, que indica uma direção; seta. **3.** (*Arquit.*) Extremidade em ponta que remata uma torre.

flechada (fle.*cha.*da) s.f. Golpe ou ferimento de flecha (1).

flechar (fle.*char*) v. **1.** Atingir, ferir com flecha: *O índio flechou a fera.* **2.** *fig.* Magoar, ferir: *Maria flechou-me com palavras iradas.* ▶ Conjug. 13.

flectir (flec.*tir*) v. Fletir. ▶ Conjug. 69.

flertar (fler.*tar*) v. Dar sinais a alguém de que o quer namorar: *O rapaz gostava de flertar com uma colega morena; Muito tímida, ela nunca flertava.* ▶ Conjug. 8.

flerte [ê] (*fler.*te) s.m. Namoro ligeiro; namorico, paquera.

fletir (fle.*tir*) v. Fazer flexão de; dobrar: *O forte vento fletia os galhos da mangueira; Os ginastas fletiam o corpo com vigor.* || *flectir.* ▶ Conjug. 69.

fleugma (*fleug.*ma) s.f. Fleuma. – **fleugmático** *adj.*

fleuma (*fleu.*ma) s.f. **1.** Controle de ânimo, calma: *Ela tem muita fleuma; nada a abala.* **2.** Morosidade, lentidão: *Fazia tudo com muita fleuma.* – **fleumático** *adj.*

flexão [cs] (fle.*xão*) s.f. **1.** Ação de flectir, curvar-se, dobrar-se. **2.** Curvatura, dobradura. **3.** (*Ling.*) Variação morfológica das desinências de um vocábulo, a fim de expressar as categorias gramaticais.

flexibilidade [cs] (fle.xi.bi.li.*da.*de) s.f. **1.** Qualidade de flexível. **2.** Aptidão para diversas atividades. **3.** (*Inform.*) Facilidade de utilização de um sistema computacional.

flexibilizar [cs] (fle.xi.bi.li.*zar*) v. Tornar flexível: *É necessário flexibilizar os horários de trabalho.* ▶ Conjug. 5.

flexionar [cs] (fle.xi:o.*nar*) v. **1.** Fazer curva; curvar-se: *As bailarinas flexionavam o corpo até tocarem o chão; Flexionavam-se para alcançar o chão.* **2.** (*Gram.*) Fazer ou assumir variações morfológicas nas desinências dos vocábulos: *flexionar um verbo; Os advérbios não se flexionam.* ▶ Conjug. 5.

flexível [cs] (fle.*xí.*vel) adj. **1.** Que pode ser dobrado ou curvado, sem quebrar. **2.** Que tem elasticidade. **3.** *fig.* Fácil de ser manobrado, de ser convencido.

fliperama (fli.pe.*ra.*ma) s.m. **1.** Máquina de jogos eletrônicos. **2.** Estabelecimento onde se encontram essas máquinas.

floco [ó] (*flo.*co) s.m. Pequeno tufo de material leve e de pouca consistência: *floco de algodão.*

flóculo (*fló.*cu.lo) s.m. Pequeno floco.

flor [ô] s.f. **1.** (*Bot.*) Conjunto dos órgãos reprodutores das plantas que, geralmente, têm perfume agradável. **2.** Planta que dá flores. **3.** *fig.* O desabrochar da vida: *a juventude: na flor da idade.* **4.** *fig.* Pessoa muito boa ou muito bela: *Maria é uma flor.* **5.** *fig.* A elite, a nata: *a flor da sociedade pernambucana.* || *À flor de*: na superfície de: *à flor da água; à flor da pele.* • *Não ser flor que se cheire*: não ser pessoa confiável.

flora [ó] (*flo.*ra) s.f. **1.** (*Bot.*) Conjunto das plantas de determinada região: *a flora do Pantanal.* **2.** Conjunto de plantas usadas para determinado fim: *flora medicinal.* **3.** Casa onde se vendem flores.

floração (flo.ra.*ção*) s.f. **1.** (*Bot.*) Aparecimento das flores nas plantas; florescência. **2.** *fig.* Desabrochamento, florescimento: *uma floração de jovens talentos musicais.*

floral (flo.*ral*) adj. **1.** Relativo a flor: *um perfume floral; estampa floral.* • s.m. **2.** (*Med.*) Medicação extraída de certas flores, usada em terapias alternativas: *os florais de Bach*.

florão (flo.*rão*) *s.m.* (*Arquit.*) Ornato de forma circular colocado ordinariamente no centro de um teto ou em um fecho de abóbada.

flor-de-lis (flor-de-*lis*) *s.f.* (*Bot.*) Planta bulbosa, ornamental, de flores brancas; lírio.

floreado (flo.re:*a*.do) *adj.* **1.** Que tem floreios: *um discurso floreado*. **2.** Adornado, enfeitado: *Seu caderno era todo floreado*. • *s.m.* **3.** Enfeite, adorno: *Encheu seu caderno de floreados*. **4.** Sequência de variações musicais: *O músico incluiu no arranjo uns floreados de flauta*.

florear (flo.re:*ar*) *v.* **1.** Cobrir ou adornar com flores; florir: *Florearam de rosas o altar da Virgem*. **2.** Recorrer a ornatos, floreios e imagens: *Floreou a caligrafia com traços coloridos*; *Floreou o texto com imagens poéticas*. **3.** Manejar com destreza e elegância a espada ou o florete: *O ator fazia o papel de um espadachim que sabia florear em seus duelos*. ▶ Conjug. 14.

floreio (flo.*rei*.o) *s.m.* **1.** Ato ou efeito de florear. **2.** Enfeite ou ornato, sobretudo quando exagerado: *O vestido da noiva tinha muitos floreios*. **3.** Recursos retóricos usados em textos e discursos: *O orador abusou dos floreios em seu discurso*. **4.** Ornatos numa composição musical: *Eu prefiro essa sonata sem os floreios*.

floreira (flo.*rei*.ra) *s.f.* Vaso em que se põem flores.

florentino (flo.ren.*ti*.no) *adj.* **1.** De Florença, cidade da Itália. • *s.m.* **2.** O natural ou o habitante de Florença.

florescência (flo.res.*cên*.ci:a) *s.f.* Ato de florescer: *a florescência das laranjeiras*.

florescente (flo.res.*cen*.te) *adj.* **1.** Que está em florescimento. **2.** *fig.* Em processo de desenvolvimento: *uma carreira florescente*. **3.** Viçoso, cheio de vida: *a florescente juventude*.

florescer (flo.res.*cer*) *v.* **1.** Cobrir-se de flores; abrir-se em flores: *O cafeeiro floresce em julho*; *Com as chuvas, floresceram os jardins*. **2.** *fig.* Prosperar, desenvolver-se: *Onde há civilização floresce o teatro*. ▶ Conjug. 41 e 46. – **florescimento** *s.m.*

floresta [é] (flo.*res*.ta) *s.f.* **1.** Grande extensão de terra coberta por árvores de grande porte; mata, selva. **2.** *fig.* Grande aglomerado de coisas muito juntas: *uma floresta de cartazes e faixas*. || *Floresta virgem*: floresta ainda não desbravada pelo homem. – **florestamento** *s.m.*

florestal (flo.res.*tal*) *adj.* Relativo a floresta; da floresta: *uma reserva florestal*; *um guarda florestal*.

florete [ê] (flo.*re*.te) *s.m.* Arma branca composta de cabo e lâmina longa, delgada e flexível, usada em esgrima.

florianopolitano (flo.ri:a.no.po.li.*ta*.no) *adj.* **1.** De Florianópolis, capital do estado de Santa Catarina. • *s.m.* **2.** O natural ou o habitante dessa capital.

floricultura (flo.ri.cul.*tu*.ra) *s.f.* **1.** Cultura de flores; técnica de cultivar flores. **2.** Lugar onde se vendem flores e plantas.

florido (flo.*ri*.do) *adj.* **1.** Que floriu; que está em flor; coberto de flores: *uma roseira florida*. **2.** Ornado de flores: *um tecido florido*. **3.** *fig.* Alegre, viçoso: *uma alma florida*.

flórido (*fló*.ri.do) *adj.* Diz-se do estilo cheio de ornatos, florescente.

florífero (flo.*rí*.fe.ro) *adj.* Relativo a planta que possui, traz ou produz flores.

florilégio (flo.ri.*lé*.gi:o) *s.m.* Obra formada por trechos escolhidos de poetas e prosadores; antologia.

florim (flo.*rim*) *s.m.* **1.** (*Econ.*) Unidade monetária do Suriname e de Aruba. **2.** Unidade monetária da Holanda, antes da adoção do euro. **3.** Na Idade Média, moeda cunhada em Florença.

florir (flo.*rir*) *v.* **1.** Enfeitar, adornar com flores; pôr flores em: *A decoradora floriu a mesa*. **2.** Produzir flor (planta); cobrir-se de flor; estar em flor; florescer: *As laranjeiras estavam florindo*. **3.** *fig.* Despontar, desabrochar: *Um sorriso floriu no rosto da criança*. ▶ Conjug. 86.

florista (flo.*ris*.ta) *s.m.* e *f.* **1.** Pessoa que vende flores. **2.** Pessoa que faz flores artificiais.

fluência (flu:*ên*.ci:a) *s.f.* **1.** Qualidade de fluente; fluidez. **2.** Facilidade de falar, de se expressar.

fluente (flu:*en*.te) *adj.* **1.** Que flui; que corre com facilidade. **2.** *fig.* Que fala ou escreve de maneira espontânea, com facilidade: *O diplomata era fluente em inglês, francês e espanhol*; *Ele fala um italiano fluente*.

fluidez [ê] (flu:i.*dez*) *s.f.* Qualidade do que é fluido; fluência.

fluidificar (flu:i.di.fi.*car*) *v.* Transformar em fluido: *Tomou um remédio para fluidificar a secreção brônquica*. ▶ Conjug. 5 e 35.

fluido (*flui*.do) *adj.* **1.** Diz-se das substâncias líquidas e gasosas. **2.** Diz-se das substâncias que se expandem como água ou gás. **3.** Fácil, fluente, espontâneo: *A escrita fluida desse romancista tem sido apreciada*. • *s.m.*

fluir

4. Substância líquida ou gasosa que toma a forma do seu recipiente. **5.** Líquido inflamável que se usa em isqueiros.

fluir (flu:ir) v. **1.** Correr em estado líquido; manar: *Dentre as pedras fluía uma fonte cristalina.* **2.** *fig.* Correr como os líquidos: *O ouro fluía da colônia para a metrópole.* **3.** *fig.* Decorrer, transcorrer: *Na ilha, a vida fluía tranquila.* ▶ Conjug. 80.

fluminense (flu.mi.*nen*.se) *adj.* **1.** Do estado do Rio de Janeiro. • *s.m.* e *f.* **2.** O natural ou o habitante desse estado.

flúor (*flú*.or) *s.m.* (*Quím.*) Metal químico gasoso utilizado na profilaxia das cáries dentárias. ‖ Símbolo: F.

fluoração (flu:o.ra.*ção*) *s.f.* (*Odont.*) Tratamento odontológico com flúor para prevenção de cáries.

fluorescente (flu:o.res.*cen*.te) *adj.* (*Fís.*) Que absorve a luz e volta a emiti-la devido à propriedade de transformar energia em radiação: *tinta fluorescente.*

flutuação (flu.tu:a.*ção*) *s.f.* **1.** Ato ou efeito de flutuar. **2.** Permanência de um corpo na superfície de um líquido. **3.** Movimento ondulatório do que flutua. **4.** Ondulação produzida pelo vento. **5.** (*Econ.*) Variação de valor de certos preços em alta e em baixa: *a flutuação do euro.* **6.** *fig.* Volubilidade, inconstância, indecisão.

flutuador [ô] (flu.tu:a.*dor*) *adj.* **1.** Que flutua. **2.** Flutuante; oscilante, ondulante. • *s.m.* **3.** Cada uma das partes do hidravião que pousa na água e que o mantém à tona. **4.** Cais flutuante para a atracação de embarcações pequenas.

flutuante (flu.tu:*an*.te) *adj.* **1.** Que flutua; flutuador, sobrenadante. **2.** Indeciso, irresoluto: *uma personalidade flutuante.* **3.** Variável, oscilante: *preços flutuantes.*

flutuar (flu.tu:*ar*) *v.* **1.** Manter-se na superfície de um líquido; boiar: *O barco flutuava perto do cais.* **2.** Agitar-se ao vento (bandeira, flâmula etc.), tremular, ondular: *Uma bandeira do Brasil flutua sobre o estádio.* **3.** Permanecer no ar; pairar: *Os astronautas flutuavam no ar, consertando a nave espacial.* **4.** *fig.* Estar em incerteza; vacilar, hesitar: *Já decidi: não vou ficar flutuando entre duas possibilidades.* **5.** Oscilar (moeda, preço, cotação etc.): *O preço do ouro tem flutuado.* ▶ Conjug. 5.

fluvial (flu.vi.*al*) *adj.* Relativo a rio: *navegação fluvial.*

fluxo [cs] (*flu*.xo) *s.m.* **1.** Ato ou efeito de fluir. **2.** Enchente ou vazante das águas do mar: *o fluxo da preamar.* **3.** Movimento incessante de corpos líquidos: *fluxo sanguíneo; o fluxo catarral.* **4.** *fig.* O movimento de veículos e de pessoas no trânsito: *Nesta rua, o fluxo de carros é intenso.* **5.** A sucessão de fatos, acontecimentos etc.: *o fluxo das notícias.*

fluxograma [cs] (flu.xo.*gra*.ma) *s.m.* Representação gráfica do tratamento da informação que apresenta a sequência de operação de um programa; diagrama de fluxo.

fobia (fo.*bi*.a) *s.f.* **1.** (*Med.*) Medo mórbido ou patológico de alguma coisa (escuro, altura, multidão, grandes espaços etc.). **2.** Aversão irreprimível: *Xandoca tinha fobia a ratos.*

foca[1] [ó] (*fo*.ca) *s.f.* (*Zool.*) Mamífero carnívoro que vive nas regiões marítimas glaciais.

foca[2] [ó] (*fo*.ca) *s.m.* e *f.* **1.** *gír.* Jornalista novato, inexperiente. **2.** Indivíduo inexperiente, principiante.

focal (fo.*cal*) *adj.* Relativo ao foco dos aparelhos e das lentes: *eixo focal.*

focalizar (fo.ca.li.*zar*) *v.* **1.** Regular (lente, sistema óptico), a fim de tornar nítida a imagem visada; enfocar, focar: *Com muita habilidade, o pesquisador focalizou a bactéria no microscópio.* **2.** *fig.* Tomar por foco; pôr em evidência, em foco; examinar, enfocar, focar: *O conferencista focalizou a ação dos políticos na redemocratização do Brasil.* ▶ Conjug. 5.

focar (fo.*car*) *v.* Focalizar. ▶ Conjug. 20 e 35.

focinho (fo.*ci*.nho) *s.m.* **1.** Parte anterior da face de certos animais, formada pelas ventas e pela boca. **2.** *coloq.* Rosto humano; cara, face, fuça.

foco [ó] (*fo*.co) *s.m.* **1.** (*Fís.*) Qualquer ponto para onde converge ou de onde diverge um feixe de ondas eletromagnéticas ou sonoras. **2.** Ponto para o qual converge ou do qual diverge um feixe de raios luminosos paralelos, após atravessar uma lente. **3.** Ponto para o qual converge ou do qual diverge um feixe de raios luminosos paralelos, após a reflexão por um espelho esférico. **4.** Ponto para o qual converge alguma coisa: *A jovem loura era o foco de atenção de todos.* **5.** O ponto central de onde provém alguma coisa: *o foco da revolta.* **6.** Ponto principal (geográfico ou do organismo) de onde se propaga uma doença: *O foco da epidemia estava naquela cidade; um foco de in-*

folclórico

fecção no dente. **7.** (*Teat.*) Ponto onde se concentra a luz que ilumina toda a cena ou uma parte determinada.

foda [ó] (*fo.da*) *s.f.* **1.** *chulo* Ato sexual; cópula **2.** O que é difícil de suportar, desagradável.

foder (*fo.der*) *v.* **1.** *chulo* Ter relações sexuais com; copular; fornicar. **2.** *coloq.* Provocar dano em ou sair-se muito mal; prejudicar(-se), ferrar(-se). **3.** *coloq.* Danar-se. ▶ Conjug. 42.

fodido (*fo.di.do*) *adj.* **1.** Que está em má situação; perdido; arruinado, prejudicado. • *s.m.* **2.** Pessoa desafortunada; pessoa em má situação.

fofo [ô] (*fo.fo*) *adj.* **1.** Fácil de comprimir, macio, leve: *um travesseiro fofo.* **2.** *fig.* Gracioso, amável, simpático: *Que bebê tão fofo!*

fofoca [ó] (*fo.fo.ca*) *s.f. gír.* Comentário (quase sempre maldoso) sobre a vida alheia; mexerico, bisbilhotice.

fofocar (*fo.fo.car*) *v. gír.* Fazer fofoca; mexericar, bisbilhotar: *D. Francisca fofoca com sua vizinha; Ela gosta de fofocar.* ▶ Conjug. 20 e 35.

fofoqueiro (*fo.fo.quei.ro*) *adj.* **1.** Que faz fofocas; bisbilhoteiro: *vizinha fofoqueira.* • *s.m.* **2.** Pessoa dada a fazer fofocas: *Os fofoqueiros não param de falar.*

fog [ó] (Ing.) *s.m.* Nevoeiro espesso característico do clima de Londres.

fogacho (*fo.ga.cho*) *s.m.* **1.** Pequena chama. **2.** Calor súbito que sobe ao rosto.

fogão (*fo.gão*) *s.m.* Aparelho a gás, elétrico ou a lenha, com ou sem forno, para cozinhar ou aquecer os alimentos.

fogareiro (*fo.ga.rei.ro*) *s.m.* Pequeno fogão portátil para cozinhar ou aquecer.

fogaréu (*fo.ga.réu*) *s.m.* **1.** Fogueira de matérias inflamáveis, usada para sinalização, iluminação etc. **2.** Fogo não contido que se espalhou em muitas labaredas.

fogo [ô] (*fo.go*) *s.m.* **1.** Combustão acompanhada de desenvolvimento de luz, calor e, geralmente, de chamas. **2.** Incêndio: *Em poucas horas, o fogo consumiu o velho casarão.* **3.** Fogão, chaminé: *Não sinta frio, fique aqui perto do fogo.* **4.** Disparo de uma arma que produz combustão de pólvora para impelir o projétil: *O fogo inimigo atingiu nossas linhas.* **5.** *fig.* Bebedeira, embriaguez. **6.** Excesso de entusiasmo: *Crianças, acabem com esse fogo, que é hora de dormir!.* **7.** Fogueira para servir de sinal. • *fogos* [ó] *s.m.pl.* **8.** Nome genérico de artefatos pirotécnicos: *fogos de artifício.* ||

Brincar com fogo: tratar levianamente coisas sérias ou perigosas. • *Comer fogo*: passar dificuldades. • *Estar de fogo*: estar embriagado. • *Fazer fogo*: disparar arma de fogo; atirar. • *Fogo de palha*: entusiasmo passageiro. • *Fogo de vistas*: fogo de artifício. • *Negar fogo*: **1.** não disparar (arma de fogo) quando acionada. **2.** falhar, esmorecer. • *Pegar fogo*: incendiar(-se).

fogo-fátuo (*fo.go-fá.tu:o*) *s.m.* **1.** Luminosidade que aparece nos cemitérios, nos pântanos e nos campos devido à combustão de gás emanado de substâncias animais e vegetais em decomposição. **2.** *fig.* Esplendor ou prazer de pouca duração. || pl.: *fogos-fátuos.*

fogo-selvagem (*fo.go-sel.va.gem*) *s.m.* Pênfigo foliáceo. || pl.: *fogos-selvagens.*

fogoso [ô] (*fo.go.so*) *adj.* **1.** Impetuoso, arrebatado, ardente: *namorado fogoso.* **2.** Inquieto, impaciente: *cavalo fogoso.* **3.** Em que há calor: *dias fogosos de verão.* || f. e pl.: [ó].

fogueira (*fo.guei.ra*) *s.f.* Arranjo de lenha ou de outro combustível aceso e em chamas.

foguete [ê] (*fo.gue.te*) *s.m.* **1.** Peça de fogo artificial composta de um cilindro de papelão cheio de pólvora ligado a um estopim; rojão. **2.** (*Mil.*) Engenho bélico, propulsionado por combustível líquido, usado para lançar uma carga explosiva a um alvo muito distante. **3.** (*Aer.*) Veículo espacial que utiliza a propulsão à reação. **4.** Pessoa ativa, despachada. || *Soltar foguetes*: comemorar.

fogueteiro (*fo.gue.tei.ro*) *s.m.* **1.** Aquele que fabrica ou vende foguetes e outros fogos de artifício. **2.** Pessoa que nas festas fica encarregada de soltar os foguetes (1).

foguetório (*fo.gue.tó.ri:o*) *s.m.* Série de estampidos de foguetes.

foguista (*fo.guis.ta*) *s.m. e f.* Operário que tem a seu cargo alimentar o fogo das caldeiras de máquinas a vapor.

foice (*foi.ce*) *s.f.* Instrumento formado por uma lâmina curva de aço, afiada em um dos bordos e presa a um cabo, o qual serve para segar.

folclore [ó] (*fol.clo.re*) *s.m.* Conjunto de costumes, crenças, superstições, literatura oral, danças, festas e outras manifestações culturais de um povo, conservado pela tradição. – **folclorismo** *s.m.*

folclórico (*fol.cló.ri.co*) *adj.* **1.** Relativo a folclore; folclorístico. **2.** Bizarro, estranho: *uma figura folclórica.*

folclorista

folclorista (fol.clo.*ris*.ta) *s.m.* e *f.* Pessoa que se dedica ao estudo do folclore.

fôlder (*fôl*.der) *s.m.* (*Comun.*) Impresso promocional de uma única folha com uma ou mais dobras.

fole [ó] (*fo*.le) *s.m.* **1.** Utensílio ou instrumento usado para ativar combustão, produzir som, ventilar cavidades etc., provido de peças articuladas a um tubo, através do qual se expele o vento produzido por movimentos alternados de expansão e contração das peças. **2.** Qualquer dispositivo semelhante ao fole: *o fole da antiga máquina fotográfica.*

fôlego (*fô*.le.go) *s.m.* **1.** Ato respiratório; respiração: *Perdeu o fôlego.* **2.** Capacidade de reter o ar nos pulmões: *Prendeu o fôlego e mergulhou.* **3.** Disposição, coragem, ânimo: *Você tem fôlego para enfrentar esse concurso?* || *De fôlego*: de valor, de grande envergadura. • *De um fôlego*: sem descansar. • *Perder o fôlego*: ficar sem poder respirar. • *Tomar fôlego*: aspirar o ar. • *Ter sete fôlegos*: ser muito resistente.

folga [ó] (*fol*.ga) *s.f.* **1.** Pausa para descanso; período de inatividade: *Vamos fazer agora uma pausa.* **2.** Margem, diferença: *Aprovaram a proposta do deputado com larga folga de votos.* **3.** Diferença para mais entre duas peças que se devem ajustar: *Como emagreci, esta calça ficou com folga na cintura.* **4.** *coloq.* Ousadia, atrevimento: *Deixe de folga; entre na fila lá atrás!*

folgado (fol.*ga*.do) *adj.* **1.** Que tem folga ou está de folga (1): *Depois da aposentadoria, ele vive folgado.* **2.** Com grande margem, sem aperto: *Meu time ganha folgado o campeonato estadual.* **3.** Largo, espaçoso: *Esta calça está folgada porque você emagreceu.* **4.** *coloq.* Atrevido, abusado: *Que sujeito folgado; furou a fila!*

folgança (fol.*gan*.ça) *s.f.* **1.** Grande folga, descanso: *Foram dias de folgança.* **2.** Festa, folguedo: *na folgança do carnaval.*

folgar (fol.*gar*) *v.* **1.** Estar de folga: *A enfermeira folga aos sábados.* **2.** Alargar, desapertar: *folgar o colarinho.* **3.** Ter prazer com alguma coisa; alegrar-se com: *Folgo de vê-lo com saúde.* **4.** *coloq.* Atrever-se, abusar da confiança (de): *Folgou comigo e levou um murro.* ▶ Conjug. 20 e 34.

folgazão (fol.ga.*zão*) *adj.* **1.** Que gosta muito de brincar; brincalhão, jovial. • *s.m.* **2.** Quem gosta muito de brincar: *O folgazão divertia todos nós.* || f.: *folgazona, folgazã*; pl.: *folgazãos, folgazões.*

folguedo [ê] (fol.*gue*.do) *s.m.* Brincadeira ou dança popular de tema tradicional ou folclórico: *O reisado é um folguedo brasileiro da época de Natal e Reis.*

folguista (fol.*guis*.ta) *s.m.* e *f.* Trabalhador que substitui outro que está de folga.

folha [ô] (*fo*.lha) *s.f.* **1.** (*Bot.*) Órgão da planta, plano e fino, geralmente de cor verde, onde se processa a fotossíntese: *folha de roseira.* **2.** Nome que se dá a diversos objetos que têm formato de chapa larga e delgada, como lâminas de metal e de madeira: *folha de zinco.* **3.** Lâmina dos instrumentos ou armas cortantes: *folha da navalha.* **4.** Quadrilátero de papel considerado em suas duas superfícies: *folha de papel.* **5.** Relação mensal dos funcionários de uma empresa com seus cargos e salários: *folha de pagamento.* **6.** Periódico, jornal: *Ler as folhas do dia.* || *Folha corrida*: certificado passado pelo registro criminal, declarando a não--existência de processo em curso em relação ao declarante. • *Folha de impressão*: papel que se imprime de uma só vez e que fornece um número determinado de páginas. • *Folha de rosto*: página inicial de um livro com nome do autor, título, local, editora e ano de impressão. • *Novo em folha*: que ainda não foi usado; em primeira mão.

folha de flandres *s.f.* Chapa de ferro estanhada usada na fabricação de utensílios diversos; flandres, lata.

folhagem (fo.*lha*.gem) *s.f.* **1.** Conjunto das folhas de uma planta. **2.** Nome genérico aplicado a várias plantas ornamentais de folhas coloridas. **3.** Ornato em forma de folhas.

folhear (fo.lhe:*ar*) *v.* **1.** Virar seguidamente as folhas de um livro, uma revista etc.; manusear: *Enquanto esperava sua vez, ela folheava uma revista.* **2.** Examinar sem muita atenção as folhas de: *Gostei do livro só de folheá-lo.* **3.** Revestir de folha ou lâmina muito fina de metal, ouro, madeira etc.: *Folheou o tampo da mesa com uma lâmina de jequitibá; Folheou de ouro a velha aliança de casamento.* ▶ Conjug. 14.

folhetim (fo.lhe.*tim*) *s.m.* **1.** Romance ou novela que se publica em capítulos num jornal. **2.** Jornal ou obra literária de má qualidade. – **folhetinesco** *adj.*

folheto [ê] (fo.*lhe*.to) *s.m.* (*Comun.*) Impresso informativo ou publicitário de poucas páginas; prospecto.

folhinha (fo.*lhi*.nha) *s.f.* Calendário de uma ou várias folhas, ilustradas com estampa, que se pendura na parede.

folhudo (fo.*lhu*.do) *adj.* Que tem muitas folhas.

folia (fo.*li*.a) *s.f.* Festejo animado; farra, brincadeira.

foliáceo (fo.li:*á*.ce:o) *adj.* **1.** Semelhante ou concernente a folha. **2.** Feito de folhas.

folião (fo.li:*ão*) *adj.* **1.** Que gosta de folia: *Tinha um espírito folião.* • *s.m.* **2.** Pessoa que gosta de entrar na folia: *Os foliões estavam muito animados.*

folicular (fo.li.cu.*lar*) *adj.* Relativo a folículo: *sarna folicular.*

folículo (fo.*lí*.cu.lo) *s.m.* (*Anat.*) Estrutura orgânica pequena e em forma de saco: *folículo ovariano.*

fome (*fo*.me) *s.f.* **1.** Carência de alimentos: *A fome é um problema mundial.* **2.** Necessidade de alimentar-se: *Chegou em casa com muita fome.* **3.** *fig.* Vontade intensa de alguma coisa: *Ele tinha fome de bola.*

fomentar (fo.men.*tar*) *v.* **1.** Promover o desenvolvimento de; estimular: *Um projeto para fomentar o reflorestamento dos morros.* **2.** Estimular, incitar a: *Grupos infiltrados fomentavam a desordem na passeata.* **3.** Friccionar com medicamento líquido ou aplicar compressas sobre a pele: *Você deve fomentar o joelho contundido com esse remédio.* ▶ Conjug. 5.

fomento (fo.*men*.to) *s.m.* **1.** Estímulo, apoio. **2.** Remédio para friccionar a pele.

fonação (fo.na.*ção*) *s.f.* **1.** O ato humano de produzir e emitir sons vocais. **2.** A fala.

fonado (fo.*na*.do) *adj.* Que é transmitido por telefone.

fone (*fo*.ne) *s.f.* **1.** Forma reduzida de *telefone.* **2.** No antigo telefone de manivela, peça que se levava ao ouvido. **3.** Aparelho que se coloca no ouvido para ouvir música, som, com privacidade.

fonema (fo.*ne*.ma) *s.m.* (*Ling.*) Na fala, a menor unidade com valor distintivo.

fonêmica (fo.*nê*.mi.ca) *s.f.* (*Ling.*) Fonologia.

fonética (fo.*né*.ti.ca) *s.f.* (*Ling.*) O estudo dos sons da fala de uma língua como realidade articulatória, material.

foneticista (fo.ne.ti.*cis*.ta) *s.m.* e *f.* Especialista em fonética.

fonético (fo.*né*.ti.co) *adj.* Relativo a fonética ou aos sons da fala.

foniatria (fo.ni:a.*tri*.a) *s.f.* Estudo e tratamento dos distúrbios da fala e das anomalias do aparelho da fonação.

foniatra (fo.ni:*a*.tra) *s.m.* e *f.* Especialista em foniatria.

fonoaudiologia (fo.no:au.di:o.lo.*gi*.a) *s.f.* Especialidade que trata da reabilitação e da prevenção de distúrbios da linguagem.

fonoaudiólogo (fo.no:au.di:*ó*.lo.go) *s.m.* Especialista em fonoaudiologia.

fonologia (fo.no.lo.*gi*.a) *s.f.* (*Ling.*) Estudo do modo como se relacionam entre si os sons da fala de uma língua; fonêmica. – **fonológico** *adj.*; **fonólogo** *s.m.*

fonoteca [é] (fo.no.*te*.ca) *s.f.* **1.** Coleção de documentos sonoros, como discos, fitas etc. **2.** Estabelecimento onde se guardam essas coleções.

fontanela [é] (fon.ta.*ne*.la) *s.f.* (*Anat.*) Espaço entre os ossos do crânio do recém-nascido; moleira.

fonte (*fon*.te) *s.f.* **1.** Ponto em que brota a água proveniente do solo; mina. **2.** Chafariz, bica. **3.** *fig.* Aquilo que dá origem; motivo: *O café já foi a maior fonte de renda do Brasil.* **4.** *fig.* Ponto originário de notícia ou de informação: *Uma fonte de Brasília passou a informação.* **5.** (*Fís.*) Sistema que produz ondas luminosas, sonoras, elétricas etc.: *fonte de energia.* **6.** (*Comun.*) Obra ou texto de onde se tiram informações: *fontes bibliográficas.* **7.** Conjunto de caracteres tipográficos de um mesmo tamanho e estilo: *Usar uma fonte menor para as citações.* || *De fonte limpa*: de origem certa; de lugar não duvidoso: *Soube de fonte limpa que haverá greve.*

fora [ó] (*fo*.ra) *adv.* **1.** Na parte externa; no lado externo: *O gato dormiu fora.* **2.** No exterior; em outro país: *Ele está morando fora.* **3.** Num lugar que não é a própria casa: *Só gosto de almoçar fora aos domingos.* **4.** Ao longo de; além; afora: *Viajou pelo mundo fora.* • *prep.* **5.** Com exceção de, exceto: *Todos, fora Maria, foram convidados.* || Usada em frase nominal para expressar ordem de afastamento, exclusão: *Fora!* || *Dar o fora*: ir-se embora, fugir. • *Dar um fora*: dizer ou fazer algo inconveniente; cometer uma gafe. • *Dar um fora em*: rejeitar alguém; acabar um namoro: *Maria deu um fora em João.* • *De fora*: **1.** à mostra: *pernas de fora.* **2.** excluído: *Todos participaram da festa, mas ele ficou de fora.* • *Jogar, deitar, pôr fora*: desfazer-se de algo que não se quer mais: *Jogou o brinquedo fora.* • *Levar um fora (de)*: ter recusada proposta de namoro

foragido

ou convite. • *Por fora de*: sem conhecimento de: *Estamos por fora desse assunto.*

foragido (fo.ra.*gi*.do) *adj.* **1.** Que é fugitivo da Justiça: *os criminosos foragidos.* • *s.m.* **2.** Quem é fugitivo da Justiça.

foragir-se (fo.ra.*gir*-se) *v.* Fugir de alguém ou de alguma coisa para um lugar: *Os bandidos foragiram-se da prisão; Os bandidos foragiram-se num sítio.* ▶ Conjug. 86 e 67.

forâneo (fo.*rá*.ne:o) *adj.* De fora; estrangeiro.

forasteiro (fo.ras.*tei*.ro) *adj.* **1.** Que é estranho à terra onde se encontra: *uma família forasteira.* • *s.m.* **2.** Alguém que é estranho à terra onde se encontra: *Os forasteiros foram bem acolhidos nesta terra.*

forca [ô] (*for*.ca) *s.f.* **1.** Instrumento de execução por estrangulamento. **2.** Jogo de adivinhação das letras que compõem uma palavra.

força [ô] (*for*.ça) *s.f.* **1.** Poder físico: *O atleta levantava pesos com uma força incrível.* **2.** Energia moral: *Ela teve forças para aguentar mais esse golpe.* **3.** Poder, violência: *Com força, as ondas batiam nos rochedos da ilha.* **4.** A influência, o poder moral: *a força das leis; a força da religião.* **5.** Veemência, combatividade: *a força de seu discurso.* **6.** O esforço para atingir um objetivo: *Fez muita força, mas conseguiu comprar sua casa.* || *Força maior*: causa de impedimento irremediável: *Não pôde comparecer por motivo de força maior* • *À força*: com coação, com violência: *Foi retirado da sala à força.* • *Fazer força*: esforçar-se: *Ele fez força para concluir os estudos.*

forcado (for.*ca*.do) *s.m.* Espécie de grande garfo de dois ou três dentes, usado nos trabalhos agrícolas, forquilha: *Com um forcado, revolveu o feno.*

forçado (for.*ça*.do) *adj.* **1.** Feito sob pressão, obrigatório: *um pouso forçado.* **2.** Artificial, sem naturalidade: *um cumprimento forçado.*

forçar (for.*çar*) *v.* **1.** Fazer ceder ou tentar fazer ceder à força: *O ladrão forçou a janela, mas não conseguiu abri-la.* **2.** Obter pela força; conseguir pela força: *Forçaram a contratação do empregado; Forçou o pai a lhe dar um carro; Forçava-se a comer bife de fígado.* **3.** Submeter alguma coisa a um grande esforço: *Ao andar rápido, forçou a perna doente.* **4.** Agir deliberadamente para que alguma coisa aconteça: *Ele forçou um encontro com a ex-namorada.* **5.** Fazer alguma coisa sem naturalidade; fingir: *Quando ela me viu, forçou um sorriso sem graça.* ▶ Conjug. 20 e 35.

força-tarefa (for.ça-ta.*re*.fa) *s.f.* (*Mil.*) Grupo de pessoal especializado, encarregado de uma missão específica por tempo determinado não longo. || pl.: *forças-tarefa* e *forças-tarefas.*

fórceps (*fór*.ceps) *s.m.2n.* (*Med.*) Instrumento cirúrgico usado em casos excepcionais para retirar o bebê do útero. || *Tirar a fórceps*: *fig.* conseguir obter revelação ou segredo com dificuldade: *Tirei a confissão a fórceps.*

forçoso [ô] (for.*ço*.so) *adj.* Necessário, indispensável, imperioso, imprescindível: *É forçoso acabar com as filas nos hospitais públicos.* || f. e pl.: [ó].

forense (fo.*ren*.se) *adj.* Relativo a foro, a tribunais de Justiça: *atividades forenses.*

forja [ó] (*for*.ja) *s.f.* **1.** Fundição. **2.** Conjunto dos instrumentos de um ferreiro. **3.** Lugar onde trabalha o ferreiro.

forjar (for.*jar*) *v.* **1.** Fundir ou modelar metal na forja. **2.** Inventar uma situação falsa; fingir: *O suspeito forjou um álibi que não convenceu os jurados.* ▶ Conjug. 20 e 37.

forma [ó] (*for*.ma) *s.f.* **1.** Configuração e aspecto de um corpo ou de um objeto: *a forma de um pé; a forma de uma esfera.* **2.** Maneira de agir ou de se manifestar: *Aquele pássaro cantava de forma diferente.* **3.** Alinhamento, fila: *As crianças entravam em forma para cantar o Hino Nacional.* **4.** Condição física: *Você está em ótima forma.* **5.** Maneira como o artista ou o escritor se expressa ou estrutura sua obra; estilo: *Gostamos da forma de escrever de Graciliano Ramos.* **6.** (*Ling.*) Qualquer segmento fônico dotado de significado: *O fonema é a forma mínima da fala; O semantema é uma forma linguística.* || *Formas de tratamento*: (*Gram.*) Pronome, ou expressão, com que se designa o ouvinte ou leitor numa comunicação oral ou escrita e que varia segundo convenções sociais: *você, o senhor, vossa senhoria, vossa magnificência, vossa excelência.*

fôrma [ô] (*fôr*.ma) *s.f.* **1.** Molde onde se coloca alguma coisa para que tome uma determinada forma. **2.** Utensílio de cozinha para assar bolos, pudins etc.

formação (for.ma.*ção*) *s.f.* **1.** Ato ou efeito de formar(-se); constituição: *a formação da consciência; a formação de um temporal.* **2.** O processo de educação, de instrução: *a formação profissional; a formação artística.* **3.** Disposição, organização: *Corrigiu a formação dos alunos, antes do hasteamento da bandeira.*

formado (for.*ma*.do) *adj.* **1.** Que se formou: *Só aceitam profissionais formados e com experiên-*

cia. • s.m. **2.** Aquele que se formou: *Só aceitaram os formados em Medicina.*

formador [ô] (for.ma.*dor*) *adj.* **1.** Que organiza, que forma alguma coisa: *Os órgãos da imprensa são formadores de opinião.* • *s.m.* **2.** Aquele que forma, que educa, que cria; professor, criador: *Aquele velho professor foi um grande formador de pessoal habilitado.*

formal (for.*mal*) *adj.* **1.** Relativo a forma: *as qualidades formais de um trabalho.* **2.** Que se realiza dentro das normas e leis: *O emprego formal está em crescimento em São Paulo.* **3.** Em estilo cerimonioso: *cumprimentos formais.* **4.** Capaz de satisfazer formalidades, mas de pouco conteúdo autêntico: *Houve apenas um convite formal.*

formalidade (for.ma.li.*da*.de) *s.f.* **1.** Conjunto de regras a serem seguidas para que certos atos sejam válidos: *A cerimônia de posse obedeceu a todas as formalidades.* **2.** Cada uma das regras que orientam o comportamento adequado em cada ocasião: *Ela esqueceu-se das formalidades e abraçou o papa.*

formalismo (for.ma.*lis*.mo) *s.m.* **1.** Observância rígida das regras formais: *Os protocolos da diplomacia são de um formalismo rígido.* **2.** (*Lit., Art.*) Estreita observância das normas formais; conservadorismo, academicismo.

formalizar (for.ma.li.*zar*) *v.* **1.** Elaborar normas e regras para: *formalizar a requisição de material.* **2.** Dar *status* de formal: *Amanhã formalizaremos nosso noivado.* ▶ Conjug. 5.

formando (for.*man*.do) *s.m.* Aluno que está prestes a se formar: *Os formandos já escolheram seu paraninfo.*

formão (for.*mão*) *s.m.* Instrumento de carpintaria, de extremidade plana e cortante, usado em obras de talha.

formar (for.*mar*) *v.* **1.** Fazer, construir, produzir: *O cano furado formou um chafariz.* **2.** Organizar, instituir: *Os rapazes da escola formaram uma banda.* **3.** Oferecer, proporcionar formação de: *Nossa empresa já formou vários especialistas em comércio exterior; Formou-se dentro da Marinha.* **4.** Educar, conduzir à maturidade: *Bem formar seus filhos é preocupação constante dos pais; Os filhos formam-se bem a partir do exemplo dos pais.* **5.** Dispor-se em linha, em ordem: *O tenente formou a companhia para a leitura do boletim de ocorrência; Os soldados formaram-se para a leitura da ordem do dia.* ▶ Conjug. 20.

formatação (for.ma.ta.*ção*) *s.f.* **1.** Ação ou efeito de formatar. **2.** (*Inform.*) Adaptação de um conjunto de dados a determinado padrão. **3.** Preparação de um meio magnético para recebimento de dados. **4.** Alteração de dados recebidos, a fim de adaptá-los ao formato-padrão.

formatar (for.ma.*tar*) *v.* **1.** (*Inform.*) Em registro eletrônico ou arquivo, determinar a disposição dos dados, tendo em conta sua ordem, sua capacidade e as normas de codificação: *Formatou o arquivo num programa que permite sua rápida recuperação.* **2.** (*Art. Gráf.*) Adaptar um arquivo ou um texto de acordo com um formato-padrão: *Antes de imprimir, formate o romance de acordo com o padrão da editora.* ▶ Conjug. 5.

formativo (for.ma.*ti*.vo) *adj.* **1.** Que dá forma a alguma coisa. **2.** Que participa da formação de alguma coisa.

formato (for.*ma*.to) *s.m.* **1.** Forma exterior de um objeto. **2.** (*Art. Gráf.*) As dimensões de um livro, uma revista, um jornal, uma lauda etc. **3.** (*Comun.*) Forma de apresentação de um programa de rádio ou de televisão. **4.** (*Inform.*) Padrão de formatação de um arquivo, disquete, impressora etc.

formatura (for.ma.*tu*.ra) *s.f.* **1.** Graduação ou colação de grau em algum curso. **2.** Comemoração ou festa que marca a conclusão de um curso. **3.** Disposição ordenada de uma tropa; alinhamento: *O tenente comandava a formatura dos soldados, cabos e sargentos.*

fórmica (*fór*.mi.ca) *s.f.* Placa de plástico especial para revestimento de paredes, móveis etc.

formicida (for.mi.*ci*.da) *adj.* **1.** Que mata formigas: *um preparado formicida.* • *s.m.* **2.** Preparado químico venenoso, usado para matar formigas: *Comprou um formicida para acabar com as formigas.*

formidável (for.mi.*dá*.vel) *adj.* **1.** Digno de admiração; admirável: *uma atitude formidável.* **2.** De grande dimensão ou intensidade: *uma força formidável.*

formiga (for.*mi*.ga) *s.f.* (*Zool.*) Inseto com grande variedade de espécies, todas organizadas em sociedade.

formigamento (for.mi.ga.*men*.to) *s.m.* Sensação de picadas leves e sucessivas em parte do corpo; dormência.

formigar (for.mi.*gar*) *v.* **1.** Ter a sensação de leves e sucessivas picadas em parte do corpo: *Minha perna está formigando.* **2.** Concentrar muita gente: *A pracinha da matriz formigava de gente.* ▶ Conjug. 5 e 34.

formigueiro (for.mi.guei.ro) *s.m.* **1.** Lugar onde vivem formigas. **2.** Grande número de formigas. **3.** *fig.* Lugar de grandes concentrações demográficas: *Aquela cidade era um formigueiro humano.*

formol (for.*mol*) *s.m.* (*Quím.*) Solução líquida usada como desinfetante e antisséptico.

formoso [ô] (for.mo.so) *adj.* De aparência harmoniosa, agradável; belo. || f. e pl.: [ó].

formosura (for.mo.su.ra) *s.f.* **1.** Qualidade do que é formoso. **2.** Pessoa ou coisa bonita, formosa: *Você é uma formosura.*

fórmula (fór.mu.la) *s.f.* **1.** Expressão de uma norma, regra ou preceito. **2.** Modelo ou padrão que se estabelece para expressar ou requerer alguma coisa: *A fórmula para requerer o pagamento é esta.* **3.** Forma de agir para alcançar determinado objetivo; chave, segredo: *a fórmula do sucesso.* **4.** (*Farm.*) Indicação das substâncias que entram na composição de um medicamento: *Não entra álcool na fórmula desse remédio.* **5.** (*Quím.*) Forma de representação simbólica da molécula de uma substância. **6.** Ideia, frase, expressão vazia, sem originalidade e sem conteúdo: *Seu discurso foi uma repetição de fórmulas banais.* **7.** No automobilismo, classe a que pertence um carro de corrida de acordo com certos requisitos técnicos.

formular (for.mu.*lar*) *v.* **1.** Elaborar, criar: *O grande físico formulou a teoria da relatividade.* **2.** Exprimir, expor: *Ela formulou uma oração confiante.* ▶ Conjug. 5.

formulário (for.mu.lá.ri:o) *s.m.* **1.** Conjunto de fórmulas. **2.** Modelo impresso segundo um padrão onde estão registradas as informações solicitadas: *Comece a preencher o formulário, dando seu nome e idade.*

fornada (for.na.da) *s.f.* **1.** Conjunto de coisas (pães, bolos, biscoitos, tijolos etc.) assadas ou cozidas no forno de uma só vez. **2.** Porção de coisas feitas de uma só vez.

fornalha (for.na.lha) *s.f.* **1.** Forno de grande dimensão. **2.** Lugar, numa máquina a vapor, onde se queima combustível.

fornecedor [ô] (for.ne.ce.dor) *adj.* **1.** Que fornece: *um posto fornecedor.* • *s.m.* **2.** Profissional ou empresa que fornece seu produto a clientes: *o fornecedor de revistas.*

fornecer (for.ne.cer) *v.* **1.** Tornar disponível; dar, oferecer: *Não forneça seus dados por telefone;*

Não forneça seu endereço a qualquer um. **2.** Abastecer, municiar: *O fomento agrícola fornece pesticidas aos lavradores.* ▶ Conjug. 41 e 46.
– **fornecimento** *s.m.*

fornicar (for.ni.*car*) *v.* Ter relação sexual; praticar o coito. ▶ Conjug. 5 e 35.

fornido (for.ni.do) *adj.* **1.** Que foi abastecido: *uma casa fornida do bom e do melhor.* **2.** Bem nutrido, robusto: *um menino fornido.*

fornilho (for.ni.lho) *s.m.* **1.** Parte do cachimbo onde se queima o fumo. **2.** Pequeno forno.

forno [ô] (for.no) *s.m.* **1.** Compartimento feito de tijolos, barro ou ferro que, aquecido com carvão, lenha ou outro combustível, armazena calor para assar ou cozer tijolos, cerâmica, pães, bolos, biscoitos etc. **2.** A parte do fogão onde se assam alimentos. **3.** Lugar muito quente; fornalha: *Esta sala hoje está um forno.*

foro [ó] (fo.ro) *s.m.* Centro onde se debate algum assunto; fórum.

foro [ô] (fo.ro) *s.m.* **1.** Local onde estão instalados os órgãos do Poder Judiciário, como o Tribunal de Justiça; fórum. **2.** Uso ou regalia legalmente garantidos pela tradição. **3.** Jurisdição: *foro civil; foro militar; foro eclesiástico; ter foro de cidade.* • **foros** [ó] *s.m.pl.* **4.** Direitos, privilégios, imunidade. || *Foro íntimo*: consciência, juízo da própria consciência. || pl.: [ó].

forquilha (for.qui.lha) *s.m.* **1.** Pedaço de madeira que se abre em dois ramos. **2.** Forcado de três pontas.

forra [ó] (for.ra) *s.m. coloq.* Desforra, vingança: *Depois da surra, ele prometeu ir à forra.*

forrado (for.ra.do) *adj.* **1.** Que tem forro: *capa forrada.* **2.** *coloq.* Alimentado, nutrido: *estômago forrado.* **3.** *coloq.* Com dinheiro; endinheirado: *Ganhou na loto e está forrado.*

forragem (for.ra.gem) *s.f.* Toda planta ou parte de planta que serve para alimentar o gado.

forrar (for.*rar*) *v.* **1.** Pôr forro em alguma coisa: *Forrou a capa com cetim.* **2.** Revestir(-se) de capa, toalha, nuvens, neve etc.: *Forrou a mesa com a toalha de renda; A neve forrava o chão; O céu forrou-se de nuvens.* ▶ Conjug. 20.

forro[1] [ô] (for.ro) *s.m.* **1.** Parte interna do teto de uma construção. **2.** Tecido ou enchimento que reveste interna ou externamente peças do vestuário ou mobiliário: *o forro do vestido; o forro do sofá.*

forro² [ô] *(for.ro) adj.* **1.** Que obteve alforria, liberto da escravidão. **2.** Que não paga foro ou pensão. **3.** Livre, desembaraçado, desobrigado, isento. **4.** Livre de dívidas.

forró *(for.ró) s.m.* **1.** Baile popular em que normalmente se dança música do Nordeste: *O par dançava feliz um forró; A moça gostava de ir ao forró para dançar.* **2.** A música que se toca nesse baile: *O rapaz ouvia forró no seu radinho de pilhas.* **3.** Grande confusão: *A festa acabou num tremendo forró.*

forrobodó *(for.ro.bo.dó) s.m.* **1.** Forró. **2.** Confusão, tumulto: *Houve um forrobodó na saída do estádio.*

fortalecer *(for.ta.le.cer) v.* **1.** Tornar(-se) mais forte ou mais sólido: *Esses exercícios fortalecem a musculatura peitoral; O amor entre os dois fortalecia-se cada vez mais.* **2.** Dar ânimo; animar: *A oração fortalece a alma.* **3.** Tornar(-se) mais seguro; fortificar: *O governador-geral mandou fortalecer as defesas da ilha; O partido se fortaleceu depois das eleições.* ▶ Conjug. 41 e 46. – **fortalecimento** *s.m.*

fortaleza [ê] *(for.ta.le.za) s.f.* **1.** Qualidade do que é forte; força: *a fortaleza do atleta.* **2.** Vigor moral; força moral: *A fortaleza é uma virtude.* **3.** Edificação para defesa de uma cidade, de uma região: *As fortalezas de São João, Santa Cruz e Lajes defendiam a entrada da baía de Guanabara.*

fortalezense *(for.ta.le.zen.se) adj.* **1.** De Fortaleza, capital do estado do Ceará. • *s.m. e f.* **2.** O natural ou o habitante dessa capital.

forte [ó] *(for.te) adj.* **1.** Que tem força física: *A queda de braço mostrará quem é mais forte.* **2.** Que tem poder: *Ele é o homem forte do partido.* **3.** Que tem valor moral: *um caráter forte.* **4.** Que tem valor alimentício; nutritivo: *um alimento forte.* **5.** Que tem densidade, consistência: *A peça tem um enredo forte.* **6.** Que tem possibilidade de ganhar: *Ele é um candidato forte.* **7.** De sabor e perfume marcantes: *tempero forte; perfume forte.* **8.** De alto teor alcoólico: *uma batida forte.* • *s.m.* **9.** Aquilo em que alguém é muito bom: *O forte de Paulo é a esgrima.* **10.** Edificação para defesa de um lugar; fortaleza, fortificação: *Construíram um forte na entrada da baía.* • *s.m. e f.* **11.** Pessoa que é forte: *Só os fortes opuseram resistência; os fracos entregaram-se.*

fortificação *(for.ti.fi.ca.ção) s.m.* **1.** Ato ou efeito de fortificar(-se). **2.** Forte (10), fortaleza (3).

fortificante *(for.ti.fi.can.te) adj.* **1.** Que fortifica. • *s.m.* **2.** (*Farm.*) Remédio que restaura as forças.

fortim *(for.tim) s.m.* Pequeno forte (10).

fortuito *(for.tui.to) adj.* Que ocorre sem ter sido planejado; eventual, imprevisto: *um encontro fortuito.*

fortuna *(for.tu.na) s.f.* **1.** Riqueza acumulada: *Sua fortuna é de muitos milhões.* **2.** Sorte, felicidade: *Tive a fortuna de encontrar você.* **3.** Casualidade, eventualidade: *Conseguimos o que queríamos por mera fortuna.* **4.** Destino, sina: *Triste fortuna teve essa moça!*

fórum *(fó.rum) s.m.* Foro [ó].

fosco [ô] *(fos.co) adj.* Sem brilho; embaçado: *vidro fosco.*

fosfato *(fos.fa.to) s.m.* (*Quím.*) Composto derivado de ácido fosfórico.

fosforescência *(fos.fo.res.cên.ci.a) s.f.* **1.** Qualidade do que é fosforescente. **2.** Luminosidade. **3.** Tipo de luminosidade que eventualmente se apresenta na água do mar, causada pela presença de animais microscópicos. – **fosforescer** *v.* ▶ Conjug. 41 e 46.

fosforescente *(fos.fo.res.cen.te) adj.* Que brilha no escuro sem produzir calor.

fosfórico *(fos.fó.ri.co) adj.* Relativo a ou que contém fósforo.

fósforo *(fós.fo.ro) s.m.* **1.** (*Quím.*) Elemento não metálico que, no escuro, apresenta luminosidade. **2.** Palito com cabeça feita dessa substância, que produz fogo por atrito. || Símbolo: P.

fossa [ó] *(fos.sa) s.f.* **1.** Cavidade aberta no solo; fosso, buraco, cova. **2.** Cova profunda aberta no solo onde são despejados detritos, excrementos, águas usadas etc. **3.** (*Anat.*) Depressão ou área oca: *fossa ilíaca; fossas nasais.* **4.** *coloq.* Depressão, tristeza, abatimento: *Brigou com o namorado e ficou na fossa.*

fóssil *(fós.sil) s.m.* **1.** Restos mineralizados de animais ou vegetais que viveram na Terra em eras muito remotas. **2.** Pessoa de ideias e hábitos retrógrados. • *adj.* **3.** Relativo a fóssil (1) ou que é um fóssil: *madeira fóssil.*

fossilizar *(fos.si.li.zar) v.* **1.** Transformar(-se) em fóssil. **2.** *fig.* Impedir a evolução de alguém ou de si mesmo; estagnar(-se): *A falta de leitura e estudo fossiliza o homem; Fossilizou-se por falta de interesse nas coisas.* ▶ Conjug. 5.

fosso [ô] *(fos.so) s.m.* **1.** Fossa (1). **2.** Vala aberta em torno de uma fortificação para defesa. **3.** (*Esp.*) Nos estádios de futebol, vala destinada a impedir o acesso do público ao campo.

foto

foto [ó] (fo.to) s.f. Fotografia.

fotocomposição (fo.to.com.po.si.ção) s.f. (Art. Gráf.) **1.** Processo de composição de textos que emprega técnicas de fotografia e de eletrônica. **2.** Ato ou efeito do trabalho em fotocompositora.

fotocompositora [ô] (fo.to.com.po.si.to.ra) s.f. (Art. Gráf.) **1.** Equipamento de fotocomposição. **2.** Estúdio onde se faz fotocomposição (1).

fotocópia (fo.to.có.pi:a) s.f. (Art. Gráf.) **1.** Processo de reprodução rápida de documento através da fotografia. **2.** Cópia obtida por esse processo.

fotocopiadora [ô] (fo.to.co.pi:a.do.ra) s.f. Instrumento de fazer fotocópias.

fotocopiar (fo.to.co.pi:ar) v. Fazer fotocópia de: *Os candidatos fotocopiaram seus documentos.* ▶ Conjug. 17.

fotoelétrico (fo.to:e.lé.tri.co) adj. (Fís.) Que transforma energia luminosa em energia elétrica.

fotofobia (fo.to.fo.bi.a) s.f. Aversão provocada pela dor ou incômodo causados pela luz que incide sobre a vista. – **fotofóbico** adj.

fotogênico (fo.to.gê.ni.co) adj. Que fica bem representado pela fotografia. – **fotogenia** s.f.

fotografar (fo.to.gra.far) v. **1.** Fixar uma imagem por meio de fotografia: *Ela fotografou todos os monumentos da cidade.* **2.** Ser fotografado: *Ela fotografa para uma revista de modas.* ▶ Conjug. 5.

fotografia (fo.to.gra.fi.a) s.f. **1.** Técnica de fixar em superfície revestida de substância fotossensível (filme), por meio da luz, a imagem dos objetos colocados diante de uma câmara escura, dotada de um dispositivo óptico. **2.** Imagem obtida por esse processo. **3.** *fig.* Cópia fiel; reprodução exata.

fotógrafo (fo.tó.gra.fo) s.m. Indivíduo que pratica a fotografia, ou aquele que se ocupa de fotografia como profissão.

fotogravura (fo.to.gra.vu.ra) s.f. (Art. Gráf.) Processo fotomecânico de produzir formas para impressão.

fotojornalismo (fo.to.jor.na.lis.mo) s.m. **1.** Trabalho jornalístico produzido por jornalista fotográfico. **2.** Gênero de jornalismo que tem por base o material fotográfico. – **fotojornalista** s.m. e f.

fotolito (fo.to.li.to) s.m. **1.** Pedra ou chapa de metal usada em impressão ou gravação de matriz. **2.** Jogo de filmes para impressão.

fotolog [fotolog] (Ing.) s.m. (Inform.) **1.** Serviço disponível na internet que possibilita ao usuário criar uma página de fotos, com espaço para comentários dos visitantes. **2.** Página de fotos assim criada.

fotômetro (fo.tô.me.tro) s.m. Aparelho usado por fotógrafos para medir a intensidade da luz.

fotonovela [é] (fo.to.no.ve.la) s.f. Narrativa composta de fotos ou desenhos com textos breves em legendas ou balões integrados às imagens; fotorromance.

fotorromance (fo.tor.ro.man.ce) s.m. Fotonovela.

fotossensibilidade (fo.tos.sen.si.bi.li.da.de) s.f. (Fís.) Sensibilidade às radiações luminosas.

fotossensível (fo.tos.sen.sí.vel) adj. **1.** Sensível à luz. **2.** (Fís.) Que possui fotossensibilidade.

fotossíntese (fo.tos.sín.te.se) s.f. (Bot.) Capacidade que têm os vegetais de obter substâncias nutritivas através da transformação energética operada, a partir da luz solar, com desprendimento de oxigênio. – **fotossintético** adj.

fototeca [é] (fo.to.te.ca) s.f. **1.** Coleção de fotografias. **2.** Local onde essas fotos estão armazenadas.

fototerapia (fo.to.te.ra.pi.a) s.f. (Med.) Emprego de raios luminosos como agente terapêutico. – **fototerápico** adj.

fototropia (fo.to.tro.pi.a) s.f. (Bot.) Movimento do crescimento das plantas, orientado pela influência da luz solar; fototropismo. – **fototrópico** adj.

fototropismo (fo.to.tro.pis.mo) s.m. (Bot.) Fototropia.

foz s.f. Ponto em que um rio desemboca no mar, lago, lagoa ou em outra corrente de água; desembocadura.

foz-iguaçuense (foz-i.gua.çu:en.se) adj. **1.** Da cidade de Foz do Iguaçu, no Estado do Paraná. • s.m. e f. **2.** O natural ou o habitante dessa cidade. || pl.: *foz-iguaçuenses*.

fração (fra.ção) s.f. **1.** Ato ou efeito de dividir, romper, partir, quebrar: *a fração do pão*. **2.** Porção de um todo, em relação a ele. **3.** Parte de um título, propriedade ou bilhete que pode ser negociada separadamente: *uma fração da loteria federal*. **4.** (Mat.) Expressão que indica uma ou mais partes da unidade ou inteiro dividido em partes iguais.

fracassar (fra.cas.sar) v. Ser malsucedido, não dar certo; malograr: *Nosso plano de viagem*

framboesa

fracassou; Trabalhe com seriedade para não fracassar em sua profissão. ▶ Conjug. 5.

fracasso (fra.*cas*.so) *s.m.* Mau êxito; insucesso, malogro.

fracionar (fra.ci:o.*nar*) *v.* **1.** Dividir em frações; partir: *Os herdeiros fracionaram a fazenda e a venderam em lotes.* **2.** Fragmentar-se: *Ao bater no chão, a louça fracionou-se em mil pedaços.* ▶ Conjug. 5.

fracionário (fra.ci:o.*ná*.ri:o) *adj.* **1.** (*Gram.*) Diz-se do numeral que exprime partes da unidade, como *meio, terço* etc. **2.** (*Mat.*) Relativo a fração. **3.** (*Mat.*) Em que há fração. **4.** (*Mat.*) Diz-se do número composto de um inteiro e uma fração.

fraco (*fra*.co) *adj.* **1.** Que não tem força ou solidez; débil: *um homem fraco.* **2.** Que não tem autoridade; que não se impõe; que cede facilmente à vontade dos outros: *Era um chefe fraco com seus subordinados.* **3.** De pouco poder ou influência: *um político fraco.* **4.** De pouca consistência, expressão ou qualidade: *uma comédia fraca.* **5.** Mal guarnecido; sem capacidade de defesa: *um país fraco.* **6.** De pouca intensidade: *luz fraca.* **7.** Que soa debilmente: *voz fraca.* **8.** Pouco versado em: *fraco em álgebra.* **9.** Diz-se da bebida que tem baixo teor alcoólico: *um licor fraco.* • *s.m.* **10.** Indivíduo sem força ou poder: *proteger os fracos.* **11.** Ponto em que a pessoa oferece menor resistência; ponto vulnerável: *Seu fraco era a bebida.* **12.** Tendência, inclinação: *Tenho um fraco pela pintura.*

frade¹ (*fra*.de) *s.m.* Religioso de certas ordens ou congregações; frei.

frade² (*fra*.de) *s.m.* Bloco cônico de pedra ou metal que se coloca na rua para impedir o acesso de veículos.

fraga (*fra*.ga) *s.f.* Rocha íngreme; penhasco.

fragata (fra.*ga*.ta) *s.f.* Navio de guerra de dimensão média, usado geralmente para escolta de comboios ou ataque a submarinos.

frágil (*frá*.gil) *adj.* **1.** Que pode se partir facilmente; que pode ser destruído facilmente: *uma porcelana frágil; uma ponte frágil.* **2.** *fig.* Delicado, indefeso: *Ainda se pode dizer que as mulheres são o sexo frágil?* **3.** *fig.* Pouco duradouro, transitório: *um relacionamento frágil.* ‖ sup. abs.: *fragílimo* e *fragilíssimo.*

fragilidade (fra.gi.li.*da*.de) *s.f.* **1.** Caráter do que é frágil. **2.** Fraqueza. **3.** Delicadeza.

fragílimo (fra.*gí*.li.mo) *adj.* Superlativo absoluto de *frágil.*

fragilizado (fra.gi.li.*za*.do) *adj.* **1.** Que se tornou fraco e pouco resistente: *O tremor de terra deixou o muro fragilizado.* **2.** Que ficou emocionalmente vulnerável: *Ela ficou fragilizada com a saída do filho.*

fragilizar (fra.gi.li.*zar*) *v.* Tornar(-se) frágil, inseguro; debilitar(-se): *As febres contínuas fragilizavam os habitantes da vila; Sem obter respostas a seus questionamentos, a equipe fragilizou-se e desinteressou-se pelo projeto.* ▶ Conjug. 5.

fragmentar (frag.men.*tar*) *v.* **1.** Reduzir(-se) a fragmentos; partir(-se) em pedaços: *A queda fragmentou a estátua em vários pedaços; Com a queda, a estátua fragmentou-se em vários pedaços.* **2.** Dividir(-se), fracionar(-se): *Com a morte do soberano, seu império fragmentou-se em pequenos reinos.* ▶ Conjug. 5. – **fragmentação** *s.f.*

fragmento (frag.*men*.to) *s.m.* **1.** Cada um dos pedaços em que se divide algo que se quebrou, rasgou ou dilacerou: *os fragmentos de um prato quebrado; os fragmentos de uma camisa rasgada.* **2.** Parte que resta de uma obra literária, científica etc., cuja totalidade se perdeu: *os fragmentos das poesias de Safo.* **3.** Passagem ou trecho de um texto qualquer: *Leremos fragmentos de suas cartas.*

fragor [ô] (fra.*gor*) *s.m.* Ruído forte; estrondo, estampido.

fragoroso [ô] (fra.go.*ro*.so) *adj.* **1.** Que produz fragor; ruidoso, estrondoso, estrepitoso. **2.** Fora do comum, extraordinário. ‖ f. e pl.: [ó].

fragrância (fra.*grân*.ci:a) *s.f.* Cheiro agradável de flores ou de qualquer substância perfumosa; perfume, aroma, odor.

fragrante (fra.*gran*.te) *adj.* Que tem fragrância; aromático, odorífero, perfumado. ‖ Conferir com *flagrante.*

frágua (*frá*.gu:a) *s.f.* Oficina de ferreiro; fornalha, forja, fundição.

frajola [ó] (fra.*jo*.la) *adj.* **1.** Que se veste com apuro exagerado; janota: *Que rapaz frajola!* • *s.m.* **2.** Aquele que se veste com apuro exagerado: *Você não é um frajola para se vestir assim, com todo esse excesso.*

fralda (*fral*.da) *s.f.* **1.** Parte inferior da camisa. **2.** Peça de material absorvente (tecido, papel etc.) usada para envolver o ventre e as nádegas do bebê, ou de pessoa idosa, a fim de absorver urina e excrementos. **3.** Parte inferior de uma montanha; sopé, falda.

framboesa [ê] (fram.bo:*e*.sa) *s.f.* Pequena fruta vermelha com a qual se fazem geleias, doces, balas e xaropes.

framboeseira (fram.bo:e.sei.ra) s.f. (Bot.) Planta que produz framboesa.

frame [freime] (Ing.) s.m. (Inform.) Página ou moldura de documento que se encontra em uma página da internet.

francês (fran.cês) adj. **1.** Da França, país da Europa. • s.m. **2.** O natural ou o habitante desse país. **3.** O idioma falado nesse país.

francesismo (fran.ce.sis.mo) s.m. Galicismo.

franchise [francháiz] (Ing.) s.f. (Econ.) Franquia (3) e (4).

franciscano (fran.cis.ca.no) adj. **1.** Da ordem religiosa fundada por São Francisco de Assis: *um frade franciscano; a regra franciscana*. **2.** fig. Que é extremamente pobre: *pobreza franciscana*. • s.m. **3.** Membro da ordem fundada por São Francisco de Assis: *um convento de franciscanos*.

franco[1] (fran.co) adj. **1.** Relativo aos francos, povo germânico que invadiu a Gália no século V: *um rei franco*. • s.m. **2.** Pessoa pertencente a esse povo.

franco[2] (fran.co) adj. **1.** Livre de estorvos; desembaraçado: *entrada franca*. **2.** Que diz claramente o que pensa, sincero, aberto: *uma conversa franca*. **3.** Isento de pagamento de tributos, impostos ou direitos: *porto franco; zona franca* • adv. **4.** Com franqueza; francamente: *falar franco*.

franco[3] (fran.co) s.m. Moeda usada na Suíça e, antes da adoção do euro, na França, na Bélgica, entre outros países.

franco-atirador (fran.co-a.ti.ra.dor) s.m. **1.** Soldado que, não fazendo parte de um corpo regular de tropas, age por conta própria. **2.** fig. Indivíduo que trabalha por uma ideia, por conta própria, sem se filiar a nenhum grupo, organização ou partido. || pl.: *franco-atiradores*.

franga (fran.ga) s.f. **1.** Galinha que ainda não bota ovos. **2.** fig. Mulher muito jovem.

frangalho (fran.ga.lho) s.m. **1.** Pedaço de pano rasgado ou muito usado. **2.** fig. Pessoa arruinada, acabada.

frango (fran.go) s.m. **1.** Galo jovem antes de atingir a idade da reprodução. **2.** (Esp.) No jogo de futebol, bola fácil de defender que o goleiro deixa passar.

frangote [ó] (fran.go.te) s.m. **1.** Frango bem jovem. **2.** fig. Rapazinho presunçoso.

franja (fran.ja) s.f. **1.** Porção de cabelo que cobre a testa até quase a altura das sobrancelhas. **2.** Enfeite formado de fios torcidos e pendentes, com o qual se guarnecem peças do vestuário, cortinas, móveis.

franquear (fran.que:ar) v. **1.** Isentar de impostos ou taxas fiscais: *Foi franqueada a importação de certos gêneros alimentícios*. **2.** Tornar franco, livre; desimpedir, liberar: *Franquearam a entrada do estádio aos torcedores*. **3.** Pôr à disposição: *Franqueei a ele minha biblioteca*. ▶ Conjug. 14.

franqueza [ê] (fran.que.za) s.f. Qualidade do que é franco; sinceridade.

franquia (fran.qui.a) s.f. **1.** Isenção de pagamento de tributos, direitos, taxas. **2.** Em contratos de seguro de veículo, certa parcela que o cliente da seguradora deve pagar em caso de acidente. **3.** Sistema pelo qual uma empresa cede a outra, em troca de compensação financeira, o direito de usar seu nome, padrão e identidade visual; *franchise*. **4.** Empresa comercial à qual foi concedida essa licença.

franzido (fran.zi.do) adj. **1.** Que apresenta dobras ou pregas: *testa franzida*. **2.** Feito em pregas miúdas e unidas: *uma saia franzida*. **3.** Enrugado: *O rosto do velho era franzido de rugas*. • s.m. **4.** Peça franzida de uma roupa: *Esse franzido de sua saia não está bom*.

franzino (fran.zi.no) adj. Diz-se de pessoa de talhe pequeno e magro.

franzir (fran.zir) v. **1.** Formar dobra ou ruga numa roupa ou tecido: *A costureira franziu a cintura do vestido; Esse tecido franze-se facilmente*. **2.** Enrugar(-se); contrair(-se): *Ele franziu a testa; Diante da ameaça, seu semblante franziu-se preocupado*. ▶ Conjug. 66.

fraque (fra.que) s.m. Casaco de homem para cerimônias, curto na parte da frente e mais comprido na parte de trás.

fraquejar (fra.que.jar) v. **1.** Tornar-se fraco, perder a força, o vigor; desfalecer: *Depois daquela doença, ele começou a fraquejar*. **2.** Perder a coragem: *Perdeu 20 pontos porque, na hora de saltar, ele fraquejou*. ▶ Conjug. 10 e 37.

fraqueza [ê] (fra.que.za) s.f. **1.** Estado ou qualidade de quem perdeu as forças físicas. **2.** Estado ou qualidade daquele a quem falta coragem, ânimo. **3.** Aquilo a que uma pessoa não pode resistir.

frasco (fras.co) s.m. Pequeno recipiente de cristal, vidro ou plástico para guardar líquidos como bebidas, perfumes, remédios.

frase (fra.se) s.f. **1.** (Gram.) Unidade de comunicação linguística transmissora de uma men-

fremir

sagem, caracterizada por uma entoação que lhe marca o início e o fim. **2.** (*Mús.*) Trecho musical maior que o motivo e menor que o período. || *Frase feita*: expressão idiomática.

fraseado (fra.se:a.do) *s.m.* **1.** Modo de dizer ou escrever alguma coisa: *Menino, para falar comigo, refreie seu fraseado.* **2.** (*Mús.*) Maneira de desenvolver uma linha melódica.

frasear (fra.se:*ar*) *v.* **1.** Dispor ideias em frases escritas ou faladas: *Vou frasear o que quero lhes dizer.* **2.** (*Mús.*) Executar as frases melódicas de uma maneira particular e com sensibilidade: *Naquela ária, o tenor fraseava admiravelmente.* ▶ Conjug. 14.

fraseologia (fra.se:o.lo.gi.a) *s.f.* **1.** Maneira peculiar de um escritor construir suas frases. **2.** Conjunto de frases características de uma língua ou de um escritor.

frasqueira (fras.quei.ra) *s.f.* **1.** Espécie de estojo em que se guardam e transportam frascos de perfume, potes de creme, material de higiene. **2.** Armário em que se guardam pequenas quantidades de frascos e garrafas.

fraternal (fra.ter.*nal*) *adj.* Próprio de irmão; fraterno.

fraternidade (fra.ter.ni.*da*.de) *s.f.* **1.** Convivência harmoniosa e afetiva entre pessoas. **2.** Relação de parentesco entre irmãos; irmandade.

fraternizar (fra.ter.ni.*zar*) *v.* **1.** Unir(-se) como irmãos; unir(-se) de modo fraterno: *As peripécias vencidas acabaram por fraternizar a equipe*; *Esquecendo as desavenças, a turma A fraternizou com a turma B.* **2.** Partilhar das mesmas ideias e convicções: *O chefe fraternizou com seus auxiliares*; *Naquele momento difícil, professores e alunos fraternizaram.* ▶ Conjug. 5.

fraterno [é] (fra.ter.no) *adj.* **1.** Relativo a irmão; do irmão. **2.** Que demonstra afeto, carinho.

fratricida (fra.tri.ci.da) *adj.* **1.** Que mata o irmão ou a irmã. **2.** Diz-se da guerra travada entre cidadãos do mesmo país ou membros do mesmo povo: *uma luta fratricida.* • *s.m. e f.* **3.** Pessoa que mata o irmão ou a irmã. – **fratricídio** *s.m.*

fratura (fra.tu.ra) *s.f.* **1.** (*Med.*) Quebra de um osso, de uma cartilagem ou de um dente, normalmente em função de um forte choque. **2.** (*Geol.*) Ruptura em placa geológica, causada por movimento sismológico.

fraturar (fra.tu.*rar*) *v.* Quebrar, partir osso ou dente: *Fraturou a perna quando caiu do cavalo.* ▶ Conjug. 5.

fraudar (frau.*dar*) *v.* **1.** Cometer fraude em prejuízo de uma ou de mais pessoas: *Para obter mais lucro, fraudava seus clientes.* **2.** Adulterar, falsificar: *fraudar documento.* ▶ Conjug. 5.

fraude (frau.de) *s.m.* **1.** Artifício desonesto com o propósito de enganar alguém; falcatrua, maracutaia. **2.** Falsificação, adulteração de marca, produtos patenteados, documentos, assinaturas etc.

fraudulento (frau.du.*len*.to) *adj.* **1.** Realizado ou obtido por meio de fraude: *um atestado fraudulento.* **2.** Que realiza fraudes: *uma empresa fraudulenta.*

freada (fre:a.da) *s.f.* Ato ou efeito de frear, de acionar o freio; brecada.

frear (fre:*ar*) *v.* **1.** Apertar o freio de um veículo, uma máquina etc.: *O motorista freou o carro para não bater*; *Para não bater, teve de frear imediatamente.* **2.** Interromper o desenvolvimento de um processo; conter: *É urgente frear a violência urbana.* ▶ Conjug. 14.

freático (fre:á.ti.co) *adj.* Diz-se do lençol de água subterrâneo que se encontra a pouca profundidade do solo.

freelance [friláns] (Ing.) *s.m. e f.* **1.** Tipo de prestação de serviço sem vínculo empregatício entre as partes. **2.** Profissional que faz esse tipo de trabalho. || *freelancer.*

freelancer [frilâncer] (Ing.) *s.m. e f.* Freelance (2), frila.

freezer [frízer] (Ing.) *s.m.* Eletrodoméstico que congela alimentos e fabrica gelo; congelador.

freguês (fre.guês) *s.m.* **1.** Cliente habitual de uma casa comercial ou de um feirante. **2.** Qualquer cliente ou comprador.

freguesia (fre.gue.si.a) *s.f.* **1.** O conjunto de fregueses de uma casa comercial. **2.** Conjunto dos residentes numa paróquia; área de atuação dessa paróquia.

frei *s.m.* Variante vocabular de *frade*, usada antes do nome: *Frei Luís de Sousa*; *Frei Damião.*

freio (frei.o) *s.m.* **1.** Dispositivo usado para diminuir a velocidade de um veículo ou fazer cessar sua marcha. **2.** Peça de metal que, introduzida na boca das cavalgaduras, serve, junto com as rédeas, para controlar sua marcha. **3.** *fig.* O que serve para moderar ou fazer cessar algo: *uma paixão sem freios.*

freira (frei.ra) *s.f.* Mulher que pertence a uma ordem ou congregação religiosa; irmã, sóror.

fremir (fre.*mir*) *v.* **1.** Tremer ou fazer tremer ligeiramente: *Provocado pelo adversário, o lutador fremia de raiva*; *O vento fremia as cortinas da sala.* **2.** Fazer grande ruído: *A tempestade fremia na noite escura.* ▶ Conjug. 84 e 69.

frêmito

frêmito *(frê.mi.to) s.m.* **1.** Leve tremor que percorre o corpo, provocado por uma emoção súbita. **2.** Murmúrio abafado de vozes.

frenesi *(fre.ne.si) s.m.* Estado de intensa agitação ou excitação.

frenético *(fre.né.ti.co) adj.* Muito agitado.

frente *(fren.te) s.f.* **1.** Parte anterior de pessoa, animal ou coisa: *A frente da casa era pintada de azul.* **2.** Posição anterior a dada ordem: *Você está na frente dela porque furou a fila.* **3.** Diante de alguém, na presença de alguém: *Fizeram tudo na frente dele.* **4.** Coalizão, união de grupos distintos: *Os partidos fizeram uma frente de oposição.* || *Frente a frente*: face a face: *Vamos conversar frente a frente com o diretor.* • *Frente de trabalho*: obra geralmente pública para dar ocupação à mão de obra inativa, a fim de diminuir o desemprego. • *Frente fria*: massa de ar frio que pressiona e ocupa o lugar de uma massa mais quente. • *Frente quente*: massa de ar quente que pressiona e ocupa o lugar de uma massa de ar mais frio. • *À/Na frente (de)*: adiante, na dianteira: *Um homem ia à frente da procissão com uma cruz; As crianças iam na frente.* • *Da frente*: dianteira: *o farol da frente.* • *Em frente (a, de)*: **1.** defronte a: *A praça fica na frente da igreja.* **2.** na presença de: *Na frente do professor, as crianças ficaram quietas.* • *Pra frente*: coloq. atualizado, moderno: *Era uma velhinha bem pra frente.*

frentista *(fren.tis.ta) s.m. e f.* Empregado que atende os clientes num posto de gasolina.

frequência [qüen] *(fre.quên.ci.a) s.f.* **1.** Repetição sistemática de um som, de um fato ou de um comportamento: *Ele visitava os avós com frequência.* **2.** Comparecimento regular ao trabalho, à escola etc.: *A frequência às aulas diminuiu por causa do mau tempo.* **3.** Número ou tipo de pessoas que vão regularmente a um lugar: *A frequência desse cinema caiu muito.* **4.** Quantidade de repetições de um fato por unidade de tempo; periodicidade: *Com que frequência sai este jornal?* **5.** (Fís.) Repetição de um ciclo periódico (por exemplo, uma onda sonora) por unidade de tempo. || *Frequência modulada*: forma de transmissão de ondas de rádio em que é a modulação da frequência que reproduz o som transmitido.

frequentador [qüen…ô] *(fre.quen.ta.dor) adj.* **1.** Que frequenta; que vai regularmente a algum lugar. • *s.m.* **2.** Aquele que vai regularmente a algum lugar: *os frequentadores desse teatro.*

frequentar [qüen] *(fre.quen.tar) v.* **1.** Ir com frequência a algum lugar: *João frequenta a biblioteca de seu bairro.* **2.** Conviver com: *Maria agora só frequenta a alta sociedade.* ▶ Conjug. 5.

frequente [qüen] *(fre.quen.te) adj.* Que ocorre com certa regularidade.

fresca [ê] *(fres.ca) s.f.* Brisa amena que sopra pela manhã ou à tarde. || *À fresca*: em trajes leves: *Tirou o paletó e a gravata e pôs-se à fresca.*

fresco [ê] *(fres.co) adj.* **1.** Que é um tanto frio: *A noite é sempre fresca nesta cidade.* **2.** Que é ventilado: *Este lado da casa é bem fresco.* **3.** Que é novo e apresenta aspecto saudável: *peixe fresco; verduras frescas.* **4.** Feito recentemente: *Este café é fresco.* **5.** *pej.* Que tem maneiras efeminadas. • *s.m.* **6.** Homem pouco viril; efeminado.

frescobol *(fres.co.bol) s.m. (Esp.)* Jogo praticado ao ar livre, por dois parceiros munidos de raquetes e uma pequena bola de borracha.

frescor [ô] *(fres.cor) s.m.* Qualidade de fresco (1) a (3).

frescura *(fres.cu.ra) s.f.* **1.** Qualidade do que é fresco, frescor: *a frescura dessas fontes.* **2.** *coloq.* Excesso de sensibilidade diante de coisas sem importância; afetação: *Deixe de frescura.* **3.** Atitude ou modos de fresco (5) e (6).

fresta [é] *(fres.ta) s.f.* **1.** Abertura estreita em uma parede; frincha. **2.** Pequena parte aberta de uma porta ou janela fechada: *Fechou a janela, deixando uma fresta para entrar o luar.*

fretar *(fre.tar) v.* Tomar ou dar um veículo a frete: *Fretamos um ônibus para irmos todos juntos.* ▶ Conjug. 8.

frete [é] *(fre.te) s.m.* **1.** Aluguel de embarcação ou de veículo terrestre para transporte de carga; carreto. **2.** Preço pago por esse aluguel.

freudiano [frói] *(freu.di.a.no) adj.* **1.** Relativo às teorias psicológicas de Sigmund Freud (1859-1939) e a seus métodos de terapia: *um terapeuta freudiano.* • *s.m.* **2.** Partidário das teorias psicanalistas de Freud: *O doutor Alvarenga é um freudiano.*

frevo [ê] *(fre.vo) s.m.* **1.** Dança carnavalesca típica de Pernambuco, caracterizada pelo ritmo sincopado e por movimentos acrobáticos dos participantes, vestidos com fantasias típicas, agitando sombrinhas coloridas. **2.** O ritmo e a música dessa dança.

fria (*fri.*a) *s.f.* Situação problemática e crítica: *Não entre nessa fria!*

friagem (*fri:*a.gem) *s.f.* **1.** Ar frio: *Não deixe a criança nesta friagem!* **2.** Queda súbita da temperatura atmosférica, causada pela invasão de massas de ar frias, vindas da região polar antártica.

frialdade (fri:al.*da*.de) *s.f.* **1.** Qualidade do que é frio; frieza, frigidez. **2.** *fig.* Qualidade da pessoa que é fria e insensível; insensibilidade: *Tratou-me com frialdade.*

fricção (fric.*ção*) *s.f.* Ato de friccionar, de esfregar um objeto em outro ou numa superfície.

friccionar (fric.ci:o.*nar*) *v.* **1.** Fazer fricção, esfregar um medicamento, um unguento em: *A enfermeira friccionou o joelho do menino.* **2.** Atritar, roçar uma coisa em outra: *Friccionou dois gravetos até acender o fogo.* ▶ Conjug. 5.

fricote [ó] (fri.*co*.te) *s.m.* Ataque nervoso sem razão; chilique, faniquito.

fricoteiro (fri.co.*tei*.ro) *adj.* **1.** Que é dado a fricotes: *Aquela menina é muito fricoteira.* • *s.m.* **2.** Pessoa dada a fricotes: *Lá vem o fricoteiro da turma.*

frieira (fri:*ei*.ra) *s.f.* (*Med.*) **1.** Inflamação que o frio provoca nos tecidos, especialmente dos pés e das mãos. **2.** Afecção entre os dedos dos pés, causada pela presença de fungos.

frieza [ê] (fri:*e*.za) *s.f.* **1.** Ausência de calor. **2.** Frigidez, frialdade. **3.** *fig.* Insensibilidade, indiferença.

frigideira (fri.gi.*dei*.ra) *s.f.* **1.** Utensílio de cozinha de cabo longo, próprio para fazer frituras. **2.** (*Cul.*) Fritada: *Vamos comer uma frigideira de siri.*

frigidez (fri.gi.*dez*) *s.f.* **1.** Qualidade do que é frígido; frialdade. **2.** *fig.* Indiferença, frieza.

frigidíssimo (fri.gi.*dís*.si.mo) *adj.* Superlativo absoluto de *frio.*

frígido (*frí*.gi.do) *adj.* **1.** Muito frio. **2.** *fig.* Que não sente desejo sexual.

frigir (fri.*gir*) *v.* Cozinhar em gordura (óleo, manteiga, azeite etc.) muito quente e abundante; fritar: *A cozinheira frigia ovos na manteiga.* ‖ part.: *frígido* e *frito.* ▶ Conjug. 73 e 92.

frigobar (fri.go.*bar*) *s.m.* Nos quartos de hotel, pequena geladeira com bebidas e alimentos cujo consumo deverá ser pago pelos hóspedes.

frigorífico (fri.go.*rí*.fi.co) *adj.* **1.** Que gera e conserva o frio. • *s.m.* **2.** Aparelho para conservar e gelar alimentos.

friíssimo (fri.*ís*.si.mo) *adj.* Superlativo absoluto de *frio.*

frila (*fri.*la) *s.m.* e *f.* *gír.* Freelance (2), freelancer.

frincha (*frin.*cha) *s.f.* Abertura estreita; fenda, fresta.

frio (*fri:*o) *adj.* **1.** Que está ou que tem a temperatura baixa; sem calor: *café frio.* **2.** Falso ou sem valor legal: *cheque frio.* **3.** Insensível, cruel: *um bandido frio.* **4.** Indiferente, apático, inexpressivo: *A atriz teve uma atuação fria.* **5.** Que não sente desejo sexual; frígido. • *s.m.* **6.** Sensação produzida pela baixa temperatura: *Raramente sinto frio.* **7.** O inverno: *O frio vai começar mais cedo este ano.* • *frios s.m.pl.* **8.** Carnes, salsichas e outros embutidos em conserva ou defumados.‖ sup. abs.: *frigidíssimo* e *friíssimo.*

friorento (fri:o.*ren*.to) *adj.* Muito sensível ao frio.

frisa (*fri.*sa) *s.f.* **1.** Nos teatros, camarote quase ao nível da plateia. **2.** Tecido grosseiro de lã.

frisar¹ (fri.*sar*) *v.* **1.** Anelar(-se), encrespar(-se) o cabelo: *Ela pintou e frisou os cabelos; Com o uso daquele cosmético, seus cabelos frisaram-se; Frisou-se para ir ao baile.* **2.** Enrugar: *Frisou a testa com aquela preocupação; O vento frisava a superfície da lagoa.* ▶ Conjug. 5.

frisar² (fri.*sar*) *v.* **1.** Pôr friso em: *O pintor frisou a parede com tinta vermelha.* **2.** Citar ou referir com destaque: *O professor frisou bastante certas recomendações, antes de iniciar a prova.* ▶ Conjug. 5.

friso (*fri.*so) *s.m.* **1.** Faixa pintada ou esculpida em tetos ou paredes, com fim decorativo: *As paredes eram ornadas com frisos florais.* **2.** Filete, traço ornamental: *Mandou pôr um friso dourado na moldura.*

fritada (fri.*ta*.da) *s.f.* **1.** Aquilo que se frita de uma vez; fritura. **2.** (*Cul.*) Prato preparado na frigideira com ovos, camarões, siris, carne ou legumes; frigideira.

fritar (fri.*tar*) *v.* Frigir, cozer em frigideira com óleo, manteiga etc.: *Minha tia fritava as piabas que pescávamos no riacho.* ▶ Conjug. 5.

frito (*fri.*to) *adj.* **1.** Que se fritou: *peixe frito.* **2.** *coloq.* Que está em situação muito difícil: *Se ela souber disso, estou frito.* • *fritas s.f.pl.* **3.** batatas fritas: *Vou comer um filé com fritas.*

fritura (fri.*tu*.ra) *s.f.* **1.** Ação de fritar. **2.** Alimento frito; fritada: *O médico desaconselhou comer frituras.*

friúra (fri:*ú*.ra) *s.f.* Qualidade ou estado de frio.

frivolidade (fri.vo.li.*da*.de) *s.f.* **1.** Qualidade de frívolo; futilidade. **2.** O que é de pouco valor; ninharia.

frívolo (*frí*.vo.lo) *adj.* **1.** De pouca importância ou valor; sem interesse, banal: *conversas frívolas*. • *s.m.* **2.** Pessoa inconsequente, fútil: *Achavam-no um frívolo*.

fronde (*fron*.de) *s.f.* A copa, a ramagem das árvores.

frondoso [ô] (fron.*do*.so) *adj.* Que tem muitos ramos e folhas. || f. e pl.: [ó].

fronha (*fro*.nha) *s.f.* Capa de pano com que se envolve o travesseiro.

frontal (fron.*tal*) *adj.* **1.** Que fica na parte da frente. **2.** Muito franco, declarado: *uma oposição frontal*. • *s.m.* **3.** (*Anat.*) Osso situado na parte anterior do crânio.

frontão (fron.*tão*) *s.m.* (*Arquit.*) Peça arquitetônica, em forma de arco ou triângulo, que adorna a parte superior de portas ou janelas ou que coroa a entrada principal ou a frontaria de um edifício.

frontaria (fron.ta.*ri*.a) *s.f.* Fachada frontal de um edifício ou de um monumento; frontispício.

fronte (*fron*.te) *s.f.* **1.** Parte anterior e superior da caixa craniana; testa. **2.** O rosto todo; a face, a cara.

fronteira (fron.*tei*.ra) *s.f.* **1.** Linha divisória entre países, territórios, estados; estremadura. **2.** Região próxima a essa linha divisória. **3.** Limite no sentido moral: *Ultrapassou a fronteira da tolerância*.

fronteiriço (fron.tei.*ri*.ço) *adj.* **1.** Que vive ou está na fronteira ou no limite de; fronteiro. • *s.m.* **2.** (*Psiq.*) Indivíduo que se encontra no limiar da anormalidade. **3.** O natural ou o habitante das fronteiras de um país com outros: *os fronteiriços do Uruguai e da Argentina*.

fronteiro (fron.*tei*.ro) *adj.* **1.** Situado em frente: *O rapaz namora a moça da casa fronteira, no outro lado da rua*. **2.** Localizado na fronteira; fronteiriço.

frontispício (fron.tis.*pí*.ci:o) *s.m.* **1.** (*Arquit.*) Fachada de um edifício ou de um monumento; frontaria. **2.** (*Art. Gráf.*) Página com estampa anterior à página de rosto.

frota [ó] (*fro*.ta) *s.f.* **1.** Grande número de navios de guerra; armada. **2.** Total dos navios mercantes de um país; frota mercante **3.** Conjunto de veículos de uma mesma pessoa, empresa ou repartição pública: *frota de caminhões*; *frota de táxis*.

frouxo [ch] (*frou*.xo) *adj.* **1.** Pouco apertado; solto: *o nó da gravata frouxo*. **2.** Que está muito esgotado, exausto: *Ficou frouxo depois da longa caminhada*. **3.** Lânguido, indolente, irresoluto: *Você portou-se como um homem frouxo*. **4.** Medroso, covarde: *Não seja frouxo; enfrente a realidade*. **5.** Que sofre de impotência sexual. • *s.m.* **6.** Pessoa medrosa, covarde. **7.** Homem que sofre de impotência sexual.

fru-fru (fru-*fru*) *s.m.* **1.** Ruído ligeiro produzido pelo atrito de folhas ou de roupas, principalmente de seda. **2.** Conjunto de ornamentos como babadinhos e fitinhas com que se enfeitam roupas femininas. || pl.: *fru-frus*.

frugal (fru.*gal*) *adj.* **1.** Que se alimenta pouco, de alimentos comuns ou de frutas. **2.** Sóbrio na comida; moderado. – **frugalidade** *s.f.*

frugívoro (fru.*gí*.vo.ro) *adj.* Que se alimenta de frutos ou vegetais.

fruição (fru:i.*ção*) *s.f.* Ato ou efeito de fruir; gozo.

fruir (fru.*ir*) *v.* Usufruir, desfrutar, gozar as vantagens de: *O médico fruía bem do fato de ser o único da cidade*; *O delegado sempre fruiu as vantagens do cargo*. ▶ Conjug. 80.

frustração (frus.tra.*ção*) *s.f.* **1.** Ato ou efeito de frustrar-se; decepção. **2.** Estado de uma pessoa que é privada da satisfação de uma necessidade ou de um desejo.

frustrante (frus.*tran*.te) *adj.* Que frustra; decepcionante.

frustrar (frus.*trar*) *v.* **1.** Conduzir ao fracasso ou fracassar; malograr-se: *A ação da polícia frustrou o plano dos bandidos*; *Todos os seus desejos frustraram-se*. **2.** Causar decepção a si mesmo ou a outros; decepcionar(-se): *As notas baixas frustraram os pais do jovem*; *Os pais frustraram-se com as notas baixas do filho*. ▶ Conjug. 5.

fruta (*fru*.ta) *s.f.* **1.** (*Bot.*) Produto frequentemente comestível de uma planta que aparece depois da flor e contém as sementes; fruto. **2.** *gír.* Homossexual.

fruta-de-conde (fru.ta-de-*con*.de) *s.f.* Fruta de polpa branca, macia e adocicada que envolve sementes pretas; ata[2], pinha. || pl.: *frutas-de-conde*.

fruta-pão (fru.ta-*pão*) *s.f.* Fruto grande cuja massa cozida pode substituir o pão e serve para confecção de pratos. || pl.: *frutas-pão*, *frutas-pães*.

fruteira (fru.*tei*.ra) *s.f.* **1.** Mulher que vende frutas. **2.** (*Bot.*) Árvore frutífera. **3.** Recipiente onde se colocam frutas.

fruteiro (fru.*tei*.ro) *adj.* **1.** Que gosta de fruta. **2.** Que dá frutas. • *s.m.* **3.** Indivíduo que vende frutas.

fruticultura (fru.ti.cul.*tu*.ra) *s.f.* Cultura de plantas ou de árvores frutíferas.

frutífero (fru.*tí*.fe.ro) *adj.* **1.** Que produz frutos, sobretudo os comestíveis. **2.** *fig.* Útil, proveitoso, fecundo, profícuo.

frutificar (fru.ti.fi.*car*) *v.* **1.** Dar fruto: *Esta jaqueira frutifica frequentemente.* **2.** *fig.* Produzir resultado vantajoso, útil ou benéfico: *As boas ações sempre frutificam.* ▶ Conjug. 5 e 35.

fruto (*fru*.to) *s.m.* **1.** (*Bot.*) Órgão do vegetal que resulta da maturação do ovário, fecundado e desenvolvido, que contém as sementes; fruta, carpo. **2.** Alimento que a terra produz: *Vivemos dos frutos da terra.* **3.** *fig.* Filho; prole: *O primeiro fruto daquele casamento foi o Bernardo.* **4.** *fig.* Resultado, produto: *Ele vive do fruto de seu trabalho.* **5.** Lucro, renda, rendimento: *Suas aplicações no banco deram bons frutos.*

frutuoso [ô] (fru.tu:*o*.so) *adj.* **1.** Que dá fruto. **2.** Que dá bons resultados. || f. e pl.: [ó].

fubá (fu.*bá*) *s.m.* Farinha de milho ou de arroz usada em culinária: *bolo de fubá.*

fuça (*fu*.ça) *s.f.* **1.** Parte dianteira da cabeça de certos animais; focinho. • *fuças s.f.pl.* **2.** *pej.* Cara, rosto: *Disse-lhe algumas verdades nas fuças.*

fuçar (fu.*çar*) *v.* **1.** Revolver a terra, a plantação, o lixo etc. com o focinho: *Os porcos fuçaram os canteiros da horta; O pequeno porco não sabia fuçar.* **2.** *fig.* Procurar com curiosidade objetos, informações etc.: *Pare de fuçar na bolsa de sua mãe.* ▶ Conjug. 5 e 36.

fúcsia (*fúc*.si:a) *s.f.* **1.** Planta ornamental, mais conhecida como brinco-de-princesa, de flores roxo-avermelhadas. **2.** O nome da cor dessa flor: *Sua cor preferida sempre foi o fúcsia.* • *adj.* **3.** Que é dessa cor: *uma blusa fúcsia; um sapato fúcsia.*

fuga[1] (*fu*.ga) *s.f.* **1.** Ato ou efeito de fugir. **2.** Saída apressada para escapar a uma perseguição; debandada, evasão. **3.** Orifício por onde escapa algum líquido ou gás. **4.** Alívio, lenitivo: *Encontrava na pintura uma fuga para seu desalento.*

fuga[2] (*fu*.ga) *s.f.* Composição musical de vários tons simultâneos dentro de um tema único.

fugacidade (fu.ga.ci.*da*.de) *s.f.* Qualidade do que é fugaz, do que é passageiro.

fugacíssimo (fu.ga.*cís*.si.mo) *adj.* Superlativo absoluto de *fugaz.*

fugaz (fu.*gaz*) *adj.* Que logo desaparece, que logo passa; fugidio; efêmero: *mocidade fugaz.* || sup. abs.: *fugacíssimo.*

fugida (fu.*gi*.da) *s.f.* Saída rápida com intenção de voltar logo; escapulida.

fugidio (fu.gi.*di*:o) *adj.* Que foge; fugaz, efêmero.

fugir (fu.*gir*) *v.* **1.** Sair às pressas para escapar de alguém, de uma situação, de alguma coisa: *A ave fugiu; O curió fugiu da gaiola.* **2.** Evitar sistematicamente: *fugir das más companhias; fugir das tentações.* **3.** Não vir à mente na hora necessária; não se lembrar na hora certa: *O nome do aluno fugiu-me na hora de interrogá-lo; Agora foge-me o número de minha carteira de identidade.* ▶ Conjug. 77 e 92.

fugitivo (fu.gi.*ti*.vo) *adj.* **1.** Que fugiu, que escapou; foragido: *Prenderam o traficante fugitivo no aeroporto.* • *s.m.* **2.** Pessoa ou animal que fugiu; foragido: *O fugitivo ainda não foi encontrado.*

fuinha (fu:*i*.nha) *s.f.* **1.** (*Zool.*) Pequeno mamífero carnívoro que exala mau cheiro quando ameaçado. **2.** Pessoa bisbilhoteira; fofoqueiro. **3.** Pessoa de cara magra e estreita. **4.** Pessoa avarenta, sovina.

fujão (fu.*jão*) *adj.* **1.** Que foge ou escapa com frequência: *Pegaram o touro fujão.* • *s.m.* **2.** Pessoa ou animal que foge com frequência: *Os fujões foram reconduzidos à cadeia.*

fulano (fu.*la*.no) *s.m.* Pessoa cujo nome não se sabe ou não se quer dizer; sujeito, indivíduo: *Telefonou um fulano que não deixou recado.* || Usado antes de *beltrano* e *sicrano.*

fulcro (*ful*.cro) *s.m.* **1.** (*Fís.*) Ponto de apoio de uma alavanca. **2.** *fig.* Aquilo que constitui a essência de uma coisa; âmago, cerne: *o fulcro da questão.*

fuleiro (fu.*lei*.ro) *adj.* Que não tem valor; ordinário: *Que presente fuleiro!*

fulgente (ful.*gen*.te) *adj.* Que fulge, que brilha; brilhante, cintilante, fulgurante, fúlgido.

fúlgido (*fúl*.gi.do) *adj.* Fulgente, fulgurante: "*E o sol da liberdade em raios fúlgidos/Brilhou no céu da pátria nesse instante.*" (Osório Duque-Estrada, *Hino Nacional Brasileiro.*)

fulgir (ful.*gir*) *v.* **1.** Fazer brilhar: *A luz do sol fulgia a água da fonte.* **2.** Brilhar, resplandecer: *Quando saíram de casa, a estrela-d'alva ainda fulgia no céu.* **3.** *fig.* Atrair a atenção; sobressair: *A*

fulgor

bela atriz fulgia entre os convidados daquela festa. || Para alguns, defectivo nas formas em que ao radical se seguem [o] ou [a]. ▶ Conjug. 92.

fulgor (fu.l*gor*) [ô] s.m. Brilho intenso; luminosidade: *o fulgor da estrela de Belém.*

fulgurante (ful.gu.*ran*.te) *adj.* Que fulgura; que brilha intensamente; reluzente, resplandecente, fulgente: *À noite, a vista da grande cidade era fulgurante.*

fulgurar (ful.gu.*rar*) *v.* **1.** Emitir fulgor; resplandecer: *O Cruzeiro do Sul fulgurava na noite escura.* **2.** *fig.* Sobressair, destacar: *Aquele poeta fulgurava no panorama das letras de seu país.* ▶ Conjug. 5.

fuligem (fu.*li*.gem) *s.f.* Pó preto proveniente da fumaça.

fuliginoso (fu.li.gi.*no*.so) *adj.* Que se tornou negro pela fuligem: *o teto fuliginoso do barraco.* || f. e pl.: [ó].

fulminante (ful.mi.*nan*.te) *adj.* **1.** Que fulmina; que mata instantaneamente: *um derrame fulminante.* **2.** Duro, cruel: *olhares fulminantes.*

fulminar (ful.mi.*nar*) *v.* **1.** Matar instantaneamente: *Um derrame fulminou o escritor.* **2.** Vencer com vantagem; derrubar, aniquilar: *A seleção brasileira fulminou a rival logo no primeiro tempo.* **3.** Pôr fim a: *A decisão da diretoria fulminou as esperanças dos acionistas.* ▶ Conjug. 5.

fulo (*fu*.lo) *adj.* **1.** Que tem a cor parda; mulato. **2.** *coloq.* Com muita raiva; furioso: *Essa resposta deixou o amigo fulo.* • *s.m.* **3.** Quem tem a cor parda; mulato.

fulvo (*ful*.vo) *s.m.* **1.** Amarelo ferruginoso. • *adj.* **2.** Dessa cor: *a juba fulva do leão.*

fumaça (fu.*ma*.ça) *s.f.* **1.** Vapor acinzentado que sai de uma matéria em combustão ou extremamente aquecida, fumo (1): *a fumaça do charuto.* **2.** *fig.* Coisa que acaba: *Aquela esperança virou fumaça.*

fumaçar (fu.ma.*çar*) *v.* **1.** Fazer fumaça: *A locomotiva fumaçava na estação.* **2.** Sujar de fumaça: *O velho fogão a lenha fumaçava a cozinha.* **3.** *fig.* Mostrar-se muito irritado: *Chegou em casa fumaçando por causa do trânsito.* ▶ Conjug. 5 e 36.

fumacê (fu.ma.*cê*) *s.m.* Veículo que transita pelas ruas emitindo uma fumaça com substância contra mosquitos.

fumaceira (fu.ma.*cei*.ra) *s.f.* Grande quantidade de fumaça.

fumacento (fu.ma.*cen*.to) *adj.* Que solta muita fumaça: *um carro velho e fumacento.*

fumante (fu.*man*.te) *adj.* **1.** Que tem o hábito de fumar: *uma mulher fumante.* • *s.m.* e *f.* **2.** Pessoa que tem o hábito de fumar: *Esta parte do restaurante é reservada aos fumantes.*

fumar (fu.*mar*) *v.* **1.** Queimar e aspirar a fumaça de cigarro, cachimbo, charuto etc.: *Gostava de ler romances de Eça fumando charutos cubanos; Nesta sala ninguém fuma.* **2.** Emitir fumaça: *No dia seguinte, os restos da fogueira ainda fumavam.* ▶ Conjug. 5.

fumegante (fu.me.*gan*.te) *adj.* Que desprende fumaça ou vapor: *uma xícara de chocolate fumegante.*

fumegar (fu.me.*gar*) *v.* Lançar fumaça ou vapores: *O chocolate, muito quente, fumegava na xícara.* ▶ Conjug. 8 e 34.

fumeiro (fu.*mei*.ro) *s.m.* Lugar onde se colocam carnes e embutidos para defumar.

fumicultura (fu.mi.cul.*tu*.ra) *s.f.* Cultivo de tabaco.

fumigar (fu.mi.*gar*) *v.* Aplicar fumaça, vapor ou inseticida nas plantações para eliminar pragas: *Comprou um avião para fumigar as plantações.* ▶ Conjug. 5 e 34.

fumo (*fu*.mo) *s.m.* **1.** Fumaça (1). **2.** Hábito de fumar: *Custou-lhe muito, mas deixou o fumo.* **3.** Tabaco (planta): *Há grandes plantações de fumo na Bahia.* **4.** Produto das folhas dessa planta, usado na fabricação de cigarros, charutos, cigarrilhas, tabaco para cachimbo e rapé. **5.** *gír.* Maconha. **6.** *fig.* O que é sem consistência, que se esvai, que é transitório: *A riqueza dele se desfez em fumo.* **7.** *fig.* Vaidade, presunção: *Ele tem fumos de valente.* **8.** Faixa de tecido preto indicadora de luto.

funambulismo (fu.nam.bu.*lis*.mo) *s.m.* Ofício de funâmbulo.

funâmbulo (fu.*nâm*.bu.lo) *s.m.* **1.** Artista circense que anda ou dança na corda. **2.** *fig.* O que muda facilmente de opinião, de partido; inconstante.

função (fun.*ção*) *s.f.* **1.** Atividade própria de alguém ou de alguma coisa: *a função de presidente da comissão.* **2.** Atividade própria de uma profissão, de um emprego, ofício ou cargo: *a função de médico.* **3.** Utilidade, serventia: *Que função tem este objeto?* **4.** Espetáculo teatral ou circense; exibição: *A função hoje é gratuita.*

5. (*Mat.*) Correspondência entre dois conjuntos a partir de uma variável de um deles. **6.** (*Anat.*) Papel de um órgão no corpo: *A função do coração é garantir a circulação do sangue.* **7.** (*Gram.*) Papel de um termo na frase em relação aos outros termos: *A função do verbo é exprimir uma ação ou estado do sujeito.*

funcho (*fun*.cho) *s.m.* (*Bot.*) Planta aromática usada como condimento ou no preparo de remédio; erva-doce.

funcional (fun.ci:o.*nal*) *adj.* **1.** Relativo à função ou ao modo como alguma coisa funciona: *Qual o valor funcional deste aparelho?* **2.** Atribuído à função de alguém ou de alguma coisa: *O servidor público tinha direito a um apartamento funcional.* **3.** Feito ou construído com vistas a sua utilidade; prático: *Ele fabrica belos móveis funcionais.*

funcionalismo (fun.ci:o.na.*lis*.mo) *s.m.* A classe dos funcionários públicos.

funcionamento (fun.ci:o.na.*men*.to) *s.m.* **1.** Ato ou efeito de funcionar. **2.** Andamento ou marcha de uma máquina.

funcionar (fun.ci:o.*nar*) *v.* **1.** Exercer sua função; trabalhar: *O relógio não funciona bem; O consulado funciona neste prédio.* **2.** Estar em atividade: *Aqui funcionava a fábrica de tecidos.* **3.** Desempenhar uma função: *A natação funcionou como remédio para sua asma.* **4.** Ter bom êxito, dar bom resultado: *O plano não funcionou.* ▶ Conjug. 5.

funcionário (fun.ci:o.*ná*.ri:o) *s.m.* Pessoa que exerce uma função em estabelecimento comercial, empresa etc. || *Funcionário público*: o que exerce cargo em instituição pública do governo.

funda (*fun*.da) *s.f.* **1.** Arma de arremesso, formada por uma peça central flexível, em que é colocado o projétil esférico, presa a duas correias estreitas que se seguram com as mãos. **2.** (*Med.*) Instrumento ortopédico para conter certas hérnias.

fundação (fun.da.*ção*) *s.f.* **1.** Ato ou efeito de fundar: *a festa da fundação da cidade.* **2.** Conjunto de obras iniciais necessárias para assentar as bases de uma edificação; alicerce. **3.** Instituição privada ou do Estado, destinada a determinado fim em benefício do público: *A Fundação Romão de Matos Duarte recebe crianças abandonadas.*

fundador [ô] (fun.da.*dor*) *adj.* **1.** Que funda. • *s.m.* **2.** Aquele que funda alguma coisa: *Estácio de Sá foi o fundador do Rio de Janeiro.*

fundamental (fun.da.men.*tal*) *adj.* **1.** Que constitui o fundamento ou alicerce de: *sentido fundamental.* **2.** Extremamente necessário; essencial: *A educação é fundamental para o desenvolvimento do país.*

fundamentalismo (fun.da.men.ta.*lis*.mo) *s.m.* **1.** (*Rel.*) Corrente teológica cristã que admite somente o sentido literal da Bíblia: *fundamentalismo cristão.* **2.** (*Rel.*) Corrente teológica islâmica que admite somente o sentido literal do Alcorão: *fundamentalismo islâmico.* **3.** Qualquer sistema religioso, político ou social que se apresenta como o único portador da verdade.

fundamentalista (fun.da.men.ta.*lis*.ta) *adj.* **1.** Relativo a fundamentalismo: *uma atitude fundamentalista.* • *s.m. e f.* **2.** Adepto do fundamentalismo: *os fundamentalistas norte-americanos.*

fundamentar (fun.da.men.*tar*) *v.* **1.** Apresentar justificativas válidas e convincentes para: *O advogado fundamentou sua defesa com documentos de valor indiscutível.* **2.** Estabelecer em bases sólidas: *Fundamentou suas esperanças em certezas.* **3.** Justificar, documentar, basear: *Fundamentou sua tese nos maiores teóricos.* **4.** Fundar-se, apoiar-se, basear-se: *Nós nos fundamentamos em bases legais.* **5.** Estabelecer os alicerces, as bases de; fundar: *Fundamentou sua construção sobre uma rocha.* ▶ Conjug. 5.

fundamento (fun.da.*men*.to) *s.m.* **1.** Princípio em que se baseia uma doutrina, um sistema de pensamento etc.: *A ressurreição de Cristo é o fundamento da fé dos cristãos.* **2.** Razão, causa, justificativa: *A irritação daquela senhora não tinha fundamento.* • *fundamentos s.m.pl.* **3.** As primeiras noções de qualquer ciência ou arte: *O estagiário conhecia alguns fundamentos de fotografia.*

fundão (fun.*dão*) *s.m.* **1.** A parte mais funda de rio, lago etc. **2.** Lugar distante, ermo.

fundar (fun.*dar*) *v.* **1.** Dar início a alguma coisa; instituir, criar: *Foi o imperador que fundou esse hospital.* **2.** Apresentar como fundamento ou base: *Fundou seu requerimento numa lei criada recentemente.* **3.** Fundamentar (5): *Fundou sua construção sobre uma rocha.* ▶ Conjug. 5.

fundeado (fun.de:*a*.do) *adj.* (*Náut.*) De âncora lançada (falando de embarcação); ancorado: *O navio está fundeado no porto de Santos há três dias.*

fundear (fun.de.*ar*) *v.* (*Náut.*) Lançar âncora; ancorar: *O pirata fundeou sua galera diante de uma ilha do Caribe.* ▶ Conjug. 14.

fundiário (fun.di:á.ri:o) *adj.* Relativo a terra; agrário: *uma política fundiária.*

fundição (fun.di.ção) *s.f.* **1.** Ato ou efeito de fundir. **2.** Técnica de fundir. **3.** Oficina em que se fundem metais; forja.

fundilho (fun.*di*.lho) *s.m.* Parte das calças, calções, cuecas que corresponde ao assento. || Mais usado no plural.

fundir (fun.*dir*) *v.* **1.** Fazer passar do estado sólido ao líquido por ação do calor: *O forte calor fundiu a camada de gelo.* **2.** Verter metal derretido numa forma (ô) para moldar um objeto: *Com o bronze dos canhões fundiram a estátua da paz.* **3.** Juntar, unir duas ou mais coisas para formar uma só: *Os três empresários fundiram suas transportadoras e criaram um consórcio; As empresas fundiram-se.* **4.** Tornar-se líquido; derreter-se: *Ela fundia-se em lágrimas de saudade.* ▶ Conjug. 66.

fundo (fun.do) *adj.* **1.** Que tem profundidade; profundo: *um rio fundo.* **2.** Cavado, reentrante: *fundas olheiras.* **3.** *fig.* Que é sólido, firme: *fundas convicções.* **4.** (*gír.*) Incompetente, despreparado: *Você é muito fundo nesse trabalho.* • *s.m.* **5.** Parte mais distante da superfície ou da abertura: *uma viagem ao fundo do mar.* **6.** Parte mais afastada de um dado ponto: *o fundo da selva.* **7.** *fig.* Parte central, o âmago: *do fundo do coração.* **8.** Decoração que fecha um cenário: *No fundo do palco via-se uma paisagem de montanha.* **9.** A extremidade da agulha onde se enfia a linha: *Já não enxergava o fundo da agulha.* • *fundos s.m.pl.* **10.** Parte posterior, que fica atrás: *os fundos de um terreno.* **11.** Recursos financeiros que se têm em banco e sobre os quais se pode emitir cheque: *um cheque sem fundos.* || *No fundo:* na essência: *No fundo você ainda gosta dela.*

fundura (fun.*du*.ra) *s.f.* Distância da superfície até o fundo, do exterior até a parte mais interna; profundidade: *Aqui neste ponto, a fundura do rio é grande.*

fúnebre (*fú*.ne.bre) *adj.* **1.** Relativo a morte ou aos mortos; funéreo: *um poema fúnebre.* **2.** Relativo a funeral, funéreo: *a cerimônia fúnebre; um discurso fúnebre.* **3.** Sombrio, lúgubre, funéreo: *Que cara fúnebre é esta?*

funeral (fu.ne.*ral*) *s.m.* Ritual de sepultamento; enterro; exéquias. || Mais usado no plural: *os funerais do poeta.*

funerária (fu.ne.*rá*.ri:a) *s.f.* Estabelecimento que cuida de funerais.

funerário (fu.ne.*rá*.ri:o) *adj.* Relativo a funeral: *a capela funerária.*

funéreo (fu.*né*.re:o) *adj.* Fúnebre.

funesto [é] (fu.*nes*.to) *adj.* **1.** Que traz morte; mortal, fatal: *um acidente funesto.* **2.** Que faz prever desgraça, a morte; sinistro: *um funesto agouro.* **3.** Que causa aflição, amargura: *medida funesta.*

fungar (fun.*gar*) *v.* **1.** Aspirar ou absorver com força pelo nariz, produzindo ruído típico: *Ela está fungando por causa do resfriado.* **2.** Choramingar, respirando só pelo nariz: *Enxugue essas lágrimas e pare de fungar.* ▶ Conjug. 5 e 34.

fungicida (fun.gi.ci.da) *adj.* **1.** Que destrói fungos. • *s.m.* **2.** Substância fungicida.

fungo (*fun*.go) *s.m.* (*Bot.*) Vegetal sem clorofila que se desenvolve sobre plantas e animais e se alimenta de substâncias orgânicas em decomposição ou como parasita; cogumelo.

funicular (fu.ni.cu.*lar*) *adj.* **1.** Composto de cordas; que funciona pela ação de cordas ou de cabos: *transporte funicular.* • *s.m.* **2.** Veículo que se move por meio de cabos e serve de transporte de um ponto baixo para um ponto alto ou de uma montanha para outra; teleférico: *O bondinho do Pão de Açúcar é um funicular.*

funil (fu.*nil*) *s.m.* Utensílio cônico, provido de um tubo na parte inferior, que serve para derramar líquidos ou pós em recipientes de boca estreita.

funilaria (fu.ni.la.*ri*.a) *s.f.* **1.** Estabelecimento onde se fabricam ou vendem obras de lata, latão ou folha de flandres. **2.** Oficina de conserto e recuperação de lataria de carros. **3.** Oficina onde são executados trabalhos de funileiro.

funileiro (fu.ni.*lei*.ro) *s.m.* **1.** Operário que trabalha com folha de flandres, lata ou latão; latoeiro. **2.** Profissional especializado em conserto de lataria de veículos; lanterneiro.

funk [fânc] (Ing.) *s.m.* **1.** (*Mús.*) Música e dança popular do estilo do rock, surgidas nos Estados Unidos em torno de 1970. • *adj.* **2.** De funk: *bailes funk.*

funqueiro (fun.*quei*.ro) *adj.* **1.** Que toca ou é admirador de funk: *um músico funqueiro.* • *s.m.* **2.** Músico que toca funk: *Um funqueiro vai animar a festa.*

fura-bolo (fu.ra-*bo*.lo) *s.m.* O dedo indicador. || pl.: *fura-bolos.*

furacão (fu.ra.*cão*) *s.m.* **1.** Vento muito impetuoso, com velocidade de, no mínimo, 117 quilômetros por hora. **2.** *fig.* O que vem com o ímpeto de um furacão: *Entrou no recinto como um furacão.*

furadeira (fu.ra.*dei*.ra) *s.f.* Máquina própria para furar parede, metal ou madeira.

furador [ô] (fu.ra.*dor*) *adj.* **1.** Que fura. • *s.m.* **2.** Utensílio para abrir furos ou quebrar gelo.

furão (fu.*rão*) *adj.* **1.** *coloq.* Que sabe abrir caminho de qualquer maneira atrás de boas oportunidades: *um repórter furão.* • *s.m.* **2.** (*Zool.*) Pequeno mamífero carnívoro pertencente à mesma família das doninhas, das lontras e das ariranhas, da qual se conhecem diversas espécies brasileiras. **3.** *coloq.* Pessoa que abre caminho de qualquer maneira em busca de boas oportunidades: *O furão conseguiu ser nomeado assessor.*

furar (fu.*rar*) *v.* **1.** Abrir furo ou buraco: *Furou a parede com a furadeira elétrica.* **2.** Adquirir furo(s): *O pneu furou.* **3.** Romper, penetrar em: *Ele adora furar ondas.* **4.** Não respeitar, não acatar a greve, indo ao trabalho: *Alguns operários furaram a greve.* **5.** Abrir passagem pelo meio da multidão: *Para chegar aqui, tive que vir furando a multidão.* **6.** *gír.* Não acontecer; não se realizar: *A viagem à Europa furou.* ▶ Conjug. 5.

furgão (fur.*gão*) *s.m.* Veículo utilitário fechado, para transporte de mercadorias.

fúria (*fú*.ri:a) *s.f.* **1.** Acesso violento de furor: *Ele teve um acesso de fúria.* **2.** Pessoa furiosa: *O sargento estava uma fúria.* **3.** Forte pressão, ímpeto: *A fúria das águas arrancou a ponte.*

furibundo (fu.ri.*bun*.do) *adj.* Enraivecido, furioso, irado, enfurecido.

furioso [ô] (fu.ri:*o*.so) *adj.* Cheio de fúria, de raiva; furibundo. || f. e pl.: [ó].

furna (*fur*.na) *s.f.* Cova profunda e escura; caverna, gruta, lapa.

furo (*fu*.ro) *s.m.* **1.** Abertura, buraco, orifício. **2.** Notícia veiculada em primeira mão, especialmente de caráter sensacionalista. **3.** Comunicação natural entre dois rios ou entre um rio e um lago.

furor [ô] (fu.*ror*) *s.m.* Grande exaltação de ânimo; fúria. || *Fazer furor*: estar em voga; fazer sucesso.

furta-cor (fur.ta-*cor*) *adj.* **1.** Cuja cor varia de acordo com a projeção da luz: *túnicas furta--cor.* • *s.m.* **2.** Cor cujo tom muda de acordo com a incidência da luz: *o furta-cor do crepúsculo.* || pl.: *furta-cores.*

furtar (fur.*tar*) *v.* **1.** Apoderar-se às escondidas de coisa alheia: *Enquanto ele estava distraído, furtaram-lhe a carteira.* **2.** Esquivar-se de; afastar-se de: *Ela não podia se furtar a dar a notícia a sua mãe.* ▶ Conjug. 5.

furtivo (fur.*ti*.vo) *adj.* **1.** Que se faz a furto, às escondidas; clandestino: *pousos furtivos na floresta.* **2.** Dissimulado, disfarçado: *Enxugou uma lágrima furtiva.*

furto (*fur*.to) *s.m.* **1.** Ato ou efeito de furtar. **2.** Aquilo que foi furtado. || *A furto*: às escondidas: *João saiu a furto da aula de Matemática.*

furúnculo (fu.*rún*.cu.lo) *s.m.* (*Med.*) Nódulo na pele, causado por bactérias; tumor, nascida.

furunculose [ó] (fu.run.cu.*lo*.se) *s.f.* (*Med.*) Erupção generalizada de furúnculos.

fusa (*fu*.sa) *s.f.* (*Mús.*) Figura usada para marcar a duração rítmica que apresenta metade do valor de uma semicolcheia e o dobro do valor de uma semifusa.

fusão (fu.*são*) *s.f.* **1.** Ato ou efeito de fundir. **2.** (*Fís.*) Passagem do estado sólido ao líquido pela ação do calor. **3.** União total, formando uma só unidade, de empresas, partidos, associações etc.

fusca (*fus*.ca) *s.f.* Denominação afetuosa do automóvel Volkswagen, principalmente os de motor de 1.200 ou 1.300 cilindradas.

fusco (*fus*.co) *adj.* Escuro, pardo, trigueiro.

fuselagem (fu.se.*la*.gem) *s.f.* O corpo principal, o arcabouço de um avião, onde ficam os passageiros e as cargas e onde estão fixadas as asas.

fusível (fu.*sí*.vel) *adj.* **1.** Que pode ser fundido ou derretido. • *s.m.* **2.** Condutor elétrico ligado a um circuito e calibrado para fundir-se quando houver excesso de eletricidade.

fuso (*fu*.so) *s.m.* **1.** Peça roliça de pau, afinada gradualmente do meio para uma das extremidades, até terminar quase em bico, usada para fiar e enrolar o fio. **2.** Peça onde se enrola a corda dos relógios. || *Fuso horário*: cada uma das 24 faixas de latitude em que, convencionalmente, se divide a Terra nas quais a hora é a mesma.

fustão (fus.*tão*) *s.m.* Tecido de algodão, lã, linho ou seda, natural ou sintético, com relevos no lado direito.

fuste (*fus*.te) *s.m.* **1.** Haste, cabo. **2.** (*Arquit.*) Parte da coluna situada entre o capitel e a base.

fustigar

fustigar (fus.ti.*gar*) *v.* **1.** Bater repetidamente; açoitar: *O viajante fustigou a mula da bagagem.* **2.** Castigar por qualquer modo, físico ou moral; maltratar: *A dor da saudade fustigava o exilado.* **3.** Estimular, excitar, instigar: *O desejo de superar o obstáculo fustigava o concorrente.* ▶ Conjug. 5 e 34.

futebol (fu.te.*bol*) *s.m.* Esporte no qual dois times de onze jogadores se esforçam por fazer entrar uma bola de couro no gol da equipe contrária, sem intervenção das mãos. || *Futebol de salão*: futebol jogado em quadra pequena com cinco jogadores em cada time; futsal.

futebolista (fu.te.bo.*lis*.ta) *s.m. e f.* Jogador de futebol.

futevôlei (fu.te.*vô*.lei) *s.m.* Futebol jogado em quadra de voleibol no qual se usam apenas os pés e a cabeça, devendo o jogador chutar ou cabecear a bola para fazê-la passar sobre a rede.

fútil (*fú*.til) *adj.* **1.** Que é frívolo, leviano, artificial: *menina fútil.* **2.** Que não tem importância, insignificante: *motivo fútil.*

futilidade (fu.ti.li.*da*.de) *s.f.* **1.** Qualidade ou caráter do que é fútil. **2.** Coisa fútil; frivolidade.

futrica (fu.*tri*.ca) *s.f.* Intriga, fuxico, mexerico.

futricar (fu.tri.*car*) *v.* **1.** Fazer futrica; intrigar, fuxicar: *Enquanto lavam a roupa, as comadres futricam.* **2.** Intrometer-se em alguma coisa para atrapalhar: *Não futrique em negócios dos outros.* ▶ Conjug. 5 e 35.

futriqueiro (fu.tri.*quei*.ro) *s.m.* Pessoa que faz intriga; fuxiqueiro.

futsal (fut.*sal*) *s.m.* Futebol de salão.

futucar (fu.tu.*car*) *v.* **1.** Mexer num orifício com o dedo ou com objeto pontudo: *futucar a orelha com o cotonete.* **2.** Coçar ou mexer em ferida, machucado etc.: *Cubra com um esparadrapo e não futuque mais essa ferida.* **3.** Mexer e remexer em alguma coisa para ver o que é: *Pare de futucar minhas coisas; Pare de futucar em meus papéis.* ▶ Conjug. 5 e 35.

futurismo (fu.tu.*ris*.mo) *s.m.* (*Lit., Art.*) Movimento artístico modernista que rejeitava os valores estéticos tradicionais e valorizava a tecnologia moderna.

futurista (fu.tu.*ris*.ta) *adj.* **1.** Diz-se da pessoa adepta do futurismo: *um poeta futurista.* **2.** Relativo a futurismo: *um manifesto futurista.* **3.** *fig.* Excêntrico, extravagante: *Com esta roupa, você parece um poeta futurista.* • *s.m. e f.* **4.** Seguidor do futurismo: *os futuristas da Semana de Arte Moderna.*

futuro (fu.*tu*.ro) *adj.* **1.** Que está por vir ou acontecer; que há de ser: *o futuro marido.* • *s.m.* **2.** O tempo que há de vir: *Espera-se que no futuro não haja mais guerras.* **3.** Destino, realização pessoal: *Esse rapaz tem um belo futuro.* **4.** A existência que está por vir: *Os jovens precisam cuidar de seu futuro.*

futurologia (fu.tu.ro.lo.*gi*.a) *s.f.* Especulação acerca do futuro a partir de dados do presente.

futurologista (fu.tu.ro.lo.*gis*.ta) *s.m. e f.* Futurólogo.

futurólogo (fu.tu.*ró*.lo.go) *s.m.* Especialista em futurologia; futurologista.

fuxicar [ch] (fu.xi.*car*) *v.* **1.** Futricar; intrigar: *Aquela senhora vive fuxicando.* **2.** Remexer, revolver: *Fuxicava nas gavetas dos armários atrás de coisas velhas.* ▶ Conjug. 5 e 35.

fuxico [ch] (fu.*xi*.co) *s.m.* **1.** Mexerico, futrica, intriga. **2.** Remendo malfeito. **3.** Peça de pano que imita o formato de uma pequena rosa, usada para enfeitar (roupas, bolsas etc.).

fuxiqueiro [ch] (fu.xi.*quei*.ro) *adj.* **1.** Que fuxica; que faz mexericos; que futrica: *uma pessoa fuxiqueira.* • *s.m.* **2.** Aquele que faz fuxicos e mexericos; futriqueiro: *Este menino é um fuxiqueiro.*

fuzarca (fu.*zar*.ca) *s.f.* **1.** Farra, folia: *Caiu na fuzarca.* **2.** Desordem, confusão, bagunça: *As crianças fizeram uma fuzarca no quarto delas.*

fuzil (fu.*zil*) *s.m.* Arma de fogo portátil de cano comprido semelhante à espingarda.

fuzilamento (fu.zi.la.*men*.to) *s.m.* Ato ou efeito de fuzilar.

fuzilar (fu.zi.*lar*) *v.* **1.** Matar com tiro de fuzil ou outra arma de fogo: *Fuzilaram alguns revoltosos para dar exemplo.* **2.** Demonstrar ódio e rancor por meio do olhar: *O freguês fuzilou o negociante com o olhar.* ▶ Conjug. 5.

fuzilaria (fu.zi.la.*ri*.a) *s.f.* Grande quantidade de tiros de fuzil; tiroteio.

fuzileiro (fu.zi.*lei*.ro) *s.m.* **1.** Soldado armado com fuzil. **2.** Fuzileiro naval. || *Fuzileiro naval*: Militar da infantaria da Marinha de Guerra.

fuzuê (fu.zu.*ê*) *s.m. gír.* Confusão, balbúrdia, desordem: *Fizeram um grande fuzuê na entrada do estádio.*

Gg

g s.m. **1.** Sétima letra do alfabeto português. **2.** (*Fís.*) Símbolo de *grama*.

Ga (*Quím.*) Símbolo de *gálio*.

gabar (ga.*bar*) v. **1.** Jactar-se, vangloriar-se, elogiar-se: *Gabava-se de ser o melhor da classe*. **2.** Fazer o elogio de; enaltecer as qualidades de algo ou alguém; louvar; exaltar: *Assista ao espetáculo antes de gabar o desempenho dos atores*. ▶ Conjug. 5.

gabardina (ga.bar.*di*.na) s.f. **1.** Fazenda durável, de lã, algodão, seda etc., natural ou sintética, tecida em diagonal e própria para confeccionar roupas. **2.** Casaco, capa de chuva ou sobretudo feitos com esse tecido impermeabilizado. || *gabardine*.

gabardine (ga.bar.*di*.ne) s.f. Gabardina.

gabaritar (ga.ba.ri.*tar*) v. **1.** Acertar todas as questões (de uma prova): *Alguns alunos conseguiram gabaritar a prova de Português do vestibular*. **2.** Dar gabarito a; categorizar, preparar, habilitar: *Foram oferecidos cursos para gabaritar os novos funcionários*. ▶ Conjug. 5

gabarito (ga.ba.*ri*.to) s.m. **1.** Medida padrão ou modelo a que se devem conformar as dimensões ou o perfil de certos objetos ou obras. **2.** Instrumento para verificação dessa medida. **3.** Limite regulamentar da altura dos prédios numa área. **4.** O conjunto, a tabela de respostas corretas a questões de uma prova. **5.** Nível de qualidade; categoria, classe, nível, qualidade: *Foi aberto um concurso público para profissionais de gabarito*.

gabinete [ê] (ga.bi.*ne*.te) s.m. **1.** Sala pequena, aposento ou compartimento mais ou menos isolado do resto da edificação, geralmente destinado a trabalhos e a estudos; escritório, camarim. **2.** Compartimento onde se guardam e dispõem aparelhos e outros objetos de estudo; laboratório. **3.** Sala reservada, nas secretarias e tribunais, para ministros, juízes ou altos funcionários. **4.** Repartição de uma secretaria de Estado, destinada ao trabalho do ministro. **5.** Conjunto dos ministros de Estado; ministério. **6.** (*Inform.*) Caixa de metal na qual o cabeamento de uma rede (ou parte dela) é terminado e interconectado.

gabiru (ga.bi.*ru*) adj. coloq. **1.** Que age com esperteza e malícia; malandro, pilantra. **2.** Que faz brincadeiras; alegre, brincalhão, gaiato. **3.** Conquistador de mulheres; mulherengo. **4.** Que é desajeitado; acanhado, caipira. **5.** Que tem pouca estatura; pequeno, nanico. • s.m. **6.** Pessoa com essas características. **7.** (*Zool.*) Rato preto; ratazana. || *guabiru*.

gabo (*ga*.bo) s.m. Ato ou efeito de gabar(-se); jactância, orgulho, presunção, vaidade.

gabola [ó] (ga.*bo*.la) adj. **1.** Que se gaba muito; vaidoso, presunçoso. • s.m. e f. **2.** Pessoa que se gaba a si mesmo.

gadanha (ga.*da*.nha) s.f. **1.** Ato ou efeito de gadanhar. **2.** Colher grande e funda para tirar sopa; concha. **3.** Foice de cabo comprido, de lâmina larga e pouco curva, utilizada para ceifar erva; gadanho. **4.** *pej.* Mão.

gadanhar (ga.da.*nhar*) v. **1.** Cortar a erva, especialmente o feno, com gadanho ou gadanha; ceifar: *É tempo de gadanhar o feno*. **2.** Arranhar com as unhas ou com o gadanho: *A criança gadanhou sem querer o rosto da mãe*. **3.** Segurar com firmeza; agarrar: *O policial gadanhou o ladrão pela gola*. ▶ Conjug. 5.

gadanho (ga.*da*.nho) s.m. **1.** Garra de ave de rapina. **2.** *pej.* Unha. **3.** *pej.* Os dedos da mão ou a mão. **4.** Espécie de ancinho com fortes e grandes dentes de ferro, usado para arrastar palha, estrume e outros entulhos agrícolas; ancinho, forcado.

gado (*ga*.do) s.m. Conjunto de reses criadas no campo para trabalhos agrícolas, produção de alimento, usos domésticos ou fins industriais e comerciais; rebanho: *gado vacum, caprino, cavalar*. || *Gado de corte*: o que se destina ao abate. • *Gado de engorda*: o que deve ganhar peso antes do abate.

gadolínio (ga.do.lí.ni:o) s.m. (*Quím.*) Elemento químico, magnético, de uso em reatores nucleares, em materiais fluorescentes etc. || Símbolo: *Gd*.

gael (ga.el) s.m. A língua gaélica.

gaélico (ga.é.li.co) adj. **1.** Diz-se do que é pertinente ao grupo étnico de origem céltica na Grã-Bretanha e na Irlanda. • s.m. **2.** A língua procedente do celta, falada ao norte da Escócia e também na Irlanda; gael.

gafanhoto [ô] (ga.fa.nho.to) s.m. (*Zool.*) Inseto saltador de coloração esverdeada, maior que o grilo, que ataca em bandos as plantações.

gafe (*ga*.fe) s.f. **1.** Fato ou ato desastrado em momento inoportuno; rata. **2.** Indiscrição involuntária; engano constrangedor e embaraçoso; lapso, descuido, deslize: *Não cometa a gafe de indagar a idade das senhoras.*

gafieira (ga.fi:ei.ra) s.f. **1.** Baile popular, geralmente noturno, ao som de orquestra e com entrada paga. **2.** Local onde se realiza esse baile.

gaforina (ga.fo.ri.na) s.f. Gaforinha.

gaforinha (ga.fo.ri.nha) s.f. Cabeleira despenteada, em desalinho; gaforina.

gagá (ga.gá) adj. *coloq*. **1.** Que perdeu o vigor físico e intelectual, que parece ter voltado à infância; decrépito, caduco. • s.m. e f. **2.** Pessoa com essas características.

gago (*ga*.go) adj. **1.** Que gagueja; tartamudo. • s.m. **2.** Indivíduo que fala com dificuldade, repetindo sílabas ou palavras.

gagueira (ga.guei.ra) s.f. **1.** Distúrbio da fala que se caracteriza por bloqueio na articulação, com demoras na articulação e repetições de sílabas ou palavras. **2.** Manifestação de gagueira; tartamudez, gaguez, gaguice: *Era tomado pela gagueira, quando nervoso.*

gaguejar (ga.gue.*jar*) v. **1.** Falar como gago; tartamudear: *Não gagueja mais, depois das sessões de fonoaudiologia.* **2.** Exprimir-se com dificuldade, de maneira hesitante; vacilar nas respostas: *Sempre gaguejava em público; Pressionado pelos repórteres, gaguejou umas respostas inconvenientes.* ▶ Conjug. 10 e 37.

gaguejo [ê] (ga.gue.jo) s.m. Ato ou efeito de gaguejar; gaguejamento.

gaguez (ga.*guez*) s.f. Gagueira.

gaguice (ga.gui.ce) s.f. Gagueira.

gaiacol (gai.a.col) s.m. (*Quím.*) Guaiacol.

gaiato (gai.a.to) adj. **1.** Traquinas, travesso, alegre, brincalhão, engraçado, cômico. • s.m. **2.** Pessoa alegre, divertida, brincalhona, brejeira, que gosta de brincadeira e de pregar peças nos outros. – **gaiatice** s.f.

gaijin [gaijin] (Jap.) s.m.pl. Denominação dada pelos japoneses aos estrangeiros.

gaio (gai.o) adj. **1.** Alegre, folgazão, jovial. **2.** Esperto, fino, ladino. **3.** Diz-se do verde-claro e vivo: *olhos gaios.*

gaiola [ó] (gai.o.la) s.f. **1.** Casinhola portátil, geralmente de junco, madeira e arame, para prender ou criar aves. **2.** *coloq*. Casa muito pequena. **3.** *coloq*. Prisão, cadeia, cárcere. • s.m. **4.** (*Náut.*) Embarcação a vapor de fundo chato, para navegação fluvial, de borda baixa e superestrutura alta e avarandada, para transporte de passageiros.

gaita (gai.ta) s.f. **1.** (*Mús.*) Instrumento musical de sopro, constituído por um tubo de madeira ou de metal com vários furos, que se toca, soprando-o e fazendo-o correr por entre os lábios, de uma extremidade a outra. **2.** *gír*. Dinheiro. || *Gaita galega*: (*Mús.*) gaita de foles.

gaita de foles s.f. (*Mús.*) Instrumento de sopro composto de uma bolsa de couro que se enche de ar, o qual, sob pressão do braço do executante, sai por dois ou mais tubos sonoros; gaita galega.

gaiteiro (gai.tei.ro) adj. **1.** Alegre, lépido, vivaz. **2.** Que gosta de festas; festeiro, folião. **3.** *coloq*. Desenvolto, assanhado, saliente, saído: *velhas gaiteiras*. • s.m. **4.** Tocador de gaita; gaitista.

gaitista (gai.*tis*.ta) s.m. e f. Gaiteiro.

gaivota [ó] (gai.vo.ta) s.f. (*Zool.*) Ave marinha de cor branco-acinzentada, com a cabeça preta, o bico e os pés vermelhos, que se alimenta de pequenos peixes.

gajo (ga.jo) s.m. **1.** *coloq*. Indivíduo cujo nome, por menosprezo, não se quer citar; fulano, cara. **2.** Indivíduo de maneiras abrutalhadas. **3.** *gír*. Malandro.

gala[1] (ga.la) s.f. **1.** Pompa, ostentação, riqueza, fausto. **2.** Traje ou vestido próprio para ocasiões solenes ou dias festivos: *uniforme de gala*. **3.** Solenidade por ocasião de aniversário de pessoas reais, ou de festas nacionais; festa religiosa ou particular de grande aparato: *Haverá um jantar de gala na festa da independência*. **4.** (*Jur.*) Licença, geralmente de uma semana, concedida a servidor público em razão de seu casamento.

gala[2] (ga.la) s.f. Galadura.

galã (ga.*lã*) *s.m.* **1.** Homem belo, elegante e galanteador; namorador. **2.** (*Cine, Teat., Rádio, Telv.*) Personagem masculino, com essas características, que protagoniza histórias românticas. **3.** (*Cine, Teat., Rádio, Telv.*) Ator que desempenha esse papel.

galáctico (ga.*lác*.ti.co) *adj.* (*Astron.*) Relativo à Via Láctea ou a outra galáxia.

galadura (ga.la.*du*.ra) *s.f.* **1.** Ato ou efeito de galar. **2.** Mancha branca, que, na gema do ovo, indica a fecundação; gala².

galalau (ga.la.*lau*) *s.m. fam.* Homem de elevada estatura.

galalite (ga.la.*li*.te) *s.f.* Produto plástico derivado da caseína, suscetível de numerosas aplicações.

galante (ga.*lan*.te) *adj.* **1.** Airoso, garboso, elegante, distinto. **2.** Gentil, amável para com as mulheres, polido; galanteador. • *s.m. e f.* **3.** Pessoa galante.

galanteria (ga.lan.te.*ri*.a) *s.f.* **1.** Arte de galantear; galanteio. **2.** Fineza, graça, gracejo, delicadeza, primor. **3.** Coisa ou pessoa galante.

galanteador [ô] (ga.lan.te:a.*dor*) *adj.* **1.** Que galanteia. • *s.m.* **2.** Pessoa que diz galanteios.

galantear (ga.lan.te:*ar*) *v.* Dirigir galanteios a: *Galanteava sempre as senhoras da família; O homem educado sabe o momento exato de galantear.* ▶ Conjug. 14.

galanteio (ga.lan.*tei*.o) *s.m.* **1.** Atenções, finezas, amabilidade para com alguém que se deseja agradar. **2.** Ato ou dito galante; galanteza, elogio, admiração: *Quem não gosta de galanteios?*

galanteza [ê] (ga.lan.*te*.za) *s.f.* Galanteio.

galão¹ (ga.*lão*) *s.m.* **1.** Fita ou tira entrançada, larga, bordada de ouro, prata, seda ou lã, usada como debrum, barra ou enfeite; grega. **2.** Tira dourada usada em uniformes militares como distintivo de certos postos ou graduações.

galão² (ga.*lão*) *s.m.* **1.** Recipiente usado para armazenar líquidos: *galão de petróleo.* **2.** Medida de capacidade desse recipiente (cerca de 4,5 litros).

galar (ga.*lar*) *v.* Fecundar a fêmea (de aves). ▶ Conjug. 5.

galardão (ga.lar.*dão*) *s.m.* **1.** Recompensa a serviços importantes. **2.** *fig.* Glória ao mérito; prêmio, honraria; láurea: *Recebeu o galardão de melhor jornalista do ano.*

galardoar (ga.lar.do:*ar*) *v.* Conferir galardão ou prêmio a; premiar, recompensar: *A Academia galardoou o escritor pelo conjunto de sua obra.* ▶ Conjug. 25.

galáxia [cs] (ga.*lá*.xi:a) *s.f.* **1.** (*Astron.*) Sistema estelar que consiste em estrelas, planetas, satélites, nebulosas, poeira cósmica etc.; a galáxia; a Via Láctea. **2.** Qualquer conjunto estelar análogo a esse sistema.

galé (ga.*lé*) *s.f.* **1.** (*Náut.*) Antiga embarcação de baixo bordo, de vela e remos. • *s.m.* **2.** Indivíduo condenado, por trabalhos forçados, a remar numa embarcação.

galeão (ga.le:*ão*) *s.m.* (*Mar.*) Antiga embarcação de alto bordo, mercante ou de guerra.

galego [ê] (ga.*le*.go) *adj.* **1.** Da Galiza, província da Espanha. • *s.m.* **2.** O natural ou o habitante da Galiza. **3.** O idioma falado na Galiza. **4.** *coloq.* Indivíduo nascido em Portugal. **5.** *coloq.* Qualquer estrangeiro; gringo. **6.** *reg.* Pessoa loura.

galena (ga.*le*.na) *s.f.* **1.** (*Min.*) Sulfeto de chumbo, ocorrente em forma de cristais cúbicos ou na de massas compactas, de cor cinzento-azulada, que constitui o principal minério de chumbo; galenita. **2.** Aparelho rudimentar de rádio em que se usa cristal de galena.

galenita (ga.le.*ni*.ta) *s.f.* Galena.

galeota [ó] (ga.le:*o*.ta) *s.f.* **1.** (*Náut.*) Galé pequena. **2.** (*Mar.*) Barco comprido, movido a remos, que servia para navegação em rio e particularmente para recreio. **3.** *reg.* Canoa provida de toldo, usada no comércio itinerante dos rios.

galera [é] (ga.*le*.ra) *s.f.* **1.** (*Mar.*) Antiga embarcação de guerra, de dois ou três mastros, movida a vela e a remos; galé. **2.** *coloq.* Grupo de pessoas que aplaude e incentiva um grupo em competição; torcida de clubes onde se praticam esportes populares. **3.** *gír.* Conjunto de amigos; turma, patota: *Convidou uma galera amiga para sua festa.*

galeria (ga.le.*ri*.a) *s.f.* **1.** Corredor extenso, coberto, com janelas altas ou colunas, destinado a vários usos e, principalmente, à guarda e conservação de quadros, estátuas, bustos e outros objetos de arte, colecionados e artisticamente dispostos; qualquer coleção de quadros, retratos, estátuas etc. **2.** Estabelecimento para exposição e venda de objetos de arte: *Meu tio é proprietário de uma galeria de telas e gravuras em São Paulo.* **3.** *fig.* Coleção de personalidades famosas em sua área de atuação: *Sua longa carreira de ator é uma galeria de grandes personagens.* **4.** Passagem coberta que liga uma rua ou uma passagem a outra: *Os dois shoppings são ligados por uma*

galês

galeria envidraçada. **5.** Tribuna extensa, dando para recinto espaçoso e destinada ao público. **6.** O conjunto de pessoas que aí se acham: *As galerias não podem manifestar-se.* **7.** Tribuna onde se acham alguns dos lugares mais baratos nos espetáculos públicos, em geral situados na parte mais alta do recinto. **8.** Os espectadores que ocupam essas localidades. **9.** (*Geol.*) Corredor subterrâneo que se abre para exploração de uma mina ou outro fim exploratório.

galês (ga.*lés*) *adj.* **1.** Do País de Gales, Grã-Bretanha. • *s.m.* **2.** O natural ou o habitante desse país.

galeto [ê] (ga.*le.*to) *s.m.* **1.** Frango novo que se prepara assado no espeto. **2.** Restaurante especializado em servir galeto.

galgar (gal.*gar*) *v.* **1.** Percorrer a passos largos, andar, correr: *Os alunos precisavam galgar distâncias para chegar à escolinha rural.* **2.** Subir rapidamente; trepar, saltar: *Galgou os degraus da torre para avistar toda a cidade.* **3.** *fig.* Elevar-se, atingir, alcançar: *galgar os degraus da fama.* **4.** Passar por cima; transpor: *galgar obstáculos.* **5.** Rolar: *Desprendida do carro, a roda galgou toda a ladeira.* ▶ Conjug. 5 e 34.

galgo (gal.go) *s.m.* (*Zool.*) Cão pernalta, esguio e muito veloz, geralmente usado para caçar.

galhada (ga.*lha.*da) *s.f.* **1.** (*Zool.*) Chifres do veado e de outros ruminantes; galhadura. **2.** Porção de galhos; ramagem do arvoredo.

galhadura (ga.lha.*du.*ra) *s.f.* Galhada (1).

galhardete [ê] (ga.lhar.*de.*te) *s.m.* **1.** (*Náut.*) Bandeira usada como sinalização no alto dos mastros. **2.** Bandeirinhas para ornamentação de ruas ou edifícios em ocasiões festivas. **3.** Banner.

galhardia (ga.lhar.*di.*a) *s.f.* **1.** Qualidade do que é galhardo; elegância. **2.** Gentileza, generosidade. **3.** *fig.* Valor, ânimo, coragem; brio: *Enfrenta com galhardia as atribuições de sua vida.*

galhardo (ga.*lhar.*do) *adj.* **1.** De presença agradável; garboso, elegante. **2.** Gentil, generoso. **3.** *fig.* Valente, bravo.

galheiro (ga.*lhei.*ro) *s.m.* (*Zool.*) Veado de galhada ou chifres grandes.

galheta [ê] (ga.*lhe.*ta) *s.f.* **1.** Vaso de vidro em que se serve à mesa o azeite ou o vinagre. **2.** Cada um dos dois pequenos vasos em que se põe o vinho ou a água para a missa. **3.** Instrumento de vidro usado em laboratórios químicos.

galheteiro (ga.lhe.*tei.*ro) *s.m.* Utensílio para o serviço de mesa, onde se colocam galhetas, saleiro e demais potes de tempero.

galho (ga.lho) *s.m.* **1.** (*Bot.*) Ramo de árvores ligado ao caule. **2.** Parte do ramo desprendido do tronco da árvore. **3.** (*Zool.*) Chifre dos ruminantes. **4.** *coloq.* Desentendimento, briga, confusão. **5.** *coloq.* Relação amorosa extraconjugal; cacho. || *Dar galho*: *coloq.* trazer dificuldade, complicação. • *Quebrar um galho*: *coloq.* resolver um problema, uma dificuldade para alguém em uma ocasião determinada. – **galharada** *s.f.*; **galharia** *s.f.*

galhofa [ó] (ga.*lho.*fa) *s.f.* **1.** Gracejo, risota, brincadeira: *O professor não admitia galhofa nas aulas.* **2.** Zombaria, deboche, escárnio, cachaça: *Ninguém gosta de ser motivo de galhofa.*

galhofar (ga.lho.*far*) *v.* Dizer galhofa; gracejar: *Os colegas o evitam, porque vive a galhofar de tudo e de todos; Cumprimenta a todos sempre galhofando.* ▶ Conjug. 20.

galhofeiro (ga.lho.*fei.*ro) *adj.* **1.** Que é dado a galhofas; brincalhão, zombeteiro, chalaceiro. • *s.m.* **2.** Pessoa galhofeira.

galhudo (ga.*lhu.*do) *adj.* **1.** (*Bot.*) Que tem muitos galhos. **2.** (*Zool.*) Que tem galhada ou chifres grandes.

galicismo (ga.li.*cis.*mo) *s.m.* **1.** Palavra, locução ou construção próprias da língua francesa; francesismo. **2.** Qualquer uma dessas expressões linguísticas tomadas por empréstimo por uma língua estrangeira: *São muitos e expressivos os galicismos adotados pela língua portuguesa.*

galileu (ga.li.*leu*) *adj.* **1.** Da Galileia, região de Israel. • *s.m.* **2.** O natural ou o habitante dessa região. || f.: *galileia.*

galináceo (ga.li.*ná.*ce:o) *adj.* (*Zool.*) **1.** Relativo a galinha. • *s.m.* **2.** Espécime da família dos galináceos.

galinha (ga.*li.*nha) *s.f.* **1.** (*Zool.*) A fêmea do galo. **2.** Nome comum da espécie: *Ele é um grande criador de galinhas.* **3.** A carne dessa ave usada na alimentação: *caldo de galinha.* **4.** *pej.* Pessoa muito covarde. **5.** *pej.* Pessoa dada a muitos relacionamentos amorosos ou sexuais. || *Deitar-se com as galinhas*: *coloq.* deitar-se para dormir muito cedo. • *Galinha morta*: *coloq.* **1.** pessoa apática, covarde. **2.** aquilo que se consegue ou se vence facilmente (negócio, jogo etc.).

galinha-d'angola [ó] (ga.li.nha-d'an.*go.*la) *s.f.* (*Zool.*) Ave semelhante à galinha, de penas

gamela

acinzentadas com pintas brancas. || pl.: *galinhas-d'angola*.

galinheiro (ga.li.*nhei*.ro) *s.m.* **1.** Cercado onde se recolhem ou se criam galinhas. **2.** Vendedor de galinhas.

galinicultor [ô] (ga.li.ni.cul.*tor*) *adj.* **1.** Que se dedica à criação de galinhas. • *s.m.* **2.** Criador de galinhas.

galinicultura (ga.li.ni.cul.*tu*.ra) *s.f.* **1.** Criação de galinhas. **2.** Estudo e pesquisa sobre essa criação.

gálio (*gá*.li:o) *s.m.* (*Quím.*) Elemento químico usado em semicondutores, transistores, memórias de computadores, telas de televisão etc. || Símbolo: *Ga*.

galo (*ga*.lo) *s.m.* **1.** (*Zool.*) Ave galinácea doméstica, de bico pequeno, crista carnuda vermelha, asas curtas e rabo com longas penas. **2.** O macho da galinha. **3.** *coloq.* Pequena inchação resultante de pancada ou contusão na cabeça ou na testa. || *Cantar de galo*: *coloq.* dar ordens; impor sua vontade e autoridade. • *Galo de briga*: **1.** galo de rinha. **2.** *fig.* indivíduo brigão, rixento.

galocha [ó] (ga.*lo*.cha) *s.f.* Calçado de borracha ou de outro material impermeável à água que se usa por cima de outro calçado para preservação contra a chuva, a umidade etc.

galo-de-campina (ga.lo-de-cam.*pi*.na.) *s.m.* (*Zool.*) Cardeal. || pl.: *galos-de-campina*.

galopada (ga.lo.*pa*.da) *s.f.* **1.** Ato de galopar. **2.** Corrida a galope.

galopante (ga.lo.*pan*.te) *adj.* **1.** Que galopa rápido (o cavalo). **2.** *fig.* Que se desenvolve rapidamente: *doença galopante*.

galopar (ga.lo.*par*) *v.* **1.** Andar a galope (o cavalo): *Fustigado pelo chicote, o animal saiu galopando pela estrada*. **2.** Percorrer a galope (o cavaleiro): *Os tropeiros galopavam léguas atrás das reses desgarradas*. **3.** Cavalgar animal que galopa: *Saiu a galopar em seu cavalo alazão*. ▶ Conjug. 20.

galope [ó] (ga.*lo*.pe) *s.m.* **1.** O mais levantado e rápido dos movimentos da andadura das cavalgaduras e de outros quadrúpedes. **2.** Ato de galopar. **3.** Corrida muito rápida; carreira: *Dei um galope para não chegar atrasado ao colégio.* **4.** (*Mús.*) Gênero de composição poético-musical em sextilhas de versos decassílabos, de rimas somente nos pares, usada nos desafios. || *A galope*: com rapidez: *Saiu a galope, para não dar entrevista aos repórteres*.

galpão (gal.*pão*) *s.m.* **1.** Construção coberta, alta e ampla, geralmente fechada por apenas três paredes, usada para depósito de materiais, máquinas, veículos etc. **2.** Construção rural para depósito de utensílios de campo e residência de peões da estância. **3.** Área coberta, geralmente para fins industriais.

galvanizar (gal.va.ni.*zar*) *v.* **1.** Recobrir (metal) com uma capa de outro metal para evitar corrosão ou oxidação: *galvanizar tubos e canos*. **2.** Tornar dourado ou prateado: *galvanizar metais; A lua galvaniza os vitrais da igreja*. **4.** (*Med.*) Imprimir movimento aos músculos de paciente mediante o uso de corrente contínua; reanimar: *Os médicos decidiram galvanizar o coração do doente*. **5.** *fig.* Animar, arrebatar, eletrizar: *O cantor galvanizou a platéia*. ▶ Conjug. 5. – **galvanização** *s.f.*; **galvanizador** [ô] *adj. s.m.*

gama (*ga*.ma) *s.m.* **1.** Terceira letra do alfabeto grego. • *s.f.* **2.** Qualquer escala, série ou sucessão: *uma gama de cores; uma gama de sentimentos*.

gamado (ga.*ma*.do) *adj.* **1.** Que tem a extremidade em ângulo reto, como a letra grega maiúscula gama: *estrela gamada; cruz gamada*. **2.** *coloq.* Bastante interessado; encantado, apaixonado, vidrado: *Os jovens são gamados por música*.

gamão (ga.*mão*) *s.m.* **1.** Jogo disputado entre dois parceiros, com dois dados e quinze pedras, pretas e brancas, para cada parceiro, sobre tabuleiro especial. **2.** Tabuleiro em que se joga gamão.

gamar (ga.*mar*) *v. coloq.* Apaixonar-se, encantar-se por (alguém ou algo): *Pedro está gamado por Luísa; Gamou pelo novo modelo de automóvel*. ▶ Conjug. 5. – **gamação** *s.f.*

gambá (gam.*bá*) *s.2g.* **1.** (*Zool.*) Pequeno mamífero marsupial, de pelagem cinza ou preta e longo rabo, que possui hábitos noturnos e que, para sua defesa, exala cheiro insuportável. **2.** *pej.* Indivíduo dado à embriaguez; beberrão.

gambiarra (gam.bi:*ar*.ra) *s.f.* **1.** (*Eletr.*) Extensão elétrica de fio longo com vários bocais para lâmpadas: *As gambiarras já foram colocadas na praça para o comício desta noite*. **2.** Extensão clandestina para a obtenção ilegal de energia elétrica; gato. **3.** (*Teat.*) A parte do equipamento de iluminação para teatro que ocupa toda a largura do palco.

game [gueime] (Ing.) *s.m.* Redução de *videogame*.

gamela [é] (ga.*me*.la) *s.f.* Vasilha grande de madeira ou barro, que serve para dar comida

gameleira

a porcos e outros animais, para lavagens ou outros fins.

gameleira (ga.me.*lei*.ra) *s.f.* (*Bot.*) Árvore cuja madeira é usada para a confecção de gamelas e outros objetos domésticos.

gameta [é *ou* ê] (ga.me.ta) *s.m.* (*Biol.*) Cada uma das células reprodutoras, masculina ou feminina, que, unida a outra de sexo oposto, opera a fecundação. || *gâmeta*.

gâmeta (*gâ*.me.ta) *s.m.* Gameta.

gâmico (*gâ*.mi.co) *adj.* **1.** Referente aos gametas. **2.** Que é sexuado: *reprodução gâmica*. **3.** Que somente se desenvolve após a fecundação (diz-se de ovo).

gana (*ga*.na) *s.f.* **1.** Grande desejo ou vontade; apetite: *O menino comia sem muita gana.* **2.** Impulso, ímpeto: *Tinha gana de esganar aquele atrevido.* **3.** Má vontade contra alguém; raiva, ódio: *Falava sempre com muita gana de seus desafetos.*

ganância (ga.*nân*.ci:a) *s.f.* **1.** Ambição desmedida (por riquezas, ganhos, lucros etc.): *ganância por joias; ganância pelo poder.* **2.** *fig.* Ganho ou lucro ilícito.

ganancioso [ô] (ga.nan.ci:o.so) *adj.* **1.** Que só tem em vista o lucro excessivo: *comerciantes gananciosos.* **2.** Que tem ambição desmedida: *Tem planos gananciosos para os filhos.* • *s.m.* **3.** Pessoa gananciosa. || f. e pl.: [ó].

gancho (*gan*.cho) *s.m.* **1.** Peça curva de metal ou de outro material resistente, usada para suspender ou agarrar qualquer coisa: *Traga um gancho para pendurar o quadro na parede.* **2.** Anzol. **3.** Parte dos aparelhos telefônicos fixos em que se engancha o fone: *O telefone está fora do gancho.* **4.** Parte das calças em que se unem as duas pernas. **5.** (*Esp.*) No boxe, soco desferido de baixo para cima. **6.** (*Comun.*) Recurso narrativo para motivar o leitor ou espectador e mantê-los interessados na continuidade ou no desfecho de uma obra, programa ou espetáculo: *O novelista sempre coloca um gancho ao final de cada capítulo da novela.*

gandaia (gan.*dai*.a) *s.f. coloq.* Vadiagem, ociosidade, vida dissoluta; farra. || *Cair na gandaia*: *coloq.* Ir para a farra.

gandaiar (gan.dai.*ar*) *v.* Cair na gandaia; levar vida desregrada, de farrista; vadiar: *Não fique só a gandaiar, procure uma ocupação qualquer.* ▶ Conjug. 5.

gandula (gan.*du*.la) *s.m.* e *f.* (*Esp.*) Pessoa que recolhe e devolve aos jogadores as bolas arremessadas para fora do campo, no futebol etc.

ganga (*gan*.ga) *s.f.* (*Min.*) **1.** Rocha ou mineral geralmente não aproveitável de uma jazida, que ocorre junto com o minério metálico ou outros minérios valiosos de um filão ou jazida. **2.** *fig.* Resto, resíduo, rebotalho, ninharia.

gânglio (*gân*.gli:o) *s.m.* (*Anat.*) **1.** Dilatação arredondada que apresentam os vasos linfáticos e certos nervos. **2.** Pequeno tumor duro que se desenvolve acidentalmente na passagem dos tendões. **3.** Qualquer órgão de aparência nodosa. || *Gânglio linfático*: (*Anat.*) Denominação substituída por nódulo linfático.

ganglionar (gan.gli:o.*nar*) *adj.* **1.** (*Med.*) Relativo a gânglio ou à natureza dele. **2.** Que contém gânglios. **3.** Que afeta os gânglios.

gangorra [ô] (gan.*gor*.ra) *s.f.* Brinquedo constituído por uma prancha de madeira, que oscila sobre um ponto de apoio, com o impulso dado pelas crianças sentadas em cada uma de suas extremidades.

gangrena (gan.*gre*.na) *s.f.* **1.** (*Med.*) Decomposição, apodrecimento e morte localizada dos tecidos do organismo, causada por infecção ou deficiência circulatória. **2.** *fig.* O que produz destruição progressiva. **3.** *fig.* Aquilo que produz corrupção moral, dissolução de costumes; degeneração.

gangrenar (gan.gre.*nar*) *v.* **1.** Causar gangrena em: *A má circulação do sangue levou a gangrenar o ferimento.* **2.** Ser tomado pela gangrena: *O tratamento impediu que o pé gangrenasse.* **3.** *fig.* Perverter, degenerar, desmoralizar: *A corrupção impune gangrena toda a sociedade.* ▶ Conjug. 5.

gângster (*gângs*.ter) *s.m.* e *f.* **1.** Indivíduo que faz parte de uma gangue; bandido, criminoso. **2.** *fig.* Indivíduo sem escrúpulos.

gangue (*gan*.gue) *s.f.* Grupo de pessoas que andam ou agem em comum acordo, especialmente para fins criminosos; bando, quadrilha.

ganhador [ô] (ga.nha.*dor*) *adj.* **1.** Que ganha, obtém ou consegue (algo). **2.** Que ganha em jogo, disputa, concurso etc.: *A loteria teve um único ganhador.* • *s.m.* **3.** Pessoa que ganha alguma coisa.

ganha-pão (ga.nha-*pão*) *s.m.* **1.** Trabalho ou ofício do qual se vive. **2.** Instrumento com que se obtém os meios de subsistência: *A carrocinha de pipoca era o seu ganha-pão.* || pl.: *ganha-pães.*

ganhar (ga.*nhar*) *v.* **1.** Receber algo que lhe é oferecido: *O casal ganhou muitos presentes de casamento; Ganhei de meu pai seu relógio de estimação.* **2.** Obter, adquirir, auferir (dinheiro, crédito etc.): *Ganhou milhões com o agronegócio*. **3.** Conseguir, granjear, alcançar algo (através de uma atividade, de negócios, do mérito etc.): *Tudo que ganhei na vida foi fruto do meu trabalho*; *Não queira ganhar sem trabalhar*. **4.** Obter por acaso ou por sorte: *Ganhou o maior prêmio da loteria*; *Muitos jogam, poucos ganham*. **5.** Conquistar, alcançar: *ganhar o pódio*; *ganhar popularidade*. **6.** Sair-se vitorioso em; vencer: *ganhar uma causa*; *ganhar um jogo*. **7.** Atrair, cativar, conquistar: *Aluna aplicada, ganhou a simpatia do professor*. **8.** Economizar, recuperar: *É preciso ganhar o tempo perdido sem estudar*. **9.** Chegar a; atingir, alcançar: *Os soldados ganharam a fronteira do país inimigo*. **10.** Ser superior; avantajar-se, exceder: *Luísa ganha a todas em simpatia e beleza*. **11.** *coloq.* Dar à luz; parir: *ganhar bebê*. **12.** *coloq.* Ser atingido por: *ganhar um soco*; *ganhar uma palmada*. **13.** *gír.* Conquistar ou seduzir alguém: *Pedro está convencido que pode ganhar todas as colegas de classe*. || *Ganhar mundos e fundos*: *coloq.* obter grandes lucros; enriquecer. • *Ganhar terreno*: avançar, espalhar-se, propagar-se: *As notícias sobre a crise política ganharam terreno na opinião pública*. || part.: ganhado e ganho. ▶ Conjug. 5.

ganho (ga.nho) *adj.* **1.** Que se ganhou ou recebeu: *Na estante ficavam os troféus ganhos em sua carreira*. **2.** Que se ganhou ou venceu: *Comemorou todos os jogos ganhos pela seleção nacional*. • *s.m.* **3.** Resultado favorável: *O novo emprego foi um ganho em sua vida*. **4.** Lucro, proveito, vantagem: *Soube multiplicar seus ganhos na Bolsa de Valores*. || *Ganho de causa*: (*Jur.*) vitória em pleito judicial. || part. de ganhar.

ganido (ga.ni.do) *s.m.* **1.** Grito lamentoso emitido por um cão. **2.** *fig.* Voz estridente, esganiçada.

ganir (ga.nir) *v.* **1.** Soltar ganidos (o cão): *Os filhotes ganiam sem parar*. **2.** *fig.* Gemer como os cães: *O enfermo gania gritos de dor*; *Apesar do sofrimento e da dor, o pobre homem não gania*. ▶ Conjug. 66.

ganso (gan.so) *s.m.* (*Zool.*) Ave palmípede aquática, com plumagem cinza ou branca, pescoço comprido e bico estreito, que pode ser criada domesticamente para o consumo de sua carne e de seu fígado.

ganzá (gan.zá) *s.m.* (*Mús.*) Instrumento musical de percussão, espécie de chocalho, composto por um cilindro de metal, munido de cabo e contendo sementes secas, pedrinhas ou grãos de chumbo, que se agita cadenciadamente em certas músicas e danças; xique-xique.

garagem (ga.ra.gem) *s.f.* **1.** Abrigo onde se guardam ou se recolhem veículos (carros, ônibus etc.). **2.** Local em um edifício onde se guardam os carros dos moradores. **3.** Oficina de conserto de automóveis. || Evite-se a forma *garage*.

garagista (ga.ra.gis.ta) *s.m. e f.* Dono, encarregado ou empregado de garagem.

garanhão (ga.ra.nhão) *s.m.* **1.** Cavalo destinado à reprodução. **2.** *gír.* Homem namorador, mulherengo.

garantia (ga.ran.ti.a) *s.f.* **1.** Ato ou efeito de garantir. **2.** Ato ou palavra que assegura o cumprimento de uma obrigação, promessa etc.: *Você tem a minha palavra como garantia*. **3.** Compromisso que o vendedor assume de entregar ao comprador a coisa vendida em bom estado: *O consumidor deve exigir garantia em suas compras*. **4.** Prazo durante o qual o vendedor se compromete a arcar com os defeitos que o objeto comprado vier a apresentar: *Este televisor tem a garantia de cinco anos*. **5.** (*Jur.*) Meio legal para defesa dos credores contra a inadimplência dos devedores. **6.** (*Jur.*) Instrumento pelo qual se efetiva essa defesa (caução, penhor, hipoteca).

garantidor [ô] (ga.ran.ti.dor) *adj.* **1.** Que garante; que afiança. • *s.m.* **2.** Pessoa que dá garantia; fiador.

garantir (ga.ran.tir) *v.* **1.** Afirmar como certo; assegurar, certificar: *O aluno garantiu ter feito boa prova*; *A defesa garantiu ao réu que seria inocentado*. **2.** Responsabilizar-se por; afiançar, abonar: *A loja garante todos os produtos anunciados*; *O vendedor garantiu ao cliente a qualidade do produto adquirido*. **3.** Dar segurança; proteger, prometer: *O médico garantiu a eficácia do medicamento receitado*; *Garantiu ao amigo que contasse com sua ajuda*. **4.** Prevenir(-se), acautelar(-se), proteger(-se), defender(-se): *A polícia garante os cidadãos contra assaltos*; *Os idosos devem garantir-se contra certas doenças, vacinando-se regularmente*. ▶ Conjug. 66.

garapa (ga.ra.pa) *s.f.* **1.** Bebida constituída pela mistura de açúcar ou mel com água e um pouco de suco de frutas. **2.** Caldo de cana que se destina ao fabrico da rapadura, do açúcar e da cachaça. **3.** *coloq.* Café fraco.

garatuja (ga.ra.tu.ja) *s.f.* **1.** Escrita com letras disformes, malfeitas e pouco inteligíveis; garrancho. **2.** Desenho sem forma ou ordem determinada; rabisco. **3.** Careta, trejeito, esgar.

garatujar (ga.ra.tu.jar) *v.* **1.** Escrever com garatujas: *Garatujou umas respostas ilegíveis no caderno de exercícios*. **2.** Fazer garatujas; dese-

garbo

nhar mal; rabiscar: *A criança garatujava desenhos (para a mãe).* ▶ Conjug. 5 e 37.
garbo (*gar.*bo) *s.m.* **1.** Elegância na figura ou nos gestos; donaire. **2.** Galhardia, distinção, altivez, brio.
garbosidade (gar.bo.si.*da.*de) *s.f.* **1.** Qualidade do que é garboso. **2.** Garbo.
garboso [ô] (gar.*bo.*so) *adj.* **1.** Cheio de garbo; distinto, elegante, galhardo. **2.** Brioso, altivo. || f. e pl.: [ó].
garça (*gar.*ça) *s.f.* (*Zool.*) Ave palmípede, aquática, de pescoço alongado e bico pontiagudo, que se alimenta de peixes.
garção (gar.*ção*) *s.m.* Garçom.
garçom (gar.*çom*) *s.m.* Empregado que atende os fregueses em restaurantes, cafés, confeitarias etc. || *garção*.
garçonete [é] (gar.ço.*ne.*te) *s.f.* Mulher que serve à mesa em restaurantes, bares, cafés etc.
gardênia (gar.*dê.*ni:a) *s.f.* (*Bot.*) Planta ornamental, de flores brancas, vistosas e perfumadas, utilizadas na fabricação de cosméticos e medicamentos; jasmim-do-cabo.
gare (*ga.*re) *s.f.* Estação de estrada de ferro.
garfada (gar.*fa.*da) *s.f.* Porção de comida que se apanha de uma vez com o garfo.
garfar (gar.*far*) *v.* **1.** Revolver ou espetar com garfo: *garfar a comida no prato.* **2.** *gír.* Roubar, furtar, lesar, prejudicar: *Sem nenhum escrúpulo, pretendia garfar os companheiros de jogo.* **3.** *coloq.* Impor ou extrair descontos excessivos em dinheiro de pessoa ou contribuinte: *Impostos altos irão garfar o poder de compra do trabalhador.* ▶ Conjug. 5.
garfo (*gar.*fo) *s.m.* **1.** Talher terminado em três ou quatro dentes, que serve para pegar o alimento do prato e levá-lo à boca ou para segurá-lo, a fim de ser cortado com a faca. **2.** Instrumento para separar ou remover palha, feno etc.; forquilha, forcado. || *Ser bom (de) garfo: coloq.* gostar de comer bem e muito; ser comilão.
gargalhada (gar.ga.*lha.*da) *s.f.* Risada franca, prolongada e mais ou menos ruidosa, estridente.
gargalhar (gar.ga.*lhar*) *v.* Dar gargalhadas; rir em voz alta: *Os espectadores gargalhavam sem parar durante o espetáculo do comediante.* ▶ Conjug. 5.
gargalo (gar.*ga.*lo) *s.m.* **1.** Parte superior de garrafa ou de qualquer vasilha, cuja entrada é estreita; boca. **2.** *fig.* Dificuldade ou obstáculo na realização ou consecução de algo: *Com o aumento da exportação, houve um gargalo no escoamento da produção.*

garganta (gar.*gan.*ta) *s.f.* **1.** (*Anat.*) Parte anterior do pescoço em que estão situadas a laringe e a faringe, onde se dá a emissão de voz e por onde passam os alimentos da boca para o estômago. **2.** *fig.* Qualquer abertura ou passagem estreita. **3.** (*Geogr.*) Passagem estreita e apertada entre montanhas; desfiladeiro. **4.** *coloq.* Mentira, bravata, fanfarronice: *Não acredite no que ele diz: é pura garganta.* **5.** *coloq.* Voz potente. • *adj.* **6.** Que conta vantagem, que fala bravata; mentiroso, fanfarrão. || *Estar com um nó na garganta:* **1.** estar emocionado. **2.** estar angustiado, preocupado. • *Ter (algo ou alguém) atravessado na garganta:* **1.** ter mágoas e desgostos (não expressos em palavras ou gestos) por algo sofrido. **2.** nutrir ódio, rancor ou aversão por alguém.
garganteado (gar.gan.te:*a.*do) *s.m.* Garganteio.
gargantear (gar.gan.te:*ar*) *v.* **1.** Pronunciar ou cantar com modulação de voz: *A jovem noiva, emocionada, garganteou o sim; Conheço várias pessoas que só falam gargantenando.* **2.** Cantar, executar trinados com a voz, variando ligeiramente os tons: *gargantear um solfejo; A cantora ensaiava sua apresentação gargantenando.* **3.** *coloq.* Contar vantagens ou bravatas; fanfarronar, jactar-se: *Tinha o feio hábito de gargantear diante dos amigos.* ▶ Conjug. 14.
garganteio (gar.gan.*tei.*o) *s.m.* **1.** Ato ou efeito de gargantear. **2.** Trinado com a voz; garganteado.
gargantilha (gar.gan.*ti.*lha) *s.f.* Colar usado rente ao pescoço.
gargarejar (gar.ga.re.*jar*) *v.* **1.** Agitar líquido, medicamentoso ou não, na boca e na garganta; fazer gargarejo: *gargarejar água com sal; O dentista recomenda gargarejar bem após a escovação.* **2.** Dizer algo com voz trêmula: *A timidez fazia-o gargarejar umas respostas quase inaudíveis.* ▶ Conjug. 10 e 37.
gargarejo [ê] (gar.ga.*re.*jo) *s.m.* **1.** Ato de agitar na garganta um líquido, em geral medicamentoso, com auxílio do ar expelido pela laringe. **2.** Medicamento líquido destinado ao tratamento de afecções da boca ou da garganta, por meio do contato com as partes afetadas. **3.** Som semelhante ao que produz a ação de gargarejar. **4.** *coloq.* Grupo de pessoas que tem por missão aplaudir com estardalhaço um artista ou político em atividade pública.
gárgula (*gár.*gu.la) *s.f.* **1.** (*Arquit.*) Cano saliente situado nos telhados para captar e escoar as

águas da chuva para longe das paredes do edifício. **2.** Em antigas construções, o ornato que se fazia nessa peça arquitetônica, geralmente esculturas de figuras monstruosas ou grotescas: *São uma obra de arte as gárgulas das catedrais góticas europeias.*

gari (ga.*ri*) s.m. e f. **1.** Varredor de rua. **2.** Empregado da limpeza pública.

garimpagem (ga.rim.*pa*.gem) s.f. **1.** Ato, prática ou efeito de garimpar. **2.** *fig.* Pesquisa minuciosa de algo importante ou valioso: *Fez uma garimpagem nos jornais da época para escrever sua tese.*

garimpar (ga.rim.*par*) v. **1.** Exercer o trabalho de garimpeiro; minerar: *garimpar diamantes; João já estava velho para garimpar.* **2.** Procurar, pesquisar minuciosamente: *Garimpava discos antigos do cancioneiro popular.* **3.** *fig.* Reunir, coligir, selecionar (dados, fatos, informações etc.): *Garimpava e recolhia na mídia as matérias sobre os avanços da Medicina.* ▶ Conjug. 5.

garimpeiro (ga.rim.*pei*.ro) s.m. **1.** Quem trabalha em garimpo. **2.** *fig.* Explorador de preciosidades literárias ou linguísticas.

garimpo (ga.*rim*.po) s.m. **1.** (*Min.*) Jazidas aluvionais onde se exploram metais e pedras preciosas, principalmente os diamantes. **2.** Lugar onde existem explorações auríferas e diamantinas. **3.** Atividade ou ofício de garimpeiro. **4.** Povoação fundada e habitada por garimpeiros.

garnisé (gar.ni.*sé*) adj. **1.** (*Zool.*) Diz-se de uma raça de galinhas de pequeno porte, originária da ilha de Guernsey, na Grã-Bretanha. • s.m. **2.** *coloq.* Indivíduo de pequena estatura, muito brigão.

garoa [ô] (ga.*ro*.a) s.f. Chuva fina e persistente; chuvisco. – **garoento** adj.

garoar (ga.ro:*ar*) v. Cair garoa, chuviscar: *À tarde começou a garoar na cidade.* ▶ Conjug. 25.

garotada (ga.ro.*ta*.da) s.f. **1.** Grupo de garotos; meninada, molecada. **2.** Ato ou dito próprio de garoto; pixotada, garotice.

garotice (ga.ro.*ti*.ce) s.f. **1.** Ato ou dito de garoto; garotada. **2.** Brincadeira, maroteira.

garoto [ô] (ga.*ro*.to) s.m. **1.** Criança, menino. **2.** Rapaz ainda imberbe; rapazola. **3.** *fam.* Filho: *Tenho dois garotos e uma garota.* • adj. **4.** Jovem, moço: *Ainda é muito garoto para trabalhar.*

garoto-propaganda (ga.ro.to-pro.pa.*gan*.da) s.m. Pessoa que faz publicidade nos meios visuais de comunicação. ‖ pl.: *garotos-propaganda* e *garotos-propagandas*.

garoupa (ga.*rou*.pa) s.f. (*Zool.*) Peixe marinho, que pode atingir porte avantajado, de carne muito apreciada.

garra (*gar*.ra) s.f. **1.** (*Zool.*) Unha comprida e recurva de certos animais, como as aves de rapina, os felinos e os roedores. **2.** *pej.* A mão: *Não coloque suas garras sobre mim.* ‖ Nessa acepção, mais usado no plural. **3.** Designação de vários objetos cuja forma se assemelha a uma garra: *O carro foi içado pelas garras do guindaste.* **4.** *fig.* Tirania, domínio, opressão: *as garras do vício.* **5.** *fig.* Força de vontade; disposição, interesse, persistência, fibra: *Lutou sempre com muita garra para atingir os fins pretendidos.* ‖ *Mostrar as garras*: ser agressivo ou violento em ocasiões insuspeitadas: *De uma pessoa tão cordata nunca se espera que mostre as garras para alguém.*

garrafa (gar.*ra*.fa) s.f. **1.** Vaso de vidro ou plástico, de gargalo estreito, destinado a conter líquido. **2.** Quantidade de líquido contido nesse vaso: *Tomaram uma garrafa de champanhe para comemorar a vitória.* ‖ *Garrafa térmica*: recipiente alongado, de vidro e metal, recoberto de material isolante, que conserva quente ou gelado o líquido que contém.

garrafada (gar.ra.*fa*.da) s.f. **1.** O conteúdo de uma garrafa. **2.** Medicamento líquido contido em uma garrafa. **3.** Pancada com uma garrafa. **4.** *coloq.* Beberagem de curandeiro aplicada como remédio.

garrafal (gar.ra.*fal*) adj. **1.** Que tem forma de garrafa. **2.** Diz-se da letra muito grande e legível; manchete.

garrafão (gar.ra.*fão*) s.m. **1.** Garrafa grande e bojuda, geralmente com alça e envolvida em trançado de vime, palha ou cortiça. **2.** (*Esp.*) Área do campo de basquete, sob a tabela, na qual o jogador atacante só pode permanecer, no máximo, três segundos.

garrafaria (gar.ra.fa.*ri*.a) s.f. **1.** Depósito ou conjunto de garrafas. **2.** Lugar onde se guardam garrafas; adega.

garrafeiro (gar.ra.*fei*.ro) s.m. **1.** Comprador ambulante de garrafas. **2.** Utensílio para guardar ou transportar garrafas.

garrancho (gar.*ran*.cho) s.m. **1.** Letra mal-escrita; garatuja, rabisco. **2.** (*Vet.*) Doença nos cascos das cavalgaduras.

garrido (gar.*ri*.do) adj. **1.** Que tem apuro no vestir e nas maneiras; elegante, alinhado. **2.** Vivo, alegre, vistoso, exuberante: *cores garridas; terra mais garrida.*

garrote¹ [ó] (gar.ro.te) *s.m.* **1.** Método de execução por meio de uma gola de ferro afixada a um poste e apertada por um parafuso até estrangular a vítima. **2.** Instrumento com o qual se efetuava essa execução. **3.** Estrangulação por qualquer meio, de modo semelhante ao garrote. **4.** Pau curto com que se apertava a corda dos enforcados. **5.** (*Med.*) Qualquer faixa, tira ou laço de material elástico aplicado a um membro para interromper-lhe a circulação ou para estancar hemorragias.

garrote² [ó] (gar.ro.te) *s.m.* (*Zool.*) Bezerro de dois a quatro anos de idade.

garrucha (gar.ru.cha) *s.f.* Pistola de carregar pela boca, geralmente de dois canos; bacamarte.

garupa (ga.ru.pa) *s.f.* **1.** Parte superior do cavalo e de outros quadrúpedes, entre o lombo e os quartos traseiros; ancas. **2.** Mala que se leva na garupa. **3.** Lugar atrás do assento de bicicleta, motocicleta etc.: *Com o amigo na garupa da motocicleta, viajaram por todo o país.*

gás *s.m.* **1.** (*Fís.*) Estado da matéria que, por apresentar as moléculas muito afastadas, é fluido e tende a se comprimir ou a se expandir, preenchendo o recipiente que o contém. **2.** *fig.* Capacidade, disposição, persistência, vigor (em seu campo de ação ou de atuação): *Lutou com todo o gás contra o preconceito de que era vítima.* **3.** *fig.* Alegria, animação, entusiasmo: *Cheio de gás, o público jovem aplaudia seus ídolos musicais.* • *gases s.m.pl.* **4.** Combinação, no tubo digestivo, do ar engolido durante a alimentação com os vapores produzidos pela deglutição dos alimentos: *Ela sofre muito de gases.* ‖ *Gás lacrimogêneo*: substância gasosa que, ao ser dispersada na atmosfera, provoca ardência nos olhos e lágrimas: *Os manifestantes procuravam escapar dos efeitos do gás lacrimogêneo.* • *Gás manufaturado*: obtido do carvão mineral ou do refino do petróleo, tem uso doméstico (fogões, aquecedores) e usos industriais (petroquímica e combustível). • *Gás natural*: resultado da decomposição de matéria orgânica, é encontrado nas jazidas subterrâneas de petróleo e utilizado na fabricação de gasolina e do gás liquefeito do petróleo.

gaseificação (ga.se:i.fi.ca.ção) *s.f.* Processo de gaseificar. ‖ *gasificação*.

gaseificar (ga.se:i.fi.car) *v.* **1.** Reduzir(-se) ou converter(-se) ao estado de gás: *gaseificar um corpo.* **2.** Dissolver gás carbônico em: *gaseificar refrigerantes.* ‖ *gasificar.* ▶ Conjug. 5 e 35.

gasificação (ga.si.fi.ca.ção) *s.f.* Gaseificação.

gasificar (ga.si.fi.car) *v.* Gaseificar. ▶ Conjug. 5 e 35.

gasoduto (ga.so.du.to) *s.m.* Canalização, a longa distância, de gás natural ou gás derivado do petróleo: *O gasoduto Brasil-Bolívia fornece grande parte do gás consumido pelos carros nacionais.*

gasogênio (ga.so.gê.ni:o) *s.m.* **1.** Aparelho para fabricar ou produzir gás. **2.** Aparelho produtor de gás combustível, empregado nos motores de explosão como substituto da gasolina.

gasolina (ga.so.li.na) *s.f.* (*Quím.*) Destilado do petróleo usado como combustível em motores de explosão.

gasômetro (ga.sô.me.tro) *s.m.* **1.** Aparelho próprio para medir a quantidade de gás em uma mistura. **2.** Reservatório, geralmente de grandes dimensões, onde o gás para iluminação é guardado. **3.** Fábrica de gás.

gasosa [ó] (ga.so.sa) *s.f.* Bebida, em geral refrigerante, à qual se acrescentou gás; soda: *Na festa infantil só serviram gasosas.*

gasoso [ô] (ga.so.so) *adj.* **1.** Diz-se do estado próprio do gás. **2.** A que se acrescentou gás; gaseificado: *água mineral gasosa.* ‖ f. e pl.: [ó].

gastador [ô] (gas.ta.dor) *adj.* Que gasta muito; perdulário, dissipador, pródigo. • *s.m.* **2.** Pessoa gastadora.

gastar (gas.tar) *v.* **1.** Fazer gasto de; despender dinheiro; pagar: *Gastei minhas economias na compra da casa própria; Esforçava-se para não gastar muito.* **2.** Usar mal; desperdiçar, dilapidar, malbaratar: *Gastou toda a fortuna herdada dos pais.* **3.** Fazer uso de; consumir: *Meu carro gasta muita gasolina.* **4.** Abater, enfraquecer, exaurir: *gastar as forças, a saúde.* **5.** Usar, utilizar, empregar: *Não gaste mais palavras para convencer-me.* **6.** Aplicar, empregar, investir: *Gastou o tempo e o dinheiro em ampliar sua empresa.* **7.** Desgastar(-se), estragar(-se), danificar(-se), destruir(-se): *Gastou a sola do sapato à procura de emprego; Com a idade, a memória se gasta.* **8.** Acabar(-se), extinguir(-se): *O tempo gasta todas as coisas; Com o tempo tudo se gasta.* ‖ part.: *gastado e gasto.* ▶ Conjug. 5.

gasto (gas.to) *adj.* **1.** Deteriorado pelo uso; envelhecido, surrado: *Vestia roupas e sapatos gastos.* **2.** Enfraquecido, debilitado, abatido: *Sentia-se gasto, sem forças, depois da grave doença.* **3.** Desperdiçado, dilapidado, malbaratado: *Teve todo seu dinheiro gasto em negócios escusos.* • *s.m.* **4.** Ato ou efeito de gastar. **5.**

Aquilo que se gastou. **6.** Consumo, despesa, dispêndio: *Aumentaram os gastos com a luz e o telefone*. **7.** Desgaste ou dano proveniente do uso ou da ação do tempo: *A fachada do casarão mostrava o gasto causado pelos anos*. || part. de *gastar*.

gastralgia (gas.tral.*gi*.a) *s.f.* (*Med.*) Dor de estômago.

gastrenterite (gas.tren.te.*ri*.te) *s.f.* (*Med.*) Gastroenterite.

gastroenterite (gas.tro:en.te.*ri*.te) *s.f.* (*Med.*) Inflamação simultânea das mucosas do estômago e do intestino. || *gastrenterite*.

gastroenterologia (gas.tro:en.te.ro.lo.*gi*.a) *s.f.* **1.** (*Med.*) Especialidade médica que estuda o aparelho digestivo, especialmente o estômago, o intestino e suas patologias. **2.** Conjunto de conhecimentos sobre o aparelho digestivo e suas doenças.

gastroenterologista (gas.tro:en.te.ro.lo.*gis*.ta) *s.m.* e *f.* Médico especialista em Gastroenterologia.

gástrico (*gás*.tri.co) *adj.* (*Med.*) Relativo a estômago: *suco gástrico*.

gastrite (gas.*tri*.te) *s.f.* (*Med.*) Inflamação aguda ou crônica da mucosa do estômago.

gastronomia (gas.tro.no.*mi*.a) *s.f.* **1.** Conhecimento e prática da arte culinária. **2.** Prazer em apreciar a arte de cozinhar e a boa mesa.

gastronômico (gas.tro.*nô*.mi.co) *adj.* Relativo a gastronomia.

gastrônomo (gas.*trô*.no.mo) *s.m.* Pessoa que sabe apreciar os prazeres da mesa com gosto e refinamento; *gourmet*, *gourmand*.

gastroscopia (gas.tros.co.*pi*.a) *s.f.* (*Med.*) Exame da superfície interna do estômago por meio do gastroscópio.

gastroscópio (gas.tros.*có*.pi:o) *s.m.* (*Med.*) Instrumento tubular oco, provido de equipamento óptico e de iluminação, destinado a ser introduzido no estômago através da boca e do esôfago, e que permite o exame interior do estômago.

gastura (gas.*tu*.ra) *s.f.* **1.** Sensação de dor e queimação no estômago; pirose, azia. **2.** *coloq.* Irritação nervosa, impaciência, aflição: *O rumor contínuo e monótono da chuva no telhado dava-lhe gastura*.

gatilho (ga.*ti*.lho) *s.m.* **1.** Peça dos fechos da espingarda e outras armas de fogo que, quando puxada, dispara a arma. **2.** *fig.* Expediente que faça dar origem a um processo ou reação: *gatilho salarial*.

gatimanho (ga.ti.*ma*.nho) *s.m.* **1.** Sinal feito com as mãos. **2.** Gesticulação exagerada; trejeito, momice. **3.** Desenho malfeito; garatuja, rabisco. || Mais usado no plural. || *gatimonha*.

gatimonha (ga.ti.*mo*.nha) *s.f.* Gatimanho.

gato (*ga*.to) *s.m.* **1.** (*Zool.*) Pequeno felino doméstico, mamífero e carnívoro. **2.** Designação comum aos felinos em geral (leão, tigre, pantera etc.). **3.** *coloq.* Ligação clandestina por meio da qual alguém pode usufruir da luz, água ou mesmo da televisão a cabo de outra pessoa, sem pagar. **4.** *gír.* Homem bonito e atraente: *No desfile de moda masculina, todos os modelos eram uns gatos*. **5.** (*Esp.*) Jogador ou atleta que altera a idade para obter melhores contratos profissionais. || *Gato escaldado*: *coloq.* pessoa experiente, ressabiada, que não cai em engano ou perigo. • *Gato escondido com o rabo de fora*: *coloq.* algo que se pretende ocultar, mas do qual inadvertidamente se dão indícios. • *Vender gato por lebre*: *coloq.* enganar alguém, vendendo coisa de qualidade inferior à divulgada.

gato-do-mato (ga.to-do-*ma*-to) *s.m.* **1.** (*Zool.*) Nome dado a várias espécies de felinos menores da floresta. || pl.: *gatos-do-mato*.

gato-pingado (ga.to-pin.*ga*.do) *s.m.* **1.** *coloq.* Cada um dos poucos indivíduos presentes a uma reunião ou espetáculo: *Apenas uns gatos-pingados compareceram à festa*. **2.** *coloq.* Pessoa desprezível, sem importância; joão-ninguém. || pl.: *gatos-pingados*.

gato-sapato (ga.to-sa.*pa*.to) *s.m. coloq.* Algo insignificante, sem importância, desprezível. || *Fazer de alguém gato-sapato*: *coloq.* **1.** zombar de alguém; tratar com desprezo. **2.** fazer (alguém) de joguete: *Não permita que ninguém o faça de gato-sapato*.

gatunagem (ga.tu.*na*.gem) *s.f.* **1.** Ação de gatuno; furto, roubo. **2.** Bando de gatunos.

gatunar (ga.tu.*nar*) *v.* Agir como gatuno; furtar, roubar: *Foi preso, porque gatunava os idosos*; *Nunca iria gatunar, embora precisasse de dinheiro.* ▶ Conjug. 5.

gatuno (ga.*tu*.no) *adj.* **1.** Que gatuna • *s.m.* **2.** Larápio, assaltante, ladrão.

gaturamo (ga.tu.*ra*.mo) *s.m.* **1.** (*Zool.*) Pequeno pássaro canoro, de cauda e bico curtos, com cores vivas.

gauchesco [ê] (ga:u.*ches*.co) *adj.* Relativo a gaúcho; próprio de gaúcho e de seus costumes: *danças gauchescas*.

gaúcho (ga.*ú*.cho) *adj.* **1.** Do Estado do Rio Grande do Sul. • *s.m.* **2.** O natural ou o habitante desse estado; rio-grandense-do-sul; sul-rio-grandense.

gaudério (gau.dé.ri:o) *adj.* **1.** Gáudio. **2.** *reg.* Que vive à custa alheia; vadio, malandro, parasita.

gáudio (gáu.di:o) *s.m.* **1.** Alegria extremada, júbilo, regozijo, gaudério. **2.** Brincadeira alegre e ruidosa; folgança, pândega, folia.

gaulês (gau.lês) *adj.* **1.** Relativo à Gália, antigo país no território da França atual. • *s.m.* **2.** O natural ou o habitante desse país: *César, o imperador romano, conquistou os gauleses*. **3.** A língua falada pelos antigos gauleses. **4.** Indivíduo nascido na França; francês.

gávea (gá.ve:a) *s.f.* (*Náut.*) Plataforma assentada no alto do mastro grande, que serve de guarita para um vigia.

gaveta [ê] (ga.ve.ta) *s.f.* **1.** Caixa corrediça, sem tampa, embutida num móvel e puxada por botão, argola ou chave, que se abre para fora do móvel. **2.** Nos cemitérios, o túmulo que fica colocado em paredes verticais, à maneira de uma gaveta.

gaveteiro (ga.ve.tei.ro) *s.m.* **1.** Fabricante de gavetas. **2.** Armação adequada para receber gavetas. **3.** Cômoda que só contém gavetas.

gavião (ga.vi.ão) *s.m.* (*Zool.*) Ave de rapina diurna, caracterizada pelo bico forte, recurvo e afiado, garras fortes, que se nutre exclusivamente da carne de presas vivas ou de animais mortos. || f.: *gaviã* e *gavioa*.

gavinha (ga.vi.nha) *s.m.* (*Bot.*) Apêndice de certas plantas, mais ou menos filamentoso, espiralado, que resulta da modificação de um caule ou de uma folha, com que as trepadeiras se fixam aos ramos de outras plantas ou estacas.

gay [guêi] (Ing.) *s.m.* **1.** Homossexual, geralmente referido ao sexo masculino. • *adj.* **2.** Homossexual. **3.** Referente ou próprio de homossexual: *parada gay*.

gaze (ga.ze) *s.f.* **1.** Tecido fino, de seda, linho ou algodão, muito leve e transparente. **2.** (*Med.*) Tecido de algodão de malhas simples, abertas, esterilizado, absorvente, empregado em curativos.

gazear (ga.ze:ar) *v.* Fazer gazeta; gazetear: *Gazeou o serviço para ir ao cinema; Você anda gazeando muito, pode ficar reprovado.* ▶ Conjug. 14.

gazela [é] (ga.ze.la) *s.f.* (*Zool.*) Pequeno antílope de corpo esbelto, pernas longas e chifres espiralados.

gazeta[1] [ê] (ga.ze.ta) *s.f.* Publicação periódica especializada em notícias políticas, econômicas etc.; jornal: *A Gazeta Esportiva; Gazeta Mercantil*.

gazeta[2] [ê] (ga.ze.ta) *s.f.* Ato de gazear ou gazetear.

gazetar (ga.ze.tar) *v.* Fazer gazeta; gazear, gazetear. ▶ Conjug. 8.

gazetear (ga.ze.te.ar) *v.* Deixar de comparecer a (escola, trabalho etc.), por vadiagem; fazer gazeta; gazear. ▶ Conjug. 14.

gazeteiro[1] (ga.ze.tei.ro) *s.m.* **1.** Aquele que escreve ou publica gazetas; jornalista. **2.** Vendedor de jornais; jornaleiro.

gazeteiro[2] (ga.ze.tei.ro) *adj.* Que costuma fazer gazeta ou gazear. • *s.m.* **2.** Pessoa gazeteira.

gazua (ga.zu.a) *s.f.* **1.** Ferro curvo ou em gancho que serve para abrir fechaduras. **2.** Chave falsa.

Gd (*Quím.*) Símbolo de *gadolínio*.

Ge (*Quím.*) Símbolo de *germânio*.

gê *s.m.* Nome da letra *g*.

geada (ge:a.da) *s.f.* **1.** Orvalho congelado que forma uma fina camada de gelo sobre o solo ou sobre as superfícies onde cai. **2.** *fig.* Frio excessivo.

gear (ge:ar) *v.* **1.** Formar-se geada; cair geada: *Há previsões de gear nas serras gaúchas*. **2.** *fig.* Fazer frio excessivo: *Sem aquecimento, aqui dentro está geando*. ▶ Conjug. 14.

gêiser (géi.ser) *s.m.* (*Geol.*) Fonte termal de origem vulcânica com erupções periódicas em forma de esguicho, que lança água e vapor a alturas que podem ultrapassar 60 m. || pl.: *gêiseres*.

gel *s.m.* **1.** (*Quím.*) Nome genérico das substâncias gelatinosas formadas pela coagulação de um líquido coloidal. **2.** Substância gelatinosa, usada como cosmético para cabelo. || pl.: *géis* e *geles*.

geladeira (ge.la.dei.ra) *s.f.* **1.** Aparelho termicamente isolado, que contém uma máquina frigorífica destinada a manter o seu interior em baixa temperatura; refrigerador. **2.** *fig.* Lugar extremamente frio. **3.** *gír.* Prisão.

gelado (ge.la.do) *adj.* **1.** Diz-se dos líquidos que passam para o estado sólido pela perda de calor; congelado: *A água ficou gelada no freezer*. **2.** Muito frio: *Este ano tivemos um inverno gelado*. **3.** Com forte sensação de frio: *Suas mãos estavam geladas*. **4.** *fig.* Sem emoção; insensível, indiferente: *um olhar gelado*. **5.** *fig.*

Paralisado, entorpecido, petrificado: *Ficou gelado de medo ao ouvir o tiroteio.* • *s.m.* **6.** Sorvete. **7.** Qualquer bebida gelada.

gelar (ge.*lar*) *v.* **1.** Converter(-se) em gelo; congelar: *A água do lago gelou(-se).* **2.** Esfriar(-se) muito; resfriar(-se): *Seus pés gelavam de tanto frio; As mãos gelavam-se debaixo das luvas.* **3.** *fig.* Paralisar(-se), entorpecer(-se), petrificar(-se): *gelar(-se) de susto; gelar(-se) de horror.* **4.** *fig.* Fazer perder a disposição, o entusiasmo, a animação: *As críticas desfavoráveis gelaram o ânimo do ator; Gelou diante do olhar de reprovação do pai.* ▶ Conjug. 8.

gelatina (ge.la.*ti*.na) *s.f.* **1.** (*Quím.*) Proteína transparente, incolor, inodora e insípida, extraída de diversos órgãos, dos ossos ou tecidos vegetais e animais, que tem aplicação na indústria de alimentação, de plásticos, farmacêutica, na fotografia etc. **2.** (*Cul.*) Doce preparado com essa substância dissolvida na água quente com açúcar: *Como sempre, gelatina na sobremesa.* **3.** Qualquer substância com textura semelhante a gelatina; gel.

gelatinoso [ô] (ge.la.ti.*no*.so) *adj.* **1.** Que contém gelatina. **2.** Que tem a natureza ou aparência de gelatina. **3.** Pegajoso, viscoso, visguento: *As algas são gelatinosas.* ‖ f. e pl.: [ó].

geleia [é] (ge.*lei*.a) *s.f.* (*Cul.*) Calda de frutas ou suco de substâncias animais que, cozidos com açúcar, tomam consistência gelatinosa quando frios: *geleia de pêssego; geleia de mocotó.*

geleira (ge.*lei*.ra) *s.f.* **1.** Massa de gelo que se forma em montanhas, nas regiões polares, onde a queda de neve é superior ao degelo. **2.** Montanha flutuante de gelo que se forma nas regiões polares e, daí, é levada pelas correntes a latitudes mais temperadas; *iceberg*. **3.** (*Geol.*) Cavidade subterrânea, preparada para conservar o gelo. **4.** Aparelho para fabricar gelo ou conservar substâncias à baixa temperatura, ou fazer sorvetes e bebidas geladas. **5.** *fig.* Lugar muito frio.

gelha [ê] (ge.*lha*) *s.f.* **1.** Grão de cereal, com a película enrugada, que não se desenvolveu por completo e engelhou. **2.** Esse enrugamento na casca de grãos ou frutos. **3.** Dobra no tecido que se contraiu. **4.** *fig.* Ruga na pele de uma pessoa: *as gelhas do pescoço.*

gélido (*gé*.li.do) *adj.* **1.** Frio como gelo; gelado, álgido. **2.** *fig.* Paralisado, imobilizado, entorpecido: *gélido de medo.* **3.** Insensível, indiferente: *olhar gélido.*

gelo [ê] (ge.lo) *s.m.* **1.** Água solidificada pela redução de sua temperatura a menos de zero grau. **2.** Estado em que fica um líquido pelo abaixamento conveniente de sua temperatura. **3.** Porção ou fragmento de massa gelada: *Tomou um refrigerante com gelo e limão.* **4.** Frio intenso: *A água do mar está um gelo.* **5.** *fig.* Frieza, indiferença. **6.** Falta de entusiasmo, insensibilidade. • *adj.* **7.** Que tem a cor gelo: *Toda a casa tinha paredes gelo.* ‖ *Dar um gelo:* *coloq.* tratar alguém friamente. • *Quebrar o gelo:* **1.** quebrar o frio da água. **2.** *fig.* quebrar a formalidade; criar um clima cordial entre duas ou mais pessoas.

gelo-seco (ge.lo-*se*.co) *s.m.* Dióxido de carbono em estado sólido, usado na refrigeração e conservação de sorvetes e também, em forma de nuvem espessa, em espetáculos teatrais, musicais etc. ‖ pl.: *gelos-secos.*

gelosia (ge.lo.*si*.a) *s.f.* (*Arquit.*) Grade de janela feita de ripas finas cruzadas, que serve para proteger o ambiente interno da casa do calor e para impedir que seja devassado; rótula.

gema (*ge*.ma) *s.f.* **1.** (*Biol.*) Parte amarela do ovo de aves e répteis. **2.** (*Min.*) Pedra preciosa. **3.** (*Bot.*) Parte do vegetal que dá origem a sua reprodução; botão, broto. **4.** *fig.* Ponto íntimo, central ou principal. ‖ *Da gema:* *coloq.* puro, genuíno, autêntico: *ser carioca da gema.*

gemada (ge.*ma*.da) *s.f.* (*Cul.*) Doce que se prepara com gemas de ovo batidas, açúcar, leite ou outro líquido, geralmente quente.

gemado (ge.*ma*.do) *adj.* **1.** Adornado com gemas (pedras preciosas). **2.** Cuja cor se assemelha à cor da gema do ovo: *Os oficiais têm em sua divisa estrelas gemadas.*

gemedeira (ge.me.*dei*.ra) *s.f.* **1.** Sucessão de gemidos. **2.** Ruído como o de quem geme. **3.** *fig.* Lamentação, lamúria, queixa.

gemedor [ô] (ge.me.*dor*) *adj.* **1.** Que geme: *carro de bois gemedor.* • *s.m.* **2.** Aquele que geme muito.

gêmeo (*gê*.me:o) *adj.* **1.** Diz-se de cada um dos filhos que nascem do mesmo parto: *Pedro e Paulo são irmãos gêmeos.* **2.** (*Bot.*) Diz-se dos frutos que nasceram unidos: *morangos gêmeos.* **3.** *fig.* Diz-se de coisas idênticas, perfeitamente iguais: *torres gêmeas.* **4.** *fig.* Que apresenta afinidade ou conformidade (de gosto, de opinião etc.): *almas gêmeas.* • *s.m.* **5.** Pessoa que nasceu juntamente com outra ou outras, do mesmo parto: *Os gêmeos univitelinos provêm de um mesmo óvulo.*

gemer (ge.*mer*) v. **1.** Soltar gemidos: *O doente gemia em seu leito de morte.* **2.** Produzir sons semelhantes a gemidos: *O vento gemia sobre as casas.* **3.** *fig.* Abalar, estalar, ranger: *O piso da velha casa gemia sob nossos pés.* **4.** Produzir ruído lento e monótono: *A corrente gemeu toda a noite tirando água do poço.* **5.** Exprimir lamentações ou queixas; lastimar-se: *Os flagelados gemiam a perda de vidas e de seus bens; Tamanho sofrimento levava-o a gemer.* **6.** Soltar a voz (aves e pássaros): *As pombas gemiam nos beirais.* **7.** Soar com tom plangente (instrumento musical): *Os violões gemiam um chorinho triste; Gemia ao longe uma viola sertaneja.* ▶ Conjug. 39.

gemido (ge.*mi*.do) s.m. **1.** Ato ou efeito de gemer. **2.** Som dorido ou choroso emitido por efeito de dor ou sofrimento físico ou moral. **3.** *fig.* Lamentação, lamento, queixa. **4.** Canto plangente de certas aves. **5.** Som lamentoso de instrumento musical.

geminado (ge.mi.*na*.do) adj. **1.** Que se geminou; que forma um par; duplicado, dobrado: *colunas geminadas.* **2.** Diz-se de casas de paredes-meias, construídas duas a duas, geralmente com as mesmas divisões internas. **3.** (*Bot.*) Diz-se de órgão ou vegetal que se apresenta aos pares.

geminiano (ge.mi.ni:*a*.no) adj. (*Astrol.*) **1.** Que nasce sob o signo de Gêmeos (de 21 de maio a 20 de junho). • s.m. **2.** Pessoa nascida sob o signo de Gêmeos.

genciana (gen.ci:*a*.na) s.f. (*Bot.*) Planta cujas raízes têm uso medicinal e cujas flores são usadas na produção de tinturas.

gene (ge.ne) s.m. (*Biol.*) Unidade hereditária funcional presente no cromossomo, que determina as características do indivíduo.

genealogia (ge.ne:a.lo.*gi*.a) s.f. **1.** Estudo sobre a origem de um indivíduo ou de uma família. **2.** Quadro ou diagrama expositivo da filiação de um indivíduo ou da ramificação de uma família. **3.** Conjunto de antepassados familiares. **4.** Linhagem, estirpe. **5.** *fig.* Fonte, origem, procedência (de um fato ou de uma atividade humana): *É preciso conhecer a genealogia dessa crise política.*

genealógico (ge.ne:a.*ló*.gi.co) adj. Relativo a genealogia: *árvore genealógica.*

genealogista (ge.ne:a.lo.*gis*.ta) s.m. e f. Especialista em estudos genealógicos.

genebra [é] (ge.*ne*.bra) s.f. Bebida alcoólica feita com aguardente de cereais e aromatizada com bagas de zimbro.

general (ge.ne.*ral*) adj. (*Mil.*) **1.** Diz-se dos oficiais de graduação imediatamente superior a coronel. **2.** Diz-se do estabelecimento ocupado pelos oficiais-generais e seu estado-maior: *quartel-general.* • s.m. **3.** Patente militar superior à de coronel. **4.** Militar dessa patente.

generalado (ge.ne.ra.*la*.do) s.m. Generalato.

generalato (ge.ne.ra.*la*.to) s.m. **1.** Patente de general. **2.** Conjunto de oficiais-generais de um exército. || generalado.

generalidade (ge.ne.ra.li.*da*.de) s.f. **1.** Qualidade do que é geral, comum; abrangência. **2.** O maior número; a maior parte; a maioria: *O diretor dirigiu-se à generalidade dos professores.* • *generalidades* s.f.pl. **3.** Conjunto de conhecimentos não específicos no campo de uma ciência, arte ou técnica, englobando apenas seus elementos, ideias ou princípios gerais, elementares. **4.** Frases ou expressões vagas que deixam de exprimir o essencial de um assunto em questão: *Fugiam aos temas sérios, só conversavam generalidades.*

generalíssimo (ge.ne.ra.*lís*.si.mo) s.m. (*Mil.*) Comandante supremo de um exército.

generalista (ge.ne.ra.*lis*.ta) adj. **1.** Diz-se de pessoa não especializada, que só tem conhecimentos gerais. **2.** (*Med.*) Diz-se do médico que exerce a medicina clínica. • s.m. **3.** Clínico geral; internista.

generalização (ge.ne.ra.li.za.*ção*) s.f. **1.** Ato ou efeito de generalizar. **2.** Extensão de um princípio, noção ou conceito a outros casos além daquele a que se aplicou originalmente. **3.** Difusão, propagação, disseminação: *As autoridades sanitárias tentam impedir a generalização dos casos da doença.*

generalizar (ge.ne.ra.li.*zar*) v. **1.** Tornar(-se) geral; propagar(-se), difundir(-se), estender(-se): *generalizar um uso; Os aplausos se generalizaram ao final do espetáculo.* **2.** Fazer generalizações: *Não generalize sobre os maus resultados dos alunos na prova; Antes de generalizar, é preciso estar bem informado.* ▶ Conjug. 5. – **generalizante** adj.

generativo (ge.ne.ra.*ti*.vo) adj. **1.** Relativo a geração; gerador. **2.** Que tem a propriedade de gerar; gerativo.

genérico (ge.*né*.ri.co) adj. **1.** Relativo a gênero: *Vamos hoje estudar as características genéricas da literatura romântica.* **2.** Tratado de modo geral, na generalidade: *O conferencista ateve-se aos aspectos genéricos do tema.* **3.** (*Med.*) Diz-se de medicamento designado por seu princípio ativo e não pela marca comercial;

sucedâneo: *O Ministério da Saúde regulamentou a produção e o uso dos medicamentos genéricos.* • *s.m.* **4.** Esse medicamento.

gênero (gê.ne.ro) *s.m.* **1.** Conjunto de seres ou objetos que tenham caracteres comuns; espécie, tipo, classe, ordem, qualidade. **2.** *fig.* Modo de ser; maneira, modo, estilo: *Ela faz um gênero chique.* **3.** (*Biol.*) Categoria ou classe animal ou vegetal intermediária entre a espécie e a família: *Pantera é a designação comum aos felinos do gênero Panthera, como a onça, o tigre etc.* **4.** (*Lit.*) Cada uma das divisões que englobam obras literárias de características semelhantes: *A maior parte das obras daquele autor pertence ao gênero narrativo.* **5.** (*Ling.*) Categoria gramatical que classifica os nomes e os pronomes de uma língua em masculinos, femininos ou neutros: *Na língua portuguesa os adjetivos concordam em gênero com o substantivo.* • **gêneros** *s.m.pl.* **6.** Mercadorias, produtos, víveres (especialmente os agrícolas e os comestíveis): *A cesta básica é constituída de gêneros de primeira necessidade.* || *Gênero de vida*: modo de viver de um indivíduo ou de um grupo. • *Gênero humano*: a espécie humana, a humanidade. • *Não fazer o gênero de*: *coloq.* não ser do agrado, do gosto ou da mesma opinião de (alguém): *Os esportes radicais não fazem o meu gênero.*

generosidade (ge.ne.ro.si.da.de) *s.f.* **1.** Qualidade de generoso. **2.** Atitude generosa; bondade, magnanimidade: *Os flagelados das enchentes puderam contar com a generosidade da população.* **3.** Liberalidade, largueza, prodigalidade: *Está sempre disposto a gastar dinheiro com generosidade.*

generoso [ô] (ge.ne.ro.so) *adj.* **1.** Que tem qualidades ou sentimentos nobres. **2.** Que tem grandeza de alma. **3.** Liberal, dadivoso, benevolente, desprendido. **4.** Diz-se do vinho que vai apurando as qualidades com o tempo. **5.** Diz-se da terra fértil. || f. e pl.: [ó].

gênese (gê.ne.se) *s.f.* **1.** Origem e desenvolvimento dos seres vivos; geração. **2.** *fig.* Desenvolvimento gradual de um ser, de uma ideia, de uma instituição, de um tipo, de uma teoria etc.: *O renomado escritor está empenhado na gênese de outro romance.* • *s.m.* **3.** (*Rel.*) O primeiro livro do Antigo Testamento, em que se descrevem a criação e os primeiros tempos do mundo.

genética (ge.né.ti.ca) *s.f.* (*Biol.*) Ciência que se ocupa da natureza química e física dos genes e o mecanismo pelo qual eles controlam o desenvolvimento do organismo. – **geneticista** *s.m. e f.*

genético (ge.né.ti.co) *adj.* **1.** Relativo à transmissão de genes: *código genético.* **2.** Relativo a Genética: *engenharia genética.*

gengibre (gen.gi.bre) *s.m.* (*Bot.*) Planta originária da Ásia, usada como tempero em comestíveis e bebidas, tendo uso também em medicamentos e cosméticos.

gengiva (gen.gi.va) *s.f.* (*Anat.*) Tecido da mucosa da boca que guarnece as arcadas dentárias, onde se encontram os alvéolos.

gengival (gen.gi.*val*) *adj.* Relativo a gengiva.

gengivite (gen.gi.vi.te) *s.f.* (*Med.*) Inflamação da gengiva.

genial (ge.ni:*al*) *adj.* **1.** Relativo a gênio, a índole, ao gosto, a inclinação (de alguém). **2.** Dotado de gênio, de grande talento: *Mozart foi um compositor genial.* **3.** *coloq.* Ótimo, excelente, formidável: *um amigo genial; um programa genial.* – **genialidade** *s.f.*

gênio (gê.ni:o) *s.m.* **1.** Extraordinária capacidade intelectual ou criativa; genialidade: *o gênio de Beethoven; "Eu sinto em mim o borbulhar do gênio".* (Castro Alves, *Mocidade e morte*). **2.** Pessoa dotada dessa capacidade: *Einstein foi um gênio.* **3.** Disposição natural, aptidão, talento, vocação: *Aquele economista é um gênio das finanças.* **4.** Modo de ser; índole, caráter, temperamento: *Nossos gênios se combinam.* **5.** Irritabilidade, irascibilidade: *Procure moderar esse seu gênio terrível.* **6.** Espírito benigno ou maligno que, segundo crença antiga, era responsável pelo destino de um indivíduo, de uma comunidade etc.: *o gênio protetor; o gênio da lâmpada.*

genioso [ô] (ge.ni:o.so) *adj.* Que tem mau gênio, que facilmente se irrita; irascível, irritável. || f. e pl.: [ó].

genital (ge.ni.*tal*) *adj.* **1.** Relativo a geração, a procriação: *órgãos genitais.* **2.** Que se destina à geração. • **genitais** *s.m.pl.* **3.** (*Anat.*) Os órgãos genitais; a genitália.

genitália (ge.ni.tá.li:a) *s.f.* (*Anat.*) O conjunto dos órgãos do sistema reprodutor, em particular os situados externamente.

genitor [ô] (ge.ni.*tor*) *s.m.* **1.** O que gera. **2.** Pai.

genocida (ge.no.ci.da) *adj.* **1.** Que produz genocídio. • *s.m. e f.* **2.** Pessoa que cometeu genocídio.

genocídio (ge.no.cí.di:o) *s.m.* Emprego deliberado da força, visando ao extermínio ou à desintegração de grupos humanos, por mo-

genoma

tivos religiosos, raciais, políticos etc.: *A ONU estabeleceu o genocídio como crime contra a humanidade*.

genoma (ge.*no*.ma) *s.m.* (*Biol.*) Conjunto de todos os genes de uma espécie de ser vivo: *Consórcio internacional decifrou o genoma do chimpanzé*.

genótipo (ge.*nó*.ti.po) *s.m.* **1.** (*Biol.*) Conjunto do material genético que determina os caracteres transmissíveis do indivíduo (animal ou vegetal). **2.** Grupo de indivíduos que possuem a mesma constituição genética.

genro (*gen*.ro) *s.m.* O marido em relação aos pais de sua mulher.

gentalha (gen.*ta*.lha) *s.f. pej.* Gente reles e desprezível; plebe, ralé.

gente (*gen*.te) *s.f.* **1.** Quantidade indeterminada de pessoas: *Havia muita gente na fila do banco*. **2.** Conjunto dos habitantes de um país, uma região etc.; povo, população: *a gente brasileira*. **3.** O gênero humano; a humanidade; as pessoas, em oposição aos irracionais. **4.** Grupo de pessoas da mesma condição ou profissão, mesmos costumes e interesses: *a gente da imprensa*. **5.** *coloq.* A família: *No Natal vou visitar minha gente em Minas*. **6.** Partidários de uma mesma ideia, de uma causa ou facção política: *O veterano político visitou a sua base e reuniu a sua gente*. || *Gente boa*: *coloq.* pessoa de caráter; correta, confiável. • *Gente fina*: *coloq.* gente boa. • *A gente*: a pessoa que fala (eu) ou as pessoas que falam (nós). • *Ser (muito) gente*: *coloq.* Ser humano, generoso, compreensivo. • *Virar gente*: chegar à idade adulta; crescer, amadurecer.

gentil (gen.*til*) *adj.* **1.** Nobre, cavalheiresco, delicado, cortês, atencioso: *um comportamento gentil*. **2.** Belo, formoso, bem-proporcionado: *um rosto gentil*. **3.** Agradável, aprazível, deleitoso: *um clima gentil*. || sup. abs.: *gentílimo* e *gentilíssimo*.

gentileza [ê] (gen.ti.*le*.za) *s.f.* **1.** Qualidade do que é gentil. **2.** Delicadeza, amabilidade, cortesia, atenção: *Pode fazer a gentileza de acompanhar-me até minha casa?* **3.** Nobreza de porte; garbo, elegância, graça: *A jovem tinha a gentileza de uma flor*.

gentil-homem (gen.til-*ho*.mem) *s.m.* **1.** Homem de família nobre, fidalgo: *O personagem do romance era um gentil-homem de alta linhagem*. **2.** *fig.* Homem de procedimento nobre, distinto, cavalheiresco. • *adj.* **3.** Elegante, garboso, bem-apessoado. || pl.: *gentis-homens*.

gentílico (gen.*tí*.li.co) *adj.* **1.** Relativo aos gentios, ao paganismo; não civilizado, selvagem. **2.** Diz-se do adjetivo que designa o lugar de onde provêm pessoas ou coisas: *Soteropolitano e salvadorense são adjetivos gentílicos de quem é natural de Salvador, Bahia*. • *s.m.* **3.** Esse adjetivo.

gentílimo (gen.*tí*.li.mo) *adj.* Superlativo absoluto de *gentil*.

gentinha (gen.*ti*.nha) *s.f. pej.* **1.** Ralé, plebe, gentalha. **2.** Gente mexeriqueira ou de hábitos vulgares.

gentio (gen.*ti*:o) *adj.* **1.** Que professa o paganismo; pagão. **2.** Que não é civilizado; selvagem.

gentleman [djêntleman] (Ing.) *s.m.* Homem de boas maneiras, bem-educado, cavalheiro.

genuflectir (ge.nu.flec.*tir*) *v.* **1.** Dobrar (a perna) na altura do joelho: *genuflectir as pernas*. **2.** Ajoelhar(-se), curvar(-se): *Genuflectiu(-se) e rezou diante do altar*. || *genufletir*. ▶ Conjug. 69.

genufletir (ge.nu.fle.*tir*) *v.* Genuflectir. ▶ Conjug. 69.

genuflexão [cs] (ge.nu.fle.*xão*) *s.f.* Ato de dobrar o joelho ou ajoelhar(-se).

genuflexo [écs] (ge.nu.*fle*.xo) *adj.* Ajoelhado.

genuflexório [cs] (ge.nu.fle.*xó*.ri:o) *s.m.* Estrado com apoio para as mãos e o livro de orações, próprio para se ajoelharem as pessoas nas igrejas ou capelas.

genuinidade (ge.nu:i.ni.*da*.de) *s.f.* Qualidade do que é genuíno.

genuíno (ge.nu.*í*.no) *adj.* **1.** Próprio, exato: *Esta é uma afirmação genuína*. **2.** Verdadeiro, legítimo: *um genuíno representante do povo*. **3.** Sem alteração ou mistura (diz-se de produto): *vinho francês genuíno*.

geocêntrico (ge:o.*cên*.tri.co) *adj.* **1.** (*Astron.*) Relativo a geocentrismo: *sistema geocêntrico*. **2.** Relativo ao centro da Terra.

geocentrismo (ge:o.cen.*tris*.mo) *s.m.* (*Astron.*) Teoria segundo a qual a Terra seria o centro do sistema planetário, em torno do qual girariam todos os astros: *O geocentrismo foi uma concepção antiga do universo, defendida pelo astrônomo Ptolomeu*.

geodesia (ge:o.de.*si*.a) *s.f.* **1.** (*Geol.*) Ciência que estuda as dimensões e forma da Terra, ou de partes da sua superfície, por meio de medições geométricas. **2.** Técnica de dividir e medir as terras. || *geodésia*.

geodésia (ge:o.*dé*.si.a) *s.f.* Geodesia.

geodésico (ge:o.dé.si.co) *adj.* Relativo a Geodesia.

geofísica (ge:o.fí.si.ca) *s.f.* (*Geol.*) Campo de estudos que tem por objeto as características da Terra e os fenômenos físicos que nela ocorrem, tais como a gravidade, o magnetismo, os sismos etc.

geofísico (ge:o.fí.si.co) *adj.* **1.** Relativo a Geofísica. • *s.m.* **2.** Especialista em Geofísica.

geografia (ge:o.gra.fi.a) *s.f.* **1.** Ciência cujo objeto é o estudo do espaço, na Terra, em seus aspectos físicos, biológicos e humanos, bem como a correlação entre esses aspectos. **2.** As características geográficas de uma área, território, região etc.: *a geografia do Brasil*. **3.** Obra ou compêndio que trata dessa ciência.

geográfico (ge:o.grá.fi.co) *adj.* Relativo a Geografia.

geógrafo (ge:ó.gra.fo) *s.m.* Profissional formado em Geografia.

geoide [ói] (ge:oi.de) *s.m.* **1.** Termo que designa a forma geométrica da Terra. **2.** Sólido geométrico que tem forma semelhante à da Terra.

geologia (ge:o.lo.gi.a) *s.f.* (*Geol.*) **1.** Ciência que tem por objeto a história física da Terra, sua origem, formação e constituição atual. **2.** Características geológicas de uma região específica. **3.** Obra ou compêndio que trata dessa ciência. – **geológico** *adj.*

geólogo (ge:ó.lo.go) *s.m.* Profissional formado em Geologia.

geômetra (ge.ô.me.tra) *s.m. e f.* Especialista em Geometria.

geometria (ge:o.me.tri.a) *s.f.* **1.** (*Mat.*) Parte da Matemática que tem por objeto o espaço e as formas que nele se podem conceber, suas propriedades e medidas. **2.** Obra ou compêndio de Geometria.

geométrico (ge:o.mé.tri.co) *adj.* **1.** Relativo a Geometria. **2.** *fig.* Disposto com simetria; regular, exato, rigoroso: *Os versos desse poeta se singularizam pela precisão quase geométrica.*

geopolítica (ge:o.po.lí.ti.ca) *s.f.* (*Geogr.*) Estudo da influência dos fatores geográficos, econômicos e demográficos sobre a política de uma nação e suas relações com outras nações; geografia política. – **geopolítico** *adj.*

geosfera (ge:os.fe.ra) *s.f.* (*Geol.*) A parte sólida da Terra.

geotropismo (ge:o.tro.pis.mo) *s.m.* (*Biol.*) Propriedade dos vegetais, cujo crescimento é orientado para o centro da Terra por efeito da gravidade. – **geotrópico** *adj.*

geração (ge.ra.ção) *s.f.* **1.** Ato ou efeito de gerar(-se). **2.** Conjunto de funções pelas quais um ser organizado produz outro semelhante; procriação; germinação: *geração de filhos*; *geração de flores*. **3.** Sucessão dos descendentes diretos; linhagem, ascendência, genealogia: *Ele descende de uma geração de varões ilustres.* **4.** Conjunto dos homens que vivem numa determinada época: *os escritores da geração de 1945*. **5.** Intervalo de tempo (cerca de 25 anos) entre dois graus de filiação: *Naquela família não existe confronto entre a geração dos pais e a geração dos filhos*. **6.** Formação, produção, desenvolvimento, por meio de máquinas e processos: *geração de eletricidade*. || *De última geração*: que é a última palavra em tecnologia: *Comprou um celular de última geração*.

gerador [ô] (ge.ra.dor) *adj.* **1.** Que gera. • *s.m.* **2.** Aquilo que gera. **3.** Máquina que converte energia mecânica em eletricidade: *Os cinemas têm geradores que são acionados na falta de energia elétrica.*

geral (ge.ral) *adj.* **1.** Diz-se do que é comum a todas as pessoas ou coisas: *A Constituição é a lei geral do Brasil*. **2.** Que abrange a maioria ou todas as pessoas de um conjunto: *Os sindicatos votaram pela greve geral*. **3.** Que tem caráter genérico, global, universal: *A pesquisa seguiu os princípios gerais da economia*. **4.** Que não tem especificidade; vago, indefinido, superficial: *Ele tem sempre uma opinião geral sobre tudo*. **5.** Que ocupa um cargo superior ou é responsável por todos os setores de uma empresa, instituição etc.: *diretor-geral*; *secretário-geral*. • *s.m.* **6.** A maior parte; o maior número; a generalidade: *O geral da população quer-se fazer ouvir pelos governantes*. • *s.f.* **7.** Em estádios, circos etc., o setor de lugares mais baratos: *Prefere assistir aos jogos na geral*. || *Dar uma geral*: **1.** fazer uma inspeção ou averiguação. **2.** fazer arrumação ou limpeza completa: *Você precisa dar uma geral em seu quarto*. • *Em geral*: geralmente, como de hábito, por via de regra: *Começo a ler os jornais, em geral, pelo noticiário político.*

gerânio (ge.râ.ni:o) *s.m.* (*Bot.*) Planta ornamental, com flores em cachos, nativa de regiões tropicais ou temperadas, usada também em tinturas.

gerar (ge.rar) *v.* **1.** Criar(-se) ou propagar(-se) por geração; fazer nascer ou nascer; procriar, germinar: *gerar filhos*; *Na primavera, geram (se) novos brotos*. **2.** *fig.* Fazer aparecer; causar, originar, provocar: *gerar suspeitas*; *gerar senti-*

geratriz

mentos de ódio, de revolta. **3.** Dar ou ter origem por meio de processo químico ou físico; formar(-se), produzir(-se), desenvolver(-se): *gerar(-se) energia elétrica.* ▶ Conjug. 8.

geratriz (ge.ra.*triz*) *adj.* **1.** Que gera: *força geratriz.* • *s.f.* **2.** Aquela que gera. • **3.** (*Mat.*) Linha curva cujo movimento gera uma superfície.

gérbera (*gér*.be.ra) *s.f.* (*Bot.*) Planta com flores vermelhas, brancas ou amarelas, cultivada como ornamental.

gerência (ge.*rên*.ci:a) *s.f.* **1.** Ato de gerir; gerenciamento. **2.** Cargo ou função de gerente; gestão, administração, superintendência. **3.** A pessoa que exerce esse cargo ou essa função: *Tenho urgência de falar diretamente com a gerência do banco.* **4.** Sala, escritório ou gabinete de trabalho desse indivíduo: *A gerência da loja fica no andar superior.*

gerencial (ge.ren.ci:*al*) *adj.* Que se refere a gerente ou à gerência.

gerenciamento (ge.ren.ci:a.*men*.to) *s.m.* Ato de gerenciar; gerência.

gerenciar (ge.ren.ci:*ar*) *v.* Fazer gestão de; administrar, dirigir, gerir: *gerenciar um hotel; gerenciar os bens de uma instituição.* ▶ Conjug. 17. – **gerenciador** *s.m.*

gerente (ge.*ren*.te) *adj.* **1.** Que gere ou administra (empresa, bens, negócios, serviços etc.); gestor. • *s.m. e f.* **2.** Pessoa que gere ou administra algo.

gergelim (ger.ge.*lim*) *s.m.* (*Bot.*) Planta com fruto em forma de baga alongada, com pequenas sementes de uso comestível em pães, bolos, doces etc. e das quais se extrai óleo, usado como azeite, em cosméticos etc.; sésamo.

geriatra (ge.ri:*a*.tra) *s.m. e f.* Médico especialista em Geriatria.

geriatria (ge.ri:a.*tri*.a) *s.f.* (*Med.*) Ramo da Medicina que trata das doenças peculiares à velhice e dos problemas clínicos do envelhecimento.

geriátrico (ge.ri:*á*.tri.co) *adj.* Relativo à Geriatria: *hospital geriátrico.*

geringonça (ge.rin.*gon*.ça) *s.f.* **1.** Linguagem informal, grosseira; gíria, palavrão. **2.** Objeto malfeito, de estrutura e funcionamento precários: *Troque essa geringonça por um carro mais novo.*

gerir (ge.*rir*) *v.* Exercer a gerência de; administrar, dirigir, governar, gerenciar: *O irmão mais velho ficou encarregado de gerir os negócios da família.*

germânico (ger.*mâ*.ni.co) *adj.* Relativo à antiga Germânia, região da Europa central; germano. **2.** Relativo à Alemanha, país da Europa; alemão. • **3.** O natural ou o habitante daquela região ou desse país; alemão. **4.** Ramo linguístico que inclui o alemão, o inglês, o holandês, as línguas escandinavas etc. ▶ Conjug. 69.

germânio (ger.*mâ*.ni:o) *s.m.* (*Quím.*) Elemento químico quebradiço, branco-acinzentado, usado como semicondutor (em transmissores, por exemplo). || Símbolo: *Ge.*

germanismo (ger.ma.*nis*.mo) *s.m.* **1.** Palavra, locução, expressão ou construção próprias da língua alemã. **2.** Imitação de maneiras e costumes típicos dos alemães. **3.** Forte sentimento de admiração pela cultura e civilização alemãs.

germanista (ger.ma.*nis*.ta) *adj. s.m. e f.* Especialista na cultura alemã e em sua língua e literatura.

germano[1] (ger. *ma.* no) *adj.* Germânico (1, 2 e 3).

germano[2] (ger.*ma*.no) *adj.* **1.** Que possui o mesmo pai e a mesma mãe (Diz-se de irmão). **2.** *fig.* Que não se alterou; genuíno. • *s.m.* **3.** Irmão germano.

germe [é] (*ger*.me) *s.m.* **1.** (*Biol.*) Estágio inicial do desenvolvimento de um organismo. **2.** (*Biol.*) Micro-organismo capaz de provocar doenças; micróbio. **3.** *fig.* Princípio de qualquer coisa, causa, origem: *A inveja foi o germe da discórdia entre os amigos.* || gérmen.

gérmen (*gér*.men) *s.m.* Germe. || pl.: *germens* e *gérmenes.*

germicida (ger.mi.*ci*.da) *adj.* **1.** Diz-se de substância com propriedade para matar germes. • *s.f.* **2.** Essa substância.

germinação (ger.mi.na.*ção*) *s.f.* **1.** Ato ou efeito de germinar. **2.** *fig.* Expansão lenta; desenvolvimento, evolução: *Estava ainda em germinação o projeto turístico.*

germinador [ô] (ger.mi.na.*dor*) *adj.* **1.** (*Bot.*) Que faz germinar. • *s.m.* **2.** Aparelho, provido de aquecimento artificial, usado para testar o poder germinativo das sementes ou obter a sua germinação.

germinal (ger.mi.*nal*) *adj.* **1.** (*Bot.*) Relativo a germe. **2.** Que está no primeiro estágio do desenvolvimento; embrionário.

germinar (ger.mi.*nar*) *v.* **1.** Começar a desenvolver-se (sementes, bulbos, tubérculos); brotar: *Todas as sementes que plantei germi-*

naram. **2.** *fig.* Ter desenvolvimento; evoluir, crescer: *As boas idéias irão sempre germinar.* **3.** *fig.* Dar origem a; gerar, produzir: *É preciso evitar que a injustiça faça germinar o ódio e a violência.* ▶ Conjug. 5.

gerontocracia (ge.ron.to.cra.ci.a) *s.f.* **1.** Forma de governo exercida por anciãos. **2.** Predomínio de pessoas idosas em um grupo social.

gerontologia (ge.ron.to.lo.gi.a) *s.f.* (*Med.*) Estudo dos estados fisiológicos, psicológicos e socioeconômicos relacionados ao envelhecimento do ser humano. – **gerontológico** *adj.*

gerontologista (ge.ron.to.lo.gis.ta) *s.m.* e *f.* Especialista em Gerontologia.

gerúndio (ge.rún.di:o) *s.m.* (*Gram.*) Forma nominal do verbo, invariável, ao lado do infinitivo e do particípio, formada pelo sufixo -*ndo*.

gerundismo (ge.run.dis.mo) *s.m.* (*Gram.*) Uso do gerúndio em perífrases, tais como "*vou estar telefonando*", no lugar de "*vou telefonar*".

gerundivo (ge.run.di.vo) *s.m.* (*Gram.*) Particípio do futuro passivo latino, de que derivaram, em português, substantivos (formando, doutorando, memorando etc.) e adjetivos (fervente, corrente etc.).

gessar (ges.*sar*) *v.* **1.** Recobrir com gesso para pintar ou dourar: *gessar estátuas.* **2.** Colocar tala de gesso sobre parte do corpo fraturada, para sua imobilização; engessar: *gessar o braço.* ▶ Conjug. 8.

gesso [ê] (ges.so) *s.m.* **1.** (*Quím.*) Sulfato hidratado de cálcio, incolor ou branco, que, submetido a alta temperatura, é reduzido a pó; gipsita. **2.** Massa preparada com essa substância, usada para reboco, modelagem de figuras ou, em ortopedia, para imobilizar e conter o local de uma fratura ou luxação grave. **3.** Qualquer objeto ornamental modelado em gesso (estátua, busto, baixo ou alto-relevo etc.). – **gessagem** *s.f.*

gestação (ges.ta.ção) *s.f.* **1.** Período de desenvolvimento do embrião no útero, que vai desde a fecundação do óvulo até o parto. **2.** Gravidez. **3.** *fig.* Fase de elaboração ou formação (de algo): *O celebrado autor declarou que um novo livro está em gestação.*

gestante (ges.*tan*.te) *adj.* **1.** Que contém o embrião. **2.** Que está em gestação: *mulher gestante.* • *s.f.* **3.** Mulher grávida.

gestão (ges.tão) *s.f.* **1.** Ato de gerir; gerência, administração, direção. **2.** Mandato político: *Em sua gestão, o prefeito priorizou a saúde e a educação.*

gestatório (ges.ta.tó.ri:o) *adj.* **1.** Relativo a gestação: *período gestatório.* **2.** Que pode ser levado ou conduzido: *cadeira gestatória.*

gesticulação (ges.ti.cu.la.ção) *s.f.* **1.** Ato ou efeito de gesticular. **2.** Conjunto de gestos.

gesticulador [ô] (ges.ti.cu.la.*dor*) *adj.* **1.** Que gesticula. • *s.m.* **2.** Pessoa que gesticula muito.

gesticular (ges.ti.cu.*lar*) *v.* **1.** Fazer gestos, geralmente acompanhando a fala: *Aquele comentarista da televisão gesticula exageradamente.* **2.** Exprimir-se por gestos ou por mímica: *O guarda gesticulava muito no trânsito intenso.* ▶ Conjug. 5.

gesto [é] (ges.to) *s.m.* **1.** Movimento do corpo, principalmente dos braços, da cabeça e olhos, que acompanha a fala, para exprimir ideias e sentimentos; gesticulação. **2.** Mímica, aceno, sinal: *Fez um gesto afirmativo com a cabeça.* **3.** Modo de se apresentar; fisionomia, semblante, aspecto, aparência: *um gesto de cansaço; um gesto de dor.* **4.** Maneira de se manifestar; ação, atitude, procedimento: *De sua parte só espero gestos nobres.*

gestor [ô] (ges.*tor*) *s.m.* Gerente, administrador.

gestual (ges.tu:*al*) *adj.* **1.** Relativo a gesto. **2.** Expresso por meio de gesto ou de gesticulação: *comunicação gestual.* • *s.m.* **3.** Conjunto de gestos: *É um veterano político, de gestual largo e dramático.*

ghost-writer [gôst-raiter] (Ing.) *s.m.* e *f.* Pessoa que escreve um livro, um artigo ou um discurso encomendado por outra pessoa, a quem é atribuída a autoria desse texto.

giárdia (gi:*ár*.di:a) *s.f.* (*Biol.*) Parasita encontrado nos intestinos de vários mamíferos, inclusive no homem.

giba (*gi*.ba) *s.f.* Saliência em forma convexa no dorso de certos animais (camelo, dromedário) e no peito ou nas costas do homem; corcova; corcunda. – **gibosidade** *s.f.*; **giboso** *adj.*

gibão (gi.*bão*) *s.f.* Vestimenta de couro usada pelos vaqueiros nordestinos, a fim de proteger o corpo contra os espinhos da caatinga.

gibi (gi.*bi*) *s.m.* *coloq.* Revista em quadrinhos, geralmente infanto-juvenil. || *Não estar no gibi: coloq.* ser fora do comum, inacreditável, incrível: *A desfaçatez dos fraudadores não está no gibi.*

gigabit (Ing.) *s.m.* Ver *gigabite*.

gigabite (gi.ga.*bi*.te) *s.m.* (*Inform.*) Múltiplo do *bite* que vale mil (ou 1.024) *megabites.*

gigabyte [gigabaite] (Ing.) *s.m.* (*Inform.*) Múltiplo do *byte* que vale mil (ou 1.024) *megabytes.*

giga-hertz (gi.ga-*hertz*) *s.m.* (*Fís.*) Unidade de frequência equivalente a um bilhão de hertz. || Símbolo: *GHz*.

gigante (gi.*gan*.te) *adj.* **1.** Que é muito grande, superior aos demais; enorme, gigantesco: *jacaré gigante; onda gigante.* • *s.m.* **2.** Ser fabuloso de estatura descomunal: *Os gigantes são personagens constantes nas histórias infantis.* **3.** Homem de estatura muito elevada: *A seleção brasileira de vôlei conta com gigantes de 2 m de altura.* **4.** *fig.* Pessoa eminente, notável, admirável: *Os gigantes da moderna pintura brasileira estão em exposição na Bienal de Arte.* **5.** Empresa ou organização poderosa e de grandes proporções: *Esta empresa é um gigante das telecomunicações.*

gigantesco [ê] (gi.gan.*tes*.co) *adj.* **1.** De estatura maior que a ordinária; desmesuradamente alto. **2.** Admirável pela grandeza, pelas proporções; prodigioso, grandioso: *um sucesso gigantesco.*

gigantismo (gi.gan.*tis*.mo) *s.m.* **1.** Crescimento excepcional de um ser animal ou vegetal. **2.** *fig.* Desenvolvimento ou crescimento extraordinário (de empresa, cidade, população etc.): *O gigantismo das metrópoles é um grave problema demográfico.*

gigolô (gi.go.*lô*) *s.m.* Indivíduo que vive à custa de prostituta ou de amante.

gilete [é] (gi.*le*.te) *s.f.* **1.** Lâmina retangular de aço, com dois gumes nos lados mais compridos, para barbear. **2.** Aparelho de barbear em que se usa tal lâmina. || Da marca registrada *Gillette.*

gim *s.m.* Aguardente feita de cereais (cevada, trigo, aveia e zimbro), de alto teor alcoólico.

gimnosperma (gim.nos.*per*.ma) *s.f.* (*Bot.*) Vegetal que, por apresentar óvulos e sementes descobertos, não produz frutos, como a palmeira e o cipreste.

gim-tônica (gim-*tô*.ni.ca) *s.f.* Bebida alcoólica feita com gim, água tônica e limão. || pl.: *gins-tônicas.*

ginasial (gi.na.si:*al*) *adj.* Relativo a ginásio.

ginasiano (gi.na.si:*a*.no) *adj.* **1.** Relativo a ginásio. • *s.m.* **2.** Aluno de ginásio.

ginásio (gi.*ná*.si:o) *s.m.* **1.** Lugar onde se pratica ginástica; quadra de esportes. **2.** Denominação substituída por segundo ciclo do ensino fundamental (antigo ginasial no Brasil).

ginasta (gi.*nas*.ta) *s.m.* e *f.* Praticante de exercícios ginásticos; atleta: *Os ginastas brasileiros ganharam várias medalhas nos jogos pan-americanos.*

ginástica (gi.*nás*.ti.ca) *s.f.* **1.** Técnica ou arte de exercitar o corpo para desenvolvê-lo ou fortificá-lo, através de exercícios específicos: *ginástica olímpica; ginástica aeróbica.* **2.** Conjunto de exercícios corporais com o objetivo de aprimorar ou corrigir a capacidade física.

ginástico (gi.*nás*.ti.co) *adj.* Relativo a ginástica: *clube ginástico.*

gincana (gin.*ca*.na) *s.f.* Competição realizada entre equipes, cujos participantes devem cumprir certas tarefas com o máximo de habilidade e rapidez.

gineceu (gi.ne.*ceu*) *s.m.* (*Bot.*) Órgão feminino das flores.

ginecologia (gi.ne.co.lo.*gi*.a) *s.f.* (*Med.*) Especialidade médica que trata das doenças específicas das mulheres. – **ginecológico** *adj.*

ginecologista (gi.ne.co.lo.*gis*.ta) *s.m.* e *f.* Médico especialista em Ginecologia.

ginete [ê] (gi.*ne*.te) *s.m.* **1.** Cavalo de boa raça, bem-adestrado. **2.** Sela dos vaqueiros do sertão. **3.** Aquele que é bom cavaleiro, que monta bem e firme.

ginga (*gin*.ga) *s.f.* **1.** Ato de gingar. **2.** Requebro, bamboleio, gingado: *a ginga da sambista.* **3.** (*Esp.*) No futebol e na capoeira, movimento do corpo com o qual se procura enganar o adversário, para melhor defender-se ou atacar.

gingado (gin.*ga*.do) *adj.* **1.** Que se gingou. **2.** Que tem ginga, balanço ou molejo: *o andar gingado do malandro.* • *s.m.* **3.** Ginga.

gingar (gin.*gar*) *v.* **1.** Mover o corpo para um e outro lado; bambolear-se: *Gingava o corpo e os braços ao andar; O bêbedo caminhava gingando.* **2.** Mexer os quadris; requebrar-se, menear-se, rebolar: *As passistas passavam gingando no desfile das escolas de samba.* **3.** *fig.* Agitar-se; balançar: *O barquinho gingava nas ondas do mar.* **4.** Fazer gingas (na capoeira ou no futebol): *O bom jogador sabe gingar e desnortear o adversário.* ▶ Conjug. 5 e 34.

ginja (*gin*.ja) *s.f.* **1.** Fruto da ginjeira, uma variedade da cerejeira. **2.** Bebida feita desse fruto.

ginjeira (gin.*jei*.ra) *s.f.* (*Bot.*) Árvore da ginja.

ginseng (gin.*seng*) *s.m.* Planta de raízes aromáticas, usada para fins medicinais.

gípseo (*gíp*.se:o) *adj.* Feito de gesso.

gipsita (gip.*si*.ta) *s.f.* (*Quím.*) Sulfato hidratado de cálcio; gesso.

gira (*gi*.ra) *adj.* **1.** *coloq.* Que age como doido, sem juízo; amalucado, lunático. • *s.m.* e *f.* **2.**

coloq. Pessoa amalucada. • *s.f.* **3.** Passeio breve; volta, giro.

girafa (gi.ra.fa) *s.f.* **1.** (*Zool.*) Mamífero ruminante africano, com pescoço longo, pelagem curta de cor castanho-clara, com grandes manchas avermelhadas ou marrons: *A girafa é o mais alto dos animais, podendo alcançar até 6 m de altura.* **2.** *fig.* Pessoa alta, magra e de pescoço comprido.

girândola (gi.rân.do.la) *s.f.* **1.** Roda ou travessão com orifícios para foguetes, que sobem ao ar ao mesmo tempo. **2.** O conjunto desses foguetes. **3.** *fig.* Quantidade de coisas que se sucedem sem nexo ou ligação.

girar (gi.rar) *v.* **1.** Mover(-se) em torno de; rodar, virar: *girar a chave na fechadura.* **2.** Andar de um lado para outro; vagar: *Girava sem rumo pelas ruas.* **3.** Descrever (giro, círculo); rodar: *Vários carros giraram e bateram na pista de corrida.* **4.** Circular, percorrer, correr: *Girou toda a cidade à procura de apartamento; O sangue gira nas veias.* **5.** Ter curso (moedas, papéis, títulos etc.); correr: *Giram milhões em moedas nacionais e estrangeiras pela bolsa de valores.* **6.** Escoar-se (tempo); decorrer, passar: *Dias, meses, anos giram inapelavelmente.* **7.** Passar (a vista) sem se fixar; percorrer ao acaso; correr: *Seus olhos giravam por todo o salão.* **8.** *fig.* Concentrar-se, centrar-se, versar: *A vida dos pais gira em torno dos filhos; A conversa girava sobre eleições e referendos.* ▶ Conjug. 5.

girassol (gi.ras.sol) *s.m.* **1.** (*Bot.*) Planta ornamental de flores amarelas, de cujas sementes oleaginosas se extrai óleo comestível. **2.** (*Min.*) Variedade de opala que produz reflexos azuis, vermelhos e amarelos, quando exposta ao sol.

giratório (gi.ra.tó.ri:o) *adj.* **1.** Em sentido circular, circulatório: *movimento giratório.* **2.** Que gira: *cadeira giratória.*

gíria (gí.ri:a) *s.f.* **1.** Linguagem informal, característica de determinados grupos, geralmente marginalizados, a qual, por sua expressividade, pode estender-se à linguagem familiar de outros grupos sociais: *Alguns termos de gíria são efêmeros, mas outros têm registro duradouro na língua.* **2.** Linguagem própria de pessoas que têm a mesma atividade ou profissão; jargão: *a gíria esportiva; a gíria jornalística.*

girino (gi.ri.no) *s.m.* (*Zool.*) Larva de animais anfíbios, que se desenvolve geralmente em meio aquático.

giro (gi.ro) *s.m.* **1.** Ato ou efeito de girar. **2.** Movimento circular; circuito, rotação, volta: *As pipas coloridas davam giros no ar.* **3.** Passeio curto; volta, gira: *Fez um giro pelo centro antigo da cidade.* **4.** (*Econ.*) Circulação (de moeda, dinheiro, ação, título etc.): *giro de capital.*

giroscópio (gi.ros.có.pi:o) *s.m.* Dispositivo usado para orientação de navios, aviões e espaçonaves: *O giroscópio substituiu a bússola na navegação marítima.*

giz *s.m.* Calcário em pó, branco ou colorido, em forma de lápis ou bastão, usado em quadros de escrever.

glabro (gla.bro) *adj.* **1.** Sem pelos ou pelugem; pelado: *vegetal glabro.* **2.** Sem barba; imberbe: *rosto glabro.*

glace (gla.ce) *s.f.* (*Cul.*) Cobertura de bolos e doces feita de açúcar e clara de ovos batida; glacê.

glacê (gla.cê) *s.f.* Glace.

glaciação (gla.ci:a.ção) *s.f.* **1.** Transformação em gelo ou geleira; congelamento. **2.** (*Geol.*) Ação exercida pelas geleiras sobre a superfície da Terra.

glacial (gla.ci:al) *adj.* **1.** Relativo a gelo. **2.** Extremamente frio; gelado, gélido. **3.** *fig.* Insensível, frio, indiferente: *um cumprimento glacial.* **4.** Diz-se da zona mais próxima dos pólos. **5.** Relativo a geleiras ou por elas produzido. **6.** (*Geol.*) Referente à época geológica em que grande parte da superfície da Terra era coberta por geleiras; glaciário.

glaciário (gla.ci:á.ri:o) *adj.* **1.** Relativo a gelo, a geleiras ou a glaciações. **2.** Glacial (6).

gladiador [ô] (gla.di:a.dor) *s.m.* Lutador que na Roma antiga combatia na arena pública contra outro ou contra feras.

gládio (glá.di:o) *s.m.* **1.** Espada longa de dois gumes. **2.** Qualquer espada. **3.** *fig.* Guerra, combate, luta.

glamour [glâmur] (Ing.) *s.m.* Encanto, fascínio, charme: *o glamour das estrelas do cinema.*

glamoroso [ô] (gla.mo.ro.so) *adj.* Que tem *glamour*; atraente, charmoso. || f. e pl.: [ó].

glande (glan.de) *s.f.* (*Anat.*) Extremidade do pênis ou do clitóris.

glândula (glân.du.la) *s.f.* **1.** (*Anat.*) Órgão cuja função é sintetizar e secretar determinadas substâncias que o organismo deve utilizar ou eliminar. **2.** (*Bot.*) Órgão vegetal que se caracteriza por acumular e secretar líquido. – **glandular** *adj.*

glaucoma (glau.co.ma) s.m. (Med.) Moléstia caracterizada pelo aumento da pressão intraocular, endurecimento do globo do olho e atrofia da retina, que provoca perturbações visuais transitórias ou mesmo cegueira.

gleba [é] (gle.ba) s.f. **1.** Terreno próprio para cultivo. **2.** Terreno que contém minério. **3.** fig. Terra natal, pátria, torrão.

glicemia (gli.ce.mi.a) s.f. (Med.) Taxa de glicose no sangue. – **glicêmico** adj.

glicerina (gli.ce.ri.na) s.f. (Quím.) Substância orgânica líquida, incolor, de sabor adocicado, presente nas gorduras e nos óleos, utilizada em produtos farmacêuticos, cosméticos e na fabricação da nitroglicerina.

glicose [ó] (gli.co.se) s.f. **1.** Substância encontrada principalmente em plantas e seus frutos, que constitui a principal fonte de energia para os organismos vivos.

global (glo.bal) adj. **1.** Relativo a globo terrestre: *aquecimento global*. **2.** Relativo a todas as nações; mundial: *economia global*. **3.** Considerado por inteiro; completo, total, geral: *visão global*.

globalidade (glo.ba.li.da.de) s.f. **1.** Qualidade do que é global. **2.** Conjunto, totalidade, integralidade.

globalização (glo.ba.li.za.ção) s.f. **1.** Ato de globalizar(-se). **2.** (Econ.) Processo de internacionalização econômica, especialmente quanto à produção e comercialização de mercadorias e quanto ao intercâmbio de informação e comunicação, com forte impacto sociocultural: *A globalização fez do nosso planeta uma grande aldeia*. – **globalizar** v. ▶ Conjug. 5.

globe-trotter [glôb-trótér] (Ing.) s.m. Pessoa que costuma viajar por diferentes partes do mundo.

globo [ô] (glo.bo) s.m. **1.** Corpo redondo ou esférico; bola: *No balcão havia globos de vidro cheios de balas*. **2.** A Terra: *globo celeste*. **3.** Representação esférica da Terra ou do sistema planetário: *Localize aí no globo terrestre a cidade natal de seu pai*. **4.** Quebra-luz de vidro, de forma esférica ou arredondada: *A iluminação da sala era feita com um lustre de três globos*. || dim.: *glóbulo*.

globular (glo.bu.lar) adj. Relativo a glóbulo; que tem forma de glóbulo ou de globo; orbicular.

globulina (glo.bu.li.na) s.f. (Biol.) Substância proteica natural, insolúvel na água, solúvel em soluções salinas, existente no sangue e em outros líquidos orgânicos.

glóbulo (gló.bu.lo) s.m. **1.** Pequeno globo. **2.** Corpúsculo unicelular, arredondado ou ovular, encontrado em diversos líquidos e tecidos orgânicos, principalmente no sangue. || *Glóbulo branco*: leucócitos. • *Glóbulo vermelho*: hemácias. – **globuloso** adj.

glória (gló.ri:a) s.f. **1.** Celebridade, renome, fama adquiridas por grande mérito: *Machado de Assis conheceu a glória ainda em vida*. **2.** Pessoa ou coisa digna de orgulho e louvor: *Nossos campeões são a glória nacional*. **3.** Esplendor, brilho, fausto, grandeza: *Gostaria de ter vivido nos tempos de glória do passado*. **4.** Exaltação, glorificação: *Machado de Assis diz do amor, em Versos a Corina: "Esta a glória que fica, eleva, honra e consola."* **5.** Louvor, saudação, homenagem; preito: *glória a Deus nas alturas*. • s.m. 2n. **6.** (Rel.) Na liturgia católica, hino de louvor cantado durante a missa.

gloriar (glo.ri:ar) v. **1.** Vangloriar-se, jactar-se, ufanar-se, envaidecer-se: *Gloriava-se de ter passado brilhantemente no exame vestibular*. **2.** Cobrir(-se) de glória; glorificar(-se): *gloriar a pátria; Gloriou-se por seus feitos heroicos*. ▶ Conjug. 17.

glorificação (glo.ri.fi.ca.ção) s.f. **1.** Ato de glorificar(-se). **2.** Exaltação, louvor: *a glorificação do grande escritor*. **3.** (Rel.) Elevação à glória celestial; beatificação; canonização.

glorificar (glo.ri.fi.car) v. **1.** Proclamar a glória de; exaltar, louvar: *Os cristãos sempre e em todo lugar glorificam o seu Deus*. **2.** Render homenagem; honrar: *Glorifiquemos os heróis da pátria*. **3.** Conduzir (alguém) à glória eterna, à bem-aventurança; beatificar, canonizar: *O papa glorificou Madre Teresa de Calcutá*. **4.** Cobrir-se de glória; notabilizar-se, gloriar-se: *O antropólogo glorificou-se em sua atuação junto aos índios*. **5.** Orgulhar-se, envaidecer-se, jactar-se, gloriar-se: *Não se glorifique pelo bem praticado*. ▶ Conjug. 5 e 35.

glorioso [ô] (glo.ri:o.so) adj. **1.** Coberto de glória; vitorioso, heroico: *as gloriosas forças aliadas*. **2.** Digno de glória ou louvor: *Dedicou-se à gloriosa luta pelos direitos humanos*. **3.** Esplendoroso, radiante, magnífico: *uma gloriosa manhã*. **4.** (Rel.) Que alcançou a glória eterna; bem-aventurado, santo: *Reza sempre ao glorioso São José*. || f. e pl.: [ó].

glosa [ó] (glo.sa) s.f. **1.** Nota explicativa de palavra ou sentido de um texto; anotação, comentário, resumo. **2.** Crítica ao procedimento de alguém; parecer contrário; desaprovação, censura. **3.** Cancelamento ou rejeição de um imposto devido, de um orçamento, de uma verba etc. **4.** (*Lit.*) Composição poética que se inicia com um mote, que será desenvolvido, repetindo-lhe o(s) verso(s) através do poema ou ao seu final.

glosador [ô] (glo.sa.*dor*) *s.m.* **1.** Aquele que glosa. **2.** Intérprete, comentador.

glosar (glo.*sar*) *v.* **1.** Anotar, comentar, resumir, explicar por meio de glosas: *glosar um texto clássico*. **2.** Anular ou rejeitar, total ou parcialmente, uma conta, um orçamento etc.: *A receita federal glosou o imposto de renda de um sem-número de contribuintes*. **3.** (*Lit.*) Fazer glosas: *Aqueles poetas populares glosam qualquer mote que se lhes dê*. ▶ Conjug. 20.

glossário (glos.*sá*.ri:o) *s.m.* **1.** Dicionário em que se dá a significação de palavras antigas ou pouco conhecidas. **2.** Vocabulário de termos técnicos ou específicos de uma arte, de uma ciência, de uma obra: *glossário de artes plásticas*; *glossário de botânica*. **3.** Pequeno vocabulário que figura como apêndice elucidativo dos termos usados por um autor ou em uma obra: *As edições críticas trazem quase sempre glossários indispensáveis aos leitores*.

glossarista (glos.sa.ris.ta) *s.m.* e *f.* Autor de glossários.

glossema (glos.se.ma) *s.m.* (*Ling.*) Forma mínima significativa que se depreende por análise.

glossemática (glos.se.*má*.ti.ca) *s.f.* (*Ling.*) Modelo de análise formulado pelo linguista dinamarquês Louis Hjelmslev (1899-1965).

glotal (glo.*tal*) *adj.* **1.** Referente a ou próprio da glote; glótico. **2.** (*Ling.*) Diz-se de consoante em cuja articulação ocorre uma momentânea retenção da corrente de ar provocada pelo fechamento da glote: *No português não existem consoantes glotais*. • *s.f.* **3.** Essa consoante.

glote [ó] (glo.te) *s.f.* (*Anat.*) Abertura triangular na parte superior da laringe; goto.

glótico (*gló*.ti.co) *adj.* Relativo a glote; glotal.

glu-glu (glu-*glu*) *s.m.* **1.** Voz característica do peru. **2.** Som de um líquido ao sair pelo gargalo estreito de vaso ou garrafa. || pl.: *glu-glus*.

glutamato (glu.ta.*ma*.to) *s.m.* (*Quím.*) Substância derivada do ácido glutâmico, utilizada como condimento.

glutão (glu.*tão*) *adj.* **1.** Que come muito, com avidez; comilão. • *s.m.* **2.** Pessoa glutona.

glutâmico (glu.*tâ*.mi.co) *adj.* (*Quím.*) Aminoácido presente nas proteínas.

glúten (*glú*.ten) *s.m.* (*Quím.*) Substância viscosa, extraída das sementes dos cereais, especialmente do trigo, que dá consistência elástica à massa preparada com a farinha dessas sementes.

glúteo (*glú*.te:o) *adj.* **1.** (*Anat.*) Relativo a nádegas: *região glútea*. • *s.m.* **2.** Cada um dos músculos que constitui as nádegas.

glutinoso [ô] (glu.ti.*no*.so) *adj.* **1.** Que tem glúten ou é semelhante a ele. **2.** Viscoso, pegajoso. || f. e pl.: [ó].

glutonaria (glu.to.na.*ri*.a) *s.f.* **1.** Qualidade de glutão; gula. **2.** *fig.* Voracidade, avidez.

gnomo (*gno*.mo) *s.m.* Ser lendário, de pequena estatura, geralmente feio, benévolo ou malévolo, que, segundo os cabalistas, habitava o interior da Terra, de cujos tesouros era guardião.

gnose [ó] (*gno*.se) *s.f.* **1.** Conhecimento, ciência, sabedoria, saber. **2.** (*Fil.*) Conhecimento absoluto dos fenômenos sobrenaturais e dos mistérios religiosos, místicos ou divinos.

gnosticismo (gnos.ti.*cis*.mo) *s.m.* Doutrina filosófico-religiosa que se caracteriza pela crença na gnose ou conhecimento absoluto de todas as coisas.

gnu *s.m.* (*Zool.*) Antílope africano de grande porte, de cabeça e chifres semelhantes aos de um boi.

godê (go.*dê*) *adj.* **1.** Diz-se de veste confeccionada com peça de tecido cortada enviesada: *saia godê*. • *s.m.* **2.** Corte enviesado de tecido.

godo [ô] (*go*.do) *adj.* **1.** Relativo ou pertencente aos godos. • *s.m.* **2.** (*Hist.*) Indivíduo de antigo povo germânico que nos primeiros séculos da era cristã se espalhou pela Europa.

goela [é] (go:e.la) *s.f. coloq.* Garganta.

gogo [ô] (*go*.go) *s.m.* **1.** Baba espessa de algumas aves, principalmente de galinhas; gosma. **2.** Doença que produz essa gosma.

gogó (go.*gó*) *s.m.* **1.** *pop.* Saliência da parte anterior do pescoço, formada por cartilagem; proeminência laríngea. **2.** *coloq.* Garganta. **3.** *fig. coloq.* Pessoa que faz muito alarde do que faz.

gogoso [ô] (go.*go*.so) *adj.* Goguento. || f. e pl.: [ó].

goguento (go.*guen*.to) *adj.* **1.** Que sofre de gogo; gogoso. **2.** Gosmento.

goiaba (goi.*a*.ba) *s.f.* (*Bot.*) Fruta de polpa branca ou vermelha, usada em doces, geleias e sorvetes.

goiabada (goi.a.ba.da) s.f. (Cul.) Doce de polpa de goiaba, em pasta, à qual, às vezes, se juntam as cascas e os caroços ao cozimento: *goiabada cascão*.

goiabeira (goi.a.bei.ra) s.f. (Bot.) Árvore que produz a goiaba.

goianiense (goi.a.ni:en.se) adj. **1.** De Goiânia, capital do Estado de Goiás. • s.m. e f. **2.** O natural ou o habitante dessa capital.

goiano (goi.a.no) adj. **1.** Do Estado de Goiás. • s.m. **2.** O natural ou o habitante desse estado.

goiva (goi.va) s.f. Ferramenta, espécie de formão, com lâmina de corte no lado côncavo, usada por carpinteiros, artesãos, escultores etc., para talhar peças de madeira ou metal.

gol [ô] s.m. **1.** (Esp.) Espaço limitado por duas traves perpendiculares e uma horizontal, fechado por uma rede, onde deve entrar a bola nos jogos de futebol, rúgbi, pólo aquático etc.; meta (2). **2.** (Esp.) Ponto marcado pela entrada da bola no gol. || *Gol de placa*: gol magnífico; golaço. • *Gol olímpico*: o que se faz ao ser cobrado um escanteio, sem que nenhum outro jogador, de qualquer das duas equipes, tenha tocado na bola. • *Fechar o gol*: praticar (o goleiro) defesas difíceis, salvando muitas vezes seu time da derrota. || pl.: gols, goles e gois.

gola [ó] (go.la) s.f. Parte da roupa, masculina ou feminina, que fica junto ao pescoço ou que o envolve: *Trazia a gola do paletó levantada por causa do frio*.

golaço (go.la.ço) s.m. Gol notável; gol de placa. || aum. de *gol*.

gole [ó] (go.le) s.m. Porção de líquido que se engole de cada vez.

goleada (go.le:a.da) s.f. (Esp.) Grande quantidade de gols marcados, numa partida, contra nenhum ou poucos da equipe adversária.

goleador [ô] (go.le:a.dor) adj. **1.** (Esp.) Diz-se de jogador ou de time que goleia. • s.m. **2.** Aquele que marca ou faz muitos gols; artilheiro.

golear (go.le:ar) v. **1.** (Esp.) Vencer uma partida por goleada: *O time campeão goleou o último colocado na tabela; A seleção não perde uma oportunidade de golear.* **2.** Marcar muitos gols em uma partida: *Ele foi o atacante que mais goleou nesse campeonato.* ▶ Conjug. 14.

goleiro (go.lei.ro) s.m. (Esp.) Jogador que defende o gol, no jogo de futebol; arqueiro.

golfada (gol.fa.da) s.f. **1.** Ato ou efeito de golfar. **2.** Porção de fluido que sai impetuosamente; jorro, jato.

golfar (gol.far) v. **1.** Expelir em golfadas: *golfar sangue; Os bebês golfam após a mamada.* **2.** Projetar em abundância; arremessar, emitir, expelir: *As chaminés das fábricas golfavam fumaça dia e noite.* **3.** fig. Proferir com violência: *golfar impropérios.* ▶ Conjug. 20.

golfe [ô] (gol.fe) s.m. (Esp.) Jogo de origem escocesa, praticado em campo muito extenso, pelo qual se espalham buracos, onde deve cair uma bola pequena e maciça, impelida com tacos. – **golfista** s.m. e f.

golfinho (gol.fi.nho) s.m. (Zool.) Mamífero marinho, de focinho alongado e pequenos dentes; delfim.

golfo [ô] (gol.fo) s.m. (Geog.) Reentrância marítima de larga abertura, maior do que a baía: *o golfo Pérsico*.

golpe [ó] (gol.pe) s.m. **1.** Pancada com objeto cortante ou contundente: *um golpe de cassetete.* **2.** Pancada (em parte do corpo); batida, choque: *Deu um golpe com o pé na mesa.* **3.** Ferimento, corte, incisão: *Recebeu um golpe profundo na cabeça.* **4.** fig. Acontecimento inesperado e infausto; abalo, comoção: *A perda do filho foi um golpe para toda a família.* **5.** fig. Acontecimento imprevisto, fortuito: *um golpe de sorte.* **6.** fig. Manobra enganosa ou fraudulenta: *O escroque deu um grande golpe na praça.* **7.** fig. Movimento súbito e rápido: *As janelas e portas batiam com o forte golpe de vento.* || *Golpe baixo*: fig. ação desleal, visando a prejudicar alguém ou a tirar vantagem sobre ele. • *Golpe de Estado*: medida governamental extraordinária pela qual um chefe de Estado tenta ou consegue usurpar o poder constituído de seu país. • *Golpe de vista*: **1.** olhar rápido, de relance. **2.** capacidade de avaliar algo que se observa apenas de relance.

golpear (gol.pe:ar) v. **1.** Dar golpes ou pancadas em: *O pugilista golpeou o desafiante, jogando-o na lona.* **2.** Ferir com objeto cortante ou contundente: *O toureiro golpeou mortalmente o touro.* **3.** fig. Causar grande comoção ou desgosto; afligir, chocar: *A morte do papa golpeou os fiéis de todo o mundo.* **4.** Atingir duramente; abalar, afetar: *A alta do petróleo golpeou a economia global.* ▶ Conjug. 14.

golpista (gol.pis.ta) adj. **1.** Diz-se de pessoa que vive de golpes e falcatruas. **2.** Que dá golpes de Estado ou é seu adepto. • s.m. e f. **3.** Pessoa golpista.

goma (go.ma) s.f. **1.** Substância viscosa, de propriedades colantes, que alguns vegetais segregam, utilizada para fins industriais ou comerciais. **2.** Massa de farinha de trigo e água, usada para colar papel; cola. **3.** Preparado de amido, usado para engomar roupas.

gomalina (go.ma.*li*.na) *s.f.* Produto utilizado nos cabelos para fixá-los.

gomo (*go*.mo) *s.m.* **1.** (*Bot.*) Cada uma das divisões naturais da polpa de certas frutas como a laranja, a tangerina, o limão etc. **2.** Qualquer coisa cuja forma se assemelhe a gomos: *uma saia em gomos*. **3.** (*Bot.*) Broto, rebento, botão. **4.** (*Bot.*) Divisão de algumas plantas, como a cana e o bambu, constituída pelo espaço entre dois nós.

gomoso[1] [ô] (go.*mo*.so) *adj.* **1.** Que produz ou contém goma. **2.** Que tem a consistência da goma, viscoso. || f. e pl.: [ó].

gomoso[2] [ô] (go.*mo*.so) *adj.* Que tem gomos. || f. e pl.: [ó].

gônada (*gô*.na.da) *s.f.* (*Biol.*) Glândula sexual masculina (testículo) e feminina (ovário), que produz as células reprodutoras.

gôndola (*gôn*.do.la) *s.f.* **1.** Embarcação alongada, de fundo chato e extremidades erguidas, ligeira, impelida por um ou dois remos, característica dos canais de Veneza. **2.** Nos supermercados, banca onde ficam expostas mercadorias, geralmente em promoção de venda.

gondoleiro (gon.do.*lei*.ro) *s.m.* Condutor de gôndola.

gongá (gon.*gá*) *s.m.* **1.** (*Rel.*) Em cultos afrorreligiosos, o santuário ou altar; congá. **2.** O espaço ou o recinto onde fica esse altar.

gongo (*gon*.go) *s.m.* **1.** (*Mús.*) Instrumento de percussão originário do Oriente, constituído por um disco de bronze, que se faz vibrar através de uma baqueta com a ponta acolchoada; tantã. **2.** Sinal, dado por gongo, que indica o início ou o término de um evento (espetáculo, luta etc.): *No pugilismo, o soar do gongo marca a divisão entre os rounds.* || *Ser salvo pelo gongo: coloq.* livrar-se de algum perigo ou embaraço em cima da hora.

gonococia (go.no.co.*ci*.a) *s.f.* (*Med.*) Blenorragia, gonorreia.

gonococo [ó] (go.no.*co*.co) *s.m.* (*Biol.*) Bactéria que é o agente causador da gonorreia. – **gonocócico** *adj.*

gonorreia [é] (go.nor.*rei*.a) *s.m.* (*Med.*) Blenorragia.

gonzo (*gon*.zo) *s.m.* Dobradiça de porta ou janela.

gorar (go.*rar*) *v.* **1.** Deteriorar-se (o ovo) na incubação; ficar choco, estragado; apodrecer: *Os avicultores cuidam que os ovos não cheguem a gorar.* **2.** Fazer gorar: *A gente do campo acreditava que a trovoada fazia gorarem os ovos.* **3.** *fig.* Não dar certo; fracassar, frustrar-se, malograr-se, inutilizar-se: *Interesses conflitantes goraram o projeto; O projeto gorou.* ▶ Conjug. 20.

gordo [ô] (*gor*.do) *adj.* **1.** Que tem gordura ou peso acima dos índices considerados normais; obeso, nédio. **2.** Que contém gordura; gorduroso: *O atum e o salmão são peixes gordos.* **3.** *fig.* Farto, vultoso, polpudo: *Foi contratado por um gordo salário.* • *s.m.* **4.** Pessoa gorda. || dim.: gordote e gorducho.

gordote [ó] (gor.*do*.te) *adj.* Gorducho. || dim. de gordo.

gorducho (gor.*du*.cho) *adj.* **1.** Que é um tanto gordo; gordote. • *s.m.* **2.** Pessoa gorducha. || dim. de gordo.

gordura (gor.*du*.ra) *s.f.* **1.** Substância untuosa e pouco consistente ou líquida, que forma o tecido adiposo do homem e de outros animais. **2.** Substância pastosa de origem animal ou vegetal, usada na preparação de alimentos: *gordura de coco.* **3.** Qualquer substância gordurosa (óleo, manteiga, cremes etc.) usada na culinária. **4.** Excesso de peso; obesidade: *A gordura é prejudicial à saúde.* **5.** *fig.* Qualquer excesso: *O orçamento da empresa tem muita gordura, deve ser enxugado.*

gorduroso [ô] (gor.du.*ro*.so) *adj.* **1.** Que tem muita gordura; gordo: *Não come carne gordurosa.* **2.** Oleoso, untuoso, engordurado: *pele gordurosa.* || f. e pl.: [ó].

gorgolejar (gor.go.le.*jar*) *v.* **1.** Beber fazendo o ruído de um gargarejo: *– Menino, beba seu leite sem gorgolejar.* **2.** Sair em golfadas: *A água gorgolejava nos bueiros entupidos.* **3.** Soltar (a ave) som semelhante a um gargarejo: *O peru gorgoleja.* ▶ Conjug. 10 e 37.

gorgomilo (gor.go.*mi*.lo) *s.m.* *coloq.* Garganta, goela. || Também usado no plural.

gorgorão (gor.go.*rão*) *s.m.* Tecido de seda ou lã muito encorpado, com relevos em finos cordões: *fita de gorgorão.*

gorgulho (gor.*gu*.lho) *s.m.* (*Zool.*) Inseto que ataca os cereais armazenados; caruncho.

gorila (go.*ri*.la) *s.m.* (*Zool.*) Macaco africano de grande porte, de pelagem curta e negra: *O gorila é uma espécie em extinção.*

gorjear (gor.je.*ar*) *v.* **1.** Soltar gorjeios (pássaro); cantar, trilar, trinar: *Os passarinhos gorjeavam nas árvores do quintal.* **2.** *fig.* Cantar com

gorjeio

voz melodiosa; trilar, trinar: *Acompanhada ao piano, a cantora gorjeava árias românticas.* ▶ Conjug. 14.

gorjeio (gor.jei.o) *s.m.* **1.** Ato ou efeito de gorjear; trilo, trinado, trino. **2.** Canto melodioso de alguns pássaros: *o gorjeio do rouxinol.* **3.** Qualquer canto agradável e suave. **4.** *fig.* Rumor de vozes de crianças e moças: *A roda de meninas brincava em alegres gorjeios.*

gorjeta [ê] (gor.je.ta) *s.f.* Gratificação em dinheiro que se dá por um pequeno serviço; propina, gratificação.

goro [ô] (go.ro) *adj.* Diz-se do ovo que se corrompeu na incubação, que gorou; choco, podre.

gororoba [ó] (go.ro.ro.ba) *s.f.* **1.** *coloq.* Comida malfeita ou de má qualidade. **2.** *coloq.* Comida, boia, rango: *Você está convidado à gororoba lá em casa.*

gorro [ô] (gor.ro) *s.m.* Espécie de boné, de lã ou de malha, sem aba, que se ajusta à cabeça.

gosma [ó] (gos.ma) *s.f.* **1.** Substância viscosa de origem animal ou vegetal; baba: *gosma do quiabo.* **2.** Doença das aves, especialmente dos galináceos, que ataca a língua, impedindo-as de comer ou de emitir voz; gogo. **3.** *coloq.* Secreção viscosa expelida pela boca; muco, catarro.

gosmento (gos.men.to) *adj.* **1.** Que tem gosma ou aparência de gosma. **2.** *fam.* Que escarra muito; catarrento. **3.** Atacada do gogo (ave).

gostar (gos.tar) *v.* **1.** Ter afeição, amizade ou simpatia (por alguém); amar(-se), querer(-se), estimar(-se): *Os alunos gostaram do novo professor; Eles se gostam de verdade.* **2.** Sentir prazer em; amar, apreciar: *Gosto muito de assistir a filmes brasileiros.* **3.** Achar bom, saboroso; apreciar: *gostar de chocolate; não gostar de doces.* **4.** Julgar bom; aprovar: *A equipe gostou do projeto.* **5.** Ter aptidão, tendência, jeito para: *gostar de desenhar.* **6.** Ter o hábito ou a mania de: *gostar de cantar no chuveiro.* **7.** Ser compatível; dar-se bem: *Certas plantas gostam de sol.* ▶ Conjug. 20.

gosto [ô] (gos.to) *s.m.* **1.** Sentido que permite distinguir os sabores das substâncias; paladar: *ter o gosto apurado.* **2.** Sabor: *gosto amargo; gosto açucarado.* **3.** Prazer, satisfação, deleite, apetite: *Come com muito gosto.* **4.** Interesse, tendência, disposição: *ter gosto pela leitura.* **5.** Estilo, maneira, preferência: *Temos gostos muito parecidos.* || *A gosto*: de acordo com o gosto de cada um: *A receita manda usar sal e pimenta a gosto.* • *Bom gosto*: elegância, requinte, refinamento. • *Mau gosto*: **1.** falta de refinamento, deselegância. **2.** vulgaridade, descortesia, grosseria: *A indiscrição é uma atitude de extremo mau gosto.*

gostoso [ô] (gos.to.so) *adj.* **1.** Que tem gosto bom; que agrada ao paladar; saboroso, delicioso: *doces gostosos.* **2.** Que causa prazer ou deleite; prazeroso, agradável: *o clima gostoso da serra.* **3.** Alegre, contente: *uma risada gostosa.* **4.** *gír.* Diz-se de pessoa atraente, sensual. || f. e pl.: [ó].

gostosura (gos.to.su.ra) *s.f.* **1.** Qualidade do que é gostoso. **2.** *coloq.* Grande gosto ou prazer; delícia, deleite: *Aspirar o perfume das flores na primavera é uma gostosura.* **3.** Iguaria saborosa; guloseima: *As tortas de chocolate são uma gostosura.*

gota [ô] (go.ta) *s.f.* **1.** Pequena porção de um líquido que, ao cair, apresenta a forma ovalada de um glóbulo; pingo: *Gotas de chuva caem sem parar.* **2.** Pequena quantidade de qualquer líquido: *Acrescente algumas gotas de limão ao mate.* **3.** Pequena porção de medicamentos líquidos, geralmente saída de um conta-gotas: *Pingue duas gotas de colírio ao deitar.* **4.** (*Med.*) Moléstia provocada pelo excesso de ácido úrico no organismo, que se caracteriza pela inflamação nas articulações e ataques de artrite. || *Ser a gota d'água*: constituir-se, um pequeno acontecimento, em algo que desencadeia uma reação há muito tempo contida: *A deslealdade do sócio foi a gota d'água para que a firma se desfizesse.* • *Ser uma gota d'água no oceano*: ter ocorrência um fato insignificante ante uma série de acontecimentos mais importantes: *Seu gesto de solidariedade não foi uma gota d'água no oceano.* || dim.: *gotícula.*

goteira (go.tei.ra) *s.f.* **1.** Cano ou calha situada no bordo inferior do telhado, a fim de possibilitar o escoamento das águas pluviais. **2.** Falha ou fenda na cobertura de uma casa, por onde penetra a água da chuva.

gotejar (go.te.jar) *v.* Cair gota a gota; entornar, pingar: *O ferimento gotejava sangue; Os aparelhos de ar-condicionado gotejam sobre as calçadas; As torneiras continuam gotejando.* ▶ Conjug. 10 e 37. – **gotejamento** *s.m.*; **gotejante** *adj.*

gótico (gó.ti.co) *adj.* **1.** Relativo, pertencente ou atribuído aos godos: *cultura gótica.* **2.** (*Art.*) Diz-se do estilo artístico predominante na Europa ao final da Idade Média, especialmente na arquitetura: *catedral gótica.* **3.** Diz-se de estilo de letra com ornatos característicos dos manuscritos medievais e adotado nos primeiros livros impressos. • *s.m.* **4.** O estilo gótico: *o gótico espanhol.*

gotícula (go.*tí*.cu.la) *s.f.* Pequena gota. || dim. de *gota.*

goto [ô] (go.to) *s.m. coloq.* Glote. || *Cair no goto de alguém:* cair nas graças de alguém, agradar.

gourmand [gurmã] (Fr.) *s.m.* Aquele que aprecia a boa mesa; *gourmet*, gastrônomo.

gourmet [gurmê] (Fr.) *s.m.* Aquele que é apreciador e entendedor da boa cozinha e de bons vinhos; *gourmand*, gastrônomo.

governabilidade (go.ver.na.bi.li.*da*.de) *s.f.* **1.** Qualidade do que é governável. **2.** Condição de estabilidade política e econômica de um governo: *A crise política não deve afetar a governabilidade.*

governador [ô] (go.ver.na.*dor*) *adj.* **1.** Que governa. • *s.m.* **2.** Pessoa que governa um estado, uma província ou uma colônia.

governamental (go.ver.na.men.*tal*) *adj.* Relativo a ou próprio do governo ou do poder executivo: *decisões governamentais; decreto governamental.*

governanta (go.ver.*nan*.ta) *s.f.* **1.** Mulher que administra a casa de outrem. **2.** Empregada cujo encargo é a educação das crianças da casa; preceptora. || *governante.*

governante (go.ver.*nan*.te) *adj.* **1.** Que governa. • *s.m.* e *f.* **2.** Pessoa que governa. **3.** Governanta.

governar (go.ver.*nar*) *v.* **1.** Exercer o governo de; dirigir, administrar: *Governou o país com aprovação geral; O presidente afirmou que é difícil governar.* **2.** Ter o controle ou a direção de; administrar: *Os filhos governavam a empresa do pai.* **3.** Controlar, dominar (veículos, máquinas, a montaria): *O timoneiro não conseguiu governar a embarcação sob o forte nevoeiro.* **4.** Deixar-se dirigir ou orientar; reger-se: *Ele se governa pela astrologia.* ▶ Conjug. 8.

governismo (go.ver.*nis*.mo) *s.m.* **1.** Exercício autoritário de governo. **2.** Tendência a apoiar qualquer governo.

governista (go.ver.*nis*.ta) *adj.* **1.** Que é partidário do governo vigente ou do governismo: *bancada governista.* • *s.m.* e *f.* **2.** Pessoa partidária ou defensora do governo: *O líder da oposição reuniu-se com os governistas.*

governo [ê] (go.ver.no) *s.m.* **1.** Ato ou efeito de governar. **2.** O poder supremo do Estado (monarca, presidente). **3.** Regência, direção, administração, controle: *Ainda não tem o governo do carro, necessita de mais aulas de direção.* **4.** Período de exercício de poder de um governante; mandato: *No governo Juscelino implantou-se a indústria automobilística.* **5.** Modo de governar; regime político: *governo presidencialista; governo parlamentarista.*

gozação (go.za.*ção*) *s.f. coloq.* Caçoada, zombaria, gracejo, ironia.

gozador [ô] (go.za.*dor*) *adj.* **1.** Que goza a vida; que vive bem sem muito esforço. **2.** *coloq.* Que faz gozação. • *s.m.* **3.** Pessoa gozadora.

gozar (go.*zar*) *v.* **1.** Aproveitar, usufruir, desfrutar as vantagens de uma coisa útil ou agradável: *gozar a aposentadoria; gozar de prestígio.* **2.** *coloq.* Escarnecer, zombar, caçoar, ironizar: *Os irmãos mais velhos gostam de gozar o caçula; É deselegante gozar da cara de alguém.* **3.** Atingir o orgasmo na relação sexual.

gozo [ô] (go.zo) *s.m.* **1.** Ato ou efeito de gozar. **2.** Gosto intenso; prazer, satisfação moral, intelectual ou material: *Sinto um grande gozo em ler.* **3.** Posse ou uso de coisa da qual advém satisfação, vantagem: *O funcionário está em gozo de férias.* **4.** Motivo de alegria; graça, deleite: *É um gozo ver uma criança aprender a falar.* **5.** Prazer sexual; orgasmo. ▶ Conjug. 20.

gozoso [ô] (go.zo.so) *adj.* **1.** Em que há gozo ou prazer: *atividade gozosa.* **2.** Que revela gozo espiritual; graça, alegria: *mistérios gozosos.* || f. e pl.: [ó].

graça (gra.ça) *s.f.* **1.** Favor (solicitado ou concedido); benefício, dádiva, perdão, mercê: *Teve a graça de ver logo atendido seu pedido.* **2.** (Rel.) No cristianismo, dom espiritual concedido por Deus aos homens como meio de alcançar a salvação: *a graça divina.* **3.** (Rel.) Para os católicos, auxílio recebido de Deus ou por intercessão dos santos: *Pediu uma graça a seu santo de devoção.* **4.** Graciosidade, beleza, elegância: *Ela tem graça no andar.* **5.** Dito ou ato espirituoso, engraçado; pilhéria, gracejo: *A turma se divertia com as graças contadas pelo colega.* **6.** Comicidade, hilaridade: *A publicidade utiliza muito a graça nas mensagens comerciais.* **7.** Nome de uma pessoa: *Qual é a sua graça?* ▶ *graças s.f.pl.* **8.** Agradecimento, reconhecimento: *Mandou celebrar uma missa em ação de graças por seu restabelecimento.* || *De graça:* gratuitamente, grátis. • *Sem graça:* constrangido, envergonhado, acanhado.

gracejar

gracejar (gra.ce.jar) v. Dizer graças ou gracejos: *Espirituoso, ele graceja de tudo; Isso é sério ou você está gracejando?* ▶ Conjug. 10 e 37. — **gracejador** [ô] adj.

gracejo [ê] (gra.ce.jo) s.m. Ato ou dito zombeteiro, engraçado ou pouco sério; graça, pilhéria.

graciosidade (gra.ci:o.si.da.de) s.f. **1.** Qualidade do que é gracioso; graça, elegância, delicadeza: *O pintor eternizou em suas telas a graciosidade das bailarinas.* **2.** Gratuidade.

gracioso [ô] (gra.ci:o.so) adj. **1.** Que tem graça, encanto, elegância: *gestos graciosos.* **2.** Gratuito, grátis: *O transporte municipal é gracioso para idosos e estudantes.* || f. e pl.: [ó].

graçola [ó] (gra.ço.la) s.f. coloq. Gracejo de mau gosto.

gradação (gra.da.ção) s.f. **1.** Aumento ou diminuição contínua e gradual: *gradação da luz.* **2.** Passagem gradual de uma cor ou de uma tonalidade para outra: *O dia amanheceu com uma gradação de tons que parecia uma pintura.*

gradativo (gra.da.ti.vo) adj. Em que há gradação; gradual: *É necessário o acompanhamento gradativo da aprendizagem.*

grade (gra.de) s.f. **1.** Divisória formada por barras de ferro ou metal, paralelas ou cruzadas, com intervalos entre elas, destinada a separar, vedar, cercar ou proteger um lugar; gradil, gradeamento: *Os edifícios e condomínios das grandes cidades cada vez mais se cercam de grades.* **2.** fig. Quadro de informações ou dados; tabela: *grade de horários de trabalho; grade curricular.* • **grades** s.f.pl. **3.** coloq. Cadeia, prisão. || *Atrás das grades:* coloq. na cadeia; preso: *Os corruptos e fraudadores devem ficar atrás das grades.*

gradeamento (gra.de:a.men.to) s.m. **1.** Ato ou efeito de gradear. **2.** Conjunto das grades de um local ou de um edifício; gradil.

gradear (gra.de:ar) v. Prover de grades; fechar ou limitar com grades; engradar: *Parques, jardins e praças públicas foram gradeados por medida de segurança.* ▶ Conjug. 14.

gradil (gra.dil) s.m. **1.** Grade de pequena altura que circunda um recinto, uma praça, um jardim etc., gradeamento. **2.** Grade separatória ou de proteção, geralmente de barras verticais paralelas: *O pai colocou um gradil na janela do quarto do filho.*

grado (gra.do) s.m. Usado apenas nas locuções *de bom grado* e *de mau grado.* || *De bom grado:* de boa vontade; voluntariamente: *Aceitou de bom grado o convite do amigo.* • *De mau grado:* contra a vontade; de má vontade: *Embora de mau grado, compareceu à festa.*

graduação (gra.du:a.ção) s.f. **1.** Ato ou efeito de graduar(-se). **2.** Divisão da escala graduada de qualquer instrumento. **3.** (Mil.) Elevação honorífica a um posto militar. **4.** Curso universitário. **5.** Conclusão desse curso; formatura.

graduado (gra.du:a.do) adj. **1.** Dividido em graus: *termômetro graduado.* **2.** Que se faz paulatinamente: *estudos graduados.* **3.** Conceituado, eminente, importante: *um funcionário graduado.* **4.** Que concluiu curso universitário: *A empresa só admite profissionais graduados em Informática.* **5.** (Mil.) Que tem as honras de um posto ou grau: *oficial graduado.* • s.m. **6.** Pessoa graduada: *Os graduados receberam seus diplomas das mãos do reitor.*

gradual (gra.du:al) adj. **1.** Que tem graduação. **2.** Que se processa progressivamente; gradativo: *O governo comemora o aumento gradual das exportações.*

graduar (gra.du:ar) v. **1.** Dividir, dispor, marcar os graus divisórios de: *Graduei as dificuldades por ordem de importância.* **2.** Dar graus; classificar, avaliar: *graduar candidatos em concurso.* **3.** Aumentar ou diminuir paulatinamente: *graduar a luz; graduar o gás.* **4.** Regular de modo gradual; ajustar: *graduar a marcha.* **5.** Conferir ou receber grau universitário; obter graduação; diplomar(-se): *A faculdade graduou várias turmas nos diversos cursos; Minha filha graduou-se em Direito.* **6.** Conferir grau militar ou honorífico: *O governo graduou-o em general.* ▶ Conjug. 5.

grafar (gra.far) v. Representar a linguagem por meio de sinais gráficos; escrever: *Muitos nomes próprios são grafados com as letras k, y e w.* ▶ Conjug. 5.

grafema (gra.fe.ma) s.m. (Ling.) Unidade de um sistema de símbolos gráficos que nos permitem entender visualmente as palavras na língua escrita: *As letras, os sinais de pontuação, os números, entre outros, são grafemas.*

grafia (gra.fi.a) s.f. **1.** Representação escrita de uma palavra: *Consulte um vocabulário ortográfico para conferir a grafia de parônimos.* **2.** Modo de escrever: *Tem uma grafia inconfundível.*

gráfica (grá.fi.ca) s.f. **1.** Arte de grafar as palavras. **2.** Estabelecimento em que se executam trabalhos gráficos; tipografia.

gráfico (grá.fi.co) adj. **1.** Relativo a grafia: *O candidato cometeu vários erros gráficos.* **2.** Referente às artes gráficas ou à tipografia: *Essa obra revela um grande cuidado gráfico.* • *s.m.* **3.** Representação visual de dados; diagrama: *O professor usa gráficos em suas aulas.* **4.** Pessoa que trabalha em gráfica.

grã-fino (grã-*fi*.no) *adj.* **1.** Diz-se de pessoa rica e de hábitos requintados: *As senhoras grã-finas reuniram-se para o chá beneficente.* **2.** Relativo a ou próprio do estilo de vida dessa pessoa: *um clube grã-fino.* • *s.m.* **3.** Pessoa grã-fina. || pl.: *grã-finos*.

grafismo (gra.*fis*.mo) *s.m.* **1.** Forma de escrever as palavras de uma língua; grafia, ortografia. **2.** Escrita característica de um indivíduo; caligrafia, letra.

grafita (gra.*fi*.ta) *s.f.* (*Quím.*) Variedade de carbono natural ou sintético, usado em bastão na fabricação de lápis e lapiseira, além de apresentar diversos usos industriais. || *grafite¹*.

grafitar (gra.fi.*tar*) *v.* Fazer grafite² em; pichar: *Jovens percorriam as ruas à noite, grafitando fachadas, muros e monumentos; É proibido grafitar aqui.* ▶ Conjug. 5.

grafite¹ (gra.*fi*.te) *s.f.* (*Quím.*) Grafita.

grafite² (gra.*fi*.te) *s.m.* Palavras, frases ou desenhos escritos em muros e paredes; pichação.

grafiteiro (gra.fi.*tei*.ro) *s.f.* Aquele que faz grafites; pichador.

grafologia (gra.fo.lo.*gi*.a) *s.f.* **1.** Análise da escrita ou do traçado da letra como elemento para conhecer o caráter ou a personalidade. **2.** Ciência da escrita, considerada na sua forma, posição, dimensões e demais elementos interpretativos.

grafologista (gra.fo.lo.*gis*.ta) *s.m.* e *f.* Grafólogo.

grafólogo (gra.*fó*.lo.go) *s.m.* Especialista em Grafologia; grafologista.

gralha (*gra*.lha) *s.f.* **1.** (*Zool.*) Ave da família do corvo, preta e lustrosa, de voz estridente. **2.** *coloq.* Erro tipográfico que consiste em letra ou sinal gráfico invertido ou colocado fora do seu lugar. **3.** *fig.* Pessoa falante; tagarela.

grama¹ (*gra*.ma) *s.f.* (*Bot.*) Erva rasteira que forra o solo, cultivada como ornamental em parques e jardins ou em pastagem; relva.

grama² (*gra*.ma) *s.m.* (*Fís.*) Unidade de massa que corresponde à milésima parte do quilograma. || Símbolo: g.

gramado (gra.*ma*.do) *adj.* **1.** Coberto de grama. • *s.m.* **2.** Campo de futebol.

gramar¹ (gra.*mar*) *v.* Cobrir de grama; plantar grama: *Gramou todo o terreno em volta da casa.* ▶ Conjug. 5.

gramar² (gra.*mar*) *v.* **1.** *coloq.* Suportar, aguentar, aturar, padecer: *Gramou, sem reclamar, a injustiça do patrão; Gramou muito tempo até conseguir um emprego.* **2.** Andar, percorrer, trilhar: *Para chegar à fazenda tiveram de gramar um caminho de terra batida.* ▶ Conjug. 5.

gramática (gra.*má*.ti.ca) *s.f.* **1.** Sistema de relações próprio de uma língua. **2.** Estudo dos elementos e dos processos de formação e de expressão que caracterizam esse sistema. **3.** Livro em que se expõem sistematicamente as regras que presidem o uso normativo culto da língua: *Consulte uma boa gramática sempre que tiver dúvida sobre algum fato da língua.* **4.** Conjunto de princípios normativos que regem uma arte ou ciência: *gramática musical.*

gramatical (gra.ma.ti.*cal*) *adj.* **1.** Relativo a gramática: *análise gramatical.* **2.** Que segue as regras da gramática: *correção gramatical.*

gramático (gra.*má*.ti.co) *adj.* **1.** Pessoa especialista em Gramática. **2.** Autor de gramática (3).

gramínea (gra.*mí*.ne:a) *s.f.* (*Bot.*) Planta de pequenas flores dispostas em espigas, existente em todo o mundo, algumas utilizadas na alimentação (cereais, cana-de-açúcar) e outras em construções ou mobiliário, como o bambu.

gramíneo (gra.*mí*.ne:o) *adj.* (*Bot.*) Relativo às gramíneas.

gramofone (gra.mo.*fo*.ne) *s.m.* Antigo toca-discos.

grampeador [ô] (gram.pe:a.*dor*) *adj.* **1.** Que grampeia. • *s.m.* **2.** Pequeno aparelho manual, usado nos escritórios para grampear papéis.

grampear (gram.pe:*ar*) *v.* **1.** Prender com grampos: *Grampeou todos os recibos de pagamento.* **2.** *coloq.* Colocar grampo numa linha telefônica para uma escuta secreta: *Investiga-se quem grampeou o telefone do político.* ▶ Conjug. 14. – **grampeamento** *s.m.*

grampo (*gram*.po) *s.m.* **1.** Gancho de metal para prender o cabelo. **2.** Pedaço de arame fino, com as pontas dobradas em ângulo reto, usado em grampeadores. **3.** *coloq.* Aparelho colocado numa linha telefônica para interceptar e gravar ligações: *grampo telefônico.*

grana (*gra*.na) *s.f. gír.* Dinheiro.

granada (gra.*na*.da) *s.f.* **1.** Projétil que contém explosivo ou um gás (incendiário, lacrimogêneo), e que pode ser lançado por arma de fogo ou com a mão. **2.** (*Min.*) Pedra semipreciosa, de cor púrpura, empregada em joias e relógios.

granadeiro (gra.na.*dei*.ro) *s.m.* (*Mil.*) **1.** Soldado de artilharia que lançava granadas. **2.** Soldado pertencente a regimento ou companhia especial.

grande (*gran*.de) *adj.* **1.** De dimensão considerável; vasto, extenso: *casa grande*. **2.** De proporção ou quantidade acima da média: *pés grandes; uma grande seca.* **3.** Comprido, longo, extenso: *um fio grande.* **4.** Abundante, numeroso: *família grande.* **5.** Intenso, excessivo, extremo: *grande calor.* **6.** Intenso, agudo, forte, desmedido: *uma grande paixão.* **7.** Criado, crescido, adulto: *Meus filhos já estão grandes.* **8.** Eficaz, eficiente: *É um grande remédio para dores musculares.* **9.** Grave, sério: *Teve grandes razões para fazer o que fez.* **10.** Influente, importante, poderoso: *um grande executivo.* **11.** Notável, respeitável, eminente: *um grande médico.* **12.** Bom, generoso, nobre, magnânimo: *um grande coração.* **13.** Fundamental, essencial, primordial: *O desarmamento é um grande passo para o fim da violência.* • *s.m.* **14.** Pessoa adulta: *É um espetáculo teatral para grandes e pequenos.* **15.** Pessoa rica, influente ou poderosa: *Você não deve cortejar os grandes.* || sup. comp.: *maior*; sup. abs.: *máximo, grandíssimo.*

grandeza [ê] (gran.*de*.za) *s.f.* **1.** Qualidade de grande (em quantidade, tamanho, extensão): *a grandeza territorial do Brasil.* **2.** Bondade, generosidade, nobreza: *grandeza de caráter.* **3.** Riqueza, opulência, abundância: *Sonha com uma vida de grandezas.* **4.** Ostentação, luxo, pompa: *a grandeza das cortes imperiais.* **5.** Importância exagerada que se dá às próprias realizações: *mania de grandeza; ares de grandeza.*

grandiloquência [qüen] (gran.di.lo.*quên*.ci:a) *s.f.* Qualidade de grandiloquente.

grandiloquente [qüen] (gran.di.lo.*quen*.te) *adj.* **1.** De grande eloquência. **2.** Diz-se do estilo nobre, elevado, pomposo, rebuscado.

grandíloquo [co] (gran.*dí*.lo.quo) *adj.* Grandiloquente.

grandioso [ô] (gran.di:*o*.so) *adj.* **1.** Muito grande: *Será feita uma obra grandiosa para a transposição das águas do rio.* **2.** Imponente, majestoso, magnífico: *a grandiosa catedral de Notre Dame de Paris.* **3.** Nobre, distinto, elevado: *Aquele foi um gesto grandioso de gratidão.* || f. e pl.: [ó]. – **grandiosidade** *s.f.*

granel (gra.*nel*) *s.m.* Depósito de cereais; celeiro, tulha. || *A granel*: **1.** Diz-se de mercadoria vendida sem embalagem: *A mercearia vende vários tipos de feijão a granel.* **2.** *fig.* Em grande quantidade; a rodo: *Ganhou dinheiro a granel.*

graniforme [ó] (gra.ni.*for*.me) *adj.* Em forma de grão ou semente.

granítico (gra.*ní*.ti.co) *adj.* **1.** (*Geol.*) Que tem a natureza do granito: *rocha granítica.* **2.** Que se assemelha ao granito na rijeza.

granito (gra.*ni*.to) *s.m.* (*Geol.*) Rocha de estrutura granular, que tem como elementos essenciais quartzo, feldspato e mica em cristais.

granívoro (gra.*ní*.vo.ro) *adj.* Diz-se dos animais que se alimentam de grãos ou sementes.

granizo (gra.*ni*.zo) *s.m.* Precipitação atmosférica de pequenas pedras de gelo formadas em virtude da queda brusca de temperatura.

granja (*gran*.ja) *s.f.* Propriedade rural que desenvolve atividades agrícolas em pequena escala, como a criação de aves, a produção de leite etc.; sítio, fazenda.

granjear (gran.je:*ar*) *v.* **1.** Adquirir, conquistar, obter com trabalho ou esforço próprio: *Granjeou sua fortuna com muito trabalho.* **2.** Procurar atrair (amizade, simpatia etc.): *O professor granjeou a admiração dos alunos; Seus comentários, sempre mordazes, granjearam-lhe muitos inimigos.* ▶ Conjug. 14.

granjeio (gran.*jei*.o) *s.m.* **1.** Cultivo de terras de lavoura (vinhas, hortas, pomares). **2.** *fig.* Conquista, ganho, proveito, lucro.

granjeiro (gran.*jei*.ro) *s.m.* Proprietário ou empregado de granja.

granulado (gra.nu.*la*.do) *adj.* Que se apresenta sob a forma de grãos ou grânulos: *chocolate granulado; medicamento granulado.*

granular[1] (gra.nu.*lar*) *v.* Reduzir a pequenos grãos ou grânulos: *granular uma substância.* ▶ Conjug. 5. – **granulação** *s.f.*

granular[2] (gra.nu.*lar*) *adj.* De forma semelhante ao grão ou grânulo; granuloso.

grânulo (*grâ*.nu.lo) *s.m.* **1.** Pequeno grão. **2.** Pequena saliência que se nota numa superfície áspera, que lhe dá uma aparência tal como se fosse coberta de grãos. || dim. de *grão*.

granuloso [ô] (gra.nu.*lo*.so) *adj.* **1.** Que tem forma semelhante à do grão; granular. **2.** Que tem a superfície áspera. || f. e pl.: [ó].

grão s.m. Agric. **1.** Semente das gramíneas (trigo, milho etc.) ou de algumas leguminosas (como o feijão e a ervilha). **2.** Partícula dura de uma substância (açúcar, sal, areia etc.). **3.** Pequeno corpo arredondado: *grão de incenso*. **4.** fig. Porção mínima de qualquer coisa: *grão de paciência*. || dim.: *grânulo*.

grão-de-bico (grão-de-*bi*.co) s.m. **1.** (*Bot.*) Planta leguminosa, de sementes comestíveis e folhas medicinais. **2.** A semente dessa planta. || pl.: *grãos-de-bico*.

grão-ducado (grão-du.*ca*.do) s.m. País governado por um grão-duque: *O grão-ducado de Luxemburgo é o país que é o menor da União Europeia*. || pl.: *grão-ducados*.

grão-duque (grão-*du*.que) s.m. Título de alguns príncipes soberanos. || pl.: *grão-duques*.

grão-mestre (grão-*mes*.tre) s.m. **1.** Antigo chefe de uma ordem religiosa ou de cavalaria. **2.** Presidente de loja maçônica. || f.: *grã-mestra*; pl.: *grão-mestres*.

grão-vizir (grão-vi.*zir*) s.m. Primeiro-ministro do antigo Império Otomano. || pl.: *grão-vizires*.

grasnada (gras.*na*.da) s.f. **1.** Ato ou efeito de grasnar. **2.** Vozearia de aves que grasnam; grasnido, grasno. **3.** fig. Conjunto de vozes desagradáveis e muito fortes; vozearia, falatório.

grasnar (gras.*nar*) v. **1.** Emitir sons vocais (pato, corvo, gralha etc.): *Uma coruja grasnava na árvore copada*. **2.** fig. Falar em tom alto e desagradável: *No tumulto de rua, baderneiros gritavam e grasnavam*. ▶ Conjug. 5. – **grasnador** [ô] adj.

grasnido (gras.*ni*.do) s.m. Grasnada, grasno.

grasno (*gras*.no) s.m. Grasnada, grasnido.

grassar (gras.*sar*) v. **1.** Alastrar-se, desenvolver-se gradual e progressivamente, propagar-se: *Grassou uma epidemia na cidade*. **2.** fig. Tornar-se público; difundir-se, divulgar-se: *Grassavam os mais desencontrados boatos sobre a situação política*. ▶ Conjug. 5.

gratidão (gra.ti.*dão*) s.f. **1.** Qualidade de quem é grato. **2.** Reconhecimento, agradecimento.

gratificação (gra.ti.fi.ca.*ção*) s.f. **1.** Ato ou efeito de gratificar. **2.** Pagamento suplementar em retribuição a um serviço extraordinário: *Recebeu uma gratificação pelas horas extras de trabalho*. **3.** Gorjeta, propina. **4.** Sentimento de satisfação correspondente a um êxito esperado: *Esse prêmio foi uma gratificação para mim*.

gratificante (gra.ti.fi.*can*.te) adj. Que gratifica; que recompensa.

gratificar (gra.ti.fi.*car*) v. **1.** Dar gratificação ou gorjeta a; recompensar, remunerar, pagar: *Gratifica sempre seus funcionários ao final do ano*; *Gratificou os garçons do restaurante com dez por cento da despesa*. **2.** Trazer satisfação ou prazer; premiar, recompensar: *A homenagem dos ex-alunos gratificou o velho professor*. ▶ Conjug. 5 e 35.

grátis (*grá*.tis) adj. **1.** Que não se paga; que não é cobrado; gratuito: *O clube distribuiu entradas grátis para o jogo amistoso*. • adv. **2.** De graça; gratuitamente: *Viajou grátis, a convite dos amigos*.

grato (*gra*.to) adj. **1.** Que tem gratidão; agradecido, reconhecido: *Sou grato a meus pais e a meus mestres*. **2.** Agradável, aprazível, gratificante: *A vitória do candidato foi uma grata surpresa para seu comitê de campanha*.

gratuito (gra.*tui*.to) adj. **1.** Feito ou dado de graça; grátis: *passagem gratuita*. **2.** Sem base; sem razão; sem fundamento: *inimizade gratuita*. – **gratuidade** s.f.

grau s.m. **1.** Cada divisão da escala de medida de alguns instrumentos, como o termômetro, o barômetro, o higrômetro etc. **2.** (*Fís*.) Unidade de medida de temperatura: *frio de menos dez graus centígrados*. **3.** (*Fís*.) Unidade de medida da intensidade de um fenômeno natural numa determinada escala: *A tempestade tropical transformou-se em um furacão de grau máximo*. **4.** (*Mat*.) Unidade de medida de um ângulo: *O ângulo reto tem 90 graus*. **5.** Unidade de medida da capacidade visual: *Uso óculos de grau para leitura*. **6.** Cada ponto ou estágio de uma sucessão ou progressão: *A doença está num grau avançado*. **7.** fig. Situação, estado, nível: *É preciso lutar contra os altos graus de pobreza e analfabetismo*. **8.** Cada fase do período de instrução: *ensino de primeiro, segundo e terceiro graus*. **9.** Título obtido ao término de curso de terceiro grau ou universitário: *Tem o grau de bacharel em Direito*. **10.** Nota ou conceito alcançado em uma avaliação (prova, concurso etc.): *É exigido o grau mínimo para aprovação*. **11.** Indicação de relação de parentesco: *São primas em segundo grau*. **12.** (*Gram*.) Indicação da gradação de significado de um substantivo (grau aumentativo, grau diminutivo) e de um adjetivo ou advérbio (grau comparativo, grau superlativo).

graúdo

graúdo (gra.ú.do) *adj.* **1.** Muito desenvolvido, grande, crescido: *camarão graúdo*; *menino graúdo*. **2.** *fig.* Importante, influente, poderoso: *Ele é um figurão graúdo do mundo financeiro*. • *s.m.* **3.** Pessoa importante: *A recepção era só para os graúdos da empresa*.

graúna (gra.ú.na) *s.f.* (*Zool.*) Ave de plumagem e bico negros, de voz estridente, que se alimenta de grãos.

gravação (gra.va.ção) *s.f.* **1.** Ato ou efeito de gravar. **2.** Registro de som ou imagem (em disco, fita, videoteipe etc.), por meio de processo fonográfico, magnético, eletrônico etc. **3.** O produto (som ou imagem) obtido por esse processo: *O cantor terminou a gravação de um CD e de um DVD*.

gravador [ô] (gra.va.dor) *adj.* **1.** Que grava. • *s.m.* **2.** (*Art.*) Artista que faz gravuras (em madeira, metal, pedra etc.). **3.** Aparelho para gravar e reproduzir sons por processo magnético ou eletrônico.

gravadora [ô] (gra.va.do.ra) *s.f.* Empresa industrial que faz gravações em estúdio para lançamento comercial.

gravar (gra.*var*) *v.* **1.** Esculpir (sinais, figuras, nomes), com objeto cortante, sobre uma superfície: *Gravaram o nome do homenageado numa placa de ouro*. **2.** (*Art.*) Fazer gravura (4): *Ela gravou toda sua obra em metal*. **3.** Fazer gravação (2): *Gravou um álbum com a obra de Villa-Lobos*; *Vão começar a gravar uma nova novela*. **4.** (*Inform.*) Armazenar dados digitalizados; salvar: *gravar um texto*. **5.** Guardar na memória; memorizar; decorar: *gravar a lição*; *gravar os números do telefone*. **6.** *fig.* Imprimir(-se), fixar (-se), conservar(-se), perpetuar(-se): *O bom governante grava seu nome na história do país*; *Cenas da infância gravaram-se para sempre em sua memória*. ▶ Conjug. 5.

gravata (gra.*va*.ta) *s.f.* **1.** Acessório do vestuário masculino, que consiste numa tira de tecido estreita e longa, lisa ou colorida, usada em torno do pescoço, sob o colarinho, atada com um nó ou um laço. **2.** Golpe que consiste em passar o braço ao redor do pescoço de alguém, tolhendo-lhe os movimentos e sufocando-o: *O lutador aplicou uma gravata em seu adversário*. **3.** *coloq.* Dificuldade, obstáculo: *Essa questão vai lhe dar uma gravata*.

gravata-borboleta [ê] (gra.va.ta-bor.bo.*le*.ta) *s.f.* Gravata curta com formato de laço, parecendo uma borboleta. || *pl*: *gravatas-borboleta* e *gravatas-borboletas*.

gravatá (gra.va.*tá*) *s.m.* (*Bot.*) Planta ornamental da família das bromélias.

gravataria (gra.va.ta.*ri*.a) *s.f.* **1.** Estabelecimento onde se fabricam ou vendem gravatas. **2.** Grande número de gravatas.

gravateiro (gra.va.*tei*.ro) *s.m.* **1.** Fabricante ou vendedor de gravatas. **2.** Móvel ou compartimento para guardar gravatas.

grave (gra.ve) *adj.* **1.** Que tem gravidade (2); circunspecto, sério, solene: *aspecto grave*. **2.** Importante, relevante: *Temos um grave problema a tratar*. **3.** Doloroso, penoso, duro: *A perda do pai foi um grave golpe para os filhos*. **4.** Que apresenta perigo ou risco de vida: *um grave acidente de carro*; *uma doença grave*. **5.** Intenso, forte, profundo: *um grave desgosto*. **6.** (*Gram.*) Diz-se do acento gráfico que serve para indicar a crase. **7.** (*Mús.*) Diz-se do som baixo de certos instrumentos ou vozes. • *s.m.* **8.** (*Mús.*) Nota grave ou baixa: *os graves do acordeão*.

graveto [ê] (gra.*ve*.to) *s.m.* Pedaço de lenha miúda e seca.

gravidade (gra.vi.*da*.de) *s.f.* **1.** (*Fís.*) Força de atração que a Terra exerce sobre os corpos: *gravidade terrestre*. **2.** *fig.* Seriedade, ponderação, circunspecção: *Traz a gravidade no semblante*. **3.** *fig.* Circunstância que inspira cuidado ou preocupação ou que representa algum risco: *É de certa gravidade o estado do paciente*.

gravidez [ê] (gra.vi.*dez*) *s.f.* Estado da mulher e das fêmeas em geral durante o desenvolvimento do feto ou embrião; gestação, prenhez.

grávido (*grá*.vi.do) *adj.* Que se encontra em estado de gravidez (mulher, fêmea); gestante, prenhe.

graviola [ó] (gra.vi:o.la) *s.f.* (*Bot.*) **1.** Árvore de casca verde e frutos grandes de polpa branca, aromática e comestível. **2.** O fruto dessa árvore.

gravitação (gra.vi.ta.*ção*) *s.f.* **1.** Ato ou efeito de gravitar. **2.** (*Fís.*) Força em virtude da qual todos os corpos se atraem na razão direta de suas massas e na razão inversa do quadrado de suas distâncias. – **gravitacional** *adj.*

gravitar (gra.vi.*tar*) *v.* **1.** (*Fís.*) Mover-se (um astro), sob a influência da gravitação, em torno de um ponto central: *A Terra gravita em torno do Sol*. **2.** *fig.* Ser atraído por; sofrer a influência de: *Muitos sonham em gravitar ao redor do poder*. **3.** *fig.* Ter como objetivo principal;

648

inclinar-se, tender: *Sua vida gravita em torno das causas sociais.* ▶ Conjug. 5.

gravura (gra.*vu*.ra) *s.f.* **1.** Ato ou efeito de gravar. **2.** Arte ou técnica de gravar. **3.** A placa de metal, a prancha de madeira ou a pedra usadas para gravar; matriz. **4.** A imagem (estampa, ilustração etc.) obtida pelos processos utilizados para gravar. – **gravurista** *adj.*

graxa [ch] (*gra*.xa) *s.f.* Pasta gordurosa usada para polir artefatos de couro ou para lubrificar maquinismos.

graxo [ch] (*gra*.xo) *adj.* Gorduroso, gordurento, oleoso.

greco-latino (gre.co-la.*ti*.no) *adj.* Que se refere ao grego e ao latim. || pl.: *greco-latinos.*

greco-romano (gre.co-ro.*ma*.no) *adj.* Que se refere à Grécia e a Roma, aos gregos e aos romanos. || pl.: *greco-romanos.*

grega [ê] (*gre*.ga) *s.f.* **1.** (Arquit.) Ornato geométrico formado por linhas horizontais e verticais, que formam um desenho contínuo, sem nunca se fecharem. **2.** Tira de tecido bordado ou de renda, usada como enfeite ou acabamento de roupas, cortinas etc.; galão.

gregário (gre.*gá*.ri:o) *adj.* **1.** Diz-se de animal que vive em bando, em rebanho ou grei (1): *aves gregárias.* **2.** *fig.* Diz-se de pessoa que deseja a companhia de outras; sociável: *O homem é um ser gregário.*

gregarismo (gre.ga.*ris*.mo) *s.m.* **1.** Tendência de certos animais para viverem aglomerados, em bando de indivíduos da mesma espécie: *instinto gregário.* **2.** Tendência dos seres humanos a buscar a companhia e a convivência de outrem; sociabilidade.

grego [ê] (*gre*.go) *adj.* **1.** Da Grécia, país da Europa. • *s.m.* **2.** O natural ou o habitante desse país. **3.** A língua falada na Grécia e seu alfabeto.

gregoriano (gre.go.ri:*a*.no) *adj.* Relativo ao papa Gregório I, que coligiu o cantochão (canto gregoriano), e ao papa Gregório XIII, reformador do calendário que leva seu nome.

grei *s.f.* **1.** Rebanho de gado de pequeno porte. **2.** *fig.* O conjunto dos fiéis de uma paróquia ou de uma diocese: *O sacerdote prega à sua grei.* **3.** *fig.* Sociedade, associação, partido, grêmio.

grelar (gre.*lar*) *v.* (Bot.) Deitar grelos; germinar, brotar (semente, grão, bulbo ou tubérculo): *A batata grelou.* ▶ Conjug. 5.

grelha [é] (*gre*.lha) *s.f.* **1.** Pequena grade de ferro sobre a qual se assam ou torram alimentos. **2.** Grade sobre a qual se põe o carvão nos fornos, fogareiros, fornalhas etc.

grelhado (gre.*lha*.do) *adj.* Assado ou tostado na grelha, na chapa, na frigideira etc.

grelhar (gre.*lhar*) *v.* Assar ou tostar (alimentos) na grelha, na chapa, na frigideira etc.: *Recomendou ao cozinheiro que grelhasse bem a carne.* ▶ Conjug. 9.

grelo [ê] (*gre*.lo) *s.m.* (Bot.) **1.** Broto que se desenvolve da semente, bulbo ou tubérculo. **2.** Haste de algumas plantas antes de desabrocharem as flores. **3.** *chulo* Clitóris.

grêmio (*grê*.mi:o) *s.m.* **1.** Comunidade de indivíduos ou sócios sujeitos a estatutos e regulamentos para um fim recreativo ou instrutivo; associação, sociedade, agremiação: *grêmio recreativo escola de samba.* **2.** Local onde se reúne essa agremiação: *Os alunos estão convocados para uma reunião no grêmio estudantil.*

grená (gre.*ná*) *adj.* **1.** A cor vermelho-castanha da granada (mineral). • *adj.* **2.** Diz-se dessa cor: *Vestia blusa e saia grená.*

grenha (*gre*.nha) *s.f.* **1.** Cabelo emaranhado, em desalinho, revolto; guedelha. **2.** *fig.* Mata densa e emaranhada; matagal, brenha.

greta [ê] (*gre*.ta) *s.f.* **1.** Abertura estreita; fenda; fresta. **2.** Rachadura em terreno causada pelo calor.

gretar (gre.*tar*) *v.* Abrir greta ou rachadura em; fender(-se), rachar(-se): *A seca gretou o solo do sertão; As chuvas chegaram antes que a terra gretasse; A pele ressecada gretou-se.* ▶ Conjug. 8.

greve [é] (*gre*.ve) *s.f.* **1.** Paralisação coletiva do trabalho, decidida em assembleia por assalariados, para sustentar suas reivindicações, enquanto não lhes satisfizerem as pretensões ou não chegarem a um acordo. **2.** Qualquer paralisação coletiva de atividade normal, de caráter reivindicatório ou como forma de protesto político. || *Greve de fome*: recusa de alimento em sinal de protesto, como forma de atrair a atenção das autoridades para suas causas.

grevista (gre.*vis*.ta) *adj.* **1.** Relativo a greve: *movimento grevista.* • *s.m. e f.* **2.** Pessoa que promove ou toma parte em greve.

grid [grid] (Ing.) *s.m.* Parte de uma pista de corridas automobilísticas, na qual um conjunto de marcas no chão demonstra a posição de largada de cada um dos competidores.

grifar

grifar (gri.*far*) v. **1.** Marcar (palavra, número, parte de um texto) com grifo (3); sublinhar: *Grife a resposta certa*. **2.** Utilizar (em texto impresso) o grifo (1) ou itálico: *Ao digitar, grife as palavras estrangeiras*. **3.** *fig.* Pronunciar (algo) com ênfase ou entonação especial; enfatizar, salientar: *O locutor grifava os aspectos positivos do noticiário*. ▶ Conjug. 5.

grife (gri.fe) s.f. **1.** Nome que o fabricante dá a seu produto e que se torna a sua marca característica. **2.** Produto de qualidade.

grifo¹ (gri.fo) adj. **1.** Diz-se de uma forma de letra inclinada para a direita, também conhecida por itálica. • s.m. **2.** Esse tipo de letra. **3.** Traço por baixo das letras ou palavras que se pretende sejam impressas em itálico.

grifo² (gri.fo) s.m. Animal mitológico com corpo de leão e cabeça e asas de águia.

grilado (gri.la.do) adj. **1.** Tomado por apropriação indébita: *terreno grilado*. **2.** *gír.* Preocupado, cismado, incomodado: *Não fique grilado com comentários alheios*.

grilagem (gri.la.gem) s.f. Apropriação ilegal de terras por meio de documentação falsificada.

grilar (gri.lar) v. **1.** Fazer falsos títulos de propriedade de terras: *Pessoas desonestas procuram grilar terras em regiões afastadas do país*. **2.** *gír.* Preocupar(-se) com algo; incomodar(-se), amolar(-se): *A atitude do amigo grilou-o muito*; *Não se grile à toa*. ▶ Conjug. 5.

grileiro (gri.lei.ro) s.m. Indivíduo que se apossa de terrenos alheios por meio de falsos títulos de propriedade.

grilhão (gri.lhão) s.m. **1.** Corrente, geralmente de ferro, formada de anéis encadeados, terminada por duas argolas largas, com que se prendiam as pernas dos condenados. **2.** *fig.* Aquilo que subjuga; jugo; prisão: *os grilhões do despotismo*.

grilo (gri.lo) s.m. **1.** (*Zool.*) Inseto saltador de cor escura e longas antenas, de hábitos noturnos, cujo som estridente se forma nas nervuras das asas do macho. **2.** Propriedade territorial obtida por meio de títulos falsos. **3.** *gír.* Ideia fixa e obsessiva; preocupação, cisma: *Fica cheio de grilo por qualquer coisa*.

grimpa (grim.pa) s.f. **1.** Lâmina móvel do cata-vento. **2.** O ponto mais alto de um edifício, uma árvore etc.; cume, cimo.

grimpante (grim.pan.te) adj. **1.** Que grimpa. **2.** (*Bot.*) Diz-se da planta que se eleva com auxílio de um apoio e que se prende por meio de gavinhas, raízes ou ganchos, enrolando-se ao redor de um suporte.

grimpar (grim.par) v. Subir, trepar, galgar, escalar: *Os alpinistas levaram muito tempo para grimpar a montanha*; *As crianças gostam de grimpar em árvores*. ▶ Conjug. 5.

grinalda (gri.nal.da) s.f. Enfeite para a cabeça em forma de coroa de flores, fitas, pedrarias etc.; guirlanda: *A noiva usava uma grinalda de pequenas flores e pérolas*.

gringo (grin.go) s.m. *pej.* Pessoa estrangeira ou que aparenta ser estrangeiro.

gripado (gri.pa.do) adj. Diz-se de pessoa acometida de gripe.

gripar (gri.par) v. Tornar(-se) gripado: *O tempo frio e úmido gripou-o*; *É preciso cuidado para que as crianças não se gripem*. ▶ Conjug. 5.

gripe (gri.pe) s.f. (*Med.*) Infecção aguda e contagiosa, provocada por vírus e caracterizada por alguns sintomas, como dores de cabeça e de garganta, febre e congestionamento das vias respiratórias. – **gripal** adj.

gris adj. **1.** Cinzento. • s.m. **2.** Cor cinzenta ou seus matizes.

grisalho (gri.sa.lho) adj. **1.** Diz-se do cabelo ou da barba entremeados de fios brancos. **2.** Que tem cabelos grisalhos: *uma senhora grisalha*.

grisu (gri.su) s.m. (*Quím.*) Gás combustível, formado essencialmente de metano, que se desprende espontaneamente das minas de carvão.

grita (gri.ta) s.f. **1.** Gritaria, alarido. **2.** *fig.* Protesto, reclamação, grito (3): *Houve uma grita geral contra o aumento de preços*.

gritante (gri.tan.te) adj. **1.** Que grita. **2.** *fig.* Vivo, forte, berrante (diz-se de cor): *As cortinas do teatro eram de veludo vermelho gritante*. **3.** *fig.* Evidente, claro, manifesto, patente: *O trabalho apresentado tem falhas gritantes*. **4.** *fig.* Que causa protesto ou indignação; clamoroso, revoltante: *uma injustiça gritante*.

gritar (gri.tar) v. **1.** Dar ou soltar gritos: *Todos gritaram, assustados com o tiroteio*. **2.** Dizer ou falar em tom alto; berrar: *Os manifestantes gritavam palavras de ordem*; *A torcida gritava ofensas ao árbitro*; *Fale mais baixo, não grite*. **3.** Chamar aos gritos; bradar, clamar: *Perdidos na mata, os jovens começaram a gritar*; *As vítimas do acidente gritavam por socorro*. **4.** *fig.* Queixar-se, protestar, reclamar: *Ele só sabe gritar, mas não aponta nenhuma solução*; *O povo gritava na rua contra a corrupção*. ▶ Conjug. 5.

gritaria (gri.ta.ri.a) *s.f.* **1.** Profusão de gritos, vozearia; grita (1). **2.** Gritos repetidos ou simultâneos; berreiro.

grito (gri.to) *s.m.* **1.** Som estrepitoso emitido pela voz humana; berro, brado: *grito de alegria; grito de espanto*. **2.** Gritaria, alarido, grita: *De fora, já se ouviam os gritos da festa*. **3.** *fig.* Queixa, protesto, reclamação: *A passeata queria fazer ouvir o grito dos excluídos*. **4.** Voz de certos animais: *o grito das hienas*.

grogue [ó] (gro.gue) *s.m.* **1.** Bebida alcoólica à qual se misturam água, açúcar e casca de limão. • *adj.* **2.** *fig.* Estonteado, atordoado, tonto: *grogue de sono*.

grosa¹ [ó] (gro.sa) *s.f.* Conjunto de doze dúzias.

grosa² [ó] (gro.sa) *s.f.* Lima grossa de ferro ou aço, usada para desbastar madeira.

groselha [é] (gro.se.lha) (*Bot.*) *s.f.* **1.** Fruto de cor vermelho-escura, de uso comestível. **2.** Xarope, suco ou doce feitos desse fruto.

groselheira (gro.se.lhei.ra) *s.f.* (*Bot.*) Planta que produz a groselha.

grosseiro (gros.sei.ro) *adj.* **1.** Indelicado, descortês, rude, grosso: *Não seja grosseiro com ninguém*. **2.** De má qualidade, tosco, malfeito: *Certos produtos são falsificações grosseiras dos originais*. **3.** Indecoroso, indecente, imoral: *piada grosseira*. **4.** *fig.* Áspero, rugoso, grosso: *pele grosseira*.

grosseria (gros.se.ri.a) *s.f.* Atitude ou dito grosseiro; falta de educação, de polidez; indelicadeza, descortesia.

grosso [ô] (gros.so) *adj.* **1.** Que tem grande diâmetro ou volume; volumoso, encorpado: *livro grosso, pernas grossas*. **2.** Denso, espesso, consistente: *sopa grossa*. **3.** Áspero, rugoso, caloso: *pele grossa*. **4.** Grave, baixo (som): *voz grossa*. **5.** *coloq.* Mal-educado, descortês, rude, grosseiro: *um chefe grosso*. • *adv.* **6.** Muito, consideravelmente: *Apostou grosso na loteria*. • *s.m.* **7.** *coloq.* Pessoa grosseira. **8.** A maior parte de: *o grosso da tropa*. ‖ Falar grosso: falar em tom grave, de modo autoritário: *Aquele treinador era conhecido por falar grosso com os atletas*.

grossura (gros.su.ra) *s.f.* **1.** Qualidade ou característica de grosso. **2.** Em um sólido, a dimensão entre a superfície anterior e a posterior; espessura, densidade. **3.** *coloq.* Falta de educação; indelicadeza, descortesia, grosseria: *Suas grossuras eram insuportáveis*.

grota [ó] (gro.ta) *s.f.* **1.** Abertura feita pelas enchentes na ribanceira ou na margem de um rio. **2.** Vale profundo. **3.** Depressão de terreno, sombria e úmida.

grotão (gro.tão) *s.m.* **1.** Grota grande. **2.** Depressão profunda entre duas montanhas; vale. **3.** *coloq.* Lugar longínquo do interior, afastado dos centros urbanos: *Em muitos grotões, é difícil o acesso das urnas eleitorais*.

grotesco [ê] (gro.tes.co) *adj.* **1.** Ridículo, bizarro, caricato: *chapéu grotesco*. • *s.m.* **2.** Caráter do que é extravagante, bizarro, estapafúrdio: *Ninguém percebeu o grotesco da situação*.

grou *s.m.* (*Zool.*) Ave pernalta, de pescoço longo, que vive em zonas pantanosas: *O grou é um animal em extinção*.

grua (gru.a) *s.f.* **1.** (*Zool.*) Fêmea do grou. **2.** Aparelho utilizado para levantar cargas; guindaste. **3.** (*Cine, Telv.*) Espécie de guindaste, utilizado em filmagem ou gravação, para movimentação da câmera e seu operador em tomadas de cena do alto.

grudar (gru.dar) *v.* **1.** Unir(-se), ligar(-se), prender (-se) com grude ou cola: *Grudaram cartazes em todo o bairro; Preciso de uma cola que grude muito; Certas embalagens se grudam ao produto*. **2.** Fazer aderir ou aderir a uma superfície; colar (-se), fixar(-se): *Grudou o rosto na janela do trem; A chuva grudava-lhe a roupa ao corpo; Seus lábios grudaram-se num longo beijo*. **3.** *coloq.* Juntar-se, agarrar-se: *As crianças pequenas se grudam à mãe*. **4.** *coloq.* Fixar(-se), cravar(-se): *Grudou os olhos na paisagem; Seus olhos grudaram-se na figura do pai*. ▶ Conjug. 5.

grude (gru.de) *s.m.* **1.** Espécie de cola para ajustar ou unir peças de madeira. **2.** Qualquer cola forte. **3.** *coloq.* Relação afetiva estreita; apego, chamego. **4.** *gír.* Refeição ou comida malfeita e de má aparência. – **grudento** *adj.*

grugulejar (gru.gu.le.jar) *v.* **1.** Emitir sons vocais (o peru); grugulhar: *Os perus grugulejavam soltos no quintal*. **2.** Imitar a voz do peru: *A água fervente grugulejava no fogão*. ▶ Conjug. 10 e 37.

grugulhar (gru.gu.lhar) *v.* Grugulejar. ▶ Conjug. 5.

grumete [é *ou* ê] (gru.me.te) *s.m.* (*Náut.*) Marinheiro da mais baixa graduação.

grumixama [ch] (gru.mi.xa.ma) *s.f.* **1.** Fruto comestível da grumixameira, de cor roxo-escura, de polpa gelatinosa e levemente ácida. **2.** (*Bot.*) Grumixameira.

grumixameira [ch] (gru.mi.xa.mei.ra) *s.f.* **1.** (*Bot.*) Árvore que produz a grumixama.

grumo (gru.mo) *s.m.* **1.** Grânulo. **2.** Ajuntamen-

gruna

to de pequenos grãos ou de pequenas partículas. **3.** Pequeno coágulo. – **grumoso** *adj.*
gruna (*gru*.na) *s.f.* **1.** Depressão causada pelas águas nas ribanceiras de alguns rios. **2.** Escavação profunda feita pelos garimpeiros em lavras diamantíferas.
grunhido (gru.*nhi*.do) *s.m.* **1.** A voz de certos animais, como o porco e o javali. **2.** *fig.* Resmungo, reclamação.
grunhir (gru.*nhir*) *v.* **1.** Emitir grunhidos (porco, javali e outros animais): *Ouvia-se o animal grunhir na mata.* **2.** Proferir em grunhidos; resmungar: *O prisioneiro grunhia entre dentes frases ininteligíveis; Pare de grunhir sem motivo.* || Para alguns, defectivo nas formas em que ao radical se seguem [o] ou [a]. ▶ Conjug. 66. – **grunhidor** *adj. s.m.*
grupamento (gru.pa.*men*.to) *s.m.* **1.** Ato ou efeito de grupar; agrupamento, grupo. **2.** (*Mil.*) Organização de uma tropa com elementos de armas diferentes.
grupar (gru.*par*) *v.* Agrupar. ▶ Conjug. 5.
grupelho [ê] (gru.*pe*.lho) *s.m.* **1.** Pequeno grupo. **2.** *pej.* Facção ou grupo insignificante, sem maior importância: *O partido procura evitar a formação de grupelhos.* || dim. de grupo.
grupiara (gru.pi:*a*.ra) *s.f.* (*Min.*) Depósito sedimentário diamantífero ou aurífero formado não no leito dos rios, mas na encosta ou nas cristas dos morros. || *gupiara*.
grupo (*gru*.po) *s.m.* **1.** Certo número de pessoas ou objetos reunidos em um mesmo lugar: *grupo de alunos*; *grupo de salas*. **2.** Conjunto de pessoas que têm objetivos, interesses ou causas comuns: *grupo empresarial*; *grupo teatral*. **3.** Conjunto de seres ou coisas que pertencem a uma mesma classificação: *grupo de línguas indígenas*; *grupo de rochas*. || *Grupo atômico*: (*Quím.*) conjunto de elementos químicos que reagem da mesma forma em uma análise. • *Grupo escolar*: estabelecimento de ensino fundamental; escola. • *Grupo sanguíneo*: (*Med.*) cada um dos grupos em que o sangue pode ser classificado de acordo com elementos existentes nos glóbulos vermelhos. || dim.: *grupelho*. – **grupal** *adj.*
gruta (*gru*.ta) *s.f.* Caverna natural ou artificial; lapa.
guabiroba [ó] (gua.bi.*ro*.ba) *s.f.* Planta de frutos comestíveis e de uso medicinal.
guabiru (gua.bi.*ru*) *s.m.* (*Zool.*) Rato preto; ratazana. || *gabiru* (7).

guache (*gua*.che) *s.m.* **1.** Tinta obtida pela combinação de substâncias corantes, água, goma e mel. **2.** Pintura executada com essa tinta: *A pintora expôs seus guaches na galeria de arte.* || *guacho*.
guacho (*gua*.cho) *s.m.* Guache.
guaiaco (guai.*a*.co) *s.m.* **1.** (*Bot.*) Árvore de madeira muito dura e resinosa. **2.** Resina dessa árvore, de uso medicinal, da qual se isola o guaiacol. || *guáiaco*.
guáiaco (*guái*:a.co) *s.m.* (*Bot.*) Guaiaco.
guaiacol (guai.a.*col*) *s.m.* (*Quím.*) Substância cristalina, aromática, obtida pela destilação do guaiaco, usada como expectorante. || *gaiacol*.
guaiamu (guai:a.*mu*) *s.m.* (*Zool.*) Caranguejo grande de casco azul, que vive em tocas à beira-mar. || *guaiamum*.
guaiamum (guai:a.*mum*) *s.m.* (*Zool.*) Guaiamu.
guampa (*guam*.pa) *s.f.* **1.** Chifre de boi. **2.** Copo ou vasilha feitos de chifre.
guanaco (gua.*na*.co) *s.m.* (*Zool.*) Mamífero sul-americano, de até 1,2 m de altura, pelagem densa e coloração castanha: *A lhama e a alpaca são variedades de guanacos.*
guando (*guan*.do) *s.m.* (*Bot.*) Guandu.
guandu (guan.*du*) *s.m.* **1.** (*Bot.*) Erva leguminosa, de flores amarelas e vagens achatadas. **2.** Semente pequena do guandu, semelhante à ervilha, altamente nutritiva. || *guando*.
guapo (*gua*.po) *adj.* **1.** Valente, corajoso, ousado, bravo. **2.** Elegante, belo, garboso.
guará[1] (gua.*rá*) *s.m.* (*Zool.*) Ave da América do Sul e da América Central, de plumagem vermelha e de bico longo meio curvo.
guará[2] (gua.*rá*) *s.m.* (*Zool.*) Mamífero carnívoro, com quase um metro de altura e pelagem avermelhada; também chamado de lobo brasileiro.
guaraná (gua.ra.*ná*) *s.m.* (*Bot.*) **1.** Arbusto encontrado em regiões amazônicas, de propriedades medicinais e excitantes. **2.** O fruto desse arbusto. **3.** Massa muito dura, feita com as sementes desse fruto. **4.** Bebida refrigerante, feita com o pó dessa massa.
guarani (gua.ra.*ni*) *adj.* **1.** Relativo ou pertencente aos guaranis, divisão da grande família dos indígenas do Brasil, Argentina, Paraguai e Bolívia: *arte guarani.* • *s.m.* **2.** Indivíduo dos guaranis. **3.** Língua falada por esses indígenas: *O guarani é reconhecido como língua nacional no Paraguai.* **4.** Unidade monetária do Paraguai.

guarânia (gua.rá.ni:a) s.f. (Mús.) Balada de andamento lento, característica da música paraguaia.

guarda (guar.da) s.f. **1.** Ato ou efeito de guardar. **2.** Proteção, amparo, cuidado: *A testemunha ficou sob a guarda da justiça*. **3.** Responsabilidade, custódia: *Os avós pediram a guarda dos netos*. **4.** Corpo de soldados encarregado da vigilância ou policiamento de quartel, edifício público etc.: *Foi montada uma guarda especial no dia das eleições*. **5.** (*Esp.*) Posição de defesa em esgrima, boxe etc.: *O lutador mantinha a guarda, apesar dos golpes dos adversários*. • s.m. e f. **6.** Pessoa encarregada de guardar, vigiar ou controlar; guardião, vigia, sentinela: *Ao local do acidente acorreram uma guarda municipal e um guarda de trânsito*.

guarda-chaves (guar.da-cha.ves) s.m.2n. Empregado ferroviário encarregado de manobrar as chaves dos entroncamentos e desvios dos trilhos.

guarda-chuva (guar.da-chu.va) s.m. Armação de varetas móveis, coberta de tecido impermeável, que serve para resguardar as pessoas da chuva ou do sol; guarda-sol; sombrinha. || pl.: *guarda-chuvas*.

guarda-costas (guar.da-cos.tas) s.m.2n. **1.** (*Náut.*) Navio destinado a percorrer a costa marítima para reprimir o contrabando e para fins de defesa nacional. **2.** *fig.* Pessoa que acompanha outra para defendê-la de agressões físicas; guardião.

guardador [ô] (guar.da.dor) adj. **1.** Que guarda. • s.m. **2.** Aquele que guarda ou vigia algo. **3.** Pessoa que toma conta dos automóveis estacionados na rua, recebendo pagamento por essa tarefa; flanelinha.

guarda-florestal (guar.da-flo.res.tal) s.m. Empregado do Estado encarregado de fazer observar o código florestal, impedindo a derrubada e a caça ilegal, bem como prevenir incêndios. || pl.: *guardas-florestais*.

guarda-livros (guar.da-li.vros) s.m.2n. Empregado que registra o movimento comercial de uma ou mais firmas; contabilista, contador.

guarda-louça (guar.da-lou.ça) s.m. Armário no qual se guarda a louça. || pl.: *guarda-louças*.

guarda-móveis (guar.da-mó.veis) s.m.2n. Estabelecimento onde, mediante pagamento ajustado, depositam-se móveis.

guardanapo (guar.da.na.po) s.m. Pequena toalha quadrada, de pano ou de papel, com a qual se limpam os lábios durante a refeição.

guarda-noturno (guar.da-no.tur.no) s.m. Indivíduo que, contratado por particulares, guarda, durante a noite, casas, lojas e logradouros públicos; vigia. || pl.: *guardas-noturnos*.

guardar (guar.dar) v. **1.** Vigiar para defender, proteger, preservar: *O policial guarda a entrada do prédio*; *Os pais guardam os filhos dos perigos*. **2.** Pôr em algum lugar; acondicionar, meter: *Ele guardou a roupa na mala*. **3.** Manter em bom estado; conservar: *Alimentos perecíveis só se podem guardar por pouco tempo*. **4.** Conservar em seu poder; reservar, preservar: *Guardou todas as cartas do namorado*. **5.** Reter na memória; lembrar, decorar, memorizar: *Não consegue guardar o nome de ninguém*. **6.** Não revelar; ocultar, calar: *O jovem guardara o juramento*. **7.** Submeter-se a; cumprir, observar, retardar: *guardar o domingo e os dias santos*. **8.** Adiar, delongar, retardar: *Guardou para o fim do mês a apresentação do relatório*. **9.** Abrigar-se, proteger-se, resguardar-se: *guardar-se do mau tempo*; *guardar-se contra os raios solares*. **10.** Acautelar-se, prevenir-se, precaver-se: *Guarde-se dos falsos amigos*; *Guardemo-nos contra as tentações e os vícios*. ▶ Conjug. 5.

guarda-roupa (guar.da-rou.pa) s.m. Armário ou compartimento da casa em que se guardam roupas. || pl.: *guarda-roupas*.

guarda-sol (guar.da-sol) s.m. **1.** Barraca de praia. **2.** Guarda-chuva. || pl.: *guarda-sóis*.

guardião (guar.di:ão) s.m. **1.** Pessoa que acompanha outra para protegê-la ou defendê-la; guarda-costas. **2.** Protetor ou defensor de uma causa: *guardião da moral e dos bons costumes*. **3.** Superior religioso de alguns conventos, como os da ordem franciscana. || f.: *guardiã*; pl.: *guardiães* e *guardiões*.

guariba (gua.ri.ba) s.m. e f. (*Zool.*) Bugio.

guarida (gua.ri.da) s.f. **1.** Covil de feras; toca, antro, cova. **2.** *fig.* Refúgio, asilo, abrigo, proteção. **3.** Guarita (1 e 2).

guarita (gua.ri.ta) s.f. **1.** Cabine, móvel ou não, para abrigo de vigilantes, seguranças, sentinelas etc.; guarida: *Na entrada do condomínio, instalaram uma guarita para os vigias*. **2.** Torre, nos ângulos das antigas fortalezas, para abrigo dos sentinelas.

guarnecer (guar.ne.cer) v. **1.** Prover do necessário; abastecer, munir, municiar, equipar: *Comprou tudo novo para guarnecer a casa própria*; *Procurou guarnecer o apartamento com todo o conforto*. **2.** Ocupar militarmente; fortalecer:

guarnição

guarnecer as fronteiras. **3.** Colocar guarnição (6) em; ornar, adornar, enfeitar: *guarnecer um cortinado; guarnecer a barra do vestido com aplicações de renda.* ▶ Conjug. 41 e 46.

guarnição (guar.ni.*ção*) *s.f.* **1.** Aquilo que guarnece. **2.** (*Mil.*) Conjunto de tropas necessárias para defender ou fortificar determinada localidade. **3.** Essa localidade. **4.** (*Náut.*) Conjunto de marinheiros de um navio ou de um estabelecimento naval de terra; tripulação. **5.** (*Esp.*) Conjunto de remadores de um barco de regata. **6.** Adorno, enfeite, ornato aplicado a um vestido, toalha, cortina etc. **7.** (*Cul.*) Prato de acompanhamento do prato principal em uma refeição: *No restaurante, os pratos de carne vêm acompanhados de guarnições diversas.*

guatemalteco [é] (gua.te.mal.te.co) *adj.* **1.** Da Guatemala, país da América Central. • *s.m.* **2.** O natural ou o habitante desse país.

guaxinim [ch] (gua.xi.*nim*) *s.m.* Pequeno mamífero herbívoro que vive em brejos e manguezais.

gude (*gu*.de) *s.m.* **1.** Jogo infantil com bolinhas de vidro ou de metal, que os jogadores devem fazer entrar em buracos cavados no chão. **2.** Bolinha usada nesse jogo.

guedelha [ê] (gue.de.lha) *s.f.* Cabelo desgrenhado e comprido; grenha. – **guedelhudo** *adj.*

gueixa [ch] (*guei*.xa) *s.f.* Jovem japonesa treinada nas artes de dança, canto e conversação, para o entretenimento de freqüentadores de casas de chá e outros estabelecimentos de diversão e lazer.

guelra (*guel*.ra) *s.f.* (*Zool.*) Brânquia.

guerra [é] (*guer*.ra) *s.f.* **1.** Conflito armado entre nações, povos ou facções por motivos territoriais, econômicos ou ideológicos: *Primeira Guerra Mundial; Guerra Santa.* **2.** Luta, combate: *As gangues de traficantes travam uma guerra constante.* **3.** *fig.* Disputa acirrada, rivalidade, hostilidade, desavença: *Parlamentares do governo e da oposição vivem em guerra declarada na tribuna do congresso.* **4.** *fig.* Combate rígido; coibição, restrição: *guerra às drogas.* || *Guerra bacteriológica*: ação bélica que se caracteriza pelo emprego de micro-organismos como armas de destruição. • *Guerra fria*: estado de hostilidade internacional, caracterizado por uma série de medidas políticas e diplomáticas, que procura impedir o conflito armado. • *Guerra química*: ação bélica em que se empregam substâncias químicas geralmente letais.

guerrear (guer.re:*ar*) *v.* **1.** Travar guerra; combater, lutar: *As forças aliadas guerrearam os exércitos fascistas na Segunda Guerra Mundial; As tropas foram enviadas a guerrear contra os invasores; A divisa do comandante era guerrear até a vitória; Numa guerra civil, cidadãos do mesmo país se guerreiam.* **2.** *fig.* Opor(-se), hostilizar (-se), desavir(-se): *Não é justo guerrear os que discordam de nós; Meus primos vivem sempre a guerrear-se.* ▶ Conjug. 14.

guerreiro (guer.*rei*.ro) *adj.* **1.** Relativo a guerra. **2.** Inclinado à guerra; combativo, belicoso, beligerante: *índole guerreira.* **3.** *fig.* Que se empenha por um objetivo ou uma causa; batalhador, lutador: *Aquela líder dos movimentos sociais é uma guerreira.* • *s.m.* **4.** Aquele que toma parte em guerra; que guerreia: *Prestaram-se homenagens aos guerreiros mortos em combate.*

guerrilha (guer.*ri*.lha) *s.f.* **1.** Forma de combate caracterizada por ações descontínuas, de intimidação e emboscadas, posta em prática por grupos de voluntários armados, que lutam, geralmente em regiões afastadas, contra um poder estabelecido: *Os revolucionários pretendiam organizar uma frente de guerrilha urbana.* **2.** Grupo de combatentes que adota essa forma de ação.

guerrilheiro (guer.ri.*lhei*.ro) *adj.* **1.** Relativo a ou próprio de guerrilha: *acampamento guerrilheiro.* • *s.m.* **2.** Aquele que combate numa guerrilha: *O ataque dos guerrilheiros surpreendeu as bases militares.*

gueto [ê] (*gue*.to) *s.m.* **1.** Bairro onde as comunidades judaicas eram obrigadas a morar, durante o nazismo, particularmente na Europa. **2.** Bairro ou zona onde, por injunções socioeconômicas, vive segregada parte da população.

guia (*gui*.a) *s.f.* **1.** Ato ou efeito de guiar. **2.** Formulário que deve ser preenchido em diversas situações (recolhimento de impostos, pedidos de atendimento médico etc.): *Apresentou a guia médica para as sessões de fisioterapia.* **3.** Documento com que se recebem mercadorias, bagagens ou correspondência: *O caminhoneiro apresentou a guia de seu carregamento ao guarda do posto fiscal.* **4.** *reg.* Meio-fio. **5.** Colar de contas com cores que representam as divindades africanas cultuadas na umbanda: *Usava no peito a guia de seu orixá.* • *s.m. e f.* **6.** Profissional que guia turistas; cicerone. **7.** Pessoa que conduz outras: *guia de cegos.* • *s.m.* **8.** Manual de instrução. **9.** Roteiro de viagens, visitas ou serviços: *guia de museus; guia*

guloso

de hotéis. **10.** *fig.* Ponto de referência; modelo, exemplo: *Meu pai é meu guia.*

guianense (gui:a.*nen*.se) *adj.* **1.** Da República da Guiana ou da Guiana Francesa, países da América do Sul. • *s.m.* **2.** O natural ou o habitante desses países.

guião (gui:*ão*) *s.m.* **1.** Bandeira que se leva à frente de uma procissão. **2.** Estandarte que se levava à frente das tropas. **3.** Soldado que levava esse estandarte. || pl.: *guiões* e *guiães*.

guiar (gui:*ar*) *v.* **1.** Servir de guia a; levar, conduzir: *O cicerone guiava os turistas pelo centro antigo da cidade.* **2.** Orientar(-se), dirigir(-se), encaminhar(-se): *O farol guia as embarcações; Os reis magos se guiaram pela estrela de Belém.* **3.** Dirigir um veículo: *guiar o ônibus escolar; Desde jovem ele guia muito bem.* ▶ Conjug. 17.

guichê (gui.*chê*) *s.m.* Pequena abertura (em parede, porta etc.) pela qual os funcionários de repartições, bancos, bilheterias etc. atendem ao público.

guidão (gui.*dão*) *s.m.* Barra de direção, provida de punhos, que, comandada manualmente, põe em movimento veículos de duas ou mais rodas, como a bicicleta, a motocicleta, o triciclo, o quadriciclo etc. || *guidom*.

guidom (gui.*dom*) *s.m.* Guidão.

guilhotina (gui.lho.*ti*.na) *s.f.* **1.** Instrumento formado por duas traves verticais entalhadas, entre as quais se movimenta uma pesada lâmina cortante, que, desprendida, ocasiona a decapitação dos condenados à morte. **2.** Instrumento provido de lâmina usado para cortar papéis. **3.** Tipo de janela composta de dois caixilhos que se levantam e abaixam verticalmente, com movimento semelhante ao da guilhotina. – **guilhotinar** *v.* ▶ Conjug. 5.

guimba (*guim*.ba) *s.f.* Ponta de cigarro, charuto etc., já fumado; bagana.

guinada (gui.*na*.da) *s.f.* **1.** Desvio brusco e repentino num movimento: *Com uma guinada, o motorista evitou o choque dos veículos.* **2.** *fig.* Mudança radical de comportamento, de atitude: *dar uma guinada na vida.*

guinchar[1] (guin.*char*) *v.* **1.** Soltar guinchos (certos animais); chiar: *Os macacos pulavam e guinchavam no alto das árvores.* **2.** Produzir som semelhante a guincho: *As rodas do carro de bois guinchavam no chão de terra.* ▶ Conjug. 5.

guinchar[2] (guin.*char*) *v.* Içar, arrastar ou rebocar (veículo) com guincho[2] (2): *O reboque guinchou os carros enguiçados até a oficina.* ▶ Conjug. 5.

guincho[1] (*guin*.cho) *s.m.* Som agudo e estridente emitido por pessoas, certos animais ou coisas.

guincho[2] (*guin*.cho) *s.m.* **1.** Pequeno guindaste para levantamento de pequenas cargas. **2.** Veículo com guindaste mecânico para rebocar automóveis avariados ou punidos por transgressão às leis de trânsito; reboque.

guindar (guin.*dar*) *v.* **1.** Levantar, erguer, elevar, içar: *Os iatistas guindaram as velas do barco.* **2.** *fig.* Alçar(-se) a uma posição mais alta; elevar (-se), ascender: *O saber e a experiência guindaram aquele professor à direção do colégio; Guindou-se ao mais alto posto da empresa por seus méritos.* ▶ Conjug. 5. – **guindagem** *s.f.*

guindaste (guin.*das*.te) *s.m.* Maquinismo destinado a levantar e transportar grandes pesos; grua.

guirlanda (guir.*lan*.da) *s.f.* **1.** Coroa de flores, folhagens ou frutos que se pendura como ornamento: *As casas já se enfeitam com as guirlandas de Natal.* **2.** Grinalda.

guisa (*gui*.sa) *s.f.* Usado apenas na locução *à guisa de*. || **À guisa de**: à maneira de; a título de; como: *À guisa de introdução, examinaremos alguns casos recentes.*

guisado (gui.*sa*.do) *adj.* **1.** Preparado com refogado: *legumes guisados.* • *s.m.* **2.** (*Cul.*) Prato, geralmente de carne, refogado com molho bem temperado; ensopado.

guisar (gui.*sar*) *v.* (*Cul.*) Ensopar: *guisar um carneiro.* ▶ Conjug. 5.

guitarra (gui.*tar*.ra) *s.f.* (*Mús.*) Instrumento musical de cordas dedilháveis, dotado de braço e caixa de ressonância. || *Guitarra elétrica*: guitarra cuja caixa de ressonância é ligada por meio de dispositivo eletrônico a um amplificador. – **guitarrista** *s.m.* e *f.*

guizo (*gui*.zo) *s.m.* Pequena esfera oca de metal, que tem dentro uma ou mais bolinhas maciças, que, ao se agitarem, produzem som.

gula (*gu*.la) *s.f.* **1.** Vício de comer e beber em excesso; glutonaria. **2.** Predileção por doces e boas iguarias; gulodice.

gulodice (gu.lo.*di*.ce) *s.f.* **1.** Gula. **2.** Doce ou qualquer iguaria muito apetitosa; guloseima.

guloseima (gu.lo.*sei*.ma) *s.f.* Iguaria muito saborosa; gulodice.

guloso [ô] (gu.*lo*.so) *adj. s.m.* **1.** Que gosta de gulodices. **2.** Que tem o vício da gula; glutão. **3.** *fig.* Que deseja ou ambiciona alguma coisa imoderadamente. • *s.m.* **4.** Pessoa gulosa. || f. e pl.: [ó].

gume (gu.me) s.m. Lado afiado de uma lâmina metálica cortante; corte, fio.

gupiara (gu.pi:a.ra) s.f. Grupiara.

guri (gu.ri) s.m. Menino, garoto, criança ‖ f.: *guria*.

guria (gu.ri.a) s.f. **1.** Menina, garota, criança. **2.** *coloq.* Namorada, garota, mina. ‖ f. de *guri*.

guru (gu.ru) s.m. **1.** Na Índia, líder de uma seita religiosa ou mestre espiritual. **2.** *fig.* Mestre, mentor, conselheiro, guia: *Aquele professor era tido como o guru de seus discípulos.*

gurupés (gu.ru.pés) s.m.2n. (*Náut.*) Mastro na extremidade da proa do navio.

gusa (gu.sa) s.f. Redução de *ferro-gusa*.

gustação (gus.ta.ção) s.f. **1.** Ato de provar comida ou bebida para sentir-lhe o sabor, degustação. **2.** Sentido do gosto; paladar.

gustativo (gus.ta.ti.vo) adj. Relativo ao sentido do gosto.

gutural (gu.tu.ral) adj. **1.** Relativo a garganta. **2.** Diz-se de som rouco, grave, profundo: *voz gutural.* **3.** (*Gram.*) Diz-se da consoante produzida na parte posterior da cavidade bucal com o contato do véu do paladar, como acontece com o g da palavra *gula*; velar.

Hh

h *s.m.* Oitava letra do alfabeto português.

H (*Quím.*) Símbolo de *hidrogênio*.

hã *interj.* **1.** Indica surpresa, admiração. **2.** Expressa interrogação diante de um interlocutor, cuja fala não se ouviu ou não se compreendeu bem.

hábil (*há.bil*) *adj.* **1.** Que executa alguma coisa com perfeição; competente, capaz, capacitado: *É um técnico muito hábil em consertos.* **2.** Que demonstra aptidão ou habilidade; apto, habilidoso: *Meu filho é muito hábil em desenho.* **3.** Inteligente, esperto, sagaz: *um hábil político.* **4.** Dotado de habilidade, agilidade ou destreza: *uma costureira de mãos hábeis.* **5.** (*Jur.*) Que se acha de acordo com as imposições estabelecidas por lei: *O advogado entrou com o recurso em tempo hábil.*

habilidade (ha.bi.li.*da*.de) *s.f.* Qualidade de quem é hábil; competência, habilidade, capacidade.

habilidoso [ô] (ha.bi.li.*do*.so) *adj.* **1.** Que tem ou revela habilidade; apto, capaz, hábil. • *s.m.* **2.** Pessoa habilidosa. || f. e pl.: [ó].

habilitação (ha.bi.li.ta.*ção*) *s.f.* **1.** Ato ou efeito de habilitar(-se). **2.** Aptidão, capacitação, qualificação: *Sem habilitação, não conseguiu o emprego desejado.* **3.** Documento que habilita legalmente (alguém a alguma coisa): *Tem habilitação para dirigir motos e carros.*

habilitar (ha.bi.li.*tar*) *v.* **1.** Tornar(-se) hábil, apto, capaz: *O curso o habilitava para a prova*; *Habilitou-se para disputar o cargo.* **2.** (*Jur.*) Justificar com documentos a habilitação legal própria ou de outra(s) pessoa(s): *O advogado habilitou o cliente para requerer seus direitos*; *Munido de documentação, habilitou-se à posse dos bens herdados.* **3.** Tornar ativo ou operacional: *habilitar um programa de computador*; *habilitar o telefone celular.* ▶ Conjug. 5.

habitação (ha.bi.ta.*ção*) *s.f.* **1.** Ato ou efeito de habitar. **2.** Lugar em que se habita; casa, moradia, residência, vivenda. – **habitacional** *adj.*

habitante (ha.bi.*tan*.te) *adj.* **1.** Que reside habitualmente num lugar. • *s.m.* e *f.* **2.** Pessoa que habita um determinado lugar; morador, residente.

habitar (ha.bi.*tar*) *v.* **1.** Ocupar como residência; viver em; residir, morar: *O temporal desabrigou a população que habitava a encosta dos morros*; *Habitamos há muitos anos nesse bairro.* **2.** Prover de habitantes; povoar, ocupar: *Imigrantes vieram habitar aquelas terras ermas.* ▶ Conjug. 5. – **habitável** *adj.*

habitat (Lat.) *s.m.2n.* Em Ecologia, lugar ou meio habitado por uma espécie animal ou vegetal, que reúne um conjunto de condições ambientais necessárias a sua sobrevivência.

habite-se (ha.*bi*.te-se) *s.m.2n.* Autorização oficial para a habitação de um imóvel, concedida pelo órgão municipal competente.

hábito (*há*.bi.to) *s.m.* **1.** Modo usual de ser ou de agir; uso, costume, regra: *Tem hábitos saudáveis de vida.* **2.** Ação ou uso repetido e frequente: *o hábito da leitura.* **3.** Vestuário de religioso ou religiosa: *O hábito não faz o monge.*

habitual (ha.bi.tu:*al*) *adj.* **1.** Que se faz ou sucede por hábito; usual, costumeiro: *Os jornais são minha leitura habitual.* **2.** Muito frequente; constante, comum: *Saudou a todos com seu habitual bom humor.*

habituar (ha.bi.tu:*ar*) *v.* Fazer adquirir ou adquirir o hábito de; acostumar(-se): *Habituou o filho a arrumar sempre o quarto*; *Habituamo-nos à comunicação pela internet.* ▶ Conjug. 5.

habitué [abitiê] (Fr.) *s.m.* Frequentador assíduo: *Ele é um habitué de concertos.* || f.: *habituée*.

hacker [ráquer] (Ing.) *s.m.* e *f.* (*Inform.*) Pessoa com grande conhecimento de programas e sistemas de computação, que acessa de forma ilegal e viola programas e sistemas alheios, geralmente com fins de pirataria ou falsificação.

hadoque [ó] (ha.*do*.que) *s.m.* (*Zool.*) Peixe semelhante ao bacalhau, encontrado no Atlântico Norte, muito apreciado como alimento.

háfnio

háfnio (*háf*.ni:o) *s.m.* (*Quím.*) Elemento químico usado em reatores nucleares, eletrodos etc. || Símbolo: Hf.

hagiografia (ha.gi:o.gra.*fi*.a) *s.f.* Biografia ou relato da vida dos santos. – **hagiográfico** *adj.*

hagiógrafo (ha.gi:ó.gra.fo) *s.m.* Autor de hagiografias.

hã-hã (hã–hã) *interj. coloq.* Modo de responder afirmativa ou negativamente a uma pergunta, que é caracterizado por entoação especial para cada sentido.

haicai (hai.*cai*) *s.m.* Forma poética japonesa, de apenas três versos, cujo tema é essencialmente a natureza, as variações do tempo e sua influência sobre o ânimo do artista.

haitiano (ha:i.ti:*a*.no) *adj.* **1.** Do Haiti, país da América Central. • *s.m.* **2.** O natural ou o habitante desse país.

hálito (*há*.li.to) *s.m.* **1.** Ar exalado dos pulmões durante a expiração. **2.** O odor da boca. **3.** *fig.* Exalação, emanação, cheiro: *Sentia o hálito bom das flores do jardim.*

halitose [ó] (ha.li.*to*.se) *s.f.* Hálito desagradável; mau hálito.

hall [ról] (Ing.) *s.m.* Saguão.

halo (*ha*.lo) *s.m.* **1.** Círculo luminoso que se forma em torno do Sol ou da Lua, pela refração da luz. **2.** Arco luminoso que rodeia uma fonte de luz qualquer. **3.** Auréola que, nas representações e imagens de santos, circunda-lhes a cabeça ou o corpo.

halogenação (ha.lo.ge.na.*ção*) *s.f.* (*Quím.*) Ato ou efeito de halogenar.

halogenar (ha.lo.ge.*nar*) *v.* Tratar uma substância com um halógeno e fixá-lo em sua molécula: *halogenar um composto.* ▶ Conjug. 5.

halogênio (ha.lo.*gê*.ni:o) *adj.* (*Quím.*) Halógeno.

halogênico (ha.lo.*gê*.ni.co) *adj.* (*Quím.*) Relativo aos elementos halógenos; halogêneo.

halógeno (ha.*ló*.ge.no) *adj.* **1.** Diz-se dos elementos químicos bromo, cloro, flúor e iodo, que existem em estado livre. • *s.m.* **2.** Qualquer um desses elementos.

haltere [é] (hal.*te*.re) *s.m.* Instrumento de ginástica constituído por uma barra de metal com dois discos ajustáveis em suas extremidades, utilizado pelo atleta em exercícios ou em competições esportivas de levantamento de peso.

halterofilia (hal.te.ro.fi.*li*.a) *s.m.* (*Esp.*) Halterofilismo.

halterofilismo (hal.te.ro.fi.*lis*.mo) *s.m.* (*Esp.*) Prática da ginástica com haltere; halterofilia.

halterofilista (hal.te.ro.fi.*lis*.ta) *adj.* **1.** (*Esp.*) Relativo a halterofilismo. • *s.m. e f.* **2.** (*Esp.*) Praticante de halterofilismo.

hálux (*há*.lux) *s.m.* O dedo mais grosso do pé.

hambúrguer (ham.*búr*.guer) *s.m.* **1.** Bife redondo e achatado de carne moída e temperada. **2.** Sanduíche feito com pãozinho redondo e esse bife.

hamster (*rémster*) (Ing.) *s.m.* Pequeno mamífero roedor, de cauda curta e bolsas faciais onde armazena alimentos, muito utilizado como cobaia ou animal de estimação.

handebol (han.de.*bol*) *s.m.* (*Esp.*) Jogo entre duas equipes de sete jogadores, que utilizam apenas as mãos para marcar gols no time adversário: *No handebol, o goleiro é o único jogador que pode usar os pés.*

handicap [rendiquép] (Ing.) *s.m.* **1.** (*Esp.*) Vantagem ou desvantagem que se concede a um competidor (pessoa ou animal), com a finalidade de igualar ou diminuir as chances de vitória de todos os participantes. **2.** *fig.* Aquilo que impede o bom desempenho em qualquer atividade; desvantagem. || É mais usado na primeira acepção.

hangar (han.*gar*) *s.m.* Construção semelhante a um galpão destinada a abrigar aviões ou barcos para guarda ou reparo.

hanseniano (han.se.ni:*a*.no) *adj.* **1.** Relativo a hanseníase ou mal de Hansen. • *s.m.* **2.** Pessoa que sofre de hanseníase.

hanseníase (han.se.*ní*.a.se) *s.f.* Doença infecciosa crônica que afeta principalmente a pele, a mucosa e os nervos; lepra.

hápax [cs] (*há*.pax) *s.m.* Palavra ou expressão de que só existe uma única abonação nos registros da língua.

haraquiri (ha.ra.qui.*ri*) *s.m.* Forma de suicídio praticado no Japão, que consiste em abrir o ventre à faca ou à espada.

haras (*ha*.ras) *s.m.2n.* Fazenda de criação e treinamento de cavalos de corrida; coudelaria.

hardware [rarduér] (Ing.) *s.m.* (*Inform.*) Conjunto de componentes e equipamentos (material eletrônico, monitor, placas, discos etc.) de um computador.

harém (ha.*rém*) *s.m.* **1.** Conjunto de aposentos num palácio muçulmano reservado à habitação das mulheres; serralho. **2.** Conjunto das mulheres que habitam o harém.

harmonia (har.mo.*ni*.a) *s.f.* **1.** Disposição bem ordenada entre as partes de um todo; simetria, proporção, equilíbrio: *a harmonia do universo.*

haver

2. Acordo, concórdia, paz: *Naquele lar, todos vivem em perfeita harmonia.* **3.** (*Mús.*) Combinação simultânea de notas num acorde.
harmônica (har.*mô*.ni.ca) *s.f.* (*Mús.*) **1.** Gaita de boca. **2.** Espécie de acordeão; sanfona.
harmônico (har.*mô*.ni.co) *adj.* **1.** Relativo a harmonia. **2.** Que tem harmonia; bem proporcionado; regular, simétrico: *um conjunto harmônico de casas e lojas.* **3.** Em que há acordo ou conformidade; coerente, conforme: *Os entrevistados deram declarações harmônicas sobre o tema.*
harmônio (har.*mô*.ni:o) *s.m.* (*Mús.*) Instrumento da família do órgão, com foles e teclado, acionado por pedais.
harmonioso [ô] (har.mo.ni:o.so) *adj.* **1.** Que tem harmonia, em que há harmonia; proporcionado, simétrico, harmônico: *um estilo harmonioso.* **2.** Que está em conformidade, coerente, acorde, justo: *uma conjunção harmoniosa de interesses entre os partidos políticos.* **3.** Que produz efeito agradável ao ouvido ou à vista: *um coro de vozes harmoniosas; uma coreografia harmoniosa.* || f. e pl.: [ó].
harmonista (har.mo.*nis*.ta) *s.m. e f.* (*Mús.*) Pessoa que toca harmônio.
harmonização (har.mo.ni.za.*ção*) *s.f.* Ato ou efeito de harmonizar.
harmonizar (har.mo.ni.*zar*) *v.* **1.** Pôr(-se) em harmonia ou em acordo; compatibilizar(-se), conciliar(-se): *Conseguiu harmonizar as opiniões conflitantes; É necessário harmonizar a receita com a despesa; Queria uma decoração em que tudo harmonizasse; O casal se harmonizava à perfeição.* **2.** (*Mús.*) Compor ou entoar em harmonia: *harmonizar vozes; O festival revelou músicos que sabem harmonizar bem.* ▶ Conjug. 5. – **harmonizante** *adj.*
harpa (*har*.pa) *s.f.* (*Mús.*) Instrumento em forma de uma grande estrutura triangular de madeira, na qual estão estendidas cordas dedilháveis de comprimento desigual, provido de um mecanismo de pedais: *A harpa é um instrumento musical conhecido desde a mais remota antiguidade.*
harpear (har.pe:*ar*) *v.* **1.** Tocar (composição musical) na harpa: *Harpeou uma canção.* **2.** Tocar harpa: *Harpeou magistralmente.* || *harpejar.* ▶ Conjug. 14.
harpejar (har.pe.*jar*) *v.* Harpear. ▶ Conjug. 10 e 37.
harpista (har.*pis*.ta) *s.m. e f.* (*Mús.*) Pessoa que toca harpa.

hasta (*has*.ta) *s.f.* **1.** Arma defensiva; espécie de lança. **2.** Leilão. || *Hasta pública*: (*Jur.*) Leilão de bens promovido pelo poder público.
haste (*has*.te) *s.f.* **1.** Peça de madeira ou metal que se ergue para fixar ou sustentar alguma coisa: *haste da cruz.* **2.** Pau da bandeira; mastro. **3.** Parte do vegetal que se eleva do solo e serve de suporte aos ramos, flores ou frutos; caule, tronco.
hasteamento (has.te:a.*men*.to) *s.m.* Ato ou efeito de hastear.
hastear (has.te:*ar*) *v.* Elevar(-se) ou prender(-se) no alto de uma haste ou mastro; levantar(-se), erguer(-se), içar(-se): *Hastearam a bandeira do colégio; O pavilhão nacional hasteava-se entre as bandeiras dos demais países.* ▶ Conjug. 14.
haurir (hau.*rir*) *v.* **1.** Retirar para fora de lugar profundo; extrair: *haurir diamantes da mina.* **2.** Esgotar, consumir, esvaziar: *haurir a taça de champanha.* **3.** Aspirar, sorver, absorver: *haurir o perfume do frasco.* **4.** *fig.* Extrair, colher, recolher: *Procurava haurir forças para a luta da vida.* || Para alguns, não é defectivo nas formas em que ao radical se seguem [o] ou [a]. ▶ Conjug. 84 e 66.
hausto (*haus*.to) *s.m.* **1.** Ato ou efeito de haurir. **2.** Gole, trago. **3.** *fig.* Energia, força, ânimo.
havaiano (ha.vai.*a*.no) *adj.* **1.** Do Havaí, arquipélago dos Estados Unidos. • *s.m.* **2.** O natural ou o habitante desse arquipélago.
havana (ha.*va*.na) *adj.* **1.** Charuto feito de tabaco cubano. **2.** A cor castanho-clara desse tabaco. • *adj.* **3.** Que é dessa cor: *bolsa e sapatos havana.*
haver (ha.*ver*) *v.* **1.** Ter existência (material ou espiritual); ser, existir: *Há atualmente cerca de 180 milhões de habitantes no país; Há um anseio de paz no mundo todo.* **2.** Acontecer, ocorrer, suceder: *Houve muitos acidentes na estrada no feriado prolongado.* **3.** Realizar-se, efetuar-se, dar-se: *Haverá reuniões semanais para avaliação dos resultados.* **4.** Transcorrer, decorrer, passar (tempo); fazer: *Há muito tempo não o vejo.* **5.** Produzir-se (fenômeno natural); fazer: *Havia uma névoa seca sobre a enseada.* **6.** Proceder, portar-se, conduzir-se: *O parlamentar se houve bem na entrevista coletiva.* **7.** Prestar contas a; entender-se, avir-se: *Os maus políticos se haverão com seus eleitores.* || É usado também como auxiliar: **1.** seguido de particípio, forma os tempos compostos do pretérito: *Todos os convidados haviam chegado à hora marcada.* **2.** seguido da preposição *de*

mais infinitivo, forma o futuro composto, para expressar decisão, resolução, dever: *Hei de corresponder às expectativas de meus pais.* • **haveres** s.m.pl. **8.** Conjunto de bens e riquezas de uma pessoa: *Ele administra muito bem seus haveres.* || *Haja o que houver*: aconteça o que acontecer; custe o que custar. • *Haver por bem*: considerar certo e oportuno; concordar, assentir: *Os credores houveram por bem perdoar-lhe as dívidas.* ▶ Conjug. 2.

haxixe [ch...ch] (ha.*xi*.xe) s.m. Droga de efeito entorpecente, feita com as flores de um tipo de cânhamo.

He (Quím.) Símbolo de *hélio*.

hebdomadário (heb.do.ma.*dá*.ri:o) adj. **1.** Semanal. **2.** Publicado uma vez por semana. • s.m. **3.** Publicação periódica semanal; semanário.

hebraico (he.*brai*.co) adj. **1.** Relativo aos hebreus. • s.m. **2.** Língua falada pelos hebreus; hebreu.

hebreia [éi] (he.*brei*.a) adj. s.m. Feminino de hebreu.

hebreu (he.*breu*) adj. **1.** Que pertence ou se refere aos hebreus, povo semita cuja história é narrada no Velho Testamento. • s.m. **2.** A língua hebraica. **3.** Indivíduo do povo hebreu; judeu. || f.: *hebreia*.

hecatombe (he.ca.*tom*.be) s.f. **1.** Massacre de um grande número de pessoas; matança, mortandade. **2.** Grande desastre; calamidade, catástrofe: *As nações tomam medidas contra uma hecatombe nuclear.*

hectare (hec.*ta*.re) s.m. Unidade de medida agrária, equivalente a dez mil metros quadrados.

hediondo (he.di:*on*.do) adj. Que causa horror, repulsa ou indignação; horrendo, repulsivo, abjeto, sórdido: *São severas as penas para os crimes hediondos.* – **hediondez** s.f.

hedonismo (he.do.*nis*.mo) s.m. **1.** (*Filos.*) Doutrina moral que considera o prazer e a felicidade o bem supremo da vida. **2.** Estilo de vida inspirado nessa doutrina: *A sociedade moderna é muitas vezes criticada por seu individualismo e hedonismo.*

hedonista (he.do.*nis*.ta) adj. **1.** Que é partidário do hedonismo. • s.m. e f. **2.** Pessoa partidária do hedonismo.

hegemonia (he.ge.mo.*ni*.a) s.f. **1.** Supremacia política de um Estado: *O ideal de paz exclui a hegemonia de uma nação sobre outras.* **2.** *fig.* Preponderância, supremacia, liderança, superioridade: *O país detém a hegemonia no campo dos biocombustíveis.*

hegemônico (he.ge.*mô*.ni.co) adj. Relativo a hegemonia; dominante, preponderante.

hégira (*hé*.gi.ra) s.f. **1.** Era dos muçulmanos, que tem início no ano 622 do nosso calendário, data da fuga do profeta Maomé de Meca para Medina. **2.** Essa fuga. **3.** *fig.* Qualquer fuga ou partida.

hein interj. Hem.

helênico (he.*lê*.ni.co) adj. **1.** Da Hélade ou Grécia antiga. • s.m. **2.** O natural da Grécia antiga.

helenismo (he.le.*nis*.mo) s.m. **1.** Palavra, expressão ou construção próprias da língua grega. **2.** A civilização grega. **3.** Admiração e imitação da arte, cultura e do pensamento filosófico da Grécia antiga.

helenista (he.le.*nis*.ta) s.m. e f. Especialista em língua, cultura e antiguidade gregas.

heleno (he.*le*.no) adj. Grego.

hélice (*hé*.li.ce) s.f. **1.** Dispositivo formado por duas ou três hastes giratórias, que funcionam como elemento de propulsão ou tração de aviões e embarcações. **2.** Peça do ventilador, com pás giratórias, que realiza o movimento do ar para refrigeração do ambiente.

helicoidal (he.li.coi.*dal*) adj. **1.** Em forma de hélice. **2.** Que se assemelha à hélice; helicoide.

helicoide (he.li.*coi*.de) adj. Helicoidal.

helicóptero (he.li.*cóp*.te.ro) s.m. (*Aer.*) Aeronave provida de uma grande hélice sobre seu teto, cujo giro lhe permite decolar e aterrissar verticalmente, bem como estabilizar-se no ar.

hélio (*hé*.li:o) s.m. (*Quím.*) Elemento químico, da família dos gases nobres, utilizado para inflar balões e dirigíveis, na refrigeração de reatores nucleares, na diluição de oxigênio para respiração de pacientes e mergulhadores etc. || Símbolo: He.

heliocêntrico (he.li:o.*cên*.tri.co) adj. (*Astron.*) **1.** Referente ao Sol como centro do sistema planetário. **2.** Concernente a heliocentrismo.

heliocentrismo (he.li:o.cen.*tris*.mo) s.m. (*Astron.*) Teoria segundo a qual os planetas giram em torno do Sol: *Copérnico foi o astrônomo que formulou a teoria do heliocentrismo.*

heliotropia (he.li:o.tro.*pi*.a) s.f. Heliotropismo.

heliotrópio (he.li:o.*tró*.pi:o) s.m. **1.** (*Bot.*) Planta ornamental, cuja flor se volta para o Sol; girassol. **2.** (*Min.*) Pedra de cor esverdeada com pontos vermelhos, encontrada no Brasil.

heliotropismo (he.li:o.tro.*pis*.mo) *s.m.* (*Bot.*) Movimento das plantas segundo a orientação da luz do Sol. – **heliotrópico** *adj.*

heliporto [ô] (he.li.*por*.to) *s.m.* Aeroporto para pouso e decolagem de helicópteros.

hem *interj.* **1.** Expressa interrogação diante de um ou mais interlocutores, cuja fala não se ouviu ou não se compreendeu perfeitamente; hein. **2.** Indica surpresa, espanto, admiração. **3.** Equivale ao sentido de "não é verdade?": *Você nunca desanima, hem?*

hemácia (he.*má*.ci:a) *s.f.* (*Anat.*) Glóbulo vermelho do sangue.

hemático (he.*má*.ti.co) *adj.* (*Biol.*) Relativo a ou pertencente ao sangue.

hematita (he.ma.*ti*.ta) *s.f.* (*Min.*) Principal minério de ferro, de cor cinza ou preta, com forte brilho metálico, usado industrialmente e como pedra de adorno pessoal: *um colar de hematitas*.

hematófago (he.ma.*tó*.fa.go) *adj.* (*Zool.*) Diz-se de animal que se alimenta de sangue, como certos insetos e os carrapatos.

hematologia (he.ma.to.lo.*gi*.a) *s.f.* (*Med.*) Especialidade médica que trata da fisiologia do sangue e de suas doenças e tratamentos. – **hematológico** *adj.*

hematologista (he.ma.to.lo.*gis*.ta) *s.m.* e *f.* Especialista em Hematologia.

hematoma (he.ma.*to*.ma) *s.m.* (*Med.*) Acúmulo localizado de sangue, geralmente coagulado, em um órgão ou tecido, devido a um traumatismo ou à ruptura de um vaso sanguíneo.

hematose [ó] (he.ma.*to*.se) *s.f.* (*Med.*) Conjunto das trocas que ocorrem nos pulmões entre o ar e o sangue, ocasionando transformação do sangue venoso em arterial.

hemeroteca [é] (he.me.ro.*te*.ca) *s.f.* Seção de biblioteca na qual se guardam coleções de jornais, revistas e outros periódicos.

hemiciclo (he.mi.*ci*.clo) *s.m.* **1.** Semicírculo. **2.** Espaço semicircular, provido de bancadas para receber espectadores; anfiteatro.

hemiplegia (he.mi.ple.*gi*.a) *s.f.* (*Med.*) Paralisia total ou parcial de um lado do corpo. – **hemiplégico** *adj.*

hemisférico (he.mis.*fé*.ri.co) *adj.* Que tem forma de hemisfério.

hemisfério (he.mis.*fé*.ri:o) *s.m.* (*Geom.*) **1.** Cada uma das metades de uma esfera. **2.** (*Geogr.*) Cada uma das metades norte e sul, leste e oeste em que a Terra é imaginariamente dividida pela linha do equador ou de um meridiano. **3.** (*Astron.*) Cada uma das metades do globo celeste. **4.** (*Anat.*) Cada uma das metades laterais do cérebro.

hemocentro (he.mo.*cen*.tro) *s.m.* Banco de sangue.

hemodiálise (he.mo.di:*á*.li.se) *s.f.* (*Med.*) Método de filtração do sangue por meio de um rim artificial.

hemodinâmica (he.mo.di.*nâ*.mi.ca) *s.f.* (*Biol.*) Estudo das características físicas da circulação (normal ou patológica) do sangue no sistema cardiovascular. – **hemodinâmico** *adj.*

hemofilia (he.mo.fi.*li*.a) *s.f.* (*Med.*) Deficiência congênita hereditária de coagulação do sangue, transmitida como caráter recessivo pelas mulheres aos filhos do sexo masculino, que se caracteriza por predisposição a hemorragias dificilmente controláveis, espontâneas ou causadas por traumatismos. – **hemofílico** *adj.*

hemoglobina (he.mo.glo.*bi*.na) *s.f.* (*Biol.*) Proteína contendo ferro, encontrada nos glóbulos vermelhos, cuja principal função é o transporte do oxigênio dos pulmões para os tecidos.

hemograma (he.mo.*gra*.ma) *s.m.* **1.** Análise do sangue (glóbulos vermelhos e brancos, plaquetas etc.), feita em laboratório. **2.** Registro escrito ou representação gráfica desse exame: *Levou o hemograma a seu médico particular.*

hemoptise (he.mop.*ti*.se) *s.f.* (*Med.*) Expectoração de sangue proveniente dos pulmões ou das vias respiratórias inferiores (laringe, traquéia, brônquios), ocasionada por lesão de vasos arteriais.

hemorragia (he.mor.ra.*gi*.a) *s.f.* (*Med.*) Derramamento de sangue, causada por ruptura de vasos sanguíneos; sangramento. – **hemorrágico** *adj.*

hemorroida (he.mor.*roi*.da) *s.f.* (*Anat.*) **1.** Cada uma das veias varicosas do ânus ou do reto. • *hemorroidas s.f.pl.* **2.** (*Med.*) Dilatação patológica dessas veias.

hemóstase (he.*mós*.ta.se) *s.f.* (*Med.*) Ação ou efeito de estancar uma hemorragia; hemostasia.

hemostasia (he.mos.ta.*si*.a) *s.f.* Hemóstase.

hena (he.na) *s.f.* **1.** (*Bot.*) Arbusto originário da África, de cujas folhas e casca se extrai um corante castanho-alaranjado. **2.** Esse corante, usado como tintura de cabelo.

hendecaedro [é] (hen.de.ca.*e*.dro) *s.m.* (*Geom.*) Poliedro de 11 faces.

hendecassílabo

hendecassílabo (hen.de.cas.sí.la.bo) *adj.* **1.** Diz-se de verso que tem 11 sílabas. • *s.m.* **2.** Esse verso.

henê (he.*nê*) *s.m.* Produto obtido das folhas de hena secas e trituradas, usado como tintura ou alisador de cabelo. || Da marca registrada *Henê*.

heparina (he.pa.*ri*.na) *s.f.* (*Quím.*) Substância anticoagulante natural, presente no fígado.

hepático (he.*pá*.ti.co) *adj.* **1.** Relativo a ou pertencente ao fígado. **2.** Que sofre do fígado. • *s.m.* **3.** Pessoa que sofre do fígado.

hepatite (he.pa.*ti*.te) *s.f.* (*Med.*) Inflamação aguda ou crônica do fígado, causada geralmente por infecção viral ou pela ação de agentes tóxicos.

heptaedro [é] (hep.ta.e.dro) *s.m.* (*Geom.*) Polígono de sete faces.

heptágono (hep.*tá*.go.no) *s.m.* (*Geom.*) Polígono de sete lados e sete ângulos.

heptassílabo (hep.tas.sí.la.bo) *adj.* **1.** Diz-se de verso que tem sete sílabas; setissílabo. • *s.m.* **2.** Esse verso; setissílabo.

hera [é] (*he*.ra) *s.f.* (*Bot.*) Planta trepadeira, muito usada como ornamental, sempre verde, cujo caule se agarra a muros ou aos troncos das árvores, com numerosas e delgadas raízes. || Conferir com *era*.

heráldica (he.*rál*.di.ca) *s.f.* Arte ou ciência que têm como objeto a composição (emblemas, divisas, cores etc.) dos brasões e seu significado.

heráldico (he.*rál*.di.co) *adj.* **1.** Que diz respeito a Heráldica e a brasões. **2.** *fig.* Distinto, nobre, aristocrático: *Era um cavalheiro de porte heráldico.* • *s.m.* **3.** Heraldista.

heraldista (he.ral.*dis*.ta) *s.m. e f.* Especialista em Heráldica.

herança (he.*ran*.ça) *s.f.* **1.** (*Jur.*) Aquilo que se herda por disposição testamentária ou por via de sucessão. **2.** (*Jur.*) Patrimônio deixado por alguém em razão de seu falecimento; espólio. **3.** (*Biol.*) Aquilo que se transmite por hereditariedade: *herança genética*. **4.** *fig.* Aquilo que foi transmitido pelas gerações anteriores a seus descendentes; legado: *O senso de justiça foi a herança maior que meus pais me deixaram.*

herbáceo (her.*bá*.ce:o) *adj.* (*Bot.*) Relativo a erva; que tem as características de erva.

herbanário (her.ba.*ná*.ri:o) *s.m.* Lugar onde se cultivam e se comercializam ervas medicinais; ervanário.

herbário (her.*bá*.ri:o) *s.m.* **1.** Coleção de plantas secas conservadas para fins de pesquisa científica. **2.** Local onde ficam essas plantas.

herbicida (her.bi.*ci*.da) *adj.* **1.** Diz-se de substância usada na destruição de ervas daninhas. • *s.m.* **2.** Essa substância.

herbívoro (her.*bí*.vo.ro) *adj.* **1.** Que se alimenta de erva ou de vegetais. • *s.m.* **2.** Animal herbívoro.

herborista (her.bo.*ris*.ta) *s.m. e f.* Pessoa que estuda as propriedades das plantas e se dedica a seu cultivo ou promove sua comercialização.

hercúleo (her.*cú*.le:o) *adj.* **1.** Que tem força descomunal: *um guerreiro hercúleo*. **2.** Que exige muito esforço e energia: *Está empenhado numa tarefa hercúlea*.

herdar (her.*dar*) *v.* **1.** Receber por herança: *O único filho herdou tudo; Herdará dos padrinhos uma grande fortuna.* **2.** Adquirir por laços de parentesco ou hereditariedade: *As filhas herdaram os belos traços da mãe.* **3.** Deixar ou transmitir por herança; legar: *Herdou aos filhos todo o seu patrimônio.* **4.** *fig.* Receber por transmissão ou legado; passar a ter; receber: *O novo governante herdou os problemas econômicos dos governos anteriores.* ▶ Conjug. 8.

herdeiro (her.*dei*.ro) *s.m.* **1.** Pessoa que, por direito de sucessão ou disposição testamentária, herda bens, direitos ou obrigações de outrem; legatário. **2.** Aquele que herda, por laços de parentesco ou hereditariedade, certas características físicas ou morais. **3.** *fig.* Que recebe e dá continuidade à herança cultural de gerações anteriores: *O choro é herdeiro das raízes musicais urbanas do Rio de Janeiro.* **4.** *fam.* Filho.

hereditariedade (he.re.di.ta.ri:e.*da*.de) *s.f.* **1.** Condição ou qualidade de hereditário. **2.** (*Biol.*) Processo biológico de transmissão de caracteres de uma geração a outras através da informação contida nos genes.

hereditário (he.re.di.*tá*.ri:o) *adj.* **1.** Relativo a herança ou a hereditariedade. **2.** Que se transmite de ascendentes a descendentes por hereditariedade: *A hemofilia é uma doença hereditária.*

herege [é] (he.re.ge) *adj.* **1.** Que professa ou sustenta heresia. **2.** Que professa ou sustenta ideias contrárias às geralmente admitidas. **3.** *coloq.* Ímpio, ateu, incrédulo. • *s.m. e f.* **4.** Pessoa herege.

heresia (he.re.*si*.a) *s.f.* **1.** Doutrina cristã que, em matéria de fé, sustenta uma interpretação repudiada como falsa pela Igreja Católica. **2.** Dito ou atitude de desrespeito à religião. **3.** Afirmação ou interpretação divergentes dos princípios já estabelecidos por uma sociedade, um grupo etc. **4.** *fig.* Opinião contrária à maioria; contra-senso, disparate, tolice: *Algumas ideias soam como heresia para certos economistas.*

herético (he.ré.ti.co) *adj.* **1.** Relativo a heresia, em que há heresia. • *s.m.* **2.** Pessoa herética; herege.

hermafrodita (her.ma.fro.di.ta) *adj.* **1.** Que possui os dois sexos; bissexual. • *s.m.* e *f.* **2.** Pessoa, animal ou vegetal dotados de órgãos sexuais masculinos e femininos.

hermafroditismo (her.ma.fro.di.tis.mo) *s.m.* (*Biol.*) Distúrbio do desenvolvimento embrionário que leva à formação em um mesmo indivíduo de caracteres sexuais de um e de outro sexo.

hermeneuta (her.me.neu.ta) *s.m.* e *f.* Especialista em Hermenêutica.

hermenêutica (her.me.nêu.ti.ca) *s.f.* Ciência que tem por objeto a interpretação de textos, especialmente os religiosos, filosóficos e jurídicos.

hermenêutico (her.me.nêu.ti.co) *adj.* Relativo a Hermenêutica.

hermético (her.mé.ti.co) *adj.* **1.** Totalmente fechado; impermeável à saída e entrada de ar. **2.** *fig.* De difícil compreensão; obscuro, ininteligível: *A linguagem técnica é muitas vezes hermética para os leigos.*

hermetismo (her.me.tis.mo) *s.m.* Caráter do que é hermético, difícil de compreender ou interpretar.

hérnia (hér.ni:a) *s.f.* (*Med.*) Projeção de um órgão (ou de uma outra estrutura) através da parede da cavidade que normalmente o contém. – **hernioso** *adj. s.m.*

herói (he.rói) *s.m.* **1.** Indivíduo dotado de coragem extraordinária ou notabilizado pelos grandes feitos: *Tiradentes, o herói da Inconfidência Mineira.* **2.** Indivíduo de grande abnegação, com o sentimento do dever para com seus semelhantes: *Os bombeiros foram verdadeiros heróis no resgate das vítimas do incêndio.* **3.** *fig.* Personagem principal de uma obra de ficção (literária, dramática, cinematográfica ou televisiva); protagonista: *Nas novelas, o herói sempre vence o vilão.* **4.** (*Mit.*) Filho da união de um deus ou uma deusa com um ser humano; semideus.

heroicidade (he.ro:i.ci.da.de) *s.f.* Heroísmo.

heroico [ói] (he.roi.co) *adj.* **1.** Que é próprio de herói ou que denota heroísmo: *gesto heroico.* **2.** Que procede com heroísmo: *soldados heroicos.*

heroína[1] (he.ro:í.na) *s.f.* **1.** Mulher notabilizada por sua coragem e por feitos extraordinários: *Maria Quitéria, heroína da Independência.* **2.** *fig.* Personagem principal de uma obra de ficção; protagonista: *José de Alencar tem, em seus romances, uma galeria de heroínas românticas.*

heroína[2] (he.ro:í.na) *s.f.* (*Quím.*) Droga derivada da morfina, com propriedades narcóticas, que causa dependência física.

heroísmo (he.ro:ís.mo) *s.m.* Qualidade, atitude ou feito de herói; heroicidade.

herpes [é] (her.pes) *s.m.2n.* (*Med.*) Doença inflamatória aguda, causada por um herpes-vírus e caracterizada pela erupção de pequenas bolhas na pele.

herpes-vírus (her.pes-ví.rus) *s.m.2n.* (*Med.*) Grupo de vírus causadores de diferentes tipos de herpes.

herpes-zóster (her.pes-zós.ter) *s.m.* (*Med.*) Doença infecciosa aguda, que provoca intensas dores, causada pela inflamação dos gânglios e suas áreas de atuação e caracterizada pelo aparecimento de pequenas bolhas agrupadas; cobreiro. || pl.: *herpes-zósteres.*

herpético (her.pé.ti.co) *adj.* **1.** Que tem a natureza de herpes. **2.** Que sofre de herpes.

hertz [é] *s.m.* (*Fís.*) Unidade de frequência equivalente a um ciclo por segundo. || Símbolo: *Hz.* – **hertziano** *adj.*

hesitação (he.si.ta.ção) *s.f.* Ato ou efeito de hesitar; indecisão, vacilação.

hesitante (he.si.tan.te) *adj.* Que hesita; indeciso, vacilante, inseguro.

hesitar (he.si.tar) *v.* **1.** Ficar indeciso, em dúvida; vacilar: *Hesitava em acreditar no que ouvia; Hesitou entre poupar ou gastar o dinheiro; Não hesite mais, tome logo uma decisão.* **2.** Exprimir-se de forma confusa e vacilante; gaguejar, titubear: *O aluno hesitava nas respostas ao examinador.* ▶ Conjug. 5.

heterodoxia [cs] (he.te.ro.do.xi.a) *s.f.* **1.** Condição ou caráter de heterodoxo. **2.** Oposição a princípios, normas ou padrões convencionais (das religiões, ciências ou artes).

heterodoxo [ócs] (he.te.ro.do.xo) *adj.* Que está em oposição a princípios ou modelos vigentes: *Foram criticadas as medidas heterodoxas da economia.*

heterófono

heterófono (he.te.ró.fo.no) *adj.* (*Gram.*) Diz-se de palavra de grafia igual à de uma outra e pronúncia diferente: *Molho* (substantivo) e *molho* (flexão do verbo molhar) são heterófonos. – **heterofonia** *s.f.*; **heterofônico** *adj.*

heterogêneo (he.te.ro.gê.ne:o) *adj.* Que é constituído por partes ou elementos diferentes e variados: *uma turma heterogênea; uma mistura heterogênea de cores e sabores.* – **heterogeneidade** *s.f.*

heterônimo (he.te.rô.ni.mo) *s.m.* Nome imaginário que é utilizado por um autor para indicar, dentro de sua própria obra, um criador com características diferentes: *Ler Fernando Pessoa é ler seus inúmeros heterônimos.*

heterossexual [cs] (he.te.ros.se.xu:*al*) *adj.* **1.** Que sente atração por ou mantém relações sexuais com pessoa do sexo oposto. • *s.m. e f.* **2.** Pessoa heterossexual.

heterossexualidade [cs] (he.te.ros.se.xu:a.li.*da*.de) *s.f.* Heterossexualismo.

heterossexualismo [cs] (he.te.ros.se.xu:a.*lis*.mo) *s.m.* **1.** Tendência a ou prática da relação heterossexual. **2.** Condição de heterossexual.

heureca [é] (heu.re.ca) *interj.* Expressão usada ao ser encontrada a solução de problema difícil. || *eureca.*

heurística (heu.rís.ti.ca) *s.m.* (*Hist.*) Ciência da investigação e descoberta dos fatos através da pesquisa de fontes e documentos. – **heurístico** *adj.*

hexacampeão [cs ou z] (he.xa.cam.pe:ão) *adj.* **1.** Que foi seis vezes campeão. • *s.m.* **2.** Pessoa hexacampeã. – **hexacampeonato** *s.m.*

hexágono [cs ou z] (he.xá.go.no) *s.m.* (*Geom.*) Polígono de seis lados. – **hexagonal** *adj.*

Hf (*Quím.*) Símbolo de *háfnio.*

Hg (*Quím.*) Símbolo de *mercúrio.*

hialino (hi:a.*li*.no) *adj.* **1.** Relativo a vidro. **2.** Semelhante ao vidro; transparente, translúcido.

hiato (hi:*a*.to) *s.m.* **1.** (*Ling.*) Encontro de duas vogais que pertencem a sílabas diferentes, como em *rainha, saúde* etc. **2.** (*Anat.*) Fenda ou abertura no corpo humano: *hiato de Fallopio.* **3.** *fig.* Intervalo, interrupção, lacuna: *Houve um hiato de tempo entre a aprovação e a admissão para o cargo que pleiteava.*

hibernação (hi.ber.na.*ção*) *s.f.* **1.** (*Zool.*) Estado de entorpecimento total ou parcial a que estão sujeitos certos animais durante o inverno. **2.** Período durante o qual hibernam certos animais.

hibernar (hi.ber.*nar*) *v.* Passar (o animal) o inverno numa espécie de sono, em que há total ou parcial entorpecimento; invernar: *A diminuição da temperatura corporal leva certos animais, como o urso, a hibernarem.* ▶ Conjug. 8.

híbrido (*hí*.bri.do) *adj.* **1.** (*Biol.*) Que é (animal ou vegetal) originário do cruzamento de espécies diferentes: *Cultivava flores híbridas.* **2.** (*Ling.*) Formado por elementos tomados de línguas diferentes, como *televisão, tele* (grego) e *visão* (do latim). **3.** *fig.* Composto por elementos diferentes: *Escrevia num estilo híbrido de sentimentalismo e ironia.* – **hibridismo** *s.m.*

hidra (hi.dra) *s.f.* (*Biol.*) Animal diminuto, de forma cilíndrica e com tentáculos, que vive na água doce, fixado em folhas e pequenos galhos. || *Hidra de Lerna:* serpente fabulosa de sete cabeças, que renasciam quando decepadas, morta de um só golpe por Hércules.

hidramático (hi.dra.*má*.ti.co) *adj.* **1.** Que tem comando automático por meio de sistema hidráulico: *Meu carro tem câmbio hidramático.* **2.** Diz-se de veículo que possui esse tipo de comando: *carro hidramático.*

hidrante (hi.*dran*.te) *s.m.* Válvula, boca de cano de água ou torneira instalada em via pública, à qual se liga a mangueira que conduz água para a extinção de incêndio.

hidratação (hi.dra.ta.*ção*) *s.f.* (*Quím.*) Ato ou efeito de hidratar(-se).

hidratante (hi.dra.*tan*.te) *adj.* **1.** Que hidrata: *uma bebida hidratante.* • *s.m. e f.* **2.** Aquilo que hidrata: *Não saio à rua sem um bom hidratante para a pele.*

hidratar (hi.dra.*tar*) *v.* **1.** Converter(-se) em hidrato; dar caráter de hidrato a: *hidratar um ácido; Trata-se de uma substância química que se hidratou.* **2.** Impregnar(-se) com água ou hidrato: *hidratar o solo; As campinas se hidrataram com as repetidas chuvas.* **3.** (*Med.*) Tratar(-se) com água ou hidrato: *O primeiro cuidado foi hidratar o paciente; Hidrate-se bem, quando estiver exposto ao sol do verão.* **4.** Tratar (pele, cabelo) com substância hidratante, para prevenir ressecamento: *hidratar o rosto.* ▶ Conjug. 5.

hidrato (hi.*dra*.to) *s.m.* (*Quím.*) Combinação de determinado composto com água. || *Hidrato de carbono:* carboidrato.

hidráulica (hi.*dráu*.li.ca) *s.f.* (*Fís.*) Estudo das leis que regem o comportamento estático e dinâmico dos líquidos, principalmente da água, visando a sua aplicação na Engenharia.

hidráulico (hi.*dráu*.li.co) *adj.* **1.** (*Fís.*) Referente a hidráulica: *engenheiro hidráulico.* **2.** Que aciona ou é acionado, movido ou efetuado por meio da água: *direção hidráulica*. **3.** Que tem a propriedade de endurecer na água: *cimento hidráulico*.

hidravião (hi.dra.vi.*ão*) *s.m.* Hidroavião.

hidrelétrica (hi.dre.*lé*.tri.ca) *s.f.* Usina que transforma energia hidráulica em energia elétrica; hidroelétrica.

hidrelétrico (hi.dre.*lé*.tri.co) *adj.* **1.** Que diz respeito à geração de eletricidade por energia hidráulica. **2.** Diz-se da eletricidade gerada dessa forma; hidroelétrico.

hídrico (*hí*.dri.co) *adj.* Relativo à água: *bacia hídrica*.

hidroavião (hi.dro:a.vi.*ão*) *s.m.* (*Aer.* e *Mar.*) Aeronave que pode pousar na água e dela decolar; hidravião, hidroplano.

hidrocarboneto [ê] (hi.dro.car.bo.*ne*.to) *s.m.* (*Quím.*) Substância composta de carbono e hidrogênio. – **hidrocarbônico** *adj.*

hidroelétrica (hi.dro:e.*lé*.tri.ca) *s.f.* Hidrelétrica.

hidroelétrico (hi.dro.e.*lé*.tri.co) *adj.* Hidrelétrico.

hidrófilo (hi.*dró*.fi.lo) *adj.* **1.** Que absorve bem a água: *algodão hidrófilo*. **2.** (*Bot.*) Que vive submerso na água ou próximo dela: *planta hidrófila*.

hidrofobia (hi.dro.fo.*bi*.a) *s.f.* **1.** Aversão à água. **2.** (*Med.*) A doença da raiva. – **hidrofóbico** *adj.*; **hidrófobo** *adj. s.m.*

hidrogenação (hi.dro.ge.na.*ção*) *s.f.* Ato ou efeito de hidrogenar(-se).

hidrogenado (hi.dro.ge.*na*.do) *adj.* **1.** Que contém hidrogênio. **2.** Combinado com hidrogênio: *gordura hidrogenada*.

hidrogenar (hi.dro.ge.*nar*) *v.* Combinar(-se) com hidrogênio: *hidrogenar óleos vegetais de cozinha*; *Certas substâncias hidrogenam-se em presença de substâncias catalisadoras*. ▶ Conjug. 5.

hidrogênio (hi.dro.*gê*.ni:o) *s.m.* (*Quím.*) Elemento químico gasoso, incolor, altamente inflamável, o mais leve de todos os gases e o elemento mais abundante no universo: *A combinação de duas moléculas de hidrogênio e uma de oxigênio forma a água*. ∥ Símbolo: H.

hidrografia (hi.dro.gra.*fi*.a) *s.f.* (*Geogr.*) **1.** Ramo da Geografia que estuda as águas correntes e paradas, as águas oceânicas e as subterrâneas. **2.** Conjunto de águas correntes ou estáveis de uma região. – **hidrográfico** *adj.*; **hidrógrafo** *s.m.*

hidrólise (hi.*dró*.li.se) *s.f.* (*Quím.*) Decomposição ou alteração de um composto químico pela ação da água. – **hidrolisar** *v.* ▶ Conjug. 5.; **hidrolítico** *adj.*

hidromassagem (hi.dro.mas.*sa*.gem) *s.f.* Massagem feita com jatos de água. – **hidromassagista** *adj. s.m.* e *f.*

hidrômetro (hi.*drô*.me.tro) *s.m.* **1.** (*Fís.*) Instrumento que serve para medir a quantidade, velocidade ou força de um líquido em movimento. **2.** (*Fís.*) Aparelho para medir o consumo de água em imóveis.

hidromineral (hi.dro.mi.ne.*ral*) *adj.* Relativo a água mineral: *Poços de Caldas é uma famosa estância hidromineral*.

hidroplano (hi.dro.*pla*.no) *s.m.* Hidroavião.

hidropônica (hi.dro.*pô*.ni.ca) *s.f.* (*Bot.*) Cultura de plantas em meio aquático provido de nutrientes minerais.

hidropônico (hi.dro.*pô*.ni.co) *adj.* **1.** Relativo a hidropônica. **2.** Cultivado segundo as técnicas da hidropônica: *milho hidropônico*.

hidrosfera [é] (hi.dros.*fe*.ra) *s.f.* (*Geol.*) Parte líquida da superfície da Terra, que inclui os oceanos, lagos, rios, águas subterrâneas e o vapor aquoso da atmosfera. – **hidrosférico** *adj.*

hidroterapêutico (hi.dro.te.ra.*pêu*.ti.co) *adj.* Hidroterápico.

hidroterapia (hi.dro.te.ra.*pi*.a) *s.f.* (*Med.*) Uso da água, especialmente duchas e banhos, para fins terapêuticos.

hidroterápico (hi.dro.te.*rá*.pi.co) *adj.* Relativo a hidroterapia.

hidrovia (hi.dro.*vi*.a) *s.f.* Via de transporte marítimo, fluvial, lacustre etc.

hidroviário (hi.dro.vi:*á*.ri:o) *adj.* Que se realiza por hidrovia: *transporte hidroviário*.

hidróxido [cs] (hi.*dró*.xi.do) *s.m.* (*Quím.*) Composto químico que contém hidroxila.

hidroxila [cs] (hi.dro.*xi*.la) *s.f.* (*Quím.*) Radical composto de um átomo de hidrogênio e um de oxigênio.

hiena [ê] (hi:*e*.na) *s.f.* Mamífero carnívoro, cujo tamanho se assemelha ao do lobo, que se alimenta predominantemente de carcaças de outros animais.

hierarquia (hi:e.rar.*qui*.a) *s.f.* Organização de um grupo social em que se estabelecem relações de subordinação entre os componentes, seguindo graus de poder, importância ou responsabilidade: *hierarquia militar*; *a hierarquia da igreja*.

hierárquico (hi:e.*rár*.qui.co) *adj.* Concernente ou conforme a hierarquia.

hierarquizar

hierarquizar (hi:e.rar.qui.*zar*) *v.* Estruturar, organizar, dispor, segundo uma ordem hierárquica: *A empresa hierarquizou seus escalões, privilegiando os graus de conhecimento e experiência.* ▶ Conjug. 5. – **hierarquização** *s.f.*

hieroglifo (hi:e.ro.*gli*.fo) *s.m.* Hieróglifo.

hieróglifo (hi:e.*ró*.gli.fo) *s.m.* **1.** Cada um dos ideogramas do sistema de escrita do antigo Egito e também de outros povos, como os maias: *Champollion decifrou, pela primeira vez, os hieróglifos egípcios.* **2.** *fig.* Escrita ilegível, indecifrável ou enigmática. – **hieroglífico** *adj.*

hierosolimita (hi:e.ro.so.li.*mi*.ta) *adj.* **1.** De Jerusalém; hierosolimitano. • *s.m.* **2.** O natural ou o habitante de Jerusalém.

hierosolimitano (hi:e.ro.so.li.mi.*ta*.no) *adj.* Hierosolimita.

hífen (*hí*.fen) *s.m.* (*Gram.*) Sinal gráfico, constituído de pequeno traço horizontal, que une os elementos de um vocábulo composto, ou liga vocábulos enclíticos ou mesoclíticos àqueles de que dependem, ou indica divisão silábica em fim de linha; traço de união. || pl.: *hifens*.

hifenizar (hi.fe.ni.*zar*) *v.* Separar ou ligar por meio de hífen: *Recorreu ao vocabulário ortográfico para hifenizar corretamente algumas palavras.* ▶ Conjug. 5.

hi-fi [*rai fai*] (Ing.) *s.m.* (*Eletrôn.*) Alta-fidelidade.

high-tech [*rai téc*] (Ing.) *adj.* De tecnologia avançada, de ponta: *equipamentos high-tech*.

higiene [ê] (hi.gi:e.ne) *s.f.* **1.** Conjunto de regras e práticas indispensáveis à preservação da saúde e à prevenção de doenças. **2.** Asseio corporal: *higiene íntima.* – **higienista** *adj.*

higiênico (hi.gi:ê.ni.co) **1.** *adj.* Relativo a higiene. **2.** Favorável ou propício à saúde; saudável: *cuidados higiênicos.* **3.** Próprio para o asseio: *papel higiênico.*

higienização (hi.gi:e.ni.za.*ção*) *s.f.* Ato ou efeito de higienizar.

higienizar (hi.gi:e.ni.*zar*) *v.* **1.** Tornar higiênico, saudável: *A escovação benfeita é essencial para higienizar o sistema dentário.* **2.** Tornar asseado; limpar, desinfetar: *higienizar as dependências do hospital.* ▶ Conjug. 5.

higrometria (hi.gro.me.*tri*.a) *s.f.* (*Fís.*) Estudo e medição do índice de umidade do ar.

higrômetro (hi.*grô*.me.tro) *s.m.* (*Fís.*) Instrumento que serve para medir o grau de umidade do ar. – **higrométrico** *adj.*

hilariante (hi.la.ri:*an*.te) *adj.* Que produz hilariedade; que faz rir; hilário, impagável: *uma peça teatral hilariante.*

hilaridade (hi.la.ri.*da*.de) *s.f.* **1.** Alegria, riso. **2.** Vontade de rir; explosão de riso.

hilário (hi.*lá*.ri:o) *adj.* Que provoca riso; engraçado, hilariante.

hileia (hi.*lei*.a) *s.f.* (*Bot.*) A floresta amazônica: *A denominação de hileia foi dada pelo naturalista alemão Humboldt no século XIX.*

hímen (*hí*.men) *s.m.* (*Anat.*) Dobra da membrana que fecha parcialmente o orifício externo da vagina. || pl.: *himens* e *hímenes*.

himeneu (hi.me.*neu*) *s.m.* Casamento, núpcias, bodas.

hinário (hi.*ná*.ri:o) *s.m.* **1.** Coletânea de hinos. **2.** Livro de hinos religiosos.

hindu (hin.*du*) *adj. s.m.* e *f.* **1.** Indiano. **2.** Hinduísta.

hinduísmo (hin.du:*ís*.mo) *s.m.* (*Rel.*) Conjunto de seitas religiosas e práticas culturais, predominantes na Índia, que se caracterizam principalmente pela crença na reencarnação e em um ser supremo que se apresenta com diversas formas e naturezas.

hinduísta (hin.du:*ís*.ta) *adj.* **1.** Relativo a hinduísmo; hindu. **2.** Que professa o hinduísmo. • *s.m.* **3.** Pessoa que professa o hinduísmo ou se dedica a seu estudo.

hino (*hi*.no) *s.m.* Canto ou composição poética em louvor a Deus ou a divindades, ou de exaltação à pátria, a partidos, colégios, clubes etc.: *Na abertura da cerimônia, foi executado o hino nacional*; *Este poema é um hino ao amor.*

hiperatividade (hi.pe.ra.ti.vi.*da*.de) *s.f.* (*Psiq.*) Atividade excessiva ou anormalmente elevada.

hiperativo (hi.pe.ra.*ti*.vo) *adj.* Que apresenta hiperatividade: *uma criança hiperativa.*

hiperbárico (hi.per.*bá*.ri.co) *adj.* Que tem pressão superior à pressão atmosférica: *câmara hiperbárica.*

hipérbato (hi.*pér*.ba.to) *s.m.* (*Gram.*) Inversão da ordem natural das palavras na oração ou da ordem das orações no período: *O primeiro verso do hino nacional ("Ouviram do Ipiranga as margens plácidas") apresenta um hipérbato de grande expressividade.*

hiperbibasmo (hi.per.bi.*bas*.mo) *s.m.* (*Gram.*) Transposição do acento tônico de um vocábulo para a sílaba precedente ou seguinte, como, por exemplo, em *álea*, *aleia* ou em *acrobata* / *acróbata*.

hipérbole (hi.*pér*.bo.le) *s.f.* **1.** (*Gram.*) Ênfase ou exagero no significado de palavras, expressões ou frases, que confere expressividade ao enunciado, como, por exemplo, na frase: *Estou morrendo de sono.* **2.** (*Geom.*) Curva em que é constante a diferença das distâncias de cada um de seus pontos a dois pontos fixos, chamados focos. – **hiperbólico** *adj.*

hipercolesterolemia (hi.per.co.les.te.ro.le.*mi*.a) *s.f.* Excesso de colesterol no sangue.

hiperinflação (hi.pe.rin.fla.*ção*) *s.f.* (*Econ.*) Inflação de índices muito elevados e/ou fora de controle. – **hiperinflacionar** *v.* ▶ Conjug. 5.; **hiperinflacionário** *adj.*

hipermetropia (hi.per.me.tro.*pi*.a) *s.f.* (*Med.*) Doença ocular que ocorre quando as imagens se formam atrás da retina, ocasionando a dificuldade de enxergar de perto. – **hipermetrope** *adj. s.m.* e *f.*

hipertensão (hi.per.ten.*são*) *s.f.* (*Med.*) Elevação persistente da pressão sanguínea no sistema circulatório; pressão alta.

hipertenso (hi.per.*ten*.so) *adj.* **1.** Que apresenta hipertensão. • *s.m.* **2.** Pessoa hipertensa.

hipertexto [ês] (hi.per.*tex*.to) *s.m.* (*Inform.*) Texto ou conjunto de textos interligados de modo a que o usuário possa acessá-los por meio de *links*.

hipertrofia (hi.per.tro.*fi*.a) *s.f.* (*Med.*) Crescimento excessivo de um órgão ou tecido, devido a um aumento no tamanho de suas células constituintes. – **hipertrofiar** *v.* ▶ Conjug. 17.

hip-hop [rip-róp] (Ing.) *s.m.* e *f.* Movimento cultural originário dos Estados Unidos, especialmente de jovens, com expressão própria na música, na dança, no grafite etc.

hípico (*hí*.pi.co) *adj.* Relativo a cavalos ou a hipismo.

hipismo (hi.*pis*.mo) *s.m.* **1.** (*Esp.*) Equitação. **2.** Corrida de cavalos.

hipnose [ó] (hip.*no*.se) *s.f.* **1.** (*Med.*) Estado de torpor ou sono provocado artificialmente, por meio de medicamentos, para fins terapêuticos. **2.** Estado alterado de consciência, induzido artificialmente por um hipnotizador.

hipnótico (hip.*nó*.ti.co) *adj.* **1.** Relativo a hipnose ou a hipnotismo. • *s.m.* **2.** (*Med.*) Droga que atua para induzir o sono artificial.

hipnotismo (hip.no.*tis*.mo) *s.m.* **1.** Conjunto de fenômenos e de técnicas destinadas a provocar, por meio de mecanismos de sugestão, hipnose ou estados hipnóticos. **2.** (*Med.*) Estudo da hipnose e de seus fenômenos.

hipnotizador [ô] (hip.no.ti.za.*dor*) *s.m.* Indivíduo que hipnotiza.

hipnotizar (hip.no.ti.*zar*) *v.* **1.** Provocar estado hipnótico: *hipnotizar pacientes terminais*. **2.** *fig.* Encantar, fascinar, enlevar, magnetizar: *O espetáculo majestoso da natureza hipnotizava os turistas.* ▶ Conjug. 5. – **hipnotização** *s.f.*

hipoalergênico (hi.po:a.ler.gê.ni.co) *adj.* Que provoca poucas reações alérgicas: *sabonete hipoalergênico.*

hipoalérgico (hi.po:a.*lér*.gi.co) *adj.* **1.** Que apresenta poucas reações alérgicas. • *s.m.* **2.** Pessoa hipoalérgica.

hipocalórico (hi.po.ca.*ló*.ri.co) *adj.* Que tem poucas calorias.

hipocampo (hi.po.*cam*.po) *s.m.* **1.** (*Zool.*) Cavalo-marinho. **2.** Na mitologia grega, animal com corpo de cavalo e cauda de peixe, que puxava a carruagem do deus Netuno. **3.** (*Anat.*) Centro com função importante nos mecanismos da memória, que se apresenta no ventrículo lateral do cérebro.

hipocondria (hi.po.con.*dri*.a) *s.f.* (*Med.*) Preocupação persistente com a própria saúde, com a aparência física e com a manifestação de doenças graves, geralmente inexistentes.

hipocondríaco (hi.po.con.*drí*.a.co) *adj.* **1.** Relativo a hipocondria. **2.** Que dela padece. • *s.m.* **3.** Pessoa hipocondríaca.

hipocrisia (hi.po.cri.*si*.a) *s.f.* Ato ou efeito de fingir ou dissimular sentimentos ou intenções; fingimento, dissimulação, falsidade.

hipócrita (hi.*pó*.cri.ta) *adj.* **1.** Que finge ou aparenta o que não é ou o que não sente; fingido, dissimulado, falso. • *s.m.* **2.** Pessoa hipócrita.

hipoderme [é] (hi.po.*der*.me) *s.f.* **1.** (*Anat.*) Denominação substituída por *tela subcutânea.* **2.** (*Zool.*) Epiderme.

hipodérmico (hi.po.*dér*.mi.co) *adj.* Subcutâneo.

hipódromo (hi.*pó*.dro.mo) *s.m.* Local próprio para corrida de cavalos; prado (2).

hipófise (hi.*pó*.fi.se) *s.f.* (*Anat.*) Pequena glândula endócrina situada na face inferior do cérebro, que exerce funções reguladoras das atividades de outras glândulas endócrinas, como a tireoide e a supra-renal; pituitária. – **hipofisário** *adj.*

hipoglicemia (hi.po.gli.ce.*mi*.a) *s.f.* (*Med.*) Diminuição da taxa normal de glicose no sangue. – **hipoglicêmico** *adj.*

hipopótamo (hi.po.*pó*.ta.mo) *s.m.* (*Zool.*) Grande mamífero anfíbio africano, encontrado em rios e lagos ou próximo a eles.

hipotálamo (hi.po.*tá*.la.mo) *s.m.* (*Anat.*) Região do encéfalo abaixo do tálamo, onde se en-

hipoteca

contram os núcleos que comandam o sistema nervoso.

hipoteca [é] (hi.po.te.ca) s.f. **1.** Sujeição de bens imóveis, ou outros especificados por lei, ao pagamento de uma dívida, como garantia, sem transferência da posse do bem ao credor. **2.** Dívida contraída por hipoteca. – **hipotecário** adj.

hipotecar (hi.po.te.car) v. **1.** Sujeitar a hipoteca: hipotecar uma casa. **2.** fig. Prometer com segurança; assegurar, garantir: Hipoteco minha solidariedade a sua causa. ▶ Conjug. 8 e 35.

hipotensão (hi.po.ten.são) s.f. (Med.) Pressão sanguínea inferior à normal; pressão baixa.

hipotenso (hi.po.ten.so) adj. **1.** Que apresenta hipotensão. • s.m. **2.** Pessoa hipotensa.

hipotenusa (hi.po.te.nu.sa) s.f. (Geom.) Lado do triângulo retângulo oposto ao ângulo reto.

hipotermia (hi.po.ter.mi.a) s.f. (Med.) Situação em que a temperatura do corpo humano se encontra a menos de 36 graus centígrados. – **hipotérmico** adj.

hipótese (hi.pó.te.se) s.f. **1.** Afirmação sujeita à experimentação e comprovação; suposição, conjectura: São muitas as hipóteses sobre as causas do aquecimento global. **2.** Possibilidade, probabilidade, eventualidade: O médico considerava a hipótese de cirurgia no caso de seu paciente.

hipotético (hi.po.té.ti.co) adj. **1.** Fundado ou baseado em hipótese; suposto, presumido, imaginado. **2.** Que não é conclusivo; duvidoso, incerto.

hipotireoidismo (hi.po.ti.re:oi.dis.mo) s.m. (Med.) Conjunto de sintomas clínicos resultantes da diminuição da atividade da glândula tireoide.

hippie [rípi] (Ing.) adj. **1.** Que, nas décadas de 60 e 70 do século XX, rejeitava a sociedade de consumo e pregava o trabalho informal, a vida em comunidade e a não-violência: juventude hippie. **2.** Relativo a ou próprio dos hippies: moda hippie. • s.m. **3.** Pessoa hippie: O lema dos hippies era paz e amor.

hirsuto (hir.su.to) adj. **1.** De pelos longos, duros e espessos: barba hirsuta. **2.** Hirto (3).

hirto (hir.to) adj. **1.** Duro, rígido, rijo, teso, retesado: camisa de gola hirta. **2.** Imóvel, erecto, parado, estacado: Quedou-se hirto com o susto. **3.** Eriçado, arrepiado, espetado (diz-se de pelos ou cabelos); hirsuto.

hispânico (his.pâ.ni.co) adj. **1.** Da Espanha, país da Europa; espanhol, castelhano. • s.m. **2.** O natural ou o habitante desse país. **3.** Latino-americano que vive nos Estados Unidos: O voto dos hispânicos é muitas vezes decisivo nas eleições americanas.

hispanismo (his.pa.nis.mo) s.m. **1.** Palavra ou locução próprias da língua espanhola; castelhanismo. **2.** Conjunto de conhecimentos concernentes à língua e à cultura da Espanha.

hispanista (his.pa.nis.ta) s.m. e f. Especialista em língua e literatura espanholas.

hispano-americano (his.pa.no-a.me.ri.ca.no) adj. **1.** Relativo a Espanha e a América: solidariedade hispano-americana. **2.** Relativo à América de língua espanhola: literatura hispano-americana. • s.m. **3.** Pessoa de origem espanhola e americana; hispânico. || pl.: hispano-americanos.

hissope [ó] (his.so.pe) s.m. Utensílio usado, em cerimônias litúrgicas, para aspergir água-benta sobre os fiéis.

histamina (his.ta.mi.na) s.f. **1.** Amina liberada pelas células do sistema imunológico durante reações alérgicas, provocando inchaços e irritações. **2.** Forma comercializada dessa substância, utilizada terapeuticamente.

histerectomia (his.te.rec.to.mi.a) s.f. (Med.) Remoção total ou parcial do útero.

histeria (his.te.ri.a) s.f. (Psiq.) Neurose caracterizada por conflitos psíquicos inconscientes e sintomas corporais que chegam a convulsões e até a paralisias. – **histérico** adj. s.m.

histerismo (his.te.ris.mo) s.m. **1.** Estado passageiro de paroxismo nervoso e descontrole emocional. **2.** fig. Manifestação de excessiva emotividade; exaltação: A apresentação do ídolo popular produzia cenas de verdadeiro histerismo.

histeroscópio (his.te.ros.có.pi:o) s.m. (Med.) Instrumento usado no exame visual do útero.

histologia (his.to.lo.gi.a) s.f. (Biol.) Especialidade da Biologia cujo objeto é o estudo anatômico da estrutura microscópica dos tecidos orgânicos.

história (his.tó.ri:a) s.f. **1.** Ciência cujo objeto é o estudo da estruturação e evolução das sociedades humanas através da investigação dos fatos econômicos, políticos e ideológicos e de suas relações: História das Mentalidades. **2.** Livro, compêndio ou tratado sobre essa ciência: História do Brasil. || Nestas acepções usa-se inicial maiúscula. **3.** Registro cronológico de uma

hombridade

determinada atividade: *a história do cinema; a história da imprensa*. **4.** Narrativa ou relato de fatos reais ou fictícios: *No filme, a história tem um final feliz*. **5.** Narrativa de cunho popular ou tradicional; estória: *histórias da carochinha*. **6.** Sucessão de acontecimentos passados relacionados a algo ou alguém: *Sua história pessoal comoveu a todos*. **7.** *coloq.* Assunto ou argumento sem propósito; mentira, lorota, conversa fiada: *Deixe de lado essas histórias que não enganam ninguém*. || *História em quadrinhos*: quadrinhos.

historiador [ô] (his.to.ri.a.dor) *s.m.* Especialista em História.

historiar (his.to.ri:*ar*) *v.* **1.** Fazer relatos de fato(s) histórico(s): *O pesquisador historiou em sua obra a escravidão no Brasil*. **2.** Contar, narrar, relatar (um determinado ou uma série de acontecimentos): *O candidato começou por historiar sua trajetória política; Quero historiar-lhes um fato de que fui testemunha*. ▶ Conjug. 17.

historicismo (his.to.ri.*cis*.mo) *s.m.* (*Fil.*) Designação dada a doutrinas filosóficas que concebem a realidade e o seu conhecimento como produto da evolução histórica.

histórico (his.*tó*.ri.co) *adj.* **1.** Relativo ou pertencente à História. **2.** Que ficou na história; notável, consagrado: *O Brasil conquistou um campeonato histórico*. **3.** Que apresenta tema e/ou personagens da História: *romance histórico*. • *s.m.* **4.** Quadro cronológico de fatos ou dados: *histórico escolar*.

historiografia (his.to.ri:o.gra.*fi*.a) *s.f.* Conjunto dos estudos históricos. – **historiográfico** *adj.*

historiógrafo (his.to.ri:*ó*.gra.fo) *s.m.* Historiador.

histrião (his.tri:*ão*) *s.m.* **1.** (*Teat.*) Ator cômico; comediante. **2.** *fig.* Indivíduo que diverte e faz rir; palhaço, bufão. – **histriônico** *adj.*

hitlerismo (hi.tle.*ris*.mo) *s.m.* Sistema político defendido pelo Partido Nacional Socialista alemão, sob a liderança de Adolf Hitler (1889-1945), ditador alemão de 1933 a 1945; nazismo.

hitlerista (hi.tle.*ris*.ta) *adj.* **1.** Relativo a Hitler ou ao hitlerismo. • *s.m.* e *f.* **2.** Partidário do hitlerismo; nazista.

Ho (*Quím.*) Símbolo do hólmio.

hobby [rôbi] (Ing.) *s.m.* Atividade que se faz por diletantismo, por prazer, livre de qualquer obrigação; passatempo: *Seu hobby é fazer palavras cruzadas*.

hodierno [é] (ho.di:*er*.no) *adj.* Que diz respeito aos dias de hoje; moderno, recente, atual.

hodômetro (ho.*dô*.me.tro) *s.m.* (*Fís.*) Instrumento que mede distâncias percorridas por pedestres ou veículos.

hoje [ô] (*ho*.je) *adv.* **1.** No dia em que se está: *As lojas fecharão mais cedo hoje*. **2.** No tempo presente, na época atual: *O mundo tornou-se hoje uma aldeia global*. || *De hoje para amanhã*: de repente, quando menos se esperar. • *Mais hoje mais amanhã*: aproximadamente, qualquer destes dias.

holding [rôudin] (Ing.) *s.f.* (*Econ.*) Empresa que mantém o controle sobre outras empresas, denominadas subsidiárias, mediante a posse majoritária das ações: *As multinacionais centralizam o controle de empresas numa holding instalada em seu país de origem*.

holerite (ho.le.*ri*.te) *s.m.* Contracheque.

holismo (ho.*lis*.mo) *s.m.* Doutrina segundo a qual o indivíduo e os fenômenos da realidade devem ser estudados como um todo e não como a soma dos seus diversos constituintes.

holística (ho.*lís*.ti.ca) *s.f.* Holismo.

holístico (ho.*lís*.ti.co) *adj.* **1.** Relativo a holismo. **2.** Que considera o indivíduo em sua integralidade psicossomática: *uma visão holística da saúde*.

hólmio (*hól*.mi:o) *s.m.* (*Quím.*) Elemento químico, metálico e sólido, usado em espectroscopia, em tubos de alto-vácuo etc. || Símbolo: Ho.

holocausto (ho.lo.*caus*.to) *s.m.* **1.** (*Rel.*) Entre os antigos hebreus, o ritual de sacrifício de animais pelo fogo. **2.** *fig.* Sacrifício, imolação, expiação. **3.** (*Hist.*) Extermínio de milhões de judeus, ciganos e outras minorias pelos nazistas durante a Segunda Guerra Mundial. || Nesta acepção, é usada inicial maiúscula.

holoceno [ê] (ho.lo.*ce*.no) *adj.* (*Geol.*) Diz-se da época mais recente do período quaternário, que tem início após o período glacial. || Usado com inicial maiúscula.

holofote [ó] (ho.lo.*fo*.te) *s.m.* Aparelho que projeta luz com grande intensidade, para iluminar ou fazer sinais.

holografia (ho.lo.gra.*fi*.a) *s.f.* Processo de fotografia que, por meio de raios *laser*, obtém imagem colorida e em três dimensões.

holograma (ho.lo.*gra*.ma) *s.m.* Fotografia tridimensional obtida por holografia.

holter [rôuter] (Ing.) *s.m.* (*Med.*) Monitor eletrocardiográfico portátil, de uso contínuo durante 24 horas, para detectar a frequência do ritmo cardíaco.

hombridade (hom.bri.*da*.de) *s.f.* **1.** Aspecto másculo, viril. **2.** *fig.* Integridade de caráter; grandeza de ânimo; dignidade, altivez.

homem

homem (ho.mem) s.m. **1.** Indivíduo pertencente à espécie animal de maior complexidade na cadeia evolutiva; o ser humano: *O homem é o único ser dotado da faculdade de raciocínio e da capacidade de produzir linguagem articulada.* **2.** A espécie humana; a humanidade: *"Quando o homem desaparecer, que será das coisas, que será de Deus?"* (Mário Quintana, *O Imagista*). **3.** Indivíduo do sexo masculino, em oposição a mulher; varão: *O casal teve três filhos: duas mulheres e um homem.* **4.** Indivíduo do sexo masculino, em oposição a criança; homemfeito; adulto: *Há pouco tempo era ainda um menino, agora está um belo homem.* **5.** O que age maduramente, demonstrando a posse dos atributos do sexo masculino: *Apesar da pouca idade, tem a força de um homem.* **6.** O ser humano considerado como representante de determinado grupo étnico, de uma região, de uma época etc.: *o homem branco; o homem do sertão; o abominável homem das neves.* **7.** O que revela ou possui os requisitos necessários para determinados fins: *O novo técnico se considera o homem indicado para salvar o time da desclassificação.* **8.** O que faz parte de uma coletividade, especialmente as forças armadas ou policiais: *O patrulhamento urbano passou a contar com um contingente maior de homens.* **9.** Um homem (4) qualquer; indivíduo, pessoa, sujeito: *Veio um homem procurá-lo pela manhã.* **10.** coloq. Marido, companheiro ou amante. || *Homem da lei*: oficial de justiça, advogado ou magistrado. • *Homem de letras*: homem que tem ocupação intelectual; literato. • *Homemfeito*: adulto. • *Homem público*: o que ocupa alto cargo no governo ou se dedica a atividade de interesse público. • *De homem para homem*: com franqueza; sem subterfúgio; sinceramente: *Pai e filho conversaram de homem para homem.* || f. (nas acepções 3, 4 e 10): *mulher*; aum. (nas acepções 3 e 4): *homenzarrão* e *homão*; dim. (nas mesmas acepções): *homenzinho* e *homúnculo*.

homepage [rômpeidj] (Ing.) s.f. (*Inform.*) Página inicial que permite o acesso a outras páginas e arquivos de um *site*.

homem-rã (ho.mem-rã) s.m. Mergulhador profissional que realiza operações de resgate, de salvamento e explorações de caráter científico ou militar. || pl.: *homens-rã* e *homens-rãs*.

homenagear (ho.me.na.ge.ar) v. Prestar homenagem a: *O Comitê Olímpico homenageou os atletas campeões.* ▶ Conjug. 14.

homenagem (ho.me.na.gem) s.f. **1.** Mostra de admiração e respeito por alguém; preito. **2.** (*Hist.*) Juramento pelo qual o vassalo prometia fidelidade ao senhor feudal.

homenzarrão (ho.men.zar.rão) s.m. Aumentativo de *homem*.

homeopata (ho.me:o.pa.ta) s.m. e f. Médico especialista em Homeopatia.

homeopatia (ho.me:o.pa.ti.a) s.f. (*Med.*) Sistema terapêutico que consiste em tratar as doenças com doses mínimas de substâncias capazes de produzir sintomas semelhantes aos que o paciente apresenta. || Conferir com *alopatia*.

homeopático (ho.me:o.pá.ti.co) adj. **1.** Relativo a Homeopatia. **2.** *fig.* Muito pequeno; diminuto: *Apreciava beber em doses homeopáticas.*

homérico (ho.mé.ri.co) adj. **1.** Relativo a Homero, poeta grego, que teria vivido no século VI a.C., às suas obras ou ao seu estilo. **2.** *fig.* Grandioso, extraordinário, fantástico: *Vive a jactar-se de façanhas homéricas.*

home theater [rom tiater] (Ing.) loc. subst. Combinação de aparelhos de televisão, vídeo, DVD e som, que permite a exibição de filmes em uma sala de cinema doméstica.

homicida (ho.mi.ci.da) adj. **1.** Que cometeu homicídio; assassino. **2.** Que causa morte ou morticínio: *um ataque homicida*. • s.m. e f. **3.** Pessoa homicida.

homicídio (ho.mi.cí.di:o) s.m. Ato de matar alguém voluntária ou involuntariamente; assassínio, assassinato.

homilia (ho.mi.li.a) s.f. (*Rel.*) Na missa católica, comentário do Evangelho feito pelo sacerdote, após sua leitura; sermão, prédica, pregação.

hominídeo (ho.mi.ní.de:o) adj. (*Zool.*) **1.** Relativo aos hominídeos. • s.m. **2.** Espécime dos hominídeos. • s.m.pl. **3.** Família de mamíferos primatas, que compreende o homem.

homiziar (ho.mi.zi:ar) v. Asilar(-se), abrigar(-se), acobertar(-se), esquivando-se da vigilância ou da ação da justiça: *Alguns fazendeiros homiziavam cangaceiros; O fugitivo homiziou-se nos ermos do sertão.* ▶ Conjug. 17.

homizio (ho.mi.zi.o) s.m. **1.** Ato ou efeito de homiziar(-se). **2.** *fig.* Esconderijo, refúgio, valhacouto.

homofilo (ho.mo.fi.lo) adj. (*Bot.*) Diz-se da planta com todas as folhas ou folíolos semelhantes.

homofobia (ho.mo.fo.bi.a) s.f. Aversão a homossexualidade e a homossexual.

homófono (ho.*mó*.fo.no) *adj.* (*Gram.*) **1.** Que têm grafias e significados diferentes, porém a mesma pronúncia, como, por exemplo, os vocábulos *cessão* (ato de ceder), *seção* (divisão) e *sessão* (reunião). • *s.m.* **2.** Vocábulo homófono. – **homofonia** *s.f.*

homogeneização (ho.mo.ge.ne:i.za.*ção*) *s.f.* **1.** Ato ou efeito de homogeneizar, de tornar(-se) homogêneo, de assemelhar(-se). **2.** Processo de tratamento dado ao leite para impedir a decantação de seus elementos.

homogeneizar (ho.mo.ge.ne:i.*zar*) *v.* **1.** Tornar(-se) homogêneo, assemelhar(-se), igualar(-se): *A rede de televisão homogeneizou os noticiários; A moda tende cada vez mais a homogeneizar-se.* **2.** Misturar substâncias para obter um composto uniforme: *homogeneizar os elementos de um preparado farmacêutico.* ▶ Conjug. 16.

homogêneo (ho.mo.gê.ne:o) *adj.* **1.** Que consiste em partes ou elementos da mesma natureza; igual, idêntico, análogo: *uma turma homogênea de alunos.* **2.** Que tem estrutura ou composição perfeitamente uniforme: *uma superfície homogênea.* **3.** *fig.* Que tem afinidade de ideias ou sentimentos: *As reações de mãe e filha foram homogêneas.* – **homogeneidade** *s.f.*

homógrafo (ho.*mó*.gra.fo) *adj.* **1.** (*Gram.*) Que têm grafias idênticas, mas significados diferentes, como, por exemplo, os vocábulos *lima* (fruta) e *lima* (ferramenta). • *s.m.* **2.** (*Gram.*) Vocábulo homógrafo. – **homografia** *s.f.*; **homográfico** *adj.*

homologar (ho.mo.lo.*gar*) *v.* **1.** (*Jur.*) Confirmar (um ato) por autoridade judicial ou administrativa; aprovar, autorizar, ratificar: *O juiz homologou a sentença do tribunal.* **2.** (*Esp.*) Reconhecer e registrar oficialmente (o resultado de uma competição): *O departamento de árbitros homologou o placar da partida.* ▶ Conjug. 17 e 34. – **homologação** *s.f.*; **homologatório** *adj.*

homologia (ho.mo.lo.*gi*.a) *s.f.* **1.** (*Geom.*) Relação dos elementos (lados, ângulos etc.) que em duas ou mais figuras geométricas semelhantes estão colocados na mesma ordem. **2.** (*Biol.*) Semelhança de origem e de estrutura em partes de organismos diversos. **3.** Correspondência, equivalência, analogia: *O estilo dos dois autores apresenta evidente homologia.*

homólogo (ho.*mó*.lo.go) *adj.* **1.** (*Geom.*) Cujos elementos (lados, ângulos, diagonais etc.) se correspondem ordenadamente (diz-se de figuras geométricas). **2.** (*Biol.*) Que tem a mesma estrutura, mas função diferente (diz-se de órgão). **3.** (*Quím.*) Que tem a mesma função, mas difere pelo número de átomo de carbono. **4.** Que é correspondente a outro elemento (em valor, estrutura, função etc.); equivalente, análogo: *Nas duas regiões geográficas existem condições homólogas de temperatura.*

homonímia (ho.mo.*ní*.mi:a) *s.f.* **1.** Uniformidade de nome entre pessoas ou coisas. **2.** (*Gram.*) Condição dos vocábulos que têm a mesma grafia ou a mesma pronúncia, mas cujo significado é diferente, como ocorre, por exemplo, com os vocábulos *seção, sessão* e *cessão.* – **homonímico** *adj.*

homônimo (ho.*mô*.ni.mo) *adj.* **1.** Que tem o mesmo nome: *No Brasil e em Portugal há várias cidades homônimas.* **2.** (*Gram.*) Que têm grafia e/ou pronúncia idênticas, mas significados diferentes, como os vocábulos homófonos (por exemplo, *caçar* e *cassar*) e os homógrafos (por exemplo, *almoço* (ô) e *almoço* (ó)). • *s.m.* **3.** Vocábulo homônimo.

homossexual [cs] (ho.mos.se.xu:*al*) *adj.* **1.** Que sente atração por ou tem relações sexuais com indivíduo do mesmo sexo. • *s.m.* e *f.* **2.** Pessoa homossexual.

homossexualidade (ho.mos.se.xu:a.li.*da*.de) *s.f.* Homossexualismo.

homossexualismo [cs] (ho.mos.se.xu:a.*lis*.mo) *s.m.* **1.** Tendência ou prática da relação homossexual; homossexualidade. **2.** Condição de homossexual; homossexualidade.

homúnculo (ho.*mún*.cu.lo) *s.m.* Diminutivo de *homem.*

hondurenho (hon.du.re.nho) *adj.* **1.** De Honduras, país da América Central. • *s.m.* **2.** O natural ou o habitante desse país.

honestidade (ho.nes.ti.*da*.de) *s.f.* **1.** Qualidade do que é honesto; honradez, probidade. **2.** Decência, decoro, compostura, pudor, recato.

honesto [é] (ho.*nes*.to) *adj.* **1.** Honrado, probo, íntegro: *um político honesto.* **2.** Decente, decoroso, virtuoso, recatado: *mulher honesta.*

honorário (ho.no.*rá*.ri:o) *adj.* **1.** Honorífico. **2.** Diz-se de título ou cargo que confere as honras a ele inerentes, sem, contudo, implicar o exercício de qualquer função ou respectiva remuneração: *Meu pai é presidente honorário de algumas instituições filantrópicas.* • **honorários** *s.m.pl.* **3.** Remuneração aos que exercem profissões liberais; salário, pagamento, vencimento.

honorável (ho.no.*rá*.vel) *adj.* **1.** Digno de honra. **2.** Título que se dá, em certos países, aos

honorífico

membros do parlamento, a determinados nobres ou dignitários. – **honorabilidade** s.f.

honorífico (ho.no.rí.fi.co) adj. Que honra ou distingue; honroso, honorário, honorável: *título honorífico*.

honra (hon.ra) s.f. **1.** Princípio moral e ético que fundamenta a conduta de um indivíduo ou de um grupo; dignidade, honestidade. **2.** Manifestação de respeito e veneração; louvor, louvação, honraria: *A Deus toda honra e toda glória*. **3.** Consideração e reconhecimento pelas qualidades ou pelos méritos de alguém: *Honra seja dada ao grande indigenista*. **4.** Favor, deferência, condescendência: *A que devo a honra de sua visita?* **5.** Função ou lugar de destaque: *presidente de honra; dama de honra*. **6.** Virtude, pureza, castidade (referindo-se à mulher). || *Em honra de*: em homenagem a; como prova de apreço: *A cerimônia será em honra do fundador da instituição*. • *Fazer as honras da casa*: receber visitas ou convidados como anfitrião.

honradez (hon.ra.dez) s.f. **1.** Caráter ou qualidade de honrado. **2.** Integridade de caráter; honestidade. **3.** Virtude, pureza, castidade.

honrado (hon.ra.do) adj. **1.** Que tem honra, que procede com honra; honesto, probo, digno: *um pai de família honrado*. **2.** Venerado, reverenciado: *um santo honrado pelos fiéis*. **3.** Merecedor de respeito ou atenção: *Sinto-me honrado pelo convite*. **4.** Virtuoso, decoroso, casto: *mulher honrada*.

honrar (hon.rar) v. **1.** Conceder honras a; cobrir de honraria: *A pátria honra seus heróis*. **2.** Respeitar, estimar, dignificar: *honrar pai e mãe*. **3.** Venerar, reverenciar, exaltar, glorificar: *honrar o santo nome de Deus*. **4.** Causar ou sentir satisfação e orgulho; lisonjear(-se): *O professor honrou-me com sua atenção; Honramo-nos com sua presença em nossa festa*. **5.** Respeitar, cumprir (compromisso, obrigação etc.); pagar, quitar: *honrar uma dívida*. ▶ Conjug. 5.

honraria (hon.ra.ri.a) s.f. Manifestação de honra e distinção; homenagem: *O ilustre escritor foi recebido com todas as honrarias pela academia*. || Mais usado no plural.

honroso [ô] (hon.ro.so) adj. **1.** Que confere honra; que enobrece, engrandece, dignifica: *um cargo honroso*. **2.** Respeitado, considerado, honorável, honorífico: *Recebeu menção honrosa no concurso literário*. **3.** Digno de honra; decoroso, decente: *uma retirada honrosa*. || f. e pl.: [ó].

hóquei (hó.quei) s.m. (*Esp.*) Jogo em que duas equipes, cada uma com onze jogadores, munidos de bastões recurvados, tentam impelir uma pequena bola maciça através de arcos opostos.

hora [ó] (ho.ra) s.f. **1.** Divisão do tempo equivalente à vigésima quarta parte do dia: *A hora tem sessenta minutos*. **2.** Momento determinado do dia: *– Que horas são? – São 18 horas em ponto*. **3.** Momento habitualmente estabelecido ou previsto para alguma coisa: *hora do almoço; hora de deitar*. **4.** Ocasião favorável; ensejo, oportunidade: *Esta é a melhor hora para você alcançar uma promoção na empresa*. || *Chegar a sua hora*: estar à morte, estar prestes a morrer. • *Fazer hora*: **1.** entreter-se com algo, enquanto não chega o momento de fazer o que se pretende. **2.** *coloq.* zombar de alguém; caçoar. • *Hora extra*: hora de trabalho prestada além do expediente estabelecido por lei ou contrato. • *Pela hora da morte*: por preço altíssimo, muito caro.

horário (ho.rá.ri:o) adj. **1.** Relativo a horas. **2.** Que é medido por hora: *A velocidade máxima permitida é de oitenta quilômetros horários*. • s.m. **3.** Quadro indicativo das horas em que se devem fazer certos serviços ou obrigações. **4.** Tabela indicativa das horas de chegada e partida de ônibus, trens, aviões e outros veículos. || *Horário de verão*: tempo adiantado em uma hora, durante um período determinado, a fim de aproveitar a claridade diurna e, em consequência, economizar energia elétrica. • *Horário político*: horário reservado, na programação das emissoras de rádio e televisão, para propaganda de partidos políticos.

horda [ó] (hor.da) s.m. **1.** Tribo nômade. **2.** Bando de desordeiros e fora da lei. **3.** Multidão desordenada; turba: *A horda de arruaceiros ocupou as ruas*.

horista (ho.ris.ta) adj. **1.** Que tem o salário calculado por hora de trabalho. • s.m. e f. **2.** Empregado horista.

horizontal (ho.ri.zon.tal) adj. **1.** Paralelo ou relativo a horizonte. • s.f. **2.** Linha paralela ao plano do horizonte. – **horizontalidade** s.f.

horizonte (ho.ri.zon.te) s.m. **1.** Linha circular onde termina a vista do observador e na qual parece que o céu se junta com a Terra ou com o mar. **2.** Extensão, espaço que a vista abrange. **3.** *fig.* Perspectiva de futuro: *O prêmio conquistado abriu-lhe novos horizontes*. **4.** *fig.* Limite no campo de conhecimento, da percepção ou da experiência: *homem de horizonte estreito*.

hospedagem

hormônio (hor.*mô*.ni:o) *s.m.* (*Biol.*) Cada uma das várias substâncias segregadas por glândulas endócrinas que, passando para os vasos sanguíneos, atua sobre o metabolismo, o crescimento e diversas funções de outros órgãos. – **hormonal** *adj.*

horóscopo (ho.*rós*.co.po) *s.m.* Previsão sobre a vida de alguém, feita pelos astrólogos, a partir do exame da posição dos astros no instante de seu nascimento e do planeta sob cujo signo nasceu.

horrendo (hor.*ren*.do) *adj.* Horrível.

horripilar (hor.ri.pi.*lar*) *v.* **1.** Causar ou sentir arrepios, arrepiar(-se): *O frio cortante horripilava meu rosto; Horripilei-me ao contato da água gélida do rio.* **2.** Causar ou sentir horror; apavorar(-se), horrorizar(-se): *A visão da tragédia horripilou os espectadores; Todos se horripilaram com as cenas de tortura infligida aos prisioneiros de guerra.* ▶ Conjug. 5. – **horripilante** *adj.*

horrível (hor.*rí*.vel) *adj.* **1.** Que causa horror; horrendo: *um atentado horrível.* **2.** Muito feio; medonho, pavoroso, monstruoso: *São horríveis esses monstros das histórias infantis.* **3.** Muito ruim ou desagradável; péssimo: *Que comida horrível!.*

horror [ô] (hor.*ror*) *s.m.* **1.** Sensação arrepiante de medo ou repulsa; pavor. **2.** Sentimento de aversão, de ódio: *horror aos corruptos.* **3.** Medo, receio, fobia: *horror a doenças.* **4.** Crueldade, barbaridade, monstruosidade, hediondez: *o horror da guerra; o horror da tortura.* **5.** *coloq.* Grande padecimento; infortúnio, infelicidade: *Sua vida tem sido um horror.* **6.** Aquilo que é considerado muito ruim, enfadonho ou desagradável: *A longa viagem por estrada de terra foi um horror.*

horrorizar (hor.ro.ri.*zar*) *v.* Causar ou sentir horror; apavorar(-se), horripilar(-se): *O crime hediondo horrorizou a população; Os noticiários apresentam muitas vezes cenas de horrorizar; Todos se horrorizaram diante das fotos da chacina.* ▶ Conjug. 5.

horroroso [ô] (hor.ro.*ro*.so) *adj.* **1.** Horrendo, horrível, horripilante. **2.** Muito feio; medonho, pavoroso. || f. e pl.: [ó].

hors-concours [*ór-concur*] (Fr.) *adj.* **1.** Que não pode participar de algum concurso, por ser membro do corpo de jurados, por haver sido premiado anteriormente ou, sobretudo, pela superioridade diante dos demais candidatos. **2.** *s.m.* e *f. 2n.* Pessoa hors-concours.

hors-d'oeuvre [*ór-devr'*] (Fr.) *s.m.2n.* (*Cul.*) Alimento leve e frio, servido no início da refeição; entrada, antepasto, aperitivo.

horta [ó] (hor.ta) *s.f.* Terreno em que são cultivados hortaliças e legumes.

hortaliça (hor.ta.*li*.ça) *s.f.* Nome genérico de plantas (verduras, legumes), geralmente cultivadas em horta e reservadas para uso culinário.

hortelã (hor.te.*lã*) *s.f.* (*Bot.*) Erva aromática de sabor refrescante, da qual se extrai uma essência usada em culinária (comida, bebida), em medicina e perfumaria: *chá de hortelã; pastilha de hortelã.*

hortelão (hor.te.*lão*) *s.m.* Indivíduo que cultiva ou trata de uma horta. || f.: *horteloa*; pl.: *hortelãos* e *hortelões*.

horteloa [ô] (hor.te.*lo*.a) *s.f.* Feminino de hortelão.

hortense (hor.*ten*.se) *adj.* **1.** Relativo a horta. **2.** Que é cultivado em horta.

hortênsia (hor.*tên*.si:a) *s.f.* (*Bot.*) Planta oriunda da China e do Japão, bastante ornamental por ostentar flores brancas, rosas ou azuis, dispostas em cachos.

horticultor [ô] (hor.ti.cul.*tor*) *s.m.* Pessoa que se dedica à horticultura.

horticultura (hor.ti.cul.*tu*.ra) *s.f.* Arte ou técnica de cultivar hortas e jardins.

hortifrúti (hor.ti.*frú*.ti) *s.m.* **1.** Local onde são vendidas frutas e hortaliças. **2.** Hortifrutigranjeiro.

hortifrutigranjeiro (hor.ti.fru.ti.gran.*jei*.ro) *adj.* **1.** Diz-se dos produtos de hortas, pomares e granjas. • *s.m.* **2.** Produto de hortas, pomares e granjas.

hortigranjeiro (hor.ti.gran.*jei*.ro) *adj. s.m.* Hortifrutigranjeiro.

horto [ô] (hor.to) *s.m.* **1.** Pequena horta ou jardim. **2.** Estabelecimento de horticultura. **3.** Espaço de terreno onde se cultivam plantas ornamentais. || *Horto florestal*: estabelecimento, geralmente de propriedade do Estado, onde se cultivam e estudam espécimes florestais, para venda ou distribuição gratuita.

hosana (ho.*sa*.na) *s.m.* (*Rel.*) Cântico de louvor da liturgia católica: *O coral de fiéis entoou o hosana na missa.* || É usado em frases nominais exclamativas, para expressar alegria, júbilo, euforia.

hospedagem (hos.pe.*da*.gem) *s.f.* **1.** Ato ou efeito de hospedar. **2.** Hospedaria.

hospedar

hospedar (hos.pe.*dar*) v. **1.** Alojar(-se), instalar(-se) como hóspede: *Hospedou os parentes do Sul em sua casa*; *Hospedei-me em uma pousada na praia*. **2.** (*Biol.*) Funcionar como hospedeiro de outro organismo: *hospedar um parasito*. ▶ Conjug. 8.

hospedaria (hos.pe.da.*ri*.a) *s.f.* Casa onde se recebem hóspedes, mediante pagamento; hospedagem, pousada.

hóspede (*hós*.pe.de) *s.m.* e *f.* **1.** Pessoa que se recebe em casa particular ou hospedaria, geralmente mediante pagamento. **2.** Pessoa que vive durante algum tempo em casa alheia. **3.** (*Biol.*) Parasito em relação ao organismo que o hospeda.

hospedeiro (hos.pe.*dei*.ro) *adj.* **1.** Que hospeda. **2.** Acolhedor, hospitaleiro. • *s.m.* **3.** Pessoa hospedeira. **4.** (*Biol.*) Organismo que hospeda e nutre um parasito. **5.** (*Med.*) Organismo que recebeu transplante (de órgãos ou de tecidos).

hospício (hos.*pí*.ci:o) *s.m.* Hospital aparelhado para a internação e o tratamento de doentes mentais; manicômio.

hospital (hos.pi.*tal*) *s.m.* Estabelecimento público ou privado, aparelhado para a internação e o tratamento de pacientes em enfermarias coletivas ou quartos particulares; nosocômio.

hospitalar (hos.pi.ta.*lar*) *adj.* Relativo a hospital ou a hospício.

hospitaleiro (hos.pi.ta.*lei*.ro) *adj.* Que recebe ou acolhe (hóspedes, visitantes, turistas etc.) com generosidade e afabilidade; hospedeiro: *um casal hospitaleiro*; *uma cidade hospitaleira*.

hospitalidade (hos.pi.ta.li.*da*.de) *s.f.* **1.** Ação de hospedar; hospedagem. **2.** Qualidade de hospitaleiro. **3.** Tratamento afável e acolhedor dispensado a alguém: *É sempre muito elogiada a hospitalidade dos brasileiros*.

hospitalização (hos.pi.ta.li.za.*ção*) *s.f.* **1.** Ato ou efeito de hospitalizar. **2.** Internação em hospital.

hospitalizar (hos.pi.ta.li.*zar*) *v.* Internar(-se) em hospital: *O médico decidiu hospitalizar os feridos no acidente*; *O ancião hospitalizou-se para realizar alguns exames*. ▶ Conjug. 5.

host [rôst] (Ing.) *s.m.* Anfitrião.

hoste [ó] (*hos*.te) *s.f.* **1.** Força armada; exército, tropa: *hostes inimigas*. **2.** Multidão desordenada; bando, chusma, turba.

hostess [rôstess] (Ing.) *s.f.* Anfitriã.

hóstia (*hós*.ti:a) *s.f.* (*Rel.*) No catolicismo, pequena rodela fina de farinha de trigo não fermentado, consagrada pelo sacerdote durante a missa e oferecida aos fiéis durante a comunhão.

hostil (hos.*til*) *adj.* **1.** Que manifesta inimizade, rivalidade: *torcidas hostis*. **2.** Que demonstra agressividade, intimidação ou ameaça: *nações hostis*. **3.** Que se opõe a; contrário, adverso, desfavorável: *O filme recebeu críticas hostis*.

hostilidade (hos.ti.li.*da*.de) *s.f.* **1.** Qualidade de hostil; agressividade, provocação. **2.** Atitude ou manifestação hostil.

hostilizar (hos.ti.li.*zar*) *v.* **1.** Tratar(-se) com hostilidade: *hostilizar os vizinhos*; *Os jogadores se hostilizaram em campo*. **2.** Mover guerra contra; causar dano a; prejudicar: *hostilizar a população de rua*. ▶ Conjug. 5.

hot dog [rót dóg] (Ing.) *s.m.* Cachorro-quente.

hotel (ho.*tel*) *s.m.* Estabelecimento que fornece hospedagem em quartos ou apartamentos mobiliados, além de alguns serviços, como refeições, lavanderia etc., e atividades de lazer e entretenimento.

hotelaria (ho.te.la.*ri*.a) *s.f.* **1.** Rede de hotéis de uma região, de um país etc. **2.** Técnica de dirigir ou administrar hotéis. **3.** Atividade econômica de exploração de hotéis.

hoteleiro (ho.te.*lei*.ro) *adj.* **1.** Relativo a hotel: *indústria hoteleira*. • *s.m.* **2.** Proprietário ou administrador de um hotel.

hotentote [ó] (ho.ten.*to*.te) *adj.* **1.** Relativo aos hotentotes, grupo étnico do sul da África. • *s.m.* e *f.* **2.** Indivíduo dos hotentotes. **3.** A língua dos hotentotes.

huguenote [ó] (hu.gue.*no*.te) *adj. s. m.* e *f.* Calvinista.

hulha (*hu*.lha) *s.f.* Carvão mineral, muito empregado na indústria.

hulheira (hu.*lhei*.ra) *s.f.* Jazida ou mina de hulha.

hulhífero (hu.*lhí*.fe.ro) *adj.* Que contém ou produz hulha.

hum *interj.* Expressa dúvida, receio, desconfiança, impaciência, ou manifesta, em determinadas ocasiões, sinal de aprovação.

humanidade (hu.ma.ni.*da*.de) *s.f.* **1.** Qualidade ou condição de humano. **2.** O conjunto dos seres humanos: *As guerras acarretam grandes males para a humanidade*. **3.** Sentimento de benevolência, complacência, compaixão para com os semelhantes: *Trata sempre com humanidade os desfavorecidos*. • *humanidades s.f.pl.* **4.** Conjunto de estudos concernentes ao homem ou à humanidade, como a Filosofia, a Literatura, a História e as línguas.

humanismo (hu.ma.*nis*.mo) *s.m.* **1.** Valorização do homem e do que é humano. **2.** (*Fil.*) Doutrina que enfatiza o homem como centro do conhecimento. **3.** (*Hist.*) Movimento intelectual do Renascimento europeu, que exaltava o homem e suas potencialidades, por meio do conhecimento e estudo da cultura greco-romana. – **humanístico** *adj.*

humanista (hu.ma.*nis*.ta) *adj.* **1.** Relativo a humanismo. • *s.m.* e *f.* **2.** Pessoa versada em humanidades. **3.** Partidário ou adepto do humanismo.

humanitário (hu.ma.ni.*tá*.ri:o) *adj.* **1.** Relativo a humanitarismo. **2.** Que promove o bem-estar de seu próximo e da humanidade. • *s.m.* **3.** Pessoa humanitária; filantropo.

humanitarismo (hu.ma.ni.ta.*ris*.mo) *s.m.* Conjunto de princípios morais e éticos que visa ao bem-estar e à felicidade do homem e da humanidade; filantropia.

humanizar (hu.ma.ni.*zar*) *v.* **1.** Tornar(-se) humano (1): *As histórias infantis humanizam animais e objetos; Para os cristãos, o Filho de Deus humanizou-se.* **2.** Tornar(-se) benevolente, complacente, tolerante: *O sofrimento humanizou-o; O pai severo humanizou-se com as desculpas do filho.* **3.** Tornar(-se) sociável, polido, tratável; civilizar(-se); socializar(-se): *É possível humanizar até os mais rudes corações; Humanizou-se na convivência com os mais velhos.* ▶ Conjug. 5.

humano (hu.*ma*.no) *adj.* **1.** Relativo a ou próprio do homem: *natureza humana.* **2.** Que demonstra bondade, compaixão, indulgência para com o próximo; humanitário: *Meu chefe é muito humano.* • *s.m.* **3.** O ser humano; o homem. || Nessa acepção, mais usado no plural.

humildade (hu.mil.*da*.de) *s.f.* **1.** Qualidade de humilde. **2.** Ausência de orgulho; modéstia, simplicidade, singeleza: *A fama não o fez menos humilde.* **3.** Manifestação de respeito, reverência ou submissão: *Dirige-se sempre a seus superiores com toda humildade.* **4.** Condição de desfavorecimento econômico e social; pobreza, penúria: *Vivem com grande humildade e necessidade.*

humilde (hu.*mil*.de) *adj.* **1.** Que tem ou aparenta humildade: *Ser humilde é uma virtude dos autênticos campeões.* **2.** Que manifesta sentimentos de inferioridade ou submissão: *Lançou um olhar humilde ao patrão.* **3.** Que não tem muita importância; modesto, despretensioso, simples: *um emprego humilde.* **4.** Desfavorecido, pobre: *É humilde a condição dessa família.* || sup. abs.: *humildíssimo* e *humílimo.*

humilhar (hu.mi.*lhar*) *v.* **1.** Tornar(-se) ou mostrar(-se) humilde: *As lições de vida bastam para humilhar os prepotentes; O bom fiel se humilha diante de Deus.* **2.** Rebaixar(-se), submeter(-se), sujeitar(-se), aviltar(-se): *humilhar um empregado; Não se deixe humilhar por ninguém.* **3.** Referir-se com desdém a; tratar com menosprezo; desprezar, espezinhar: *O verdadeiro campeão não humilha os adversários.* ▶ Conjug. 5. – **humilhação** *s.f.*; **humilhante** *adj.*

humílimo (hu.*mí*.li.mo) *adj.* Superlativo absoluto de *humilde.*

humo (*hu*.mo) *s.m.* Matéria resultante da decomposição de resíduos orgânicos, principalmente vegetais, que torna os solos férteis. || *húmus.*

humor [ô] (hu.*mor*) *s.m.* **1.** Qualquer substância líquida existente no corpo humano: *humor aquoso.* **2.** *fig.* Estado de espírito; disposição de ânimo: *bom humor.* **3.** *fig.* Comicidade, graça, ironia: *Aprecio as comédias de fino humor.*

humorismo (hu.mo.*ris*.mo) *s.m.* Qualidade de humorista ou dos escritos humorísticos; comicidade, espirituosidade, sagacidade.

humorista (hu.mo.*ris*.ta) *s.m.* e *f.* Pessoa que fala, escreve ou representa com humor (3).

humorístico (hu.mo.*rís*.ti.co) *adj.* **1.** Relativo a humor ou a humorismo. **2.** Em que há humor: *programa humorístico.*

húmus (*hú*.mus) *s.m.2n.* Humo.

húngaro (*hún*.ga.ro) *adj.* **1.** Da Hungria; país da Europa. • *s.m.* **2.** O natural ou o habitante desse país. **3.** A língua desse país.

huno (*hu*.no) *adj.* **1.** Relativo ou pertencente aos hunos. • *s.m.* **2.** Indivíduo dos hunos, povo bárbaro da Ásia central: *Sob o comando de Átila, os hunos invadiram e dominaram grande parte da Europa.*

hurra (*hur*.ra) *interj.* Expressa saudação, felicitação, alegria, vitória; salve, viva.

Hz (*Fís.*) Símbolo de *hertz.*

i s.m. **1.** Nona letra do alfabeto português. **2.** O nome dessa letra. **3.** O número um em algarismo romano.

I (*Quím.*) Símbolo de *iodo*.

iaiá (ia.*iá*) s.f. fam. Sinhá: *iaiá Garcia é a protagonista do romance homônimo de Machado de Assis*.

ialorixá [ch] (i:a.lo.ri.*xá*) s.f. (*Rel.*) Mãe de santo.

ianomâmi (i:a.no.*mâ*.mi) adj. **1.** Relativo ao povo indígena da reserva que compreende o oeste de Roraima, o norte do Amazonas e o sul da Venezuela. • s.m. e f. **2.** Indivíduo desse povo. **3.** Sua língua.

ianque (i:*an*.que) adj. s.m. e f. Norte-americano.

iara (i:*a*.ra) s.f. (*Folc.*) Entidade mitológica dos rios e dos lagos amazônicos; mãe-d'água.

iate (i:*a*.te) s.m. **1.** Embarcação a vela ou a motor destinada a recreio ou regata. **2.** Embarcação luxuosa, para transporte de pessoas. – **iatista** s.m. e f.

iatismo (i:a.*tis*.mo) s.m. **1.** Prática da navegação de recreio. **2.** (*Esp.*) Prática da corrida de iate.

ibérico (i.*bé*.ri.co) adj. **1.** Da Península Ibérica (Portugal e Espanha); ibero. • s.m. **2.** O natural ou o habitante da Península Ibérica.

ibero [é] (i.*be*.ro) adj. s.m. Ibérico.

ibero-americano (i.be.ro-a.me.ri.*ca*.no) **1.** adj. Dos povos americanos colonizados por cada um dos países da Península Ibérica. • s.m. **2.** O habitante ou o natural de qualquer dessas nações americanas. || pl.: *ibero-americanos*.

ibidem (*Lat.*) adv. Na mesma obra, no mesmo capítulo ou na mesma página de um autor citado. || Abrev.: *ib.*

ibope [ó] (i.*bo*.pe) s.m. **1.** Índice para medir preferências e para orientar propaganda e venda, obtido por meio de pesquisa de opinião pública: *É o programa de maior ibope entre os telespectadores daquela emissora.* **2.** *fig.* Prestígio, notoriedade: *Após ser promovido, cresceu seu ibope entre os colegas.* || Sigla de Instituto Brasileiro de Opinião Pública e Estatística.

içar (i.*çar*) v. **1.** Puxar para cima: *içar a carga do navio.* **2.** Levantar(-se), erguer(-se), alçar(-se): *içar bandeira; O náufrago conseguiu içar-se ao bote salva-vidas.* ▶ Conjug. 5 e 36. – **içamento** s.m.

iceberg [*aiceberg*] (Ing.) s.m. Grande bloco de gelo que, ao se desprender das geleiras polares, flutua impelido pelas correntes marítimas.

ícone (*í*.co.ne) s.m. **1.** Imagens devotas pintadas em telas de madeira e recobertas de metal precioso, que constituem objeto de culto nas igrejas orientais. **2.** Signo que tem alguma semelhança com o objeto por ele representado, como por exemplo a fotografia, a caricatura etc. **3.** *fig.* Pessoa ou coisa que simboliza uma época, um estilo etc.: *Picasso é o ícone da arte do século XX.* **4.** (*Inform.*) Nos programas de computador, uma pequena imagem gráfica que representa na tela um objeto, o qual pode ser manipulado pelo usuário por meio de um clique do *mouse*.

iconoclasta (i.co.no.*clas*.ta) adj. **1.** Que nega o culto a imagens ou que as destrói. **2.** *fig.* Que desrespeita e quebra tradições e convenções instituídas. **3.** *fig.* Que abala o crédito ou a reputação alheia. • s.m. e f. **4.** Pessoa iconoclasta.

iconografia (i.co.no.gra.*fi*.a) s.f. **1.** Estudo das representações (imagens, figuras, retratos etc.) relativas a uma determinada época, a um ramo do conhecimento ou a um tema específico: *iconografia cristã medieval; iconografia botânica.* **2.** Conjunto de ilustrações de um livro. – **iconográfico** adj.

icterícia (ic.te.*rí*.ci:a) s.f. (*Med.*) Coloração amarela na pele, nas mucosas e nos olhos, originada pela presença de bílis no sangue. – **ictérico** adj.

id (*Lat.*) s.m. (*Psicn.*) Conteúdo inconsciente da personalidade, correspondente aos impulsos instintivos e às exigências para a satisfação do prazer.

ida (i.da) *s.f.* Ato ou movimento de ir de um lugar para outro; partida.

idade (i.da.de) *s.f.* **1.** Tempo transcorrido desde o nascimento. **2.** Número de anos de alguém ou de alguma coisa: *Tinha a idade de trinta anos quando se casou.* **3.** Cada uma das diversas épocas da vida de um indivíduo: *idade escolar; idade madura.* **4.** Período pré-histórico ou histórico: *Idade da Pedra; Idade Média.* || *De idade*: idoso: *uma senhora de idade.* • *Terceira idade*: idade acima dos 65 anos; velhice: *O mercado de trabalho vem abrindo vagas para a terceira idade.*

ideal (i.de:al) *adj.* **1.** Que existe apenas no pensamento; imaginário, idealizado: *O mundo ideal parece inatingível.* **2.** Que reúne todas as qualidades; perfeito, modelar, exemplar: *Ele é um filho ideal.* • *s.m.* **3.** Desejo supremo; aspiração, ambição: *Meu ideal é ser um escritor famoso.* **4.** Exemplo de excelência; perfeição suprema: *ideal de beleza; ideal de paz.* **5.** Resposta adequada (a um problema); solução perfeita: *Para que a população seja sempre bem-informada, o ideal é a transparência das ações do governo.*

idealismo (i.de:a.lis.mo) *s.m.* **1.** Qualidade de ideal. **2.** Tendência a idealizar a realidade: *Sua poesia é marcada pelo idealismo.* **3.** Busca ou adesão a um ideal: *O bom político trabalha com idealismo.*

idealista (i.de:a.lis.ta) *adj.* **1.** Relativo a idealismo. • *s.m.* e *f.* **2.** Pessoa que acredita em um ideal, que tende para um ideal. **3.** Devaneador, sonhador, fantasiador.

idealizar (i.de:a.li.zar) *v.* **1.** Julgar(-se), conceber(-se), imaginar(-se) de maneira ideal: *idealizar os pais; O artista se idealizava no palco.* **2.** Criar na ideia ou na imaginação; imaginar, fantasiar, idear: *Os mestres idealizam um futuro promissor para seus alunos.* **3.** Fazer o plano de; planejar, projetar, programar: *idealizar um programa de distribuição de renda no país.* **4.** Poetizar, embelezar, divinizar: *idealizar o amor.* ▶ Conjug. 5. – **idealização** *s.f.*; **idealizador** *adj. s.m.*

idear (i.de:ar) *v.* Idealizar (2): *Eles idearam um plano infalível de ganhar na loteria.* ▶ Conjug. 15.

ideia [éi] (i.dei.a) *s.f.* **1.** Representação mental de algo concreto ou abstrato: *Guarda ainda a ideia do rosto da antiga namorada; Tem uma ideia de beleza diferente da minha.* **2.** Conhecimento, informação, noção: *Ele não tem uma ideia clara sobre o assunto.* **3.** Maneira de ver; opinião, conceito, juízo: *Não tenho ainda ideia formada sobre o problema.* **4.** Intenção, plano, propósito, intuito: *Minha ideia é me formar e trabalhar no interior.* **5.** Solução, recurso, saída: *Essa foi uma ideia brilhante.* **6.** Lembrança, recordação, reminiscência: *Trago comigo uma boa ideia da infância.* **7.** Talento inventivo; imaginação, fantasia: *Tem boas ideias para um novo livro.* **8.** Pensamento, mente: *Aquela cena não me sai da ideia.* || *Trocar ideias*: coloq. bater papo; conversar: *Gosta de trocar ideias com os mais velhos.*

idem [ídem] (Lat.) *pron. dem.* O mesmo. || Usado para evitar repetição do que foi dito ou escrito anteriormente. || Abrev.: id.

idêntico (i.dên.ti.co) *adj.* **1.** Que é perfeitamente igual; o mesmo que outro: *gêmeos idênticos.* **2.** Que é muito parecido; análogo, semelhante: *Algumas paisagens do interior parecem idênticas.*

identidade (i.den.ti.da.de) *s.f.* **1.** Qualidade de idêntico; igualdade. **2.** Conjunto de caracteres próprios e exclusivos de uma pessoa, tais como o nome, idade, estado civil, profissão, sexo, impressões digitais etc. **3.** Documento de identificação que contém esses dados: *carteira de identidade.*

identificar (i.den.ti.fi.car) *v.* **1.** Tornar ou declarar idêntico: *identificar a assinatura de alguém.* **2.** Determinar as características de; classificar, caracterizar: *identificar um novo vírus.* **3.** Reconhecer, distinguir: *Não o estou identificando bem.* **4.** Apresentar prova de identidade: *Identifique-se na recepção do hotel.* **5.** Encontrar em outra pessoa características comuns ou afinidades; conformar-se, ajustar-se: *Algumas pessoas tendem a identificar-se com personagens de ficção.* ▶ Conjug. 5 e 35. – **identificação** *s.f.*

ideograma (i.de:o.gra.ma) *s.m.* Símbolo gráfico que exprime uma ideia ou representa um objeto sem reproduzir a estrutura fonética da palavra correspondente: *A escrita chinesa é composta de ideogramas.*

ideologia (i.de:o.lo.gi.a) *s.f.* Conjunto das ideias e doutrinas próprias de uma pessoa, uma estrutura social ou uma época determinada, que constitui a base de um sistema social ou político: *ideologia burguesa; ideologia socialista.* – **ideológico** *adj.*; **ideólogo** *s.m.*

ídiche (í.di.che) *s.m.* lídiche.

idílico (i.dí.li.co) *adj.* **1.** Relativo a ou que tem o caráter de idílio. **2.** Amoroso, suave, terno.

idílio (i.dí.li:o) *s.m.* **1.** Relacionamento amoroso; namoro: *Mantinham no casamento o mesmo idílio de quando eram jovens.* **2.** *fig.* Sonho, devaneio, fantasia: *Sua mente vivia um idílio constante.* **3.** (*Lit.*) Pequeno poema de tema bucólico e amoroso.

idioma (i.di:o.ma) *s.m.* Língua de uma nação.

idiomático (i.di:o.má.ti.co) *adj.* Concernente ou peculiar a um idioma.

idiomatismo (i.di:o.ma.*tis*.mo) *s.m.* (*Ling.*) Idiotismo.

idiossincrasia (i.di:os.sin.cra.si.a) *s.f.* Traços característicos da personalidade e do comportamento de uma pessoa ou grupo. – **idiossincrático** *adj.*

idiota [ó] (i.di:o.ta) *adj.* **1.** Diz-se de pessoa pouco inteligente; estúpido, parvo, tolo. • *s.m. e f.* **2.** (*Med.*) Doente de idiotia.

idiotia (i.di:o.*ti*.a) *s.f.* (*Med.*) Retardo mental profundo, caracterizado por uma série de limitações físicas e pelo nível mental do adulto inferior a três anos.

idiotice (i.di:o.*ti*.ce) *s.f.* **1.** Qualidade de idiota. **2.** Dito ou ação próprios de idiota.

idiotismo (i.di:o.*tis*.mo) *s.m.* **1.** Idiotice. **2.** (*Med.*) Idiotia. **3.** Fato correto e corrente, mas que contraria princípios gerais da gramática, por exemplo, o infinitivo flexionado em Português, apesar de ser uma forma infinita do verbo.

ido (i.do) *adj.* Que passou, que (se) foi; passado, decorrido: *tempos idos e vividos.*

idolatrar (i.do.la.*trar*) *v.* **1.** Cultuar ídolos; adorar: *Os povos da antiguidade greco-romana idolatravam deuses.* **2.** *fig.* Amar ou admirar alguém ou alguma coisa excessivamente: *A torcida idolatra os atletas campeões.* ▶ Conjug. 5. – **idolatria** *s.f.*

ídolo (í.do.lo) *s.m.* **1.** Imagem representativa de alguma divindade, a qual é objeto de culto. **2.** *fig.* Objeto da paixão, da simpatia, do afeto, da veneração de alguém.

idoneidade (i.do.nei.*da*.de) *s.f.* **1.** Qualidade de idôneo. **2.** Aptidão, capacidade, competência. || *Idoneidade moral:* (*Jur.*) conjunto de qualidades que distinguem o indivíduo, tornando-o digno no conceito público.

idôneo (i.dô.ne:o) *adj.* **1.** Que é conveniente, adequado, apropriado (a alguma coisa): *A resposta ao requerimento virá em tempo idôneo.* **2.** Que tem competência para o desempenho de tarefas ou funções: *um corpo de funcionários idôneos.* **3.** Que é confiável, honesto, correto: *uma testemunha idônea.*

idos (i.dos) *s.m.pl.* **1.** No calendário da Roma antiga era o 15.º dia dos meses de março, maio, julho e outubro ou o 13.º dia dos demais meses. **2.** O tempo passado; época anterior: *Vivia-se bem nos idos de 1950.*

idoso [ô] (i.*do*.so) *adj.* Que conta muitos anos de existência; velho, senil. || f. e pl.: [ó].

iene (i:e.ne) *s.m.* Moeda do Japão.

igapó (i.ga.*pó*) *s.m.* **1.** Região alagada da floresta amazônica. **2.** Vegetação baixa dessa região.

igarapé (i.ga.ra.*pé*) *s.m.* **1.** Pequeno rio que corre entre duas ilhas ou entre uma ilha e a terra firme e é navegável por canoas e pequenos barcos. **2.** Canal natural que liga dois trechos mais ou menos próximos de um mesmo rio.

iglu (i.*glu*) *s.m.* Habitação feita com blocos de neve pelos esquimós.

ignaro (ig.*na*.ro) *adj.* Que é falto de conhecimento ou de instrução; ignorante, bronco, rude.

ígneo (*íg*.ne:o) *adj.* **1.** Relativo a fogo. **2.** De aspecto semelhante ou da cor do fogo: *os raios ígneos do sol poente.* **3.** *fig.* Muito ardente; apaixonado, inflamado, entusiasmado: *a ígnea chama do amor.* **4.** (*Geol.*) Diz-se de rocha formada pelo resfriamento do magma.

ignição (ig.ni.*ção*) *s.f.* **1.** Estado de uma substância em combustão. **2.** Sistema elétrico, acionado por bateria, que produz a centelha para inflamar a mistura combustível nos cilindros dos motores de explosão.

ignóbil (ig.*nó*.bil) *adj.* **1.** Que não tem nobreza de caráter; baixo, vil, desprezível: *atitude ignóbil.* **2.** Abjeto, torpe, hediondo: *crime ignóbil.*

ignomínia (ig.no.*mí*.ni.a) *s.f.* **1.** Afronta pública; desonra, injúria, infâmia: *Acusar sem provas é um ato de ignomínia.* **2.** Degradação moral; humilhação, vergonha, opróbrio: *A tortura é uma ignomínia.* – **ignominioso** *adj.*

ignorância (ig.no.*rân*.ci:a) *s.f.* **1.** Estado ou condição de quem ignora, de quem não é instruído. **2.** Falta de saber, de conhecimento; desconhecimento, inconsciência: *Ninguém pode alegar ignorância da lei.* **3.** Burrice, estupidez, grosseria.

ignorante (ig.no.*ran*.te) *adj.* **1.** Que não tem instrução; inculto, iletrado, ignaro. **2.** Que ignora, não tem conhecimento ou não está a par de determinado assunto: *Ninguém deve ser ignorante sobre política*. **3.** Que é mal-educado, grosseiro, estúpido. • *s.m. e f.* **4.** Pessoa ignorante.

ignorar (ig.no.*rar*) *v.* **1.** Não saber; não ter conhecimento ou informação: *Ignoro se as lojas abrirão no feriado*. **2.** Não considerar; desconhecer, desprezar: *ignorar uma ordem*; *ignorar os inimigos*. **3.** Tirar da lembrança; esquecer: *O melhor que você pode fazer é ignorar-me*. **4.** Desconhecer-se a si próprio: *Em muitos aspectos, os homens ainda se ignoram*. ▶ Conjug. 20.

ignoto [ó ou ô] (ig.no.to) *adj.* Não conhecido; ignorado, incógnito: *O viajante andou por ignotas paragens*.

igreja [ê] (i.gre.ja) *s.f.* **1.** Templo cristão: *Casou-se numa bela igreja barroca*. **2.** A comunidade dos cristãos: *igreja ortodoxa*; *igreja protestante*. **3.** O conjunto dos cristãos católicos; o catolicismo: *A Igreja elegeu seu novo Papa*. **4.** Autoridade eclesiástica; o clero: *A Igreja manifestou-se sobre a utilização das células-tronco*. || Nas duas últimas acepções, usa-se inicial maiúscula.

iguaçuano (i.gua.çu.*a*.no) *adj.* **1.** Da cidade de Nova Iguaçu, no Estado do Rio de Janeiro. • *s.m.* **2.** O natural ou o habitante dessa cidade.

igual (i.*gual*) *adj.* **1.** Que não tem diferença; idêntico, semelhante: *As provas foram iguais para todas as turmas*. **2.** Que não sofre alteração, invariável, inalterável, uniforme: *A rotina daquele trabalhador é sempre igual*. **3.** Que tem o mesmo nível; liso, plano: *Aplaine o móvel para conseguir superfícies iguais*. • *s.m. e f.* **4.** Pessoa da mesma condição ou posição. • *adv.* **5.** Do mesmo modo; igualmente: *Trata todo mundo igual*. || *De igual para igual*: como se fosse da mesma condição ou posição: *Vamos discutir de igual para igual*. • *Por igual*: de modo igual; com igualdade: *O comércio ajustou seus preços por igual*. • *Sem igual*: único, ímpar, inigualável: *um estadista sem igual*.

igualação (i.gua.la.ção) *s.f.* Ato ou efeito de igualar; equiparação, nivelamento.

igualar (i.gua.*lar*) *v.* **1.** Tornar(-se) igual; equiparar(-se), nivelar(-se): *O comércio igualou os preços atuais aos praticados no ano anterior*; *Muitos de nossos produtos de exportação se igualam aos melhores do setor*. **2.** Colocar no mesmo nível ou plano; nivelar, aplainar: *igualar o terreno*. ▶ Conjug. 5.

igualdade (i.gual.*da*.de) *s.f.* **1.** Qualidade ou caráter do que é igual: *Os homens têm igualdade perante a lei*. **2.** Completa semelhança; identidade, conformidade: *Ambos apresentam igualdade de intenções*. **3.** Uniformidade, paridade: *igualdade de salários*; *igualdade de preços*. **4.** (*Mat.*) Relação entre duas quantidades iguais. **5.** (*Mat.*) Equação que exprime essa relação.

igualha (i.gua.lha) *s.f.* Igualdade de condição ou posição social.

igualitário (i.gua.li.*tá*.ri:o) *adj.* **1.** Relativo a igualitarismo. **2.** Que advoga ou promove a igualdade social. • *s.m.* **3.** Partidário do igualitarismo.

igualitarismo (i.gua.li.ta.*ris*.mo) *s.m.* Doutrina que defende a igualdade de direitos para todos os membros de uma sociedade.

iguana (i.gua.na) *s.m.* (*Zool.*) Lagarto grande de cor escura, originário da América tropical, que alcança cerca de dois metros de comprimento, com uma crista que vai da cabeça à cauda; é impropriamente chamado de camaleão no Brasil.

iguaria (i.gua.*ri*.a) *s.f.* Comida apetitosa; acepipe delicado.

ih *interj.* Exprime admiração, espanto, ironia, sensação de perigo iminente.

iídiche (i.*í*.di.che) *s.m.* Língua derivada de dialetos do alemão, com acréscimos vocabulares do hebraico e das línguas eslavas, e falada principalmente pelas comunidades judaicas da Europa oriental e pelos emigrantes destas comunidades em todo o mundo; ídiche.

ikebana (Jap.) *s.f.* Iquebana.

ilação (i.la.ção) *s.f.* Inferência, dedução ou conclusão a que se chega para esclarecimento da verdade de um fato.

ilativo (i.la.*ti*.vo) *adj.* Que tira ilações; dedutivo, conclusivo.

ilegal (i.le.*gal*) *adj.* Que é contrário à lei; ilegítimo, ilícito.

ilegalidade (i.le.ga.li.*da*.de) *s.f.* **1.** Caráter do que é ilegal. **2.** Ação ilegal: *A fraude é uma ilegalidade*. **3.** Situação ilegal: *Os traficantes vivem na ilegalidade*.

ilegítimo (i.le.*gí*.ti.mo) *adj.* **1.** Que se apresenta fora das regras ou princípios legalmente instituídos; ilegal, ilícito. **2.** Que decorre do nascimento de pessoa concebida por pais que não se encontram em casamento legal: *filiação ilegítima*.

ilegível (i.le.*gí*.vel) *adj.* Que não é legível; que não se pode ler.

íleo (*í*.le:o) *s.m.* (*Anat.*) Terceiro segmento do intestino delgado, entre o jejuno e o ceco.

ileso [é ou ê] (i.le.so) *adj.* Que não sofreu nenhuma lesão ou ferimento; são e salvo; incólume.

iletrado (i.le.*tra*.do) *adj.* **1.** Que não tem cultura literária: *Sem boas leituras, haverá uma geração de iletrados.* **2.** Que não sabe ler nem escrever; analfabeto.

ilha (i.lha) *s.f.* **1.** (*Geogr.*) Porção de terra emersa, circundada de água doce ou salgada por todos os lados, porém menor que os continentes; ínsula. **2.** *fig.* Espécie de calçada, de nível mais alto, erguida no meio de rua ou avenida para dividir as mãos de direção e proteger os pedestres. || dim.: *ilhota.*

ilhar (i.*lhar*) *v.* Tornar(-se) incomunicável; pôr (-se) à parte; apartar(-se), isolar(-se): *A queda de barreira na estrada ilhou o pequeno município; A qualquer contratempo, ilhava-se no seu mundo interior.* ▶ Conjug. 5.

ilharga (i.*lhar*.ga) *s.f.* (*Anat.*) Lado do corpo humano, do quadril ao ombro; flanco.

ilheense (i.lhe:*en*.se) *adj.* **1.** Da cidade de Ilhéus, no Estado da Bahia. • *s.m.* e *f.* **2.** O natural ou o habitante dessa cidade.

ilhéu (i.*lhéu*) *s.m.* O natural ou o habitante de uma ilha; insulano.

ilhó (i.*lhó*) *s.m.* e *f.* **1.** Orifício circular aberto em pano, couro, cartão e outros materiais, por onde se enfiam fitas, cordões etc. **2.** Aro de metal com que se debrua esse orifício; ilhós.

ilhoa [ô] (i.*lho*.a) *s.f.* A natural ou a habitante de uma ilha.

ilhós (i.*lhós*) *s.m.* e *f.* Ilhó. || pl.: *ilhoses.*

ilhota [ó] (i.*lho*.ta) *s.f.* Pequena ilha; ilhéu. || dim. de *ilha.*

ilíaco (i.*lí*.a.co) *adj.* **1.** (*Anat.*) Relativo à bacia: *fossa ilíaca.* **2.** Diz-se de cada um dos ossos que formam a bacia. • *s.m.* **3.** Um desses dois ossos.

ilibado (i.li.*ba*.do) *adj.* **1.** Que não foi tocado; não violado, puro, imaculado: *Nossa Senhora, Virgem ilibada.* **2.** Que está livre de culpa; reabilitado, justificado: *reputação ilibada.* – **ilibação** *s.f.*

ilícito (i.*lí*.ci.to) *adj.* **1.** Que é proibido ou condenado por lei; ilegal: *drogas ilícitas.* **2.** Que é contrário à moral e aos bons costumes; imoral: *atos ilícitos.* • *s.m.* **3.** (*Jur.*) Todo fato que importe numa violação do direito ou em dano causado a outra pessoa; ilicitude: *ilícito civil; ilícito penal.*

ilicitude (i.li.ci.*tu*.de) *s.f.* Qualidade ou caráter de ilícito; ilegalidade.

ilimitado (i.li.mi.*ta*.do) *adj.* **1.** Que não tem limites; infinito. **2.** Indefinido, indeterminado.

ilógico (i.*ló*.gi.co) *adj.* Que não tem lógica ou não faz sentido; incoerente, absurdo.

iludir (i.lu.*dir*) *v.* **1.** Causar ilusão a; enganar, lograr: *O candidato iludiu os eleitores.* **2.** Cair em ilusão ou erro; enganar-se, equivocar-se: *Todos se iludiram com as promessas do candidato.* **3.** Frustrar, baldar: *Não deixe o medo iludir a esperança.* **4.** Tornar menos evidente; disfarçar, dissimular: *iludir o sono; iludir a fome.* **5.** Usar de subterfúgios para não cumprir ou executar alguma coisa: *O falsário tentou iludir os agentes da lei.* ▶ Conjug. 66.

iluminação (i.lu.mi.na.*ção*) *s.f.* **1.** Ato ou efeito de iluminar(-se). **2.** Irradiação de luz; luminosidade: *iluminação natural; iluminação artificial.* **3.** Estado ou condição de iluminado: *Todos os aposentos da casa têm boa iluminação.* **4.** Sistema de abastecimento de luz: *A prefeitura inaugurou a nova iluminação do monumento do Cristo Redentor.* **5.** Técnica de iluminar e criar efeitos de luz (em ambientes, cenários, palcos etc.): *A iluminação foi o ponto alto do show.* **6.** *fig.* Inspiração ou revelação súbitas: *Teve uma iluminação e começou a compor.*

iluminado (i.lu.mi.*na*.do) *adj.* **1.** Que recebe luz ou iluminação: *ruas iluminadas.* **2.** Em que há claridade ou luminosidade; claro, luminoso: *céu iluminado.* **3.** Ornado com iluminuras. **4.** *fig.* Que revela grande inspiração: *um poeta iluminado.* **5.** *fig.* Dotado de grande saber e conhecimento; esclarecido, ilustrado: *A República necessita de homens iluminados.*

iluminador [ô] (i.lu.mi.na.*dor*) *adj.* **1.** Diz-se de quem ilumina. • *s.m.* **2.** Artista que faz iluminuras.

iluminar (i.lu.mi.*nar*) *v.* **1.** Espalhar luz sobre; tornar claro; alumiar; clarear: *O sol ilumina a Terra.* **2.** Realçar com luzes ou luminárias; abrilhantar: *No Natal, pequenas luzes coloridas iluminam as ruas e as casas.* **3.** *fig.* Tornar(-se) radiante; alegrar(-se): *O sorriso iluminou-lhe o rosto; Corações e mentes se iluminaram com as notícias de paz.* **4.** *fig.* Orientar, inspirar, aconselhar: *Deus ilumine seus passos.* **5.** Adornar com iluminuras: *iluminar livros, manuscritos.* ▶ Conjug. 5.

iluminismo (i.lu.mi.*nis*.mo) *s.m.* (*Fil.*) Doutrina predominante na Europa do século XVIII, que enfatizava uma concepção materialista dos seres humanos, baseada na racionalidade crítica e no poder da ciência; Ilustração: *O período do Iluminismo é conhecido como o Século das Luzes.* || Usa-se inicial maiúscula.

iluminista (i.lu.mi.*nis*.ta) *adj.* **1.** Relativo a Iluminismo. • *s.m.* e *f.* **2.** Pessoa adepta do Iluminismo.

iluminura (i.lu.mi.*nu*.ra) *s.f.* Pintura a cores representando pequenas figuras, flores e outros ornamentos em miniatura, com que na Idade Média se adornavam as letras capitais e outras partes dos livros e manuscritos.

ilusão (i.lu.*são*) *s.f.* **1.** Conceito ou imagem formados na mente que não correspondem à realidade: *Pensou ver ao longe um velho amigo, mas foi ilusão.* **2.** Manobra para iludir; mentira, logro, burla: *Os jogos de azar são uma ilusão.* **3.** Falsa esperança; devaneio, sonho: *Vivia a doce ilusão de ser amado.* **4.** Truque ou artifício de ilusionismo.

ilusionismo (i.lu.si:o.*nis*.mo) *s.m.* Arte ou técnica de criar ilusão por meio de artifícios e truques; prestidigitação. – **ilusionista** *s.m.* e *f.*

ilusório (i.lu.*só*.ri:o) *adj.* Que não passa de ilusão, enganador; falso, mentiroso: *promessas ilusórias.*

ilustração (i.lus.tra.*ção*) *s.f.* **1.** Ato ou efeito de ilustrar. **2.** Imagem, desenho ou gravura que acompanha o texto de obra escrita. **3.** Conjunto de conhecimentos; saber. **4.** Esclarecimento, explicação, comentário. **5.** (*Fil.*) Iluminismo.

ilustrado (i.lus.*tra*.do) *adj.* **1.** Que tem gravuras ou ilustrações. **2.** Letrado, instruído, culto, erudito.

ilustrador [ô] (i.lus.tra.*dor*) *s.m.* **1.** Desenhista de ilustrações. • *adj.* **2.** Ilustrado (2).

ilustrar (i.lus.*trar*) *v.* **1.** Fazer ilustrações: *ilustrar livros infantis.* **2.** Esclarecer, elucidar, exemplificar: *A pesquisa ilustra bem o perfil da população de baixa renda.* **3.** Tornar(-se) culto; instruir(-se): *Os bons livros ilustram os leitores; Ilustra-se com a leitura de bons livros.* ▶ Conjug. 5.

ilustrativo (i.lus.tra.*ti*.vo) *adj.* Que ilustra, elucida: *exemplo ilustrativo.*

ilustre (i.*lus*.tre) *adj.* **1.** Que se distingue por qualidades e méritos: *um ilustre parlamentar.* **2.** Notável, famoso, célebre: *um orador ilustre.* **3.** Nobre, fidalgo: *família ilustre.*

ilustríssimo (i.lus.*trís*.si.mo) *adj.* **1.** Muito ilustre. **2.** Tratamento cerimonioso, usado especialmente em cartas. || sup. abs. de *ilustre*; inicial maiúscula. || Abreviação: Il.ᵐᵒ

ímã (*í*.mã) *s.m.* **1.** Metal capaz de exercer força magnética, ou ser atraído por ela, e capaz de atrair substâncias magnetizáveis como ferro, aço; magneto. **2.** *fig.* Aquilo que atrai.

imaculado (i.ma.cu.*la*.do) *adj.* **1.** Que não tem pecado: *a concepção imaculada da Virgem Maria.* **2.** Moralmente puro, sem mácula; ilibado, inocente: *uma história de vida imaculada.* **3.** Sem mancha; limpo, alvo: *As roupas lavadas tinham uma brancura imaculada.*

imagem (i.*ma*.gem) *s.f.* **1.** Representação visual (desenho, gravura, pintura etc.) de pessoa ou coisa: *O documentário mostrou imagens surpreendentes da Amazônia.* **2.** Reprodução plástica de santos ou divindades que são objeto de culto: *No altar-mor ficava a imagem do santo padroeiro.* **3.** Reprodução de pessoa ou objeto por efeito de fenômenos ópticos de reflexão e refração: *O espelho refletiu a sua imagem abatida.* **4.** Impressão, passageira ou duradoura, de pessoa, objeto ou fato: *As imagens dramáticas do tsunâmi não me saíam da cabeça.* **5.** Semelhança, parecença, cópia: *A filha é a imagem da mãe quando nova.* **6.** *fig.* Conceito que se tem de alguém ou de alguma coisa: *É um profissional cioso de sua imagem.* **7.** *fig.* Aquilo que simboliza alguma coisa: *O soldado ferido era a imagem da dor.*

imaginação (i.ma.gi.na.*ção*) *s.f.* **1.** Processo mental que consiste em evocar ou construir imagens. **2.** Capacidade de criar, inventar; criatividade: *Tem uma imaginação fértil.* **3.** Engano, ilusão, fantasia: *Tudo não passou de fruto de sua imaginação.*

imaginar (i.ma.gi.*nar*) *v.* **1.** Conceber na imaginação; criar, inventar, idealizar, idear: *O presidente Juscelino Kubitschek imaginou, e realizou, a nova capital do Brasil.* **2.** Ter ou fazer ideia de: *Você não imagina a alegria que me deu.* **3.** Acreditar(-se), julgar(-se), supor(-se): *A área econômica imagina que os juros vão baixar; Ele se imagina um grande escritor.* **4.** Pensar insistentemente; cismar, matutar: *Gostava de ficar sozinho, imaginando.* ▶ Conjug. 5. – **imaginável** *adj.*

imaginário (i.ma.gi.*ná*.ri:o) *adj.* **1.** Existente só na imaginação, fictício: *herói imaginário.* • *s.m.* **2.** Aquilo que expressa o domínio da imaginação. **3.** Pessoa que faz estátuas ou estatuetas, principalmente de iconografia religiosa; santeiro.

imaginativo (i.ma.gi.na.*ti*.vo) *adj.* **1.** Que tem muita imaginação; criativo, imaginoso: *um escritor imaginativo.* **2.** Sonhador, fantasioso: *um adolescente imaginativo.*

imaginoso [ô] (i.ma.gi.*no*.so) **1.** Que tem imaginação fértil; criativo, imaginativo. **2.** Fantástico, fabuloso, inverossímil: *uma novela imaginosa.* || f. e pl.: [ó].

imago (i.*ma*.go) *s.m.* (*Zool.*) Estado final do inseto após as metamorfoses por que passa.

imanência (i.ma.*nên*.ci:a) *s.f.* **1.** Qualidade ou condição de imanente. **2.** (*Fil.*) Qualidade do que pertence à essência de algo, a sua interioridade, em oposição à existência ou a uma dimensão exterior.

imanente (i.ma.*nen*.te) *adj.* **1.** Que é inerente a algum ser ou que está unido de modo inseparável a sua natureza. **2.** Inseparável, permanente, constante, persistente: *Essas são questões imanentes a toda investigação*.

imantar (i.man.*tar*) *v.* Fazer adquirir (metal) propriedades magnéticas; imanar, imantizar, magnetizar: *imantar a agulha da bússola*. ▶ Conjug. 5. – **imantação** *s.f.*

imarcescível (i.mar.ces.*cí*.vel) *adj.* **1.** Que não murcha. **2.** *fig.* Incorruptível, inalterável: *glória imarcescível*.

imaterial (i.ma.te.ri:*al*) *adj.* Que não tem a natureza da matéria; impalpável. – **imaterialidade** *s.f.*

imaturidade (i.ma.tu.ri.*da*.de) *s.f.* **1.** Qualidade de imaturo. **2.** Falta de maturidade.

imaturo (i.ma.*tu*.ro) *adj.* **1.** Que ainda não está maduro: *fruto imaturo*. **2.** Que não alcançou a maturidade mental ou emocional: *Apesar de adulto, tem um comportamento imaturo*.

imbatível (im.ba.*tí*.vel) *adj.* Que não pode ser vencido ou batido; invencível: *uma equipe imbatível*.

imbaúba (im.ba.*ú*.ba) *s.f.* Embaúba.

imbecil (im.be.*cil*) *adj.* **1.** Que é falto de inteligência ou de juízo; que revela tolice; bobo, tolo, parvo. **2.** (*Psiq.*) Que apresenta retardo mental acentuado; idiota. **3.** Relativo a ou próprio de imbecil: *pergunta imbecil*. • *s.m.* e *f.* **4.** Pessoa imbecil. – **imbecilidade** *s.f.*

imbecilizar (im.be.ci.li.*zar*) *v.* Tornar(-se) imbecil: *A falta de informação imbeciliza o homem*; *Imbecilizou-se numa existência vazia de objetivos*. ▶ Conjug. 5.

imberbe [é] (im.*ber*.be) *adj.* **1.** Que não tem barba; glabro: *rosto imberbe*. **2.** Que ainda é muito moço: *adolescente imberbe*.

imbricar (im.bri.*car*) *v.* **1.** Disporem(-se) coisas parcialmente sobrepostas umas às outras: *imbricar telhas*; *A escultura está constituída de peças geométricas que se imbricam*. **2.** *fig.* Sobrepor (ideias, temas etc.); interligar(-se): *Política e ética se imbricam*. ▶ Conjug. 5 e 35. – **imbricação** *s.f.*

imbu (im.*bu*) *s.m.* Umbu.

imbuia (im.*bui*.a) *s.f.* (*Bot.*) Árvore nativa do Sul do Brasil, cuja madeira é muito usada em marcenaria.

imbuir (im.bu:*ir*) *v.* **1.** Deixar(-se) penetrar; impregnar(-se), embeber(-se), encher(-se): *imbuir o perfume no lenço*; *imbuir-se em boas lavandas*. **2.** Incutir(-se) (ideia, sentimento etc.) em; infundir(-se), inculcar(-se), convencer: *Imbuía os filhos de bons costumes*; *Diante da catástrofe, todos se imbuíram de solidariedade*. ▶ Conjug. 80.

imbuzeiro (im.bu.*zei*.ro) *s.m.* Umbuzeiro.

imediação (i.me.di:a.*ção*) *s.f.* **1.** Fato ou condição de ser imediato ou estar próximo; contiguidade, proximidade. • *imediações s.f.pl.* **2.** Vizinhança, cercanias, arredores: *Havia uma multidão nas imediações do estádio*.

imediatismo (i.me.di:a.*tis*.mo) *s.m.* **1.** Maneira direta de proceder, sem rodeios nem mediações. **2.** Tendência a agir visando a alcançar vantagem imediata, geralmente de ordem financeira: *O imediatismo na vida pública é reprovável*. – **imediatista** *adj.*

imediato (i.me.di:*a*.to) *adj.* **1.** Que acontece sem intervalo de tempo; instantâneo: *O professor queria respostas imediatas a suas questões*. **2.** Que se apresenta ou se realiza sem intermediário; direto: *No famoso filme de ficção científica ocorrem contatos imediatos com extraterrestres*. **3.** Que precede ou se segue numa série; precedente, subsequente, seguinte: *No dia imediato a sua posse, começou a trabalhar*. **4.** Que requer providência ou urgência; premente: *Este paciente necessita de socorro imediato*. • *s.m.* **5.** Funcionário logo abaixo do chefe na hierarquia e que o substitui em caso de impedimento ou falta. || *De imediato*: sem demora; imediatamente.

imemorial (i.me.mo.ri:*al*) *adj.* De que não resta memória por ser muito antigo; imemorável: *tempos imemoriais*. – **imemorável** *adj.*

imensidade (i.men.si.*da*.de) *s.f.* Imensidão: *O telejornal mostrou a imensidade da catástrofe*.

imensidão (i.men.si.*dão*) *s.f.* **1.** Qualidade, estado ou caráter do que é imenso. **2.** Extensão ilimitada, que não se pode medir; grande vastidão: *a imensidão do céu*. **3.** Grande número; quantidade imensa: *imensidão de dinheiro*.

imenso (i.*men*.so) *adj.* **1.** Que não pode ser medido. **2.** Muito grande; enorme, vasto, amplo: *Imensos blocos de gelo constituíam um perigo para a navegação*. • *adv.* **3.** Muitíssimo, imensamente: *Agradeço imenso seu interesse*.

imensurável (i.men.su.*rá*.vel) *adj.* Que não pode ser medido; imenso, incomensurável.

imerecido (i.me.re.ci.do) *adj.* Que não é merecido; indevido, injusto: *fama imerecida.*

imergir (i.mer.gir) *v.* **1.** Meter(-se) na água ou em outro líquido; (fazer) submergir; mergulhar(-se), afundar(-se): *imergir um corpo numa solução; O bote imergiu rapidamente; Homens imergiram-se na água gélida do rio.* **2.** *fig.* Entrar, introduzir, adentrar-se: *imergir nas sombras da noite.* **3.** *fig.* Absorver(-se), engolfar(-se): *A empresa imergiu numa crise sem precedente; Imergiu-se num sono profundo.* || *part. imergido* e *imerso.* || Conferir com *emergir.* ▶ Conjug. 74. – **imergente** *adj.*

imersão (i.mer.são) *s.f.* Ato ou efeito de imergir(-se): *banho de imersão.*

imerso [é] (i.mer.so) *adj.* **1.** Que se encontra mergulhado ou submerso em um líquido: *No rio, cardumes imersos fugiam aos anzóis.* **2.** *fig.* Que está afundado, engolfado, absorto: *Depois da morte do filho, viviam imersos em profunda dor.*

imigração (i.mi.gra.ção) *s.f.* **1.** Ato ou efeito de imigrar. **2.** Estabelecimento de pessoa em país que não é a sua pátria. **3.** Conjunto de imigrantes. || Conferir com *emigração.*

imigrante (i.mi.gran.te) *adj.* **1.** Que imigra. • *s.m.* e *f.* **2.** Pessoa que imigrou.

imigrar (i.mi.grar) *v.* Entrar e estabelecer-se em país estrangeiro: *Meu avô italiano imigrou ainda menino para o Brasil.* || Conferir com *emigrar* e *migrar.* ▶ Conjug. 5.

iminência (i.mi.nên.ci.a) *s.f.* Condição do que está iminente, a ponto de acontecer ou de se concretizar: *O contrato entre as partes está na iminência de ser assinado.* || Conferir com *eminência.*

iminente (i.mi.nen.te) *adj.* Que está prestes a acontecer: *ameaça iminente.* || Conferir com *eminente.*

imiscuir-se (i.mis.cu.ir-se) *v.* Intrometer-se, misturar-se em, envolver-se, ingerir-se: *Não vá imiscuir-se no que não lhe diz respeito.* ▶ Conjug. 80 e 67.

imitação (i.mi.ta.ção) *s.f.* **1.** Ato ou efeito de imitar. **2.** Reprodução exata ou semelhante: *É uma imitação perfeita do quadro famoso.* **3.** Cópia malfeita; plágio, arremedo, simulacro: *joia de imitação.*

imitar (i.mi.tar) *v.* **1.** Tentar reproduzir exatamente (ato, gesto, estilo etc.) de alguém; copiar, arremedar: *Aquela cantora imita bem Carmem Miranda.* **2.** Tomar por modelo ou norma: *Os filhos imitam os pais.* **3.** Apresentar semelhança; assemelhar-se: *A vida imita a arte.* **4.** Ter aparência falsa: *imitar ouro/prata.* **5.** Falsificar, contrafazer: *imitar uma assinatura.* ▶ Conjug. 5. – **imitativo** *adj.*

imobiliária (i.mo.bi.li:á.ri:a) *s.f.* Empresa cuja atividade é a venda, aluguel, administração ou construção de imóveis.

imobiliário (i.mo.bi.li:á.ri:o) *adj.* **1.** Relativo a imóvel: *empreendimento imobiliário.* **2.** Diz-se dos bens imóveis por natureza ou por disposição de lei. • *s.m.* **3.** Cada um destes bens.

imobilidade (i.mo.bi.li.da.de) *s.f.* Qualidade ou estado de imóvel; ausência de movimento; estabilidade, inércia.

imobilismo (i.mo.bi.lis.mo) *s.m.* **1.** Oposição sistemática ao progresso e às inovações; apego às tradições. **2.** Política conservadora de certos governos. – **imobilista** *adj.*

imobilização (i.mo.bi.li.za.ção) *s.f.* **1.** Ato ou efeito de imobilizar(-se). **2.** Ato de impedir ou reduzir os movimentos do corpo ou de parte dele para fins terapêuticos: *imobilização de braço fraturado.*

imobilizar (i.mo.bi.li.zar) *v.* **1.** Tornar(-se) imóvel: *A falta de energia imobilizou a maquinaria; Seu corpo imobilizou-se de medo.* **2.** Impedir a liberdade de movimento de: *Os policiais imobilizaram o assaltante.* **3.** Reduzir, parcial ou totalmente, o movimento do corpo ou parte dele, para tratamento ortopédico: *Os médicos imobilizaram o acidentado, a fim de ser transportado.* **4.** Impedir o progresso de; fazer parar; sustar, deter, reter: *Os juros altos podem imobilizar o desenvolvimento industrial; Sem investimento, alguns setores da economia se imobilizaram.* ▶ Conjug. 5.

imoderação (i.mo.de.ra.ção) *s.f.* Falta de moderação; descomedimento, exagero, excesso.

imodéstia (i.mo.dés.ti:a) *s.f.* Falta de modéstia; arrogância, orgulho, presunção.

imodesto [é] (i.mo.des.to) *adj.* Que não é modesto; vaidoso, presumido.

imolar (i.mo.lar) *v.* Matar(-se) em sacrifício; sacrificar(-se) a uma divindade ou por uma causa: *Imolar animais aos deuses era uma prática pagã; O pacifista imolou-se em protesto contra a guerra.* ▶ Conjug. 20. – **imolação** *s.f.*

imoral (i.mo.ral) *adj.* **1.** Que é contrário à moral e aos bons costumes; vergonhoso, indecoroso: *A barganha de votos é um ato imoral.* **2.** Contrário ao pudor, à decência; indecente, devasso: *propaganda imoral; filme imoral.* • *s.m.* e *f.* **3.** Pessoa imoral. || Conferir com *amoral.*

imoralidade (i.mo.ra.li.*da*.de) *s.f.* **1.** Qualidade ou condição de imoral. **2.** Conduta pouco ética; desonestidade, cinismo: *A fraude é uma imoralidade*. **3.** Prática de maus costumes; indecência, depravação, devassidão.

imorredoiro (i.mor.re.*doi*.ro) *adj.* Imorredouro.

imorredouro (i.mor.re.*dou*.ro) *adj.* **1.** Que não morre; eterno, imortal. **2.** Que há de durar sempre; perdurável, imperecível: *amizade imorredoura*. || imorredoiro.

imortal (i.mor.*tal*) *adj.* **1.** Que não morre; eterno, perene, imorredouro: *alma imortal*. **2.** Que não se acaba, que perdura para sempre; imperecível, inextinguível: *amor imortal*. **3.** Que é lembrado através dos tempos; inesquecível: *A obra de Machado de Assis é imortal*. • *s.m.* e *f.* **4.** Membro da Academia Brasileira de Letras. – **imortalidade** *s.f.*

imortalizar (i.mor.ta.li.*zar*) *v.* Tornar(-se) lembrado para sempre na memória dos homens; tornar(-se) célebre ou ilustre; notabilizar(-se): *Sua obra infantil imortalizou Monteiro Lobato; Santos Dumont imortalizou-se como o "pai da aviação"*. ▶ Conjug. 5. – **imortalização** *s.f.*

imóvel (i.*mó*.vel) *adj.* **1.** Que não tem movimento; que não se move, parado. • *s.m.* **2.** Bem que não é móvel, como terras, casas etc.

impaciência (im.pa.ci.*ên*.ci:a) *s.f.* **1.** Qualidade ou condição de impaciente; falta de paciência. **2.** Pressa, sofreguidão, precipitação. **3.** Irritação, agastamento.

impacientar (im.pa.ci:en.*tar*) *v.* **1.** Tornar(-se) impaciente; inquietar(-se); afligir(-se): *A febre alta da criança impacienta os pais; Impacienta-se com a falta de dinheiro*. **2.** Irritar(-se), aborrecer(-se), agastar(-se): *A longa fila de espera impacienta os usuários; O árbitro da partida impacientou-se com as constantes faltas*. ▶ Conjug. 5.

impaciente (im.pa.ci:*en*.te) *adj.* **1.** Que não tem paciência. **2.** Que demonstra pressa ou inquietação: *Estava impaciente para chegar em casa*. **3.** Que se mostra impertinente, rabugento, resmungão: *Com a idade, tornou-se impaciente*.

impactar (im.pac.*tar*) *v.* **1.** Causar impacto (3) em; ter grande efeito sobre; chocar, abalar, impressionar: *O noticiário sobre a guerra impactou os espectadores*. **2.** Sofrer impacto; chocar-se: *Seu corpo impactou-se forte contra o chão*. ▶ Conjug. 5 e 33.

impacto (im.*pac*.to) *s.m.* **1.** Choque de projétil contra um alvo. **2.** Choque de um corpo em movimento contra outro em repouso; embate, colisão. **3.** *fig.* Impressão forte e profunda; abalo, golpe: *A triste notícia causou-lhe um grande impacto*.

impagável (im.pa.*gá*.vel) *adj.* **1.** Que não pode ou não deve ser pago: *dívida impagável*. **2.** *fig.* Muito engraçado, cômico, hilariante: *comédia impagável*.

impalpável (im.pal.*pá*.vel) *adj.* Que não pode ser apalpado ou percebido pelo tato; imaterial.

impaludismo (im.pa.lu.*dis*.mo) *s.m.* (*Med.*) Paludismo, malária.

ímpar (*ím*.par) *adj.* **1.** (*Mat.*) Que não é divisível em dois números inteiros iguais: *número ímpar*. **2.** Que não tem par; único: *O coração é um órgão ímpar*. **3.** *fig.* Que não tem igual; inigualável, inexcedível: *beleza ímpar*.

imparcial (im.par.ci:*al*) *adj.* Que não é parcial ao julgar; justo, reto: *uma decisão imparcial*.

imparcialidade (im.par.ci:a.li.*da*.de) *s.f.* Qualidade de imparcial; equidade, justiça, neutralidade, retidão.

impasse (im.*pas*.se) *s.m.* Situação de difícil solução; dificuldade insustentável; embaraço, beco sem saída: *Os grevistas viviam o impasse de suspender ou continuar a greve*.

impassível (im.pas.*sí*.vel) *adj.* **1.** Que não é suscetível ao sentimento alheio; indiferente, insensível: *Ficou impassível diante da miséria*. **2.** Que não demonstra emoção ou perturbação; imperturbável, sereno: *um rosto impassível*. – **impassibilidade** *s.f.*

impatriótico (im.pa.tri.*ó*.ti.co) *adj.* Que não tem patriotismo; que revela falta de patriotismo.

impávido (im.*pá*.vi.do) *adj.* Que não tem medo; intrépido, corajoso, arrojado, destemido: *Brasil, impávido colosso*. – **impavidez** *s.f.*

impeachment [*impítchman*] (Ing.) *s.m.* Ato pelo qual, no regime presidencialista, destitui-se, mediante deliberação do Poder Legislativo, o chefe do Poder Executivo (presidente, governador, prefeito) que pratica crime de responsabilidade; impedimento.

impecável (im.pe.*cá*.vel) *adj.* Que é perfeito, correto, sem falha ou defeito: *O livro é uma tradução impecável do Inglês*.

impedimento (im.pe.di.*men*.to) *s.m.* **1.** Ato ou efeito de impedir. **2.** Aquilo que impede; obstáculo, dificuldade, estorvo: *Não existe impedimento para a sua contratação*. **3.** (*Esp.*) No futebol, posição irregular de um jogador que, ao lhe ser passada a bola, não tem, pelo menos, dois adversários entre ele e a linha de fundo.

impedido (im.pe.*di*.do) *adj.* **1.** Que tem impedimento: *processo impedido.* **2.** Que se interditou; obstruído, vedado: *acesso impedido a caminhões.* **3.** (*Esp.*) No futebol, diz-se do jogador que se encontra em posição de impedimento.

impedir (im.pe.*dir*) *v.* **1.** Tornar inviável; dificultar, impossibilitar, inviabilizar, tolher: *Tudo será feito para impedir um acordo ruinoso para as partes; O susto impedia-o de falar.* **2.** Fazer oposição a; não consentir; não permitir; proibir, coibir: *O porteiro impediu a entrada de menores na festa; Nada vai impedi-lo de viajar.* **3.** Interromper, obstruir, atalhar, vedar: *impedir a passagem, o acesso.* ▶ Conjug. 71.

impeditivo (im.pe.di.*ti*.vo) *adj.* Que serve de impedimento.

impelir (im.pe.*lir*) *v.* **1.** Dar impulso para frente ou para algum lugar; empurrar, impulsionar: *O vento impelia os barcos à vela; Sentia que estava sendo impelido para uma aventura.* **2.** Dar incentivo; estimular, incitar, instigar: *A esperança impelia aquele homem; A raiva impelia-o para a vingança.* **3.** Obrigar, coagir, constranger: *O chefe impeliu-o a se demitir.* ▶ Conjug. 69.

impenetrável (im.pe.ne.*trá*.vel) *adj.* **1.** Que não se pode penetrar ou atravessar: *floresta impenetrável.* **2.** Que é difícil de entender ou de decifrar: *segredos impenetráveis.* **3.** Que não demonstra o que pensa ou sente; discreto, reservado, fechado: *semblante impenetrável.*

impenitência (im.pe.ni.*tên*.ci:a) *s.f.* **1.** Qualidade ou estado de impenitente. **2.** Falta de penitência ou de arrependimento. **3.** Obstinação no erro ou falta.

impenitente (im.pe.ni.*ten*.te) *adj.* Que não mostra arrependimento; que não se penitencia; que persiste no pecado, na falta ou no erro: *pecador impenitente.*

impensado (im.pen.*sa*.do) *adj.* **1.** Que não foi bem pensado; precipitado, irrefletido: *gesto impensado.* **2.** Que não foi premeditado; imprevisto, inopinado: *vitória impensada.*

impensável (im.pen.*sá*.vel) *adj.* Que não pode ser pensado ou suposto; inimaginável, inconcebível: *A vitória daquele candidato era, a princípio, algo impensável.*

imperador [ô] (im.pe.ra.*dor*) *s.m.* Soberano de um império.

imperar (im.pe.*rar*) *v.* **1.** Exercer grande domínio ou influência; ser predominante; prevalecer: *Na economia ainda imperam os juros altos.* **2.** Exercer o poder num império; governar, reinar: *D. Pedro II imperou durante quase meio século.* ▶ Conjug. 8.

imperativo (im.pe.ra.*ti*.vo) *adj.* **1.** Que exprime ordem ou exortação; autoritário, imperioso: *atitude imperativa.* **2.** (*Gram.*) Diz-se do modo verbal que indica ordem, pedido, exortação etc. • *s.m.* **3.** Aquilo que se impõe como ordem, imposição, ditame ou dever: *o imperativo da lei.* **4.** (*Gram.*) Redução de *modo imperativo.*

imperatriz (im.pe.ra.*triz*) *s.f.* Soberana de um império.

imperceptível (im.per.cep.*tí*.vel) *adj.* **1.** Que não pode ser percebido pelos sentidos: *ruídos imperceptíveis.* **2.** Muito pequeno; diminuto, insignificante: *erro imperceptível.* **3.** Que escapa à atenção; sutil: *ironia imperceptível.*

imperdível (im.per.*dí*.vel) *adj.* **1.** Que não se pode perder, dispensar ou prescindir: *um filme imperdível.* **2.** Que não pode ser perdido; cujo ganho é tido como certo: *campeonato imperdível.*

imperdoável (im.per.do.*á*.vel) *adj.* Que não pode ser perdoado; que não tem perdão: *Cometeu um deslize imperdoável.*

imperecível (im.pe.re.*cí*.vel) *adj.* Que não pode perecer; imorredouro, imortal, eterno: *amizade imperecível; glória imperecível.*

imperfeição (im.per.fei.*ção*) *s.f.* **1.** Qualidade, condição ou estado do que não é perfeito. **2.** Incorreção, defeito, falta, falha: *As peças com pequenas imperfeições têm desconto.*

imperfeito (im.per.*fei*.to) *adj.* **1.** Que não é perfeito. **2.** Que apresenta falha ou defeito em seu acabamento; malfeito, defeituoso, falho: *uma construção imperfeita.* **3.** (*Gram.*) Diz-se do tempo verbal que exprime uma ação em processo de realização no passado. • *s.m.* **4.** (*Gram.*) Redução de pretérito imperfeito.

imperial (im.pe.ri:*al*) *adj.* Relativo a império ou a imperador: *museu imperial; coroa imperial.*

imperialismo (im.pe.ri:a.*lis*.mo) *s.m.* Política expansionista praticada por um Estado, quer pela anexação territorial, quer pelo domínio político ou econômico de outras nações.

imperialista (im.pe.ri:a.*lis*.ta) *adj.* **1.** Relativo a imperialismo: *política imperialista.* **2.** Que é partidário da doutrina ou de um sistema imperialista. • *s.m. e f.* **3.** Partidário do imperialismo.

imperícia (im.pe.rí.ci:a) s.f. Falta de perícia; inexperiência, inabilidade, incompetência: *imperícia profissional*.

império (im.pé.ri:o) s.m. **1.** Forma de Estado governada por imperador ou imperatriz. **2.** Conjunto de países sujeitos ao poder de um imperador. **3.** Empresa econômica de grandes proporções e geralmente de um único proprietário: *É dono de um império jornalístico.* **4.** fig. Poder irresistível; predomínio, influência: *Deve-se ceder sempre ao império da lei.*

imperioso [ô] (im.pe.ri:o.so) adj. **1.** Que impõe obediência e mando; autoritário, rigoroso, imperativo: *Seu tom imperioso não admitia réplica.* **2.** Que se impõe obrigatoriamente; impreterível, forçoso, inadiável: *O governo tomou medidas imperiosas na área da saúde.* || f. e pl.: [ó].

imperito (im.pe.ri.to) adj. Que não tem perícia ou experiência; inexperiente, incompetente, inábil.

impermeabilizante (im.per.me:a.bi.li.*zan*.te) adj. **1.** Que impermeabiliza. • s.m. **2.** Substância que impermeabiliza.

impermeabilizar (im.per.me:a.bi.li.*zar*) v. Tornar impermeável: *impermeabilizar tecido, couro, piso.* ▶ Conjug. 5.

impermear (im.per.me:*ar*) v. Impermeabilizar. ▶ Conjug. 14.

impermeável (im.per.me:á.vel) adj. **1.** Que não se deixa atravessar pela água ou outros líquidos: *teto impermeável.* **2.** Tratado com impermeabilizante; impermeabilizado: *tecido impermeável.* **3.** fig. Que é refratário; impenetrável, fechado: *uma mente impermeável ao novo.* • s.m. **4.** Casaco ou capote de chuva com tecido ou qualquer material impermeável. − **impermeabilidade** s.f.; **impermeabilização** s.f.

imperscrutável (im.pers.cru.tá.vel) adj. Que não se pode perscrutar, examinar ou investigar a fundo; impenetrável, insondável: *O destino é imperscrutável.*

impertinência (im.per.ti.*nên*.ci:a) s.f. **1.** Qualidade de impertinente. **2.** Ato ou dito importuno; inconveniência, despropósito: *O parlamentar considerou a pergunta do repórter uma impertinência.* **3.** Falta de respeito; insolência, irreverência: *Não admitia impertinência dos filhos.* **4.** Mau gênio; mau humor; rabugice, ranzinzice: *O neto conhecia bem a impertinência do avô.*

impertinente (im.per.ti.*nen*.te) adj. **1.** Que não é pertinente; que é inoportuno; descabido, despropositado: *Esse dado da questão é impertinente.* **2.** Que não manifesta respeito; insolente, atrevido, desrespeitoso: *Não seja impertinente com os idosos.* **3.** Que demonstra mau humor ou mau gênio; rabugento, ranzinza: *um vizinho impertinente.* • s.m. e f. **4.** Pessoa impertinente.

imperturbável (im.per.tur.bá.vel) adj. Que não se deixa perturbar ou abalar; impassível, calmo, tranquilo, sereno: *Em meio ao trânsito caótico, mantinha a calma imperturbável.*

impessoal (im.pes.so:*al*) adj. **1.** Que não diz respeito a uma pessoa em particular. **2.** Que se faz com objetividade e imparcialidade: *um noticiário impessoal.* **3.** (Gram.) Diz-se do verbo que só se conjuga na terceira pessoa do singular, sem referência a nenhum sujeito: *O verbo haver é impessoal em orações como Há dois anos ou Não haverá aula hoje.*

impetigem (im.pe.*ti*.gem) s.f. (Med.) Impetigo.

impetigo (im.pe.*ti*.go) s.m. (Med.) Infecção cutânea contagiosa, cuja excreção, caracterizada por pequenas bolhas, transforma-se em crostas espessas e amareladas; impetigem.

ímpeto (*ím*.pe.to) s.m. **1.** Movimento súbito e precipitado: *Galgou os degraus num ímpeto.* **2.** Ataque súbito e irreprimível; impulso: *ímpeto de raiva; ímpeto de alegria.* **3.** Veemência, entusiasmo, arrebatamento, agitação: *Foi difícil conter o ímpeto dos manifestantes.* **4.** Impetuosidade, fúria: *o ímpeto das ondas na tempestade.* **5.** fig. Sentimento exacerbado; arrebatamento, arroubo: *ímpeto de paixão.*

impetrante (im.pe.*tran*.te) adj. (Jur.) **1.** Que impetra; que requer uma medida ou providência da autoridade legal; requerente, solicitante. • s.m. e f. **2.** Pessoa impetrante.

impetrar (im.pe.*trar*) v. (Jur.) Requerer ou solicitar a decretação de uma medida judicial, que venha a assegurar ou a conceder um direito: *Os advogados do réu impetraram o habeas corpus; impetrar mandado de segurança a favor dos (ou contra os) indiciados.* ▶ Conjug. 8.

impetuoso [ô] (im.pe.tu:o.so) adj. **1.** Que se move com ímpeto, rapidez e violência: *tempestade impetuosa.* **2.** Que age sob forte impulso; impulsivo, irrefletido: *jovem impetuoso.* **3.** Veemente, entusiasmado, arrebatado: *um orador impetuoso.* **4.** fig. Ardoroso, vivo, fogoso: *paixão impetuosa.* || f. e pl.: [ó]. − **impetuosidade** s.f.

impiedade (im.pi:e.*da*.de) s.f. Falta de piedade ou compaixão; desumanidade, crueldade.

implume

impiedoso [ô] (im.pi:e.do.so) *adj.* **1.** Que não tem piedade ou compaixão; desumano, insensível: *É impiedoso com os inimigos.* **2.** Duro de suportar; inclemente, cruel: *Tem feito um calor impiedoso.* || f. e pl.: [ó].

impigem (im.*pi*.gem) *s.f.* (*Med.*) Nome popular com o qual se designam várias dermatoses; impingem.

impingem (im.*pin*.gem) *s.f.* Impigem.

impingir (im.pin.*gir*) *v.* **1.** Impor a alguém algo não desejado; obrigar, forçar: *O ambulante tentava impingir produtos falsificados; O governo impingiu novos impostos à população.* **2.** Fazer acreditar; iludir, enganar: *Vivia impingindo mentiras aos amigos.* **3.** Dar, aplicar, vibrar: *O lutador impingiu uma saraivada de socos no adversário.* ▶ Conjug. 92.

ímpio (*ím*.pi:o) *adj.* **1.** Que não tem fé; que despreza religião; incrédulo, herege. • *s.m.* **2.** Pessoa ímpia.

impio (im.*pi*.o) *adj.* **1.** Que não tem piedade; cruel, desumano, impiedoso. • *s.m.* **2.** Pessoa impia.

implacável (im.pla.*cá*.vel) *adj.* **1.** Que não pode ser aplacado ou abrandado: *ódio implacável.* **2.** Que não perdoa; inflexível, inclemente: *justiça implacável.*

implantar (im.plan.*tar*) *v.* **1.** Estabelecer(-se), introduzir(-se), fixar(-se): *A Secretaria de Educação implantou novas diretrizes pedagógicas; Implantou-se um clima desagradável entre os espectadores.* **2.** Inserir, fixar, arraigar: *As árvores implantaram suas raízes no solo fértil.* **3.** (*Med.*) Fazer implante: *implantar cabelo; implantar um rim.* ▶ Conjug. 5. – **implantação** *s.f.*

implante (im.*plan*.te) *s.m.* **1.** Ação ou efeito de implantar; implantação. **2.** (*Med.*) Objeto ou material orgânico ou radioativo, inserido parcial ou totalmente no corpo de um paciente, para fins terapêuticos ou de diagnóstico.

implementar (im.ple.men.*tar*) *v.* **1.** Pôr em prática ou executar (plano, projeto, programa etc.) com providências concretas: *O governo implementou reformas em vários setores da administração.* **2.** (*Inform.*) Elaborar ou instalar um programa de computador: *A empresa implementou novos softwares.* ▶ Conjug. 5. – **implementação** *s.f.*

implemento (im.ple.*men*.to) *s.m.* **1.** Ação ou efeito de implementar; implementação. **2.** Aquilo que é necessário à execução de uma atividade; recurso: *implementos agrícolas.*

implicação (im.pli.ca.*ção*) *s.f.* **1.** Ato ou efeito de implicar(-se). **2.** Aquilo que fica subentendido ou subjacente: *Esse tema traz muitas implicações que devem ser trazidas à luz.* **3.** Consequência, resultado: *Sua atitude terá implicações sérias.* **4.** (*Jur.*) Ação de estar (uma pessoa) envolvida em um processo.

implicância (im.pli.*cân*.ci:a) *s.f.* **1.** Qualidade de implicante. **2.** Demonstração de antipatia ou aversão (em relação a alguém ou a alguma coisa); má vontade; birra: *Tenho implicância com pessoas arrogantes.*

implicante (im.pli.*can*.te) *adj.* **1.** Que implica. • *s.m.* e *f.* **2.** Pessoa que implica.

implicar (im.pli.*car*) *v.* **1.** Demonstrar prevenção contra alguém ou contra alguma coisa; provocar, hostilizar: *Deixe de implicar com seus irmãos mais novos.* **2.** Ter como consequência; acarretar, originar, importar: *A reestruturação da empresa implicou grandes lucros para os acionistas.* **3.** Tornar indispensável, imprescindível; exigir, requerer: *As conquistas sociais implicam a participação de todos.* **4.** Dar a entender; fazer supor; pressupor: *Sua resposta implica grande conhecimento.* **5.** Envolver(-se), enredar(-se), comprometer(-se): *Os sócios o implicaram num grande escândalo; Implicou-se em negócios escusos.* || A norma-padrão manda que se evite a construção com a preposição *em* nas acepções 2, 3, e 4. ▶ Conjug. 5 e 35.

implícito (im.*plí*.ci.to) *adj.* **1.** Que não precisa vir manifesto ou expresso por palavras; subentendido, tácito: *O governante contava com a aprovação implícita dos eleitores.* **2.** Que se manifesta mais por atos que com palavras: *vontade implícita.*

implodir (im.plo.*dir*) *v.* **1.** Provocar implosão; fazer desmoronar; demolir: *Implodiram alguns prédios que apresentavam rachaduras.* **2.** *fig.* Fazer fracassar; destruir, anular: *A meta é implodir a inflação alta.* ▶ Conjug. 84 e 76.

implorar (im.plo.*rar*) *v.* Pedir com insistência; encarecer, rogar, suplicar: *O fiel implora perdão no ato de contrição; O pecador implora perdão a Deus; O réu implorava pela absolvição.* ▶ Conjug. 20. – **implorante** *adj.*

implosão (im.plo.*são*) *s.f.* Série de explosões que provocam o desmoronamento ou a destruição (de prédios, estradas etc.), por meio do impacto da pressão externa sobre a interna. – **implosivo** *adj.*

implume (im.*plu*.me) *adj.* (*Zool.*) Que ainda não tem penas ou plumas: *pássaro implume.*

impoluto

impoluto (im.po.*lu*.to) *adj.* **1.** Que não é ou não está poluído; que não está sujo. **2.** *fig.* Que tem princípios éticos; honesto, digno, probo: *caráter impoluto.*

imponderado (im.pon.de.*ra*.do) *adj.* Que revela falta de reflexão ou de consideração; irrefletido, precipitado: *gesto imponderado.*

imponderável (im.pon.de.*rá*.vel) *adj.* Que não se pode avaliar ou calcular; imprevisível, incalculável: *A economia apresenta por vezes fatores imponderáveis.*

imponente (im.po.*nen*.te) *adj.* **1.** Que impõe admiração; majestoso, grandioso, magnificente: *palácio imponente.* **2.** Que se julga importante; arrogante, orgulhoso: *O imponente diretor não admitia críticas a seu filme.* – **imponência** *s.f.*

impontual (im.pon.tu:*al*) *adj.* Que não é pontual: *A empresa não admite funcionários impontuais.* – **impontualidade** *s.f.*

impopular (im.po.pu.*lar*) *adj.* **1.** Que não é popular; que não tem popularidade: *político impopular.* **2.** Que não é conforme aos desejos, aos interesses da maioria: *medidas impopulares.* – **impopularidade** *s.f.*

impopularizar (im.po.pu.la.ri.*zar*) *v.* Tornar(-se) impopular: *O não cumprimento das promessas de campanha impopularizaram o governante; O ator impopularizou-se ao aceitar papéis insignificantes na televisão.* ▶ Conjug. 5.

impor (im.*por*) *v.* **1.** Obrigar(-se), forçar(-se) a fazer alguma coisa: *A justiça impõe o cumprimento da lei; O médico impôs ao cliente um regime rigoroso; Ele se impôs uma rotina de trabalho exaustiva.* **2.** Estabelecer, fixar: *O prefeito pretende impor novas taxas; A legislação impõe severas multas aos infratores.* **3.** Fazer sofrer; aplicar, infligir: *Alguns pais ainda impõem duros castigos aos filhos.* **4.** Inspirar, infundir: *A figura do venerando juiz impõe respeito; Os bombeiros, com sua atuação, impõem admiração a toda a população.* **5.** Fazer-se aceitar ou respeitar: *A verdade se impõe.* **6.** Ser necessário ou obrigatório: *Certas reformas estruturais se impõem com urgência.* || part.: imposto. ▶ Conjug. 65.

importação (im.por.ta.*ção*) *s.f.* **1.** Ato ou efeito de importar. **2.** Introdução em um país de produtos ou mercadorias provindas de outro. **3.** Aquilo que foi importado. || Conferir com *exportação*.

importadora [ô] (im.por.ta.*do*.ra) *s.f.* Firma ou empresa de importações.

importância (im.por.*tân*.ci:a) *s.f.* **1.** Qualidade de importante: *O professor ressaltou a im-* *portância da leitura.* **2.** Autoridade, prestígio, influência, consideração: *Figuras de grande importância no mundo econômico vieram para o congresso internacional.* **3.** Quantia de dinheiro: *Fez a doação de uma boa importância para as obras sociais.*

importante (im.por.*tan*.te) *adj.* **1.** Que tem grande valor ou relevância: *As pesquisas sobre o genoma humano são importantes para a prevenção e cura de doenças.* **2.** Que tem prestígio, influência; notável, renomado: *Um importante político lançou candidatura a senador.* **3.** Que não se pode dispensar; fundamental, essencial, indispensável: *É importante que se proteja a Amazônia.*

importar (im.por.*tar*) *v.* **1.** Trazer (mercadoria, equipamento, tecnologia etc.) do exterior ou de outra parte do país: *O Brasil importa petróleo; O país importou vacinas de Cuba; Atualmente, o país exporta mais que importa.* **2.** Ter como consequência; acarretar, resultar, redundar: *A valorização da moeda importará em ganhos para os investidores.* **3.** Ter importância ou interesse: *Vamos ao que importa.* **4.** Dar importância; levar em consideração; fazer caso: *Os políticos deviam importar-se mais com a opinião de seus eleitores.* **5.** Alcançar, atingir (determinado valor, preço ou custo): *Os lucros das exportações importam em bilhões.* **6.** *(Inform.)* Trazer dados de um programa para outro que se está usando: *importar um documento.* ▶ Conjug. 20. – **importador** *adj.*

importunar (im.por.tu.*nar*) *v.* Tornar(-se) importuno pela insistência; incomodar(-se), aborrecer(-se): *Os vendedores ambulantes importunavam os transeuntes; Importunava-se com a retenção no trânsito.* ▶ Conjug. 5.

importuno (im.por.*tu*.no) *adj.* Que não é oportuno; que importuna pela insistência; inoportuno, impertinente.

imposição (im.po.si.*ção*) *s.f.* **1.** Ato ou efeito de impor, de infligir, de estabelecer, de obrigar; obrigação, exigência. **2.** Aquilo que é imposto: *No Brasil vigora a imposição do voto para maiores de dezoito anos.* **3.** Determinação, deliberação, resolução: *O indiciado não pode deixar a cidade, por imposição da Justiça.*

impossibilitar (im.pos.si.bi.li.*tar*) *v.* **1.** Tornar impossível, inviável, irrealizável: *Posições inflexíveis impossibilitaram o acordo de paz.* **2.** Tornar(-se) incapaz; privar(-se), restringir(-se), impedir (-se): *A entorse lhe impossibilita jogar futebol; A entorse o impossibilita de jogar; Impossibilitou-se de jogar, ao sofrer uma entorse.* ▶ Conjug. 5.

impossível (im.pos.sí.vel) *adj.* **1.** Que não é possível; que não é realizável: *sonho impossível.* **2.** Difícil de fazer; improvável, extraordinário: *O goleiro realizou defesas impossíveis.* **3.** *coloq.* Rebelde, levado, travesso, traquinas: *Este menino é impossível.* • *s.m.* **4.** Coisa impossível: *Não me peça o impossível.* – **impossibilidade** *s.f.*

impostação (im.pos.ta.ção) *s.f.* **1.** Ato ou efeito de impostar. **2.** Emissão, colocação e projeção corretas da voz por cantores, atores etc. **3.** (*Teat.*) Forma de representação estabelecida pelo diretor ou pelo ator para determinado espetáculo.

impostar (im.pos.tar) *v.* **1.** Emitir corretamente (a voz) (cantor, ator etc.): *Locutores e apresentadores aprendem com fonoaudiólogos a impostar a voz.* **2.** (*Teat.*) Dar ao espetáculo ou ao desempenho de um papel determinada linha ou estilo de representação: *O diretor impostou a peça de maneira clássica.* ▶ Conjug. 20.

impostergável (im.pos.ter.gá.vel) *adj.* Que não pode ser postergado; que não pode ser adiado; inadiável, impreterível: *prazo impostergável.*

imposto [ô] (im.pos.to) *adj.* **1.** Que se impôs; que se obrigou a aceitar: *presidente imposto; deveres impostos.* • *s.m.* **2.** Contribuição monetária imposta pelo Estado aos cidadãos para fazer face às despesas públicas; tributo. **3.** *fig.* Encargo, ônus, custo, obrigação: *A vida lhe reservou pesados impostos.* || *Imposto de renda:* tributo que pessoas físicas e jurídicas têm que pagar à União, calculado sobre seus rendimentos e em proporção estabelecida pela lei. • *Imposto predial:* taxa cobrada pela municipalidade sobre a propriedade urbana edificada, calculada com base no valor venal do imóvel. || f. e pl.: [ó].

impostor [ô] (im.pos.tor) *adj.* Que procede com impostura; que abusa da credulidade ou ignorância de outros; embusteiro, falsário, charlatão: *Esse homem é um impostor, que se faz passar por médico.*

impostura (im.pos.tu.ra) *s.f.* Artifício enganoso que consiste em fazer-se passar por outra pessoa; embuste, fingimento, mentira, fraude.

impotência (im.po.tên.ci.a) *s.f.* **1.** (*Med.*) Disfunção sexual masculina que consiste na incapacidade para a cópula. **2.** *fig.* Falta de força ou de poder; incapacidade de ação ou de decisão.

impotente (im.po.ten.te) *adj.* **1.** Que não tem potência sexual. **2.** *fig.* Que é incapaz de agir; fraco, débil, inoperante: *Sentia-se impotente diante das agruras da vida.*

impraticável (im.pra.ti.cá.vel) *adj.* **1.** Que não se pode pôr em prática ou realizar; impossível, irrealizável: *medidas impraticáveis.* **2.** Por onde é difícil passar ou transitar; intransitável: *As chuvas tornaram as estradas impraticáveis.*

imprecar (im.pre.car) *v.* **1.** Rogar pragas a alguém; dizer blasfêmias; praguejar, blasfemar: *A população oprimida imprecava contra os desmandos do governo colonizador; O mendigo vivia a imprecar.* **2.** Pedir a um poder superior que envie (males ou bens) a alguém: *Os pagãos imprecavam a seus deuses que lhes concedessem a vitória sobre os inimigos.* ▶ Conjug. 8 e 35. – **imprecação** *s.f.*

imprecisão (im.pre.ci.são) *s.f.* Falta de precisão, de clareza; inexatidão, indeterminação: *A imprecisão do diagnóstico trouxe problemas ao tratamento do paciente.*

impregnar (im.preg.nar) *v.* **1.** Infiltrar-se em; penetrar, repassar: *O cheiro de boa comida impregnou a cozinha; As frutas impregnavam o pomar de um odor acridoce.* **2.** Embeber(-se), ensopar(-se), encharcar(-se): *Impregnou o lenço de perfume; Gostava de impregnar-se de uma boa lavanda.* **3.** *fig.* Influenciar(-se) profundamente; imbuir(-se), infundir(-se): *Uma grande emoção impregnou a plateia do teatro; A visão dos filhos impregnava-a de um amor cada vez mais forte; A sociedade impregnou-se de solidariedade para com os desassistidos.* ▶ Conjug. 8 e 33. – **impregnação** *s.f.*

imprensa (im.pren.sa) *s.f.* **1.** Máquina com que se imprime ou estampa; prelo. **2.** Prensa das artes gráficas; tipografia. **3.** Conjunto dos meios de comunicação: *A imprensa é considerada o quarto poder numa democracia.* **4.** Conjunto dos jornais e dos jornalistas: *O presidente concedeu uma entrevista coletiva à imprensa.* **5.** Qualquer meio de comunicação de massa: *a imprensa falada; a imprensa televisionada.* || *Imprensa alternativa:* órgão de imprensa que se caracteriza por uma posição editorial renovadora, independente e polêmica. • *Imprensa marrom:* tipo de publicação em que predominam as notícias sensacionalistas.

imprensar (im.pren.sar) *v.* **1.** Apertar na prensa; imprimir, estampar: *imprensar um periódico.* **2.** *coloq.* Apertar(-se) como em uma prensa, apertar(-se) com força; comprimir(-se): *O policial imobilizou o ladrão e imprensou-o contra o muro; Os passageiros se imprensavam no ônibus superlotado.* **3.** *coloq.* Exigir (de alguém) uma atitude; constranger, forçar: *Não foi preciso imprensá-lo para que me contasse a verdade.* ▶ Conjug. 5.

imprenta

imprenta (im.*pren*.ta) *s.f.* Conjunto de informações impressas no pé da folha de rosto que identificam a editora, a cidade em que se localiza, o ano da edição de um livro etc.

imprescindível (im.pres.cin.*dí*.vel) *adj.* De que não se pode prescindir; indispensável, necessário: *A leitura é imprescindível*.

imprescritível (im.pres.cri.*tí*.vel) *adj.* (*Jur.*) Que não se prescreve; que não perde o efeito legal: *direito imprescritível*.

impressão (im.pres.*são*) *s.f.* **1.** Ato ou efeito de imprimir. **2.** Técnica ou processo de reproduzir, mediante pressão no papel, cartão, pano, couro ou outro material, textos e imagens. **3.** A reprodução obtida por esse processo. **4.** A seção local da oficina onde são executados os trabalhos de impressão. **5.** Vestígio de pressão sobre um objeto: *Os ases do futebol deixam a impressão dos pés no museu do Maracanã*. **6.** Efeito produzido nos órgãos dos sentidos: *Esse perfume dá a impressão de frescor*. **7.** Ponto de vista; opinião, ideia: *Qual foi sua impressão sobre o filme?* **8.** Noção ou opinião mais ou menos vaga; palpite: *Tenho a impressão de que tudo vai melhorar*. **9.** *fig.* Abalo moral; perturbação, choque, comoção: *Traz consigo impressões indeléveis da guerra*. || *Impressão digital*: aquela que é feita com as pontas dos dedos, molhados de tinta, sobre qualquer documento ou por meio de recursos da Informática, para servir de identificação.

impressionante (im.pres.si:o.*nan*.te) *adj.* **1.** Que causa impressão através dos sentidos; admirável, fascinante: *O espetáculo pirotécnico do Ano-Novo na praia é impressionante*. **2.** Que impressiona moralmente; comovente, tocante, emocionante: *O jornal publicou fotos impressionantes do terremoto*.

impressionar (im.pres.si:o.*nar*) *v.* **1.** Causar ou receber impressão psicológica; comover(-se), emocionar(-se), abalar(-se): *A derrota eleitoral impressionou muito o candidato*; *A cortesia impressiona sempre bem*; *Impressionou-se com a pobreza da região*. **2.** Causar ou receber impressão nos sentidos: *A luz intensa impressionava sua vista cansada*; *Ao primeiro olhar, as cores vivas impressionavam*; *Impressionou-se com o toque gelado da mão do amigo*. ▶ Conjug. 5.

impressionismo (im.pres.si:o.*nis*.mo) *s.m.* **1.** (*Art.*) Movimento surgido na França, no fim do século XIX, especialmente na pintura, que privilegiava os efeitos da luz e movimento sobre paisagens, pessoas e objetos: *Monet foi a grande figura do Impressionismo*. **2.** (*Mús.*) Movimento surgido na França naquela mesma época, utilizando o jogo de timbres e sonoridades, como nas composições de Debussy e Ravel. **3.** (*Lit.*) Predominância, nas obras literárias ou na crítica, de impressões pessoais e subjetivas, em detrimento da objetividade e do impessoal; subjetivismo: *O Impressionismo, nascido na França, teve grandes nomes no Brasil, como Cruz e Sousa e Alphonsus de Guimaraens*.

impressionista (im.pres.si:o.*nis*.ta) *adj.* **1.** Relativo a ou próprio do Impressionismo: *arte impressionista*. **2.** Diz-se do artista (pintor, músico, escritor) seguidor do Impressionismo. • *s.m.* e *f.* **3.** Esse artista: *Os impressionistas influenciaram as artes plásticas do século XX*.

impresso [é] (im.pres.so) *adj.* **1.** Que se imprimiu: *O voto eletrônico deveria apresentar uma versão impressa*. **2.** *fig.* Que ficou gravado (na mente, na memória etc.): *Deixou sua imagem impressa para sempre na minha lembrança*. • *s.m.* **3.** Toda e qualquer obra impressa. **4.** Papel impresso utilizado no serviço público; formulário: *Preencha o impresso de forma clara e sem rasuras*.

impressor [ô] (im.pres.sor) *adj.* **1.** Que imprime. **2.** Que serve para imprimir. • *s.m.* **3.** Proprietário ou operário de oficina gráfica.

impressora [ô] (im.pres.so.ra) *s.f.* **1.** Máquina de imprimir; prelo, prensa. **2.** (*Inform.*) Máquina acoplada ao computador, que imprime os textos, imagens etc. por ele gerados.

imprestável (im.pres.*tá*.vel) *adj.* **1.** Que não presta; que não tem serventia; inútil: *um móvel imprestável*. **2.** Que não oferece seus préstimos a outros; que não é prestativo: *Não seja imprestável com os amigos*.

impreterível (im.pre.te.*rí*.vel) *adj.* **1.** Que não pode preterir; que não se pode deixar de fazer: *dever impreterível*. **2.** Que não se pode adiar; inadiável, impostergável: *prazo impreterível*.

imprevidência (im.pre.vi.*dên*.ci:a) *s.f.* Falta de previdência; negligência, descuido, desleixo.

imprevidente (im.pre.vi.*den*.te) *adj.* Que não é previdente; negligente, descuidado, imprudente, incauto: *motorista imprevidente*.

imprevisível (im.pre.vi.*sí*.vel) *adj.* Que não pode ser previsto; inesperado, imprevisto: *vitória imprevisível*.

imprevisto (im.pre.*vis*.to) *adj.* **1.** Que não foi previsto; que surpreende; inesperado, inopinado. • *s.m.* **2.** Aquilo que não está previsto: *Um imprevisto impediu-o de comparecer à cerimônia*.

imprimir (im.pri.*mir*) *v.* **1.** Fazer a impressão gráfica ou eletrônica (de textos, imagens etc.): *Mandou imprimir seus cartões de visita em uma boa gráfica*; *Imprimiu várias cópias de sua tese para os amigos.* **2.** Publicar pela imprensa (jornal, revista etc.): *Imprimiu vários artigos no grande periódico.* **3.** Fixar marca por meio de impressão; gravar, estampar: *imprimir carimbos no documento.* **4.** Dar, conferir, emprestar: *O locutor imprimiu um leve tom irônico a seus comentários.* **5.** Inspirar, infundir, incutir: *A figura do ancião imprimia respeito.* **6.** Fazer desenvolver; transmitir, repassar: *Imprimiu mais velocidade ao carro.* || *part.*: *imprimido* e *impresso.* ▶ Conjug. 66.

improbidade (im.pro.bi.*da*.de) *s.f.* Falta de probidade; desonestidade, fraude.

ímprobo (*ím*.pro.bo) *adj.* Que não tem probidade; que não é honrado; desonesto.

improcedente (im.pro.ce.*den*.te) *adj.* Que não é procedente; que não tem fundamento; injustificável; incoerente, ilógico: *acusação improcedente.* – **improcedência** *s.f.*

improdutivo (im.pro.du.*ti*.vo) *adj.* **1.** Que não é produtivo; que não produz; estéril, infecundo: *terra improdutiva.* **2.** Improfícuo, frustrado, vão, inútil: *esforço improdutivo.*

improferível (im.pro.fe.*rí*.vel) *adj.* Que não se pode ou não se deve proferir: *opiniões improferíveis.*

improfícuo (im.pro.*fí*.cu:o) *adj.* Que não dá proveito; que não apresenta resultado; inútil, baldado, vão: *Gastava forças numa tarefa exaustiva e improfícua.*

impropério (im.pro.*pé*.ri:o) *s.m.* Palavra injuriosa, ofensiva; ultraje; vitupério.

impropriedade (im.pro.pri:e.*da*.de) *s.f.* **1.** Falta de propriedade ou de adequação. **2.** Inconveniência, inoportunidade. **3.** Inexatidão, incorreção, incoerência, absurdo.

impróprio (im.*pró*.pri:o) *adj.* **1.** Que não é próprio; inadequado, não recomendável: *filme impróprio para menores de doze anos.* **2.** Inconveniente, inoportuno: *momento impróprio.* **3.** Indecente, indecoroso: *São termos impróprios para uma pessoa bem-educada.* **4.** Inexato, incorreto, incoerente, absurdo: *uma declaração imprópria.*

improrrogável (im.pror.ro.*gá*.vel) *adj.* Que não se pode prorrogar: *prazo improrrogável.*

improvável (im.pro.*vá*.vel) *adj.* **1.** Que não tem possibilidade de ocorrer: *um acordo improvável entre governo e oposição.* **2.** Que não pode ser provado; de que não se tem provas.

improvidente (im.pro.vi.*den*.te) *adj.* **1.** Que não é providente; imprudente, incauto. **2.** Negligente, descuidado, desleixado. – **improvidência** *s.f.*

improvisar (im.pro.vi.*sar*) *v.* **1.** Realizar (algo) de repente, num improviso, sem preparação prévia: *O vencedor do concurso improvisou um pequeno discurso de agradecimento*; *Certos políticos preferem improvisar em suas falas ao público.* **2.** Citar falsamente; inventar, forjar, mentir: *Improvisou um falso diploma.* **3.** Arrogar-se falsamente (qualidade, profissão etc.); arvorar-se em; fingir-se: *A população improvisou-se em bombeiro para salvar a floresta do fogo.* ▶ Conjug. 5. – **improvisação** *s.f.*

improviso (im.pro.*vi*.so) *s.m.* Ato ou efeito de improvisar; improvisação. || *De improviso*: sem preparação prévia; súbito, repentino: *Abordado pelos repórteres, o candidato falou-lhes de improviso.*

imprudência (im.pru.*dên*.ci:a) *s.f.* **1.** Falta de prudência; inconveniência, improvidência. **2.** Atitude tomada sem reflexão nem cautela; irresponsabilidade: *Foi uma grande imprudência pegar estrada sem fazer a revisão do carro.*

imprudente (im.pru.*den*.te) *adj.* **1.** Que não tem prudência; em que não há prudência; irresponsabilidade, improvidência. • *s.m.* e *f.* **2.** Pessoa que não é prudente.

impúbere (im.*pú*.be.re) *adj.* **1.** Que não atingiu ainda a puberdade. • *s.m.* e *f.* **2.** Quem ainda não chegou à puberdade. – **impuberdade** *s.f.*

impudência (im.pu.*dên*.ci:a) *s.f.* **1.** Falta de pudor; impudor, impudicícia. **2.** Ato ou dito impudente.

impudente (im.pu.*den*.te) *adj.* **1.** Que não tem pudor; que não tem vergonha; descarado, sem-vergonha. • *s.m.* e *f.* **2.** Pessoa impudente.

impudicícia (im.pu.di.*cí*.ci:a) *s.f.* **1.** Falta de pudicícia; impudor, impudência. **2.** Ato ou dito impudico.

impudico (im.pu.*di*.co) *adj.* Que não é pudico; que não tem pudor; sem-vergonha, imoral, impudente.

impudor [ô] (im.pu.*dor*) *s.m.* Falta de pudor; descaro, imoralidade, impudência.

impugnar (im.pug.*nar*) *v.* **1.** Contestar a validade de; tornar sem efeito; refutar, anular: *A banca do concurso impugnou os resultados das provas de todos os candidatos.* **2.** (Jur.) Contestar a legitimidade de; não reconhecer: *impugnar um recurso.* ▶ Conjug. 5 e 33. – **impugnação** *s.f.*; **impugnável** *adj.*

impulsão

impulsão (im.pul.são) s.f. Ato ou efeito de impelir; impulso.

impulsionar (im.pul.si:o.nar) v. **1.** Dar impulsão ou impulso a; impelir, movimentar: *O atacante impulsionou a bola na direção do gol*. **2.** Dar estímulo a; estimular, incentivar: *Os prêmios impulsionaram a carreira da cantora*. ▶ Conjug. 5.

impulsivo (im.pul.si.vo) adj. **1.** Que se deixa levar por impulsos, que age sem refletir; impetuoso. **2.** Que se enfurece facilmente. – **impulsividade** s.f.

impulso (im.pul.so) s.m. **1.** Ação de impelir; impulsão: *Abriu a porta num impulso*. **2.** fig. Estímulo, incentivo, ímpeto: *Os juros baixos deram novo impulso à indústria*. **3.** (Psiq.) Necessidade súbita, originada no inconsciente, que impele o indivíduo a realizar ou a rejeitar determinados atos: *Teve o impulso de falar, mas calou-se*. **4.** (Eletr., Eletrôn.) Pulso.

impulsor [ô] (im.pul.sor) adj. Que impele ou impulsiona; propulsor, impulsionador: *mola impulsora*.

impune (im.pu.ne) adj. Que não foi punido; que escapou à devida punição: *crime impune*; *infração impune*.

impunidade (im.pu.ni.da.de) s.f. Falta de punição ou castigo a um erro ou delito cometido.

impureza [ê] (im.pu.re.za) s.f. **1.** Falta de pureza. **2.** Coisa impura. **3.** Aquilo que faz com que uma substância se torne poluída ou adulterada quando misturado a ela.

impuro (im.pu.ro) adj. **1.** Que não é puro; que não tem pureza; sujo, poluído: *As algas deixaram a água do mar impura, imprópria ao banho*. **2.** Moralmente sujo; impudico, indecente, pecaminoso: *pensamentos impuros*. **3.** Contaminado, infectado: *sangue impuro*.

imputação (im.pu.ta.ção) s.f. **1.** Ato ou efeito de imputar. **2.** (Jur.) Declaração de culpabilidade, de responsabilidade; acusação, incriminação.

imputar (im.pu.tar) v. **1.** Atribuir (a alguém) a responsabilidade de (algo): *Imputaram a você a falta cometida por seu irmão*. **2.** Qualificar ou classificar; considerar como: *A imprensa imputou frustrantes os pífios resultados da economia*. **3.** (Jur.) Atribuir (a alguém) a culpa ou a responsabilidade por determinado ilícito penal: *O tribunal imputou a dívida ao estelionatário*. ▶ Conjug. 5.

imputável (im.pu.tá.vel) adj. Passível de ser imputado judicialmente.

imundice (i.mun.di.ce) s.f. Imundícia, imundície.

imundícia (i.mun.dí.ci:a) s.f. Imundície, imundice.

imundície (i.mun.dí.ci:e) s.f. Falta de limpeza, de asseio; sujeira, porcaria, impureza. || *imundice, imundícia*.

imundo (i.mun.do) adj. **1.** Muito sujo. **2.** fig. Sórdido, indecente, imoral, indecoroso: *filme imundo*.

imune (i.mu.ne) adj. **1.** Que apresenta resistência parcial ou total a determinado agente infeccioso ou tóxico; imunizado, refratário: *A vacina deixou-o imune ao vírus da gripe*. **2.** fig. Que não se deixa atingir ou afetar por: *Foi um grande homem, imune ao sentimento do medo*. **3.** Que tem imunidade; que está livre de ônus ou encargo; isento: *Os juízes e os advogados são imunes a crime de injúria ou difamação*.

imunidade (i.mu.ni.da.de) s.f. **1.** (Med.) Adaptação ou resistência, natural ou adquirida, de um organismo frente a um agente infeccioso (vírus, bactéria, fungo etc.). **2.** Privilégios, isenção de obrigações ou penalidades concedidos a membros de uma coletividade em função do cargo exercido e do interesse público; isenção, prerrogativa: *imunidade parlamentar*; *imunidade diplomática*. **3.** fig. Proteção, segurança, defesa: *Tenho imunidade contra pessoas preconceituosas*.

imunizar (i.mu.ni.zar) v. **1.** (Med.) Proceder de forma a que seja estimulado o sistema imunológico de uma pessoa contra agentes infecciosos: *A campanha de vacinação pretende imunizar crianças até cinco anos*; *A Fundação Osvaldo Cruz fabrica vacinas para imunizar a população contra diversas moléstias infecciosas*. **2.** fig. Tornar(-se) resistente, refratário, imune; defender(-se), proteger(-se): *O conhecimento imuniza o homem contra o despotismo*; *Imunizou-se contra as decepções amorosas*. ▶ Conjug. 5. – **imunização** s.f.

imunodeficiência (i.mu.no.de.fi.ci:ên.ci:a) s.f. Deficiência no sistema imunológico do organismo.

imunodepressão (i.mu.no.de.pres.são) s.m. (Med.) Incapacidade ou dificuldade de produzir (o organismo) respostas imunológicas normais a certas doenças, como o câncer, a AIDS etc.

imunogênico (i.mu.no.gê.ni.co) adj. Que produz determinada reação imunológica; que gera imunidade.

imunoglobulina (i.mu.no.glo.bu.li.na) s.f. (Med.) Proteína que se encontra no plasma e em outros líquidos orgânicos, impedindo a entrada no organismo de uma substância estranha; anticorpo.

imunologia (i.mu.no.lo.gi.a) *s.f.* (*Med.*) Ramo da Medicina que estuda os fenômenos e as causas da imunidade. – **imunológico** *adj.*

imunologista (i.mu.no.lo.gis.ta) *adj.* **1.** (*Med.*) Profissional que se especializou em Imunologia. • *s.m. e f.* **2.** (*Med.*) Especialista em Imunologia.

imunoterapia (i.mu.no.te.ra.pi.a) *s.f.* (*Med.*) Introdução de anticorpos sob a forma de soro específico, com o objetivo de dimimuir a gravidade de uma infecção, como nos casos do tétano e da difteria.

imutável (i.mu.*tá*.vel) *adj.* Que não muda; que não está sujeito a mudança: *leis imutáveis.* – **imutabilidade** *s.f.*

In (*Quím.*) Símbolo de *índio* (2).

inabalável (i.na.ba.*lá*.vel) *adj.* **1.** Fortemente apoiado; firme, fixo: *rocha inabalável.* **2.** *fig.* Profundamente arraigado; enraizado, inquebrantável, firme: *fé inabalável.* **3.** *fig.* Implacável, inexorável: *sentença inabalável.* **4.** *fig.* Inalterável, imperturbável: *paciência inabalável.* **5.** *fig.* Resistente, inquebrantável: *força moral inabalável.*

inábil (i.*ná*.bil) *adj.* Que não é hábil; que não tem capacidade ou aptidão; inapto, incompetente, desajeitado: *Foi inábil em suas observações.*

inabilidade (i.na.bi.li.*da*.de) *s.f.* Falta de habilidade; falta de destreza; incompetência, incapacidade.

inabilitar (i.na.bi.li.*tar*) *v.* **1.** Tornar(-se) inábil, incapacitado física, moral ou juridicamente; incapacitar(-se): *O acidente inabilitou-o por longo tempo; A instabilidade emocional inabilitou-o para a direção da empresa; Por não ter contribuído, inabilitou-se para a aposentadoria.* **2.** Reprovar(-se) em exame ou outra avaliação: *A banca examinadora inabilitou a maioria dos candidatos; Inabilitou-se em algumas matérias do curso.* ▶ Conjug. 5. – **inabilitado** *adj.*

inabitado (i.na.bi.*ta*.do) *adj.* Que não está habitado; deserto, ermo.

inabitável (i.na.bi.*tá*.vel) *adj.* Que não é habitável; que não tem condições de ser habitado.

inabitual (i.na.bi.tu.*al*) *adj.* Que não é habitual, costumeiro; incomum, raro, insólito.

inabordável (i.na.bor.*dá*.vel) *adj.* **1.** Que não é abordável; que é de difícil acesso: *uma subida inabordável.* **2.** Que é pouco tratável; intratável, inacessível: *diretor inabordável.*

inacabado (i.na.ca.*ba*.do) *adj.* Que não está acabado; incompleto, não concluído: *sinfonia inacabada.*

inação (i.na.*ção*) *s.f.* **1.** Falta de ação ou de trabalho; inércia, inanição. **2.** Indecisão, hesitação, irresolução.

inaceitável (i.na.cei.*tá*.vel) *adj.* Que não pode ou não deve ser aceito; inadmissível.

inacessível (i.na.ces.*sí*.vel) *adj.* **1.** Que não é acessível; que não dá acesso; inatingível: *montanha inacessível.* **2.** Intratável, inabordável: *patrão inacessível.* **3.** Incompreensível, ininteligível: *As questões do concurso eram inacessíveis a grande parte dos estudantes.* **4.** Muito caro; elevado, alto (diz-se de preço ou mercadoria).

inacreditável (i.na.cre.di.*tá*.vel) *adj.* **1.** Em que não se pode acreditar; que não merece crédito; incrível; inconcebível: *façanha inacreditável.* **2.** Extraordinário, espantoso, surpreendente: *sucesso inacreditável.*

inacusável (i.na.cu.*sá*.vel) *adj.* Que não pode ou não deve ser acusado.

inadaptação (i.na.dap.ta.*ção*) *s.f.* Dificuldade ou incapacidade de adaptação; desajuste. – **inadaptado** *adj.*

inadequação (i.na.de.qua.*ção*) *s.f.* Falta de adequação, de conformidade, de adaptação.

inadequado (i.na.de.*qua*.do) *adj.* **1.** Que não é adequado, conveniente ou compatível; impróprio, incompatível: *Seu método revelou-se inadequado para a educação dos filhos.* **2.** Inadaptado, desajustado: *Sente-se inadequado fora de seu ambiente.* – **inadequável** *adj.*

inadiável (i.na.di.*á*.vel) *adj.* Que não pode ser adiado; improrrogável, impreterível, impostergável: *compromisso inadiável.*

inadimplência (i.na.dim.*plên*.ci.a) *s.f.* Descumprimento de um contrato ou de qualquer uma de suas condições: *Diminui o índice de inadimplência dos mutuários da casa própria.*

inadimplente (i.na.dim.*plen*.te) *adj.* Que não cumpre um contrato.

inadmissível (i.nad.mis.*sí*.vel) *adj.* Que não é admissível; que não pode ser admitido; inaceitável, incrível, intolerável: *erro inadmissível.*

inadvertência (i.nad.ver.*tên*.ci.a) *s.f.* Falta de advertência ou atenção; descuido, negligência, distração, imprudência: *A inadvertência do motorista causou o acidente.*

inadvertido (i.nad.ver.*ti*.do) *adj.* Feito com inadvertência, sem reflexão; irrefletido; desatento, distraído.

inafiançável (i.na.fi:an.*çá*.vel) *adj.* Que não é afiançável; que não pode ser objeto de fiança: *crime inafiançável.*

inalação

inalação (i.na.la.ção) s.f. **1.** Ato ou efeito de inalar. **2.** (Med.) Absorção, pelas vias respiratórias, de medicamentos ou drogas.

inalador [ô] (i.na.la.dor) adj. **1.** Que é próprio para fazer inalações. • s.m. **2.** Aparelho para possibilitar a inalação de vapores de substâncias medicamentosas.

inalante (i.na.lan.te) adj. **1.** Que inala, que aspira. • s.m. **2.** (Med.) Substância para inalação.

inalar (i.na.lar) v. Absorver por inalação; aspirar profundamente (perfume, gases, drogas etc.): *Inalava medicamento próprio para o alívio da asma.* ▶ Conjug. 5.

inalienação (i.na.li:e.na.ção) s.f. **1.** Estado ou condição do que foi inalienado. **2.** Ação de tornar algo inalienável.

inalienar (i.na.li:e.nar) v. Tornar inalienável: *inalienar uma propriedade.* ▶ Conjug. 5.

inalienável (i.na.li:e.ná.vel) adj. Que não é alienável; que não se pode vender ou ceder; intransferível: *bens inalienáveis.*

inalterável (i.nal.te.rá.vel) adj. **1.** Que não se pode alterar; imutável, constante: *temperatura inalterável.* **2.** Imperturbável, impassível: *humor inalterável.*

inambu (i.nam.bu) s.m. Inhambu.

inamovível (i.na.mo.ví.vel) adj. **1.** Que não pode ser movido ou removido de lugar: *Essas peças de museu são inamovíveis.* **2.** Que não pode ser modificado ou alterado; inalterável: *leis inamovíveis.* **3.** (Jur.) Que não pode ser removido de cargo ou função, salvo nos casos previstos em lei (diz-se de juízes, magistrados etc.).

inane (i.na.ne) adj. **1.** Vazio de conteúdo; oco; sem nada no interior. **2.** fig. Frívolo, fútil, inútil.

inanição (i.na.ni.ção) s.f. **1.** Extrema debilidade proveniente de falta de alimentação. **2.** fig. Falta de vigor; falta de ação; inação: *É preciso vontade política para tirar o país da inanição.*

inanimado (i.na.ni.ma.do) adj. **1.** Que não tem vida: *ser inanimado.* **2.** Desprovido de movimento; inerte, imóvel: *Seus braços pendiam inanimados.* **3.** Sem sentidos; desfalecido, desmaiado: *O paciente permaneceu inanimado por longo tempo.*

inapelável (i.na.pe.lá.vel) adj. **1.** Que não permite apelação ou recurso; irrecorrível: *sentença inapelável.* **2.** Que não pode ser revertido ou modificado; irreversível: *destino inapelável.*

inapetência (i.na.pe.tên.ci:a) s.f. Falta de apetite; anorexia, fastio.

inapetente (i.na.pe.ten.te) adj. **1.** Que não tem apetite. **2.** fig. Que não demonstra desejos; apático.

inaplicável (i.na.pli.cá.vel) adj. Que não é aplicável; que não se pode aplicar, não condizente: *medidas inaplicáveis.*

inapreciável (i.na.pre.ci:á.vel) adj. Que não pode ser apreciado, estimado ou avaliado devidamente; inestimável, incalculável: *Aquela coleção tem peças de valor inapreciável.*

inapreensível (i.na.pre:en.sí.vel) adj. Que não se pode apreender; incompreensível: *palavras inapreensíveis.*

inaproveitável (i.na.pro.vei.tá.vel) adj. Que não é aproveitável; de que não se pode tirar proveito; imprestável: *Essas velhas notas de cruzeiro são inaproveitáveis.*

inaptidão (i.nap.ti.dão) s.f. Falta de aptidão, de capacidade, de habilidade; incapacidade, inabilidade.

inapto (i.nap.to) adj. Que não tem aptidão; que não é capacitado; ainda não habilitado; incapaz, inábil: *Funcionários inaptos não serão admitidos.*

inarrável (i.nar.rá.vel) adj. Que não se pode narrar; inenarrável, indizível.

inarredável (i.nar.re.dá.vel) adj. **1.** Que não se pode arredar ou remover de lugar; irremovível, inabalável, firme, fixo: *pedras inarredáveis.* **2.** fig. De que não se pode arredar ou fugir; firme, inabalável: *decisão inarredável.*

inassimilável (i.nas.si.mi.lá.vel) adj. Que não se pode assimilar, absorver ou compreender: *teorias inassimiláveis.*

inatacável (i.na.ta.cá.vel) adj. Que não se pode atacar; que está a salvo de ataques: *A tropa ocupava uma posição inatacável.* **2.** fig. Que não pode ser contestado, criticado ou censurado; irrepreensível, irreprochável, incontestável: *pronunciamento inatacável.*

inatingível (i.na.tin.gí.vel) adj. Que não se pode atingir; inalcançável: *desejo inatingível.*

inatividade (i.na.ti.vi.da.de) s.f. **1.** Qualidade de inativo. **2.** Falta de atividade; inércia. **3.** Situação de funcionários públicos afastados do serviço ativo por aposentadoria ou disposição superior.

inativo (i.na.ti.vo) adj. **1.** Que não está em atividade; parado, paralisado: *usina inativa.* **2.** Que não tem atividade; que não trabalha; desocupado: *Não havia inativos naquele grupo de amigos.* **3.** Que se encontra aposentado ou reformado pelo serviço público: *militar inativo.* • s.m. **4.** Funcionário inativo.

incendiar

inato (i.*na*.to) *adj.* Que nasce com o indivíduo; congênito, inerente: *dons inatos*.

inaudito (i.nau.*di*.to) *adj.* **1.** De que nunca se ouviu falar; de que não há exemplo; de que não há memória: *São inauditos os números da economia.* **2.** Estupendo, extraordinário, incrível: *O cantor fez um sucesso inaudito.*

inaudível (i.nau.*dí*.vel) *adj.* Que não se pode ouvir: *preces inaudíveis.*

inauguração (i.nau.gu.ra.*ção*) *s.f.* **1.** Ato ou efeito de inaugurar. **2.** Solenidade com que se inaugura um monumento, uma instituição, um edifício etc. **3.** Primeira apresentação; estreia: *inauguração da série anual de concertos.* **4.** Fundação, implementação, início, começo: *2000: a inauguração de uma nova era.*

inaugural (i.nau.gu.*ral*) *adj.* Relativo a inauguração; inicial: *aula inaugural.*

inaugurar (i.nau.gu.*rar*) *v.* **1.** Expor ao público pela primeira vez (monumento, escola, hospital, ponte etc.), para uso ou visitação: *O Ministro da Cultura inaugurou a exposição sobre o Brasil na França.* **2.** Dar ou ter início; iniciar(-se), estabelecer(-se), encetar(-se): *A câmera digital inaugurou uma nova etapa para a fotografia; Um novo panorama se inaugurou para a paz mundial.* ▶ Conjug. 5.

inavegável (i.na.ve.*gá*.vel) *adj.* Que não pode ser navegado: *rios inavegáveis.*

inca (*in*.ca) *adj.* **1.** Relativo ou pertencente aos incas; incaico. • *s.m. e f.* **2.** Indivíduo dos incas, grupo étnico sob cuja hegemonia organizou-se um poderoso império que, à época da conquista espanhola, abrangia territórios do Peru, Equador, Bolívia e Norte do Chile.

incabível (in.ca.*bí*.vel) *adj.* Que não tem cabimento; que não é aceitável: *hipótese incabível.*

incaico (in.*cai*.co) *adj.* Relativo ao império e à civilização dos incas; inca: *povo incaico.*

incalculável (in.cal.cu.*lá*.vel) *adj.* **1.** Que não pode ser calculado. **2.** Muito numeroso; muito considerável; incontável: *fortuna incalculável.*

incandescência (in.can.des.*cên*.ci.a) *s.f.* **1.** Estado de incandescente. **2.** (*Fís.*) Emissão de radiação luminosa por parte de um corpo aquecido. **3.** *fig.* Efervescência, exaltação, arrebatamento.

incandescente (in.can.des.*cen*.te) *adj.* **1.** Posto em brasa, aquecido até ficar luminoso: *ferro incandescente.* **2.** *fig.* Exaltado, ardente, arrebatado, inflamado: *Sucederam-se debates incandescentes no plenário.*

incandescer (in.can.des.*cer*) *v.* **1.** Tornar(-se) candente; pôr(-se) em brasa: *incandescer o ferro; Certos metais (se) incandescem rápido.* **2.** *fig.* Tornar(-se) vibrante; inflamar(-se), abrasar(-se), exaltar(-se): *A apresentação dos músicos famosos incandescia a multidão de jovens fãs; O coração incandesceu-se de tanta paixão.* ▶ Conjug. 41 e 46.

incansável (in.can.*sá*.vel) *adj.* **1.** Que não se cansa; que não descansa; muito laborioso; ativo, infatigável: *Médicos e enfermeiros foram incansáveis no combate à epidemia.* **2.** Que tem constância e persistência em seus esforços: *É um defensor incansável das boas causas.*

incapacidade (in.ca.pa.ci.*da*.de) *s.f.* **1.** Falta de capacidade, de aptidão; incompetência, inabilidade: *Demonstrou incapacidade com o computador.* **2.** Falta de condições (físicas ou intelectuais); deficiência, insuficiência, incapacitação: *O acidente trouxe-lhe incapacidade temporária para o trabalho.* **3.** (*Jur.*) Ausência de requisitos indispensáveis para o exercício ou o gozo de direitos: *incapacidade civil; incapacidade política.*

incapacíssimo (in.ca.pa.*cís*.si.mo) *adj.* Superlativo absoluto de *incapaz.*

incapacitar (in.ca.pa.ci.*tar*) *v.* Tornar(-se) incapaz ou inapto; inabilitar(-se): *A doença incapacitou-o para o trabalho; Com baixo rendimento escolar, incapacitou-se para o exame vestibular.* ▶ Conjug. 5. – **incapacitação** *s.f.*

incapaz (in.ca.*paz*) *adj.* **1.** Que não tem capacidade, aptidão; incompetente, inapto, inábil: *Funcionários incapazes não devem atender o público.* **2.** Que se encontra incapacitado física ou intelectualmente: *O acidente tornou-o incapaz para a prática de esportes.* **3.** Que não se permite agir de certa forma; que não se presta a: *Dizia-se de Júlia que, de tão boa, era incapaz de matar uma mosca.* **4.** (*Jur.*) Que não tem capacidade legal: *Os menores são incapazes para testemunhar.* • *s.m. e f.* **5.** Pessoa incapaz. ‖ sup. abs.: *incapacíssimo.*

incauto (in.*cau*.to) *adj.* **1.** Que não é cauteloso; que não toma cautela; imprudente: *atuação incauta dos policiais.* **2.** Que não tem malícia; crédulo; ingênuo: *jovem incauto.*

incendiar (in.cen.di.*ar*) *v.* **1.** Atear ou pegar fogo; (fazer) arder; queimar(-se): *O fogaréu incendiou a parte velha da cidade; A cidade inteira incendiou-se.* **2.** Avermelhar(-se) como num incêndio: *O sol do crepúsculo incendiava o horizonte; Incendiava-se o céu no entarde-*

incendiário

cer do verão. **3.** *fig.* Inflamar(-se), excitar(-se), exaltar(-se): *O amor incendeia os corações; O orador foi-se incendiando à medida que discursava.* ▶ Conjug. 16.

incendiário (in.cen.di:á.ri:o) *adj.* **1.** Que provoca incêndio: *bomba incendiária.* **2.** *fig.* Que inflama ou excita os ânimos; instigador, revolucionário: *discurso incendiário.* • *s.m.* **3.** Pessoa incendiária.

incêndio (in.cên.di:o) *s.m.* **1.** Grande fogo que se propaga com intensidade. **2.** *fig.* Grande ardor; entusiasmo, exaltação: *Apaixonado, sentia um incêndio dentro do peito.*

incensar (in.cen.*sar*) *v.* **1.** Queimar incenso (em cerimônias religiosas): *Com o turíbulo de prata, o sacerdote incensou o templo.* **2.** Perfumar com incenso; defumar: *Seguia a tradição de incensar a casa às sextas-feiras.* **3.** *fig.* Fazer elogios excessivos; adular, bajular, lisonjear: *Os apadrinhados viviam incensando o chefe.* ▶ Conjug. 5.

incensário (in.cen.sá.ri:o) *s.m.* Incensório.

incenso (in.*cen*.so) *s.m.* **1.** Resina aromática extraída de certas árvores que, ao ser queimada, exala um perfume suave e penetrante. **2.** *fig.* Manifestação de louvor; elogio, adulação, bajulação, lisonja.

incensório (in.cen.só.ri:o) *s.m.* Recipiente de metal em que se queima incenso, em cerimônias litúrgicas; turíbulo, incensário.

incensurável (in.cen.su.rá.vel) *adj.* **1.** Que não se pode ou não se deve censurar. **2.** Sem falha; correto, impoluto, irrepreensível, irreprochável: *comportamento incensurável.*

incentivar (in.cen.ti.*var*) *v.* **1.** Dar incentivo a; estimular, encorajar, promover: *O ministro quer incentivar o turismo interno.* **2.** Conceder incentivo fiscal a: *O governo incentiva as microempresas com redução de impostos.* ▶ Conjug. 5.

incentivo (in.cen.*ti*.vo) *s.m.* Aquilo que incentiva; incitamento, estímulo, encorajamento: *Os alunos receberam um grande incentivo dos professores.* || *Incentivo fiscal:* subsídio concedido pelo governo na forma de redução ou isenção de impostos, em troca de investimento em determinadas áreas de atuação (cultural, educacional etc.).

incerta [é] (in.cer.ta) *s.f. coloq.* Visitação a um local determinado, sem aviso prévio, para fins de inspeção e controle. || *Dar uma incerta: coloq.* aparecer de surpresa para inspecionar determinada atividade: *O gerente deu uma incerta nos vários departamentos da loja.*

incerteza [ê] (in.cer.te.za) *s.f.* Falta de certeza; dúvida, hesitação.

incerto [é] (in.cer.to) *adj.* **1.** Que não é certo; duvidoso, imprevisto: *futuro incerto.* **2.** Que não se define ou precisa; indefinido, indeterminado, impreciso: *idade incerta.* **3.** Hesitante, indeciso, vacilante: *passos incertos.* **4.** Vago, indistinto, confuso: *sons incertos.* **5.** Variável, mutável, inconstante: *tempo incerto.* **6.** Arriscado, perigoso, temerário: *negócio incerto.*

incessante (in.ces.*san*.te) *adj.* Que não cessa; contínuo, constante: *barulho incessante.*

incesto [é] (in.ces.to) *s.m.* União sexual entre parentes consanguíneos em grau proibido pela lei, pela religião ou norma grupal.

incestuoso [ô] (in.ces.tu:o.so) *adj.* **1.** Que cometeu incesto. **2.** Em que há incesto. • *s.m.* **3.** Pessoa incestuosa. || f. e pl.: [ó].

inchação (in.cha.*ção*) *s.f.* **1.** Ato ou efeito de inchar; inchaço, inchamento, tumefação. **2.** Tumor, tumefação, edema. **3.** *fig.* Orgulho, vaidade, arrogância.

inchaço (in.*cha*.ço) *s.m. fam.* Inchação.

inchamento (in.cha.*men*.to) *s.m.* Inchação.

inchar (in.*char*) *v.* **1.** Tornar(-se) intumescido; intumescer(-se), tumefazer(-se): *A forte pancada inchou seu rosto; Seus pés incharam na gravidez; As mãos incharam-se de tanto digitar.* **2.** Tornar(-se) mais cheio ou volumoso; avolumar(-se), dilatar(-se): *inchar balões; As malas se incharam com tantas compras.* **3.** *fig.* Tornar(-se) orgulhoso; envaidecer(-se): *As boas críticas da imprensa esportiva incharam o atleta; Não deve inchar-se com falsos elogios.* **4.** *fig.* Tornar enfático, afetado, pomposo: *inchar o estilo.* ▶ Conjug. 5. – **inchado** *adj.*

incidência (in.ci.*dên*.ci:a) *s.f.* **1.** Ocorrência, acontecimento, fato: *A vacinação diminuiu a incidência de gripe entre os idosos.* **2.** Ação de recair, de pesar sobre ou de atingir (um corpo, uma superfície): *A incidência dos raios solares, após certo horário, é prejudicial à pele.* **3.** (*Jur.*) Ato de recair (sobre o contribuinte) determinados tributos: *incidência tributária.* **4.** (*Jur.*) Ação ou omissão que, infringindo a lei, configura crime ou delito.

incidental (in.ci.den.*tal*) *adj.* **1.** Relativo a incidente; eventual, casual, episódico: *encontros incidentais.* **2.** (*Jur.*) Que se apresenta como secundário ou acessório numa ação judicial: *despachos/sentenças incidentais.*

incidente (in.ci.*den*.te) *adj.* **1.** Que incide; que recai sobre: *juros incidentes sobre a dívida.* **2.**

(*Fís.*) Diz-se do raio luminoso que incide sobre uma superfície refrangente. **3.** (*Jur.*) Diz-se de causa ou demanda acessórias ligadas ao processo principal; incidental: *questões incidentes.* • *s.m.* **4.** Ocorrência acidental, episódica, geralmente inoportuna ou inconveniente: *O debate eleitoral transcorreu sem maiores incidentes.* || Conferir com *acidente*.

incidir (in.ci.*dir*) *v.* **1.** Refletir-se ou recair (geralmente a luz) sobre uma superfície: *A pálida luz da lua incidia sobre as águas do lago.* **2.** Pesar (imposto, multa etc.) sobre; cair, recair: *Novos juros irão incidir sobre a dívida atrasada.* **3.** Ter algum efeito sobre; afetar, atingir: *A dengue incidiu sobre toda a população.* **4.** Incorrer, recair, reincidir (em falta, delito etc.): *Cuidado! Não vá incidir no mesmo erro.* ▶ Conjug. 66.

incineração (in.ci.ne.ra.*ção*) *s.f.* Ato ou efeito de incinerar; cremação, queima.

incinerador [ô] (in.ci.ne.ra.*dor*) *adj.* **1.** Que incinera. • *s.m.* **2.** Forno para queimar lixo.

incinerar (in.ci.ne.*rar*) *v.* **1.** Queimar até reduzir a cinzas: *Incinerou todos os papéis que podiam comprometê-lo.* **2.** Cremar (cadáver). ▶ Conjug. 8.

incipiente (in.ci.pi:*en*.te) *adj.* **1.** Que está no começo; que inicia; inicial: *uma calvície incipiente.* **2.** Que começa; iniciante, principiante: *discípulos incipientes.*

incisão (in.ci.*são*) *s.f.* **1.** Ato de cortar durante um procedimento cirúrgico: *O médico fez uma incisão no abdome do paciente.* **2.** Corte na casca de uma árvore para extração da seiva.

incisivo (in.ci.*si*.vo) *adj.* **1.** Próprio para cortar: *dente incisivo.* **2.** Pronto, eficaz, decisivo: *efeito incisivo.* **3.** *fig.* Mordaz, ferino: *críticas incisivas.* • *s.m.* **4.** (*Anat.*) Cada um dos oito dentes anteriores, situados entre os caninos, com borda retilínea e cortante.

inciso (in.ci.*so*) *adj.* **1.** Cortado com instrumento cortante. **2.** (*Jur.*) Cada uma das partes, precedidas de número, em que se subdivide um artigo ou um parágrafo de lei ou de outro ato normativo.

incitação (in.ci.ta.*ção*) *s.f.* **1.** Ato ou efeito de incitar; incentivo, estímulo, incitamento. **2.** (*Jur.*) Prática punível por lei, quando leva alguém a atos lesivos a si ou a outros.

incitamento (in.ci.ta.*men*.to) *s.m.* Incitação.

incitar (in.ci.*tar*) *v.* **1.** Instigar, instar, impelir (alguém) a realizar algo; encorajar: *O líder sindical incitava os trabalhadores à greve.* **2.** Provocar, causar, promover: *Não se deve incitar a violência.* **3.** Estimular(-se); excitar(-se), inflamar(-se): *A música incitava seus melhores sentimentos; Sua imaginação incitava-se com aquela música.* ▶ Conjug. 5. – **incitador** *adj. s.m.*; **incitante** *adj.*

incivilizado (in.ci.vi.li.*za*.do) *adj.* **1.** Que não é civilizado, inculto; selvagem: *tribos incivilizadas.* **2.** *fig.* Que não tem civilidade; grosseiro, impolido, descortês: *Não seja incivilizado, ceda o lugar às pessoas idosas.*

inclassificável (in.clas.si.fi.*cá*.vel) *adj.* **1.** Que não se pode classificar ou ordenar: *papelada inclassificável.* **2.** Que merece censura ou reprovação; inqualificável: *comportamento inclassificável.*

inclemência (in.cle.*mên*.ci:a) *s.f.* **1.** Falta de clemência, de compaixão; impiedade. **2.** Dureza, rigor, severidade.

inclemente (in.cle.*men*.te) *adj.* **1.** Que não tem clemência; que não perdoa; impiedoso: *ditador inclemente.* **2.** De extremo rigor; duro, severo: *Marchavam sob um sol inclemente.*

inclinação (in.cli.na.*ção*) *s.f.* **1.** Ato ou efeito de inclinar(-se). **2.** Posição curva de um corpo. **3.** Abaixamento da cabeça ou curvatura do corpo em sinal de assentimento; reverência, mesura: *Fez uma inclinação reverente diante do altar.* **4.** Disposição ou orientação para determinada direção: *inclinação para a direita ou para a esquerda.* **5.** Declive de um terreno ou solo. **6.** *fig.* Tendência, talento, propensão: *Tem inclinação para as letras.* **7.** *fig.* Simpatia, afeição: *Sentia inclinação pela colega de turma.*

inclinar (in.cli.*nar*) *v.* **1.** (Fazer) pender ou descair; curvar(-se) para baixo; abaixar(-se): *Inclinava todo o corpo no exercício físico; Inclinou-se para amarrar os sapatos.* **2.** Desviar(-se) da linha reta, vertical ou horizontalmente: *Incline a antena de televisão para o outro lado; Inclinava-se arriscadamente sobre a corda bamba.* **3.** Curvar(-se), dobrar(-se) em sinal de reverência ou de cumprimento; fazer mesuras: *Os fiéis inclinaram a cabeça para a bênção do sacerdote; Os japoneses inclinam-se ao cumprimentar seus interlocutores.* **4.** Transformar(-se) em declive: *Naquela curva a estrada começa a inclinar(-se).* **5.** *fig.* Tornar(-se) propenso ou predisposto a; dispor(-se), propender: *O ódio inclinou-o para a violência; Inclino-me a concorrer àquele prêmio.* **6.** *fig.* Mostrar-se favorável a; tender, conceder, concordar: *Os partidos se inclinaram à necessidade de uma reforma política.* **7.** *fig.* Submeter-se, sujeitar-se, ceder: *A defesa inclinou-se ao poder dos argumentos da promotoria.* ▶ Conjug. 5.

inclinável

inclinável (in.cli.*ná*.vel) *adj.* Fácil de inclinar, que se pode inclinar; flexível: *assento inclinável.*

ínclito (*ín*.cli.to) *adj.* Renomado por seus méritos e qualidades; notável, distinto, célebre, insigne: *ínclito orador.*

incluir (in.clu.*ir*) *v.* **1.** Colocar ou fechar dentro de; introduzir, encerrar: *Incluiu no processo fotos que incriminavam o acusado.* **2.** (Fazer) constar ou figurar; inserir(-se), arrolar(-se), compreender(-se): *O técnico incluiu novos nomes na lista de convocados da seleção; Incluo-me entre os defensores do meio ambiente.* **3.** Compor-se de; abranger, compreender, conter: *A prova irá incluir questões de Português e Matemática.* **4.** Trazer em si; envolver, implicar: *Suas críticas incluíam uma ponta de ironia.* **5.** Fazer (alguém) tomar parte de; envolver, complicar: *Não consegui incluir o sócio em seus negócios escusos.* || part.: *incluído e incluso.* ▶ Conjug. 80.

inclusão (in.clu.*são*) *s.f.* **1.** Ato ou efeito de incluir(-se). **2.** Inserção, introdução, incorporação, integração: *Foi indispensável a inclusão de novas cláusulas no processo.* || *Inclusão digital*: estado de quem teve acesso à Informática e está inserido no estudo dessa área do conhecimento ou em sua atividade. • *Inclusão social*: estado de quem tem garantido o acesso aos direitos e benefícios da cidadania: *A inclusão digital é um fator da inclusão social.*

inclusive (in.clu.*si*.ve) *adv.* **1.** De modo inclusivo; sem exclusão: *Foram pedidos todos os seus dados, inclusive o e-mail.* **2.** Até, até mesmo: *Esta é uma grande pesquisa, considerada inclusive pioneira.*

inclusivo (in.clu.*si*.vo) *adj.* Que favorece a inclusão; abrangente, extensivo: *programa social inclusivo.*

incluso (in.*clu*.so) *adj.* **1.** Que está incluído. **2.** (Odont.) Diz-se do dente que permanece sem irromper, apesar de já ter sua formação completa.

incoercível (in.co:er.*cí*.vel) *adj.* Que não pode ser coagido, coibido, reprimido; irreprimível: *desejo incoercível.*

incoerência (in.co:e.*rên*.ci:a) *s.f.* **1.** Falta de coerência. **2.** Dito ou ato próprios de pessoa incoerente.

incoerente (in.co:e.*ren*.te) *adj.* **1.** Que não é coerente; desconexo, ilógico: *discurso incoerente.* **2.** Que é contraditório, disparatado: *atitude incoerente.*

incógnita (in.*cóg*.ni.ta) *s.f.* **1.** Algo que não se conhece ou não se compreende: *A morte é uma incógnita.* **2.** (*Mat.*) Termo cujo valor deve ser descoberto numa equação.

incógnito (in.*cóg*.ni.to) *adj.* **1.** Que não é conhecido; ainda não descoberto; ignorado, ignoto, oculto: *O viajante parecia vir de paragens incógnitas.* **2.** Que não deseja ser reconhecido; que não revela a identidade: *O astro do cinema desembarcou incógnito na cidade.*

incognoscível (in.cog.nos.*cí*.vel) *adj.* Que não se pode conhecer: *O futuro é incognoscível.*

incolor [ô] (in.co.*lor*) *adj.* **1.** Que não tem cor; descolorido: *líquido incolor.* **2.** *fig.* Sem atrativo, sem interesse, insípido: *conversação incolor.*

incólume (in.*có*.lu.me) *adj.* Que está livre de danos físicos ou morais; são e salvo; ileso, intato: *Todos saíram incólumes do terrível acidente; Em meio aos escândalos, manteve incólume sua honra.*

incombustível (in.com.bus.*tí*.vel) *adj.* Que não é combustível; que não se queima: *O uniforme dos bombeiros é incombustível.*

incomensurável (in.co.men.su.*rá*.vel) *adj.* **1.** Que não pode ser medido; imenso; imensurável: *O universo tem uma grandeza incomensurável.* **2.** *fig.* Muito grande; imenso, desmedido: *É dono de um talento incomensurável.*

incomodado (in.co.mo.*da*.do) *adj.* **1.** Importunado, molestado: *Acordou incomodado com o barulho do trânsito caótico.* **2.** Levemente indisposto, adoentado: *Uma dorzinha indefinida deixou-o incomodado.* **3.** Aborrecido, irritado: *Não ficou incomodado com as críticas a seu filme.* **4.** *coloq.* Diz-se da mulher durante o período menstrual.

incomodar (in.co.mo.*dar*) *v.* **1.** Causar incômodo; molestar, importunar, irritar, desgostar: *O desconforto do ônibus superlotado incomodava os passageiros; Com o exercício físico, as dores na coluna não voltaram a incomodar.* **2.** Causar ou sentir aborrecimento ou irritação; perturbar(-se), apoquentar(-se): *A ironia do amigo incomodou-o mais que tudo; Não se incomodou minimamente com as críticas a seu livro.* **3.** Dar-se ao incômodo de fazer algo a alguém; preocupar-se com; cuidar: *Não se incomode em ceder-me o lugar.* ▶ Conjug. 20.

incomodativo (in.co.mo.da.*ti*.vo) *adj.* Que incomoda; incômodo.

incômodo (in.*cô*.mo.do) *adj.* **1.** Que não oferece comodidade; desconfortável, incomodativo: *O trem tinha assentos incômodos.* **2.** Que é de-

inconcludente

sagradável, enfadonho, embaraçoso: *visitante incômodo*. **3.** Que provoca mal-estar ou indisposição: *uma dor incômoda nas costas*. • *s.m.* **4.** Transtorno, perturbação, aborrecimento: *Não é incômodo nenhum, pode voltar quando quiser*. **5.** Indisposição leve; mal-estar; dor: *o incômodo da gripe*. **6.** *coloq.* Fluxo menstrual.

incomparável (in.com.pa.rá.vel) *adj.* **1.** Que não admite comparação com outro ou outros; inigualável: *A biodiversidade do Brasil é incomparável*. **2.** Extraordinário, único, sem-par: *beleza incomparável*.

incompatibilizar (in.com.pa.ti.bi.li.zar) *v.* **1.** Tornar(-se) incompatível; inconciliável, incombinável: *A carreira militar incompatibilizou-o para exercer outras funções*; *Alguns candidatos se incompatibilizaram para o cargo por sua menoridade*. **2.** Tornar(-se) inconciliável; indispor(-se): *A presunção incompatibilizava-o com os colegas*; *O político não deve incompatibilizar-se com sua base eleitoral*. ▶ Conjug. 5.

incompatível (in.com.pa.tí.vel) *adj.* **1.** Que não é compatível; que não pode existir juntamente com outro: *Uma decisão administrativa considerou incompatíveis as funções que ele acumulava*. **2.** Que não se harmoniza; que não se combina; inconciliável, incombinável: *Têm temperamentos incompatíveis*. – **incompatibilidade** *s.f.*

incompetência (in.com.pe.tên.ci:a) *s.f.* **1.** Falta de competência ou de qualificação; incapacidade, inaptidão: *Os baixos rendimentos da empresa são resultado da incompetência de sua direção*. **2.** Falta de autoridade ou de conhecimentos necessários para o julgamento de alguma coisa: *A incompetência não é boa julgadora*.

incompetente (in.com.pe.ten.te) *adj.* **1.** Que não tem competência ou qualificação; inábil, inapto, incapaz: *técnico incompetente*. **2.** Que não tem autoridade ou idoneidade para o desempenho de funções: *juiz incompetente*. • *s.m. e f.* **3.** Pessoa incompetente.

incompleto [é] (in.com.ple.to) *adj.* **1.** Que não está completo; não concluído; não cumprido: *Deixou várias questões da prova incompletas*. **2.** A que faltam partes ou elementos: *O currículo apresentado estava incompleto*.

incompreendido (in.com.pre:en.di.do) *adj.* **1.** Que não é bem compreendido ou percebido: *O real sentido de suas palavras permaneceu incompreendido*. **2.** Que não é bem avaliado, apreciado ou julgado: *Foi um escritor incompreendido em seu tempo*.

incompreensão (in.com.pre:en.são) *s.f.* **1.** Falta de compreensão ou de entendimento. **2.** Falta de indulgência, de condescendência; intolerância: *A incompreensão dos amigos afetou o relacionamento*.

incompreensível (in.com.pre:en.sí.vel) *adj.* **1.** Que é difícil ou impossível de compreender; ininteligível: *O estrangeiro falava uma língua incompreensível*. **2.** Que é difícil de compreender ou de explicar: *Aquela foi uma atitude incompreensível*. **3.** Cujo alcance está além da razão; misterioso, enigmático, insondável, inescrutável: *Os desígnios de Deus são incompreensíveis*.

incompreensivo (in.com.pre:en.si.vo) *adj.* **1.** Que revela falta de compreensão ou de entendimento: *um artigo incompreensivo*. **2.** Que não tem condescendência com o outro; intolerante, inflexível: *patrão incompreensivo*.

incomum (in.co.mum) *adj.* **1.** Que não é frequente ou costumeiro; inabitual, inusual, invulgar: *Brigas são incomuns naquela família*. **2.** Que é fora do comum; raro, extraordinário, único: *talento incomum*.

incomunicável (in.co.mu.ni.cá.vel) *adj.* **1.** Que não se conseguiu exprimir ou comunicar a outrem; inexprimível, indizível: *sensações incomunicáveis*. **2.** Que está privado da comunicação ou do contato com outro(s): *preso incomunicável*. **3.** Que não é comunicativo; que se fecha em si mesmo; insociável, misantropo: *um solteirão incomunicável*. **4.** (*Jur.*) Que não pode ser transferido ou transmitido na partilha de um patrimônio; intransferível; intransmissível: *bens incomunicáveis*. – **incomunicabilidade** *s.f.*

incomutável (in.co.mu.tá.vel) *adj.* **1.** Que não é comutável; que não se pode trocar ou substituir: *identidade incomutável*. **2.** (*Jur.*) Que não pode ser comutado, reduzido ou substituído (diz-se de pena).

inconcebível (in.con.ce.bí.vel) *adj.* **1.** Que não se pode conceber, explicar ou admitir; inadmissível, intolerável: *preconceito inconcebível*. **2.** Que é fora do comum; surpreendente, espantoso, inacreditável: *vitória inconcebível*.

inconciliável (in.con.ci.li:á.vel) *adj.* Que não se pode conciliar com outro ou outros; incompatível: *inimigos inconciliáveis*; *opiniões inconciliáveis*.

inconcludente (in.con.clu.den.te) *adj.* Que não é concludente, que não leva a uma conclusão; inconclusivo: *depoimento inconcludente*.

inconclusivo

inconclusivo (in.con.clu.*si*.vo) *adj.* Inconcludente.

inconcluso (in.con.*clu*.so) *adj.* Que não está ou não foi concluído; inacabado, incompleto.

incondicional (in.con.di.ci:o.*nal*) *adj.* Que não está sujeito a condições ou a restrições; irrestrito, ilimitado: *O governo tem o apoio incondicional de sua base parlamentar.*

inconfessável (in.con.fes.*sá*.vel) *adj.* Que não se pode confessar ou tornar público: *pensamentos inconfessáveis.*

inconfidência (in.con.fi.*dên*.ci:a) *s.f.* **1.** Falta de fidelidade para com alguém, especialmente para com o soberano ou o Estado; infidelidade; deslealdade: *A Inconfidência Mineira.* **2.** Revelação de segredo confiado: *As inconfidências dos assessores derrubaram autoridades do governo.*

inconfidente (in.con.fi.*den*.te) *adj.* **1.** Que cometeu ou está envolvido em inconfidência. **2.** Que revela algum segredo que lhe confiaram. • *s.m.* **3.** (*Hist.*) Nome dado aos participantes da Inconfidência Mineira, movimento político ocorrido em fins do século XVIII para libertar o Brasil do domínio colonial português; conjurado.

inconformidade (in.con.for.mi.*da*.de) *s.f.* **1.** Falta de conformidade; desacordo, divergência: *Essa medida apresenta inconformidade com a lei.* **2.** Falta de submissão; rebeldia, resistência, inconformismo.

inconformismo (in.con.for.*mis*.mo) *s.m.* Tendência ou procedimento de inconformidade, divergência ou resistência a ideias e regras estabelecidas: *Manifestou seu inconformismo com a morosidade da justiça.*

inconformista (in.con.for.*mis*.ta) *adj.* **1.** Que não se conforma com o *statu quo*. • *s.m.* e *f.* **2.** Pessoa inconformista.

inconfundível (in.con.fun.*dí*.vel) *adj.* Que não se pode confundir com outro(s); diferente, distinto: *rosto inconfundível.*

incongruência (in.con.gru:*ên*.ci:a) *s.f.* **1.** Falta de congruência; falta de lógica, discordância, desadequação, inconformidade. **2.** Ato, dito ou procedimento incongruente: *Existe uma clara incongruência entre o discurso e a prática do governante.*

incongruente (in.con.gru:*en*.te) *adj.* **1.** Que não é congruente; que não é condizente; que não está de acordo com: *Seus sonhos são incongruentes com a realidade.* **2.** Que é sem propósito; impróprio, inadequado, ilógico, incompatível: *atitude incongruente.*

inconho (in.*co*.nho) *adj.* **1.** Diz-se do fruto que nasce pegado a outro. **2.** *fig.* Diz-se de coisas muito ligadas entre si.

inconquistável (in.con.quis.*tá*.vel) *adj.* Que não se pode conquistar; de que não se pode apoderar; inexpugnável: *As tropas atacavam um reduto até então inconquistável.*

inconsciência (in.cons.ci:*ên*.ci:a) *s.f.* **1.** Qualidade, estado ou caráter de inconsciente. **2.** Falta permanente ou momentânea de consciência de si mesmo ou do mundo: *Com o forte trauma, sobreveio-lhe a inconsciência.* **3.** Falta de compreensão, de discernimento, de senso crítico; inconsequência, leviandade: *Não conseguiu perceber a inconsciência de seus atos.* **4.** Ausência de justiça, de equidade: *A exclusão social é fruto da inconsciência dos governantes.*

inconsciente (in.cons.ci:*en*.te) *adj.* **1.** Que não está consciente; que perdeu a consciência: *A vítima do assalto foi encontrada inconsciente.* **2.** Que se faz sem reflexão ou amadurecimento; irresponsável, inconsequente, leviano: *A elevação dos juros foi considerada uma medida inconsciente.* **3.** Feito sem muita atenção; automático, maquinal, involuntário: *gesto inconsciente.* • *s.m.* e *f.* **4.** (*Med.*) Pessoa que perdeu momentânea ou permanentemente o estado de consciência. **5.** Pessoa irresponsável, leviana, inconsequente. • *s.m.* e *f.* **6.** (*Psicn.*) Estado do aparelho psíquico, que inclui todas as informações e experiências acumuladas na memória durante a vida do indivíduo e que ordinariamente não estão acessíveis ao nível da consciência, mas que podem influenciar o comportamento.

inconsequente [qüen] (in.con.se.*quen*.te) *adj.* **1.** Que não é consequente; que é contrário à lógica e ao bom senso; incoerente, contraditório. **2.** Que revela falta de prudência, de reflexão ou ponderação; leviano, irresponsável: *Suas declarações não têm compromisso com a verdade, são totalmente inconsequentes.* • *s.m.* e *f.* **3.** Pessoa inconsequente.

inconsistente (in.con.sis.*ten*.te) *adj.* **1.** Que não tem consistência ou firmeza: *piso inconsistente.* **2.** Que não tem fundamento ou razão de ser; sem motivo; infundado: *Foi vítima de acusação inconsistente.* **3.** *fig.* Que não apresenta rigor intelectual; que não tem profundidade: *Tem uma obra literária extensa, mas inconsistente.* **4.** *fig.* Que não tem estabilidade moral; indeciso, vago, confuso, inconstante: *caráter inconsistente.* – **inconsistência** *s.f.*

inconsolável (in.con.so.*lá*.vel) *adj.* **1.** Que não se pode consolar. **2.** Muito triste, pesaroso, desconsolado.

inconstância (in.cons.*tân*.ci:a) *s.f.* **1.** Falta de constância, de uniformidade ou regularidade; mutabilidade, variabilidade: *a inconstância do clima.* **2.** *fig.* Ausência de equilíbrio emocional; instabilidade, fragilidade, inconsistência: *A inconstância é a marca de seu caráter.*

inconstante (in.cons.*tan*.te) *adj.* **1.** Que não se mantém constante ou uniforme; mutável, variável, incerto: *temperatura inconstante.* **2.** Sem estabilidade emocional; volúvel, instável, inconsequente: *É inconstante no amor e nos negócios.* • *s.m. e f.* **3.** Pessoa inconstante.

inconstitucional (in.cons.ti.tu.ci:o.*nal*) *adj.* Que não é constitucional; que fere a constituição de um país. – **inconstitucionalidade** *s.f.*

inconsútil (in.con.*sú*.til) *adj.* **1.** Que não tem costura: *manto inconsútil.* **2.** Que é feito de uma só peça, sem emendas; inteiriço.

incontável (in.con.*tá*.vel) *adj.* **1.** De que não se pode fazer a contagem; inumerável: *As estrelas são incontáveis.* **2.** Que não se pode contar ou narrar: *Em sua vida havia muitos fatos incontáveis.*

incontentável (in.con.ten.*tá*.vel) *adj.* Que é difícil de ser contentado.

incontestado (in.con.tes.*ta*.do) *adj.* Que não sofreu contestação; que não foi posto em dúvida; inconteste.

incontestável (in.con.tes.*tá*.vel) *adj.* Que não pode sofrer contestação; indiscutível: *resultado incontestável.*

inconteste [é] (in.con.*tes*.te) *adj.* Incontestado: *liderança inconteste.*

incontido (in.con.*ti*.do) *adj.* Que não se pode conter ou reprimir; irrefreável, irreprimível: *pranto incontido.*

incontinência (in.con.ti.*nên*.ci:a) *s.f.* **1.** Qualidade ou condição de incontinente. **2.** Falta de moderação ao falar ou ao agir; descomedimento, descontrole: *incontinência de linguagem.* **3.** (*Med.*) Incapacidade de reter uma excreção natural (especialmente da bexiga ou dos intestinos): *incontinência urinária; incontinência fecal.*

incontinente[1] (in.con.ti.*nen*.te) *adj.* **1.** Que não tem continência ou comedimento em (palavras, gestos, atitudes etc.); imoderado, descomedido, descontrolado: *É incontinente ao falar.* **2.** (*Med.*) Que sofre de incontinência. • *s.m. e f.* **3.** Pessoa incontinente.

incontinente[2] (in.con.ti.*nen*.te) *adv.* No mesmo instante; sem demora; de imediato: *Ao ouvir a chamada para o voo, apresentou-se incontinente.*

incontrolável (in.con.tro.*lá*.vel) *adj.* Que não se pode controlar ou reprimir; incoercível, irreprimível, irrefreável: *As lágrimas caíam-lhe incontroláveis pelo rosto.*

incontroverso [é] (in.con.tro.*ver*.so) *adj.* Que não admite controvérsia; incontrovertido, incontestável; certíssimo: *argumento incontroverso.*

incontrovertido (in.con.tro.ver.*ti*.do) *adj.* Incontroverso.

inconveniente (in.con.ve.ni:*en*.te) *adj.* **1.** Que não é conveniente; impróprio, inadequado, inoportuno, impertinente: *O entrevistado foi inconveniente em seus comentários.* **2.** Que não preza o decoro e os bons costumes; indecoroso, indecente, imoral: *filme inconveniente; atitude inconveniente.* • *s.m.* **3.** Situação de risco; perigo, prejuízo, dano, inconveniência: *O projeto aprovado traz vários inconvenientes para os assalariados.* • *s.m. e f.* **4.** Pessoa inconveniente. – **inconveniência** *s.f.*

inconversível (in.con.ver.*sí*.vel) *adj.* Que não se pode converter; inconvertível: *moeda inconversível.*

inconvertível (in.con.ver.*tí*.vel) *adj.* Inconversível.

incorporação (in.cor.po.ra.*ção*) *s.f.* **1.** Ato ou efeito de incorporar(-se). **2.** Introdução, integração, inclusão, inserção: *incorporação de novas turmas no colégio.* **3.** (*Mil.*) Ato de inclusão dos convocados ao serviço das Forças Armadas. **4.** (*Econ.*) Aquisição de uma empresa por outra que detém o controle acionário. **5.** Construção de um prédio mediante a participação financeira de vários condôminos. **6.** (*Rel.*) Transe mediúnico.

incorporador [ô] (in.cor.po.ra.*dor*) *adj.* **1.** Que incorpora; incorporativo. • *s.m.* **2.** Aquele que promove a incorporação de um prédio de apartamentos em condomínio. **3.** (*Jur.*) Cada um dos sócios fundadores de uma sociedade anônima.

incorporadora [ô] (in.cor.po.ra.*do*.ra) *s.f.* Empresa que promove incorporações imobiliárias.

incorporar (in.cor.po.*rar*) *v.* **1.** Juntar(-se) em um só todo; integrar(-se), reunir(-se), congregar(-se): *A nova legenda política incorporou um grande número de filiados; Incorporou mais uma obra de arte a sua coleção; Uma nova turma de universitários incorporou-se ao Projeto Rondon.* **2.** Absorver ou ser absorvido; introduzir(-se), incluir(-se), inserir(-se): *A criança incorpora*

incorpóreo

gradualmente novos hábitos; As novas tecnologias incorporaram-se inteiramente ao cotidiano das pessoas. **3.** Contratar a construção de um imóvel em regime de condomínio: *incorporar um grande edifício de apartamentos.* **4.** *(Mil.)* Admitir (pessoal) ao serviço militar: *O Exército incorporou novos recrutas.* **5.** *(Econ.)* Adicionar, incluir, anexar (lucros, dividendos etc.) a: *A empresa incorporou novos fundos a seu capital.* **6.** *(Rel.)* Tomar corpo, em transe mediúnico, uma entidade espiritual; materializar-se: *Ao som dos atabaques, o orixá incorporou na mãe de santo.* ▶ Conjug. 20.

incorpóreo (in.cor.pó.re:o) *adj.* Que não tem corpo; que não é constituído de matéria; imaterial, impalpável: *espírito incorpóreo.*

incorreção (in.cor.re.ção) *s.f.* **1.** Falta de correção; imprecisão, inexatidão, falha, erro, defeito: *A prova tem muitas incorreções.* **2.** Falta de cortesia ou de civilidade; inconveniência, grosseria: *A etiqueta rígida da cerimônia não admitirá incorreções.*

incorrer (in.cor.rer) *v.* **1.** Ficar comprometido ou envolvido em; cair, recair, incidir: *incorrer em falta grave; incorrer em contradição.* **2.** Ficar sujeito a (alguma penalidade); sujeitar-se, submeter-se: *Os eleitores faltosos incorrerão nas penas previstas pela lei.* ▶ Conjug. 42.

incorreto [é] (in.cor.re.to) *adj.* **1.** Que não é correto; em que há incorreção; que não foi corrigido; errado: *Os resultados dos problemas estão incorretos.* **2.** Que está em desacordo (com as regras e convenções); inconveniente, inadequado, impróprio: *É incorreto em suas maneiras à mesa.* **3.** Que não é decente; desonesto, indigno: *O procedimento incorreto dos diretores redundou na falência da firma.*

incorrigível (in.cor.ri.gí.vel) *adj.* **1.** Que não se pode corrigir: *defeito incorrigível.* **2.** Que não se emenda; que persiste ou reincide em (erro, engano, pecado, vício etc.): *André é um mentiroso incorrigível.*

incorruptível (in.cor.rup.tí.vel) *adj.* **1.** Que não é suscetível de corrupção; que não é subornável; íntegro, reto, honesto: *político incorruptível.* **2.** Que não se corrompe; que não se deteriora; inalterável: *metal incorruptível.*

incorrupto (in.cor.rup.to) *adj.* Que não se corrompeu.

incredibilíssimo (in.cre.di.bi.lís.si.mo) *adj.* Superlativo absoluto de *incrível.*

incredulidade (in.cre.du.li.da.de) *s.f.* **1.** Falta de credulidade, de convencimento; ceticismo, incerteza, dúvida: *Manifestou sua incredulidade em relação aos rumos da economia.* **2.** Falta de fé, de crença nos dogmas da religião; descrença, ateísmo: *Os pais, muito religiosos, não aceitavam a incredulidade do filho.*

incrédulo (in.cré.du.lo) *adj.* **1.** Que não acredita facilmente em alguma coisa; cético, descrente: *Revelou-se incrédulo quanto às reformas políticas anunciadas.* **2.** Que não tem fé religiosa; ateu, ímpio, incréu: *Os pastores dirigiam suas palavras aos homens incrédulos.* **3.** Que denota incredulidade, dúvida, desconfiança: *olhar incrédulo.*

incrementação (in.cre.men.ta.ção) *s.f.* Incremento.

incrementar (in.cre.men.tar) *v.* **1.** Dar ou tomar incremento; tornar(-se) mais desenvolvido; desenvolver(-se), aumentar(-se), ampliar(-se): *O governo quer incrementar as exportações; O comércio exterior incrementou-se na última década.* **2.** *coloq.* Adicionar (ingredientes, enfeites, acessórios etc.) a alguma coisa: *enriquecer, aumentar, melhorar: incrementar uma pizza; Incrementou o novo carro com aparelhagem de som.* ▶ Conjug. 5.

incremento (in.cre.men.to) *s.m.* **1.** Ato ou efeito de incrementar(-se) algo; incrementação. **2.** Aumento, crescimento, desenvolvimento.

increpar (in.cre.par) *v.* **1.** Considerar culpado; acusar, recriminar, culpar: *Não se deve increpar ninguém sem provas; Increpavam o empresário por fraudes contra o fisco.* **2.** Pôr pecha em; qualificar, acusar, tachar: *É injusto increpar todos os políticos de corruptos.* ▶ Conjug. 8.

incréu (in.créu) *s.m.* **1.** Aquele que não acredita piamente em alguma coisa; descrente, incrédulo. **2.** Aquele que não tem fé religiosa; ímpio, ateu.

incriminação (in.cri.mi.na.ção) *s.f.* Ato ou efeito de incriminar; acusação, imputação.

incriminar (in.cri.mi.nar) *v.* **1.** Atribuir (crime ou contravenção) a alguém; declarar (alguém) incurso em delito; culpar de; acusar, responsabilizar: *Várias testemunhas se apresentaram para incriminar o suspeito; As provas foram insuficientes para incriminar o homem público de crimes contra o patrimônio.* **2.** Deixar transparecer ou evidenciar a própria culpa: *Persistindo no silêncio, incriminava-se ainda mais.* ▶ Conjug. 5. – **incriminatório** *adj.*

incriticável (in.cri.ti.cá.vel) *adj.* Que não é criticável; que não admite crítica; que é superior a críticas.

incrível (in.crí.vel) *adj.* **1.** Que não é crível; que não merece crédito; inacreditável: *Foram incríveis suas justificativas para o erro cometido.* **2.** Fora do comum; extraordinário, fantástico: *Tem um talento incrível para a música.* **3.** Estranho, excêntrico, extravagante, singular: *Vestia-se sempre de uma maneira incrível.* || sup. abs.: *incredibilíssimo*.

incrustação (in.crus.ta.ção) *s.f.* **1.** Ato ou efeito de incrustar(-se). **2.** Aquilo que é incrustado ou embutido. **3.** Qualquer material de ornato (madeira, metal, pedras, marfim etc.) embutido ou inserido em uma superfície: *A caixa de joias tinha incrustações de madrepérola.*

incrustar (in.crus.tar) *v.* **1.** Ornar com incrustações (3): *incrustar um anel com brilhantes.* **2.** Cobrir(-se), revestir(-se) (algo) de crosta ou camada: *A ferrugem incrustou os cascos dos navios afundados; Detritos incrustaram-se nas ruínas do edifício.* **3.** *fig.* Implantar-se fortemente; aderir-se, fixar-se, arraigar-se: *A corrupção incrustou-se nas esferas do poder.* **4.** Penetrar, alojar-se: *A bala incrustou-se na parede.* ▶ Conjug. 5.

incubação (in.cu.ba.ção) *s.f.* **1.** Ato ou processo de incubar(-se). **2.** Manutenção (em condições apropriadas de temperatura e umidade) de micro-organismos em meios de cultura, de ovos ou embriões em desenvolvimento, ou de recém-nascidos fracos ou prematuros. **3.** (Med.) Estado latente de uma infecção durante a qual não aparecem as manifestações da doença.

incubadeira (in.cu.ba.dei.ra) *s.f.* Incubadora, chocadeira.

incubadora [ô] (in.cu.ba.do.ra) **1.** Aparelho utilizado em hospitais e maternidades para manter crianças prematuras em ambiente de temperatura e umidade apropriados. **2.** Aparelho que regula a temperatura para manutenção de culturas de micro-organismos, de ovos de aves e de embriões; chocadeira, incubadeira. **3.** *fig.* Local onde se abrigam empresas em fase inicial de desenvolvimento.

incubar (in.cu.bar) *v.* **1.** Manter (micro-organismos, ovo, embrião, recém-nascidos) em incubadora, sob condições ambientais favoráveis à realização do processo biológico: *incubar uma criança prematura.* **2.** Fazer germinar ou germinar (ovos) natural ou artificialmente; chocar: *As granjas irão incubar ovos de aves selecionadas; Os galináceos já estão prontos para incubar.* **3.** Ter em estado latente (doença): *incubar uma infecção.* **4.** *fig.* Planejar, arquitetar, preparar, elaborar: *A empresa há tempos vem incubando novos projetos.* ▶ Conjug. 5.

inculcar (in.cul.car) *v.* **1.** Repetir com insistência para imprimir (algo) na mente de alguém; repisar: *Meus mestres sempre me inculcaram sentimentos nobres e altruístas.* **2.** Recomendar elogiosamente; aconselhar, apontar, indicar: *A propaganda política visa a inculcar (aos eleitores) a importância do voto consciente.* **3.** Dar a entender; sugerir, revelar: *O semblante inculcava a tensão que o possuía.* **4.** Apresentar-se como; insinuar-se, mostrar-se: *Inculcava-se como defensor dos fracos e oprimidos.* ▶ Conjug. 5 e 35. – **inculcação** *s.f.*

inculpar (in.cul.par) *v.* Atribuir(-se) culpa; culpar(-se), acusar(-se), incriminar(-se): *Os empresários inculpam o governo de aumentar os juros; O suspeito detido diz não inculpar-se de nada.* ▶ Conjug. 5. – **inculpabilidade** *s.f.*

inculpável (in.cul.pá.vel) *adj.* Que não é culpável, que não pode ser culpado.

incultivável (in.cul.ti.vá.vel) *adj.* Que não é cultivável; improdutivo.

inculto (in.cul.to) *adj.* **1.** Que não tem cultura, preparo intelectual, ilustração; ignaro: *trabalhador inculto.* **2.** Que não é cultivado; improdutivo, incultivável: *terras incultas.*

incumbência (in.cum.bên.ci:a) *s.f.* Ato ou resultado de incumbir (a alguém ou a si mesmo) missão, dever, encargo etc.: *Coube ao secretário a incumbência de redigir o relatório da reunião.*

incumbir (in.cum.bir) *v.* **1.** Dar ou receber incumbência; encarregar(-se) de: *Incumbiram-no de traduzir este livro; Os militantes incumbiram-se da campanha publicitária do partido.* **2.** Estar a cargo de; ser da competência de; competir, caber, tocar: *Ao Estado incumbe respeitar os direitos básicos dos cidadãos.* ▶ Conjug. 66.

incunábulo (in.cu.ná.bu.lo) *s.m.* Livro impresso que data dos primeiros tempos da imprensa (de meados do século XV até 1500).

incurável (in.cu.rá.vel) *adj.* **1.** Que não tem cura (doente, doença); irremediável. **2.** Que não quer curar-se ou corrigir-se; incorrigível: *Não há vícios incuráveis.*

incúria (in.cú.ri:a) *s.f.* Falta de cuidado; negligência, desleixo: *A incúria no serviço público é passível de pena.*

incursão (in.cur.são) *s.f.* **1.** Passeio rápido; passagem, visita: *Fez pela manhã uma incursão à parte histórica da cidade.* **2.** *fig.* Tentativa ou

incursionar

investida em determinada atividade: *Ultimamente, venho fazendo incursões na poesia.* **3.** Invasão militar; investida, ataque.

incursionar (in.cur.si:o.*nar*) *v.* **1.** Realizar uma incursão (1): *Não incursione por essa zona perigosa da cidade.* **2.** *fig.* Investir em; dedicar-se a: *Meu filho quer incursionar agora pela carreira artística.* ▶ Conjug. 5.

incurso (in.*cur*.so) *adj.* **1.** Que incorreu; que se acha comprometido em (culpa, penalidade etc.). **2.** (*Jur.*) Sujeito a uma disposição legal: *O juiz declarou o réu incurso no art. 290 do Código Penal.* • *s.m.* **3.** Incursão, invasão, investida.

incutir (in.cu.*tir*) *v.* Infundir, inspirar, suscitar: *É um estadista que incute respeito; Não incuta medo aos filhos; Um sentimento de solidariedade incutia-se entre os cidadãos.* ▶ Conjug. 66.

inda (*in*.da) *adv.* Ainda.

indagação (in.da.ga.*ção*) *s.f.* **1.** Ato ou efeito de indagar(-se). **2.** Devassa, pesquisa, busca, inquirição. || *Alta indagação*: (*Jur.*) exame profundo das questões de um processo, por meio de diligências, testemunhas, documentos etc., com amplo debate das partes envolvidas.

indagar (in.da.*gar*) *v.* **1.** Perguntar(-se), interrogar(-se), questionar(-se), inquirir(-se): *Indaguei (-lhe) se iria à cerimônia de formatura; Vivia indagando-se sobre os desígnios da existência.* **2.** Procurar saber ou descobrir; averiguar, investigar, pesquisar: *A mídia precisa indagar as razões das mudanças políticas; A polícia indagou das testemunhas acerca do crime; É preciso indagar muito, para chegar a um julgamento isento.* **3.** Observar atentamente; examinar, perscrutar, perquirir: *Indagava os astros à espera de uma resposta sobre o futuro.* ▶ Conjug. 5 e 34.

indagativo (in.da.ga.*ti*.vo) *adj.* **1.** Que indaga, questiona, pesquisa: *aluno indagativo.* **2.** Que expressa indagação: *olhar indagativo.*

indébito (in.*dé*.bi.to) *adj.* **1.** Que se pagou ou cobrou sem ser devido; indevido. **2.** Que não é merecido; injusto, imerecido: *castigo indébito.* **3.** Que não tem razão de ser; descabido, improcedente, injustificado: *reivindicação indébita.* • *s.m.* **4.** (*Jur.*) Aquilo que é pago indevidamente, sem que haja exigência legal para tanto.

indecência (in.de.*cên*.ci:a) *s.f.* **1.** Falta de decência ou de pudor; impudência, imoralidade. **2.** Ato, dito ou procedimento contra os bons costumes, a moral e o decoro; obscenidade. **3.** Falta de respeito; desrespeito, desconsideração, desacato: *O nepotismo é uma indecência.*

indecente (in.de.*cen*.te) *adj.* **1.** Que falta com a decência; indecoroso, imoral, impudente, obsceno: *uma proposta indecente.* • *s.m.* e *f.* **2.** Pessoa indecente.

indecifrável (in.de.ci.*frá*.vel) *adj.* **1.** Que é difícil ou impossível de decifrar: *mistério indecifrável.* **2.** Que é difícil de compreender ou explicar; incompreensível, inexplicável: *atitude indecifrável.*

indecisão (in.de.ci.*são*) *s.f.* Falta de decisão; hesitação, indefinição, irresolução.

indeciso (in.de.*ci*.so) *adj.* **1.** Que não toma decisões; hesitante, vacilante, irresoluto: *Estava indeciso quanto à atitude a tomar.* **2.** Que não tem definição; indefinido, indeterminado, indistinto: *A votação no plenário está indecisa.* • *s.m.* **3.** Pessoa indecisa.

indeclinável (in.de.cli.*ná*.vel) *adj.* **1.** Que não se pode declinar, evitar ou recusar; inevitável, irrecusável: *convite indeclinável.* **2.** (*Gram.*) Que não se flexiona; que é invariável (diz-se de palavra).

indecomponível (in.de.com.po.*ní*.vel) *adj.* Que não é decomponível; que não pode ser decomposto.

indecoroso [ô] (in.de.co.*ro*.so) *adj.* Que não é decoroso; desprovido de decoro; impudico, indecente, imoral, vergonhoso. || f. e pl.: [ó].

indefectível (in.de.fec.*tí*.vel) *adj.* **1.** Que é defectível; que não pode ter falha, defeito; irrepreensível; infalível: *cálculo indefectível.* **2.** Que não é perecível; indestrutível, eterno: *o indefectível sorriso de Monalisa.*

indefenso (in.de.*fen*.so) *adj.* Indefeso.

indeferimento (in.de.fe.ri.*men*.to) *s.m.* **1.** Falta de deferimento ou de atendimento a (pedido, pleito, requerimento etc.); desatendimento. **2.** (*Jur.*) Despacho dado por autoridade administrativa ou judicial contrário a uma petição.

indeferir (in.de.fe.*rir*) *v.* Não deferir; dar despacho desfavorável ou contrário a; desatender, desconsiderar, negar: *O instituto previdenciário indeferiu os pedidos de aposentadoria.* ▶ Conjug. 69.

indefeso [ê] (in.de.*fe*.so) *adj.* **1.** Que não tem defesa ou proteção; desarmado, indefenso: *país indefeso.* **2.** Que não tem condições de defender-se ou proteger(-se), fraco; desprotegido: *criança indefesa.*

indefinição (in.de.fi.ni.*ção*) *s.f.* **1.** Falta de definição, de clareza; imprecisão, indeterminação: *Certas cores apresentam indefinição no vídeo.*

2. Falta de determinação; indecisão, irresolução: *Para ele não existe indefinição sobre a carreira a seguir.*

indefinido (in.de.fi.*ni*.do) *adj.* **1.** Que não é definido; que não se pode definir; impreciso, incerto, vago: *tristeza indefinida.* **2.** Cujos limites não são determinados; indeterminado, ilimitado, infinito: *o espaço indefinido do universo.* **3.** (*Gram.*) Que se refere a algo ou a alguém cuja identidade não se quer definir, determinar ou especificar (diz-se de artigo e de pronome).

indefinível (in.de.fi.*ní*.vel) *adj.* Que não se pode definir: *sensação indefinível.*

indelével (in.de.*lé*.vel) *adj.* **1.** Que não pode ser apagado; que não desaparece: *tinta indelével.* **2.** Que não se pode destruir ou suprimir; indestrutível: *recordações indeléveis.*

indelicadeza [ê] (in.de.li.ca.*de*.za) *s.f.* **1.** Falta de delicadeza. **2.** Ato, dito ou atitude indelicada.

indelicado (in.de.li.*ca*.do) *adj.* Que não é delicado, que não tem delicadeza; grosseiro, descortês, rude.

indene (in.*de*.ne) *adj.* Que não sofreu dano ou prejuízo; ileso, incólume.

indenização (in.de.ni.za.*ção*) *s.f.* **1.** Ato ou efeito de indenizar(-se). **2.** Reparação financeira de um dano ou prejuízo sofrido; ressarcimento, restituição, recompensa.

indenizar (in.de.ni.*zar*) *v.* Dar ou receber indenização; ressarcir(-se), recompensar(-se), compensar(-se): *A empresa indenizou todos os funcionários demitidos*; *A justiça decidiu que a empresa indenizasse os empregados pelas horas extras de trabalho*; (*fig.*) *Procurou indenizar-se de todas as perdas afetivas acumuladas por longo tempo.* ▶ Conjug. 5.

independência (in.de.pen.*dên*.ci:a) *s.f.* **1.** Qualidade, estado ou caráter de independente. **2.** Não dependência (de alguém ou de alguma coisa); liberdade irrestrita; autonomia: *A imprensa deve manter sempre a independência.* **3.** Condição de país ou poder que tem autonomia política; soberania: *O Brasil conquistou sua independência em 1822.* **4.** Condição de alguém que tem a posse de bens materiais, que supre a própria subsistência: *Alcançou na maturidade a independência econômica.*

independente (in.de.pen.*den*.te) *adj.* **1.** Que age com independência; que não está sujeito à autoridade ou à influência de outrem; livre, isento, imparcial: *um jornalista independente.* **2.** Que tem autonomia política; soberano: *país independente.* **3.** Que procura recorrer somente aos seus próprios meios de subsistência; que se basta: *Desde cedo, tornou-se independente dos pais.* **4.** Que não está filiado a partido, doutrina, escola: *filósofo independente.* **5.** Que tem acesso livre: *entrada independente.*

independer (in.de.pen.*der*) *v.* Não depender de; não se subordinar a; não sofrer influência de: *Sua promoção ao cargo independe de autorização superior.* ▶ Conjug. 39.

indescritível (in.des.cri.*tí*.vel) *adj.* **1.** Que é difícil ou impossível de descrever: *prazer indescritível.* **2.** *fig.* Que causa admiração ou espanto; espantoso, extraordinário: *Foi um espetáculo indescritível de pirotecnia.*

indesculpável (in.des.cul.*pá*.vel) *adj.* Que não é desculpável; que não pode ser desculpado; imperdoável, inescusável: *falta indesculpável.*

indesejável (in.de.se.*já*.vel) *adj.* **1.** Que não se pode ou não se deve desejar: *Tinha adquirido uns indesejáveis quilos.* **2.** Cuja presença não é desejável: *Ele é uma companhia indesejável.* **3.** (*Jur.*) Que, por suas ideias ou tendências políticas e sociais, é considerado prejudicial aos interesses de um país, tendo por isso nele vetada a sua entrada ou permanência (diz-se de estrangeiro). • *s.m. e f.* **4.** Pessoa indesejável.

indestrutível (in.des.tru.*tí*.vel) *adj.* Que não pode ser destruído; firme, imutável, inalterável, inabalável: *fé inabalável.*

indeterminação (in.de.ter.mi.na.*ção*) *s.f.* **1.** Falta de determinação; indecisão, perplexidade, irresolução. **2.** Caráter ou estado de indeterminado.

indeterminado (in.de.ter.mi.*na*.do) *adj.* **1.** Sem determinação; não determinado; não fixado; não definido: *Os ingressos são válidos por prazo indeterminado.* **2.** Que não se decide; indeciso, irresoluto: *Era um jovem indeterminado quanto à carreira a seguir.* **3.** Que não tem precisão ou clareza; impreciso, indefinido, vago: *Sons indeterminados vinham da noite escura.* **4.** (*Gram.*) Cuja identidade não é conhecida ou não se deseja revelar (diz-se do sujeito da oração).

indeterminar (in.de.ter.mi.*nar*) *v.* Tornar indeterminado, impreciso, indefinido: *Sérios obstáculos indeterminavam seu futuro.* ▶ Conjug. 5.

indevassável (in.de.vas.*sá*.vel) *adj.* Que não se pode devassar, transpor ou observar; privado: *cela indevassável.*

indevido (in.de.*vi*.do) *adj.* **1.** Que não é devido; que se faz sem dever ou obrigação; indébito:

pagamento indevido. **2.** Que não se merece; imerecido, injusto: *Foi alvo de atenções indevidas.* **3.** Que não é adequado; impróprio, inconveniente, errado: *comportamento indevido.*

índex [cs] (ín.dex) *s.m.* **1.** Dedo indicador. **2.** Índice de livro. **3.** Antigo catálogo dos livros cuja leitura era censurada e proibida pela Igreja Católica. || pl.: *índices.*

indexação [cs] (in.de.xa.ção) *s.f.* **1.** Ato ou efeito de indexar. **2.** (*Econ.*) Reajuste de um valor (preços, salários, aluguéis etc.) em função de um índice cuja variação pode ser determinável.

indexar [cs] (in.de.*xar*) *v.* **1.** Ordenar em forma de índice: *indexar dados de um programa.* **2.** Colocar índice em: *O autor indexou as fontes consultadas no final do volume.* **3.** (*Econ.*) Ajustar um valor segundo um índice financeiro determinado: *O governo decidiu não indexar o salário mínimo à inflação.* ▶ Conjug. 8.

indianismo (in.di:a.*nis*.mo) *s.m.* **1.** Estudo das culturas dos índios da América. **2.** (*Lit.*) No Romantismo brasileiro, tendência temática de valorização do índio e sua cultura.

indianista (in.di:a.*nis*.ta) *adj.* **1.** Que estuda a cultura dos índios. **2.** (*Lit.*) Que tem como tema central o índio brasileiro: *Dentre os romances indianistas de José de Alencar, prefiro O Guarani.* **3.** Especialista na cultura dos índios; indigenista.

indiano (in.di:a.no) *adj.* **1.** Da Índia, país da Ásia; hindu; índico. • *s.m.* **2.** O natural ou o habitante desse país.

indicação (in.di.ca.*ção*) *s.f.* **1.** Ato ou efeito de indicar. **2.** O que indica, o que serve de indício; sinal indicativo: *Observe as indicações do trânsito.* **3.** (*Med.*) Conveniência no emprego de um meio terapêutico: *Siga bem as indicações da bula.* **4.** Designação, qualificação: *O filme brasileiro teve uma indicação ao prêmio máximo.*

indicador [ô] (in.di.ca.*dor*) *adj.* **1.** Que indica; indicativo. **2.** (*Anat.*) Que está localizado entre o polegar e o médio (diz-se de dedo). **3.** Que fornece indicação de (horário, temperatura, medida etc.): *ponteiro indicador do relógio.* • *s.m.* **4.** Segundo dedo da mão. **5.** (*Econ.*) Procedimento estatístico que mostra o estado de uma economia em determinado período.

indicar (in.di.*car*) *v.* **1.** Mostrar por meio de gestos ou sinais; apontar, assinalar: *Indicou(-lhe) com a mão o lugar ao lado do seu.* **2.** Recomendar, prescrever ou receitar (algo): *O médico indicou(-lhe) um novo medicamento.* **3.** Designar, escolher, eleger, nomear: *O presidente da assembleia indicou os componentes da mesa; O professor indicou-o como o melhor aluno; O diretor indicou um antigo funcionário para o cargo mais alto da empresa.* **4.** Sugerir, aconselhar, recomendar: *Gostaria que me indicasse a melhor aplicação financeira.* **5.** Enunciar, mencionar, enumerar, especificar: *O professor pediu (-lhe) que indicasse a bibliografia consultada.* **6.** Determinar, estabelecer, delimitar, firmar: *É preciso indicar o horário certo do voo.* **7.** Dar a conhecer; apontar, expor: *O inquérito indicou as causas do incêndio.* **8.** Denotar, mostrar, evidenciar: *Sua fisionomia indicava profundo desconsolo.* ▶ Conjug. 5 e 35.

indicativo (in.di.ca.*ti*.vo) *adj.* **1.** Próprio para indicar, para mostrar; indicador. **2.** (*Gram.*) Diz-se do modo em que se indica ou assegura um fato dado como certo ou real. • *s.m.* **3.** (*Gram.*) Modo indicativo. **4.** Sinal, indício, indicação: *A assembleia dos funcionários votou um indicativo de greve.*

índice (*ín*.di.ce) *s.m.* **1.** Lista dos itens de uma publicação (livro, revista etc.) com a indicação dos títulos dos capítulos ou seções e suas respectivas páginas; sumário: *índice alfabético ou remissivo.* **2.** Tabela, lista, catálogo: *índice de preços.* **3.** Proporção, medida, taxa, nível: *índice de natalidade; índice de audiência.* **4.** Indicador, indício, sinal: *Essas nuvens baixas são um índice de chuva.* **5.** (*Mat.*) Algarismo colocado na parte superior à esquerda do radical para indicar a grandeza de uma raiz algébrica. **6.** (*Econ.*) Valor numérico que indica a variação de uma grandeza (preços, salários, aluguéis etc.) entre um período tomado como base e um período determinado: *índice de preços ao consumidor.*

indiciação (in.di.ci:a.*ção*) *s.f.* **1.** Ato ou efeito de indiciar; indiciamento. **2.** Revelação de erro ou delito; acusação, denúncia. **3.** (*Jur.*) Imputação criminal à pessoa contra a qual se iniciou uma ação penal; denúncia, acusação, incriminação.

indiciado (in.di.ci:a.do) *adj.* **1.** (*Jur.*) Que foi imputado criminalmente; denunciado, acusado, incriminado. • *s.m.* **2.** Pessoa indiciada.

indiciamento (in.di.ci:a.*men*.to) *s.m.* Indiciação.

indiciar (in.di.ci:*ar*) *v.* **1.** Fornecer indício(s) de; revelar, mostrar, evidenciar: *Seus gestos indiciavam o tormento em que se debatia.* **2.** (*Jur.*) Submeter (alguém) a inquérito policial ou administrativo por indício de crime; imputar criminalmente; acusar, incriminar: *A comissão* *parlamentar de inquérito indiciou o deputado por suspeita de corrupção.* ▶ Conjug. 14.

indício (in.dí.ci:o) *s.m.* **1.** Indicação da provável existência ou ocorrência de algo; sinal, vestígio, evidência, índice: *Cigarras cantando, indício de tempo bom.* **2.** (*Jur.*) Fato ou série de fatos que funcionam como meio para o conhecimento de outros fatos, os quais servem de base para o esclarecimento da verdade a que se intenta chegar.

índico (ín.di.co) *adj.* **1.** Da Índia; indiano, hindu. **2.** Relativo ao oceano Índico.

indiferença (in.di.fe.ren.ça) *s.f.* **1.** Falta de interesse, de cuidado; desinteresse, descaso, negligência: *Reprovava em seus alunos a indiferença pela pesquisa.* **2.** Insensibilidade moral; desdém, menosprezo, frieza: *Revelava total indiferença pelo sofrimento alheio.*

indiferente (in.di.fe.ren.te) *adj.* **1.** Que demonstra indiferença, desinteresse, descaso, insensibilidade: *Um governo despótico é indiferente aos anseios do povo.* **2.** Que não demonstra preferência ou sentimento particular por (pessoas, fatos, ideias, política, religião etc.): *É um homem indiferente a Deus e a família.*

indígena (in.dí.ge.na) *adj.* **1.** Relativo a ou próprio de índio: *costumes indígenas.* **2.** Natural do país ou do local onde habita; nativo. • *s.m. e f.* **3.** Índio. **4.** Pessoa nascida no local em que habita; nativo, aborígine, autóctone.

indigência (indi.gên.ci:a) *s.f.* **1.** Falta dos meios necessários à vida ou à sobrevivência; pobreza extrema; miséria, penúria. **2.** *fig.* Falta de conhecimento intelectual ou de valores morais: *Certos programas televisivos beiram a indigência.*

indigenismo (in.di.ge.nis.mo) *s.m.* **1.** Estudos ou conhecimentos sobre os indígenas brasileiros. **2.** Política de proteção e apoio ao indígena e sua cultura.

indigenista (in.di.ge.nis.ta) *s.m. e f.* **1.** Especialista no estudo do índio e sua cultura; indianista. **2.** Pessoa que atua na política de integração e proteção aos índios: *Os irmãos Villas Boas foram três indigenistas pioneiros no Brasil.*

indigente (in.di.gen.te) *adj.* **1.** Que vive na indigência, sem condições de suprir suas necessidades básicas; pobre, necessitado, miserável. • *s.m. e f.* **2.** Pessoa que vive em extrema miséria; mendigo.

indigestão (in.di.ges.tão) *s.f.* **1.** (*Med.*) Distúrbio passageiro das funções digestivas, que se manifesta por mal-estar, cólicas e por vezes náuseas e vômitos. **2.** *fig.* Grande quantidade, excesso, saturação: *Teve uma indigestão de música estrangeira.*

indigesto [é] (in.di.ges.to) *adj.* **1.** Que não é digerido com facilidade; que produz indigestão: *comida indigesta.* **2.** *fig.* Enfadonho, tedioso, cansativo, maçante: *discurso indigesto.*

indignação (in.dig.na.ção) *s.f.* **1.** Sentimento de revolta em face de uma afronta ou injustiça. **2.** Raiva intensa; ira, irritação, exasperação.

indignar (in.dig.nar) *v.* **1.** Causar indignação a; irritar, chocar, ofender: *As críticas negativas indignaram os produtores do filme.* **2.** Sentir indignação; irritar-se por motivo justo; revoltar-se, ofender-se: *A população se indignava com os desmandos das autoridades.* ▶ Conjug. 5 e 33.

indignidade (in.dig.ni.da.de) *s.f.* **1.** Falta de dignidade. **2.** Ação, procedimento ou ideia indigna: *Era incapaz de cometer uma indignidade.*

indigno (in.dig.no) *adj.* **1.** Que não é digno ou merecedor de: *Ele é indigno de sua amizade.* **2.** Que não tem dignidade ou honradez; desonesto, ímprobo: *A política não tem lugar para candidatos indignos.* **3.** Que é contrário às conveniências; inconveniente, impróprio: *O entrevistado teve um comportamento indigno diante das câmeras de televisão.*

índigo (ín.di.go) *s.m.* **1.** (*Quím.*) Substância corante azul obtida de várias plantas ou produzida sinteticamente; anil. **2.** Tonalidade escura do azul.

índio[1] (ín.di:o) *s.m.* **1.** Habitante das Américas antes da colonização europeia dos séculos XV e XVI; indígena. **2.** Descendente de tribo indígena.

índio[2] (in.di:o) *s.m.* (*Quím.*) Elemento químico de extrema raridade, que ocorre combinado com o zinco e outros metais, utilizado na indústria nuclear. ‖ Símbolo: In.

indireta [é] (in.di.re.ta) *s.f.* Comentário, geralmente oral, que procura dar a entender alguma coisa que não se quer dizer direta ou abertamente: *Vivia dando indiretas ao patrão sobre aumento de salário.*

indireto [é] (in.di.re.to) *adj.* **1.** Que não é direto; oblíquo: *luz indireta; tiro indireto.* **2.** Que não segue em linha reta: *Seguiu por uma via indireta até o centro histórico da cidade.* **3.** Que se realiza de maneira disfarçada, dissimulada: *Lançou um olhar indireto sobre a moça que*

indisciplina

passava. **4.** *fig.* Que revela ambiguidade ou dúvida; ambíguo, duvidoso: *É notório seu vezo de só apresentar respostas indiretas.* **5.** (*Gram.*) Que se liga a um verbo transitivo por meio de preposição (diz-se de complemento verbal); objeto indireto.

indisciplina (in.dis.ci.*pli*.na) *s.f.* Falta de disciplina; desobediência, insubordinação, rebeldia.

indiscreto [é] (in.dis.*cre*.to) *adj.* **1.** Que não tem discrição; que faz inconfidências; que revela algo reservado ou secreto: *A veterana atriz não quis revelar a idade ao repórter indiscreto.* **2.** Que manifesta curiosidade excessiva; bisbilhoteiro, mexeriqueiro, linguarudo: *Resolveu mudar-se daquela vizinhança indiscreta.* **3.** Que não tem prudência ou tato; imprudente, inconveniente: *Fez observações indiscretas, totalmente extemporâneas.* • *s.m.* **4.** Pessoa indiscreta. – **indiscrição** *s.f.*

indiscriminado (in.dis.cri.mi.*na*.do) *adj.* Que não é discriminado, especificado ou diferenciado; desordenado, indistinto, confuso: *Os médicos desaconselham o uso indiscriminado de remédios.* – **indiscriminação** *s.f.*

indiscutível (in.dis.cu.*tí*.vel) *adj.* Que não é discutível; que não admite discussão por ser muito evidente; incontestável, indubitável, irrefutável, inquestionável: *vitória indiscutível.*

indisfarçável (in.dis.far.*çá*.vel) *adj.* Que não se pode disfarçar ou esconder: *mal-estar indisfarçável.*

indispensável (in.dis.pen.*sá*.vel) *adj.* **1.** Que não é dispensável; absolutamente necessário; essencial, obrigatório, imprescindível: *O trabalho é indispensável para o cidadão.* **2.** Que é costumeiro, habitual, infalível: *Vestia-se à moda antiga, com o indispensável chapéu de feltro.* • *s.m.* **3.** O que é absolutamente necessário: *Colocou na mala apenas o indispensável para a viagem.*

indisponível (in.dis.po.*ní*.vel) *adj.* Que não é disponível; de que não se pode dispor; inalienável: *bens indisponíveis.* – **indisponibilidade** *s.f.*

indispor [ô] (in.dis.*por*) *v.* **1.** Causar ou sentir indisposição física: *A comida malfeita indispôs os hóspedes da pensão; Come moderadamente para não se indispor.* **2.** Fazer(-se) malquisto; malquistar(-se), inimizar(-se): *Seu humor ferino o indispôs com os amigos; Não é aconselhável indispor-se com a imprensa.* **3.** Tornar(-se) pouco favorável a; irritar(-se), descontentar(-se): *Medidas impopulares indispõem os eleitores contra o governo; A torcida indispôs-se contra o juiz da partida.* || part.: *indisposto.* ▶ Conjug. 65.

indisposição (in.dis.po.si.*ção*) *s.f.* **1.** Falta de disposição ou de ânimo. **2.** Leve alteração de saúde, ligeiro mal-estar. **3.** Zanga, conflito, inimizade, desavença.

indisposto [ô] (in.dis.*pos*.to) *adj.* **1.** Maldisposto fisicamente; adoentado: *Acordou indisposto, depois da noite maldormida.* **2.** Agastado com (alguém); irritado, contrariado, zangado: *Os pais não parecem nunca indispostos com os filhos.* **3.** *fig.* Em desentendimento ou desavença com (alguém); desavindo, brigado: *Não sei por que está indisposta comigo.* || f. e pl.: [ó].

indisputável (in.dis.pu.*tá*.vel) *adj.* Que não é disputável; incontestável, indiscutível: *mérito indisputável.*

indissociável (in.dis.so.ci.*á*.vel) *adj.* Que não se pode dissociar ou separar; inseparável.

indissolúvel (in.dis.so.*lú*.vel) *adj.* Que não se pode dissolver ou desfazer: *substância indissolúvel;* (*fig.*) *amizade indissolúvel.*

indistinguível (in.dis.tin.*guí*.vel) *adj.* Que não se pode distinguir; que não se percebe bem; confuso, indistinto: *ruídos indistinguíveis.*

indistinto (in.dis.*tin*.to) *adj.* Que não se distingue bem; indeciso, confuso, vago, maldefinido, maldeterminado, indistinguível: *vultos indistintos.*

inditoso [ô] (in.di.*to*.so) *adj.* Desditoso, infeliz, desgraçado, desventurado. || f. e pl.: [ó].

individual (in.di.vi.du.*al*) *adj.* **1.** Relativo a ou próprio do indivíduo: *direito individual.* **2.** Que diz respeito ou é peculiar a um só indivíduo: *Subiu na vida graças a seu esforço individual.* **3.** Cujo ocupante é um só indivíduo: *quarto individual.* **4.** Que não tem igual; original, especial, singular, único: *estilo individual.* **5.** Que é executado por uma só pessoa: *exposição individual.* **6.** (*Esp.*) Em que são realizados exercícios ginásticos isolados: *treino individual.* • *s.m.* **7.** Aquilo que é próprio de um só indivíduo. **8.** (*Esp.*) Modalidade de exercícios (treino, treinamento) realizados individualmente: *O técnico convocou os jogadores para um individual antes do treino coletivo.*

individualidade (in.di.vi.du:a.li.*da*.de) *s.f.* **1.** Qualidade do que é individual. **2.** Conjunto de características que distinguem um indivíduo ou uma coisa. **3.** Caráter especial de um ser ou de uma coisa; originalidade, singularidade. **4.** Ser humano; homem, indivíduo.

individualismo (in.di.vi.du:a.*lis*.mo) *s.m.* **1.** Tendência à falta de solidariedade; preocupação exclusiva consigo mesmo; egoísmo, egocentrismo: *A antítese do individualismo é o altruísmo.* **2.** (*Fil.*) Doutrina que prioriza os interesses e os direitos do indivíduo em lugar da coletividade.

individualista (in.di.vi.du:a.*lis*.ta) *adj.* **1.** Relativo a individualismo. **2.** Que não tem espírito de solidariedade; egoísta, egocêntrico. • *s.m.* e *f.* **3.** Pessoa que só se preocupa consigo mesma.

individualizar (in.di.vi.du:a.li.*zar*) *v.* **1.** Tornar(-se) individual, único, singular; distinguir(-se) dos demais; diferenciar(-se), particularizar(-se), singularizar(-se): *A sua obra poética o individualiza entre os escritores daquela geração; Em sua classe, ele se individualiza pela criatividade.* **2.** Considerar (algo) em separado; personalizar, especificar: *O estilista individualiza as peças de alta-costura de sua coleção.* ▶ Conjug. 5. – **individualizante** *adj.*; **individualização** *s.f.*

indivíduo (in.di.*ví*.du:o) *adj.* **1.** Ser que possui uma unidade distinta entre os demais exemplares de uma mesma espécie. **2.** Ser pertencente à espécie humana; homem: *A empresa está contratando indivíduos maiores de idade.* **3.** O ser humano como parte integrante de uma sociedade ou coletividade; cidadão: *Devem ser respeitados os direitos do indivíduo.* **4.** Determinado homem; pessoa, sujeito: *É um indivíduo de toda confiança.* **5.** *pej.* Pessoa de quem não se quer ou não se sabe dizer o nome; sujeito, tipo: *Foram detidos uns indivíduos suspeitos.* • *adj.* **6.** Que não admite divisão; indivisível, indiviso.

indivisível (in.di.vi.*sí*.vel) *adj.* **1.** Que não é divisível, que não se pode dividir, decompor ou separar: *número indivisível.* • *s.m.* **2.** Elemento infinitamente pequeno. – **indivisibilidade** *s.f.*

indiviso (in.di.*vi*.so) *adj.* **1.** Que não pode ser dividido, decomposto ou separado; indivisível, indivíduo. **2.** Que pertence a mais de uma pessoa ao mesmo tempo: *bens indivisos.*

indizível (in.di.*zí*.vel) *adj.* **1.** Que não pode ou não deve ser dito; inexprimível; intraduzível: *sentimento indizível.* **2.** Fora do comum; extraordinário: *aventura indizível.*

indócil (in.*dó*.cil) *adj.* **1.** Que não é dócil; que não se sujeita; insubmisso, insubordinado: *temperamento indócil.* **2.** Incorrigível, indisciplinado, rebelde: *aluno indócil.* **3.** Impaciente, inquieto, ansioso, irritado: *Estava indócil para conhecer o resultado do concurso.* **4.** Indomável, indomesticável: *As feras estão indóceis na jaula.*

indo-europeu (in.do-eu.ro.*peu*) *adj.* **1.** Relativo ao indo-europeu, língua pré-histórica, falada por volta do terceiro milênio a.C. em região da Europa oriental, de onde se espalhou, graças principalmente a movimentos migratórios, por uma grande parte da Ásia e da Europa, constituindo amplos grupos dialetais. **2.** Diz-se do tronco linguístico que abrange línguas faladas na Europa, Ásia e na América, depois da colonização europeia, às quais os linguistas atribuem uma origem comum. • *s.m.* **3.** A língua indo-europeia. **4.** Indivíduo de um povo cuja língua descende do indo-europeu. || f.: *indo-europeia*; pl.: *indo-europeus*.

índole (*ín*.do.le) *s.f.* **1.** Propensão natural; modo de ser; temperamento, disposição: *Sua índole afável o fazia apreciado por todos.* **2.** Conjunto de traços característicos; condição especial, tipo, feitio, cunho: *A propaganda política tem muitas vezes uma índole otimista e ufanista.*

indolência (in.do.*lên*.ci:a) *s.f.* Apatia, negligência, indiferença, preguiça.

indolente (in.do.*len*.te) *adj.* Pouco ativo, apático; ocioso, preguiçoso: *Era um jovem indolente e contemplativo.*

indolor [ô] (in.do.*lor*) *adj.* **1.** Que não causa dor: *tratamento indolor; operação indolor.* **2.** *fig.* Que se realiza sem grande esforço; leve, suave, brando: *Executa sua tarefa de maneira rápida e indolor.*

indomado (in.do.*ma*.do) *adj.* **1.** Que não foi domado ou domesticado; indomesticável. **2.** Que não se consegue submeter ou subjugar; indômito.

indomável (in.do.*má*.vel) *adj.* **1.** Que não se consegue domar ou domesticar; indomesticável: *fera indomável.* **2.** *fig.* Que não se pode subjugar ou submeter; indomado: *caráter indomável.*

indomesticável (in.do.mes.ti.*cá*.vel) *adj.* Que não pode ser domesticado; selvagem, bravio, indomável: *cavalo indomesticável.*

indômito (in.*dô*.mi.to) *adj.* **1.** Que não foi domado; indomado, indomesticável. **2.** Que não se deixa vencer ou subjugar; invencível: *povo indômito.*

indonésio (in.do.*né*.si:o) *adj.* **1.** Da República da Indonésia, país do Sudeste asiático. • *s.m.* **2.** O natural ou o habitante desse país. **3.** O idioma indonésio.

indouto (in.*dou*.to) *adj.* **1.** Que não é douto; que não tem erudição. **2.** Que tem pouco saber; ignorante, inepto, incapaz.

indubitável

indubitável (in.du.bi.tá.vel) *adj.* Que não pode ser posto em dúvida; incontestável, indiscutível.

indução (in.du.ção) *s.f.* **1.** Ato ou efeito de induzir. **2.** Forma de raciocínio que consiste em inferir de fatos particulares uma conclusão geral. **3.** Conclusão tirada a partir desse raciocínio. **4.** *fig.* Incentivo, estímulo, sugestão, instigação: *indução ao vício.* **5.** (*Med.*) Iniciação artificial do processo de parto, que promove contrações uterinas semelhantes às do parto normal.

indulgência (in.dul.gên.ci:a) *s.f.* **1.** Disposição para perdoar culpas ou pecados (próprios ou alheios); clemência, misericórdia, perdão. **2.** Boa vontade ao julgar; condescendência, complacência, tolerância. **3.** (*Rel.*) Remissão das penas dos pecados concedida em certas condições pela Igreja Católica.

indulgenciar (in.dul.gen.ci:ar) *v.* **1.** Tratar com indulgência ou complacência; desculpar, condescender, transigir: *Homem intransigente, é incapaz de indulgenciar os erros alheios.* **2.** (*Rel.*) Conceder indulgência a; perdoar, absolver: *indulgenciar pecados.* ▶ Conjug. 17.

indulgente (in.dul.gen.te) *adj.* **1.** Pronto a perdoar; clemente, benigno, tolerante, condescendente, complacente: *pais indulgentes.* **2.** Que revela indulgência ou benevolência em seus julgamentos e apreciações; condescendente, tolerante: *Seja indulgente em sua crítica a meu livro.*

indultar (in.dul.tar) *v.* **1.** Conceder indulto a; atenuar a pena imposta a alguém: *O presidente irá indultar presos no Natal*; *O juiz indultou o prisioneiro da pena máxima.* **2.** Perdoar faltas de (alguém); desculpar, relevar, isentar: *Você deve indultar-me das inadvertidas falhas.* ▶ Conjug. 5.

indulto (in.dul.to) *s.m.* (*Jur.*) **1.** Redução, comutação ou dispensa da pena de sentenciado(s) concedidas pelo poder público; perdão, graça, absolvição, mercê: *O indulto visa a libertar, total ou parcialmente, o condenado da pena que lhe foi imposta.* **2.** Decreto que torna oficial essa decisão administrativa.

indumentária (in.du.men.tá.ri:a) *s.f.* **1.** Traje, vestimenta, roupa: *Usava sempre a mesma indumentária.* **2.** Conjunto de vestimentos característicos ou típicas: *Os atores usavam na peça indumentária de época.* **3.** Arte que tem por objeto o vestuário.

indústria (in.dús.tri:a) *s.f.* **1.** (*Econ.*) Conjunto das atividades econômicas que transformam matérias-primas em bens de consumo e produção. **2.** (*Econ.*) Setor da economia que abrange todas as atividades produtivas. **3.** O conjunto dos empreendimentos industriais (de um país, região, cidade): *a indústria brasileira.* **4.** Qualquer empresa industrial; fábrica, usina: *Operários de várias indústrias suspenderam a greve.* **5.** Conjunto das fábricas de um determinado setor: *indústria farmacêutica; indústria naval.* ‖ *Indústria pesada*: conjunto das empresas que se dedicam aos bens de produção (máquinas, metalurgia, siderurgia, eletricidade etc.).

industrial (in.dus.tri:al) *adj.* **1.** Relativo a indústria: *revolução industrial.* **2.** Produzido pela indústria. **3.** Onde a indústria apresenta grande desenvolvimento: *polo industrial.* • *s.m.* e *f.* **4.** Pessoa que exerce profissão industrial ou é proprietária de empresa industrial.

industrialização (in.dus.tri:a.li.za.ção) *s.f.* **1.** Ato ou efeito de industrializar(-se). **2.** Processo social e econômico que visa a aumentar a rentabilidade dos modos de produção por meio de progressos técnicos e científicos. **3.** Processo de transformação social e econômica marcado pela concentração urbana, pela rápida mudança tecnológica e pela especialização profissional.

industrializar (in.dus.tri:a.li.zar) *v.* **1.** Submeter(-se) ao processo de industrialização: *O governo pretende industrializar mais regiões do país*; *Manaus industrializou-se com a criação da zona franca.* **2.** Dar caráter industrial a; tornar industrial: *Os artesãos não desejam industrializar seus trabalhos.* ▶ Conjug. 5.

industriário (in.dus.tri:á.ri:o) *s.m.* Trabalhador de estabelecimento industrial; operário.

industrioso [ô] (in.dus.tri:o.so) *adj.* Trabalhador, laborioso, ativo, operoso: *povo industrioso.* ‖ f. e pl.: [ó].

indutivo (in.du.ti.vo) *adj.* **1.** Relativo a indução; que procede por indução. **2.** Em que há indução; que induz ‖ antôn.: dedutivo.

indutor [ô] (in.du.tor) *adj.* **1.** Que induz; que instiga ou sugere. **2.** (*Fís.*) Que produz indução eletromagnética. • *s.m.* **3.** Aquele que induz; instigador. **4.** (*Fís.*) Circuito produzido pela indução. **5.** Parte de uma máquina ou aparelho elétrico onde é produzido o fluxo de indução.

induzir (in.du.zir) *v.* **1.** Persuadir (alguém) a agir de determinada maneira; instigar, incitar, encorajar: *A grande potência queria induzir o país à guerra.* **2.** Levar a cair em; fazer incorrer em; compelir: *A falta de conhecimentos induziu-o* *ao erro (a errar)*. **3.** Obrigar (alguém) a fazer (algo); levar a; arrastar: *O diretor induziu o auxiliar faltoso a demitir-se*. **4.** Praticar indução; elaborar uma conclusão a partir de casos particulares; concluir, inferir: *A análise dos dados levou-o a induzir a verdade*. **5.** (*Med.*) Provocar ou antecipar artificialmente processo ou estado biológico: *induzir parto*; *induzir o coma*. ▶ Conjug. 82.

inebriar (i.ne.bri:*ar*) *v.* **1.** Causar ou sentir embevecimento; embevecer(-se), deliciar(-se), extasiar(-se), enlevar(-se): *A música sublime inebriava a plateia*; *O jovem inebriava-se com a contemplação da amada*. **2.** *fig.* Encantar(-se), fascinar(-se), deslumbrar(-se): *A fama inebria*; *O poder inebria os tiranos*; *O artista se inebria facilmente com a popularidade*. **3.** Tornar(-se) ébrio; embebedar(-se), embriagar(-se): *Certas bebidas inebriam mais rapidamente que outras*; *O champanhe inebriou-o*; *Evitava inebriar-se nas festas*. ▶ Conjug. 14.

ineditismo (i.ne.di.*tis*.mo) *s.m.* Qualidade de inédito, de original; originalidade: *A crítica teatral destacou o ineditismo do espetáculo*.

inédito (i.*né*.di.to) *adj.* **1.** Que não foi publicado: *A nova antologia traz alguns poemas inéditos do autor*. **2.** *fig.* Nunca visto; sem precedente; fora do comum; original: *fato inédito*.

inefável (i.ne.*fá*.vel) *adj.* **1.** Que não pode ser expresso por palavras; indizível; indescritível: *paz inefável*. **2.** *fig.* Que causa prazer e enlevo; encantador, inebriante: *sorriso inefável*.

ineficaz (i.ne.fi.*caz*) *adj.* Que não é eficaz; que não produz o efeito desejado; ineficiente, inoperante: *remédio ineficaz*. — **ineficácia** *s.f.*

ineficiente (i.ne.fi.ci:*en*.te) *adj.* Que não é eficiente; improdutivo, inútil, ineficaz. — **ineficiência** *s.f.*

inegável (i.ne.*gá*.vel) *adj.* Que não pode ser negado; claro, evidente, incontestável, irrefutável: *talento inegável*.

inegociável (i.ne.go.ci:*á*.vel) *adj.* Que não pode ser negociado; que não é objeto de comércio: *preço inegociável*; *condição inegociável*.

inelegível (i.ne.le.*gí*.vel) *adj.* Que não pode ser eleito: *O parlamentar cassado torna-se inelegível*. — **inelegibilidade** *s.f.*

inelutável (i.ne.lu.*tá*.vel) *adj.* **1.** Que não pode ser evitado; contra o que não se pode lutar; implacável, inexorável, fatal: *destino inelutável*. **2.** Que não se pode contestar; incontestável, irrefutável, inegável: *provas inelutáveis*.

inenarrável (i.ne.nar.*rá*.vel) *adj.* Inarrável.

inépcia (i.*nép*.ci:a) *s.f.* **1.** Falta absoluta de aptidão; incapacidade, inabilidade. **2.** Falta de inteligência; estupidez, imbecilidade. **3.** Ato ou dito inepto, absurdo, tolo; despropósito, disparate.

inepto [é] (i.*nep*.to) *adj.* **1.** Que não é apto; a quem falta aptidão; incapaz: *aprendiz inepto*. **2.** Pouco inteligente; idiota, imbecil: *decisão inepta*. **3.** Sem sentido; absurdo, disparatado: *comentário inepto*. **4.** (*Jur.*) Que não se faz na devida forma; sem as formalidades legais (dizse de petição). • *s.m.* **5.** Pessoa inepta.

inequação (i.ne.qua.*ção*) *s.f.* (*Mat.*) Desigualdade entre duas expressões matemáticas.

inequívoco (i.ne.*quí*.vo.co) *adj.* Que não é equívoco ou duvidoso; evidente, claro, explícito, manifesto: *Você pode contar com meu apoio inequívoco*.

inércia (i.*nér*.ci:a) *s.f.* **1.** Falta de atividade, de ação; inação, inatividade. **2.** *fig.* Falta de iniciativa; resistência passiva; imobilismo, estagnação: *a inércia da máquina administrativa*. **3.** *fig.* Ausência de energia (física ou moral); apatia, indolência, preguiça: *Leva os dias numa inércia quase patológica*. **4.** (*Fís.*) Propriedade que possuem os corpos de persistir em seu estado de movimento ou de repouso, enquanto não intervém uma força que altere esse estado.

inerente (i.ne.*ren*.te) *adj.* **1.** Que se acha tão intimamente ligado a alguma coisa que parece dela fazer parte por natureza; imanente: *poder inerente a um cargo*. **2.** Intimamente unido; próprio de pessoa ou coisa; inseparável: *O retraimento é inerente aos tímidos*.

inerme [é] (i.*ner*.me) *adj.* Que não está armado; sem meios de defesa; desarmado, indefeso: *As tropas invasoras marchavam diante da população inerme*; *fig.* Sentia-se inerme frente aos embates da vida*.

inerte [é] (i.*ner*.te) *adj.* **1.** Que está em inércia; sem movimento nem atividade próprios; inativo: *corpo inerte*. **2.** Sem energia (física ou moral); apático, prostrado, indolente: *A depressão deixava-o inerte por longas horas*.

inervação (i.ner.va.*ção*) *s.f.* **1.** Ato ou efeito de inervar. **2.** (*Anat.*) Atividade própria das fibras nervosas, por virtude da qual estas dão origem aos fenômenos e funções da vida orgânica.

inervar (i.ner.*var*) *v.* (*Anat.*) Dotar de fibras nervosas determinada parte do organismo: *Os impulsos do cérebro inervam os movimentos musculares*. ▶ Conjug. 8.

inescrupuloso

inescrupuloso [ô] (i.nes.cru.pu.*lo*.so) *adj.* Que não tem escrúpulos. || f. e pl.: [ó].

inescrutável (i.nes.cru.*tá*.vel) *adj.* Que não pode ser escrutado, investigado ou compreendido; insondável, impenetrável: *pensamento inescrutável; desígnios inescrutáveis.*

inesgotável (i.nes.go.*tá*.vel) *adj.* **1.** Que não se esgota; que não pode ser esgotado; inexaurível: *As reservas minerais do Brasil parecem inesgotáveis.* **2.** *fig.* Muito abundante; em grande quantidade; copioso: *Os livros são uma fonte inesgotável de saber.*

inesperado (i.nes.pe.*ra*.do) *adj.* **1.** Que não é ou não era esperado; imprevisto, inopinado. • *s.m.* **2.** Acontecimento inesperado.

inesquecível (i.nes.que.*cí*.vel) *adj.* Que não pode ou não deve ser esquecido; inolvidável, memorável.

inestimável (i.nes.ti.*má*.vel) *adj.* **1.** Que não se pode estimar, apreciar ou avaliar; de grande valor; inapreciável, incalculável: *fortuna inestimável.* **2.** Que se tem em alto apreço ou consideração: *Tornou-se meu inestimável colaborador na empresa.*

inevitável (i.ne.vi.*tá*.vel) *adj.* Que não pode ser evitado ou impedido; fatal, inexorável, inelutável: *O passar dos anos é inevitável.*

inexatidão [z] (i.ne.xa.ti.*dão*) *s.f.* Ausência de exatidão; inverdade, falsidade, erro.

inexato [z] (i.ne.*xa*.to) *adj.* Que não é exato; desprovido de exatidão; errôneo, falso: *São inexatos os dados desse relatório.*

inexaurível [z] (i.ne.xau.*rí*.vel) *adj.* Que não se exauriu; que não se pode esgotar; inesgotável: *riqueza inexaurível.*

inexcedível (i.nex.ce.*dí*.vel) *adj.* Que não pode ser excedido; ou superado; insuperável: *prazer inexcedível.*

inexequível [zeqüi] (i.ne.xe.*quí*.vel) *adj.* Que não se pode executar ou realizar; irrealizável, inviável: *sonhos inexequíveis.*

inexistência [z] (i.ne.xis.*tên*.ci:a) *s.f.* **1.** Falta de existência; carência. **2.** (*Jur.*) Situação do ato jurídico em que falta um elemento constitutivo essencial; improcedência.

inexistente [z] (i.ne.xis.*ten*.te) *adj.* **1.** Que não existe, que não tem existência; irreal: *monstro inexistente.* **2.** *fig.* Que não tem valor; sem grande validade; nulo, vão: *O suspeito apresentou provas inexistentes de defesa.*

inexistir [z] (i.ne.xis.*tir*) *v.* Não existir, não haver: *Os jurados decidiram que inexistiam provas contra o réu.* ▶ Conjug. 6.

inexorável [z] (i.ne.xo.*rá*.vel) *adj.* **1.** Que não se comove e não cede a rogos e súplicas; inflexível, implacável, inabalável: *justiça inexorável.* **2.** Que não se pode evitar; inelutável, fatal: *destino inexorável.* – **inexorabilidade** *s.f.*

inexperiência (i.nex.pe.ri:*ên*.ci:a) *s.f.* **1.** Falta de experiência. **2.** Erro devido à inexperiência.

inexperiente (i.nex.pe.ri:*en*.te) *adj.* **1.** Que não é experiente; que não tem experiência. **2.** Ingênuo, inocente, simples.

inexplicável (i.nex.pli.*cá*.vel) *adj.* **1.** Que não se pode explicar; obscuro: *A morte é inexplicável.* **2.** Difícil de compreender; incompreensível, estranho, singular: *comportamento inexplicável.*

inexplorado (i.nex.plo.*ra*.do) *adj.* Que não foi explorado; desconhecido: *terras inexploradas.*

inexpressivo (i.nex.pres.*si*.vo) *adj.* Que não é expressivo; que não tem expressão: *rosto inexpressivo.*

inexprimível (i.nex.pri.*mí*.vel) *adj.* Que não se pode exprimir; indizível, intraduzível: *alegria inexprimível.*

inexpugnável (i.nex.pug.*ná*.vel) *adj.* Que não é expugnável; invencível, inabalável, indestrutível: *cidadela inexpugnável.*

inextensível (i.nex.ten.*sí*.vel) *adj.* Que não é extensível a; que não se pode aplicar a mais de um caso: *sentença inextensível.*

inextinguível (i.nex.tin.*guí*.vel) *adj.* Que não se pode extinguir, apagar ou eliminar: *A chama olímpica é inextinguível.*

inextinto (i.nex.*tin*.to) *adj.* Que não está extinto; que ainda existe; subsistente: *vulcão inextinto;* (*fig.*) *a chama inextinta da paixão.*

inextirpável (i.nex.tir.*pá*.vel) *adj.* Que não se pode extirpar, arrancar, extrair: *cancro inextirpável.*

inextricável (i.nex.tri.*cá*.vel) *adj.* **1.** Que não se pode desembaraçar ou desenredar: *nó inextricável.* **2.** Que não se pode deslindar ou resolver: *questão inextricável.* || *inextrincável.*

inextrincável (i.nex.trin.*cá*.vel) *adj.* Inextricável.

infalível (in.fa.*lí*.vel) *adj.* **1.** Que não é falível; que não falha: *Pediu ao médico uma receita infalível para suas dores.* **2.** Que nunca se engana ou erra; indefectível: *A intuição feminina é infalível.* **3.** (*Rel.*) Que não pode errar em questões de fé: *Para os católicos, o Papa é infalível.* **4.** Que não pode deixar de acontecer; impreterível, inevitável: *Nunca deixa de comparecer ao infalível chá das cinco das amigas.*

infamação (in.fa.ma.*ção*) *s.f.* Ato ou efeito de infamar; difamação, descrédito, desonra.

infamante (in.fa.*man*.te) *adj.* Que infama; que envolve infâmia; calunioso, insultuoso, infamatório.

infamar (in.fa.*mar*) *v.* **1.** Atribuir infâmias a; caluniar, difamar: *Os adversários políticos tentavam infamá-lo sem sucesso.* **2.** Tornar(-se) infame, desprezível, vil; desacreditar(-se), desonrar (-se): *Ignora quem o infamou junto aos amigos; Infamou-se diante da nação por seus atos antiéticos.* ▶ Conjug. 5.

infamatório (in.fa.ma.*tó*.ri:o) *adj.* Que infama; infamante.

infame (in.*fa*.me) *adj.* **1.** Que pratica atos de infâmia; desprezível, baixo, vil, abjeto. **2.** Próprio de indivíduo infame: *comportamento infame.* **3.** *coloq.* De má qualidade ou de péssimo gosto; detestável: *A comida dessa lanchonete é infame.*

infâmia (in.*fã*.mi:a) *s.f.* **1.** Caráter daquilo que é infame; vileza, torpeza, ignomínia, abjeção. **2.** Ato infame, vergonhoso, baixo, indigno. **3.** Dito contra a honra ou a reputação de alguém; calúnia, difamação.

infância (in.*fân*.ci:a) *s.f.* **1.** Período da vida humana que vai do nascimento até a puberdade (12 anos completos); puerícia, meninice. **2.** O conjunto das crianças. **3.** *fig.* Nascimento, início, primórdio de (uma instituição, sociedade, arte, ciência etc.).

infanta (in.*fan*.ta) *s.f.* **1.** Filha de reis que não é herdeira do trono, em Portugal e Espanha. **2.** Esposa do infante (filho de reis).

infantaria (in.fan.ta.*ri*.a) *s.f.* (*Mil.*) Uma das armas do Exército ou da Marinha constituída de tropas treinadas para o combate a pé.

infante[1] (in.*fan*.te) *s.m.* **1.** Criança pequena; menino. **2.** Filho do rei de Portugal ou da Espanha que não é o herdeiro do trono.

infante[2] (in.*fan*.te) *s.m.* (*Mil.*) Soldado de infantaria.

infanticida (in.fan.ti.*ci*.da) *adj.* **1.** Que praticou infanticídio. • *s.m.* e *f.* **2.** Pessoa infanticida.

infanticídio (in.fan.ti.*cí*.di:o) *s.m.* Assassínio de criança, especialmente de recém-nascido.

infantil (in.fan.*til*) *adj.* **1.** Relativo a infância: *paralisia infantil.* **2.** Próprio para a criança: *literatura infantil.* **3.** De comportamento infantil; ingênuo, tolo, infantilizado: *Tem reações infantis e inesperadas em um adulto.* • *s.m.* **4.** (*Esp.*) No futebol e em outros jogos coletivos, categoria de jogadores de até 15 anos de idade: *O cra-* *que famoso começou a jogar no infantil de um pequeno clube.*

infantilidade (in.fan.ti.li.*da*.de) *s.f.* **1.** Característica daquilo que é infantil; criancice. **2.** Ação ou dito próprio de criança. **3.** Comportamento infantil; ingenuidade, simplicidade.

infantilismo (in.fan.ti.*lis*.mo) *s.m.* (*Med.*) Persistência anormal de caracteres físicos ou mentais da infância na idade adulta.

infantilizar (in.fan.ti.li.*zar*) *v.* Tornar(-se) infantil: *A superproteção dos pais pode infantilizar os filhos; O adulto se infantiliza ao brincar com crianças.* ▶ Conjug. 5. – **infantilização** *s.f.*

infanto-juvenil (in.fan.to-ju.ve.*nil*) *adj.* Relativo a ou próprio da infância e da juventude. ‖ pl.: *infanto-juvenis.*

infartar (in.far.*tar*) *v.* **1.** Causar obstrução em; obstruir, entupir: *infartar artérias.* **2.** Sofrer infarto: *O vício do fumo levou-o a infartar muito jovem.* ‖ enfartar. ▶ Conjug. 5.

infarte (in.*far*.te) *s.m.* (*Med.*) Infarto.

infarto (in.*far*.to) *s.m.* (*Med.*) Morte de uma região do organismo em consequência da supressão súbita da circulação de sangue na artéria que irriga essa região: *infarto do miocárdio.* ‖ enfarto.

infatigável (in.fa.ti.*gá*.vel) *adj.* **1.** Que não se fatiga, que não se cansa; incansável: *trabalhador infatigável.* **2.** Zeloso, diligente, extremoso, desvelado: *É infatigável no cuidado com os filhos.*

infausto (in.*faus*.to) *adj.* **1.** Que não é fausto; infeliz, atribulado: *vida infausta.* **2.** Que traz mau agouro; que é pouco propício; nefasto, aziago: *acontecimento infausto.*

infecção (in.fec.*ção*) *s.f.* **1.** Ato ou efeito de infeccionar(-se). **2.** (*Med.*) Contaminação do corpo por um micro-organismo parasito (vírus, bactérias, fungos etc.). **3.** O estado produzido pelo estabelecimento de um agente infeccioso no organismo. ‖ *Infecção hospitalar*: (*Med.*) infecção contraída em hospitais e congêneres, que não apresentam condições ideais de higiene.

infeccionado (in.fec.ci:o.*na*.do) *adj.* **1.** Que sofreu infecção. **2.** Contaminado, contagiado, infectado.

infeccionar (in.fec.ci:o.*nar*) *v.* Causar ou sofrer infecção; contaminar(-se) com um agente infeccioso; infectar(-se): *Um parasito infeccionou o ferimento; Temia que o ferimento infeccionasse; Tomou todos os cuidados para não infeccionar-se.* ▶ Conjug. 5.

infeccioso [ô] (in.fec.ci:o.so) *adj.* Que produz infecção ou é capaz de transmiti-la: *agente infeccioso.* || f. e pl.: [ó].

infectar (in.fec.*tar*) *v.* **1.** Infeccionar. **2.** (*Inform.*) Instalar ou transferir vírus de computador para (arquivo, disco, rede etc.); contaminar: *Um programa pirata infectou meu computador.* ▶ Conjug. 5 e 33.

infecto [é] (in.*fec*.to) *adj.* **1.** Que tem infecção. **2.** Que lança mau cheiro; pestilento: *banheiro infecto.* **3.** *fig.* Repugnante quanto à moral; repulsivo: *caráter infecto.*

infectocontagioso [ô] (in.fec.to.con.ta.gi:o.so) *adj.* Que produz infecção e se propaga pelo contágio. || f. e pl.: [ó].

infecundidade (in.fe.cun.di.*da*.de) *s.f.* Falta de fecundidade; esterilidade, infertilidade.

infecundo (in.fe.*cun*.do) *adj.* Que não é fecundo; que não dá fruto; estéril, infértil, improdutivo: *terra infecunda; homem infecundo.*

infelicíssimo (in.fe.li.*cís*.si.mo) *adj.* Superlativo absoluto de *infeliz.*

infelicitar (in.fe.li.ci.*tar*) *v.* Tornar(-se) infeliz, desditoso, desafortunado: *Os desgostos com os filhos infelicitavam o pai de família; Infelicita-se com os desacertos do mundo.* ▶ Conjug. 5.

infeliz (in.fe.*liz*) *adj.* **1.** Que não é feliz; desventurado, desgraçado, desditoso, desafortunado. **2.** Que traz consequências desfavoráveis; infausto, funesto: *uma experiência infeliz.* **3.** Que expressa infelicidade, infortúnio, tristeza: *sorriso infeliz.* **4.** Inadequado, despropositado, desastrado: *palpite infeliz.* || *Como um infeliz*: *coloq.* muito, excessivamente, exageradamente: *Fuma como um infeliz.* || sup. abs.: *infelicíssimo.* – **infelicidade** *s.f.*

infenso (in.*fen*.so) *adj.* **1.** Que se opõe a; contrário a; adverso, renitente, hostil: *Há pessoas que se dizem infensas ao progresso e à modernidade.* **2.** Tomado de irritação e de raiva; irado, agastado.

inferência (in.fe.*rên*.ci:a) *s.f.* **1.** Ato ou efeito de inferir. **2.** Conclusão obtida a partir de uma dada proposição; dedução, ilação, consequência.

inferior [ô] (in.fe.ri:*or*) *adj.* **1.** Que está abaixo de ou mais baixo que; que está em posição menos elevada relativamente a algo ou a alguém: *membro inferior; andar inferior.* **2.** Que é menor (em valor, importância, mérito etc.) comparativamente; ínfimo: *Produtos de qualidade inferior são descartados pelo consumidor exigente; Sua última obra é inferior a tudo que já publicou.* **3.** *fig.* Que está numa relação de subordinação ou dependência; subordinado; subalterno: *cargo inferior.* • *s.m.* e *f.* **4.** Pessoa inferior a outra em condição ou dignidade.

inferioridade (in.fe.ri:o.ri.*da*.de) *s.f.* **1.** Qualidade ou condição de inferior. **2.** Situação ou posição inferior; desvantagem: *O time perdeu a partida porque estava em inferioridade numérica no campo.* **3.** Atitude ou procedimento inferior; falta de nobreza; vileza, mesquinharia.

inferiorizar (in.fe.ri:o.ri.*zar*) *v.* Tornar(-se) inferior; rebaixar(-se), diminuir(-se), apequenar(-se): *Os chefes prepotentes costumam inferiorizar os funcionários; Não se deixe inferiorizar por ninguém.* ▶ Conjug. 5. – **inferiorização** *s.f.*

inferir (in.fe.*rir*) *v.* Fazer inferência sobre; deduzir por meio de raciocínio; tomar por conclusão; concluir: *Sem provas, não podemos inferir sua culpabilidade; Pode-se inferir de sua conduta suspeita que teve implicação no ato ilícito.* ▶ Conjug. 69.

infernal (in.fer.*nal*) *adj.* **1.** Relativo a ou próprio do Inferno: *demônios infernais.* **2.** *fig.* De grande crueldade; diabólico, terrível: *castigo infernal.* **3.** *fig.* Duro de suportar; atroz, medonho, tremendo, horrível: *dor infernal.* **4.** *fig.* Que causa grande incômodo; tumultuoso, horroroso: *barulho infernal.* **5.** *gír.* De grande qualidade; excelente, extraordinário, ótimo: *festa infernal.*

infernar (in.fer.*nar*) *v.* **1.** Atormentar(-se), torturar(-se), desesperar(-se): *A sombra do desemprego infernava sua vida; Era difícil não infernar-se com tantos problemas.* **2.** *fig.* Transformar num inferno, num suplício; martirizar, infernizar: *O sentimento de culpa infernava-lhe a consciência.* ▶ Conjug. 8.

inferninho (in.fer.*ni*.nho) *s.m. coloq.* Boate menos refinada, geralmente um recinto pequeno e pouco iluminado, com música muito barulhenta.

infernizar (in.fer.ni.*zar*) *v.* **1.** Provocar irritação ou aborrecimento em; incomodar, apoquentar: *O barulho do trânsito infernizava seu sono.* **2.** *fig.* Transformar (a vida, o trabalho etc.) num inferno; atormentar, afligir, infernar: *As drogas infernizam a vida dos usuários.* ▶ Conjug. 5.

inferno [é] (in.*fer*.no) *s.m.* **1.** (*Rel.*) Lugar que, segundo o cristianismo, é destinado ao suplício eterno das almas dos pecadores e onde habitam os demônios. **2.** *fig.* Sofrimento excessivo, martírio, tormento: *A longa enfermidade fez de sua vida um inferno.* **3.** *fig.* Grande desordem, confusão, balbúrdia: *Os tiroteios* constantes são um inferno para os moradores. || Na 1ª acepção, é usada inicial maiúscula.

infértil (in.fér.til) *adj.* **1.** Que não tem fertilidade; improdutivo, infecundo: *solo infértil.* **2.** Que não é fértil, estéril: *homem infértil.*

infestação (in.fes.ta.ção) *s.f.* **1.** Ato ou efeito de infestar. **2.** (*Med.*) Alojamento, desenvolvimento e reprodução de parasitos (vermes, piolho etc.) na superfície ou no interior de um organismo; infecção.

infestar (in.fes.tar) *v.* **1.** Invadir e atacar, causando danos e devastação; assolar: *Gafanhotos infestaram as plantações.* **2.** Multiplicar-se; encher de; pulular: *Com o calor, os mosquitos voltaram a infestar a cidade;* (*fig.*) *Assaltantes infestam a cidade.* **3.** (*Med.*) Causar infestação em: *Alguns parasitos podem infestar homens e animais.* || Conferir com *enfestar.* ▶ Conjug. 8. – **infestado** *adj.*

infidelíssimo (in.fi.de.lís.si.mo) *adj.* Superlativo absoluto de *infiel.*

infiel (in.fi:el) *adj.* **1.** Que trai a confiança de ou falta com os deveres para com alguém; desleal: *Deus me livre de amigos infiéis.* **2.** Que engana o parceiro da relação amorosa: *marido infiel.* **3.** Que não é conforme a verdade; inexato, inverídico: *tradução infiel.* **4.** (*Rel.*) Que não professa religião considerada como verdadeira. • *s.m. e f.* **5.** Pessoa infiel. **6.** Aquele que não professa religião considerada como verdadeira; herege, gentio. || sup. abs.: *infidelíssimo.* – **infidelidade** *s.f.*

infiltração (in.fil.tra.ção) *s.f.* **1.** Ato ou efeito de infiltrar(-se). **2.** Introdução gradual de líquido através de interstícios em uma superfície sólida. **3.** *fig.* Introdução (de modo furtivo ou clandestino) em algum lugar para fins de observação ou espionagem. **4.** (*Med.*) Modificação patológica de um órgão ou tecido pelo acúmulo de líquidos ou outras substâncias orgânicas. **5.** (*Med.*) Injeção de medicamento com efeito local: *Como tratamento, foi indicada uma infiltração no joelho.*

infiltrar (in.fil.trar) *v.* **1.** Introduzir(-se) um líquido gradualmente através dos orifícios de um corpo sólido: *O vazamento infiltrou água no apartamento; A água da chuva infiltrou-se nas paredes em ruínas.* **2.** *fig.* Penetrar aos poucos e sub-repticiamente; insinuar-se, instalar-se: *Espiões infiltraram-se nas hostes inimigas.* **3.** *fig.* Fazer penetrar como por um filtro; insinuar-se sutilmente: *A visão do mar infiltrou-lhe uma grande serenidade; Uma ponta de desconfiança infiltrou-se em sua mente.* ▶ Conjug. 5.

ínfimo (ín.fi.mo) *adj.* **1.** Que é muito pequeno; diminuto, mínimo: *objeto de proporções ínfimas.* **2.** *fig.* Que tem pouca importância ou valor: *preços ínfimos.* • *s.m.* **3.** Aquilo que é ínfimo.

infindável (in.fin.dá.vel) *adj.* Que não tem ou parece não ter fim; interminável; infinito, infindo: *dor infindável.*

infindo (in.fin.do) *adj.* Que não tem fim ou limite; ilimitado, infinito, infindável: *paciência infinda.*

infinidade (in.fi.ni.da.de) *s.f.* **1.** Qualidade do que é infinito. **2.** Grande quantidade; grande número; batelada, muito: *Submeteu-se a uma infinidade de exames médicos.*

infinitesimal (in.fi.ni.te.si.mal) *adj.* Infinitamente pequeno; mínimo, ínfimo: *dose infinitesimal.*

infinitivo (in.fi.ni.ti.vo) *s.m.* (*Gram.*) Forma nominal de um verbo, pela qual este é enunciado e dicionarizado e que termina em -ar, -er, -ir, conforme seja o verbo da 1ª, da 2ª ou da 3ª conjugação, respectivamente, ou em -or se for o verbo *pôr* ou qualquer um dos seus compostos. || *Infinitivo impessoal* ou *infinitivo sem flexão:* que não se flexiona quanto a pessoa e número. • *Infinitivo pessoal* ou *flexionado:* que recebe desinências de pessoa e de número.

infinito (in.fi.ni.to) *adj.* **1.** Que não tem fim; infindo, infindável, eterno: *Que o amor seja infinito enquanto dure, diz o poeta Vinícius de Morais.* **2.** Que não tem limite; ilimitado: *o céu infinito.* **3.** Em grande número; abundante, incontável: *uma legião infinita de admiradores.* • *s.m.* **4.** Espaço ou distância sem limites: *Sonhava em como seria viajar pelo infinito.* **5.** (*Gram.*) Infinitivo (hoje menos usado neste emprego).

infixo [cs] (in.fi.xo) *s.m.* (*Gram.*) Morfema que se fixa no interior de um radical: *A gramática descritiva do Português não prevê a existência de infixo.*

inflação (in.fla.ção) *s.f.* **1.** (*Econ.*) Alta persistente de preços e consequente queda do poder aquisitivo da moeda em vigor, causada pela emissão monetária desordenada. **2.** *fig.* Aumento da oferta; abundância, exagero: *Há uma inflação de bons jogadores no futebol.* || antôn.: *deflação.*

inflacionar (in.fla.ci:o.nar) *v.* **1.** (*Econ.*) Promover inflação em: *Medidas econômicas foram tomadas para não inflacionar os preços ao consumidor.* **2.** *fig.* Aumentar a oferta de: *É preciso inflacionar o mercado com bons livros.* ▶ Conjug. 5.

inflamação

inflamação (in.fla.ma.ção) s.f. **1.** Ato ou efeito de inflamar(-se). **2.** (Med.) Mecanismo de resposta do organismo a uma infecção ou lesão, caracterizada geralmente por rubor local, dor e picos de febre.

inflamar (in.fla.mar) v. **1.** Fazer ficar ou ficar em chamas; fazer pegar fogo; acender(-se), incendiar(-se): *O raio inflamou a fiação; Certos materiais inflamam(-se) espontaneamente.* **2.** Causar ou sofrer inflamação: *As picadas de mosquito inflamaram a pele da criança; Minha garganta inflamou(-se) com o resfriado.* **3.** *fig.* Entusiasmar(-se), excitar(-se): *O ídolo inflamou o público em sua apresentação; O público inflamou-se com o desempenho do cantor.* **4.** *fig.* Exaltar-se, irritar-se, exasperar-se: *Ele se inflama por qualquer coisa.* ▶ Conjug. 5.

inflamatório (in.fla.ma.tó.ri:o) adj. Relativo a ou causado por inflamação: *processo inflamatório.*

inflamável (in.fla.má.vel) adj. **1.** Que se inflama, que pega fogo facilmente. • s.m. **2.** Substância inflamável.

inflar (in.flar) v. **1.** Encher(-se) (de ar, gás etc.), inchar(-se), enfunar(-se), intumescer(-se): *inflar a bola de futebol; As brancas velas (se) inflaram com o vento.* **2.** *fig.* Encher(-se) de orgulho; envaidecer(-se), ensoberbecer(-se): *A conquista do campeonato inflou jogadores e dirigentes; Inflou(-se) de orgulho com o primeiro lugar no concurso.* ▶ Conjug. 5.

inflável (in.flá.vel) adj. Que se pode inflar: *bote inflável.*

inflexão [cs] (in.fle.xão) s.f. **1.** Ato ou efeito de dobrar-se, curvar-se, inclinar-se; flexão. **2.** Maneira de emitir a voz; tom, entonação, modulação: *Aquele professor nunca se vale nas aulas de uma inflexão autoritária.*

inflexível [cs] (in.fle.xí.vel) adj. **1.** Que não é flexível; que não se pode dobrar; rígido: *material inflexível.* **2.** *fig.* Que não se deixa persuadir ou comover; impassível, imperturbável, sereno, austero: *juiz inflexível.* **3.** *fig.* Que não pode ser alterado; inalterável, rígido, severo: *regulamento inflexível.*

infligir (in.fli.gir) v. **1.** Fazer recair (castigo, pena, juros etc.) sobre alguém; aplicar, impor, cominar: *A Receita Federal infligiu multas aos contribuintes retardatários.* **2.** Causar, provocar (algo desagradável) a: *infligir derrota / prejuízo / perdas.* ▶ Conjug. 92. ‖ Conferir com *infringir*.

inflorescência (in.flo.res.cên.ci:a) s.f. (Bot.) Estrutura floral em que há mais de uma flor em um pedúnculo.

influência (in.flu:ên.ci:a) s.f. **1.** Ação ou efeito de influir; influxo. **2.** Força de atuação ou poder exercido sobre alguma coisa ou sobre alguém: *a influência da Lua sobre as marés;* (*fig.*) *a influência dos pais sobre os filhos.* **3.** Interferência, intermediação, intervenção: *O nepotismo é muitas vezes fruto do jogo de influências na administração pública.* **4.** Prestígio, crédito, autoridade: *uma empresa jornalística de grande influência.* **5.** Ascendência, predomínio, preponderância: *A bossa nova teve influência do jazz.* **6.** Aquele que exerce influência: *Aconselhou o filho a afastar-se das más influências.*

influenciar (in.flu:en.ci:ar) v. **1.** Exercer influência (física ou intelectual) sobre; influir em: *A Lua influencia as marés; A propaganda política pode influenciar os eleitores indecisos.* **2.** Sofrer influência de: *Não se deixe influenciar por falsas promessas.* ▶ Conjug. 17.

influído (in.flu:í.do) adj. *coloq.* Que se revela muito animado, entusiasmado, excitado: *As moças eram as mais influídas da festa.*

influir (in.flu:ir) v. **1.** Exercer influência, poder ou pressão em (sobre); influenciar: *Os juros altos influem no (sobre o) desenvolvimento industrial.* **2.** Contribuir, concorrer, colaborar: *As políticas públicas têm influído na erradicação do trabalho infantil.* **3.** Dar ânimo; animar, entusiasmar: *O professor influiu os alunos para a leitura.* **4.** Comunicar, transmitir, inspirar, incutir: *O técnico influiu entusiasmo aos atletas.* **5.** Ter influência ou importância; importar: *O material não deve influir mais que o espiritual.* ▶ Conjug. 80.

influxo [cs] (in.flu.xo) s.m. **1.** Ato ou efeito de influir; influência. **2.** Convergência (de poderes, ideias, opiniões etc.); confluência, afluência. **3.** Enchente da maré; preamar.

informação (in.for.ma.ção) s.f. **1.** Ato ou efeito de informar(-se), de emitir ou receber mensagens. **2.** Explicação, esclarecimento, indicação, informe: *Os alunos queriam mais informações sobre o vestibular.* **3.** Conhecimento, ciência, saber, experiência: *O jovem de hoje tem muito mais informação.* **4.** Comunicação ou notícia divulgada pelos meios de comunicação: *A liberdade de informação é a base de uma imprensa democrática.* **5.** Orientação, instrução: *Leia as informações do manual.* **6.** (*Inform.*) Significado dos dados de um sistema operacional eletrônico: *O processamento de informações parte da aquisição e armazenamento dos dados.*

informal (in.for.*mal*) *adj.* **1.** Que não apresenta uma forma definida. **2.** Que não observa formalidades; que não é convencional ou cerimonioso: *Vestia-se com trajes informais em qualquer ocasião*. **3.** Que se realiza sem as formalidades oficiais, especialmente sem carteira de trabalho assinada: *Muitos trabalhadores do país ainda permanecem na economia informal*. **4.** (*Ling.*) Diz-se do registro da língua (falada ou escrita) com menor grau de formalidade; distenso: *É um autor conhecido pela linguagem informal de seus textos*. – **informalidade** *s.f.*

informante (in.for.*man*.te) *adj.* **1.** Que informa. • *s.m. e f.* **2.** Pessoa que é fonte de informações em um determinado setor público ou privado: *A polícia se vale muitas vezes do trabalho de um informante*.

informar (in.for.*mar*) *v.* **1.** Dar ou receber informe ou notícia; comunicar(-se), inteirar(-se), cientificar(-se): *Queria que o informassem de (sobre) tudo sempre*; *O diretor informou aos funcionários que seriam aumentados*; *Pretendo informar-me mais sobre a verdade dos fatos*. **2.** Comunicar, participar, avisar (algo a alguém): *Ele informou que não viria hoje*; *Informamos-lhe que seu processo fora deferido*. **3.** Ser instrumento para; ensinar, ilustrar, instruir: *Faltam programas que informem o público infantil*; *Os livros informam mais que outros veículos*. ▶ Conjug. 20.

informática (in.for.*má*.ti.ca) *s.f.* (*Inform.*) Ciência cujo objetivo é desenvolver métodos e técnicas de coleção, processamento, armazenamento e comunicação da informação mediante o uso de computadores.

informático (in.for.*má*.ti.co) *adj.* **1.** Relativo a Informática: *instalação informática*. • *s.m.* **2.** Especialista em Informática.

informativo (in.for.ma.*ti*.vo) *adj.* **1.** Que se destina a informar, comunicar ou noticiar: *Há jornais mais informativos que outros*. • *s.m.* **2.** Publicação periódica de informação; boletim: *É redator do informativo do sindicato*.

informatizar (in.for.ma.ti.*zar*) *v.* Dotar (empresa, serviço etc.) dos recursos da Informática: *O Instituto de Previdência irá informatizar todos os postos de atendimento ao público*. ▶ Conjug. 5.

informe[1] [ó] (in.*for*.me) *adj.* **1.** Que não tem forma acabada ou precisa: *O feto era um corpo informe*. **2.** Cuja forma é grosseira, tosca, rudimentar: *um desenho informe*.

informe[2] [ó] (in.*for*.me) *s.m.* **1.** Informação: *Aquela revista traz muitos informes publicitários*. **2.** Parecer oficial; relatório, boletim: *O porta-voz leu um informe sobre a agenda do presidente*.

infortúnio (in.for.*tú*.ni:o) *s.m.* **1.** Má sorte; infelicidade, desdita, adversidade: *Muitos acreditam no ditado: Sorte no jogo, infortúnio no amor*. **2.** Acontecimento infausto; desgraça, calamidade: *A população desassistida teve de enfrentar o infortúnio da seca*.

infovia (in.fo.vi.a) *s.f.* Infraestrutura para transmissão de voz, dados e imagens através de fibras ópticas.

infração (in.fra.*ção*) *s.f.* **1.** Ato ou efeito de infringir. **2.** (*Jur.*) Fato que infrinja ou viole disposição de lei; ilícito penal; infringência. **3.** (*Esp.*) Transgressão das regras de um jogo; falta. || Conferir com *inflação*.

infraestrutura (in.fra.es.tru.tu.ra) *s.f.* **1.** Suporte, geralmente não visível, de uma edificação ou estrutura. **2.** Base material ou econômica de uma sociedade ou organização. **3.** Sistema de serviços públicos de uma cidade (rede de esgotos e de abastecimento de água, energia elétrica, coleta de águas pluviais, gás canalizado, rede telefônica e de televisão a cabo). || pl.: *infraestruturas*.

infrassom (in.fras.*som*) *s.m.* (*Fís.*) Onda acústica cuja frequência é inaudível aos seres humanos. || pl.: *infrassons*.

infrator [ô] (in.fra.*tor*) *adj.* **1.** Que comete infração: *menor infrator*. • *s.m.* **2.** Pessoa infratora.

infravermelho (in.fra.ver.*me*.lho) *s.m.* **1.** (*Fís.*) Radiação eletromagnética cujo comprimento de onda é superior ao das radiações visíveis, mas é inferior ao das micro-ondas. • *adj.* **2.** Diz-se dessa radiação.

infrene (in.*fre*.ne) *adj.* Que não tem freio ou controle; desenfreado, desmedido, imoderado, incontido: *paixões infrenes*.

infringência (in.frin.*gên*.ci:a) *s.f.* **1.** Ato ou efeito de infringir. **2.** (*Jur.*) Violação ou quebra de princípio legal ou de uma obrigação assumida; infração. – **infringente** *adj.*

infringir (in.frin.*gir*) *v.* Cometer infringência; descumprir dispositivo legal; desrespeitar preceitos morais; violar, transgredir: *infringir as leis vigentes*; *infringir a moral e os bons costumes*. ▶ Conjug. 92. || Conferir com *infligir*.

infrutescência (in.fru.tes.*cén*.ci:a) *s.f.* (*Bot.*) Forma de frutificação resultante do desenvolvimento de uma inflorescência, dando origem a um fruto composto íntegro, como o abacaxi, a jaca etc.

infrutífero (in.fru.*tí*.fe.ro) *adj.* **1.** Que não produz frutos; infértil. **2.** Que não produz resultado; inútil, improdutivo: *esforços improdutivos.*

infundado (in.fun.*da*.do) *adj.* Que não tem fundamento, causa ou razão de ser: *suspeitas infundadas.*

infundir (in.fun.*dir*) *v.* **1.** Incutir (uma ideia, um sentimento etc.) em; inspirar, inculcar: *O governo tem de infundir respeito; A figura bonachona do avô infundia confiança nos netos.* **2.** Fazer penetrar em; insuflar: *Deus infundiu vida ao homem.* **3.** Fazer infusão (de folhas, raízes, medicamentos etc.); macerar: *A rezadeira infundiu umas quantas ervas, que dizia miraculosas.* ▶ Conjug. 66.

infusão (in.fu.*são*) *s.f.* **1.** Ato ou efeito de infundir. **2.** Processo que consiste em lançar água fervente ou outro líquido sobre uma substância, deixando-a em repouso até esfriar, a fim de extrair os princípios medicamentosos; maceração. **3.** Líquido que resulta desse processo.

infusível (in.fu.*sí*.vel) *adj.* Que não se pode fundir ou derreter.

infuso (in.*fu*.so) *adj.* **1.** Posto de infusão; preparado em infusão. **2.** Vertido, derramado, espalhado: *lava infusa.* **3.** *fig.* Que se infunde naturalmente na alma ou na mente, sem esforço próprio: *graça infusa; saber infuso.* • *s.m.* **4.** Líquido obtido por infusão.

ingá (in.*gá*) *s.m.* **1.** (*Bot.*) Árvore nativa de regiões tropicais das Américas, de frutos comestíveis de polpa carnosa e doce, usada também como ornamental; ingazeira, ingazeiro. **2.** O fruto dessa árvore.

ingazeira (in.ga.*zei*.ra) *s.f.* Ingá (1).

ingazeiro (in.ga.*zei*.ro) *s.m.* Ingá (1).

ingênito (in.*gê*.ni.to) *adj.* Inato, congênito.

ingenuidade (in.ge.nu:i.*da*.de) *s.f.* **1.** Qualidade de ingênuo; simplicidade, singeleza. **2.** Ato ou dito próprios de pessoa ingênua.

ingênuo (in.*gê*.nu:o) *adj.* **1.** Que não tem malícia; inocente, sincero, cândido, franco, simples: *olhar ingênuo; criança ingênua.* • *s.m.* **2.** Pessoa ingênua.

ingerência (in.ge.*rên*.ci:a) *s.f.* Ato ou efeito de ingerir(-se); intervenção, intromissão: *O artista não admite ingerência em seu ofício.*

ingerir (in.ge.*rir*) *v.* **1.** Introduzir no estômago pela boca; engolir: *Deve-se ingerir dois litros de água por dia.* **2.** Intervir, envolver(-se) ou intrometer-se em: *O funcionário procurava não ingerir-se nos assuntos da firma.* ▶ Conjug. 69.

ingestão (in.ges.*tão*) *s.f.* Ato de ingerir, de introduzir no estômago; deglutição.

inglês (in.*glês*) *adj.* **1.** Da Inglaterra, país da Europa. • *s.m.* **2.** O natural ou o habitante desse país. **3.** A língua oficial de vários países (Inglaterra, Austrália, Nova Zelândia, parte do Canadá e colônias inglesas na América e na África). || *Para inglês ver: coloq.* para impressionar com falsa aparência; sem veracidade ou validez.

inglório (in.*gló*.ri:o) *adj.* **1.** Que não dá glória, em que não há glória: *luta inglória.* **2.** Que não tem reconhecimento; ignorado, obscuro, modesto: *trabalho inglório.*

ingovernável (in.go.ver.*ná*.vel) *adj.* **1.** Que não se pode governar ou dirigir: *país ingovernável; carro ingovernável.* **2.** Que não se deixa submeter ou dominar; insubmisso, indisciplinável: *criança ingovernável.* **3.** Que não se pode reprimir ou controlar; irreprimível, irrefreável, insopitável: *paixão ingovernável.*

ingratidão (in.gra.ti.*dão*) *s.f.* Falta de gratidão, de agradecimento ou reconhecimento por algo recebido.

ingrato (in.*gra*.to) *adj.* **1.** Que não é grato; que não reconhece o benefício recebido; mal-agradecido: *filhos ingratos.* **2.** Que não gratifica; que não recompensa devidamente o esforço despendido: *Foi um ano ingrato para os agricultores.* **3.** *fig.* De difícil abordagem; desagradável, molesto: *Vou tratar de um tema ingrato.* • *s.m.* **4.** Pessoa mal-agradecida.

ingrediente (in.gre.di:*en*.te) *s.m.* **1.** Substância que entra na composição de alimentos, bebidas, medicamentos, misturas em geral. **2.** *fig.* Qualquer componente ou constituinte de alguma coisa: *Na política como na vida, a ética é o ingrediente indispensável.*

íngreme (*ín*.gre.me) *adj.* **1.** Que tem grande declive; que é difícil de subir ou descer; abrupto, escarpado: *encosta íngreme.* **2.** *fig.* Que custa grande esforço; árduo, difícil, custoso: *tarefa íngreme.*

ingressar (in.gres.*sar*) *v.* **1.** Dar entrada em (um local); entrar, penetrar, adentrar: *Ingressou na sala de cinema com o filme já começado.* **2.** Passar a fazer parte de; integrar (empresa, equipe, agremiação etc.): *ingressar na carreira diplomática; ingressar no mercado de ações.* ▶ Conjug. 8.

ingresso [é] (in.*gres*.so) *s.m.* **1.** Ato de ingressar; entrada: *Não é permitido o ingresso de menores no espetáculo.* **2.** Ato ou efeito de admitir ou

iniludível

aceitar; admissão, introdução, participação: *Novos recrutas tiveram ingresso nas Forças Armadas*. **3.** Bilhete de entrada em espetáculos (de cinema, teatro, concerto etc.).

íngua (ín.gua) *s.f.* **1.** (*Med.*) Inflamação dos gânglios linfáticos inguinais. **2.** *coloq.* Inflamação de qualquer gânglio.

inguinal (in.gui.*nal*) *adj.* Relativo a virilha ou a região da virilha.

ingurgitação (in.gur.gi.ta.*ção*) *s.f.* **1.** Ato ou efeito de ingurgitar(-se); ingurgitamento. **2.** Aumento de volume; intumescência, inchaço. **3.** (*Med.*) Excesso de sangue ou de líquido em tecido, órgão ou conduto.

ingurgitamento (in.gur.gi.ta.*men*.to) *s.m.* Ingurgitação.

ingurgitar (in.gur.gi.*tar*) *v.* **1.** Comer em excesso; empanturrar-se: *Ingurgitou-se com o lauto jantar*. **2.** Aumentar de volume; intumescer(-se), inchar(-se): *As veias ingurgitaram(-se) no rosto tomado de fúria*. **3.** (*Med.*) Sofrer ingurgitação; obstruir(-se), entupir(-se): *O excesso de sangue fez ingurgitarem(-se) as artérias*. ▶ Conjug. 5.

inhaca (i.*nha*.ca) *s.f.* **1.** Mau cheiro exalado por pessoas ou animais; bodum, fedor, catinga. **2.** *reg.* Falta de sorte; azar, caiporismo.

inhambu (i.nham.*bu*) *s.f.* (*Zool.*) Ave característica de regiões tropicais, desprovida quase inteiramente de cauda; inambu, nambu, nhambu.

inhame (i.*nha*.me) *s.m.* (*Bot.*) Planta de tubérculos e folhas comestíveis.

inibição (i.ni.bi.*ção*) *s.f.* **1.** Ato ou efeito de inibir(-se). **2.** Estado ou condição de inibido. **3.** (*Med.*) Suspensão, diminuição ou retardamento transitório de uma função ou atividade fisiológica ou psíquica.

inibido (i.ni.*bi*.do) *adj.* **1.** Que sofre de inibição; tímido. • *s.m.* **2.** Pessoa inibida.

inibidor [ô] (i.ni.bi.*dor*) *adj.* **1.** Que inibe. • *s.m.* **2.** Aquele ou aquilo que inibe: *inibidor de apetite*. **3.** Substância que reduz a atividade de outra substância.

inibir (i.ni.*bir*) *v.* **1.** Provocar ou sofrer inibição; embaraçar(-se), tolher(-se), acanhar(-se): *O ambiente formal sempre a inibia*; *A timidez inibe-a de conversar com estranhos*; *Inibe-se sempre diante de seus superiores*. **2.** Impedir (a ação de alguém ou a execução de algo); proibir, coibir, impossibilitar, dificultar: *A paralisia inibiu seus movimentos*; *Os juros altos inibem o país de desenvolver-se*. ▶ Conjug. 66.

iniciação (i.ni.ci:a.*ção*) *s.f.* **1.** Ato ou efeito de iniciar(-se), começo, início, princípio. **2.** Ato de dar ou receber as primeiras noções de uma ciência, arte, disciplina etc.: *iniciação musical*. **3.** Admissão (de alguém), por meio de uma cerimônia solene e reservada, em uma seita, sociedade, culto etc.: *iniciação maçônica*. **4.** (*Inform.*) Procedimento de partida de um computador; inicialização.

iniciado (i.ni.ci:*a*.do) *adj.* **1.** Que teve início; começado, principiado. **2.** Que foi admitido nas práticas de uma seita, sociedade etc. • *s.m.* **3.** Pessoa iniciada em seita, sociedade etc.: *É um iniciado na cabala*.

inicial (i.ni.ci:*al*) *adj.* **1.** Que inicia; que está ou sucede no princípio: *capítulo inicial*; *o pontapé inicial da partida*. • *s.f.* **2.** A primeira letra de uma palavra. **3.** (*Jur.*) A petição que inaugura a ação judicial.

inicializar (i.ni.ci:a.li.*zar*) *v.* (*Inform.*) Iniciar (5): *inicializar o procedimento de partida do computador*. ▶ Conjug. 5. – **inicialização** *s.f.*

iniciar (i.ni.ci:*ar*) *v.* **1.** Dar início a; começar, principiar: *Os romeiros iniciaram uma caminhada até o famoso santuário*. **2.** Ter início: *A propaganda eleitoral já (se) iniciou no rádio e na televisão*. **3.** Instruir (alguém) em um ramo do saber, em uma arte ou em uma atividade: *Iniciou os alunos na prática de esportes*. **4.** Admitir ou ser admitido em seita, culto, sociedade etc.: *Iniciou-se no budismo tibetano*. **5.** (*Inform.*) Preparar para o uso (um computador); inicializar: *iniciar um programa de computador*. ▶ Conjug. 17. – **iniciante** *adj. s.m.* e *f.*

iniciativa (i.ni.ci:a.*ti*.va) *s.f.* **1.** Ação de quem é o primeiro a propor ou a realizar algo: *O governo tomou a iniciativa de receber uma comissão dos trabalhadores sem-terra*. **2.** Característica de quem tem disposição para empreender e executar algo antes que os demais: *É um empresário de grandes iniciativas*.

início (i.*ní*.ci:o) *s.m.* **1.** Ato ou efeito de iniciar(-se); começo, princípio: *Acompanho sua brilhante carreira desde o início*. **2.** Estreia, inauguração, abertura: *o início da temporada de ópera*.

inidôneo (i.ni.*dô*.ne:o) *adj.* Que não tem idoneidade; que não é confiável: *firma inidônea*.

inigualável (i.ni.gua.*lá*.vel) *adj.* Que não pode ser igualado a outro ou outros; incomparável, ímpar.

iniludível (i.ni.lu.*dí*.vel) *adj.* Que não admite dúvida; que não alimenta ilusões; incontestável, irrefutável: *A morte é iniludível*.

inimaginável

inimaginável (i.ni.ma.gi.*ná*.vel) *adj.* Que não se pode imaginar ou conceber; inconcebível.

inimigo (i.ni.*mi*.go) *adj.* **1.** Que não é amigo; que demonstra hostilidade; inamistoso: *Tornaram-se inimigos depois de anos de bom relacionamento.* **2.** Que está em oposição a; contrário, adverso, antagônico: *tropas inimigas.* **3.** Que prejudica ou causa dano; nocivo, funesto: *clima inimigo.* • *s.m.* **4.** Pessoa inimiga, hostil; adversário: *Ele se orgulha de não ter inimigos.* **5.** Coisa prejudicial, nociva: *É preciso combater os inimigos da lavoura.* **6.** Adversário militar: *Um grande número de inimigos foi feito prisioneiro.*

inimitável (i.ni.mi.*tá*.vel) *adj.* Que não pode ser imitado.

inimizade (i.ni.mi.*za*.de) *s.f.* Falta de amizade; quebra de relações amistosas; malquerença, aversão, ódio.

inimizar (i.ni.mi.*zar*) *v.* **1.** Provocar inimizade; malquistar, indispor: *As divergências políticas os inimizaram irremediavelmente; Um mal-entendido inimizou o entrevistado com o repórter.* **2.** Tornar-se inimigo ou inamistoso; malquistar-se, indispor-se: *De boa índole, não queria inimizar-se com ninguém.* ▶ Conjug. 5.

inimputável (i.nim.pu.*tá*.vel) *adj.* (*Jur.*) A quem não se pode imputar a responsabilidade por um ilícito penal: *As crianças e adolescentes menores de 18 anos são inimputáveis.*

ininteligível (i.nin.te.li.*gí*.vel) *adj.* Que não se consegue entender; incompreensível: *letra ininteligível.*

ininterrupto (i.nin.ter.*rup*.to) *adj.* Que não é interrompido; contínuo, constante, incessante.

iniquidade [qüi] (i.ni.qui.*da*.de) *s.f.* **1.** Falta de equidade; desigualdade, injustiça. **2.** Ação ou dito iníquo: *O bom governante não comete iniquidades.*

iníquo (i.*ní*.quo) *adj.* **1.** Que é contrário ao princípio da equidade; desigual: *sentença iníqua.* **2.** Excessivamente injusto; mau, perverso.

injeção (in.je.*ção*) *s.f.* **1.** Ato ou efeito de injetar. **2.** Líquido que é injetado. **3.** *fig.* Aquilo que estimula; anima, ativa: *injeção de ânimo.* **4.** (*Med.*) Introdução de líquido medicamentoso, por meio de seringa e agulha nos tecidos subcutâneos, na veia ou nos músculos: *injeção endovenosa.* **5.** Introdução de substâncias em algum material: *injeção de concreto.* **6.** (*Eletrôn.*) Sistema em que a introdução de combustível é controlada por impulsos eletrônicos, tornando o desempenho do veículo mais eficiente.

injetar (in.je.*tar*) *v.* **1.** Introduzir (medicamento, vacina) por meio de injeção: *Será necessário injetar mais sangue no paciente; Ele se injeta insulina diariamente.* **2.** Introduzir (líquido, fluido) com instrumento de pressão: *injetar água na caixa.* **3.** (*Eletrôn.*) Introduzir combustível em veículo automotivo: *injetar gasolina no tanque.* **4.** *fig.* (*Econ.*) Aplicar, investir (capital): *O governo vai injetar mais recursos no campo.* **5.** *fig.* Encher de ânimo; estimular, ativar: *O novo treinador injetou confiança no time.* **6.** Receber afluxo de sangue em excesso: *Os olhos injetaram-se-lhe com a febre.* ▶ Conjug. 8. – **injetável** *adj.*

injetor [ô] (in.je.*tor*) *adj.* **1.** Que injeta. • *s.m.* **2.** Aparelho usado para injetar um fluido numa máquina ou num motor.

injunção (in.jun.*ção*) *s.f.* Imposição ou obrigação que recai (sobre alguém) por força das circunstâncias e cujo cumprimento não pode ser desatendido: *Injunções econômicas levaram o governo a adotar novas medidas.*

injúria (in.*jú*.ri:a) *s.f.* **1.** Ato ou efeito de injuriar. **2.** Ato ou dito com que se ofende alguém; insulto, ofensa, afronta, ultraje. **3.** (*Jur.*) Ilícito penal praticado por quem ofende a honra e a dignidade de alguém; difamação, calúnia.

injuriar (in.ju.ri:*ar*) *v.* **1.** Dirigir injúrias a alguém; ofender por dito ou ato infamante; insultar, caluniar, infamar: *Homem afável, não sabia injuriar ninguém.* **2.** (*Jur.*) Causar dano à honra ou à dignidade de alguém: *Foi acusado de injuriar os dignitários do poder.* **3.** *coloq.* Ficar zangado ou ofendido; irritar-se, indignar-se: *Injuriava-se com as pilhérias que os amigos lhe dirigiam.* ▶ Conjug. 17.

injurioso [ô] (in.ju.ri:*o*.so) *adj.* Que contém injúria; ofensivo, afrontoso, infamante. || f. e pl.: [ó].

injustiça (in.jus.*ti*.ça) *s.f.* **1.** Falta de justiça; iniquidade. **2.** Ação contrária à justiça.

injustificável (in.jus.ti.fi.*cá*.vel) *adj.* Que não se pode justificar: *falta injustificável.*

injusto (in.*jus*.to) *adj.* **1.** Que não é justo; que comete injustiça: *O professor nunca deve ser injusto com os alunos.* **2.** Que é contrário à justiça; iníquo: *condenação injusta.* **3.** Sem fundamento; injustificado, infundado: *afirmação injusta.* • *s.m.* **4.** Pessoa injusta.

inobservância (i.nob.ser.*vân*.ci:a) *s.f.* **1.** Falta de observância; omissão a respeito de uma norma ou obrigação. **2.** (*Jur.*) Falta de cumprimento do que está previsto em lei.

inocência (i.no.cên.ci:a) *s.f.* **1.** Qualidade de inocente. **2.** Ausência de culpa; inculpabilidade: *a inocência do réu*. **3.** Ausência de malícia; pureza, candura: *a inocência das crianças*. **4.** Castidade, virgindade. **5.** Simplicidade, ingenuidade: *Respondeu com inocência à ironia do colega*.

inocentar (i.no.cen.*tar*) *v.* Considerar(-se) ou declarar(-se) inocente; isentar(-se) de responsabilidade ou de culpa; perdoar(-se); absolver(-se): *O corpo de jurados decidiu por inocentar o réu*; *O motorista inocentou-se de toda culpa no acidente.* ▶ Conjug. 5.

inocente (i.no.cen.te) *adj.* **1.** (*Jur.*) Que não praticou ato ilícito; que não tem culpa: *réu inocente*. **2.** Que não tem malícia; ingênuo, puro, cândido: *criança inocente*. **3.** Que revela grande simplicidade e ingenuidade; pobre de espírito. • *s.m.* e *f.* **4.** Pessoa inocente. **5.** Criança de pouca idade.

inocuidade (i.no.cu:i.*da*.de) *s.f.* **1.** Propriedade do que é inócuo, que não é prejudicial. **2.** (*Med.*) Qualidade de um medicamento que não apresenta efeitos indesejáveis ou nocivos. **3.** *fig.* Caráter daquilo que não produz o efeito desejado.

inoculação (i.no.cu.la.*ção*) *s.f.* **1.** Ato ou efeito de inocular(-se). **2.** *fig.* Transmissão, comunicação, propagação (de ideias, de opiniões, de doutrinas etc.). **3.** (*Med.*) Introdução no organismo de um agente infeccioso atenuado, com a finalidade de produzir um estado de imunidade.

inocular (i.no.cu.*lar*) *v.* **1.** (*Med.*) Introduzir um agente infeccioso no organismo por inoculação; infectar: *inocular um novo vírus experimentalmente em cobaias*. **2.** *fig.* Transmitir, propagar, difundir, incutir, incular: *inocular ideias revolucionárias na juventude*; *O rancor inoculou-se em seu coração ressentido.* ▶ Conjug. 5.

inócuo (i.*nó*.cu:o) *adj.* **1.** Que não produz dano, que não faz mal, que não é nocivo, inofensivo: *medicamento inócuo*. **2.** *fig.* Que não produz o resultado pretendido: *As medidas tomadas contra a violência têm sido inócuas.*

inodoro [ó] (i.no.*do*.ro) *adj.* Que não tem odor; sem cheiro.

inofensivo (i.no.fen.si.vo) *adj.* Que não é ofensivo ou lesivo; que não faz mal; que não prejudica.

inolvidável (i.nol.vi.*dá*.vel) *adj.* Que não pode ser olvidado; digno de ser lembrado; inesquecível.

inominável (i.no.mi.*ná*.vel) *adj.* **1.** Que não pode ser designado por um nome. **2.** *fig.* Vil, baixo, revoltante: *atitude inominável*.

inquebrável

inoperante (i.no.pe.*ran*.te) *adj.* **1.** Que não opera; que não funciona; ineficiente: *sistema inoperante*. **2.** Que não produz o efeito necessário; inócuo, ineficaz: *remédio inoperante*. – **inoperância** *s.f.*

inopinado (i.no.pi.*na*.do) *adj.* Que ocorre de forma inesperada ou imprevista; repentino, súbito: *Todos se espantaram com a presença inopinada do diretor no conselho de classe.*

inoportuno (i.no.por.*tu*.no) *adj.* **1.** Que não é oportuno; intempestivo: *hóspede inoportuno*. **2.** Que se faz ou sucede fora de tempo ou de ocasião conveniente; inconveniente; impróprio: *Seus comentários soaram inoportunos diante do autor homenageado.*

inorgânico (i.nor.*gâ*.ni.co) *adj.* **1.** (*Biol.*) Desprovido de matéria animal ou vegetal (diz-se dos minerais). **2.** Que não tem vida; inanimado. **3.** (*Quím.*) Diz-se de todas as substâncias ou compostos que não contêm carbono.

inóspito (i.*nós*.pi.to) *adj.* **1.** Que não apresenta condições de vida ou de habitabilidade; inclemente: *terras inóspitas*. **2.** Que não é hospitaleiro; que não é acolhedor; hostil: *vizinhança inóspita*.

inovação (i.no.va.*ção*) *s.f.* **1.** Ato ou efeito de inovar. **2.** Coisa introduzida há pouco tempo nos usos, costumes, legislação, doutrina etc.; novidade.

inovar (i.no.*var*) *v.* **1.** Tornar novo; renovar, reformar, atualizar: *Resolveu inovar seu guarda-roupa*. **2.** Introduzir inovação; ter criatividade; revolucionar: *Picasso inovou a arte do século XX.* ▶ Conjug. 20. – **inovador** *adj. s.m.*

inoxidável [cs] (i.no.xi.*dá*.vel) *adj.* Que não se oxida; que não enferruja: *aço inoxidável*.

input [input] (Ing.) *s.m.* **1.** (*Econ.*) Insumo. **2.** (*Inform.*) Dados que serão processados por um programa de computador; dados de entrada.

inqualificável (in.qua.li.fi.*cá*.vel) *adj.* Que não tem ou não merece qualificação; inominável, condenável, vil, indigno: *A tortura é uma prática inqualificável.*

inquebrantável (in.que.bran.*tá*.vel) *adj.* **1.** Que não se consegue quebrantar ou abater; inabalável, inflexível, rijo, sólido: *fé inquebrantável*. **2.** Que demonstra persistência; incansável, infatigável: *É um batalhador inquebrantável em prol dos direitos humanos.*

inquebrável (in.que.*brá*.vel) *adj.* Que não se pode quebrar ou partir.

inquérito

inquérito (in.qué.ri.to) s.m. **1.** Ato ou efeito de inquirir. **2.** Conjunto de medidas e diligências indispensáveis a apurar a existência de certos fatos e as informações a respeito; sindicância, inquirição. || *Inquérito administrativo*: aquele que se realiza para apurar irregularidade no serviço público. • *Inquérito parlamentar*: aquele que se instaura no Congresso para apurar ato considerado ilícito ou de quebra de decoro.

inquestionável (in.ques.ti:o.ná.vel) adj. Que não se pode questionar ou contestar; incontestável, indubitável, indiscutível: *vitória inquestionável*.

inquietação (in.qui:e.ta.ção) s.f. **1.** Estado de inquieto; inquietude, desassossego, agitação. **2.** Preocupação, intranquilidade.

inquietador [ô] (in.qui:e.ta.dor) adj. **1.** Que causa inquietação; inquietante. • s.m. **2.** Aquele que causa inquietação.

inquietante (in.qui:e.tan.te) adj. Inquietador.

inquietar (in.qui:e.tar) v. Fazer ficar ou ficar inquieto; intranquilizar(-se), desassossegar(-se), perturbar(-se), preocupar(-se): *A onda de assaltos inquietava a população; Motivos não lhe faltavam para inquietar-se.* || ► Conjug. 8. - part.: *inquietado* e *inquieto*.

inquieto [é] (in.qui:e.to) adj. **1.** Que não fica quieto; agitado, turbulento, buliçoso: *criança inquieta*. **2.** Que denota inquietação; desassossego, intranquilo: *sono inquieto*. **3.** Que demonstra apreensão; ansioso, angustiado, apreensivo, aflito: *Os pais ficam inquietos com a demora dos filhos*. **4.** Que revela inquietação ou exigência intelectual: *escritor inquieto*.

inquietude (in.qui:e.tu.de) s.f. Inquietação.

inquilinato (in.qui.li.na.to) s.m. **1.** Condição de inquilino. **2.** (*Jur.*) Relação entre locador e inquilino com base no contrato de aluguel: *O inquilino deve estar atento aos itens da lei do inquilinato*. **3.** O conjunto dos inquilinos.

inquilino (in.qui.li.no) s.m. Pessoa que reside ou se estabelece em imóvel alugado; locatário.

inquirição (in.qui.ri.ção) s.f. **1.** Ato ou efeito de inquirir; sindicância, investigação, indagação, inquérito. **2.** (*Jur.*) Série de indagações feitas à pessoa a quem se imputa a responsabilidade de certos fatos.

inquiridor [ô] (in.qui.ri.dor) adj. **1.** Que inquire. • s.m. **2.** Aquele que inquire. **3.** (*Jur.*) Pessoa que promove a inquirição das testemunhas (diz-se do juiz do processo).

inquirir (in.qui.rir) v. **1.** Fazer indagações sobre um assunto; procurar informar-se; perguntar, interrogar: *O chefe inquiriu as razões das faltas dos funcionários; Inquiriu a família sobre o andamento do inventário*. **2.** (*Jur.*) Interrogar (alguém) judicialmente sobre fatos que necessitam de esclarecimento e apuração; tomar depoimento: *O juiz irá inquirir as testemunhas do processo*. ► Conjug. 66.

inquisição (in.qui.si.ção) s.f. **1.** Ato ou efeito de inquirir; inquirição. **2.** (*Hist.*) Antigo tribunal eclesiástico, conhecido como Santo Ofício, instituído para julgar e punir os crimes de heresia contra a fé católica. || Nesta acepção, usa-se inicial maiúscula.

inquisidor [ô] (in.qui.si.dor) adj. **1.** Inquiridor. • s.m. **2.** (*Hist.*) Juiz do tribunal da Inquisição.

inquisitivo (in.qui.si.ti.vo) adj. Relativo a inquisição; interrogativo: *olhar inquisitivo*.

inquisitorial (in.qui.si.to.ri:al) adj. **1.** Relativo a Inquisição ou aos inquisidores. **2.** Relativo a inquisição ou inquirição. **3.** fig. Terrível, duro, rigoroso: *método inquisitorial*.

insaciável (in.sa.ci:á.vel) adj. Que nunca se sacia ou satisfaz: *apetite insaciável*; (fig.) *leitor insaciável*.

insalubre (in.sa.lu.bre) adj. Que não é salubre; que não é saudável; que dá origem a doença; doentio; malsão: *ambiente insalubre*.

insalubridade (in.sa.lu.bri.da.de) s.f. Caráter ou condição de insalubre.

insanável (in.sa.ná.vel) adj. **1.** Que não se pode sanar; sem remédio; incurável, irremediável: *doença insanável*. **2.** Que não se pode superar ou vencer: *problemas insanáveis*.

insânia (in.sâ.ni:a) s.f. Insanidade.

insanidade (in.sa.ni.da.de) s.f. **1.** Condição de insano; falta de senso, loucura, demência; insânia. **2.** Ação insana; desatino, insensatez.

insano (in.sa.no) adj. **1.** Que não tem sanidade mental; louco, demente. **2.** fig. Excessivo, custoso, penoso, árduo: *esforço insano*. • s.m. **3.** Pessoa insana.

insatisfação (in.sa.tis.fa.ção) s.f. Falta de satisfação; desagrado, descontentamento.

insatisfatório (in.sa.tis.fa.tó.ri:o) adj. Que não satisfaz; que não preenche os requisitos necessários; insuficiente; ineficaz: *Os resultados da economia foram insatisfatórios nesse trimestre*.

insatisfeito (in.sa.tis.fei.to) adj. Que não está satisfeito; descontente, desgostoso.

insaturado (in.sa.tu.*ra*.do) *adj.* **1.** Que não está saturado. **2.** (*Quím.*) Diz-se do composto orgânico que apresenta ao menos uma ligação dupla ou tripla. • *s.m.* **3.** (*Quím.*) Esse composto orgânico.

insciência (ins.ci:ên.ci:a) *s.f.* **1.** Falta de saber; ignorância. **2.** Imperícia, inaptidão, inabilidade.

insciente (ins.ci:en.te) *adj.* **1.** Que não tem conhecimento de; não sabedor; ignorante: *Ele parece insciente do que se passa.* **2.** Sem aptidão ou habilidade; inepto, inábil: *aprendiz insciente.*

inscrever (ins.cre.*ver*) *v.* **1.** Escrever ou fazer escrever em (programa, plano, concurso etc.) o nome de alguém ou o próprio nome; registrar(-se), incluir(-se): *Inscreveu os filhos num curso preparatório para o vestibular; Inscreveu-se num programa de voluntariado.* **2.** Gravar, esculpir, entalhar; insculpir: *Os munícipes decidiram inscrever os nomes dos fundadores da cidade num monumento.* **3.** Listar, arrolar, incluir: *Quero inscrevê-lo entre meus colaboradores mais fiéis.* **4.** *fig.* Deixar a marca do nome; perpetuar, eternizar: *O grande herói inscreveu seu nome nos anais da História.* || *part.: inscrito.* ▶ Conjug. 41.

inscrição (ins.cri.*ção*) *s.f.* **1.** Ato ou efeito de inscrever(-se). **2.** Registro (em curso, concurso, competição etc.); matrícula: *Vários atletas já fizeram sua inscrição no torneio.* **3.** Dizeres (palavras, sentenças, lemas etc.) inscritos ou gravados em monumentos, pedestais, medalhas etc.; epígrafe: *No pedestal da estátua há uma inscrição em latim.*

insculpir (ins.cul.*pir*) *v.* Gravar em (metal, mármore, madeira etc.); entalhar, esculpir, inscrever: *insculpir epitáfios no mármore dos túmulos.* ▶ Conjug. 66.

insegurança (in.se.gu.*ran*.ça) *s.f.* **1.** Falta de segurança: *Há muita insegurança pelas ruas à noite.* **2.** Falta de certeza, de convicção, de confiança: *A insegurança fazia-o suar frio nas situações críticas.*

inseguro (in.se.*gu*.ro) *adj.* **1.** Que não é seguro; sem segurança ou proteção: *local inseguro.* **2.** Que não tem confiança em si mesmo; indeciso, hesitante: *Ficava sempre inseguro diante de autoridades.* **3.** Que não tem estabilidade; instável, incerto: *emprego inseguro; tempo inseguro.*

inseminação (in.se.mi.na.*ção*) *s.f.* (*Biol.*) Fecundação do óvulo pelo espermatozoide durante a cópula. || *Inseminação artificial*: (*Biol.*) fecundação produzida por meio de recursos artificiais.

inseminar (in.se.mi.*nar*) *v.* Fazer a inseminação em; fecundar (por meios naturais ou artificiais): *Novas técnicas foram desenvolvidas para inseminar animais.* ▶ Conjug. 5.

insensatez (in.sen.sa.*tez*) *s.f.* **1.** Falta de sensatez, de bom senso. **2.** Ato insensato; leviandade, maluquice: *Pegar a estrada nesse carro velho é uma insensatez.*

insensato (in.sen.*sa*.to) *adj.* **1.** Que não é sensato; desprovido de bom senso; desajuizado, imprudente, leviano. • *s.m.* **2.** Pessoa insensata.

insensibilidade (in.sen.si.bi.li.*da*.de) *s.f.* **1.** Falta de sensibilidade a estímulos físicos: *insensibilidade ao frio.* **2.** Impassibilidade diante de sentimentos; indiferença, apatia, frieza: *É uma pessoa dura, sem nenhuma sensibilidade.* **3.** Incapacidade de percepção, compreensão ou avaliação (geralmente de ordem estética): *O famoso cineasta confessava ter insensibilidade musical.*

insensível (in.sen.*sí*.vel) *adj.* **1.** Desprovido de sensibilidade a estímulos físicos: *O traumatismo deixou insensíveis seus membros inferiores.* **2.** Indiferente a emoções e sentimentos; impassível, frio, duro, impiedoso: *É insensível à dor alheia.* **3.** Desprovido de senso estético: *insensível à arte moderna.* **4.** Que escapa à percepção dos sentidos; imperceptível. • *s.m.* e *f.* **5.** Pessoa insensível.

inseparável (in.se.pa.*rá*.vel) *adj.* **1.** Que não se pode separar daquilo a que está unido: *As partes do processo são inseparáveis.* **2.** Que está ligado por laços afetivos ou de companheirismo: *As meninas da classe eram inseparáveis.*

insepulto (in.se.*pul*.to) *adj.* Que não foi sepultado.

inserção (in.ser.*ção*) *s.f.* Ato ou efeito de inserir(-se); introdução, inclusão, intercalação: *A programação do rádio e da televisão têm muitas inserções comerciais.*

inserido (in.se.*ri*.do) *adj.* Que se inseriu; introduzido, inserto.

inserir (in.se.*rir*) *v.* **1.** Fazer penetrar; colocar dentro; introduzir: *Insira uma moeda na máquina para retirar o refrigerante.* **2.** Passar a fazer parte; incluir(-se), encaixar(-se), inscrever(-se): *O novel escritor inseriu seu nome no rol da fama; Cada vez mais as mulheres se inserem no mercado de trabalho.* **3.** Implantar(-se); fixar(-se): *Foi necessário inserir novas cláusulas no contrato; A desconfiança veio a inserir-se entre os velhos amigos.* || *part.: inserido* e *inserto.* ▶ Conjug. 69.

inserto [é] (in.ser.to) *adj.* Inserido.

inseticida (in.se.ti.ci.da) *adj.* **1.** Que mata insetos. • *s.m.* **2.** Substância para matar insetos.

insetívoro (in.se.tí.vo.ro) *adj.* **1.** Que se alimenta de insetos. **2.** Relativo aos insetívoros. • *s.m.* **3.** (*Zool.*) Espécime dos insetívoros, ordem de mamíferos que se alimentam de insetos.

inseto [é] (in.se.to) *s.m.* **1.** (*Zool.*) Animal invertebrado, de seis patas, dois pares de asas e um par de antenas. **2.** *pej.* Pessoa insignificante; desprezível.

insídia (in.sí.di:a) *s.f.* **1.** Armadilha, emboscada, cilada. **2.** Estratagema, ardil, perfídia.

insidioso [ô] (in.si.di:o.so) *adj.* **1.** Que habitualmente arma insídias; traiçoeiro, falso, pérfido: *inimigo insidioso*. **2.** (*Med.*) Que se instala gradual e discretamente, sem sintomas aparentes, e se agrava repentinamente (diz-se de doença): *O câncer é uma doença insidiosa.* || f. e pl.: [ó].

insight [*insait*] (Ing.) *s.m.* **1.** Ato de perceber, de maneira súbita, a solução de um problema; iluminação súbita; ideia luminosa; clareza, estalo: *Teve um insight para um final surpreendente de seu livro.* **2.** (*Psicol.*) Capacidade de uma pessoa para reconhecer o próprio inconsciente.

insigne (in.sig.ne) *adj.* Que possui qualidades que o destacam entre os demais; notável, distinto, eminente, célebre, ínclito.

insígnia (in.síg.ni:a) *s.f.* **1.** Sinal distintivo de dignidade; posto, função, nobreza, condecoração, divisa, emblema. **2.** Bandeira, estandarte, pendão (de países, irmandades, corporações etc.).

insignificância (in.sig.ni.fi.cân.ci:a) *s.f.* **1.** Qualidade ou condição de insignificante. **2.** Coisa de pouco valor, insignificante; ninharia: *Preocupa-se sempre com insignificâncias.* **3.** Quantia muito pequena; bagatela: *Pagou uma insignificância pela mobília.*

insignificante (in.sig.ni.fi.can.te) *adj.* **1.** Que não tem valor; que não tem importância; inexpressivo, irrelevante, reles. • *s.m. e f.* **2.** Pessoa sem importância.

insincero [é] (in.sin.ce.ro) *adj.* Que não é sincero; falso, fingido.

insinuação (in.si.nu:a.ção) *s.f.* **1.** Ato ou efeito de insinuar(-se). **2.** Aquilo que se dá a entender de modo sutil, sem explicitar. **3.** Acusação disfarçada; advertência, admoestação, indireta: *Fez insinuações sobre o caráter do suspeito.* **4.** *fig.* Tentativa sutil de captar a simpatia ou a admiração de outrem: *A jovem usou seu poder de insinuação para cativar os pais do noivo.*

insinuante (in.si.nu:an.te) *adj.* **1.** Que tem o dom e a habilidade para insinuar-se, para captar a simpatia e admiração; cativante, atraente, sedutor: *galã insinuante.* **2.** Que consegue sutilmente insinuar-se no espírito de outrem; persuasivo, convincente, insinuativo: *orador insinuante*.

insinuar (in.si.nu:ar) *v.* **1.** Fazer insinuações; dar a entender de modo indireto ou sutil; sugerir: *O suspeito insinuou (ao policial) que sabia muito mais; Não basta insinuar, deve-se provar.* **2.** Introduzir(-se) (em algum lugar) de maneira sutil ou sub-repticiamente; infiltrar-se: *O ladrão tentou insinuar a mão na bolsa da transeunte; Insinuou-se (por) entre a multidão de pedestres.* **3.** *fig.* Introduzir(-se) de forma sutil e gradual no ânimo de alguém: *Insinuou a desconfiança no espírito dos amigos; Uma grande paz insinuou-se no seu coração.* **4.** *fig.* Fazer-se aceitar por (uma pessoa ou um círculo de pessoas): *insinuar-se nas altas-rodas.* **5.** *fig.* Tentar captar a atenção ou os favores (de alguém); seduzir, cativar: *As jovens fãs se insinuavam para o ídolo do rock.* ▶ Conjug. 5.

insinuativo (in.si.nu:a.ti.vo) *adj.* Insinuante.

insípido (in.sí.pi.do) *adj.* **1.** Que não tem sabor; que não tem gosto: *comida insípida.* **2.** *fig.* Sem graça ou atrativo; desinteressante, monótono: *conversa insípida.* – **insipidez** *s.f.*

insipiente (in.si.pi:en.te) *adj.* Que não é sapiente; ignorante. – **insipiência** *s.f.*

insistente (in.sis.ten.te) *adj.* **1.** Que insiste; teimoso, perseverante, persistente: *vendedor insistente.* **2.** Importuno, maçante, incômodo: *ruídos insistentes.* **3.** Que se repete; reiterado: *A obra beneficente enviou insistentes pedidos de ajuda às autoridades competentes.* – **insistência** *s.f.*

insistir (in.sis.tir) *v.* **1.** Dizer ou pedir (algo a alguém) com insistência; solicitar reiteradamente; instar: *Não insista em fazer-me mudar de opinião; Não insista sobre esse ponto; Os grevistas insistiam por melhores condições de trabalho; Insistia com os alunos para que lessem mais; Se quiser ser logo atendido, convém insistir.* **2.** Persistir (na mesma opinião, resolução ou atitude); não desistir; perseverar, teimar, obstinar-se: *Ele insiste em seu propósito de obter uma bolsa de estudos no exterior; Insista, não desista.* ▶ Conjug. 66.

insociável (in.so.ci:á.vel) *adj.* **1.** Que é avesso ao convívio social ou é de difícil convivência;

insofismável (in.so.fis.*má*.vel) *adj.* Que não se pode negar ou pôr em dúvida; indiscutível, irrefutável, incontestável: *vitória insofismável*.

insofreável (in.so.fre:*á*.vel) *adj.* Que não pode ser sofreado ou reprimido; indomável, incontrolável, irreprimível: *cólera insofreável*.

insofrido (in.so.*fri*.do) *adj.* **1.** Que não é sofredor; que pouco sofre ou sofreu: *coração insofrido*. **2.** Que não pode conter-se; inquieto, sôfrego, indomável: *paixão insofrida*.

insolação (in.so.la.*ção*) *s.f.* **1.** (*Fís.*) Quantidade de radiação solar sobre uma superfície. **2.** (*Med.*) Distúrbio do movimento de regulação térmica do corpo resultante da exposição excessiva às radiações solares.

insolência (in.so.*lên*.ci:a) *s.f.* **1.** Qualidade ou caráter de insolente. **2.** Falta de respeito; desaforo, atrevimento, ousadia. **3.** Ato ou dito insolente; grosseria.

insolente (in.so.*len*.te) *adj.* **1.** Que é desrespeitoso em seus ditos e atitudes; atrevido, malcriado, desabusado, desaforado. • *s.m. e f.* **2.** Pessoa insolente.

insólito (in.*só*.li.to) *adj.* **1.** Que não é habitual ou frequente; pouco comum; raro, extraordinário: *atitude insólita*. **2.** Que é contrário aos usos, aos hábitos, à tradição: *Vestia-se de maneira insólita*.

insolúvel (in.so.*lú*.vel) *adj.* **1.** Que não é solúvel; que não se dissolve. **2.** Que não se pode solucionar: *problema insolúvel*. **3.** Que não se pode pagar; impagável: *dívida insolúvel*.

insolvência (in.sol.*vên*.ci:a) *s.f.* **1.** Qualidade ou condição de insolvente; inadimplência. **2.** (*Jur.*) Estado que decorre da circunstância de não poder (o devedor) cumprir os pagamentos devidos em razão da insuficiência de seus bens.

insolvente (in.sol.*ven*.te) *adj.* **1.** Que não tem meios de pagar uma dívida; inadimplente. • *s.m. e f.* **2.** Pessoa insolvente.

insondável (in.son.*dá*.vel) *adj.* Que não se pode conhecer ou explicar; incompreensível, inexplicável, inextricável, imperscrutável: *Os desígnios divinos são insondáveis*.

insone (in.*so*.ne) *adj.* **1.** Que não tem sono; que padece de insônia; que não dorme: *médico insone*. **2.** Em que não se dorme; passado em claro: *madrugada insone*.

insônia (in.*sô*.ni:a) *s.f.* Grande dificuldade em conciliar o sono; vigília.

insopitável (in.so.pi.*tá*.vel) *adj.* Que não pode ser sopitado, que não se pode conter ou controlar; incontrolável: *lágrimas insopitáveis*.

insosso [ô] (in.*sos*.so) *adj.* **1.** Que tem pouco ou nenhum sal; sem-sal: *comida insossa*. **2.** *fig.* Que não desperta interesse; sem-graça; tedioso, monótono; sem-sal: *novela insossa*.

inspeção (ins.pe.*ção*) *s.f.* **1.** Ato ou efeito de inspecionar; vista, exame, vistoria, fiscalização: *inspeção sanitária*; *inspeção escolar*. **2.** Inspetoria (1 e 2).

inspecionar (ins.pe.ci:o.*nar*) *v.* **1.** Fazer inspeção; vistoriar, fiscalizar, revistar, vigiar: *inspecionar obra/escola/bagagem/tropas*. **2.** Examinar ou observar com atenção, minuciosamente: *O enamorado fitava longamente o rosto da moça, como se quisesse inspecionar-lhe os sentimentos*. ▶ Conjug. 5.

inspetor [ô] (ins.pe.*tor*) *s.m.* Agente de polícia.

inspetoria (ins.pe.to.*ri*.a) *s.f.* **1.** Repartição que tem a seu cargo inspecionar. **2.** Cargo ou função de inspetor.

inspiração (ins.pi.ra.*ção*) *s.f.* **1.** Entrada de ar nos pulmões. **2.** *fig.* Impulso que estimula a atividade criativa: *Àquele escritor sobra-lhe inspiração*. **3.** *fig.* Pessoa ou coisa que inspira a criatividade própria ou de outrem: *O sentimento da dor serve muitas vezes de inspiração ao compositor*. **4.** Sugestão, conselho, influência: *O político agia sempre por inspiração de seus assessores*. **5.** *fig.* Ideia súbita, geralmente providencial; iluminação, revelação, *insight*: *Teve uma inspiração, vendeu suas ações e ganhou muito dinheiro*.

inspirar (ins.pi.*rar*) *v.* **1.** Introduzir o ar nos pulmões: *Não inspire esse ar poluído*; *O médico pediu-lhe que inspirasse várias vezes*. **2.** *fig.* Transmitir inspiração; estimular a ação criativa de (alguém): *O amor inspirou os poetas através dos séculos*. **3.** *fig.* Fazer sentir ou experimentar (ideias, sentimento); incutir, infundir: *Seu estado de saúde (me) inspira cuidados*. **4.** Receber inspiração; motivar-se, influenciar-se: *É um autor que se inspira muito nos clássicos*. ▶ Conjug. 5. – **inspirado** *adj.*; **inspiratório** *adj.*

instabilidade (ins.ta.bi.li.*da*.de) *s.f.* **1.** Falta de estabilidade, de solidez ou firmeza; insegurança, risco: *O prédio foi condenado por suas condições de instabilidade*; (*fig.*) *A política e a economia passavam por crises de instabilidade*. **2.** Falta de constância; mutabilidade, mobilidade,

instalação

inconstância: *instabilidade atmosférica*. **3.** Falta de garantia ou de efetividade; insegurança, incerteza: *instabilidade no emprego, no cargo*. **4.** (*Psiq*.) Dificuldade em fixar-se ou perseverar em (tarefa, ação etc.), em virtude da insuficiência dos controles psíquicos.

instalação (ins.ta.la.*ção*) *s.f.* **1.** Ato ou efeito de instalar(-se). **2.** Colocação do aparelhamento necessário à montagem e ao funcionamento de uma obra ou utilidade: *O prédio está em fase de instalação das redes elétrica, hidráulica e de gás*. **3.** Ato de abertura de empreendimentos oficiais ou particulares; inauguração: *O presidente compareceu à instalação do congresso internacional*. **4.** (*Art*.) Obra de arte que foge ao enquadramento de telas e molduras, ocupando grandes espaços e utilizando materiais e técnicas diversas: *A instalação de arte busca interagir com o espectador*. • **instalações** *s.f.pl.* **5.** Local montado e aparelhado para o funcionamento de determinada atividade: *as instalações da fábrica*.

instalar (ins.ta.*lar*) *v.* **1.** Colocar em funcionamento ou em uso (aparelho, máquina, serviço, negócio etc.): *instalar equipamento de som*; *instalar um empreendimento imobiliário*. **2.** Dar ou ter hospedagem; hospedar(-se), alojar(-se), domiciliar(-se): *Instalou os parentes na própria casa*; *O chefe de governo instalou-se na suíte presidencial do hotel*. **3.** Pôr(-se) em lugar cômodo; acomodar(-se), ajeitar(-se): *O guarda instalou os idosos nos primeiros assentos do ônibus*; *Instalei-me confortavelmente na poltrona para ler*. **4.** Dar ou tomar posse em (cargo, função); empossar(-se), investir(-se): *O diretor instalou-a em sua assessoria*; *O governador instalou-se no cargo em cerimônia solene*. **5.** Estabelecer(-se), fixar(-se): *Vão instalar um novo shopping nesse bairro*; *Várias empresas se instalaram ultimamente no estado*. **6.** *fig.* Passar a existir ou acontecer; introduzir(-se), estabelecer(-se): *A volta do feriado prolongado instalou o caos nas estradas*; *A dúvida instalou-se-lhe na mente*. **7.** (*Inform.*) Acrescentar (um programa ou dispositivo) a um computador: *Instalou a última versão do navegador*. ▶ Conjug. 5.

instância (ins.*tân*.ci:a) *s.f.* **1.** Característica do que está prestes a ocorrer; iminência, urgência, premência. **2.** Insistência ou veemência em pedir, solicitar ou persuadir; reiteração. **3.** (*Jur*.) Marcha processual de uma causa, da apresentação até o julgamento. **4.** (*Jur*.) O território no qual uma autoridade exerce o poder judiciário; jurisdição, juízo, foro. || *Em última instância*: em último caso, como último recurso: *Para conseguir a promoção, apelou, em última instância, ao diretor da empresa*.

instantâneo (ins.tan.*tâ*.ne:o) *adj.* **1.** Que se realiza ou acontece em um instante; momentâneo, repentino: *morte instantânea*. **2.** Que se dá rapidamente; breve, rápido, veloz: *encontro instantâneo*. **3.** Que se dissolve facilmente (diz-se de alimento): *leite em pó instantâneo*. **4.** Que dura pouco; efêmero, passageiro, transitório: *felicidade instantânea*. • *s.m.* **5.** (*Fot*.) Fotografia com tempo de exposição muito curto. **6.** A imagem obtida desta forma. – **instantaneidade** *s.f.*

instante (ins.*tan*.te) *s.m.* **1.** Espaço de tempo muito breve; átimo: *Volto num instante*. **2.** Momento determinado no tempo; ocasião, hora: *O gol da vitória aconteceu no último instante da partida*. • *adj.* **3.** Feito com instância ou insistência, reiterado, veemente, urgente: *pedidos instantes*.

instar (ins.*tar*) *v.* Pedir ou solicitar com instância e veemência, insistir, rogar, teimar: *Instou que o ouvissem com atenção*; *Depois de muito lhe instarem, entregou os documentos pedidos*; *Instaram-no a comparecer ao trabalho*; *O pai instou com o filho que estudasse mais*; *Após a resposta negativa a seu pedido, decidiu não mais instar*. ▶ Conjug. 5.

instaurar (ins.tau.*rar*) *v.* **1.** Dar início a; implantar, instalar, fundar: *O grupo jornalístico instaurou um novo parque editorial*. **2.** Fazer a abertura de (sessão, solenidade etc.); inaugurar, abrir: *instaurar os trabalhos do Congresso*. **3.** (*Jur*.) Promover a instauração de processo judicial: *instaurar inquérito*. ▶ Conjug. 5. – **instauração** *s.f.*

instável (ins.*tá*.vel) *adj.* **1.** Que não tem estabilidade; que não está firme; que não permanece em posição de equilíbrio: *piso instável*. **2.** Que não é constante ou regular; mutável, variável, inconstante: *temperatura instável*; (*fig*.) *humor instável*. **3.** Que não tem estabilidade ou efetividade (diz-se de emprego ou cargo).

instigador [ô] (ins.ti.ga.*dor*) *adj.* **1.** Que instiga; incitador; incentivador: *Foi transferido de presídio o preso instigador da rebelião*. **2.** Que desperta a atenção ou o interesse; estimulador, instigante: *um filme policial instigador*. • *s.m.* **3.** Pessoa que instiga.

instigante (ins.ti.*gan*.te) *adj. s.m. e f.* Instigador.

instrução

instigar (ins.ti.*gar*) *v.* **1.** Incentivar (alguém) a (uma prática ou ação); estimular, induzir: *Por mais que o instiguem, o veterano ator não quer voltar aos palcos; Os companheiros o instigaram a atuar novamente*. **2.** Despertar (interesse, reação etc.); provocar: *O editorial do jornal instigou protestos dos leitores; As medidas impopulares instigaram os eleitores contra o governo*. **3.** Incitar, acirrar, açular: *O povo instigava os gladiadores no circo romano; A plateia instigava os boxeadores a lutar; O homem violento instigou seus cães contra os passantes*. ▶ Conjug. 5 e 34. – **instigação** *s.f.*

instilar (ins.ti.*lar*) *v.* **1.** Introduzir(-se) gota a gota (um líquido) em; injetar(-se): *Animais peçonhentos instilam veneno em suas presas*. **2.** *fig.* (Fazer) penetrar insensível e gradualmente em; insinuar(-se), infiltrar(-se): *Os reveses da vida instilaram-lhe desencanto e tristeza; Instilou-se em seu espírito o veneno da dúvida*. ▶ Conjug. 5. – **instilação** *s.f.*

instintivo (ins.tin.*ti*.vo) *adj.* **1.** Relativo a instinto (1). **2.** Que se faz por instinto ou impulso; irrefletido, automático, maquinal: *gesto instintivo*.

instinto (ins.*tin*.to) *s.m.* **1.** (*Biol.*) Tendência inata de um organismo, que se traduz em atos e reações característicos de cada espécie em resposta a estímulos internos e externos, e que são indispensáveis a sua sobrevivência: *instinto de conservação; instinto sexual*. **2.** (*Psic.*) Impulso, independente da razão, sem a consciência imediata da realização de determinado ato ou atitude: *instinto de agressão; instinto de autodefesa*. **3.** *fig.* Impulso, intuição, pressentimento: *Era uma pessoa que se deixava guiar pelo instinto*. **4.** *fig.* Tendência natural; disposição, talento, aptidão: *Tem bom instinto para finanças*.

institucional (ins.ti.tu.ci.o.*nal*) *adj.* **1.** Relativo a uma instituição ou a instituições. **2.** Relativo a instituições oficiais do Estado: *A visita teve caráter institucional*. **3.** Que visa a institucionalizar ou oficializar algo: *ato institucional*. **4.** Cuja finalidade é promover uma imagem favorável de determinada marca, empresa, instituição, órgão público ou privado (diz-se de propaganda).

institucionalização (ins.ti.tu.ci.o.na.li.za.*ção*) *s.f.* Ato ou efeito de institucionalizar(-se).

institucionalizar (ins.ti.tu.ci.o.na.li.*zar*) *v.* Dar ou adquirir caráter de instituição; tornar(-se) institucional; oficializar(-se): *O secretário de Estado institucionalizou as novas datas do calendário turístico; Certas manifestações da cultura popular se institucionalizam ao longo dos séculos*. ▶ Conjug. 5.

instituição (ins.ti.tu.i.*ção*) *s.f.* **1.** Ato ou efeito de instituir; estabelecimento, criação, instauração, fundação: *a instituição de marcos regulatórios na produção*. **2.** Entidade (religiosa, educacional, filantrópica etc.) que promove ações de interesse social ou coletivo; associação, organização, corporação: *instituição de caridade; instituição cultural*. **3.** (*Sociol.*) Estrutura social, consolidada por lei ou pelos costumes, que vigoram em um Estado ou povo: *a instituição do casamento; a instituição do divórcio*. **4.** Estabelecimento destinado ao ensino; escola, educandário, instituto: *É uma instituição educacional de grande tradição*. **5.** (*Jur.*) Designação de herdeiro. **6.** *fig.* Pessoa ou coisa que, por suas qualidades, representa uma instituição ou referência junto a sua coletividade: *O futebol é uma instituição nacional*. • **instituições** *s.f.pl.* **7.** Conjunto de leis fundamentais que estruturam um Estado e seu regime de governo: *O respeito às instituições é o esteio da democracia*.

instituir (ins.ti.tu.*ir*) *v.* **1.** Dar início a; estabelecer, criar, instaurar, fundar: *A Academia Brasileira de Letras instituiu o prêmio Machado de Assis de literatura*. **2.** Marcar (data, prazo etc.); determinar, fixar, aprazar: *Instituíram novas datas para a divulgação dos editais*. **3.** Indicar (alguém ou a si próprio) para uma tarefa; designar(-se), nomear(-se), constituir(-se): *O presidente instituiu o ministro (como) seu representante na conferência internacional; Instituiu-se (como) mediador dos correligionários em disputa*. **4.** (*Jur.*) Designar, declarar (alguém) como herdeiro; constituir: *Instituiu o afilhado (como) herdeiro único*. ▶ Conjug. 80.

instituto (ins.ti.*tu*.to) *s.m.* **1.** Organização (pública ou privada) de caráter educacional, artístico, científico etc.; estabelecimento, instituição: *Instituto de Educação; Instituto Histórico e Geográfico; Instituto do Coração*. **2.** Prédio ou local onde funciona um instituto: *Havia uma longa fila de espera no instituto de previdência*. || Na 1ª acepção, usa-se inicial maiúscula.

instrução (ins.tru.*ção*) *s.f.* **1.** Ato ou efeito de instruir(-se). **2.** Ensino formal fornecido por instituições públicas ou privadas: *instrução fundamental; instrução superior*. **3.** Conjunto de conhecimentos adquiridos nessas instituições; educação, cultura, erudição, saber: *É homem de muita instrução*. **4.** Informação,

instruir

explicação ou esclarecimento necessários ao uso ou funcionamento (de algo): *Leia o manual de instruções*. **5.** Determinação ou ordem dada (a alguém) para o cumprimento de uma ação ou missão; norma, regra, prescrição: *A tropa recebeu instruções para atacar*. **6.** (Jur.) Conjunto de atos e diligências que visam a trazer esclarecimentos sobre as questões de um processo. || Nas acepções 4 e 5, usa-se geralmente no plural.

instruir (ins.tru.*ir*) *v.* **1.** Transmitir ou adquirir conhecimentos: *instruir as crianças*; *A televisão educativa instrui muito*; *Instruía-se com aulas de filosofia e literatura*. **2.** Dar ou receber instruções, informações, esclarecimentos; informar(-se); esclarecer(-se): *O manual instrui o usuário (sobre o funcionamento da aparelhagem)*; *Antes de viajar, instrua-se sobre os horários*. **3.** Dar instruções (5): *instruir militares para a defesa do território nacional*. **4.** (Jur.) Dispor os elementos ou provas necessários à elucidação das questões no curso de um processo: *instruir uma petição*. ▶ Conjug. 80.

instrumentação (ins.tru.men.ta.*ção*) *s.f.* **1.** Ato ou efeito de instrumentar. **2.** (Med.) Fornecimento dos instrumentos para o cirurgião (pelo instrumentador) durante a cirurgia. **3.** (Mús.) Estudo das técnicas de utilização dos instrumentos na elaboração de partituras e peças musicais. **4.** (Mús.) O conjunto desses instrumentos; instrumental. **5.** (Jur.) Ação de instrumentar, de formar os autos de um processo.

instrumentador [ô] (ins.tru.men.ta.*dor*) *s.m.* **1.** (Med.) Aquele que instrumenta numa cirurgia. **2.** (Mús.) Aquele que instrumenta (3).

instrumental (ins.tru.men.*tal*) *adj.* **1.** Que serve de instrumento para uma ação: *aparato instrumental*. **2.** (Mús.) Que se destina a ser executado somente por instrumentos. • *s.m.* **3.** Os instrumentos musicais de uma orquestra. **4.** O conjunto de instrumentos de qualquer arte, ciência ou ofício; instrumentação: *instrumental cirúrgico*.

instrumentalizar (ins.tru.men.ta.li.*zar*) *v.* Fornecer ou obter os instrumentos ou meios para a execução de algo; operacionalizar: *instrumentalizar a produção*; *É preciso instrumentalizar-se mais para obter melhores resultados*. ▶ Conjug. 5.

instrumentar (ins.tru.men.*tar*) *v.* **1.** Equipar com instrumentos; instrumentalizar: *instrumentar a produção industrial*. **2.** (Med.) Fornecer ao cirurgião o material instrumental a ser utilizado em uma intervenção cirúrgica: *instrumentar uma cirurgia*. **3.** (Mús.) Escrever as partes de cada instrumento numa composição: *instrumentar orquestras*; *O discípulo aprendeu a instrumentar com seu mestre de música*. **4.** (Jur.) Elaborar a escritura dos autos de um processo: *instrumentar uma ação judicial*. ▶ Conjug. 5.

instrumentista (ins.tru.men.*tis*.ta) *adj.* **1.** (Mús.) Que toca algum instrumento. • *s.m. e f.* **2.** (Mús.) Pessoa que toca algum instrumento musical ou compõe música instrumental; músico.

instrumento (ins.tru.*men*.to) *s.m.* **1.** Qualquer objeto, aparelho, ferramenta ou utensílio que serve para executar uma obra ou levar a efeito uma operação mecânica em qualquer arte, ciência ou ofício: *instrumentos cirúrgicos*; *instrumento musical*. **2.** Todo objeto que serve para levar a efeito uma ação física qualquer: *instrumento de suplício*. **3.** *fig.* Recurso ou pessoa de que alguém se serve para realizar seus intentos: *A fé foi o instrumento que mudou seu destino*; *Os filhos foram o instrumento de vingança da mãe Medeia*. **4.** (Jur.) Ato judicial escrito que serve para instruir um processo. || *Tocar sete instrumentos*: *fig.* dedicar-se a múltiplas atividades; possuir múltiplos talentos.

instrutivo (ins.tru.*ti*.vo) *adj.* Que instrui; que serve para instruir; educativo.

instrutor [ô] (ins.tru.*tor*) *adj.* **1.** Que instrui, ensina, treina ou adestra. • *s.m.* **2.** Pessoa que dá instruções.

insubmissão (in.sub.mis.*são*) *s.f.* Característica de insubmisso; falta de submissão; rebeldia, insubordinação, desobediência.

insubmisso (in.sub.*mis*.so) *adj.* **1.** Que não aceita ser submetido; rebelde, insubordinado, independente: *O partido expulsou os correligionários insubmissos*. **2.** (Mil.) Que não se apresentou ao serviço militar, apesar de convocado (diz-se de recruta). • *s.m.* **3.** Pessoa insubmissa.

insubordinação (in.su.bor.di.na.*ção*) *s.f.* **1.** Ato ou efeito de insubordinar(-se); falta de subordinação; insubordinação, rebelião, revolta. **2.** Falta de disciplina; desobediência.

insubordinar (in.su.bor.di.*nar*) *v.* Causar ou cometer ato de insubordinação; tornar(-se) insubordinado; revoltar(-se), sublevar(-se), amotinar(-se): *insubordinar as tropas*; *Os castigos físicos faziam os escravos insubordinarem-se*. ▶ Conjug. 5. – **insubordinado** *adj.*; **insubordinável** *adj.*

insubornável (in.su.bor.*ná*.vel) *adj.* Que não se deixa subornar; incorruptível, honesto, íntegro.

insubsistente (in.sub.sis.*ten*.te) *adj.* Que não pode subsistir; sem fundamento ou valor; falso, inválido: *As provas apresentadas pela defesa são insubsistentes.*

insubstituível (in.subs.ti.tu.*í*.vel) *adj.* **1.** Que não pode ser substituído: *Essas peças de coleção são insubstituíveis.* **2.** *fig.* Que não tem igual; único, ímpar: *É um ator de talento insubstituível.*

insucesso [é] (in.su.*ces*.so) *s.m.* Falta de bom êxito; mau resultado; malogro, fracasso.

insuficiência (in.su.fi.ci.*ên*.ci:a) *s.f.* **1.** Falta de suficiência; carência, escassez: *Os agricultores se queixavam de insuficiência de recursos para o agronegócio.* **2.** Falta das condições necessárias para levar a termo uma tarefa; incompetência, incapacidade: *Revela insuficiência na aprendizagem.* **3.** (*Med.*) Diminuição da capacidade funcional de um órgão ou sistema fisiológico; deficiência: *insuficiência renal.*

insuficiente (in.su.fi.ci.*en*.te) *adj.* **1.** Que não é suficiente; que não basta para o fim a que se destina; pouco, escasso: *Os recursos alocados para a área da saúde foram insuficientes.* **2.** Que não alcança um desempenho satisfatório em (trabalho, prova, concurso etc.); incompetente, fraco, medíocre: *Sua defesa de tese foi considerada insuficiente pela banca.*

insuflar (in.su.*flar*) *v.* **1.** Encher (de ar ou de gás) soprando; inflar: *insuflar um balão (com gás).* **2.** *fig.* Inspirar (em alguém) (ideia, sentimento etc.); incutir, infundir: *O professor insuflou-me a paixão pela poesia.* **3.** *fig.* Provocar ou promover reação de insatisfação ou revolta; instigar, incitar: *Os prisioneiros insuflaram a rebelião na casa de detenção; Os oradores do comício insuflavam a multidão contra o poder ditatorial.* **4.** (*Med.*) Fazer penetrar por meio de sopro (ar, vapor, gás, pó) em uma cavidade do corpo: *No processo de respiração artificial, insufla-se ar nos pulmões.* ▶ Conjug. 5. – **insuflação** *s.f.*

ínsula (*ín*.su.la) *s.f.* (*Geol.*) Ilha.

insulação (in.su.la.*ção*) *s.f.* Insulamento.

insulamento (in.su.la.*men*.to) *s.m.* Ato ou efeito de insular(-se); isolamento, insulação.

insulano (in.su.*la*.no) *adj.* **1.** Relativo a ínsula. • *s.m.* **2.** O natural ou o habitante de uma ilha; ilhéu.

insular (in.su.*lar*) *adj.* **1.** Insulano. • *s.m.* e *f.* **2.** Ilhéu.

insulfilme (in.sul.*fil*.me) *s.m.* Película que se aplica a vidros para diminuir a quantidade de luz que passa por eles. || Da marca registrada *Insulfilm.*

insulina (in.su.*li*.na) *s.f.* (*Biol.*) Hormônio segregado pelo pâncreas, indispensável ao metabolismo do açúcar no sangue.

insulínico (in.su.*lí*.ni.co) *adj.* Relativo a insulina ou provocado por ela: *choque insulínico.*

insultador [ô] (in.sul.ta.*dor*) *adj.* **1.** Que insulta; que encerra injúria, ofensa ou agravo; insultante, insultuoso. • *s.m.* **2.** Pessoa que insulta.

insultante (in.sul.*tan*.te) *adj.* Insultador.

insultar (in.sul.*tar*) *v.* Dirigir insultos a, injuriar, ofender, ultrajar, afrontar: *Insultou as autoridades constituídas e foi imediatamente preso por desacato.* ▶ Conjug. 5.

insulto (in.*sul*.to) *s.m.* **1.** Injúria verbal ou por obras; ofensa, ultraje, afronta: *O suspeito proferiu pesados insultos ao ser indiciado.* **2.** Ato ou dito que denota falta de respeito ou menosprezo por (crenças, valores, direitos etc.) de outrem: *Alguns sites são um insulto à moral e à inteligência.* **3.** (*Med.*) Ataque, lesão ou trauma súbitos.

insultuoso [ô] (in.sul.tu:*o*.so) *adj.* **1.** Que envolve insulto ou ofensa; insultador, insultante. **2.** Que deixa transparecer falta de respeito, menosprezo ou provocação; desrespeitoso, provocativo, afrontoso: *Todos consideraram insultuosa a presença do contraventor na cerimônia oficial.* || f. e pl.: [ó].

insumo (in.*su*.mo) *s.m.* (*Econ.*) Conjunto de recursos gastos ou investidos em um dado processo de produção e necessários à realização de uma determinada atividade econômica.

insuperável (in.su.pe.*rá*.vel) *adj.* **1.** Que não se pode superar, exceder, ultrapassar; inexcedível: *um recorde insuperável.* **2.** Que não se pode vencer ou suplantar; invencível: *obstáculos insuperáveis.*

insuportável (in.su.por.*tá*.vel) *adj.* **1.** Que não se pode suportar; intolerável: *dor insuportável.* **2.** Que causa incômodo ou aversão; molesto, desagradável: *vizinhança insuportável.*

insurgente (in.sur.*gen*.te) *adj.* **1.** Que se insurge ou se revela. • *s.m.* e *f.* **2.** Pessoa que se encontra em insurreição; rebelde, revoltoso. – **insurgência** *s.f.*

insurgir (in.sur.*gir*) *v.* **1.** Rebelar(-se) contra (um poder estabelecido); revoltar(-se), sublevar (-se), insubordinar(-se): *Os castigos físicos insurgiram a tripulação na célebre Revolta da Chibata; As colônias se insurgem historicamente contra o império colonizador.* **2.** *fig.* Colocar-se contra; manifestar oposição; opor-se, reagir: *A opinião pública se insurgiu contra a criação de novos impostos.* ▶ Conjug. 66 e 92.

insurrecto [é] (in.sur.rec.to) *adj.* Insurreto.

insurreição (in.sur.rei.ção) *s.f.* **1.** Ato ou efeito de insurgir(-se); rebelião, revolta, sublevação. **2.** *fig.* Oposição violenta ou veemente.

insurreto [é] (in.sur.re.to) *adj.* **1.** Que se insurgiu; insurgente. • *s.m.* **2.** Aquele que se insurge. || **insurrecto**.

insuspeito (in.sus.pei.to) *adj.* **1.** Que não é suspeito; livre de suspeitas ou de desconfiança; confiável, imparcial, isento: *juiz insuspeito; opinião insuspeita*. **2.** De que não havia suspeita; que não se esperava; imprevisível, inesperado: *O aluno demonstrou uma insuspeita firmeza diante da banca examinadora.* – **insuspeição** *s.f.*

insustentável (in.sus.ten.tá.vel) *adj.* **1.** Que não se pode sustentar, defender ou preservar; indefensável: *Em meio à crise, a posição do ministro tornou-se insustentável.* **2.** Que não tem sustentação, fundamento ou argumento; insubsistente: *O autor considerou as críticas sobre seu livro totalmente insustentáveis.*

intacto (in.tac.to) *adj.* Intato.

intangível (in.tan.gí.vel) *adj.* **1.** Que não é tangível; que não se pode tocar ou pegar: *Ficava absorto, o olhar as intangíveis nuvens no céu.* **2.** Que não se percebe ou entende perfeitamente; que está acima da capacidade de compreensão: *Para alguns, as ideias daquele pensador são intangíveis.* **3.** *fig.* Cuja reputação não pode ser atacada; inatacável, intocável, ilibado: *O Tribunal da Corte é intangível.*

intato (in.ta.to) *adj.* **1.** Que não foi tocado, mexido ou alterado: *O museu expõe achados arqueológicos intatos; Deixou a comida intata no prato.* **2.** Que não sofreu dano ou estrago; ileso, incólume: *O prédio em ruínas conservava apenas intata a fachada.* **3.** *fig.* Sem mácula; puro, íntegro, ilibado, impoluto: *Apesar das críticas, o prestígio do governante continua intato.* || **intacto**.

integérrimo (in.te.gér.ri.mo) *adj.* Superlativo absoluto de *íntegro*.

íntegra (ín.te.gra) *s.f.* **1.** Conjunto de todas as partes constituintes; totalidade, todo. **2.** Texto completo de (lei, decreto, documento etc.): *No boletim oficial está a íntegra do decreto presidencial.* || *Na íntegra*: integralmente, por extenso: *O jornal publicou a íntegra da entrevista do ministro.*

integração (in.te.gra.ção) *s.f.* **1.** Ato ou efeito de integrar(-se); incorporação. **2.** Ação ou política que visa a integrar em um grupo as minorias raciais, religiosas, sociais etc. **3.** Fusão de empresas que se encontram em estágios diferentes do processo de produção. **4.** Coordenação entre serviços de transporte que permite a passagem de um serviço a outro, de uma rede a uma outra, em um ponto determinado do percurso: *integração metrô-ônibus / integração metrô-ferrovia.*

integral (in.te.gral) *adj.* **1.** Inteiro, completo, total: *Teve restituição integral do imposto de renda.* **2.** Que apresenta seus componentes e propriedades originais (diz-se de alimentos): *arroz integral; leite integral.* **3.** Feito com um produto integral: *pão integral.* – **integralidade** *s.f.*

integralismo (in.te.gra.lis.mo) *s.m.* **1.** (*Hist.*) Movimento político brasileiro de extrema-direita que teve sua expressão partidária na Ação Integralista Brasileira, fundada em 1932 por Plínio Salgado e extinta em 1937, e que se fundamentava em ideologia totalitária, postulando um Estado integral que controlasse e dirigisse todas as atividades da nação. **2.** Aplicação integral de uma doutrina ou sistema.

integralista (in.te.gra.lis.ta) *adj.* **1.** Relativo a integralismo. • *s.m. e f.* **2.** Pessoa partidária do integralismo.

integralização (in.te.gra.li.za.ção) *s.f.* **1.** Ato ou efeito de integralizar(-se). **2.** (*Econ.*) Pagamento, pelo acionista, das parcelas correspondentes ao valor das ações por ele subscritas no capital social de uma empresa.

integralizar (in.te.gra.li.zar) *v.* Tornar(-se) integral, completo, integrar(-se), inteirar(-se), completar(-se): *integralizar o pagamento de uma dívida; As diversas facções do partido se integralizaram durante a campanha eleitoral.* ▶ Conjug. 5.

integrante (in.te.gran.te) *adj.* **1.** Que integra; que completa; que compõe um todo: *Somos parte integrante dessa nação.* **2.** (*Gram.*) Diz-se da conjunção subordinativa que faz a oração subordinada funcionar como sujeito, objeto, predicativo, complemento nominal ou aposto da oração principal. • *s.m. e f.* **3.** Pessoa ou coisa que integra.

integrar (in.te.grar) *v.* **1.** Reunir(-se), juntar (-se), unir(-se), tornando-se parte de um todo; integralizar(-se): *O futebol integra os diferentes segmentos da sociedade; O mar e a montanha se integram na paisagem da cidade.* **2.** Adaptar(-se) a um grupo ou coletividade; ajustar(-se), acomodar(-se): *É necessário integrar o trabalhador informal no regime de carteira assinada; Para* *o homem urbano é difícil integrar-se à vida do campo.* ▶ Conjug. 8.

integridade (in.te.gri.*da*.de) *s.f.* **1.** Característica do que está em perfeitas condições físicas: *O preparador físico preocupa-se com a integridade do atleta.* **2.** Qualidade de quem é íntegro, honesto, correto; honestidade, probidade: *É respeitado por sua integridade moral.* **3.** Estado do que está inteiro ou completo.

íntegro (*ín*.te.gro) *adj.* **1.** Que é ou está inteiro, sem falhas ou defeitos; completo. **2.** *fig.* De conduta irrepreensível; honesto, probo, inatacável: *Na política, como em todos os setores da sociedade, só há lugar para pessoas íntegras.* ‖ sup. abs.: *integérrimo*.

inteirar (in.tei.*rar*) *v.* **1.** Tornar inteiro; completar o que ainda falta: *O mendigo pedia aos passantes que inteirassem o dinheiro para seu almoço.* **2.** Dar ou tomar conhecimento pleno de; tornar(-se) ciente, informar(-se) bem: *O meteorologista inteirou a população da iminência de tempestade; Ninguém se inteirou do acontecido.* ▶ Conjug. 18.

inteireza [ê] (in.tei.re.za) *s.f.* **1.** Qualidade ou condição de inteiro. **2.** Integridade física ou moral.

inteiriçar (in.tei.ri.*çar*) *v.* Tornar(-se) hirto, teso; entesar(-se): *O frio extremo inteiriçou-lhe o corpo; Inteiriçou-se de medo ao ouvir os estranhos ruídos.* ▶ Conjug. 5 e 36.

inteiriço (in.tei.ri.ço) *adj.* **1.** Feito de uma só peça; que não apresenta juntas ou emendas: *vestido inteiriço.* **2.** Hirto, teso, inflexível.

inteiro (in.*tei*.ro) *adj.* **1.** Que tem todas as suas partes, toda a sua extensão; completo: *O povoado inteiro foi inundado pelas águas da represa.* **2.** Que não está quebrado ou deteriorado; ileso, incólume, perfeito: *Apesar do feio acidente, o carro ficou inteiro.* **3.** Que é feito de uma peça única; inteiriço. **4.** *fig.* Total, absoluto, irrestrito: *Você tem o meu inteiro apoio, estou a sua inteira disposição.* **5.** *fig.* De integridade moral; honesto, probo, correto, incorruptível: *A nação precisa de homens inteiros, austeros.* **6.** *coloq.* Em plenas condições físicas: *Sentia-se inteiro depois do treino cansativo.* **7.** (*Mat.*) Que é formado somente de unidades, sem frações (diz-se de número). • *s.m.* **8.** (*Mat.*) Número inteiro. ‖ *Por inteiro*: completamente, totalmente, integralmente: *O antigo sobrado foi destruído por inteiro pelo fogo.*

intelecção (in.te.lec.*ção*) *s.f.* Ato de entender; percepção, compreensão, entendimento.

intelecto [é] (in.te.*lec*.to) *s.m.* Capacidade do ser humano de compreender e dar sentido à realidade; inteligência. – **intelectivo** *adj.*

intelectual (in.te.lec.tu:*al*) *adj.* **1.** Relativo a intelecto. **2.** Que se dedica ao estudo da ciência ou das letras. • *s.m. e f.* **3.** Pessoa intelectual.

intelectualidade (in.te.lec.tu:a.li.*da*.de) *s.f.* **1.** Qualidade de intelectual. **2.** Inteligência, entendimento. **3.** O conjunto dos intelectuais: *A intelectualidade brasileira apoiou a indicação do famoso escritor ao prêmio Nobel.*

intelectualismo (in.te.lec.tu:a.*lis*.mo) *s.m.* Predomínio, em um sistema ou em um tipo de cultura, dos elementos racionais, ou seja, da inteligência e da razão.

intelectualizar (in.te.lec.tu:a.li.*zar*) *v.* **1.** Tornar (-se) intelectual: *O conhecimento da obra de grandes autores intelectualiza o leitor; Almejava intelectualizar-se como os autores que lia.* **2.** Atribuir características intelectuais ou racionais a: *É preciso elevar o nível, intelectualizar essa discussão.* ▶ Conjug. 5.

inteligência[1] (in.te.li.*gên*.ci:a) *s.f.* **1.** Faculdade humana de conhecer a realidade e compreender o significado dos fatos; entendimento, percepção, intelecto. **2.** (*Psic.*) Capacidade de resolver problemas novos e adaptar-se a novas situações, para a realização de determinado fim; discernimento, sagacidade, perspicácia. **3.** *fig.* Pessoa de grande inteligência; crânio, cérebro, sumidade: *O orientador da minha tese é uma inteligência.* ‖ *Inteligência artificial*: (*Inform.*) Ramo da Informática que visa a fazer computadores com capacidade de executar atos inerentes à inteligência do ser humano.

inteligência[2] (in.te.li.*gên*.ci:a) *s.f.* Serviço de informações, sobretudo sigilosas: *A inteligência fez o mapeamento dos possíveis riscos de atentados durante a realização da competição internacional.*

inteligente (in.te.li.gen.te) *adj.* **1.** Que tem (mais) inteligência: *aluno inteligente.* **2.** Que revela ou é feito com inteligência: *olhar inteligente; pergunta inteligente.* • *s.m. e f.* **3.** Pessoa inteligente.

inteligibilidade (in.te.li.gi.bi.li.*da*.de) *s.f.* Qualidade do que é inteligível ou compreensível.

inteligível (in.te.li.gí.vel) *adj.* **1.** Que é facilmente compreensível; que se entende bem; claro, perceptível. **2.** Relativo a inteligência, a intelecto.

intemerato (in.te.me.*ra*.to) *adj.* Sem mácula; puro, íntegro, incorruptível: *Mãe intemerata, rogai por nós, recitam os fiéis na ladainha.* ‖ Conferir com *intimorato*.

intemperança

intemperança (in.tem.pe.*ran*.ça) *s.f.* **1.** Falta de temperança, de moderação; descomedimento. **2.** Excesso no comer ou no beber. – **intemperado** *adj.*

intempérie (in.tem.*pé*.ri:e) *s.f.* **1.** Inclemência das condições meteorológicas; mau tempo: *Aquela região é muito sujeita a intempéries.* **2.** *fig.* Acontecimento desagradável; desastre, catástrofe: *as intempéries da vida.*

intempestivo (in.tem.pes.*ti*.vo) *adj.* **1.** Que sucede fora do tempo próprio; inoportuno, inopinado, imprevisto, súbito. **2.** (*Jur.*) Praticado após decorrido o prazo legal.

intemporal (in.tem.po.*ral*) *adj.* Que não é transitório; que vai além da dimensão temporal; perene, eterno: *As obras dos verdadeiros mestres são intemporais.*

intenção (in.ten.*ção*) *s.f.* **1.** Aquilo que se pretende fazer; propósito, plano, ideia: *Tenho a intenção de cursar Direito.* **2.** Aquilo que se pretende alcançar; objetivo, fim, desígnio, intento: *Tudo o que fez foi sem a intenção de magoar o amigo.* || **Segunda(s) intenção(ões)**: intenção que dissimula ou oculta o fim real.

intencional (in.ten.ci:o.*nal*) *adj.* **1.** Relativo a intenção. **2.** Em que há intenção; feito de propósito; proposital, deliberado, premeditado: *Sua atitude irônica era intencional.* – **intencionalidade** *s.f.*

intencionar (in.ten.ci:o.*nar*) *v.* Ter a intenção ou o propósito de; tencionar; pretender, planejar: *Ele sempre intencionou viajar pelo mundo inteiro.* ▶ Conjug. 5.

intendência (in.ten.*dên*.ci:a) *s.f.* **1.** Administração de negócios ou serviços; direção, gestão. **2.** Função de intendente. **3.** Local onde o intendente exerce suas funções.

intendente (in.ten.*den*.te) *s.m.* e *f.* **1.** Pessoa que tem a seu cargo a direção ou a administração de alguma atividade. **2.** Civil ou militar que trabalha no setor de intendência. **3.** Designação dada no Brasil, até o início do século XX, aos chefes do poder executivo municipal, hoje chamados prefeitos.

intensidade (in.ten.si.*da*.de) *s.f.* **1.** Qualidade do que é intenso; força: *As chuvas vieram com grande intensidade.* **2.** (*Gram.*) Tonicidade.

intensificar (in.ten.si.fi.*car*) *v.* Tornar(-se) (mais) intenso: *intensificar as buscas*; *Intensificaram-se as manifestações de protesto.* ▶ Conjug. 5 e 35. – **intensificação** *s.f.*

intensivo (in.ten.*si*.vo) *adj.* **1.** Que tem intensidade; ativo, intenso. **2.** Feito com esforço intenso, para alcançar em curto prazo resultados eficazes: *curso intensivo de espanhol*; *O paciente está internado na Unidade de Terapia Intensiva do hospital.*

intenso (in.*ten*.so) *adj.* **1.** Que tem intensidade; muito forte; ativo, veemente, enérgico: *frio intenso*; *dor intensa.* **2.** Que apresenta excesso; excessivo, árduo, penoso: *esforço intenso.*

intentar (in.ten.*tar*) *v.* **1.** Fazer um intento ou uma tentativa; tencionar, tentar, projetar, planejar: *Ele intentou um golpe contra a empresa em que trabalhava.* **2.** Esforçar-se por; tratar de; tentar: *Intentou promover a justiça social no país.* **3.** (*Jur.*) Propor em juízo; impetrar (ação, demanda). ▶ Conjug. 5.

intento (in.*ten*.to) *s.m.* Intenção, plano, desígnio, propósito.

intentona (in.ten.*to*.na) *s.f.* **1.** Intento ou plano arriscado, temerário, insensato. **2.** Tentativa de conspiração ou motim: *A revolta dos quartéis em 1935 ficou conhecida como a intentona comunista.*

interação (in.te.ra.*ção*) *s.f.* **1.** Ação que se exerce reciprocamente entre duas ou mais pessoas, dois ou mais objetos etc. **2.** (*Fís.*) Ação mútua entre duas partículas ou dois corpos. **3.** Ações e relações entre grupos de uma sociedade ou entre os membros de um grupo: *interação social.* **4.** (*Comun.*) Intercâmbio de informações entre o usuário de um sistema de comunicação e esse sistema.

interagir (in.te.ra.*gir*) *v.* **1.** Executar interação; compartilhar (atividade, prática, experiência etc.); relacionar(-se), comunicar(-se): *Os alunos veteranos devem interagir com os calouros*; *Algumas crianças, com distúrbios de atenção, não conseguem interagir em classe.* **2.** (*Comun.*) Intervir (o usuário) num programa de computador, numa videoconferência etc.: *Em muitos programas de televisão, o espectador pode interagir (com o apresentador).* ▶ Conjug. 66 e 92.

interamericano (in.te.ra.me.ri.*ca*.no) *adj.* Que se realiza, que se verifica entre as Américas ou entre as nações americanas: *conferência interamericana.*

interativo (in.te.ra.*ti*.vo) *adj.* **1.** Em que há interação. **2.** (*Comun.*) Que possibilita, em um sistema de comunicação, uma operação recíproca entre o usuário e esse sistema: *Os jogos de computador são programas interativos.* || Conferir com *iterativo.*

intercalar (in.ter.ca.*lar*) *v.* Inserir-se entre outras coisas; pôr(-se) de permeio; interpor

(-se), entremear(-se): *Entre as pregas do vestido a costureira intercalou bordados e rendas; Intercalava os medicamentos com sessões de fisioterapia; Intercalou-se entre os manifestantes da passeata.* ▶ Conjug. 5. – **intercalação** *s.f.*

intercambiar (in.ter.cam.bi:*ar*) *v.* Fazer intercâmbio de; permutar, trocar: *intercambiar informações; intercambiar estudantes universitários com estudantes estrangeiras.* ▶ Conjug. 17. – **intercambiável** *adj.*

intercâmbio (in.ter.*câm*.bi:o) *s.m.* **1.** Troca de relações comerciais ou culturais entre nações. **2.** Permuta, troca.

interceder (in.ter.ce.*der*) *v.* Intervir (a favor de alguém); pedir, rogar, suplicar: *Em sua fé fervorosa pedia aos santos que intercedessem a Deus por ele; Ninguém intercedeu à justiça em seu favor; Esgotados todos os recursos, não há mais como interceder.* ▶ Conjug. 41.

interceptador [ô] (in.ter.cep.ta.*dor*) *adj.* **1.** Que intercepta. • *s.m.* **2.** Aquele que intercepta. **3.** (*Aer.*) Avião de caça muito veloz usado para interceptar aeronaves inimigas que penetrem no espaço aéreo de um país.

interceptar (in.ter.cep.*tar*) *v.* **1.** Interromper o curso ou a trajetória de: *interceptar mísseis.* **2.** Impedir o acesso ou a passagem: *interceptar ruas para o trânsito aos domingos.* **3.** Fazer parar; deter, bloquear: *A polícia interceptou o carro dos assaltantes.* **4.** Impossibilitar o funcionamento de; impedir, cortar: *interceptar linha telefônica.* **5.** Captar, apreender ou reter (aquilo que é destinado a outrem): *interceptar correspondência.* ▶ Conjug. 8 e 33. – **interceptação** *s.f.*

intercessão (in.ter.ces.*são*) *s.f.* Ato de interceder em favor de; intervenção, interferência; mediação.

intercessor [ô] (in.ter.ces.*sor*) *adj.* **1.** Que intercede; medianeiro. • *s.m.* **2.** Aquele que intercede.

interclube (in.ter.*clu*.be) *adj.* (*Esp.*) Que se realiza com a participação de equipes de diversos clubes (diz-se de competição): *campeonato interclube.*

intercomunicar-se (in.ter.co.mu.ni.*car*-se) *v.* Comunicar-se reciprocamente; corresponder-se: *Os amigos se intercomunicavam pela internet.* ▶ Conjug. 5, 6 e 35. – **intercomunicação** *s.f.*

intercontinental (in.ter.con.ti.nen.*tal*) *adj.* **1.** Que se faz entre continentes: *voo intercontinental.* **2.** Situado entre continentes: *mar intercontinental.*

intercorrente (in.ter.cor.*ren*.te) *adj.* **1.** Que sobrevém; que se mete de permeio: *fator intercorrente.* **2.** (*Med.*) Que interfere no curso de uma doença já existente: *doença intercorrente.* – **intercorrência** *s.f.*

intercurso (in.ter.*cur*.so) *s.m.* **1.** Encontro, comunicação, relacionamento. **2.** Relações sexuais.

interdepender (in.ter.de.pen.*der*) *v.* Depender reciprocamente: *No mundo globalizado, as economias nacionais interdependem.* ▶ Conjug. 39. – **interdependência** *s.f.*; **interdependente** *adj.*

interdição (in.ter.di.*ção*) *s.f.* **1.** Impedimento, proibição ou suspensão das funções ou do funcionamento de alguma coisa: *interdição de um trecho da estrada; O estádio sofreu interdição após as lamentáveis cenas de violência.* **2.** (*Jur.*) Privação de direitos de uma pessoa em livre dispor e administrar seus bens e em praticar qualquer ato jurídico.

interditar (in.ter.di.*tar*) *v.* **1.** Declarar (algo) interdito; impedir ou proibir a realização, o funcionamento, a locomoção ou o acesso (de algo): *Interditou-se o quarteirão onde ocorreu o incêndio; O governo interdita a venda de produtos contrabandeados.* **2.** (*Jur.*) Privar (alguém) de dispor de ou administrar seus bens: *A justiça interditou todos os bens móveis do réu.* ▶ Conjug. 5.

interdito (in.ter.*di*.to) *adj.* **1.** Que foi posto sob interdição; interditado. **2.** (*Jur.*) Que foi privado de dispor de seus bens e de administrá-los. • *s.m.* **3.** Pessoa interdita. **4.** Proibição, impedimento, interdição.

interessante (in.te.res.*san*.te) *adj.* **1.** Que desperta interesse ou curiosidade; que prende a atenção; curioso, instigante: *um filme interessante.* **2.** Que cativa; que atrai a simpatia; cativante, atraente: *um personagem interessante.* **3.** De que se pode tirar proveito ou vantagem; útil, proveitoso: *proposta interessante.* **4.** *coloq.* Diz-se do estado da mulher grávida. • *s.m.* **5.** Aquilo que é interessante: *O mais interessante do romance é o desfecho.*

interessar (in.te.res.*sar*) *v.* **1.** Despertar ou demonstrar interesse, atenção ou curiosidade: *É um programa que vai interessar pais e filhos; A mim não interessam as novelas; Você deve interessar-se mais por política.* **2.** Ser interessante, útil ou importante para; importar: *Sua opinião a meu respeito me interessa muito; Não faz nada que interesse.* **3.** Dizer respeito a; concernir; tocar: *A educação é um problema que interessa a todos.* **4.** Sentir atração ou simpatia por: *O jovem logo se interessou pela nova colega.* ▶ Conjug. 8.

interesse

interesse [ê] (in.te.res.se) s.m. **1.** Atenção despertada pela curiosidade ou pelo empenho em conhecer ou saber alguma coisa: *Tem grande interesse em estudar línguas estrangeiras.* **2.** Preocupação, consideração, respeito: *Mostrou interesse pelo estado de saúde do amigo.* **3.** Apego ao que traz vantagem, lucro ou proveito: *Só se preocupa com os interesses materiais.* **4.** Aquilo que tem importância para alguém ou é de sua conveniência: *O governante tem de defender os interesses da população.* **5.** Manifestação de simpatia; atração: *Não revelou a ninguém seu interesse pela jovem.* **6.** (*Econ.*) Participação nos lucros atribuída aos empregados, além dos vencimentos, em razão dos ganhos obtidos por um estabelecimento.

interesseiro (in.te.res.sei.ro) *adj.* **1.** Que só atende ao próprio interesse; egoísta. **2.** Feito ou inspirado pelo interesse. • *s.m.* **3.** Pessoa interesseira.

interestadual (in.te.res.ta.du.al) *adj.* **1.** Que se realiza entre dois ou mais estados: *torneio interestadual.* **2.** Que está situado ou ligado a dois estados: *rodovia interestadual.*

interestelar (in.te.res.te.lar) *adj.* Que se situa entre as estrelas: *espaço interestelar.*

interface (in.ter.fa.ce) s.f. **1.** Ponto em que uma conexão é estabelecida entre dois elementos para que possam interagir. **2.** (*Inform.*) Programa de computador que permite a interação com o usuário.

interferência (in.ter.fe.rên.ci.a) s.f. **1.** Ato ou efeito de interferir; intervenção, interposição, intrometimento: *Sua presença no debate foi considerada uma interferência indevida.* **2.** (*Comun.*) Ruídos ou outros sinais externos que afetam o desempenho em um canal de comunicação. **3.** (*Rádio, Telv.*) Sinais eletromagnéticos, gerados por equipamentos eletrônicos, que prejudicam a recepção.

interferir (in.ter.fe.rir) *v.* **1.** Ter interferência; intrometer-se, interpor-se, imiscuir-se: *Não gosta que interfiram em seus assuntos privados.* **2.** Intervir, interceder (em favor de alguém): *O mediador interferiu a favor dos trabalhadores detidos na manifestação.* **3.** (*Rádio, Telv.*) Apresentar interferência (3): *Certos equipamentos eletrônicos interferem na recepção do meu televisor.* ▶ Conjug. 69.

interfonar (in.ter.fo.nar) *v.* Comunicar-se (com alguém) por meio de interfone: *O porteiro interfonou para todos os moradores, informando- lhes da falta de água; Ninguém pode subir ao prédio sem antes interfonar.* ▶ Conjug. 5.

interfone (in.ter.fo.ne) s.m. Sistema de telefonia interna que estabelece comunicação entre as diferentes unidades de um conjunto, como por exemplo os apartamentos de um prédio, as casas de um condomínio, os escritórios de uma empresa etc.

ínterim (ín.te.rim) s.m. Espaço de tempo intermediário entre dois fatos. || *Nesse ínterim:* durante este tempo, enquanto isto se passava, entrementes.

interino (in.te.ri.no) *adj.* **1.** De curta duração; provisório, temporário: *diretoria interina.* **2.** Que exerce um cargo na ausência ou no impedimento do titular: *ministro interino.*

interior [ô] (in.te.ri:or) *adj.* **1.** Que está dentro; interno: *pátio interior.* **2.** Referente à administração ou aos negócios internos de (país, organização etc.). **3.** Que diz respeito ao lado espiritual do ser humano; íntimo, particular: *Vive um drama interior.* • *s.m.* **4.** A parte interna de (construção ou moradia): *Venha conhecer o interior do apartamento.* **5.** Parte central, não litorânea de um país; sertão: *Veio do interior para a capital.* **6.** Disposição da alma; ânimo, índole: *Em seu interior não há ódio ou ressentimento.* – **interioridade** s.f.; **interiorização** s.f.

interiorano (in.te.ri:o.ra.no) *adj.* **1.** Relativo ao interior do país. **2.** Que é natural ou habitante do interior do país. • *s.m.* **3.** Pessoa interiorana.

interiorizar (in.te.ri:o.ri.zar) *v.* **1.** Expandir(-se) para o interior (5): *O governo quer interiorizar a programação de rádio e tevê; Alguns hábitos urbanos se interiorizam rapidamente.* **2.** Incutir no ânimo de; infundir, inculcar: *Os pais e os professores interiorizam nas crianças as noções de cidadania.* **3.** Incorporar (conceitos, crenças, práticas etc.) através do convívio social ou da aprendizagem; assimilar, introjetar, internalizar: *Os jovens interiorizam valores dos pais e dos mestres.* ▶ Conjug. 5.

interjectivo (in.ter.jec.ti.vo) *adj.* Interjetivo.

interjeição (in.ter.jei.ção) s.f. (*Gram.*) Palavra ou locução que apresentam função emotiva ou comunicativa (de dor: *ui! ai de mim!*; de chamamento: *olá! psiu!* etc.) ou que buscam reproduzir determinados ruídos (*ploft, pum*). || Na escrita, as interjeições vêm geralmente acompanhadas de ponto exclamativo (!).

interjetivo (in.ter.je.ti.vo) *adj.* **1.** Que tem valor de interjeição: *locução interjetiva.* **2.** Que

interno

é expresso por interjeição: *Sua fala é sempre expressivamente interjetiva.* || *interjectivo*.

interligar (in.ter.li.*gar*) v. Ligar(-se) entre si duas ou mais coisas; entrelaçar-se: *A velha ponte interligava as duas cidades*; *Todos os argumentos se interligavam na busca da verdade.* ▶ Conjug. 5 e 34. – **interligação** s.f.

interlocução (in.ter.lo.cu.*ção*) s.f. Conversa entre duas ou mais pessoas; diálogo.

interlocutor [ô] (in.ter.lo.cu.*tor*) s.m. **1.** Cada pessoa que toma parte em um diálogo. **2.** Pessoa que fala em nome de outra.

interlúdio (in.ter.*lú*.di:o) s.m. (*Mús*.) **1.** Trecho musical intercalado entre as diversas partes de uma composição. **2.** (*Teat.*) Entreato. **3.** Lapso de tempo entre duas ocorrências; interregno.

intermediar (in.ter.me.di:*ar*) v. **1.** Servir de intermediário; interceder, intervir, mediar: *Uma nação neutra deverá intermediar a disputa territorial entre os dois países vizinhos*; *O conflito resolvido, não foi mais necessário intermediar.* **2.** Situar ou colocar de permeio; entremear, intercalar: *A costureira intermediava bordados e rendas*; *A cantora intermediava poemas aos números musicais.* ▶ Conjug. 16. – **intermediação** s.f.

intermediário (in.ter.me.di:*á*.ri:o) adj. **1.** Que está entre dois ou muitos; intermédio, interposto: *plano intermediário*. • s.m. **2.** Pessoa que intercede a favor de outrem; mediador, medianeiro: *Ele foi o intermediário entre as diversas facções do partido político*. **3.** (*Econ*.) Pessoa que, em relações comerciais, atua entre o produtor e o consumidor ou entre o vendedor e o comprador.

intermédio (in.ter.*mé*.di:o) adj. **1.** Que está de permeio, que está entre; intermediário. • s.m. **2.** Meio pelo qual se consegue alguma coisa; interferência, intervenção, mediação: *Por intermédio do amigo, obteve o emprego pretendido.*

interminável (in.ter.mi.*ná*.vel) adj. **1.** Que não termina; que não se consegue levar a cabo: *As obras de recuperação daquela igreja parecem intermináveis*. **2.** Que tem grande duração; demasiadamente extenso; demorado, prolongado: *É um orador de discursos intermináveis*.

intermitente (in.ter.mi.*ten*.te) adj. Que ocorre a intervalos separados; que tem períodos de cessação de atividade; descontínuo: *febre intermitente*; *chuva intermitente*. – **intermitência** s.f.

intermunicipal (in.ter.mu.ni.ci.*pal*) adj. Relativo às relações entre municípios ou ao que é comum entre eles: *convênio intermunicipal*; *rodovia intermunicipal*.

internação (in.ter.na.*ção*) s.f. Ato ou efeito de internar(-se); internamento.

internacional (in.ter.na.ci:o.*nal*) adj. **1.** Relativo às relações entre nações ou ao que é comum entre elas: *tratado internacional*; *gasoduto internacional*. **2.** Que tem atuação ou repercussão em várias nações: *um circo de fama internacional*.

internacionalismo (in.ter.na.ci:o.na.*lis*.mo) s.m. **1.** Característica do que é internacional. **2.** (*Pol.*) Sistema político que preconiza a associação internacional dos trabalhadores de todas as nações, acima das fronteiras nacionais, para a reivindicação de direitos comuns.

internacionalista (in.ter.na.ci:o.na.*lis*.ta) adj. **1.** Relativo ao internacionalismo ou que é partidário do internacionalismo. • s.m. e f. **2.** Partidário do internacionalismo. **3.** Especialista em direito internacional.

internacionalizar (in.ter.na.ci:o.na.li.*zar*) v. Tornar (-se) internacional; universalizar(-se): *Os países emergentes buscam internacionalizar seus produtos industrializados*; *Hoje em dia, o futebol se internacionalizou, está presente em todos os continentes.* ▶ Conjug. 5. – **internacionalização** s.f.

internalizar (in.ter.na.li.*zar*) v. Interiorizar (3): *As crianças costumam internalizar valores e práticas dos adultos.* ▶ Conjug. 5.

internamento (in.ter.na.*men*.to) s.m. Ato ou efeito de internar(-se); internação.

internar (in.ter.*nar*) v. **1.** Colocar em internato: *Não quis internar os filhos numa instituição de ensino religioso*. **2.** Colocar(-se) para tratamento (em hospital) ou para residência (em asilos): *Os médicos decidiram internar o paciente para uma cirurgia*; *O casal de idosos internou-se numa conceituada casa geriátrica.* ▶ Conjug. 8.

internato (in.ter.*na*.to) s.m. **1.** Estabelecimento de ensino em que os alunos residem. **2.** Esse tipo de regime escolar.

internauta (in.ter.*nau*.ta) s.m. (*Inform*.) Usuário da internet.

internet [é] (in.ter.*net*) (*Inform*.) Rede internacional de computadores que, por meio de diferentes tecnologias de comunicação e informática, permite a realização de atividades como correio eletrônico, grupos de discussão, transferência de arquivos, lazer, compras etc.

interno [é] (in.ter.no) adj. **1.** Que fica no lado de dentro (de alguma coisa); interior: *órgãos internos*. **2.** Que tem lugar dentro de uma

interpartidário

instituição, organização etc.: *regulamento interno.* **3.** Que estuda num internato: *É interna em um colégio de freiras.* **4.** Que se passa no interior da mente; íntimo, intrínseco: *luta interna.* **5.** (*Med.*) Que é administrado por via oral ou pelas outras cavidades naturais (diz-se de medicamento): *uso interno.* • *s.m.* **6.** Aluno de internato. **7.** (*Med.*) Estudante de medicina ou médico recém-formado residente em hospital. **8.** Quem cumpre pena em instituto penal.

interpartidário (in.ter.par.ti.dá.ri:o) *adj.* Que é comum ou concernente a dois ou mais partidos políticos: *Foi instaurada uma comissão interpartidária de inquérito.*

interpelar (in.ter.pe.lar) *v.* **1.** Dirigir a palavra a alguém, para fazer uma pergunta ou para pedir uma explicação: *Interpelou o amigo a respeito de suas atitudes.* **2.** Intimar (um parlamentar) a prestar esclarecimentos a seus pares: *A presidência da Câmara interpelou os deputados faltosos.* **3.** (*Jur.*) Intimar judicialmente; citar, notificar: *O juiz interpelou os suspeitos.* ▶ Conjug. 8. – **interpelação** *s.f.*; **interpelante** *adj. s.m. e f.*

interpolar¹ (in.ter.po.lar) *v.* **1.** Alterar, completar ou esclarecer um texto, intercalando nele palavras ou frases: *O autor interpolou em seu texto vários neologismos.* **2.** Pôr(-se) de permeio; alternar(-se), entremear(-se), revezar(-se), interpor(-se): *interpolar o trabalho com o lazer; Em seu coração, a euforia e a tristeza se interpolavam.* ▶ Conjug. 20. – **interpolação** *s.f.*

interpolar² (in.ter.po.lar) *adj.* (*Fís.*) Que está entre polos.

interpor [ô] (in.ter.por) *v.* **1.** Pôr(-se) de permeio; colocar(-se) entre; interpolar(-se): *Interpôs divisórias no amplo salão; A criança, com medo, se interpôs entre os pais.* **2.** Intervir como mediador; interceder: *Coube ao líder interpor-se entre os manifestantes mais exaltados.* **3.** Opor(-se), contrapor(-se), confrontar(-se): *Não venham interpor obstáculos a meus planos; Os pais se interpuseram ao casamento da filha.* **4.** (*Jur.*) Entrar em juízo com recurso ou apelação; recorrer, apelar: *Os advogados interpuseram recurso para a soltura do suspeito.* || part.: *interposto.* ▶ Conjug. 65.

interposição (in.ter.po.si.ção) *s.f.* **1.** Ato ou efeito de interpor(-se) entre duas coisas ou pessoas. **2.** Intervenção, mediação, interveniência. || *Interposição de recurso:* (*Jur.*) ato de recorrer ou apelar judicialmente em defesa dos direitos da pessoa.

interpretação (in.ter.pre.ta.ção) *s.f.* **1.** Ato ou efeito de interpretar. **2.** Comentário, explicação, análise: *interpretação de texto.* **3.** (*Cine, Teat., Telv.*) Desempenho de um ator (em filme, peça teatral, programa etc.): *Foi uma interpretação consagradora do ator dramático.* **4.** (*Mús.*) A execução de uma peça musical.

interpretar (in.ter.pre.tar) *v.* **1.** Aclarar ou explicar o sentido de (lei, texto etc.): *Os alunos deviam interpretar passagens do romance de Machado de Assis.* **2.** Representar (o ator) personagens (em filmes, peças teatrais, novelas etc.): *Em muitos anos de palco, a atriz interpretou brilhantemente diversos tipos.* **3.** Cantar ou tocar (peça musical): *A cantora interpretará diversas árias de óperas consagradas.* **4.** Explicar o significado de (sonho, visão, presságio etc.): *interpretar sonhos recorrentes.* **5.** Levar em consideração; entender, julgar, avaliar: *Não interprete mal minhas palavras.* ▶ Conjug. 8. – **interpretativo** *adj.*

intérprete (in.tér.pre.te) *s.m.* **1.** Pessoa que funciona como tradutor entre pessoas que não falam o mesmo idioma. **2.** (*Cine, Teat., Telv.*) Ator que representa um personagem (em filme, peça teatral, novela etc.). **3.** (*Mús.*) Executante de uma peça musical. **4.** *fig.* Aquilo que serve para fazer conhecer o que está oculto; revelador, indicador: *A poesia é por vezes intérprete da alma do autor.*

inter-racial (in.ter.ra.ci:al) *adj.* Que se realiza ou se observa entre raças. || pl.: *inter-raciais.*

interregno [é] (in.ter.reg.no) *s.m.* Intervalo de tempo entre dois eventos; interrupção momentânea, intervalo, interlúdio.

inter-relação (in.ter.re.la.ção) *s.f.* Relação mútua entre pessoas ou coisas. || pl.: *inter-relações.*

inter-relacionamento (in.ter.re.la.ci:o.na.men.to) *s.m.* Ação ou efeito de inter-relacionar(-se). || pl.: *inter-relacionamentos.*

inter-relacionar (in.ter.re.la.ci:o.nar) *v.* **1.** Estabelecer relação (entre duas coisas ou pessoas): *inter-relacionar interesses públicos e privados para a implantação de parcerias; Não se deve inter-relacionar a violência com a indigência.* **2.** Ter ou manter uma relação mútua: *Todos os níveis da administração pública devem inter-relacionar-se harmoniosamente.* ▶ Conjug. 5.

interrogação (in.ter.ro.ga.ção) *s.f.* **1.** Ato de interrogar(-se). **2.** Pergunta, indagação, interrogatório. **3.** *fig.* Dúvida, incerteza: *O futuro é uma interrogação.* **4.** (*Gram.*) Ponto de interrogação (?).

interrogador [ô] (in.ter.ro.ga.*dor*) *adj.* Que interroga; interrogante.

interrogante (in.ter.ro.*gan*.te) *adj. s.m.* e *f.* Interrogador.

interrogar (in.ter.ro.*gar*) *v.* **1.** Dirigir perguntas (a outrem ou a si mesmo); perguntar(-se), indagar(-se), inquirir(-se): *O gerente interrogou o nome da candidata ao cargo; A mãe interrogou o filho a respeito de suas notas; Interrogava-se a todo instante sobre o rumo a tomar em sua vida.* **2.** Propor questões; examinar, arguir: *O professor interrogou os alunos (sobre toda a matéria dada).* **3.** Procurar conhecer; consultar, sondar: *Interrogava as estrelas, como nos versos de Olavo Bilac.* **4.** (*Jur.*) Submeter a interrogatório: *O juiz irá interrogar os réus.* ▶ Conjug. 20 e 34.

interrogativo (in.ter.ro.ga.*ti*.vo) *adj.* **1.** Que indica interrogação, interrogatório: *expressão interrogativa.* **2.** (*Gram.*) Que serve para formular uma pergunta: *pronome interrogativo.*

interrogatório (in.ter.ro.ga.*tó*.ri:o) *adj.* **1.** Interrogativo. • *s.m.* **2.** (*Jur.*) Conjunto das perguntas feitas pelo juiz, no curso de um processo, a uma das partes em disputa, a um acusado ou, até mesmo, a pessoas estranhas.

interromper (in.ter.rom.*per*) *v.* **1.** Deixar de dar continuidade; fazer parar ou cessar: *A falta de energia interrompeu a exibição do filme.* **2.** Deixar de fazer (algo) temporariamente: *Tive de interromper as férias para assumir o novo cargo.* **3.** Suspender a palavra ou a atividade (de alguém ou de si próprio): *Não gosta que o interrompam enquanto escreve; O político interrompia-se a cada passo para cumprimentar os eleitores.* **4.** Sofrer interrupção: *A sessão interrompeu-se por falta de quórum.* ▶ Conjug. 5.

interrupção (in.ter.rup.*ção*) *s.f.* **1.** Ato ou efeito de interromper(-se). **2.** Cessação temporária; suspensão.

interruptor [ô] (in.ter.rup.*tor*) *s.m.* **1.** Aquele ou aquilo que interrompe. **2.** (*Fís.*) Dispositivo que tem por função ligar e desligar um circuito elétrico ou eletrônico.

intersecção (in.ter.sec.*ção*) *s.f.* Interseção.

interseção (in.ter.se.*ção*) *s.f.* **1.** (*Geom.*) Ponto em que duas linhas se cortam ou linha em que dois planos se cruzam. **2.** Corte feito por algum objeto.

interstício (in.ters.*tí*.ci:o) *s.m.* **1.** Intervalo de espaço ou tempo. **2.** Pequeno espaço entre duas coisas; fenda. **3.** (*Anat.*) Intervalo que separa dois órgãos contíguos. **4.** (*Jur.*) Tempo julgado indispensável para a promoção de um funcionário a um cargo de grau superior. – **intersticial** *adj.*

intertexto (in.ter.*tex*.to) *s.m.* (*Lit.*) Texto literário tomado como ponto de partida ou modelo de um novo texto literário.

intertextualidade (in.ter.tex.tu:a.li.*da*.de) *s.f.* (*Lit.*) Conjunto das relações e influências entre um ou mais textos literários, um ou mais autores, na elaboração de um novo texto literário. – **intertextual** *adj.*

interurbano (in.te.rur.*ba*.no) *adj.* **1.** Que ocorre entre cidades ou entre um centro urbano e sua periferia: *transporte interurbano; ligação interurbana.* • *s.m.* **2.** Comunicação telefônica entre duas cidades: *Prefiro fazer meus interurbanos à noite.*

intervalar[1] (in.ter.va.*lar*) *v.* **1.** Dispor (objetos), deixando intervalo entre eles: *intervalar as pastas no arquivo.* **2.** Pôr de permeio; intercalar, intermediar, entremear, alternar: *Intervalar ímpetos de alegria com momentos de tristeza.* ▶ Conjug. 5.

intervalar[2] (in.ter.va.*lar*) *adj.* Situado em um intervalo entre dois objetos.

intervalo (in.ter.*va*.lo) *s.m.* **1.** Espaço entre dois pontos, dois lugares ou dois objetos. **2.** Espaço de tempo entre dois momentos determinados ou entre dois acontecimentos: *Entre uma aula e outra faz-se sempre um pequeno intervalo.* **3.** Interrupção temporária de alguma atividade; pausa: *intervalo para o lanche.* **4.** (*Rádio, Telv.*) Pausa entre a programação para inserção de mensagens publicitárias: *intervalo comercial.* **5.** (*Esp.*) Pausa entre competições esportivas ou entre dois segmentos de uma competição: *No intervalo da partida serão reprisados todos os gols.* **6.** (*Mús.*) Diferença de frequência entre duas notas emitidas simultaneamente ou em sequência: *intervalo harmônico; intervalo melódico.*

intervenção (in.ter.ven.*ção*) *s.f.* **1.** Ato de intervir; intromissão, ingerência, interferência: *Gostaria de sua intervenção neste negócio.* **2.** Interferência de um Estado nos assuntos internos de outro Estado ou nos estados da federação: *O governador pediu ao governo federal a intervenção do Exército.* **3.** Interferência do poder central (em bancos, empresas etc.), para apuração de irregularidades. || *Intervenção cirúrgica:* (*Med.*) cirurgia.

intervencionismo (in.ter.ven.ci:o.*nis*.mo) *s.m.* **1.** (*Econ.*) Doutrina econômica que defende

intervencionista

a intervenção permanente do Estado numa economia capitalista, através de medidas como tabelamento de preços, controle do comércio exterior, entre outras. **2.** Intervenção (política, diplomática ou militar) de um Estado nos assuntos internos de outro país.

intervencionista (in.ter.ven.ci:o.*nis*.ta) *adj*. **1.** Relativo a intervenção ou a intervencionismo. **2.** Que é adepto do intervencionismo. • *s.m.* e *f*. **3.** Pessoa partidária do intervencionismo.

interveniente (in.ter.ve.ni:*en*.te) *adj*. **1.** Que intervém em certos atos ou toma parte numa intervenção; interventor. • *s.m.* e *f*. **2.** A pessoa com quem se dialoga numa palestra, conferência, entrevista etc.

interventor [ô] (in.ter.ven.*tor*) *adj*. **1.** Que intervém; interveniente. • *s.m.* **2.** Autoridade que executa intervenção. **3.** Funcionário nomeado para governar um Estado declarado sob o regime de intervenção federal.

intervindo (in.ter.*vin*.do) *adj*. Que interveio. || part. de *intervir*.

intervir (in.ter.*vir*) *v*. **1.** Ter ingerência ou influência sobre (questão, matéria, negócio); interferir, interceder, intrometer-se: *O síndico deve intervir nas discussões dos condôminos*; *Não foi necessário intervir, porque todos chegaram a um consenso*. **2.** Usar do poder ou da autoridade (política, diplomática, econômica, militar): *As forças de paz da ONU precisaram intervir naquele país em guerra civil*; *Com o câmbio inalterado, o Banco Central deixou de intervir*. **3.** Tomar parte, emitindo opinião (em conversa, debate etc.): *A plateia interveio muitas vezes no debate*; *Terminada a falação, o público passou a intervir*. **4.** Acontecer, suceder, sobrevir: *A cerimônia está preparada para que não intervenham imprevistos*. || part.: *intervindo*. ▶ Conjug. 85. – **interveniência** *s.f.*

intestinal (in.tes.ti.*nal*) *adj*. Relativo a intestino.

intestino (in.tes.*ti*.no) *adj*. **1.** Que está ou se passa no interior de (organismo, grupo social, Estado etc.); interno: *verme intestino*; *guerra intestina*. • *s.m.* **2.** (Anat.) Parte do tubo digestivo que se estende do estômago ao ânus e compreende dois segmentos: o intestino delgado e o intestino grosso. || *Intestino delgado*: (Anat.) segmento do tubo digestivo compreendido entre o piloro e o ceco, com cerca de 6,5 metros de comprimento, que ocupa grande parte da cavidade abdominal. • *Intestino grosso*: (Anat.) último segmento do tubo digestivo, com cerca de 1,5 metro de comprimento, que se estende do ceco ao ânus.

intimação (in.ti.ma.*ção*) *s.f.* **1.** Ato ou efeito de intimar. **2.** (Jur.) Ato processual que tem por fim dar ciência à pessoa que é parte ou interessada no processo sobre os despachos ou as sentenças nele proferidas.

intimar (in.ti.*mar*) *v*. **1.** Determinar ou ordenar de modo impositivo, autoritário: *Intimou o jovem a ceder o lugar ao senhor idoso*; *Intimou o jovem que cedesse o lugar ao senhor idoso*. **2.** (Jur.) Fazer intimação: *O juiz intimou as testemunhas a comparecerem ao julgamento*. **3.** Inspirar, infundir, inculcar: *A experiência dos mestres intima respeito aos alunos*. **4.** *coloq.* Desafiar (alguém) para luta; provocar, instigar: *O protagonista do romance intimou o rival para um duelo*. ▶ Conjug. 5.

intimativa (in.ti.ma.*ti*.va) *s.f.* Palavra, frase ou gesto com força de intimação.

intimativo (in.ti.ma.*ti*.vo) *adj*. Que intima; próprio para intimar; enérgico, autoritário: *tom intimativo*.

intimidade (in.ti.mi.*da*.de) *s.f.* **1.** Qualidade ou caráter de íntimo. **2.** Amizade estreita; relação muito próxima; familiaridade: *Existe muita intimidade entre os colegas*. **3.** Vida íntima e recôndita; privacidade: *Prezo muito a minha intimidade*. **4.** Ambiente particular e reservado: *Gostava de ler na intimidade de seu escritório*. **5.** Habilidade, domínio, familiariedade: *Ainda criança, já revelava grande intimidade com as tintas e os pincéis*. **6.** Trato pouco respeitoso; intromissão na vida de outrem: *Deixe-se de intimidade comigo!* || Nesta última acepção, também usado no plural.

intimidar (in.ti.mi.*dar*) *v*. **1.** Tornar(-se) tímido, receoso, temeroso; amedrontar(-se), assustar(-se), atemorizar(-se): *Os alunos veteranos intimidavam os calouros*; *As bravatas do fora da lei não intimidavam mais*; *Ninguém se intimidam com ameaças veladas*. **2.** Provocar ou sentir constrangimento, timidez, inibição; inibir(-se), acanhar(-se): *O olhar percuciente do professor o intimidava*; *Ser entrevistado pela televisão é algo que intimida*; *O jovem modelo se inibia nas primeiras fotos*. ▶ Conjug. 5. – **intimidação** *s.f.*; **intimidador** [ô] *adj. s.m.*

íntimo (*ín*.ti.mo) *adj*. **1.** Que se passa no interior da mente; interno, intrínseco: *Alegou questões de foro íntimo para não filiar-se ao partido político*. **2.** Que é ligado por laços de amizade, afeto ou confiança: *São amigos ínti-*

mos. **3.** Que tem caráter pessoal, particular, privado: *aposentos íntimos*; *correspondência íntima*. • *s.m.* **4.** O interior da alma; âmago: *Não há ressentimento em seu íntimo*. **5.** Amigo muito próximo: *Deu uma pequena reunião só para os íntimos*.

intimorato (in.ti.mo.*ra*.to) *adj.* Que nada teme; destemido, corajoso, valente, intrépido: *povo intimorato*. || Conferir com *intemerato*.

intitular (in.ti.tu.*lar*) *v.* **1.** Dar título ou nome a; nomear: *intitular um livro*; *Intitularam o jogador (de) rei do futebol*. **2.** Atribuir-se título ou nome; denominar-se, chamar-se: *O candidato intitulou-se campeão da ética e da moralidade*. ▶ Conjug. 5. – **intitulação** *s.f.*

intocável (in.to.*cá*.vel) *adj.* **1.** Em que não se pode tocar: *A casta dos párias da Índia é intocável*. **2.** Que é impossível tocar, pegar ou alcançar; intangível: *O firmamento é intocável*. **3.** Que não pode ser atacado; inatacável, ilibado: *reputação intocável*. **4.** Que não pode sofrer nenhuma crítica ou penalidade: *autoridade intocável*. • *s.m.* e *f.* **5.** Pessoa intocável.

intolerância (in.to.le.*rân*.ci:a) *s.f.* **1.** Qualidade de intolerante. **2.** Falta de tolerância; intransigência. – **intolerante** *adj.*

intolerável (in.to.le.*rá*.vel) *adj.* Que não se pode tolerar; insuportável, importuno: *A poluição nas cidades está intolerável*.

intoxicar [cs] (in.to.xi.*car*) *v.* Causar envenenamento ou envenenar-se pela ação de substância tóxica: *A carne estragada intoxicou os hóspedes*; *Certos peixes não devem ser consumidos, porque intoxicam*; *O pintor intoxicou-se com as tintas que usava em suas telas*. ▶ Conjug. 5 e 35. – **intoxicação** *s.f.*; **intoxicante** *adj.*

intracelular (in.tra.ce.lu.*lar*) *adj.* (*Anat.*) Que se situa ou ocorre no interior das células.

intracraniano (in.tra.cra.ni:*a*.no) *adj.* (*Anat.*) Que se situa ou ocorre dentro do cérebro.

intradérmico (in.tra.*dér*.mi.co) *adj.* Que se situa ou ocorre no interior da pele.

intraduzível (in.tra.du.*zí*.vel) *adj.* **1.** Que não se pode traduzir (de um idioma para outro). **2.** *fig.* Difícil de exprimir; inexprimível: *alegria intraduzível*.

intragável (in.tra.*gá*.vel) *adj.* **1.** Que não se consegue tragar ou ingerir: *comida intragável*. **2.** *fig.* Desagradável, insuportável, intolerável: *Não assisto a esse tipo de comicidade intragável*.

intranet [é] (in.tra.*net*) *s.f.* (*Inform.*) Rede projetada para o fornecimento de informações a uma instituição (empresa, universidade etc.).

intranquilidade [qüi] (in.tran.qui.li.*da*.de) *s.f.* Falta de tranquilidade; inquietação, desassossego.

intranquilizar [qüi] (in.tran.qui.li.*zar*) *v.* Tornar(-se) intranquilo; desassossegar(-se), afligir(-se), inquietar(-se): *Os dados estatísticos sobre a devastação das florestas intranquilizam os ambientalistas*; *A população se intranquiliza com a violência urbana*. ▶ Conjug. 5. – **intranquilizador** [ô] *adj.*

intranquilo [qüi] (in.tran.*qui*.lo) *adj.* Que não tem tranquilidade, inquieto, desassossegado, preocupado, aflito.

intransferível (in.trans.fe.*rí*.vel) *adj.* Que não se pode transferir; intransmissível, inalienável.

intransigente (in.tran.si.*gen*.te) *adj.* **1.** Que não transige, não faz concessão; inflexível, intolerante: *patrão intransigente*. **2.** Que segue princípios rígidos; austero, severo: *Os pais são intransigentes com a educação dos filhos*. – **intransigência** *s.f.*

intransitável [zi] (in.tran.si.*tá*.vel) *adj.* Que não é transitável; por onde não se pode transitar ou passar: *O centro da cidade está intransitável*.

intransitivo [zi] (in.tran.si.*ti*.vo) *adj.* **1.** (*Gram.*) Diz-se de verbo cujo significado lexical não necessita de complemento verbal, como por exemplo em *Começou a chover*; *Todos já foram dormir*. • *s.m.* **2.** Esse verbo. – **intransitividade** *s.f.*

intransmissível (in.trans.mis.*sí*.vel) *adj.* Que não se pode transmitir a outrem; intransferível: *bens intransmissíveis*.

intransponível (in.trans.po.*ní*.vel) *adj.* Que não se pode transpor ou superar: *obstáculos intransponíveis*.

intratável (in.tra.*tá*.vel) *adj.* **1.** Que não se pode tratar ou curar: *doença intratável*. **2.** Que não se pode tratar ou abordar: *Esse é um assunto intratável*. **3.** Pouco afeito à convivência social; de difícil trato; insociável: *Aquele diretor de cinema tem a fama de intratável*.

intravenoso [ô] (in.tra.ve.*no*.so) *adj.* **1.** (*Med.*) Relativo ao interior da veia; endovenoso. **2.** (*Med.*) Que se dá no interior da veia; endovenoso: *injeção intravenosa*. || f. e pl.: [ó].

intrépido (in.*tré*.pi.do) *adj.* Que não tem medo; destemido, corajoso, valente, impávido. – **intrepidez** *s.f.*

intricado (in.tri.*ca*.do) *adj.* Intrincado.

intricar (in.tri.*car*) *v.* Intrincar. ▶ Conjug. 5 e 35.

intriga (in.*tri*.ga) *s.f.* **1.** Maquinação feita às ocultas para obter alguma vantagem ou para pre-

intrigante

judicar alguém; cilada, traição, perfídia, insídia. **2.** Boato, bisbilhotice, mexerico, futrico: *O governo considerou as críticas como intrigas da oposição.* **3.** (*Lit.*) A ação em uma narrativa; enredo, trama.
intrigante (in.tri.*gan*.te) *adj.* **1.** Que intriga. • *s.m.* e *f.* **2.** Pessoa intrigante.
intrigar (in.tri.*gar*) *v.* **1.** Fazer ou provocar intriga; inimizar(-se), indispor(-se), desavir(-se), intrincar(-se): *Vivia a intrigar os companheiros de repartição; As divergências políticas intrigaram-no com os correligionários; Intrigava-se com os colegas por qualquer motivo.* **2.** Fazer ficar ou ficar curioso, perplexo, desconcertado ou desconfiado: *Tudo intriga as crianças; Nada intriga mais que a morte; Não se intriga com nada.* ▶ Conjug. 5 e 34.
intrincado (in.trin.*ca*.do) *adj.* **1.** Embaraçado, embaralhado, emaranhado, enredado, intrincado: *Era um tecido de intrincadas rendas.* **2.** *fig.* De difícil compreensão ou solução; confuso, complicado: *problema intrincado.* || *intrincado.*
intrincar (in.trin.*car*) *v.* **1.** Embaraçar(-se), embaralhar(-se), emaranhar(-se), enredar(-se), intricar(-se): *A rendeira escolhia os fios do bordado e intrincava-os com maestria; É perigoso deixar a fiação elétrica intrincar-se.* **2.** *fig.* Tornar(-se) mais difícil, confuso ou complicado; complicar(-se), enredar(-se): *Não procure intrincar mais a questão; O caso intrincou-se com novas denúncias.* ▶ Conjug. 5 e 35.
intrínseco (in.*trín*.se.co) *adj.* **1.** Que está no interior, no íntimo (de algo ou de alguém); interno: *conflitos intrínsecos.* **2.** Que é inerente ou essencial à natureza (de algo); peculiar, particular: *A esperança é um sentimento intrínseco ao ser humano.* **3.** Que tem valor e significado próprios; que não depende de convenção ou de normas estabelecidas: *verdade intrínseca.* || antôn.: *extrínseco.*
introdução (in.tro.du.*ção*) *s.f.* **1.** Ato ou efeito de introduzir(-se). **2.** Texto de abertura de livro, tese etc.; prefácio, preâmbulo, exórdio. **3.** Obra preparatória para o estudo mais aprofundado de uma matéria: *Introdução à Linguística.*
introdutório (in.tro.du.*tó*.ri:o) *adj.* Que serve de introdução; abertura ou apresentação: *Leia sempre as notas introdutórias dos dicionários.*
introduzir (in.tro.du.*zir*) *v.* **1.** Fazer entrar; fazer penetrar; enfiar, meter: *introduzir a mão no bolso.* **2.** Fazer(-se) levar ou admitir à presença de; apresentar(-se): *O pai da noiva introduziu-a ao altar; Gostaria de introduzir-me no rol de seus amigos.* **3.** Colocar em uso; fazer adotar; estabelecer, criar: *A famosa estilista introduziu a moda da minissaia.* **4.** Fazer a inclusão de; incluir, inserir: *O advogado introduziu novas cláusulas no contrato.* **5.** Fazer vir de outro país; importar: *Há interesse em introduzir tecnologias estrangeiras em alguns setores da economia.* **6.** Dar início a; iniciar, abrir, encabeçar: *O presidente da mesa introduziu a sessão, dando a palavra ao orador.* **7.** Iniciar (alguém) em algum conhecimento ou em alguma prática: *Introduziu o amigo nos segredos da cabala.* ▶ Conjug. 82. – **introdutor** [ô] *adj. s.m.*
introito [ói] (in.*troi*.to) *s.m.* **1.** Parte inicial; começo, princípio, introdução. **2.** (*Rel.*) Na liturgia católica, oração com que o sacerdote dá início à missa.
introjeção (in.tro.je.*ção*) *s.f.* (*Psicn.*) Mecanismo psicológico por meio do qual um indivíduo, inconscientemente, incorpora e passa a considerar como seus características, crenças e valores de outra pessoa ou de um grupo social; internalização.
introjetar (in.tro.je.*tar*) *v.* (*Psicn.*) Fazer a introjeção de; internalizar, interiorizar: *Os filhos frequentemente introjetam os modelos dos pais.* ▶ Conjug. 8.
intrometer (in.tro.me.*ter*) *v.* **1.** Meter-se no que não lhe diz respeito; imiscuir-se, ingerir-se: *Não se intrometa nos assuntos privados dos amigos.* **2.** Pôr(-se) em meio a algo; entremear(-se), intercalar(-se): *A mãe intrometia os dedos nos cabelos da criança; O assaltante fugiu, intrometendo-se na multidão.* ▶ Conjug. 41. – **intrometimento** *s.m.*; **intromissão** *s.f.*
intrometido (in.tro.me.*ti*.do) *adj.* **1.** Que se mete onde não deve; enxerido, indiscreto, abelhudo. • *s.m.* **2.** Pessoa intrometida.
introspecção (in.tros.pec.*ção*) *s.f.* **1.** Reflexão que alguém faz sobre o que passa em seu íntimo. **2.** (*Psican.*) Método de observação psicológica da própria mente; autoanálise. – **introspectivo** *adj.*
introversão (in.tro.ver.*são*) *s.f.* **1.** Ato ou efeito de introverter-se. **2.** (*Psicn.*) Tendência a voltar-se para dentro de si mesmo, a isolar-se, passando o mundo exterior a plano secundário. || Conferir com *extroversão.*
introverter (in.tro.ver.*ter*) *v.* Voltar-se para dentro de si mesmo; tornar-se introvertido; concentrar-se, ensimesmar-se: *O retraimento levava-o a introverter-se.* || Conferir com *extroverter-se.* ▶ Conjug. 41.

introvertido (in.tro.ver.*ti*.do) *adj.* **1.** Voltado para dentro; metido consigo; absorto, concentrado, ensimesmado. • *s.m.* **2.** Pessoa introvertida. || Conferir com *extrovertido*.

intrujão (in.tru.*jão*) *adj.* **1.** Que intruja. • *s.m.* **2.** Pessoa intrujona. **3.** *coloq.* Receptador de objetos furtados.

intrujar (in.tru.*jar*) *v.* **1.** Enganar (alguém), usando de astúcia e falsidade; lograr, trapacear: *O mau-caráter está sempre pronto a intrujar alguém de boa-fé.* **2.** Contar mentiras e patranhas: *Repreenda seu filho se continuar a intrujar.* ▶ Conjug. 5 e 37.

intrujice (in.tru.*ji*.ce) *s.f.* Ato de intrujar; engano, logro, artimanha, trapaça.

intrusão (in.tru.*são*) *s.f.* **1.** Ato ou efeito de intrometer-se. **2.** (*Jur.*) Ato de se apoderar ou ocupar imóveis e terras alheias sem autorização do legítimo proprietário. **3.** (*Mil.*) Incursão de aeronaves de caça ou de ataque a territórios inimigos.

intruso (in.*tru*.so) *adj.* **1.** Que se intromete ou se introduz, sem direito ou consentimento, em algum lugar ou em algum assunto. **2.** (*Jur.*) Que pratica intrusão. • *s.m.* **3.** Pessoa intrusa. **4.** (*Mil.*) Avião de caça ou de ataque que realiza uma intrusão.

intuição (in.tu:i.*ção*) *s.f.* **1.** Percepção clara, imediata e espontânea (de um fato), independente de raciocínio ou análise; discernimento, perspicácia: *a intuição feminina.* **2.** Pressentimento instintivo; presságio, premonição: *Algumas pessoas têm a intuição de catástrofes.*

intuir (in.tu:*ir*) *v.* **1.** Perceber ou apreender (algo) por intuição, sem intervenção do raciocínio; deduzir, concluir: *Não conseguia intuir os motivos da atitude do amigo.* **2.** Ter intuição ou pressentimento; pressentir, pressagiar: *intuir um perigo iminente.* ▶ Conjug. 80.

intuitivo (in.tu:i.*ti*.vo) *adj.* **1.** Dotado de intuição: *As mães são muito intuitivas.* **2.** Percebido ou pressentido por intuição: *saber intuitivo.*

intuito (in.*tui*.to) *s.m.* O que se tem em vista; objetivo, intenção, intento, fim, propósito.

intumescência (in.tu.mes.*cên*.ci:a) *s.f.* Ato de intumescer(-se); intumescimento, inchação, tumefação, tumor.

intumescente (in.tu.mes.*cen*.te) *adj.* Que intumesceu; túmido, inchado.

intumescer (in.tu.mes.*cer*) *v.* **1.** Tornar(-se) túmido ou inchado; inchar(-se), dilatar(-se): *A pancada intumesceu-lhe o braço; Sentia as veias intumescerem(-se).* **2.** *fig.* Encher(-se) de orgulho; envaidecer(-se), enfatuar(-se): *A crítica elogiosa intumesceu o autor; Intumesceu-se com os aplausos consagradores do público.* ▶ Conjug. 41 e 46. – **intumescido** *adj.*

intumescimento (in.tu.mes.ci.*men*.to) *s.m.* Intumescência.

inúbil (i.*nú*.bil) *adj.* Que não é núbil; que ainda não está em idade de casar.

inumano (i.nu.*ma*.no) *adj.* Que não é humano; desumano, cruel, atroz, impiedoso: *castigo inumano.*

inumar (i.nu.*mar*) *v.* Enterrar (cadáver), sepultar: *Inumaram os corpos dos mortos em combate.* ▶ Conjug. 5.

inumerável (i.nu.me.*rá*.vel) *adj.* **1.** Que não se pode numerar, contar ou calcular; inúmero, infinito: *estrelas inumeráveis.* **2.** Em grande quantidade; abundante, copioso, numeroso: *O manifesto pela paz contou com um apoio inumerável de adesões.*

inundação (i.nun.da.*ção*) *s.f.* **1.** Ato ou efeito de inundar(-se). **2.** Grande volume de águas (pluviais, fluviais, marinhas), que causam alagamentos; enchente, enxurrada, cheia. **3.** *fig.* Grande afluência ou invasão de pessoas, animais ou coisas, subitamente, em um mesmo lugar: *Havia uma inundação de jovens no concerto ao ar livre.*

inundar (i.nun.*dar*) *v.* **1.** Cobrir com água que transborda; alagar, submergir: *O mar, em ressaca, inundou as praias e as ruas.* **2.** Ultrapassar (a água) as bordas ou margens; transbordar: *Os rios daquela região inundam sempre na estação das chuvas.* **3.** Molhar(-se) de algum líquido; banhar(-se), umedecer(-se), empapar(-se): *O suor inundava-lhe o rosto; Inundou de lágrimas a imagem do santo de sua devoção; Inundava-se de suor ao sol do meio-dia.* **4.** *fig.* Alastrar(-se) por; espalhar(-se), derramar(-se) espargir(-se): *O luar inundava os campos de trigo; Sob o sol a pino, inundavam-se as ruas de luz.* **5.** *fig.* Afluir (pessoas, animais) a algum lugar em grande número; invadir, ocupar: *Pedintes inundam as ruas da cidade; Ao anoitecer, nuvens de mosquitos inundam as casas.* ▶ Conjug. 5.

inusitado (i.nu.si.*ta*.do) *adj.* **1.** Que não é frequente ou costumeiro; desusado, incomum, insólito, raro, estranho: *O atleta teve um inusitado gesto de agressão contra o adversário.* • *s.m.* **2.** Aquilo que causa surpresa ou estranhamento por ser inesperado: *Todos comentaram o inusitado daquela cena.*

inútil (i.nú.til) *adj.* **1.** Que não tem utilidade; sem serventia; desnecessário, imprestável: *Gastou o dinheiro com aquisições inúteis.* **2.** Que não vale a pena; infrutífero, improdutivo, baldado, vão: *esforços inúteis.* • *s.m.* e *f.* **3.** Pessoa inútil (1): *Não serve para nada, é um inútil.* – **inutilidade** *s.f.*

inutilizar (i.nu.ti.li.*zar*) *v.* **1.** Tornar inútil ou imprestável; causar dano; estragar, danificar: *A enchente inutilizou os móveis e utensílios da casa.* **2.** Tornar(-se) inútil, incapaz ou inválido; incapacitar(-se), invalidar(-se): *O acidente inutilizou suas pernas; Depois do acidente, inutilizou-se para a prática de esportes.* **3.** Fazer falhar; frustrar, baldar, anular: *A intransigência dos beligerantes inutilizou os esforços pela paz.* ▶ Conjug. 5. – **inutilização** *s.f.*

invadir (in.va.*dir*) *v.* **1.** Entrar em (território, região, país etc.) à força, com o propósito de ocupação e conquista: *Os mouros invadiram a Península Ibérica.* **2.** *fig.* Alastrar-se por; tomar por inteiro; dominar, inundar: *A euforia invade o país durante a Copa do Mundo.* **3.** *fig.* Ultrapassar os limites de; usurpar: *invadir o espaço de outrem.* **4.** Afluir em grande número (pessoas ou animais); infestar, inundar: *Levas de torcedores invadem os estádios; As baratas invadiram o velho prédio.* ▶ Conjug. 66.

invalidar (in.va.li.*dar*) *v.* **1.** (Fazer) perder a validade ou o valor; tornar(-se) nulo; anular(-se): *invalidar uma licitação; Decorrido o prazo legal, o documento invalidou-se.* **2.** Tornar(-se) inválido ou incapaz; incapacitar(-se), inutilizar(-se): *A insalubridade pode invalidar o trabalhador para o exercício de suas funções; Invalidou-se como pianista, após o acidente com as mãos.* ▶ Conjug. 5. – **invalidação** *s.f.*; **invalidado** *adj.*

inválido (in.*vá*.li.do) *adj.* **1.** Que não é válido; sem valor; nulo, invalidado: *licitação inválida.* **2.** Impossibilitado para trabalho ou missão (por enfermidade, acidente ou pela idade); incapacitado, inutilizado. • *s.m.* **3.** Pessoa inválida: *Ergueu-se um monumento aos inválidos da pátria.* – **invalidez** *s.f.*

invariabilidade (in.va.ri:a.bi.li.*da*.de) *s.f.* Qualidade de invariável; imutabilidade, constância.

invariante (in.va.ri:*an*.te) *s.f.* (*Fís.*) Grandeza ou variável que se mantém constante na transformação de um sistema. – **invariância** *s.f.*

invariável (in.va.ri:*á*.vel) *adj.* **1.** Que não varia; que é sempre igual; imutável, constante: *Sua simpatia e seu bom humor são invariáveis.* **2.** Que se repete; repetitivo, rotineiro: *Depois do jantar, toma sempre o invariável café.* **3.** (*Gram.*) Que não tem flexões (diz-se de vocábulos como as preposições e as conjunções).

invasão (in.va.*são*) *s.f.* **1.** Ato ou efeito de invadir. **2.** Entrada violenta e hostil, sem permissão (em algum espaço interdito): *a invasão do estádio pelos torcedores.* **3.** Penetração belicosa, por forças armadas em território estrangeiro: *a invasão da Polônia pelos nazistas.* **4.** Ocupação, sem o amparo da lei, de propriedades alheias: *Os sem-teto promoveram a invasão do prédio abandonado.* **5.** *fig.* Intromissão indevida na vida ou nos assuntos particulares de outrem: *Não admitia invasão de parentes em sua vida pessoal.* **6.** *fig.* Difusão súbita e crescente; propagação, divulgação: *Há uma invasão de bons filmes na cidade.*

invasivo (in.va.*si*.vo) *adj.* **1.** Relativo a invasão, em que há invasão; agressivo, hostil, belicoso: *Foi deflagrada uma campanha invasiva contra o país vizinho.* **2.** Que tende a intrometer-se indevidamente na vida alheia; espaçoso: *vizinhos invasivos.* **3.** (*Med.*) Que tem a capacidade de envolver os tecidos adjacentes (diz-se dos tumores malignos): *Os tumores benignos não são invasivos.* **4.** (*Med.*) Em que há inserção no organismo de algum instrumento: *O cateterismo é um procedimento médico invasivo.*

invasor [ô] (in.va.*sor*) *adj.* **1.** Que invade: *tropas invasoras; grileiros invasores.* • *s.m.* **2.** Pessoa invasora.

invectiva (in.vec.*ti*.va) *s.f.* Palavra(s) insultuosa(s) que se lança(m) sobre algo ou alguém de forma veemente; injúria, repreenda, ofensa: *Dirigia suas invectivas à corrupção reinante.*

invectivar (in.vec.ti.*var*) *v.* **1.** Dizer ou lançar invectivas; insultar, injuriar: *invectivar os maus políticos; Não é prudente invectivar contra tudo e contra todos.* **2.** Censurar (algo ou alguém) com veemência; criticar, acusar: *Invectivava o adversário de inescrupuloso.* ▶ Conjug. 5.

inveja [é] (in.*ve*.ja) *s.f.* **1.** Desgosto, ódio ou pesar provocado pelo bem ou pela felicidade de alguém. **2.** Desejo de possuir ou gozar de um bem alheio. **3.** O objeto da inveja. || *Matar / morrer de inveja:* causar ou sentir grande inveja.

invejar (in.ve.*jar*) *v.* **1.** Ter ou sentir inveja de (outrem): *Não inveje o sucesso alheio; Os dois parentes sempre se invejaram; Os pais sempre repetem que é feio invejar.* **2.** Desejar ardentemente o que pertence a outrem; cobiçar, ambicionar: *Invejava o novo carro do amigo.* ▶ Conjug. 8 e 37.

invejoso [ô] (in.ve.*jo*.so) *adj*. **1.** Que sente inveja; que revela inveja. • *s.m*. **2.** Pessoa invejosa. || f. e pl.: [ó].

invenção (in.ven.*ção*) *s.f*. **1.** Ato ou efeito de inventar. **2.** Descoberta, criação ou concepção de algo ainda não existente ou conhecido: *a invenção do telefone; a invenção de um novo método*. **3.** A coisa inventada; o produto da faculdade criadora do homem: *Você deve patentear suas invenções*. **4.** Criatividade, inventividade, inventiva: *É um aluno de muita invenção em suas redações*. **5.** Aquilo que é objeto da imaginação; fantasia, invencionice: *Não acredite no que diz, é tudo invenção de sua cabeça*.

invencível (in.ven.*cí*.vel) *adj*. **1.** Que não pode ser vencido; invicto: *herói invencível*. **2.** Que não se consegue superar ou ultrapassar; insuperável: *um recorde invencível*. **3.** Que não se pode contestar; incontestável, irrefutável: *argumento invencível*. **4.** Que não se pode levar a cabo; irrealizável, inexequível: *missão invencível*. **5.** Que não se pode reprimir; irreprimível, irrefreável: *sono invencível*. – **invencibilidade** *s.f*.

invendável (in.ven.*dá*.vel) *adj*. Que não é vendável, que não pode ter fácil venda: *Em péssimo estado, a propriedade tornou-se invendável*.

inventar (in.ven.*tar*) *v*. **1.** Descobrir, criar, conceber, desenvolver algo ainda não conhecido: *inventar o protótipo de um novo carro*. **2.** Criar na imaginação; imaginar, fantasiar, idealizar: *Muitas crianças inventam um amigo invisível*. **3.** Engendrar (ideia, plano etc.); arquitetar, urdir, armar: *Inventa sempre uma maneira de sair-se bem nos negócios*. **4.** Alegar, pretextar, fingir: *Inventa desculpas para tudo*. **5.** Dizer invencionices; mentir, enganar: *Inventou mentiras sobre o amigo; É um mentiroso contumaz; inventa até sem perceber*. ▶ Conjug. 5.

inventariante (in.ven.ta.ri:*an*.te) *adj*. **1.** Que inventaria • *s.m*. e *f*. **2.** Aquele que inventaria ou que dá a relação dos bens inventariados. **3.** (*Jur*.) Pessoa nomeada pelo juiz para relacionar e administrar o espólio até que se julgue a partilha.

inventariar (in.ven.ta.ri:*ar*) *v*. **1.** (*Jur*.) Fazer o inventário de; arrolar: *O filho mais velho inventariou os bens deixados pelos pais falecidos*. **2.** Fazer a relação ou o registro de; relacionar, catalogar, listar: *Inventariou para o sócio todas as possibilidades de lucro no empreendimento*. **3.** *fig*. Fazer o relato ou a descrição minuciosa de; descrever, enumerar: *O chefe inventariou todas as qualidades do funcionário promovido*. ▶ Conjug. 17.

inventário (in.ven.*tá*.ri:o) *s.m*. **1.** (*Jur*.) Descrição minuciosa dos bens patrimoniais deixados por pessoa falecida, que irão ser objeto de partilha. **2.** O documento em que se acham relacionados esses bens. **3.** Relação detalhada (de algo); registro, catálogo, levantamento, rol: *O prefeito fez o inventário dos programas sociais de seu governo*.

inventiva (in.ven.*ti*.va) *s.f*. Inventividade.

inventividade (in.ven.ti.vi.*da*.de) *s.f*. Qualidade ou faculdade de inventar, de criar, de inovar; criatividade, inventiva.

inventivo (in.ven.*ti*.vo) *adj*. **1.** Que tem grande capacidade de inventar, de criar algo novo ou de recriar algo já existente; engenhoso, imaginoso, criativo. **2.** Que é produto dessa capacidade criativa: *O espetáculo tem um cenário muito inventivo*.

invento (in.*ven*.to) *s.m*. Invenção.

inventor [ô] (in.ven.*tor*) *adj*. **1.** Que inventa; inventivo. • *s.m*. **2.** Aquele que fez uma descoberta ou criou algo novo; autor.

inverdade (in.ver.*da*.de) *s.f*. Mentira; falsidade, inexatidão.

inverificável (in.ve.ri.fi.*cá*.vel) *adj*. Que não se pode verificar ou averiguar: *hipótese inverificável*.

invernada[1] (in.ver.*na*.da) *s.f*. **1.** Inverno rigoroso; invernia. **2.** Longa duração de mau tempo. **3.** Chuvas rigorosas e prolongadas durante a estação chamada impropriamente inverno, nas regiões Norte e Nordeste.

invernada[2] (in.ver.*na*.da) *s.f*. Pastagem cercada de obstáculos naturais ou artificiais onde se guardam animais para descanso, para engorda ou para reprodução.

invernal (in.ver.*nal*) *adj*. Relativo a inverno, que tem a natureza ou as condições do inverno; hibernal.

invernar (in.ver.*nar*) *v*. **1.** Passar o inverno: *A família foi invernar na serra gaúcha*. **2.** Acolher-se em lugar próprio para escapar ao rigor do inverno; hibernar: *Os ursos invernam durante muitos meses*. **3.** Fazer inverno ou mau tempo: *Começou a invernar*. **4.** Fazer invernada: *invernar o gado*. ▶ Conjug. 8.

invernia (in.ver.*ni*.a) *s.f*. Inverno, invernada[1].

inverno [é] (in.ver.no) *s.m*. **1.** Estação mais fria do ano, entre o outono e a primavera. **2.** Tempo frio e chuvoso; invernia. **3.** Nas regiões Norte e Nordeste, estação de chuvas que principiam ordinariamente em janeiro e

invernoso

vão até julho e às vezes até agosto; invernada[1]. **4.** *fig.* A última quadra da vida, a velhice.

invernoso [ô] (in.ver.*no*.so) *adj.* Relativo a ou próprio do inverno; hibernal. || f. e pl.: [ó].

inverossímil (in.ve.ros.*sí*.mil) *adj.* **1.** Que não é verossímil; que não parece ser verdadeiro ou provável; improvável, inacreditável: *façanhas inverossímeis*. • *s.m.* **2.** Coisa inverossímil.

inverossimilhança (in.ve.ros.si.mi.*lhan*.ça) *s.f.* Falta de verossimilhança; improbabilidade.

inversão (in.ver.*são*) *s.f.* **1.** Ato ou efeito de inverter(-se). **2.** Disposição em sentido inverso (de dois ou mais elementos); alteração, mudança, troca: *inversão da mão no trânsito*; (*fig.*) *Um novo tempo pode implicar uma inversão de valores*. **3.** (*Gram.*) Mudança da ordem direta ou usual dos termos em uma frase. **4.** (*Econ.*) Aplicação de capital para obtenção de rendas; investimento. || *Inversão térmica*: em Meteorologia, aumento brusco da diferença de pressão na atmosfera.

inverso [é] (in.*ver*.so) *adj.* **1.** Colocado em sentido ou posição opostos a uma determinada ordem ou direção; invertido: *Tomou o caminho inverso ao dos outros peregrinos*. **2.** Diferente em tudo; contrário, oposto: *As medidas tomadas tiveram efeito inverso ao que se esperava*. • *s.m.* **3.** O lado ou a face inversa (de alguma coisa); avesso, reverso: *Passe o ferro pelo inverso da roupa*.

inversor [ô] (in.ver.*sor*) *adj.* **1.** Que inverte. • *s.m.* **2.** Aquele que inverte. **3.** (*Elétr.*) Qualquer aparelho que converte corrente contínua em corrente alternada. **4.** (*Eletrôn.*) Amplificador que inverte a polaridade do sinal de entrada.

invertebrado (in.ver.te.*bra*.do) *adj.* (*Zool.*) **1.** Desprovido de coluna vertebral (diz-se de animal). • *s.m.* **2.** Animal invertebrado.

inverter (in.ver.*ter*) *v.* **1.** Voltar(-se) em sentido ou ordem opostos; colocar(-se) ao contrário; virar(-se) às avessas: *inverter a ordem dos jogos na tabela*; (*fig.*) *inverter os papéis na política*. **2.** Alterar, mudar, trocar, transformar: *O acordo de paz inverteu a situação da guerra*. **3.** (*Econ.*) Aplicar capital; investir: *O empresário inverteu grandes somas na modernização da empresa*. ▶ Conjug. 41.

invés (in.*vés*) *s.m.* Usado apenas na locução *ao invés de*. || *Ao invés de*: ao contrário de: *Preferiu ficar na cidade ao invés de viajar no feriado*.

investida (in.ves.*ti*.da) *s.f.* **1.** Ato ou efeito de investir. **2.** Ataque agressivo; assalto, arremetida: *Tropas de choque fizeram investida contra os amotinados*. **3.** Tentativa, ensaio, experiência, experimento: *Decidiu fazer uma investida na política*. **4.** *coloq.* Aproximação, abordagem, assédio (com ou sem interesse explícito): *uma investida amorosa*.

investidura (in.ves.ti.*du*.ra) *s.f.* **1.** Ato ou efeito de investir. **2.** (*Jur.*) Ato pelo qual se dá posse (a uma pessoa) para desempenho de cargo ou função; nomeação. **3.** A solenidade ou a sessão em que a pessoa se investe no cargo ou função. **4.** O título que assegura o direito da pessoa investida.

investigação (in.ves.ti.ga.*ção*) *s.f.* **1.** Ato ou efeito de investigar; pesquisa, busca. **2.** Indagação minuciosa; sindicância, inquirição, inquérito.

investigador [ô] (in.ves.ti.ga.*dor*) *adj.* **1.** Que investiga. • *s.m.* **2.** Pessoa que investiga, que pesquisa. **3.** Agente policial encarregado de proceder secretamente a investigações.

investigar (in.ves.ti.*gar*) *v.* **1.** Procurar descobrir (algo); examinar minuciosamente, esquadrinhar, perscrutar: *É necessário investigar todos os ângulos da questão*. **2.** (*Jur.*) Fazer diligência para esclarecer fatos ou situações de direito; inquirir, indagar: *investigar um delito*. ▶ Conjug. 5 e 35.

investimento (in.ves.ti.*men*.to) *s.m.* **1.** Ato ou efeito de investir; investida, ataque. **2.** (*Econ.*) Aplicação, emprego (de capitais) com intuito especulativo: *investimento em títulos do governo*. **3.** *fig.* Emprego (de tempo, esforço, recurso etc.) para obtenção de algum objetivo ou resultado: *O tempo destinado à leitura é o melhor investimento pessoal*.

investir (in.ves.*tir*) *v.* **1.** Dispensar (tempo, esforço etc.) em prol de algum objetivo ou resultado esperado: *Investiu na carreira de músico*; *Investiu todas as forças na recuperação de sua empresa*. **2.** (*Econ.*) Fazer investimento; aplicar, empregar (capital): *Investiu muito dinheiro na Bolsa de Valores*; *É preciso saber investir*. **3.** Atirar-se com ímpeto; arremessar-se contra; atacar, assaltar, acometer: *Os policiais não investiram contra os manifestantes*; *Foi dada a ordem para não investir*. **4.** Dar ou tomar posse (em cargo ou função); empossar(-se); nomear(-se): *O governador investiu os novos secretários*; *Investiu-se no cargo com toda a pompa*. **5.** Tomar a seu cargo; encarregar-se, incumbir-se: *Os filhos devem investir-se de suas responsabilidades*. ▶ Conjug. 69. – **investidor** *s.m.*

inveterado (in.ve.te.*ra*.do) *adj.* **1.** Que acontece desde longa data: *É um torcedor inveterado de* *futebol*. **2.** Fortemente estabelecido; arraigado, entranhado, radicado: *hábitos inveterados*. **3.** Que tem (hábitos, costumes, vícios) já profundamente arraigados em si mesmo: *É um leitor inveterado*.

inviabilizar (in.vi:a.bi.li.*zar*) *v*. Tornar(-se) inviável, irrealizável, inexequível: *Certas medidas econômicas inviabilizam o crescimento da indústria; Muitas teorias inviabilizam-se na prática*. ▶ Conjug. 5.

inviável (in.vi:*á*.vel) *adj*. **1.** Que não é viável; que não pode realizar-se; inexequível: *promessa inviável*. **2.** Por onde não se pode passar; intransitável, inacessível, ínvio: *A falta de conservação deixa as estradas inviáveis*. – **inviabilidade** *s.f*.

invicto (in.*vic*.to) *adj*. **1.** Que nunca foi vencido; que nunca sofreu derrota: *Meu time foi campeão invicto na última temporada*. **2.** Que não se consegue vencer; invencível: *os invictos heróis das histórias em quadrinhos*.

ínvio (*ín*.vi:o) *adj*. **1.** Em que não há caminho aberto, trilha ou passagem: *floresta ínvia*. **2.** Em que não se pode transitar; intransitável, inviável: *estrada ínvia*.

inviolabilidade (in.vi:o.la.bi.li.*da*.de) *s.f*. Prerrogativa ou privilégio de certas coisas ou pessoas em virtude de que não podem ser atingidas ou violadas; imunidade: *inviolabilidade da correspondência; inviolabilidade parlamentar*.

inviolável (in.vi:o.*lá*.vel) *adj*. **1.** Que não pode ou não deve sofrer violação: *segredo inviolável*. **2.** (*Jur*.) Que tem sua inviolabilidade garantida pela Constituição: *O domicílio do cidadão é inviolável*.

invisível (in.vi.*sí*.vel) *adj*. **1.** Que tem pouca ou nenhuma visibilidade (por sua própria natureza ou por sua dimensão minúscula): *O ar é invisível; micróbios invisíveis a olho nu*. **2.** Cujo conhecimento não corresponde à realidade; que é fruto da imaginação; imaginário, fantasioso: *Algumas crianças têm um amigo invisível*. • *s.m*. **3.** Aquilo que é invisível.

invocação (in.vo.ca.*ção*) *s.f*. **1.** Ato ou efeito de invocar, de chamar em auxílio ou favor de alguém; pedido de socorro, rogo, súplica. **2.** (*Lit*.) Na poesia épica, súplica feita pelo poeta, geralmente no início do poema, às divindades ou às musas, para que lhe tragam inspiração. **3.** (*Jur*.) Alegação (de fatos, precedentes, testemunhos) como justificativa para um ato ou uma pretensão: *invocação da lei*. **4.** *gír*. Demonstração de desconfiança ou de desagrado em relação a alguém; implicância, cisma.

invocado (in.vo.*ca*.do) *adj*. **1.** Que se invocou; que foi objeto de invocação. **2.** *gír*. Cismado, desconfiado.

invocar (in.vo.*car*) *v*. **1.** Pedir, com veemência, a ajuda, a proteção, o favor de; evocar, rogar, suplicar, recorrer: *Em sua fé, invocava os anjos e os santos; Invocou a ajuda dos amigos para conseguir um emprego*. **2.** (*Jur*.) Alegar ou citar (lei, jurisprudência etc.) a favor de uma causa ou pretensão: *invocar a Constituição*. **3.** *gír*. Causar ou sentir irritação; irritar(-se), enervar(-se): *As mentiras constantes do colega invocavam a todos na repartição; O modelo (se) invocou com o assédio dos repórteres*. **4.** *gír*. Provocar ou sentir antipatia ou cisma (em relação a algo ou alguém); antipatizar(-se): *Invocou(-se) sem razão com o aluno recém-chegado à turma*. ▶ Conjug. 20 e 35.

involução (in.vo.lu.*ção*) *s.f*. Movimento gradual de retorno a um estado anterior da evolução; regressão: *involução de um órgão; involução de um tumor*.

invólucro (in.*vó*.lu.cro) *s.m*. Tudo que serve para envolver ou cobrir; envoltório, capa, cobertura, embalagem, revestimento.

involuir (in.vo.lu:*ir*) *v*. Sofrer involução; regredir: *A mente pode involuir, devido à idade avançada*. ▶ Conjug. 80.

involuntário (in.vo.lun.*tá*.ri:o) *adj*. Que se realiza independentemente da vontade; não intencional; automático, espontâneo: *gesto involuntário*.

invulgar (in.vul.*gar*) *adj*. Que não é vulgar; raro, incomum: *talento invulgar*.

invulnerável (in.vul.ne.*rá*.vel) *adj*. **1.** Que não é vulnerável; que não se deixa atacar fisicamente; inatacável: *cidadela invulnerável*. **2.** Que não se deixa atingir moralmente; sem mácula, correto, puro: *caráter invulnerável*. – **invulnerabilidade** *s.f*.

inzona (in.*zo*.na) *s.f*. *gír*. Ato de lograr ou enganar alguém; logro, embuste, armação. – **inzonar** *v*. ▶ Conjug. 5.

inzoneiro (in.zo.*nei*.ro) *adj*. **1.** *gír*. Que inzona, engana, logra. **2.** *gír*. Ardiloso, astuto, sonso: *Ari Barroso faz referência ao mulato inzoneiro em sua Aquarela do Brasil*.

iodeto [ê] (i:o.*de*.to) *s.m*. (*Quím*.) Designação genérica dos sais do ácido de iodo e dos compostos do iodo com outro elemento ou radical.

iodo [ô] (i:o.do) *s.m*. (*Quím*.) **1.** Elemento químico não metálico, sólido, de cor cinza-escuro ou violeta, quando sublimado. **2.** *fam.* Tintura de iodo, produto farmacêutico de uso antisséptico. || Símbolo: *I*.

ioga [ó *ou* ô] (i:o.ga) *s.f.* **1.** Sistema filosófico originário da Índia que, mediante práticas físicas, psíquicas e ritualísticas, pretende atingir o domínio do espírito sobre a matéria e o equilíbrio físico e mental. **2.** O conjunto de exercícios de postura e respiração levados a cabo nessa prática.

iogue [ó] (i:o.gue) *adj.* **1.** Relativo a ioga. • *s.m. e f.* **2.** Pessoa que pratica ioga.

iogurte (i:o.gur.te) *s.m.* (*Cul.*) Alimento cremoso preparado com leite coalhado e fermento lácteo.

ioiô[1] (io.iô) *s.m.* Sinhô. || f.: *iaiá*.

ioiô[2] (io.iô) *s.m.* Brinquedo constituído de dois discos unidos por um eixo central, ao qual se dá um movimento de sobe e desce, pela ação de enrolar-se e desenrolar-se um cordel.

íon (í:on) *s.m.* (*Fís.*, *Quím.*) Átomo ou grupo de átomos eletricamente carregados; iônio, ionte. – **iônico** *adj.*

iônio (i:ô.ni:o) *s.m.* (*Fís.*, *Quím.*) Íon.

ionização (i:o.ni.za.ção) *s.f.* (*Fís.*) Formação de íons por adição ou perda dos elétrons de uma estrutura atômica ou molecular.

ionizar (i:o.ni.zar) *v.* Provocar ionização; converter total ou parcialmente em íons: *ionizar moléculas/átomos*. ▶ Conjug. 5. – **ionizante** *adj.*

ionosfera [é] (i:o.nos.fe.ra) *s.f.* Região da atmosfera terrestre, imediatamente superior à estratosfera, que se estende aproximadamente de 80 km até 1.000 km, formada pela ação da radiação cósmica que ioniza o ar: *Na ionosfera ocorre o fenômeno conhecido como aurora boreal*.

ionte (i:on.te) *s.m.* (*Fís.*, *Quím.*) Íon.

ioruba (i:o.ru.ba) *s.m. e f.* **1.** Indivíduo dos iorubas, povo africano que habita parte da Nigéria, do Benim e do Togo; iorubá, nagô. • *adj.* **2.** Relativo a ou próprio desse povo. • *s.m.* **3.** Língua falada por esse povo; ioruba, nagô.

iorubá (i:o.ru.bá) *adj. s.m. e f.* Ioruba.

ipé (i.pé) *s.m.* Ipê.

ipê (i.pê) *s.m.* (*Bot.*) Árvore nativa do Brasil, de flores brancas, róseas ou amarelas e madeira nobre muito resistente; ipé: *O ipê é a árvore nacional do Brasil*.

ípsilon (íp.si.lon) *s.m.* **1.** Vigésima letra do alfabeto grego. **2.** Nome da letra *y*. || pl.: *ipsilones* e *ípsilons*.

ipsilone (ip.si.lo.ne) *s.m.* coloq. Ípsilon. || *Cheio de ipsilones*: coloq. cheio de nove-horas, ou seja, com muitas exigências desnecessárias.

iquebana (i.que.ba.na) *s.m.* **1.** Arte japonesa de arranjos florais. **2.** Arranjo floral feito segundo as regras dessa arte. || *ikebana*.

ir *v.* **1.** Deslocar-se de um lugar a outro; dirigir-se, encaminhar-se, transportar-se: *Ir ao supermercado do bairro*; *Vai diariamente de carro ao trabalho*; *Foi(-se) depressa para não chegar atrasado às aulas*. **2.** Pôr-se a caminhar; andar, marchar, percorrer, seguir: *Vou pelo calçadão da praia sob a brisa da manhã*; *Vou(-me) a passos lentos, olhando a paisagem*. **3.** Retirar-se, ausentar-se, afastar-se, partir, sair: *Foram(-se) todos da festa mais cedo*. **4.** Fazer-se presente; comparecer, frequentar: *ir à escola*; *ir ao cinema*. **5.** Transferir(-se), mudar(-se), mover(-se): *Foi(-se) de vez para Brasília*. **6.** *fig.* Falecer, morrer: *O sacerdote orou por aqueles que já (se) foram deste mundo*. **7.** Dar acesso a; levar, conduzir: *Essa estrada vicinal vai até aquela fazenda*. **8.** Ser enviado, remetido ou despachado; seguir: *Sua encomenda irá pelo correio*. **9.** Decorrer, transcorrer, consumar-se, passar: *Vão(-se) os anos implacavelmente*; (*fig.*) *Foram(-se) todas as esperanças*. **10.** Prolongar-se, estender-se, levar: *As inscrições irão até o final do mês*; (*fig.*) *A personalidade bipolar vai em instantes da euforia à depressão*. **11.** Desperdiçar-se, dissipar-se, extinguir-se, perder-se: *Não soube administrar seu dinheiro e foram(-se) todas as economias de uma vida*. **12.** Passar a abordar; ocupar-se de; tratar: *Vamos logo ao âmago da questão*. **13.** Estar de acordo; compartilhar das ideias de; concordar: *Não vou com o senso comum, quero ter opiniões próprias*. **14.** Deixar-se levar por; orientar-se, pautar-se: *Não vá na conversa de falsos profetas*. **15.** coloq. Ter afinidade com; afinar-se, simpatizar, topar: *Não vai com a cara do colega*. **16.** Encontrar-se (em certo estado ou condição); estar, passar: – *Como vai você?* – *Vou muito bem, obrigada*. **17.** Alcançar determinado resultado; sair-se, achar-se: *Foi mal no teste para atriz*. **18.** Ser dado como prêmio a; destinar-se a; caber: *A estatueta de melhor filme foi para uma produção nacional*. **19.** Ser aplicado ou investido em: *O dinheiro arrecadado em leilão vai para obras assistenciais*. **20.** Acontecer, ocorrer, suceder: *Nossos correspondentes mostram o que vai pelo* *mundo.* **21.** Ir de encontro a; investir contra; atingir: *O carro do piloto foi violentamente contra o muro de proteção.* || *Ir além*: ultrapassar, exceder (o resultado esperado): *Os índices das exportações foram além dos previstos.* • *Ir atrás*: deixar-se levar por; acreditar em; confiar: *Não vá atrás de promessas vãs.* • *Ir chegando*: *coloq.* estar de saída; ir embora; retirar-se: *É tarde, vou chegando.* • *Ir dar a*: ir ter a. • *Ir(-se) embora*: retirar-se, ausentar-se, partir. • *Ir levando*: *coloq.* viver sem preocupações ou especulações. • *Ir ter a*: chegar a algum lugar; ir dar a; desembocar em; bater: *Perguntando aqui e ali, foi ter à casa de sua infância.* • *Ou vai ou racha*: *coloq.* ir até as últimas consequências (para conseguir algo); custe o que custar. || É usado também como auxiliar: **1.** seguido de infinitivo: a. no presente ou no futuro do indicativo, indica ação futura, iminente ou distante: *Vai chover*; *Não sabem ainda quando irão casar-se.* b. no pretérito, indica que a ação já foi concretizada: *Foi consultar-se com um especialista.* **2.** seguido de gerúndio, indica uma ação em processo, contínua, progressiva: *A multidão foi-se aglomerando junto ao palanque.* ▶ Conjug. 88.

Ir (*Quím.*) Símbolo de *irídio*.

ira (í.ra) *s.f.* **1.** Forte sentimento de raiva ou rancor (contra algo ou alguém), provocado por algum mal ou ofensa recebidos; ódio, cólera, fúria: *A injustiça contra os fracos e oprimidos provoca a ira dos homens de bem.* **2.** Desejo de vingança ou de punição: *Ícaro, o mítico herói grego, atraiu a ira dos deuses com sua tentativa de voar.*

iracundo (i.ra.cun.do) *adj.* Que é propenso a ou está tomado pelo sentimento da ira; irascível, raivoso, colérico, irado: *É difícil conviver com um chefe iracundo.*

irado (i.ra.do) *adj.* **1.** Tomado de ira; enraivecido, colérico, iracundo. **2.** *gír.* Muito bom; interessante, bacana, legal: *festa irada.*

iraniano (i.ra.ni.a.no) *adj.* **1.** Do Irã, país da Ásia. • *s.m.* **2.** O natural ou o habitante desse país. **3.** A língua falada no Irã.

iraquiano (i.ra.qui.a.no) *adj.* **1.** Do Iraque, país da Ásia. • *s.m.* **2.** O natural ou o habitante desse país. **3.** Dialeto árabe falado no Iraque.

irar (i.rar) *v.* Provocar ou sentir ira; encolerizar(-se), enfurecer(-se), irritar(-se): *Comentários maldosos conseguiram irá-lo*; *Não é pessoa de irar-se com frequência.* ▶ Conjug. 5.

irascível (i.ras.cí.vel) *adj.* Que se irrita facilmente; iracundo, irritável: *É difícil conviver com pessoas irascíveis.*

iridescente (i.ri.des.cen.te) *adj.* Que apresenta ou reflete as cores do arco-íris.

irídio (i.rí.di:o) *s.m.* (*Quím.*) Elemento químico, duro e resistente, que entra na composição de ligas, especialmente para endurecer o ouro e a platina. || Símbolo: *Ir*.

íris (í.ris.) *s.f.* **1.** (*Anat.*) Diafragma ocular, situado entre a córnea e o cristalino, que controla a passagem de luz por uma abertura central circular, a pupila. **2.** (*Fís.*) Halo luminoso com as cores do arco-íris que aparece em torno dos objetos quando olhados através de lentes. **3.** (*Bot.*) Planta cultivada em jardins, muito ornamental, da qual se extraem essências aromáticas.

irlandês (ir.lan.dês) *adj.* **1.** Da República da Irlanda ou da Irlanda do Norte (país do Reino Unido). • *s.m.* **2.** O natural ou o habitante desses países. **3.** A língua falada nesses países.

irmã (ir.mã) *s.f.* Feminino de *irmão*.

irmanar (ir.ma.nar) *v.* **1.** Tornar(-se) unido como irmão; ligar-se por laços fraternos: *A longa convivência na escola os irmanou*; *Irmanaram-se na conquista de ideais comuns.* **2.** Igualar(-se), emparelhar(-se), harmonizar(-se): *A justiça irmana pobres e ricos*; *O escritor quer irmanar a forma ao (com o) conteúdo*; *Procure sempre irmanar-se com os bons e os justos.* ▶ Conjug. 5.

irmandade (ir.man.da.de) *s.f.* **1.** Laço de parentesco entre irmãos; fraternidade. **2.** Amizade afetuosa como a que deve existir entre irmãos. **3.** Associação, agremiação ou confraria de leigos, com caráter religioso, social ou assistencial; sodalício: *Várias irmandades participaram das festas do padroeiro.*

irmão (ir.mão) *s.m.* **1.** Filho dos mesmos pais em relação a outro(s) filho(s). **2.** Homem que tem somente o mesmo pai ou somente a mesma mãe em relação a outra pessoa; meio-irmão. **3.** *fig.* Companheiro ligado por laços de amizade e fraternidade: *Meu colega de trabalho é um irmão para mim.* **4.** Forma de tratamento dada a membros de congregação religiosa, confraria ou irmandade: *Estudou no colégio dos irmãos maristas.* • *adj.* **5.** *fig.* Aquilo que mostra semelhança (com alguma coisa ou pessoa) em sua forma, origem, disposição etc.: *almas irmãs.* || f.: *irmã.*

ironia (i.ro.ni.a) *s.f.* **1.** (*Ling.*) Figura de linguagem em que se diz o contrário do que se quer dar a entender: *Os mestres do humor usam o recurso da ironia.* **2.** Comentário, gesto ou atitude irônicos; sarcasmo, zombaria, troça.

irônico

3. *fig.* Acontecimento ou desfecho contrário ao esperado: *ironia do destino*.
irônico (i.rô.ni.co) *adj.* **1.** Em que há ironia, sarcasmo ou troça; sarcástico, zombeteiro: *Um comentário irônico pode destruir amizades*. **2.** Que usa do recurso da ironia: *um escritor irônico*.
ironizar (i.ro.ni.zar) *v.* **1.** Usar de ironia para com alguém ou alguma coisa: *Muito crítico, ironizava tudo e todos*. **2.** Fazer ironia (2) com; zombar, troçar: *O treinador ironizava as jogadas bisonhas do time adversário*. ▶ Conjug. 5.
irracional (ir.ra.ci:o.nal) *adj.* **1.** Que contraria a razão; que não se ampara no raciocínio ou na lógica; ilógico: *solução irracional*. **2.** Desprovido de reflexão ou de bom senso; insensato: *atitude irracional*. **3.** Que não tem raciocínio ou razão (diz-se de animal). – **irracionalidade** *s.f.*
irradiação (ir.ra.di:a.ção) *s.f.* **1.** Ato ou efeito de irradiar(-se). **2.** Difusão, propagação através de raios: *irradiação de luz, de calor*. **3.** *fig.* Difusão, propagação (de ideias, fatos etc.): *irradiação da cultura*. **4.** (Fís.) Processo em que uma substância é submetida a um feixe de partículas aceleradas para provocar reações nucleares. **5.** (Med.) Diagnóstico ou tratamento por algum tipo de radiação. **6.** (Med.) Percepção de uma dor em pontos diferentes de sua origem. **7.** (Rádio) Transmissão radiofônica.
irradiante (ir.ra.di:an.te) *adj.* **1.** Que se propaga por meio de irradiação (1); irradiador. **2.** *fig.* Que se propaga em todas as direções: *Ouro Preto foi o centro irradiante do barroco mineiro*. **3.** *fig.* Brilhante, fulgurante, esfusiante; radiante: *olhar irradiante*.
irradiar (ir.ra.di:ar) *v.* **1.** Emitir (luz, calor, ondas sonoras) a partir de um centro; propagar(-se), difundir(-se), espalhar(-se), radiar(-se): *O sol irradia luz e calor*; *As ondas eletromagnéticas se irradiam com a velocidade da luz*. **2.** *fig.* Propagar(-se) (ideia, opinião, sensação etc.); difundir(-se), expandir(-se): *A vitória irradiou sentimentos patrióticos em todo o país*; *Seu bom humor irradia*; *Sentia uma dor que (se) irradiava do ombro para o braço*. **3.** (Rádio) Transmitir programação radiofônica: *Aquela emissora só irradia música e notícias*. ▶ Conjug. 17. – **irradiador** *adj. s.m.*
irreal (ir.re:al) *adj.* **1.** Que não é real ou realista: *A propaganda política apresenta muitas vezes dados irreais da conjuntura*. **2.** Que é fruto da imaginação ou da fantasia; imaginário, fantasioso, fabuloso: *o mundo irreal da literatura infantil*. – **irrealidade** *s.f.*

irrealizável (ir.re:a.li.zá.vel) *adj.* Que não é realizável, que não se pode realizar: *sonho irrealizável*.
irreconciliável (ir.re.con.ci.li:á.vel) *adj.* Com que não pode haver reconciliação: *rivais irreconciliáveis*.
irreconhecível (ir.re.co.nhe.cí.vel) *adj.* Que não é reconhecível, que não pode ser reconhecido: *Seu rosto ficou irreconhecível após o acidente*.
irrecorrível (ir.re.cor.rí.vel) *adj.* **1.** De que não se pode recorrer: *Sua decisão de abandonar a vida pública é irrecorrível*. **2.** (Jur.) De que não cabe mais recurso ou apelação (diz-se de sentença judicial).
irrecuperável (ir.re.cu.pe.rá.vel) *adj.* Que não pode ser recuperado; perdido: *O passado é irrecuperável*.
irrecusável (ir.re.cu.sá.vel) *adj.* **1.** Que não se pode ou não se deve recusar: *convite irrecusável*. **2.** Que não pode ser contestado; incontestável, irrefutável, inegável: *provas irrecusáveis*.
irredutível (ir.re.du.tí.vel) *adj.* **1.** Que não se pode reduzir ou tornar menor: *preços irredutíveis*. **2.** *fig.* Que se mostra inflexível em suas opiniões, posicionamentos, reivindicações etc.): *Os sindicalistas estavam irredutíveis em relação a suas propostas de aumento salarial*. **3.** (Mat.) Que não se pode decompor ou dividir; indecomponível, indivisível (diz-se de fração).
irrefletido (ir.re.fle.ti.do) *adj.* Em que não houve reflexão ou ponderação; imoderado, impensado, precipitado: *gesto irrefletido*.
irreflexão [cs] (ir.re.fle.xão) *s.f.* Falta de reflexão; imprudência, inadvertência, estouvamento, precipitação.
irrefreável (ir.re.fre:á.vel) *adj.* Que não se pode refrear ou reprimir; irreprimível: *tosse irrefreável*.
irrefutável (ir.re.fu.tá.vel) *adj.* Que não se pode refutar ou contestar; incontestável, irrecusável, evidente: *argumento irrefutável*.
irregenerável (ir.re.ge.ne.rá.vel) *adj.* **1.** Que não pode ser regenerado ou recomposto: *células irregeneráveis*. **2.** *fig.* Que não se pode corrigir; incorrigível, irrecuperável: *Tem um pessimismo irregenerável*.
irregular (ir.re.gu.lar) *adj.* **1.** Que não apresenta regularidade ou simetria em sua forma; assimétrico, desarmônico, desigual: *dentes irregulares*. **2.** Que não ocorre ou se realiza com regularidade ou continuidade; intermitente;

irretratável

descontínuo: *É aluno de frequência e rendimento irregulares*. **3.** Que é contrário a (leis, regulamentos, normas, praxe etc.); ilegal: *prisão irregular*. **4.** Inconstante, variável, volúvel: *humor irregular*. **5.** (*Gram.*) Que na declinação (o nome) ou na conjugação (o verbo) se desvia do paradigma: *Alguns adjetivos apresentam superlativo irregular; Ir é um verbo irregular*.

irregularidade (ir.re.gu.la.ri.*da*.de) *s.f.* **1.** Falta de regularidade. **2.** Procedimento, situação ou ação irregular.

irrelevância (ir.re.le.*vân*.ci:a) *s.f.* Condição do que não tem relevância, não tem importância.

irrelevante (ir.re.le.*van*.te) *adj.* Que tem pouca ou nenhuma importância; insignificante; irrisório: *matéria irrelevante*.

irreligioso [ô] (ir.re.li.gi:*o*.so) *adj.* Que não é religioso; que não tem religiosidade; ateu, ímpio. ‖ f. e pl.: [ó].

irremediável (ir.re.me.di:*á*.vel) *adj.* **1.** Que não se pode remediar; que não tem conserto ou solução; irreparável: *O carro apresentou defeitos irremediáveis*. **2.** Que não se pode evitar; inevitável, infalível, fatal: *Só a morte é irremediável*.

irremissível (ir.re.mis.*sí*.vel) *adj.* **1.** Que não se pode remitir ou perdoar; imperdoável: *pecado irremissível*. **2.** Que não se pode evitar; inevitável, irremediável: *um mal irremissível*.

irremovível (ir.re.mo.*ví*.vel) *adj.* **1.** Que não se pode remover ou retirar: *mancha irremovível*. **2.** *fig.* Que não se pode evitar; inevitável, irremediável: *obstáculo irremovível*.

irreparável (ir.re.pa.*rá*.vel) *adj.* Que não se pode reparar, corrigir ou remediar; irremediável, irrecuperável: *dano irreparável*.

irreplicável (ir.re.pli.*cá*.vel) *adj.* Que não admite réplica; irrespondível, irretorquível: *provas irreplicáveis*.

irrepreensível (ir.re.pre:en.*sí*.vel) *adj.* **1.** Que não merece repreensão ou censura: *comportamento irrepreensível*. **2.** Que não apresenta falhas ou senões; correto, perfeito: *Em todos os aspectos, a cerimônia do casamento foi irrepreensível*.

irreprimível (ir.re.pri.*mí*.vel) *adj.* Que não se pode reprimir ou refrear; irrefreável, insopitável: *júbilo irreprimível*.

irreprochável (ir.re.pro.*chá*.vel) *adj.* Que não merece reproche; crítica ou repreensão; inatacável, impecável, irrepreensível, perfeito: *conduta irreprochável; elegância irreprochável*.

irrequieto [é] (ir.re.qui:*e*.to) *adj.* **1.** Que não se mantém quieto; que não para ou sossega; agitado, buliçoso: *criança irrequieta*. **2.** *fig.* Que revela inquietação ou indagação intelectual; indagativo, curioso, vivaz: *inteligência inquieta*.

irrescindível (ir.res.cin.*dí*.vel) *adj.* Que não se pode rescindir: *contrato irrescindível*.

irresgatável (ir.res.ga.*tá*.vel) *adj.* Que não se pode resgatar ou pagar: *dívida irresgatável*.

irresistível (ir.re.sis.*tí*.vel) *adj.* **1.** A que não se consegue resistir; que não se pode dominar ou reprimir; indomável, irreprimível: *tentação irresistível*; *sono irresistível*. **2.** *fig.* Que exerce atração ou sedução; sedutor, fascinante: *beleza irresistível*.

irresoluto (ir.re.so.*lu*.to) *adj.* **1.** Que não é resoluto; indeciso, hesitante: *caráter irresoluto*. **2.** Que não teve solução; não resolvido: *problema irresoluto*. – **irresolução** *s.f.*

irresolúvel (ir.re.so.*lú*.vel) *adj.* Que não se resolve; que não pode ser resolvido; insolúvel.

irrespirável (ir.res.pi.*rá*.vel) *adj.* **1.** Que não se pode respirar: *O ar das megalópoles está cada vez mais irrespirável*. **2.** *fig.* Que não se pode suportar; insuportável, intolerável: *O clima na reunião ficou irrespirável*.

irrespondível (ir.res.pon.*dí*.vel) *adj.* A que não se pode responder; irrefutável, irretorquível, irreplicável: *argumento irrespondível*.

irresponsabilidade (ir.res.pon.sa.bi.li.*da*.de) *s.f.* **1.** Falta de responsabilidade. **2.** (*Jur.*) Incapacidade jurídica de uma pessoa, em virtude da qual não lhe pode ser atribuída responsabilidade pela prática de algum crime ou delito.

irresponsável (ir.res.pon.*sá*.vel) *adj.* **1.** Que não tem responsabilidade; que age de modo leviano, sem seriedade e bom senso: *É preciso banir os irresponsáveis no trânsito*. **2.** (*Jur.*) Que não pode ser responsabilizado judicialmente pela prática de ilícitos. • *s.m. e f.* **3.** Pessoa irresponsável.

irrestringível (ir.res.trin.*gí*.vel) *adj.* Que não se pode restringir ou limitar: *direitos irrestringíveis*.

irrestrito (ir.res.*tri*.to) *adj.* Que não sofre restrição; ilimitado, amplo: *amor irrestrito*.

irretorquível (ir.re.tor.*quí*.vel) *adj.* A que não se pode retorquir, replicar ou responder; irrespondível, irrefutável: *argumentação irretorquível*.

irretratável (ir.re.tra.*tá*.vel) *adj.* Que não admite retratação, revogação ou anulação; irrevogável, imutável: *confissão irretratável*.

irreverência (ir.re.ve.rên.ci:a) s.f. **1.** Falta de reverência; desrespeito, desacato. **2.** Ato ou dito irreverente: *As irreverências são às vezes politicamente incorretas.*

irreverente (ir.re.ve.ren.te) adj. **1.** Que não demonstra reverência ou respeito; desrespeitoso, desatencioso: *A juventude não é sempre irreverente.* • s.m. e f. **2.** Pessoa irreverente.

irreversível (ir.re.ver.sí.vel) adj. Que não é reversível; que não pode retornar ao estado anterior: *coma irreversível.*

irrevogável (ir.re.vo.gá.vel) adj. Que não pode ser revogado, invalidado ou anulado: *contrato irrevogável.*

irrigação (ir.ri.ga.ção) s.f. **1.** Ato de irrigar, rega. **2.** (*Med.*) Afluxo de sangue a um órgão. **3.** (*Agric.*) Rega artificial das regiões áridas por processos diversos, com a finalidade de compensar a insuficiência de água, possibilitando o desenvolvimento de plantações.

irrigar (ir.ri.gar) v. **1.** Molhar, banhar, regar: *irrigar o canteiro de rosas.* **2.** (*Agric.*) Levar água por meio de canais ou regos a (terrenos, lavouras, zonas áridas etc.): *Há projetos para irrigar o sertão com a transposição das águas do rio.* **3.** (*Med.*) Fazer afluir sangue a um órgão: *O coração irriga todo o corpo.* ▶ Conjug. 5 e 34.

irrisão (ir.ri.são) s.f. **1.** Ato de rir (de alguém) com menosprezo ou desdém; zombaria, escárnio, mofa. **2.** *fig.* Fato sem importância, insignificante, irrelevante, irrisório.

irrisório (ir.ri.só.ri:o) adj. **1.** Que provoca irrisão ou zombaria; risível, ridículo: *uma proposta irrisória.* **2.** De pouca importância; insignificante, irrelevante: *O aumento do salário foi irrisório.*

irritação (ir.ri.ta.ção) s.f. **1.** Ato ou efeito de irritar(-se). **2.** Estado de cólera contida; indignação, exacerbação, exasperação. **3.** (*Med.*) Reação inflamatória da pele, das mucosas ou de outros tecidos, em virtude de contato com certas substâncias ou agentes nocivos: *irritação cutânea; irritação da garganta.*

irritadiço (ir.ri.ta.di.ço) adj. Fácil de irritar-se; irritável.

irritante (ir.ri.tan.te) adj. **1.** Que irrita, que produz irritação; enervante, exasperante: *barulho irritante.* • s.m. **2.** Substância irritante.

irritar (ir.ri.tar) v. **1.** Causar ou sentir irritação (2); encolerizar(-se), exasperar(-se), indignar(-se), enervar(-se): *A propaganda enganosa irrita o consumidor; O superintendente se irrita com o atraso dos funcionários.* **2.** *fig.* Provocar forte reação; exacerbar, excitar, estimular: *irritar os ânimos.* **3.** (*Med.*) Causar ou sofrer irritação (3); inflamar(-se): *A poluição irrita meus olhos; O uso de protetor solar evita que a pele se irrite.* ▶ Conjug. 5.

irritável (ir.ri.tá.vel) adj. **1.** Que se irrita facilmente, irascível, irritadiço. **2.** (*Med.*) Que apresenta irritabilidade. – **irritabilidade** s.f.

irromper (ir.rom.per) v. **1.** Entrar com ímpeto ou violência; precipitar-se, arrojar-se, invadir: *A multidão irrompeu pela praça atrás do trio elétrico.* **2.** Começar a vazar subitamente, aos borbotões: *A água suja irrompia dos bueiros.* **3.** Aparecer de repente; brotar, surgir, emergir: *O sol irrompeu por entre as nuvens.* **4.** Iniciar-se repentina e intensamente; prorromper: *O público irrompeu em aplausos à entrada do maestro.* ▶ Conjug. 39.

irrupção (ir.rup.ção) s.f. **1.** Ato ou efeito de irromper: *a irrupção dos dentes.* **2.** Aparecimento, entrada ou intervenção súbita e violenta: *a irrupção de tropas em território inimigo.* **3.** *fig.* Extravazamento, transbordamento, desbordamento: *irrupção de sentimentos.*

isca (is.ca) s.f. **1.** Tudo o que se coloca no anzol para atrair e pescar o peixe. **2.** *fig.* Chamariz ou atrativo para atrair alguém: *A publicidade serve de isca para seduzir o consumidor.* **3.** (*Cul.*) Tira fina (de fígado, rim, frango) temperada com vinagre e condimentos e servida frita. || *Morder a isca*: deixar-se enganar ou seduzir com trapaças ou armadilhas.

isenção (i.sen.ção) s.f. **1.** Ato ou efeito de isentar(-se), de eximir(-se), de desobrigar(-se). **2.** Estado ou condição de quem é isento; imparcialidade, equidade, neutralidade, justiça: *Procure agir sempre com isenção.* **3.** (*Jur.*) Ato de eximir (alguém) de responsabilidade, encargo ou obrigação; dispensa, desobrigação: *isenção do cumprimento de pena.* **4.** (*Econ.*) Dispensa, concedida por lei, do pagamento ou recolhimento de impostos e tributos: *isenção do imposto de renda.*

isentar (i.sen.tar) v. Tornar(-se) isento ou livre; eximir(-se), desobrigar(-se), dispensar(-se), livrar(-se): *Os jurados isentaram a ré de culpa; Muitos jovens se isentam do serviço militar.* || part.: *isentado* e *isento.* ▶ Conjug. 5.

isento (i.sen.to) adj. **1.** Que se encontra eximido, dispensado, desobrigado de (responsabilidade, obrigação, ônus etc.): *Está isento de votar pela idade.* **2.** Que está livre, desembaraçado, limpo: *isento de preconceito; isento* *de pecado*. **3.** Que se mostra imparcial, justo, equânime: *julgamento isento*. **4.** Que não demonstra maior interesse; que é esquivo a: *Ele parece isento às paixões*.

islã (is.*lã*) *s.m.* **1.** (*Rel.*) A religião dos muçulmanos; islamismo. **2.** Conjunto das nações que professam o islamismo; islame, islão.

islame (is.*la*.me) *s.m.* Islã (2); islão.

islâmico (is.*lâ*.mi.co) *adj.* Islamítico.

islamismo (is.la.*mis*.mo) *s.m.* Religião monoteísta, fundada pelo profeta árabe Maomé (570 ou 580-632), cuja doutrina está codificada no livro sagrado Corão ou Alcorão; maometismo, islã, islame, islão.

islamita (is.la.*mi*.ta) *adj.* Seguidor do islamismo; muçulmano, maometano.

islamítico (is.la.*mí*.ti.co) *adj.* Relativo a islamismo e a islamita.

islamizar (is.la.mi.*zar*) *v.* **1.** Difundir a religião e a civilização islâmicas: *Durante sete séculos, os árabes islamizaram a Península Ibérica.* **2.** Dar ou adquirir características próprias do Islã: *islamizar costumes ocidentais*; *Dentre as artes plásticas, a arquitetura medieval foi a que mais se islamizou.* ▶ Conjug. 5. – **islamização** *s.f.*

islandês (is.lan.*dês*) *adj.* **1.** Da Islândia, país da Europa. • *s.m.* **2.** O natural ou o habitante desse país. **3.** A língua falada na Islândia.

islão (is.*lão*) *s.m.* Islã (2); islame.

isobário (i.so.*bá*.ri:o) *adj.* (*Fís.*) Diz-se do processo em que a pressão do sistema se mantém constante.

isócrono (i.*só*.cro.no) *adj.* Que se realiza no mesmo tempo ou com intervalos de tempo iguais.

isógono (i.*só*.go.no) *adj.* (*Geom.*) Que tem ângulos iguais (diz-se de figura geométrica).

isolacionismo (i.so.la.ci:o.*nis*.mo) *s.m.* (*Pol.*) Doutrina de política exterior que preconiza o isolamento e o não envolvimento de uma nação nas questões políticas, econômicas ou militares de outro(s) país(es).

isolacionista (i.so.la.ci:o.*nis*.ta) *adj.* **1.** Referente ao isolacionismo: *política isolacionista*. **2.** Que é partidário dessa doutrina: *nação isolacionista*. • *s.m. e f.* **3.** Aquele que prega o isolacionismo.

isolador [ô] (i.so.la.*dor*) *adj.* **1.** Que isola. • *s.m.* **2.** (*Eletr.*) Corpo ou meio que impede ou dificulta a comunicação da eletricidade; isolante.

isolamento (i.so.la.*men*.to) *s.m.* **1.** Ato ou efeito de isolar(-se). **2.** Condição de pessoa ou coisa isolada; solidão, solitude. **3.** (*Fís.*) Ato de aplicar um isolante a um corpo. **4.** (*Med.*) Setor de hospital ou clínica reservado aos doentes portadores de moléstia infectocontagiosa, para observação e tratamento.

isolante (i.so.*lan*.te) *adj.* **1.** Que isola. **2.** Que não conduz corrente elétrica; isolador. • *s.m.* **3.** Substância isolante.

isolar (i.so.*lar*) *v.* **1.** Pôr(-se) à margem do convívio social; retirar(-se), separar(-se), afastar(-se), apartar(-se), ilhar(-se): *A timidez o isola de seu grupo*; *Isolou-se para escrever seu novo livro.* **2.** Estabelecer um cordão de isolamento: *Os bombeiros isolaram a área do incêndio.* **3.** (*Fís.*) Aplicar substância isolante em: *A borracha isola a eletricidade.* **4.** (*Quím.*) Separar, retirar, extrair: *isolar um novo vírus da gripe.* **5.** *gír.* Atirar (algo) com força para longe: *O zagueiro isolou a bola na arquibancada.* **6.** *coloq.* Afastar mau agouro: *O supersticioso bate três vezes na madeira para isolar (a má sorte).* ▶ Conjug. 20.

isomeria (i.so.me.*ri*.a) *s.f.* (*Quím.*) Fenômeno apresentado por algumas substâncias químicas cujas fórmulas são idênticas, mas cuja disposição dos átomos na molécula é diferente de uma para outra.

isômero (i.*sô*.me.ro) **1.** Que possui a mesma composição, mas difere na disposição dos átomos (diz-se de substância). • *s.m.* **2.** Essa substância.

isonomia (i.so.no.*mi*.a) *s.f.* **1.** (*Jur.*) Princípio, assegurado pela Constituição Federal, em seu artigo 5º, segundo o qual todos são iguais perante a lei. **2.** Estado ou condição dos que são governados pelas mesmas leis.

isopor [ô] (i.so.*por*) *s.m.* (*Quím.*) **1.** Espuma de poliestireno, extremamente leve, utilizada como isolante térmico. **2.** Artefato feito com esse tipo de material. || Da marca registrada *Isopor*.

isóscele (i.*sós*.ce.le) *adj.* Isósceles.

isósceles (i.*sós*.ce.les) *adj.* (*Geom.*) **1.** Que tem dois lados iguais (triângulo). **2.** Que tem os dois lados não paralelos iguais (trapézio).

isótopo (i.*só*.to.po) *adj.* (*Fís.*) **1.** Diz-se do átomo cujo núcleo tem o mesmo número de prótons, mas diferente número de nêutrons. • *s.m.* **2.** Esse átomo.

isqueiro (is.*quei*.ro) *s.m.* Pequeno aparelho portátil, usado para acender chama (de cigarro, charuto, cachimbo etc.).

isquemia (is.que.*mi*.a) *s.f.* (*Med.*) Redução ou suspensão do fluxo sanguíneo em determinado órgão ou tecido. – **isquêmico** *adj.*

israelense

israelense (is.ra:e.*len*.se) *adj.* **1.** Do Estado de Israel. • *s.m. e f.* **2.** O natural ou o habitante desse Estado.

israelita (is.ra:e.*li*.ta) *adj.* **1.** Relativo ao povo judeu ou a sua religião; judaico. • *s.m. e f.* **2.** Pessoa israelita; judeu.

issei (is.*sei*) *s.m. e f.* Japonês que emigra para a América.

isso (*is*.so) *pron. dem.* Essa(s) coisa(s). || *Por isso*: por esse motivo. • *Nem por isso*: nem assim: *Adulou tanto, mas nem por isso alcançou o que queria.*

istmo (*ist*.mo) *s.m.* (*Geogr.*) Estreita faixa de terra que une dois continentes ou uma península a um continente.

isto (*is*.to) *pron. dem.* Esta(s) coisa(s). || *Isto é*: locução que liga duas palavras ou frases, a segunda das quais é a explicação, a retificação ou a restrição da anterior.

ita (*i*.ta) *s.m.* Navio de carga e de passageiros, que fazia o percurso entre o norte e o sul do país.

italiano (i.ta.li:*a*.no) *adj.* **1.** Da Itália, país da Europa; itálico, ítalo. • *s.m.* **2.** O natural ou o habitante desse país. **3.** A língua falada nesse país.

itálico (i.*tá*.li.co) *adj.* **1.** Italiano, ítalo. **2.** Referente à Itália antiga. **3.** Diz-se do tipo de letra impressa inclinada à direita; grifo.

ítalo (*í*.ta.lo) *adj.* Italiano.

itapeba [é] (i.ta.*pe*.ba) *s.f.* Recife paralelo à margem do rio. || *itapeva*.

itapeva [é] (i.ta.*pe*.va) *s.f.* Itapeba.

item (*i*.tem) *s.m.* **1.** Unidade ou elemento mínimo de um conjunto. **2.** Cada um dos artigos ou incisos de uma exposição escrita, de um regulamento, de um contrato etc.

iteração (i.te.ra.*ção*) *s.f.* Repetição, reiteração.

iterativo (i.te.ra.*ti*.vo) *adj.* **1.** Feito ou expresso mais de uma vez; repetitivo, reiterativo. **2.** (*Gram.*) Que expressa ações repetitivas (diz-se de verbo, substantivo, frase etc.).

itérbio (i.*tér*.bi:o) *s.m.* (*Quím.*) Elemento químico, usado em laser e raios X. || Símbolo: Yb.

itinerante (i.ti.ne.*ran*.te) *adj.* **1.** Que viaja; que percorre vários lugares: *uma trupe itinerante*. **2.** Que se desloca constantemente, em função de trabalho ou missão: *João Paulo II foi o papa itinerante*. **3.** Que é exercida com deslocamentos sucessivos de lugar (diz-se de atividade): *biblioteca itinerante*. • *s.m. e f.* **4.** Pessoa itinerante.

itinerário (i.ti.ne.*rá*.ri:o) *s.m.* **1.** Distância ou caminho percorrido ou a percorrer; trajeto, percurso, roteiro: *Tracei com o agente de viagens meu itinerário pelo Nordeste*. **2.** Indicação dos lugares que seguem determinado caminho: *Qual é o itinerário dessa nova linha de ônibus?* **3.** Obra de descrição de viagens: *Manuel Bandeira intitulou seu roteiro poético de Itinerário de Pasárgada*.

itororó (i.to.ro.*ró*) *s.m.* Pequena cachoeira, salto.

ítrio (*í*.tri:o) *s.m.* (*Quím.*) Elemento químico, usado na metalurgia, na eletrônica e na indústria atômica. || Símbolo: Y.

ixe (*i*.xe) *interj. coloq.* Exprime surpresa, ironia ou desprezo.

j *s.m.* Décima letra do alfabeto português.

J (*Fís.*) Símbolo de *joule*.

já *adv.* **1.** Neste momento ou em um momento anterior ou do futuro; agora: *Já cheguei aqui; Já estive nesse lugar há muitos anos; Vou chegar aí já.* **2.** Logo, imediatamente: *Saia já daí.* **3.** Antecipadamente, com antecedência: *Já encontrei as luzes acesas.* **4.** Desde logo, a partir de agora: *Se você vai mesmo ao teatro às nove, comece já a se vestir.* **5.** Até, até mesmo: *Já aceito que fossem apenas dois.* || *Desde já*: desde este momento, a partir deste momento: *Desde já, considere-se nosso candidato.* • *Já, já*: imediatamente, logo: *Tome esse remédio já, já.* • *Para já*: para agora, para este momento, para o presente: *Quero esse relatório para já.* • *Já que*: dado que, visto que, uma vez que: *Já que você não quer este livro, vou dá-lo a seu colega.*

jabá (ja.*bá*) *s.m. reg.* Carne-seca; charque.

jabiru (ja.bi.*ru*) *s.m.* (*Zool.*) Jaburu.

jaborandi (ja.bo.ran.*di*) *s.m.* (*Bot.*) Planta brasileira cujas folhas e raízes têm valor medicinal.

jaburu (ja.bu.*ru*) *s.m.* **1.** (*Zool.*) Ave de plumagem branca, de grande porte, que vive perto de rios e lagoas, alimentando-se de peixes e pequenos animais; tuiuiú. **2.** *fig.* Indivíduo esquisito, feio, tristonho: *Por que você hoje está parecendo um jaburu?* || *jabiru*.

jabuti (ja.bu.*ti*) *s.m.* (*Zool.*) Tartaruga terrestre, de casco elevado, que vive nas matas e se alimenta de frutas.

jabuticaba (ja.bu.ti.*ca*.ba) *s.f.* **1.** Pequena fruta brasileira, de casca preta e polpa adocicada. **2.** A planta que dá jabuticaba; jabuticabeira.

jabuticabal (ja.bu.ti.ca.*bal*) *s.m.* Lugar onde crescem jabuticabeiras.

jabuticabeira (ja.bu.ti.ca.*bei*.ra) *s.f.* (*Bot.*) Árvore que dá jabuticaba.

jaca (*ja*.ca) *s.f.* Fruto grande, de casca verde e muito áspera, de gomos amarelados, saborosos e de cheiro característico.

jacá (ja.*cá*) *s.m.* Espécie de cesto grande, de forma variável, feito de taquara ou cipó.

jaça (*ja*.ça) *s.f.* **1.** Imperfeição em pedra preciosa: *diamante sem jaça.* **2.** *fig.* Mancha, falha: *um caráter sem jaça.*

jaçanã (ja.ça.*nã*) *s.f.* (*Zool.*) Ave de longas pernas vermelhas e plumagem marrom que vive nos brejos.

jacarandá (ja.ca.ran.*dá*) *s.m.* **1.** (*Bot.*) Árvore de excelente madeira de cor escura, usada em marcenaria. **2.** A madeira dessa árvore: *uma cômoda de jacarandá.*

jacaré (ja.ca.*ré*) *s.m.* **1.** (*Zool.*) Grande réptil, da mesma família dos crocodilos, que vive em rios, pântanos e lagoas. **2.** Espécie de colher de pedreiro para introduzir argamassa nas juntas de alvenaria. || *Pegar jacaré*: deixar-se levar pela onda até a areia, com o peito deslizando sobre a água.

jacinto (ja.*cin*.to) *s.m.* (*Bot.*) Planta da mesma família dos lírios, de flores perfumadas e ornamentais.

jacobinismo (ja.co.bi.*nis*.mo) *s.m.* **1.** Ideologia dos jacobinos na Revolução Francesa. **2.** Ideias políticas radicais; radicalismo.

jactância (jac.*tân*.ci:a) *s.f.* **1.** Vanglória, vaidade exagerada. **2.** Altivez, arrogância.

jactar-se (jac.*tar*-se) *v.* Gabar-se publicamente; ufanar-se, vangloriar-se: *Vive a jactar-se de seus carrões europeus.* ▶ Conjug. 5, 6 e 33.

jacu (ja.*cu*) *s.m.* (*Zool.*) Ave da mesma família das galinhas, de plumagem e bico pretos e pescoço vermelho, que vive nas árvores.

jaculatória (ja.cu.la.*tó*.ri:a) *s.f.* Oração curta e fervorosa dirigida a Deus, a Virgem e aos santos.

jade (*ja*.de) *s.m.* (*Min.*) Mineral de cor esverdeada usado em objetos de decoração, estatuetas etc.

jaez [ê] (ja.*ez*) *s.m.* **1.** Arreio para cavalgaduras.

753

2. *fig.* Espécie, tipo, qualidade: *Não ande com gente desse jaez.*

jaguar (ja.*guar*) *s.m.* (*Zool.*) Onça tropical americana de pelo amarelo-avermelhado e manchas pretas arredondadas.

jaguatirica (ja.gua.ti.*ri*.ca) *s.f.* (*Zool.*) Gato selvagem da América do Sul, de pelo ruivo-amarelado com manchas negras.

jagunço (ja.*gun*.ço) *s.m.* **1.** Capanga de fazendeiro, senhor de engenho ou chefe político. **2.** (*Hist.*) Seguidor de Antônio Conselheiro, em Canudos, Bahia.

jalapa (ja.*la*.pa) *s.f.* (*Bot.*) Planta medicinal da América, cujas raízes são usadas como laxante.

jaleco [é] (ja.*le*.co) *s.m.* Casaco curto de tecido leve, usado sobre as vestes por médicos, dentistas, enfermeiros quando no exercício de suas profissões.

jamaicano (ja.mai.*ca*.no) *adj.* **1.** Da Jamaica, ilha e país do Caribe. • *s.m.* **2.** O natural ou o habitante desse país.

jamais (ja.*mais*) *adv.* **1.** Nunca, em tempo algum: *Jamais permitirei tal abuso.* **2.** Em alguma ou qualquer ocasião: *O Rio é a cidade mais linda que jamais vi.*

jamanta (ja.*man*.ta) *s.f.* **1.** (*Zool.*) Grande arraia marinha. **2.** Caminhão de grande carroceria destinado ao transporte de automóveis; cegonha. **3.** *coloq.* Pessoa grandalhona e desajeitada.

jambeiro (jam.*bei*.ro) *s.m.* (*Bot.*) Árvore que dá o jambo.

jambo (*jam*.bo) *s.m.* Fruto carnoso, de cor branca, rosada ou vermelha e de sabor agridoce.

jambolão (jam.bo.*lão*) *s.m.* Jamelão.

jamegão (ja.me.*gão*) *s.m. coloq.* Assinatura: *Negou-se a pôr seu jamegão no abaixo-assinado.*

jamelão (ja.me.*lão*) *s.m.* **1.** (*Bot.*) Árvore asiática muito difundida no Brasil, que produz um fruto de forma semelhante à da azeitona, de cor roxa escura e de sabor adstringente. **2.** O fruto dessa árvore. || *jambolão*.

jandaia (jan.*dai*.a) *s.f.* (*Zool.*) Ave da mesma família dos papagaios que vive em bandos, principalmente onde crescem carnaubais.

janeiro (ja.*nei*.ro) *s.m.* **1.** Primeiro mês do ano. **2.** *fig.* Ano de existência: *Completou ontem vinte janeiros.*

janela [é] (ja.*ne*.la) *s.f.* **1.** Abertura feita na parede de um edifício ou no corpo de um veículo (avião, trem, automóvel etc.) que permite a iluminação e o arejamento internos, e dá vista para o exterior. **2.** Caixilho ou peça de madeira ou de metal para fechar essa abertura. **3.** (*Inform.*) Área retangular na tela de uma unidade de exibição visual para acesso a outro programa ou função particular. **4.** Tempo vago em carga horária de professor. **5.** Espaço vazio entre dentes. || *Entrar pela janela*: ingressar em escola, universidade, emprego público etc. sem prestar concurso, geralmente obrigatório, valendo-se de procedimentos escusos.

jangada (jan.*ga*.da) *s.f.* Embarcação formada, em geral, de cinco paus roliços, de madeira muito leve, munida de mastro com vela e outros acessórios, usada para pescaria.

jangadeiro (jan.ga.*dei*.ro) *s.m.* Proprietário, patrão, tripulante ou condutor de jangada.

jângal (*jân*.gal) *s.m.* Floresta densa, selva, matagal; jângala.

jângala (*jân*.ga.la) *s.m.* Jângal.

janota [ó] (ja.*no*.ta) *adj.* **1.** Que se veste no rigor da moda; almofadinha, frajola, peralta. • *s.m.* **2.** Aquele que se veste no rigor da moda.

janta (*jan*.ta) *s.f. fam.* **1.** Ato de jantar. **2.** O jantar.

jantar (jan.*tar*) *v.* **1.** Comer no jantar ou fazer essa refeição: *Ela jantou apenas arroz e frango; Jantamos muito bem na casa da minha tia.* **2.** *fig.* Derrotar, vencer: *A seleção brasileira jantou a do país vizinho.* • *s.m.* **3.** A refeição do final do dia; janta: *Tomava sopa no jantar.* **4.** A comida que se come nessa refeição: *O jantar está esfriando.* ▶ Conjug. 5.

jaó (ja.*ó*) *s.f.* Zabelê.

japi (ja.*pi*) *s.m.* (*Zool.*) Ave canora de plumagem negra, cauda amarela e bico claro, muito comum no Brasil. || *japim*.

japim (ja.*pim*) *s.m.* Japi.

japona (ja.*po*.na) *s.f.* Espécie de jaquetão curto de lã, usado por oficiais e praças por cima do uniforme.

japonês (ja.po.*nês*) *adj.* **1.** Do Japão, país da Ásia. • *s.m.* **2.** O natural ou o habitante desse país. **3.** O idioma falado no Japão.

jaqueira (ja.*quei*.ra) *s.f.* (*Bot.*) Árvore que dá a jaca, originária da Ásia, muito difundida no Brasil.

jaqueta [ê] (ja.*que*.ta) *s.f.* Casaco curto, sem abas, que vai só até à cintura.

jaquetão (ja.que.*tão*) *s.m.* Paletó transpassado com quatro ou seis botões.

jararaca (ja.ra.*ra*.ca) *s.f.* **1.** (*Zool.*) Serpente venenosa brasileira que se alimenta de roedores e outros pequenos animais. **2.** *fig.* Mulher de mau gênio.

jararacuçu (ja.ra.ra.cu.*çu*) *s.m. e f.* (*Zool.*) Serpente venenosa de até 2 m de comprimento, de dorso amarelo-escuro e manchas triangulares marrom-escuras.

jarda (*jar*.da) *s.f.* Medida de comprimento, usada nos países de língua inglesa, que equivale a 3 pés ou 914 mm. || Símbolo: yd.

jardim (jar.*dim*) *s.m.* Área em que se cultivam flores e plantas ornamentais. || *Jardim botânico*: espaço onde se cultivam plantas para estudo e para exibição ao público. • *Jardim zoológico*: espaço onde se mantém animais para estudo e para exibição ao público.

jardim de infância *s.m.* Escola especial que objetiva o desenvolvimento de crianças de menos de 6 anos através de atividades apropriadas. || pl.: *jardins de infância*.

jardim de inverno *s.m.* Área de estar de uma casa, envidraçada e luminosa, onde, em geral, se cultivam plantas ornamentais. || pl.: *jardins de inverno*.

jardinagem (jar.di.*na*.gem) *s.f.* Técnica de cultivar jardins.

jardinar (jar.di.*nar*) *v.* Cultivar jardim. ▶ Conjug. 5.

jardineira (jar.di.*nei*.ra) *s.f.* **1.** Mulher que trata de jardins. **2.** Espécie de vaso onde se cultivam flores no balcão das janelas. **3.** (*Cul.*) Prato preparado com carne e legumes picados. **4.** Saia, calça ou short sem a parte das costas e com a parte da frente presa por alças ou suspensórios, que se usa sobre a blusa ou camisa. **5.** Espécie de ônibus pequeno usado no interior do Brasil.

jardineiro (jar.di.*nei*.ro) *s.m.* Homem que tem por ofício tratar de jardins.

jargão (jar.*gão*) *s.m.* Linguagem peculiar a determinados grupos profissionais.

jarra (*jar*.ra) *s.f.* **1.** Vaso para flores. **2.** Recipiente para água, vinho e refrescos.

jarrete [ê] (jar.*re*.te) *s.m.* (*Anat.*) **1.** Região da perna situada atrás e abaixo da articulação do joelho. **2.** Tendão das pernas dos quadrúpedes.

jarro (*jar*.ro) *s.m.* **1.** Vaso alto, mais ou menos bojudo, com asa e bico, para água ou vinho. **2.** Vaso decorativo.

jasmim (jas.*mim*) *s.m.* (*Bot.*) **1.** Planta originária da Ásia, de pequenas flores brancas intensamente perfumadas. **2.** A flor dessa planta.

jasmim-do-cabo (jas.mim-do-*ca*.bo) *s.m.* Gardênia. || pl.: *jasmins-do-cabo*.

jasmineiro (jas.mi.*nei*.ro) *s.m.* (*Bot.*) A planta do jasmim.

jaspe (*jas*.pe) *s.m.* Variedade de quartzo, opaca até nos bordos, que apresenta variedade de cores, sendo mais comum a vermelha.

jato (*ja*.to) *s.m.* **1.** Lançamento com ímpeto de um líquido ou gás através de abertura estreita: *o jato de champanhe do campeão*. **2.** O líquido ou gás assim lançados: *O petróleo jorrou em um jato altíssimo*. **3.** Avião a jato: *Os jatos encurtaram as distâncias*. || *Aos jatos*: de maneira forte e intermitente: *A água começou a sair aos jatos*.

jatobá (ja.to.*bá*) *s.m.* (*Bot.*) Árvore brasileira de grande porte, cuja madeira é usada em construção civil e naval.

jaú¹ (ja.*ú*) *s.m.* (*Zool.*) Peixe dos rios amazônicos.

jaú² (ja.*ú*) *s.m.* **1.** Espécie de andaime móvel, com roldanas, preso por cordas ao teto de um edifício, usado para reparos e pintura externa. **2.** *reg.* Espécie de carrossel.

jaula (*jau*.la) *s.f.* Gaiola grande e gradeada para prender animais ferozes; prisão.

javali (ja.va.*li*) *s.m.* (*Zool.*) Porco selvagem, de compleição robusta, pelagem rígida, cabeça de forma triangular e boca provida de fortes caninos.

jazer (ja.*zer*) *v.* **1.** Estar deitado, estendido no chão ou em cama: *O doente jazia acamado na enfermaria do hospital*. **2.** Estar morto ou como morto: *Agora os inimigos jazem espalhados pelos campos de batalha*. **3.** Estar sepultado: *O corpo do herói jaz em sua cidade natal*. **4.** Estar jogado ou abandonado; permanecer: *O velho barco jazia à margem da lagoa*. **5.** Persistir, permanecer: *O lampião jazia sobre a mesa da sala*; *Seus sonhos de adolescente jaziam em seu coração*. **6.** Estar situado; localizar-se: *A cidadezinha jazia no fundo do vale*. ▶ Conjug. 60.

jazida (ja.*zi*.da) *s.f.* Depósito natural de minérios ou de fósseis.

jazigo (ja.*zi*.go) *s.m.* **1.** Sepultura; túmulo. **2.** Monumento funerário, geralmente em sepultura de uma família ou de várias pessoas.

jazz [djéz] (*Ing.*) *s.m.* Música afro-americana, vocal ou instrumental, caracterizada por improvisações e ritmos sincopados.

jê

jê *adj.* **1.** Relativo aos jês, grupo que habitava o Brasil central, denominados pelos tupis de tapuias. • *s.m.* e *f.* **2.** Indígena desse grupo. • *s.m.* **3.** Designação dada a uma das famílias de línguas do Brasil, que foram faladas em ampla faixa do Brasil central.

jeans [djinz] (Ing.) **1.** Tipo de brim, geralmente azul, muito resistente, usado na confecção de calças, jaquetas, saias etc. **2.** Calças de corte justo e costuras reforçadas, confeccionadas com esse tecido: *Gostava de usar jeans e camiseta*.

jeca [é] (je.ca) *adj.* **1.** Caipira; matuto, capiau: *Essa roupa é muito jeca.* • *s.m.* e *f.* **2.** Pessoa humilde do interior, de modos roceiros, caipiras.

jeca-tatu (je.ca-ta.tu) *s.m.* Habitante pobre e humilde da roça. || pl.: *jecas-tatus*.

jegue [é] (je.gue) *s.m.* (Zool.) reg. Jumento, asno.

jeira (jei.ra) *s.f.* Antiga medida agrária que equivale, no Brasil, a 0,2 hectare.

jeito (jei.to) *s.m.* **1.** Modo; maneira: *Isso não é jeito de moça de família.* **2.** Aspecto, feição, tipo: *O rapaz tinha jeito de malandro.* **3.** Aptidão, habilidade: *Ela não tinha jeito para lidar com crianças.* **4.** Talento, pendor: *Maria tem jeito para artista de cinema.* **5.** Torsão (em músculo ou tendão); torcedura: *A senhora tropeçou no degrau e deu um jeito no pé.* **6.** Habilidade, destreza: *Paulo tem muito jeito para desenhar.* || *Ao jeito de*: à maneira de: *Pintava retratos ao jeito de Modigliani.* • *Com jeito*: com habilidade, com perfeição: *Fazia tricô com jeito.* • *Daquele jeito*: coloq. maneira de qualificar negativamente um estado, uma ação, um desempenho: *Digitou o trabalho daquele jeito...* • *Dar um jeito em*: **1.** fazer comportar-se; corrigir: *Você precisa dar um jeito em seu filho.* **2.** consertar, arrumar: *Por favor, dê um jeito nesse relógio.* • *Levar jeito para*: ter aptidão ou queda para alguma coisa: *Você leva jeito para treinador de futebol.* • *Sem jeito*: **1.** acanhado, tímido: *Ficou sem jeito diante da namorada.* **2.** desajeitado: *Você é sem jeito para essas coisas.*

jeitoso [ô] (jei.to.so) *adj.* **1.** Habilidoso: *Júlia é muito jeitosa para bordar.* **2.** De boa aparência: *Arranjou um namorado jeitoso.* **3.** Adequado: *uma casa jeitosa.* || f. e pl.: [ó].

jejuar (je.ju.ar) *v.* Fazer jejum; abster-se de comer: *Ela jejuava todas as sextas-feiras.* ▶ Conjug. 5.

jejum (je.jum) *s.m.* **1.** Prática religiosa que consiste na abstinência total ou parcial de alimento em certos dias: *Para os católicos, a quarta-feira de cinzas é dia de jejum.* **2.** Estado de quem nada comeu desde a véspera: *Meu jejum é para fazer exame de sangue.* || *Quebrar o jejum*: **1.** comer ou beber estando até então em jejum. **2.** Conseguir alguma coisa que há muito não tem: *O time quebrou o jejum de 15 anos sem título de campeão.*

jejuno (je.ju.no) *adj.* **1.** Que está em jejum. • *s.m.* **2.** (Anat.) Parte do intestino delgado, entre o duodeno e o íleo.

jenipapeiro (je.ni.pa.pei.ro) *s.m.* (Bot.) Árvore que produz o jenipapo.

jenipapo (je.ni.pa.po) *s.m.* Fruto do jenipapeiro, com o qual os índios adquirem a cor negra para pintura de seus corpos e com o qual se faz um licor muito popular no Brasil.

jequice (je.qui.ce) *s.f.* Maneira de ser de jeca; jequismo.

jequismo (je.quis.mo) *s.m.* Jequice.

jequitibá (je.qui.ti.bá) *s.m.* (Bot.) Grande árvore brasileira que atinge até 45 m de altura e cujo tronco pode alcançar um metro de diâmetro; sua madeira tem múltiplos aproveitamentos.

jereré (je.re.ré) *s.m.* Rede para pescar pequenos peixes, camarões, siris e mariscos, que tem forma de um saco preso a um semicírculo de madeira ou arame com travessa diametral, e é munida de um cabo de madeira no meio do arco.

jerico (je.ri.co) *s.m.* (Zool.) Jumento, asno.

jerimu (je.ri.mu) *s.m.* Fruto do jerimuzeiro; abóbora. || *jerimum*.

jerimum (je.ri.mum) *s.m.* Jerimu.

jerimuzeiro (je.ri.mu.zei.ro) *s.m.* (Bot.) Planta rasteira que dá o jerimum; aboboreira.

jérsei (jér.sei) *s.m.* Tecido de malha de seda, fino e maleável.

jesuíta (je.su.í.ta) *adj.* **1.** Relativo aos jesuítas: *a espiritualidade jesuíta.* • *s.m.* **2.** Membro da ordem religiosa chamada Companhia de Jesus, fundada por Santo Inácio de Loyola (1491-1556).

jesuítico (je.su.í.ti.co) *adj.* **1.** Dos jesuítas; próprio dos jesuítas: *as reduções jesuíticas.* **2.** (Arquit.) Diz-se de estilo arquitetônico instaurado ou divulgado pelos jesuítas: *a fachada jesuítica da igreja dos Reis Magos.*

jesuitismo (je.su.i.tis.mo) *s.m.* Doutrina, princípios e modos de proceder típicos dos jesuítas.

jet lag [djét lég] (Ing.) *loc. subst.* Perturbação das funções biológicas (principalmente do sono), causada pela mudança de fuso horário em viagens longas de avião.

jetom (je.*tom*) *s.m.* Gratificação que se dá a membros de um grupo ou sociedade pela presença em reuniões: *Os sócios presentes à reunião receberam o jetom de R$ 500,00.*

jet ski [djét squi] (Ing.) *loc. subst.* Veículo motorizado que se desloca sobre a água com grande velocidade.

jia (*ji*.a) *s.f.* Rã: "*Cobra que não anda não engole jia.*" (prov.)

jiboia [ói] (ji.*boi*.a) *s.f.* **1.** (*Zool.*) Um dos maiores ofídios brasileiros, da família da sucuri, sem veneno, cuja pele é muito usada na fabricação de objetos de couro. **2.** (*Bot.*) Planta trepadeira decorativa, de grandes folhas verdes e amarelas.

jiboiar (ji.boi.*ar*) *v.* Digerir em repouso uma refeição copiosa, por alusão ao torpor da jiboia depois de haver engolido um animal grande. ▶ Conjug. 23.

jiló (ji.*ló*) *s.m.* **1.** Fruto muito difundido no Brasil e usado como alimento. **2.** O jiloeiro: *Plantou muito jiló na sua horta.*

jiloeiro (ji.lo.*ei*.ro) *s.m.* (*Bot.*) Planta de origem provavelmente africana, que dá jiló.

jingle [djingou] (Ing.) *s.m.* Mensagem musical de curta duração utilizada na propaganda política ou de determinada marca, produto, serviço etc.

jinjibirra (jin.ji.*bir*.ra) *s.f.* Bebida fermentada, feita com gengibre, açúcar, ácido tartárico e fermento.

jipe (*ji*.pe) *s.m.* Veículo motorizado, de pequeno porte, provido de dois diferenciais para tração nas quatro rodas, tendo sido fabricado, inicialmente, durante a Segunda Guerra Mundial, para fins militares, e posteriormente usado sobretudo em serviços rurais.

jirau (ji.*rau*) *s.m.* **1.** Espécie de grade de varas sobre esteios, fixados no chão e mais ou menos elevados, para construção de casas em lugares alagados. **2.** Tipo de estrado usado como suporte de cama ou como lugar para guardar mantimentos, utensílios de cozinha etc. **3.** Armação sobre estacas elevadas onde se espera a caça.

jiu-jítsu (jiu-*jít*.su) *s.m.* Modalidade de luta corporal, originária do Japão, que consiste em imobilizar o adversário por meio de golpes destramente aplicados. || *jujitsu*.

joalheiro (jo:a.*lhei*.ro) *s.m.* Aquele que fabrica ou vende joias.

joalheria (jo:a.lhe.*ri*.a) *s.f.* Loja onde se fabricam ou vendem joias.

joanete [ê] (jo:a.*ne*.te) *s.m.* (*Med.*) Saliência na articulação do primeiro osso do metatarso com a falange correspondente do dedo grande do pé.

joaninha (jo:a.*ni*.nha) *s.f.* (*Zool.*) Pequeno besouro de cores vivas e desenhos variados.

joanino (jo:a.*ni*.no) *adj.* **1.** Relativo a João ou a Joana: *Com a entrada no Brasil do Príncipe Regente D. João, iniciou-se o período joanino de nossa História.* **2.** Relativo a São João Batista: *Festas joaninas são uma tradição no Brasil.*

joão-ninguém (jo.ão-nin.*guém*) *s.m.* Indivíduo sem importância, sem valor, insignificante. || pl.: *joões-ninguém*.

joão-pessoense (jo.ão-pes.so:*en*.se) *adj.* **1.** De João Pessoa, capital do Estado da Paraíba. • *s.m. e f.* **2.** O natural ou o habitante dessa capital; pessoense. || pl.: *joão-pessoenses*.

joão-pestana (jo.ão-pes.*ta*.na) *s.m.* Personificação popular do sono. || pl.: *joões-pestanas*.

joça [ó] (*jo*.ça) *s.f. gír.* Coisa reles, objeto qualquer; coisa sem valia, ou estranha, ou mal conhecida.

jocosidade (jo.co.si.*da*.de) *s.f.* **1.** Qualidade de jocoso. **2.** Dito jocoso, gracejo, chiste.

jocoso [ô] (jo.*co*.so) *adj.* Que provoca o riso; alegre, engraçado. || f. e pl.: [ó].

joeira[1] (jo.*ei*.ra) *s.f.* Peneira grande que serve para separar o trigo do joio e de outras sementes misturadas a ele; crivo.

joeira[2] (jo.*ei*.ra) *s.f.* Ato ou efeito de peneirar alguma coisa, separando as diferentes matérias.

joeiradora [ô] (jo.ei.ra.*do*.ra) *s.f.* Máquina utilizada para joeirar os grãos.

joeirar (jo.ei.*rar*) *v.* **1.** Passar pela joeira ou pela peneira: *As moças joeiravam o arroz, limpando-o das sementes de outras plantas.* **2.** *fig.* Escolher, separando com cuidado o bom do mau, o falso do verdadeiro: *Meu filho, desde cedo aprenda a joeirar os maus dos bons amigos.* ▶ Conjug. 18.

joelhada (jo:e.*lha*.da) *s.f.* Pancada dada com o joelho.

joelheira (jo:e.*lhei*.ra) *s.f.* Elástico acolchoado que protege os joelhos dos esportistas, sobretudo os jogadores de futebol.

joelho [ê] (jo:e.lho) *s.m.* **1.** (*Anat.*) Parte anterior da articulação da perna com a coxa. **2.** Região da perna (ou da calça) onde fica essa articulação: *Quando pulou, rasgou a calça no joelho.* **3.** Peça que articula duas outras. || *De joelhos*: humildemente; servilmente. • *Dobrar os joelhos*: submeter-se, humilhar-se.

jogada (jo.ga.da) *s.f.* **1.** Ato ou efeito de jogar: *Calculou bem o valor das cartas antes da jogada.* **2.** Lance de jogo: *Numa jogada incrível, Ronaldo conseguiu o empate.* **3.** Esquema de negócio, previamente articulado, visando um fim lucrativo ou vantajoso: *Comprar as ações naquela época foi uma grande jogada.* || *Morar na jogada*: *gír.* entender, compreender uma explicação: *Só depois de alguns dias morei na jogada e percebi o que ela queria.* • *Tirar da jogada*: eliminar, liquidar: *Não foi fácil tirar o intruso da jogada.*

jogador [ô] (jo.ga.dor) *adj.* **1.** Que joga ou sabe jogar. • *s.m.* **2.** Aquele que tem o hábito ou o vício de jogar. **3.** Aquele que joga (jogo esportivo) ou faz parte de uma equipe: *Os jogadores da equipe de vôlei estão embarcando para Buenos Aires.*

jogar (jo.gar) *v.* **1.** Participar de jogo, partida; disputar: *O velho gostava de jogar canastra com os amigos; Ele sempre queria jogar; O Brasil joga contra a Croácia.* **2.** Praticar (esporte): *Os meninos jogavam futebol.* **3.** Manejar com destreza ou habilidade: *Ele sabia jogar com as ambições da família.* **4.** Atirar, arremessar, sacudir: *Jogou o anel no rio.* **5.** Arriscar temerariamente; aventurar, expor à sorte: *Jogou toda a sua fortuna naquele negócio.* **6.** Participar em jogo de azar ou ser viciado em jogo: *Jogar pôquer era seu grande vício; O rapaz não bebe nem joga.* **7.** Arremessar, atirar: *Ganhou medalha jogando dardo.* **8.** Saltar, arremessar-se: *Jogou-se do trampolim com muita leveza.* **9.** Balançar, oscilar: *Naquele trecho do rio a canoa jogava muito.* || *Jogar fora*: **1.** desfazer-se de, botar fora: *Irritada, jogou fora o presente.* **2.** desperdiçar, perder: *Jogou fora uma bela oportunidade.* ▶ Conjug. 20 e 34.

jogatina (jo.ga.ti.na) *s.f.* **1.** Hábito ou vício do jogo. **2.** Atividade de jogo intensa.

jogging [djóguin] (Ing.) *s.m.* **1.** Exercício que consiste em andar ou correr, em passo ritmado, com fins saudáveis. **2.** Conjunto de camiseta e calça de malha ou moletom usado geralmente para fazer *jogging*.

jogo [ô] (jo.go) *s.m.* **1.** Atividade que se pratica por divertimento: *Nos dias de chuva, passávamos o recreio em jogos e passatempos.* **2.** Atividade mental ou física sujeita a regras e em que, por vezes, se arrisca dinheiro: *Às vezes, organizavam um jogo de canastra a dinheiro; Você perdeu de mim no jogo de queda de braço.* **3.** Conjunto do material (tabuleiro, pedras, dados etc.) usado para determinados jogos: *O menino ganhou um jogo de damas.* **4.** Combinação de números ou resultados variáveis em que se aposta, em sistema de previsão de jogos ou sorteio: *Semanalmente fazia seu jogo de loteria esportiva.* **5.** Série de coisas que formam um conjunto: *um jogo de panelas de aço inox.* **6.** Conjunto de peças articuladas em um maquinismo: *o jogo da embreagem.* **7.** O vício do jogo: *Arruinou-se no jogo.* || *Abrir o jogo*: falar com toda a franqueza. • *Esconder o jogo*: encobrir suas intenções, dissimular. • *Estar em jogo*: estar na dependência de, estar em risco. • *Fazer o jogo de*: colaborar com os objetivos de alguém, agindo com dissimulação, conscientemente ou não. • *Jogo da verdade*: aquele em que os participantes se propõem a responder com honestidade a qualquer pergunta que lhes seja feita. • *Jogo de azar*: aquele em que o ganho e a perda dependem exclusivamente da sorte. • *Jogo de palavras*: trocadilho. • *Jogo de cena*: (*Teat.*) movimento ou atitude que visa a um certo efeito, sem estar diretamente relacionado com o texto. • *Ter jogo de cintura*: ter muita habilidade, muito jeito para enfrentar situações embaraçosas. || pl.: [ó].

jogo da velha *s.m.* Jogo para duas pessoas que procuram completar uma sequência de três figuras (X ou 0) na vertical, na horizontal ou na diagonal desenhadas em um quadro dividido em nove casas. || pl.: *jogos da velha*.

jogral (jo.gral) *s.m.* **1.** Artista que, na Idade Média, ganhava a vida declamando poemas, cantando e tocando instrumentos musicais; trovador. **2.** Grupo que declama um texto ou um poema em conjunto, ou alternando as vozes.

joguete [ê] (jo.gue.te) *s.m.* **1.** Pessoa ou coisa que é objeto de zombaria ou mofa. **2.** Pessoa que é utilizada para servir aos interesses de alguém: *Não se deixe transformar em um joguete de seu chefe.*

joia [ó] (joi.a) *s.f.* **1.** Objeto de matéria preciosa, metal ou pedrarias, que serve para adorno das pessoas. **2.** Quantia que se paga pela admissão a uma sociedade. **3.** *fig.* Pessoa ou coisa de grande valor, ou a que se tributa

jubilar

grande apreço: *Esta moça é uma joia.* • *adj.* **4.** *gír.* Muito bom, muito bonito, excelente: *Sua roupa é joia.*

joint venture [djóint vêntchur] (Ing.) *loc. subs.* Associação de empresas para realizar determinados negócios, com a característica de que elas conservam sua personalidade jurídica.

joinvilense (jo:in.vi.*len*.se) *adj. s.m. e f.* Joinvillense.

joinvillense (jo:in.vil.*len*.se) *adj.* **1.** Da cidade de Joinville, no Estado de Santa Catarina. • *s.m. e f.* **2.** O natural ou o habitante dessa cidade. || joinvilense.

joio [ô] (*joi*.o) *s.m.* **1.** (*Bot.*) Planta daninha que nasce entre o trigo. **2.** Semente dessa planta. **3.** *fig.* Coisa de má qualidade, que prejudica as boas a que se mistura. || *Separar o joio do trigo*: discernir entre o bom e o mau.

jojoba [ó] (jo.*jo*.ba) *s.f.* (*Bot.*) Planta cuja semente fornece um produto oleoso, utilizado em certos tipos de lubrificantes e em cosméticos.

jongo (*jon*.go) *s.m.* Dança rural de roda, de origem africana, com acompanhamento de tambor e canto em coro; caxambu.

jônico (*jô*.ni.co) *adj.* Da Jônia, região situada junto ao litoral do mar Egeu; jônio.

jônio (*jô*.ni:o) *adj.* **1.** Da Jônia; jônico. • *s.m.* **2.** O natural ou o habitante da Jônia, colônia da Grécia antiga.

jóquei (*jó*.quei) *s.m.* Profissional cujo ofício é montar cavalos de corrida em competições.

jordaniano (jor.da.ni:*a*.no) *adj.* **1.** Da Jordânia, país da Ásia, no Oriente Médio. • *s.m.* **2.** O natural ou o habitante desse país.

jornada (jor.*na*.da) *s.f.* **1.** Caminho ou marcha que se faz em um dia: *A jornada de hoje foi de 15 quilômetros.* **2.** Viagem por terra: *Estava exausto da jornada pelas cidades da região.* **3.** Dia de trabalho diário: *Sua jornada é de oito horas.*

jornal (jor.*nal*) *s.m.* **1.** Folha volante, publicada diariamente, que dá notícia dos acontecimentos ocorridos e informações sobre assuntos que interessam ao público. **2.** Qualquer publicação periódica (diária, semanal) que divulga notícias. **3.** Noticiário transmitido por rádio, televisão ou cinema.

jornaleco [é] (jor.na.*le*.co) *s.m.* Jornal de má qualidade e pouca credibilidade.

jornaleiro (jor.na.*lei*.ro) *adj.* **1.** Que trabalha vendendo ou entregando jornal. **2.** Que dura um dia: *trabalho jornaleiro.* • *s.m.* **3.** Aquele que vende ou entrega jornais.

jornalismo (jor.na.*lis*.mo) *s.m.* **1.** Trabalho profissional de levantamento, averiguação e transmissão de notícias e comentários através dos diferentes meios de comunicação. **2.** Conjunto dos jornalistas e dos meios de difusão de notícias; imprensa.

jornalista (jor.na.*lis*.ta) *s.m. e f.* Profissional formado em jornalismo ou que exerce essa profissão.

jornalístico (jor.na.*lís*.ti.co) *adj.* Relativo a jornal ou a jornalismo: *atividade jornalística.*

jorrar (jor.*rar*) *v.* **1.** Lançar em jorro; emitir, lançar de si: *O cano furado jorrava água em quantidade; Para alegria de todos, o petróleo jorrou.* **2.** *fig.* Emanar, fluir: *De sua criatividade jorravam histórias incríveis.* ▶ Conjug. 20.

jorro [ô] (*jor*.ro) *s.m.* Jato que sai com ímpeto.

jota [ó] (*jo*.ta) *s.m.* Décima letra do alfabeto português.

joule [jau *ou* ju] (*jou*.le) *s.m.* Unidade do Sistema Internacional de medida de trabalho e energia.

jovem [ó] (*jo*.vem) *adj.* **1.** Que é moço; que está na juventude: *uma jovem instituição.* **2.** Diz-se do que é típico da juventude, dos jovens: *a rebeldia jovem.* • *s.m. e f.* **3.** Pessoa jovem, que está na juventude: *um apelo aos jovens do Brasil.*

jovial (jo.vi:*al*) *adj.* **1.** Alegre, bem-humorado: *uma turma jovial.* **2.** Que transmite alegria: *um sorriso jovial.* – **jovialidade** *s.f.*

joystick [djóistic] *s.m.* Dispositivo de entrada, utilizado em jogos de computador ou vídeo, dotado de alavanca de controle do movimento do cursor na tela e de botões para comandar certas ações, quando pressionados.

juá (ju:*á*) *s.m.* **1.** (*Bot.*) O fruto do juazeiro. **2.** Juazeiro.

juazeiro (ju:a.*zei*.ro) *s.m.* (*Bot.*). Planta espinhosa característica da caatinga, de propriedade medicinal; juá.

juba (*ju*.ba) *s.f.* **1.** *fig.* Pelos abundantes que circundam o pescoço do leão. **2.** *fig.* Cabeleira volumosa e despenteada.

jubilar¹ (ju.bi.*lar*) *adj.* Relativo a jubileu ou a aniversário solene: *2000 foi um ano jubilar.*

jubilar² (ju.bi.*lar*) *v.* **1.** Encher(-se) de júbilo, de alegria; regozijar(-se): *O resultado do jogo jubilou a torcida do time; Jubilamo-nos com a volta de nosso amigo.* **2.** Afastar do serviço ativo (professores); aposentar: *A universidade*

jubileu

jubilou o professor Oliveira; O professor Oliveira jubilou-se em dezembro. ▶ Conjug. 5. – **jubilação** *s.f.*; **jubilado** *adj.*

jubileu (ju.bi.*leu*) *s.m.* **1.** Indulgência concedida pelo papa aos católicos em determinadas oportunidades. **2.** Solenidade em que se recebe essa indulgência. **3.** Aniversário de cinquenta anos de um fato marcante, de alguma instituição, de exercício de uma função etc. || *Jubileu de prata*: data que comemora o 25º aniversário. • *Jubileu de ouro*: data que comemora o 50º aniversário.

júbilo (*jú*.bi.lo) *s.m.* Grande alegria; regozijo.

jubiloso [ô] (ju.bi.*lo*.so) *adj.* Cheio de júbilo, de alegria; muito alegre. || f. e pl.: [ó].

juçara (ju.*ça*.ra) *s.f.* (*Bot.*) Palmeira delgada e alta, da qual se tira um palmito de boa qualidade.

jucundo (ju.*cun*.do) *adj.* Que transmite alegria, agradável, aprazível.

judaico (ju.*dai*.co) *adj.* Relativo aos judeus e ao judaísmo: *um costume judaico*.

judaísmo (ju.da.*ís*.mo) *s.m.* **1.** Religião dos judeus. **2.** O acervo religioso, cultural, histórico, ético e tradicional dos judeus.

judaizante (ju.da:i.*zan*.te) *adj.* **1.** Que judaíza; que professa e pratica o judaísmo. • *s.m. e f.* **2.** Pessoa que professa e pratica o judaísmo.

judaizar (ju.da:i.*zar*) *v.* **1.** Converter ao judaísmo: *Os pais procuravam judaizar seus filhos*. **2.** Adotar e observar as leis, as crenças, os costumes e os ritos judaicos: *O poeta foi acusado de judaizar*. ▶ Conjug. 26.

judas (*ju*.das) *s.m.* **1.** *fig.* Boneco que se costuma malhar e queimar no sábado da Semana Santa. **2.** *fig.* Traidor.

judeu (ju.*deu*) *adj.* **1.** Da Judeia, região da antiga Palestina. **2.** Referente ao judaísmo. • *s.m.* **3.** Pessoa que adota os princípios religiosos e os costumes do judaísmo. **4.** Pessoa que descende do povo hebreu. || f.: *judia*.

judia (ju.*di*.a) *adj. s.f.* Feminino de *judeu*.

judiar (ju.di:*ar*) *v.* Tratar mal; maltratar, atormentar: *É covardia judiar dos animais*. ▶ Conjug. 17.

judiaria¹ (ju.di:a.*ri*.a) *s.f.* **1.** Bairro dos judeus. **2.** Grupo de judeus.

judiaria² (ju.di:a.*ri*.a) *s.f.* Ação ou efeito de judiar.

judicatura (ju.di.ca.*tu*.ra) *s.f.* **1.** Função de juiz; exercício do cargo de juiz, magistratura. **2.** Exercício do poder de julgar. **3.** Tempo em que alguém exerce a função de juiz.

judicial (ju.di.ci:*al*) *adj.* **1.** Relativo à justiça, aos tribunais e à administração da justiça. **2.** Que tem origem no Poder Judiciário ou perante ele se realiza.

judiciário (ju.di.ci:á.ri:o) *adj.* **1.** Judicial. • *s.m.* **2.** O Poder Judiciário: *O Judiciário é um dos três poderes da República*.

judicioso [ô] (ju.di.ci:*o*.so) *adj.* **1.** Que julga com acerto, com critério: *um corpo de jurados judicioso*. **2.** Que revela bom senso: *uma decisão judiciosa*. || f. e pl.: [ó].

judô (ju.*dô*) *s.m.* Tipo de luta japonesa, inspirada nas técnicas do antigo jiu-jítsu, em que a flexibilidade e a agilidade exercem papel preponderante.

judoca [ó] (ju.*do*.ca) *s.m. e f.* Quem pratica o judô.

jugo (*ju*.go) *s.m.* **1.** Peça de madeira com a qual se atrelam os bois; canga. **2.** *fig.* Sujeição, opressão.

jugular (ju.gu.*lar*) *adj.* (*Anat.*) **1.** Relativo a garganta ou ao pescoço: *veia jugular*. • *s.f.* **2.** Cada uma das quatro principais veias que passam pelo pescoço: *cortar a jugular*.

juiz (ju.*iz*) *s.m.* **1.** (*Jur.*) Pessoa que tem autoridade, investidura legal para dar sentenças, julgar, administrar justiça. **2.** Indivíduo escolhido ou nomeado para dar decisão sobre um caso duvidoso. **3.** (*Esp.*) Profissional que em um jogo fiscaliza o exato cumprimento das regras; árbitro. || *Juiz de linha*: árbitro auxiliar que, em esportes, como futebol, vôlei, basquete etc., permanece na linha do campo ou da quadra para observar infrações e saídas de bola pelas laterais ou pelo fundo e comunicar ao juiz; bandeirinha.

juizado (ju:i.*za*.do) *s.m.* **1.** Instituição pública presidida por um juiz. **2.** O cargo de juiz.

juiz-de-forano (ju.iz-de-fo.*ra*.no) *adj.* **1.** De Juiz de Fora, cidade do Estado de Minas Gerais. • *s.m.* **2.** O natural ou o habitante dessa cidade. || *juiz-forano* e *juiz-forense*. || pl.: *juiz-de-foranos*.

juiz-forano (ju.iz-fo.*ra*.no) *adj. s.m.* Juiz-de-forano. || pl.: *juiz-foranos*.

juiz-forense (ju.iz-fo.*ren*.se) *adj. s.m. e f.* Juiz-de-forano. || pl.: *juiz-forenses*.

juízo (ju:*í*.zo) *s.m.* **1.** Capacidade de avaliar, discernir e julgar as coisas; siso. **2.** Avaliação, parecer, conceito que se faz ou se forma de alguma coisa: *Não tenho juízo formado sobre esse assunto.* **3.** Tribunal em que se administra justiça, se apreciam e decidem questões judiciais: *Ela deverá comparecer em juízo para depor.* **4.** Mente, pensamento: *Isso não me sai do juízo.* **5.** Qualidade de quem pensa e age com ponderação e sensatez: *Jorge é um rapaz de muito juízo.*

jujuba (ju.*ju*.ba) *s.f.* (*Bot.*) **1.** Árvore que produz frutos comestíveis e usados em medicamentos para expectoração. **2.** Fruto dessa árvore. **3.** Bala de goma feita a partir desse fruto.

julgado (jul.*ga*.do) *adj.* **1.** (*Jur.*) Que passou por julgamento: *um processo julgado*; *um réu julgado e absolvido.* • *s.m.* **2.** Matéria decidida em sentença; decisão judicial: *O advogado recorreu à sua coleção de julgados do Supremo Tribunal Federal.* || *Passar em julgado*: não admitir mais recurso judicial a uma causa já definitivamente julgada.

julgamento (jul.ga.*men*.to) *s.m.* **1.** Ato ou efeito de julgar, de estabelecer uma opinião sobre alguma coisa. **2.** (*Jur.*) Processo de exame, apreciação e decisão sobre alguma coisa levada a juízo. **3.** Sessão em que se realiza esse processo; audiência. **4.** Decisão final do juiz ou de um júri; sentença.

julgar (jul.*gar*) *v.* **1.** Apreciar e decidir como juiz ou árbitro: *Um árbitro internacional julgou a questão de limites entre os dois países.* **2.** Pronunciar sentença, sentenciar: *O tribunal do júri julgou o réu com muita severidade.* **3.** Supor (-se), imaginar(-se), considerar(-se), pensar: *Julgo que todos estão de acordo comigo*; *Naquele momento, ele julgou-se salvo.* **4.** Formar opinião sobre, avaliar; emitir conceito sobre: *Ainda não julgaram os trabalhos apresentados.* **5.** Reputar, considerar, ter em conta de: *Todos o julgavam um homem de bem.* ▶ Conjug. 5 e 34.

julho (*ju*.lho) *s.m.* Sétimo mês do ano.

juliano (ju.li:*a*.no) *adj.* (*Hist.*) Relativo a Caio Júlio César (imperador romano, 101-44 a.C.). || *Calendário Juliano*: calendário estabelecido em 46 a.C. por Júlio César, que instituiu o ano de 365 dias e vigorou até o ano de 1582 da era cristã.

jumento (ju.*men*.to) *s.m.* **1.** (*Zool.*) Animal doméstico mamífero, utilizado para tração e carga; asno, jegue, jerico. **2.** *fig.* Pessoa muito grosseira ou de pouco entendimento.

junção (jun.*ção*) *s.f.* **1.** Ato ou efeito de juntar, de unir duas partes. **2.** Lugar em que duas ou mais coisas se juntam.

juncar (jun.*car*) *v.* **1.** Cobrir com juncos. **2.** Cobrir de folhas, flores ou ramos: *Juncavam as ruas de folhas para a procissão passar.* **3.** *fig.* Encher, cobrir: *Restos da festa juncavam a praia.* ▶ Conjug. 5 e 35.

junco (*jun*.co) *s.m.* (*Bot.*) Planta delgada e flexível, que vegeta em lugares úmidos ou na água e que, em trançados, serve à fabricação de cestas, assentos e encostos de cadeira.

jungir (jun.*gir*) *v.* Ligar com jugo; juntar: *Jungiram os bois para puxar o carro.*

junho (*ju*.nho) *s.m.* Sexto mês do ano.

junino (ju.*ni*.no) *adj.* Do mês de junho e de suas datas festivas populares: *festas juninas.*

júnior (*jú*.ni:or) *adj.* **1.** O mais moço; caçula. **2.** Que ainda está aprendendo sua atividade; iniciante: *jornalista júnior.* **3.** Que ainda é jovem e sem muita experiência em sua modalidade esportiva. • *s.m.* **4.** Profissional ainda sem experiência: *Ele é um júnior entre os executivos da firma.* **5.** Esportista ainda iniciante em sua modalidade: *Será uma partida entre os juniores dos dois times.* **6.** Filho que tem o mesmo nome do pai: *Este é o Júnior, meu filho mais velho.* || antôn.: *sênior*; pl.: *juniores*.

junquilho (jun.*qui*.lho) *s.m.* **1.** (*Bot.*) Planta ornamental e aromática de flores amarelas. **2.** (*Bot.*) A flor dessa planta.

junta (*jun*.ta) *s.f.* **1.** (*Anat.*) Ponto de junção e articulação de dois ossos. **2.** Parelha de dois animais de tração: *uma junta de bois.* **3.** Conjunto de especialistas convocados para realizar uma tarefa especial: *Uma junta médica foi convocada para dar um laudo.*

juntada (jun.*ta*.da) *s.f.* Junção de um novo documento em um processo.

juntar (jun.*tar*) *v.* **1.** Pôr(-se) junto, unir(-se), reunir(-se): *Juntou o novo livro aos outros da estante*; *Juntaram-se para discutir as novas medidas.* **2.** Acrescentar, adicionar: *Bata a manteiga com o açúcar e, depois, junte as gemas.* **3.** Reunir, recolher, guardar: *Antes de sair, junte seus papéis em uma pasta.* **4.** Fazer coleção, colecionar: *Desde que veio para cá, ela junta fotos da cidade.* **5.** Poupar dinheiro; economizar: *Trabalhou muito e conseguiu juntar para comprar uma casa.* **6.** Amasiar-se, amigar-se: *Depois que João ficou viúvo, ele juntou-se com Maria*; *João e Maria juntaram-se.* ▶ Conjug. 5.

junto (*jun*.to) *adj.* **1.** Contíguo, chegado, muito próximo, pegado: *As duas moças andam sempre juntas.* **2.** Unido, ligado: *De mãos juntas, passeavam pelo parque.* • *adv.* **3.** Juntamente: *Falava todo mundo junto, e ninguém entendia nada.* || *Junto a*: *loc. prep.* estabelece relação de

juntura

proximidade: *Junto a sua janela, há uma laranjeira em flor.* • **Junto com**: estabelece relação de companhia: *A moça saiu junto com as outras.*

juntura (jun.tu.ra) *s.f.* **1.** (*Anat.*) Articulação, junta: *Sentiu uma dor na juntura do fêmur com a bacia.* **2.** Lugar onde duas peças se juntam: *É preciso soldar a juntura dessas peças.* **3.** (*Ling.*) Encontro fonológico de duas formas mínimas, de que resulta uma modificação fonética; fonética sintática.

jura (ju.ra) *s.f.* **1.** Ato de jurar; juramento. **2.** Ação de amaldiçoar; praga.

jurado (ju.ra.do) *adj.* **1.** Que prestou juramento. **2.** Ameaçado de agressão ou morte: *um bandido jurado de morte.* • *s.m.* **3.** Membro do tribunal do júri: *Os jurados não puderam sair do recinto do tribunal.*

juramentado (ju.ra.men.ta.do) *adj.* Que prestou juramento; ajuramentado: *O documento será traduzido por tradutor juramentado.*

juramentar (ju.ra.men.tar) *v.* **1.** Tomar juramento de: *O juiz juramentou o acusado.* **2.** Fazer jurar, compelir a fazer juramento: *Juramentou o detido para que dissesse a verdade.* **3.** Revelar sob juramento: *A testemunha juramentou sua narrativa do fato.* **4.** Prometer sob juramento: *Ela havia juramentado que não fumaria mais.* ▶ Conjug. 5.

juramento (ju.ra.men.to) *s.m.* **1.** Ato ou resultado de jurar: *O recruta passa a soldado depois do juramento à bandeira.* **2.** Fórmula mais ou menos solene com que se jura em nome de Deus ou algo sagrado ou de valor moral: *Fez um juramento em nome de sua mãe.*

jurar (ju.rar) *v.* **1.** Declarar ou prometer sob juramento: *O acusado jurou sua inocência.* **2.** Afirmar, asseverar: *Ela jurava que tinha fechado as janelas, antes de sair.* **3.** Ameaçar: *Jurou de morte o adversário.* ▶ Conjug. 5.

jurássico (ju.rás.si.co) *adj.* **1.** Diz-se do período geológico da era mesozoica da Terra. **2.** *fig.* Diz-se de pessoa ou coisa muito velhas. • *s.m.* **3.** Esse período. ‖ Nessa acepção, com inicial maiúscula: *Isso deve ter ocorrido durante o Jurássico.*

jurema (ju.re.ma) *s.f.* **1.** (*Bot.*) Árvore espinhosa cuja madeira é usada em marcenaria. **2.** Beberagem alucinógena feita com casca, raízes ou frutos dessa planta.

júri (jú.ri) *s.m.* **1.** (*Jur.*) Grupo de cidadãos sob a presidência de um juiz a que se atribui o dever de julgar sobre fatos trazidos a seu conhecimento durante um julgamento: *O júri decidiu-se pela inocência do acusado.* **2.** Tribunal especial a que compete julgar os crimes dolosos contra a vida. **3.** Grupo de autoridades em um assunto que julga os concorrentes de um concurso.

jurídico (ju.rí.di.co) *adj.* **1.** Relativo a Direito e ao que a ele concerne. **2.** Conforme as regras ou a ciência do Direito.

jurisconsulto (ju.ris.con.sul.to) *s.m.* (*Jur.*) Especialista em ciência jurídica que tem competência para dar pareceres sobre questões jurídicas; jurista.

jurisdição (ju.ris.di.ção) *s.f.* **1.** Autoridade legal para julgar e aplicar a lei, conhecer e punir as infrações contra ela cometidas; vara. **2.** Extensão territorial em que um juiz atua. **3.** Competência, alçada.

jurisprudência (ju.ris.pru.dên.ci:a) *s.f.* **1.** (*Jur.*) Ciência do Direito e das leis. **2.** Interpretação da lei baseada em pareceres e decisões dos tribunais superiores em julgamentos anteriores.

jurista (ju.ris.ta) *s.m. e f.* Pessoa versada na ciência do Direito; jurisconsulto.

juriti (ju.ri.ti) *s.f.* (*Zool.*) Ave da mesma família do pombo, que ocorre do sul dos Estados Unidos à Argentina e em todo o Brasil, em matas, capoeiras, campos e cerrados, de canto apreciado. ‖ *juruti.*

juro (ju.ro) *s.m.* **1.** Porcentagem a ser paga, acrescentada ao total de um empréstimo ou de uma compra a prazo. **2.** Renda de capitais empregados ou emprestados. ‖ Muito usado no plural. • *Juros de mora*: valor acrescentado como multa pelo atraso no pagamento.

jurubeba [é] (ju.ru.be.ba) *s.f.* (*Bot.*) Arbusto cujas folhas, frutos e raízes têm valor medicinal.

jurupari (ju.ru.pa.ri) *s.m.* Um dos nomes do diabo entre os índios do Brasil.

jururu (ju.ru.ru) *adj.* Triste, melancólico, desanimado.

juruti (ju.ru.ti) *s.f.* (*Zool.*) Juriti.

jus *s.m.* Usado apenas na locução *fazer jus*: merecer: *O jovem fez jus a um prêmio.*

jusante (ju.san.te) *s.f.* **1.** O mesmo sentido da correnteza de um rio (por oposição a montante). **2.** Período em que a maré baixa. ‖ *A jusante*: para o lado da foz de uma corrente de água.

justa (jus.ta) *s.f.* **1.** (*Hist.*) Na Idade Média, combate entre dois cavaleiros, que, armados de lança, tentavam derrubar o oponente; torneio. **2.** *fig.* Contenda, combate, luta entre dois rivais. **3.** *fig.* Grande polêmica; discussão. **4.** *gír.* A polícia.

juventude

justafluvial (jus.ta.flu.vi:al) *adj.* Que fica próximo às margens de um rio.

justalinear (jus.ta.li.ne:ar) *adj.* Em que o texto que corresponde a cada linha fica ao lado ou abaixo da mesma: *uma tradução justalinear*.

justapor [ô] (jus.ta.por) *v.* Pôr(-se) junto, pôr (-se) em contiguidade: *Para levantar a parede, ele justapunha os tijolos; A linha de edifícios justapõe-se à praia.* ▶ Conjug. 65.

justaposição (jus.ta.po.si.ção) *s.f.* **1.** Ato ou efeito de justapor. **2.** (*Gram.*) Reunião de palavras para criar uma outra: *Guarda-chuva e vaivém são palavras formadas por justaposição*.

justaposto [ô] (jus.ta.pos.to) *adj.* Posto junto; posto ao lado. || f. e pl.: [ó].

justar (jus.tar) *v.* Participar de justa, combater em torneio. ▶ Conjug. 5.

justeza [ê] (jus.te.za) *s.f.* **1.** Qualidade de justo. **2.** Exatidão, precisão, certeza.

justiça (jus.ti.ça) *s.f.* **1.** Virtude que inspira o respeito aos direitos de outra pessoa, concedendo o que é justo e fazendo dar a cada um o que é seu. **2.** Capacidade ou qualidade de julgar imparcialmente e de agir conforme a lei e a ética. **3.** Funcionamento harmonioso de uma sociedade, com deveres e direitos iguais para todos os cidadãos. **4.** Conjunto de profissionais e instituições responsáveis pela aplicação das leis de uma sociedade. **5.** O Poder Judiciário. || *Fazer justiça com as próprias mãos*: vingar-se pessoalmente de um mal que caberia à justiça reparar.

justiçar (jus.ti.çar) *v.* Punir com pena de morte ou com suplício: *O tirano mandou justiçar todos os que se revoltaram contra ele.* ▶ Conjug. 5 e 36.

justiceiro (jus.ti.cei.ro) *adj.* **1.** Que faz justiça. **2.** Que é zeloso em fazer justiça: *um juiz justiceiro*. • *s.m.* **3.** Aquele que é executor fiel da lei. **4.** Aquele que se encarrega de fazer justiça com as próprias mãos.

justificar (jus.ti.fi.car) *v.* **1.** (*Jur.*) Provar sua própria inocência ou a dos outros: *O advogado conseguiu justificar brilhantemente seu cliente diante do juiz*. **2.** Revelar inocência, mostrando a justiça do ato praticado: *Legítima defesa foi alegada para justificar seu ato*. **3.** Legitimar, desculpar, isentar de responsabilidade: *A aluna justificou sua falta, apresentando um atestado médico*. ▶ Conjug. 5 e 35.

justificativa (jus.ti.fi.ca.ti.va) *s.f.* Razão ou motivo apresentado para justificar uma falta ou ausência.

justo (jus.to) *adj.* **1.** Que é conforme a justiça, a equidade, a razão: *causa justa*. **2.** Que é imparcial, reto: *um juiz justo*. **3.** Que tem precisão; preciso, exato: *O equilibrista executava movimentos justos*. **4.** Apropriado; adequado: *Só se manifeste no momento justo*. **5.** Em que não há folga ou espaço ou tempo; apertado: *uma saia justa; um cronograma justo*. • *s.m.* **6.** Pessoa que age com justiça; que ama a justiça: *Aos justos é prometido o céu*. • *adv.* **7.** No momento exato, logo, exatamente: *Justo agora que estou gostando desse trabalho, ele acaba*.

juta (ju.ta) *s.f.* **1.** (*Bot.*) Planta cuja fibra é empregada na fabricação de tecido de sacaria. **2.** Fibra extraída dessa planta.

juvenil (ju.ve.nil) *adj.* **1.** Relativo a juventude, próprio dela: *o entusiasmo juvenil*. • *s.m.* **2.** Setor de um clube esportivo, principalmente de futebol, em que jogam apenas adolescentes: *Este jovem joga no juvenil do nosso clube*. – **juvenilidade** *s.f.*

juvenília (ju.ve.ní.li:a) *s.f.* As obras ou os escritos da mocidade de um autor.

juventude (ju.ven.tu.de) *s.f.* **1.** Qualidade ou condição de jovem: *as ousadias da juventude*. **2.** A fase da vida que começa na adolescência e termina na idade adulta. **3.** A gente jovem: *A juventude de hoje sabe lidar bem com as novas tecnologias*.

k *s.m.* Décima primeira letra do alfabeto da língua portuguesa, usada em antropônimos e topônimos originários de outras línguas e seus derivados, e também em siglas, símbolos e palavras adotadas como unidades de medida de curso internacional.

K 1. (*Quím.*) Símbolo de *potássio*. **2.** (*Fís.*) Símbolo de *Kelvin*.

kafkiano (kaf.ki:*a*.no) *adj.* **1.** Relativo a Franz Kafka (1883-1924), escritor tcheco de língua alemã, ou à sua obra. **2.** Próprio de Kafka, que lembra o seu estilo; opressivo, angustiante. **3.** Diz-se de uma situação ou circunstância absurda. • *s.m.* **4.** Admirador de Kafka; o que é versado em sua obra.

kaiser [*cáiser*] (Al.) *s.m.* Designação usada a partir do século XIX para o Imperador da Alemanha.

kamikase [*camicáse*] (Jap.) *adj. s.m.* Camicase.

kantiano (kan.ti:*a*.no) *adj.* **1.** Referente a Immanuel Kant (1724-1804), filósofo alemão. • *s.m.* **2.** Pessoa que segue os princípios filosóficos de Kant.

karaokê [*caraoquê*] (Jap.) *s.m.* Caraoquê.

kardecismo (kar.de.cis.mo) *s.m.* Doutrina religiosa de Allan Kardec (1804-1869), pensador francês codificador do espiritismo.

kardecista (kar.de.cis.ta) *adj.* **1.** Relativo ao kardecismo. • *s.m. e f.* **2.** Adepto do kardecismo.

kart [*cárt*] (Ing.) *s.m.* (*Autom.*) Pequeno automóvel de competição dotado de embreagem automática, sem carroceria, caixa de mudanças e suspensão; carte.

kb (*Inform.*) Símbolo de *kilobit*.

kB (*Inform.*) Símbolo de *kilobyte*.

kelvin (kel.vin) *s.m.* (*Fís.*) Unidade internacional de medida de temperatura, na qual zero grau é o "zero absoluto" que equivale a 273,16°C. || Símbolo: *K*.

kepleriano (ke.ple.ri:*a*.no) *adj.* Referente ou próprio do astrônomo alemão Johannes Kepler (1571-1630), que descobriu o movimento elíptico das órbitas dos planetas.

ketchup [*quetchâp*] (Ing.) *s.m.* Molho de tomate temperado com especiarias.

kg Símbolo de *quilograma*.

kibutz [*quibúts*] (Hebr.) *s.m.* Fazenda de trabalho coletivo em Israel.

kilobit [*quilobít*] (Ing.) *s.m.* (*Inform.*) Unidade de medida de informação equivalente a 1.024 *bits*. || Símbolo: *kb*.

kilobyte [*quilobáit*] (Ing.) *s.m.* (*Inform.*) Unidade de medida de informação equivalente a 1.024 *bytes*. || Símbolo: *kB*.

kilt [*quilt*] (Ing.) *s.m.* Saiote típico do vestuário masculino escocês.

kiribatiano (ki.ri.ba.ti:*a*.no) *adj.* **1.** De Kiribati, nação insular no Oceano Pacífico. • *s.m.* **2.** O natural ou o habitante desse país.

kit [*quit*] (Ing.) *s.m.* Conjunto de objetos colocados na mesma embalagem e que guardam uma relação entre si ou têm um objetivo comum: *kit de maquiagem; kit de primeiros socorros*.

kitesurf [*cáitsarf*] (Ing.) *s.m.* Modalidade de surfe em que a prancha é puxada por um parapente.

kitsch [*quitch*] (Al.) *adj.* Diz-se de manifestação artística, literária etc., considerada de má qualidade, em geral de cunho sentimentalista e produzido com o especial propósito de apelar para o gosto popular.

km Símbolo de *quilômetro*.

know-how [*nôu-ráu*] (Ing.) *s.m.* Conhecimento e habilidade necessários para se resolverem problemas em determinada área.

kosher [*cócher*] (Iídiche) *adj.* **1.** Diz-se da comida preparada segundo as normas judaicas. **2.** Que se comporta de acordo com a lei judaica. • *s.m. e f.* **3.** Pessoa que segue os princípios e hábitos judaicos: *A filha do rabino casou-se com um kosher*.

Kr (*Quím.*) Símbolo de *criptônio*.
krill [*cril*] (Ing.) s.m. (*Zool.*) Pequeno crustáceo das águas frias que constitui alimento das baleias.
kung-fu [*cung-fu*] (Chin.) s.m. Arte marcial chinesa.

kuwaitiano (ku.wai.ti:a.no) *adj.* **1.** Do Kuwait, país árabe da Ásia. • s.m. **2.** O natural ou o habitante desse país.
kW (*Eletr.*, *Fís.*) Símbolo de *quilowatt*.
kWh (*Eletr.*, *Fís.*) Símbolo de *quilowatt-hora*.

l s.m. **1.** Décima segunda letra do alfabeto português. **2.** O número cinquenta em algarismos romanos. **3.** Símbolo de *litro*.

L Abreviação de *este* ou *leste*.

lá[1] s.m. **1.** Sexta nota da escala de dó maior. **2.** (*Mús.*) Sinal que representa essa nota.

lá[2] adv. **1.** Naquele lugar, distante do falante e do ouvinte: *Saiu criança ainda de sua terra; quando lá voltou, achou tudo diferente.* **2.** Àquele lugar distante; para aquele lugar distante: *Um dia ainda irei lá.* **3.** Num tempo distante, passado ou futuro; então: *De lá para cá, muita coisa mudou.* **4.** Verdadeiramente, de fato: *Ele não sabia lá tanta coisa como diziam.* **5.** Mais ou menos, aproximadamente: *Cheguei a casa lá pelas dez horas.* **6.** Não: *Sabe-se lá o que ele disse?* || *Para lá*: além: *Encontraram o animal para lá do brejo.*

lã s.f. **1.** Pelo que reveste o corpo de certos animais, principalmente do carneiro. **2.** Tecido feito com esse pelo.

labareda [ê] (la.ba.re.da) s.f. Grande chama, língua de fogo; flama (1).

lábaro (*lá*.ba.ro) s.m. Bandeira, estandarte: "... *o lábaro que ostentas estrelado*", Osório Duque-Estrada, *Hino Nacional Brasileiro.*

labéu (la.*béu*) s.m. Nota infamante, mancha na honra, na reputação de alguém; mazela (2).

lábia (*lá*.bi:a) s.f. Conversa astuciosa para convencer ou enganar alguém.

labial (la.bi:*al*) adj. Relativo aos lábios.

lábil (*lá*.bil) adj. Que desliza facilmente, escorregadio; instável, transitório.

lábio (*lá*.bi:o) s.m. (*Anat.*) Parte exterior e vermelha do contorno da boca; beiço.

labiodental (la.bi:o.den.*tal*) adj. **1.** Que se pronuncia com a interferência do lábio inferior e dos dentes incisivos superiores: *O /f/ é um fonema labiodental.* • s.m. **2.** Fonema consonantal que se pronuncia encostando o lábio inferior nos dentes incisivos superiores: *Ele não pronuncia bem as labiodentais.*

labirintite (la.bi.rin.*ti*.te) s.f. (*Med.*) Inflamação do labirinto (2).

labirinto (la.bi.*rin*.to) s.m. **1.** Lugar composto de múltiplas divisões, com passagens que se cruzam confusamente, de modo que seja muito difícil achar a saída. **2.** (*Anat.*) Conjunto de cavidades que compõem a orelha interna. **3.** *fig.* Grande embaraço; confusão, complicação. **4.** Trabalho de agulha também chamado crivo. – **labiríntico** adj.

labor [ô] (la.*bor*) s.m. Trabalho árduo e prolongado; labuta.

laborar (la.bo.*rar*) v. **1.** Trabalhar com perseverança. **2.** Cultivar a terra; lavrar. ▶ Conjug. 20.

laboratório (la.bo.ra.*tó*.ri:o) s.m. **1.** Local onde se acham reunidos aparelhos e material destinados a pesquisas científicas ou industriais, preparação de produtos medicinais, trabalhos fotográficos etc. **2.** *fig.* Atividades que envolvem observações, estudos e experimentações. – **laboratorial** adj.; **laboratorista** adj. s.m. e f.

laborioso [ô] (la.bo.ri:*o*.so) adj. **1.** Que trabalha muito, trabalhador: *uma comunidade laboriosa.* **2.** Trabalhoso, difícil, árduo: *uma tarefa laboriosa.* || f. e pl.: [ó].

laborterapia (la.bor.te.ra.*pi*.a) s.f. Tratamento por meio do trabalho; terapia ocupacional.

labrego [ê] (la.*bre*.go) adj. **1.** Que é rude, grosseiro. • s.m. **2.** Pessoa rude, grosseira.

labuta (la.*bu*.ta) s.f. Trabalho árduo e prolongado; labor.

labutar (la.bu.*tar*) v. Trabalhar penosamente, esforçar-se no trabalho: *Aquele homem labuta no transporte de cargas.* ▶ Conjug. 5.

laca (*la*.ca) s.f. **1.** Verniz empregado na pintura de móveis, objetos etc. **2.** Resina obtida de certas árvores.

laçada (la.ça.da) s.f. Nó corredio que se desata facilmente.

laçador [ô] (la.ça.dor) s.m. Homem destro no exercício de laçar.

lacaio (la.cai.o) s.m. **1.** Criado, servo. **2.** pej. Homem subserviente, sem dignidade.

laçar (la.çar) v. **1.** Prender animal com laço; enlaçar: laçar um garrote. **2.** Dar um laço em: laçar o cadarço do sapato; laçar a trança com fita. ▶ Conjug. 5 e 36.

laçarote [ó] (la.ça.ro.te) s.m. Laço grande e vistoso.

lacerar (la.ce.rar) v. Fazer em pedaços, quebrar, rasgar; dilacerar (usado em sentido figurado): Um grande remorso lacerava sua alma. ▶ Conjug. 8. – **laceração** s.f.

laço (la.ço) s.m. **1.** Nó que se desata facilmente; laçada. **2.** Corda comprida de couro com um nó corrediço em uma das extremidades, usada para pegar certos animais. **3.** fig. União, vínculo, aliança: laços de amizade. **4.** fig. Armadilha: cair no laço. || Conferir com lasso.

lacônico (la.cô.ni.co) adj. Que se expressa com poucas palavras; conciso; breve (2): um relatório lacônico.

laconismo (la.co.nis.mo) s.m. Modo de falar ou escrever usando poucas palavras.

lacraia (la.crai.a) s.f. **1.** (Zool.) Animal invertebrado dotado de muitos pares de patas; centopeia; lacrau. **2.** fig. Mulher feia, má, repelente.

lacrar (la.crar) v. Fechar ou selar com lacre: O presidente da mesa eleitoral lacrou a urna; lacrar uma correspondência. ▶ Conjug. 5.

lacrau (la.crau) s.m. (Zool.) Lacraia (1).

lacre (la.cre) s.m. Mistura de substância resinosa com qualquer matéria corante, geralmente vermelha, que serve para selar cartas, garrafas etc.

lacrimal (la.cri.mal) adj. Da lágrima: canal lacrimal.

lacrimejante (la.cri.me.jan.te) adj. Que lacrimeja; que faz lacrimejar: um gás lacrimejante.

lacrimejar (la.cri.me.jar) v. **1.** Encher os olhos de lágrimas: Quando se lembrava do filho ausente, seus olhos lacrimejavam. **2.** Produzir lágrimas constantes por causa de irritação nos olhos: Seus olhos lacrimejavam de tanta poluição no ar. ▶ Conjug. 10 e 37.

lacrimogêneo (la.cri.mo.gê.ne.o) adj. Que produz lágrimas: gás lacrimogêneo.

lacrimoso [ô] (la.cri.mo.so) adj. Que derrama lágrimas; choroso. || f. e pl.: [ó].

lactação (lac.ta.ção) s.f. **1.** Secreção e excreção do leite pelas glândulas mamárias. **2.** Período de secreção do leite. **3.** Ato de amamentar.

lactante (lac.tan.te) adj. **1.** Que produz leite. • s.m. e f. **2.** Mulher que aleita, que amamenta.

lactário (lac.tá.ri.o) s.m. Instituição de assistência que distribui leite a lactentes.

lactente (lac.ten.te) adj. **1.** Que ainda mama. • s.m. e f. **2.** Criança que ainda mama.

lácteo (lác.te:o) adj. **1.** Relativo a leite; de leite: um alimento lácteo. **2.** Semelhante ao leite, leitoso: uma brancura láctea. || láteo.

lactescente (lac.tes.cen.te) adj. **1.** Que contém látex: o tronco lactescente da seringueira. **2.** Branco como leite; leitoso: uma claridade lactescente. – **lactescência** s.f.

láctico (lác.ti.co) adj. Relativo a leite.

lactífero (lac.tí.fe.ro) adj. Que produz ou conduz leite.

lactose [ó] (lac.to.se) s.f. (Quím.) Açúcar encontrado no leite dos mamíferos.

lacuna (la.cu.na) s.f. **1.** Espaço vazio, interrupção, falta de algum elemento no corpo de uma obra, numa sequência ou num conjunto. **2.** Falta, omissão.

lacunar (la.cu.nar) adj. Que contém lacunas.

lacunoso [ô] (la.cu.no.so) adj. Cheio de lacunas. || f. e pl.: [ó].

lacustre (la.cus.tre) adj. **1.** Que vive em lagos: planta lacustre. **2.** Que está situado à beira ou sobre as águas de um lago: uma cabana lacustre.

ladainha (la.da.i.nha) s.f. **1.** Prece dialogada composta de invocações a Deus, à Virgem ou aos anjos e santos; litania. **2.** Longa e fastidiosa enumeração; lenga-lenga.

ladear (la.de:ar) v. **1.** Andar (o cavalo) de lado: O cavalo do comandante ladeava em vez de seguir o caminho. **2.** Seguir ao lado, pôr-se ao lado: Algumas moças ladeavam a noiva. **3.** Estar situado ao lado ou junto de; margear (2): Um rio ladeava a estrada. **4.** Evitar (problemas, complicações), não tratar diretamente, usar de subterfúgios para não enfrentar: Os pais ladeavam o assunto, quando o filho queria falar. ▶ Conjug. 14.

ladeira (la.dei.ra) s.f. Caminho ou rua um tanto íngreme para subir.

ladino (la.di.no) adj. **1.** Manhoso, finório, esperto, escolado (1). **2.** Dizia-se do africano escravizado que já falava português. • s.m. **3.** Pessoa esperta, manhosa, finória. **4.** (Ling.) Dialeto

lado

românico falado na Suíça. **5.** (*Ling.*) Dialeto judeu-espanhol falado pelos sefarditas.

lado (*la.*do) *s.m.* **1.** Parte direita ou esquerda de alguma coisa: *Ele sentiu uma dor no lado esquerdo do peito.* **2.** Parte situada à direita ou à esquerda de alguém ou de alguma coisa: *Venha e sente-se a meu lado.* **3.** Linha que limita uma figura geométrica: *O triângulo tem três lados.* **4.** Face de um sólido: *deste lado da pirâmide.* **5.** Direção, banda: *De que lado fica a estação rodoviária?* **6.** Aspecto: *Vamos examinar esse lado da questão.* **7.** Partido, grupo de pessoas da mesma opinião: *Depois da eleição, o político mudou de lado.* ‖ *De lado a lado*: de um extremo ao outro; de ponta a ponta: *Percorreu o continente de lado a lado.* • *Do lado de*: a favor de; solidário com; ao lado de: *O bispo ficou do lado dos operários.* • *Olhar de lado*: olhar com desprezo; menosprezar: *Depois que lhe disse aquilo, passou a me olhar de lado.* • *Pôr de lado*: **1.** não dar atenção a; desconsiderar: *Pôs de lado a gramática e falou como quis.* **2.** deixar para ver depois: *Pôs de lado as boas provas e começou a corrigir as piores.*

ladra (*la.*dra) *s.f.* Mulher que rouba.

ladrado (la.*dra.*do) *s.m.* Ladrido, latido.

ladrão (la.*drão*) *adj.* **1.** Que furta, que rouba; larápio. • *s.m.* **2.** Pessoa que furta, que rouba. **3.** Broto que surge ao lado de algumas plantas e que serve para fazer muda dessa planta. **4.** Cano por onde, nas caixas-d'água, se dá escoamento ao excesso de líquido. ‖ *Sair pelo ladrão*: existir ou estar em grande abundância: *O dinheiro lhe sai pelo ladrão.* ‖ f.: *ladra*; aum.: *ladravaz* e *ladroaço.*

ladrar (la.*drar*) *v.* **1.** Latir: *O cão ladrava para a lua.* **2.** Proferir insultos com violência; praguejar: *Ficou ladrando contra o táxi que não quis levá-lo.* ▶ Conjug. 5.

ladravaz (la.dra.*vaz*) *s.m.* Aumentativo de *ladrão.*

ladrido (la.*dri.*do) *s.m.* latido.

ladrilhar (la.dri.*lhar*) *v.* Cobrir ou revestir, com ladrilhos, o piso ou a parede. ▶ Conjug. 5.

ladrilheiro (la.dri.*lhei.*ro) *s.m.* **1.** Fabricante de ladrilhos. **2.** Operário que tem por ofício ladrilhar.

ladrilho (la.*dri.*lho) *s.m.* Pequena laje de forma retangular, feita de barro cozido, usada para revestir pisos e paredes.

ladroaço (la.dro.*a.*ço) *s.m.* Aumentativo de *ladrão.*

ladroagem (la.dro.*a.*gem) *s.f.* Ato ou efeito de roubar; furto, roubo; ladroeira.

ladroeira (la.dro.*ei.*ra) *s.f.* Ladroagem.

lagamar (la.ga.*mar*) *s.m.* **1.** Parte abrigada de uma baía, de um golfo ou de uma enseada de grande rio. **2.** Lagoa de água salgada envolvida por um cordão de coral.

lagar (la.*gar*) *s.m.* **1.** Tanque onde se espremem e se reduzem a líquido certos frutos como a uva, a azeitona, a maçã etc. **2.** Estabelecimento onde se situam essas instalações.

lagarta (la.*gar.*ta) *s.f.* **1.** (*Zool.*) Larva das borboletas e das mariposas. **2.** Corrente ou esteira contínua dos tratores pesados e tanques para substituir-lhes as rodas e aumentar-lhes o poder de tração, permitindo-lhes mover-se em terrenos inacessíveis a viaturas comuns.

lagarta-de-fogo (la.gar.ta-de-*fo.*go) *s.f.* (*Zool.*) Lagarta cujos pelos produzem ardência na pele; tatarana, tataruna. ‖ pl.: *lagartas-de-fogo.*

lagartear (la.gar.te:*ar*) *v.* Deixar-se ao sol para aquecer-se como um lagarto: *Gostava de lagartear sentado na soleira da porta.* ▶ Conjug. 14.

lagartixa (la.gar.*ti.*xa) *s.f.* **1.** (*Zool.*) Pequeno lagarto que anda pelas paredes e se alimenta de insetos; osga. **2.** *fig.* Pessoa alta e magra. **3.** *fig.* Alpinista destemido.

lagarto (la.*gar.*to) *s.m.* **1.** (*Zool.*) Réptil de quatro patas, de pele escamosa e cauda longa e afinada, muito ágil. **2.** Corte da carne bovina, própria para assado, retirada da face posterior da coxa.

lago (*la.*go) *s.m.* **1.** (*Geog.*) Certa porção de água que ocupa naturalmente uma depressão de terreno e que se acha cercada de terra. **2.** Tanque decorativo de jardim e de parque.

lagoa [ô] (la.*go.*a) *s.f.* **1.** Lago de pequena extensão e profundidade. **2.** Lago que se comunica com o mar ou com outras massas de água.

lagoeiro (la.go.*ei.*ro) *s.m.* **1.** Porção de águas pluviais que fica depositada em lugares baixos ou em depressões de terreno. **2.** Lugar alagado.

lagosta [ô] (la.*gos.*ta) *s.f.* (*Zool.*) Crustáceo de água doce ou salgada, de antenas cilíndricas e longas, cuja carne é muito apreciada.

lagostim (la.gos.*tim*) *s.m.* (*Zool.*) Crustáceo semelhante à lagosta, mas desprovido de antenas.

lágrima (*lá.*gri.ma) *s.f.* **1.** Gota de líquido incolor e salgado produzida pela glândula lacrimal. **2.** *fig.* Pequena gota de qualquer líquido: *lágrima de orvalho.* **3.** Pequena massa de substância mole e de configuração arredondada: *lágrimas de cera.* **4.** Ornato em forma de lágrima.

• **lágrimas** s.f.pl. **5.** Choro, pranto: *vale de lágrimas*. || *Lágrimas de crocodilo*: lágrimas fingidas, choro falso.

laguna (la.gu.na) s.f. Lago (1) pouco profundo, de água salgada, perto do litoral.

laia (lai.a) s.f. *pej.* Feitio, categoria, classe, espécie: *Não ando com gente de sua laia*.

laicismo (lai.cis.mo) s.m. **1.** Estado ou qualidade de leigo. **2.** Doutrina política que condena a influência religiosa nas instituições públicas.

laicizar (lai.ci.zar) v. **1.** Tornar laico ou leigo: *laicizar o ensino*. **2.** Excluir o elemento religioso da organização e administração política: *A revolução laicizou as instituições públicas da França*. ▶ Conjug. 5.

laico (lai.co) adj. Que não é religioso; leigo: *um ensino laico*.

laicra (lai.cra) s.f. Tecido sintético, dotado de elasticidade, empregado na confecção de peças do vestuário (maiôs, calças, roupas íntimas etc.). || Da marca registrada *Lycra*.

laivo (lai.vo) s.m. **1.** Mancha, nódoa. • **laivos** s.m.pl. **2.** Vestígios, rastros, mostras.

laje (la.je) s.f. **1.** Placa de superfície plana, de cerâmica, mármore ou outro material, de pouca espessura, destinada a cobrir pavimentos, sepulturas etc. **2.** Cobertura ou piso de concreto armado. || *lajem*.

lajeado (la.je:a.do) adj. **1.** Revestido de lajes. • s.m. **2.** Pavimento coberto de lajes. **3.** Trecho do campo coberto de pedras de grandes dimensões; lajedo.

lajedo [ê] (la.je.do) s.m. Lajeado (3).

lajem (la.jem) s.f. Laje.

lajota [ó] (la.jo.ta) s.f. Pequena laje para revestimento de pisos.

lama¹ (la.ma) s.f. **1.** Mistura de terra e substâncias orgânicas, ensopada de água; lodo. **2.** *fig.* Ignomínia, baixeza, degradação.

lama² (la.ma) s.m. (*Rel.*) Sacerdote budista.

lamaçal (la.ma.çal) s.m. Lugar cheio de lama; lameira, lameiro, lamaceira, lamaceiro; lodaçal.

lamaceira (la.ma.cei.ra) s.f. Lamaceiro.

lamaceiro (la.ma.cei.ro) s.m. Lamaçal.

lamacento (la.ma.cen.to) adj. **1.** Cheio de lama; lutulento. **2.** Que tem aspecto de lama.

lambada (lam.ba.da) s.f. **1.** Pancada de chicote ou objeto flexível. **2.** Música e dança popular brasileira de ritmo muito animado.

lambança (lam.ban.ça) s.f. **1.** Serviço feito sem capricho, de qualquer jeito: *A estante nova ficou uma lambança*. **2.** Sujeira, imundície: *Deixou uma lambança no apartamento*.

lambão (lam.bão) adj. **1.** Que se lambuza ao comer: *Era um menino muito lambão*. **2.** Que não faz com capricho seu serviço: *um pedreiro lambão*. • s.m. **3.** Aquele que se lambuza ao comer: *Este menino é um lambão*. **4.** Aquele que não faz seu ofício com capricho: *Nunca mais chamarei aquele lambão que estragou minha estante*.

lambari (lam.ba.ri) s.m. (*Zool.*) Pequeno peixe dos rios e riachos brasileiros muito apreciado na culinária do interior do Brasil; piaba.

lambda (lamb.da) s.m. Décima primeira letra do alfabeto grego.

lambe-lambe (lam.be-lam.be) s.m. e f. Fotógrafo ambulante que normalmente trabalha em praças e parques. || pl.: *lambe-lambes*.

lamber (lam.ber) v. **1.** Passar a língua sobre: *Comeu o doce e lambeu os dedos*. **2.** Adular, bajular: *Vivia lambendo o chefe do departamento*. **3.** Consumir rapidamente: *O fogo lambeu uma parte da floresta*. **4.** Passar a língua sobre si mesmo: *O gato lambia-se ao sol*. **5.** Demonstrar satisfação, prazer: *O velho lambe-se todo com o sucesso dos netos*. || *Lamber a cria*: tratar com carinho aquilo que ele próprio produziu: *Passava horas diante do quadro que pintara, lambendo a cria*. ▶ Conjug. 41.

lambida (lam.bi.da) s.f. Ato ou efeito de lamber (1), lambidela.

lambidela [é] (lam.bi.de.la) s.f. Lambida.

lambido (lam.bi.do) adj. **1.** Que se lambeu. **2.** Muito liso (falando-se de cabelo). **3.** Sem graça; insosso.

lambiscar (lam.bis.car) v. Comer pequenas porções de alguma coisa nos intervalos das refeições: *Não quer jantar porque ficou lambiscando a tarde inteira*. ▶ Conjug. 5 e 35.

lambisgoia [ó] (lam.bis.goi.a) s.f. Mulher, geralmente magra, desgraciosa e metediça.

lambreta [ê] (lam.bre.ta) s.f. Espécie de motocicleta, pequena e de pouca potência.

lambretista (lam.bre.tis.ta) s.m. e f. Pessoa que dirige lambreta.

lambri (lam.bri) s.m. Revestimento de madeira ou outro material usado em paredes internas. || *lambril*.

lambril (lam.bril) s.m. Lambri.

lambuja (lam.bu.ja) s.f. **1.** Alguma coisa que se ganha além do esperado: *Comprou dois sapatos e ganhou um par de meias de lambuja*.

lambujem

2. Vantagem que se dá a um adversário num jogo: *Dou três pontos de lambuja a você.* || lambujem.
lambujem (lam.*bu*.jem) *s.f.* Lambuja.
lambuzar (lam.bu.*zar*) *v.* Sujar(-se) de comida, de graxa, de óleo de motor etc.: *Lambuzou o macacão de graxa; Cuidado para não lambuzar a camisa com doce de leite.* ▶ Conjug. 5.
lameira (la.*mei*.ra) *s.f.* Lamaçal, lamaceira, lameiro, lamaceiro.
lameirão (la.mei.*rão*) *s.m.* Grande lameiro; pântano.
lameiro (la.*mei*.ro) *s.m.* Lameira.
lameliforme [ó] (la.me.li.*for*.me) *adj.* Que tem forma de lâmina.
lamentação (la.men.ta.*ção*) *s.f.* **1.** Ação ou efeito de lamentar. **2.** Manifestação chorosa de pena ou de dor.
lamentar (la.men.*tar*) *v.* **1.** Expressar uma dor ou uma tristeza através de lamentação e lamúria: *Vivia numa tristeza sem fim, lamentando a ausência do filho.* **2.** Sentir pena, desconforto por alguma coisa feita ou não feita: *Lamento tê-lo despedido desse emprego; Ela lamentou não ter podido levá-lo ao aeroporto.* ▶ Conjug. 5.
lamentável (la.men.*tá*.vel) *adj.* **1.** Que causa compaixão: *Veja o lamentável estado desse pobre homem.* **2.** Que merece repreensão; que é digno de censura: *É lamentável que você tenha agido com tanta precipitação.*
lamento (la.*men*.to) *s.m.* Queixa chorosa, sentida; lamentação.
lamentoso [ô] (la.men.*to*.so) *adj.* Cheio de lamentos; que expressa lamento: *uma queixa lamentosa.* || f. e pl.: [ó].
lâmina (*lâ*.mi.na) *s.f.* **1.** Parte cortante de uma arma branca: faca, espada, canivete etc. **2.** Chapa fina de metal, madeira ou qualquer outro material. **3.** Pequena placa de vidro usada em laboratório para exame e análise de substâncias.
laminado (la.mi.*na*.do) *adj.* **1.** Formado por camadas ou lâminas: *uma porta de madeira laminada.* **2.** Que tem forma de lâmina: *Vamos embrulhar os doces com papel laminado.* • *s.m.* **3.** Placa de metal ou madeira produzida pela compressão de lâminas.
laminar¹ (la.mi.*nar*) *adj.* Que é dotado de lâminas ou delas tem a forma.
laminar² (la.mi.*nar*) *v.* Reduzir a lâmina: *laminar o aço.* ▶ Conjug. 5.

lâmpada (*lâm*.pa.da) *s.f.* **1.** Dispositivo em forma de globo ou tubo de vidro por onde passa uma corrente elétrica que produz luz. **2.** Vaso que contém um combustível e um pavio que em combustão produzem luz; lamparina.
lampadário (lam.pa.*dá*.ri:o) *s.m.* Utensílio que sustenta várias lâmpadas.
lamparina (lam.pa.*ri*.na) *s.f.* **1.** Pequeno reservatório que contém azeite ou outro combustível com um pavio que se acende para iluminar. **2.** Pequena lâmpada.
lampeiro (lam.*pei*.ro) *adj.* **1.** Petulante, cheio de si; espevitado: *O rapaz olhava, muito lampeiro, para a nova colega.* **2.** Apressado, pressuroso: *Veio todo lampeiro, mas deu-se mal.*
lampejar (lam.pe.*jar*) *v.* Emitir lampejo; brilhar momentaneamente como o relâmpago: *De repente, um relâmpago lampejou no horizonte.* ▶ Conjug. 10 e 37.
lampejo [ê] (lam.*pe*.jo) *s.m.* **1.** Fulgor ligeiro, instantâneo. **2.** *fig.* Manifestação momentânea, mas brilhante, de inteligência ou de qualquer sentimento.
lampião (lam.pi:*ão*) *s.m.* Utensílio de iluminação, fixo ou portátil, com reservatório para combustível na parte inferior e um vidro cilíndrico, que protege a mecha incandescente, na parte superior.
lamúria (la.*mú*.ri:a) *s.f.* Expressão lamentosa de sofrimento e queixa; lamentação.
lamuriar (la.mu.ri:*ar*) *v.* Fazer lamúria, lastimar(-se), lamentar(-se): *Lamuriava a viagem perdida; Vivia a lamuriar-se.* ▶ Conjug. 17.
lamuriento (la.mu.ri:*en*.to) *adj.* Que vive se lamuriando; cheio de lamúrias.
lança (*lan*.ça) *s.f.* Arma formada por uma longa haste terminada por uma lâmina pontiaguda de ferro ou de aço.
lança-chamas (lan.ça-*cha*.mas) *s.m.2n.* Arma usada em combate para lançar líquidos inflamados sobre o inimigo.
lançadeira (lan.ça.*dei*.ra) *s.f.* Peça de tear ou de máquina de costura por onde passa o fio ou a linha de coser.
lançador [ô] (lan.ça.*dor*) *adj.* **1.** Que lança; que arremessa. • *s.m.* **2.** Aquele que lança; aquele que arremessa: *Nosso lançador de dardo ganhou uma medalha.* **3.** Aquele que coloca produtos em circulação: *Os lançadores de moda estão sempre se atualizando.*
lançamento (lan.ça.*men*.to) *s.m.* **1.** Ato ou efeito de lançar(-se), de atirar(-se), de jogar(-se).

2. Entrega ao público ou colocação no mercado de uma obra literária ou artística, de um produto comercial etc.: *Muitos amigos foram ao lançamento do livro de poemas; O lançamento daquele sabão em pó surpreendeu as donas de casa*. **3.** Envio ao espaço de um foguete ou míssil: *Assistimos pela televisão ao lançamento do foguete espacial*. **4.** Assentamento: *o lançamento da pedra fundamental da escola*. **5.** Anotação feita em livro de escrituração comercial: *O sócio não era honesto nos lançamentos da firma*. **6.** (Esp.) Arremesso, passe: *O gol saiu do lançamento de Robinho para Ronaldo*.

lança-perfume (lan.ça-per.*fu*.me) *s.m.* Cilindro com válvula com que se lançava éter perfumado nos foliões nos antigos carnavais. ‖ pl.: *lança-perfumes*.

lançar (lan.*çar*) *v.* **1.** Atirar, arremessar: *Lançou uma pedra no rio; Lançavam flechas contra os inimigos*. **2.** Projetar mediante propulsão: *Lançaram o foguete às seis horas*. **3.** Arrojar(-se), jogar(-se), precipitar(-se): *Lançou longe a carta recebida; Lançou-se nas águas do rio;* (fig.) *Lançou-se em busca do tesouro escondido*. **4.** Exalar, emitir: *As flores lançavam um suave perfume*. **5.** Dar, soltar: *Lançavam gritos de alegria*. **6.** Pôr em voga: *O estilista lançou a moda da saia rodada*. **7.** Publicar, editar, dar a lume: *A editora lançou as obras do poeta em três volumes*. **8.** Dirigir, voltar (os olhos, o olhar): *A mãe lançou um olhar de ternura para o filho que dormia*. **9.** Despejar, verter, entornar: *Esse córrego lança suas águas no rio Doce; O São Francisco lança-se ao mar entre Alagoas e Sergipe*. **10.** Introduzir no comércio: *A fábrica lançou um novo modelo de carro*. **11.** Imputar, atribuir: *Lançaram a culpa nas crianças da escola*. **12.** Jogar estendendo: *O pescador lança a rede ao mar*. **13.** (Esp.) Fazer lançamento ou arremesso: *Lançou a bola para o companheiro*. ‖ *Lançar a candidatura de alguém*: apresentar alguém como candidato: *O partido lançou candidato a governador*. • *Lançar ferro*: ancorar: *A caravela lançou ferro numa enseada*. • *Lançar luz sobre alguma coisa*: esclarecê-la: *Seu depoimento lançou luz sobre o caso*. • *Lançar mão de*: valer-se de, recorrer a: *Ela teve que lançar mão de sua herança*. • *Lançar por terra*: derrubar: *Lançaram por terra a estátua do ditador*. • *Lançar um véu sobre algo*: causar o seu esquecimento: *Ela decidiu lançar um véu sobre o caso*. ▶ Conjug. 5 e 36.

lance (lan.ce) *s.m.* **1.** O que aconteceu, acontece ou pode acontecer; acontecimento, caso: *Só agora eu soube do lance do confisco das poupanças*. **2.** Oferta de preço num leilão; lanço: *Levou o quadro quem deu o maior lance*. **3.** Situação complicada ou ilegal; vicissitude: *Os imigrantes viveram lances terríveis na fronteira entre os dois países*. **4.** (Esp.) Jogada numa partida: *Viu-se logo que daquele lance sairia o gol da vitória*. **5.** Ação notável de coragem; rasgo: *O pintor fixou o lance do Príncipe às margens do Ipiranga*. ‖ *De um lance*: de uma só vez; num movimento único. • *Em cima do lance*: na mesma hora, bem na hora, na bucha. • *Errar o lance*: não acertar, falhar. • *Lance de olhos*: olhadela. • *Lance livre*: (Esp.) no basquete, arremesso livre da cabeça do garrafão.

lancear (lan.ce:*ar*) *v.* Ferir com lança: *O soldado lanceou o peito de Jesus*. ▶ Conjug. 14.

lanceiro (lan.*cei*.ro) *s.m.* Guerreiro que luta armado de lança.

lanceolado (lan.ce:o.*la*.do) *adj.* Que tem a forma de uma lança: *uma folha lanceolada*.

lanceta [ê] (lan.*ce*.ta) *s.f.* Instrumento formado por uma pequena lâmina de aço, utilizado para praticar pequenos cortes cirúrgicos.

lancetar (lan.ce.*tar*) *v.* Cortar ou abrir com lanceta: *O cirurgião lancetou o tumor no braço do rapaz*. ▶ Conjug. 8.

lancha (*lan*.cha) *s.f.* **1.** Pequena embarcação movida a vapor, motor de gasolina etc., usada no transporte de passageiros e carga. **2.** Qualquer barco pequeno provido de motor.

lanchar (lan.*char*) *v.* **1.** Comer o lanche: *Em vez de jantar, preferiu lanchar*. **2.** Comer ou tomar alguma coisa como lanche: *Antes de sair, lanchou bolo com chá*. ▶ Conjug. 8.

lanche (*lan*.che) *s.m.* **1.** Ligeira refeição que se faz entre o almoço e o jantar: *Para emagrecer, aboliu o lanche das cinco horas*. **2.** Qualquer refeição ligeira; merenda: *Vamos suspender os trabalhos e tomar um pequeno lanche*.

lancheira (lan.*chei*.ra) *s.f.* Maleta apropriada para levar o lanche; merendeira.

lanchonete [é] (lan.cho.*ne*.te) *s.f.* Estabelecimento especializado no preparo de refeições ligeiras, servidas geralmente no balcão.

lancinante (lan.ci.*nan*.te) *adj.* **1.** Que se manifesta em forma de pontadas ou fisgadas. **2.** Extremamente doloroso, pungente; excruciante: *gemidos lancinantes; dores lancinantes*.

lanço (*lan*.ço) *s.m.* Oferta de preço em leilão; lance.

langanho (lan.*ga*.nho) *s.m.* **1.** Carne de má qualidade, com nervos e pelancas. **2.** *fig.* Coisa repugnante, ascorosa.

langor [ô] (lan.gor) *s.f.* Apatia, prostração, languidez.

langoroso [ô] (lan.go.ro.so) *adj.* Que tem langor; cheio de langor; apático. || f. e pl.: [ó].

languescer (lan.gues.cer) *v.* **1.** Perder a vitalidade; definhar, enlanguescer: *Longe de casa, o rapaz, antes tão vivo, languescia.* **2.** Entristecer(-se); acabrunhar(-se): *Não vá você agora languescer por causa disso.* ▶ Conjug. 41 e 46.

languidez (lan.gui.dez) *s.f.* Qualidade ou estado de lânguido; langor.

lânguido (lân.gui.do) *adj.* **1.** Que está dasanimado, debilitado. **2.** Sensual, libidinoso.

lanhar (la.nhar) *v.* **1.** Cortar(-se), ferir(-se): *Lanhou o dedo, escamando o peixe.* **2.** Fazer ou abrir lanhos em: *A cozinheira lanhou o peixe antes de fritá-lo.* ▶ Conjug. 5.

lanho (la.nho) *s.m.* Talho, corte: *A cozinheira abriu lanhos no peixe antes de fritá-lo.*

lanífero (la.ní.fe.ro) *adj.* Lanígero.

lanifício (la.ni.fí.ci:o) *s.m.* **1.** Estabelecimento onde se beneficia a lã, produzindo fios e tecidos. **2.** Produção de fios e tecidos de lã.

lanígero (la.ní.ge.ro) *adj.* **1.** Que produz e fornece lã: *Os rebanhos lanígeros da Austrália.* **2.** Referente à lã: *indústria lanígera.* || *lanífero.*

lanolina (la.no.li.na) *s.f.* Substância extraída da lã de carneiro, usada na fabricação de cosméticos.

lanoso [ô] (la.no.so) *adj.* **1.** Que possui muita lã; lanudo: *ovelha lanosa.* **2.** Semelhante à lã: *um tecido lanoso.* || f. e pl.: [ó].

lantejoula (lan.te.jou.la) *s.f.* Pequena placa de material cintilante, usada para bordados e ornamentos em fantasias. || *lentejoula.*

lanterna [é] (lan.ter.na) *s.f.* **1.** Aparelho portátil de iluminação, provido de lâmpada alimentada por pilhas. **2.** Nos veículos automotores, dispositivo de iluminação para sinalização. **3.** Recipiente de vidro ou de metal onde se acende uma luz. • *s.m.* e f. **4.** (*Esp.*) O último colocado num campeonato ou numa competição: *Seu clube foi o lanterna do campeonato.* || Usa-se muito frequentemente o diminutivo *lanterninha.*

lanternagem (lan.ter.na.gem) *s.f.* Reparo de partes batidas e amassadas da lataria dos carros.

lanterneiro (lan.ter.nei.ro) *s.m.* **1.** Fabricante de lanternas. **2.** Profissional que trabalha em lanternagem de veículos; funileiro (2).

lanterninha (lan.ter.ni.nha) *s.m.* e f. **1.** Funcionário encarregado de conduzir as pessoas a seus lugares em cinemas e casas de espetáculo. **2.** (*Esp.*) O último colocado em um campeonato ou competição; lanterna (4).

lanudo (la.nu.do) *adj.* Lanoso.

lanugem (la.nu.gem) *s.f.* **1.** Pelos finos e esparsos que surgem no rosto dos adolescentes, antes do nascimento da barba e do bigode; buço. **2.** Fina pilosidade que recobre certas folhas e frutos.

laosiano (la:o.si:a.no) *adj.* **1.** Do Laos, país do Sudeste Asiático. • *s.m.* **2.** O natural ou o habitante desse país. **3.** Língua falada no Laos.

lapa (la.pa) *s.f.* Cavidade numa rocha, que pode servir de abrigo: gruta.

lapão (la.pão) *adj.* **1.** Da Lapônia, região do extremo norte da Europa. • *s.m.* **2.** O natural ou o habitante dessa região. **3.** Língua falada nessa região.

láparo (lá.pa.ro) *s.m.* Filhote do coelho ou da lebre.

laparoscopia (la.pa.ros.co.pi.a) *s.f.* (*Med.*) Exame do interior da cavidade abdominal, feito através do endoscópio.

laparotomia (la.pa.ro.to.mi.a) *s.f.* (*Med.*) Procedimento cirúrgico de abertura da cavidade abdominal.

lapela [é] (la.pe.la) *s.f.* Parte superior de um casaco ou paletó, voltada para o exterior, onde se pode colocar um distintivo, uma flor etc.; rebuço (2).

lapidação (la.pi.da.ção) *s.f.* Trabalho de cortar, facetar e polir pedras preciosas.

lapidar[1] (la.pi.dar) *adj.* **1.** Relativo a lápides. **2.** Que é digno de ser registrado numa lápide: *uma declaração lapidar.*

lapidar[2] (la.pi.dar) *v.* **1.** Submeter ao processo de lapidação (pedra preciosa): *Mandou lapidar a esmeralda que achou na mina.* **2.** Burilar, aperfeiçoar, aprimorar: *Durante vários dias, ele lapidou seu soneto de amor.* ▶Conjug. 5. – **lapidador** [ô] *adj. s.m.*

lapidaria (la.pi.da.ri.a) *s.f.* **1.** Técnica e arte de lapidar. **2.** Estabelecimento onde se lapidam pedras.

lapidária (la.pi.dá.ri:a) *s.f.* Estudo da documentação contida nas lápides de túmulos, antigos monumentos etc.

lapidário (la.pi.dá.ri:o) **1.** *adj.* Relativo a inscrições em lápides: *um documento lapidário.* • *s.m.* **2.** Profissional que trabalha em lapidação de pedras.

lápide (lá.pi.de) *s.f.* **1.** Pedra com inscrição comemorativa de alguém ou de um fato importante. **2.** Laje que se coloca sobre um túmulo para o fechar.

lapinha (la.pi.nha) *s.f.* Presépio que se monta para as festas natalinas.

lápis (lá.pis) *s.m.2n.* Utensílio cilíndrico de grafite, revestido de madeira, com cuja extremidade afilada se pode escrever e desenhar.

lapiseira (la.pi.sei.ra) *s.f.* Instrumento de metal ou plástico semelhante a um lápis, com dispositivo que expõe e retrai o grafite.

lapso (lap.so) *s.m.* **1.** Intervalo temporal: *um lapso de duas horas.* **2.** Erro ou engano involuntário; deslize (3): *Na transcrição da fita, ele cometeu alguns lapsos.* **3.** Falha, privação: *Foi um pequeno lapso de memória.*

laptop [*lép tóp*] (Ing.) *s.m.* Computador pessoal portátil, alimentado por bateria, com tela plana de cristal líquido, que pode ser conectado a monitor e teclado externo; *notebook*.

laquê (la.quê) *s.m.* Produto que se borrifa sobre o penteado para mantê-lo firme.

laqueadura (la.que:a.du.ra) *s.m.* (*Med.*) Procedimento cirúrgico de esterilização feminina, que consiste no ligamento das trompas uterinas.

laquear¹ (la.que:ar) *v.* Revestir de laca ou tinta esmaltada: *Laqueei a velha cômoda, e ela ficou linda.* ▶ Conjug. 14.

laquear² (la.que:ar) *v.* Ligar veias e artérias por fios: *Todas as artérias atingidas foram devidamente laqueadas.* ▶Conjug. 14.

lar *s.m.* A casa onde se vive; a moradia familiar.

laranja (la.ran.ja) *s.f.* **1.** O fruto da laranjeira. • *s.m.* **2.** Pessoa cujo nome é usado em transações fraudulentas para esconder a identidade do verdadeiro agente da ação: *Usava o cunhado como laranja.* **3.** Cor entre vermelho e amarelo, do suco da laranja; alaranjado: *O laranja lhe assenta muito bem.* • *adj.* **4.** Da cor da laranja; alaranjado: *uma blusa laranja; um lenço laranja; saias laranja.*

laranjada (la.ran.ja.da) *s.f.* Bebida feita com o suco da laranja, água e açúcar.

laranjal (la.ran.jal) *s.m.* Plantação de laranjeiras.

laranjeira (la.ran.jei.ra) *s.f.* (*Bot.*) Planta originária da Ásia, que dá laranjas e é cultivada na maior parte do globo.

larápio (la.rá.pi:o) *s.m.* Pessoa que furta ou rouba; ladrão, gatuno (2).

lardo (lar.do) *s.m.* **1.** Tira de toucinho. **2.** *fig.* Aquilo que dá realce, sabor: *Sua conversa tinha sempre um lardo de malícia brejeira.*

lareira (la.rei.ra) *s.f.* Lugar de uma casa onde se acende o fogo para aquecimento em dias de intenso frio.

largada (lar.ga.da) *s.f.* **1.** O ato momentâneo de partir numa corrida (de carro ou de cavalo) ou numa prova de atletismo etc.); partida. **2.** (*Esp.*) No jogo de vôlei, lance em que o jogador finge que vai dar uma cortada, mas aplica um leve toque de bola e fá-la cair no campo adversário.

largado (lar.ga.do) *adj.* **1.** Que se largou; que foi abandonado: *Cuidadosamente guardou as coisas largadas do filho.* **2.** Que se mostra descuidado no vestir e nas maneiras: *Andava sujo e largado pelos botecos da cidade.* **3.** Que se desviou do caminho; que não tem rumo certo; perdido: *Tornou-se um andarilho largado pelas estradas.*

largar (lar.gar) *v.* **1.** Soltar o que estava seguro na mão: *A surpresa foi tamanha, que ela largou a garrafa no chão.* **2.** Soltar o que estava preso; pôr em liberdade o que estava preso: *Abriu a gaiola e largou o passarinho.* **3.** Abandonar; deixar de lado; desapegar-se de: *Largou os bens do mundo e meteu-se num convento; Finalmente conseguiu largar o cigarro.* **4.** Sair de um trabalho definitiva ou temporariamente: *Largou o magistério e foi criar galinhas no campo; Só largamos o trabalho às 18 horas.* **5.** Dar o arranque, arrancar: *O piloto largou muito bem.* ▶ Conjug. 5 e 34.

largo (lar.go) *adj.* **1.** De grande extensão na largura: *uma larga estrada.* **2.** De vasta dimensão; de grande amplitude; amplo: *Do terraço, contemplava o largo horizonte.* **3.** Que veste com folga; não apertado: *Esta camisa está larga para mim.* **4.** Prolongado; demorado: *Tivemos uma larga discussão sobre o assunto.* **5.** Generoso, aberto: *Seu coração era largo no acolhimento aos amigos.* **6.** Que é considerável, importante: *Faz-se largo uso do azeite-de-dendê na culinária baiana.* • *s.m.* **7.** Espaçosa área urbana aberta, geralmente no cruzamento de ruas; praça. **8.** Largura: *A passagem tinha dez metros de largo.*

largueza [ê] (lar.gue.za) *s.f.* **1.** Largura (1 e 2): *A largueza dessa porta deixa passar o piano; a largueza do corredor.* **2.** *fig.* Qualidade de quem é largo (5); generoso: *Pagava seus auxiliares com largueza.* **3.** *fig.* Abundância, abastança: *Supria a casa dos velhos pais com largueza.* **4.** Atitude de quem esbanja; desperdício: *Gastou com largueza tudo que havia herdado.*

largura (lar.gu.ra) *s.f.* **1.** Qualidade de largo (1); largueza: *Graças à largura da rua, não houve engarrafamento.* **2.** A dimensão perpendicular ao comprimento e à altura: *Observe a largura e a altura desta sala.*

laringe

laringe (la.*rin*.ge) *s.f.* (*Anat.*) Parte superior da traqueia, membranosa e cartilaginosa, onde se localizam as cordas vocais.

laringite (la.rin.*gi*.te) *s.f.* (*Med.*) Inflamação da laringe.

laringografia (la.rin.go.gra.*fi*.a) *s.f.* **1.** Descrição da laringe. **2.** Registro radiológico da laringe.

laringologia (la.rin.go.lo.*gi*.a) *s.f.* (*Med.*) Ramo da Medicina que estuda a laringe e cuida das doenças que a podem afetar.

laringoscópio (la.rin.gos.*có*.pi:o) *s.m.* (*Med.*) Instrumento usado no exame do interior da laringe.

larva (*lar*.va) *s.f.* (*Zool.*) Estado pós-embrionário de certos animais como insetos (entre o ovo e o casulo) e anfíbios.

larval (lar.*val*) *adj.* Próprio da larva; referente à larva; larvar.

larvar (lar.*var*) *adj.* Larval.

larvicida (lar.vi.*ci*.da) *adj.* **1.** Que destrói larvas: *um pó larvicida.* • *s.m.* **2.** Substância que destrói larvas: *Nesses casos, use um larvicida.*

lasanha (la.*sa*.nha) *s.f.* (*Cul.*) Prato de forno, de origem italiana, que consiste em tiras de massa entremeadas de recheio (carne, presunto, frango, frutos do mar etc.).

lasca (*las*.ca) *s.f.* **1.** Fragmento de madeira, metal ou pedra. **2.** Pedaço fino de algum alimento: *Junte à rúcula umas lascas de queijo.*

lascar (las.*car*) *v.* **1.** Tirar lascas de alguma coisa; partir(-se) em lascas: *Pela manhã ele lascava a lenha para o fogão; Com a queda, a tigela lascou-se em vários pedaços.* **2.** *fig. coloq.* Dar em; aplicar: *Lascou-lhe um beijo às escondidas.* **3.** *fig. coloq.* Sair-se mal; dar-se mal: *Francisco lascou-se na prova de Matemática.* || *De lascar*: muito ruim, desagradável, absurdo: *Sua participação no conflito foi de lascar.* ▶ Conjug. 5 e 35.

lascívia (las.*cí*.vi:a) *s.f.* Inclinação a uma intensa sensualidade.

lascivo (las.*ci*.vo) *adj.* **1.** Que é dado aos prazeres do sexo; libidinoso. **2.** Em que se manifesta sensualidade: *gestos lascivos.* • *s.m.* **3.** Aquele que é dado aos prazeres do sexo. **4.** Brincalhão, que não para quieto.

laser[1] [*léiser*] (Ing.) *s.m.* (*Esp.*) Pequeno veleiro de um mastro para competição e lazer.

laser[2] [*léiser*] (Ing.) *s.m.* **1.** Dispositivo que emite radiação intensa, concentrada e controlada, empregado na indústria, na Medicina e na Engenharia. • *adj.* **2.** Diz-se desse tipo de radiação: *raios laser.* || Conferir com *lazer*.

lassidão (las.si.*dão*) *s.f.* **1.** Condição do que é lasso; lassitude. **2.** Esgotamento físico ou mental; cansaço; prostração; fadiga: *Depois de todo aquele trabalho em vão, veio a lassidão.* **3.** Falta de interesse; depressão: *Vivia numa lassidão sem querer fazer nada.*

lassitude (las.si.*tu*.de) *s.f.* Lassidão.

lasso (*las*.so) *adj.* **1.** Com esgotamento físico e mental; quebrado (4). **2.** Que não está bem amarrado: *um nó lasso.* || Conferir com *laço*.

lástima (*lás*.ti.ma) *s.f.* **1.** Sentimento de compaixão ou de pena: *Seu estado causa lástima.* **2.** O que é para ser lastimado: *É uma lástima que ela não esteja bem de saúde.* **3.** Alguém ou alguma coisa desprezível, sem valor: *Seu marido era uma lástima.*

lastimar (las.ti.*mar*) *v.* **1.** Sentir ou demonstrar lástima, pena, compaixão por alguém ou alguma coisa; lamentar; deplorar: *Hoje ela lastima o tempo perdido.* **2.** Causar ou sentir dor, lástima, pena: *Ele lastimou muito o desconforto que provocou.* **3.** Queixar-se, lamentar-se: *Desde que o filho partiu, ela lastima-se continuamente.* ▶ Conjug. 5.

lastimável (las.ti.*má*.vel) *adj.* **1.** Que é digno de lástima, de pena: *Sua situação financeira era lastimável.* **2.** Que merece censura ou repreensão: *Foi lastimável seu comportamento durante o jantar.*

lastimoso [ô] (las.ti.*mo*.so) *adj.* **1.** Que contém queixa; queixoso: *Pediu-me o dinheiro com voz lastimosa.* **2.** Digno de lástima; lastimável: *Deixou a empresa num estado lastimoso.* || f. e pl.: [ó]

lastrar (las.*trar*) *v.* **1.** Pôr lastro em embarcação; lastrear: *Lastrou o pequeno barco por causa da correnteza.* **2.** Acrescentar maior peso para dar mais estabilidade e firmeza; lastrear: *Lastrou mais à direita da carroceria para equilibrar melhor o caminhão.* **3.** Espalhar-se rapidamente; alastrar(-se): *Em poucos dias a peste negra lastrou-se por toda a Europa.* ▶ Conjug. 5.

lastrear (las.tre:*ar*) *v.* Lastrar. ▶ Conjug. 14. – **lastreamento** *s.m.*

lastro (*las*.tro) *s.m.* **1.** Peso que é posto em uma embarcação ou qualquer tipo de veículo para lhes dar maior estabilidade. **2.** *fig.* Base que serve de fundamento e legitimação. **3.** (*Econ.*) Depósito em ouro que serve de garantia ao valor do papel-moeda.

lata (*la*.ta) *s.f.* **1.** Folha de flandres. **2.** Recipiente ou embalagem de folha de flandres: *uma lata de leite em pó.* **3.** *gír.* Cara, rosto. || *Na*

latrina

lata: *gír.* de pronto; na mesma hora; sem rodeios: *Respondeu-me na lata.*

latada (la.ta.da) *s.f.* **1.** Espécie de grade formada por varas, ripas ou canas para sustentar videiras, trepadeiras etc. **2.** Pancada com uma lata.

latagão (la.ta.gão) *s.m.* Homem robusto e de grande estatura. || f.: *latagona*; pl.: *latagões*.

latão[1] (la.tão) *s.m.* Liga de cobre e zinco.

latão[2] (la.tão) *s.m.* Vasilha cilíndrica de boca estreita, usada geralmente para transportar leite.

lataria (la.ta.ri.a) *s.f.* **1.** Porção de latas. **2.** Porção de alimentos ou produtos enlatados. **3.** Parte externa e metálica da carroceria dos veículos.

látego (lá.te.go) *s.m.* **1.** Chicote comprido, de correia ou de corda. **2.** *fig.* Castigo imposto a homens e animais; punição.

latejar (la.te.jar) *v.* Pulsar; palpitar; bater: *Meu dente latejava de dor.* ▶ Conjug. 10 e 37. – **latejamento** *s.m.*

latente (la.ten.te) *adj.* **1.** Oculto; não manifesto, não aparente: *Esse fato permaneceu latente até nossos dias.* **2.** *fig.* Dissimulado, disfarçado: *Uma inveja latente de sua irmã amargava-lhe a vida.* **3.** Que ainda não se manifestou, mas que pode fazê-lo: *Esse menino tem um talento latente que logo se vai revelar.*

láteo (lá.te.o) *adj.* Lácteo.

lateral (la.te.ral) *adj.* **1.** Relativo a ou próprio de lado. **2.** Que está ao lado: *a porta lateral da capela.* **3.** *fig.* Que não pertence ao centro; marginal: *Essa é uma questão lateral.* • *s.f.* **4.** (*Esp.*) Em diversos esportes, cada linha lateral dos campos e das quadras: *A bola saiu pela lateral esquerda.* • *s.m.* **5.** (*Esp.*) Infração que consiste em lançar a bola fora do campo pela lateral. **6.** (*Esp.*) Arremesso da bola com as mãos para cobrar essa infração. • *s.m.* e *f.* **7.** (*Esp.*) Jogador de futebol cujo campo de ação é próximo à lateral. – **lateralidade** *s.f.*

látex [cs] (lá.tex) *s.m.* Suco leitoso que escorre dos cortes feitos na casca de certos caules de plantas, como a seringueira.

laticínio (la.ti.cí.ni.o) *s.m.* Produto alimentício derivado do leite.

latido (la.ti.do) *s.m.* Voz do cão; ladrado, ladrido.

latifundiário (la.ti.fun.di.á.ri.o) *adj.* **1.** Relativo a latifúndio. • *s.m.* **2.** Pessoa que possui latifúndio.

latifúndio (la.ti.fún.di.o) *s.m.* **1.** Extensa propriedade rural, geralmente com terras não cultivadas ou culturas que não exigem considerável investimento. **2.** Na Roma antiga, a propriedade rural da aristocracia.

latim (la.tim) *s.m.* **1.** Língua indo-europeia que foi falada no Lácio e em todo o Império Romano. **2.** *coloq.* Coisa difícil de compreender: *Isso para mim é latim.* || Conferir *grego*.

latinidade (la.ti.ni.da.de) *s.f.* **1.** Caráter do que é próprio do latim. **2.** O conjunto dos povos latinos.

latinismo (la.ti.nis.mo) *s.m.* (*Gram.*) Vocábulo, expressão ou construção próprios ou originários do latim.

latinista (la.ti.nis.ta) *s.m.* e *f.* Especialista em língua, literatura e cultura latinas.

latino (la.ti.no) *adj.* **1.** Relativo ao latim e aos povos de origem latina: *os países latinos da Europa.* • *s.m.* **2.** Pessoa nascida num país de origem latina.

latino-americano (la.ti.no-a.me.ri.ca.no) *adj.* **1.** Relativo à América Latina, designação dada aos países latinos da América, ao sul dos Estados Unidos. • *s.m.* **2.** O natural ou o habitante de país da América Latina cuja língua oficial é neolatina (espanhol, português e francês).

latinório (la.ti.nó.ri.o) *s.m.* **1.** Escrito em mau latim. **2.** Texto latino mal traduzido ou aplicado fora de propósito. **3.** *irôn.* Citação latina.

latir (la.tir) *v.* Emitir sons vocais (o cão); ladrar. ▶ Conjug. 66.

latitude (la.ti.tu.de) *s.f.* **1.** Condição de lato, largo; largura. **2.** (*Geogr.*) Distância angular de um ponto qualquer do globo ao equador, medida em graus: *Quito, capital do Equador, fica a 0° de latitude.*

lato (la.to) *adj.* Que tem grande amplitude; que não é restrito, largo, amplo, extenso: *o sentido lato da palavra amor.*

latoaria (la.to.a.ri.a) *s.f.* **1.** Oficina de latoeiro. **2.** Ofício de latoeiro.

latoeiro (la.to.ei.ro) *s.m.* Aquele que fabrica ou vende obras de lata ou latão; funileiro.

lato sensu (Lat.) *loc. adv.* Em sentido amplo. || Conferir com *stricto sensu*.

latria (la.tri.a) *s.f.* Adoração, culto só devido a Deus.

latrina (la.tri.na) *s.f.* **1.** Dependência dotada de vaso e fossa sanitários reservada para dejeções; privada. **2.** Peça de louça vidrada para receber urina e fezes expelidas e descarregá-las no esgoto; vaso sanitário.

latrocínio (la.tro.cí.ni:o) *s.m.* **1.** Roubo ou assalto feito à mão armada. **2.** Roubo seguido de violência ou morte.

lauda (*lau*.da) *s.f.* **1.** Cada uma das superfícies da folha de papel de uma publicação. **2.** Página com número de linhas e caracteres convencionados.

laudatório (lau.da.tó.ri:o) *adj.* Que louva, que encerra louvor: *um poema laudatório*.

laudo (*lau*.do) *s.m.* Texto fundamentado, através do qual peritos expõem as observações e estudos que efetuaram sobre algum assunto: *O laudo da polícia foi suficiente para esclarecer o problema*.

láurea (*láu*.re:a) *s.f.* **1.** Coroa de louros, concedida aos heróis e aos poetas; laurel. **2.** *fig.* Homenagem que se presta a alguém por seus reconhecidos méritos. **3.** Prêmio.

laureado (lau.re:*a*.do) *adj.* **1.** Que recebeu láurea ou laurel: *um poeta laureado.* • *s.m.* **2.** Aquele que recebeu láurea ou laurel: *Vamos ouvir o discurso do laureado desta noite*.

laurear (lau.re:*ar*) *v.* **1.** Coroar de louros: *Durante a homenagem laurearam a fronte do herói.* **2.** Homenagear alguém por seus méritos: *Em sua última sessão, a Academia laureou seus grandes escritores.* ► Conjug. 14.

laurel (lau.*rel*) *s.m.* **1.** Coroa de louros. **2.** *fig.* Prêmio, galardão; láurea.

lauto (*lau*.to) *adj.* Que ultrapassa a medida comum; abundante: *um lauto almoço*.

lava (*la*.va) *s.f.* (*Geol.*) Matéria magmática em estado de fusão total ou parcial, resultante de uma erupção vulcânica.

lavabo (la.*va*.bo) *s.m.* **1.** Pequena pia com torneira na entrada de refeitórios, nas sacristias de igrejas etc. **2.** Pequeno banheiro com lavatório. **3.** Na liturgia da missa, momento em que o celebrante lava os dedos para a consagração.

lavada (la.*va*.da) *s.f.* **1.** Ato de lavar: *Deu uma boa lavada no carro.* **2.** (*Esp.*) *gír.* Numa disputa esportiva ou numa competição, vitória com grande vantagem: *Meu clube deu uma lavada no seu.* || *De lavada*: com grande vantagem: *Meu time ganhou de lavada*.

lavadeira (la.va.*dei*.ra) *s.f.* **1.** Mulher cujo ofício é lavar roupa. **2.** Máquina automática para lavar roupas; lavadora. **3.** Libélula.

lavadora [ô] (la.va.*do*.ra) *s.f.* Máquina de lavar roupa; lavadeira (2).

lavadura (la.va.*du*.ra) *s.f.* **1.** Ato ou efeito de lavar. **2.** Água em que se lavou louça.

lavagem (la.*va*.gem) *s.f.* **1.** Ato ou efeito de lavar(-se). **2.** Comida composta de restos de refeição que se dá a porcos. **3.** (*Med.*) Irrigação de órgãos para livrá-los de um corpo estranho ou de substâncias tóxicas: *lavagem estomacal.* || *Lavagem a seco*: processo de limpeza de roupas por meio de produtos químicos. • *Lavagem cerebral*: método pelo qual, por meio de cansaço sistematicamente produzido, de agentes químicos, persuasão e doutrinação, procura-se converter pessoas privadas de livre determinação de sua vontade, a um credo, em geral político, que não abraçariam por vontade própria. • *Lavagem de dinheiro*: ação de aplicar dinheiro adquirido ilegalmente em atividades econômicas legais, a fim de se dispor dele de forma aparentemente lícita.

lavanda (la.*van*.da) *s.f.* **1.** (*Bot.*) Planta odorífera usada na fabricação de águas-de-colônia, sabonetes etc.; alfazema. **2.** Água-de-colônia feita com a essência dessa planta. **3.** Taça com água morna perfumada para, no fim das refeições, lavar a ponta dos dedos.

lavandaria (la.van.da.*ri*.a) *s.f.* Lavanderia.

lavanderia (la.van.de.*ri*.a) *s.f.* **1.** Estabelecimento comercial onde se lavam e passam roupas; tinturaria. **2.** A parte da casa, hotel, hospital etc. onde a roupa é lavada e passada. || *lavandaria*.

lava-pés (la.va-*pés*) *s.m.2n.* Solenidade que se celebra na Quinta-feira Santa e em que se comemora o ato de Jesus lavar os pés dos seus discípulos.

lavar (la.*var*) *v.* **1.** Banhar(-se) em água ou outro líquido para limpar(-se): *lavar as camisas; lavar-se pela manhã.* **2.** *fig.* Limpar, inocentar: *Lavou o nome da família.* **3.** Lavar roupa profissionalmente: *A senhora lava, passa e cozinha.* ► Conjug. 5.

lavatório (la.va.*tó*.ri:o) *s.m.* **1.** Móvel ou utensílio com apetrechos para lavar mãos e rosto. **2.** Pequeno banheiro com lavatório; lavabo.

lavor [ô] (la.*vor*) *s.m.* **1.** Ocupação manual ou intelectual; trabalho, labor. **2.** Obra feita com agulha e por desenho, tais como rendas, bordados etc.

lavoura (la.*vou*.ra) *s.f.* **1.** Cultivo da terra. **2.** Preparação da terra para ser cultivada. **3.** Propriedade rural.

lavra (*la*.vra) *s.f.* **1.** Lugar onde se faz uma exploração de mina. **2.** A mina propriamente dita. **3.** *fig.* Cultura, colheita, fabricação.

lavrador [ô] (la.vra.dor) s.m. **1.** Trabalhador que lavra a terra. **2.** Proprietário de terras cultiváveis.

lavrar (la.vrar) v. **1.** Trabalhar a terra com instrumento agrícola; arar: *Lavrar os campos para o plantio de soja.* **2.** Fazer lavrados, ornatos e lavores em: *O artesão lavrou a cobertura de couro de sua Bíblia.* **3.** Aplainar, preparar (madeira): *Lavrou com cuidado a madeira do berço.* **4.** *fig.* Sulcar, corroer: *A grande mágoa lavrou sulcos no seu rosto.* **5.** Exarar por escrito, escrever: *lavrar uma escritura, lavrar a ata da sessão.* **6.** Cunhar (moeda): *Mandaram lavrar moedas e medalhas comemorativas.* **7.** (Jur.) Ordenar por escrito; decretar: *O juiz lavrou a ordem de despejo.* **8.** Propagar-se, alastrar-se, grassar: *Lavrou um incêndio em todo o bairro.* ▶ Conjug. 5.

lavratura (la.vra.tu.ra) s.f. (Jur.) Ato de lavrar uma escritura, um auto, um documento.

laxante [ch] (la.xan.te) adj. **1.** Que afrouxa, que relaxa: *Tome esse remédio laxante.* **2.** Que induz à evacuação das fezes: *Este óleo laxante é bom para esvaziar o intestino.* • s.m. **3.** Remédio que induz à evacuação das fezes; purgante, laxativo.

laxativo [ch] (la.xa.ti.vo) adj. s.m. Laxante.

laxo [ch] (la.xo) adj. Frouxo, lasso, sem força.

layout [*lêiaut*] (Ing.) s.m. Ver leiaute.

lazarento (la.za.ren.to) adj. **1.** Que tem hanseníase; lazeirento, leproso. • s.m. **2.** Pessoa que sofre de hanseníase; leproso, lazeirento.

lazareto [ê] (la.za.re.to) s.m. Edifício isolado, destinado a manter em quarentena pessoas provenientes de lugar onde existe doença epidêmica.

lazarina (la.za.ri.na) s.f. Espingarda de cano comprido e pequeno calibre utilizada para caça de pequenos animais.

lázaro (*lá.za.ro*) s.m. Indivíduo afetado de lepra; leproso.

lazer (la.zer) s.m. **1.** Período de tempo de que se pode dispor fora de suas ocupações normais. **2.** Atividade praticada nesse tempo. ‖ Conferir com *laser*.

lead [*lid*] (Ing.) s.m. Ver lide².

leal (le:*al*) adj. **1.** Que é sincero, franco. **2.** Que é honesto. **3.** Que honra os compromissos assumidos.

leão (le:ão) s.m. **1.** (Zool.) Grande felino carnívoro de pelo amarelo-alaranjado, que vive nas savanas da África e da Ásia. **2.** *fig.* Homem forte e valente. **3.** *fig. coloq.* Órgão encarregado de recolher o imposto de renda. • s.m. **4.** (Astrol.) Signo do Zodíaco das pessoas nascidas entre 23 de julho e 22 de agosto. **5.** s.2g. Leonino: *Você é leão?* ‖ f.: *leoa*.

leão de chácara s.m. Vigia de casa de jogo, bares, boates, restaurantes etc. ‖ pl.: *leões de chácara*.

leão-marinho (le.ão-ma.ri.nho) s.m. (Zool.) Mamífero carnívoro da mesma família das focas. ‖ pl.: *leões-marinhos*.

leasing [*lísin*] (Ing.) s.m. (Econ.) Modalidade de contrato de aluguel de bens de produção, com opção de compra no final dele.

lebrão (le.brão) s.m. Macho da lebre. ‖ pl.: *lebrões*.

lebre [é] (le.bre) s.f. (Zool.) Mamífero roedor semelhante ao coelho, porém de tamanho maior e de mais agilidade. ‖ *Levantar a lebre*: ser o primeiro a dar com uma irregularidade, um fato.

lecionar (le.ci:o.*nar*) v. Dar aulas de, ensinar: *Leciona História do Brasil*; *Lecionou História do Brasil para candidatos a concursos*; *Leciona Matemática no Instituto Técnico.* ▶ Conjug. 5.

lecitina (le.ci.ti.na) s.f. (Biol.) Classe de proteína encontrada, principalmente, em sementes de plantas leguminosas e que constitui importante elemento da membrana celular: *lecitina de soja*.

ledo [ê] (le.do) adj. Que é alegre, contente: *Os tempos ledos vão voltar.*

ledor [ô] (le.dor) adj. **1.** Que tem hábito de ler: *um jovem ledor de contos fantásticos.* • s.m. **2.** Aquele que tem o hábito de ler: *Há muitos estrangeiros entre os ledores de Machado de Assis.*

legação (le.ga.ção) s.f. **1.** Missão diplomática de categoria inferior a embaixada. **2.** Edifício onde está instalada essa missão. **3.** O pessoal dessa missão.

legado¹ (le.ga.do) s.m. Patrimônio material ou espiritual que se deixa para a posteridade: *Os poetas românticos deixaram um poderoso legado para a cultura brasileira*; *Não desperdice com maus negócios o legado que seu pai lhe deixou.*

legado² (le.ga.do) adj. **1.** Pessoa enviada como representante de um país a outro ou para representar seu país numa organização de nações: *Ele está em Paris como legado.* **2.** O representante do papa junto a um governo; o núncio.

legal

legal (le.*gal*) *adj.* **1.** Referente ou de acordo com a lei: *Você agiu dentro dos preceitos legais.* **2.** *coloq.* Certo, correto, regular: *Este computador não anda legal.* **3.** Que tem qualidades positivas de bom, belo, certo: *Seu sapato é legal; Este professor é legal.* • *adv.* **4.** *coloq.* Muito bem: *A cantora canta legal.*

legalidade (le.ga.li.*da*.de) *s.f.* Aquilo que está de acordo com a lei, legitimidade (2): *Ele sempre agiu dentro da legalidade.*

legalismo (le.ga.*lis*.mo) *s.m.* Tendência a seguir a lei sem qualquer espírito crítico.

legalista (le.ga.*lis*.ta) *adj.* **1.** Que defende o cumprimento das leis. • *s.m. e f.* **2.** Aquele que está sempre ao lado da lei.

legalizar (le.ga.li.*zar*) *v.* Tornar legal, dar legalidade a; legitimar: *Depois de anos, eles legalizaram sua união conjugal.* ▶ Conjug. 5.

legar (le.*gar*) *v.* Transmitir por legado; deixar como herança: *Legou a fábrica aos filhos.* ▶ Conjug. 8 e 34.

legatário (le.ga.*tá*.ri:o) *s.m.* Pessoa em favor de quem se deixa um legado, uma herança; herdeiro.

legenda (le.gen.da) *s.f.* (*Comun.*) **1.** Texto curto que dá nome, explica ou comenta uma imagem: *O material exposto trazia legendas muito explicativas.* (*Cine, Telv.*) **2.** Texto que fica abaixo da imagem com as falas dos atores transcritas em vernáculo. **3.** Narrativa maravilhosa; lenda: *a legenda áurea.* **4.** Partido ou agremiação política.

legendar (le.gen.*dar*) *v.* Pôr legenda ou dizeres (1 e 2): *Legendaram o filme em português.* ▶ Conjug. 5.

legendário (le.gen.*dá*.ri:o) *adj.* Lendário.

legião (le.gi:*ão*) *s.f.* **1.** Corpo romano de tropas, composto de infantaria e cavalaria. **2.** Destacamento militar formado de soldados estrangeiros: *a legião estrangeira.* **3.** Grande número de pessoas; multidão: *A estrela acenou para sua legião de admiradores presentes.*

legibilíssimo (le.gi.bi.*lís*.si.mo) *adj.* Superlativo absoluto de *legível.*

legionário (le.gi:o.*ná*.ri:o) *adj.* **1.** Relativo a uma legião. • *s.m.* **2.** Soldado de legião.

legislação (le.gis.la.*ção*) *s.f.* **1.** Conjunto das leis que se aplicam num país em algum ramo do Direito: *a legislação eleitoral; a legislação do trabalho.* **2.** Conjunto de leis que regulam particularmente certa matéria: *Consegui reunir toda a legislação sobre o ensino supletivo.*

3. Parte da ciência do Direito que se ocupa especialmente de uma certa matéria.

legislar (le.gis.*lar*) *v.* Elaborar e promulgar leis, normas: *legislar novas leis; legislar sobre os direitos humanos.* ▶ Conjug. 5. – **legislador** [ô] *adj. s.m.*

legislativo (le.gis.la.*ti*.vo) *adj.* **1.** Relativo ao poder de legislar ou à legislação. **2.** Que faz as leis. • *s.m.* **3.** Dos três poderes da República, aquele que é encarregado de elaborar as leis.

legislatura (le.gis.la.*tu*.ra) *s.f.* Espaço de tempo durante o qual os legisladores exercem seus poderes.

legista (le.*gis*.ta) *adj.* **1.** Que é especializado em leis. • *s.m. e f.* **2.** Pessoa especializada em medicina legal; médico-legista.

legítima (le.*gí*.tima) *s.f.* Parte da herança que a lei reserva aos herdeiros, não se podendo dispor dela.

legitimar (le.gi.ti.*mar*) *v.* **1.** Tornar(-se) ou reconhecer(-se) legítimo: *legitimar uma posse.* **2.** Reconhecer como autêntico ou válido: *Os acontecimentos vieram legitimar as esperanças da população.* **3.** (*Jur.*) Dar a filho natural a situação de legítimo: *Quando soube da existência daquele filho, foi procurá-lo e legitimá-lo.* ▶ Conjug. 5.

legitimidade (le.gi.ti.mi.*da*.de) *s.f.* **1.** Qualidade de legítimo. **2.** Legalidade, autenticidade.

legítimo (le.*gí*.ti.mo) *adj.* **1.** Que é reconhecido pela lei: *Sua escolha como prefeito foi legítima.* **2.** Válido para todos os efeitos da lei: *A doação é legítima diante da lei.* **3.** Genuíno, puro, autêntico, lídimo: *um anel de ouro legítimo.* **4.** Que é justo; procedente, justificado, fundado: *Seus temores são legítimos.*

legível (le.*gí*.vel) *adj.* Que pode ser lido; que está escrito em caracteres nítidos. || sup. abs.: *legibilíssimo.*

légua (*lé*.gua) *s.f.* Medida itinerária que, no Brasil, equivale a 6.600 m.

legume (le.*gu*.me) *s.m.* **1.** Fruto de horta usado na alimentação, cru ou cozido: *O chuchu é um legume muito apreciado.* **2.** Fruto característico das plantas leguminosas; vagem, ervilha, fava etc.

leguminosa [ó] (le.gu.mi.*no*.sa) *s.f.* (*Bot.*) Planta cujo fruto tem forma de vagem ou legume (2), como a soja, o feijão, a ervilha etc.

leguminoso [ô] (le.gu.mi.*no*.so) *adj.* Que frutifica em vagem ou legume (2). || f. e pl.: [ó].

lei *s.f.* **1.** Norma ou conjunto de normas emanadas do poder soberano, que regem a conduta

lembrete

de uma sociedade: *Todos são iguais perante a lei*. **2.** Princípio que estabelece um padrão a ser seguido: *as leis da gramática*. **3.** Regra que explica fenômenos naturais: *lei da gravidade; lei da expansão dos gases*. **4.** Domínio, poder: *a lei do mais forte*. || *De lei:* de boa qualidade: *madeira de lei; prata de lei*. • *Lei da selva:* predomínio da violência numa sociedade. • *Lei seca:* lei que proíbe a fabricação, a comercialização e o consumo de bebidas alcoólicas.

leiaute (lei.*au*.te) *s.m.* (Arquit.) **1.** Disposição dos componentes no espaço de um ambiente, uma área ou um conjunto funcional: *Fizemos um bom leiaute de nossa futura sala*. **2.** (Art. Gráf.) Esboço de uma publicação, com a especificação dos tipos que deverão ser empregados, disposição do texto, medidas, ilustrações e outros particulares de composição. – **leiautista** *s.m.* e *f.*

leigo (*lei*.go) *adj.* **1.** Que desconhece ou conhece pouco de determinado assunto: *Sou leigo em matéria de automobilismo*. **2.** Que não recebeu ordens sacras: *o frade e o irmão leigo*. • *s.m.* **3.** Pessoa que atua na Igreja, mas não foi ordenada ou não recebeu ordens sacras: *Os leigos constituem o braço direito do pároco*.

leilão (lei.*lão*) *s.m.* Venda pública de objetos a quem oferece maior lance; hasta (2).

leiloar (lei.lo:*ar*) *v.* Pôr ou vender em leilão: *Leiloou alguns de seus valiosos livros*. ▶ Conjug. 25.

leiloeiro (lei.lo:*ei*.ro) *s.m.* Pessoa que organiza e conduz leilões.

leira (*lei*.ra) *s.f.* **1.** Canteiro de horta pronto para receber mudas de verduras e legumes. **2.** Pequena faixa de terra cultivada.

leishmaniose [ó] (leish.ma.ni:*o*.se) *s.f.* (Med.) Doença tropical provocada por um protozoário e transmitida por mosquitos.

leitão (lei.*tão*) *s.m.* Porco novo; bácoro.

leitaria (lei.ta.*ri*.a) *s.f.* Leiteria.

leite (*lei*.te) *s.m.* **1.** Líquido branco produzido pelas glândulas mamárias da mulher e das fêmeas dos animais mamíferos. **2.** Líquido leitoso produzido pelo caule de certas plantas: *leite de mamão*. **3.** Qualquer líquido leitoso: *leite de coco*.

leiteira (lei.*tei*.ra) *s.f.* **1.** Panela para ferver leite. **2.** Vasilha para servir leite.

leiteiro (lei.*tei*.ro) *adj.* **1.** Que produz leite: *uma vaca leiteira*. • *s.m.* **2.** Pessoa que vende leite.

leiteria (lei.te.*ri*.a) *s.f.* **1.** Estabelecimento onde o leite recebe tratamento para consumo e produção de derivados. **2.** Estabelecimento comercial onde se vendem leite e derivados. **3.** Pequeno restaurante para refeições ligeiras, sobretudo laticínios. || *leitaria*.

leitmotiv [laitmotif] (Al.) *s.m.* **1.** (Mús.) Tema musical recorrente em composições, sobretudo ópera. **2.** Tema recorrente.

leito (*lei*.to) *s.m.* **1.** Cama ou superfície sobre a qual se possa estender o corpo. **2.** Extensão de terra sobre a qual corre um rio, um regato, um riacho, um mar: *o leito do rio São Francisco*. **3.** A base sobre a qual se assenta uma estrada, um caminho ou uma rua: *Retificaram o leito da estrada de ferro*.

leitor [ô] (lei.*tor*) *adj.* **1.** Que lê. • *s.m.* **2.** Pessoa que lê. **3.** Professor contratado por uma universidade estrangeira para ensinar sua língua e cultura: *leitor de Língua Portuguesa e Literatura brasileira na Universidade de Londres*. **4.** Aparelho que lê e reproduz sons, imagens ou outros dados.

leitoso [ô] (lei.*to*.so) *adj.* Que tem aspecto de leite; lácteo. || f. e pl.: [ó].

leitura (lei.*tu*.ra) *s.f.* **1.** Ação de ler. **2.** Interpretação que se dá a um fato, um texto, um livro etc.: *Quero ver qual foi sua leitura desse acontecimento*.

lema (*le*.ma) *s.m.* **1.** Frase que serve de resumo de um ideal que se busca: *Seu lema era: um por todos e todos por um*. **2.** Entrada (11).

lematização (le.ma.ti.za.*ção*) *s.f.* Tratamento dado a uma palavra, para que ela se transforme em lema (2).

lembrança (lem.*bran*.ça) *s.f.* **1.** Ato ou efeito de lembrar. **2.** O que está guardado e vem à memória. **3.** Objeto que se dá como um presente simples: *Trouxe-lhe esta lembrança de Ouro Preto*. **4.** Saudação ou cumprimento que se manda a pessoas ausentes: *Lembranças à família*.

lembrar (lem.*brar*) *v.* **1.** Trazer à memória de ou ter na lembrança; recordar: *Lembrar os belos dias passados; Lembrou à mulher que tinham de sair; Depois da ceia lembraram-se dos antigos natais da infância*. **2.** Dar a ideia de; sugerir: *Minha avó dizia: seu jeito me lembra sempre seu pai*. **3.** Advertir, avisar: *O professor lembrou que expulsaria de sala quem soltasse aviãozinho*. ▶ Conjug. 5.

lembrete [ê] (lem.*bre*.te) *s.m.* Anotação sobre o que não pode ser esquecido: *Escreva um lembrete e ponha na carteira*.

leme

leme (le.me) *s.m.* **1.** (*Náut.*) Peça com a qual se governa uma embarcação. **2.** *fig.* Governo, direção: *Os poderes constituídos seguram o leme da República.*

lenço (len.ço) *s.m.* **1.** Pequeno quadrado de pano usado no bolso para assoar o nariz, enxugar o suor etc. **2.** Pano de seda ou outro tecido usado no pescoço ou na cabeça como adorno ou proteção.

lençol (len.çol) *s.m.* **1.** Pano de algodão, linho ou tecido misto usado para cobrir o colchão ou como coberta. **2.** Grande extensão natural de água, petróleo etc. existente no subsolo. || *Em maus lençóis*: em situação difícil. • *Lençol freático*: lençol de água subterrâneo que pode ser explorado por meio de poços.

lenda (len.da) *s.m.* **1.** Narrativa que se conta de geração a geração, às vezes totalmente fantasiosa, às vezes com um fundo histórico; legenda. **2.** *fig.* Mentira, invenção. **3.** Legenda.

lendário (len.dá.ri:o) *adj.* **1.** Referente ou próprio de lenda; legendário: *fatos lendários*. **2.** Que só existe como lenda: *O Curupira é um ser lendário*.

lêndea (lên.de:a) *s.f.* Ovo de piolho que se prende no cabelo.

lenga-lenga (len.ga-len.ga) *s.f. coloq.* Conversa ou narrativa longa e tediosa; cantilena (2): *Já estávamos cansados daquela lenga-lenga*. || pl.: *lenga-lengas*.

lenha (le.nha) *s.f.* Pedaço de madeira usada para fazer fogo. || *Meter a lenha em*: **1.** surrar, bater em, espancar. **2.** falar mal de; criticar com maledicência e violência. • *Pôr lenha na fogueira*: atiçar uma discórdia, alimentar um conflito.

lenhador [ô] (le.nha.dor) *s.m.* **1.** Pessoa que corta ou racha lenha. **2.** Pessoa que recolhe lenha nos matos; lenheiro.

lenheiro (le.nhei.ro) *s.m.* **1.** Lenhador. **2.** Pessoa que vende lenha. **3.** Lugar onde se guarda lenha.

lenho (le.nho) *s.m.* Peça grossa de madeira; madeiro (1). || *Santo lenho*: a cruz em que Jesus foi crucificado.

lenhoso [ô] (le.nho.so) *adj.* **1.** Relativo a lenha. **2.** Que tem a consistência do lenho. || f. e pl.: [ó].

lenimento (le.ni.men.to) *s.m.* O que serve para aliviar dor física ou moral: *Buscava um lenimento para suas dores.*

lenitivo (le.ni.ti.vo) *s.m.* O que alivia a dor física ou moral; mitigação.

lenocínio (le.no.cí.ni:o) *s.m.* Exploração da prostituição alheia.

lente¹ (len.te) *s.f.* Corpo feito de material transparente como vidro, cristal, acrílico etc., capaz de desviar a direção dos raios de luz que nele incidem, causando diferentes distorções da imagem (aumento, redução etc.) em função das diversas curvaturas possíveis de suas duas superfícies principais. || *Lente de contato*: pequena lente para correção da visão, que é aplicada diretamente sobre a córnea.

lente² (len.te) *s.m. e f.* Professor universitário.

lentejoula (len.te.jou.la) *s.f.* Lantejoula, paetê.

lentidão (len.ti.dão) *s.f.* Condição daquilo que é lento: *As pessoas idosas caminham com lentidão.*

lentilha (len.ti.lha) *s.f.* (*Bot.*) **1.** Planta leguminosa que fornece pequenos grãos comestíveis. **2.** Os grãos redondos e chatos dessa planta.

lento (len.to) *adj.* Que não é rápido; vagaroso, pausado.

leoa [ô] (le:o.a) *s.f.* A fêmea do leão.

leonino (le:o.ni.no) *adj.* **1.** (*Astrol.*) Que nasce sob o signo de Leão (de 23 de julho a 22 de agosto). **2.** Que demonstra muito vigor físico. • *s.m.* **3.** (*Astrol.*) Pessoa que nasce sob o signo de Leão: *Os leoninos são corajosos*. **4.** Pessoa que demonstra muito vigor físico.

leopardo (le:o.par.do) *s.m.* (*Zool.*) Grande felino da África e da Ásia de pelo amarelado e manchas negras.

lépido (lé.pi.do) *adj.* **1.** Ligeiro, ágil. **2.** Alegre, jovial.

lepidóptero (le.pi.dóp.te.ro) *s.m.* (*Zool.*) Insetos que passam por metamorfoses completas, como as mariposas e as borboletas.

leporino (le.po.ri.no) *adj.* **1.** Relativo a lebre, de lebre. **2.** Diz-se do lábio superior cortado ao meio, como o da lebre.

lepra [é] (le.pra) *s.f.* (*Med.*) Doença infecciosa e transmissível causada pelo bacilo de Hansen, caracterizada por lesões cutâneas das mucosas e do sistema nervoso periférico que podem acarretar deformidade; hanseníase, morfeia.

leprosário (le.pro.sá.ri:o) *s.m.* Hospital destinado ao isolamento e tratamento dos doentes de hanseníase ou lepra.

leproso [ô] (le.pro.so) *adj.* **1.** Relativo a lepra ou hanseníase; lazarento. • *s.m.* **2.** Pessoa que tem lepra ou hanseníase; hanseniano, lazarento (2), lázaro. **3.** Pessoa que evita se misturar ou aproximar-se de outras, como se fossem portadoras de doença infecciosa. || f. e pl.: [ó].

leptospirose [ó] (lep.tos.pi.ro.se) *s.f.* (*Med.*) Doença infecciosa transmitida pela urina de rato.

leque [é] (le.que) s.m. **1.** Abano formado por varetas, geralmente de madeira, cobertas de papel ou pano pregueados e articuladas na parte inferior com um eixo que permite abrir e fechar facilmente. **2.** fig. Conjunto, variedade de coisas, possibilidades, opções, escolhas etc.: *Você tem um leque de profissões a escolher.*

ler v. **1.** Passar os olhos sobre um escrito ou impresso, identificando as letras com o som que representam e juntando-as para formar palavras, dando conta de sua significação, pronunciando-as ou não: *Lúcia leu um bom livro*; *É muito bom ler*; *João lia poemas todas as noites*. **2.** Pronunciar em voz alta, recitar (o que está escrito). **3.** Ver e estudar: *Temos que ler todo o capítulo para a prova.* **4.** Decifrar, interpretar o sentido: *Como você lê esse episódio do poema?* **5.** Adivinhar, deduzir ou prever: *A cigana diz que lê até os pensamentos.* **6.** Ver e interpretar o que está escrito: *O sábio leu os hieróglifos egípcios.* **7.** Reconhecer uma informação por um aparelho; decodificar: *ler o disquete.* || *Ler música*: percorrer com os olhos, enunciando interiormente os valores das notas e dos sinais. • *Ler um mapa*: distinguir nele as indicações topográficas. ▶ Conjug. 49.

lerdeza [ê] (ler.de.za) s.f. Qualidade de lerdo, preguiçoso, tardio nos movimentos e no raciocínio.

lerdo [ê] (ler.do) adj. **1.** Que se move devagar ou tem raciocínio lento. **2.** Tolo, pateta.

léria (lé.ri:a) s.f. Conversa inútil, sem conteúdo; conversa mole, lero-lero.

lero-lero [é] (le.ro-le.ro) s.m. Léria; conversa fiada. || pl.: *lero-leros.*

lesão (le.são) s.f. **1.** Ato ou efeito de lesar(-se). **2.** (Med.) Dano material em qualquer órgão ou estrutura corporal. **3.** fig. Ofensa à reputação; dano moral.

lesa-pátria (le.sa-pá.tri:a) s.f. Crime ou atentado contra a pátria. || pl.: *lesas-pátrias.*

lesar (le.sar) v. **1.** Causar lesão, ofender(-se) fisicamente; ferir(-se): *A doença lesou alguns órgãos*; *Lesou-se ao cair da cadeira.* **2.** Ofender a reputação; causar lesão moral: *O artigo infame lesou o bom nome do médico.* **3.** Prejudicar os interesses: *Sua má atuação pode lesar a respeitabilidade de nossa empresa.* **4.** (Jur.) Violar os direitos, a constituição, a lei: *lesar os direitos trabalhistas.* **5.** Fraudar, roubar: *lesar o erário público.* **6.** Aparentar loucura: *o mendigo lesou.* ▶ Conjug. 8.

lesbianismo (les.bi:a.nis.mo) s.m. Homossexualismo entre mulheres; safismo.

lésbica (lés.bi.ca) s.f. Mulher homossexual.

leseira (le.sei.ra) s.f. **1.** Falta de ânimo, moleza, preguiça. **2.** Qualidade de leso, tolo.

lesionar (le.si:o.nar) v. Causar lesão a; lesar: *O remédio lesionou o fígado do doente.* ▶ Conjug. 5.

lesivo (le.si.vo) adj. Que lesa, que acarreta lesão física ou moral: *Sua atuação é lesiva a nossos interesses.*

lesma [ê] (les.ma) s.f. (Zool.) **1.** Molusco provido de concha, encontrado em lugares úmidos. **2.** fig. Pessoa vagarosa, lenta, sem vivacidade.

leso [é] (le.so) adj. **1.** Que sofreu lesão física, moral ou material: *crime de lesa-pátria e leso-sentimento.* **2.** Que é ou está amalucado. • s.m. **3.** Pessoa amalucada, pessoa tola.

leste [é] (les.te) s.m. **1.** Ponto cardeal onde nasce o Sol; nascente, levante, oriente: *As grandes invasões vieram do leste.* || Símbolo: E. **2.** Vento que sopra desse ponto cardeal: *O leste soprou a noite inteira.* **3.** Região ou conjunto de regiões localizadas ao leste. || Abreviação: L. • adj. **4.** Que se situa a leste: *a costa leste*; *a região leste.*

lesto [é] (les.to) adj. **1.** Que é ligeiro, ágil, rápido: *Com dedos lestos ia tirando a carteira.* **2.** Que se mostra preparado, pronto: *A seleção estará lesta para a próxima copa.* • adv. **3.** De maneira lesta; rapidamente, prontamente: *A índia lesta preparou a seta para atirá-la.*

letal (le.tal) adj. **1.** Relativo a morte; mortal: *os casos letais.* **2.** Que causa morte: *um veneno letal.*

letão (le.tão) adj. **1.** Relativo à Letônia, país europeu às margens do mar Báltico. • s.m. **2.** O natural ou o habitante desse país. **3.** Língua falada na Letônia.

letargia (le.tar.gi.a) s.f. **1.** (Med.) Sono patológico profundo do qual se tem grande dificuldade para sair. **2.** fig. Estado profundo de apatia; letargo. – **letárgico** adj.

letargo (le.tar.go) s.m. Letargia.

letivo (le.ti.vo) adj. Relativo ao ensino ou ao movimento escolar: *ano letivo.*

letra [ê] (le.tra) s.f. **1.** Designação dada aos sinais gráficos elementares com que, na língua escrita, se registram os fonemas; grafema. **2.** fig. Maneira como são representados esses sinais por cada pessoa, caligrafia: *Você tem uma letra feia.* **3.** Sentido literal, claro e expresso pela escritura: *Vamos seguir a letra da lei.* **4.** Texto de uma canção correspondente à parte a ser cantada: *Gosto muito da letra desse samba.* **5.** Título de crédito, nota promissória: *Letras do Tesouro Nacional.* • *Letras pl.* **6.** O conjunto dos conhecimentos linguísticos e literários. **7.** Cursos que ministram esses conhecimentos. ‖ *Ao pé da letra*: literalmente, rigorosamente. • *Com todas as letras*: explicitamente, com todos os detalhes. • *De letra*: (*Esp.*) com o pé que chuta por trás do pé de apoio: *um gol de letra*; *um passe de letra*. • *Tirar de letra*: fazer alguma coisa com facilidade, sem esforço: *Deixe o problema comigo que eu tiro de letra.*

letrado (le.*tra*.do) *adj.* **1.** Que possui muita erudição. **2.** Que possui grande conhecimento literário: *um homem letrado.* • *s.m.* **3.** Pessoa culta, erudita, versada em letras: *O Doutor Ribeiro é o único letrado dessa vila.*

letreiro (le.*trei*.ro) *s.m.* **1.** Inscrição para informar: *Veja o letreiro e siga a seta.* **2.** Texto projetado em tela com o intuito de informar o espectador.

letrista (le.*tris*.ta) *s.m. e f.* **1.** Ilustrador especialista no desenho das letras em tabuletas, fachadas, letreiros etc. **2.** Pessoa que compõe letras para músicas: *Braguinha é o letrista de Carinhoso.*

léu *s.m.* Usado apenas na locução *ao léu.* ‖ *Ao léu*: à vontade, à toa.

leucemia (leu.ce.*mi*.a) *s.f.* (*Med.*) Doença caracterizada pelo aumento permanente do número de leucócitos no sangue.

leucócito (leu.*có*.ci.to) *s.m.* Célula sanguínea responsável pela defesa do organismo; glóbulo branco.

leucocitose [ó] (leu.co.ci.*to*.se) *s.f.* (*Med.*) Aumento anormal da taxa de leucócitos na massa sanguínea.

leucopenia (leu.co.pe.*ni*.a) *s.f.* Diminuição anormal da taxa de leucócitos na massa sanguínea.

leva [é] (*le*.va) *s.f.* **1.** Grupo, ajuntamento de pessoas. **2.** Alistamento de recrutas; recrutamento.

levadiço (le.va.*di*.ço) *adj.* Que se pode baixar e levantar: *ponte levadiça.*

levado (le.*va*.do) *adj.* Que faz travessuras; travesso, atentado: *uma criança levada.*

leva e traz *s.m.* **1.** Mexerico, intriga, fofoca. • *s.m. e f.2n.* **2.** Pessoa intrigante; mexeriqueira, fofoqueira.

levantador [ô] (le.van.ta.*dor*) *adj.* **1.** Que levanta ou serve para levantar. • *s.m.* **2.** (*Esp.*) No vôlei, jogador que é responsável por levantar a bola.

levantamento (le.van.ta.*men*.to) *s.m.* **1.** Ato ou efeito de levantar ou levantar-se. **2.** Insurreição, rebelião, revolta. **3.** Pesquisa estatística; coleta de dados. **4.** Suspensão, anulação, revogação: *o levantamento da proibição de caça.* **5.** (*Esp.*) No vôlei, lançamento da bola para uma cortada.

levantar (le.van.*tar*) *v.* **1.** Pôr(-se) alto; alçar (-se), erguer(-se): *O capitão da equipe levantou a taça*; *Todos se levantaram para cantar o hino.* **2.** Erigir; edificar, construir: *Em poucos dias levantou uma casa.* **3.** Aumentar a altura de: *Levantou o muro para não ser visto pelo vizinho.* **4.** Aumentar de volume, elevar: *Não levante a voz contra seu pai.* **5.** Entusiasmar, excitar: *Seus arrojados discursos levantavam a multidão.* **6.** Fazer surgir; dar origem; provocar, suscitar: *levantar uma questão.* **7.** Abolir, revogar, suspender: *levantar a proibição.* **8.** Arrecadar; angariar fundos, subsídios, recursos etc.: *levantar dinheiro*; *levantar recursos.* **9.** Acordar, despertar alguém; fazer alguém sair da cama: *Levante-me às seis horas.* **10.** Surgir no horizonte; raiar: *O sol já levantou há horas.* **11.** Restabelecer-se, reabilitar-se: *Virá nos visitar quando se levantar da cirurgia que fez.* **12.** Sublevar-se, amotinar-se: *Alguns insubordinados levantaram-se contra o chefe da expedição.* **13.** (*Esp.*) No vôlei, jogar alto a bola junto à rede para que seja desferido o ataque: *Levantou a bola para o companheiro do ataque.* ▶ Conjug. 5.

levante[1] (le.*van*.te) *s.m.* Lado onde o sol surge; nascente, oriente; leste.

levante[2] (le.*van*.te) *s.m.* Insurreição contra a autoridade; revolta, motim.

levar (le.*var*) *v.* **1.** Fazer passar de um lugar para outro; transportar: *Levou consigo a família, os trastes e o papagaio.* **2.** Conduzir, guiar: *Moisés levou o povo através do deserto.* **3.** Ir acompanhado de; fazer-se acompanhar de: *Levou a mulher consigo.* **4.** Carregar consigo (sentimentos, mágoas, lembranças): *Levarei para sempre sua imagem no coração.* **5.** Ter consigo, usar: *Leva no pescoço uma medalha de São Bento.* **6.** Apagar, delir: *O nome que escrevi na areia a água do mar levou.* **7.** Dar acesso a; conduzir a: *Todos os caminhos levam a Roma?* **8.** *fig.* Impelir, conduzir (a algo): *O treinador levou a equipe à vitória.* **9.** *fig.* Passar (a vida), viver: *Ele* *leva a vida sem preocupações.* **10.** Usar como vestuário ou parte do vestuário; trajar, vestir, trazer: *A estrela levava uma bela roupa.* **11.** Ganhar, lucrar: *O jovem aluno levou o prêmio no concurso de poesia.* **12.** *fig.* Experimentar (uma sensação): *Levou um bruto susto quando viu a onça.* **13.** Conter: *O bolo leva manteiga e leite de coco.* **14.** *fig.* Consumir, demorar: *A noiva levou horas para se vestir.* **15.** Exibir, apresentar: *Aquele cinema está levando um filme brasileiro.* **16.** *fig.* Suportar, levar o peso de (falta, responsabilidade): *É ele sempre que leva a culpa.* **17.** Ser alvo de; ser o paciente de: *Levou um soco; Levou uma surra.* ▶ Conjug. 8.

leve [é] (le.ve) *adj.* **1.** Que tem pouco peso ou densidade: *malas leves; metal leve.* **2.** Que é simples, superficial, sem profundidade: *uma leve alusão.* **3.** Que é pouco acentuado, discreto: *leve sotaque de estrangeiro.* **4.** Que é tênue, suave, delicado: *um vapor leve.* **5.** Que é ágil, rápido, ligeiro: *os leves passos da bailarina.* **6.** Que está desoprimido, aliviado: *consciência leve.* **7.** Que é de fácil digestão: *uma refeição leve.* **8.** Que é pouco profundo, fácil de ser interrompido: *sono leve.* • *adv.* **9.** *coloq.* Ligeiramente, sem contundência: *Pega leve nesse assunto, meu amigo.* || **De leve: 1.** suavemente: *Passou as mãos de leve em seu rosto.* **2.** superficialmente: *Pensou de leve no caso.*

levedado (le.ve.da.do) *adj.* Lêvedo (1).

levedar (le.ve.dar) *v.* Tornar-se lêvedo ou fermentado; fermentar: *Espere o pão levedar para, então, levá-lo ao forno.* ▶ Conjug. 8.

levedo (le.ve.do) *s.m.* Lêvedo.

lêvedo (lê.ve.do) *adj.* **1.** Que fermentou; levedado. • *s.m.* **2.** Fungo que provoca a fermentação, empregado no preparo de pães e de bebidas alcoólicas; levedura. || *levedo.*

levedura (le.ve.du.ra) *s.f.* Lêvedo (2); fermento, levedo.

leveza [ê] (le.ve.za) *s.f.* Qualidade do que é leve.

leviandade (le.vi:an.da.de) *s.f.* **1.** Qualidade ou condição de leviano. **2.** Falta de seriedade.

leviano (le.vi:a.no) *adj.* **1.** Que tem um comportamento irresponsável; que não é sério: *Era um jovem leviano.* • *s.m.* **2.** Pessoa irresponsável, leviana: *O leviano perdeu seu tempo sem nada construir para o futuro.*

leviatã (le.vi:a.tã) *s.m.* (*Mit.*) Monstro marinho fenício de que fala a Bíblia.

levita (le.vi.ta) *adj.* **1.** De Levi, filho de Jacó, e de sua tribo. • *s.m. e f.* **2.** Membro da tribo hebraica sacerdotal de Levi. **3.** Sacerdote do templo de Jerusalém.

levitar (le.vi.tar) *v.* Erguer-se acima do solo sem nada que sustente ou suspenda: *Alguns grandes místicos levitavam enquanto oravam.* ▶ Conjug. 5.

lexical [cs] (le.xi.cal) *adj.* Relativo a léxico ou aos vocábulos de uma língua.

léxico [cs] (lé.xi.co) *adj.* **1.** Próprio das palavras ou concernente às palavras; lexical: *análise léxica.* • *s.m.* **2.** Conjunto dos vocábulos de uma língua ou de um texto; vocabulário.

lexicografia [cs] (le.xi.co.gra.fi.a) *s.f.* Técnica e trabalho de elaboração de dicionários, vocabulários e glossários. – **lexicográfico** *adj.*

lexicógrafo [cs] (le.xi.có.gra.fo) *s.m.* Profissional especializado em lexicografia; dicionarista.

lexicologia [cs] (le.xi.co.lo.gi.a) *s.f.* Estudo das palavras quanto a sua significação, forma, variações flexionais, história e classificação.

lexicólogo [cs] (le.xi.có.lo.go) *s.m.* Profissional especializado em lexicologia.

lhama (lha.ma) *s.f.* (*Zool.*) Mamífero ruminante originário da região andina, onde é usado como animal de carga.

lhe *pron. pess.* Equivale a *a você* em frase como: *Queria lhe apresentar um amigo;* a *a ele, a ela,* em frase como: *Deram-lhe vinho, mas ela não quis;* a *seu, sua, dele, dela* em frases como: *Elogiaram-lhe o esforço.*

lho Contração do pronome pessoal *lhe* com o pronome pessoal ou demonstrativo *o*: *O lápis, não lho passei ainda; Não veio mais porque não lho pediram.* || Essa construção é, hoje, praticamente desusada no Português do Brasil.

Li (*Quím.*) Símbolo de *lítio.*

liame (li:a.me) *s.m.* Aquilo que prende, une, liga uma pessoa ou coisa a outra.

liana (li:a.na) *s.f.* Cipó.

libação (li.ba.ção) *s.f.* Ato de beber, de libar.

libambo (li.bam.bo) *s.m.* Corrente de ferro que ligava condenados e escravos pelo pescoço, normalmente durante viagens e deslocamentos.

libanês (li.ba.nês) *adj.* **1.** Do Líbano, país do Oriente Médio. • *s.m.* **2.** O natural ou o habitante desse país.

libar (li.bar) *v.* Fazer libação; beber: *Libemos à saúde de nossos amigos.* ▶ Conjug. 5.

libelo [é] (li.be.lo) *s.m.* **1.** (*Jur.*) Exposição por escrito em que se procura provar a culpa de

libélula

um réu. **2.** Escrito em que se imputa a alguém ação indigna; acusação.

libélula (li.bé.lu.la) *s.f.* (*Zool.*) Inseto de quatro asas, corpo longo e estreito que voa junto à água; lavadeira.

líber (lí.ber) *s.m.* (*Bot.*) Tecido da casca dos vegetais que conduz a seiva.

liberal (li.be.ral) *adj.* **1.** Generoso, dadivoso. **2.** Que tem opiniões livres, adiantadas, progressistas. **3.** Que é partidário do Liberalismo. • *s.m.* e *f.* **4.** Pessoa que adota opiniões liberais. **5.** Pessoa partidária do Liberalismo. || *Profissões liberais:* profissões de nível superior em que o indivíduo não precisa ter qualquer vínculo empregatício, podendo trabalhar por conta própria.

liberalidade (li.be.ra.li.da.de) *s.f.* Qualidade e condição de liberal (1) e (2).

liberalismo (li.be.ra.lis.mo) *s.m.* **1.** Doutrina que preconiza a liberdade política ou de consciência, contra a interferência do Estado ou da Igreja. **2.** (*Econ.*) Doutrina que, no setor econômico, preconiza a liberdade individual e valoriza a iniciativa privada, em oposição à intervenção do Estado.

liberalizar (li.be.ra.li.zar) *v.* **1.** Tornar liberal uma atividade econômica, um regime político etc.: *Os meios de comunicação têm informado que a China vem liberalizando sua economia.* **2.** Tornar-se mais liberal: *O regime político daquele país liberalizou-se.* **3.** Dar, distribuir com liberalidade; prodigalizar: *É urgente que o governo liberalize mais verbas para a educação.* ▶ Conjug. 5.

liberar (li.be.rar) *v.* **1.** Tornar(-se) livre; libertar (-se): *A polícia liberou o prisioneiro; O novo país liberou-se da metrópole.* **2.** Desobrigar(-se) de um dever, de uma obrigação: *Ao entregar o cargo, ele liberou-se de várias obrigações árduas.* **3.** Suspender proibição ou interdição: *Vão liberar o túnel às 23 horas; A censura liberou o filme.* **4.** Tornar disponível; disponibilizar: *O presidente liberou os recursos para a montagem da exposição.* ▶ Conjug. 8.

liberdade (li.ber.da.de) *s.f.* **1.** Faculdade de fazer ou deixar de fazer uma coisa por vontade própria, sem se submeter a imposições alheias. **2.** Estado e condição de homem livre. **3.** Gozo dos direitos de homem livre. **4.** Manifestação de intimidade: *Namorava, mas não tomava liberdades.*

liberiano (li.be.ri:a.no) *adj.* **1.** Da Libéria, país da África. • *s.m.* **2.** O natural ou o habitante desse país.

líbero (lí.be.ro) *s.m.* (*Esp.*) No futebol, defensor cuja função é a de dar cobertura a qualquer outro jogador da defesa.

libérrimo (li.bér.ri.mo) *adj.* Superlativo absoluto de *livre.*

libertar (li.ber.tar) *v.* **1.** Tornar(-se) livre, liberto: *Libertaram os prisioneiros da cadeia; A cidade libertou-se do corsário pagando um tributo.* **2.** Livrar(-se), desembaraçar(-se): *Graças àquele dinheiro, libertou-se dos cobradores; Aquele dinheiro libertou-a dos cobradores.* **3.** Livrar-se da inibição; mostrar o talento escondido: *Hugo libertou-se da inibição e fez uma palestra excelente.* ▶ Conjug. 8. – **libertação** *s.f.*

libertário (li.ber.tá.ri:o) *adj.* **1.** Que promove a liberdade: *as idéias libertárias dos Inconfidentes.* **2.** Que é partidário da liberdade. **3.** Anarquista.

libertino (li.ber.ti.no) *adj.* **1.** Que leva uma vida voltada para os prazeres do sexo; devasso, desregrado (2). **2.** Que não pauta sua vida pelas normas da decência e do decoro. • *s.m.* **3.** Pessoa devassa, sem decência e sem decoro.

liberto [é] (li.ber.to) *adj.* **1.** Que foi libertado, que obteve a liberdade e nela vive. **2.** Que é isento ou se livrou de preconceitos: *uma mente liberta.* • *s.m.* **3.** Escravo que foi libertado. **4.** Quem passou de prisioneiro ou escravo a homem livre.

libidinagem (li.bi.di.na.gem) *s.f.* Qualidade ou condição de libidinoso.

libidinoso [ô] (li.bi.di.no.so) *adj.* **1.** Que ama em demasia os prazeres do sexo. • *s.m.* **2.** Pessoa que ama em demasia os prazeres do sexo. || f. e pl.: [ó].

libido (li.bi.do) *s.f.* Instinto sexual no sentido amplo de instinto vital.

líbio (lí.bi:o) *adj.* **1.** Da Líbia, país do norte da África. • *s.m.* **2.** O natural ou o habitante desse país.

libra (li.bra) *s.f.* **1.** Medida de peso do sistema de pesos e medidas inglês. **2.** Nome da unidade monetária de países como Reino Unido, Chipre, Síria, Líbano, Egito e Sudão. **3.** Signo do Zodíaco das pessoas nascidas entre 23 de setembro e 22 de outubro. • *adj.* **4.** Libriano: *Maria Lúcia é libra.*

libré (li.bré) *s.f.* **1.** Uniforme usado pelos criados de casas nobres. **2.** Qualquer uniforme de criado.

libreto [ê] (li.bre.to) *s.m.* O texto ou argumento de uma ópera, opereta ou oratório.

libriano (li.bri:a.no) *adj.* (*Astrol.*) Que nasceu sob o signo de Libra (de 23 de setembro a 22 de outubro).

liça (*li.*ça) *s.f.* **1.** Lugar reservado para torneios, corridas, competições etc. **2.** Luta, briga, combate.

lição (li.*ção*) *s.f.* **1.** Exposição oral ou prática de uma disciplina, feita por professor para alunos. **2.** Tarefa ou trabalho feito por aluno. **3.** Experiência adquirida por um revés ou por uma imprudência: *Essa experiência dolorosa me serviu de lição.* **4.** Ensinamento, exemplo: *Vou lhes dar uma lição que jamais esquecerão.*

licença (li.cen.ça) *s.f.* **1.** Permissão ou autorização para fazer ou deixar de fazer uma coisa: *Deu-lhe licença para estacionar o carro na garagem da fábrica.* **2.** Documento que dá validade e comprova essa autorização. **3.** Permissão que se concede a funcionários ou empregados para se ausentarem de suas funções por tempo determinado. || *Licença poética*: liberdade de fazerem os poetas alterações na prosódia e na sintaxe.

licença-prêmio (li.cen.ça-prê.mi:o) *s.f.* Licença que se concede a certas categorias de trabalhadores por determinados anos de serviço. || pl.: *licenças-prêmio* e *licenças-prêmios*.

licenciado (li.cen.ci:a.do) *adj.* **1.** Que tem licença; que está autorizado por licença: *Meu carro já está licenciado.* **2.** Que possui diploma de licenciatura: *Só foram aceitos candidatos licenciados em Letras.* • *s.m.* **3.** Pessoa que obteve diploma de licenciatura: *Os licenciados podem lecionar no ensino médio.*

licenciar (li.cen.ci:*ar*) *v.* **1.** Conceder licença para alguém se ausentar do trabalho por tempo determinado: *Como não estava bem, licenciaram-no por trinta dias.* **2.** Obter a licenciatura: *Alguns licenciaram-se em Letras, outros, em História.* ▶ Conjug. 17.

licenciatura (li.cen.ci:a.tu.ra) *s.f.* Grau ou título universitário que faculta o magistério no ensino médio.

licencioso [ô] (li.cen.ci:o.so) *adj.* **1.** Que excede os limites do lícito, da norma; desregrado: *revistas licenciosas.* **2.** Que é sensual, devasso, libidinoso: *um homem licencioso.* • *s.m.* **3.** Aquele que se porta como devasso, sensual e libidinoso: *Não se dará entrada a licenciosos e libertinos.* || f. e pl.: [ó].

liceu (li.ceu) *s.m.* Estabelecimento de ensino secundário ou profissionalizante.

lichia (li.chi.a) *s.f.* **1.** (*Bot.*) Planta originária da China que produz fruto de sabor agridoce muito apreciado. **2.** Esse fruto.

licitar (li.ci.*tar*) *v.* **1.** Pôr em leilão ou concorrência pública: *licitar a compra de material permanente.* **2.** Oferecer lanço em leilão ou em ato de arrematação: *Licitou a escrivaninha no terceiro lanço.* ▶ Conjug. 5.

lícito (*lí.*ci.to) *adj.* **1.** Que é conforme à lei, que a lei não veda: *É lícito a todos o acesso ao elevador social.* **2.** Que está nos limites do justo, do honesto: *Como fazer para tornar esse ato lícito?* • *s.m.* **3.** Aquilo que é lícito: *O lícito é você casar logo com ela.*

licitude (li.ci.tu.de) *s.f.* Qualidade e condição do que é lícito.

licor [ô] (li.cor) *s.m.* **1.** Bebida alcoólica obtida a partir de aguardente ou álcool de cereais e frutas ou ervas aromáticas. **2.** *poét.* Qualquer líquido.

licoreira (li.co.rei.ra) *s.f.* Conjunto formado de garrafa para licor e pequenos cálices para servi-lo; licoreiro.

licoreiro (li.co.rei.ro) *s.m.* Licoreira.

licoroso [ô] (li.co.ro.so) *adj.* Que tem a consistência do licor. || f. e pl.: [ó].

lida (*li.*da) *s.f.* **1.** Ato ou efeito de lidar. **2.** Trabalho, azáfama, labuta.

lidar (li.*dar*) *v.* **1.** Ocupar-se de; tratar de: *Essa senhora lida muito bem com idosos.* **2.** Fazer face a; enfrentar: *Não tem sido fácil lidar com esse problema.* **3.** Viver na lida, na labuta: *Os boias-frias lidam o dia todo no corte da cana.* **4.** Conviver: *Não sei como o cientista consegue lidar com serpentes no laboratório.* ▶ Conjug. 5.

lide¹ (*li.*de) *s.f.* **1.** Lida. **2.** Luta, peleja.

lide² (*li.*de) *s.m.* (*Comun.*) Período inicial de um texto jornalístico no qual se apresenta um resumo das informações contidas no relato que se segue; *lead.*

líder (*lí.*der) *s.m.* **1.** Pessoa que tem autoridade e carisma para chefiar, comandar ou orientar outras pessoas. **2.** Atleta ou equipe que está em primeiro lugar numa competição: *O líder do campeonato perdeu para a lanterna.* **3.** Indivíduo, grupo ou agremiação que se destaca no seu setor: *uma empresa líder na indústria de metais leves*; *um programa de TV, líder de audiência.*

liderança (li.de.ran.ça) *s.f.* **1.** Posição, função ou caráter de líder: *João assumiu a liderança do grupo.* **2.** Tempo durante o qual se é líder: *Sua*

liderar

liderança foi breve. **3.** Autoridade, ascendência e habilidade para liderar: *Você tem todas as qualidades de liderança.*

liderar (li.de.*rar*) *v.* **1.** Conduzir, comandar como líder: *O general liderou a retirada.* **2.** Estar em primeiro lugar: *Meu time lidera o campeonato.* ▶ Conjug. 8.

lídimo (*lí*.di.mo) *adj.* Legítimo (3), autêntico.

liechtensteiniense (liech.tens.tei.ni:en.se) *adj.* **1.** Do Liechtenstein, país da Europa. • *s.m.* **2.** O natural ou o habitante desse país.

lifting [*liftin*] (Ing.) *s.m.* (Med.) Intervenção cirúrgica pela qual a pele e os tecidos subcutâneos são esticados para eliminar a flacidez.

liga (*li*.ga) *s.f.* **1.** Ato ou efeito de ligar. **2.** União entre partes com vistas a um objetivo; aliança, pacto. **3.** Aliança de Estados para fins defensivos ou agressivos: *a Liga das Nações.* **4.** Qualquer associação ou federação: *a Liga das Escolas de Samba.* **5.** Tira elástica usada para prender as meias às pernas. **6.** Mistura de dois ou mais metais (com ou sem o concurso de elementos não metálicos) de que resulta um corpo metálico de propriedades diversas de seus constituintes: *O bronze resulta da liga de cobre e estanho.*

ligação (li.ga.*ção*) *s.f.* **1.** Ato ou efeito de ligar; ligamento, ligadura. **2.** Conexão: *Estabeleceram uma ligação entre as duas estradas.* **3.** Vínculo entre duas ou mais pessoas: *Não tenho mais nenhuma ligação com meus colegas do colégio.* **4.** Relação conjugal: *Maria terminou sua ligação com Roberto.* **5.** Comunicação telefônica: *Vou usar esse telefone para fazer uma ligação para meu médico.* || *Cair a ligação*: interromper a comunicação telefônica por causa de problemas técnicos. • *Ligação direta*: conexão dos fios elétricos que acionam o motor de arranque para dar partida sem usar a chave.

ligada (li.*ga*.da) *s.f. fam.* Telefonema: *Amanhã dou uma ligada para você.*

ligadura (li.ga.*du*.ra) *s.f.* **1.** Ligação (1). **2.** Atadura, ligamento. **3.** (Med.) Procedimento cirúrgico para fechar canais como artérias, trompas etc. **4.** (Mús.) Linha curva sobre um determinado número de notas para indicar uma ligação entre elas.

ligamento (li.ga.*men*.to) *s.m.* **1.** Ato de ligar; ligação; ligadura. **2.** (Anat.) Tecido fibroso muito resistente que liga os ossos de uma articulação: *ligamentos do calcanhar.*

ligar (li.*gar*) *v.* **1.** Atar muito apertadamente, prender, apertar com corda, laço; enlaçar: *Ela juntou os gravetos e ligou-os com uma corda.* **2.** Conectar: *Ligamos o abajur na tomada do quarto.* **3.** Fazer aderir, pegar: *Ligou com cola os dois pedaços de papel.* **4.** Pôr em comunicação ou dar acesso a: *Um pequeno corredor ligava a sala ao interior da casa.* **5.** Combinar dois metais para obter um composto com determinadas propriedades: *Ouro e prata ligam-se muito bem e produzem uma liga excelente.* **6.** Associar, relacionar: *Só hoje liguei as ideias e cheguei a uma conclusão.* **7.** *fig.* Unir por vínculos morais ou de parentesco: *As duas famílias se ligam através de um antepassado comum.* **8.** *fig.* Unir-se em sentido moral ou afetivo: *Os jovens se ligavam por uma amizade antiga e forte.* **9.** Dar importância; levar em consideração: *É melhor você não ligar para nada do que ela diz.* **10.** Discar os números do telefone: *Queria falar com ela, mas liguei o número errado.* **11.** Fazer ligadura (3) de: *ligar as trompas.* ▶ Conjug. 8 e 34.

ligeireza (li.gei.*re*.za) *s.f.* **1.** Qualidade de ligeiro; leveza, celeridade, rapidez, presteza, agilidade. **2.** *fig.* Leviandade; superficialidade: *Tratou um assunto tão sério com ligeireza.*

ligeiro (li.*gei*.ro) *adj.* **1.** De pouca espessura; leve, tênue: *Cobriu a cabeça com um véu ligeiro.* **2.** Veloz, ágil: *os passos ligeiros dos jovens.* **3.** Leve; de digestão fácil: *uma refeição ligeira.* • *adv.* **4.** Com presteza, com rapidez: *Não pude entender, porque ele fala muito ligeiro.*

light [*láit*] (Ing.) *adj.* Diz-se do alimento com baixas calorias.

lignina (lig.*ni*.na) *s.f.* (Bot.) Substância que impregna os elementos da madeira e lhe dá a sua consistência.

lignito (lig.*ni*.to) *s.m.* Linhito.

lilá (li.*lá*) *s.m.* Lilás.

lilás (li.*lás*) *s.m.* (Bot.) **1.** Arbusto que dá flores em cachos, violeta-claro ou brancas. **2.** A cor lilás. • *adj.* **3.** Da cor do lilás, lilá, violeta-claro: *Esta blusa vai bem com tua saia lilás.* || *lilá*.

lima¹ (*li*.ma) *s.f.* **1.** Fruto cítrico produzido pela limeira. **2.** A limeira: *Plantou laranjas e limas.*

lima² (*li*.ma) *s.f.* Ferramenta de aço com estrias dentadas, usada para polir, raspar, desbastar metais ou outros materiais duros.

limalha (li.*ma*.lha) *s.f.* Pó resultante de um metal que foi limado: *limalha de ferro.*

limão (li.*mão*) *s.m.* **1.** O fruto do limoeiro. **2.** A cor verde-amarelada ou amarelo-esverdeada desse fruto. • *adj.* **3.** Da cor do limão: *Comprou uma camisa limão.*

limar (li.*mar*) v. **1.** Desbastar ou polir com a lima: *Limou a ponta do arpão*. **2.** Aprimorar; polir: *Não publica seus versos, antes de limá-los muito bem*. **3.** Despedir o funcionário de uma firma comprada por outra. ▶ Conjug. 5.

limbo (lim.bo) s.m. **1.** Na tradição cristã, lugar para onde vão as almas das crianças não batizadas e onde os justos esperaram a morte e ressurreição de Cristo. **2.** (*Astron.*) Contorno luminoso do disco de um astro. **3.** *fig.* Condição do que está indefinido ou esquecido: *Minha proposta foi para o limbo*.

limeira (li.mei.ra) s.f. (*Bot.*) Árvore que dá a lima.

limenho (li.me.nho) adj. **1.** De Lima, capital do Peru. • s.m. **2.** O natural ou o habitante dessa cidade.

limiar (li.mi:*ar*) s.m. **1.** Peça de cantaria ou de madeira que fica debaixo da porta. **2.** *fig.* Entrada de alguma coisa; início, começo: *no limiar do século XXI*.

liminar (li.mi.*nar*) adj. **1.** Que vem antes do assunto principal; preliminar: *as conversações liminares*. • s.f. (*Jur.*) **2.** Medida provisória concedida pelo juiz no começo de uma ação judicial que pode ou não ser revogada.

limitação (li.mi.ta.*ção*) s.f. **1.** Ato ou efeito de limitar(-se). **2.** Ação de delimitar, de fixar: *a limitação de um prazo*. **3.** Restrição, contenção: *a limitação de recursos*. **4.** *fig.* Insuficiência, imperfeição: *Ela fez o que pôde dentro das limitações humanas*.

limitado (li.mi.*ta*.do) adj. **1.** Que tem limitações: *verbas limitadas; ingressos limitados*. **2.** Delimitado, fixado: *horário limitado; prazo limitado*. **3.** Reduzido, restrito: *tiragem limitada*. **4.** Pouco dotado, de pouco talento: *um artista limitado*.

limitar (li.mi.*tar*) v. **1.** Demarcar os limites de alguma coisa: *A fazendeira limitou sua horta com uma cerca*. **2.** Restringir(-se); reduzir(-se) a determinadas proporções: *Limitaram os convites para a festa; Por falta de recursos, limitaram-se a ir só até Buenos Aires, deixando o Chile para depois*. **3.** Fazer fronteira com: *O Estado do Rio de Janeiro limita-se ao norte com o Espírito Santo*. ▶ Conjug. 5. – **limitativo** adj.

limite (li.mi.te) s.m. **1.** Linha que marca a separação entre duas coisas, principalmente entre dois países, dois estados, dois territórios etc.: *O Parnaíba marca o limite entre Piauí e Maranhão*. **2.** Ponto ou momento final de alguma coisa: *O tempo de espera tinha chegado a seu limite*. **3.** Data que marca o começo ou o fim de alguma coisa: *65 anos não pode ser o limite do tempo de atividade de um homem*.

limítrofe (li.*mí*.tro.fe) adj. **1.** Diz-se de um país, estado, região etc. que faz limite com outro: *São Paulo e Paraná são estados limítrofes*. **2.** Que vive na fronteira; que se situa na fronteira: *as populações limítrofes do Brasil e do Uruguai; O amor e a amizade são sentimentos limítrofes*.

limnologia (lim.no.lo.gi.a) s.f. Estudo ou tratado das águas estagnadas, lagos e pântanos. – **limnológico** adj.; **limnólogo** s.m.

limo (li.mo) s.m. **1.** Massa esverdeada de algas que se forma sobre superfícies úmidas. **2.** Lodo que se forma sobre um terreno; lama, barro.

limoeiro (li.mo:ei.ro) s.m. (*Bot.*) Árvore que dá o limão.

limonada (li.mo.*na*.da) s.f. Refresco feito com água, limão e açúcar.

limoso [ô] (li.*mo*.so) adj. Que tem limo: *um terreno limoso*. || f. e pl.: [ó].

limpa (lim.pa) s.f. **1.** Ato ou efeito de limpar. **2.** Ação de retirar galhos secos, parasitas e ervas daninhas de um jardim ou plantação: *Contrataram homens para fazer a limpa do canavial*. **3.** *gír.* Roubo de tudo: *Os ladrões fizeram uma limpa na casa do vizinho*.

limpadela (lim.pa.de.la) s.f. Ato de limpar rápida ou superficialmente: *Dê uma limpadela neste balcão!*

limpador [ô] (lim.pa.*dor*) adj. **1.** Que limpa. • s.m. **2.** Aquele ou aquilo que limpa: *Onde você guardou o limpador de vidros?*

limpar (lim.*par*) v. **1.** Tornar(-se) limpo, tirar as sujidades: *Limpou os pés antes de entrar; Limpou-se da poeira da rua*. **2.** Polir, esfregar para tornar brilhante: *limpar a prataria da casa*. **3.** Tirar ramos secos ou inúteis, ervas daninhas etc. de um jardim ou plantação: *Ela limpou o capim do canteiro de alface*. **4.** Fazer a assepsia; desinfetar: *Limpou o ferimento e aplicou uma pomada*. **5.** Retirar o que estava acumulado: *Limpou o quintal de caixas, garrafas e outras coisas velhas*. **6.** Retirar escamas, vísceras de animais: *Limpe e tempere o peixe com limão!* **7.** Separar impurezas e grãos estragados; catar: *À noite, antes de ir dormir, limpava o feijão do dia seguinte*. **8.** Tornar(-se) claro (o ar, o céu); desanuviar: *De repente o céu limpou, e o sol surgiu*. **9.** Livrar um lugar de alguém ou de algo nocivo: *O novo presidente limpou a empresa dos maus elementos*. **10.** *gír.* Esvaziar, tirando ou

limpa-trilhos

roubando: *Limparam as prateleiras do supermercado.* || part.: *limpado* e *limpo* ▶ Conjug. 5.

limpa-trilhos (lim.pa-tri.lhos) *s.m.2n.* **1.** Grade de ferro à frente das locomotivas para retirar obstáculos dos trilhos. **2.** *pej.* Diz-se da pessoa dentuça.

limpeza [ê] (lim.pe.za) *s.f.* **1.** Ato ou efeito de limpar(-se): *A faxineira fez a limpeza da casa.* **2.** Estado e condição do que está limpo: *Todos elogiaram a limpeza da cozinha do restaurante.* **3.** *gír.* Roubo completo; limpa: *Os assaltantes fizeram uma limpeza no cofre do banco.*

límpido (lím.pi.do) *adj.* **1.** Transparente, diáfano, limpo: *águas límpidas.* **2.** Nítido, claro: *uma voz límpida.* **3.** Sem nuvens, claro: *tarde límpida de outono.* – **limpidez** *s.f.*

limpo (lim.po) *adj.* **1.** Que não tem sujeira nem poeira: *uma sala limpa.* **2.** Bem lavado; asseado, higiênico: *Os bebês estão limpos no berçário.* **3.** Livre de ervas nocivas: *O canteiro das violetas estava sempre limpo.* **4.** Transparente, límpido, sem nuvens: *Na hora de levantar voo, o céu estava limpo e claro.* **5.** De confiança; honesto, certo: *uma transação limpa.* **6.** *coloq.* Sem dinheiro: *Depois dessas compras, fiquei limpo.* || *Passar a limpo*: **1.** recopiar com esmero: *A aluna passou a limpo as anotações da aula.* **2.** resolver pendências, reconsiderar assuntos: *Os irmãos passaram a limpo velhas divergências.* • *Tirar a limpo*: apurar, aclarar, tirar as dúvidas que possam existir a respeito de algo: *É preciso tirar a limpo essas informações.*

limusine (li.mu.si.ne) *s.f.* Certo automóvel grande e fechado, de luxo.

lince (lin.ce) *s.m.* (*Zool.*) Mamífero carnívoro da família dos felídeos ao qual se atribui uma visão extraordinária.

linchar (lin.char) *v.* Justiçar sumariamente, sem julgamento e por processos cruéis. ▶ Conjug. 5. – **linchamento** *s.m.*

lindeza [ê] (lin.de.za) *s.f.* **1.** Qualidade daquilo que é lindo. **2.** Beleza.

lindo (lin.do) *s.m.* **1.** Muito bonito: *um lindo pôr do sol.* **2.** Bem-feito; primoroso: *Você fez um lindo trabalho.* **3.** Que emociona, emocionante, comovente: *Ele escrevia lindas cartas para a mãe.*

lineamento (li.ne:a.men.to) *s.m.* **1.** Traço linear, linha: *Seguia o lineamento da rua.* • *lineamentos s.m.pl.* **2.** Linhas gerais, esboço: *A obra está ainda em seus lineamentos.*

linear (li.ne:ar) *adj.* **1.** Relativo a linha. **2.** Que se apresenta em disposição de linhas: *uma com-*

posição linear. **3.** Feito com linhas geométricas: *desenho linear, perspectiva linear.* **4.** Relativo a comprimento: *medidas lineares.* **5.** *fig.* Que segue uma sequência lógica, sem enredos ou complicações: *uma narrativa linear.* – **linearidade** *s.f.*

linfa (lin.fa) *s.f.* **1.** (*Biol.*) Líquido transparente, incolor e alcalino, que circula nos vasos linfáticos e contém leucócitos em suspensão. **2.** Qualquer humor aquoso. **3.** *poét.* Água.

linfático (lin.fá.ti.co) *adj.* **1.** Relativo a linfa. **2.** Que contém ou conduz a linfa: *vasos linfáticos.*

linfócito (lin.fó.ci.to) *s.m.* (*Anat.*) Célula do sangue e da linfa que age no sistema imunológico.

linfoide [ói] (lin.foi.de) *adj.* (*Med.*) Semelhante a linfa ou a gânglios linfáticos.

linfoma (lin.fo.ma) *s.m.* (*Med.*) Tumor, geralmente maligno, de gânglios linfáticos.

lingerie [*langerri*] (Fr.) *s.f.* Peças de roupa íntima feminina, como calcinha, sutiã, camisola etc.

lingote [ó] (lin.go.te) *s.m.* Barra de metal ou de liga, obtida por fundição dentro de um molde e que ainda não foi trabalhada.

língua (lín.gua) *s.f.* **1.** (*Anat.*) Órgão muscular, alongado, móvel, situado no assoalho da cavidade bucal e que serve para sentir os sabores, para auxílio da mastigação, deglutição e articulação dos sons. **2.** Qualquer coisa que lembra a forma desse órgão: *línguas de fogo.* **3.** (*Ling.*) Sistema de símbolos convencionais orais por meio dos quais os seres humanos, como membros de um grupo social e participantes de sua cultura, comunicam-se e expressam pensamentos, desejos e emoções; idioma. **4.** O léxico e gramática próprios de uma época, de um escritor, de uma região, de um grupo profissional: *a língua dos simbolistas; a língua dos quinhentistas; a língua dos bacharéis.* • *s.m.* **5.** Pessoa que serve de intérprete: *Franz é o língua da expedição.* || *Dar com a língua nos dentes*: revelar um segredo; contar o que não devia ser contado: *Recomendei-lhe que guardasse segredo, mas ele deu com a língua nos dentes.* • *Dobrar a língua*: retirar ou corrigir o que se disse (sobretudo coisas de caráter negativo): *Dobre a língua para falar de minha madrinha.* • *Língua de trapo*: pessoa que gosta de falar mal dos outros. • *Língua ferina*: pessoa que gosta de falar mal dos outros: *A vizinha é uma língua ferina.* • *Não*

linha-d'água

falar a mesma língua: ter interesses diferentes do outro; não se entender bem com o outro: *Eu e meu irmão não falamos a mesma língua*. • *Não ter papas na língua*: falar sem rodeios.

língua-de-sogra (lín.gua-de-so.gra) *s.f.* (*Bot.*) Nome dado à planta espada-de-são-jorge. ‖ pl.: *línguas-de-sogra*.

língua de sogra *s.f.* Artefato carnavalesco, provido de um assobio, que, quando soprado, se desenrola feito uma língua.

linguado (lin.gua.do) *s.m.* (*Zool.*) Peixe de forma mais ou menos oval e achatada que tem os dois olhos no mesmo lado e cuja carne é muito apreciada.

linguagem (lin.gua.gem) *s.f.* **1.** (*Ling.*) Faculdade de que dispõem os seres humanos de se expressarem por meio de sons vocais. **2.** Modo particular por meio do qual uma época, uma região, um grupo social ou uma pessoa se utilizam da língua: *linguagem caipira*; *linguagem barroca*. **3.** Modo de se expressar por meio de signos não vocais, tais como gestos, imagens, sons musicais, sinais gráficos, cores etc.: *linguagem dos surdos-mudos*.

linguajar (lin.gua.jar) *s.m.* **1.** Modo de falar: *Modere seu linguajar*. **2.** Falar regional: *o linguajar carioca*.

lingual (lin.gual) *adj.* Relativo à língua, de língua.

língua-negra (lín.gua-ne.gra) *s.f.* Faixa escura que aparece na areia da praia, chegando até o mar, formada por transbordamento de esgoto.

linguarudo (lin.gua.ru.do) *adj.* **1.** Que tem língua comprida; maldizente, falador. • *s.m.* **2.** Pessoa que tem língua comprida, que é maldizente: *Aquele linguarudo está falando mal de todo mundo*.

lingueta [üê] (lin.gue.ta) *s.f.* **1.** Pequena língua. **2.** Peça da fechadura que é movida quando se gira a chave para abrir ou trancar a porta. **3.** Pequena tira de couro ou material plástico em forma de língua, que fica sobre o peito do pé e abaixo do trançado dos cadarços: *Puxei a lingueta de meu sapato*.

linguiça [ü] (lin.gui.ça) *s.f.* Tripa, geralmente de porco ou de carneiro, recheada de carne temperada. ‖ *Encher linguiça*: encher o tempo, ocupando-se em outra coisa que não a que se deveria fazer.

linguista [ü] (lin.guis.ta) *s.m. e f.* Pessoa especializada em estudos de Linguística.

linguística [ü] (lin.guís.ti.ca) *s.f.* Ciência que, tendo por objeto a linguagem humana, procura estabelecer uma teoria que explique as características gerais desta linguagem, e, de um modo explícito e coerente com esta teoria, a gramática de cada língua particular.

linguodental (lin.guo.den.tal) *adj.* (*Ling.*) **1.** Que se articula com o auxílio da língua e da arcada dentária superior: *um fonema linguodental*. • *s.f.* **2.** Esse fonema: *Pronuncia bem as linguodentais*.

linha (li.nha) *s.f.* **1.** Traço continuado: *Nesta linha escreva seu endereço!* **2.** Traço desenhado sobre uma superfície, dividindo espaços: *Não havendo acidente geográfico na região, a fronteira é marcada por uma linha; a linha do Trópico de Câncer*. **3.** Cada um dos traços que marcam a palma da mão: *A cigana leu as linhas de minha mão*. **4.** Fio de linho, de algodão, de seda ou outra matéria têxtil, preparado para trabalhos de costura e bordado. **5.** Qualquer fio ou corda para usos diversos: *A linha de sua pipa tem cerol*. **6.** Conexão do telefone: *Seu telefone está dando linha?* **7.** O sistema de comunicações telegráficas ou telefônicas: *As andorinhas pousavam nas linhas do telégrafo*. **8.** Fio com um anzol em uma das extremidades, preso a uma vara, usado para a pesca: *Esta linha forte é boa para peixe grande*. **9.** Os trilhos de uma ferrovia: *O descarrilhamento deixou a locomotiva atravessada na linha*. **10.** Qualquer traço, sulco ou aresta semelhantes a um fio. **11.** Cada série de palavras dispostas horizontalmente sobre uma folha de papel: *Na décima linha de seu texto, havia um erro de grafia*. **12.** Itinerário de um veículo de transporte coletivo: *Tome o ônibus da linha Urca–Leblon!* **13.** Maneira de ser correta, elegante: *uma senhora de muita linha*. **14.** Estilo; desenho, traço: *uma igreja de linhas modernas*. **15.** Maneira de fazer alguma coisa; orientação: *Ele seguia estritamente as linhas de seu mestre*. **16.** Traço que limita um objeto, contorno, lineamento: *as maravilhosas linhas da estátua de Vênus*. **17.** Série de produtos: *Foi lançada uma nova linha de cosméticos*. **18.** Cada um dos traços horizontais que formam a pauta musical: *Desenhe uma nota na linha de sol!* ‖ *Andar na linha*: comportar-se convenientemente: *Depois de fazer muita bobagem, ele agora anda na linha*. • *De primeira linha*: de excelente qualidade; de primeira categoria: *É uma orquestra de primeira linha*. • *Linha dura*: linha política que preconiza rigor contra qualquer manifestação oposicionista: *A linha dura quis dominar o regime militar*.

linhaça (li.nha.ça) *s.f.* Semente do linho.

linha-d'água (li.nha-d'á.gua) *s.f.* **1.** Traço pintado no casco do navio, marcando a linha de flutuação. **2.** Marca de fabricação de papel, visível apenas na contraluz. ‖ pl.: *linhas-d'água*.

linha-dura

linha-dura (li.nha-du.ra) *adj.* **1.** Relativo a linha dura na política: *uma atuação linha-dura.* • *s.m.* e *f.* **2.** Partidário da linha dura na política: *Aquele general era um linha-dura.* || pl.: linhas--duras.

linhagem (li.*nha*.gem) *s.f.* O conjunto dos antepassados e dos descendentes de uma família: *Era uma virgem da linhagem de Davi.*

linhito (li.*nhi*.to) *s.f.* (*Geol.*) Carvão fóssil de fraco poder calorífico; lignito.

linho (*li*.nho) *s.m.* (*Bot.*) **1.** Planta herbácea cujas fibras são utilizadas na indústria têxtil e de cujas sementes (linhaça) se faz óleo utilizado na pintura e na indústria de tintas. **2.** Tecido feito com fibras de linho: *Mandou fazer um terno de linho.*

linifício (li.ni.*fí*.ci:o) *s.m.* Fábrica de tecidos de linho.

linimento (li.ni.*men*.to) *s.m.* **1.** Medicamento líquido usado em massagens ou fricções na pele e cuja base é ordinariamente um óleo. **2.** *fig.* Tudo o que serve para acalmar, abrandar, suavizar: *Sua carta foi um linimento para minha solidão.*

link [*linc*] (Ing.) *s.m.* (*Inform.*) Palavra ou ícone que conecta um ponto a outro em documentos e *sites*.

linografia (li.no.gra.*fi*.a) *s.f.* Processo de impressão sobre pano.

linóleo (li.*nó*.le:o) *s.m.* Tecido impermeável, feito de juta misturada com cortiça em pó e óleo de linhaça.

linotipia (li.no.ti.*pi*.a) *s.f.* **1.** (*Art. Gráf.*) Técnica e arte de compor com a linotipo. **2.** Seção ou oficina de composição com essa técnica.

linotipo (li.no.*ti*.po) *s.f.* (*Art. Gráf.*) Máquina de composição tipográfica de caracteres em linhas inteiras. – **linotipista** *s.m.* e *f.*

liofilizar (li:o.fi.li.*zar*) *v.* Produzir desidratação por meio de congelação brusca e, a seguir, alta pressão em vácuo: *Liofilizar os alimentos é um cuidado das indústrias alimentícias.* ▶ Conjug. 5.

lipídio (li.*pí*.di:o) *s.m.* (*Quím.*) Molécula orgânica que possui propriedades análogas às das gorduras e armazena energia.

lipo (*li*.po) *s.f.* (*Med.*) Forma reduzida de *lipoaspiração.*

lipoaspiração (li.po:as.pi.ra.*ção*) *s.f.* (*Med.*) Processo em que se realiza aspiração de gordura em determinadas regiões do corpo; lipo.

lipoma (li.*po*.ma) *s.m.* (*Med.*) Tumor devido ao acúmulo de células gordurosas.

liquefazer [que *ou* qüe] (li.que.fa.*zer*) *v.* Tornar líquido; derreter: *O calor liquefez o gelo; Com o calor o gelo se liquefez.* ▶ Conjug. 61.

liquefeito [que *ou* qüe] (li.que.*fei*.to) *adj.* Que foi reduzido a líquido; derretido.

líquen (*lí*.quen) *s.m.* (*Bot.*) Vegetal resultante da simbiose da alga com o cogumelo. || pl.: *liquens* e *líquenes.*

liquidação [qui *ou* qüi] (li.qui.da.*ção*) *s.f.* **1.** Ato de liquidar. **2.** (*Jur.*) Série de procedimentos tomados na dissolução de uma sociedade mercantil. **3.** Venda de mercadorias a preços reduzidos para renovação dos estoques.

liquidante [qui *ou* qüi] (li.qui.*dan*.te) *adj.* **1.** Que liquida. • *s.m.* e *f.* **2.** Pessoa física ou jurídica encarregada da liquidação de uma sociedade comercial, quando esta se dissolve.

liquidar [qui *ou* qüi] (li.qui.*dar*) *v.* **1.** Pagar conta ou saldo, dívida, débito ou obrigação. **2.** Vender a qualquer preço o estoque velho. ▶ Conjug. 5.

liquidez [qui *ou* qüi] (li.qui.*dez*) *s.f.* **1.** Qualidade ou estado de líquido. **2.** (*Econ.*) Facilidade que tem um título ou um bem de ser negociado, vendido ou realizado por seu valor em dinheiro.

liquidificador [qui *ou* qüi...ô] (li.qui.di.fi.ca.*dor*) *adj.* **1.** Que liquidifica. • *s.m.* **2.** Aparelho eletrodoméstico destinado a liquidificar frutas e outros alimentos.

liquidificar [qui *ou* qüi] (li.qui.di.fi.*car*) *v.* Liquefazer: *A proximidade do fogo liquidificou a manteiga.* ▶ Conjug. 5 e 35.

líquido [qui *ou* qüi] (*lí*.qui.do) *adj.* **1.** Que flui e toma a forma do vaso que o contém. **2.** *fig.* Que não tem mais deduções para serem feitas: *peso líquido; salário líquido.* • *s.m.* **3.** Substância líquida (1). **4.** Bebida ou alimento líquido: *Tome bastante líquido quando estiver gripado!*

lira[1] (*li*.ra) *s.f.* Antigo instrumento musical de cordas em forma de U, cortado no alto por uma barra onde se fixavam as cordas.

lira[2] (*li*.ra) *s.f.* Moeda usada na Itália, no Vaticano e em São Marino, antes da adoção do euro.

lírica (*lí*.ri.ca) *s.f.* **1.** O gênero lírico. **2.** Coleção de poemas líricos de um autor, de uma escola literária ou de um período: *a lírica de Camões; a lírica do Romantismo; a lírica renascentista.*

lírico (*lí*.ri.co) *adj.* **1.** Em que o poeta expressa o que está em seu íntimo, seu sentimento pessoal: *um poema lírico*. **2.** Relativo a ópera e ao ator ou atriz que representa cantando em óperas: *o canto lírico; uma atriz lírica.* • *s.m.* **3.** Poeta que cultiva o gênero lírico: *os líricos do Romantismo.*

lírio (lí.ri:o) *s.m.* (*Bot.*) **1.** Planta de bulbo, que dá flores mais comumente brancas e aromáticas. **2.** A flor dessa planta; lis.

lirismo (li.*ris*.mo) *s.m.* **1.** Qualidade de lírico. **2.** Conjunto da poesia lírica de um autor, uma época: *o lirismo de Castro Alves; o lirismo medieval.* **3.** Modo de expressão: *Há muito lirismo nesse teu gesto.*

lis *s.m.* (*Bot.*) Lírio, flor-de-lis.

lisboeta [ê] (lis.bo:e.ta) *adj.* **1.** De Lisboa, capital de Portugal. • *s.m.* e *f.* **2.** O natural ou o habitante dessa cidade.

liso (*li.so*) *adj.* **1.** Que é sem asperezas nem ondulações na superfície; plano: *parede lisa.* **2.** Que é corredio, não crespo, falando-se de cabelo. **3.** Que é de cor única, sem estampados ou listras: *um vestido vermelho liso.* **4.** Que não possui ornatos, rendas ou bordados: *Preferiu a blusa lisa, bem simples.* **5.** *fig. gír.* Sem dinheiro, duro: *Não adianta me cobrar agora: estou liso.*

lisonja (li.*son*.ja) *s.f.* **1.** Louvor exagerado, às vezes fingido, feito por interesse; bajulação. **2.** *fig.* Mimo, afago.

lisonjear (li.son.je:*ar*) *v.* **1.** Tentar agradar com lisonja ou adulação; adular: *Lisonjeava o sogro, a fim de obter a escritura definitiva da fazenda.* **2.** Receber com satisfação agrados e lisonjas: *Sua delicadeza muito me lisonjeia; Lisonjeava-se com cada palavra de elogio.* ▶ Conjug. 14.

lisonjeiro (li.son.*jei*.ro) *adj.* **1.** Que lisonjeia, que satisfaz o amor-próprio: *Suas palavras me soam como lisonjeiras demais.* • *s.m.* **2.** Pessoa que lisonjeia: *O lisonjeiro nem sempre obtém o que deseja.*

lista (*lis*.ta) *s.f.* **1.** Enumeração de nomes de pessoas ou de coisas; relação, listagem: *Naquela lista enorme não estava seu nome: você não foi aprovado.* **2.** Faixa comprida e estreita de papel, pano ou qualquer material similar: *Enfeitaram a rua com listas verdes e amarelas.* **3.** Listra. ‖ *Lista negra*: relação de nomes de pessoas ou de instituições consideradas não gratas ou prejudiciais ao organizador da lista: *De repente ele descobriu que seu nome estava na lista negra de seu chefe.*

listagem (lis.*ta*.gem) *s.f.* **1.** Lista, relação: *Já escrevi seu nome na listagem.* **2.** (*Inform.*) Lista contínua de dados, escrita em papel.

listar (lis.*tar*) *v.* Incluir numa lista; arrolar: *Vamos listar os que votam a favor da proposta.* ▶ Conjug. 5.

listra (*lis*.tra) *s.f.* Risca de cor diferente da do fundo de um tecido, papel etc.; lista (2).

listrado (lis.*tra*.do) *adj.* Que tem listras: *um tecido listrado.*

listrar (lis.*trar*) *v.* Ornar ou pintar com listras ou riscas: *A fábrica listrava os tecidos com cores vivas.* ▶ Conjug. 5.

lisura (li.*su*.ra) *s.f.* **1.** Qualidade de liso. **2.** *fig.* Sinceridade, franqueza. **3.** Honestidade, boa-fé, honradez. **4.** *gír.* Falta de dinheiro, pindaíba.

litania (li.ta.*ni*.a) *s.f.* Ladainha.

liteira (li.*tei*.ra) *s.f.* Antiga cadeirinha portátil, coberta e fechada, sustentada por meio de dois varais compridos, que era conduzida por dois homens ou duas cavalgaduras.

literal (li.te.*ral*) *adj.* **1.** Que reproduz integralmente o que foi dito ou escrito. **2.** Correto, exato. – **literalidade** *s.f.*

literário (li.te.*rá*.ri:o) *adj.* Referente à literatura: *um evento literário; valor literário.*

literatura (li.te.ra.*tu*.ra) *s.f.* (*Lit.*) **1.** Arte que tem sua expressão na linguagem oral e, mais frequentemente, na escrita: *Isso não é um escrito qualquer; isso é literatura.* **2.** Teoria e estudo das manifestações literárias: *José estuda Literatura.* **3.** Todo o conjunto das obras literárias de um país, de uma língua, de uma época: *a literatura russa; a literatura hispano-americana; a literatura medieval.* **4.** Conjunto de obras escritas sobre determinado assunto: *a literatura jurídica; a literatura pedagógica.* ‖ *Literatura de cordel*: Literatura popular brasileira do Nordeste, impressa em folhetos soltos que estão à venda nas feiras, mercados e praças, pendurados em cordéis.

litigante (li.ti.*gan*.te) *adj.* **1.** Que litiga; que está em litígio: *os países litigantes.* • *s.m.* e *f.* **2.** Aquele que está em litígio: *Os litigantes não querem se entender.*

litigar (li.ti.*gar*) *v.* (*Jur.*) Entrar em litígio contra alguém, contestando sua demanda; litigiar: *Ela resolveu litigar contra o irmão a herança de seu pai.* ▶ Conjug. 5 e 34.

litigiar (li.ti.gi:*ar*) *v.* Litigar. ▶ Conjug. 17.

litígio (li.*tí*.gi:o) *s.m.* (*Jur.*) **1.** Pendência em juízo. **2.** Qualquer divergência entre pessoas.

litigioso

litigioso [ô] (li.ti.gi:o.so) *adj.* **1.** Que é objeto de litígio. **2.** Que está em dependência de juízo. || f. e pl.: [ó].

lítio (lí.ti:o) *s.m.* (*Quím.*) Metal alcalino usado em baterias e em ligas metálicas. || Símbolo: *Li.*

litófilo (li.tó.fi.lo) *adj.* Que nasce e cresce nas rochas: *uma orquídea litófila.*

litografia (li.to.gra.fi.a) *s.f.* **1.** Arte de gravar imagem sobre superfície de pedra: *Dedicou-se à litografia.* **2.** Imagem obtida por esse processo: litogravura: *Comprei uma litografia antiga de Nossa Senhora.* **3.** Oficina em que se trabalha nesse tipo de arte: *Vendeu sua litografia com todas as peças.*

litogravura (li.to.gra.vu.ra) *s.f.* Litografia (2).

litologia (li.to.lo.gi.a) *s.f.* Ramo da Geologia que se ocupa do estudo das rochas com base em características como cor, textura, estrutura, composição etc.; petrologia.

litoral (li.to.ral) *s.m.* Terras próximas ao mar; costa: *O litoral do Rio Grande do Norte tem praias belíssimas.*

litorâneo (li.to.râ.ne:o) *adj.* Referente ou situado à beira-mar ou que habita o litoral; litoral: *a vegetação litorânea.*

litorina (li.to.ri.na) *s.f.* Automotriz.

litosfera [é] (li.tos.fe.ra) *s.f.* (*Geogr.*) Camada solidificada da Terra; crosta terrestre.

litro (li.tro) *s.m.* **1.** Unidade de capacidade para líquidos e substâncias granulosas e farináceas secas, equivalente a um decímetro cúbico. || Símbolo: *l.* **2.** O equivalente em líquido a essa quantidade: *Bebeu um litro de leite.* **3.** Garrafa que pode conter um litro de líquido: *O litro de álcool está vazio.*

liturgia (li.tur.gi.a) *s.f.* (*Rel.*) Conjunto de normas e usos que regulam os rituais e cultos de uma igreja: *A liturgia católica adotou as línguas vernáculas em seus rituais.*

litúrgico (li.túr.gi.co) *adj.* Relativo a liturgia: *O roxo é a cor litúrgica da Quaresma.*

lividez [ê] (li.vi.dez) *s.f.* Qualidade e condição do que é lívido: *a lividez de seu rosto.*

lívido (lí.vi.do) *adj.* Que é ou está pálido, sem cor de saúde: *mãos lívidas.*

living [lívin] (Ing.) *s.m.* Sala da casa onde se recebem as visitas; sala de estar.

livramento (li.vra.men.to) *s.m.* Ato de livrar; libertação.

livrar (li.vrar) *v.* **1.** Tornar(-se) livre; soltar(-se), libertar(-se): *Livraram os prisioneiros do campo de concentração; Graças ao indulto, livrou-se da cadeia.* **2.** Safar(-se); salvar(-se): *Com muito trabalho, ela livrou-se das dívidas.* **3.** Guardar(-se); preservar(-se): *Livrai-nos do mal.* ▶ Conjug. 5.

livraria (li.vra.ri.a) *s.f.* Estabelecimento comercial que vende livros.

livre (li.vre) *adj.* **1.** Que não está preso; solto: *uma fera livre da jaula.* **2.** Que pode tomar as decisões que lhe convêm; independente: *um homem livre.* **3.** Que não está sujeito a ninguém: *O escravo tornou-se livre.* **4.** Que não está ocupado: *horário livre.* **5.** Isento: *livre de impostos.* **6.** Que está no gozo de seus direitos: *um cidadão livre.* **7.** Sem limitação: *imaginação livre.* **8.** Desprovido, isento: *livre de preconceitos.* || sup. abs.: libérrimo e livríssimo.

livre-arbítrio (li.vre-ar.bí.tri:o) *s.m.* (*Fil.*) Liberdade para tomar decisões de acordo com seu próprio discernimento. || pl.: livres-arbítrios.

livreco [é] (li.vre.co) *s.m.* Livro de pouco valor literário.

livre-docência (li.vre-do.cên.ci:a) *s.f.* **1.** Concurso em que se podem inscrever professores universitários portadores do título de doutor para obter o título de livre-docente. **2.** Esse título. || pl.: livres-docências.

livre-docente (li.vre-do.cen.te) *s.m. e f.* Título acadêmico concedido a um professor de ensino superior que é aprovado em concurso de livre-docência. || pl.: livres-docentes.

livreiro (li.vrei.ro) *adj.* **1.** Relativo a livro: *o mercado livreiro.* • *s.m.* **2.** Comerciante de livro.

livre-pensador [ô] (li.vre-pen.sa.dor) *s.m.* Pessoa que tem sua própria opinião das coisas, independentemente de normas. || pl.: livres-pensadores.

livresco [ê] (li.vres.co) *adj.* **1.** Relativo a livro. **2.** Que resulta da leitura de livros, sem a observação e a vivência da realidade: *uma cultura livresca.*

livríssimo (li.vrís.si.mo) *adj.* Superlativo absoluto de livre.

livro (li.vro) *s.m.* **1.** Bloco de folhas de papel escritas, normalmente impressas, unidas de um lado e cobertas por uma capa. **2.** Obra impressa de caráter científico ou literário: *um livro de geografia; o livro de poesias.* **3.** Registro de escrituração comercial: *O inspetor quis ver o livro da loja.* || *Livro de cabeceira:* o livro predileto: *Seu livro de cabeceira era um romance de Machado de Assis.* • *Livro de tombo:* livro que nos arquivos e instituições congêneres serve para registrar documentos, como certidões, decretos, correspondência etc.

localidade

lixa [ch] (li.xa) *s.f.* Papel ou tira de papelão com material abrasivo num dos lados, que serve para polir e alisar madeira, metal, parede etc.

lixão [ch] (li.xão) *s.m.* Lugar onde se deposita lixo: *O lixão ficava longe da cidade.*

lixar [ch] (li.xar) *v.* **1.** Alisar ou desbastar com lixa: *Ela lixava cuidadosamente as unhas.* **2.** *fig.* Danar-se; arruinar-se: *Queria que todos se lixassem.* **3.** *fig.* Não se incomodar com; não dar importância a: *Ela se lixava para os conselhos da mãe.* ▶ Conjug. 5.

lixeira [ch] (li.xei.ra) *s.f.* **1.** Recipiente para lixo. **2.** Lugar onde se deposita lixo.

lixeiro [ch] (li.xei.ro) *s.m.* Pessoa que recolhe o lixo das ruas; gari.

lixívia [ch] (li.xí.vi:a) *s.f.* Solução à base de soda e carbonato de sódio própria para lavar roupa e limpeza doméstica; barrela.

lixo [ch] (li.xo) *s.m.* **1.** Tudo o que não tem mais serventia; refugo, restos: *lixo hospitalar.* **2.** Lugar onde se lança o que não serve mais; lixeira: *Jogue as cascas no lixo!* **3.** Coisas sujas, sujeiras, porcarias: *Que lixo!* **4.** Aquilo a que não se dá valor; coisa ruim, de má qualidade: *Essa literatura é um lixo.*

lo [ô] *pron. pess.* **1.** Forma que assume o pronome pessoal *o* depois das formas verbais terminadas em *r, s* e *z: amar o* > *amá-lo; fiz o* > *fi-lo.* **2.** Na linguagem formal escrita, quando o pronome *o* se liga aos pronomes *nos* e *vos: no-lo; vo-lo.* **3.** Depois do advérbio *eis: ei-lo.*

loa [ô] (lo.a) *s.f.* Discurso de louvor; elogio: *Vivia cantando loas ao avô candango.*

lobado (lo.ba.do) *adj.* Que é dividido em lóbulos: *uma folha lobada.*

lobby [*lóbi*] (Ing.) *s.m.* **1.** Grupo de pessoas que procuram influenciar as decisões dos poderes, sobretudo os públicos, em favor de uma causa ou de uma empresa. **2.** O trabalho desses grupos: *Eles fizeram lobby na Câmara dos Deputados.*

lobinho (lo.bi.nho) *s.m.* **1.** Escoteiro principiante. **2.** (Zool.) Pequeno lobo.

lobisomem (lo.bi.so.mem) *s.m.* (Folc.) Segundo a crença popular, homem que vira lobo violento nas noites de lua cheia.

lobista (lo.bis.ta) *s.m.* e *f.* Aquele que faz *lobby.*

lobo [ó] (lo.bo) *s.m.* (Anat.) Parte de um órgão marcada por uma certa nitidez, resultante de sua forma especial: *lobos do cérebro; lobos do pulmão.*

lobo [ô] (lo.bo) *s.m.* (Zool.) Animal selvagem e carnívoro, semelhante ao cão, que vive e caça em bandos.

lobo do mar [ô] *s.m.* Marinheiro velho de muita experiência nos trabalhos do mar.

lobotomia (lo.bo.to.mi.a) *s.f.* (Med.) Antigo tratamento da esquizofrenia que consistia no corte do lobo frontal do cérebro.

lôbrego (lô.bre.go) *adj.* Que é escuro, sombrio, lúgubre.

lobrigar (lo.bri.gar) *v.* **1.** Enxergar com pouca clareza; entrever: *No meio da névoa, mal se lobrigavam as fachadas das casas.* **2.** Ver casualmente, avistar: *Ainda do mar, lobriguei as montanhas do Rio.* **3.** Perceber, notar: *Há algum tempo ele lobrigava movimentos suspeitos contra a chefia.* ▶ Conjug. 5 e 34.

lóbulo (ló.bu.lo) *s.m.* (Anat.) **1.** Pequeno lobo [ó]: *os lóbulos cerebrais.* **2.** Parte inferior da orelha onde normalmente se insere o brinco: *Furou o lóbulo da orelha e meteu os brincos da avó.*

lobuloso [ô] (lo.bu.lo.so) *adj.* Que é dividido em muitos lóbulos. || f. e pl.: [ó].

loca [ó] (lo.ca) *s.f.* Toca onde se escondem os peixes, sob uma pedra ou tronco submerso.

locação (lo.ca.ção) *s.f.* **1.** Aluguel de imóvel, carro, aparelhos etc. **2.** Escolha de locais para filmagem: *O filme teve locações na serra da Capivara.*

locador [ô] (lo.ca.dor) *s.m.* Pessoa que se compromete a ceder, por tempo estipulado em acordo, casa, apartamento, carro etc. a outra pessoa, mediante um preço estabelecido entre as partes; senhorio (2).

locadora [ô] (lo.ca.do.ra) *s.f.* Estabelecimento comercial que aluga bens móveis, como carros, filmes, fitas de vídeo, DVDs etc.

local (lo.cal) *adj.* **1.** Do lugar; pertencente ao lugar: *A festa será animada por uma orquestra local.* **2.** Que se limita a uma área ou região: *Operou-se com anestesia local.* • *s.m.* **3.** Lugar definido ligado a um fato ou acontecimento: *o local da Bahia onde Cabral aportou; o local onde nasceu o herói.*

localidade (lo.ca.li.da.de) *s.f.* **1.** Lugar determinado: *Não se conseguiu descobrir a localidade da ocorrência.* **2.** Pequena cidade, vila, aldeia: *A festa do padroeiro da localidade reunia muita gente.* **3.** Região, sítio: *O pássaro só era encontrado em localidades remotas.*

localização

localização (lo.ca.li.za.ção) *s.f.* **1.** Ato de localizar (-se): *A denúncia dos vizinhos ajudou na localização do sequestrado.* **2.** Lugar em que alguém ou alguma coisa está localizado: *A localização da fazenda garante-lhe sempre um alto preço.*

localizar (lo.ca.li.zar) *v.* **1.** Chegar a descobrir o paradeiro de alguém ou de alguma coisa que se julgava perdido ou fugido: *Em poucas horas a polícia localizou o ladrão do banco.* **2.** Situar (-se) em determinado lugar: *Localizou sua banca de jornal na esquina mais movimentada da cidade*; *A igreja matriz localiza-se na praça principal.* **3.** Identificar, detectar: *De sua janela, ele localizou o Cruzeiro do Sul e o mostrou a sua mãe.* ▶ Conjug. 5.

loção (lo.ção) *s.f.* Preparado líquido usado como medicamento, perfume ou cosmético: *A atriz usava uma loção para retirar a maquiagem.*

locar (lo.car) *v.* **1.** Tomar em aluguel; alugar: *Locou um apartamento de quarto e sala no Catete e instalou-se logo nele.* **2.** Entregar de aluguel; alugar: *Locou seu sítio em Friburgo e voltou a morar no Rio, aumentando sua renda familiar.* ▶ Conjug. 20 e 35.

locatário (lo.ca.tá.ri:o) *s.m.* Pessoa que, por meio de contrato, toma um bem em locação; inquilino.

locaute (lo.cau.te) *s.m.* (*Econ.*) Suspensão das atividades de um segmento empresarial como forma de pressão para a obtenção de determinado fim comum: *Os proprietários de postos de gasolina resolveram realizar um locaute em represália ao boicote promovido pelos distribuidores de gasolina, auferindo lucros extraordinários.*

lockout (Ing.) *s.m.* Ver locaute.

locomoção (lo.co.mo.ção) *s.f.* Ato ou efeito de locomover-se.

locomotiva (lo.co.mo.ti.va) *s.f.* Veículo automotor, tocado a vapor, óleo diesel ou eletricidade, que reboca os vagões de um trem; locomotora.

locomotor [ô] (lo.co.mo.tor) *adj.* **1.** Relativo a locomoção. **2.** Que produz a locomoção ou o movimento.

locomotora [ô] (lo.co.mo.to.ra) *s.f.* Locomotiva.

locomover-se (lo.co.mo.ver-se) *v.* Mover-se de um lugar para outro; deslocar-se: *Por causa do reumatismo, a velhinha tinha dificuldade para locomover-se.* ▶ Conjug. 41 e 40.

locução (lo.cu.ção) *s.f.* **1.** Modo de alguém se expressar oralmente: *Tem uma boa locução.* **2.** (*Gram.*) Conjunto de palavras que funcionam como um único vocábulo: *carro de boi*; *teria feito*; *à beira de.* **3.** Discurso narrativo de um locutor aos ouvintes: *Durante sua locução, o locutor emocionou-se várias vezes.*

locupletar (lo.cu.ple.tar) *v.* Abarrotar(-se), encher(-se): *A venda das três fazendas do avô locupletou as contas bancárias dos netos*; *O corrupto locupletou-se de dinheiro do povo.* ▶ Conjug. 8.

locutor [ô] (lo.cu.tor) *s.m.* (*Rádio, Telv.*) Pessoa que apresenta programas e dá notícias no rádio e na televisão; apresentador.

lodaçal (lo.da.çal) *s.m.* Lugar onde há muito lodo; lamaçal.

lodo [ô] (lo.do) *s.m.* **1.** Mistura de terra, matéria orgânica em decomposição e água, que fica no fundo das águas do mar, rios, córregos, pântanos e lagoas; lama. **2.** *fig.* Decadência extrema.

lodoso [ô] (lo.do.so) *adj.* Que tem muito lodo: *A água da lagoa estava um pouco lodosa.* || f. e pl.: [ó].

log [lóg] (Ing.) *s.m.* (*Inform.*) Arquivo de computador que guarda automaticamente qualquer operação efetuada.

logaritmo (lo.ga.rit.mo) *s.m.* (*Mat.*) Potência a que se deve elevar um número para obter um resultado determinado. || *Logaritmo decimal*: (*Mat.*) o logaritmo de um número na base de 10.

lógica (ló.gi.ca) *s.f.* **1.** (*Fil.*) Ramo da Filosofia que estuda os princípios do raciocínio: *Ele está feliz com seus estudos de lógica.* **2.** Coerência de raciocínio no estabelecimento das relações de causa e efeito: *Seu discurso não tem a menor lógica.* **3.** Modo de raciocinar próprio de alguém ou de um grupo: *a lógica dos jovens*; *a lógica dos adultos.* **4.** Modo coerente pelo qual as coisas ou acontecimentos se encadeiam: *a lógica do mercado.*

lógico (ló.gi.co) *adj.* **1.** Relativo a Lógica. **2.** *coloq.* Evidente, claro, natural: *Ainda não arrumou a bagagem? É lógico que vai perder o avião.*

log in [loguín] (Ing.) *s.m.* (*Inform.*) Log on.

logística (lo.gís.ti.ca) *s.f.* Tudo o que diz respeito ao planejamento, organização e gerenciamento dos pormenores de uma operação qualquer.

logo [ó] (lo.go) *adv.* **1.** Imediatamente, já, agora: *Vá logo ver quem está batendo à porta.* **2.** Breve, brevemente: *Logo o ano estará acabando.* **3.**

longarina

Justo, justamente: *Logo você, que não gosta disso, foi a escolhida.* • *conj.* **4.** Portanto, por isso: *Você gastou todo seu dinheiro em bobagens, logo não poderá viajar conosco.* || *Até logo*: saudação que se faz a alguém que costumamos ver regularmente. • *Logo mais*: daqui a pouco tempo; mais tarde: *Logo mais vou encontrá-la no colégio.* • *Logo que*: no mesmo momento em que: *Logo que você chegar, avise-me.*

log off [*logóf*] (Ing.) *s.m.* (*Inform.*) Procedimento para interromper a conexão de uma rede.

logogrifo (lo.go.*gri*.fo) *s.m.* Charada em que a adivinhação de uma palavra depende da adivinhação prévia de outras que contêm as mesmas letras.

logomarca (lo.go.*mar*.ca) *s.f.* Representação visual da marca de um produto ou de uma empresa.

log on [*logón*] (Ing.) *s.m.* (*Inform.*) Processo de conexão a uma rede que inclui a identificação e o controle da senha do usuário; *log in.*

logos [ó] (*lo*.gos) *s.m.* (*Fil.*) Princípio cósmico de onde provêm a ordem e a racionalidade do mundo, do mesmo modo como a razão humana ordena a ação humana.

logosofia (lo.go.so.*fi*.a) *s.f.* (*Fil.*) Doutrina segundo a qual é a evolução consciente do pensamento que pode transformar o homem. – **logosófico** *adj.*

logotipo (lo.go.*ti*.po) *s.m.* Desenho constituído por imagem ou estilização de letra (ou letras) que identifica uma empresa, uma marca ou um produto.

logradouro (lo.gra.*dou*.ro) *s.m.* Rua, praça, parque ou jardim de uso público.

lograr (lo.*grar*) *v.* **1.** Conseguir, alcançar, obter: *Trabalhou muito para lograr um bom posto na firma.* **2.** Ludibriar, iludir, enganar: *Depois de alguns anos, começou a lograr o sócio.* ▶ Conjug. 20.

logro [ô] (*lo*.gro) *s.m.* **1.** Ato ou efeito de lograr. **2.** Engano, fraude, tapeação, esparrela.

loira (*loi*.ra) *adj. s.f.* Loura.

loiro (*loi*.ro) *adj. s.m.* Louro².

loja [ó] (*lo*.ja) *s.f.* **1.** Estabelecimento comercial onde se expõem e vendem produtos comerciais, normalmente específicos: *loja de fazendas*; *loja de material de construção.* || *Loja de conveniência*: loja geralmente aberta 24 horas, muitas vezes ligada a postos de gasolina, que vende produtos de consumo, como bebidas, refrigerantes e cigarros. || *Loja maçônica*: casa de reunião e de cerimônias da maçonaria.

lojista (lo.*jis*.ta) *adj.* **1.** Relativo a comércio de lojas: *comércio lojista.* • *s.m.* e *f.* **2.** Dono ou vendedor de loja.

lomba (*lom*.ba) *s.f.* **1.** Dorso arredondado de colina, serra ou monte. **2.** Ladeira, declive.

lombada (lom.*ba*.da) *s.f.* **1.** Dorso de um livro onde se colam ou costuram os cadernos que o compõem. **2.** Protuberância transversal em rua ou estrada para fazer diminuir a velocidade dos carros; quebra-molas. **3.** *reg.* Declive das coxilhas e morros baixos.

lombalgia (lom.bal.*gi*.a) *s.f.* Dor intensa na região lombar; lumbago.

lombar (lom.*bar*) *adj.* Relativo à parte posterior do abdômen ou lombo: *dor lombar.*

lombardo (lom.*bar*.do) *adj.* **1.** Da Lombardia, região da Itália: *Milão, a grande cidade lombarda.* • *s.m.* **2.** O natural ou o habitante dessa região: *Este italiano é um lombardo.*

lombeira (lom.*bei*.ra) *s.f. fam.* Pouca disposição para o trabalho; preguiça: *Depois do almoço, ficou com uma grande lombeira.*

lombo (*lom*.bo) *s.m.* **1.** *coloq.* As costas, o dorso. **2.** Nos animais destinados à alimentação, carne da região lombar.

lombrical (lom.bri.*cal*) *adj.* Lumbrical.

lombriga (lom.*bri*.ga) *s.f.* Verme que parasita o intestino de homens e animais; bicha.

lombrigueiro (lom.bri.*guei*.ro) *s.m.* Medicamento para eliminar lombrigas do intestino.

lona (*lo*.na) *s.f.* **1.** Tecido encorpado e resistente próprio para cobrir, construir tendas, fazer velas etc. **2.** Tenda que se arma para espetáculos de circo, *shows* etc. || *Estar na lona*: estar em dificuldades financeiras; estar sem dinheiro. • *Na última lona*: em péssimo estado; muito desgastado.

londrinense (lon.dri.*nen*.se) *adj.* **1.** Da cidade de Londrina, no Estado do Paraná. • *s.m.* e *f.* **2.** O natural ou o habitante dessa cidade.

londrino (lon.*dri*.no) *adj.* **1.** De Londres, capital do Reino Unido. • *s.m.* **2.** O natural ou o habitante dessa cidade.

longa-metragem (lon.ga-me.*tra*.gem) *s.m.* Filme que leva mais de 70 minutos de exibição. || Conferir com *curta-metragem.* || pl.: *longas-metragens.*

longânime (lon.*gâ*.ni.me) *adj.* Muito generoso; magnânimo.

longarina (lon.ga.*ri*.na) *s.f.* Viga disposta ao longo de uma estrutura para sustentar peças transversais e outros elementos de um arcabouço: *a longarina da ponte ferroviária*.

longe (lon.ge) *adv*. **1**. Distante no espaço ou no tempo: *Já vão longe os anos de minha infância; As terras daquele senhor ficavam muito longe.* • *adj*. **2**. Que está distante no espaço: *O peregrino tinha andado longes terras.* • *s.m*. **3**. Terra ou lugar distante. || Como s.m. é mais usado no plural: *uns longes*.

longevidade (lon.ge.vi.*da*.de) *s.f*. Capacidade de viver muitos anos; durabilidade.

longevo [é] (lon.ge.vo) *adj*. Que tem muitos anos de vida; idoso.

longilíneo (lon.gi.*lí*.ne:o) *adj*. De linhas alongadas e finas: *uma atleta longilínea*.

longínquo (lon.*gín*.quo) *adj*. Que fica muito longe no espaço e no tempo: *Veio de ilhas longínquas; Há tempos longínquos essa construção está aqui*.

longitude (lon.gi.tu.de) *s.f*. (Geogr.) Distância em graus do meridiano de Greenwich a um ponto qualquer da Terra: *Vitória está a 40° oeste de longitude*.

longitudinal (lon.gi.tu.di.*nal*) *adj*. **1**. Que tem o sentido do comprimento: *corte longitudinal*. **2**. Relativo a longitude: *distância longitudinal*.

longo (lon.go) *adj*. **1**. De comprimento superior à média; comprido: *cabelos longos e ideias curtas*. **2**. Que se estende a uma grande distância: *Cumprimos um longo itinerário de São Paulo a Cingapura*. **3**. De grande duração no tempo: *Os namorados mantiveram uma longa correspondência*. || Ao longo de: **1**. no sentido do comprimento de: *Caminhou ao longo do muro*. **2**. à margem de: *É necessário manter a vegetação ao longo dos rios*. **3**. no decorrer de um tempo: *Ao longo dos anos manteve-se fiel*.

long-play [lôngue plei] (Ing.) *s.m*. Ver elepê.

lonjura (lon.*ju*.ra) *s.f. coloq*. Grande distância: *Daqui a minha casa é uma lonjura*.

lontra (lon.tra.) *s.f*. (Zool.) Mamífero carnívoro que vive em rios e lagos e se alimenta de peixes e crustáceos.

loquacíssimo (lo.qua.*cís*.si.mo) *adj*. Superlativo absoluto de *loquaz*.

loquaz (lo.*quaz*) *adj*. **1**. Que fala muito; falador, tagarela. **2**. Que tem facilidade de expressão oral; eloquente. || sup. abs.: *loquacíssimo*. – **loquacidade** *s.f*.

lorde [ó] (*lor*.de) *s.m*. **1**. Título inglês de nobreza. **2**. Título dos membros da Câmara Alta do Reino Unido (Câmara dos Lordes). **3**. *coloq*. Homem educado e bem-vestido.

lordose [ó] (lor.do.se) *s.f*. Curvatura convexa acentuada e anormal da coluna lombar.

loro [ó] (*lo*.ro) *s.m*. Correia que liga o estribo aos arreios da montaria.

lorota [ó] (lo.ro.ta) *s.f*. Conversa fiada; mentira: *Não me venha com lorotas*.

loroteiro (lo.ro.*tei*.ro) *s.f*. Pessoa que tem hábito de contar lorotas.

lorpa [ô] (*lor*.pa) *adj*. **1**. Que tem pouca inteligência e muita ingenuidade; bronco: *Como você é lorpa, meu compadre!* • *s.m*. **2**. Aquele que tem pouca inteligência e muita ingenuidade; uma pessoa bronca: *Expliquei tudo, mas o lorpa não entendeu*.

losango (lo.*san*.go) *s.f*. (Geom.) Quadrilátero de lados iguais com dois ângulos agudos e dois obtusos; rombo (2): *O espaço amarelo de nossa bandeira é um losango*.

losna [ó] (*los*.na) *s.f*. (Bot.) Planta medicinal, aromática e muito amarga; absinto.

lotação (lo.ta.*ção*) *s.f*. **1**. Ato ou efeito de lotar. **2**. Capacidade de ocupação de um espaço: *A lotação do teatro esgotou-se*. **3**. Sistema de transporte urbano público que emprega micro-ônibus, vans ou táxis para conduzir, por preço estipulado, o passageiro por um roteiro: *Você já está autorizada a fazer essa lotação?* • *s.m*. **4**. O veículo usado nesse tipo de transporte: *O professor pegava um lotação que o deixava em frente ao colégio*.

lotar (lo.*tar*) *v*. **1**. Encher(-se) completamente ou bastante um recinto: *Os fãs lotavam o auditório da rádio; Os auditórios lotavam-se em dia de programa*. **2**. Alocar um funcionário num determinado setor de uma repartição: *O diretor lotou o estagiário no serviço de expedição*. ▶ Conjug. 20.

lote [ó] (*lo*.te) *s.f*. **1**. Grupo de mercadorias integradas numa mesma operação: *Já chegou o primeiro lote de mercadorias compradas no Rio de Janeiro*. **2**. Grupo de mercadorias, animais etc. leiloados juntos: *O primeiro lote foi adquirido por um criador de Goiás*. **3**. Porção de terreno de um loteamento, que constitui unidade independente: *Comprou um lote para ele e outro para seu irmão*.

loteamento (lo.te:a.*men*.to) *s.m*. Divisão de um terreno em lotes.

lotear (lo.te:*ar*) *v*. Dividir um terreno, uma propriedade em lotes para venda de cada unidade: *Os herdeiros lotearam as terras da fazenda do avô*. ▶ Conjug. 14.

loteca [é] (lo.te.ca) s.f. coloq. Loteria esportiva.

loteria (lo.te.ri.a) s.f. Jogo que através de bilhetes numerados sorteia quem ganhará o prêmio. || *Loteria esportiva*: loteria oficial baseada nos resultados dos jogos de futebol. – **lotérico** adj.

loto¹ [ó] (lo.to) s.m. (*Bot.*) Planta aquática originária da África, de grandes flores brancas muito apreciadas por sua beleza: lótus.

loto² [ó] (lo.to) Loteria que dá o prêmio ao acertador dos cinco ou seis números sorteados.

lótus (ló.tus) s.m. (*Bot.*) Loto¹.

louça (lou.ça) s.f. **1.** Cerâmica porosa com a qual se fazem objetos domésticos: *xícaras de louça.* **2.** Aparelho de chá ou de jantar de louça ou de porcelana: *A louça de minha avó ficou para minha irmã.*

loução (lou.ção) adj. **1.** Cheio de garbo e elegância; garboso: *a juventude loução de nossas escolas.* **2.** Cheio de brilho e de viço: *um lírio loução; uma rosa louçã.*

louco (lou.co) adj. **1.** Que não está em seu juízo; que está fora de si e perdeu a razão: *um homem louco.* **2.** Que por não ser razoável, parece absurdo, irresponsável ou arriscado: *um projeto louco; uma louca aventura.* **3.** Que age de uma maneira imprudente: *um surfista louco.* **4.** Que gosta demais de alguém ou de alguma coisa: *Sou louco por minha mulher; Ela é louca por banana frita.* • s.m. **5.** Pessoa que não está em seu juízo, que perdeu a razão; doido, maluco: *O louco da rua foi levado para um hospital psiquiátrico.*

loucura (lou.cu.ra) s.f. **1.** Insanidade mental; condição de quem perdeu o juízo ou a razão: *O psiquiatra diagnosticou no prisioneiro sinais de loucura.* **2.** Comportamento ou atividade irresponsável, perigosa: *Empreender aquela viagem foi grande loucura.* **3.** Paixão, amor, apego: *Amava o marido com loucura.* **4.** Alguma coisa fora do comum de tão excelente: *A viagem a Buenos Aires foi uma loucura.*

loura (lou.ra) s.f. **1.** Mulher de cabelos louros: *uma loura sensacional!* **2.** gír. Cerveja clara. || loira.

loureiro (lou.rei.ro) s.m. (*Bot.*) Árvore cujas folhas são hoje usadas como tempero, mas que servem também para coroar os vencedores nas Olimpíadas.

louro¹ (lou.ro) s.m. (*Bot.*) **1.** Loureiro. • *louros* s.m.pl. **2.** Prêmios e glórias obtidos sobretudo nas artes, no esporte e na guerra: *O grande herói colheu os louros da vitória.*

louro² (lou.ro) adj. **1.** De tez clara e cabelos e pelos geralmente amarelos: *uma mulher loura; um menino louro.* • s.m. **2.** Pessoa loura: *Ela namora um louro que veio da Suécia.* || loiro.

louro³ (lou.ro) s.m. (*Zool.*) Papagaio.

lousa (lou.sa) s.m. **1.** Placa de ardósia ou de madeira pintada de negro onde se escreve com giz em sala de aula; quadro-negro. **2.** Placa de ardósia usada para cobertura de casas. **3.** Pedra que se coloca sobre um túmulo com inscrição.

louva-a-deus (lou.va-a-deus) s.m.2n. (*Zool.*) Inseto que, pela posição das patas dianteiras juntas, lembra alguém em posição de oração.

louvação (lou.va.ção) s.f. **1.** Ação de louvar. **2.** Composição poética sertaneja em versos de sete sílabas para louvar e elogiar pessoas em datas comemorativas, como casamentos, batizados etc. **3.** (*Jur.*) Parecer ou avaliação feitos por louvados.

louvado (lou.va.do) adj. **1.** Que recebe louvor: *Os louvados méritos desse trabalhador.* **2.** Digno de elogios: *um romance sempre louvado.* • s.m. **3.** Perito na tarefa de fazer louvação (3).

louvaminha (lou.va.mi.nha) s.f. Louvor desmedido; adulação, bajulação.

louvar (lou.var) v. **1.** Dirigir louvores a si próprio ou aos outros: elogiar(-se), enaltecer(-se): *Como ela pôde louvar-se a si mesma diante de todos?; Todos louvamos as qualidades de nosso mestre.* **2.** Aprovar(-se) ou aplaudir(-se): *Louvamos diante de todos sua iniciativa.* **3.** Apoiar-se em; basear-se em: *Louvou-se nos melhores gramáticos brasileiros e portugueses.* **4.** Exaltar, bendizer: *Louvemos o Senhor!* ▶ Conjug. 22.

louvável (lou.vá.vel) adj. Que é digno de louvor: que merece louvor: *Todos aplaudimos seu gesto muito louvável.*

louvor [ô] (lou.vor) s.m. **1.** Enaltecimento, exaltação: *Olavo Bilac escreveu um hino em louvor da bandeira.* **2.** Reconhecimento do mérito: *Recebeu a melhor nota, com louvor.*

Lu (*Quím.*) Símbolo de lutécio.

lua (lu.a) s.f. **1.** (*Astron.*) Satélite de um dos planetas: *Ganimedes é uma das luas de Júpiter.* **2.** (*Astron.*) O único satélite da Terra: *Ontem vimos a lua cheia erguendo-se do mar.* **3.** (*Astron.*) Período de um mês lunar: *Passaram-se três luas desde que o viajante partiu.* || *De lua*: Mau humor: *O chefe hoje está de lua.*

lua de mel

lua de mel *s.f.* **1.** Os primeiros tempos da vida conjugal. **2.** Viagem de núpcias.

luar (lu:*ar*) *s.m.* Claridade que a lua (2) reflete sobre o planeta.

lúbrico (*lú*.bri.co) *adj.* Que tem grande inclinação para a luxúria ou que a expressa; sensual: *uma dança lúbrica; um sorriso lúbrico.*

lubrificante (lu.bri.fi.*can*.te) *adj.* **1.** Que lubrifica: *um óleo lubrificante.* • *s.m.* **2.** Substância ou produto que serve para lubrificar: *O óleo de mamona é um bom lubrificante.*

lubrificar (lu.bri.fi.*car*) *v.* **1.** Tornar(-se) escorregadio pela umidade: *Lubrificou o dedo com água e sabão, e a aliança saiu.* **2.** Aplicar óleo lubrificante ou graxa entre peças de um motor ou máquina: *lubrificar a máquina de costura.* ▶ Conjug. 5 e 35.

lucerna [é] (lu.*cer*.na) *s.f.* Pequena luz; candeia.

lucidez [ê] (lu.ci.*dez*) *s.f.* **1.** Qualidade de lúcido. **2.** Clareza de inteligência. **3.** Facilidade de compreensão das coisas.

lúcido (*lú*.ci.do) *adj.* **1.** Luzente, resplandecente. **2.** *fig.* De grande penetração e agudeza de inteligência e compreensão: *Apesar de idosa, ela está muito lúcida.*

lúcifer (*lú*.ci.fer) *s.m.* Satanás, o diabo. || Escreve-se com inicial maiúscula.

lucrar (lu.*crar*) *v.* **1.** Tirar, auferir ganho econômico: *Lucrou mais de 50% com a venda do imóvel; Depois que o sócio saiu, a firma deixou de lucrar.* **2.** Tirar proveito; ser beneficiado: *Quem lucrou com a nova estação do metrô foram os idosos.* ▶ Conjug. 5.

lucrativo (lu.cra.*ti*.vo) *adj.* Que dá lucro ou vantagem; vantajoso: *um negócio lucrativo.*

lucro (*lu*.cro) *s.m.* **1.** Vantagem que se obtém de alguma coisa; proveito; utilidade: *Que lucro eu tive em esperar tanto?* **2.** (*Econ.*) Ganho econômico líquido em negócios: *A editora obteve um grande lucro com a venda do livro.*

lucubração (lu.cu.bra.*ção*) *s.f.* **1.** Meditação profunda. **2.** Trabalho intelectual acurado e muito meditado; elucubração.

ludibriar (lu.di.bri:*ar*) *v.* **1.** Enganar, iludir, burlar: *Ludibriavam os fregueses, vendendo gato por lebre.* **2.** Tratar com ludíbrio, zombar de: *Os alunos antigos ludibriavam os novatos com brincadeiras de mau gosto.* ▶ Conjug. 17.

ludíbrio (lu.*dí*.bri:o) *s.m.* **1.** Manifestação maldosa e zombeteira: *O menino estava cansado de tanto ludíbrio.* **2.** Objeto de zombaria: *O menino acabou virando ludíbrio da turma.*

lúdico (*lú*.di.co) *adj.* Que se refere a jogos, brinquedos e divertimentos: *o aspecto lúdico da aprendizagem.*

lufada (lu.*fa*.da) *s.f.* Rajada de vento forte e passageiro: *A violenta lufada derrubou o cajueiro.*

lufa-lufa (lu.fa-*lu*.fa) *s.f.* Grande pressa em fazer uma coisa; alvoroço; correria: *A casa anda num lufa-lufa imenso.* || pl.: *lufa-lufas.*

lugar (lu.*gar*) *s.m.* **1.** Espaço determinado; sítio: *Aguardo você no lugar de sempre.* **2.** A parte determinada do espaço que está ocupada ou pode ser ocupada por um ou mais corpos: *Nesta sala há lugar para mais quatro mesas de trabalho.* **3.** Assento determinado: *uma mesa de oito lugares.* **4.** Terra, povoado, aldeias, cidades, espaços indefinidos: *Ainda quero conhecer vários lugares da América Latina.* **5.** Posição numa hierarquia ou numa classificação: *Esta moça ficou em primeiro lugar no concurso.* **6.** Posto, posição, sítio onde se exerce qualquer função ou mister: *Ele queria arranjar um lugar no ministério.* **7.** Área própria para ser ocupada por alguém ou alguma coisa: *o lugar das crianças; o lugar dos brinquedos.* **8.** Situação adequada a uma pessoa: *Finalmente você ocupa, nesta casa, o lugar que merece.* **9.** Local frequentado por certas pessoas: *um lugar suspeito.* || *Dar lugar*: **1.** dar a vez a; ser substituído por: *O desânimo deu lugar ao entusiasmo.* **2.** ser a causa de; dar oportunidade de a: *O texto lido deu lugar a ampla discussão.* • *Em lugar de*: em vez de, em substituição a: "Em lugar de Raquel, lhe dava Lia." (Camões, *Lírica*) • *Não conhecer seu lugar*: intrometer-se no que não é assunto seu; ultrapassar seus limites. • *Não esquentar lugar*: demorar-se pouco tempo num lugar; mudar de lugar constantemente.

lugar-comum (lu.gar-co.*mum*) *s.m.* Argumento, ideia, expressão triviais, muito conhecidos e repisados; chavão: *Seu discurso é um aglomerado de lugares-comuns.* || pl.: *lugares-comuns.*

lugarejo [ê] (lu.ga.*re*.jo) *s.m.* Povoação pequena; aldeia.

lugar-tenente (lu.gar-te.*nen*.te) *s.m.* e *f.* Pessoa que exerce interinamente as funções de outro. || pl.: *lugares-tenentes.*

lúgubre (*lú*.gu.bre) *adj.* Que infunde tristeza; sombrio, lôbrego: *uma casa lúgubre.*

lula (*lu*.la) *s.f.* (*Zoo.*) Molusco marinho comestível, de sabor agradável, que lembra o do polvo.

lumbago (lum.*ba*.go) *s.m.* (*Med.*) Dor intensa na região lombar; lombalgia.

lumbrical (lum.bri.*cal*) *adj.* Que tem a forma de lombriga. || *lombrical.*

lumbricida (lum.bri.*ci*.da) *adj.* **1.** Que mata lombrigas. • *s.m.* **2.** Remédio que destrói lombrigas: *Essas crianças precisam de um bom lumbricida.*

lume (*lu*.me) *s.m.* **1.** Fogo: *o calor do lume.* **2.** Luz, claridade: *o lume das estrelas.* || *Vir a lume*: ser publicado: *A segunda edição virá a lume em dezembro próximo.*

luminar (lu.mi.*nar*) *adj.* **1.** Que dá lume; que ilumina. • *s.m.* **2.** *fig.* Pessoa que enriqueceu uma ciência com trabalhos notáveis: *Oswaldo Cruz foi um luminar da Medicina brasileira.*

luminária (lu.mi.*ná*.ri:a) *s.f.* Objeto ou aparelho que emite e espalha luz artificial; lâmpada, lanterna; lamparina.

luminescência (lu.mi.nes.*cên*.ci:a) *s.f.* **1.** Emissão de luz sem incandescência. **2.** Luminosidade na água do mar produzida por organismos microscópicos. – **luminescente** *adj.*

luminosidade (lu.mi.no.si.*da*.de) *s.f.* **1.** Qualidade do que é luminoso. **2.** Intensidade da luz.

luminoso [ô] (lu.mi.*no*.so) *adj.* **1.** Que dá ou espelha luz. **2.** Brilhante, excelente, adequado: *Que ideia luminosa!* • *s.m.* **3.** Anúncio luminoso de rua. || f. e pl.: [ó].

lunação (lu.na.*ção*) *s.f.* (*Astron.*) Espaço de tempo compreendido entre duas Luas novas sucessivas, o que leva 29 dias e meio; mês lunar.

lunar (lu.*nar*) *adj.* Relativo à Lua, da Lua: *eclipse lunar.*

lunário (lu.*ná*.ri:o) *s.m.* Calendário que conta o tempo por Luas; que indica as fases da Lua.

lunático (lu.*ná*.ti.co) *adj.* **1.** Que está sujeito à influência da Lua. • *s.m.* **2.** Aquele que sob a influência da Lua torna-se amalucado, aluado. **3.** Visionário; maníaco.

lundu (lun.*du*) *s.m.* **1.** Dança popular, de origem africana. **2.** Música que acompanha a dança do lundu, normalmente de caráter cômico. || *lundum.*

lundum (lun.*dum*) *s.m.* Lundu.

luneta [ê] (lu.*ne*.ta) *s.f.* Instrumento com lente de aumento para ver a distância. || *Luneta astronômica*: luneta especialmente indicada para observação do firmamento.

luniforme [ó] (lu.ni.*for*.me) *adj.* Que tem a forma de meia-lua.

lupa (*lu*.pa) *s.f.* Lente de aumento para observar coisas miúdas e ler textos de letras muito pequenas, editados ou manuscritos.

lupanar (lu.pa.*nar*) *s.m.* Casa de prostituição; bordel.

lupino (lu.*pi*.no) *adj.* Relativo a lobo; próprio de lobo: *expressão lupina.*

lúpulo (*lú*.pu.lo) *s.m.* (*Bot.*) Planta usada na fabricação de cerveja.

lúpus (*lú*.pus) *s.m.* (*Med.*) Infecção cutânea que provoca ulcerações.

lura (*lu*.ra) *s.f.* Toca; abrigo para animais como coelhos, lebres etc.

lúrido (*lú*.ri.do) *adj.* **1.** Que é escuro, sombrio. **2.** Que é lívido, pálido.

lusco-fusco (lus.co-*fus*.co) *s.m.* Momento de transição entre o dia e a noite; hora crepuscular do amanhecer e do anoitecer. || pl.: *lusco-fuscos.*

lusíada (lu.*sí*.a.da) *adj. s.m.* e *f.* Lusitano.

lusitanidade (lu.si.ta.ni.*da*.de) *s.f.* Caráter, costume próprios de portugueses ou de Portugal.

lusismo (lu.*sis*.mo) *s.m.* (*Ling.*) Lusitanismo.

lusitanismo (lu.si.ta.*nis*.mo) *s.m.* (*Ling.*) Vocábulo, expressão, construção, próprios do português falado em Portugal; lusismo.

lusitanista (lu.si.ta.*nis*.ta) *s.m.* e *f.* Pessoa que se dedica ao estudo da língua, literatura e cultura lusitanas.

lusitano (lu.si.*ta*.no) *adj.* **1.** Da Lusitânia; típico dessa região ou desse povo que habitava a Península Ibérica antes da chegada dos romanos. **2.** De Portugal, antiga Lusitânia; português. • *s.m.* **3.** O natural ou o habitante desse país; português.

luso (*lu*.so) *adj.* **1.** Relativo a Portugal; de Portugal; lusitano: *as navegações lusas.* • *s.m.* **2.** Pessoa nascida em Portugal, português: *Os lusos descobriram o Brasil.*

luso-brasileiro (lu.so-bra.si.*lei*.ro) *adj.* Que pertence ou se refere a Portugal e ao Brasil. || pl.: *luso-brasileiros.*

lusófilo (lu.*só*.fi.lo) *adj.* **1.** Que se caracteriza pelo amor a Portugal e às coisas portuguesas: *um discurso lusófilo.* • *s.m.* **2.** Aquele que tem amor a Portugal e às coisas portuguesas: *O lusófilo lia Camões diariamente.*

lusófobo (lu.*só*.fo.bo) *adj.* **1.** Que tem horror a Portugal e aos portugueses: *uma atitude lusófoba.* • *s.m.* **2.** Aquele que tem horror a Portugal e aos portugueses: *Quem conhece Portugal não pode ser lusófobo.*

lusofonia (lu.so.fo.*ni*.a) *s.f.* O conjunto de povos e países que tem o Português como língua vernácula.

lusófono (lu.*só*.fo.no) *adj.* **1.** Que fala Português: *os países lusófonos.* • *s.m.* **2.** Pessoa que

lustrador

fala Português: *Quantos milhões de lusófonos existem no mundo?*

lustrador [ô] (lus.tra.*dor*) *adj.* **1.** Que lustra (sapatos, móveis etc.): *um produto lustrador.* • *s.m.* **2.** Pessoa que dá lustro (1) a móveis, sapatos etc. **3.** Produto usado para dar lustro (1): *Passou um lustrador na tábua da mesa.*

lustral (lus.*tral*) *adj.* Diz-se da água usada no batismo dos cristãos.

lustrar (lus.*trar*) *v.* **1.** Dar lustre, tornar brilhante; engraxar: *lustrar os sapatos.* **2.** Resplandecer, luzir: *A estrela vespertina lustrava na tarde que caía.* ▶ Conjug. 5.

lustre (*lus*.tre) *s.m.* **1.** Brilho, polimento, natural ou dado: *Deu um lustre nos objetos de prata.* **2.** Candelabro de vários braços, trazendo cada qual uma ou mais luzes, suspenso do teto. **3.** *fig.* Brilhantismo, honra, distinção: *um cavalheiro de grande lustre.*

lustro¹ (*lus*.tro) *s.m.* Brilho fraco; polimento; lustre.

lustro² (*lus*.tro) *s.m.* Período de cinco anos; quinquênio.

lustroso [ô] (lus.*tro*.so) *adj.* **1.** Que tem lustro; brilhante: *uma seda lustrosa.* **2.** *fig.* Esplêndido, ostentoso: *um lustroso desfile militar.* || f. e pl.: [ó].

luta (*lu*.ta) *s.f.* **1.** Combate corpo a corpo e sem armas. **2.** Combate em que dois indivíduos esportivamente procuram derrubar-se mutuamente por terra: *Os campeões farão uma luta neste domingo.* **3.** Combate, conflito, guerra: *a luta no Oriente Médio.* **4.** Esforço para se manter e à família: *O operário sai de casa para a luta.* **5.** Empenho, lida: *luta pelo direito.* || *Luta livre*: esporte em que dois atletas lutam com permissão de aplicar qualquer golpe.

lutador [ô] (lu.ta.*dor*) *adj.* **1.** Que luta. • *s.m.* **2.** Aquele que tem a luta como esporte. **3.** Aquele que enfrenta as dificuldades e não se abate ante elas: *Você venceu porque é um lutador.*

lutar (lu.*tar*) *v.* **1.** Travar luta; brigar com ou contra alguém ou alguma coisa: *Os romanos lutaram contra os cartagineses; Jacó lutou com o Anjo durante toda a noite.* **2.** Competir com alguém: *O vencedor dessa luta lutará com o vencedor da luta de ontem.* **3.** Praticar uma luta marcial como esporte: *Estêvão luta caratê.* **4.** Batalhar, labutar; trabalhar com afinco: *lutar pela vida.* **5.** Travar luta, combater, brigar: *Lutei enquanto tive forças.* ▶ Conjug. 5.

lutécio (lu.té.ci:o) *s.m.* (*Quím.*) Elemento químico empregado na tecnologia nuclear. || Símbolo: *Lu.*

luteranismo (lu.te.ra.*nis*.mo) *s.m.* Doutrina protestante elaborada por Lutero, teólogo alemão (1483-1546).

luterano (lu.te.*ra*.no) *adj.* **1.** Relativo a Lutero ou ao luteranismo. • *s.m.* **2.** Fiel da Igreja Luterana.

luto (*lu*.to) *s.m.* **1.** Profundo pesar pela morte de pessoa querida. **2.** Vestes negras usadas durante certo tempo pelos parentes de um finado. **3.** Faixa negra indicativa de pesar por morte de alguém ou por outro motivo. **4.** Profunda tristeza.

lutulento (lu.tu.*len*.to) *adj.* Que tem lodo, lodoso; lamacento (1).

lutuoso [ô] (lu.tu:*o*.so) *adj.* **1.** Coberto de luto. **2.** *fig.* Que traz luto, fúnebre, triste: *um acontecimento lutuoso.* || f. e pl.: [ó].

luva (*lu*.va) *s.f.* **1.** Peça do vestuário com a configuração dos dedos, destinada a proteger a mão, bem como a servir de ornato. **2.** Espécie de conexão hidráulica. • *luvas s.f.pl.* **3.** Valor que se paga na assinatura de um contrato. || *Assentar* (ou *cair*) *como uma luva*: ajustar-se perfeitamente, adaptar-se bem. • *Atirar a luva*: desafiar. • *Dar um tapa com luva de pelica*: responder delicadamente a uma grosseria.

luxação [ch] (lu.xa.*ção*) *s.f.* (*Med.*) **1.** Deslocamento da extremidade articular de um osso para fora da cavidade onde normalmente se articula; torcedura. **2.** Deslocamento de algum órgão.

luxar¹ [ch] (lu.*xar*) *v.* (*Med.*) Deslocar; desconjuntar; desarticular (osso): *Luxou a patela no futebol de domingo; No jogo de domingo, sua patela luxou.* ▶ Conjug. 5.

luxar² [ch] (lu.*xar*) *v.* Ostentar luxo; mostrar-se com luxo: *Ela não pagava suas contas, mas só queria saber de luxar.*

luxento [ch] (lu.*xen*.to) *adj.* Que é exigente; cheio de luxo. ▶ Conjug. 5.

luxo [ch] (*lu*.xo) *s.m.* **1.** Manifestação exuberante de riqueza. **2.** Bem adquirido por alto preço: *Sua casa de praia é um luxo.* **3.** *fig.* Exigência desmedida; melindre: *O Carlos era um menino cheio de luxos.* **4.** Recusa fingida de alguém de aceitar alguma coisa: *Aceite o presente; não faça luxo.*

luxuoso [ch…ô] (lu.xu:*o*.so) *adj.* Que é caro, ostentatório: *uma vida luxuosa.* || f. e pl.: [ó].

luxúria [ch] (lu.*xú*.ri:a) *s.f.* Incontinência sexual desmedida; sensualidade, lascívia.

luxuriante [ch] (lu.xu.ri:*an*.te) *adj.* **1.** (*Bot.*) Diz-se da vegetação que apresenta muito viço e

vigor: *a luxuriante floresta tropical*. **2.** Exuberante, opulento: *uma criatividade luxuriante*.
luxurioso [ch...ô] (lu.xu.ri:o.so) *adj*. Cheio de luxúria; sensual, impudico. || f. e pl.: [ó].
luz *s.f.* **1.** Claridade produzida ou refletida por certos corpos: *a luz do Sol; a luz da Lua*. **2.** Dispositivo que serve para iluminar, como vela, lâmpada, lampião, lanterna. **3.** Clarão, brilho: *a luz do relâmpago*. **4.** *fig.* Inteligência, ilustração, conhecimento: *um homem de muitas luzes*. • **luzes** *s.f.pl.* **5.** O Iluminismo: *O século XVIII é chamado o Século das Luzes*. **6.** Procedimento usado para dar a algumas mechas de cabelo uma tonalidade mais clara do que a cor natural do cabelo: *Antes de se maquiar, a noiva fez luzes nos cabelos*. || *À luz de*: segundo o critério, os modos de ver, os princípios. • *Ao apagar das luzes*: na última hora. • *Dar à luz*: parir, ter filho. • *Vir à luz*: ser editado, ser publicado.

luzeiro (lu.zei.ro) *s.m.* **1.** Qualquer dispositivo que emite luz. **2.** Astro, estrela, ponto brilhante. **3.** *fig.* Pessoa que com seu saber ilustra uma nação, um grupo, uma sociedade.
luzente (lu.zen.te) *adj*. Que emite luz ou brilho: *uma estrela luzente*.
luzerna [é] (lu.zer.na) *s.f.* **1.** Espécie de claraboia. **2.** Claridade muito intensa.
luzidio (lu.zi.di:o) *adj*. Que é lustroso, brilhante: *pelo luzidio*.
luzido (lu.zi.do) *adj*. **1.** Que tem pompa, pomposo: *um luzido cortejo de nobres*. **2.** Brilhante.
luzimento (lu.zi.men.to) *s.m.* Ato ou efeito de luzir; esplendor, brilho, fausto, pompa.
luzir (lu.zir) *v.* **1.** Emitir luz; brilhar: *O Cruzeiro do Sul luzia no firmamento*. **2.** *fig.* Aparecer em todo o vigor; sobressair: *A poesia de Bandeira luz entre os modernistas de 22*. ▶ Conjug. 82.
lycra [*láicra*] (Ing.) *s.f.* Ver *laicra*.

M m

m *s.m.* **1.** Décima terceira letra do alfabeto português. **2.** O número mil em algarismos romanos. **3.** Símbolo de *metro*.

má *adj.* Feminino de mau.

maca (ma.ca) *s.f.* **1.** Cama de lona sobre uma armação de ferro usada para transportar acidentados ou doentes; padiola. **2.** Cama de rodas para transporte de doentes, de uso em hospitais e clínicas.

maça (*ma.ça*) *s.f.* **1.** Clava. **2.** Antiga arma provida de uma barra comprida com uma bola de ferro de pontas afiadas em sua extremidade.

maçã (ma.*çã*) *s.f.* Fruto da macieira, de forma arredondada, coloração vermelha ou verde e polpa branca e suculenta. || *Maçã do rosto*: região da face, abaixo dos olhos.

macabro (ma.*ca*.bro) *adj.* **1.** Relativo à morte ou aos mortos; fúnebre, funéreo, tétrico: *ritual macabro*. **2.** Que tem a morte como tema: *um conto macabro*. **3.** Que causa horror; horroroso, horrendo, hediondo: *crime macabro*. **4.** Que evoca sentimentos tristes; lúgubre, sombrio: *pensamentos macabros*.

macaca (ma.*ca*.ca) *s.f.* **1.** (*Zool.*) Fêmea do macaco. **2.** *coloq.* Má sorte, azar, infelicidade, caiporismo. || *Estar com a macaca*: *gír.* estar muito agitado, inquieto, irritado.

macacada (ma.ca.*ca*.da) *s.f.* **1.** Bando de macacos. **2.** Ato de macaquear; macaqueação, macaquice. **3.** *gír.* Grupo de companheiros, turma, pessoal.

macacão (ma.ca.*cão*) *s.m.* **1.** Macaco grande. **2.** Roupa de trabalho, inteiriça, folgada, de tecido resistente, geralmente usada por operários, peões, frentistas etc. **3.** Roupa esportiva, unissex, semelhante ao macacão.

macaco (ma.*ca*.co) *s.m.* **1.** (*Zool.*) Designação comum aos primatas (chimpanzés, orangotangos, gorilas etc.), com exceção do homem. **2.** *fig.* Indivíduo macaqueador. **3.** (*Mec.*) Aparelho para levantar cargas pesadas, especialmente automóveis, acionado por manivela, alavanca ou mecanismo hidráulico. || *Ir pentear macaco*: *coloq.* ir importunar em outro lugar; ir às favas. • *Macaco velho*: pessoa esperta, astuta, escolada.

macacoa [ô] (ma.ca.co.a) *s.f. fam.* Doença sem gravidade; indisposição, mal-estar.

maçada (ma.*ça*.da) *s.f.* **1.** Golpe dado com maça. **2.** Qualquer golpe aplicado com objeto pesado; paulada, cacetada, bordoada. **3.** Atividade, situação ou conversação enfadonha, aborrecida, cansativa: *Que maçada foi ouvir aquele interminável discurso.*

macadame (ma.ca.*da*.me) *s.m.* **1.** Processo de pavimentação de ruas e rodovias em que se assentam no solo uma ou mais camadas de pedra britada aglutinadas com camadas de saibro e asfalto. **2.** A massa resultante dessa mistura. – **macadamização** *s.f.*; **macadamizar** *v.* ▶ Conjug. 5.

macambúzio (ma.cam.*bú*.zi:o) *adj.* Que é ou está triste, sorumbático, taciturno.

maçaneta [ê] (ma.ça.*ne*.ta) *s.f.* Pegador metálico, de fechadura ou trinco, geralmente em forma de bola.

maçante (ma.*çan*.te) *adj.* **1.** Enfadonho, tedioso, aborrecido: *tarefa maçante*. • *s.m. e f.* **2.** Pessoa maçante.

macapaense (ma.ca.pa.*en*.se) *adj.* **1.** De Macapá, capital do Estado do Amapá. • *s.m. e f.* **2.** O natural ou o habitante dessa capital.

maçapão (ma.ça.*pão*) *s.m.* (*Cul.*) Bolo com pasta de amêndoas.

macaquear (ma.ca.que:*ar*) *v.* **1.** Imitar, arremedar (algo ou alguém) de modo ridículo ou grotesco: *As crianças gostam de macaquear os adultos.* **2.** Fazer macaquices: *Não sabe expressar-se sem macaquear.* ▶ Conjug. 14. – **macaqueação** *s.f.*; **macaqueador** *adj. s.m.*

macaquice (ma.ca.*qui*.ce) *s.f.* **1.** Ato ou efeito de macaquear, de imitar ridiculamente; macaqueação, micagem. **2.** Gesticulação exagerada; trejeito, momice. **3.** Imitação malfeita e ridícula; arremedo, cópia.

maçar (ma.*çar*) *v.* Ser ou tornar-se maçante; enfadar, entediar, aborrecer, importunar: *A insistência do vendedor maçava os prováveis clientes; Pessoas repetitivas sempre maçam.* ▶ Conjug. 5 e 36.

maçaranduba (ma.ça.ran.*du*.ba) *s.f.* (*Bot.*) Árvore de madeira de cor avermelhada, dura e resistente, utilizada em trabalhos de marcenaria.

maçarico (ma.ça.*ri*.co) *s.m.* **1.** (*Mec.*) Aparelho portátil que lança uma chama de temperatura elevada, produzida pela combustão de gás, e que é usado para soldar ou fundir metais. **2.** (*Zool.*) Ave aquática e migrante.

maçaroca [ó] (ma.ça.*ro*.ca) *s.f.* **1.** Grande quantidade de coisas misturadas ou embaralhadas; miscelânea, mixórdia: *Recebeu uma maçaroca de notas velhas.* **2.** Emaranhado ou punhado (de fios, linhas, cabelo) em desordem: *A mãe procurava desembaraçar a maçaroca de cabelos da filha.*

macarrão (ma.car.*rão*) *s.m.* (*Cul.*) Massa alimentícia de farinha de trigo em forma de cilindros compridos.

macarronada (ma.car.ro.*na*.da) *s.f.* (*Cul.*) Prato feito com macarrão cozido, ao qual se acrescentam manteiga, queijo e um molho, em geral de tomate.

macarrônico (ma.car.*rô*.ni.co) *adj.* Falado ou escrito de forma errada, com impropriedade (diz-se de idioma): *O turista tentava comunicar-se num inglês macarrônico.*

macaxeira [ch] (ma.ca.*xei*.ra) *s.f.* Mandioca, aipim.

macedônio (ma.ce.*dô*.ni:o) *adj.* **1.** Da Macedônia, país da Europa Central. • *s.m.* **2.** O natural ou o habitante desse país. **3.** A língua da Macedônia.

macega [é] (ma.*ce*.ga) *s.f.* **1.** (*Bot.*) Erva brava e daninha que nasce nas terras semeadas. **2.** Capim alto e seco que torna difícil a passagem no campo.

macegal (ma.ce.*gal*) *s.m.* Grande extensão de terreno coberto de macega.

maceió (ma.cei.*ó*) *s.m.* Lagoeiro que se forma no litoral por efeito das águas do mar nas grandes marés e também das águas da chuva.

maceioense (ma.cei.o:*en*.se) *adj.* **1.** De Maceió, capital do Estado de Alagoas. • *s.m.* e *f.* **2.** O natural ou o habitante dessa capital.

macela [é] (ma.*ce*.la) *s.f.* (*Bot.*) Erva aromática, de pequenas flores amarelas, com propriedades medicinais, muito usada também no enchimento de travesseiros e almofadas.

maceração (ma.ce.ra.*ção*) *s.f.* **1.** (*Quím.*) Processo pelo qual um tecido animal ou vegetal é deixado por algum tempo mergulhado num líquido para extração dos princípios ativos nele contidos. **2.** Procedimento que consiste em amolecer ou esmagar um corpo sólido, para amolecê-lo ou para retirar-lhe o suco. **3.** *fig.* Mortificação do corpo; tortura, flagelo, sofrimento.

macerar (ma.ce.*rar*) *v.* **1.** Amolecer (um corpo sólido) pela ação de uma substância líquida: *Usa-se muito macerar frutas no vinho ou na aguardente.* **2.** Amolecer (um corpo sólido) com pancada; socar, malhar: *macerar o bife.* **3.** Esmagar (algo sólido) para extrair-lhe suco: *Macerar folhas de saião é um recurso tradicional de medicina caseira.* **4.** *fig.* Mortificar-se, torturar-se, flagelar-se: *Em certos cultos, os penitentes se maceram para elevar-se espiritualmente.* ▶ Conjug. 8. – **macerado** *adj.*

macérrimo (ma.*cér*.ri.mo) *adj.* Superlativo absoluto de *magro*.

maceta [ê] (ma.*ce*.ta) *s.f.* **1.** Instrumento de ferro de forma cônica, com um cabo curto de madeira, usado para golpear e lavrar pedra ou madeira. **2.** Pequeno instrumento para bater e golpear; macete. **3.** (*Mús.*) Vareta curta de madeira, usada para percutir bombo, tambor etc.; baqueta.

macetar (ma.ce.*tar*) *v.* Golpear com maceta ou macete: *macetar pedra; macetar madeira.* ▶ Conjug. 8.

macete [ê] (ma.*ce*.te) *s.m.* **1.** Tipo de martelo curto de madeira, usado por escultores e marceneiros; maço. **2.** Maceta (2). **3.** *coloq.* Recurso engenhoso ou astucioso para alcançar mais facilmente um resultado; truque, artifício, dica: *O mestre de culinária ensinou alguns macetes para uma cozinha criativa.*

machadada (ma.cha.*da*.da) *s.f.* Golpe desferido com machado.

machadiano (ma.cha.di:*a*.no) *adj.* **1.** Relativo a Machado de Assis, escritor brasileiro (1839-1908), a sua obra ou a seu estilo. • *s.m.* **2.** Admirador de Machado de Assis; grande conhecedor de sua obra.

machadinha (ma.cha.*di*.nha) *s.f.* Machado pequeno utilizado nos açougues para cortar a carne.

machado (ma.*cha*.do) *s.m.* Instrumento formado por uma cunha de ferro cortante fixa num

machão

cabo de madeira, utilizado para rachar lenha e outros fins.

machão (ma.*chão*) *adj. coloq.* **1.** Que demonstra força e coragem; valentão. **2.** Que alardeia sua virilidade; que se mostra orgulhoso de sua condição masculina. • *s.m.* **3.** Homem machão.

machê (ma.*chê*) *adj.* Diz-se do papel transformado numa pasta por fervura e maceração, o qual, misturado com gesso e adesivos, é usado em modelagem: *brinquedos de papel machê.*

machismo (ma.*chis*.mo) *s.m.* **1.** Atitude ou comportamento de quem não admite a igualdade de direitos entre o homem e a mulher, sendo, pois, contrário ao feminismo. **2.** Qualidade, ato ou modos de macho.

machista (ma.*chis*.ta) *adj.* **1.** Cuja conduta se pauta pelo machismo. • *s.m. e f.* **2.** Pessoa machista.

macho (*ma.cho*) *adj.* **1.** Relativo a ou próprio do sexo masculino. **2.** Que apresenta características próprias do homem; viril, másculo. • *s.m.* **3.** O homem ou qualquer animal do sexo masculino. **4.** Indivíduo valentão. **5.** Qualquer peça com uma parte saliente que encaixa em reentrância de outra: *colchete macho.* **6.** (*Bot.*) Que só tem estames e, portanto, não produz frutos (diz-se de flor ou planta).

machona (ma.*cho*.na) *adj. coloq.* **1.** Diz-se de mulher valentona. **2.** Mulher de aparência e modos masculinizados. **3.** *pej.* Homossexual do sexo feminino. • *s.f.* **4.** Mulher machona.

machucado (ma.chu.*ca*.do) *adj.* **1.** Que se machucou; ferido, contundido. **2.** Amassado, esmagado, esmigalhado, deformado: *frutas machucadas.* **3.** *fig.* Que se magoou por se sentir injuriado ou ofendido: *O casal saiu machucado da relação.* • *s.m.* **4.** Ferimento, contusão, lesão.

machucadura (ma.chu.ca.*du*.ra) *s.f.* **1.** Machucado (4). **2.** Amassadura (em fruta, flor etc.).

machucar (ma.chu.*car*) *v.* **1.** Provocar ferimento em; ferir(-se), contundir(-se), lesionar(-se): *Machuquei o braço ao cair; Ninguém se machucou no grave acidente.* **2.** *fig.* Fazer sofrer ou sofrer; magoar(-se), melindrar(-se), ofender(-se): *A indiferença do namorado machucou seu coração; Não se machuque com a ingratidão alheia.* **3.** Amassar, esmagar, deformar: *Tenha cuidado para não machucar as flores.* **4.** *gír.* Sair-se ou dar-se mal; estrepar-se: *Se insistir nesse radicalismo, vai acabar machucando-se.* ▶ Conjug. 5 e 35.

maciço (ma.ci.ço) *adj.* **1.** Que não é oco; compacto, espesso, encorpado: *madeira maciça;* *ouro maciço.* **2.** Em grande quantidade: *Aquelas aulas contavam com a presença maciça de alunos; O candidato teve uma propaganda maciça.* **3.** Agrupamento de árvores (mata, horto, jardim) bem cerrado, compacto: *um maciço de arbustos.* **4.** (*Geogr.*) Cadeia de montanhas em torno de um pico culminante: *o maciço da Tijuca.*

macieira (ma.ci.*ei*.ra) *s.f.* (*Bot.*) Árvore que produz a maçã.

maciez [ê] (ma.ci:*ez*) *s.f.* Qualidade de macio; macieza.

macieza [ê] (ma.ci:*e*.za) *s.f.* Maciez.

macilento (ma.ci.*len*.to) *adj.* **1.** Sem viço ou vigor; pálido, descorado, abatido: *A doença deixava-o macilento.* **2.** *fig.* Sem brilho ou intensidade; baço, amortecido, enfraquecido: *olhar macilento.*

macio (ma.*ci*:o) *adj.* **1.** De consistência branda; mole, tenro: *escova de dentes macia; bife macio.* **2.** Agradável ao tato; sem aspereza; liso, polido, aveludado: *pele macia.* **3.** Agradável ao ouvido; suave, manso: *voz macia.* **4.** Ameno, sereno, agradável, aprazível: *brisa macia.*

maciota [ó] (ma.ci:*o*.ta) *s.f. coloq.* Maciez. ‖ *Na maciota: coloq.* sem muito esforço; sem muita complicação; facilmente, habitualmente: *Na maciota, com muita lábia, conseguiu livrar-se dos credores.*

maço (*ma*.ço) *s.m.* **1.** Conjunto de objetos atados por qualquer tipo de liame ou reunidos em invólucros; pacote: *maço de cigarros; maço de notas.* **2.** Macete.

maçom (ma.*çom*) *s.m.* Membro da maçonaria.

maçonaria (ma.ço.na.*ri*.a) *s.f.* Sociedade filantrópica de caráter secreto, cujos membros, para reconhecerem-se, adotam sinais simbólicos e palavras de ordem.

maconha (ma.*co*.nha) *s.f.* **1.** Cânhamo. **2.** Folhas e flores dessecadas do cânhamo que, por conter grande concentração de substâncias psicotrópicas, são comercializadas e usadas como droga. **3.** Produto extraído das folhas e flores de cânhamo, que contém grande concentração de substâncias psicotrópicas. **4.** O cigarro confeccionado com esse produto.

maconheiro (ma.co.*nhei*.ro) *adj.* **1.** Que faz tráfico ou uso de maconha. • *s.m.* **2.** Traficante ou usuário de maconha.

maçônico (ma.*çô*.ni.co) *adj.* **1.** Relativo a maçonaria. • *s.m.* **2.** Maçom.

macramê (ma.cra.*mê*) *s.m.* **1.** Variedade de passamanaria feita de linha grossa ou barbante trançados e com nós. **2.** Fio próprio para bordados, crochês e filés.

má-criação (má-cri:a.*ção*) *s.f.* Malcriação. || pl. *más-criações*.

macro (ma.cro) *s.f.* (*Inform.*) **1.** Nos *softwares* aplicativos, conjunto de comandos e instruções armazenados sob um nome abreviado, que substitui longas sequências de teclas e comandos, levando à economia de tempo e de execução por parte do usuário. **2.** Computador de grande porte.

macróbio (ma.*cró*.bi:o) *adj.* **1.** Que chegou à idade muito avançada. • *s.m.* **2.** Pessoa macróbia.

macrobiótica (ma.cro.bi:*ó*.ti.ca) *s.f.* **1.** Conjunto de regras de alimentação e higiene que tem por objetivo prolongar a vida e torná-la mais saudável. **2.** Dieta baseada em alimentos naturais, como cereais integrais, legumes e frutas. — **macrobiótico** *adj.*

macrocefalia (ma.cro.ce.fa.*li*.a) *s.f.* (*Med.*) Aumento anormal do volume da cabeça. — **macrocefálico** *adj.*

macrocéfalo (ma.cro.*cé*.fa.lo) *adj.* Que tem a cabeça excessivamente grande.

macrocosmo [ó] (ma.cro.*cos*.mo) *s.m.* O universo como um todo orgânico, por oposição ao microcosmo, que representa o homem; cosmo, cosmos. || Conferir com *microcosmo*.

macroeconomia (ma.cro:e.co.no.*mi*.a) *s.f.* (*Econ.*) Ramo da economia que focaliza o funcionamento do sistema econômico como um todo. || Conferir com *microeconomia*. — **macroeconômico** *adj.*

macromolécula (ma.cro.mo.*lé*.cu.la) *s.f.* (*Quím.*) Composto resultante da polimerização realizada a partir de um grande número de pequenas unidades moleculares.

macroscópico (ma.cros.*có*.pi.co) *adj.* Que é visível a olho nu.

maçudo (ma.*çu*.do) *adj.* **1.** Que tem forma semelhante à maça. **2.** *fig.* Que se torna enfadonho, entediante, monótono, maçante: *conversa maçuda*.

mácula (*má*.cu.la) *s.f.* **1.** Mancha, nódoa, sujeira. **2.** *fig.* Aquilo que vai de encontro à honra ou à reputação de alguém; desdouro, descrédito, desonra: *Não se livrará facilmente da mácula de corrupto*.

macular (ma.cu.*lar*) *v.* **1.** Pôr mancha em; manchar, sujar: *Uma vala negra maculava a areia da praia*. **2.** *fig.* Causar desonra (a alguém ou a si próprio); desonrar(-se), desdourar(-se), desacreditar(-se), enxovalhar(-se): *O envolvimento em atos ilícitos maculou sua reputação; Maculou-se com o escândalo das licitações fraudadas*. ▶ Conjug. 5. — **maculado** *adj.*

maculelê (ma.cu.le.*lê*) *s.m.* Misto de jogo e dança com bastões, de origem africana e guerreira, praticado hoje em dia por homens e mulheres como forma de exercício físico e lúdico.

maculoso [ô] (ma.cu.*lo*.so) *adj.* **1.** Cheio de máculas, de nódoas; manchado, maculado. **2.** Provocado por doença infecciosa: *febre maculosa*. || f. e pl.: [ó].

macumba (ma.*cum*.ba) *s.f.* **1.** (*Rel.*) Culto afro-brasileiro, de origem banto, que apresenta, no Brasil, um sincretismo com práticas religiosas ameríndias, do catolicismo e do espiritismo. **2.** O ritual desse culto. **3.** A oferenda aos orixás desse culto; despacho. **4.** *coloq.* Feitiçaria, bruxaria.

macumbeiro (ma.cum.*bei*.ro) *adj.* **1.** Que pratica a macumba. • *s.m.* **2.** Adepto da macumba.

madama (ma.*da*.ma) *s.f. coloq.* Madame.

madame (ma.*da*.me) *s.f.* **1.** Tratamento conferido à mulher adulta ou casada; senhora, dona, dama. **2.** *fam.* Dona de casa; esposa, patroa.

madeira (ma.*dei*.ra) *s.f.* **1.** Parte lenhosa do tronco, da raiz e dos ramos de uma planta; lenho. **2.** Essa parte da árvore, cortada seca e em toras, usada como material de construção, de mobiliário e como combustível. || *Madeira de lei*: espécie dura e resistente, utilizada nas construções. • *Bater na madeira*: afastar o mau agouro, o azar, o mau-olhado; isolar.

madeirame (ma.dei.*ra*.me) *s.m.* **1.** Porção de madeira. **2.** Madeiramento.

madeiramento (ma.dei.ra.*men*.to) *s.m.* Estrutura de madeira empregada numa construção.

madeireira (ma.dei.*rei*.ra) *s.f.* Empresa ou estabelecimento comercial que se dedica ao comércio e à indústria de madeira.

madeireiro (ma.dei.*rei*.ro) *adj.* **1.** Relativo ao comércio e à indústria de madeira. • *s.m.* **2.** Negociante de madeiras. **3.** Operário que trabalha em madeira. **4.** O que corta madeira na mata.

madeiro (ma.*dei*.ro) *s.m.* **1.** Tronco grosso e tosco de madeira, que pode ser empregado na

madeixa

sustentação das vigas de sobrados e tetos. **2.** Qualquer peça ou trave grossa de madeira.

madeixa [ch] (ma.*dei*.xa) *s.f.* **1.** Porção de lã, algodão, linho ou seda, que se pode reduzir a novelos; meada. **2.** Porção de cabelos da cabeça; melena, mecha (3).

mademoiselle [*madmuazél*] (Fr.) *s.f.* Tratamento que se dá à mulher solteira; senhorita.

madona (ma.*do*.na) *s.f.* (*Rel.*) **1.** Nossa Senhora, a mãe de Jesus. **2.** Qualquer imagem, pintura, gravura, escultura, que a represente: *A madona de cedro é o título de um romance de Carlos Heitor Cony.* || Na primeira acepção, usa-se inicial maiúscula.

madorna [ó] (ma.*dor*.na) *s.f.* Modorra (1).

madraço (ma.*dra*.ço) *adj.* Que é dado à preguiça; mandrião, preguiçoso, ocioso, vadio.

madrasta (ma.*dras*.ta) *s.f.* **1.** Mulher em relação ao(s) filho(s) do casamento anterior de seu atual marido. **2.** *fig.* Mulher má, desprovida de carinho e afeto por alguém. • *adj.* **3.** *fig.* Que não aporta carinho e proteção; má, perversa, ingrata: *vida madrasta.*

madre (*ma*.dre) *s.f.* **1.** Membro de uma ordem religiosa feminina; freira, irmã. **2.** Freira que exerce as funções de superiora em convento, hospital, asilo etc. **3.** Mãe: *a Santa Madre Igreja.* || Nesta última acepção, usa-se inicial maiúscula.

madrepérola (ma.dre.*pé*.ro.la) *s.f.* **1.** Substância calcária que constitui a camada interna da concha de certos moluscos; nácar. **2.** Objeto (botões, bijuterias etc.) confeccionado com essa substância.

madressilva (ma.dres.*sil*.va) *s.f.* Trepadeira de flores amarelas aromáticas, muito cultivada como ornamental.

madrigal (ma.dri.*gal*) *s.m.* **1.** (*Lit.*) Composição poética curta, que expressa um lirismo delicado, geralmente uma galante confissão de amor. **2.** (*Mús.*) Gênero de composição vocal feita para expressar essa forma de poesia.

madrilenho (ma.dri.*le*.nho) *adj.* **1.** De Madri, capital da Espanha. • *s.m.* **2.** O natural ou o habitante dessa cidade.

madrinha (ma.*dri*.nha) *s.f.* **1.** Mulher que serve de testemunha em batizado, crisma ou casamento. **2.** *fig.* Protetora. **3.** Mulher escolhida, por sua alta expressão, para prestigiar eventos, como inaugurações, lançamentos de navios ou como símbolo de uma entidade ou corporação: *A famosa cantora foi consagrada como a madrinha da Marinha.*

madrugada (ma.dru.*ga*.da) *s.f.* **1.** Crepúsculo matutino; alvorada, alvorecer, alva: *A sinfonia de pardais anuncia a madrugada.* **2.** Período que vai da meia-noite ao amanhecer: *Levantou-se às duas da madrugada.*

madrugador [ô] (ma.dru.ga.*dor*) *adj.* **1.** Que madruga: *galo madrugador.* • *s.m.* **2.** Pessoa madrugadora.

madrugar (ma.dru.*gar*) *v.* **1.** Acordar e levantar-se da cama muito cedo: *Tenho que madrugar para chegar ao trabalho.* **2.** Apresentar-se (em algum lugar) cedo, antes do tempo próprio: *Madrugou para comprar os ingressos do desfile de carnaval.* ► Conjug. 5 e 34.

madurar (ma.du.*rar*) *v.* **1.** Amadurecer: *Os frutos começaram a madurar mais cedo este ano.* **2.** *fig.* Adquirir maturidade: *A dura vida fez com que madurasse muito cedo.* ► Conjug. 5.

madureza [ê] (ma.du.*re*.za) *s.f.* **1.** Estado ou condição de maduro. **2.** *fig.* Amadurecimento, maturidade, prudência, sensatez: *A criança ainda não tem madureza.*

maduro (ma.*du*.ro) *adj.* **1.** Que atingiu seu completo desenvolvimento e está pronto para ser colhido ou comido (diz-se de fruto); amadurecido: *laranja madura.* **2.** *fig.* Totalmente desenvolvido, formado, acabado: *projeto maduro.* **3.** Que tem experiência; experimentado, ponderado, prudente: *Tenho alunos muito maduros.* **4.** Que já passou da juventude; adulto: *Ali só contratam pessoas maduras.*

mãe *s.f.* **1.** Mulher que deu à luz filho(s) ou que criou filho(s) adotivo(s). **2.** Fêmea de animal que deu cria. **3.** *fig.* Alguém que dispensa cuidados e atenção (a outrem); protetora, defensora: *Ela ficou conhecida como a mãe dos pobres e oprimidos.* **4.** Princípio gerador; causa, origem, fonte: *A Primeira Guerra Mundial é considerada a mãe de todas as guerras do século XX.* || *Mãe de família*: **1.** mulher legalmente casada, com filhos. **2.** Dona de casa. • *Ser uma mãe*: *fig.* tratar (alguém) com humanidade e diligência; proteger, defender: "*Dos filhos deste solo és mãe gentil, pátria amada, Brasil.*" (Osório Duque Estrada, *Hino Nacional Brasileiro*).

mãe-benta (mãe-*ben*.ta) *s.f.* (*Cul.*) Bolo pequeno, feito de polvilho, ovos, açúcar e coco ralado. || pl.: *mães-bentas.*

mãe-d'água (mãe-d'*á*.gua) *s.f.* (*Folc.*) Iara ou Uiara. || pl.: *mães-d'água.*

mãe de santo *s.f.* (*Rel.*) Nos cultos afro-brasileiros, mulher que tem a direção espiritual e administrativa do terreiro e dos rituais consagrados aos orixás; ialorixá.

maestria (ma:es.*tri*.a) *s.f.* **1.** Grande domínio técnico (na elaboração ou execução de algo); perfeição, perícia, destreza, mestria: *Toca violino com a maestria de um virtuose.* **2.** Conhecimento profundo (de algo); sabedoria.

maestro [é] (ma.es.tro) *s.m.* **1.** Regente de orquestra, coro, banda. **2.** Compositor de música.

maestrina (ma:es.tri.na) *s.f.* Mulher regente de orquestra.

má-fé (má-*fé*) *s.f.* **1.** Ação ou intenção maldosa; deslealdade, perfídia. **2.** (*Jur.*) Ato contrário à verdade dos fatos, sem fundamento legal, praticado conscientemente; fraude. || pl.: *más-fés.*

máfia (*má*.fi:a) *s.f.* **1.** Organização de atividade ilegal e criminosa, originária da Sicília, Itália, que passou a ter ramificações em outras partes do mundo. **2.** Qualquer grupo ou organização que utilize métodos inescrupulosos e violentos em suas atividades: *A Polícia Federal desbaratou a máfia do contrabando.* || Na primeira acepção, usa-se inicial maiúscula.

mafioso [ô] (ma.fi:o.so) *adj.* **1.** Relativo ou pertencente a Máfia: *um poderoso chefão mafioso.* **2.** *fig.* Desprovido de escrúpulos, de integridade moral. || f. e pl.: [ó].

má-formação (má-for.ma.*ção*) *s.f.* Qualquer deformidade ou anomalia, geralmente congênita; malformação. || pl.: *más-formações.*

mafuá (ma.fu:*á*) *s.m.* **1.** Parque de diversões ou feira com brinquedos, jogos e música de alto-falantes. **2.** *coloq.* Local sem ordem ou arrumação; bagunça.

maganão (ma.ga.*não*) *adj.* **1.** Que usa de expedientes enganadores; pouco escrupuloso, esperto, velhaco, malandro. **2.** Brincalhão, jovial, maroto.

magarefe [é] (ma.ga.re.fe) *s.m.* Aquele que abate e tira a pele das reses nos matadouros; açougueiro, carniceiro.

magazine (ma.ga.*zi*.ne) *s.m.* **1.** Estabelecimento comercial onde se vende grande número de mercadorias variadas. **2.** Publicação periódica, geralmente ilustrada, que trata de assuntos leves e variados; revista.

magenta (ma.*gen*.ta) *s.m.* **1.** Cor vermelha muito viva; carmim. • *adj.* **2.** Que é dessa cor: *flores magenta.*

magia (ma.*gi*.a) *s.f.* **1.** Arte ou prática de dominar supostamente o sobrenatural, evocando-o por meio de sortilégios e fórmulas rituais e realizando feitos extraordinários, tais como adivinhações, curas milagrosas, aparições etc.; feitiçaria. **2.** *fig.* Qualquer procedimento ou efeito que pareça inexplicável, fantástico; mágica: *Qual foi a magia que você fez para vencer o jogo?* **3.** *fig.* Encanto, fascínio, sedução: *Ela tem magia no olhar.*

magiar (ma.*gi:ar*) *adj. s.m. e f.* Húngaro.

mágica (*má*.gi.ca) *s.f.* **1.** Magia (2). **2.** Truque ou artifício que cria a ilusão de algo fantástico ou extraordinário; ilusionismo, prestidigitação. **3.** Mulher que faz mágica (1 e 2).

mágico (*má*.gi.co) *adj.* **1.** Relativo a magia ou a mágica. **2.** *fig.* Que exerce fascínio e encanto; deslumbrante, encantador: *Tem um brilho mágico no olhar.* • *s.m.* **3.** Homem que faz mágica (1 e 2).

magistério (ma.gis.*té*.ri:o) *s.m.* **1.** Cargo ou atividade de professor: *A carreira de magistério é uma das mais nobres.* **2.** O exercício dessa atividade; professorado, ensino: *magistério público*; *magistério particular.* **3.** O conjunto ou a classe dos professores: *O magistério manifestou-se a respeito da reforma universitária.*

magistrado (ma.gis.*tra*.do) *s.m.* **1.** Pessoa investida de autoridade e poder civil para julgar e para mandar na administração política do Estado: *O presidente da República é o primeiro magistrado do país.* **2.** (*Jur.*) Autoridade judiciária a que se atribui o poder de administrar a justiça em nome do Estado; juiz: *São magistrados os juízes de direito, os desembargadores e os ministros de tribunais.*

magistral (ma.gis.*tral*) *adj.* Feito com maestria; perfeito; exemplar: *Sua defesa de tese foi magistral.*

magistratura (ma.gis.tra.*tu*.ra) *s.f.* **1.** O cargo ou a dignidade de magistrado: *Os pais queriam-no na magistratura.* **2.** O exercício desse cargo: *magistratura federal*; *magistratura estadual.* **3.** Duração do cargo de magistrado. **4.** O conjunto ou a classe dos magistrados: *A magistratura compareceu em peso à solenidade de posse.*

magma (*mag*.ma) *s.m.* (*Geol.*) Massa mineral, ígnea, que se encontra a grande profundidade da superfície terrestre e que deu origem às rochas eruptivas, determinando os fenômenos vulcânicos: *As lavas expelidas pelos vulcões são magmas não solidificados.* – **magmático** *adj.*

magnanimidade (mag.na.ni.mi.*da*.de) *s.f.* **1.** Grandeza de alma; generosidade, bondade, liberalidade. **2.** Atitude de pessoa magnânima.

magnânimo (mag.*nâ*.ni.mo) *adj.* Que revela magnanimidade; generoso, bondoso: *Seja magnânimo com os que erram.*

magnata (mag.*na*.ta) *s.m.* **1.** Pessoa muito ilustre, de grandes posses e influência. **2.** Grande nome das finanças ou da indústria no regime capitalista: *magnata do petróleo.*

magnésia (mag.*né*.si:a) *s.f.* (*Quím.*) Óxido de magnésio, usado como medicamento laxante: *leite de magnésia.*

magnésio (mag.*né*.si:o) *s.m.* (*Quím.*) Elemento químico usado na fabricação de automóveis, aviões e naves espaciais, em fogos de artifício, e também por fotógrafos. || Símbolo: Mg.

magnético (mag.*né*.ti.co) *adj.* **1.** Relativo a magneto ou a magnetismo; que tem as propriedades de um magneto ou ímã: *força magnética; campo magnético.* **2.** Que tem a capacidade de atrair o ferro. **3.** *fig.* Que exerce grande atração e fascínio; atraente, fascinante, sedutor: *um galã de presença magnética.*

magnetismo (mag.ne.*tis*.mo) *s.m.* **1.** (*Fís.*) Propriedade de certas substâncias de provocar a formação de campos magnéticos em torno do espaço em que se encontram. **2.** (*Fís.*) O estudo dessa propriedade e dos fenômenos resultantes. **3.** *fig.* Poder de atração; fascínio, sedução: *Não conseguia fugir ao magnetismo daquele olhar.*

magnetização (mag.ne.ti.za.*ção*) *s.f.* **1.** Ato ou efeito de magnetizar. **2.** (*Fís.*) Propriedade que possui uma substância de ser magnetizada ou imantada; imantação. **3.** *fig.* Magnetismo (3).

magnetizar (mag.ne.ti.*zar*) *v.* **1.** Transmitir propriedades magnéticas a um corpo, especialmente metal; imantar: *magnetizar o ferro.* **2.** *fig.* Exercer atração sobre (alguém); encantar, fascinar: *A presença do ídolo magnetizava as fãs.* ▶ Conjug. 5. – **magnetizador** *adj. s.m.*; **magnetizante** *adj.*

magneto [é] (mag.*ne*.to) *s.m.* Ímã.

magnificar (mag.ni.fi.*car*) *v.* **1.** Tornar maior; ampliar, amplificar, aumentar: *magnificar cópias xerox.* **2.** Tornar(-se) grande; engrandecer(-se), enaltecer(-se), glorificar(-se): *Os fiéis magnificam as virtudes dos santos; Ninguém deve magnificar-se a si mesmo.* ▶ Conjug. 5 e 35.

magnificência (mag.ni.fi.cên.ci:a) *s.f.* **1.** Qualidade de magnífico ou de magnificente; pompa, esplendor, grandiosidade, suntuosidade: *a magnificência dos palácios imperiais.* **2.** Generosidade, benevolência, magnanimidade: *Em sua oração, recorria à magnificência divina.* || Vossa Magnificência: tratamento dispensado a reitor de universidade.

magnificente (mag.ni.fi.*cen*.te) *adj.* **1.** Dotado de magnificência; grandioso, imponente, suntuoso. **2.** Que revela generosidade, benevolência, liberalidade; magnânimo.

magnífico (mag.*ní*.fi.co) *adj.* **1.** Magnificente. **2.** Que, pela excelência, inspira sentimento de admiração ou de respeito: *um livro magnífico; magnífica vitória.* **3.** Tratamento dispensado a reitor de universidade.

magnitude (mag.ni.*tu*.de) *s.f.* **1.** Qualidade do que é magno ou grande; grandeza, imponência, magnificência: *a magnitude do Coliseu de Roma.* **2.** *fig.* Que tem grande importância ou que é de muita gravidade: *Ninguém esperava que a questão tomasse tal magnitude.* **3.** (*Astron.*) Intensidade luminosa de um astro. || Nesta última acepção, substitui a denominação *grandeza.*

magno (*mag*.no) *adj.* Que tem magnitude; grande, importante, excelso: *A Constituição é nossa Carta Magna.*

magnólia (mag.*nó*.li:a) *s.f.* (*Bot.*) Árvore de flores aromáticas, brancas, amarelas ou róseas, cultivada como ornamental.

mago (*ma*.go) *s.m.* **1.** Que pratica magia; feiticeiro, bruxo. **2.** Que realiza mágicas; mágico. **3.** (*Rel.*) Cada um dos três reis que, segundo o Evangelho, vieram a Belém para adorar o menino Jesus.

mágoa (*má*.go:a) *s.f.* **1.** *fig.* Sentimento de desgosto, tristeza, amargura, pesar: *Extravasava suas mágoas em melancólicas canções.* **2.** Sentimento de decepção, desilusão, ressentimento, provocado por ação (voluntária ou involuntária) de outrem: *A ingratidão deixa mágoas.*

magoar (ma.go:*ar*) *v.* **1.** Causar ou sentir mágoa; ofender(-se), desgostar(-se): *A injustiça magoa; As críticas o magoaram profundamente; A criança magoou-se com a indiferença dos pais.* **2.** Causar ou sentir dor física; ferir(-se), machucar(-se), contundir(-se): *O sapato apertado magoou seu pé; Felizmente ninguém se magoou no choque de veículos.* **3.** Inspirar ou sentir compaixão; comover(-se), condoer(-se), suscetibilizar(-se): *Magoou-o a triste realidade da população de rua; As pessoas sensíveis se magoam com a situação da infância abandonada.* ▶ Conjug. 25.

magote [ó] (ma.go.te) *s.m.* **1.** Pequeno ajuntamento de gente, bando, rancho. **2.** Grande número de coisas juntas; amontoado, porção.

magreza [ê] (ma.gre.za) *s.f.* Qualidade ou condição de magro.

magricela [é] (ma.gri.ce.la) *adj.* **1.** Que é muito magro. • *s.m.* e *f.* **2.** Pessoa muito magra.

magro (*ma.gro*) *adj.* **1.** Que tem pouco peso em relação à altura; magricela: *As manequins são muito magras.* **2.** Que tem pouca ou nenhuma gordura: *carne magra.* **3.** Que é estreito e comprido; fino, esguio: *pernas magras.* **4.** *fig.* Pouco rendoso: *salário magro.* **5.** *fig.* Insignificante, parco, pobre: *Gastou todas as suas magras economias.* • *s.m.* **6.** Pessoa magra. || sup. abs.: *magríssimo* e *macérrimo.*

maia (*mai.a*) *adj.* **1.** Relativo aos maias, povo indígena da América Central. • *s.m.* e *f.* **2.** Indivíduo desse povo. **3.** A língua dos maias.

maio (*mai.o*) *s.m.* O quinto mês do ano.

maiô (*mai.ô*) *s.m.* Traje feminino próprio para o banho de mar ou de piscina, feito de apenas uma peça que cobre o corpo do busto ao alto das coxas.

maionese [é] (mai.o.ne.se) *s.f.* (*Cul.*) **1.** Molho frio preparado com azeite, vinagre, gema de ovo, pimenta, mostarda e sal. **2.** Salada de legumes e batatas preparada com este molho.

maior [ó] (mai.or) *adj.* **1.** Superior a outro(s) em tamanho, número, duração, intensidade, importância etc.: *A violência é maior nas grandes cidades; O carnaval é a maior festa popular; Alegou motivo de força maior para não atender ao convite.* **2.** Que atingiu certa idade; mais velho: *Só se admitem pessoas maiores de 30 anos.* **3.** Que atingiu maioridade: *Já é maior, já pode tirar a carteira de motorista.* • *s.m.* e *f.* **4.** Pessoa que chegou à maioridade. || *Maior de idade*: aquele que atingiu a maioridade legal. • *Ser o maior*: *coloq.* ser o melhor de todos; ser o tal. || sup. comp. de *grande.*

maioral (mai.o.*ral*) *s.m.* e *f.* **1.** Aquele a quem outros estão subordinados; chefe, líder, cabeça, mandachuva: *O veterano político é o maioral de seu partido.* **2.** *fig.* Aquele que se destaca dos demais pela sua superioridade; superior, bamba: *Aquele cantor é considerado o maioral do samba.*

maioria (mai.o.*ri.*a) *s.f.* **1.** Tudo que vem em maior número, em superioridade ou vantagem em relação a outras coisas: *As mulheres já são a maioria nas universidades.* **2.** Maior número de votos indispensável (em eleições, assembleias, reuniões etc.): *Elegeu-se com a maioria dos votos em todas as classes da sociedade; A maioria dos condôminos deliberou favoravelmente sobre as propostas do síndico.* || *Maioria absoluta*: constituída por um número que corresponde a mais da metade do total (de votos, de presenças etc.).

maioridade (mai.o.ri.*da.*de) *s.f.* Estado da pessoa que atingiu a idade necessária para que adquira a plena responsabilidade de seus direitos civis: *No Brasil, a maioridade civil se dá aos 18 anos e a maioridade política, aos 16 anos.*

mais *adv.* **1.** Com maior intensidade ou em maior quantidade; em grau superior; acima de: *É preciso realizar mais e prometer menos.* **2.** Acompanhado de negação indica cessação ou limite de uma ação, estado ou situação: *Não gritou mais, extinguiu-se-lhe a voz; Essas notas antigas não valem mais.* **3.** Além disso; também: *Conheça o que mais lhe oferece esse novo modelo de celular.* **4.** De preferência; preferentemente, antes: *Você deve mais trabalhar para viver que viver para trabalhar.* • *s.m.* **5.** A maior parte; a maior porção: *Os pais querem o mais para os filhos.* **6.** O que falta; o restante; o resto: *Se tiveres fé, tudo o mais te será acrescentado.* **7.** (*Mat.*) Sinal de adição (+). • *pron. indef.* **8.** Maior quantidade; maior intensidade: *Coma mais frutas e legumes; O treinador exigiu mais empenho dos jogadores.* • *conj. aditiva* **9.** Indica adição ou ligação; e, e também: *Vieram ao casamento os tios mais os primos; Dois mais dois são quatro.* || *A mais*: além do esperado; em excesso; de sobra: *Não recebeu nada a mais em seu salário.* • *De mais a mais*: além disso: *Decidiu publicar outro livro; de mais a mais seus leitores assim o exigiam.* • *Mais ou menos*: **1.** cerca de; aproximadamente: *Mais ou menos um terço dos candidatos faltou à prova.* **2.** razoavelmente, medianamente, vagamente: *Interessava-se mais ou menos por literatura e filosofia.* • *Por mais que*: ainda que; embora: *Por mais que eu insistisse, não compareceu ao ato público.* • *Sem mais nem menos*: **1.** sem justificativa ou motivo aparente. **2.** de repente; de pronto; inopinadamente.

maisena (mai.se.na) *s.f.* Farinha de amido de milho, com que se fazem mingaus, biscoitos bolos etc.

mais-que-perfeito (mais-que-per.*fei.*to) *s.m.* (*Gram.*) Tempo verbal que denota uma ação anterior a outra já passada: *Nunca sentira (ou tinha sentido) aquela emoção antes.* || pl.: *mais-que-perfeitos.*

mais-valia

mais-valia (mais-va.*li*.a) *s.f.* (*Econ.*) Conceito defendido por Karl Marx (1818-1883), segundo o qual a força de trabalho despendida num processo de produção por um trabalhador excede o necessário, pois o mesmo trabalha mais tempo e ganha um salário equivalente a menos horas trabalhadas. || pl.: mais-valias.

maitaca (mai.*ta*.ca) *s.f.* **1.** (*Zool.*) Ave semelhante ao papagaio. **2.** *coloq.* Pessoa que fala muito; falador, tagarela, papagaio. || maritaca.

maître [*métr*] (Fr.) *s.m.* Chefe dos garçons.

maiúscula (mai.*ús*.cu.la) *s.f.* Letra de tamanho maior e formato próprio, usada no início de nomes próprios e de períodos, ou para destacar e enfatizar algum termo do discurso.

majestade (ma.jes.*ta*.de) *s.f.* **1.** Título honorífico dado a reis e a imperadores. **2.** Característica daquilo que infunde respeito e veneração: *a majestade de Deus*. **3.** Caráter exterior de grandeza; aparência nobre e solene; imponência, pompa: *a majestade da natureza*. || *Sua Majestade*: forma de tratamento usada para se referir a reis e a imperadores. • *Vossa Majestade*: forma de tratamento usada para se dirigir a reis e a imperadores. || Nestas acepções, usa-se inicial maiúscula.

majestático (ma.jes.*tá*.ti.co) *adj.* Relativo a majestade; que exprime majestade; majestoso.

majestoso [ô] (ma.jes.*to*.so) *adj.* **1.** Que tem majestade (3); imponente, magnificente, majestático: *um pórtico majestoso*. **2.** Que inspira respeito e veneração: *a imagem majestosa do Criador na Capela Sistina*. **3.** De aspecto nobre e solene: *A atriz entrou no palco com seu porte majestoso*. || f. e pl.: [ó].

major [ó] (ma.*jor*) *s.m.* (*Mil.*) **1.** No Exército, patente superior a capitão e inferior a tenente-coronel. **2.** Militar dessa patente.

majorar (ma.jo.*rar*) *v.* Tornar maior ou mais elevado; aumentar, elevar: *majorar preços, impostos, taxas*. ▶ Conjug. 20. – **majoração** *s.f.*

major-aviador (ma.jor-a.vi:a.*dor*) *s.m.* (*Mil.*) Na Aeronáutica, patente superior a capitão-aviador e inferior a tenente-coronel-aviador. || pl.: majores-aviadores.

majoritário (ma.jo.ri.*tá*.ri:o) *adj.* **1.** Relativo ou pertencente a maioria: *partido majoritário*. **2.** Em que vence a maioria absoluta (diz-se de sistema de votação). **3.** Que pertence à maioria de um grupo: *sócio majoritário*.

mal *adv.* **1.** De modo imperfeito, irregular, incorreto, não satisfatório ou insuficiente: *Fala mal o inglês; Come-se muito mal naquele restaurante*. **2.** De modo indelicado, com grosseria, rudemente: *O motorista tratou mal o passageiro idoso*. **3.** Sem saúde ou bem-estar físico; fraco, debilitado, doente: *Sentia-se mal havia já alguns dias*. **4.** A custo; dificilmente, escassamente, apenas, pouco: *Mal conseguia conter as lágrimas de emoção*. **5.** De modo desfavorável ou negativo; com crítica ou censura: *Falou mal do artista e de sua obra*. **6.** Em má situação ou posição: *O tenista está malcolocado no ranking; Ela saiu mal na foto*. • *s.m.* **7.** Aquilo que se opõe ao bem, à virtude, à honra, à probidade: *Faça sempre o bem, nunca o mal*. **8.** O que é nocivo, prejudicial ou danoso: *O fumo é um mal para a saúde*. **9.** O que causa sofrimento ou dor (física ou moral): *A ingratidão é um mal sem perdão*. **10.** Doença, moléstia, enfermidade: *mal de Chagas*. **11.** Grande destruição; calamidade, catástrofe, desgraça: *As guerras só trazem males à humanidade*. • *conj.* **12.** Assim que, logo que: *Mal abriram os guichês, comprou os ingressos para o jogo*. || *Cortar o mal pela raiz*: eliminar definitivamente a causa do mal ou do problema. • *Estar de mal (com alguém)*: ter as relações cortadas com alguém; estar brigado. • *Fazer mal*: ser prejudicial ou nocivo à saúde. • *Levar a mal*: interpretar maldosamente; tomar em mau sentido. • *Por mal*: com más intenções, maldosamente. || pl. do subst.: *males*; antôn. do adv. e do subst.: *bem*.

mala (ma.la) *s.f.* **1.** Caixa de couro com alça, fechadura, com ou sem rodinhas, para transportar roupas e pertences em viagem. **2.** Saco de couro ou lona com cadeado, para transporte de correspondência ou de dinheiro. **3.** *gír.* Pessoa inconveniente, maçante, chata. || *Mala de mão*: mala pequena; bagagem de mão. • *Mala direta*: correspondência de uma empresa com seus clientes através de remessa postal de impressos informativos, convites etc. • *De mala e cuia*: *coloq.* com todos os pertences; com armas e bagagens; definitivamente: *Voltou de mala e cuia para a casa paterna*.

malabar (ma.la.*bar*) *s.m.* Qualquer objeto (bola, prato etc.) com que se faz malabarismo: *O artista de rua fazia prodígios com os malabares diante da pequena multidão*.

malabarismo (ma.la.ba.*ris*.mo) *s.m.* **1.** Conjunto de técnicas e habilidades de equilíbrio e destreza na manipulação de certos objetos: *Na escola de circo escolheu cursar malabarismo*. **2.** *fig.* Habilidade em lidar com situações difíceis ou complicadas; artifício, artimanha, manobra: *Ele faz verdadeiro malabarismo para sobreviver*.

malabarista (ma.la.ba.ris.ta) s.m. e f. **1.** Pessoa que pratica malabarismo. **2.** fig. Pessoa hábil em contornar situações complicadas.

mal-acabado (mal-a.ca.ba.do) adj. **1.** Feito sem capricho; sem acabamento; malfeito: *construção mal-acabada*. **2.** pej. Malfeito de corpo; feio, desengonçado, mal-ajambrado. || pl.: *mal-acabados*.

malacacheta [ê] (ma.la.ca.che.ta) s.f. (Min.) Termo popular usado para a mica-branca.

mal-agradecido (mal-a.gra.de.ci.do) adj. **1.** Que não mostra reconhecimento por favores ou ajuda prestados; ingrato. • s.m. **2.** Pessoa mal-agradecida. || pl.: *mal-agradecidos*.

malagueta [ê] (ma.la.gue.ta) s.f. **1.** (Bot.) Erva aromática de frutos vermelhos, cujas sementes são usadas como condimento de sabor picante; pimenta-malagueta. **2.** A semente dessa planta.

malaio (ma.lai:o) adj. **1.** Da Malásia, país da Ásia. • s.m. **2.** O natural ou o habitante desse país. **3.** Língua falada na Malásia, Tailândia, Indonésia e países próximos.

mal-ajambrado (mal-a.jam.bra.do) adj. **1.** De aparência desagradável; mal-apessoado, desajeitado, desengonçado. **2.** Que se veste mal; sem capricho; malvestido. || pl.: *mal-ajambrados*.

malandragem (ma.lan.dra.gem) s.f. **1.** Condição ou ação próprias de malandro. **2.** Reunião ou roda de malandros. **3.** Falta de trabalho; ociosidade, vadiagem: *Deixou o emprego para viver na malandragem*. **4.** coloq. Esperteza, astúcia, manha: *Não use de malandragem para escapar da sua responsabilidade*.

malandrar (ma.lan.drar) v. **1.** Viver na malandragem (3); vadiar, vagabundear: *Não queria saber de trabalho, só queria malandrar*. **2.** Ficar ocioso, indolente; preguiçar, folgar: *Malandrava na cama até tarde*. ▶ Conjug. 5.

malandrice (ma.lan.dri.ce) s.f. Malandragem (1).

malandro (ma.lan.dro) adj. **1.** Que não trabalha; que usa de expedientes para sobreviver; desocupado, vadio, vagabundo. **2.** Preguiçoso, indolente, folgado: *aluno malandro*. **3.** Que tem lábia; astuto, espertalhão, finório: *Um casal malandro deu vários golpes na praça*. • s.m. **4.** Pessoa malandra: *O malandro carioca é um tipo muito presente na música popular*.

mal-apessoado (mal-a.pes.so:a.do) adj. Mal-ajambrado (1). || pl.: *mal-apessoados*.

malar (ma.lar) adj. **1.** Relativo à maçã do rosto. • s.m. **2.** (Anat.) Zigoma.

malária (ma.lá.ri:a) s.f. (Med.) Infecção causada por parasitas, cuja transmissão é feita pela picada de mosquitos, e que se caracteriza por acessos intermitentes de calafrios e febre; impaludismo, maleita, sezão.

malásio (ma.lá.si:o) adj. s.m. Malaio (1 e 2).

mal-assombrado (mal-as.som.bra.do) adj. **1.** Que está sob ação de feitiço e bruxaria; enfeitiçado: *personagem mal-assombrado*. **2.** Que, segundo a crença popular, se encontra habitado por visões, aparições, fantasmas; fantasmagórico (diz-se de local): *castelo mal-assombrado*. || pl.: *mal-assombrados*.

mal-aventurado (mal-a.ven.tu.ra.do) adj. **1.** Infeliz, desditoso, desgraçado, malfadado. • s.m. **2.** Pessoa mal-aventurada. || pl.: *mal-aventurados*.

malbaratar (mal.ba.ra.tar) v. **1.** Gastar (dinheiro) de modo exagerado ou desnecessário; desperdiçar, dilapidar, dissipar, malversar: *Um mau governo pode malbaratar o erário*. **2.** Empregar, aplicar, utilizar mal (tempo, talento etc.): *Malbaratava os dias sem fazer nada de útil*. ▶ Conjug. 5. – **malbaratador** adj. s.m.

malcriação (mal.cri:a.ção) s.f. Ato ou dito próprio de pessoa malcriada ou mal-educada; indelicadeza, grosseria, incivilidade. || Esta forma resulta de *malcriação* e deve concorrer legitimamente com *má-criação*.

malcriado (mal.cri:a.do) adj. **1.** Que não tem boa educação; mal-educado, descortês, grosseiro. **2.** Que indica descortesia, grosseria, desacato, desaforo.

maldade (mal.da.de) s.f. **1.** Qualidade ou condição de quem é mau; perversidade, crueldade, malignidade: *Era um homem sem maldade*. **2.** Ação má; iniquidade, desumanidade: *Não faça maldade com os animais*. **3.** Intenção maliciosa que tende a denegrir; malícia, mordacidade, má-fé: *Havia maldade em suas críticas*.

maldar (mal.dar) v. Fazer mau juízo de; interpretar mal ou com malícia; desconfiar, suspeitar, maliciar: *Ele malda tudo o que os colegas dizem*; *Não costumo maldar de nada*; *É muito feio maldar*. ▶ Conjug. 5.

maldição (mal.di.ção) s.f. **1.** Ato ou efeito de amaldiçoar, de desejar que algo mal se abata sobre alguém; praga, imprecação: *A bruxa lançou uma maldição sobre a Bela Adormecida*. **2.** Algo que tem consequências funestas; desgraça, infortúnio, calamidade: *O jogo é uma maldição na sua vida*. || É usado em frases nominais exclamativas, para indicar raiva ou indignação.

maldito (mal.di.to) adj. **1.** Sobre o qual se lançou uma maldição; amaldiçoado: *Maldito seja quem fez a guerra*. **2.** De má índole; perverso, mal-

maldizente

vado, mau: *Piratas malditos infestavam os mares.* **3.** Que exerce influência nefasta; funesto, maligno: *o vício maldito das drogas.* **4.** Molesto, aborrecido, enfadonho, incômodo: *Não dormi com a maldita tosse.* **5.** Que não tem seu valor artístico reconhecido ou é motivo de incompreensão ou escárnio (diz-se de artista): *poeta maldito.* • *s.m.* **6.** Pessoa maldita.

maldizente (mal.di.*zen*.te) *adj.* **1.** Que fala mal dos outros; difamador, maledicente. • *s.m.* e *f.* **2.** Pessoa maldizente.

maldizer (mal.di.*zer*) *v.* **1.** Falar mal (de alguém); difamar, detratar: *Maldizia os vizinhos; Era incapaz de maldizer.* **2.** Lançar imprecações contra; praguejar, imprecar, amaldiçoar: *maldizer os hereges; O cristão deve ter a virtude de não maldizer.* **3.** Lamentar-se, lastimar-se, reclamar: *Maldizia a triste sina.* • *s.m.* **4.** Maledicência: *cantigas de escárnio e maldizer.* || part.: *maldito.* ▶ Conjug. 57.

maldoso [ô] (mal.*do*.so) *adj.* **1.** Que pratica maldade; mau, malvado, perverso, cruel, desumano. **2.** Que dá interpretação maliciosa ao que os outros dizem; maldizente, maledicente: *Pessoas maldosas não são bem-vistas.* **3.** Que encerra malícia ou maledicência; que malicia; que malda: *olhar maldoso; comentário maldoso.* || f. e pl.: [ó].

maleabilíssimo (ma.le.a.bi.*lís*.si.mo) *adj.* Superlativo absoluto de *maleável.*

maleável (ma.le.*á*.vel) *adj.* **1.** Que se pode malhar, amaciar ou abrandar: *metal maleável.* **2.** Que é flexível, dobrável, elástico: *tecido maleável.* **3.** *fig.* Que se acomoda facilmente às circunstâncias; dócil, adaptável, influenciável: *caráter maleável.* || sup. abs.: *maleabilíssimo.* – **maleabilidade** *s.f.*

maledicência (ma.le.di.*cên*.ci.a) *s.f.* **1.** Qualidade de quem é maledicente ou maldizente. **2.** Ato de falar mal do próximo; difamação, ofensa, injúria, maldizer: *O político foi vítima da maledicência dos adversários.*

maledicente (ma.le.di.*cen*.te) *adj. s.m.* e *f.* Maldizente.

mal-educado (mal-e.du.*ca*.do) *adj.* Malcriado. || pl.: *mal-educados.*

malefício (ma.le.*fí*.ci.o) *s.m.* **1.** Dano, prejuízo, mal, maldade, maleficência. **2.** Sortilégio com a intenção de causar mal; feitiço, bruxaria.

maléfico (ma.*lé*.fi.co) *adj.* **1.** Que causa mal ou dano; nocivo, daninho, malfazejo: *clima maléfico.* **2.** Propenso ao mal; malévolo, malvado, mau: *O Diabo é o ser maléfico por definição.* **3.** Que exerce má influência; que traz malefício ou sortilégio: *Não creio no poder maléfico da conjuntura desfavorável dos astros.*

maleiro (ma.*lei*.ro) *s.m.* **1.** Fabricante ou vendedor de malas. **2.** Local onde se guardam malas. **3.** Quem carrega malas.

maleita (ma.*lei*.ta) *s.f.* Malária.

mal-encarado (mal-en.ca.*ra*.do) *adj.* **1.** Que tem o semblante carregado; sisudo, carrancudo, sombrio: *Não era sempre mal-encarado, sabia sorrir entre amigos.* **2.** Cuja aparência desagradável suscita suspeita e temor: *Uns homens mal-encarados rondavam o bairro.* || pl.: *mal-encarados.*

mal-entendido (mal-en.ten.*di*.do) *s.m.* **1.** Divergência de apreciação ou interpretação (sobre um assunto, fato etc.); erro, equívoco, engano: *O entrevistado alegou um mal-entendido em sua resposta ao repórter.* **2.** Situação de desentendimento, desavença; quiproquó: *Não deve haver mal-entendido entre o casal.* || pl.: *mal-entendidos.*

mal-estar (mal-es.*tar*) *s.m.* **1.** Indisposição física ou psíquica: *Sentiu um mal-estar após o farto almoço; A ansiedade trazia-lhe junto um mal-estar.* **2.** Situação incômoda, molesta ou embaraçosa; constrangimento: *A insistência do candidato em pedir votos causou mal-estar.* || pl.: *mal-estares.*

maleta [ê] (ma.*le*.ta) *s.f.* Mala pequena.

malevolência (ma.le.vo.*lên*.ci.a) *s.f.* **1.** Qualidade de malevolente; malignidade, maleficiência, maldade. **2.** O que se diz de desabonador sobre alguém; má vontade, maledicência: *Entre amigos não deve existir malevolência.*

malevolente (ma.le.vo.*len*.te) *adj.* Malévolo.

malévolo (ma.*lé*.vo.lo) *adj.* **1.** Que tem má índole; que deseja o mal do próximo; malevolente, malvado, maligno, mau: *As histórias infantis estão repletas de bruxas malévolas.* **2.** Que faz mal; nocivo, prejudicial, maléfico: *droga malévola.*

malfadado (mal.fa.*da*.do) *adj.* **1.** Que tem má sorte; que é perseguido pela adversidade; infeliz, desditoso, desventurado: *Lamentava seu malfadado destino.* • *s.m.* **2.** Pessoa malfadada.

malfazejo [ê] (mal.fa.*ze*.jo) *adj.* Que causa dano ou prejuízo; danoso, pernicioso, maléfico.

malfeito (mal.*fei*.to) *adj.* **1.** Feito sem perfeição; mal-executado; imperfeito, defeituoso, falho, mal-acabado: *construção malfeita.* **2.** De compleição irregular; malformado, disforme: *corpo malfeito.* • *s.m.* **3.** Aquilo que traz prejuízo ou dano; malefício.

malfeitor [ô] (mal.fei.*tor*) *adj.* **1.** Que comete atos condenáveis; criminoso, facínora. • *s.m.* **2.** Indivíduo malfeitor. – **malfeitoria** *s.f.*

malformação (mal.for.ma.ção) *s.f.* Má-formação.

malgaxe [ch] (mal.ga.xe) *adj.* **1.** Da República de Madagascar, país da África. • *s.m. e f.* **2.** O natural ou o habitante desse país. **3.** A língua falada nesse país.

malgrado (mal.gra.do) *prep.* Apesar de, não obstante: *Malgrado a minha resistência, ele cometeu este ato.*

malha[1] (ma.lha) *s.f.* **1.** Cada uma das laçadas de um fio têxtil que se entrelaça para formar um tecido flexível e elástico. **2.** O tecido assim formado: *camiseta de malha.* **3.** Roupa colante ao corpo, usada por ginastas, bailarinos etc. **4.** *fig.* Conjunto de fios, cabos, ligações, que se assemelham a uma rede: *malha rodoviária.* **5.** *fig.* Aquilo que enreda ou envolve; trama: *Caiu nas malhas da lei.* || *Malha fina*: inspeção ou fiscalização severa: *A malha fina da Receita Federal reteve sua declaração de impostos.*

malha[2] (ma.lha) *s.f.* Sinal natural na pele ou no pelo dos animais; mancha.

malhação (ma.lha.ção) *s.f.* **1.** Ato ou efeito de malhar; malhada: *a malhação dos judas no Sábado de Aleluia.* **2.** *coloq.* Crítica ferina; mordacidade, maledicência. **3.** Prática de exercícios físicos para emagrecimento e fortalecimento dos músculos; musculação, maromba.

malhada (ma.lha.da) *s.f.* **1.** Malhação (1). **2.** Golpe dado com malho.

malhado[1] (ma.lha.do) *adj.* **1.** Que foi batido com malho (1). **2.** Que levou pancadas; surrado, espancado. **3.** *coloq.* Que é alvo de crítica ou zombaria. **4.** Cujo corpo foi moldado por exercícios de malhação ou musculação; musculoso, sarado.

malhado[2] (ma.lha.do) *adj.* Que tem manchas ou malhas; manchado: *cavalo malhado.*

malhar (ma.lhar) *v.* **1.** Bater com malho ou martelo: *malhar o ferro.* **2.** Dar pancadas; surrar, espancar, bater: *As crianças malhavam o boneco do judas.* **3.** *coloq.* Falar mal de (algo ou alguém); criticar, denegrir: *Os críticos malharam a atuação dos atores.* **4.** *coloq.* Fazer exercícios de musculação; exercitar-se, marombar: *Malhava o corpo para fortalecer os músculos; Malhava todos os dias na academia de ginástica.* ▶ Conjug. 5.

malharia (ma.lha.ri.a) *s.f.* Fábrica ou loja de tecidos ou roupas de malha.

malho (ma.lho) *s.m.* **1.** Grande martelo usado para bater o ferro. **2.** Matraca (1). || *Descer / meter o malho*: *coloq.* falar mal de; censurar, criticar, atacar: *A oposição desceu (meteu) o malho no projeto do governo.*

maloca

mal-humorado (mal-hu.mo.ra.do) *adj.* Que demonstra mau humor; amuado, irritado, ranzinza. || pl.: *mal-humorados.*

malícia (ma.lí.ci:a) *s.f.* **1.** Esperteza, astúcia, sagacidade, manha: *Não adiantou usar de malícia para escapar da multa no trânsito.* **2.** Dito ou interpretação maldosa; crítica mordaz: *Ele põe malícia em tudo.* **3.** Atitude graciosa e com ar malicioso; brejeirice: *Ela tem malícia no olhar.* **4.** (*Jur.*) Toda ação maldosa ou prejudicial praticada com dolo e má-fé, intencionalmente: *O prejudicado pela malícia de alguém pode exigir dele o ressarcimento pelos prejuízos sofridos.*

maliciar (ma.li.ci:ar) *v.* Atribuir malícia a; interpretar maldosamente; tomar (algo) em mau sentido; maldar: *Maliciou o que não viu; Malicia de tudo e de todos.* ▶ Conjug. 17.

malicioso [ô] (ma.li.ci:o.so) *adj.* **1.** Que age com malícia (1); esperto, astuto, sagaz, manhoso. **2.** Em que há malícia (2) ou duplo sentido; mordaz, maldoso: *comentário maldoso.* **3.** Brejeiro, maroto: *sorriso malicioso.* • *s.m.* **4.** Pessoa maliciosa || f. e pl.: [ó].

malignidade (ma.lig.ni.da.de) *s.f.* **1.** Qualidade ou caráter do que é maligno; maldade, perversidade. **2.** (*Med.*) Conjunto de características que indicam a gravidade de uma enfermidade insidiosa, que pode ter evolução fatal.

maligno (ma.lig.no) *adj.* **1.** Que é intrinsecamente mau ou que causa o mal; malévolo, maléfico. **2.** (*Med.*) Que se agrava progressivamente e que sem tratamento pode levar à morte (diz-se de doença): *tumor maligno.*

malinês (ma.li.nês) *adj.* **1.** Da República do Mali, país da África. • *s.m.* **2.** O natural ou o habitante desse país.

má-língua (má-lín.gua) *s.f.* **1.** Hábito de falar mal de tudo e de todos; maledicência. • *s.m. e f.* **2.** Pessoa maledicente. || pl.: *más-línguas.*

mal-intencionado (mal-in.ten.ci:o.na.do) *adj.* **1.** Que tem má índole; que age com más intenções; maldoso, malévolo. • *s.m.* **2.** Pessoa mal-intencionada. || pl.: *mal-intencionados.*

malmequer [é] (mal.me.quer) *s.m.* **1.** (*Bot.*) Planta de flores pequenas brancas com manchas amareladas, cultivada como ornamental; bem-me-quer. **2.** A flor dessa planta.

malnascido (mal.nas.ci.do) *adj.* Nascido sob condições sociais ou econômicas desfavoráveis.

maloca [ó] (ma.lo.ca) *s.m.* **1.** Grande choça coberta de palha, usada como habitação por várias famílias de índios. **2.** *fig.* Casa muito pobre; casebre, choupana. **3.** *gír.* Esconderijo de

malograr

pessoas ou mercadorias clandestinas. **4.** *fam.* Casa, domicílio, lar: *O compositor popular cantou a sua saudosa maloca.*

malograr (ma.lo.*grar*) *v.* **1.** Não chegar a bom termo; não ter sucesso; fracassar, frustrar-se: *Malogrou(-se) o acordo de paz entre os países beligerantes.* **2.** Não alcançar pleno desenvolvimento; perder-se prematuramente; inutilizar-se, gorar: *A inseminação artificial que estava em curso malogrou(-se).* **3.** Causar danos ou estragos em; danificar, estragar: *A longa estiagem malogrou a safra de grãos.* ▶ Conjug. 20.

malogro [ô] (ma.*lo*.gro) *s.m.* **1.** Ato ou efeito de malograr(-se). **2.** Mau resultado, insucesso, fracasso: *O governo queria evitar o malogro das negociações.*

malote [ó] (ma.*lo*.te) *s.m.* **1.** Mala pequena; maleta. **2.** Serviço organizado, oficial ou particular, de transporte expresso para correspondência e pequenos valores.

malparado (mal.pa.*ra*.do) *adj.* Em má situação, em posição desfavorável; pouco seguro, em risco: *Estou vendo o negócio malparado.*

malpassado (mal.pas.*sa*.do) *adj.* Que está pouco cozido ou pouco grelhado (diz-se de carne).

malquerença (mal.que.*ren*.ça) *s.f.* Inimizade, hostilidade, aversão, malquerer.

malquerente (mal.que.*ren*.te) *adj.* Que quer mal a outrem; que manifesta hostilidade ou aversão; malévolo, inimigo.

malquerer (mal.que.*rer*) *v.* **1.** Querer mal a; não gostar de; detestar: *É fácil malquerer os inimigos.* • *s.m.* **2.** Malquerença. ▶ Conjug. 56.

malquisto (mal.*quis*.to) *adj.* **1.** Que suscita antipatia e aversão; hostilizado, detestado: *um governo malquisto.* **2.** Que tem má fama; malvisto, mal-afamado: *O delator é malquisto pela sociedade.*

malsão (mal.*são*) *adj.* **1.** Prejudicial à saúde; insalubre, doentio: *O ar poluído é malsão.* **2.** *fig.* De que advém dano ao intelecto ou à moral; pernicioso, maléfico: *hábitos malsãos.*

malsinar[1] (mal.si.*nar*) *v.* **1.** Revelar (algo) que se queria encobrir; delatar, denunciar: *malsinar uma conspiração.* **2.** Fazer acusações falsas a (alguém); censurar, reprovar, condenar: *Uma testemunha inidônea pretendeu malsinar seu desafeto.* ▶ Conjug. 5.

malsinar[2] (mal.si.*nar*) *v.* **1.** Dar mau destino a; trazer má sorte a: *A vida pode malsinar tanto os ricos como os desvalidos.* **2.** Desejar má sorte a; agourar desgraças a: *É sinal de boa índole não malsinar ninguém.* ▶ Conjug. 5.

malsucedido (mal.su.ce.*di*.do) *adj.* Que não obteve êxito; malogrado, frustrado, fracassado: *negócios malsucedidos.*

malta (*mal*.ta) *s.f.* **1.** Reunião de pessoas de má condição social; escória, ralé. **2.** Reunião de indivíduos desordeiros, malandros, vagabundos; bando, corja, súcia.

malte (*mal*.te) *s.m.* Produto da germinação das sementes de cevada, para emprego industrial, especialmente no fabrico de cerveja.

maltrapilho (mal.tra.*pi*.lho) *adj.* **1.** Que anda malvestido ou esfarrapado. • *s.m.* **2.** Pessoa maltrapilha.

maltratar (mal.tra.*tar*) *v.* **1.** Infligir maus-tratos a; tratar com violência; bater em; agredir: *Não maltrate os animais.* **2.** Tratar mal; ultrajar (com palavras ou atos); ofender moralmente: *O chefe maltratou o funcionário em público.* **3.** Causar dano ou lesão em; machucar, danificar, lesionar: *O sapato apertado maltratava seus pés.* ▶ Conjug. 5.

maluco (ma.*lu*.co) *adj.* **1.** Que sofre de distúrbios mentais; doido, louco, demente. **2.** Que age como maluco; sem muito juízo: *Diz tanta tolice que parece maluco.* **3.** Que age levianamente, de forma arriscada; imprudente, insensato, inconsequente, insano: *Dirige como maluco.* **4.** Extravagante, excêntrico, esquisito, bizarro: *Veste-se de maneira maluca.* **5.** Fora de padrão; sem sentido; ilógico, absurdo: *Tive um sonho maluco.* **6.** Que é muito aficionado ou entusiasta; que aprecia (algo) excessivamente: *É maluco por futebol; Sou maluca por chocolate.* • *s.m.* **7.** Pessoa maluca.

maluquice (ma.lu.*qui*.ce) *s.f.* **1.** Qualidade ou condição de maluco (1); loucura, demência, insanidade. **2.** Falta de juízo, de reflexão; ilógica, absurdo: *Foi uma maluquice abandonar o emprego.* **3.** Comportamento fora do esperado; extravagância, excentricidade: *Fazia verdadeiras maluquices para chamar a atenção.* **4.** Falta de cuidado; imprudência, temeridade: *Evite as maluquices no trânsito.* **5.** Atitude ou fala tola; tolice, bobagem, idiotice.

malva (*mal*.va) *s.f.* (*Bot.*) Planta de folhas recortadas e flores brancas ou lilases, cultivada como ornamental e usada em Medicina.

malvadez [ê] (mal.va.*dez*) *s.f.* Qualidade ou atitude de malvado; perversidade, malvadeza.

malvadeza [ê] (mal.va.*de*.za) *s.f.* Malvadez.

malvado (mal.*va*.do) *adj.* **1.** Que pratica ou é capaz de praticar o mal com requintes de

malvadez... crueldade; mau, perverso, cruel, desumano, malévolo. **2.** Que tem maldade ou malícia; mordaz: *Foi malvado em suas críticas.* • *s.m.* **3.** Pessoa malvada.

malversação (mal.ver.sa.*ção*) *s.f.* **1.** Ato de malversar. **2.** (*Jur.*) Apropriação indébita ou desvio fraudulento, por parte do administrador de valores ou bens, do patrimônio alheio, público ou privado. **3.** Administração ou gestão incompetente em que se malbaratam dinheiro e bens.

malversar (mal.ver.*sar*) *v.* **1.** Administrar mal, com incompetência, o patrimônio público ou privado; malbaratar: *malversar os cofres públicos.* **2.** Apropriar-se, indevida ou abusivamente, do patrimônio alheio; enriquecer fraudulentamente; dilapidar, desviar: *Malversou dinheiro dos fundos de pensão dos funcionários.* ▶ Conjug. 8.

malvisto (mal.*vis*.to) *adj.* Que goza de má fama; que é malconceituado; que não é bem aceito ou apreciado; malquisto: *Depois do escândalo em que esteve envolvido, ficou malvisto em sua roda de amigos.*

mama (*ma.ma*) *s.f.* **1.** (*Anat.*) Cada um dos órgãos do sistema reprodutor feminino que produzem leite para a amamentação dos filhos; glândula mamária; seio, peito. **2.** (*Zool.*) Órgão glandular dos mamíferos que, nas fêmeas, secreta o leite para as crias; teta. **3.** O período de amamentação.

mamada (ma.*ma*.da) *s.f.* **1.** Ato de mamar. **2.** Cada uma das ocasiões em que se amamenta. **3.** Quantidade de leite ingerida numa mamada (2).

mamadeira (ma.ma.*dei*.ra) *s.f.* Frasco pequeno de vidro ou de plástico, com bico de borracha, usado para amamentar as crianças.

mamãe (ma.*mãe*) *s.f. fam.* Tratamento que se dá à própria mãe.

mamão (ma.*mão*) *s.m.* (*Bot.*) Fruto de forma oblonga, de casca amarelada quando maduro e de polpa comestível alaranjada.

mamar (ma.*mar*) *v.* **1.** Sugar leite (da mama, teta ou da mamadeira); amamentar-se: *Mamou todo o leite da mamadeira; Os filhotes mamavam nas tetas da mãe; Os bebês choram quando querem mamar.* **2.** *fig. coloq.* Apropriar(-se) indevidamente de (especialmente dinheiro público); tirar lucros ilícitos; explorar, roubar: *Os maus políticos querem mamar nas tetas do governo.* ▶ Conjug. 5.

mamário (ma.*má*.ri:o) *adj.* Relativo a mama: *glândula mamária.*

mamata (ma.*ma*.ta) *s.f. coloq.* **1.** Empresa em que se auferem lucros ilícitos, por meio de fraude, suborno, roubo etc. **2.** O procedimento desonesto com que são obtidos esses lucros; negociata.

mambembe (mam.*bem*.be) *s.m.* **1.** (*Teat.*) Companhia teatral ambulante, geralmente de atores amadores. • *adj.* **2.** Que trabalha nesta modalidade de teatro: *artista mambembe.* **3.** *coloq.* De pouca qualidade ou de pouco valor; ordinário, reles: *uma construção mambembe.*

mambo (*mam*.bo) *s.m.* (*Mús.*) Música e dança originárias de Cuba, com ritmo vivo de influência africana, muito popular internacionalmente nas décadas de 40 e 50 do século XX.

mameluco (ma.me.*lu*.co) *adj.* Mestiço de branco com índio ou de branco com caboclo.

mamífero (ma.*mí*.fe.ro) *adj.* **1.** Que pertence à grande classe de animais vertebrados, caracterizado pela fecundação interna e pela presença de glândulas mamárias, que permitem às fêmeas amamentarem suas crias. • *s.m.* **2.** Animal mamífero.

mamilo (ma.*mi*.lo) *s.m.* (*Anat.*) Parte central da glândula mamária, de onde é secretado o leite; bico do peito; maminha, teta.

maminha (ma.*mi*.nha) *s.f.* **1.** Pequena mama. **2.** Mamilo. **3.** Parte mais macia da alcatra bovina.

mamoeiro (ma.mo:*ei*.ro) *s.m.* (*Bot.*) Árvore que produz o mamão.

mamografia (ma.mo.gra.*fi*.a) *s.f.* Radiografia da mama para a qual não se usa contraste, sendo feita com equipamento especial de raios X.

mamona (ma.*mo*.na) *s.f.* **1.** (*Bot.*) Arbusto nativo da África e do Oriente Médio, transplantado em países tropicais, de cuja semente se extrai o óleo de rícino e também um óleo biocombustível alternativo à gasolina usada nos veículos automotores; mamoneira, carrapateira. **2.** O fruto desse arbusto.

mamoneira (ma.mo.*nei*.ra) *s.f.* (*Bot.*) Mamona; carrapateira.

mamulengo (ma.mu.*len*.go) *s.m.* (*Teat.*) **1.** Marionete, fantoche. **2.** Espetáculo feito com marionetes, geralmente uma crítica bem-humorada de fatos e pessoas.

mamute (ma.*mu*.te) *s.m.* (*Zool.*) Animal pré-histórico de grande porte, dotado de longas

mana

presas recurvadas e corpo coberto de longos pelos.

mana (*ma*.na) *s.f. fam.* Irmã.

maná (ma.*ná*) *s.m.* **1.** Alimento que, segundo a Bíblia, Deus fez cair sobre os judeus para os sustentar na travessia do deserto. **2.** Qualquer alimento delicioso; ambrosia. **3.** *fig.* Aquilo que traz proveito e vantagem: *Esse aumento salarial foi um verdadeiro maná.*

manacá (ma.na.*cá*) *s.m.* (*Bot.*) Arbusto nativo do Brasil de flores aromáticas roxas que passam a lilases e brancas, cultivado como ornamental.

manada (ma.*na*.da) *s.f.* **1.** Rebanho de gado bovino, muar ou cavalar. **2.** *fig.* Grupo numeroso de pessoas, sem opinião própria, que se deixa levar passivamente.

manancial (ma.nan.ci:*al*) *s.m.* **1.** Lugar onde nasce água; nascente, fonte, mina de água, olho-d'água. **2.** *fig.* Princípio ou fonte abundante de algo: *Sua mente é um verdadeiro manancial de ideias.* • *adj.* **3.** Que mana, escorre, jorra sem cessar.

manar (ma.*nar*) *v.* **1.** Fazer correr ou correr em abundância, sem parar (líquido ou gás); jorrar, fluir, verter, brotar: *A fonte manava água fresca; Lágrimas copiosas manavam dos tristes olhos; Ali há muitas minas de água que não cessam de manar.* **2.** *fig.* Originar-se, proceder, provir, emanar: *Muitos males manam da injustiça social.* ▶ Conjug. 5.

manauara (ma.nau.*a*.ra) *adj. s.m. e f.* Manauense.

manauense (ma.nau.*en*.se) *adj.* **1.** De Manaus, capital do Estado do Amazonas. • *s.m. e f.* **2.** O natural ou o habitante dessa capital; manauara.

mancada (man.*ca*.da) *s.f. coloq.* **1.** Erro, lapso, engano, falha. **2.** Dito ou ato inconveniente; indiscrição, gafe.

mancal (man.*cal*) *s.m.* **1.** Peça de ferro ou outro metal onde giram os eixos de certos mecanismos. **2.** Dobradiça.

mancar (man.*car*) *v.* **1.** Estar manco; coxear, manquejar, manquitolar, claudicar: *Ia ser sacrificada a montaria que mancava; Depois do acidente, passou a mancar de uma perna.* **2.** *fig. coloq.* Dar-se conta de estar sendo inconveniente ou inoportuno; convencer-se do próprio engano: *Vê se te mancas e não insistas mais nesses comentários maldosos.* ▶ Conjug. 5 e 35.

mancebia (man.ce.*bi*.a) *s.f.* Vida em comum de homem e mulher, sem que sejam casados legalmente; concubinato.

mancebo [ê] (man.ce.bo) *s.m.* Moço, rapaz, jovem.

mancha (man.cha) *s.f.* **1.** Sinal que uma substância deixa em uma superfície, sujando-a; nódoa: *mancha de tinta*; *mancha de sangue.* **2.** *fig.* Defeito moral; falha na reputação; deslustre, desdouro, mácula: *Escondia de todos aquela mancha em seu passado.* **3.** (*Art. Gráf.*) Parte impressa de um livro, jornal, revista etc. **4.** Malha².

manchar (man.*char*) *v.* **1.** Sujar(-se) com mancha ou nódoa; enodoar(-se): *A água sanitária mancha as roupas*; *Manchou-se todo de graxa.* **2.** *fig.* Fazer ficar ou ficar desonrado; desonrar(-se), infamar(-se), macular(-se): *O escândalo manchou sua reputação; Sua trajetória política manchou-se com denúncias de fraude e peculato.* ▶ Conjug. 5.

mancheia (man.*chei*.a) *s.f.* O que se pode abranger com a mão; punhado. || *Às mancheias*: prodigamente, à farta. || *mão-cheia*.

manchete [é] (man.*che*.te) *s.f.* (*Comun.*) **1.** Título da matéria principal ou de maior destaque, colocado no alto da primeira página de jornal ou na capa de revista em caracteres grandes. **2.** (*Esp.*) No voleibol, lance em que o jogador defende ou passa a bola com os braços estendidos e as mãos unidas.

manco (man.co) *adj.* **1.** A quem falta a extremidade de um dos membros ou que os tem defeituosos. **2.** Que caminha, apoiando-se mais em uma perna; coxo. **3.** *fig.* Que não está firme; fora de prumo; desequilibrado, capenga: *cadeira manca.*

mancomunar (man.co.mu.*nar*) *v.* Entrar em acordo ou conluio com (alguém) para a realização de ato ou negócio que resulte em prejuízo de outrem; ajustar(-se), combinar(-se), conluiar(-se): *Os prisioneiros mancomunaram uma rebelião*; *Mancomunou-se com outros para especular com o câmbio*; *Alguns partidos se mancomunaram contra o governo.* ▶ Conjug. 5.

mandacaru (man.da.ca.*ru*) *s.m.* (*Bot.*) Certo tipo de cacto de grande porte, típico da caatinga.

mandachuva (man.da.*chu*.va) *s.f.* **1.** Pessoa importante e influente em sua área de atuação; magnata, maioral. **2.** Chefe político do interior; coronel.

mandado (man.*da*.do) *s.m.* **1.** (*Jur.*) Ordem escrita, emanada de autoridade pública, judicial ou administrativa, pela qual deve ser cumprida à medida que ali se determina; determinação, prescrição. • *adj.* **2.** Que se mandou, enviou ou transportou: *Recebeu flores mandadas pelo admirador.* || *Mandado de prisão*: (*Jur.*) ordem escrita do juiz competente, determinando a prisão de pessoa denunciada por crime ina-

mandrião

fiançável ou já condenada por algum crime. • *Mandado de segurança*: (*Jur.*) ação movida por pessoa a fim de assegurar um direito ameaçado ou violado por ato ilegal ou abuso de poder por parte de uma autoridade constituída.

mandamento (man.da.*men*.to) *s.m.* **1.** Ato ou efeito de mandar; mandado, ordem. **2.** Regra a ser seguida; norma, preceito, prescrição. **3.** Mandado (1). **4.** (*Rel.*) No judaísmo e no cristianismo, cada um dos dez preceitos revelados por Deus a Moisés e aos quais os crentes devem obedecer; decálogo. || Na última acepção é mais usado no plural.

mandante (man.*dan*.te) *adj.* **1.** Que tem autoridade para mandar ou determinar (alguma coisa a alguém). **2.** Que induz, incita ou instiga (alguém) à prática de certos atos, geralmente ilícitos. • *s.m.* e *f.* **3.** (*Jur.*) Aquele que autoriza alguém à prática de um ato em seu nome. **4.** (*Jur.*) No direito penal, aquele que é indiciado como autor intelectual do delito: *As investigações levaram ao mandante do atentado contra os lavradores sem-terra.*

mandão (man.*dão*) *adj.* **1.** Que gosta de mandar; que ostenta demasiada autoridade; autoritário. • *s.m.* **2.** Pessoa mandona; déspota, tirano.

mandar (man.*dar*) *v.* **1.** Dar ordens para; ordenar, determinar, estipular, exigir: *A professora mandou o aluno comparecer à diretoria; Mandou que o aluno comparecesse à diretoria; Os irmãos mais velhos gostam muito de mandar.* **2.** Deportar, degredar, desterrar: *O governo autoritário mandou os insurgentes para o exílio.* **3.** Enviar, remeter, endereçar, dirigir: *mandar flores, cartões-postais.* **4.** Fazer chegar; transmitir, comunicar: *Mando-lhe meus sinceros votos de pesar.* **5.** Dirigir, emitir, encaminhar, enviar: *O piloto mandou sinais de socorro à torre.* **6.** Exercer o mando, o poder ou a autoridade sobre; governar(-se), reger(-se): *Num bom relacionamento, ninguém manda em ninguém; É uma pessoa autoritária, gosta de mandar; Eu sei mandar-me perfeitamente.* **7.** Determinar, estabelecer (alguma regra ou preceito): *A boa educação manda que se dê lugar aos idosos.* **8.** Recomendar; sugerir, aconselhar: *Faça o que lhe manda o coração.* **9.** coloq. Ir-se embora, ausentar-se, partir: *Antes que o chamassem para discursar, ele se mandou.* **10.** coloq. Dirigir-se a determinado lugar; vir, sair: *Gostaria, como o poeta Bandeira, de mandar-me para Pasárgada.* || *Mandar embora*: despedir, demitir, exonerar: *Mandou embora o funcionário faltoso.* ▶ Conjug. 5.

mandarim (man.da.*rim*) *s.m.* **1.** Alto funcionário no antigo império da China. **2.** *pej.* Pessoa influente e importante; maioral, mandachuva: *os mandarins da política local* (4). **3.** Principal dialeto da China, tomado como língua oficial.

mandatário (man.da.*tá*.ri:o) *s.m.* (*Jur.*) Pessoa que recebeu mandato (1) para agir em nome de outro; representante, procurador. **2.** (*Jur.*) Pessoa que comete um crime em nome de outrem; mandante (4). **3.** Pessoa a quem os eleitores confiam os poderes políticos para representá-los no Executivo e nas casas legislativas: *O presidente é o primeiro mandatário da República.*

mandato (man.*da*.to) *s.m.* **1.** (*Jur.*) Autorização ou encargo que alguém confere a outra pessoa para praticar atos ou administrar interesses em seu nome; procuração, delegação: *Num mandato, o mandante é a pessoa que concede os poderes e o mandatário é aquele que cumpre o encargo recebido.* **2.** Poderes políticos que os eleitores confiam a seus representantes no Legislativo ou no Executivo. **3.** Período de exercício desse mandato: *O mandato de senador tem a duração de oito anos.*

mandíbula (man.*dí*.bu.la) *s.f.* (*Anat.*) Osso único da face, em forma de arco, onde estão implantados os dentes da arcada inferior. – **mandibular** *adj.*

mandinga (man.*din*.ga) *s.f.* Ação atribuída aos poderes de bruxos e feiticeiros; bruxaria, feitiçaria. – **mandingueiro** *adj.*

mandioca [ó] (man.di:*o*.ca) *s.f.* **1.** (*Bot.*) Arbusto nativo da América do Sul, cuja raiz tem casca grossa marrom-escura e tubérculos carnosos de cor branca. **2.** Essa raiz, rica em amido, de que se faz farinha comestível; aipim, macaxeira.

mandiocal (man.di:o.*cal*) *s.m.* Plantação de mandioca.

mando (*man*.do) *s.m.* **1.** Ato ou efeito de mandar; comando, autoridade, domínio, poderio: *O quadro eleitoral irá mostrar quem tem o poder de mando na política.* **2.** (*Esp.*) No futebol, direito de jogar no próprio campo: *O time perdeu o mando de campo em razão dos episódios de vandalismo em seu estádio.* || *A mando de*: por ordem ou determinação de: *A reunião foi convocada a mando do diretor.*

mandrião (man.dri:*ão*) *adj.* **1.** Que foge às obrigações; vadio, preguiçoso, ocioso, indolente. • *s.m.* **2.** Pessoa mandriona. **3.** Espécie de roupão curto para uso caseiro de mulheres e crianças.

mandril

mandril¹ (man.dril) s.m. **1.** Ferramenta usada para retificar e calibrar orifícios e furos em peças mecânicas. **2.** Dispositivo de máquina ou ferramenta destinado a segurar a peça com que se vai trabalhar. **3.** (Med.) Haste metálica que se introduz em uma sonda a fim de dirigi-la durante a colocação no paciente. **4.** (Odont.) Instrumento munido de lâminas espirais, usado para limpeza e alargamento dos canais das raízes. ▶ Conjug. 5. – **mandrilagem** s.f.; **mandrilar** v.

mandril² (man.dril) s.m. (Zool.) Macaco de grande porte encontrado em algumas regiões da África.

mané (ma.né) s.m. coloq. pej. Indivíduo pouco inteligente e pouco capaz; tolo, bobo, palerma.

manear (ma.ne:ar) v. Manejar. ▶ Conjug. 14.

maneio (ma.nei.o) s.m. **1.** Ato ou efeito de manear; manejo **2.** Administração (de trabalho ou capital); direção, gerência, gestão: *A assembleia de acionistas irá decidir quem terá o maneio da empresa.*

maneira (ma.nei.ra) s.f. **1.** Forma ou modo como as coisas são ou devem ser feitas ou executadas; meio, jeito: *Ler é a melhor maneira de aprender.* **2.** Forma especial de ser ou de comportar-se: *Foi elogiada pela maneira como se saiu na defesa de tese.* || À maneira de: em imitação a; à moda de; como: *Gostaria de escrever à maneira dos autores clássicos.* • **Boas maneiras**: boa educação; gentileza, cortesia, refinamento. • **De maneira que**: de modo que, de forma que, de sorte que. • **De qualquer maneira**: seja como for; custe o que custar: *Precisava safar-se daquele imbróglio de qualquer maneira.*

maneirar (ma.nei.rar) v. **1.** coloq. Demonstrar discernimento, habilidade ou controle (na fala, gesto ou atitude); tornar-se mais moderado; moderar-se: *Você deve maneirar suas palavras.* **2.** Tornar-se mais ameno; amenizar, suavizar, diminuir, melhorar: *À tarde a chuva maneirou um pouco; Os comerciantes maneiraram nos juros cobrados.* ▶ Conjug. 18.

maneirismo (ma.nei.ris.mo) s.m. **1.** (Art.) Estilo artístico dos séculos XVI e XVII, sobretudo na pintura, surgido como reação ao classicismo, e cujas formas ornamentais e assimétricas já prenunciavam o estilo barroco. **2.** Ausência de naturalidade; artificialismo, afetação, refinamento (nas atitudes, na linguagem e nas manifestações artísticas).

maneirista (ma.nei.ris.ta) adj. **1.** Relativo a maneirismo. **2.** Que adota o maneirismo (1) como estilo. **3.** Que denota afetação e refinamento. • s.m. e f. **4.** Artista maneirista. **5.** Pessoa que apresenta modos afetados na fala e nos gestos.

maneiro (ma.nei.ro) adj. coloq. Cujas qualidades positivas se destacam sobremaneira; excelente, ótimo, bacana, legal: *um escritor maneiro; um trabalho maneiro.*

maneiroso [ô] (ma.nei.ro.so) adj. Que tem boas maneiras; amável, afável, educado, refinado. || f. e pl.: [ó].

manejar (ma.ne.jar) v. **1.** Empregar as mãos no uso de (alguma coisa); manusear, manear: *manejar armas; manejar o anzol.* **2.** Governar com as mãos; dirigir, conduzir: *manejar o leme.* **3.** Ter autoridade sobre; dominar, controlar, manipular: *manejar a vontade do povo.* **4.** Ter conhecimento; praticar, exercitar, exercer: *manejar o computador.* **5.** Administrar, gerenciar: *manejar os negócios da família.* ▶ Conjug. 10 e 37. – **manejador** adj. s.m.

manejo [ê] (ma.ne.jo) s.m. **1.** Ato ou efeito de manejar; manuseio, maneio: *manejo da espingarda; manejo da guitarra.* **2.** Uso das mãos para o trabalho; técnica, prática, desempenho: *manejo do torno mecânico.* **3.** Direção, condução (de veículos): *manejo do volante.* **4.** Governo, domínio, controle, manipulação: *manejo das massas.* **5.** Administração, gerência, gestão, controle: *O Banco Central tem o manejo da economia do país.* **6.** Manobra militar. || Nesta última acepção, é mais usado no plural.

manequim (ma.ne.quim) s.m. **1.** Figura que representa o ser humano, usada em trabalhos de costura e para exposição em vitrines e interior de lojas. **2.** Figura que serve de modelo a escultores e pintores. **3.** Medida, tamanho ou padrão de vestimentas: *Esta loja tem manequins do número 36 ao 44.* • s.m. e f. **4.** Pessoa que desfila ou posa para fotografia; modelo (8).

maneta [ê] (ma.ne.ta) adj. **1.** A quem falta um braço ou uma mão. • s.m. e f. **2.** Pessoa maneta.

manga¹ (man.ga) s.f. Fruto da mangueira, de casca grossa verde ou amarela, caroço grande e polpa também amarela, fibrosa, doce e suculenta.

manga² (man.ga) s.f. Parte do vestuário (casaco, paletó, vestido) que cobre o braço a partir do ombro: *manga curta; manga comprida.* || *Arregaçar as mangas*: fig. dispor-se a trabalhar ou a executar (algo) com muito empenho. • *Botar* *as manguinhas de fora*: fig. revelar sua verdadeira personalidade e suas reais intenções. • *Em mangas de camisa*: sem paletó.

mangaba (man.ga.ba) *s.f.* Fruto da mangabeira, de polpa doce e suculenta, que dá bons sucos e sorvetes.

mangabeira (man.ga.bei.ra) *s.f.* (*Bot.*) Árvore que produz a mangaba.

manga-larga (man.ga-lar.ga) *adj.* **1.** Diz-se de uma raça de cavalo de montaria, resultante do cruzamento de um puro-sangue com éguas comuns. • *s.m.* **2.** Cavalo dessa raça. || pl.: *mangas-largas*.

manganês (man.ga.nês) *s.m.* (*Quím.*) Elemento químico metálico cinza-prateado, que entra na composição de ligas ferrosas, formando aços duros para vários fins, como, por exemplo, os trilhos de trem. || Símbolo: *Mn*.

mangar (man.gar) *v.* Meter (alguém) a ridículo; zombar, caçoar, troçar, escarnecer: *Os colegas mangavam de seu sotaque estrangeiro*; *É um feio hábito mangar.* ▶ Conjug. 5 e 34. – **mangação** *s.f.*

mangue (man.gue) *s.m.* **1.** (*Bot.*) Terreno pantanoso localizado junto a praias, à foz de rios ou à margem de lagoas, sujeito às inundações das marés, e com uma vegetação densa de raízes aéreas, que servem como escora e também à respiração; manguezal. **2.** Esse tipo de vegetação.

mangueira[1] (man.guei.ra) *s.f.* Tubo de lona, couro, borracha ou plástico, que se adapta a uma bomba e a outras máquinas para a condução de água ou de ar.

mangueira[2] (man.guei.ra) *s.f.* (*Bot.*) Árvore que produz a manga.

manguezal (man.gue.zal) *s.m.* Mangue.

manha (ma.nha) *s.f.* **1.** Choro infantil, sem motivo aparente; birra, pirraça. **2.** Habilidade, destreza, desenvoltura, jeito: *Tem que ter manha para a política.* **3.** Esperteza, astúcia, sagacidade, malícia: *Quis usar de manha para escapar da multa.* **4.** Artimanha, geralmente secreta ou pouco conhecida de outrem; recurso artificioso; ardil, malícia, mania: *A burocracia tem suas manhas.*

manhã (ma.nhã) *s.f.* **1.** Período de tempo entre o nascer do sol e o meio-dia. **2.** Começo do dia; amanhecer, alvorecer, alvorada, alva, aurora, madrugada: *São quatro horas da manhã.* **3.** fig. Princípio, começo, surgimento, desabrochar: *a manhã de uma nova existência.*

manhoso [ô] (ma.nho.so) *adj.* **1.** Que faz manha (1); chorão, birrento, pirracento: *criança manhosa.* **2.** Que tem manha (3); esperto, astuto, sagaz: *um charlatão manhoso.* **3.** Em que há manha (4); feito com manha (4); ardiloso, malicioso: *insinuação manhosa.* || f. e pl.: [ó].

mania (ma.ni.a) *s.f.* **1.** Gosto excessivo e imoderado por alguma coisa: *Ela tem mania de festa.* **2.** *coloq.* Ideia fixa; obsessão, fixação: *mania de limpeza.* **3.** fig. Extravagância, excentricidade, esquisitice: *O cantor era conhecido por suas manias.* **4.** Hábito prejudicial; vício: *mania de fumar.* **5.** (*Psiq.*) Transtorno mental em que a alteração desproporcional do humor leva a um quadro de excitabilidade e de hiperatividade, de aumento da estima, de falhas de atenção e distração, entre outros sintomas: *mania de grandeza*; *mania de perseguição.*

maníaco (ma.ní.a.co) *adj.* **1.** Que tem gosto ou interesse excessivo por alguma coisa: *maníaco por futebol.* **2.** Que revela preocupação exagerada por alguma coisa; obsessivo, obcecado: *maníaco por organização.* **3.** Que tem hábitos extravagantes; excêntrico, esquisito, bizarro: *É maníaca por trajes usados e reciclados.* **4.** (*Psiq.*) Que revela sintomas de mania (5). • *s.m.* **5.** Pessoa maníaca.

maníaco-depressivo (ma.ní.a.co-de.pres.si.vo) *adj.* (*Psiq.*) Diz-se de pessoa que apresenta o transtorno mental, atualmente denominado transtorno afetivo bipolar, que se caracteriza pela perturbação de humor e no nível de atividade. || pl.: *maníaco-depressivos*.

maniatar (ma.ni:a.tar) *v.* Manietar. ▶ Conjug. 5.

maniçoba [ó] (ma.ni.ço.ba) *s.f.* **1.** (*Cul.*) Prato feito com as folhas de mandioca, cozidas com carne suína e temperos. **2.** (*Bot.*) Arbusto nativo do Brasil, cujo caule exsuda um látex que produz uma borracha de qualidade inferior.

manicômio (ma.ni.cô.mi:o) *s.m.* Hospital para internação e tratamento de doentes mentais; hospício.

manícula (ma.ní.cu.la) *s.f.* **1.** (*Zool.*) Membro anterior de mamífero; mão. **2.** Meia-luva de couro com a qual sapateiros e correeiros protegem as mãos em seus ofícios.

manicura (ma.ni.cu.ra) *s.f.* Manicure.

manicure (ma.ni.cu.re) *s.f.* Mulher especialista no tratamento das mãos, sobretudo das unhas. || manicura.

manietar (ma.ni:e.tar) *v.* **1.** Amarrar as mãos de alguém, tolhendo-lhe os movimentos; atar, prender, ligar: *Os agentes penais manietaram*

manifestação

os presos amotinados; *Os feitores manietavam os escravos no tronco*. **2.** *fig.* Tolher a livre manifestação de (alguém); constranger, reprimir, refrear: *Nenhum governo pode manietar a voz do povo*. ▶ Conjug. 5.

manifestação (ma.ni.fes.ta.*ção*) *s.f.* **1.** Ato ou efeito de manifestar(-se); declaração, expressão, revelação, confissão: *manifestação de fé*. **2.** Demonstração pública a respeito de determinados fatos ou pessoas: *manifestação de protesto*; *manifestação de solidariedade*. **3.** Ato público que reúne pessoas em defesa de suas ideias, ideais ou posições: *Milhares de manifestantes estavam presentes à manifestação*. **4.** (*Med.*) Sintoma revelador de alguma doença ou distúrbio físico ou mental.

manifestante (ma.ni.fes.*tan*.te) *adj.* **1.** Que se manifesta; que participa de manifestação (3): *grupos manifestantes*. • *s.m.* e *f.* **2.** Pessoa que se manifesta: *Os manifestantes pela preservação do meio ambiente são muito atuantes*.

manifestar (ma.ni.fes.*tar*) *v.* **1.** Tornar público e notório; declarar, expressar, revelar, divulgar: *A sociedade manifestou seu repúdio aos crimes de corrupção*; *Não manifestou sua intenção de voto*. **2.** Dar a conhecer sua própria opinião; expressar-se abertamente; declarar-se, revelar-se: *A oposição manifestou-se contra a política econômica do governo*. **3.** Tornar(-se) evidente; apresentar(-se), mostrar(-se), evidenciar(-se): *Seu rosto manifestava toda a angústia que o oprimia*; *A doença manifestou-se ao entrar na maturidade*. **4.** (*Rel.*) No espiritismo, fazer-se presente (um espírito); corporificar-se por meio de sinais ou de um médium: *Ele acreditava que o espírito do pai se manifestara na sessão espírita*. ▶ Conjug. 8.

manifesto [é] (ma.ni.*fes*.to) *s.m.* **1.** Documento em que se torna pública declaração de princípios ou propósitos de interesse geral: *Foi lançado um manifesto a favor da proibição de armas*. • *adj.* **2.** Que não deixa dúvida; claro, evidente, inequívoco, patente: *A moça fingia ignorar o manifesto interesse do colega de trabalho*.

manilha (ma.*ni*.lha) *s.f.* Tubo de concreto ou de aço que, acoplado a outros iguais, compõe a canalização para o escoamento de águas e esgotos.

maninho (ma.*ni*.nho) *adj.* **1.** Infrutífero, infecundo, estéril: *solo maninho*. • *s.m.* **2.** Terreno improdutivo ou que só produz mato e vegetação rasteira; charneca. **3.** *fam.* Irmão mais novo; mano.

manipulação (ma.ni.pu.la.*ção*) *s.f.* **1.** Ato ou efeito de manipular: *manipulação de instrumentos cirúrgicos*. **2.** *fig.* Manobra tendenciosa que encobre uma falsificação de dados, visando a ludibriar ou pressionar (um indivíduo ou a coletividade): *Pesquisa enganosa procedeu à manipulação dos índices eleitorais*. **3.** (*Farm.*) Preparação manual de produtos químicos para usos farmacêuticos: *Mandou aviar os remédios numa farmácia de manipulação*. **4.** (*Med.*) Procedimento manual utilizado para diagnóstico ou terapia; manobra.

manipular (ma.ni.pu.*lar*) *v.* **1.** Empregar as mãos para preparar ou executar (algo); manejar, manusear: *Manipulava agilmente o equipamento da fábrica*. **2.** Tornar falso; falsificar, falsear, forjar, adulterar: *manipular dados estatísticos*. **3.** Exercer influência sobre (indivíduo ou grupo); influenciar, pressionar, manobrar: *A imprensa livre não se deixa manipular nem manipula*. **4.** (*Farm.*) Misturar (componentes de fórmulas farmacêuticas); preparar, confeccionar: *manipular medicamentos de homeopatia*. **5.** (*Med.*) Fazer manipulação (4) em: *O fisioterapeuta manipulava toda a musculatura*. ▶ Conjug. 5. – **manipulador** *adj. s.m.*

maniqueísmo (ma.ni.que.*ís*.mo) *s.m.* **1.** (*Fil.*) Doutrina segundo a qual o mundo é regido por um equilíbrio de forças do bem e do mal. **2.** Qualquer forma de julgamento ou de avaliação que reduz uma questão a dois aspectos opostos e incompatíveis: *O maniqueísmo tende a dividir a humanidade em bons e maus*.

maniqueísta (ma.ni.que.*ís*.ta) *adj.* **1.** Relativo ao maniqueísmo. **2.** Partidário do maniqueísmo. • *s.m.* e *f.* **3.** Pessoa partidária do maniqueísmo.

manivela [é] (ma.ni.*ve*.la) *s.f.* Peça de uma máquina que se aciona com as mãos e que serve para colocar em movimento o respectivo mecanismo.

manjado (man.*ja*.do) *adj. gír.* Que já está muito visto ou conhecido; comum, corriqueiro, banal: *Suas desculpas são muito manjadas*.

manjar (man.*jar*) *v.* **1.** *gír.* Ter conhecimento sobre; entender, compreender, conhecer: *Ele manjou logo as verdadeiras intenções do falso amigo*; *Diz que não manja nada de política*. **2.** *gír.* Observar o comportamento de; acompanhar, espionar: *Policiais federais vêm manjando o contrabando nas fronteiras*. • *s.m.* **3.** Alimento, comida. **4.** Comida requintada; iguaria. **5.** *fig.* Tudo o que serve para deleitar e satisfazer o espírito: *A leitura é, para mim, um verdadeiro manjar dos deuses*. ▶ Conjug. 5 e 37.

manjar-branco (man.jar-*bran*.co) *s.m.* (*Cul.*) Espécie de pudim, feito com maisena, açúcar, leite e leite de coco, geralmente servido com doce de ameixa em calda. || pl.: *manjares-brancos*.

manjedoira (ma.je.*doi*.ra) *s.f.* Manjedoura.

manjedoura (man.je.*dou*.ra) *s.f.* Tabuleiro fixo, de madeira ou de pedra, no qual se coloca o alimento para o gado nas estrebarias. || *manjedoira*.

manjericão (man.je.ri.*cão*) *s.m.* (*Bot.*) Arbusto com pequenas folhas aromáticas, cultivado como ornamental e como condimento, por seu sabor picante.

manjerona (man.je.*ro*.na) *s.f.* (*Bot.*) Arbusto nativo do Mediterrâneo, cujas folhas têm uso como tempero e em chás, e das quais se extrai também um óleo usado em perfumaria.

mano (*ma*.no) *adj.* **1.** *fam.* Irmão. **2.** Tratamento afetuoso entre amigos; companheiro, colega.

manobra [ó] (ma.*no*.bra) *s.f.* **1.** Conjunto de ações levadas a cabo para realizar (algo) ou para atingir determinados objetivos. **2.** Ato de dirigir adequada e convenientemente veículos ou embarcações: *Nas aulas de direção, aprendeu as manobras para o estacionamento correto.* **3.** Conjunto de movimentos para organização do tráfego ferroviário. **4.** (*Mil.*) Nas Forças Armadas, exercícios de treinamento ou movimentação de tropas em campanha. **5.** (*Med.*) Qualquer procedimento manual; manipulação. **6.** *fig.* Trama ardilosa com objetivo de iludir ou ludibriar (alguém); artimanha, astúcia: *Foi acusado de manobras escusas para conseguir o cargo.*

manobrar (ma.no.*brar*) *v.* **1.** Fazer funcionar; acionar, movimentar, mover: *manobrar a locomotiva.* **2.** Fazer manobras (2): *Gostava de manobrar o carro do pai; Manobrou à direita para evitar a colisão.* **3.** *fig.* Comandar, dirigir, conduzir, governar: *Os déspotas querem manobrar o povo a seu favor.* **4.** *fig.* Usar de manobras falsas e tendenciosas para influenciar (indivíduo ou grupo); manipular (3): *Os sindicalistas não permitiram que o pelego manobrasse a assembleia.* **5.** (*Mil.*) Executar exercícios ou ações coordenados de ataque e defesa: *O comandante manobrou pessoalmente as tropas; Exército, Marinha e Aeronáutica manobraram em conjunto.* ▶ Conjug. 20.

manobreiro (ma.no.*brei*.ro) *s.m.* Pessoa que dirige ou executa manobras (2); manobrista.

manobrista (ma.no.*bris*.ta) *adj. s.m. e f.* Manobreiro.

manômetro (ma.*nô*.me.tro) *s.m.* (*Fís.*) Instrumento que serve para medir a pressão de um fluido.

manopla [ó] (ma.*no*.pla) *s.f.* Mão muito grande; manzorra, mãozorra.

manquejar (man.que.*jar*) *v.* **1.** Andar arrastando de uma perna; coxear, capengar, mancar, manquitolar: *Passou a manquejar depois do acidente.* **2.** *fig.* Cometer falta ou falha; ter defeito; falhar, errar, claudicar: *Até hoje ainda manqueja na ortoépia; Procura não manquejar em seus discursos.* ▶ Conjug. 10 e 37.

manquitolar (man.qui.to.*lar*) *v.* Mancar, manquejar: *O velhinho caminhava manquitolando.* ▶ Conjug. 20. – **manquitola** *adj. s.m. e f.*

mansão (man.*são*) *s.f.* Residência luxuosa e de grandes dimensões.

mansarda (man.*sar*.da) *s.f.* **1.** (*Arquit.*) A parte mais elevada de um edifício, que serve para sustentar o teto e cujo desvão pode ser aproveitado como último andar habitável, em forma de estúdio, depósito etc.; água-furtada. **2.** *coloq.* Habitação miserável.

mansidão (man.si.*dão*) *s.f.* **1.** Qualidade ou condição de quem é manso; mansuetude. **2.** Índole pacífica; brandura de gênio; doçura, meiguice: *A professora tinha mansidão nos gestos e no olhar.* **3.** Serenidade, tranquilidade, calma: *a mansidão da noite.*

mansinho (man.*si*.nho) *adj.* Usado na locução *de mansinho.* || *De mansinho*: **1.** com calma; devagar, tranquilamente, suavemente: *A garoa caía de mansinho sobre a cidade.* **2.** de forma sorrateira; sem ser percebido; às ocultas: *Saiu de mansinho antes do fim do discurso.*

manso (*man*.so) *adj.* **1.** Calmo, tranquilo, sossegado: *um bebê manso.* **2.** De gênio brando ou índole pacífica; afável, meigo, dócil: *Tem o coração manso.* **3.** Brando, suave, sereno: *um lago manso.* **4.** Domesticado, amansado, domado: *cachorro manso.* • *s.m.* **5.** Parte do rio em que as águas aparentam imobilidade.

mansuetude (man.su:e.*tu*.de) *s.f.* Mansidão.

manta (*man*.ta) *s.f.* **1.** Grande pano de lã usado para agasalhar; cobertor. **2.** Manto, capa. **3.** Grande xale, que cobre o colo e os ombros das mulheres. **4.** Forro de lã para o dorso da montaria, sobre o qual se coloca a sela. **5.** Peça de carne, toucinho ou de peixe exposta ao sol para secar.

manteiga

manteiga (man.*tei*.ga) *s.f.* **1.** Substância sólida, gordurosa e amarelada que se obtém por meio de processos de agitação ou centrifugação da nata do leite, muito presente na alimentação. **2.** Substância extraída de vegetais, cuja consistência se assemelha à da manteiga: *manteiga de cacau*. || *Manteiga derretida*: *coloq.* pessoa suscetível, cheia de melindres, que chora à toa.

manteigueira (man.tei.*guei*.ra) *s.f.* Recipiente em que se guarda a manteiga em uso.

mantenedor [ô] (man.te.ne.*dor*) *s.m.* **1.** Pessoa ou instituição que mantém e sustenta com recursos (alguém ou um grupo): *Congregações de fiéis são mantenedoras das obras sociais da paróquia*. **2.** Aquele que defende e protege; defensor, protetor: *Aquela organização não governamental é mantenedora da ecologia*. • *adj.* **3.** Que mantém, defende ou protege: *agente mantenedor da ordem*.

manter (man.*ter*) *v.* **1.** Prover(-se) do necessário à subsistência; sustentar(-se), alimentar(-se): *Os pais trabalham para manter os filhos*; *Não consegue manter-se com seu parco salário*. **2.** (Fazer) permanecer, conservar(-se) (em determinado estado, condição, local etc.): *Em tempos de crise, é preciso manter a esperança*; *O réu manteve-se calado e na mesma posição durante todo o julgamento*. **3.** Cumprir, guardar, confirmar, reafirmar: *Mantenha firme sua opção política*. **4.** Fazer respeitar; defender, proteger: *Não concordo com o que diz, mas respeito-o por manter seus princípios*. **5.** Prosseguir na execução de (algo); seguir adiante; continuar: *As tropas mantiveram o ataque às hostes inimigas*; *As empresas mantiveram-se firmes nas negociações*. **6.** Apresentar ainda; conservar, ter: *manter a aparência dos vinte anos*. **7.** Praticar, entreter, ter: *manter relações amorosas*. **8.** Fazer resistir; dar sobrevida a: *Os aparelhos mantinham vivo o paciente*. **9.** Sustentar (algo) para que não caia; firmar, aguentar, suster: *Vigas de concreto mantinham a obra*. ▶ Conjug. 5.

mantilha (man.*ti*.lha) *s.f.* **1.** Pequena manta usada para proteção da cabeça e dos ombros. **2.** Véu comprido de seda, gaze ou renda usado como adorno pelas mulheres: *Uma longa mantilha negra cobria a mulher de luto*.

mantimento (man.ti.*men*.to) *s.m.* Conjunto de gêneros alimentícios; víveres. || Mais usado no plural.

manto (*man*.to) *s.m.* **1.** Capa comprida, de grande cauda, presa aos ombros, usada por soberanos, príncipes, santos, cavaleiros: *o manto do rei*; *o manto de Nossa Senhora*. **2.** Veste feminina larga e comprida, sem mangas, usada ainda hoje por certas ordens religiosas: *o manto das carmelitas*. **3.** Agasalho largo e sem mangas. **4.** *fig.* Qualquer coisa que cobre ou envolve à semelhança de um manto: *o manto da noite*; *o manto do silêncio*. **5.** *fig.* Aquilo que é usado para encobrir (algo); disfarce, pretexto: *Sob o manto da moralidade, escondem-se muitos corruptos*.

mantô (man.*tô*) *s.m.* Casaco grande, geralmente de tecido grosso, de lã ou de peles; casacão.

mantra (*man*.tra) *s.f.* (*Rel.*) Palavra ou verso de caráter místico e ritual entoados repetidamente pelos seguidores do budismo e do hinduísmo, tendo em vista uma finalidade mágica ou um estado contemplativo.

manual (ma.nu.*al*) *adj.* **1.** Feito ou acionado com as mãos: *bordado manual*. **2.** Que se pode transportar facilmente com as mãos; leve, portátil: *um aparelho manual*. • *s.m.* **3.** Livro pequeno que contém noções resumidas ou instruções de uma disciplina, ciência, arte ou técnica: *manual de redação*; *manual de uso do celular*.

manuelino (ma.nu.e.*li*.no) *adj.* **1.** Relativo ao Rei D. Manuel I de Portugal (1469-1521) e à sua época. **2.** Diz-se especialmente do estilo arquitetônico dessa época.

manufatura (ma.nu.fa.*tu*.ra) *s.f.* **1.** Trabalho feito à mão ou em máquina caseira; artesanato: *manufatura indígena*. **2.** Estabelecimento industrial mecanizado; fábrica, indústria. **3.** Produto confeccionado nesse estabelecimento; artefato.

manufaturar (ma.nu.fa.tu.*rar*) *v.* **1.** Fabricar manualmente ou em máquina caseira: *Os artesãos manufaturaram as fantasias da escola de samba*. **2.** Fabricar, confeccionar em manufatura (2): *Essa indústria manufatura calçados para exportação*. ▶ Conjug. 5. – **manufaturado** *adj. s.m.*; **manufatureiro** *adj. s.m.*

manuscrever (ma.nus.cre.*ver*) *v.* Escrever à mão: *Gostava de manuscrever longas cartas para os amigos*. || part.: manuscrito. ▶ Conjug. 41.

manuscrito (ma.nus.*cri*.to) *adj.* **1.** Escrito à mão. • *s.m.* **2.** Obra escrita ou copiada à mão. **3.** Original manuscrito de uma obra.

manusear (ma.nu.se.*ar*) *v.* **1.** Pegar, mexer ou remexer (algo) com as mãos; manejar: *manusear dinheiro*. **2.** Virar (páginas de livro ou revista); folhear, compulsar: *manusear um dicionário*. **3.** Executar com as mãos; manipular, manufaturar: *manusear os fios do tear.* ▶ Conjug. 14.

manuseio (ma.nu.sei.o) *s.m.* **1.** Ato ou efeito de manusear; utilização das mãos na execução de (algo); manejo. **2.** Olhada rápida em (livro, revista); folheada.

manutenção (ma.nu.ten.ção) *s.f.* **1.** Ato ou efeito de manter(-se). **2.** Cuidados técnicos com a conservação de (máquinas, equipamento): *manutenção do automóvel.* **3.** Gastos financeiros com a subsistência de (alguém); sustento, provimento: *Trabalha muito para a manutenção da família.* **4.** Atenção especial para a conservação e preservação de (algo): *manutenção da saúde; manutenção da dieta.*

manzorra [ô] (man.zor.ra) *s.f.* Mão grande; manopla.

mão *s.f.* **1.** (*Anat.*) Extremidade do membro superior do corpo humano. **2.** (*Zool.*) Cada uma das patas dianteiras dos animais quadrúpedes; manícula. **3.** Camada de tinta ou de cal numa superfície; demão. **4.** Lado ou direção em que se encontra uma pessoa: *Sentou-se à mão direita do pai.* **5.** Sentido em que devem trafegar os veículos numa rua ou na estrada: *mão única; mão dupla.* **6.** *fig.* Habilidade no agir ou no executar; aptidão; talento, estilo: *Tem uma boa mão para o desenho.* **7.** *fig.* Grande poder, influência ou autoridade; domínio, controle, responsabilidade: *O crente entrega seu futuro nas mãos de Deus.* || *Mão de ferro: fig.* autoridade implacável; tirania, opressão. • *Abrir mão de:* desistir de (algo); ceder, conceder, dispensar. • *À mão:* **1.** ao alcance da mão. **2.** com o uso da mão; manualmente. • *Dar a mão:* **1.** estender a mão a (outrem) em sinal de cumprimento. **2.** *fig.* ser solidário; dar auxílio ou amparo a (alguém). • *Deixar na mão:* não cumprir o prometido. • *De mão abanando: coloq.* sem recursos, sem nenhum dinheiro. • *De mão beijada: coloq.* sem fazer qualquer esforço para conseguir (algo). • *De segunda mão:* que já foi usado; que já pertenceu a outro dono: *carro de segunda mão.* • *Em mão(s):* entregue diretamente ao destinatário. • *Ficar na mão: coloq.* sair logrado ou prejudicado em alguma coisa; sair perdendo. • *Largar de mão:* desistir de (algo); dispensar, renunciar. • *Meter a mão: coloq.* **1.** cobrar preço muito alto por (algo). **2.** roubar, furtar. • *Pedir a mão de:* pedir em casamento. • *Pôr a(s) mão(s) no fogo por: coloq.* responsabilizar-se pelo comportamento ou pelas ações de (alguém). • *Ser uma mão na roda: coloq.* ser de grande auxílio; vir a calhar: *As mudanças no trânsito foram uma mão na roda para os usuários.* || aum.: manopla, manzorra e mãozorra.

mão-aberta (mão-a.ber.ta) *s.m. e f.* **1.** *coloq.* Aquele que tem muitos gastos pessoais; gastador, esbanjador, perdulário. **2.** Pessoa que age com generosidade e prodigalidade em relação a outro(s). || pl.: *mãos-abertas.*

mão-boba (mão-bo.ba) *s.f. coloq.* Gesto de tocar com as mãos disfarçadamente em (alguém), com objetivos libidinosos ou na tentativa de furtá-lo. || pl.: *mãos-bobas.*

mão-cheia (mão-chei.a) *s.f.* Mancheia. || *A (às) mão(s)-cheia(s): "Bendito o que semeia / Livros... livros à mão-cheia / e manda o povo pensar."* (Castro Alves, *O livro e a América*).

mão de obra *s.f.* **1.** Trabalho manual ou braçal necessário a determinada obra: *A reforma da casa vai precisar de muita mão de obra.* **2.** Custo de execução de uma obra ou de um projeto: *mão de obra barata.* **3.** Conjunto dos trabalhadores assalariados de uma empresa, indústria etc.: *A fábrica só contratou mão de obra especializada.* **4.** *coloq.* Tarefa difícil ou complicada, que exige muito empenho ou esforço: *A educação dos filhos requer muita mão de obra.*

mão de vaca *s.m. e f. coloq.* Pessoa avarenta, sovina; pão-duro.

mão-furada (mão-fu.ra.da) *s.m. e f.* **1.** *coloq.* Mão-aberta (1). **2.** *fam.* Pessoa que perde (algo) com muita facilidade. || pl.: *mãos-furadas.*

maometano (ma.o.me.ta.no) *adj.* **1.** Relativo a Maomé (século VII) ou à religião por ele fundada, o islamismo. • *s.m.* **2.** Seguidor do islamismo; islamita, muçulmano.

maometismo (ma.o.me.tis.mo) *s.m.* Islamismo.

mãozada (mão.za.da) *s.f.* Golpe desferido com as mãos; tapa, bofetão.

mãozorra [ô] (mão.zor.ra) *s.f.* Mão grande; manopla.

mapa (ma.pa) *s.m.* **1.** Representação gráfica (em papel, tela etc.) da superfície terrestre, de parte dela, ou da esfera celeste: *O estudo dos mapas é a cartografia.* **2.** Representação de (algo) como se fosse um mapa; lista, relação, quadro, gráfico: *mapa eleitoral; mapa do desmatamento.* **3.** Roteiro, guia, itinerário: *Fiz um pequeno mapa do caminho até o hotel.* || *Mapa astral:* horóscopo. • *Mapa da mina: coloq.* truque, expediente ou manobra para

mapa-múndi

conseguir algo desejado: *Queria descobrir o mapa da mina para subir na vida.* • **Não estar no mapa**: coloq. ser (algo ou alguém) extraordinário, fora do comum, fora de série: *O talento daquele ator não está no mapa.*

mapa-múndi (ma.pa-mún.di) s.m. Mapa que representa o conjunto do globo terrestre. || pl.: *mapas-múndi*.

mapear (ma.pe:ar) v. **1.** Fazer o mapa de (região, estado, país etc.): *mapear os territórios indígenas*. **2.** Fazer o levantamento como se fosse num mapa (2): *mapear os restaurantes e bares da cidade*. ▶ Conjug. 14. – **mapeamento** s.m.

mapoteca [é] (ma.po.te.ca) s.f. **1.** Coleção de mapas. **2.** Local onde são conservados e classificados os mapas.

maquete [é] (ma.que.te) s.f. **1.** Representação, em escala reduzida, de uma obra de arquitetura ou engenharia. **2.** Miniatura, em gesso ou barro, de uma escultura. **3.** (Cine, Telv.) Cenário de estúdio, em proporções reduzidas, para representar ambientes externos.

maquiagem (ma.qui:a.gem) s.f. **1.** Ato de maquiar(-se). **2.** Conjunto dos produtos cosméticos usados para maquiar. **3.** O efeito produzido por esses produtos: *uma maquiagem exagerada*. **4.** fig. Ato de fazer mudanças superficiais (em um produto) para valorizá-lo e aumentar-lhe o preço: *A indústria faz uma maquiagem em alguns produtos, lançando-lhes novas embalagens*. **5.** fig. Modificação, geralmente fraudulenta; disfarce, camuflagem: *Foi descoberta a maquiagem do contrato.* || *maquilagem*.

maquiar (ma.qui:ar) v. **1.** Aplicar maquiagem (2) no rosto, para fins de embelezamento ou de caracterização de personagens (em teatro, cinema ou televisão): *Gosta de maquiar sobretudo os olhos; Não sai à rua sem se maquiar*. **2.** fig. Fazer alterações superficiais em (algo), para emprestar-lhe mais valor: *Maquiou a velha casa para colocá-la à venda*. **3.** fig. Encobrir um fato ou uma intenção; disfarçar, mascarar, camuflar: *maquiar dados, informes*. || *maquilar*. ▶ Conjug. 17. – **maquiador** adj. s.m.

maquiavelismo (ma.qui:a.ve.lis.mo) s.m. **1.** Sistema político proposto na obra *O Príncipe*, de Maquiavel (1459-1527), escritor e estadista italiano, que considera as organizações políticas sujeitas às suas próprias leis, as quais nada têm a ver com a ordem moral convencional. **2.** fig. Procedimento astucioso, traiçoeiro; falsidade, perfídia.

maquilagem (ma.qui.la.gem) s.f. Maquiagem.
maquilar (ma.qui.lar) v. Maquiar. ▶ Conjug. 5.
máquina (má.qui.na) s.f. **1.** Aparelho ou equipamento destinado a transformar uma forma de energia em outra, para produzir determinado efeito e desempenhar diversas funções: *máquina a vapor; máquina elétrica*. **2.** Qualquer equipamento que utilize força mecânica substituindo o trabalho humano; mecanização: *As máquinas foram a grande inovação da Revolução Industrial*. **3.** Aparelhagem ou equipamento empregado na fabricação de produtos; maquinaria, maquinário. **4.** fig. Organização ou articulação que funciona segundo leis e tem atividades regulares: *a máquina administrativa*. **5.** coloq. Veículo automotor; automóvel, carro: *O automobilismo conta atualmente com máquinas poderosas e mais seguras*. **6.** gír. Arma de fogo; revólver.

maquinal (ma.qui.nal) adj. Executado sem deliberação; inconscientemente, automático, mecânico: *impulso maquinal*.

maquinar (ma.qui.nar) v. **1.** Tramar em segredo algo prejudicial a alguém: *maquinar vingança*. **2.** Armar conspiração contra; fazer conluio; conspirar, intentar: *A população maquinava contra o tirano*. **3.** Traçar planos para; planejar, projetar: *Maquinava um modo de subir na vida*. ▶ Conjug. 5. – **maquinação** s.f.; **maquinador** adj. s.m.

maquinaria (ma.qui.na.ri.a) s.f. **1.** Conjunto de máquinas; maquinário. **2.** Local onde ficam as máquinas.

maquinário (ma.qui.ná.ri:o) s.m. Maquinaria (1).
maquinismo (ma.qui.nis.mo) s.m. **1.** Maquinaria (1). **2.** Conjunto de peças que constituem uma máquina; mecanismo. **3.** (Teat.) Conjunto de mecanismos de (iluminação, cenários etc.), necessários a uma montagem teatral.

maquinista (ma.qui.nis.ta) s.m. e f. **1.** Condutor ou operador de máquinas, especialmente locomotivas. **2.** (Teat.) Profissional que se encarrega da montagem e desmontagem de um espetáculo teatral. **3.** (Cine) Profissional que se ocupa do equipamento de filmagem.

mar s.m. **1.** (Geogr.) A parte da superfície terrestre que é formada por água salgada; oceano. **2.** Cada uma das divisões dessa parte do planeta: *mar Mediterrâneo; mar do Caribe*. **3.** Região costeira; beira-mar, litoral: *Prefiro o mar à montanha*. **4.** fig. Derramamento ou escoamento abundante: *mar de sangue; mar de lágrimas*. **5.** fig. Vasta extensão ou grande quantidade; imensidade, oceano: *Um mar de gente lotava as arquibancadas do estádio.* || *Mar de lama*: *fig. pej.* situação de extrema degradação moral e de corrupção. • *Mar de rosas*: *fig.* ocasião favorável; felicidade, tranquilidade, serenidade. • *Nem tanto ao mar nem tanto à terra*: *fig.* sem exagero; na medida certa; no meio-termo.

maraca (ma.*ra*.ca) *s.2g.* Maracá.

maracá (ma.ra.*cá*) *s.m.* **1.** Cabaça oca, em que os indígenas colocam pedras ou frutos e agitam em seus rituais de festa, de guerra ou feitiçaria. **2.** (*Mús.*) Instrumento rítmico em forma de chocalho; maraca.

maracanã (ma.ra.ca.*nã*) *s.f.* (*Zool.*) Espécie de papagaio todo verde com a cabeça mesclada de amarelo, bico grosso voltado para baixo e a cauda comprida e vermelha.

maracatu (ma.ra.ca.*tu*) *s.m.* **1.** (*Folc.*) Cortejo carnavalesco de origem africana, com personagens que representam reis, rainhas, príncipes, damas, vestidos com abundância de adornos (lantejoulas, espelhos, colares, turbantes etc.) e que dançam ao som de instrumentos de percussão. **2.** (*Mús.*) Música popular típica desse cortejo.

maracujá (ma.ra.cu.*já*) *s.m.* **1.** Fruto do maracujazeiro, de casca grossa, amarela quando maduro, numerosas sementes e polpa agridoce, comestível, com efeitos calmantes. **2.** Maracujazeiro.

maracujazeiro (ma.ra.cu.ja.*zei*.ro) *s.m.* (*Bot.*) Árvore que produz o maracujá.

maracutaia (ma.ra.cu.*tai*.a) *s.f. coloq.* Manobra escusa ou ilícita; fraude, falcatrua, tramoia.

marafona (ma.ra.*fo*.na) *s.f.* Prostituta, meretriz.

marajá (ma.ra.*já*) *s.m.* **1.** Título dos príncipes da Índia. **2.** *coloq. pej.* Funcionário público com salários excessivamente altos e muitas mordomias (1).

marajoara (ma.ra.jo:*a*.ra) *adj.* **1.** De Marajó, ilha do Pará. • *s.m. e f.* **2.** O natural ou o habitante dessa ilha.

maranhense (ma.ra.*nhen*.se) *adj.* **1.** Do Estado do Maranhão. • *s.m. e f.* **2.** O natural ou o habitante desse estado.

marani (ma.*ra*.ni) *s.f.* **1.** Esposa de marajá. **2.** Princesa soberana da Índia.

marasmo (ma.*ras*.mo) *s.m.* **1.** Estado de apatia; abatimento, desânimo, indiferença, prostração: *A terapia livrou-o do marasmo que o acometia.* **2.** Período caracterizado pela ausência de fatos novos e relevantes; estagnação, paralisação: *A política partidária vive momentos de marasmo.*

maratona (ma.ra.to.na) *s.f.* **1.** (*Esp.*) Prova esportiva que consiste em uma corrida a pé de 42.295 km. **2.** Competição difícil de qualquer natureza: *maratona de Matemática.* **3.** *fig.* Atividade ou evento de longa duração: *Vai começar a maratona do horário político obrigatório.*

maravilha (ma.ra.vi.lha) *s.f.* **1.** Coisa ou fato que desperta admiração ou deslumbramento por suas excepcionais qualidades; prodígio, fenômeno: *Os jardins suspensos da Babilônia eram uma das sete maravilhas do mundo antigo.* **2.** Excelência, perfeição, superioridade, primor: *a maravilha da obra machadiana; a maravilha de interpretação da famosa atriz.* **3.** (*Bot.*) Erva de flores brancas, roxas ou magenta, que se abrem ao anoitecer, cultivada como ornamental e pelo efeito purgativo de suas raízes. || *Às mil maravilhas*: muito bem; da melhor maneira possível: *Os festejos do réveillon ocorreram às mil maravilhas.*

maravilhar (ma.ra.vi.lhar) *v.* Provocar ou sentir admiração, assombro, deslumbramento; admirar(-se), deslumbrar(-se), extasiar(-se): *A selva amazônica maravilhava os turistas; Maravilhavam-se todos com o espetáculo da natureza.* ▶ Conjug. 5.

maravilhoso [ô] (ma.ra.vi.*lho*.so) *adj.* **1.** Que causa admiração ou fascínio; admirável, deslumbrante, fascinante: *O Rio de Janeiro é a cidade maravilhosa.* **2.** Que excede; excelente, magnífico, primoroso, perfeito: *Tem uma voz maravilhosa.* **3.** Fora do comum; extraordinário, prodigioso, mágico: *as histórias maravilhosas da carochinha.* || f. e pl.: [ó].

marca (*mar*.ca) *s.f.* **1.** Todo sinal distintivo usado para individualizar ou caracterizar (algo ou alguém): *a marca do Zorro;* (*fig.*) *A irreverência é a marca do carioca.* **2.** Sinal, traço ou impressão deixados na pele, em virtude de doença, ferimento ou contusão; cicatriz: *O rosto juvenil trazia marcas de espinhas.* **3.** Sinal natural na pele de uma pessoa ou no pelo de animais: *Nasceu com uma marca escura na perna.* **4.** Vestígio deixado pela ação humana ou da natureza: *marcas de sujeira; marcas de umidade.* **5.** *fig.* Conjunto de características fundamentais; classe, categoria, cunho, jaez: *O eleitor rejeita candidatos dessa marca.* **6.** Espécie, qualidade, tipo: *Prefiro marcas nacionais às importadas.* **7.** Nome, selo ou símbolo usados para individualizar um produto de uma firma ou indústria;

marcação

etiqueta, rótulo, logomarca: *A empresa contratou um designer para criar sua nova marca.* **8.** Número que exprime resultado de (competição esportiva, teste etc.); medida: *Alcançou a melhor marca no campeonato de natação.* || *De marca:* **1.** que é de boa marca (6); de grife: *tênis de marca.* **2.** *pej.* da pior espécie: *É um mentiroso de marca.* • *De marca maior:* coloq. da pior espécie. • *Marca registrada:* logomarca que identifica um produto com a empresa que obteve oficialmente seu registro.

marcação (mar.ca.ção) *s.f.* **1.** Ato ou efeito de marcar. **2.** (*Esp.*) Pressão exercida por jogador sobre o adversário para impossibilitar-lhe as jogadas. **3.** (*Cine, Teat., Telv.*) Delimitação do posicionamento e da movimentação dos atores durante a atuação (em palco, estúdio ou set de filmagem). **4.** Fixação de (tempo, horário, prazo etc.) para a efetivação de (algo): *marcação de consulta.* **5.** (*Mús.*) Indicação do ritmo ou dos compassos de uma peça musical. **6.** Impressão de marca com ferrete (em gado); ferração. || *Estar de marcação com:* coloq. ter má vontade para com (alguém); mover perseguição sem maior motivo; implicar.

marca-d'água (mar.ca-d'á.gua) *s.f.* Impressão (de nome, desenho, inscrição etc.) em papel ou selo, visível somente contra a luz; filigrana. || pl.: *marcas-d'água.*

marcador [ô] (mar.ca.dor) *s.m.* **1.** Aquilo que serve para marcar, assinalar, demarcar, limitar: *marcador de texto; marcador de luz.* **2.** (*Esp.*) Jogador encarregado de impedir os lances dos adversários. **3.** Quadro ou painel eletrônico onde se registram os pontos conquistados pelos competidores; placar. **4.** Tira de papel ou outro material inserida em livro para marcar a página desejada. • *adj.* **5.** Que marca: *os ponteiros marcadores do relógio.*

marcante (mar.can.te) *adj.* **1.** Que deixa marca (1) por sua importância ou relevância: *As eleições são sempre um acontecimento marcante.* **2.** Que se destaca por suas qualidades positivas; que se distingue; que sobressai: *beleza marcante.*

marca-passo (mar.ca-pas.so) *s.m.* (*Med.*) Aparelho operado por bateria para enviar impulsos elétricos aos músculos do coração, tendo em vista a necessidade de regularização das pulsações cardíacas. || pl.: *marca-passos.*

marcar (mar.car) *v.* **1.** Pôr marca ou sinal em; assinalar: *Gostava de ler com um lápis à mão, para marcar as passagens interessantes.* **2.** Deixar marca visível em: *O ferro quente marcou-lhe a roupa;* (fig.) *O peso dos anos marcou-lhe o rosto.* **3.** Fixar tempo ou prazo para a realização de algo; aprazar, agendar: *Marcou a consulta para o dia seguinte; Para ser atendido, é necessário marcar antes.* **4.** Delimitar, demarcar: *marcar as fronteiras da reserva indígena.* **5.** Indicar, apontar, mostrar: *Os ponteiros marcam as cinco em ponto da tarde.* **6.** Ter bem presente; levar em conta; considerar, pesar: *Marque bem o que seus pais lhe aconselham.* **7.** *fig.* Ser marcante; distinguir, caracterizar: *Aquele encontro marcou seu destino.* **8.** Vigiar, observar, ficar de olho: *Os agentes marcavam os passos dos suspeitos.* **9.** Indicar o andamento ou a execução de uma peça musical ou uma dança: *marcar quadrilha.* **10.** (*Esp.*) Atuar sempre muito perto do jogador adversário para impedir-lhe ou dificultar-lhe as jogadas: *A defesa marcou implacavelmente o ataque; O treinador mandou marcar sob pressão.* **11.** (*Esp.*) Fazer gols ou pontos: *O time visitante marcou cinco pontos contra o time local.* **12.** Ferrar (gado): *Os peões marcaram todas as reses.* ▶ Conjug. 5 e 35.

marcenaria (mar.ce.na.ri.a) *s.f.* **1.** Trabalho feito com madeira, artesanalmente ou em escala industrial, para fabricação de móveis e objetos de decoração. **2.** Oficina onde se fabricam esses móveis.

marceneiro (mar.ce.nei.ro) *s.m.* Indivíduo que tem por ofício fabricar móveis ou objetos de madeira.

marcha (mar.cha) *s.f.* **1.** Ato ou efeito de marchar. **2.** O modo de marchar; passo: *marcha rápida; marcha cadenciada.* **3.** Trajeto que se percorre a pé; jornada, caminhada: *a marcha das entradas e bandeiras.* **4.** *fig.* Caminhada em grupo como forma de apoiar protesto ou reivindicação; passeata: *marcha contra a privatização.* **5.** *fig.* Desenvolvimento de um processo; evolução, progresso: *marcha de apuração dos votos.* **6.** *fig.* Passagem do tempo; curso, decurso: *Nada detém a marcha do tempo.* **7.** (*Mús.*) Composição, geralmente em caráter binário, que acompanha desfiles militares, procissões, enterros, casamentos: *marcha fúnebre; marcha marcial.* **8.** (*Mús.*) Composição popular, de ritmo vivo, que se acompanha de dança nos folguedos carnavalescos; marchinha.

marchand [marchã] (Fr.) *s.m.* Pessoa que negocia, compra ou vende obras de arte.

marchante (mar.chan.te) *s.m.* Negociante de gado para os açougues; atacadista de carne.

marchar (mar.char) *v.* **1.** Caminhar em ritmo cadenciado: *No desfile do Dia da Pátria mar-*

margarida

charam soldados e escolares. **2.** Avançar sobre; investir, atacar, acometer: *Tropas aliadas marcharam sobre posições inimigas.* **3.** Andar, caminhar, encaminhar-se, deslocar-se: *Os retirantes marcharam longos dias sob o sol a pino.* **4.** *fig.* Ter prosseguimento; evoluir, progredir, avançar: *Depois de muita negociação, as partes marcharam para o consenso; Nossos empreendimentos marcham satisfatoriamente.* ▶ Conjug. 5.

marcheta [ê] (mar.che.ta) *s.f.* Marchete.

marchetar (mar.che.*tar*) *v.* Aplicar ou incrustar marchetes em obras de marcenaria: *O mestre marceneiro marchetou de madrepérola as peças do mobiliário.* ▶ Conjug. 8.

marchetaria (mar.che.ta.*ri*.a) *s.f.* **1.** Arte de marchetar. **2.** Obra composta de pequenas peças recortadas de madeira preciosa, madrepérola, marfim, tartaruga etc., que se aplicam a uma peça de madeira, formando desenhos.

marchete [ê] (mar.che.te) *s.m.* Pequenas peças de madeira preciosa, madrepérola, marfim, tartaruga etc., que se incrustam em obra de marchetaria. || *marcheta.*

marcheteiro (mar.che.*tei*.ro) *s.m.* Profissional cujo ofício é a marchetaria.

marchinha (mar.*chi*.nha) *s.f.* (*Mús.*) Marcha (8) de compasso binário e andamento vivo, composta geralmente para o período carnavalesco.

marcial (mar.ci:*al*) *adj.* **1.** Relativo a guerra; bélico, guerreiro: *As tropas exibiram todo seu aparato marcial.* **2.** Que diz respeito a disputa, a combate de ataque e defesa pessoal: *lutas marciais.* **3.** Relativo a militares: *corte marcial; banda marcial.*

marciano (mar.ci:*a*.no) *adj.* **1.** Relativo ao planeta Marte. **2.** Habitante hipotético do planeta Marte.

marco¹ (*mar*.co) *s.m.* **1.** Sinal de demarcação de um território; limite, fronteira: *Em Macapá está o marco zero, onde passa a linha do equador.* **2.** *fig.* Registro de acontecimento ou evento relevante: *A decifração do genoma humano foi um marco para a ciência.* **3.** Monumento (em mármore ou granito) que simboliza um acontecimento, uma vitória etc.: *o marco da fundação da cidade.*

marco² (*mar*.co) *s.m.* Unidade monetária da Alemanha e da Finlândia até a adoção do euro em 1999.

março (*mar*.ço) *s.m.* Terceiro mês do ano.

maré (ma.*ré*) *s.f.* **1.** Movimento cíclico de elevação e abaixamento do nível das águas do mar, pela atração do sol e da lua: *maré alta; maré baixa.* **2.** *fig.* Fluxo e refluxo dos acontecimentos: *A maré está favorável para investimentos.* **3.** *fig.* Ocasião, oportunidade, circunstância: *maré de sorte, de azar.* **4.** *fig.* Estado de espírito; ânimo, disposição, humor: *O chefe está hoje de boa maré.* || *Contra a maré: fig.* contra o senso comum; contra a corrente; na contramão: *Remava sozinho contra a maré do oportunismo político.*

marear (ma.re:*ar*) *v.* **1.** Provocar ou sentir mareio a bordo de embarcação; enjoar: *O mar agitado mareava os passageiros; Não beba exageradamente, para não marear na viagem.* **2.** Provocar náusea ou enjoo: *Perfumes fortes me mareiam.* ▶ Conjug. 14.

marechal (ma.re.*chal*) *s.m.* (*Mil.*) **1.** O mais alto posto da hierarquia do Exército que, no Brasil, só pode ser ocupado em época de guerra por general de exército da ativa que assumir a chefia suprema do exército. **2.** Oficial que ocupa esse posto.

marechalado (ma.re.cha.*la*.do) *s.m.* Marechalato.

marechalato (ma.re.cha.*la*.to) *s.m.* Posto, cargo ou dignidade de marechal. || *marechalado.*

marejar (ma.re.*jar*) *v.* **1.** Encher(-se), umedecer (-se) (de lágrimas): *A emoção marejou-lhe (de lágrimas) os olhos; Marejaram-se-lhe os olhos de tristeza.* **2.** Derramar, verter, destilar, ressumar, porejar: *Da cruz de espinhos na cabeça do Cristo marejaram gotas de sangue.* ▶ Conjug. 10 e 37.

maremoto [ó] (ma.re.*mo*.to) *s.m.* Grande ondulação excepcionalmente violenta das águas do mar, devido a fortes vendavais ou a tremores sísmicos submarinos; tsunami.

maresia (ma.re.*si*.a) *s.f.* **1.** Ar úmido e salino, de cheiro característico, proveniente do mar na vazante. **2.** O cheiro desse ar. **3.** Ação oxidante da água do mar ou de sua evaporação.

marfim (mar.*fim*) *s.m.* **1.** Substância resistente, de um branco leitoso, de que são constituídas as presas dos elefantes e de outros mamíferos, muito usada para delicados trabalhos de entalhe. **2.** Objeto ou obra de arte de marfim. **3.** A cor do marfim. **4.** *fig.* Aquilo que é muito branco e delicado: *Os lábios entreabertos deixavam ver seus dentes de marfim.* • *adj.* **5.** Que é da cor do marfim; ebúrneo.

margarida (mar.ga.*ri*.da) *s.f.* **1.** (*Bot.*) Planta muito cultivada como ornamental por suas flores

827

margarina

de pequenas pétalas brancas e miolo amarelo; bem-me-quer; malmequer. **2.** Essa flor.

margarina (mar.ga.*ri*.na) *s.f.* Produto alimentar semelhante à manteiga, preparado a partir de óleos vegetais hidrogenados.

margear (mar.ge:*ar*) *v.* **1.** Seguir pela margem de ou ao longo de (rio, lago, estrada etc.): *Pegue a via expressa que margeia a lagoa.* **2.** Situar-se à margem; ladear: *Grandes mangueiras margeavam a estrada.* **3.** Estabelecer margem (2) em: *Os alunos margeavam as folhas do caderno antes de escrever.* ▶ Conjug. 14. – **margeante** *adj.*

margem (*mar*.gem) *s.f.* **1.** Faixa de terra que ladeia ou circunda um curso de água (rio, lago, lagoa); beira, borda, riba: *margem direita*; *margem esquerda*. **2.** O espaço em branco em cada lado de uma página escrita ou impressa: *Faça uma margem de dois centímetros nas páginas de seu caderno.* **3.** (*Econ.*) Depósito de garantia feito pelo investidor em operações financeiras na Bolsa de Valores. **4.** *fig.* Grau de diferença entre dois resultados: *O candidato foi derrotado por uma ínfima margem de votos.* **5.** *fig.* Grau de diferença admissível em relação ao padrão estabelecido: *margem de lucro*; *margem de prejuízo*. **6.** Oportunidade, possibilidade, motivo, ocasião, pretexto: *A atitude firme não deixa margem a dúvidas sobre suas intenções.* || **À margem**: *fig.* **1.** ao lado de; à beira de: *hotel situado à margem do lago.* **2.** *fig.* à parte; marginalmente, fora: *Vive à margem da lei.*

marginal (mar.gi.*nal*) *adj.* **1.** Que se situa na margem de um curso de água: *a rodovia marginal do rio Tietê.* **2.** Relativo à margem (2): *Preencheu o espaço em branco das páginas com anotações marginais.* **3.** Que vive à margem do seu meio social, das convenções ou das leis vigentes; marginalizado. • *s.m.* e *f.* **4.** Pessoa marginal; delinquente, bandido, meliante, fora da lei.

marginalidade (mar.gi.na.li.*da*.de) *s.f.* Condição de quem é marginal ou está marginalizado.

marginalizar (mar.gi.na.li.*zar*) *v.* **1.** Pôr (alguém) à margem de (um grupo, da sociedade, da vida pública); impedir sua integração ou participação: *marginalizar as classes economicamente desfavorecidas*; *marginalizar os portadores de deficiência.* **2.** Tornar-se marginal (3); cometer atos criminosos; delinquir: *A inclusão social é a solução para que os menos favorecidos não se marginalizem.* ▶ Conjug. 5. – **marginalização** *s.f.*

maria-fumaça (ma.ri.a-fu.*ma*.ça) *s.f.* Locomotiva movida a vapor. || pl.: *marias-fumaças* e *marias-fumaça*.

maria-mole (ma.ri.a-*mo*.le) *s.f.* (*Cul.*) Doce de consistência macia, feito de clara de ovo e açúcar, recoberto de coco ralado. || pl.: *marias-moles*.

mariano (ma.ri:*a*.no) *adj.* **1.** Relativo a Maria, mãe de Jesus: *culto mariano.* • *s.m.* **2.** Membro de uma congregação dedicada ao culto a Maria; marista: *congregado mariano.*

maria-sem-vergonha (ma.ri.a-sem-ver.*go*.nha) *s.2.g.2.n.* Erva nativa de regiões úmidas, utilizada como ornamental por sua vistosa floração de cores variadas.

maria vai com as outras *s.m.* e *f.* *2n. fam.* Pessoa sem personalidade, que se deixa levar pelos outros.

maribondo (ma.ri.*bon*.do) *s.m.* Marimbondo.

maricas (ma.*ri*.cas) *s.m.2.n.* **1.** *pej.* Homem efeminado. **2.** *pej.* Pessoa medrosa. • *adj.* **3.** Que é efeminado ou medroso.

marido (ma.*ri*.do) *s.m.* Homem casado (em relação a sua esposa); esposo.

marimba (ma.*rim*.ba) *s.f.* (*Mús.*) Instrumento de percussão composto por lâminas de madeira ou metal, dispostas horizontalmente, nas quais se toca com baquetas.

marimbondo (ma.rim.*bon*.do) *s.m.* (*Zool.*) Vespa. || *maribondo*.

marina (ma.*ri*.na) *s.f.* Cais ou doca à beira-mar para guarda e manutenção de embarcações, sobretudo aquelas destinadas ao esporte ou ao lazer.

marinada (ma.ri.*na*.da) *s.f.* (*Cul.*) Molho condimentado para conservar, temperar ou amaciar carnes; vinha-d'alhos; salmoura.

marinha (ma.*ri*.nha) *s.f.* **1.** (*Mil.*) Uma das três Forças Armadas que se encarrega da defesa naval de um país: *Marinha de guerra.* **2.** Conjunto de navios para transporte marítimo: *marinha-mercante.* **3.** (*Art.*) Pintura, desenho ou gravura que retrata cenas marítimas: *Pancetti foi o grande pintor de marinhas.* || Na primeira acepção, usa-se inicial maiúscula.

marinheiro (ma.ri.*nhei*.ro) *adj.* **1.** (*Náut.*) Integrante da tripulação de navio encarregado dos serviços de bordo; marujo. **2.** (*Mil.*) Mais baixa patente da Marinha. **3.** Militar que tem essa patente. • *adj.* **4.** Relativo a ou próprio de marinheiro (2): *Vestia o filho com roupa marinheira.*

marinho (ma.*ri*.nho) *adj.* **1.** Relativo ao mar; marítimo: *brisa marinha.* **2.** Que habita o mar ou dele provém: *leão-marinho*; *algas marinhas.* **3.** Usado na navegação dos mares: *carta marinha.*

mariola [ó] (ma.ri:o.la) *s.f.* (*Cul.*) Pequeno tablete de doce de banana; bananada.

marionete [é] (ma.ri:o.ne.te) *s.f.* **1.** Boneco articulado de madeira ou pano, que se movimenta preso a fios manipulados por pessoa fora da vista dos espectadores; fantoche, títere, mamulengo. **2.** *fig.* Pessoa que se deixa facilmente manipular por outrem.

mariposa [ô] (ma.ri.po.sa) *s.f.* (*Zool.*) Inseto da mesma espécie das borboletas, de asas finas, que voa ao crepúsculo e à noite.

marisco (ma.ris.co) *s.m.* (*Zool.*) Nome genérico de toda sorte de moluscos e crustáceos comestíveis, como camarões, lulas, mexilhões etc.

marista (ma.ris.ta) *adj.* **1.** Relativo a ou pertencente a congregação religiosa devotada ao culto da Virgem Maria; mariano: *irmão marista* • *s.m.* e *f.* **2.** Membro dessa congregação.

maritaca (ma.ri.ta.ca) *s.f.* Maitaca.

marital (ma.ri.*tal*) *adj.* **1.** Relativo a marido. **2.** Relativo a matrimônio; conjugal.

marítimo (ma.rí.ti.mo) *adj.* **1.** Relativo ao mar; marinho: *corrente marítima*. **2.** Que se faz ou que ocorre no mar: *navegação marítima*; *salvamento marítimo*. **3.** Próximo ao mar ou a suas praias: *orla marítima*. **4.** Que se abre para o mar: *canal marítimo*. • *s.m.* **5.** Profissional que exerce sua atividade a bordo de navio da marinha mercante; marinheiro.

marketing [márquetin] (Ing.) *s.m.* **1.** Conjunto de técnicas de comercialização de produtos que parte da pesquisa junto ao consumidor, visando ao lançamento ou à permanência desses produtos no mercado, bem como ao aumento do lucro da empresa, sua sobrevivência e expansão. **2.** Conjunto de estratégias e ações que visam a consolidar imagem de pessoa ou instituições políticas, conceitos etc.: *marketing pessoal*; *marketing cultural*. **3.** Conjunto de conhecimentos concernentes ao *marketing*: *Ele estuda propaganda e marketing*.

marmanjo (mar.man.jo) *adj.* **1.** *coloq.* Homem adulto: *Seus filhos, que eu vi crianças, são agora uns marmanjos*. **2.** *coloq.* Homem ou rapaz corpulento. **3.** *pej.* Indivíduo mau-caráter; patife, tratante.

marmelada (mar.me.la.da) *s.f.* **1.** (*Cul.*) Doce feito de marmelo cozido em água e açúcar, até adquirir consistência pastosa. **2.** *coloq.* Negócio desonesto e fraudulento, mamata: *O Ministério Público descobriu a marmelada das licitações*. **3.** *coloq.* Trapaça, tramoia, conluio, armação: *Houve marmelada entre os dois times para que a partida terminasse em empate*.

marmeleiro (mar.me.lei.ro) *s.m.* (*Bot.*) Árvore que produz o marmelo.

marmelo [é] (mar.me.lo) *s.m.* Fruto do marmeleiro, de cor amarelada, polpa carnuda e ácida, comestível em forma de marmelada (1) e em compotas.

marmita (mar.mi.ta) *s.f.* **1.** Vasilha de metal com tampa, para transportar comida. **2.** A comida transportada nessa vasilha.

marmiteiro (mar.mi.tei.ro) *s.m.* **1.** Entregador de marmitas em domicílios, levando a comida fornecida por pensões. **2.** *coloq.* Trabalhador que leva o almoço em marmita.

marmoraria (mar.mo.ra.ri.a) *s.f.* **1.** Oficina em que são feitos trabalhos em mármore. **2.** Loja em que se vende mármore.

mármore (már.mo.re) *s.m.* **1.** (*Geol.*) Rocha calcária resistente, com veios de cores diversas, utilizada em trabalhos de arquitetura e de estatuária. **2.** Peça de mármore talhada e polida que reveste móveis, pisos etc.: *O tampo da mesa é de mármore*. **3.** Objeto artístico feito de mármore.

marmóreo (mar.mó.re:o) *adj.* **1.** Relativo a mármore. **2.** Feito de mármore: *lápide marmórea*. **3.** Da cor do mármore: *tez marmórea*.

marmota [ó] (mar.mo.ta) *s.f.* (*Zool.*) Roedor pequeno, de pernas curtas e cauda peluda, semelhante ao esquilo, que cava tocas subterrâneas, onde hiberna durante os meses da estação fria.

marola [ó] (ma.ro.la) *s.f.* **1.** Ondulação na superfície do mar. **2.** *gír.* Agitação, tumulto, confusão.

maromba (ma.rom.ba) *s.f.* **1.** *gír.* Exercício físico para aumentar a massa muscular; malhação. **2.** Vara comprida usada por equilibristas para manter-se a prumo na corda bamba. **3.** *fig.* Posição ou situação difícil de sustentar. **4.** *coloq.* Esperteza, malandragem.

marombar (ma.rom.*bar*) *v.* **1.** *gír.* Fazer musculação; malhar: *Vai à academia de ginástica para marombar*. **2.** Equilibrar-se na maromba ou na corda bamba: *Aprendeu com os pais equilibristas a marombar*. **3.** *coloq.* Usar de dissimulação; enganar, ludibriar, embromar: *O candidato acusou seu opositor de querer marombar*. ▶ Conjug. 5.

marombeiro (ma.rom.bei.ro) *s.m.* **1.** Pessoa que faz maromba ou musculação em academia de ginástica. • *adj.* **2.** Que lisonjeia ou adula, com

maronita

manha ou por interesse; enganador, mentiroso, embromador.

maronita (ma.ro.ni.ta) *adj.* (*Rel.*) **1.** Relativo ao culto cristão católico praticado na Síria e no Líbano: *igreja maronita.* • *s.m. e f.* **2.** Seguidor desse culto.

maroto [ô] (ma.ro.to) *adj.* **1.** Que é cheio de manhas (3); esperto, ladino, vivo, malandro: *um jogador maroto.* **2.** Que revela pouca honestidade ou lisura; tratante, trapaceiro, velhaco: *O comerciante maroto trapaceava nos preços.* **3.** Malicioso, travesso, brejeiro: *sorriso maroto.*

marquês (mar.quês) *s.m.* **1.** Título nobiliárquico inferior ao de duque e superior ao de conde. **2.** Homem que detém esse título.

marqueteiro (mar.que.tei.ro) *s.m. coloq.* **1.** Profissional que trabalha com *marketing.* **2.** Pessoa oportunista que vende uma falsa autoimagem.

marquise (mar.qui.se) *s.f.* (*Arquit.*) Cobertura ou avançamento em relação à linha da parede de uma construção, que serve para resguardar casas e edifícios, fachadas comerciais, arquibancadas etc.

marra (mar.ra) *s.f.* **1.** Grande martelo de ferro usado em construção e demolição; marrão. **2.** *coloq.* Força de vontade; coragem, disposição, raça: *É preciso ter marra para encarar a vida.* || *Na marra: coloq.* **1.** a qualquer preço; à força; contra a vontade de outrem: *Queria entrar na festa na marra.* **2.** com coragem e disposição.

marrã (mar.rã) *s.f.* Feminino de marrão.

marrada (mar.ra.da) *s.f.* **1.** Chifrada de animais pequenos, como cabritos, bezerros, carneiros. **2.** Qualquer pancada.

marrão[1] (mar.rão) *s.m.* Porco pequeno desmamado || f.: *marrã.*

marrão[2] (mar.rão) *s.m.* Grande martelo de ferro, cilíndrico, com cabo, para quebrar pedras, derrubar paredes etc.; marra.

marreco [é] (mar.re.co) *s.m.* (*Zool.*) Ave aquática menor que o pato.

marreta [ê] (mar.re.ta) *s.f.* Martelo menor do que o marrão, de cabo comprido.

marretada (mar.re.ta.da) *s.f.* Pancada com marreta.

marretar (mar.re.tar) *v.* **1.** Bater ou quebrar com marreta: *marretar pedras; Foi preciso marretar muito para derrubar as grossas paredes.* **2.** Dar golpe ou pancada em; surrar, espancar, golpear: *Marretou o adversário até o nocaute; O juiz impediu que o boxeador marretasse mais.* **3.** *fig. coloq.* Falar mal; criticar, arrasar: *A crítica marretou o espetáculo musical.* ▶ Conjug. 8.

marreteiro (mar.re.tei.ro) *s.m.* **1.** Pessoa que trabalha manejando a marreta. **2.** *reg. coloq.* Vendedor ambulante; camelô.

marrom (mar.rom) *s.m.* **1.** A cor vermelho-escura da casca da castanha; castanho. • *adj.* **2.** Que é dessa cor: *terno marrom.*

marrom-glacê (mar.rom-gla.cê) *s.m.* (*Cul.*) Doce feito à base de castanha conservada em xarope aromatizado com baunilha. || pl.: *marrons-glacês.*

marroquino (mar.ro.qui.no) *adj.* **1.** De Marrocos, país do Norte da África. • *s.m.* **2.** O natural ou o habitante desse país.

marshmallow [marchimélou] (Ing.) *s.m.* (*Cul.*) **1.** Doce de consistência cremosa, feito com clara de ovo batida com xarope de milho, gelatina e açúcar. **2.** Creme preparado com esse doce: *sorvete de chocolate com cobertura de marshmallow.*

marsupial (mar.su.pi:al) *adj.* **1.** (*Zool.*) Que possui marsúpio (espécie de bolsa) no abdome para carregar os filhotes enquanto os amamenta: *O gambá e o canguru são mamíferos marsupiais.* • *s.m.* **2.** Mamífero cuja fêmea tem uma bolsa no abdome.

marsúpio (mar.sú.pi:o) *s.m.* Bolsa formada pela pele do abdome dos marsupiais, onde as fêmeas trazem os filhotes enquanto os amamentam.

marta (mar.ta) *s.f.* **1.** (*Zool.*) Pequeno mamífero carnívoro, cuja pelagem longa e sedosa era muito valorizada no comércio de peles. **2.** Essa pele, utilizada na confecção de casacos e outras peças do vestuário: *As leis de proteção ambiental proíbem a comercialização de pele animal, como a de marta e a de arminho.*

martelada (mar.te.la.da) *s.f.* **1.** Pancada com martelo. **2.** Barulho forte, semelhante ao som de golpes com martelo: *Os tambores tribais soavam como marteladas.* **3.** *fig.* Dor forte, latejante: *A enxaqueca produzia-lhe marteladas na cabeça.*

martelar (mar.te.lar) *v.* **1.** Bater com martelo em: *Martelava os pregos na parede; Não era necessário martelar tão forte.* **2.** Bater com força seguidamente, como se desse martelada: *Martelou implacavelmente o adversário.* **3.** *fig.* Repetir exaustivamente; repisar, insistir, teimar, persistir: *Alguns candidatos martelam sempre as mesmas promessas; Tanto martelou no ouvido dos pais que conseguiu a autorização para ir à festa.* **4.** Afligir, importunar, incomodar: *A enxaqueca martelava sua cabeça;* (fig.)

Aquelas palavras ferinas ficaram martelando em sua mente. ▶ Conjug. 8.

martelo [é] (mar.te.lo) *s.m.* **1.** Ferramenta com um cabo de madeira e uma ponta de ferro, usada para golpear, quebrar ou cravar (algo). **2.** Pequeno malho de madeira usado por juízes, leiloeiros etc. **3.** Peça do piano destinada a percurtir as cordas. **4.** (*Anat.*) Pequeno osso em forma de martelo (1), localizado na orelha média. **5.** (*Esp.*) Globo metálico, com corrente e alça, para arremesso a distância em competições de atletismo. ‖ *Bater o martelo*: *fig.* dar a última decisão sobre (algo); tomar uma resolução: *O presidente bateu o martelo na questão do salário mínimo.*

martim-pescador (mar.tim-pes.ca.dor) *s.m.* (*Zool.*) Ave aquática, de bico grande e pescoço curto, que se alimenta de peixes nas áreas tropicais e subtropicais em que vivem. ‖ pl.: *martins--pescadores*.

martinete [ê] (mar.ti.ne.te) *s.m.* **1.** Martelo grande e pesado, movido por água ou vapor, utilizado para distender barras de ferro e malhar a frio o ferro e o aço. **2.** (*Zool.*) Espécie de andorinha de asas longas.

martíni (mar.tí.ni) *s.m.* Coquetel feito com vermute branco seco e gim, servido gelado e com uma azeitona verde.

mártir (már.tir) *s.m. e f.* **1.** Pessoa que padeceu tormentos ou a morte em defesa de sua fé cristã: *A igreja católica santificou muitos de seus mártires.* **2.** Pessoa que foi sacrificada e morta por não abdicar de suas convicções ou de seus ideais: *Tiradentes, o mártir da Inconfidência Mineira.* **3.** *fig.* Pessoa que sofre intensa e constantemente: *Tanto padecimento fez dela uma verdadeira mártir.*

martírio (mar.tí.ri.o) *s.m.* **1.** Tortura ou sofrimento infligido a alguém por sua fé ou por sua ideologia; suplício: *o martírio de Cristo na cruz.* **2.** *fig.* Grande sofrimento ou aflição; tormento: *Enfrentar filas tornou-se um martírio para a população.*

martirizar (mar.ti.ri.zar) *v.* **1.** Infligir martírio a; torturar, supliciar: *Na Roma antiga, os imperadores martirizavam os cristãos.* **2.** *fig.* Provocar ou padecer grande sofrimento; afligir(-se), atormentar(-se); mortificar(-se): *As dores na coluna o martirizavam; Martirizava-se com a injustiça social e o preconceito.* ▶ Conjug. 5.

martirológio (mar.ti.ro.ló.gi:o) *s.m.* **1.** (*Rel.*) Lista dos mártires da Igreja Católica. **2.** Lista de vítimas de uma causa.

maruí (ma.ru.í) *s.m.* Maruim.

maruim (ma.ru:im) *s.m.* (*Zool.*) Mosquito pequeno, comum no Brasil nas regiões de manguezais, cuja picada, dolorosa, pode causar infestação no sangue humano e dos animais.

marujada (ma.ru.ja.da) *s.f.* Conjunto de marujos; tripulação.

marujo (ma.ru.jo) *s.m.* Marinheiro.

marulhada (ma.ru.lha.da) *s.f.* Marulho.

marulhar (ma.ru.lhar) *v.* **1.** Agitar(-se) (o mar), formando marulhos ou ondas: *Olhava, da praia, marulhar(-se) a água do mar.* **2.** Imitar ou reproduzir o ruído das ondas do mar: *As folhas, batidas pelo vento, pareciam marulhar.* ▶ Conjug. 5.

marulho (ma.ru.lho) *s.m.* **1.** Agitação incessante das águas do mar, em seu contínuo vaivém. **2.** O ruído característico desse movimento. **3.** *fig.* Agitação, tumulto, desordem, confusão, balbúrdia.

marxismo [cs] (mar.xis.mo) *s.m.* (*Fil.*) Concepção teórica elaborada por Karl Marx (1818-1883) e Friedrich Engels (1820-1895), de crítica ao capitalismo, e cujos princípios filosóficos, políticos e econômicos embasaram a criação dos estados socialistas.

marxista [cs] (mar.xis.ta) *adj.* **1.** Relativo a Karl Marx ou ao marxismo. • *s.m. e f.* **2.** Partidário do marxismo.

marzipã (mar.zi.pã) *s.m.* (*Cul.*) Doce feito de uma pasta de amêndoas, claras de ovos e açúcar.

mas *conj.* Liga dois termos ou orações, apontando oposição, contraste, restrição ou retificação entre eles; porém, todavia, entretanto, no entanto, contudo: *"Minha boca anda cantando,/mas todo o mundo está vendo/ que a minha vida está morta."* (Cecília Meireles, *Alva*).

mascar (mas.car) *v.* **1.** Mastigar sem engolir: *mascar chiclete; Pare de mascar, é um hábito feio.* **2.** Mastigar fumo: *Meu avô mascava um bom tabaco; Passava as horas, absorto, mascando.* ▶ Conjug. 5 e 35.

máscara (más.ca.ra) *s.f.* **1.** Objeto de cartão, pano ou plástico, usado para cobrir o rosto ou parte dele como disfarce ou ocultação da identidade: *máscara de carnaval*; *Todos os guerrilheiros usavam máscaras.* **2.** (*Med.*) Peça de pano retangular colocada sobre a boca e o nariz de cirurgiões, dentistas e enfermeiros, para prevenir contaminações durante cirurgias, partos etc.: *máscara cirúrgica.* **3.** (*Med.*)

mascarado

Dispositivo colocado sobre a boca ou nariz de pacientes, em processos de anestesia, nebulização etc., ou para evitar contágio e infecção. **4.** Equipamento de borracha com viseira de vidro, usado por mergulhadores para proteção dos olhos. **5.** Dispositivo de proteção do rosto, usado por trabalhadores de certos ofícios: *máscara de soldador; máscara contra abelhas.* **6.** Peça para proteção do rosto em esportes como esgrima e boxe. **7.** (*Teat.*) Reprodução estilizada do rosto humano ou animal, usada pelos atores como caracterização de seus personagens: *As duas máscaras – da comédia e da tragédia – são até hoje símbolo da manifestação teatral.* **8.** Camada de cosméticos que se aplica ao rosto, para tratamento de pele, rejuvenescimento etc.: *A esteticista indicou-lhe um tratamento com máscara de lama.* **9.** Molde que se tira do rosto de cadáveres: *máscara mortuária.* **10.** *fig.* Aparência enganadora; disfarce, dissimulação: *Diante das evidências, deixou cair a máscara da face.* **11.** *fig.* Demonstração de vaidade; presunção, convencimento, pose: *Embora seja uma grande atriz, é muito simples, sem máscara.*

mascarado (mar.ca.*ra*.do) *adj.* **1.** Que se disfarça com máscara: *folião mascarado.* **2.** *fig.* Dissimulado, fingido, falso, hipócrita: *Detesto pessoas mascaradas.* **3.** *coloq.* Presunçoso, convencido, vaidoso: *um jogador mascarado.* • *s.m.* **4.** Quem usa máscara (1): *Um bloco de mascarados desfilou pelas ruas do bairro.* **5.** *coloq.* Pessoa que age com empáfia e presunção.

mascarar (mas.ca.*rar*) *v.* **1.** Pôr máscara em alguém ou em si mesmo; disfarçar(-se): *Mascarou o rosto com um arremedo de macaco; Sempre se mascarava no carnaval.* **2.** *fig.* Dissimular, disfarçar, falsear, camuflar: *Não conseguia mascarar sua inveja.* **3.** Ocultar, tapar, camuflar: *Galhos e folhas secas mascaravam o buraco.* **4.** Tornar-se mascarado (5): *O jovem ator mascarou-se com a súbita popularidade.* ▶ Conjug. 5.

mascate (mas.*ca*.te) *s.m.* **1.** Mercador ambulante que percorre casas, ruas e cidades, vendendo objetos manufaturados, joias etc. **2.** A mercadoria por ele vendida.

mascavo (mas.*ca*.vo) *adj.* Que não foi refinado (diz-se de açúcar).

mascote [ó] (mas.*co*.te) *s.f.* **1.** Pessoa, animal ou objeto que, segundo se crê, são portadores de boa sorte e felicidade: *Ela traz sempre na bolsa uma pedra de jade como mascote.* **2.** Pessoa, animal ou coisa tomados como emblema ou símbolo de grupo, instituição, evento etc.: *A figura estilizada do sol é mascote dos Jogos Pan-americanos do Rio de Janeiro.* **3.** Moça ou rapaz geralmente com uniforme típico, que abre ou acompanha um desfile, um jogo etc.: *a mascote do time; a mascote do regimento.*

masculinidade (mas.cu.li.ni.*da*.de) *s.f.* Qualidade de masculino ou de másculo; virilidade.

masculinizar (mas.cu.li.ni.*zar*) *v.* Dar ou adquirir aparência ou modos próprios do sexo masculino: *Alguns trajes esportivos masculinizam a mulher; Não é necessário a mulher masculinizar-se para ocupar cargos originalmente ocupados pelo homem.* ▶ Conjug. 5. – **masculinização** *s.f.*; **masculinizado** *adj.*

masculino (mas.cu.*li*.no) *adj.* **1.** Que é do sexo do homem ou do animal macho: *órgãos masculinos.* **2.** Próprio do homem; destinado ao homem: *loja de artigos masculinos.* **3.** *fig.* Que tem masculinidade; másculo, viril. **4.** (*Gram.*) Diz-se do nome a que se pode antepor o artigo *o*, por oposição ao feminino, ao qual se antepõe o artigo *a*: *Pai, sol, carro são substantivos masculinos.* • *s.m.* **5.** Esse nome.

másculo (*más*.cu.lo) *adj.* **1.** Referente ao homem ou ao animal macho. **2.** *fig.* Que apresenta características próprias do homem; viril, varonil, forte, enérgico: *O jovem possuía uma voz máscula.*

masmorra [ô] (mas.*mor*.ra) *s.f.* **1.** Prisão subterrânea; cárcere, calabouço, enxovia. **2.** *fig.* Lugar sombrio, tenebroso, lúgubre.

masoquismo (ma.so.*quis*.mo) *s.m.* **1.** (*Psicn.*) Perversão sexual em que o prazer provém da flagelação e da humilhação física e moral de um parceiro pelo outro. **2.** Prazer que se sente com o próprio sofrimento.

masoquista (ma.so.*quis*.ta) *adj.* **1.** Que é dado à prática do masoquismo **2.** Que sente prazer com o próprio sofrimento. • *s.m. e f.* **3.** Pessoa masoquista.

massa (*mas*.sa) *s.f.* **1.** (*Fís.*) Quantidade de matéria contida num corpo: *Massa é a grandeza fundamental da Física.* **2.** Conjunto de elementos da mesma natureza ou similares: *Do alto, via-se a massa de edifícios da grande cidade.* **3.** Quantidade considerável de uma substância ou fluido: *massa de gelo; massa de ar frio.* **4.** (*Cul.*) Pasta resultante da mistura de farinha com água ou outro líquido: *massa de pão; massa de bolo.* **5.** (*Cul.*) Alimento feito com essa pasta: *Frequenta um restaurante especializado em massas.* **6.** Qualquer substância mole e pastosa; pasta: *massa de tomate*. **7.** Material de consistência pastosa, que resulta da mistura de cimento, areia e água; argamassa. **8.** *fig.* Grande concentração de pessoas; turba, multidão: *A massa de manifestantes iniciou a caminhada de protesto*. **9.** *fig.* Grande quantidade ou volume; abundância: *Procurava filtrar a massa de informação que lhe vinha da mídia*. **10.** (*Comun.*) Número considerável de pessoas considerado como público consumidor da indústria cultural: *comunicação de massa*. **11.** *fig.* Constituição, essência, substância: *A honestidade lhe está na massa do sangue*. || *Em massa*: na totalidade; maciçamente: *produção em massa*; *ataque em massa*.

massacrante (mas.sa.*cran*.te) *adj.* **1.** Que massacra; que provoca desgaste físico ou emocional: *trabalho massacrante*. **2.** Que inflige vexame, embaraço ou humilhação: *derrota massacrante*. **3.** *fig.* Que aborrece ou entedia; enfadonho, maçante: *discurso massacrante*.

massacrar (mas.sa.*crar*) *v.* **1.** Matar com crueldade; chacinar: *Tropas invasoras massacraram civis inocentes*. **2.** *fig.* Pôr (alguém) em situação embaraçosa, penosa ou humilhante: *O professor massacrou o aluno na prova final*. **3.** *coloq.* Aborrecer com conversa enfadonha; entediar, enfadar, maçar: *Massacrou os ouvintes com seu blá-blá-blá infindável*. **4.** *fig.* Afligir, atormentar, penalizar, castigar: *A longa estiagem massacrava os sertanejos*. **5.** (*Esp.*) Vencer por larga margem; derrotar fragorosamente: *O time da casa massacrou o time visitante*. ▶ Conjug. 5.

massacre (mas.*sa*.cre) *s.m.* **1.** Ato ou efeito de massacrar; chacina, matança, morticínio, carnificina. **2.** *fig.* Tortura psicológica; tormento, humilhação.

massageador [ô] (mas.sa.ge:a.dor) *adj.* **1.** Que massageia. • *s.m.* **2.** Pessoa que massageia. **3.** Aparelho com que se fazem massagens.

massagear (mas.sa.ge:ar) *v.* Fazer massagem em: *massagear o corpo, o cabelo*; *Sabe massagear muito bem*. ▶ Conjug. 14.

massagem (mas.*sa*.gem) *s.f.* Fricção ou compressão metódica feitas sobre o corpo ou parte dele, manualmente ou com aparelhos, para fins terapêuticos ou estéticos.

massagista (mas.sa.*gis*.ta) *s.m. e f.* Profissional especializado em massoterapia; massoterapeuta.

massapê (mas.sa.*pê*) *s.m.* Solo argiloso, de cor escura, muito fértil, utilizado para o cultivo da cana-de-açúcar; massapé.

massapé (mas.sa.*pé*) *s.m.* Massapê.

masseter [é] (mas.se.*ter*) *s.m.* (*Anat.*) Cada um dos dois músculos faciais que se estendem de cada maxilar superior à metade correspondente da mandíbula, responsável pela mastigação.

massificação (mas.si.fi.ca.*ção*) *s.f.* **1.** Ato ou efeito de massificar(-se). **2.** Transformação do pensamento e conduta individuais através dos meios de comunicação de massa, para aceitação de valores sociais padronizados. **3.** Processo pelo qual valores e produtos frequentemente restritos a grupos de elite tornaram-se consumíveis por todos os segmentos da sociedade.

massificar (mas.si.fi.*car*) *v.* **1.** Substituir as diferenças individuais pela aceitação de valores padronizados; nivelar, uniformizar, homogeneizar: *A mídia não deve massificar seu público*; *Não se deixe massificar pelo pensamento único*. **2.** (Fazer) ficar (o consumo) acessível aos vários segmentos sociais; popularizar(-se), difundir(-se): *O câmbio favorável massifica o consumo de importados*; *A moda massifica-se através dos programas televisivos*. ▶ Conjug. 5 e 35. – **massificado** *adj.*

massoterapeuta (mas.so.te.ra.*peu*.ta) *s.m. e f.* Profissional especializado em massoterapia; massagista.

massoterapia (mas.so.te.ra.*pi*.a) *s.f.* Tratamento estético ou de reabilitação de doenças por meio de massagem.

massudo (mas.*su*.do) *adj.* **1.** Que tem muita massa (4): *pão massudo*. **2.** Cheio, compacto, encorpado: *livro massudo*. **3.** Forte, musculoso, pesado, corpulento: *lutador massudo*.

mastectomia (mas.tec.to.*mi*.a) *s.f.* (*Med.*) Remoção cirúrgica da glândula mamária, total ou parcial, no tratamento das neoplasias malignas.

master [*máster*] (Ing.) **1.** (*Inform.*) Gravação de sons, imagens etc. a partir da qual se fazem cópias; matriz (3). **2.** Suporte, gravação ou arquivo usado como *master*.

masterização (mas.te.ri.za.*ção*) *s.f.* (*Inform.*) Processo de produção de um *master* ou matriz de disco, filme, vídeo etc.

mastigar (mas.ti.*gar*) *v.* **1.** Triturar alimentos com os dentes: *Mastigava lentamente a carne*; *Não engula sem mastigar*. **2.** Apertar com os dentes; morder: *O cavalo mastigava o freio*. **3.** Dizer por entre os dentes; pronunciar indistintamente; resmungar: *O aluno, mastigando as sílabas, repetiu a lição*; *Falava mastigando*. **4.** *fig.* Explicar

mastim

minuciosamente; repetir, repisar: *Pediu que o advogado mastigasse bem os itens do contrato.* ▶ Conjug. 5 e 34. – **mastigação** *s.f.*

mastim (mas.*tim*) *s.m.* (*Zool.*) Raça de cão doméstico de grande tamanho, empregado geralmente na guarda de casas e de gado.

mastodonte (mas.to.*don*.te) *s.m.* **1.** Grande mamífero pré-histórico, dotado de dois pares de presas, mais baixo e mais corpulento que o elefante atual. **2.** *fig.* Pessoa muito corpulenta e grandalhona.

mastodôntico (mas.to.*dôn*.ti.co) *adj.* **1.** Relativo a ou próprio de mastodonte. **2.** *fig.* Corpulento, grandalhão, agigantado.

mastoide [ói] (mas.*toi*.de) *adj.* **1.** Que tem a forma de mama; mastoídeo. • *s.f.* **2.** (*Anat.*) Base do osso temporal situado detrás da orelha. || *mastoídeo.*

mastoídeo (mas.to.*í*.de:o) *adj.* Mastoide (1).

mastologia (mas.to.lo.*gi*.a) *s.f.* (*Med.*) Estudo da constituição e funcionamento da mama e de suas patologias.

mastozoário (mas.to.zo:*á*.ri:o) *adj.* (*Zool.*) **1.** Que tem mamas. • *s.m.* **2.** Animal provido de mamas; mamífero.

mastreação (mas.tre:a.*ção*) *s.f.* **1.** Ato ou efeito de mastrear. **2.** O conjunto de mastros de uma embarcação.

mastrear (mas.tre:*ar*) *v.* Colocar mastros: *mastrear uma embarcação.* ▶ Conjug. 14.

mastro (*mas*.tro) *s.m.* **1.** Longa peça de madeira ou de ferro, que se ergue acima do convés, no plano diametral da embarcação à vela, para suster as velas e outros acessórios necessários aos serviços da embarcação. **2.** Haste sobre a qual se iça a bandeira. **3.** Tronco colocado no centro do circo para sustentação da cobertura de lona.

mastruço (mas.*tru*.ço) *s.m.* (*Bot.*) Erva de cheiro desagradável com propriedades medicinais. || *mastruz.*

mastruz (mas.*truz*) *s.m.* (*Bot.*) Mastruço.

masturbação (mas.tur.ba.*ção*) *s.f.* Forma de erotismo caracterizada pela excitação física dos órgãos sexuais ou de outras zonas erógenas, com o objetivo de alcançar satisfação sexual.

masturbar (mas.tur.*bar*) *v.* Praticar masturbação (em alguém ou em si próprio). ▶ Conjug. 5.

mata (*ma*.ta) *s.f.* **1.** Terreno onde medram árvores silvestres; floresta, selva, bosque. **2.** Grande quantidade de árvores da mesma espécie: *mata de eucaliptos.*

mata-borrão (ma.ta-bor.*rão*) *s.m.* Papel muito poroso, usado para absorver a tinta fresca de um escrito e para outros fins análogos. || pl.: *mata-borrões.*

mata-burro (ma.ta-*bur*.ro) *s.m.* Fosso escavado na frente das porteiras, coberto de traves espaçadas, para vedar a passagem de animais. || pl.: *mata-burros.*

matacão (ma.ta.*cão*) *s.m.* **1.** Pequena pedra de forma arredondada. **2.** Grande fatia; pedaço, naco.

matado (ma.*ta*.do) *adj. coloq.* Feito às pressas, sem capricho; mal-acabado, malfeito: *Apresentou à ultima hora um trabalho matado, inaceitável.*

matador (ma.ta.*dor*) *adj.* **1.** Que causa ou que causou a morte; assassino. • *s.m.* **2.** Aquele que mata ou matou. **3.** Toureiro encarregado de matar à espada o touro.

matadouro (ma.ta.*dou*.ro) *s.m.* **1.** Lugar onde se abatem reses para consumo público. **2.** Lugar muito insalubre; foco de infecção. **3.** *fig.* Carnificina, massacre, matança.

matagal (ma.ta.*gal*) *s.m.* Terreno coberto de ervas bravas e daninhas; mata, brenha, mataria.

matança (ma.*tan*.ça) *s.m.* **1.** Assassinato de muitas pessoas simultaneamente; morticínio, massacre, mortandade, chacina. **2.** Abate de animais (geralmente gado), para consumo.

mata-piolho (ma.ta-pi:o.lho) *s.m. coloq.* O dedo polegar. || pl.: *mata-piolhos.*

matar (ma.*tar*) *v.* **1.** Tirar a vida de outro ser vivo; assassinar: *No relato bíblico, Abel matou o irmão Caim; Nos duelos, a regra era matar ou morrer.* **2.** Tirar a própria vida; suicidar-se: *O presidente Getúlio Vargas matou-se com um tiro no peito.* **3.** Causar a morte de: *A pneumonia matou o paciente idoso.* **4.** Acarretar a destruição de: *A geada matou a plantação de soja.* **5.** *fig.* Fazer extinguir ou desaparecer: *Matava a saudade enviando* e-mails *para o namorado.* **6.** *fig.* Saciar, satisfazer, extinguir: *matar a fome; matar a sede.* **7.** *fig.* Afligir, atormentar, acabrunhar, mortificar: *A conduta do filho matava-o de vergonha.* **8.** *fig.* Fazer ou executar (algo) às pressas, sem esmero: *matar o dever de casa.* **9.** *fig.* Decifrar, adivinhar, resolver: *matar a charada.* **10.** *fig.* Passar o tempo ociosamente: *matar o tempo.* **11.** *fig. coloq.* Não comparecer a (escola, trabalho); faltar: *Matou as aulas e ficou reprovado.* **12.** *gír.* Consumir até o fim: *Matou o último gole da cerveja.* **13.** Cansar-se muito; empregar muito esforço; estafar-se: *Os pobres*

matéria-prima

se mataram de tanto trabalhar. **14.** Sacrificar-se a favor de (alguém); fazer tudo por: *Ele se mata para manter o padrão de vida da família.* || part.: *matado* e *morto*. ▶ Conjug. 5.

mataria (ma.ta.*ri*.a) *s.f.* Grande extensão de mata; matagal.

mate (*ma*.te) *s.m.* **1.** Erva-mate. **2.** Bebida feita com infusão de folhas da erva-mate, secas e picadas. **3.** As folhas dessa erva, secas e picadas.

mateiro (ma.*tei*.ro) *s.m.* **1.** Guia de florestas e matas cerradas. **2.** Pessoa que cultiva a erva-mate.

matelassê (ma.te.las.*sê*) *adj.* **1.** Diz-se de tecido acolchoado, preso ao forro por pespontos, formando desenhos em relevo. **2.** Obra de costura feita com tecido matelassê: *colcha de matelassê.*

matemática (ma.te.*má*.ti.ca) *s.f.* (*Mat.*) **1.** Ciência que estuda as relações existentes entre entidades abstratas (números, figuras geométricas, funções). **2.** Ensino dos processos, operações e aplicações dessa ciência.

matemático (ma.te.*má*.ti.co) *adj.* **1.** Relativo a Matemática. **2.** *fig.* Que tem a correção e o rigor matemáticos; certo, exato, preciso: *O tiro atingiu o alvo com precisão matemática.* • *s.m.* **3.** Pessoa formada em Matemática.

matéria (ma.*té*.ri.a) *s.f.* **1.** (*Fís.*) Tudo que é formado de moléculas, átomos ou partículas subatômicas. **2.** (*Biol.*) Substância sólida, líquida ou gasosa que compõe um corpo, dotada de massa e volume, e que ocupa lugar no espaço: *matéria orgânica.* **3.** Todo elemento físico que serve para compor ou fazer (algo): *O plástico é uma matéria de múltiplos usos.* **4.** Qualquer substância expelida pelo organismo: *matéria fecal.* **5.** *fig.* Aquilo de que se trata; objeto, assunto, teor: *A história de sua vida daria matéria para um romance.* **6.** *fig.* Motivo, pretexto, ocasião, oportunidade: *O comportamento da jovem era matéria para os comentários das vizinhas.* **7.** (*Comun.*) Texto informativo (notícia, reportagem) em jornal, revista etc.: *Assisti a uma matéria interessante sobre ecologia no telejornal noturno.* **8.** Área de conhecimento considerada como objeto de ensino em estabelecimento escolar; disciplina: *Foi aprovado com louvor em todas as matérias.* **9.** (*Jur.*) Assunto ou questão que serve de fundamento a uma decisão judicial: *matéria judicial; matéria penal.*

material (ma.te.ri.*al*) *adj.* **1.** Relativo a matéria (1, 2 e 3); corpóreo, físico, concreto, visível, tangível: *O homem não cessa de explorar o mundo material em que está inserido.* **2.** *fig.* Que tem caráter prático, objetivo, utilitário, pragmático: *Só lhe interessam na vida os bens e as vantagens materiais.* **3.** Que não exige esforço intelectual: *trabalho material.* • *s.m.* **4.** Aquilo que tem corpo, que é visível e tangível. **5.** Objeto ou instrumento com vários usos ou aplicações: *material escolar; material de limpeza; material cirúrgico.* **6.** Substância usada para pesquisa ou diagnóstico: *colher material para exame.* **7.** *fig.* Matéria (5), assunto, tema, conteúdo: *Já tenho muito material para o novo livro.*

materialidade (ma.te.ri:a.li.*da*.de) *s.f.* **1.** Qualidade ou caráter de material. **2.** Tendência à valorização dos aspectos materiais em detrimento do espiritual ou do intelectual. **3.** A parte concreta, visível, tangível de (algo). **4.** (*Jur.*) Conjunto de elementos que caracterizam um ilícito penal: *a materialidade de um crime.*

materialismo (ma.te.ri:a.*lis*.mo) *s.m.* **1.** (*Fil.*) Doutrina que admite a supremacia da matéria sobre o espírito no conhecimento e na explicação de todos os fenômenos, sejam eles naturais, mentais, sociais ou históricos: *Para o materialismo, a origem do mundo advém da evolução das condições materiais, e não da criação divina.* **2.** *fig.* Atitude ou tendência caracterizada pela valorização exclusiva dos bens materiais.

materialista (ma.te.ri:a.*lis*.ta) *adj.* **1.** Relativo ao materialismo. • *s.m.* e *f.* **2.** Adepto do materialismo.

materializar (ma.te.ri:a.li.*zar*) *v.* **1.** Tornar(-se) realidade; tornar(-se) concreto ou possível; realizar(-se), concretizar(-se): *O bom governo materializa as aspirações do povo; Meu sonho da casa própria materializou-se.* **2.** Atribuir características materiais ou materialidade a: *materializar os fenômenos psíquicos.* **3.** Manifestar-se sob forma humana; corporificar-se: *Acreditava que os espíritos familiares se materializavam na sessão espírita.* **4.** Tornar(-se) materialista: *O dinheiro fácil materializa o homem; As sociedades se materializam sob o capitalismo.* ▶ Conjug. 5. – **materialização** *s.f.*

matéria-prima (ma.*té*.ri:a-*pri*.ma) *s.f.* **1.** Substância que provém da natureza, utilizada para produzir uma espécie nova: *O Brasil exporta matérias-primas.* **2.** *fig.* Base essencial de alguma coisa; fundamento: *O povo é a matéria-prima de seus livros.* || pl.: *matérias-primas.*

maternal (ma.ter.*nal*) *adj.* **1.** Materno. **2.** Diz-se da escola intermediária entre a creche e o jardim de infância. • *s.m.* **3.** Essa escola.

maternidade (ma.ter.ni.*da*.de) *s.f.* **1.** Qualidade ou estado de mãe. **2.** Laço de parentesco que une a mãe a seu filho. **3.** Hospital ou casa de saúde para assistência pré-natal a gestantes, para a realização de partos e cuidados com recém-nascidos.

materno [é] (ma.ter.no) *adj.* **1.** Inerente, pertencente ou concernente à mãe; maternal: *herança materna*. **2.** Diz-se de parentesco do lado de mãe: *avó materna*. **3.** *fig.* Afetuoso, carinhoso: *afagos maternos*. **4.** Do país ou da comunidade natal de alguém: *língua materna*.

matilha (ma.*ti*.lha) *s.f.* **1.** Grupo de cães, principalmente de caça. **2.** *fig.* Grupo de vadios, malandros; corja, súcia.

matina (ma.*ti*.na) *s.f.* **1.** Madrugada, alvorada, matinada. **2.** *coloq.* A parte da manhã. • *matinas s.f.pl.* **3.** (*Rel.*) Na Igreja Católica, os cânticos da primeira parte do ofício religioso rezados de madrugada.

matinada (ma.ti.*na*.da) *s.f.* **1.** Madrugada, alvorada, matina. **2.** Algazarra, vozearia, berreiro.

matinal (ma.ti.*nal*) *adj.* Relativo a manhã; que se faz pela manhã; que sucede de manhã; matutino: *banho matinal*; *passeio matinal*.

matinê (ma.ti.*nê*) *s.f.* Espetáculo, festa, sessão cinematográfica etc., que se realiza à tarde; vesperal: *Fui eu que tive a ideia de nos encontrarmos no cinema, para a matinê do novo filme.*

matiz (ma.*tiz*) *s.m.* **1.** Combinação de cores diversas; *nuance*, tonalidade, tom: *O piso de mármore tinha matizes róseos*. **2.** Gradação quase imperceptível de uma cor: *O crepúsculo exibia todos os matizes do vermelho*. **3.** *fig.* Traço distintivo; marca, sinal, viés: *Suas opiniões revelavam sempre um matiz conservador*. **4.** *fig.* Expressão sutil, fina, imperceptível: *Seus comentários vinham sempre com matizes de ironia*.

matizado (ma.ti.*za*.do) *adj.* Cheio de matizes ou *nuances*: *Usou uma linha matizada para o bordado*; *No romance, os diálogos eram matizados de neologismos e gírias*.

matizar (ma.ti.*zar*) *v.* **1.** Dar matizes ou gradações a (cor): *matizar um bordado*. **2.** Colorir de diversas cores: *Os fogos de artifício matizam a noite junina*; *O céu se matizava com as luzes dos fogos*. **3.** *fig.* Usar de matizes ou sutilezas: *Não sabia matizar suas críticas*. ▶ Conjug. 5.

mato (*ma*.to) *s.m.* **1.** Campo inculto, coberto de plantas agrestes de pequenas dimensões; brenha, mata. **2.** O conjunto dessas plantas, antes e depois de cortadas. **3.** O campo, por oposição à cidade; roça.

mato-grossense (ma.to-gros.*sen*.se) *adj.* **1.** Do Estado de Mato Grosso. • *s.m.* e *f.* **2.** O natural ou o habitante desse estado. || pl.: *mato-grossenses*.

mato-grossense-do-sul (ma.to-gros.sen.se-do-*sul*) *adj.* **1.** Do Estado de Mato Grosso do Sul. • *s.m.* e *f.* **2.** O natural ou o habitante desse estado. || pl.: *mato-grossenses-do-sul*.

matraca (ma.*tra*.ca) *s.f.* **1.** Instrumento de percussão, provido de tabuinhas ou argolas de ferro que, agitadas, percutem uma prancheta de ferro, produzindo uma série rápida de estalos secos; malho (2): *Nas procissões da Semana Santa ouvia-se o som triste e monótono das matracas*. **2.** *fig.* Pessoa que fala muito, sem parar; tagarela: *A vizinha faladeira era uma verdadeira matraca*. **3.** *fig.* A boca de quem é tagarela e falastrão: *fechar a matraca*.

matraquear (ma.tra.que:*ar*) *v.* **1.** Tocar matraca: *O leiteiro, matraqueando, anunciava sua chegada*. **2.** Produzir som semelhante ao da matraca: *Os dentes matraqueavam sob o frio intenso*. **3.** Falar sem parar; tagarelar: *Pare de matraquear ao telefone*. ▶ Conjug. 14.

matreiro (ma.*trei*.ro) *adj.* **1.** Astuto, sabido, esperto, experiente, sagaz: *O velho político era matreiro como uma raposa*. **2.** Arisco, esquivo: *gato matreiro*. **3.** Malicioso, manhoso: *riso matreiro*. – **matreirice** *s.f.*

matriarca (ma.tri:*ar*.ca) *s.f.* A mulher considerada como base da família.

matriarcado (ma.tri:ar.*ca*.do) *s.m.* Organização social em que a mulher se apresenta como elemento preponderante da família, dela se derivando o parentesco.

matriarcal (ma.tri:ar.*cal*) *adj.* Relativo a matriarca ou a matriarcado.

matricida (ma.tri.*ci*.da) *adj.* **1.** Que cometeu matricídio. • *s.m.* e *f.* **2.** Aquele que cometeu matricídio.

matricídio (ma.tri.*cí*.di:o) *s.m.* Crime de morte praticado pelo filho em sua própria mãe.

matrícula (ma.*trí*.cu.la) *s.f.* **1.** Ato ou efeito de matricular(-se). **2.** Inscrição do nome de uma pessoa num rol ou relação em que são anotados igualmente os nomes de todos os que pretendem o mesmo objetivo: *A matrícula escolar é realizada no início de cada ano letivo*. **3.** Registro oficial necessário à legalização do exercício de certas profissões: *Os professores*

mau-olhado

da rede pública podem ter duas matrículas para uma carga horária dupla.

matricular (ma.tri.cu.*lar*) *v.* Fazer a matrícula de (alguém ou de si próprio): *Matriculou os filhos no colégio em que estudara; Matriculei-me num curso de idiomas.* ▶ Conjug. 5.

matrimonial (ma.tri.mo.ni:*al*) *adj.* Relativo a matrimônio; conjugal.

matriz (ma.*triz*) *s.f.* **1.** Fonte ou origem de onde provém alguma coisa. **2.** Molde ou forma usados na fundição de certas peças e objetos. **3.** Molde ou original para cópias (de som, imagem etc.); *master.* **4.** Placa (de metal, madeira etc.) com que se realizam trabalhos de gravura. **5.** (*Art. Gráf.*) Placa de metal utilizada na impressão de textos e imagens. **6.** Folha de papel parafinado utilizada na impressão de (textos, imagens etc.) em mimeógrafo; estêncil. **7.** Igreja que tem jurisdição sob outras da mesma circunscrição: *Casou-se na velha matriz da cidade.* **8.** Estabelecimento comercial a que estão subordinados filiais, agências ou sucursais: *A matriz abriu filiais em quase todos os estados.* • *adj.* **9.** Que é fonte ou origem de algo: *língua matriz.* **10.** Que é primordial, básico, fundamental: *idéia matriz.* – **matricial** *adj.*

matrona (ma.*tro*.na) *s.f.* **1.** Mulher respeitável, pela idade, estado e compostura. **2.** Mulher corpulenta e não jovem.

matula¹ (ma.*tu*.la) *s.f.* Grupo de gente de má índole; corja, súcia, malta.

matula² (ma.*tu*.la) *s.f.* Saco para carregar provisões em viagem; alforge, farnel.

maturar (ma.tu.*rar*) *v.* **1.** Fazer amadurecer: *Sol propício, que matura os frutos.* **2.** Tornar-se maduro: *As frutas maturaram logo;* (fig.) *Levou muito tempo maturando o projeto.* **3.** *fig.* Tornar-se circunspecto por efeito da idade e da experiência: *Atingiu os 23 anos, formou-se, maturou-se.* ▶ Conjug. 5.

maturidade (ma.tu.ri.*da*.de) *s.f.* **1.** Fase da vida em que a pessoa atinge o completo desenvolvimento físico; idade madura; madureza. **2.** Qualidades morais e intelectuais próprias dessa idade: *Age sempre com a sabedoria da maturidade.* **3.** *fig.* Ápice do desenvolvimento de (ciência, tecnologia, atividade etc.); maturação: *A nação atingiu a maturidade democrática.*

matusalém (ma.tu.sa.*lém*) *s.m. coloq.* Pessoa de idade muito avançada; macróbio.

matutar (ma.tu.*tar*) *v. coloq.* **1.** Pensar longa e insistentemente sobre (algo); meditar, refletir, cismar, ruminar: *Ficava a matutar sobre o sentido da vida; Nunca dizia nada sem antes matutar muito.* **2.** Planejar, conceber, intentar, pretender: *Matutou uma vingança contra o rival.* ▶ Conjug. 5.

matutino (ma.tu.*ti*.no) *adj.* **1.** Que se refere à manhã ou se passa nessa hora; matinal: *estrela matutina; corrida matutina.* • *s.m.* **2.** Jornal que circula pela manhã.

matuto (ma.*tu*.to) *adj.* **1.** Que vive no interior, na roça; roceiro, sertanejo, rústico. **2.** Que tem os hábitos da vida no interior; interior, provinciano. **3.** *fig.* Desconfiado, acanhado, tímido: *Não seja matuto, cumprimente as visitas.* • *s.m.* **4.** Pessoa matuta.

mau *adj.* **1.** Que pratica o mal e com ele se compraz; malvado, perverso, impiedoso, cruel: *"Depois de tanto combate o anjo bom matou o anjo mau"* (Carlos Drummond de Andrade, *Poema da purificação*). **2.** Que causa dano físico; prejudicial, nocivo: *má alimentação.* **3.** Que causa danos ou perdas; prejudicial, lesivo: *maus negócios.* **4.** Sem grande qualidade ou valor; inferior, ruim: *mau filme.* **5.** Que se sai mal no que faz; incompetente, inábil: *mau aluno; mau administrador.* **6.** Irritadiço, indelicado, grosseiro, rude: *mau gênio; mau humor.* **7.** Pouco generoso ou prestimoso; ingrato, injusto: *mau companheiro.* **8.** Inoportuno, inconveniente, inadequado, impróprio: *Em má hora solicitou aumento ao chefe.* **9.** Que traduz julgamento desfavorável ou desabonador sobre (algo ou alguém): *Não faça mau juízo dos outros.* **10.** Contrário à justiça ou ao dever; condenável: *maus costumes.* **11.** Contrário à moral ou à religião; imoral, pecaminoso: *maus pensamentos.* **12.** Que prenuncia males ou infortúnios: *maus presságios.* **13.** Pouco produtivo; escasso, pobre, ruim: *um mau ano para a soja.* **14.** Que causa mal-estar; desagradável, incômodo: *mau cheiro.* **15.** Desprovido de arte ou talento: *mau poeta.* **16.** Que denota malevolência ou maldade; malévolo, maldoso: *Olhava tudo e a todos com uma expressão má.* • *s.m.* **17.** Pessoa má. || f.: *má;* sup. comp.: *pior;* sup. abs.: *malíssimo* e *péssimo.*

mau-caráter (mau-ca.*rá*.ter) *adj.* **1.** *coloq.* Que não tem boa índole; que é desprovido de valores morais; tratante, velhaco, patife. • *s.m.* e *f.* **2.** Pessoa mau-caráter. || pl.: *maus-caracteres.*

mau-olhado (mau-o.*lha*.do) *s.m.* Faculdade ou dom atribuídos a certas pessoas pela crendice popular de causarem desgraças àquelas para as quais olham. || pl.: *maus-olhados.*

mauritano (mau.ri.*ta*.no) *adj.* **1.** Da Mauritânia, país do norte da África. • *s.m.* **2.** O natural ou o habitante desse país.

mausoléu (mau.so.*léu*) *s.m.* Túmulo monumental e suntuoso: *Mausoléu é um nome derivado de Mausolo, rei cujo sepulcro foi considerado uma das sete maravilhas do mundo antigo.*

maus-tratos (maus-*tra*.tos) *s.m.pl.* **1.** Traumatismos físicos ou mentais praticados por alguém contra outro(s) que esteja(m) sob sua guarda: *maus-tratos infantis.* **2.** (Jur.) Crime previsto em lei por maus-tratos (privação de alimentos, trabalho forçado, castigo físico etc.).

mavioso [ô] (ma.vi:o.so) *adj.* Agradável ao ouvido; suave, terno, delicado: *voz maviosa.* || f. e pl.: [ó]. − **maviosidade** *s.f.*

maxidesvalorização [cs] (ma.xi.des.va.lo.ri.za.*ção*) *s.f.* (Econ.) Grande desvalorização da moeda de um país em relação à de outro.

maxila [cs] (ma.*xi*.la) *s.f.* (Anat.) Osso par, situado na região central da face, onde estão implantados os dentes da arcada superior. || *Maxila* substituiu a denominação *mandíbula.*

maxilar [cs] (ma.xi.*lar*) *adj.* **1.** Relativo a maxila. • *s.m.* **2.** (Anat.) Cada uma das estruturas ósseas, uma superior, outra inferior, situadas junto à boca, onde se implantam os dentes, e que se articulam para o movimento de abrir e fechar a boca e para a mastigação. || *Maxilar inferior:* denominação substituída por *mandíbula.* • *Maxilar superior:* denominação substituída por *maxila.*

máxima [cs ou ss] (*má*.xi.ma) *s.f.* **1.** Proposição que, por encerrar uma verdade ou princípio tão evidentes, não necessita demonstração ou comprovação; axioma. **2.** Sentença que se popularizou através do tempo; provérbio, ditado, pensamento, anexim: *Amor com amor se paga é máxima muito popular.*

máxime [cs ou ss] (*má*.xi.me) *adv.* Principalmente, especialmente, mormente: *A tecnologia está presente em todas as áreas, máxime na informática.*

maximizar [cs ou ss] (ma.xi.mi.*zar*) *v.* **1.** Dar maior valor ou importância; elevar ao máximo: *maximizar esforços, lucro, produção.* **2.** Exaltar em demasia; superestimar, exagerar: *Gosta de maximizar seus feitos.* ▶ Conjug. 5. − **maximização** *s.f.*

máximo [cs ou ss] (*má*.xi.mo) *adj.* **1.** Que representa o mais alto grau entre todas as possibilidades: *nota máxima; penalidade máxima.* **2.** Total, completo, absoluto: *máximo silêncio; alerta máximo.* • *s.m.* **3.** O mais alto grau: *As exportações atingiram o seu máximo no último semestre.* || antôn.: *mínimo.*

maxixe¹ [ch...ch] (ma.*xi*.xe) *s.m.* **1.** (Bot.) Planta de caule rasteiro, muito cultivada por seus frutos ovoides e espinhosos, que podem ser consumidos crus, em saladas, ou refogados; maxixeiro. **2.** Esse fruto.

maxixe² [ch...ch] (ma.*xi*.xe) *s.m.* **1.** Dança de andamento rápido, misto de polca e tango, muito popular em meados do século XIX nos salões do Rio de Janeiro, onde se originou. **2.** A música dessa dança.

maxixeiro¹ [ch...ch] (ma.xi.*xei*.ro) *s.m.* (Bot.) Planta que produz o maxixe.

maxixeiro² (ma.xi.*xei*.ro) *adj.* **1.** Que dança maxixe. • *s.m.* **2.** Aquele que dança maxixe.

mazela [é] (ma.*ze*.la) *s.f.* **1.** Tudo o que possa afligir ou consumir (alguém); aflição, desgosto, aborrecimento, moléstia: *Teve que enfrentar, além das mazelas físicas, mazelas familiares.* **2.** *fig.* Mácula na honra, na reputação; estigma, desonra, labéu: *O mau administrador, mais cedo ou mais tarde, vê descobertas suas mazelas.*

mazurca (ma.*zur*.ca) *s.f.* **1.** Dança popular, de origem polonesa, misto de polca e de valsa. **2.** Música para essa dança. .

MB Símbolo de *megabyte.*

Mb Símbolo de *megabit.*

me *pron. pess.* Forma oblíqua átona da primeira pessoa do singular que funciona como objeto direto e objeto indireto: *Meu irmão vai encontrar-me na escola; Meus pais sempre me deram muito apoio.*

meação (me:a.*ção*) *s.f.* **1.** Aquilo que pertence a dois em partes iguais. **2.** Divisão de uma parede ou muro em duas partes, pertencendo cada uma a um proprietário diferente. **3.** (Jur.) A metade dos bens que, num inventário, cabe ao cônjuge ainda vivo. **4.** (Jur.) Divisão ao meio da produção agrícola que se dá entre o proprietário das terras e aqueles que as cultivam.

mea-culpa (me:a-*cul*.pa) *s.m.2n.* Ato de pedir perdão; reconhecimento da própria culpa.

meada (me:*a*.da) *s.f.* **1.** Porção de fios de lã, seda, linho etc., depois de enrolados. **2.** *fig.* Enredo, intriga, mexerico, embrulhada, confusão.

meado (me:*a*.do) *adj.* **1.** Que está no meio ou aproximadamente na metade de alguma coisa (diz-se geralmente do tempo): *Pretendo viajar em meados do próximo ano.* **2.** (Jur.) Décimo quinto dia do mês.

meandro (me:*an*.dro) *s.m.* **1.** Volta que alonga um caminho; volteio, sinuosidade, curva: *os meandros da estrada*. **2.** (*Geogr.*) Sinuosidades mais ou menos acentuadas de rios. **3.** *fig.* Enredo, intriga, trama, emaranhado: *os meandros da política*.

meão (me:*ão*) *adj.* **1.** Que ocupa posição intermediária; que está no meio: *irmão meão*. **2.** Nem grande, nem pequeno; médio, mediano: *estatura meã*. **3.** *fig.* De qualidade mediana; medíocre, médio, comum: *Tratava-se de um talento meão, sem grande brilho*.

meato (me:*a*.to) *s.m.* **1.** Abertura ou orifício de um canal. **2.** (*Anat.*) Orifício de um conduto ou canal do organismo: *meato acústico; meato urinário*.

mecânica (me.*câ*.ni.ca) *s.f.* **1.** (*Fís.*) Ramo da Física que estuda o efeito que produzem sobre um determinado corpo diferentes forças. **2.** Obra, compêndio, livro ou disciplina que trata dessa ciência. **3.** Atividade relacionada com máquinas, seu funcionamento; mecanismo: *O piloto de corrida deve conhecer bem a mecânica de seu carro*. **4.** Oficina de conserto de carros.

mecânico (me.*câ*.ni.co) *adj.* **1.** Relativo a mecânica: *engenharia mecânica*. **2.** Fabricado ou executado por meio de máquina ou mecanismo: *perna mecânica*. **3.** *fig.* Que se faz sem vontade ou reflexão; maquinal, automático: *gestos mecânicos*. • *s.m.* **4.** Pessoa que monta, conserta e conserva máquinas: *mecânico de automóveis*.

mecanismo (me.ca.*nis*.mo) *s.m.* **1.** Disposição das partes que constituem uma máquina; maquinismo. **2.** Mecânica (3): *o mecanismo da aeronave*.

mecanização (me.ca.ni.za.*ção*) *s.f.* **1.** Ato ou efeito de mecanizar. **2.** Emprego generalizado da máquina para substituir o esforço humano na indústria, na ciência, na agricultura etc.

mecanizar (me.ca.ni.*zar*) *v.* **1.** Dotar com máquinas ou mecanismos; organizar mecanicamente: *mecanizar o agronegócio*. **2.** *fig.* Tornar(-se) maquinal ou mecânico; automatizar(-se): *O esforço de repetição pode mecanizar o trabalhador; No filme Tempos Modernos, Carlitos é o operário que se mecaniza*. ▶ Conjug. 5.

mecanografia (me.ca.no.gra.*fi*.a) *s.f.* Técnica de empregar máquinas como auxiliares de escrita ou de cálculos.

mecenas (me.*ce*.nas) *s.m.2n. fig.* Patrocinador generoso, protetor das letras, ciências e artes, ou dos artistas, literatos e cientistas. – **mecenato** *s.m.*

mecha [é] (me.cha) *s.f.* **1.** Pavio de vela, lampião ou balão. **2.** Feixe de fios torcidos. **3.** Feixe ou tufo de cabelos; madeixa (2): *Uma mecha dos louros cabelos caiu-lhe sobre o rosto*. **4.** Pequena madeixa tingida de cor mais clara que a natural do cabelo: *O jovem trazia mechas coloridas nos cabelos*. **5.** (*Med.*) Tira de gaze que se coloca sobre ferimento ou intervenção cirúrgica, como dreno ou para auxiliar na cicatrização.

medalha (me.*da*.lha) *s.f.* **1.** Peça de metal, geralmente redonda ou ovalada, que tem gravado emblema, efígie ou alguma inscrição comemorativa: *Adquiriu a medalha do IV centenário da cidade*. **2.** Peça que representa um objeto de devoção, usada frequentemente como pingente ou adorno: *Trazia ao pescoço uma medalha do santo de sua devoção*. **3.** Peça concedida como prêmio aos vencedores em competições, concursos, exposições etc.: *O Brasil obteve várias medalhas de ouro na natação*. **4.** Condecoração ou insígnia de ordem militar, honorífica etc.: *Ostentava na farda várias medalhas*.

medalhão (me.da.*lhão*) *s.m.* **1.** Medalha grande. **2.** Pequena caixa trabalhada em metal nobre, em que se guardam relíquias, usada pendente ao pescoço como joia. **3.** *fig.* Pessoa importante, influente; figurão: *medalhão da medicina*. **4.** (*Cul.*) Pedaço redondo e alto de carne bovina em forma de medalhão (1).

medalhista (me.da.*lhis*.ta) *adj.* **1.** Que recebeu medalha (3): *atleta medalhista*. • *s.m. e f.* **2.** Aquele que recebeu medalha: *O presidente recebeu em palácio os medalhistas do voleibol*.

média (*mé*.di:a) *s.f.* **1.** (*Mat.*) Resultado da divisão de uma soma pelo número de suas parcelas: *média aritmética*. **2.** Esse resultado tomado como padrão em avaliações escolares: *Nesse colégio a média de aprovação é sete*. **3.** (*Econ.*) Resumo de uma série de variáveis em um número único: *A produção industrial ficou acima da média dos últimos anos*. **4.** Xícara de tamanho médio de café com leite. ‖ *Fazer média com*: *coloq.* Tentar agradar com o intuito de tirar proveito; bajular.

mediação (me.di:a.*ção*) *s.f.* **1.** Ato ou efeito de mediar; intervenção, intermediação. **2.** (*Jur.*) Todo ato de intervenção de uma pessoa em contrato ou negócio que se realiza entre outros. **3.** Na diplomacia, esforços empregados por um país para a solução negociada de conflitos internacionais.

mediador [ô] (me.di:a.*dor*) *adj.* **1.** Que medeia ou intervém; medianeiro, intermediário, negociador. • *s.m.* **2.** Aquele que medeia ou intervém; medianeiro.

média-metragem (mé.di:a-me.*tra*.gem) *s.m.* (*Cine*) Filme com duração de cerca de 30 a 70 minutos. || pl.: *médias-metragens*.

mediana (me.di:a.na) *s.f.* (*Geom.*) Segmento de reta que num triângulo retângulo une um vértice ao meio do lado oposto.

mediania (me.di:a.*ni*.a) *s.f.* **1.** Qualidade ou condição de mediano; termo médio; média. **2.** Mediocridade, banalidade, trivialidade. **3.** Meio-termo entre a riqueza e a pobreza; classe média.

mediano (me.di:a.no) *adj.* **1.** Que está no meio, ou entre dois extremos; intermediário, médio. **2.** Que está dentro de um padrão; comum, normal: *altura mediana*. **3.** Sem maior valor; medíocre, banal: *autor mediano*.

mediante (me.di:*an*.te) *prep.* **1.** Por meio de; por intermédio de; com a intenção de: *Tudo o que conseguiu foi mediante esforço próprio*. **2.** A troco de; em compensação: *Aceitou o negócio mediante uma boa recompensa*.

mediar (me.di:*ar*) *v.* **1.** Intervir como mediador: *Foi chamado a mediar em favor do vizinho; Quem irá mediar a disputa entre os fazendeiros e os sem-terra?* **2.** Estar no meio de dois pontos; distar: *Daqui até a cidade mais próxima medeiam alguns quilômetros*. **3.** Passar ou decorrer entre dois tempos ou acontecimentos: *Entre o lançamento de uma e outra obra poética mediou um longo tempo*. ▶ Conjug. 16.

mediastino (me.di:as.*ti*.no) *s.m.* (*Anat.*) Região mediana do tórax, situada entre o esterno, a coluna vertebral dorsal e os pulmões.

mediato (me.di:a.to) *adj.* Que não tem relação direta com outra coisa; que depende de um intermediário; indireto: *consequências mediatas*.

mediatriz (me.di:a.*triz*) *s.f.* (*Geom.*) Perpendicular que corta ao meio um segmento de reta.

medicação (me.di.ca.*ção*) **1.** Ato de medicar. **2.** Tratamento por meio de medicamentos: *Seguiu à risca a medicação indicada*. **3.** Os medicamentos prescritos no tratamento; remédios: *Não tome medicação sem receita médica*.

medicamento (me.di.ca.*men*.to) *s.m.* Substância(s) utilizada(s), em tratamento terapêutico, para prevenir, curar ou aliviar uma doença; remédio, medicação.

medicamentoso [ô] (me.di.ca.men.*to*.so) *adj.* Que tem propriedades de medicamento. || f. e pl.: [ó].

medição (me.di.*ção*) *s.f.* **1.** Ato ou efeito de medir. **2.** Medida.

medicar (me.di.*car*) *v.* **1.** Tratar(-se) com medicamento: *Medicou seu filho que estava com febre*; *Ninguém deve medicar-se por conta própria*. **2.** Exercer a Medicina; clinicar: *Começou a medicar numa pequena cidade distante*. ▶ Conjug. 5 e 35.

medicina (me.di.*ci*.na) *s.f.* **1.** (*Med.*) Ciência que trata da manutenção da saúde por meio de prevenção, tratamento e cura de doenças, tanto individuais como coletivas. **2.** Cada um dos campos da atividade médica: *Medicina esportiva; Medicina nuclear*. **3.** Qualquer medicamento; remédio: *Medicina caseira; Medicina alternativa*. || *Medicina legal*: (*Jur.*) ramo da Medicina que relaciona os conhecimentos médicos aos textos legais, para elucidação de um ilícito penal.

medicinal (me.di.ci.*nal*) *adj.* **1.** Relativo a Medicina; médico: *procedimentos medicinais*. **2.** Que serve de medicamento ou remédio; que cura; terapêutico: *planta medicinal; sabonete medicinal*.

médico (*mé*.di.co) *adj.* **1.** Relativo a Medicina; medicinal (1): *tratamento médico*. • *s.m.* **2.** Profissional formado em Medicina.

médico-legista (mé.di.co-le.*gis*.ta) *s.m.* Especialista em Medicina legal: legista. || pl.: *médicos-legistas*.

medida (me.*di*.da) *s.f.* **1.** Ato ou efeito de medir; medição, mensuração. **2.** Termo de comparação para que se avaliem outras quantidades da mesma grandeza; padrão: *Toda medida utiliza o sistema métrico decimal*. **3.** Tamanho, dimensão, extensão, área: *Quis saber a medida do terreno que iria comprar*; (fig.) *Ninguém podia saber a medida exata de sua tristeza*. **4.** Quantidade, dosagem, dose: *Certos medicamentos podem ser encontrados na medida de 1 mg ou 5 mg*. **5.** *fig.* Moderação, comedimento, limite: *agir sem medida*. **6.** Providência, disposição, prevenção: *A prefeitura tomou medidas contra as infrações no trânsito*. **7.** (*Jur.*) Meio de prevenção, pessoal ou social, intentado em justiça para prevenir, conservar ou defender um direito: *medida de segurança*. || *Medida provisória*: (*Jur.*) medida em que o chefe do Poder Executivo emite comando provisório, em forma de lei, que será levada ao congresso para ser ou não convertida em lei. • *À medida*

medonho

que: à proporção que; enquanto, conforme: *Tornava-se mais bonita à medida que crescia.* • *Sob medida:* **1.** feito de acordo com as medidas do corpo: *roupa sob medida.* **2.** *fig.* adequado, apropriado: *Deu uma resposta sob medida aos críticos de sua obra.*

medidor [ô] (me.di.*dor*) *adj.* **1.** Que mede. • *s.m.* **2.** Aparelho ou instrumento que permite efetuar medições e análises: *medidor de luz; medidor de glicose.*

medieval (me.di:e.*val*) *adj.* Relativo a Idade Média.

medievalismo (me.di:e.va.*lis*.mo) *s.m.* Conjunto de fatos, instituições e doutrinas relacionados com a Idade Média.

medievalista (me.di:e.va.*lis*.ta) *adj.* **1.** Relativo ao medievalismo. • *s.m.* e *f.* **2.** Pessoa versada em temas da Idade Média.

médio (*mé*.di:o) *adj.* **1.** Que está no meio, entre dois tempos ou entre dois extremos: *Idade Média; ensino médio.* **2.** Que exprime o meio-termo entre duas quantidades ou qualidades; mediano, comum, normal: *altura e peso médios; talento médio.* **3.** Que é resultado de uma média estatística ou aritmética: *custo de vida médio; temperatura média.* **4.** (*Gram.*) Diz-se de vogal em cuja articulação a língua está numa posição média dentro da boca: *As vogais é, ê, ó, ô são médias.* **5.** Diz-se do maior dedo da mão: *dedo médio.* • *s.m.* **6.** Esse dedo. **7.** (*Esp.*) No futebol, jogador que atua entre a linha de defesa e a do ataque; meia.

medíocre (me.*dí*:o.cre) *adj.* **1.** Desprovido de maior valor ou interesse; comum, banal, inexpressivo, mediano, médio (2): *obra medíocre; existência medíocre.* • *s.m.* e *f.* **2.** Pessoa medíocre. **3.** Aquilo que está abaixo da média.

mediocridade (me.di:o.cri.*da*.de) *s.f.* **1.** Qualidade de medíocre. **2.** Falta de merecimento, de talento, de valor.

medir (me.*dir*) *v.* **1.** Verificar ou determinar, por meio de instrumento, a extensão ou a grandeza de (algo); mensurar: *medir a temperatura; medir a pressão arterial.* **2.** Ter determinada medida (em comprimento, altura etc.): *A mesa de banquete media três metros de comprimento por dois de largura.* **3.** *fig.* Avaliar, calcular, ponderar, pesar: *Não soube medir as consequências de seus atos impensados.* **4.** *fig.* Ter moderação; refrear, comedir, conter: *Não mediu gastos no casamento da filha.* **5.** *fig.* Servir de medida para algo: *Os gestos mediam sua ansiedade.* **6.** *fig.* Comparar, confrontar, cotejar: *O governo mediu os índices da economia, contrapondo-os aos índices do período anterior.* **7.** Andar em toda a extensão ou ao longo de; percorrer: *Pensativo, media os aposentos, do quarto à sala.* **8.** *fig.* Lançar (sobre alguém) olhar insistente de avaliação: *Media o moço com olhos curiosos; Ao se encontrarem, mediram-se de alto a baixo.* **9.** *fig.* Enfrentar-se com; rivalizar-se, bater-se, competir: *Davi mediu-se com o gigante Golias e o venceu.* ▶ Conjug. 71.

meditabundo (me.di.ta.*bun*.do) *adj.* **1.** Que medita em silêncio; meditativo, pensativo. **2.** Melancólico, triste, sorumbático.

meditação (me.di.ta.*ção*) *s.f.* **1.** Ato ou efeito de meditar; reflexão. **2.** (*Rel.*) Concentração mental, através de orações ou exercícios espirituais, que procura a liberação das amarras do mundo material.

meditar (me.di.*tar*) *v.* **1.** Pensar profundamente sobre (ou em); refletir, ponderar: *Meditou o problema durante anos; Meditou sobre a (na) melhor solução para seus problemas; Antes da resolução, precisava meditar bem.* **2.** Fazer meditação (2); concentrar-se mentalmente: *Meditando, atingia a harmonia e a serenidade que buscava.* **3.** Planejar, projetar, elaborar, arquitetar: *Sua índole má meditava uma vingança.* ▶ Conjug. 5.

meditativo (me.di.ta.*ti*.vo) *adj.* **1.** Propenso à meditação; meditabundo. **2.** Que tem a expressão de quem medita: *olhar meditativo.*

mediterrâneo (me.di.ter.*râ*.ne:o) *adj.* **1.** Que se situa entre terras. **2.** Relativo a ou próprio do mar Mediterrâneo e das regiões por ele banhadas: *países mediterrâneos; culinária mediterrânea.*

médium (*mé*.di:um) *s.m.* (*Rel.*) Segundo o espiritismo, pessoa que pode servir de intermediário entre os vivos e os espíritos dos mortos. – **mediúnico** *adj.*; **mediunidade** *s.f.*

medo [ê] (me.do) *s.m.* **1.** Estado psíquico resultante da ideia de um perigo real ou aparente ou da presença de alguma coisa estranha ou perigosa; pavor, terror. **2.** Ansiedade, temor ou apreensão (geralmente infundados) diante de algo que se quer evitar: *medo de escuro; medo de injeção.* **3.** Preocupação ou receio de ser desagradável, de ofender ou de causar algum mal: *Tinha medo de frustrar as esperanças dos pais.*

medonho (me.do.nho) *adj.* **1.** Que causa muito medo; assustador: *rugido medonho.* **2.** He-

medrar

diondo, horrendo, atroz, revoltante: *crime medonho.* **3.** Desagradável, insuportável, excessivo: *calor medonho.*

medrar¹ (me.*drar*) *v.* **1.** Fazer brotar, desenvolver-se e crescer (vegetal): *A chuva generosa chegou para fazer medrar o campo semeado.* **2.** Brotar, nascer: *As videiras medravam rapidamente.* **3.** *fig.* Desenvolver-se, progredir, prosperar, crescer: *No século XIX medraram no Brasil os ideais de independência.* ▶ Conjug. 8.

medrar² (me.*drar*) *v. coloq.* Sentir medo: *O lutador não medrou diante do adversário mais forte.* ▶ Conjug. 8.

medroso [ô] (me.*dro.so*) *adj.* **1.** Que tem medo; temeroso, receoso, amedrontado: *criança medrosa.* **2.** Tímido, hesitante, acanhado, reticente: *passos medrosos.* • *s.m.* **3.** Pessoa medrosa. || f. e pl.: [ó].

medula (me.*du.la*) *s.f.* **1.** Porção mais interior de um órgão ou estrutura. **2.** (*Anat.*) Material orgânico mole que preenche as cavidades dos diferentes ossos; medula óssea. **3.** *fig.* A característica essencial, a parte central (de alguma coisa): *O voto é a medula da democracia.* || *Até a medula: fig.* **1.** em excesso; no mais alto grau: *Estou de trabalho até a medula.* **2.** até o mais íntimo do ser; até o âmago; profundamente: *A ingratidão doeu-lhe até a medula.* • *Medula espinhal*: (*Anat.*) parte do sistema nervoso central alojada no canal vertebral, que conduz impulsos para o cérebro e controla as atividades musculares automáticas. • *Medula óssea*: (*Anat.*) material que preenche as cavidades ósseas. – **medular** *adj.*

medusa (me.*du.sa*) *s.f.* (*Zool.*) Animal marinho, de corpo gelatinoso e transparente, com tentáculos e cuja forma lembra um sino ou um guarda-chuvas.

meeiro (me:*ei.ro*) *adj.* **1.** Que tem de ser dividido ao meio: *bens meeiros.* **2.** Que tem direito à metade dos bens: *lavrador meeiro.* • *s.m.* **3.** (*Jur.*) Pessoa que tem metade em bens ou interesses. **4.** Aquele que planta em terreno alheio, repartindo o resultado das plantações com o dono das terras.

mefistofélico (me.fis.to.*fé*.li.co) *adj.* Que é pérfido como Mefistófeles, personificação do diabo na obra *Fausto,* do escritor alemão Goethe (1749-1832); diabólico, satânico: *Personagens mefistofélicos povoam as histórias de terror.*

megabit [*megabit*] (Ing.) *s.m.* (*Inform.*) Múltiplo do *bit* equivalente a mil *Kilobits.* || Símbolo: *Mb.*

megabyte [*megabaite*] (Ing.) *s.m.* (*Inform.*) Múltiplo do *byte*, equivalente a mil *Kilobytes.* || Símbolo: *MB.*

megafone (me.ga.*fo*.ne) *s.m.* Aparelho que tem por fim ampliar o volume dos sons emitidos.

mega-hertz (me.ga-*hertz*) *s.m.* (*Fís.*) Unidade de medida de frequência, equivalente a um milhão de hertz (ou ciclos) por segundo. || Símbolo: *MHz.*

megalítico (me.ga.*lí*.ti.co) *adj.* Constituído de megálitos: *monumento megalítico.*

megálito (me.*gá*.li.to) *s.m.* Grande bloco de pedra dos monumentos pré-históricos.

megalomania (me.ga.lo.ma.*ni*.a) *s.f.* (*Psiq.*) Distúrbio mental caracterizado pela superestima de si mesmo, pela supervalorização dos próprios atos e total ausência de autocrítica. – **megalomaníaco** *adj.*; **megalômano** *adj.*

megalópole (me.ga.*ló*.po.le) *s.f.* **1.** Cidade muito grande. **2.** Região de grande densidade populacional, constituída de várias metrópoles, cujas infraestruturas se intercomunicam.

meganha (me.*ga*.nha) *s.m. gír.* Soldado de polícia.

megaton (me.ga.*ton*) *s.m.* (*Fís.*) Unidade de medida utilizada em armas nucleares, equivalente à potência explosiva desenvolvida por um milhão de toneladas de dinamite.

megawatt (me.ga.*watt*) *s.m.* (*Eletr.*) Unidade de medida de energia, equivalente a um milhão de watts.

megera [é] (me.*ge*.ra) *s.f.* Mulher de mau gênio; cruel, perversa.

meia¹ (*mei*.a) *s.f.* **1.** Peça de malha que cobre o pé e parte da perna. **2.** O próprio ponto de malha com que se fabrica a meia. **3.** Qualquer peça de vestuário, feita com ponto de meia: *camisa de meia.* **4.** Sistema de parceria entre agricultores em que o arrendatário entrega a metade da colheita ao proprietário das terras; meação (4). || *Pé-de-meia: coloq.* dinheiro economizado aos poucos.

meia² (*mei*.a) *num.* Redução de *meia-dúzia.* || Usado, na fala, para diferenciar o som do numeral *seis* do numeral *três*: *O prefixo do meu telefone mudou para dois sete meia três.*

meia³ (*mei*.a) *s.f.* Redução de meia-entrada.

meia⁴ (*mei*.a) *s.m.* e *f.* (*Esp.*) Redução de meia-direita e meia-esquerda.

meia-água (mei.a-*á*.gua) *s.f.* **1.** Telhado de um só plano. **2.** Casa construída com esse tipo de telhado. || pl.: *meias-águas.*

meia-armador (mei.a-ar.ma.*dor*) *s.m.* (*Esp.*) No futebol, jogador que atua no meio do campo e cuja função é receber a bola da defesa e armar o ataque. || pl.: *meias-armadores*.

meia-calça (mei.a-*cal*.ça) *s.f.* Meia feminina que vai até a cintura. || pl.: *meias-calças*.

meia-direita (mei.a-di.*rei*.ta) *s.m.* (*Esp.*) Jogador de futebol, que ocupa, na linha dianteira, lugar entre o centro e o ponta-direita; meia. || pl.: *meias-direitas*.

meia-entrada (mei.a-en.*tra*.da) *s.f.* Entrada ou ingresso que custa metade do preço usual; meia: *Menores, idosos e estudantes pagam meia-entrada nos cinemas.* || pl.: *meias-entradas*.

meia-esquerda (mei.a-es.*quer*.da) *s.m.* (*Esp.*) Jogador de futebol, que ocupa, na linha dianteira, lugar entre o centro e o ponta-esquerda; meia. || pl.: *meias-esquerdas*.

meia-estação (mei.a-es.ta.*ção*) *s.f.* Época do ano de temperatura amena, em que não faz nem muito calor nem muito frio. || pl.: *meias-estações*.

meia-idade (mei.a-i.*da*.de) *s.f.* Idade de uma pessoa entre a maturidade e a velhice. || pl.: *meias-idades*.

meia-lua (mei.a-*lu*.a) *s.f.* **1.** Fase da lua (quarto minguante ou quarto crescente), na qual se apresenta em forma de semicírculo. **2.** Qualquer objeto com esse formato. **3.** (*Esp.*) No futebol, semicírculo que marca a distância mínima observada na cobrança de pênalti. || pl.: *meias-luas*.

meia-luz (mei.a-*luz*) *s.f.* Luz pouco intensa; luminosidade suave e tênue; penumbra. || pl.: *meias-luzes*.

meia-noite (mei.a-*noi*.te) *s.f.* **1.** A vigésima quarta hora do dia. **2.** O meio da noite. || pl.: *meias-noites*.

meia-sola (mei.a-*so*.la) *s.f.* **1.** Remendo em calçado que restaura a metade anterior da sola. **2.** *coloq.* Conserto improvisado e provisório em alguma coisa. || pl.: *meias-solas*.

meia-tigela (mei.a-ti.*ge*.la) *s.f.* Usado apenas na locução *de meia-tigela*. || *De meia-tigela*: de pouco valor ou de pouca importância; medíocre, mediano, sofrível: *pintor de meia-tigela*. || pl.: *meias-tigelas*.

meia-tinta (mei.a-*tin*.ta) *s.f.* **1.** Tonalidade intermediária entre o claro e o escuro, entre a luz e a sombra. **2.** Gradação de cores; matiz, nuance. **3.** (*Art.*) Gravura realizada com a técnica de meia-tinta (1). || pl.: *meias-tintas*.

meia-volta (mei.a-*vol*.ta) *s.f.* **1.** Movimento de 180° impresso ao corpo. **2.** (*Mil.*) Movimento de postar-se em direção oposta tanto em marcha quanto em posição parada: *Meia-volta, volver!* || pl.: *meias-voltas*.

meigo (*mei*.go) *adj.* Que tem meiguice, gentil, carinhoso, terno, suave.

meiguice (mei.*gui*.ce) *s.f.* **1.** Qualidade de meigo. **2.** Ato, gesto ou fala que expressa carinho, ternura, gentileza, afabilidade: *Tratava a todos com meiguice e bondade.* **3.** Suavidade, doçura, candura: *Tinha meiguice no sorriso e no olhar.*

meio (*mei*.o) *adj.* **1.** Ponto situado ao centro de um espaço, equidistante de suas extremidades; metade: *o meio da circunferência.* **2.** Ponto mais ou menos distante de outros em seu entorno; centro: *o meio da rua.* **3.** Momento que corresponde aproximadamente à metade do começo e do fim de (alguma coisa): *meio da tarde*; *Retirou-se no meio da conferência.* **4.** Medidas ou recursos utilizados na consecução de (algo): *Usava de todos os meios para tornar-se famoso.* **5.** Maneira de agir ou de manifestar-se; modo, forma, caminho: *meios legais*; *meios ilícitos.* **6.** Ambiente físico natural de um ser vivo; habitat: *Certos animais não sobrevivem fora de seu meio.* **7.** *fig.* Ambiente social onde se vive ou se atua; esfera, círculo: *meio familiar*; *meio artístico.* **8.** Sistema, estrutura ou rede utilizados na realização ou execução de algo: *meios de transporte*; *meios de comunicação.* • **meios** *s.m.pl.* **9.** Recursos financeiros; bens, haveres, proventos: *Vive modestamente, com poucos meios.* • *adj.* **10.** Que indica a metade de um todo: *meio copo d'água*; *meio expediente.* **11.** Equivalente à metade de um tempo determinado: *meio-dia e meia.* **12.** Que está em posição intermediária; médio, mediano, meão: *mulher de meia altura e meia-idade.* • *adv.* **13.** Não inteiramente; um pouco; um tanto; quase, algo: *Ando cansada, acho que estou meio adoentada.* • *num.* **14.** Fração de uma unidade dividida em duas partes iguais: *meio metro*; *quilo e meio.* || *Meio ambiente*: conjunto de condições naturais, em determinada região, ou na esfera global, e das influências sobre os organismos vivos e os seres humanos, de que decorrem sua preservação, saúde e bem-estar. • *Pelo meio*: sem estar concluído; sem chegar ao término: *O candidato derrotado largou a apuração pelo meio.* • *Por meio de*: por intermédio de; mediante: *Tomou conhecimento dos fatos por meio de terceiros.*

meio-campo (mei.o-*cam*.po) *s.m.* **1.** Região intermediária em um campo de futebol. **2.** Jogador que atua nessa parte do campo. || pl.: *meios-campos*.

meio-dia (mei.o-*di*.a) *s.m.* A décima segunda hora do dia. || pl.: *meios-dias*.

meio-fio (mei.o-*fi*:o) *s.m.* Fileira de pedras ou de blocos de cimento que serve de remate à calçada da rua; guia. || pl.: *meios-fios*.

meio-irmão (mei.o-ir.*mão*) *s.m.* Irmão só por parte de pai ou só por parte de mãe. || pl.: *meios-irmãos*.

meiose [ó] (mei:o.se) *s.f.* (*Biol*.) Processo de divisão celular em que o número de cromossomos da nova célula corresponde à metade do número da célula original. – **meiótico** *adj*.

meio-soprano (mei.o-so.*pra*.no) *s.m.* **1.** Timbre de voz feminina entre o soprano e o contralto. • *s.m.* e *f.* **2.** Cantora que tem essa voz. || pl.: *meios-sopranos*.

meio-tempo (mei.o-*tem*.po) *s.m.* Intervalo de tempo entre duas ocorrências. || *Nesse meio-tempo*: nesse ínterim; enquanto isso. || pl.: *meios-tempos*.

meio-termo (mei.o-*ter*.mo) *s.m.* **1.** Aquilo que é intermediário entre duas situações ou posições extremas: *Sua obra é um meio-termo entre duas correntes do pensamento moderno*. **2.** Ponto de equilíbrio; convergência, consenso: *Os sócios chegaram a um meio-termo em suas negociações*.

meio-tom (mei.o-*tom*) *s.m.* **1.** (*Mús*.) Intervalo musical que equivale à metade de um tom; semitom. **2.** Som de voz pouco audível; murmúrio: *Longe dos microfones, os dois políticos mantinham um diálogo em meio-tom*. **3.** Gradação de cores; matiz, nuance: *Prefere o meio-tom nos trajes de inverno*. || pl.: *meios-tons*.

meirinho (mei.*ri*.nho) *s.m.* Antigo funcionário judicial correspondente ao Oficial de Justiça.

mel *s.m.* **1.** Substância açucarada, viscosa, de cor amarelada, produzida pelas abelhas a partir do néctar das flores, muito consumida como alimento e por suas propriedades medicinais. **2.** *fig*. Grande doçura; suavidade, brandura, meiguice: *Seus beijos sabiam a mel*.

mela [é] (*me*.la) *s.f.* Doença que ataca vegetais, impedindo-os de medrar e frutificar.

melaço (me.*la*.ço) *s.m.* Calda resultante da cristalização do açúcar, usada como alimento para gado ou como matéria-prima para produtos industrializados (bebidas, combustíveis, borracha sintética etc.).

melado[1] (me.*la*.do) *adj.* **1.** Adoçado com mel de abelha. **2.** Demasiadamente doce; açucarado: *Gosta do café bem melado*. **3.** *coloq*. Lambuzado de mel ou outra substância viscosa e pegajosa: *melado de suor*.

melado[2] (me.*la*.do) *s.m.* (*Cul*.) Calda grossa feita com rapadura, consumida como sobremesa.

melado[3] (me.*la*.do) *adj.* Que está com mela (doença); chocho: *frutas meladas*.

melancia (me.lan.*ci*.a) *s.f.* **1.** (*Bot*.) Planta de ramagem rasteira, muito cultivada por seu fruto, de polpa vermelha sucosa, refrescante e de sabor agradável. **2.** Fruto dessa planta.

melancolia (me.lan.co.*li*.a) *s.f.* (*Psiq*.) **1.** Estado mórbido caracterizado por grande depressão, abatimento moral e físico, profunda tristeza, medo e desânimo, que pode revelar uma eventual tendência ao suicídio. **2.** Sentimento indefinido de tristeza, geralmente causado pela solidão e incompreensão; desgosto, mágoa: *"E em tudo, em torno, esbatem derramados/ Uns tons suaves de melancolia..."* (Raimundo Correia, *Anoitecer*). – **melancólico** *adj*.

melanésio (me.la.*né*.si:o) *adj.* **1.** Da Melanésia, arquipélago da Oceania. • *s.m.* **2.** O natural ou o habitante desse arquipélago. **3.** Grupo de línguas e dialetos falados na Melanésia.

melanina (me.la.*ni*.na) *s.f.* (*Quím*.) Pigmento marrom-escuro encontrado na pele, pelos, íris etc.

melanoma (me.la.*no*.ma) *s.m.* (*Med*.) Tumor cutâneo, benigno ou maligno, formado pela proliferação de células produtoras de melanina.

melão (me.*lão*) *s.m.* **1.** Fruto esférico ou ovalado, de casca dura, amarela ou verde, de polpa comestível, doce e sumarenta. **2.** (*Bot*.) Planta que produz o melão; meloeiro.

melar[1] (me.*lar*) *v.* **1.** Adoçar, cobrir ou untar com mel: *melar as balas e os doces da festa*. **2.** Sujar(-se) de mel ou de outra substância gordurosa ou viscosa; lambuzar(-se): *Melou a mão toda com o sorvete*; *O menino melava-se todo ao tentar comer sozinho*. **3.** *coloq*. Fazer malograr ou malograr; frustrar(-se): *A chuva melou nosso passeio*; *Nossos planos melaram*. ▶ Conjug. 8.

melar[2] (me.*lar*) *v.* Causar ou sofrer mela (doença); tornar(-se) chocho: *A chuva excessiva melou os frutos do pomar*; *Parte da plantação melou*. ▶ Conjug. 8.

meleca [é] (me.*le*.ca) *s.f.* Secreção nasal ressecada.

melena (me.le.na) *s.f.* Cabelos longos e soltos; madeixa (2).

melhor [ó] (me.lhor) *adj.* **1.** Bom em maior grau que outro(s): *Minha mãe é a melhor pessoa que eu conheço.* **2.** Que excede a outro em (qualidade, classe, situação etc.): *Troquei meu computador por outro melhor*; *Este foi o melhor ano da minha vida.* • *adv.* **3.** Em condições físicas mais satisfatórias; mais bem; menos mal: *Estou melhor do resfriado.* **4.** De modo mais adequado, eficiente, perfeito: *Comer e dormir melhor, para viver melhor.* || *Levar a melhor*: suplantar algo ou alguém; sair vitorioso. • *Ou melhor*: ou seja, isto é. • *Tanto melhor*: é preferível; ainda bem. || comp. de *bom* e de *bem*; sup. de *bom*.

melhora [ó] (me.lho.ra) *s.f.* **1.** Mudança para um estado ou condição mais favorável que o anterior; melhorada, melhoramento, melhoria: *O paciente apresentou uma sensível melhora*; *Sua situação financeira experimentou expressiva melhora.* • **melhoras** *s.f.pl.* **2.** Melhores condições de saúde: *Desejo-lhe prontas melhoras.*

melhorada (me.lho.ra.da) *s.f.* Melhora, melhoramento, melhoria.

melhoramento (me.lho.ra.men.to) *s.m.* **1.** Melhora, melhorada. **2.** Aperfeiçoamento, desenvolvimento, benfeitoria, melhoria: *Fez alguns melhoramentos na casa antes de alugá-la.*

melhorar (me.lho.rar) *v.* **1.** Produzir melhoria em; tornar melhor ou superior: *É preciso melhorar seu rendimento escolar*; *Melhorou de vida à custa de muito trabalho*; *A produção agrícola melhorou neste trimestre.* **2.** Recuperar melhores condições de saúde: *Os medicamentos caseiros não melhoraram sua indisposição*; *O paciente vem melhorando a olhos vistos.* **3.** Diminuir de intensidade; amenizar, suavizar, abrandar, amainar: *O tempo melhorou à tarde.* ▶ Conjug. 20.

melhoria (me.lho.ri.a) *s.f.* **1.** Ato ou efeito de melhorar; melhora, melhoramento. **2.** Passagem a condições mais prósperas. **3.** Diminuição da gravidade de uma doença. **4.** Aumento de vencimentos ou salários.

meliante (me.li:an.te) *s.m. e f.* **1.** Pessoa de maus costumes; malandro, vadio. **2.** Pessoa que usa de meios ilícitos ou que pratica atos passíveis de punição; marginal (4): *Os meliantes foram presos em flagrante.*

melífluo (me.lí.flu:o) *adj.* **1.** Muito doce; suave, mavioso: *a voz melíflua dos meninos cantores.* **2.** *fig.* Que afeta falsa doçura; hipócrita, fingido, meloso: *A bruxa tinha um ar melífluo para enganar as criancinhas.*

melindrar (me.lin.drar) *v.* Tornar(-se) melindroso ou suscetível; magoar(-se), ofender(-se), suscetibilizar(-se): *As críticas dos amigos a melindraram muito*; *Não se melindre com o que lhe vou dizer.* ▶ Conjug. 5.

melindre (me.lin.dre) *s.m.* **1.** Delicadeza no trato; amabilidade, afabilidade, polidez: *melindres diplomáticos.* **2.** Cuidado extremo em não magoar(-se) ou ofender(-se) imotivadamente; suscetibilidade, sensibilidade: *Seus melindres o levavam a não menosprezar ninguém.* **3.** Falta de naturalidade; artificialidade, afetação, pedantismo: *um artista cheio de melindres.*

melissa (me.lis.sa) *s.f.* Erva-cidreira.

melodia (me.lo.di.a) *s.f.* **1.** (*Mús.*) Série de notas musicais, dispostas em sucessão, num determinado ritmo, que forma uma composição harmoniosa: *Melodia, ritmo e harmonia são os três elementos fundamentais da música.* **2.** Qualquer composição musical; música, canção: *A orquestra tocava melodias do passado.* **3.** *fig.* Sequência de sons harmoniosos, agradáveis ao ouvido: *A doçura de suas palavras era uma verdadeira melodia para mim.* – **melódico** *adj.*; **melodioso** *adj.*

melodrama (me.lo.dra.ma) *s.m.* **1.** (*Teat.*) Peça teatral em que situações românticas e dramáticas se alternam, em um sentimentalismo exacerbado, que busca a emoção fácil do espectador. **2.** *fig.* Situação com características desse gênero teatral: *Sua vida era um melodrama barato.*

meloeiro (me.lo:ei.ro) *s.m.* (*Bot.*) Planta que produz o melão.

melomania (me.lo.ma.ni.a) *s.f.* Gosto acentuado pela boa música. – **melomaníaco** *adj.*; **melômano** *adj. s.m.*

melopeia [éi] (me.lo.pei.a) *s.f.* **1.** (*Mús.*) Parte musical que acompanha um recitativo. **2.** Cantiga ou toada de melodia simples, monótona e melancólica; cantilena.

meloso [ô] (me.lo.so) *adj.* **1.** Viscoso como o mel; pegajoso: *A boca estava melosa de tanto doce.* **2.** *fig.* Doce, suave, terno, melífluo (1): *voz melosa.* **3.** *fig.* Afetado, falso, hipócrita, melífluo (2): *Sua fala artificial e melosa não enganava ninguém.* || f. e pl.: [ó].

melro [é] (mel.ro) *s.m.* (*Zool.*) Pássaro de plumagem negra, bico amarelo e canto melodioso.

membrana (mem.bra.na) *s.f.* **1.** (*Anat.*) Delgada camada de tecido que envolve um órgão ou

membro

divide-o internamente. **2.** (*Bot.*) Camada fina de tecido vegetal que recobre um órgão.

membro (*mem*.bro) *s.m.* **1.** (*Anat.*) Cada uma das quatro partes do corpo (duas superiores e duas inferiores), ligada ao tronco por articulações que possibilitam movimentos, como a preensão e a locomoção. **2.** *fig.* Integrante de um grupo social (familiar, político, esportivo etc.): *O veterano político não é mais membro do partido.* **3.** *fig.* Parte constitutiva de uma entidade ou instituição: *O Brasil é membro da Organização das Nações Unidas.*

memorando (me.mo.*ran*.do) *s.m.* **1.** Mensagem escrita breve, usada em repartições administrativas, como forma rápida de comunicação interna. **2.** Qualquer comunicação ou aviso por escrito.

memorável (me.mo.*rá*.vel) *adj.* **1.** Que é digno de ser conservado na memória: *vitória memorável.* **2.** Que conquistou grande notoriedade; famoso, célebre, notável: *um estadista memorável.*

memória (me.*mó*.ri:a) *s.f.* **1.** Capacidade de recordar o que foi vivido, aprendido ou experimentado: *O avô tinha, às vezes, lapsos de memória.* **2.** Lembrança, recordação, reminiscência: *Tenho boas memórias da infância.* **3.** Modo como alguém é lembrado; reputação, renome, nome: *Aquele homem público deixou boa memória entre seus contemporâneos.* **4.** (*Jur.*) Documento que se junta aos autos com o pedido ou a exposição de defesa de uma das partes. **5.** (*Inform.*) Dispositivo de armazenamento de informações num computador, que também determina a velocidade de execução de um programa: *Preciso expandir a memória do meu computador.* • *memórias s.f.pl.* **6.** Obra que relata acontecimentos de caráter pessoal ou como subsídio histórico: *Memórias do cárcere é a grande obra de Graciliano Ramos.* || *De memória:* de cor: *Recitou de memória O navio negreiro, de Castro Alves.* • *Em memória de:* para homenagear vulto(s) importante(s) já falecido(s): *monumento em memória dos pracinhas.*

memorial (me.mo.ri:*al*) *s.m.* **1.** Relato escrito de fatos vividos por alguém; memórias: *No romance Memorial de Aires, de Machado de Assis, o protagonista revive nostalgicamente fatos de sua vida.* **2.** Monumento comemorativo: *o Memorial da América Latina.*

memorialista (me.mo.ri:a.*lis*.ta) *s.m. e f.* Autor de memórias.

memorizar (me.mo.ri.*zar*) *v.* **1.** Reter na memória; saber de cor: *memorizar lições.* **2.** Conser- var a memória de; recordar, lembrar: *Memorizava com nostalgia acontecimentos da infância e da juventude.* ▶ Conjug. 5. – **memorização** *s.f.*

menção (men.*ção*) *s.f.* **1.** Ato ou efeito de mencionar (algo ou alguém); referência, citação, alusão: *Fazia sempre menção a seu antepassado ilustre.* **2.** Atitude, palavra ou gesto que indica intenção de realizar algo; intento, tenção: *Fez menção de responder a seu interlocutor, mas calou-se.* **3.** Registro, nota, consideração: *um trabalho digno de menção.* || *Menção honrosa:* distinção concedida a quem não fez jus a prêmio (em exame, concurso etc.), mas teve seu valor reconhecido.

menchevique (men.che.*vi*.que) *adj.* **1.** Relativo a facção minoritária e liberal do partido socialdemocrata russo que se opôs à facção revolucionária e majoritária dos bolcheviques, organizando-se, depois da revolução de 1917, como partido contrarrevolucionário. • *s.m. e f.* **2.** Membro desta facção.

mencionar (men.ci:o.*nar*) *v.* **1.** Fazer menção ou referência a; referir, citar, aludir: *O presidente da mesa mencionou o nome de todos os participantes.* **2.** Dar a conhecer; fazer notar; registrar, consignar: *Mencionou (ao diretor) os pormenores da ocorrência.* ▶ Conjug. 5.

mendaz (men.*daz*) *adj.* Que tem o hábito de mentir; mentiroso, falso, hipócrita. – **mendacidade** *s.f.*

mendicância (men.di.*cân*.ci:a) *s.f.* **1.** Ato ou efeito de mendigar. **2.** Estado ou condição de quem mendiga; pobreza, miséria. **3.** A camada social formada pelos mendigos ou pedintes: *A mendicância aumenta nas grandes cidades.*

mendicante (men.di.*can*.te) *adj.* **1.** Que mendiga. **2.** Diz-se das ordens religiosas que fazem voto de pobreza e vivem apenas de esmolas. • *s.m. e f.* **3.** Pessoa que mendiga. **4.** Ordem religiosa mendicante.

mendigar (men.di.*gar*) *v.* **1.** Pedir algo como esmola; esmolar: *Mendigava comida às portas das casas; Vivia mendigando algumas moedas às pessoas caridosas; É triste ver crianças mendigarem nas ruas.* **2.** *fig.* Pedir humilde e servilmente; rogar, implorar, suplicar: *O réu mendigou perdão aos juízes; Mendigava aos pais mais atenção.* ▶ Conjug. 5 e 34.

mendigo (men.*di*.go) *s.m.* Indivíduo que anda pedindo esmolas pelas vias públicas; pedinte, indigente, pobre.

menear (me.ne:*ar*) *v.* **1.** Mover(-se) de um lado para outro; balançar(-se), mexer(-se),

846

menoscabar

agitar(-se): *O vento meneava a copa das árvores; Meneavam-se os barcos no mar ao longe.* **2.** Movimentar(-se) (o corpo ou parte dele); requebrar(-se), rebolar(-se), bambolear(-se): *Dançando, meneava os quadris; Meneavam-se todos ao som da bateria.* ▶ Conjug. 14.

meneio (me.nei:o) *s.m.* **1.** Ato ou efeito de menear(-se). **2.** Movimento oscilatório; balanço, oscilação: *o meneio das ondas.* **3.** Movimento do corpo (ou de parte dele): *Fazia meneios com a cabeça, balançando os longos cabelos.*

menestrel (me.nes.trel) *s.m.* **1.** Artista profissional na Idade Média, polivalente (compositor, cantor, instrumentista), a serviço das cortes ou itinerante; trovador. **2.** Poeta e músico.

menina (me.ni.na) *s.f.* **1.** Criança do sexo feminino; garota. **2.** Mulher jovem; moça, senhorita. || *Menina dos olhos:* coloq. **1.** pupila. **2.** aquilo ou aquele que é o centro de atenção ou o preferido de alguém: *A melhor aluna é a menina dos olhos dos professores.*

meninada (me.ni.na.da) *s.f.* Grupo de meninos e/ou meninas; criançada, garotada.

meninge (me.nin.ge) *s.f.* (Anat.) Cada uma das três membranas de tecido conjuntivo que, superpostas, envolvem o encéfalo e a medula espinhal.

meningite (me.nin.gi.te) *s.f.* (Med.) Inflamação das meninges, de origem bacteriana.

meningococo [ó] (me.nin.go.co.co) *s.m.* (Med.) Bactéria que causa as meningites.

meninice (me.ni.ni.ce) *s.f.* **1.** Período da vida que vai do nascimento à puberdade; infância. **2.** Comportamento típico de criança ou de quem se comporta como tal; criancice, infantilidade.

menino (me.ni.no) *s.m.* **1.** Criança do sexo masculino; garoto. **2.** Homem jovem; moço, rapaz. **3.** *fam.* Filho: *Nas férias, levarei os meninos a visitar os avós.*

menir (me.nir) *s.m.* Megálito do período neolítico, assentado verticalmente no solo, encontrado nas ilhas britânicas e no norte da França.

menisco (me.nis.co) *s.m.* (Anat.) Cartilagem fibrosa encontrada dentro das articulações, como na articulação do joelho.

menopausa (me.no.pau.sa) *s.f.* **1.** Cessação definitiva da função menstrual na mulher. **2.** Período da vida da mulher (entre 45 e 50 anos) em que ocorre esse fenômeno fisiológico.

menor [ó] (me.nor) *adj.* **1.** Inferior a outro(s) em tamanho, número, intensidade, importância etc.: *Não admitia receber um salário menor; Não há o menor problema em reclamar.* **2.** (Jur.) Que ainda não atingiu a maioridade legal: *Seus filhos são ainda menores.* **3.** Hierarquicamente inferior; subordinado, subalterno: *Sem submeter-se a concurso, só conseguiu um cargo menor na empresa.* **4.** Muito pequeno; mínimo, ínfimo: *Não teve o menor escrúpulo em falsear a verdade.* **5.** Diz-se de roupa que se usa debaixo de outras roupas: *trajes menores.* • *s.m.* e *f.* **6.** Pessoa que ainda não atingiu a maioridade: *O trabalho para menores só é permitido em situações especiais.* || sup. comp. de *pequeno.*

menoridade (me.no.ri.da.de) *s.f.* (Jur.) Condição daquele que, por não ter atingido a maioridade legal, é considerado incapaz para dirigir sua pessoa e administrar seus bens: *De acordo com o Código Civil brasileiro, a menoridade cessa aos 18 anos completos.*

menorragia (me.nor.ra.gi.a) *s.f.* (Med.) Menstruação excessiva, com duração superior à habitual. — **menorrágico** *adj.*

menorreia [éi] (me.nor.rei.a) *s.f.* (Med.) Fluxo menstrual da mulher; menstruação.

menos (me.nos) *adv.* **1.** Com menor intensidade ou em menor quantidade: *Pense menos em você e mais nos que o cercam; Achando-se gorda, comia cada vez menos.* **2.** Em grau ou número inferior; não mais que: *Vieram menos de cem pessoas à festa.* **3.** De preferência, preferentemente, antes: *A leitura é menos uma necessidade que um deleite.* • *s.m.* **4.** A menor parte; o menor número; o mínimo: *Isso é o menos que lhe posso revelar.* **5.** (Mat.) Sinal de negação (-). • *pron. indef.* **6.** Menor quantidade; menor intensidade: *Recebeu menos dinheiro do que esperava; Cada vez tinha menos vontade de sair.* • *prep.* **7.** À exceção de; exceto, afora, salvo: *Trabalha todos os dias, menos aos domingos.* || *A menos que:* a não ser que; salvo se: *A menos que surja um imprevisto, irei ao encontro marcado.* • *Ao menos:* no mínimo; pelo menos: *Devia, ao menos, ter avisado que não viria.* • *Mais ou menos:* **1.** de modo mediano; médio: *Sua redação está mais ou menos.* **2.** cerca de; aproximadamente: *Isso aconteceu há mais ou menos dois anos.* • *Pelo menos:* ao menos.

menoscabar (me.nos.ca.bar) *v.* Ter em pouca consideração (alguém ou a si mesmo); menosprezar(-se), depreciar(-se), desmerecer(-se): *A inveja o levava a menoscabar o colega; Não se menoscabe diante de seus superiores.* ▶ Conjug. 5.

menoscabo (me.nos.*ca*.bo) s.m. Ato ou efeito de menoscabar(-se); menosprezo, desprezo, depreciação, desdém.

menosprezar (me.nos.pre.*zar*) v. Ter(-se) em pouca conta; não fazer caso (de alguém ou de si mesmo); depreciar(-se), desmerecer(-se), menoscabar(-se): *Não menospreze os diferentes*; *Sua baixa autoestima fazia com que se menosprezasse*. ▶ Conjug. 8.

menosprezo [ê] (me.nos.*pre*.zo) s.m. Depreciação, desdém, menoscabo.

mensageiro (men.sa.*gei*.ro) adj. **1.** Que leva ou traz mensagem; emissário, portador. **2.** Que anuncia ou pressagia (algo): *Já chegaram as aves mensageiras do bom tempo*. • s.m. **3.** Pessoa incumbida de entregar correspondência, encomenda etc. **4.** Aquele ou aquilo que anuncia ou pressagia: *As nações em conflito anseiam por um mensageiro da paz*.

mensagem (men.*sa*.gem) s.f. **1.** Comunicação oral ou escrita; recado. **2.** Comunicado oficial entre os representantes dos poderes do Estado: *O presidente enviou ao Congresso a mensagem do orçamento da União*. **3.** Significado de uma obra artística ou literária: *Muitos não entenderam a mensagem do filme*. **4.** (Comun.) Sistema de signos organizado de acordo com um código que é repassado de um emissor a um receptor através de um canal.

mensal (men.*sal*) adj. **1.** Que ocorre ou se realiza uma vez por mês: *provas mensais*; *relatórios mensais*. **2.** Que tem a duração de um mês: *contrato mensal*. **3.** Que se paga ou se recebe por mês: *juros mensais*; *salários mensais*.

mensalidade (men.sa.li.*da*.de) s.f. **1.** Caráter ou condição do que é mensal. **2.** Importância em dinheiro que se recebe relativo a um mês; mesada. **3.** Contribuição devida (por sócio, colaborador etc.) a uma instituição a cada mês.

mensalista (men.sa.*lis*.ta) adj. **1.** Que recebe seu salário mensalmente (diz-se de empregado). • s.m. e f. **2.** Empregado mensalista.

menstruação (mens.tru:a.*ção*) s.f. Eliminação, através da vagina, de sangue e de tecidos da mucosa do útero, que ocorre a intervalos de quatro semanas, na ausência de gravidez, durante o período reprodutivo da mulher; menorreia; mênstruo. – **menstrual** adj.

menstruar (mens.tru:*ar*) v. **1.** Ter o fluxo menstrual: *Na menopausa, a mulher deixa de menstruar*. **2.** Ter a primeira menstruação: *A menina ainda não menstruou*. ▶ Conjug. 5.

mênstruo (*mêns*.tru:o) s.m. Menstruação.

mensurar (men.su.*rar*) v. Determinar a medida ou a dimensão de; medir; calcular: *O Instituto de Pesos e Medidas mensura os produtos colocados à venda*; (fig.) *Não sabe mensurar suas palavras*. ▶ Conjug. 5. – **mensuração** s.f.; **mensurável** adj.

menta (men.ta) s.f. (Bot.) Erva da espécie da hortelã, de folhas aromáticas, de que se extrai uma essência usada na produção de chás, licores, doces, dentifrícios etc.

mental[1] (men.*tal*) adj. **1.** Relativo a mente: *faculdades mentais*. **2.** Que diz respeito às funções do cérebro e do intelecto; intelectual: *capacidade mental*. **3.** Referente ao psiquismo: *saúde mental*, *distúrbio mental*.

mental[2] (men.*tal*) adj. Relativo a ou próprio do mento.

mentalidade (men.ta.li.*da*.de) s.f. **1.** Estado ou qualidade de mental. **2.** Modo de pensar e julgar que caracteriza um indivíduo, uma classe de pessoas ou uma coletividade; mente, pensamento, personalidade: *Embora adulto, tem uma mentalidade infantil*; *Suas opiniões revelam bem a mentalidade da classe média*. **3.** A faculdade intelectiva; mente, inteligência, intelecto.

mentalizar (men.ta.li.*zar*) v. **1.** Elaborar mentalmente (algo); conceber, inventar, arquitetar: *mentalizar um plano, uma estratégia*. **2.** Criar na imaginação; idealizar, fantasiar, imaginar: *A jovem vivia a mentalizar românticas histórias de amor*. **3.** Incutir (algo) à mente de alguém ou à própria; convencer(-se), persuadir(-se), conscientizar(-se): *O professor procurava mentalizar os alunos para a importância da pesquisa*; *Mentalizou-se da necessidade de aprimorar seus estudos*. **4.** Gravar na mente; concentrar-se, fixar-se: *Os atores estudavam e mentalizavam suas falas antes de gravar*. ▶ Conjug. 5.

mente (men.te) s.f. **1.** Faculdade psíquica, que é a sede dos fenômenos da consciência, da memória, do raciocínio e da vontade de uma pessoa; inteligência, razão, intelecto: *Tem uma mente aberta para novos conhecimentos*. **2.** Capacidade criativa; imaginação, criatividade, inventividade: *um cientista de mente privilegiada*; *a mente fértil do artista*. **3.** Parte imaterial do ser humano; alma, espírito, sentimento: *A tragédia da guerra afligiu corações e mentes sensíveis*. **4.** Mentalidade (2): *a mente burguesa*; *uma mente madura*. || *Ter em mente*: ter como intenção; objetivar, pretender: *O governo tem em mente novas medidas econômicas*.

mentecapto (men.te.*cap*.to) *adj.* **1.** Que não tem as faculdades mentais em perfeito estado; que está privado da razão; alienado, louco, maluco. **2.** Destituído de inteligência; tolo, idiota, néscio. • *s.m.* **3.** Pessoa mentecapta.

mentir (men.*tir*) *v.* **1.** Afirmar como verdadeiro o que é falso; dizer mentira(s); enganar, ludibriar: *mentir a idade*; *O homem público não pode mentir à sociedade*; *Tinha o mau hábito de mentir.* **2.** *fig.* Dar margem a engano; induzir em erro; iludir, enganar: *A estatística e seus números não mentem.* ▶ Conjug. 69.

mentira (men.*ti*.ra) *s.f.* **1.** Afirmação contrária à verdade; engano, falsidade, falácia: *Mesmo diante das provas e das testemunhas, o acusado insistia em suas mentiras.* **2.** Falsa aparência; ilusão, engano: *Julgou ter encontrado o amor eterno, mas era mentira.*

mentiroso [ô] (men.ti.*ro*.so) *adj.* **1.** Que habitualmente conta mentiras; mendaz. **2.** Que é contrário à verdade; falso, enganoso: *promessas mentirosas.* • *s.m.* **3.** Pessoa mentirosa. ‖ f. e pl.: [ó].

mento (*men*.to) *s.m.* **1.** (*Anat.*) Parte anterior e inferior da face; queixo. **2.** (*Zool.*) Proeminência carnuda por baixo do lábio inferior dos animais.

mentol (men.*tol*) *s.m.* (*Quím.*) Substância extraída da essência de menta, de uso farmacêutico, em perfumaria, entre outros.

mentolado (men.to.*la*.do) *adj.* Preparado com mentol: *chocolate mentolado.*

mentor [ô] (men.*tor*) *s.m.* **1.** Pessoa experiente que instrui, orienta e aconselha a outras; guia, mestre, orientador: *Meus mentores são meus pais e os professores.* **2.** Pessoa que idealiza, implementa e gerencia (projeto, obra etc.): *Quem foi o mentor da reforma administrativa da empresa?*

menu (me.*nu*) *s.m.* **1.** Cardápio. **2.** (*Inform.*) Lista de opções na qual o usuário de um programa pode selecionar a alternativa desejada.

mequetrefe [é] (me.que.*tre*.fe) *s.m. coloq.* Pessoa que se mete onde não é chamada.

mercadejar (mer.ca.de.*jar*) *v.* Fazer transações comerciais; comerciar, negociar, mercanciar: *mercadejar (em, com) ouro*; *Avós, filhos e netos mercadejam há muitos anos naquela cidade.* ▶ Conjug. 10 e 37.

mercado (mer.*ca*.do) *s.m.* **1.** (*Econ.*) Local de encontro de compradores e vendedores de determinada atividade econômica: *mercado de ações*; *mercado de ouro.* **2.** Conjunto de instituições em que são realizadas transações comerciais (lojas, feiras, bolsas de valores etc.). **3.** Capacidade de compra, venda ou investimentos de uma cidade, região ou país: *Brasil, Índia e China são grandes mercados mundiais.* **4.** (*Econ.*) Situação de oferta e procura por determinado produto ou serviço: *O mercado de frangos abatidos aumentou*; *Há grande demanda no mercado de profissionais especializados.*

mercadologia (mer.ca.do.lo.*gi*.a) *s.f. Marketing.* – **mercadológico** *adj.*

mercador [ô] (mer.ca.*dor*) *s.m.* Pessoa que compra mercadoria para revender, no varejo ou no atacado; comerciante, negociante, mercante.

mercadoria (mer.ca.do.*ri*.a) *s.f.* **1.** Qualquer produto que pode ser objeto de compra e venda no mercado (1 e 2); mercancia. **2.** (*Econ.*) Bem econômico resultante de uma determinada produção, que se caracteriza por ser objeto de troca e não para uso ou consumo.

mercancia (mer.can.*ci*.a) *s.f.* **1.** Ato ou efeito de mercanciar; comércio, negócio. **2.** Mercadoria.

mercanciar (mer.can.ci.*ar*) *v.* Mercadejar: *mercanciar gêneros alimentícios.* ▶ Conjug. 17.

mercante (mer.*can*.te) *adj.* **1.** Relativo a comércio ou a movimento comercial • *s.m. e f.* **2.** Mercador. ‖ *Navio mercante*: o que se destina ao transporte de passageiros e mercadorias.

mercantil (mer.can.*til*) *adj.* **1.** Relativo a ou próprio do comércio; comercial; mercante: *O prefeito quer fomentar a atividade mercantil no município.* **2.** *fig.* Que, em transações comerciais, visa somente ao lucro; ambicioso, interesseiro, especulador: *Na área da educação, não se admite o espírito mercantil.*

mercantilismo (mer.can.ti.*lis*.mo) *s.m.* **1.** Tendência a subordinar tudo a interesses mercantis ou de lucro. **2.** (*Econ.*) Doutrina econômica que caracteriza o período da Revolução Comercial (séculos XVI a XVIII), que defendia o acúmulo de divisas em metais preciosos, por meio de um comércio exterior de caráter protecionista, submetido sempre à intervenção do Estado. – **mercantilista** *adj.*; **mercantilização** *s.f.*

mercantilizar (mer.can.ti.li.*zar*) *v.* **1.** Tornar(-se) mercantil, comercial ou lucrativo: *Alguns mercantilizam sua profissão*; *As escolas não devem mercantilizar-se.* **2.** Fazer transações mercantis; comerciar, mercadejar, mercanciar: *Mercantilizava produtos hortifrutigranjeiros.*

mercê

mercê (mer.cê) *s.f.* **1.** Benefício ou recompensa que se faz ou se concede a outrem; favor; graça: *Descrente da mercê dos homens, confiava na mercê de Deus.* **2.** Remissão de culpa; perdão, graça, indulto. || **À mercê de:** sujeito a; ao capricho de; ao sabor de: *Não fazia planos, vivia à mercê do destino.* • **Vossa Mercê:** antiga forma de tratamento cerimonioso, usado entre pessoas que não se tratavam familiarmente por *tu*.

mercearia (mer.ce:a.ri.a) *s.f.* Estabelecimento comercial onde se vendem produtos alimentícios, bebidas e artigos de uso doméstico; armazém, venda. – **merceeiro** *s.m.*

mercenário (mer.ce.ná.ri:o) *adj.* **1.** Que trabalha movido somente por interesse financeiro. **2.** Que só se preocupa com lucro fácil; interesseiro, venal. • *s.m.* **3.** Pessoa mercenária. **4.** (*Mil.*) Soldado que serve a um exército estrangeiro mediante paga em dinheiro.

mercerizar (mer.ce.ri.zar) *v.* Submeter fios, especialmente de algodão, a uma operação que os torna brilhantes e algo semelhantes à seda: *mercerizar o linho.* ▶ Conjug. 5.

merchandising [*merchandáisin*] (Ing.) *s.m.* (*Econ.*) Conjunto de técnicas de comercialização de um produto através de uma campanha publicitária, com o objetivo de firmar sua imagem de forma subliminar: *As novelas, como veículo de comunicação de massa, utilizam muito o merchandising.*

mercúrio (mer.cú.ri:o) *s.m.* (*Quím.*) Elemento químico, metal de cor prateada, líquido à temperatura ambiente, de emprego medicinal e industrial. || Símbolo: Hg.

mercurocromo (mer.cu.ro.cro.mo) *s.m.* (*Quím.*) Composto de mercúrio usado como antisséptico local e bactericida.

merda [é] (mer.da) *s.f.* **1.** Matéria fecal; excremento, fezes. **2.** Imundície, sujeira, porcaria, lixo. **3.** *pej.* Coisa malfeita, sem valor, imprestável; porcaria. • *s.m.* e *f.* **4.** *pej.* Pessoa sem préstimo ou valor, sem importância, insignificante. || É usado em frases nominais exclamativas para exprimir impaciência, irritação, indignação etc.

merecer (me.re.cer) *v.* Ter merecimento ou direito; ser digno de obter alguma coisa por seus próprios méritos; fazer jus a: *merecer menção honrosa, elogios, consideração; Sempre mereceu de mim toda confiança; Se quiser o perdão de sua culpa, faça por merecer.* ▶ Conjug. 41 e 46.

merecimento (me.re.ci.men.to) *s.m.* **1.** Qualidade de quem é digno de obter alguma coisa; mérito, valor, direito: *Sua ascensão à chefia da empresa é fruto de muito merecimento.* **2.** (*Jur.*) Situação em que se coloca a pessoa, por suas boas ou más ações, passível de receber, em consequência, prêmio ou castigo.

merencório (me.ren.có.ri:o) *adj.* Que infunde melancolia; triste, tristonho, melancólico: *"Quando os astros derramam sobre a terra/ Merencório luzir."* (Gonçalves Dias, *A minha Musa*).

merenda (me.ren.da) *s.f.* **1.** Refeição leve, geralmente entre o almoço e o jantar; lanche. **2.** Aquilo que se merenda. **3.** O que as crianças levam para comer no recreio da escola.

merendar (me.ren.dar) *v.* Comer merenda; fazer um lanche; lanchar: *No recreio, merendava um suco e sanduíches; Em casa, não temos o hábito de merendar à tarde.* ▶ Conjug. 5.

merendeira (me.ren.dei.ra) *s.f.* **1.** Maleta ou sacola onde se leva a merenda; lancheira. **2.** Funcionária encarregada de preparar ou distribuir merenda nas escolas.

merengue (me.ren.gue) *s.m.* **1.** (*Cul.*) Suspiro. **2.** Bolo que tem sua superfície formada por uma camada dessa mistura. **3.** (*Mús.*) Música e dança típicas de países do Caribe.

meretrício (me.re.trí.ci:o) *s.m.* **1.** Profissão de meretriz; prostituição. **2.** Conjunto de meretrizes.

meretriz (me.re.triz) *s.f.* Mulher que pratica o ato sexual mediante remuneração; prostituta, mundana (2).

mergulhador [ô] (mer.gu.lha.dor) *adj.* **1.** Que mergulha. • *s.m.* **2.** Pessoa que mergulha, por esporte ou profissionalmente.

mergulhão (mer.gu.lhão) *s.m.* **1.** Grande mergulho. **2.** (*Zool.*) Ave aquática de rios e lagos, que mergulha para capturar os peixes de que se alimenta.

mergulhar (mer.gu.lhar) *v.* **1.** Fazer imergir, penetrar ou entrar (em água ou outro líquido): *mergulhar os pés na água quente.* **2.** Imergir-se, afundar-se, submergir: *As baleias mergulhavam ao longo da costa.* **3.** Praticar mergulho ou outra atividade submarina: *Os homens-rãs mergulhavam para resgatar o corpo do náufrago.* **4.** Fazer penetrar, afundar, enfiar: *mergulhar a mão no bolso.* **5.** Descer rápida e bruscamente sobre; precipitar-se, cair: *A águia mergulhou sobre a presa.* **6.** Absorver(-se), engolfar(-se), embrenhar(-se): *A noite mergulhou a sala na*

mesmo

penumbra; *O bosque mergulhou num profundo silêncio*; (fig.) *A jovem mergulhou em profunda melancolia*. ▶ Conjug. 5.

mergulho (mer.gu.lho) *s.m.* **1.** Ato ou efeito de mergulhar(-se). **2.** Prática esportiva ou atividade profissional embaixo d'água. **3.** *fig.* Voo em queda vertical, semelhante à descida brusca das aves de rapina: *A esquadrilha voava alto e em seguida dava mergulhos sobre a assistência.*

meridiano (me.ri.di:a.no) *adj.* **1.** (*Geogr.*) Cada um dos círculos imaginários que passam pelos polos e cortam o equador em ângulo reto. **2.** (*Med.*) Na medicina chinesa, linha imaginária que liga os pontos do corpo considerados como fontes de energia. • *adj.* **3.** Referente ao meio-dia: *sol meridiano.* **4.** Evidente, claro, óbvio: *Suas palavras traduzem uma verdade meridiana.*

meridional (me.ri.di:o.*nal*) *adj.* **1.** Situado no sul; austral. **2.** Que vive no sul: *povos meridionais.* **3.** Relativo ao meridiano de um lugar. • *s.m.* e *f.* **4.** O natural ou o habitante das regiões do Sul.

meritíssimo (me.ri.tís.si.mo) *adj.* **1.** De grande mérito; muito merecedor, digníssimo. **2.** Título honorífico dado a juízes. || Nesta acepção, usa-se inicial maiúscula.

mérito (*mé*.ri.to) *s.m.* **1.** Valor ou consideração em que a pessoa é tida por suas qualidades morais e intelectuais e por suas ações; merecimento: *Seu mérito foi reconhecido por toda a sociedade.* **2.** Aptidão, capacidade, talento: *Ninguém lhe ignora o mérito para ganhar dinheiro.* **3.** (*Jur.*) Matéria em que se funda ou se baseia uma questão jurídica, sobre a qual deve recair a decisão judicial.

meritório (me.ri.*tó*.ri:o) *adj.* Que tem merecimento; que é digno de mérito ou louvor; louvável: *ações meritórias.*

merluza (mer.*lu*.za) *s.f.* (*Zool.*) Peixe marinho, de cor cinza-prateada, de até um metro de comprimento, muito apreciado por sua carne.

mero [é] (me.ro) *adj.* **1.** Sem importância; simples, comum: *Ele é apenas um mero funcionário subalterno.* **2.** Casual, eventual, fortuito: *Tudo não passou de mera coincidência.*

mês *s.m.* **1.** Cada uma das doze partes em que se divide o ano. **2.** Espaço de trinta dias. **3.** Preço combinado para um mês de trabalho. || *Mês corrente*: o mês em que se está. • *Mês lunar*: tempo em que a Lua faz uma revolução completa em torno da Terra. • *Mês solar*: o tempo que o Sol gasta em percorrer cada um dos signos do Zodíaco.

mesa [ê] (me.sa) *s.f.* **1.** Móvel composto por um tampo plano, apoiado em um ou mais pés, em que se servem refeições e se realizam trabalhos diversos. **2.** Conjunto de alimentos e utensílios de uma refeição: *botar, tirar a mesa.* **3.** Alimentação, comida, passadio: *Gosta de ter sempre a mesa farta.* **4.** Conjunto formado pelo presidente e demais integrantes de uma seção eleitoral, assembleia, círculo de conferências etc.: *A mesa diretora encerrou os trabalhos pontualmente.*

mesada (me.*sa*.da) *s.f.* **1.** Quantia que se paga mensalmente; mensalidade. **2.** *fam.* Quantia de dinheiro que os pais dão por mês aos filhos.

mesa de cabeceira *s.f.* Pequeno móvel que se coloca junto da cama, na cabeceira, para nele se colocarem objetos utilizáveis durante a noite; criado-mudo.

mesa-redonda (me.sa-re.*don*.da) *s.f.* Reunião de pessoas especializadas em uma matéria, para discutir e deliberar sobre ela, em igualdade de condições. || pl.: *mesas-redondas.*

mesário (me.*sá*.ri:o) *s.m.* **1.** Membro da mesa de uma corporação, irmandade ou confraria. **2.** Membro de mesa numa seção eleitoral.

mescla [é] (mes.cla) *s.f.* **1.** Tinta ou cor formada pela união de tintas variadas. **2.** Tecido feito com fios de diversas cores. **3.** Agrupamento de pessoas, animais ou coisas diversas; mistura, amálgama.

mesclar (mes.*clar*) *v.* **1.** Misturar(-se), amalgamar(-se), unir(-se): *mesclar tintas*; (fig.) *O jovem mesclava ilusões e esperanças*; *Em sua nova obra mesclou ficção a (com) realidade*; *Mesclou a tela de sombra e luz*; *No Brasil, três etnias se mesclaram*; *No aeroporto mesclavam-se vozes e (com) ruídos.* **2.** Tomar parte num grupo; incorporar-se, unir-se, reunir-se: *Crianças, jovens e adultos se mesclavam na manifestação pela paz.* ▶ Conjug. 8.

meseta [ê] (me.se.ta) *s.f.* (*Geogr.*) Pequeno planalto.

mesmice (mes.*mi*.ce) *s.f.* Presença constante das mesmas coisas; ausência de variação; monotonia, marasmo, ramerrão: *Não aguentava mais a mesmice de seu cotidiano.*

mesmo [ê] (mes.mo) *pron. dem.* **1.** A pessoa; aquele, ele: *Ele não é mais o mesmo.* • *adj.* **2.** Exatamente igual; idêntico: *O casal tem os mesmos gostos.* **3.** Quase igual; semelhante, parecido: *O músico queria ter o mesmo talento para a poesia.* **4.** Não outro: *Ao regressar, en-*

controu a mesma praça, as mesmas casas. **5.** Que vem de ser referido ou citado: *Formou-se no ano 2000; nessa mesma data, mudou-se para o interior.* **6.** Como reforço a um nome ou pronome antecedente: *o professor mesmo; Maria mesma; nós mesmos; aquilo mesmo.* • *s.m.* **7.** Coisa igual, semelhante ou parecida: *Não busca mudanças, contenta-se sempre com o mesmo.* • *adv.* **8.** Num exato instante; exatamente; precisamente: *Volto amanhã mesmo.* **9.** De verdade; realmente, justamente: *É fato mesmo o que dizem por aí?* **10.** Ainda, também, até: *Mesmo os bons têm seus momentos de fraqueza.* • *conj.* **11.** Embora: *Mesmo derrotado nas urnas, cumprimentou os eleitos.* || *Dar no mesmo*/*dar na mesma*: resultar em algo igual ao que já era esperado. • *Mesmo assim*: apesar disso. • *Mesmo que*: ainda que; embora.

mesocarpo (me.so.*car*.po) *s.m.* (*Bot.*) Camada carnosa entre a casca e as sementes de um fruto, que constitui a polpa.

mesóclise (me.só.cli.se) *s.f.* (*Gram.*) Colocação do pronome oblíquo átono entre o radical e a desinência de um verbo nos tempos do futuro do presente e do futuro do pretérito, como em: *dir-lhe-ei, ver-nos-emos.*

méson (me.son) *s.m.* (*Fís.*) Partícula elementar da massa em repouso entre a do elétron e a do próton, que se forma das reações nucleares que envolvem energias elevadas.

mesopotâmia (me.so.po.*tâ*.mi:a) *s.f.* Região situada entre rios.

mesopotâmico (me.so.po.*tâ*.mi.co) *adj.* Da Mesopotâmia, antiga região da Ásia, situada entre os rios Tigre e Eufrates.

mesosfera [é] (me.sos.*fe*.ra) *s.f.* (*Geogr.*) Camada do interior da Terra, localizada entre a litosfera e o núcleo central.

mesozoico [ói] (me.so.*zoi*.co) *adj.* **1.** (*Geol.*) Diz-se da era entre o paleozoico e o cenozoico; secundário. • *s.m.* **2.** A era mesozoica.

mesquinharia (mes.qui.nha.*ri*.a) *s.f.* **1.** Qualidade de mesquinho. **2.** Ato de pessoa mesquinha; sovinice, avareza. **3.** Excessiva economia e parcimônia em relação a dinheiro. **4.** Coisa sem valor ou importância; insignificância, ninharia.

mesquinhez [ê] (mes.qui.*nhez*) *s.f.* Mesquinharia.

mesquinho (mes.*qui*.nho) *adj.* **1.** Arraigado a dinheiro, aos bens materiais e ao lucro; sovina, avaro, avarento: *Mesquinho, só pensava em amealhar fortuna.* **2.** Parcimonioso, insignificante, parco, escasso: *salário mesquinho; esmola mesquinha.* **3.** Pouco generoso; sem magnanimidade ou liberalidade: *atitude mesquinha.* **4.** Sem grandeza; estreito, acanhado, reles: *sentimentos mesquinhos.* • *s.m.* **5.** Pessoa mesquinha.

mesquita (mes.*qui*.ta) *s.f.* Templo dos muçulmanos.

messias (mes.*si*.as) *s.m.2n.* (*Rel.*) **1.** Segundo o Antigo Testamento, o enviado de Deus que deverá redimir a humanidade dos pecados e dos males; salvador, redentor: *Os cristãos reconhecem o messias na pessoa de Jesus Cristo.* || Nesta acepção, com inicial maiúscula. **2.** *fig.* Pessoa em que, por seu carisma, se deposita a esperança de profundas mudanças para sua coletividade; reformador, regenerador.

mestiçagem (mes.ti.*ça*.gem) *s.f.* **1.** Ato ou efeito de mestiçar(-se); miscigenação. **2.** Cruzamento de raças ou espécies. **3.** Conjunto dos mestiços.

mestiço (mes.*ti*.ço) *adj.* **1.** Proveniente de pais de etnias diferentes. **2.** Proveniente do cruzamento de espécies diferentes (diz-se de animais ou vegetais); híbrido.

mestrado (mes.*tra*.do) *s.m.* **1.** Curso de pós-graduação no ensino universitário. **2.** Grau que se obtém ao término desse curso, mediante a apresentação e defesa de uma dissertação.

mestre [é] (mes.tre) *s.m.* **1.** Aquele que ensina; professor. **2.** Pessoa de grande saber e talento em determinada área de atividade; perito, especialista, experto: *Oscar Niemeyer, mestre da Arquitetura.* **3.** Pessoa que concluiu o mestrado. **4.** Artífice que instrui seus aprendizes: *mestre alfaiate.* **5.** *fig.* Guia, mentor, modelo: *mestre espiritual.* **6.** (*Náut.*) Comandante de pequena embarcação de navegação mercante. • *adj.* **7.** Que serve de base; principal, fundamental: *viga mestra.*

mestre-cuca (mes.tre-*cu*.ca) *s.m.* **1.** *fam.* Chefe dos cozinheiros. **2.** Cozinheiro muito hábil. **3.** Cuca (1). || pl.: *mestres-cucas.*

mestre de armas *s.m.* Professor de esgrima.

mestre de cerimônias *s.m.* **1.** Pessoa que dirige o cerimonial em qualquer tipo de recepção ou ato solene. **2.** Sacerdote que dirige o cerimonial litúrgico. **3.** Funcionário da corte encarregado do cerimonial nas recepções e nos atos solenes.

mestre de obras *s.m.* Artífice que dirige os operários de uma construção.

mestre-escola (mes.tre-es.co.la) s.m. Antiga denominação do professor de escola primária. || pl.: *mestres-escolas*.

mestre-sala (mes.tre-sa.la) s.m. **1.** Indivíduo encarregado de dirigir as danças num salão. **2.** Nas escolas de samba, o componente que faz par com a porta-bandeira || pl.: *mestres-salas*.

mestria (mes.tri.a) s.f. **1.** Conhecimento profundo de uma matéria, arte ou técnica; grande sabedoria. **2.** Habilidade e competência de mestre (2); perícia, maestria: *Desenhava com inconfundível mestria*.

mesura (me.su.ra) s.f. **1.** Cumprimento respeitoso; reverência, cortesia: *Saudava as mulheres com estudadas mesuras*. **2.** Discrição, comedimento, moderação, compostura: *Falava sempre com mesura e correção*.

mesurar (me.su.rar) v. Haver-se moderadamente; moderar-se, comedir-se: *É preciso mesurar-se nos gastos públicos*. ▶ Conjug. 5.

meta [é] (me.ta) s.f. **1.** Objetivo a ser atingido; alvo, mira, finalidade, fim: *O presidente divulgou as novas metas do governo*. **2.** (*Esp.*) Gol (1): *O goleiro defendeu todos os tiros contra sua meta*. **3.** Baliza, limite, marca: *O piloto brasileiro foi o primeiro a alcançar a meta de chegada*.

metabólico (me.ta.bó.li.co) adj. **1.** (*Biol.*) Relativo a metabolismo. **2.** (*Biol.*) Diz-se das substâncias alimentícias em suas transformações dentro do organismo. **3.** (*Quím.*) Que se refere à mudança de natureza dos corpos.

metabolismo (me.ta.bo.lis.mo) s.m. (*Biol.*) **1.** Conjunto dos processos bioquímicos que ocorrem no organismo, pelos quais os alimentos são digeridos, para obtenção de energia. **2.** O processo fisiológico de uma substância determinada dentro do organismo vivo, por exemplo, o metabolismo das vitaminas.

metabolizar (me.ta.bo.li.zar) v. Submeter a processo metabólico; efetuar metabolismo: *metabolizar alimentos*. ▶ Conjug. 5.

metacarpo (me.ta.car.po) s.m. (*Anat.*) Conjunto de cinco pequenos ossos, entre o carpo e as falanges, que forma a palma da mão.

metade (me.ta.de) s.f. **1.** Cada uma das duas partes iguais que se obtém pela divisão de um todo: *A metade de dez é cinco*. **2.** Cada uma das duas porções aproximadamente iguais em que se divide um todo: *Deixou a metade da comida no prato*. **3.** Ponto equidistante entre o começo e o fim (no tempo ou no espaço); meio: *Na metade do jogo, o time já vencia por larga margem; O atleta abandonou a corrida na metade do percurso*.

metafísica (me.ta.fí.si.ca) s.f. (*Fil.*) Investigação que levanta questões sobre a realidade que está por detrás ou além dos fenômenos físicos que não podem ser tratados pelos métodos da ciência.

metafísico (me.ta.fí.si.co) adj. **1.** Relativo a metafísica: *questões metafísicas*. **2.** Que vai além da experiência física; transcendente, espiritual: *O artista busca a dimensão metafísica de sua expressão*. • s.m. **3.** Aquele que se ocupa da metafísica.

metáfora (me.tá.fo.ra) s.f. (*Gram.*) Figura de linguagem que consiste em designar alguma coisa, mediante uma palavra cujo significado tem uma relação de semelhança ou analogia: *"A vida é um barco a voar"* é uma bela metáfora do poeta Alphonsus Guimaraens. – **metafórico** adj.

metal (me.tal) s.m. **1.** (*Quím.*) Elemento químico cristalino, bom condutor de calor e eletricidade, com propriedades de dureza e maleabilidade, que permitem seja moldado e torneado. • *metais* s.m.pl. **2.** (*Mús.*) Conjunto de instrumentos de sopro, feitos de metal, de uma orquestra. || *O vil metal*: fig. o dinheiro.

metálico (me.tá.li.co) adj. **1.** Relativo a ou próprio de metal: *brilho metálico*. **2.** Feito de ou que contém metal: *liga metálica*. **3.** Cujo som se assemelha ao produzido pelos metais (diz-se do timbre de voz).

metalinguagem (me.ta.lin.gua.gem) s.f. **1.** (*Ling.*) Linguagem utilizada para descrever ou formalizar outra linguagem, como, por exemplo, as definições dos dicionários e as noções gramaticais.

metalinguístico [güi] (me.ta.lin.guís.ti.co) adj. **1.** Relativo a metalinguagem. **2.** (*Ling.*) Diz-se da função da linguagem que se centra no código comum utilizado no processo de comunicação pelo emissor e pelo receptor.

metalografia (me.ta.lo.gra.fi.a) s.f. Estudo da estrutura e das propriedades dos metais e das ligas metálicas.

metalurgia (me.ta.lur.gi.a) s.f. **1.** Ramo da Engenharia que se ocupa da produção de metais e de suas ligas, bem como de seu uso industrial. **2.** Estudo das propriedades e reações químicas dos metais. **3.** Conjunto de empresas que fabricam e industrializam metais.

metalúrgica (me.ta.lúr.gi.ca) s.f. Indústria de metalurgia.

metalúrgico (me.ta.lúr.gi.co) adj. **1.** Relativo a metalurgia. • s.m. **2.** Aquele que trabalha em metalurgia.

metamorfose

metamorfose [ó] (me.ta.mor.*fo*.se) *s.f.* **1.** Mudança completa de forma; modificação, transformação, transmutação: *As civilizações sofrem metamorfoses ao longo dos séculos.* **2.** *fig.* Mudança radical nas características ou na aparência (de alguém ou de alguma coisa): *O prefeito realizou uma verdadeira metamorfose em toda cidade.* **3.** (*Zool.*) Mudança de forma e de estrutura por que passam certos animais durante seu ciclo vital: *A crisálida é um estágio da metamorfose da borboleta.*

metamorfosear (me.ta.mor.fo.se:*ar*) *v.* Transformar(-se), alterando a forma, a natureza, o caráter de; mudar(-se), modificar(-se), alterar(-se): *O amor metamorfoseia os corações mais empedernidos; O otimista almeja metamorfosear o mundo em uma ilha de paz; A cidade se metamorfoseia durante o carnaval; A criança se metamorfoseou em uma bela jovem.* ▶ Conjug. 14.

metano (me.*ta*.no) *s.m.* (*Quím.*) Gás formado pela combinação de um átomo de carbono e quatro de hidrogênio, principal componente do gás natural, usado como combustível e na petroquímica.

metanol (me.ta.*nol*) *s.m.* (*Quím.*) Álcool incolor usado como combustível de automóveis e de aviões e também como solvente.

metástase (me.*tás*.ta.se) *s.f.* (*Med.*) Transferência de uma infecção ou neoplasia de um órgão para outro ponto do organismo, através de via sanguínea ou linfática.

metatarso (me.ta.*tar*.so) *s.m.* (*Anat.*) Região do esqueleto do pé, constituída por cinco ossos, e que corresponde ao metacarpo da mão.

metátese (me.*tá*.te.se) *s.f.* (*Ling*) Mudança fonética que consiste na transposição de um fonema dentro de um vocábulo, como em *sempre*, do latim *semper*.

metazoário (me.ta.zo:*á*.ri:o) *s.m.* Animal multicelular, cujas células são agrupadas em tecidos e órgãos diferenciados.

metediço (me.te.*di*.ço) *adj.* Que gosta de se meter em tudo; intrometido, metido, abelhudo.

metempsicose [ó] (me.temp.si.*co*.se) *s.f.* (*Rel.*) **1.** Transmigração da alma de um corpo para outro após a morte. **2.** Doutrina religiosa que professa a crença na reencarnação da alma.

meteórico (me.te:*ó*.ri.co) *adj.* **1.** Relativo a ou próprio de meteoro: *brilho meteórico.* **2.** *fig.* Que é muito rápido e intenso: *Teve uma carreira meteórica na política.*

meteorito (me.te:o.*ri*.to) *s.m.* (*Astron.*) Fragmento de matéria do espaço cósmico que cai na superfície terrestre depois de ter atravessado a atmosfera.

meteoro [ó] (me.te:*o*.ro) *s.m.* (*Astron.*) **1.** Fenômeno natural (óptico ou acústico) que ocorre na atmosfera terrestre, como a chuva, a neve, o arco-íris etc. **2.** Rastro luminoso resultante do atrito de uma matéria do espaço cósmico com os gases da atmosfera terrestre; estrela cadente. **3.** *fig.* Aquele ou aquilo que tem brilho vivo e passageiro: "*Quem não se recorda da Aurélia Camargo, que atravessou o firmamento da corte como brilhante meteoro...?*" (José de Alencar, *Senhora*).

meteorologia (me.te:o.ro.lo.*gi*.a) *s.f.* Ciência cujo objeto é o estudo dos fenômenos atmosféricos, especialmente suas aplicações na climatologia e na previsão do tempo. – **meteorológico** *adj.*

meteorologista (me.te:o.ro.lo.*gis*.ta) *s.m.* e *f.* Profissional formado em Meteorologia.

meter (me.*ter*) *v.* **1.** Fazer entrar, introduzir, enfiar (uma coisa em outra): *Meter o dedo na tomada é perigoso.* **2.** Colocar, pôr, guardar, depositar: *Depois de contar, meteu o dinheiro de volta na carteira.* **3.** Investir, aplicar, empregar: *Meteu suas economias no mercado de ações.* **4.** Causar, inspirar, infundir: *Seu aspecto taciturno metia medo (nas crianças).* **5.** Desferir fortemente um golpe (com parte do corpo ou instrumento): *Numa jogada violenta, meteu a cabeça no adversário.* **6.** Envolver(-se) em; comprometer(-se): *Os amigos meteram-no em uma grande trapalhada; Vivia metendo-se em brigas e confusão.* **7.** Internar(-se), encerrar(-se), recolher(-se): *meter o ladrão na cadeia; Meteu-se em casa para estudar.* **8.** Colocar(-se) no meio de; interpor(-se): *Meteu o carro entre as balizas; Meteram-se por entre a multidão.* **9.** Dirigir(-se), encaminhar(-se), enveredar(-se), enfiar(-se): *Meteu seus passos pela casa adentro; Meti-me por um atalho da estrada.* **10.** Esconder-se, ocultar-se: *Onde se meteu esse menino?* **11.** Intrometer-se, imiscuir-se: *meter-se na vida alheia.* **12.** Encarar-se com; enfrentar, desafiar, arrostar: *Não se meta com valentões.* **13.** Ter a pretensão de; arrogar-se a, aventurar-se a: *Meteu-se a ensinar o que não sabia.* ▶ Conjug. 41. – **metido** *adj.*

meticuloso [ô] (me.ti.cu.*lo*.so) *adj.* **1.** Que está atento a detalhes e pormenores minuciosos: *Fez uma investigação meticulosa sobre o assunto.* **2.** Que se cerca de cautela; cauteloso,

metrópole

cuidadoso, escrupuloso: *É um empresário muito meticuloso em seus negócios.* || f. e pl.: [ó]. – **meticulosidade** s.f.

metódico (me.*tó*.di.co) *adj.* **1.** Que age com método (1); meticuloso, minucioso, sistemático: *Os professores são metódicos por profissão.* **2.** Em que há método (4); ordenado, organizado: *O funcionário apresentou um relatório metódico sobre seu departamento.*

metodismo (me.to.*dis*.mo) *s.m.* (*Rel.*) Corrente evangélica dentro da igreja anglicana, fundada pelo teólogo inglês John Wesley (1703-1791), que prega a prática de vida rigorosamente segundo os preceitos bíblicos.

metodista (me.to.*dis*.ta) *adj.* **1.** Relativo a metodismo: *pastor metodista.* **2.** Que segue o metodismo. • *s.m.* e *f.* **3.** Membro da igreja metodista.

método (*mé*.to.do) *s.m.* **1.** Conjunto de procedimentos utilizado para alcançar um objetivo, segundo um determinado plano e determinadas regras: *método comparativo*; *método dedutivo.* **2.** Processo estruturado de pesquisa e criação próprio de uma arte, ciência ou tecnologia. **3.** Modo de proceder ou agir em determinada atividade; maneira, meio, jeito: *Você precisa encontrar um método de equilibrar seus gastos.* **4.** Prudência, moderação, circunspecção, ordem: *Faz tudo sempre com muito método.* **5.** Conjunto de princípios e normas em que se fundamenta o ensino de uma disciplina e sua aprendizagem: *Aquele colégio adota os melhores métodos pedagógicos.* **6.** Obra, compêndio ou manual de instrução que contém esses princípios básicos: *método de redação oficial*; *método prático de violão.*

metodologia (me.to.do.lo.gi.a) *s.f.* **1.** Disciplina que tem por objeto o estudo dos métodos nos diferentes domínios da pesquisa e do conhecimento, por exemplo, na ciência, história, filosofia, arte etc. **2.** Conjunto de processos levado a cabo para realizar um objetivo; método (1). – **metodológico** *adj.*

metonímia (me.to.*ní*.mi:a) *s.f.* (*Ling.*) Emprego de uma palavra fora de seu contexto semântico usual, em virtude de uma relação objetiva de proximidade ou contiguidade de significado com outra palavra: *No verso "O bonde passa cheio de pernas", de Carlos Drummond de Andrade, há a metonímia de "pernas" por "pessoas".*

metragem (me.*tra*.gem) *s.f.* **1.** Medida em metros. **2.** (*Cine*) Duração da projeção de um filme: *curta/média/longa-metragem.*

metralha (me.*tra*.lha) *s.f.* **1.** Conjunto de pequenos projéteis usados como carga de artilharia. **2.** Sequência de disparos de armas de fogo; metralhada.

metralhada (me.tra.*lha*.da) *s.f.* Metralha (2).

metralhadora [ô] (me.tra.lha.do.ra) *s.f.* Arma de fogo automática que dispara em curto espaço de tempo um grande número de projéteis.

metralhar (me.tra.*lhar*) *v.* **1.** Disparar tiros de metralha (1) ou de metralhadora: *Os bandidos metralharam a viatura policial.* **2.** *fig.* Cumular (alguém) de questões, sem dar-lhe tempo para resposta: *Os críticos metralharam o autor com perguntas sobre o seu novo livro.* ▶ Conjug. 5.

métrica (*mé*.tri.ca) *s.f.* **1.** Conjunto das regras que determinam a medida e a estrutura dos versos num poema; metrificação, versificação. **2.** Sistema de versificação próprio de um poeta: *a métrica de Camões.*

métrico (*mé*.tri.co) *adj.* **1.** Relativo ao metro ou ao sistema de medidas que tem por base o metro: *sistema métrico decimal.* **2.** Relativo à métrica: *verso de dez sílabas métricas.*

metrificação (me.tri.fi.ca.*ção*) *s.f.* Ato ou efeito de metrificar; métrica.

metrificar (me.tri.fi.*car*) *v.* Compor versos segundo as regras da metrificação: *Os poetas parnasianos queriam metrificar com a perfeição de um ourives a cinzelar o ouro.* ▶ Conjug. 5 e 35.

metro [é] (*me*.tro) *s.m.* **1.** Unidade de medida de comprimento no Sistema Internacional de Unidades. || Símbolo: *m.* **2.** Fita métrica ou objeto semelhante, que serve para medir, geralmente com divisões em decímetros, centímetros e milímetros. **3.** (*Mús.*) Compasso.

metrô (me.*trô*) *s.m.* Meio de transporte de massa urbano, constituído de vagões à tração elétrica, que circulam em vias expressas subterrâneas, de superfície ou elevadas. || Redução de *metropolitano.*

metrologia (me.tro.lo.gi.a) *s.f.* Estudo ou descrição dos sistemas de pesos e medidas. – **metrológico** *adj.*; **metrologista** *s.m.* e *f.*

metrônomo (me.*trô*.no.mo) *s.m.* Instrumento, geralmente com pêndulo, para regular o compasso de composições musicais.

metrópole (me.*tró*.po.le) *s.f.* **1.** Cidade principal ou capital de país, estado ou região. **2.** Cidade muito importante como centro comercial, industrial ou cultural: *A firma abriu filiais nas*

metropolitano

duas metrópoles, Paris e Nova Iorque. **3.** *(Hist.)* A nação colonizadora em relação às suas colônias: *O ouro das minas era enviado para a metrópole, Portugal.*
metropolitano (me.tro.po.li.*ta*.no) *adj.* Relativo a ou próprio da metrópole: *trem metropolitano.*
metroviário (me.tro.vi:*á*.ri:o) *adj.* **1.** Relativo a metrô: *estação metroviária.* • *s.m.* **2.** Funcionário da empresa que administra o metrô.
meu *pron. poss.* **1.** Relativo a, próprio de, concernente à pessoa que fala: *meu país*; *minha família*; *"Meu verso é minha consolação"* (Carlos Drummond de Andrade, *Explicação*). **2.** Que é alvo de afeto da pessoa que fala; estimado por mim; caro, querido: *Meu bom Luís, que alegria encontrá-lo!* **3.** *reg. gír.* Sujeito, camarada, cara: *Ô meu, pode conseguir uma vaga para mim?* • *s.m.* **4.** Aquilo que pertence à pessoa que fala: *Não desejo mais do que o meu.* • *Os meus s.m.pl.* **5.** A família, os parentes, os amigos e correligionários de quem fala: *Mantenho sempre um bom relacionamento com todos os meus.*
mexer [ch] (me.*xer*) *v.* **1.** Pôr(-se) em movimento; mover(-se), movimentar(-se): *O boneco mexia braços e pernas*; *Fique quieto, não se mexa!* **2.** Agitar o conteúdo de; misturar, revolver: *mexer o café com a colherinha*; *mexer a argamassa.* **3.** Remexer, menear, rebolar, bambolear: *mexer os quadris*; *O corpo todo mexia ao ritmo da música.* **4.** Tocar, bulir: *Não gosto que mexam nas minhas coisas.* **5.** Abordar, mencionar: *Nesse assunto não se mexe.* **6.** Fazer modificação; alterar, mudar: *Em time que está vencendo não se mexe.* **7.** *fig.* Dedicar-se a; trabalhar em; ocupar-se: *Ele mexe com a produção de filmes.* **8.** Negociar, comerciar: *Mexe com compra e venda de imóveis.* **9.** *fig.* Implicar, importunar, caçoar, brincar: *Não mexa com seus irmãos mais novos.* **10.** Tomar uma medida ou atitude; apressar-se, mobilizar-se, aviar-se: *Mexam-se, se quiserem melhorar de vida.* **11.** *fig.* Sensibilizar, impressionar, tocar: *A morte do grande líder mexeu com toda a população.* ▶ Conjug. 41.
mexerica [ch] (me.xe.*ri*.ca) *s.f.* Tangerina.
mexericar [ch] (me.xe.ri.*car*) *v.* Fazer mexericos; intrigar, fofocar, bisbilhotar: *Tinha o feio hábito de mexericar as intimidades alheias*; *À porta de casa, as vizinhas mexericavam.* ▶ Conjug. 5 e 35.
mexerico [ch] (me.xe.*ri*.co) *s.m.* Ato ou efeito de mexericar; intriga, enredo, bisbilhotice.
mexeriqueiro [ch] (me.xe.ri.*quei*.ro) *adj.* **1.** Que mexerica, intrigante, bisbilhoteiro. • *s.m.* **2.** Pessoa mexeriqueira.

mexicano [ch] (me.xi.*ca*.no) *adj.* **1.** Do México, país da América do Norte. • *s.m.* **2.** O natural ou o habitante desse país.
mexida [ch] (me.*xi*.da) *s.f.* **1.** Ato ou efeito de mexer. **2.** *fig.* Mudança, alteração, virada: *Resolveu dar uma mexida em sua vida.* **3.** Confusão, agitação, rebuliço, mixórdia.
mexido [ch] (me.*xi*.do) *adj.* **1.** Que se mexeu; remexido, revolvido: *ovos mexidos.* **2.** *fig.* Sensibilizado, tocado: *Fiquei mexido com as cenas das enchentes.* • *s.m.* **3.** Meneio (dos quadris) em certas danças; bamboleio, rebolado. **4.** *(Cul.)* Farofa úmida, feita de sobras de comida, incrementada com ovos, torresmo, linguiça etc.
mexilhão [ch] (me.xi.*lhão*) *s.m.* *(Zool.)* Molusco encontrado em rochas próximas ao litoral, muito apreciado como comestível.
mezanino (me.za.*ni*.no) *s.m.* **1.** *(Arquit.)* Piso intermediário entre dois pavimentos de um prédio que se comunica internamente com ambos. **2.** Piso de um prédio comercial entre o térreo e o primeiro andar; sobreloja. **3.** Nos teatros, o primeiro balcão acima da plateia.
mezinha (me.*zi*.nha) *s.f. coloq.* Medicamento, especialmente caseiro; puçanga.
mg Símbolo de *miligrama.*
Mg *(Quím.)* Símbolo de *magnésio.*
MHz Símbolo de *mega-hertz.*
mi *s.m.* *(Mús.)* **1.** Terceira nota da escala de dó maior. **2.** Sinal que representa essa nota.
miado (mi:*a*.do) *s.m.* Som produzido pelo gato. || *miau.*
miar (mi:*ar*) *v.* Soltar miados: *Os gatinhos miavam com fome.* ▶ Conjug. 17.
miasma (mi.*as*.ma) *s.m.* Emanação fétida proveniente de animais ou plantas em decomposição. – **miasmático** *adj.*
miau (mi:*au*) *s.m. fam.* **1.** Miado. **2.** O gato.
mica (*mi*.ca) *s.f. (Geol.)* Mineral brilhante, mau condutor de calor e eletricidade, ótima clivagem e grande resistência, usado como isolante e também em objetos ornamentais.
micagem (mi.*ca*.gem) *s.f.* Trejeito próprio de mico; careta, momice, macaquice.
miçanga (mi.*çan*.ga) *s.f.* Pequena conta de vidro de cores variadas, com que se fazem bijuterias e bordados.
micareta [ê] (mi.ca.*re*.ta) *s.f.* Festa popular carnavalesca fora do período do carnaval.
micção (mic.*ção*) *s.f.* Ato de urinar.

mico (mi.co) *s.m.* (*Zool.*) Macaco pequeno de cauda longa, que vive em pequenos bandos e se alimenta de insetos e frutas; sagui. || *Pagar mico*: *gír.* sofrer vexame frente a terceiros; passar vergonha.

mico-leão (mi.co-le:ão) *s.m.* (*Zool.*) Macaco pequeno de pelagem dourada, encontrado em áreas da Mata Atlântica do sul e do sudeste do Brasil; mico-leão-dourado. || pl.: *micos-leões*.

mico-leão-dourado(mi.co-le:ão-dou.ra.do) *s.m.* Mico-leão. || pl.: *micos-leões-dourados*.

micologia (mi.co.lo.gi.a) *s.f.* (*Bot.*) Parte da botânica que estuda os fungos.

micose [ó] (mi.co.se) *s.f.* (*Med.*) Afecção produzida no homem, em vegetal ou animal pela ação de fungos.

micótico (mi.có.ti.co) *adj.* **1.** Relativo a micose. **2.** Causado por fungos: *infecção micótica*.

micreiro (mi.crei.ro) *s.m. coloq.* **1.** Usuário inveterado de microcomputador. • *adj.* **2.** Relativo a microcomputador.

micro (mi.cro) *s.m.* Redução de microcomputador.

microbiano (mi.cro.bi:a.no) *adj.* **1.** Relativo a micróbio. **2.** Causado por micróbio: *infecção microbiana*.

micróbio (mi.cró.bi:o) *s.m.* Organismo microscópico, sobretudo os que produzem doenças infecciosas (vírus, bactérias, fungos); microrganismo.

microbiologia (mi.cro.bi:o.lo.gi.a) *s.f.* Ramo da Biologia que se ocupa do estudo dos organismos microscópicos.

microbiologista (mi.cro.bi:o.lo.gis.ta) *s.m. e f.* Especialista em Microbiologia.

microcirurgia (mi.cro.ci.rur.gi.a) *s.f.* (*Med.*) Intervenção cirúrgica realizada com auxílio de microscópio em estruturas orgânicas de tamanho muito pequeno.

microcomputador [ô] (mi.cro.com.pu.ta.dor) *s.m.* Computador pessoal que funciona com um microprocessador montado em um único *chip*.

microcosmo [ó] (mi.cro.cos.mo) *s.m.* **1.** O ser humano considerado como um universo reduzido, por oposição ao macrocosmo. **2.** Pequeno mundo. **3.** Grupo social restrito e específico: *Sentia-se bem em seu microcosmo familiar*.

microeconomia (mi.cro:e.co.no.mi.a) *s.f.* (*Econ.*) Ramo da ciência econômica que se ocupa dos componentes individuais da economia (famílias, trabalhadores, empresas, produtores de bens e serviço) e da interação entre eles. || Conferir com *macroeconomia*.

microempresa [ê] (mi.cro:em.pre.sa) *s.f.* (*Econ.*) Empresa ou firma de pequeno porte, cuja receita anual deve ser inferior ou igual ao valor estabelecido pelo governo em legislação específica. – **microempresário** *adj. s.m.*

microfibra (mi.cro.fi.bra) *s.f.* Fibra têxtil muito fina, de toque aveludado, usada especialmente na confecção de roupas.

microfilme (mi.cro.fil.me) *s.m.* (*Fot.*) Tira de filme estreita, usada para fazer um registro fotográfico, em escala reduzida, de impressos, manuscritos etc., tanto para armazenagem como para projeção ampliada para leitura. – **microfilmagem** *s.f.*; **microfilmar** *v.* ▶ Conjug. 5.

microfone (mi.cro.fo.ne) *s.m.* (*Fís.*) Aparelho que converte ondas sonoras em sinais elétricos, utilizados na transmissão ou amplificação de sons.

microfonia (mi.cro.fo.ni.a) *s.f.* (*Eletrôn.*) Ruído intermitente resultante da amplificação alterada do som transmitido por microfone.

microfotografia (mi.cro.fo.to.gra.fi.a) *s.f.* (*Fot.*) Técnica de fotografar, em tamanho reduzido, documentos ou páginas de livros, de modo a possibilitar sua leitura posterior, mediante a utilização de um aparelho projetor especial.

micrômetro (mi.crô.me.tro) *s.m.* **1.** Instrumento para medir pequenas dimensões. **2.** Instrumento destinado a medir a grandeza dos objetos observados ao microscópio. **3.** Milionésima parte do milímetro; mícron.

mícron (mí.cron) *s.m.* Micrômetro (3). || pl.: *microns* e *micrones*.

micro-onda (mi.cro-on.da) *s.f.* **1.** (*Fís.*) Onda eletromagnética de frequência muito elevada, utilizada na emissão de sinais de televisão e de radares. • *micro-ondas s.m.2n.* **2.** Forno com essa altíssima radiação, usada no aquecimento, descongelamento ou cozimento de alimentos.

micro-ônibus (mi.cro-ô.ni.bus) *s.m.* Ônibus pequeno, com capacidade de 15 a 20 passageiros.

micro-organismo (mi.cro-or.ga.nis.mo) *s.m.* Microrganismo.

microprocessador (mi.cro.pro.ces.sa.dor) *s.m.* (*Inform.*) Conjunto de elementos da unidade central de processamento, normalmente contidos num único *chip* de circuito integrado, o qual, combinado com outros *chips* de

microrganismo

memória e de entrada/saída, constituirá um microcomputador.

microrganismo (mi.cror.ga.*nis*.mo) *s.m.* (*Biol.*) Organismo vegetal ou animal microscópico; micro-organismo; micróbio.

microscópico (mi.cros.có.pi.co) *adj.* **1.** Feito com o auxílio de microscópio: *exame microscópico*. **2.** Visível somente ao microscópio: *organismos microscópicos*. **3.** *fig.* Muito pequeno; diminuto, minúsculo: *É difícil ler as letras microscópicas das bulas*.

microscópio (mi.cros.có.pi:o) *s.m.* (*Fís.*) Instrumento óptico que usa uma combinação de lentes para produzir imagens ampliadas de pequenos objetos, especialmente daqueles que não podem ser vistos a olho nu.

microzoário (mi.cro.zo:á.ri:o) *s.m.* (*Zool.*) Qualquer animal microscópico.

mictório (mic.*tó*.ri:o) *s.m.* **1.** Local próprio para urinar. • *adj.* **2.** Que estimula a micção; diurético.

micuim (mi.cu:*im*) *s.m.* (*Zool.*) Ácaro de dimensão microscópica, geralmente confundido com pequenos carrapatos.

mídia (*mí*.di:a) *s.f.* (*Comun.*) Conjunto dos meios de comunicação de massa, que se pode classificar em duas categorias: mídia impressa (jornal, revista etc.) e mídia eletrônica (rádio, televisão, cinema, vídeo etc.). – **midiático** *adj.*

mielite (mi:e.*li*.te) *s.f.* (*Med.*) Inflamação da medula espinhal.

mielografia (mi:e.lo.gra.*fi*.a) *s.f.* Radiografia da medula espinhal.

migalha (mi.*ga*.lha) *s.f.* **1.** Pedaço pequeno de um alimento farináceo (pão, bolo etc.). **2.** *fig.* Quantidade diminuta de alguma coisa: *A população espera dos governantes muito mais que migalhas*.

migração (mi.gra.*ção*) *s.f.* **1.** Mudança ou passagem de indivíduos ou população de um lugar (região, país) para outro, geralmente devido a fatores socioeconômicos. **2.** Deslocamento cíclico de animais de uma região a outra do planeta, geralmente associado a condições climatológicas. **3.** (*Med.*) Trajetória de um parasito desde a entrada no organismo hospedeiro até sua localização definitiva. || Conferir com *emigração* e *imigração*.

migrar (mi.*grar*) *v.* **1.** Mudar, periódica ou definitivamente, de uma região ou de um país para outro: *Fabiano e Siá Vitória, personagens de Vidas Secas, migraram para o sul tangidos pela seca*; *As andorinhas migram no inverno*. **2.** Entrar (parasito) em um organismo hospedeiro: *Certos parasitos migram na corrente sanguínea*. ▶ Conjug. 5. – **migrante** *adj. s.m. e f.*

migratório (mi.gra.*tó*.ri:o) *adj.* **1.** Relativo a migração. **2.** Caracterizado pela migração: *O Nordeste brasileiro é uma região tipicamente migratória*. **3.** Que migra periodicamente: *aves migratórias*.

mijar (mi.*jar*) *v.* **1.** *coloq.* Urinar: *O menino ainda mijava nas calças*. **2.** *fig.* Demonstrar medo ou fraqueza; acovardar-se, amarelar: *Mijou-se todo diante do adversário mais forte*. ▶ Conjug. 5 e 37.

mijo (*mi*.jo) *s.m. coloq.* Urina.

mil *num. card.* **1.** Novecentos mais cem. • *s.m.* **2.** Representação gráfica desse número (1.000 em algarismos arábicos; M em algarismos romanos). || **A mil**: com muito júbilo e energia; animado, entusiasmado: *Os alunos estavam a mil com a formatura*.

milagre (mi.*la*.gre) *s.m.* **1.** (*Rel.*) Acontecimento extraordinário, sem explicação natural, atribuído por fiéis a uma intervenção divina ou de santos: *Cristo fez em vida muitos milagres*. **2.** Acontecimento fora do esperado; incomum, insólito: *Os dirigentes falavam num milagre econômico no país*. **3.** Ex-voto: *Fomos visitar a sala de milagres da basílica*.

milagreiro (mi.la.*grei*.ro) *adj. s.m.* **1.** Que acredita em milagres. **2.** Que se arvora em milagroso.

milagroso [ô] (mi.la.*gro*.so) *adj.* **1.** Que faz ou a quem é atribuída a realização de milagres: *santa milagrosa*. **2.** Fora do comum; extraordinário, maravilhoso, miraculoso: *Os mais velhos acreditam no poder de cura de certas ervas milagrosas*. || f. e pl.: [ó].

milanês (mi.la.*nês*) *adj.* **1.** De Milão, cidade da Itália. • *s.m.* **2.** O natural ou o habitante dessa cidade.

milenar (mi.le.*nar*) *adj.* Que tem um milênio ou mais; milenário: *rochas milenares*.

milenário (mi.le.*ná*.ri:o) *adj.* **1.** Relativo a mil. **2.** Milenar. **3.** Período de mil anos; milênio.

milênio (mi.*lê*.ni:o) *s.m.* Período de mil anos; milenário.

milésimo (mi.*lé*.si.mo) *num. ord.* **1.** Que ou o que, numa série, representa o número mil. • *num. frac.* **2.** Que ou o que corresponde a cada uma das mil frações em que se pode dividir um todo.

mil-folhas (mil-*fo*.lhas) *s.m. 2n.* (*Cul.*) Variedade de massa folhada, geralmente com recheio de creme ou chocolate.

milha (*mi.*lha) *s.f.* Unidade de medida de distância terrestre equivalente a 1.609 metros, nos países de língua inglesa.

milhagem (mi.*lha.*gem) *s.f.* **1.** Distância calculada em milhas. **2.** Contagem de milhas utilizada por determinada companhia de aviação comercial para oferecer bônus de viagem a seus usuários.

milhão (mi.*lhão*) *num. card.* **1.** Mil milhares. • *s.m.* **2.** Representação gráfica desse número (1.000.000 em algarismos arábicos; M̄ em algarismos romanos). **3.** *fig.* Grande quantidade; número excessivo: *Já falei um milhão de vezes para não fazer isso.*

milhar (mi.*lhar*) *s.m.* **1.** Mil unidades. **2.** Número grande e indeterminado: *Milhares de pessoas compareceram ao ato público.* **3.** Qualquer número de quatro algarismos em algumas modalidades de jogos lotéricos.

milharal (mi.lha.*ral*) *s.m.* Plantação de milheiros.

milheiro¹ (mi.*lhei.*ro) *s.m.* Milhar (1). || Usado especificamente na contagem de plantas, frutas, peixes etc.

milheiro² (mi.*lhei.*ro) *s.m.* (*Bot.*) Pé de milho.

milho (*mi.*lho) *s.m.* **1.** (*Bot.*) Planta nativa da América do Sul, de folhas longas e finas, com espigas amarelas, cujos grãos são comestíveis. **2.** Esse grão.

miliampère (mi.li:am.*pè*.re) *s.m.* (*Fís.*) Unidade de medida da intensidade da corrente elétrica, correspondente a um milésimo do ampère.

miliamperômetro (mi.li:am.pe.*rô*.me.tro) *s.m.* (*Fís.*) Unidade de medida da intensidade da corrente elétrica, correspondente a um milésimo do ampère.

milícia (mi.*lí*.ci:a) *s.f.* **1.** Conjunto de tropas de um país; exército: *milícia nacional.* **2.** Organização paramilitar de segurança, cujos componentes são egressos de diversas corporações, sem vínculo com a hierarquia civil ou militar: *Traficantes travam guerra contra a milícia pelo domínio de sua área de atuação.*

miliciano (mi.li.ci:*a*.no) *adj.* **1.** Relativo a ou próprio de milícia: *tropas milicianas.* **2.** Integrante de milícia (1); soldado.

miligrama (mi.li.*gra*.ma) *s.m.* (*Fís.*) Medida de massa equivalente à milésima parte do grama. || Símbolo: *mg*.

mililitro (mi.li.*li*.tro) *s.m.* (*Fís.*) Medida de capacidade equivalente à milésima parte do litro. || Símbolo: *ml*.

milímetro (mi.*lí*.me.tro) *s.m.* (*Fís.*) Medida de comprimento equivalente à milésima parte do metro. || Símbolo: *mm*.

milionário (mi.li:o.*ná*.ri:o) *adj.* **1.** Que possui milhões, que é muito rico. • *s.m.* **2.** Aquele que é muito rico.

milionésimo (mi.li:o.*né*.si.mo) *num.* **1.** Que numa série ocupa a posição de um milhão. **2.** Que corresponde à fração de um todo dividido em um milhão de partes iguais.

milípede (mi.*lí*.pe.de) *adj.* (*Zool.*) Que tem muitos pés; miriápode (1): *A centopeia é um invertebrado milípede.*

militância (mi.li.*tân*.ci:a) *s.f.* Participação ativa em defesa de uma causa ou organização política: *O candidato creditou sua vitória à atuação da militância.*

militante (mi.li.*tan*.te) *adj.* **1.** Que exerce militância; participante, atuante. • *s.m.* e *f.* **2.** Pessoa militante.

militar¹ (mi.li.*tar*) *adj.* **1.** Relativo a guerra: *manobras militares.* **2.** Relativo às Forças Armadas (Aeronáutica, Exército, Marinha): *academia militar.* • *s.m.* **3.** Integrante (soldado ou oficial) das Forças Armadas: *Em sua família há muitos militares.*

militar² (mi.li.*tar*) *v.* **1.** Fazer guerra; combater, lutar: *Os soldados aliados militaram valentemente contra os nazistas; Foi condecorado por militar com bravura.* **2.** Servir às Forças Armadas: *Meu filho milita na Força Aérea.* **3.** Bater-se, lutar, pugnar por (ideia, doutrina, política etc.): *Sempre militou a favor da ecologia.* **4.** Seguir uma carreira ou estar filiado a (partido, organização etc.): *Milita no jornalismo há décadas; Quando jovem, militou nos movimentos estudantis.* ▶ Conjug. 5.

militarismo (mi.li.ta.*ris*.mo) *s.m.* **1.** Regime político em que o poder é detido pelas Forças Armadas. **2.** Tendência ao fortalecimento das Forças Armadas e da indústria bélica na solução de problemas de um Estado ou internacionais.

militarista (mi.li.ta.*ris*.ta) *adj.* **1.** Relativo a militarismo • *s.m.* e *f.* **2.** Partidário do militarismo.

militarizar (mi.li.ta.ri.*zar*) *v.* Dar ou adquirir caráter militar: *militarizar o regime político; Com o golpe de Estado, o país militarizou-se.* – **militarização** *s.f.*

milonga (mi.*lon*.ga) *s.f.* (*Mús.*) **1.** *reg.* Música dolente, cantada ao som de violão, típica do Rio

milongueiro

Grande do Sul. **2.** Composição musical e dança originárias do Rio da Prata (Argentina), de ritmo vivo, assemelhadas ao tango. • *milongas* s.f.pl. **3.** coloq. Astúcia, manha, engenho. **4.** coloq. Boato, mexerico, fofoca.

milongueiro (mi.lon.*guei*.ro) *adj.* **1.** coloq. Que é hábil em enganar; astucioso, manhoso. • *s.m.* **2.** reg. Canto de milongas (1).

mil-réis (mil-*réis*) s.m. Antiga unidade monetária brasileira, substituída pelo cruzeiro em 1942.

mim *pron. pess.* Forma oblíqua e tônica do pronome pessoal reto da primeira pessoa do singular, sempre regida de preposição: *Para mim, ler é um prazer; Não há segredos entre mim e meus pais.* || Quando precedido da preposição com, usa-se a forma *comigo*: *Ela se comunica comigo por e-mail.*

mimar (mi.*mar*) *v.* Tratar com mimo; acarinhar, papariçar: *A avó mimou demais este menino.* ▶ Conjug. 5.

mimeografar (mi.me:o.gra.*far*) *v.* Tirar cópias ao mimeógrafo: *Os professores mimeografaram as provas.* ▶ Conjug. 5.

mimeógrafo (mi.me:ó.gra.fo) *s.m.* Aparelho de impressão, elétrico ou manual, com que se reproduzem cópias de páginas escritas, datilografadas ou de desenhos, sobre uma matriz de papel ou metálica, chamada estêncil.

mimese [é] (mi.*me*.se) *s.f.* **1.** (*Lit.*) Na obra literária, recriação da realidade a partir da imitação e representação da vida humana. **2.** (*Med.*) Simulação de doença ou de um sintoma.

mimético (mi.*mé*.ti.co) *adj.* **1.** Relativo a mimetismo ou a mimese. **2.** Em que há mimetismo.

mimetismo (mi.me.*tis*.mo) *s.m.* (*Biol.*) Propriedade que têm certos animais e plantas de apresentarem aspecto semelhante, no colorido ou na forma, a outros seres, ou ao meio em que vivem, para passarem despercebidos, como forma de defesa ou de agressão.

mímica (*mí*.mi.ca) *s.f.* **1.** Expressão corporal que, por meio de reações fisionômicas e gestos (sorriso, movimentos com a cabeça e as mãos etc.), representa significativa forma de comunicação pessoal. **2.** (*Art.*) Manifestação artística que utiliza esses meios de expressão; pantomima. **3.** Conjunto de gestos que acompanham a expressão oral; gesticulação.

mímico (*mí*.mi.co) *adj.* **1.** Expresso por meio de gestos: *linguagem mímica.* **2.** Que usa de linguagem gesticulada. • *s.m.* **3.** Artista que se expressa por mímica.

mimo (*mi*.mo) *s.m.* **1.** Manifestação de carinho que se faz a alguém, especialmente criança; afago, agrado: *Cobria o neto de mimo.* **2.** Presente delicado que se oferece ou se dá a alguém: *Recebeu de mimo da mãe uma joia de família.* **3.** Pessoa ou objeto que encanta pela beleza e harmonia de formas: *A noiva estava um mimo em seu vestido branco.*

mimosear (mi.mo.se:*ar*) *v.* **1.** Tratar com mimo: *Mimoseava muito seus filhos.* **2.** Presentear, obsequiar: *Gostava de mimosear os amigos.* ▶ Conjug. 14.

mimoso [ô] (mi.*mo*.so) *adj.* **1.** Cheio de mimo; mimado. **2.** Delicado, suave, macio: *cútis mimosa.* **3.** Gracioso, belo, encantador: *São mimosas as jovens na flor da idade.* || f. e pl.: [ó].

min. Abreviação de *minuto*.

mina (*mi*.na) *s.f.* **1.** (*Geol.*) Depósito mineral explorado pela atividade extrativista; jazida, veio, filão. **2.** Nascente d'água; fonte: *A piscina é abastecida com água de mina.* **3.** Artefato bélico explosivo, camuflado sob o solo, de grande poder destrutivo sobre tudo que estiver em cima ou próximo: *Na África, são milhares as vítimas de minas.* **4.** *fig.* Fonte de lucros e riquezas: *Seus negócios revelaram-se uma mina de dinheiro.* **5.** coloq. Moça, garota, menina.

minar (mi.*nar*) *v.* **1.** Abrir mina(s) para exploração extrativista de minérios ou em busca de água: *Garimpeiros minavam com sucesso as lavras de diamantes.* **2.** Abrir cavidades em (terreno, construção etc.), abalando-lhes a solidez; escavar, solapar: *A chuva minou as galerias subterrâneas do metrô.* **3.** *fig.* Corroer aos poucos; abalar, debilitar: *O tabagismo ia minando-lhe inapelavelmente os pulmões.* **4.** *fig.* Trazer desgaste a; prejudicar, desgastar: *Certas medidas econômicas minaram a popularidade do governo frente à opinião pública.* **5.** Deixar sair ou escapar; escorrer, verter, jorrar: *O ferimento minava um fio de sangue; De seus olhos, minava um pranto infindável.* **6.** (*Mil.*) Colocar minas (3) terrestres ou lançar minas no mar, em operações bélicas: *Os inimigos minaram campos e estradas.* ▶ Conjug. 5.

minarete [ê] (mi.na.*re*.te) *s.m.* Torre de mesquita, onde se anuncia aos muçulmanos a hora das orações.

mindinho (min.*di*.nho) *adj.* **1.** *fam.* Diz-se do dedo mínimo. • *s.m.* **2.** O dedo mínimo.

mineiro[1] (mi.*nei*.ro) *adj.* **1.** Relativo ou pertencente a mina. **2.** Diz-se dos lugares em que há minas • *s.m.* **3.** O que trabalha em minas ou as explora; minerador.

mineiro² (mi.nei.ro) *adj.* **1.** Do Estado de Minas Gerais. • *s.m.* **2.** O natural ou o habitante desse estado.

mineração (mi.ne.ra.ção) *s.f.* **1.** Ato ou efeito de minerar. **2.** Exploração de minas. **3.** Depuração dos metais ou dos minerais delas extraídos.

minerador [ô] (mi.ne.ra.dor) *adj.* **1.** Que extrai minério das minas; mineiro¹. **2.** Que possui minas ou as explora. • *s.m.* **3.** Operário ou proprietário de mina.

mineradora [ô] (mi.ne.ra.do.ra) *s.f.* Empresa de extração e purificação de minérios.

mineral (mi.ne.ral) *adj.* **1.** Relativo ou pertencente aos minerais: *reino mineral*; *reservas minerais*. • *s.m.* **2.** Massa inorgânica natural que compõe as rochas que constituem a litosfera.

mineralogia (mi.ne.ra.lo.gi.a) *s.f.* Ciência que estuda a natureza e a formação dos minerais, suas propriedades físicas e químicas e sua classificação.

mineralogista (mi.ne.ra.lo.gis.ta) *s.m. e f.* Especialista em Mineralogia.

minerar (mi.ne.rar) *v.* **1.** Fazer a prospecção de minérios; garimpar, minar: *Migrantes eram levados a minerar ouro e diamantes*; *Em certas regiões, ainda se minera de forma arcaica*. **2.** Fazer (uma mineradora) a exploração econômica de minas: *A empresa começou a minerar novas jazidas de ferro*. ▶ Conjug. 8.

minério (mi.né.ri:o) *s.m.* Mineral ou rocha que podem ser explorados economicamente: *As necessidades das grandes mineradoras exigem um máximo de extração de minérios e alta tecnologia*.

mingau (min.gau) *s.m.* (*Cul.*) **1.** Alimento pastoso, feito de leite e açúcar, engrossado com farinha de cereais; papa, papinha. **2.** *fig.* Qualquer substância com a consistência pastosa semelhante à do mingau.

míngua (mín.gua) *s.f.* Falta do necessário; carência, insuficiência, escassez: *a míngua de recursos do assalariado*; (fig.) *a míngua de bons espetáculos na cidade*. || **À míngua**: na extrema pobreza; na penúria; na indigência: *Não deixemos que os indigentes morram à míngua*.

minguado (min.gua.do) *adj.* **1.** Que minguou; reduzido, diminuído: *Gastou todas as suas minguadas economias*. **2.** Pequeno, franzino, magro: *A criança tinha uma aparência esquálida com seu corpinho minguado*.

minguante (min.guan.te) *adj.* (*Astron.*) Diz-se da fase da Lua entre a lua cheia e a lua nova.

minguar (min.guar) *v.* **1.** Tornar-se menor ou menos abundante; reduzir-se, diminuir, escassear, rarear: *As chuvas fizeram minguar a produção de grãos*; *Os salários não podem minguar mais*; (fig.) *Àquele poeta minguam-lhe o talento e originalidade*. **2.** (*Astron.*) Tornar-se (a Lua) minguante: *A Lua começou a minguar.* ▶ Conjug. 29.

minha (mi.nha) *pron. poss.* Forma feminina do pronome possessivo da 1ª pessoa do singular.

minhoca [ó] (mi.nho.ca) *s.f.* (*Zool.*) Animal rastejante, de cor acinzentada, que cava galerias na terra e é usado como fertilizante no solo ou como isca na pesca.

míni (mí.ni) *s.m. e f.* Redução de alguns substantivos compostos com o elemento anteposto *míni*, como *minissaia, minidicionário* etc.

miniatura (mi.ni:a.tu.ra) *s.f.* Qualquer objeto muito pequeno, em geral reprodução reduzida de outro igual de maiores dimensões: *No museu há uma bela coleção de miniaturas de marfim*.

minifúndio (mi.ni.fún.di:o) *s.m.* (*Econ.*) Propriedade agrícola de extensão reduzida, a ponto de não permitir exploração economicamente compensadora.

mínima (mí.ni.ma) *s.f.* **1.** Valor mais baixo observado num fenômeno determinado, durante um período dado: *A temperatura na serra atingiu a mínima de cinco graus negativos*. **2.** (*Mús.*) Figura usada para marcar a duração rítmica que apresenta a metade do valor de uma semibreve e o dobro do valor de uma semínima. **3.** Representação gráfica dessa nota. || **Não dar/não ligar a mínima**: Não dar a menor importância (a algo ou alguém); não fazer caso; ser indiferente.

minimalismo (mi.ni.ma.lis.mo) *s.m.* Tendência à redução ao mínimo e à simplificação das formas necessárias à expressão artística (na pintura, na arquitetura, na literatura, na música). — **minimalista** *adj. s.m. e f.*

minimizar (mi.ni.mi.zar) *v.* **1.** Reduzir (algo) à dimensão ou à importância mínimas: *O governo quer minimizar os gastos públicos*; *O professor minimizou o incidente com o aluno*. **2.** Fazer pouco de; subestimar, menosprezar: *O preconceituoso minimiza os que lhe são diferentes*. ▶ Conjug. 5.

mínimo (mí.ni.mo) *adj.* **1.** Muito pequeno, diminuto, ínfimo. **2.** O que é o menor entre todos num conjunto: *dedo mínimo*. **3.** Que tem o menor valor possível estipulado por lei ou por acordo: *salário mínimo; juros mínimos.* • *s.m.* **4.** A menor parcela, quantidade ou grau de alguma coisa: *Não se contente com o mínimo em seu trabalho, procure alcançar o máximo.* **5.** O dedo mínimo. || *No mínimo:* **1.** na menor quantidade ou no menor limite possível: *Ele vai ficar fora do país no mínimo dois anos.* **2.** pelo menos; quando nada: *Sua atitude foi no mínimo desrespeitosa com os mais velhos.* || antôn.: máximo.

minissaia (mi.nis.*sai*.a) *s.f.* Saia ou vestido muito curto, com a barra mais ou menos a um palmo acima do joelho; míni.

minissérie (mi.nis.*sé*.ri:e) *s.f.* (*Telv.*) Seriado de televisão em forma de novela com menor número de capítulos, frequentemente baseada em obras de autores nacionais.

ministerial (mi.nis.te.ri:*al*) *adj.* Relativo a ministro ou a ministério: *reforma ministerial.*

ministério (mi.nis.*té*.ri:o) *s.m.* **1.** Instituição governamental constituída pelo ministro, seus secretários, assessores e funcionários: *Ministério da Cultura.* || Nesta acepção, usa-se letra maiúscula. **2.** A totalidade dos ministros de Estado: *O presidente eleito anunciou seu novo ministério.* **3.** Edifício onde está situada essa instituição governamental: *A comissão de professores foi recebida no Ministério da Educação.* **4.** Função de ministro: *Há vários nomes cotados para assumir um ministério.* **5.** Exercício ou desempenho de um cargo ou função: *O sacerdócio é um ministério.* || *Ministério público:* (*Jur.*) instituição independente e autônoma, incumbida da defesa da ordem jurídica e dos direitos individuais e sociais.

ministrar (mi.nis.*trar*) *v.* **1.** Dar (informações); fornecer (dados); proporcionar, prestar: *O computador ministra dados precisos (ao usuário).* **2.** Administrar, aplicar, efetuar (tratamento, medicamento etc.): *O médico decidiu ministrar doses maiores do remédio (a seu paciente).* **3.** Dar (aula, curso etc.); transmitir (ensinamento), ensinar: *Foi a mãe que lhe ministrou as primeiras letras.* **4.** Administrar, conferir (culto ou sacramento religioso): *O sacerdote foi chamado para ministrar a unção dos enfermos (a meu pai).* **5.** Aplicar (golpe, pancada etc.) a; infligir: *O boxeador ministrou o soco decisivo no adversário.* ▶ Conjug. 5.

ministro (mi.*nis*.tro) *s.m.* **1.** Aquele que chefia um Ministério (1): *ministro da Fazenda.* **2.** (*Rel.*) Aquele que exerce o ministério religioso (sacerdotes, pastores): *ministro da igreja evangélica.* **3.** Categoria abaixo de embaixador, na hierarquia diplomática: *ministro conselheiro.* **4.** (*Jur.*) Juiz de qualquer corte suprema do país: *ministro do Tribunal de Contas.*

minorar (mi.no.*rar*) *v.* **1.** Tornar(-se) menor; diminuir, reduzir(-se), minimizar(-se): *Os governadores estão empenhados em minorar os gastos públicos; O surto da dengue minorou.* **2.** Tornar(-se) menos intenso; abrandar(-se), atenuar(-se), suavizar(-se), mitigar(-se): *O exercício físico irá minorar suas dores de coluna; Até mesmo a paixão minora com o tempo.* ▶ Conjug. 20. – **minoração** *s.f.*

minoria (mi.no.*ri*.a) *s.f.* **1.** Tudo que vem em menor número, em inferioridade ou desvantagem em relação a outras coisas: *As mulheres ainda são minoria em certas profissões.* **2.** A parte menos numerosa de um conselho administrativo, assembleia ou partido político, por oposição à maioria: *Os oposicionistas são minoria nas duas casas do Congresso.* **3.** Grupo de pessoas existentes numa sociedade maior e dominante, que se distingue da maioria por suas características étnicas, religiosas, de nacionalidade e de língua etc.: *Algumas minorias são alvo de preconceito e discriminação no meio em que vivem.*

minuano (mi.nu:*a*.no) *s.m.* Vento frio e seco que no inverno sopra do sudoeste no Rio Grande do Sul.

minúcia (mi.*nú*.ci:a) *s.f.* Detalhe, pormenor, particularidade, minudência: *Conte-me tudo com minúcias.*

minucioso [ô] (mi.nu.ci:*o*.so) *adj.* **1.** Cheio de minúcias; detalhado, pormenorizado: *Apresentou um relatório minucioso das ocorrências.* **2.** Que se ocupa com os mínimos detalhes; detalhista, meticuloso, cuidadoso: *Procura cercar-se de assessores minuciosos.* || f. e pl.: [ó].

minudência (mi.nu.*dên*.ci:a) *s.f.* **1.** Minúcia. **2.** Atenção escrupulosa ou minuciosa no exame de alguma coisa.

minuendo (mi.nu:*en*.do) *s.m.* (*Mat.*) Diminuendo.

minueto [ê] (mi.nu:*e*.to) *s.m.* (*Mús.*) **1.** Dança originária dos salões da aristocracia francesa dos séculos XVII e XVIII, acompanhada de música em compasso ternário. **2.** Composição musical com essa característica, que faz parte de suítes e sinfonias de diversos autores.

minúscula (mi.*nús*.cu.la) *s.f.* Redução de letra minúscula.

minúsculo (mi.*nús*.cu.lo) *adj.* **1.** Muito pequeno; diminuto, mínimo: *Já apontavam minúsculos dentinhos no bebê.* **2.** *fig.* De pouco valor; insignificante, ínfimo: *Não dê importância a questões tão minúsculas.*

minuta¹ (mi.*nu*.ta) *s.f.* **1.** Primeira redação de um documento: *a minuta de um contrato*. **2.** (*Arquit.*) Desenho traçado à vista do terreno, para futuro levantamento de plantas.

minuta² (mi.*nu*.ta) *s.f.* Refeição ou prato preparado na hora, nos restaurantes. || *À minuta*: feito na hora, de acordo com o pedido do freguês: *Servimos pratos à minuta*.

minuto (mi.*nu*.to) *adj.* **1.** (*Fís.*) Unidade de medida de tempo equivalente a 60 segundos. || Abreviação: *min.* **2.** *fig.* Intervalo de tempo muito breve; momento, instante, átimo: *Espere um minuto que já vai ser atendido*.

mio (mi:o) *s.m.* Miado.

miocárdio (mi:o.*cár*.di:o) *s.m.* (*Anat.*) Músculo do coração.

miocardite (mi:o.car.*di*.te) *s.f.* (*Med.*) Doença inflamatória do músculo cardíaco.

mioceno (mi:o.*ce*.no) *adj.* (*Geol.*) **1.** Diz-se de um dos cinco períodos em que é dividida a era terciária, e que sucede ao Oligoceno e antecede ao Plioceno • *s.m.* **2.** Esse período. || Como substantivo, usa-se inicial maiúscula.

miolo [ô] (mi:o.lo) *s.m.* **1.** Parte interior de alguma coisa: *o miolo do pão*. **2.** Conteúdo da coluna vertebral e dos ossos; medula, tutano. **3.** *coloq.* A massa encefálica; o cérebro: *É um projétil capaz de estourar os miolos de alguém*. **4.** *fig. coloq.* Cérebro, cabeça, cuca: *Queimou os miolos para passar no exame*. **5.** *fig. coloq.* Juízo, sensatez, discernimento: *É um rapaz de muito miolo*. **6.** *fig.* A parte essencial de alguma coisa; âmago, cerne: *Deixe de rodeios e entre no miolo da questão*.

miologia (mi:o.lo.*gi*.a) *s.f.* (*Anat.*) Parte da anatomia que estuda os músculos. – **miológico** *adj.*

mioma (mi:o.ma) *s.m.* (*Med.*) Tumor benigno de tecido muscular.

míope (*mí*:o.pe) *adj.* **1.** Que tem miopia. • *s.m. e f.* **2.** Pessoa míope.

miopia (mi:o.*pi*.a) *s.f.* (*Med.*) Distúrbio de visão que ocorre quando as imagens se formam antes da retina, produzindo visão turva dos objetos que não estejam a curta distância.

miosótis (mi:o.*só*.tis) *s.m. e f. 2n.* (*Bot.*) **1.** Planta nativa de regiões tropicais e temperadas, com pequenas flores azuis em cachos, geralmente usada como ornamental. **2.** Essa flor.

mira (mi.ra) *s.f.* **1.** Ato ou efeito de mirar. **2.** Dispositivo em arma de fogo que serve para direcionar a vista para o alvo pretendido: *Assestou a mira na direção da caça*. **3.** Habilidade em acertar qualquer alvo; pontaria: *Os atiradores disputaram o prêmio pela melhor mira*. **4.** *fig.* Meta a alcançar; objetivo, intuito, intenção, alvo: *Desde cedo, sua mira era ser artista*. || *Ter em mira*: ter como objetivo; ter em vista; visar a: *Gostaria de saber o que ele tem em mira*.

mirabolante (mi.ra.bo.*lan*.te) *adj.* **1.** Surpreendente, espetacular, fantástico, espantoso: *Impressionava os eleitores com promessas mirabolantes*. **2.** Ridículo, extravagante, espalhafatoso: *Sua figura chamava a atenção pelos trajes mirabolantes*.

miraculoso [ô] (mi.ra.cu.*lo*.so) *adj.* **1.** Obtido por milagre (1); milagroso: *cura miraculosa*. **2.** *fig.* De efeito inesperado e surpreendente; maravilhoso, extraordinário: *Na política não há soluções miraculosas*. || f. e pl.: [ó].

mirada (mi.*ra*.da) *s.f.* Olhar, olhada, olhadela, espiada.

miragem (mi.*ra*.gem) *s.f.* **1.** Efeito óptico que cria uma paisagem imaginária de água e vegetação nas areias do deserto, produzido pelo aquecimento do ar e pela reflexão da luz solar. **2.** *fig.* Falsa realidade; ilusão, sonho, quimera: *"Te vejo no restaurante/na fila do cinema, de azul/diriges um automóvel, a pé/cruzas a rua/ miragem"* (Ferreira Gullar, *Pela rua*).

mirante (mi.*ran*.te) *s.m.* **1.** Local elevado que possibilita a alguém uma visão panorâmica; belvedere. **2.** (*Arquit.*) Terraço ou galeria envidraçada em (jardim, edifício, casa etc.), donde se pode espraiar a vista.

mirar (mi.*rar*) *v.* **1.** Fixar (os olhos) em; fitar, olhar, encarar: *mirar a paisagem*; *Os noivos miravam-se enternecidamente*. **2.** Olhar-se, contemplar-se, observar(-se): *Mirava-se a todo momento no espelho da bolsa*. **3.** Tomar como mira; fazer pontaria; apontar, assestar: *mirar um (num) alvo*. **4.** *fig.* Ter em mira ou como objetivo; ter em vista, pretender, almejar: *Mirava um futuro brilhante*; *Todos miram a uma vida melhor*. **5.** *fig.* Tomar como modelo; espelhar-se: *Mire-se no exemplo dos mais sábios*. ▶ Conjug. 5.

miríada (mi.*rí*.a.da) *s.f.* Miríade.

miríade (mi.*rí*.a.de) *s.f.* **1.** Quantidade equivalente a dez mil. **2.** Grande quantidade indeterminada; grande número: *Miríade de estrelas iluminavam a noite tropical*.

miriápode (mi.ri:*á*.po.de) *adj.* **1.** Que tem muitos pés; milípede. • *s.m.* **2.** (*Zool.*) Animal invertebrado que se caracteriza pelo grande número de pés, como a centopeia e a lacraia.

miriare (mi.ri:a.re) s.m. Superfície de dez mil ares ou de um quilômetro quadrado.

mirim (mi.rim) adj. **1.** Pequeno: *cidade mirim*. **2.** Que ainda é criança; infantil: *artista mirim*. **3.** Que diz respeito a criança: *torneio mirim de futebol*.

mirra (mir.ra) s.f. **1.** (*Bot.*) Planta de cuja casca se extrai uma resina aromática, usada como incenso e de emprego farmacêutico e em perfumaria. **2.** Essa resina.

mirrar (mir.rar) v. **1.** Tornar(-se) seco ou murcho (vegetal); ressecar, murchar: *A falta de chuvas fez mirrar a lavoura de milho*; *As flores colhidas mirraram*. **2.** Tirar ou perder pouco a pouco o vigor e a energia; enfraquecer(-se), encolher (-se), definhar(-se): *A doença insidiosa mirrava seu corpo*; *Sem esperança de cura, mirrava a olhos vistos*. **3.** *fig.* Diminuir, reduzir(-se), escassear, minguar: *Nada fazia mirrar sua fé na vida*; *Não deixe que mirrem suas ilusões*. ▶ Conjug. 5.

misantropia (mi.san.tro.pi.a) s.f. **1.** Aversão ao convívio humano e às normas sociais. **2.** Tendência, resultante desse sentimento, à introspecção, ao isolamento e à solidão.

misantropo [ô] (mi.san.tro.po) adj. Que tem aversão aos outros homens e à convivência social; ermitão, solitário, insociável: *De Dom Casmurro, personagem de Machado de Assis, se pode dizer que é um verdadeiro misantropo*.

miscelânea (mis.ce.lâ.ne:a) s.f. **1.** Conjunto formado por uma mescla de coisas diferentes; mistura, mixórdia: *No bazar havia uma miscelânea de objetos antigos e usados*. **2.** Reunião de textos (literários, ensaísticos etc.) de um ou mais autores, de várias épocas ou estilos: *Em homenagem ao homem de letras, publicou-se uma miscelânea de seus escritos*.

miscigenação (mis.ci.ge.na.ção) s.f. Ato ou efeito de miscigenar(-se); mestiçagem.

miscigenar (mis.ci.ge.nar) v. Unir (pelo casamento ou pela coabitação) indivíduos de etnias diferentes: *miscigenar brancos e (com) negros*; *Desde a colonização, a população brasileira se miscigenou*. ▶ Conjug. 8.

miserável (mi.se.rá.vel) adj. **1.** Extremamente pobre; paupérrimo, indigente: *Sobrevivem em condições miseráveis*. **2.** De pouco valor; insignificante, ínfimo, reles: *salário miserável*. **3.** Digno de compaixão; desgraçado, infeliz, mísero: *vida miserável*. **4.** Avarento, sovina, tacanho, mesquinho: *um patrão miserável*. **5.** *pej.* Desprezível, torpe, abjeto, canalha. • s.m. e f. **6.** Pessoa miserável.

miséria (mi.sé.ri:a) s.f. **1.** Extrema pobreza; indigência, penúria, privação. **2.** Avareza, sovinice, mesquinharia. **3.** Quantia irrisória de dinheiro; ninharia, insignificância. **4.** Imperfeição moral; debilidade de caráter; indignidade. **5.** Grande sofrimento; infelicidade, desventura. **6.** *coloq.* Coisa malfeita, imprestável; porcaria: *O som e a imagem da televisão estão uma miséria*. || *Chorar miséria*: *coloq.* queixar-se, sem motivo, de apuros financeiros: *Ganha muito bem, mas está sempre chorando miséria*. • *Fazer miséria(s)*: *coloq.* realizar coisas extraordinárias; fazer o diabo: *Ele fez misérias com a bateria no show*.

misericórdia (mi.se.ri.cór.di:a) s.f. **1.** Sentimento de compaixão em relação ao sofrimento ou à infelicidade de alguém; piedade, pena, dó: *Tenha misericórdia com os que estão em aflição*. **2.** Generosidade em relação a quem praticou alguma falta; benevolência, perdão, graça: *Senhor, tende misericórdia de nós, os pecadores*.

misericordioso [ô] (mi.se.ri.cor.di:o.so) adj. Que tem ou demonstra misericórdia (1); compassivo, clemente, benevolente. || f. e pl.: [ó].

mísero (mí.se.ro) adj. **1.** Muito pobre; paupérrimo, miserável: *Os míseros casebres se acotovelavam morro acima*. **2.** Desprovido de valor ou importância; medíocre: *É autor de uns míseros contos*. **3.** De pouca monta; insignificante, escasso, parco: *Aposentou-se com uma mísera pensão*. || sup. abs.: *misérrimo*.

misérrimo (mis.sér.ri.mo) adj. Superlativo absoluto de *mísero*.

misoginia (mi.so.gi.ni.a) s.f. Atitude caracterizada por aversão ou desprezo às mulheres. – **misógino** adj. s.m.

misoneísmo (mi.so.ne.ís.mo) s.m. Aversão ou oposição a novas ideias, costumes, formas de arte etc., repelidos não por motivo bem fundado, mas apenas por não corresponderem ao tradicional, ao estabelecido. – **misoneísta** adj.

miss [miss] (Ing.) s.f. **1.** Moça classificada em primeiro lugar em concurso de beleza. **2.** Mulher muito bonita.

missa (mis.sa) s.f. **1.** (*Rel.*) Na Igreja Católica, celebração litúrgica do sacrifício do corpo e sangue de Jesus Cristo sob as espécies do pão e do vinho: *Na noite de Natal, toda a família assiste à missa do galo*. **2.** (*Mús.*) Composição musical sobre os textos litúrgicos da missa (1): *O Padre José Maurício é autor de várias missas no Brasil do século XVIII*. || *Não saber da missa a metade*: *fig. coloq.* estar pouco ou mal-informado a respeito de alguma coisa.

missal (mis.*sal*) *s.m.* Livro que contém as orações e os cânticos da missa, com as indicações litúrgicas correspondentes.

missão (mis.*são*) *s.f.* **1.** Ação a ser executada por uma ou mais pessoas por solicitação ou ordem de outrem; incumbência, encargo: *O diretor encomendou-lhe a missão de captar recursos para seu novo filme.* **2.** Compromisso imposto ou contraído; dever, obrigação: *É muito nobre a missão do professor.* **3.** Comissão especial enviada por um país ou uma organização internacional a outro país, para representá-los ou para cumprir uma agenda de trabalho: *O Brasil enviou uma missão de políticos e empresários ao fórum econômico na Suíça.* **4.** Representação diplomática: *O presidente recebeu a missão da União Europeia em palácio.* **5.** (*Rel.*) Ação evangelizadora de missionários para propagação da fé: *Aquela ordem religiosa tem missões na Amazônia.* **6.** O conjunto desses missionários: *A missão vinha percorrendo todo o sertão.*

míssil (*mís*.sil) *adj.* Projétil de grande alcance, com propulsão própria, lançado sobre um alvo na supefície terrestre ou fora dela.

missionário (mis.si:o.*ná*.ri:o) *s.m.* **1.** Religioso a que se dá a missão de evangelizar; pregador de missões. **2.** Pessoa que difunde (ideia, causa etc.): *missionário da paz.* • *adj.* **3.** Relativo a missão: *obras missionárias.*

missiva (mis.*si*.va) *s.f.* Carta ou bilhete que se manda a alguém.

missivista (mis.si.*vis*.ta) *s.m. e f.* Pessoa que leva ou escreve missiva.

missô (mis.*sô*) *s.m.* (*Cul.*) Pasta de soja, fermentada em salmoura, típica da cozinha japonesa, usada para dar sabor.

mister [é] (mis.*ter*) *s.m.* **1.** Atividade profissional; ofício, ocupação, emprego, trabalho: *Com o avanço tecnológico, alguns misteres tradicionais desapareceram.* **2.** Aquilo que é necessário, conveniente ou urgente: *A cada um o seu mister.* || *Ser mister*: haver necessidade de; ser preciso: *É mister muita responsabilidade em tudo o que se faz.*

mistério (mis.*té*.ri:o) *s.m.* **1.** Aquilo que não se consegue desvendar, compreender ou explicar: *A vida fora da Terra ainda é um mistério.* **2.** Aquilo que se deseja manter oculto ou escondido; segredo: *Havia um grande mistério na vida daquele homem; A mente humana tem seus mistérios.* **3.** (*Rel.*) Nas religiões cristãs, o que é considerado verdade revelada por Deus, que deve ser objeto de fé; dogma: *"Só me extasio diante das criações divinas, / Diante de seus mistérios".* (Murilo Mendes, *Salmo nº 5*).

misterioso [ô] (mis.te.ri:*o*.so) *adj.* **1.** Que contém mistério (1); inexplicável, enigmático, obscuro: *um crime misterioso.* **2.** Que se mantém em segredo; oculto, secreto: *um admirador misterioso.* **3.** Que não é transparente; dissimulado, enganoso, dúbio: *O homem tinha um ar misterioso, imperscrutável.* || f. e pl.: [ó].

mística (*mís*.ti.ca) *s.f.* **1.** Tendência a uma religiosidade ou a uma espiritualidade muito profunda; misticismo. **2.** (*Rel.*) Na teologia católica, união íntima e direta da alma humana com Deus, através de um conjunto de práticas espirituais e contemplativas. **3.** *fig.* Devoção apaixonada a uma ideia, causa, instituição etc.: *a mística do poder.*

misticismo (mis.ti.*cis*.mo) *s.m.* **1.** Tendência a acreditar em realidades sobrenaturais, reveladas pelo sentimento ou pela intuição, e que não se explicam pelo conhecimento racional ou científico. **2.** Tendência a uma espiritualidade e religiosidade intensas, que leva ao afastamento das questões materiais da vida terrena; mística. **3.** (*Rel.*) Na teologia católica, estado de perfeição religiosa que consiste na união da alma humana com Deus, através da vida contemplativa e da entrega total a essa comunhão.

místico (*mís*.ti.co) *adj.* **1.** Relativo a mística ou a misticismo: *prática mística.* **2.** Que se dá segundo revelações sobrenaturais e não racionais: *Os santos têm muitas vezes visões e experiências místicas.* **3.** Que é próprio do ambiente religioso; espiritual, devoto: *o ambiente místico das catedrais.* • *s.m.* **4.** Pessoa que professa ou que está influenciada pelo misticismo (1). **5.** Pessoa que leva uma vida contemplativa e de comunhão com Deus. **6.** Aquele que escreve sobre suas próprias experiências místicas: *Santa Teresa de Ávila é uma grande mística da Igreja.*

mistificação (mis.ti.fi.ca.*ção*) *s.f.* Ato ou efeito de mistificar; logro, engano, burla.

mistificar (mis.ti.fi.*car*) *v.* Induzir (uma pessoa) a acreditar em algo enganoso ou ilusório; enganar, iludir, ludibriar, lograr; burlar: *O povo não aceita mais que o mistifiquem com falsas promessas.* ▶ Conjug. 5 e 35. – **mistificador** *adj. s.m.*

misto (*mis*.to) *adj.* **1.** Que resulta da mistura de duas ou mais coisas; mesclado, misturado. **2.** Diz-se de aulas ou colégios que admitem

misto-quente

alunos de ambos os sexos. **3.** Combinação de duas ou mais coisas de categorias diversas: *Seu sentimento era um misto de amor e dor.*

misto-quente (mis.to-*quen*.te) *s.m.* (*Cul.*) Sanduíche feito de duas fatias de pão com queijo e presunto. || pl.: *mistos-quentes.*

mistura (mis.*tu*.ra) *s.f.* **1.** Ato ou efeito de misturar(-se). **2.** Conjunto, reunião ou associação de coisas diferentes; misto, mescla: *A decoração era uma mistura do clássico com o moderno.* **3.** União entre pessoas de etnias diferentes; miscigenação: *O brasileiro é uma mistura de europeus, indígenas e africanos.* **4.** (*Quím.*) Associação de duas ou mais substâncias, sem que uma se dissolva na outra e sem que se forme um composto.

misturada (mis.tu.*ra*.da) *s.f. coloq.* Mistura confusa de muitos elementos; miscelânea.

misturar (mis.tu.*rar*) *v.* **1.** Juntar(-se) coisas diversas; mesclar(-se), adicionar(-se), somar(-se): *Misture todos os ingredientes do bolo no liquidificador; Para fazer a sangria, misture o vinho com água mineral; Certas substâncias químicas não se misturam com a água.* **2.** Confundir(-se), baralhar (-se), entremear(-se): *Misturou todas as peças do quebra-cabeça; Você não devia misturar sonhos com a realidade; Gritos e slogans se misturavam no ato de protesto.* **3.** Meter-se de permeio; intrometer-se, ingerir-se: *As crianças gostariam de misturar-se na conversa dos adultos.* ▶ Conjug. 5.

mítico (*mí*.ti.co) *adj.* **1.** Relativo a mito: *heróis míticos.* **2.** Fantástico, fabuloso, lendário, mitológico: *o mundo mítico das histórias infantis.*

mitificação (mi.ti.fi.ca.*ção*) *s.f.* Ato ou efeito de mitificar.

mitificar (mi.ti.fi.*car*) *v.* **1.** Transformar em mito (2): *O cinema e a televisão mitificam seus artistas.* **2.** Exaltar exageradamente qualidade ou atributos de (algo ou alguém): *A famosa canção mitificou a garota de Ipanema.* ▶ Conjug. 5 e 35.

mitigação (mi.ti.ga.*ção*) *s.f.* Ato ou efeito de mitigar; alívio, lenitivo, refrigério.

mitigar (mi.ti.*gar*) *v.* Tornar(-se) algo (negativo, doloroso ou incômodo) menos intenso, mais brando; suavizar(-se), atenuar(-se), aplacar (-se), diminuir: *mitigar a dor, a saudade, a fome;* (fig.) *Sua sede de justiça não se mitigará jamais.* ▶ Conjug. 5 e 34. – **mitigador** *adj. s.m.*

mito (*mi*.to) *s.m.* **1.** Narrativa fantástica, de caráter simbólico ou religioso, sobre divindades, heróis ou elementos da natureza, difundida pela memória popular ou pela tradição: *Alguns mitos de civilizações diferentes têm aspectos comuns.* **2.** Pessoa cujas qualidades e ações são amplificadas e enaltecidas pelo grupo social a que pertence: *A mídia esportiva sempre forjou mitos dentre os jogadores de futebol.* **3.** Ideia fantasiosa, inverossímil, sem correspondente na realidade; crendice: *Os alquimistas perseguiam o mito da eterna juventude.* **4.** *fig.* Algo importante ou difícil de realizar-se; idealização, quimera, utopia: *A paz não pode ser um mito.*

mitologia (mi.to.lo.*gi*.a) *s.f.* **1.** Conjunto de mitos sobre a origem e a história de um povo, suas divindades, antepassados e heróis: *mitologia greco-romana; mitologia amazônica.* **2.** Estudo dos mitos.

mitológico (mi.to.*ló*.gi.co) *adj.* **1.** Relativo a mitologia: *estudos mitológicos.* **2.** Fabuloso, lendário, mítico: *Os conquistadores vinham em busca do mitológico Eldorado.*

mitomania (mi.to.ma.*ni*.a) *s.f.* (*Psiq.*) Tendência doentia para mentir ou fantasiar.

mitomaníaco (mi.to.ma.*ní*.a.co) *adj.* **1.** Que sofre de mitomania; mitômano. • *s.m.* **2.** Pessoa mitomaníaca.

mitômano (mi.*tô*.ma.no) *s.m.* Mitomaníaco.

mitose [ó] (mi.*to*.se) *s.m.* (*Biol.*) Divisão celular que resulta na formação de duas células geneticamente idênticas à célula original.

mitra (*mi*.tra) *s.f.* **1.** (*Rel.*) Insígnia eclesiástica que o Papa, cardeais, bispos e arcebispos trazem à cabeça em certas cerimônias, e que tem a forma de um barrete alto e cônico com duas fitas pendentes. **2.** (*Jur.*) A dignidade, a jurisdição dos bispos, arcebispos e patriarcas. || Nesta acepção, usa-se a inicial maiúscula. – **mitral** *s.f.*

miudeza [ê] (mi.u.*de*.za) *s.f.* **1.** Característica do que é miúdo. • *miudezas s.f.pl.* **2.** Mercadorias de pequeno tamanho e pouco valor: *A costureira comprou agulhas, botões e outras miudezas.*

miúdo (mi.*ú*.do) *adj.* **1.** De proporções muito pequenas; reduzido, diminuto: *olhos miúdos; chuva miúda.* **2.** De pequeno porte (diz-se do gado suíno ou ovino): *gado miúdo.* **3.** Sem importância; insignificante: *Ele se irrita com coisas miúdas.* • *miúdos s.m.pl.* **4.** Vísceras de animais pequenos usadas na alimentação: *Sabe preparar muito bem um prato de miúdos de galinha.* || *A miúdo:* com frequência; amiúde: *O casal vai a miúdo ao teatro.* • *Trocar em miúdo:* explicar (algo) com clareza e detalhadamente.

mixagem [cs] (mi.*xa*.gem) *s.f.* **1.** Processo que consiste em combinar vários sinais sonoros

866

(diálogos, músicas, ruídos etc.) em uma única faixa: *mixagem de disco; mixagem de filme*. **2.** (*Telv.*) Processo de combinar dois ou mais sinais de imagem, para obter efeitos de superposição; fusão, corte etc.

mixar[1] [cs] (mi.*xar*) *v.* Fazer a mixagem de; combinar vários canais de som em uma gravação sonora, ou vários sinais de imagem em uma gravação de televisão: *O compositor gosta de mixar ele mesmo seus discos*. ▶ Conjug. 5.

mixar[2] [ch] (mi.*xar*) *v.* **1.** *gír.* Não dar o resultado esperado; não dar certo; gorar, falhar, malograr: *Infelizmente mixou nosso plano de viajar ao exterior*. **2.** *gír.* Tornar-se menos intenso; reduzir-se, diminuir, enfraquecer: *O carnaval de rua, que vinha mixando, reviveu nos últimos tempos*. ▶ Conjug. 5.

mixaria [ch] (mi.xa.*ri*.a) *s.f. coloq.* Coisa sem valor; insignificância, ninharia, bagatela.

mixórdia [chó] (mi.*xór*.di:a) *s.f.* Mistura de coisas anarquicamente dispostas e mal-arrumadas; confusão, bagunça, barafunda: *O quarto do adolescente estava uma verdadeira mixórdia*.

mixuruca [ch] (mi.xu.*ru*.ca) *adj. gír.* Sem qualidade ou valor; pobre, ruim, reles: *Usava como joias umas bijuterias mixurucas*.

ml Símbolo de *mililitro*.

mm Símbolo de *milímetro*.

Mn (*Quím.*) Símbolo de *manganês*.

mnemônica (mne.*mô*.ni.ca) *s.f.* Técnica para desenvolver a memória e facilitar a memorização, por meio de recursos, exercícios e artifícios específicos.

mnemônico (mne.*mô*.ni.co) *adj.* Relativo a memória ou a mnemônica.

mó *s.f.* **1.** Pedra redonda, chata e rija, com que se trituram grãos até se reduzirem a farinha, nos moinhos, e azeitonas, nos lagares, até se lhes extrair todo o óleo. **2.** Pedra de afiar instrumentos cortantes.

moagem (mo:*a*.gem) *s.f.* **1.** Ato ou efeito de moer. **2.** Porção de grão ou de azeitona que o moinho ou o lagar produz de cada vez. **3.** Oficina em que se mói.

móbil (*mó*.bil) *adj.* **1.** Que se move; móvel. • *s.m.* **2.** Motivo, causa, razão: *o móbil do crime*.

móbile (*mó*.bi.le) *s.m.* **1.** (*Art.*) Escultura móvel, de peças leves, composta de materiais diversos, suspensa no espaço por fios. **2.** Objeto de forma semelhante ao móbile, feito de madeira, papel etc., que se usa pendurar como enfeite: *O bebê se entretinha com o móbile pendurado no berço*.

mobilhar (mo.bi.*lhar*) *v.* Mobiliar: *mobilhar o escritório*. ▶ Conjug. 5.

mobília (mo.*bí*.li:a) *s.f.* Objetos móveis para uso ou decoração do interior de uma casa, escritório, hotel etc.; mobiliário.

mobiliar (mo.bi.li:*ar*) *v.* Prover (aposento, casa, escritório etc.) de mobília: *Tiveram bom gosto ao mobiliar a casa*. ▶ Conjug. 28.

mobiliário (mo.bi.li:*á*.ri:o) *s.m.* **1.** Conjunto dos móveis que guarnecem uma casa, escritório, hotel etc.; mobília. • *adj.* **2.** (*Jur.*) Relativo a tudo que seja de natureza móvel: *bens mobiliários*.

mobilidade (mo.bi.li.*da*.de) *s.f.* **1.** Característica do que é móvel. **2.** Capacidade ou facilidade de movimentação; motilidade (1): *Com o acidente, perdeu a mobilidade das pernas*. **3.** Facilidade de passar de um estado de espírito a outro; inconstância, volubilidade: *Sua mobilidade de caráter é motivo de desconfiança entre os colegas*.

mobilíssimo (mo.bi.*lís*.si.mo) *adj.* Superlativo absoluto de *móvel*.

mobilização (mo.bi.li.za.*ção*) *s.f.* **1.** Ato ou efeito de mobilizar(-se). **2.** (*Mil.*) Movimentação militar de tropas em campanha. **3.** Conclamação de grupos sociais para alguma manifestação de cunho político ou cívico.

mobilizar (mo.bi.li.*zar*) *v.* **1.** Pôr(-se) (tropa) em campanha: *O governador quer mobilizar o Exército no combate à violência urbana; As Forças Armadas se mobilizaram na defesa das fronteiras*. **2.** Movimentar(-se) em prol de uma atividade ou de uma campanha social: *É preciso mobilizar os cidadãos a favor do desarmamento; A opinião pública mobilizou-se contra a corrupção*. **3.** Pôr em circulação (valores, capitais, fundos) que se encontravam sem aplicação; movimentar: *O governo mobilizou mais recursos para a educação*. ▶ Conjug. 5.

moca [ó] (*mo*.ca) *s.m.* **1.** Variedade de café superior originário da Arábia. **2.** Café.

moça [ô] (*mo*.ça) *s.f.* **1.** Pessoa nova e solteira do sexo feminino; jovem. **2.** Mulher virgem; donzela.

moçada (mo.*ça*.da) *s.f. coloq.* **1.** Conjunto de pessoas jovens; mocidade, juventude: *A moçada de hoje é diferente da geração anterior*. **2.** Grupo de amigos e colegas; rapaziada, a turma, o pessoal: *Vou ao cinema com a moçada*.

moçambicano (mo.çam.bi.*ca*.no) *adj.* **1.** De Moçambique, país da África. • *s.m.* **2.** O natural ou o habitante desse país.

mocambo (mo.*cam*.bo) *s.m.* Moradia rústica, precária; casebre, choupana, tapera.

moção (mo.ção) s.f. Proposta ou indicação apresentada a uma assembleia por um de seus membros, sobre uma questão ali debatida, para ser aprovada ou rejeitada: *moção de apoio; moção de protesto.*

moçárabe (mo.çá.ra.be) adj. **1.** Diz-se do cristão que vivia na Península Ibérica à época da ocupação muçulmana (711-1492). **2.** Que descende dos moçárabes. **3.** (Ling.) Diz-se do grupo de dialetos falados pelos moçárabes. • s.m. e f. **4.** Cristão moçárabe ou seu descendente. **5.** Dialeto falado pelos moçárabes.

mocassim (mo.cas.sim) s.m. Espécie de sapato esportivo, baixo e confortável.

mochila (mo.chi.la) s.f. **1.** Saco de couro, lona ou material sintético, com alças, levado às costas por soldados em marcha, excursionistas, estudantes etc., para guardar objetos de uso pessoal ou necessários a suas atividades. **2.** Bolsa semelhante a mochila, de couro ou material sintético, usada como acessório do vestuário feminino e masculino.

mocho¹ [ô] (mo.cho) adj. (Zool.) Espécie de coruja sem penacho.

mocho² [ô] (mo.cho) adj. **1.** Desprovido de chifres ou que os tem cortados (diz-se de animal): *vaca mocha*. **2.** Diz-se de cavalo cujas orelhas foram cortadas. • s.m. **3.** Banco sem encosto ou braços; tamborete.

mocidade (mo.ci.da.de) s.f. **1.** Período da vida humana que se estende do término da infância até a primeira fase da maturidade; juventude. **2.** O conjunto das pessoas jovens.

mocinho (mo.ci.nho) s.m. **1.** Homem muito jovem; moço. **2.** Herói de histórias de aventuras: *O mocinho sempre vence o vilão.*

moço [ô] (mo.ço) adj. **1.** Que está na mocidade; jovem; novo: *É muito novo ainda para se casar.* **2.** Que possui características próprias da mocidade: *uma pele moça.* • s.m. **3.** Homem jovem; rapaz. **4.** Homem a quem se dirige (para um pedido ou informação) ou a quem se faz referência: *– Moço, pode informar-me o horário do trem?; Está aí fora um moço que deseja falar-lhe.*

mocotó (mo.co.tó) s.m. **1.** Pata de animal bovino, sem o casco, usada na alimentação. **2.** (Cul.) Prato preparado com essas patas. **3.** coloq. Calcanhar, tornozelo.

moda [ó] (mo.da) s.f. **1.** Maneira de agir ou de pensar; jeito, estilo, modo: *Os pais, muitas vezes, querem impor a sua moda aos filhos.* **2.** Conjunto de usos ou de práticas coletivas difundidas e generalizadas numa determinada época ou lugar: *Entre os jovens a moda agora é não fumar.* **3.** Tendência do vestuário preconizada pelos profissionais desse ramo; voga: *Um vestido preto básico está sempre na moda; A moda nacional não fica a dever à moda italiana ou francesa.* **4.** A arte, a indústria e o comércio do vestuário: *A famosa estilista estudou moda em Milão.* **5.** (Mús.) Modinha. • **modas** s.f.pl. **6.** Artigos de vestuário: *A seção de modas fica no primeiro piso.* ‖ **À moda de**: segundo o costume; conforme: *um prato preparado à moda da casa.*

modal¹ (mo.dal) adj. **1.** Relativo a modo ou a modalidade. **2.** (Gram.) Relativo a conjunção que indica modo. **3.** (Gram.) Diz-se do verbo auxiliar que indica probabilidade, possibilidade ou necessidade, como, por exemplo, os verbos *dever* e *poder* em frases do tipo: *Você deve estudar mais; Ele poderá partir a qualquer momento.*

modal² (mo.dal) s.f. Redução de *conjunção modal.*

modal³ (mo.dal) s.m. Redução de *verbo auxiliar modal.*

modalidade (mo.da.li.da.de) s.f. **1.** Característica, aspecto ou feição que podem apresentar uma coisa, um ato, um pensamento, uma organização etc.; traço distintivo; tipo, modo: *Foram lançadas no mercado novas modalidades de celulares; O projeto educacional leva em conta as várias modalidades de ensino.* **2.** (Gram.) Categoria gramatical expressa por meio de modal[3].

modelagem (mo.de.la.gem) s.f. **1.** Ato de modelar. **2.** (Art.) Execução, pelo escultor, de um molde (em gesso, argila etc.) de uma escultura que será a seguir reproduzida em mármore, metal etc.

modelar¹ (mo.de.lar) v. **1.** Fazer o modelo ou molde de: *O ceramista modela pacientemente suas peças em argila; Aprendeu a modelar roupas com a mãe.* **2.** Realçar os contornos de, ajustando-os; contornar; moldar: *Usava um traje que lhe modelava todo o corpo.* **3.** fig. Dar perfeição a; aperfeiçoar, aprimorar, lapidar: *O poeta modela sua estrofe para que saia sem defeito.* **4.** Tornar(-se) como modelo; regular (-se), reger(-se), moldar(-se): *Os filhos modelam sua conduta pela de seus pais; Modele-se no exemplo dos mais experientes.* ▶ Conjug. 8.

modelar² (mo.de.lar) adj. Que pode ser tomado como modelo; exemplar, perfeito: *uma instituição de ensino modelar.*

modelo [ê] (mo.de.lo) s.m. **1.** Protótipo de um objeto destinado à fabricação industrial em série e à comercialização: *O novo modelo ainda está em fase de testes.* **2.** Design exclusivo de uma determinada criação ou produto: *Seu carro é um modelo esportivo de último tipo.* **3.** Figura executada em gesso, argila etc., que serve de molde ou modelagem a uma peça em pedra ou metal. **4.** Representação em escala reduzida de algo que se pretende executar em grau maior; maquete: *O secretário de esportes apresentou o modelo do novo complexo esportivo.* **5.** Feito de peças de indumentária criadas por uma casa de modas ou por um estilista: *Predominaram os modelos de vestidos longos e vaporosos.* **6.** *fig.* Pessoa exemplar, que serve de padrão a ser seguido: *Meu pai é um modelo de honestidade.* **7.** *fig.* Fonte de inspiração e influência; guia, diretriz: *Sua prosa tinha como modelo os clássicos da literatura.* **8.** Pessoa contratada para desfilar ou para posar com peças de estilistas ou de casas de moda para uma determinada clientela; manequim: *A jovem tornou-se um modelo internacional.* || Nesta acepção, também ocorre como feminino, quando a profissional é mulher.

modem [môudem] (Ing.) s.m.2n. (*Inform.*) Dispositivo utilizado para transmissão de dados entre computadores através de linha telefônica.

moderação (mo.de.ra.ção) s.f. **1.** Ato ou efeito de moderar(-se). **2.** Diminuição, minoração, redução: *moderação de uma pena.* **3.** Procedimento circunspecto; comedimento, austeridade, compostura: *Aja sempre com moderação.*

moderador [ô] (mo.de.ra.dor) adj. **1.** Que modera: *No Brasil, a constituição imperial atribuiu aos imperadores o poder moderador.* **2.** Que reduz ou restringe: *medicamento moderador de apetite.* • s.m. **3.** Pessoa que dirige a discussão de temas em grupo de estudos, mesa-redonda etc.; mediador: *O presidente da mesa indicou outro membro para ser o moderador do debate.*

moderado (mo.de.ra.do) adj. **1.** Que age com moderação; comedido, prudente, austero. **2.** Que não é excessivo ou exagerado; razoável, regular, mediano: *juros moderados*; *velocidade moderada.* **3.** Ameno, temperado (diz-se de clima): *Faz um frio moderado.* **4.** Que é contrário ao radicalismo em política (diz-se de membro, ala ou partido). • s.m. **5.** Pessoa moderada. **6.** Partido ou político contrário ao radicalismo.

moderar (mo.de.rar) v. **1.** Fazer guardar o meio-termo, evitando o exagero ou o radicalismo: *O presidente da assembleia solicitou que os participantes moderassem seus apartes.* **2.** Tornar menos intenso; controlar, refrear, reprimir, suster: *moderar o gênio*; *moderar o apetite.* **3.** Tornar menor; reduzir, diminuir, limitar: *moderar os gastos públicos.* **4.** Proceder com moderação; ser comedido: *Modere-se em tudo o que fizer.* ▶ Conjug. 8.

modernidade (mo.der.ni.da.de) s.f. Qualidade ou caráter do que é moderno.

modernismo (mo.der.nis.mo) s.m. **1.** Gosto, tendência ou preferência pelo que é moderno. **2.** (*Art., Lit.*) Conjunto de movimentos artísticos e literários, iniciado no final do século XIX e estendendo-se pelo século XX, que preconizava a ruptura com a expressão estética tradicional: *O Modernismo no Brasil teve seu marco inaugural na Semana de Arte Moderna.*

modernista (mo.der.nis.ta) adj. **1.** Relativo a ou próprio do modernismo: *autor modernista.* • s.m. e f. **2.** Adepto ou seguidor do Modernismo: *Macunaíma é a obra-prima do modernista Mário de Andrade.*

modernizar (mo.der.ni.zar) v. Tornar(-se) moderno; dar ou adquirir feição moderna; atualizar(-se); inovar(-se): *A informática modernizou os meios de comunicação em escala mundial*; *A indústria nacional se moderniza para competir no exterior.* ▶ Conjug. 5. – **modernização** s.f.

moderno [é] (mo.der.no) adj. **1.** Relativo a ou próprio da época presente; atual, hodierno: *Aprecio romances que retratam a vida moderna.* **2.** Novo, recente, inovador: *tecnologia moderna.* **3.** Que está na moda, em voga: *Usou na decoração apenas peças modernas.* **4.** Que revela opiniões e atitudes progressistas, consideradas liberais e avançadas para seu meio social: *É uma mulher muito moderna para seu tempo.*

modéstia (mo.dés.ti:a) s.f. **1.** Moderação no modo de se apresentar, de falar de si mesmo; comedimento. **2.** Ausência de vaidade; humildade, despretensão. **3.** Desprezo ao luxo, à ostentação; simplicidade, desprendimento. **4.** Decência, compostura, pudor.

modesto [é] (mo.des.to) adj. **1.** Desprovido de vaidade; simples, despretensioso: *Apesar da fama, a atriz continua modesta como sempre.* **2.** Desprovido de luxo e ostentação: *Levava uma vida modesta.* **3.** Sem excesso; comedido, moderado, módico: *gastos modestos.* **4.** Sem abundância; parco, escasso, pobre:

módico

renda modesta. **5.** De baixa condição social ou profissional: *Orgulhava-se dos pais, modestos lavradores.*

módico (mó.di.co) *adj.* **1.** Pequeno, escasso, parco, reduzido, econômico: *Paguei o televisor em módicas prestações.* **2.** Moderado, comedido, sóbrio, modesto: *Suas pretensões de salário foram consideradas bastante módicas.*

modificar (mo.di.fi.*car*) *v.* **1.** Fazer ou sofrer alteração; alterar(-se), mudar(-se), transformar(-se): *O governo pretende modificar os quadros políticos e econômicos; O clima na Terra vem-se modificando e isso muito se deve à ação do homem.* **2.** (Gram.) Alterar, delimitar ou especificar o sentido do núcleo de um sintagma: *O advérbio modifica o verbo.* ▶ Conjug. 5 e 35. – **modificação** *s.f.*; **modificador** *adj. s.m.*

modinha (mo.*di*.nha) *s.f.* (Mús.) Canção popular urbana, surgida no século XVIII, e remanescente até os dias atuais, com temática amorosa, acompanhada de violão ou viola; moda (5).

modismo (mo.*dis*.mo) *s.m.* **1.** Aquilo que está em grande voga; moda passageira. **2.** (Ling.) Palavra ou expressão de uso efêmero, aceita por um determinado grupo social em um dado momento; lugar-comum: *A linguagem dos jovens é permeada de modismos.*

modista[1] (mo.*dis*.ta) *s.f.* Profissional do ramo de confecção de roupas femininas.

modista[2] (mo.*dis*.ta) *s.m. e f.* Cantador de modinhas.

modo [ó] (mo.do) *s.m.* **1.** Forma, feição ou jeito particular de algo: *Ela tem um modo gracioso de andar.* **2.** Maneira particular de ser ou de proceder; conduta, comportamento, procedimento: *Todos admiram seu modo de ser.* **3.** Possibilidade ou condição de realizar (algo); meio, maneira, via: *Encontrou um modo de resolver todos os seus problemas.* **4.** Estado, disposição, arranjo, situação: *Os livros estão colocados de modo ordenado na estante.* **5.** (Gram.) Diz-se da forma que toma o verbo para indicar a atitude da pessoa que fala em relação ao fato que enuncia: *Há três modos em português: o indicativo, o subjuntivo e o imperativo.* **6.** (Mús.) Padrão rítmico constante numa composição. • *modos s.f.pl.* **7.** Conduta social; educação, traquejo, maneiras: *bons modos; maus modos.* || *De modo a*: a fim de; para: *Estudava muito, de modo a satisfazer seus pais e professores.* • *De modo que*: **1.** de forma que; de maneira que; de sorte que: *Houve um imprevisto, de modo que a entrevista foi cancelada.* **2.** a fim de que; para que: *O orador falava claro e pausadamente de modo que o compreendessem.*

modorra [ô] (mo.*dor*.ra) *s.f.* **1.** Sono ligeiro; sonolência; moleza, madorna: *Na rede da varanda, na tarde quente, deixava-se invadir pela modorra.* **2.** Sono irresistível causado por doença; prostração física e mental. **3.** *fig.* Apatia, indolência, indiferença: *Os moradores, naquele povoado distante, pareciam imersos numa grande modorra.*

modulação (mo.du.la.*ção*) *s.f.* **1.** Ato ou efeito de modular. **2.** (Mús.) Passagem de um tom para outro ou mudança de modo dentro do mesmo tom. **3.** (Fís.) Variação periódica da amplitude de uma vibração. **4.** *fig.* Inflexão suave da voz; melodia, harmonia.

modulado (mo.du.*la*.do) *adj.* **1.** Que se modulou. **2.** (Mús.) Em que ocorre a passagem de um tom musical a outro. **3.** Melodioso, harmonioso, suave (diz-se de voz). **4.** (Fís.) Relativo a modulação (3): *frequência modulada.* **5.** Que é composto por módulos: *armário modulado.* • *s.m.* **6.** Objeto formado por módulos.

modular[1] (mo.du.*lar*) *v.* **1.** Variar a intensidade ou o tom: *modular um som.* **2.** (Mús.) Fazer modulação (2): *modular uma frase musical; modular de um tom para outro mais agudo.* **3.** *fig.* Falar, cantar ou tocar melodiosamente, com harmonia: *modulava sua fala com uma suave inflexão de voz.* **4.** (Fís.) Variar a amplitude ou intensidade de um sinal eletromagnético: *modular a frequência de ondas eletromagnéticas.* ▶ Conjug. 5. – **modulador** *adj. s.m.*

modular[2] (mo.du.*lar*) *adj.* Relativo a módulo (1): *divisórias modulares.*

módulo (mó.du.lo) *s.m.* **1.** Unidade que se justapõe a outras semelhantes em dimensões e em função, para compor uma estrutura ou um conjunto homogêneo: *estante em módulos; curso ministrado em módulos.* **2.** Parte autônoma de uma espaçonave: *módulo de comando; módulo lunar.* **3.** Aquilo que serve de medida, padrão, parâmetro ou modelo: *Faz-se necessário um novo módulo de desenvolvimento para o país.*

moeda [é] (mo:e.da) *s.f.* **1.** Peça de metal, geralmente circular, cunhada e emitida pelo Estado, que lhe atribui um valor para servir de meio de troca nas operações comerciais ou de pagamento de uma obrigação: *As moedas são em geral de ouro, prata, níquel ou cobre.* **2.** (Econ.) Unidade monetária de um país: *moeda nacional; moeda estrangeira.* || *Moeda corrente*:

molar

(*Econ.*) dinheiro (moeda ou cédula de papel) em circulação num país. • *Na mesma moeda*: retribuir (algo a alguém) da mesma forma ou na mesma medida.

moedeiro (mo:e.*dei*.ro) *s.m.* **1.** Pequena bolsa, portátil ou não, para guardar moedas. **2.** Fabricante de moedas.

moedura (mo:e.*du*.ra) *s.f.* Ato ou efeito de moer; moagem.

moela [é] (mo:e.la) *s.f.* **1.** (*Zool.*) Parte posterior do estômago de certos animais. **2.** (*Cul.*) Prato preparado com a moela de aves, especialmente galinha.

moenda (mo:en.da) *s.f.* **1.** Peça ou máquina de um engenho, destinada à trituração de produtos naturais. **2.** O próprio engenho ou moinho. **3.** O trabalho de moer (cana-de-açúcar, grãos etc.); moagem; moedura.

moer (mo:*er*) *v.* **1.** Reduzir a pó (grãos, cereais); triturar: *moer café*. **2.** Extrair o suco de (algo) por meio de prensa: *moer cana-de-açúcar*. **3.** Reduzir a pequenos fragmentos; esmagar: *moer carne*. **4.** Pôr em operação a moenda (1) ou o moinho: *Muitos moinhos tornam-se decadentes e ali já não se mói mais*. **5.** *fig.* Cansar(-se) demasiadamente; fatigar(-se), extenuar(-se): *Exercícios físicos excessivos moeram meu corpo; Moía-se de trabalhar da manhã à noite*. **6.** *fig.* Repassar na mente ou na memória (imagens, ideias, lembranças etc.); repetir, repisar, ruminar, remoer: *Esforçava-se para não ficar moendo as tristes recordações*. **7.** *fig.* Afligir(-se), atormentar(-se), molestar(-se): *A injustiça moía seu coração generoso; Moía-se por dentro de remorso*. **8.** *fig.* Dar uma surra; espancar, sovar, desancar: *Queriam moer de pancada o meliante*. ▶ Conjug. 43. – **moedor** *adj. s.m.*

mofa [ó] (mo.fa) *s.f.* **1.** Zombaria, troça, escárnio, desdém. **2.** Pessoa ou coisa que é alvo de escárnio, de zombaria: *O bêbedo servia de mofa a todos no bar*.

mofar¹ (mo.*far*) *v.* Fazer mofa; zombar, caçoar, escarnecer: *Vivia mofando dos colegas, mas não gostava que mofassem dele*. ▶ Conjug. 20.

mofar² (mo.*far*) *v.* **1.** Encher(-se) de mofo; embolorar: *A umidade mofou as roupas no armário; A caixa de morango mofou fora da geladeira*. **2.** *fig. coloq.* Permanecer, por muito tempo, involuntariamente, à espera de alguém ou de algum tipo de providência: *mofar na fila de atendimento; mofar na prisão*. ▶ Conjug. 20.

mofino (mo.*fi*.no) *adj.* **1.** Infeliz, desditoso, desafortunado: *vida mofina*. **2.** Mesquinho, avarento, sovina, tacanho: *patrão mofino*. **3.** Adoentado, enfermiço, doentio: *uma criança mofina*. • *s.m.* **4.** Pessoa infeliz. **5.** Pessoa mesquinha. **6.** Pessoa fraca, doente.

mofo [ô] (mo.fo) *s.m.* Fungo que se desenvolve sob a ação do calor ou da umidade e causa a deterioração de alimentos e de certos objetos; bolor.

mogno [ó] (mog.no) *s.m.* **1.** (*Bot.*) Árvore nativa das Antilhas e da América do Sul, de madeira nobre, de tom marrom-avermelhado, muito usada em peças de mobiliário. **2.** A madeira dessa árvore.

moído (mo.*í*.do) *adj.* **1.** Que se moeu; triturado: *café moído*. **2.** *fig.* Extremamente cansado; fatigado, exausto, derreado: *corpo moído*. **3.** *fig.* Aflito, magoado, atormentado, machucado: *Tenho o coração moído de tanta saudade*.

moinho (mo.*i*.nho) *s.m.* **1.** Engenho composto de duas mós, colocada uma sobre a outra, para moer cereais. **2.** Construção onde se instala um moinho. **3.** Qualquer máquina que serve para triturar; moenda (1), trituradora.

moisés (moi.*sés*) *s.m.* Pequeno cesto para conduzir recém-nascidos.

moita (*moi*.ta) *s.f.* **1.** Tufo de plantas rasteiras e densas; touça, touceira. **2.** Pequena mata de arbustos espessos. ‖ *Na moita*: *coloq.* às escondidas; às ocultas: *Pretendiam dar um golpe na moita, mas foram descobertos*.

mola [ó] (mo.la) *s.f.* **1.** Peça elástica de aço ou outro material que, quando dobrada, esticada ou comprimida, tende a voltar à posição e à forma originais. **2.** Lâmina metálica que serve para dar impulso ou resistência a qualquer peça de uma máquina, por meio de determinada pressão: *mola de relógio*. **3.** Conjunto de lâminas metálicas cuja função é suportar o peso e amortecer as trepidações em um veículo. **4.** *fig.* Aquilo que constitui o principal impulso ou incentivo de uma ação: *A tecnologia é a mola do futuro*.

molambo (mo.*lam*.bo) *s.m.* **1.** Roupa em frangalhos; trapo, farrapo: *O mendigo vestia molambos sujos*. **2.** *fig.* Pessoa sem firmeza de caráter, sem determinação; fraco, pusilânime.

molar¹ (mo.*lar*) *adj.* Próprio para moer: *pedra molar*.

molar² (mo.*lar*) *adj.* **1.** Diz-se de cada um dos dentes situados nas extremidades da arcada dentária e que servem para triturar os alimentos. • *s.m.* **2.** Dente molar.

871

moldar

moldar (mol.*dar*) *v.* **1.** Fazer o molde de: *moldar um vestido*. **2.** Dar forma a (gesso, argila); modelar: *O artista moldava suas peças em barro*. **3.** Fazer sobressair os contornos de; modelar: *A roupa justa moldava-lhe as formas do corpo*. **4.** Adaptar(-se), conformar(-se), amoldar(-se): *O exemplo dos pais moldou a conduta dos filhos*; *É preciso sempre moldar-se aos novos tempos*. **5.** Orientar(-se), regular(-se), reger(-se), modelar(-se): *Moldou sua vida pública pela ética*; *O bom governante molda-se pela vontade soberana do povo*. ▶ Conjug. 20. – **moldador** *adj.*; **moldagem** *s.f.*

molde [ó] (*mol*.de) *s.m.* **1.** Modelo vazado no qual se coloca a substância derretida (metal, gesso, concreto etc.) que dará configuração à peça a ser reproduzida: *molde de uma estatueta*; *molde para blocos de cimento*. **2.** Peça resultante desse processo, que serve de matriz para cópias. **3.** Peça de papel, papelão, madeira etc. pela qual se pode recortar algo: *molde de vestidos e calças*. **4.** *fig.* Aquilo que serve de guia, de norma; modelo (7): *Ela está muito presa aos moldes tradicionais de ensino*.

moldura (mol.du.ra) *s.f.* **1.** Peça de madeira, metal ou material sintético com a qual se guarnecem e adornam quadros, retratos, espelhos etc. **2.** (*Arquit.*) Ornato de contorno contínuo que enquadra e arremata certos elementos arquitetônicos (portas, janelas, beirais etc.).

moldureiro (mol.du.*rei*.ro) *s.m.* Fabricante de molduras.

mole[1] [ó] (*mo*.le) *s.f.* **1.** Que cede à compressão sem se achatar ou desfazer; macio, brando, tenro: *colchão mole*. **2.** *fig.* Sem energia, fraco, debilitado: *A gripe deixou-me o corpo mole*. **3.** *fig.* Preguiçoso, indolente, lerdo, vagaroso, molenga: *Essa criança é muito mole para comer*. **4.** *fig.* Sem firmeza; indulgente, complacente, frouxo: *É muito mole na educação dos filhos*. **5.** *fig.* Que se emociona facilmente; terno, sensível: *Seu coração mole perdoava todas as injúrias*. **6.** *coloq.* Que se consegue sem dificuldade ou esforço: *Não está sendo mole conseguir um bom emprego*.

mole[2] [ó] (*mo*.le) *adj.* **1.** Volume ou massa muito considerável. **2.** Grande quantidade de qualquer coisa. **3.** Construção maciça de grandes proporções.

moleca [é] (mo.*le*.ca) *s.f.* **1.** Menina, garota. **2.** Menina travessa. **3.** Pessoa brincalhona, engraçada, divertida. || f.: de *moleque*.

molecagem (mo.le.*ca*.gem) *s.f.* **1.** Procedimento de moleque (4). **2.** Grupo de moleques (1); molecada.

molecote [ó] (mo.le.*co*.te) *s.m.* Menino, garoto, moleque. || dim. de *moleque*.

molécula (mo.*lé*.cu.la) *s.f.* A menor partícula constituída de um ou mais átomos que ainda conserva as características de uma substância.

moleira (mo.*lei*.ra) *s.f. fam.* Parte do crânio dos recém-nascidos em que ainda não está completa a ossificação; fontanela.

moleirão (mo.lei.*rão*) *adj.* **1.** Que é muito mole[1] (3); lerdo, preguiçoso, molenga. • *s.m.* **2.** Pessoa moleirona.

moleiro (mo.*lei*.ro) *s.m.* **1.** Trabalhador de moinho. **2.** Proprietário do moinho.

molejo [ê] (mo.*le*.jo) *s.m.* **1.** Jogo das molas de um veículo ou de um móvel. **2.** A ação dessas molas. **3.** *coloq.* Meneio do corpo; gingado, balanço.

molenga (mo.*len*.ga) *adj.* **1.** Moleirão. **2.** Que não mostra firmeza e determinação; irresoluto; frouxo, covarde, moloide. • *s.m.* e *f.* **3.** Pessoa molenga.

moleque [é] (mo.*le*.que) *s.m.* **1.** Menino, garoto. **2.** Menino travesso, traquinas. **3.** Pessoa que não toma nada a sério; divertido, brincalhão, trocista. **4.** Pessoa sem caráter; patife, canalha, velhaco. **5.** *gír.* Sujeito, rapaz, cara. • *adj.* **6.** Que é moleque (3 e 4). || f.: *moleca*; dim.: *molecote*.

molestar (mo.les.*tar*) *v.* **1.** Causar ou sofrer algum tipo de incômodo; incomodar(-se), importunar(-se), maçar(-se): *O barulho das obras molestava os moradores*; *Não se molestava com a agitação das crianças a sua volta*. **2.** Causar ou sofrer um aborrecimento; aborrecer(-se), magoar(-se), melindrar(-se), ofender(-se): *As injustiças me molestam profundamente*; *Molestou-se com os comentários maldosos a seu respeito*. **3.** Importunar ou assediar libidinosamente: *Usava a internet para molestar crianças*. ▶ Conjug. 8. – **molestador** *adj. s.m.*

moléstia (mo.*lés*.ti:a) *s.f.* **1.** Doença, enfermidade, mal. **2.** Incômodo ou sofrimento físico; achaque, indisposição, mal-estar.

molesto [é] (mo.*les*.to) *adj.* **1.** Que causa incômodo ou aborrecimento; enfadonho, maçante: *uma existência molesta*. **2.** Que causa moléstia (1) ou dano; prejudicial, nocivo: *um clima molesto*. **3.** Que é trabalhoso, penoso, árduo: *um ofício molesto*.

moletom (mo.le.*tom*) *s.m.* **1.** Tecido macio de algodão ou lã. **2.** Roupa feita desse tecido.

moleza [ê] (mo.*le*.za) *s.f.* **1.** Qualidade de mole¹. **2.** Falta de vitalidade, de energia; fraqueza, quebrantamento, apatia: *A doença insidiosa trouxe-lhe uma grande moleza*. **3.** Falta de ânimo; indolência, preguiça: *Deixe-se de moleza e comece a trabalhar.* **4.** Facilidade em perdoar; indulgência, complacência: *Revela muita moleza ao julgar as próprias faltas.* **5.** *coloq.* Aquilo que não requer maior esforço; coisa fácil: *O vestibular não vai ser moleza.*

molhadela [é] (mo.lha.*de*.la) *s.f.* **1.** Ato ou efeito de molhar(-se) rapidamente ou de uma só vez. **2.** Banho ligeiro.

molhado (mo.*lha*.do) *adj.* **1.** Umedecido com água ou outro líquido • *s.m.* **2.** Lugar onde caiu água ou outro líquido e por isso se acha umedecido. • *molhados s.m.pl.* **3.** Gêneros alimentícios líquidos (por oposição a secos): *armazém de secos e molhados.*

molhar (mo.*lhar*) *v.* **1.** Embeber, mergulhar ou banhar (em um líquido): *molhar o rosto; molhar o pão no café com leite.* **2.** Cobrir ou repassar de líquido: *molhar a grama.* **3.** Salpicar borrifos; borrifar: *É recomendável molhar essas peças de roupa para alisá-las bem.* **4.** Tornar úmido; umedecer, umidificar: *Nenhuma lágrima molhou o rosto do réu.* **5.** Receber ou derramar líquido sobre si: *Eu me molhei toda, ao tentar consertar o vazamento.* **6.** *fam.* Sujar(-se) com urina; urinar(-se): *Meu filho ainda molha muito as fraldas; Veja se o bebê se molhou.* ▶ Conjug. 20.

molhe [ó] (mo.*lhe*) *s.m.* Paredão de alvenaria de grande grossura, construído à entrada de um porto, para protegê-lo contra a impetuosidade das ondas do mar; quebra-mar.

molheira (mo.*lhei*.ra) *s.f.* Recipiente de metal ou porcelana em que se coloca o molho a ser servido à mesa.

molho [ô] (mo.*lho*) *s.m.* **1.** (*Cul.*) Caldo usado para refogar, temperar ou acompanhar um prato: *Acrescente ao cozido um tablete de molho de carne.* **2.** Qualquer líquido em que se deixa algo mergulhado. || *De molho:* **1.** imerso em líquido por determinado tempo: *Deixe o bacalhau de molho para tirar-lhe o sal.* **2.** recolhido em razão de doença, inatividade etc.: *Ficou de molho em casa até conseguir um novo emprego.*

molho [ó] (mo.*lho*) *s.m.* **1.** Feixe, maço: *molho de couve.* **2.** Conjunto de pequenos objetos reunidos num só grupo: *molho de chaves.*

molinete [ê] (mo.li.*ne*.te) *s.m.* Carretel fixado sobre uma vara de pescar, dotado de manivela, e que serve para enrolar a linha e recolher com rapidez o anzol atirado à água.

moloide [ói] (mo.*loi*.de) *adj.* **1.** Molenga, moleirão. • *s.m. e f.* **2.** Pessoa moloide.

molusco (mo.*lus*.co) *s.m.* (*Zool.*) Animal invertebrado, marinho, de água doce ou terrestre, de corpo mole, geralmente protegido por uma concha, cuja respiração é feita por brânquias, como caramujos, ostras e lulas.

momentâneo (mo.men.*tâ*.ne:o) *adj.* **1.** Que dura apenas um momento; rápido, instantâneo: *Teve um lampejo momentâneo de grande felicidade e paz.* **2.** Que não é duradouro; passageiro, efêmero, provisório, transitório: *Só consegue pequenos empregos momentâneos.*

momento (mo.*men*.to) *s.m.* **1.** Espaço de tempo muito curto; instante, átimo: *Entre o trovão e a tempestade passou-se só um momento.* **2.** Ocasião em que algo sucede ou se faz; hora: *Esse é o melhor momento para exportar.* **3.** Circunstância, situação, lance: *Passou por maus momentos.*

momentoso [ô] (mo.men.*to*.so) *adj.* Que tem importância no momento: *assunto momentoso.* || f. e pl.: [ó].

momice (mo.*mi*.ce) *s.f.* Careta, trejeito. || Mais usado no plural.

monacal (mo.na.*cal*) *adj.* Relativo a monge ou à vida em convento; monástico.

mônada (*mô*.na.da) *s.f.* **1.** (*Biol.*) Organismo diminuto e muito simples, como um protozoário. **2.** (*Fil.*) Segundo o filósofo Leibniz (1646-1716), componente básico imaterial e indivisível de que são formados todos os seres.

monarca (mo.*nar*.ca) *adj.* Chefe supremo, vitalício e geralmente hereditário, de um regime monárquico; soberano.

monarquia (mo.nar.*qui*.a) *s.f.* **1.** Forma de governo em que o poder é exercido por um monarca (rei, imperador, sultão etc.). **2.** Estado que possui essa forma de governo.

monárquico (mo.*nár*.qui.co) *adj.* **1.** Relativo a monarca ou a monarquia • *s.m.* **2.** Aquele que é partidário da monarquia.

monarquismo (mo.nar.*quis*.mo) *s.m.* Doutrina ou tendência que propugna a monarquia como forma de governo político.

monarquista (mo.nar.*quis*.ta) *adj.* **1.** Relativo a monarquismo • *s.m. e f.* **2.** Partidário do monarquismo.

monastério (mo.nas.té.ri:o) *s.m.* Mosteiro.
monástico (mo.nás.ti.co) *adj.* **1.** Relativo a ou próprio de monge ou monja; monacal: *ordem monástica.* **2.** Relativo à vida num mosteiro ou convento.
monção (mon.ção) *s.f.* **1.** Período do ano ou vento favoráveis à navegação. **2.** Vento periódico, típico do sul e do sudeste da Ásia, que no verão sopra do mar para o continente e no inverno sopra do continente para o mar. **3.** (*Hist.*) Expedição que estabelecia a comunicação fluvial da capitania de São Paulo à capitania de Mato Grosso nos séculos XVIII e XIX.
monera [é] (mo.ne.ra) *s.f.* (*Biol.*) Designação comum aos microrganismos unicelulares, de vida livre ou parasitas, entre os quais os vírus e as bactérias.
monetário (mo.ne.tá.ri:o) *adj.* Relativo a moeda (1): *sistema monetário; unidade monetária.*
monge (mon.ge) *s.m.* Religioso que vive em mosteiro.
mongol [ó] (mon.gol) *adj.* **1.** Da Mongólia, país da Ásia. • *s.m.* e *f.* **2.** O natural ou o habitante desse país. **3.** A língua falada nesse país.
mongolismo (mon.go.lis.mo) *s.m.* (*Med.*) Anomalia decorrente do número de cromossomos, caracterizada por retardo mental e do crescimento, e pela face de traços mongoloides. || Denominação a evitar, substituída por síndrome de Down.
mongoloide [ói] (mon.go.loi.de) *adj.* **1.** Que apresenta caracteres físicos dos mongóis. **2.** (*Med.*) Que é portador de mongolismo ou de síndrome de Down.
monitor [ô] (mo.ni.tor) *s.m.* **1.** Estudante que auxilia o professor em tarefas extraclasse (de orientação, esclarecimento, reforço) junto aos colegas com dificuldades na aprendizagem. **2.** Orientador de aprendizagem em programas de teleducação. **3.** (*Med.*) Aparelho de supervisão, geralmente eletrônico, utilizado no acompanhamento de uma patologia ou de um procedimento médico. **4.** (*Rádio, Telv.*) Receptor, conectado aos aparelhos de som ou aos circuitos da câmera, para verificar se são satisfatórias as condições de áudio e de vídeo: *monitor de imagem; monitor de som.* **5.** (*Inform.*) Dispositivo composto pelo vídeo e por um conjunto de circuitos internos que apresenta em uma tela a imagem das informações que estão sendo processadas no computador. • *adj.* **6.** Que monitora, verifica, checa, controla: *aparelho monitor.*

monitorar (mo.ni.to.rar) *v.* **1.** Acompanhar, verificar, avaliar o desempenho de (uma pessoa ou grupo, uma atividade, um processo etc.): *Através do celular, alguns pais monitoram os passos dos filhos; O governo monitora os efeitos da inflação.* **2.** (*Med.*) Realizar monitorização (2): *Monitorar os batimentos cardíacos.* ▶ Conjug. 20.
monitoração (mo.ni.to.ra.ção) *s.f.* Ato ou efeito de monitorar; monitorização, monitoramento.
monitoramento (mo.ni.to.ra.men.to) *s.m.* Monitoração, monitorização.
monitoria (mo.ni.to.ri.a) *s.f.* **1.** Monitoração. **2.** Cargo e funções de monitor (1 e 2).
monitorização (mo.ni.to.ri.za.ção) *s.f.* **1.** Avaliação de dados fornecidos periodicamente por um sistema de informação (geralmente eletrônico) para acompanhamento da evolução e da solução de um processo. **2.** (*Med.*) Registro permanente de dados obtidos por monitor eletrônico, que permite detectar instantaneamente qualquer alteração do estado clínico. || *Monitorização ambiental:* coleta e análise periódicas de amostras (de ar, água etc.), para detectar mudança no meio ambiente ou no estado de saúde de uma coletividade.
monitorizar (mo.ni.to.ri.zar) *v.* Monitorar. ▶ Conjug. 5.
monjolo [ô ou ó] (mon.jo.lo) *s.m.* **1.** Máquina rústica, movida por água, a qual serve para pilar milho e descascar café. **2.** Bezerro pequeno, antes de nascidos os chifres.
mono (mo.no) *s.m.* (*Zool.*) Designação dada aos macacos em geral, mas especialmente aos primatas (chimpanzés, orangotangos e gorilas).
monobloco [ó] (mo.no.blo.co) *s.m.* **1.** Parte de uma máquina ou de um instrumento fundida numa só peça metálica. **2.** Nos motores a explosão, parte em ferro gusa que aloja os cilindros. **3.** Carroçaria inteiriça.
monociclo (mo.no.ci.clo) *s.m.* Velocípede de uma roda só, usado apenas por acrobatas.
monocórdio (mo.no.cór.di:o) *s.m.* **1.** (*Mús.*) Instrumento musical de uma só corda. • *adj.* **2.** De uma só corda. **3.** *fig.* Repetitivo, monótono, enfadonho: *Entoava um canto monocórdio, que parecia não ter fim.*
monocromático (mo.no.cro.má.ti.co) *adj.* Que tem uma só cor.
monocular (mo.no.cu.lar) *adj.* **1.** Feita com um olho só: *visão monocular.* **2.** Relativo a monóculo.

monóculo (mo.nó.cu.lo) *adj.* **1.** Que só tem um olho • *s.m.* **2.** Luneta ou óculo de um vidro só.

monocultor [ô] (mo.no.cul.*tor*) *s.m.* Aquele que pratica a monocultura.

monocultura (mo.no.cul.*tu*.ra) *s.f.* Cultura de um só produto agrícola.

monogamia (mo.no.ga.*mi*.a) *s.f.* **1.** Regime familiar que proíbe a qualquer dos cônjuges ter mais de um marido ou de uma esposa durante a vigência do casamento. **2.** Estado de monógamo.

monografia (mo.no.gra.*fi*.a) *s.f.* Estudo exaustivo de um único aspecto ou assunto e que sistematiza todos os dados a ele referentes.

monográfico (mo.no.*grá*.fi.co) *adj.* Relativo a monografia.

monograma (mo.no.*gra*.ma) *s.m.* Desenho composto de uma ou mais letras, geralmente as iniciais de um nome.

monogramático (mo.no.gra.*má*.ti.co) *adj.* Relativo a monograma.

monolítico (mo.no.*lí*.ti.co) *adj.* **1.** Relativo a monólito. **2.** Semelhante a um monólito.

monólito (mo.*nó*.li.to) *s.m.* **1.** Pedra de enormes dimensões. **2.** Monumento feito de uma só pedra.

monologar (mo.no.lo.*gar*) *v.* **1.** Falar consigo próprio; falar sozinho: *Muitas vezes, se pegava a monologar em voz alta.* **2.** (*Teat.*) Recitar monólogos: *No meio do palco, o grande ator monologava.* ▶ Conjug. 20 e 34.

monólogo (mo.*nó*.lo.go) *s.m.* **1.** Ato de falar consigo próprio; solilóquio. 2. (Teat.) Cena ou peça em que só um ator representa.

monomania (mo.no.ma.*ni*.a) *s.f.* (*Psiq.*) Espécie de alienação mental em que uma ideia fixa parece absorver todas as faculdades intelectuais do doente. – **monomaníaco** *adj. s.m.*

monômio (mo.*nô*.mi:o) *s.m.* (*Mat.*) Expressão matemática constituída de um só termo.

monomotor [ô] (mo.no.mo.*tor*) *adj.* **1.** Diz-se de veículo que possui apenas um motor: *avião monomotor.* • *s.m.* **2.** Esse tipo de veículo.

mononucleose [ó] (mo.no.nu.cle:*o*.se) *s.f.* (*Med.*) Infecção ou doença causada por vírus, cujos principais sintomas são febre, faringite, mal-estar e fadiga.

monopólio (mo.no.*pó*.li:o) *s.m.* (*Econ.*) **1.** Nas economias capitalistas, forma de organização de mercado em que uma empresa detém a exclusividade de produção e comercialização de determinado produto. **2.** Bem ou serviço controlado exclusivamente por uma empresa ou grupo de empresas: *Uma única rede de televisão conseguiu o monopólio da transmissão dos desfiles carnavalescos.* **3.** *fig.* Pretensão de exclusividade em relação a alguma coisa: *Entre tantos participantes da mesa, aquele orador parecia querer o monopólio do debate.* – **monopolista** *adj.*; **monopolização** *s.f.*; **monopolizador** *adj. s.m.*

monopolizar (mo.no.po.li.*zar*) *v.* **1.** Exercer ou ter o monopólio de: *A legislação da maioria dos países permite monopolizar seus produtos estratégicos, como o petróleo, o gás natural e os minérios, entre outros.* **2.** Deter abusivamente a oferta de produtos e serviços, atuando no mercado sem a livre concorrência: *Qualquer empresa ou rede que pretenda monopolizar sua mercadoria é punida na forma da lei.* **3.** *fig.* Tomar ou atrair (algo) exclusivamente para si: *monopolizar o comando; monopolizar as atenções.* ▶ Conjug. 5.

monossilábico (mo.nos.si.*lá*.bi.co) *adj.* **1.** Formado por uma única sílaba; monossílabo: *vocábulo monossilábico.* **2.** Composto unicamente por monossílabos (diz-se de verso).

monossílabo (mo.nos.*sí*.la.bo) *adj.* **1.** Formado por uma sílaba; monossilábico. • *s.m.* **2.** (*Gram.*) Palavra formada por uma única sílaba. || *Falar ou responder por monossílabos*: dizer (algo) de maneira enigmática ou incompleta, usando meias-palavras.

monoteísmo (mo.no.te.*ís*.mo) *s.m.* (*Rel.*) Doutrina religiosa que admite a existência de um deus único, a ser adorado e cultuado. || Conferir com *politeísmo.* – **monoteísta** *adj.*

monotonia (mo.no.to.*ni*.a) *s.f.* **1.** Característica do que é monótono: *a monotonia dos dias de chuva.* **2.** Ausência de variedade, de diversidade; uniformidade: *monotonia de tons; monotonia de ritmo.* **3.** Ausência de variação nos hábitos de vida; sensaboria, insipidez, pasmaceira.

monótono (mo.*nó*.to.no) *adj.* **1.** Que não apresenta variação; uniforme, invariável, repetitivo: *canto monótono; trabalho monótono.* **2.** Sem novidade ou renovação; enfadonho, maçante, insípido, sensabor: *"No fio da respiração, / Rola a minha vida monótona."* (Cecília Meireles, *Fio*).

monovalente (mo.no.va.*len*.te) *adj.* (*Quím.*) Que tem valência igual a um.

monóxido [cs] (mo.*nó*.xi.do) *s.m.* (*Quím.*) Óxido que contém um átomo de oxigênio. || *Monóxido de carbono*: (*Quím.*) gás inodoro e incolor, venenoso, resultante da oxidação incompleta do carbono, encontrado em minas e em descargas dos automóveis.

monsenhor [ô] (mon.se.*nhor*) *s.m.* **1.** Título honorífico conferido pelo papa a seus camareiros, a prelados e, fora da Itália, a sacerdotes notáveis. **2.** (*Bot.*) Espécie de crisântemo.

monstrengo (mons.*tren*.go) *s.m.* Mostrengo.

monstro (*mons*.tro) *s.m.* **1.** Ser fantástico, geralmente descomunal e ameaçador, que tem sua origem na mitologia e nas lendas: *Os heróis míticos tinham sempre que vencer inúmeros monstros.* **2.** Ser de conformação anômala em todas ou algumas de suas partes: *Quasímodo, o corcunda de Notre-Dame, era visto pela população como um monstro.* **3.** *fig.* Indivíduo cruel, desumano, impiedoso, bárbaro: *Quem pratica um crime desses é um monstro insensível.* **4.** *fig. pej.* Pessoa muito feia, horrorosa, pavorosa: *A bruxa era um monstro de feiura.* **5.** *fig.* Pessoa que causa admiração pela capacidade ou talento; prodígio, assombro: *Ele é um monstro em informática.* || Usado com hífen após um substantivo, confere-lhe um significado de enorme, gigantesco, colossal: *O acidente provocou um congestionamento-monstro.*

monstruosidade (mons.tru:o.si.*da*.de) *s.f.* **1.** Característica do que é monstruoso. **2.** Coisa monstruosa, assombrosa, abominável; monstro: *O filme de terror apresentava monstruosidades do começo ao fim.* **3.** Ação própria de monstro (3): *Esse crime foi uma monstruosidade.* **4.** *fig.* Ação extraordinária; enormidade: *Todo o time jogou uma monstruosidade.*

monstruoso [ô] (mons.tru:o.so) *adj.* **1.** Que tem forma de monstro (2); disforme. **2.** Que revela monstruosidade (3); cruel, desumano, hediondo: *crime monstruoso.* **3.** *fig. pej.* Extremamente feio; horroroso, horrendo, repelente. **4.** *fig.* De grandeza extraordinária; enorme, descomunal, portentoso. || f. e pl.: [ó].

monta (*mon*.ta) *s.f.* **1.** Valor total de uma conta; montante. **2.** Preço ou custo de alguma coisa. **3.** *fig.* Importância, interesse, consideração: *assunto de pouca monta.*

montador [ô] (mon.ta.*dor*) *adj.* **1.** Que monta. • *s.m.* **2.** Que cavalga ou pratica equitação; cavaleiro. **3.** Profissional especializado em montar máquinas, peças e dispositivos em indústria. **4.** (*Cine*) Profissional que executa montagem (5).

montadora [ô] (mon.ta.*do*.ra) *s.f.* Indústria especializada na montagem de máquinas e equipamentos, especialmente de veículos.

montagem (mon.*ta*.gem) *s.f.* **1.** Ato ou efeito de montar. **2.** Disposição das peças de um maquinismo para que ele possa funcionar. **3.** (*Teat.*) Preparo dos cenários e adereços de uma peça teatral. **4.** (*Teat.*) Encenação de um espetáculo teatral ou operístico: *A companhia realizará montagens de peças nacionais e estrangeiras nessa temporada.* **5.** (*Cine*) Processo de seleção e ordenação das sequências das cenas de uma filmagem.

montanha (mon.*ta*.nha) *s.f.* **1.** (*Geogr.*) Grande elevação natural de um terreno. **2.** (*Geogr.*) Cadeia de elevações, constituída por um equipamento de morros; serra: *Prefere a montanha ao mar.* **3.** *fig.* Grande altura ou volume de alguma coisa: *montanha de lixo.* **4.** *fig.* Grande quantidade (de pessoas ou coisas); montão: *montanha de manifestantes; montanha de livros.*

montanha-russa (mon.ta.nha-*rus*.sa) *s.f.* Brinquedo de parque de diversões que consiste numa rede de trilhos com subidas e descidas consecutivas, por onde circula um trem aberto em alta velocidade. || pl.: *montanhas-russas.*

montanhês (mon.ta.*nhês*) *adj.* **1.** Relativo a ou próprio de montanha. **2.** Que vive nas montanhas; montês. • *s.m.* **3.** Habitante das montanhas.

montanhismo (mon.ta.*nhis*.mo) *s.m.* (*Esp.*) Esporte de galgar altas montanhas; alpinismo. – **montanhista** *s.m.* e *f.*

montanhoso [ô] (mon.ta.*nho*.so) *adj.* **1.** Em que há muitas montanhas: *região montanhosa.* **2.** Escarpado, íngreme (diz-se do terreno). || f. e pl.: [ó].

montante (mon.*tan*.te) *adj.* **1.** Que monta, que sobe, que se eleva: *maré montante.* • *s.m.* **2.** Enchente da maré. **3.** Direção de onde nasce um rio (por oposição a jusante). **4.** Total de uma operação contábil; soma, importância, quantia, monta: *O país quer reduzir o montante de sua dívida interna.*

montão (mon.*tão*) *s.m.* **1.** Grande monte de coisas. **2.** Grande quantidade (de pessoas ou coisas); acúmulo, amontoado; montoeira. || *De montão: coloq.* em grande quantidade; aos montes.

montar (mon.*tar*) *v.* **1.** Pôr(-se) em cima de cavalgadura: *Montava em touro bravo nos rodeios; Montou a família nos jegues e partiram do sertão; Montaram-se e partiram.* **2.** Praticar equitação; cavalgar: *Aprendia a montar na hípica.* **3.** Colocar-se, passando as pernas, sobre algo (geralmente veículo): *montar na garupa da moto.* **4.** Assentar alguma coisa sobre outra; sobrepor: *montar as prateleiras da estante.* **5.** Juntar ou armar peças (de máquina, de jogo etc.): *montar um computador; montar um que-*

bra-cabeça. **6.** Prover de tudo o que é necessário para funcionar; instalar, equipar: *montar uma exposição; montar um negócio*. **7.** Arquitetar, conceber, tramar, armar: *montar um plano*. **8.** Atingir determinada soma ou quantia; chegar a; elevar-se a; importar: *O prejuízo monta em alguns milhões de reais*. **9.** (*Teat.*) Encenar espetáculo teatral: *Ao final do curso de teatro, os alunos montaram uma peça de Martins Pena*. **10.** (*Cine*) Fazer montagem (5): *O montador ainda não terminou de montar o documentário*. **11.** *fig. coloq.* Apoiar-se em (alguém ou algo); encostar-se, estribar-se: *Homem feito, vivia montado nas costas do pais*. ▶ Conjug. 5.

montaria (mon.ta.ri.a) *s.f.* Qualquer animal destinado a ser montado ou cavalgado; cavalgadura.

monte (mon.te) *s.m.* **1.** (*Geogr.*) Grande elevação de terra ou de rocha acima do solo que a circunda; serra, morro. **2.** Conjunto de coisas amontoadas; porção, bocado, pilha: *Separou as moedas em pequenos montes*. **3.** Grande número de (pessoas ou coisas); ajuntamento, montão: *Vivia cercado de um monte de assessores; Os garis recolheram um monte de lixo no carnaval*. ‖ dim.: *montículo*.

montepio (mon.te.pi:o) *s.m.* **1.** Instituição em que cada associado, mediante uma cota mensal e outras condições, adquire o direito de, por morte, deixar pensão a sua família. **2.** A pensão paga por instituição dessa natureza. **3.** Edifício em que funciona essa instituição.

montês (mon.tês) *adj.* **1.** Relativo a monte; montanhês, montesinho. **2.** Que vive em monte: *cabra montês*.

montesinho (mon.te.si.nho) *adj.* Montês, montanhês.

montesino (mon.te.si.no) *adj.* Montesinho.

montículo (mon.tí.cu.lo) *s.m.* Pequeno monte. ‖ dim. de *monte*.

montoeira (mon.to:ei.ra) *s.f.* Grande quantidade (de pessoas ou coisas); montão.

montra (mon.tra) *s.f.* Vitrina.

monturo (mon.tu.ro) *s.m.* **1.** Monte de lixo, de esterco ou de imundícies. **2.** Lugar onde se deposita o lixo.

monumental (mo.nu.men.tal) *adj.* **1.** Relativo a monumento (1). **2.** Magnífico, maravilhoso, admirável, esplêndido: *um espetáculo de ópera monumental*. **3.** De grande proporção e importância; grandioso, enorme, colossal: *o eixo monumental de Brasília*.

monumento (mo.nu.men.to) *s.m.* **1.** Obra erigida em honra de alguém ou para comemorar acontecimento notável: *O monumento do Cristo Redentor foi considerado uma das maravilhas do mundo moderno*. **2.** Edifício grandioso, digno de admiração por sua estrutura ou antiguidade: *O Palácio da Alvorada é um monumento arquitetônico devido ao gênio de Oscar Niemeyer*. **3.** Obra material ou intelectual que, por seu alto valor, passa à posteridade: *Os Lusíadas, de Luís de Camões, são um monumento da literatura universal*. **4.** *fig.* Pessoa muito bonita e atraente: *A nova vizinha é um monumento*.

moqueca [é] (mo.que.ca) *s.f.* (*Cul.*) Guisado de peixe ou mariscos, feito com azeite-de-dendê, leite de coco, pimenta e inúmeros temperos, servido geralmente em panela de barro.

mor [ó] *adj.* Maior. ‖ Usado posposto ao substantivo, ligado por hífen, significa algo hierarquicamente superior: *capitão-mor; altar-mor*.

mora [ó] (mo.ra) *s.f.* **1.** Atraso no cumprimento de uma obrigação, especialmente no pagamento de uma dívida. **2.** (*Econ.*) Multa cobrada e a ser paga pelo atraso na quitação de uma dívida: *juros de mora*.

morada (mo.ra.da) *s.f.* **1.** Lugar em que se habita ou se vive; residência, domicílio, moradia. **2.** Lugar de permanência, sem caráter definitivo; estada, estadia.

moradia (mo.ra.di.a) *s.f.* Morada (1).

moral (mo.ral) *adj.* **1.** Relativo aos bons costumes: *valores morais*. **2.** Pertencente ao domínio do espírito, da consciência, por oposição ao físico e material: *sofrimento moral*. **3.** Que segue as regras de conduta socialmente aceitas; correto, austero, ético: *atitude moral*. **4.** Que encerra uma lição; que ensina e educa; edificante: *fábula moral*. • *s.m.* **5.** Conjunto dos valores morais de uma pessoa ou grupo: *Aquela gente preza o moral mais que tudo*. **6.** Disposição de espírito, de ânimo: *O médico procurou levantar o moral do paciente*. **7.** Espírito de luta diante de dificuldades e perigos; brio, energia, coragem: *O comandante exaltou o moral da tropa antes do combate*. • *s.f.* **8.** (*Fil.*) Parte da filosofia que estabelece as regras de conduta, fundadas na noção do bem e do mal. **9.** Conjunto dos princípios normativos do comportamento de um grupo social ou de uma sociedade: *moral burguesa; moral cristã*. **10.** Ensinamento ou lição que se tira de um fato real ou de uma obra de ficção: *E esta é a moral da história*. **11.** *coloq.* Pretensão de importância ou prestígio diante de outro(s): *Achou-se cheio de moral por ter sido promovido*.

moralidade

moralidade (mo.ra.li.*da*.de) *s.f.* **1.** Qualidade do que é moral (3). **2.** Conjunto dos princípios morais de uma sociedade em determinada época; moral: *A moralidade muda segundo as latitudes e os tempos.*

moralismo (mo.ra.*lis*.mo) *s.m.* **1.** Doutrina filosófica ou religiosa para a qual os valores morais devem governar o comportamento humano. **2.** Tendência a privilegiar a moralidade sobre outros valores humanos, o que pode levar muitas vezes à intransigência, à intolerância ou até mesmo ao fanatismo.

moralista (mo.ra.*lis*.ta) *adj.* **1.** Que adota intransigentemente uma certa moralidade. **2.** Que estuda e escreve sobre os preceitos morais. • *s.m. e f.* **3.** Partidário do moralismo.

moralizar (mo.ra.li.*zar*) *v.* **1.** Tornar conforme os princípios da moral (9): *moralizar usos e costumes.* **2.** Dotar(-se) de conceitos de moralidade (2); corrigir(-se), edificar(-se): *É preciso moralizar as instituições públicas; Ninguém esperava mais que aquele falsário se moralizasse.* **3.** Fazer reflexões morais; discorrer ou pregar sobre questões morais: *Vivia a moralizar (sobre qualquer assunto).* ▶ Conjug. 5. – **moralização** *s.f.*; **moralizante** *adj.*

moranga (mo.*ran*.ga) *s.f.* (*Bot.*) Certa variedade de abóbora.

morango (mo.*ran*.go) *s.m.* Fruto comestível, de cor vermelha, em forma de coração, de que se fazem sucos, sorvetes etc.

morangueiro (mo.ran.*guei*.ro) *s.m.* (*Bot.*) Planta que dá o morango.

morar (mo.*rar*) *v.* **1.** Residir, habitar, viver: *Eles moram atualmente na orla marítima. – Então moram muito bem.* **2.** *fig.* Estar presente; permanecer, instalar-se, achar-se: *Não deixe a inveja morar no seu peito.* **3.** *fig. gír.* Perceber, compreender, entender, sacar: *morar no assunto; Esta é sua última chance, morou?* ▶ Conjug. 20.

moratória (mo.ra.tó.ri:a) *s.f.* (*Jur.*) Prorrogação ou adiamento concedido pelo credor ao devedor do prazo fixado previamente para pagamento de uma dívida.

mórbido (*mór*.bi.do) *adj.* **1.** Relativo a doença; enfermo, doentio. **2.** (*Med.*) Que causa doença: *Certas fobias são estados mórbidos.* **3.** Que denota quebrantamento (físico ou moral); frouxo, mole, lânguido: *olhares mórbidos.* **4.** *fig.* Maléfico, perverso, malsão: *curiosidade mórbida.* – **morbidez** *s.f.*

morcego [ê] (mor.*ce*.go) *s.m.* (*Zool.*) Mamífero noturno dotado de asas e de corpo semelhante ao do rato, que, em sua grande maioria, se alimenta de frutas e de insetos, havendo, porém, espécies hematófagas.

morcela [é] (mor.*ce*.la) *s.f.* Chouriço feito com o sangue e miúdos de porco, colocados dentro de um pedaço de tripa também de porco.

mordaça (mor.*da*.ça) *s.f.* **1.** Pedaço de pano, fita ou outro material com que se tapa a boca de alguém para impedi-lo de falar ou gritar. **2.** *fig.* Repressão à livre expressão de ideias, oralmente ou por escrito: *As ditaduras sempre tentaram colocar mordaça na imprensa.*

mordacidade (mor.da.ci.*da*.de) *s.f.* **1.** Característica do que é mordaz. **2.** Crítica severa e ferina, geralmente em tom irônico ou sarcástico. **3.** (*Quím.*) Característica de produto que causa corrosão.

mordacíssimo (mor.da.*cís*.si.mo) *adj.* Superlativo absoluto de *mordaz*.

mordaz (mor.*daz*) *adj.* **1.** Que desfere crítica ferina; irônico, sarcástico: *É um crítico mordaz dos planos econômicos.* **2.** Que produz corrosão; cáustico, corrosivo: *ácido mordaz.* ‖ sup. abs.: *mordacíssimo*.

mordedura (mor.de.*du*.ra) *s.f.* **1.** Ato ou efeito de morder; dentada, mordida. **2.** Sinal, marca ou ferida deixadas por mordedura.

mordente (mor.*den*.te) *adj.* **1.** Que morde. **2.** Que provoca vestígio, marca ou ferida. **3.** Que causa corrosão; cáustico, corrosivo, mordaz: *substância mordente.* **4.** *fig.* Ferino, áspero, mordaz: *crítica mordente.* • *s.m.* **5.** (*Quím.*) Substância que serve para fixar corante ou tinta em trabalhos de pintura e de tinturaria.

morder (mor.*der*) *v.* **1.** Apertar, comprimir ou ferir com os dentes: *morder a língua; O cão mordeu-o na canela; Os bebês se mordem uns aos outros na creche; Cão que late não morde.* **2.** Picar ou ferir com ferrão (falando-se de insetos): *Os mosquitos morderam-na no rosto.* **3.** *fig.* Afligir(-se), atormentar(-se), mortificar(-se): *O remorso mordia-lhe a consciência; Mordia-se de ciúmes.* **4.** *gír.* Pedir dinheiro emprestado a outrem: *Estava sempre mordendo os colegas em pequenas quantias.* ▶ Conjug. 42.

mordida (mor.*di*.da) *s.f.* **1.** Ato de morder; dentada, mordedura. **2.** Sinal ou ferida deixados pela mordida. **3.** *gír.* Ato de pedir dinheiro emprestado; facada.

mordiscar (mor.dis.*car*) *v.* Morder de leve e repetidas vezes; dar pequenas dentadas: *Tem o*

morrer

hábito de mordiscar os lábios enquanto pensa; Pare de mordiscar a merenda e coma direito. ▶ Conjug. 5 e 35.

mordomia (mor.do.mi.a) *s.f.* **1.** Conjunto de vantagens e privilégios concedidos pelo empregador a certos empregados, em empresas particulares e, com maior evidência, no serviço público. **2.** (*Jur.*) Abuso de poder na utilização do patrimônio público para satisfazer interesses particulares de algum governante ou servidor. **3.** *coloq.* Privilégio, regalia ou conforto de que se pode desfrutar sem dispender maior esforço: *O rapaz tinha muita mordomia na casa dos sogros.* **4.** Cargo ou função de mordomo (1).

mordomo (mor.do.mo) *s.m.* **1.** Indivíduo encarregado da administração de uma casa. **2.** Membro de irmandade ou confraria que administra os bens ou trata dos negócios dela.

moreno (mo.re.no) *adj.* **1.** Cuja cor de pele está entre o branco e o pardo, por natureza ou por exposição ao sol; trigueiro. **2.** Que tem a pele entre o branco e o negro; mulato. • *s.m.* **3.** Pessoa de cor morena. **4.** Essa cor.

morfeia [éi] (mor.fei.a) *s.f.* (*Med.*) Lepra.

morfema (mor.fe.ma) *s.m.* (*Ling.*) A menor unidade linguística que possui significado, por exemplo, os radicais, os afixos e as desinências.

morfina (mor.fi.na) *s.f.* (*Quím.*) Alcaloide do ópio usado na medicina humana e animal como analgésico ou sedativo.

morfologia (mor.fo.lo.gi.a) *s.f.* **1.** (*Biol.*) Estudo da forma e da estrutura dos organismos vivos. **2.** (*Anat.*) Estudo da forma e posição dos diferentes órgãos do corpo e das relações que eles guardam entre si. **3.** (*Gram.*) Estudos dos morfemas da língua e sua estruturação no vocábulo.

morfológico (mor.fo.ló.gi.co) *adj.* Relativo ou pertencente a morfologia.

morgadio (mor.ga.di:o) *adj.* **1.** Relativo a morgado • *s.m.* **2.** (*Jur.*) Conjunto de bens vinculados, indivisíveis e inalienáveis, que por morte do possuidor passavam ao filho primogênito. **3.** (*Jur.*) Herdeiro do morgadio.

morgado (mor.ga.do) *s.m.* **1.** Filho primogênito, herdeiro do morgadio. **2.** Filho primogênito de qualquer família. **3.** Morgadio.

morgue [ó] (mor.gue) *s.f.* Necrotério.

moribundo (mo.ri.bun.do) *adj.* **1.** Que está prestes a morrer; agonizante. **2.** *fig.* Que está prestes a acabar, a desaparecer, a se extinguir: *O dia está moribundo.*

morigerado (mo.ri.ge.ra.do) *adj.* Que tem bons costumes; equilibrado, comedido, moderado, irrepreensível: *hábitos morigerados.*

morim (mo.rim) *s.m.* Tecido fino e branco de algodão, de qualidade inferior.

moringa (mo.rin.ga) *s.f.* Pequena vasilha de barro, bojuda e de gargalo estreito, destinada a deixar fresca a água potável.

mormaceira (mor.ma.cei.ra) *s.f.* Mormaço intenso.

mormaço (mor.ma.ço) *s.m.* Tempo quente e úmido, encoberto e de calor abafado.

mormo [ô] (mor.mo) *s.m.* (*Vet.*) Doença infecciosa dos equinos, que causa inflamação e purulência da mucosa nasal, e que pode eventualmente contaminar o homem.

mórmon (mór.mon) *adj.* **1.** Que professa o mormonismo. • *s.m. e f.* **2.** Adepto ou seguidor do mormonismo. ‖ pl.: *mórmons e mórmones.*

mormonismo (mor.mo.nis.mo) *s.m.* Seita protestante fundada nos Estados Unidos da América, por Joseph Smith (1805-1844), posteriormente denominada Igreja de Jesus Cristo dos Santos dos Últimos Dias.

morno [ô] (mor.no) *adj.* **1.** Cuja temperatura está entre o quente e o frio; cálido, tépido, tíbio: *leite morno; tardes mornas.* **2.** *fig.* Sem vivacidade ou energia; insípido, monótono: *Viviam um relacionamento morno.* ‖ f. e pl: [ó].

moroso [ô] (mo.ro.so) *adj.* **1.** Que se apresenta com lentidão; vagaroso, demorado: *passos morosos.* **2.** Que leva tempo a fazer ou a se realizar; custoso, difícil: *inventário moroso.* ‖ f. e pl.: [ó]. – **morosidade** *s.f.*

morrer (mor.rer) *v.* **1.** Deixar de viver; falecer, expirar, finar-se (qualquer ser vivo): *A única certeza da vida é que todos um dia irão morrer.* **2.** Perder a vida sob determinada condição ou circunstância: *Os poetas românticos morriam jovens.* **3.** *fig.* Acabar-se, extinguir-se, terminar: *A chama olímpica nunca morre.* **4.** *fig.* Desaparecer aos poucos; sumir: *O sol morria atrás dos montes.* **5.** Não chegar a concluir-se; interromper-se: *O grito morreu-lhe na garganta.* **6.** *fig.* Experimentar alguma perda; perder inapelavelmente: *A paixão que os ligava foi morrendo pouco a pouco.* **7.** *fig.* Cair no esquecimento; desaparecer da memória: *Os conselhos paternos jamais morrem.* **8.** Parar de funcionar (mecanismo, motor, veículo): *Meu carro morreu em pleno trânsito caótico da cidade.* **9.** *fig.* Experimentar (sensação ou sentimento) em grau muito intenso: *morrer de frio;*

morrinha

morrer de inveja. **10.** *fig.* Sentir grande afeição por (alguém): *Ela morria de amores pelo colega.* **11.** *fig.* Desejar com veemência; gostar muito: *Ela morre por chocolates e doces.* **12.** Desaguar em; desembocar: *Os rios morrem no mar.* **13.** *gír.* Despender certa quantia em dinheiro para pagar ou quitar (dívida): *Todos tiveram que morrer em 50 reais para pagar o almoço de confraternização.* **14.** Experimentar, sofrer, ter (morte): *Morreu morte gloriosa.* • *s.m.* **15.** Morte. || *part.: morrido* e *morto.* ▶ Conjug. 42.

morrinha (mor.ri.nha) *s.f.* **1.** (*Vet.*) Espécie de sarna que ataca epidemicamente o gado. **2.** *coloq.* Cheiro desagradável exalado por pessoa ou animal; fedor, catinga, inhaca. • *adj.* **3.** Lento, vagaroso, lerdo: *motorista morrinha.* **4.** Parcimonioso nos gastos; econômico, avarento, sovina: *comerciante morrinha.* **5.** *coloq.* Aborrecido, enfadonho, maçante: *assunto morrinha.* – **morrinhento** *adj.*

morrinhar (mor.ri.nhar) *v.* Demorar-se mais do que o necessário no que faz; retardar-se, prolongar-se, mofar: *Irritava-se ao ver alguém morrinhando à sua frente no trânsito.* ▶ Conjug. 5.

morro [ô] (mor.ro) *s.m.* **1.** (*Geogr.*) Monte de pequena elevação e de suave declive; colina, outeiro. **2.** *coloq.* Favela: *Deixou o morro para morar no asfalto.*

morsa [ó] (mor.sa) *s.f.* **1.** (*Zool.*) Grande mamífero anfíbio das regiões árticas. **2.** Dispositivo, fixado à bancada, para segurar ou apertar peças a serem trabalhadas; torno.

mortadela [é] (mor.ta.de.la) *s.f.* (*Cul.*) Espécie de salame grosso, feito de carne bovina ou suína e condimentos.

mortal (mor.tal) *adj.* **1.** Que está sujeito à morte: *O homem é mortal.* **2.** Que pode levar à morte; que mata; mortífero, letal: *golpe mortal.* **3.** *fig.* Que traz dissabor e mortificação: *desgosto mortal.* **4.** Oriundo do corpo de pessoa morta: *restos mortais.* **5.** *fig.* Profundamente arraigado; encarniçado, visceral, figadal: *ódio mortal.* **6.** Que deseja a morte ou a destruição de outrem: *inimigo mortal.* • *s.m.* **7.** O ser humano; o homem: *Um simples mortal não consegue entender toda a grandeza do universo.*

mortalha (mor.ta.lha) *s.f.* Pano ou vestimenta em que se envolve um morto para enterrá-lo; sudário.

mortalidade (mor.ta.li.da.de) *s.f.* **1.** Condição do que é mortal. **2.** Número de óbitos ocorridos em determinada época em uma região, país, comunidade etc., em virtude de más condições sanitárias, de doenças etc.; obituário, mortandade: *Os índices de mortalidade infantil vêm-se reduzindo.*

mortandade (mor.tan.da.de) *s.f.* **1.** Extermínio (de seres humanos); matança, massacre, morticínio, chacina: *A mortandade aumenta no cenário da guerra com as ações terroristas.* **2.** Grande número de mortes (geralmente de animais): *A poluição dos rios tem causado a mortandade de peixes e de aves aquáticas.*

morte [ó] (mor.te) *s.f.* **1.** Cessação da vida de ser humano, animal ou vegetal; fim da vida: *"E se somos severinos / iguais em tudo na vida, / morremos de morte igual."* (João Cabral de Melo Neto, *Morte e vida severina*). **2.** (*Jur.*) Situação determinada por lei em que o homem é tido como não tendo existência. **3.** Cessação da luminosidade de um corpo celeste: *morte das estrelas.* **4.** *fig.* Desaparecimento, término, fim (de um sentimento): *Ele assistiu impassível à morte de suas ilusões.* **5.** *fig.* Grande pesar; sofrimento, dor, angústia: *O exílio foi uma morte para muitos cidadãos brasileiros.* **6.** Representação iconográfica da morte, geralmente a figura de um esqueleto humano armado de uma foice. || Nesta acepção, usa-se inicial maiúscula. || *Estar pela hora da morte:* coloq. ter preço excessivo; custar muito caro: *Os imóveis estão atualmente pela hora da morte.* • *Pensar na morte da bezerra:* coloq. estar pensativo, distraído ou absorto. • *Ver a morte de perto:* *fig.* encontrar-se diante de um grande perigo; correr risco de vida.

morteiro (mor.tei.ro) *s.m.* **1.** (*Mil.*) Canhão curto, grosso e de boca larga, para o lançamento de bombas. **2.** Fogo de artifício, feito com um tubo de papelão em que se coloca pólvora comprimida.

morticínio (mor.ti.cí.ni:o) *s.m.* Mortandade, matança, chacina, extermínio, carnificina.

mortiço (mor.ti.ço) *adj.* **1.** Prestes a morrer, a extinguir-se, a apagar-se: *luz mortiça.* **2.** Sem brilho; opaco, baço, embaçado: *olhos mortiços.*

mortífero (mor.tí.fe.ro) *adj.* Que causa morte; mortal, letal: *veneno mortífero.*

mortificar (mor.ti.fi.car) *v.* **1.** Castigar o corpo com penitências e flagelações; flagelar: *Os penitentes mortificavam o corpo como forma de purificação; Os membros de algumas ordens religiosas se mortificavam.* **2.** Causar ou sofrer desgosto ou dissabor; afligir(-se),

mosteiro

atormentar(-se), amofinar(-se): *A censura do pai mortificou-lhe a mente*; *Mortificava-se por qualquer contratempo da vida*. **3.** Entorpecer(-se), amortecer(-se), quebrantar(-se): *O frio mortificou-lhe o corpo*; (*fig.*) *O ódio mortificava-lhe a alma*; *Mortificava-se nas garras dos vícios*. **4.** Cansar(-se) ao extremo; extenuar(-se), estafar(-se): *A jornada dura de trabalho mortificava os operários*; *Mortificavam-se trabalhando de sol a sol*. ▶ Conjug. 5 e 35. – **mortificação** *s.f.*; **mortificado** *adj*.

morto [ô] (*mor.to*) *adj.* **1.** Que morreu (ser humano ou animal): *soldados mortos*; *boi morto*. **2.** Sem vida; seco, murcho, estiolado (vegetal): *folhas mortas*. **3.** Desprovido de movimento; paralisado, inerte, inanimado: *Suas pernas ficaram mortas depois do acidente*. **4.** (*Med.*) Que teve morte (tecido orgânico); necrosado: *célula morta*. **5.** Que não é mais falada (diz-se de língua): *O latim é uma língua morta*. **6.** Que se extinguiu; apagado, extinto: *fogo morto*. **7.** *fig.* De que já não se fala; apagado da memória; esquecido: *teoria morta*. **8.** *fig.* Fatigado, cansado, exausto, extenuado: *A dupla jornada de mãe e profissional a deixa morta*. **9.** *fig.* Dominado em excesso por um sentimento (agradável ou penoso): *morto de paixão*; *morto de raiva*. **10.** *fig.* Indiferente a sentimentos; frio, insensível: *Tinha o coração morto para o amor ao próximo*. • *s.m.* **11.** Aquele que morreu; defunto, falecido, finado: *Todas as religiões cultuam seus mortos*. || *Não ter onde cair morto*: *fig.* não possuir nenhum bem; ser muito pobre. • *Nem morto*: *coloq.* de maneira alguma; em nenhuma hipótese: *Nem morta revelava sua idade*. || *f.* e *pl.* [ó]

mortuário (*mor.tu:á.ri:o*) *adj.* Relativo a morte ou ao morto: *câmara mortuária*.

morubixaba [ch] (*mo.ru.bi.xa.ba*) *s.m.* Chefe de povo indígena no Brasil; cacique.

mosaico¹ (*mo.sai.co*) *s.m.* **1.** Revestimento executado com pequenas peças de pedra, vidro ou cerâmica, aplicados sobre pisos, paredes, tetos etc., representando formas figurativas diversas: *Os mosaicos atingiram grande perfeição nas igrejas bizantinas*. **2.** (*Art.*) A arte e o processo de criar esses desenhos. **3.** *fig.* Conglomerado de elementos diversos; miscelânea, mistura: *A programação da televisão é um mosaico de informações, notícias e entretenimento*.

mosaico² (*mo.sai.co*) *s.m.* Relativo a Moisés, profeta bíblico: *leis mosaicas*.

mosca [ô] (*mos.ca*) *s.f.* **1.** (*Zool.*) Inseto díptero, com cerca de 80 mil espécies, cujas larvas se desenvolvem em matéria orgânica em decomposição. **2.** Pequeno ponto negro colocado no centro de um alvo. || *Acertar na mosca*: *fig.* acertar em cheio. • *Com a mosca azul*: com grandes ambições e pretensões, geralmente frustradas. • *Comer mosca*: *coloq. fig.* não perceber; deixar passar a oportunidade de fazer (algo). • *Estar às moscas*: *coloq.* ter pouca frequência de (clientes ou espectadores); estar vazio (um lugar), sem movimento

moscado (*mos.ca.do*) *adj.* Que tem forte odor; odorífero.

moscatel (*mos.ca.tel*) *adj.* **1.** Diz-se de uma qualidade de uva aromática e de paladar muito agradável. • *s.m.* **2.** Vinho feito com essa uva.

mosca-varejeira (*mos.ca-va.re.jei.ra*) *s.f.* (*Zool.*) Inseto, maior que a mosca comum, que deposita seus ovos nos tecidos dos vertebrados ou em matéria em decomposição. || pl.: *moscas-varejeiras*.

moscovita (*mos.co.vi.ta*) *adj.* **1.** De Moscou, capital da Federação Russa. • *s.m.* e *f.* **2.** O natural ou o habitante dessa cidade.

mosquetão (*mos.que.tão*) *s.m.* Arma de fogo semelhante ao fuzil, porém mais leve e curta.

mosquete [ê] (*mos.que.te*) *s.m.* Antiga arma de fogo, semelhante a uma espingarda, de forte calibre, apoiada numa forquilha na ocasião de se atirar, por ser muito pesada.

mosqueteiro (*mos.que.tei.ro*) *s.m.* **1.** Soldado da infantaria que usava como arma o mosquete. **2.** Integrante do corpo de cavalaria que fazia a guarda dos reis da França.

mosquiteiro (*mos.qui.tei.ro*) *s.m.* Cortinado que se põe ao redor da cama ou do berço para proteção contra mosquitos.

mosquito (*mos.qui.to*) *s.m.* (*Zool.*) Pequeno inseto díptero, hematófago, disseminado por todas as regiões tropicais, e transmissor de inúmeros vírus, como o da dengue e da febre amarela.

mossa [ó] (*mos.sa*) *s.f.* Sinal deixado num corpo ou numa superfície por pressão ou pancada: *Levou o carro ao lanterneiro para tirar as mossas da lataria*.

mostarda (*mos.tar.da*) *s.f.* (*Bot.*) Planta de folhas comestíveis, de cujas sementes se retira um pó amarelo, usado como condimento picante e em molhos e pastas.

mosteiro (*mos.tei.ro*) *s.m.* Casa onde vivem em comunidade monges ou monjas; convento; monastério.

mosto [ô] (mos.to) s.m. **1.** Sumo de uvas antes de purificado pelo processo da fermentação. **2.** Sumo de outras frutas que contenham açúcar.

mostra [ó] (mos.tra) s.f. **1.** Ato ou efeito de mostrar(-se). **2.** Manifestação de alguma coisa; sinal, vestígio, impressão: *Algumas catástrofes naturais são uma mostra do aquecimento global*. **3.** Pequena parte ou porção de (algo); modelo, tipo, amostra: *O feirante oferecia aos fregueses pequenas mostras de seus produtos*. **4.** Apresentação ao público de obras de arte; exibição, exposição: *mostra de filmes latinos; mostra de fotografia*. **5.** Forma exteriorizada de algo; aparência, aspecto: *Os figurinos já eram uma mostra do luxo do espetáculo*. || **À mostra**: de modo visível; às claras: *Nunca deixava à mostra seus sentimentos*. • **Dar mostras de**: manifestar (algo) claramente; demonstrar, expor, patentear: *Os trabalhadores davam visíveis mostras de cansaço*.

mostrador [ô] (mos.tra.dor) adj. **1.** Que mostra. • s.m. **2.** Parte do relógio que expõe os ponteiros e os números indicadores das horas, minutos e segundos. **3.** Painel ou visor que, em certos aparelhos eletrônicos, apresenta informações sobre o funcionamento dos respectivos dispositivos; display. **4.** Mesa ou balcão de estabelecimento comercial em que as mercadorias são colocadas à vista do público; vitrine, mostruário.

mostrar (mos.trar) v. **1.** Fazer(-se) ver; apresentar(-se) à vista de outrem; expor(-se), exibir(-se): *Tímida, a menina não queria mostrar o rosto; Mostrava as fotos dos filhos para todo mundo; Apesar de novato, o ator mostrava-se à vontade no palco*. **2.** Manifestar(-se), revelar(-se), evidenciar(-se), patentear(-se): *Ao final do espetáculo, o público mostrou todo seu entusiasmo (aos atores); O amor se mostra (a cada um) de modo diferente*. **3.** Indicar, apontar: *Poderia mostrar-me onde fica este endereço?* **4.** Demonstrar, provar: *O acusado mostrou ser inocente; Mostrou ao juiz sua inocência*. **5.** Dar a conhecer (por gestos ou ações); denotar, aparentar: *Os heróis nunca mostram medo*. **6.** Apresentar(-se) de certo modo ou em certas condições; parecer(-se): *Todos mostravam-se sorridentes na foto de formatura*. ▶ Conjug. 20.

mostrengo (mos.tren.go) s.m. **1.** Pessoa disforme, desproporcional, muito feia; monstro (2). **2.** Coisa malfeita, desconforme, desproporcional: *Aquelas construções são um mostrengo na paisagem da cidade*. || monstrengo.

mostruário (mos.tru.á.ri.o) s.m. **1.** Móvel ou lugar onde se expõem mercadorias; mostrador, vitrine. **2.** Carteira ou mala que contém amostras de fazendas, de gêneros alimentícios etc.

mote [ó] (mo.te) s.m. **1.** (*Lit.*) Estrofe colocada no início de um poema, cujo tema deve ser desenvolvido ao longo das demais estrofes. **2.** Título ou frase colocada antes do início de um livro, capítulo, poema etc., que serve como motivo ou resumo da obra; epígrafe. **3.** fig. Lema de vida; divisa: *Os cavaleiros medievais distinguiam-se por seus motes e emblemas*.

motejar (mo.te.jar) v. **1.** Fazer motejo de; zombar, caçoar, troçar, escarnecer, debicar: *É falta de respeito motejar dos mais velhos; Não moteje com coisas sérias; Tinha o feio hábito de motejar*. **2.** Censurar zombando; acusar, tachar: *Motejou o orador de falastrão*. ▶ Conjug. 10 e 37. – **motejador** adj. s.m.

motejo [ê] (mo.te.jo) s.m. Dito zombeteiro; caçoada, troça, gracejo.

motel (mo.tel) s.m. **1.** Hotel próximo às estradas de grande circulação, com estacionamento para automóveis, destinado a motoristas e viajantes em trânsito. **2.** Hotel para encontros amorosos.

motilidade (mo.ti.li.da.de) s.f. **1.** Faculdade de mover(-se); mobilidade (2). **2.** (*Biol.*) Conjunto dos movimentos de um órgão, aparelho ou sistema: *motilidade ocular; motilidade intestinal*.

motim (mo.tim) s.m. **1.** Movimento de insurreição contra as autoridades constituídas; revolta, rebelião, levante: *O governo reprimiu o motim no presídio estadual*. **2.** (*Mil.*) No direito militar, crime contra a disciplina.

motivação (mo.ti.va.ção) s.f. **1.** Ato ou efeito de motivar(-se). **2.** (*Psic.*) Conjunto de processos que determinam um dado comportamento. **3.** (*Jur.*) Exposição dos motivos que determinam ou fundamentam uma decisão judicial.

motivado (mo.ti.va.do) adj. **1.** Que demonstra entusiasmo, interesse: *Os alunos estão motivados para o trabalho em grupo*. **2.** Que tem motivo (1), justificado: *falta motivada*.

motivar (mo.ti.var) v. **1.** Dar motivo a; causar, ocasionar: *A estiagem motivou a perda da safra; Tal fato motivou-lhe muitos transtornos*. **2.** Estimular o interesse para; dar motivação: *O professor motivou-o (a ler mais)*. **3.** Expor o(s) motivo(s) de; fundamentar, basear, justificar: *O advogado motivou sua defesa na falta de pro-*

movediço

vas materiais. **4.** Ser motivo de; levar a; induzir, incitar: *Não sei o que a motivou a agir assim.* ▶ Conjug. 5. – **motivador** *adj. s.m.*

motivo (mo.*ti*.vo) *adj.* **1.** Razão de ser de alguma coisa; causa, explicação, origem: *O funcionário foi demitido sem motivo.* **2.** Objetivo, intenção, intuito: *O governo expôs os principais motivos das reformas pretendidas.* **3.** Estímulo, incentivo, motivação: *O trabalho é o melhor motivo para viver.* **4.** (*Jur.*) Razões que servem de justificativa à prática de algum ato; móvel: *motivo do crime.*

moto [ó] (*mo*.to) *s.f.* Redução de motocicleta.

motobói (mo.to.*bói*) *s.m.* Contínuo (de loja, farmácia, restaurante etc.) que faz entregas de motocicleta.

motoca [ó] (mo.*to*.ca) *s.f. coloq.* Motocicleta.

motocicleta [é] (mo.to.ci.*cle*.ta) *s.f.* Veículo, semelhante a bicicleta, mas de construção muito mais forte, e provido de motor; moto, motociclo, motoca.

motociclismo (mo.to.ci.*clis*.mo) *s.m.* (*Esp.*) Prática esportiva de corrida de motocicleta. – **motociclista** *s.m. e f.*

motociclo (mo.to.*ci*.clo) *s.m.* Motocicleta.

moto-contínuo (mo.to-con.*tí*.nu:o) *s.m.* **1.** Mecanismo hipotético (impossível na prática por contrariar as leis da termodinâmica), que seria capaz de funcionar sem parar, sempre realimentado pela energia do próprio movimento. **2.** *fig.* Movimento ou atividade incessantes: *Sua vida é um moto-contínuo.* ‖ pl.: *motos-contínuos.*

motocross [motocrós] (*Ing.*) *s.m.2n.* (*Esp.*) Corrida de motocicleta em pista de terra muito acidentada.

motonáutica (mo.to.*náu*.ti.ca) *s.f.* **1.** Corrida de barcos a motor. **2.** (*Mar.*) Ciência ou prática da navegação com embarcações a motor. – **motonáutico** *adj.*

motor [ô] (mo.*tor*) *s.m.* **1.** Maquinismo que imprime movimento a uma máquina: *motor de carro; motor de geladeira.* **2.** *fig.* O que gera movimento, ação, desenvolvimento, progresso: *O etanol será o motor da nova era dos combustíveis.* **3.** *fig.* Aquilo que impulsiona, estimula, incentiva, motiva: *O trabalho social é o motor da minha vida.* • *adj.* **4.** Que imprime movimento; que move: *energia motora.* **5.** Que promove, determina ou motiva (algo): *A causa motora do desenvolvimento é a igualdade social.*

motorista (mo.to.*ris*.ta) *s.m. e f.* **1.** Pessoa que dirige qualquer veículo motorizado. **2.** Profissional de transporte público ou particular; chofer.

motorizar (mo.to.ri.*zar*) *v.* Equipar(-se) com motor ou com veículo motorizado: *motorizar um barco; O rapaz motorizou-se assim que atingiu os 18 anos.* ▶ Conjug. 5. – **motorização** *s.f.*

motorneiro (mo.tor.*nei*.ro) *s.m.* Condutor de bonde.

motosserra [é] (mo.tos.*ser*.ra) *s.f.* Serra com motor, portátil, utilizada para corte de árvores e madeira.

motricidade (mo.tri.ci.*da*.de) *s.f.* **1.** Qualidade de motriz (1). **2.** (*Biol.*) Propriedade do sistema neuromuscular que permite os movimentos voluntários ou automáticos do corpo.

motriz (mo.*triz*) *s.f.* **1.** Aquilo que gera movimento. • *adj.* **2.** Que imprime movimento; que move: *força motriz.*

mouco (*mou*.co) *adj. s.m.* **1.** Que ouve mal ou que não ouve; surdo. • *s.m.* **2.** Pessoa mouca.

mourão (mou.*rão*) *s.m.* **1.** Estaca fincada no solo para prender as traves ou o aramado da cerca. **2.** Poste onde se amarra o gado para corte ou tratamento. **3.** Estaca para atar canoas à beira dos rios.

mouraria (mou.ra.*ri*.a) *s.f.* Bairro habitado outrora só por mouros, que não podiam viver fora de seus limites.

mourejar (mou.re.*jar*) *v.* Trabalhar muito, sem descanso; labutar, afanar-se: *Mourejava naquele trabalho braçal; Sonhava com o dia em que deixaria de mourejar.* ▶ Conjug. 10.

mourisco (mou.*ris*.co) *adj.* Relativo a ou próprio dos mouros (2); mouro: *uma construção de estilo mourisco.*

mouro (*mou*.ro) *adj.* **1.** Indivíduo que habita a República Islâmica da Mauritânia (noroeste da África); mauritano. **2.** (*Hist.*) Indivíduo do povo árabe que ocupou a Península Ibérica durante sete séculos. **3.** *fig.* Pessoa que moureja: *Ele trabalha como um mouro.* • *adj.* **4.** Relativo aos mouros; mourisco.

mouse [máuss] (*Ing.*) *s.m.* (*Inform.*) Dispositivo projetado para se encaixar na mão do usuário, dotado de um ou mais botões, conectado por um cabo ao computador, e que, movimentado sobre uma superfície plana, controla um cursor na tela.

mousse (*Fr.*) *s.f.* Ver *musse.*

movediço (mo.ve.di.ço) *adj.* **1.** Que se move ou remove com facilidade: *prótese móvel.* **2.**

móvel

Pouco firme: *areias movediças*. **3.** *fig.* Instável, inconstante, volúvel: *caráter movediço*.

móvel (mó.vel) *adj.* **1.** Que se move ou pode ser movido; movediço: *ponte móvel*. **2.** Que pode sofrer mudança ou variação; variável: *O carnaval é uma festa móvel*. **3.** *fig.* Instável, inconstante, movediço. • *s.m.* **4.** Cada peça do mobiliário. **5.** Causa determinante de um ato; motivo (4), intenção, móbil: *o móvel do crime*. **6.** (*Jur.*) Toda espécie de bem que, por não estar preso ao solo, pode ser movido e removido, sem dano a sua integridade material. || sup. abs.: *mobilíssimo*.

movelaria (mo.ve.la.*ri*.a) *s.f.* Fábrica ou loja de móveis.

mover (mo.*ver*) *v.* **1.** Imprimir movimento a; pôr(-se) em movimento; movimentar(-se): *A criança movia os bracinhos; Dada a partida, os carros começaram a mover-se*. **2.** Transferir(-se) de um lugar para outro; deslocar(-se), remover(-se): *Não mova a mobília do lugar; As tropas moveram-se para a frente de operações*. **3.** Movimentar-se em torno de um eixo; girar, rodar: *A Terra se move em torno do Sol*. **4.** Ir de um lugar para outro; andar: *Já não se move com a agilidade da juventude*. **5.** Agitar(-se), mexer(-se), bulir(-se): *A brisa movia suavemente o capinzal; As bandeiras moviam-se ao vento*. **6.** Menear, balançar, mexer, rebolar: *mover os quadris*. **7.** Escoar-se (o tempo); decorrer, passar: *Parecia-lhe que as horas não se moviam*. **8.** *fig.* Determinar-se a fazer algo; decidir-se, resolver-se: *Você deve mover-se, se quiser conseguir o emprego*. **9.** *fig.* Comover(-se), compadecer(-se), sensibilizar(-se), mobilizar(-se): *Uma criança indefesa move sempre as pessoas sensíveis; Seu coração se movia diante das cenas chocantes da guerra*. **10.** *fig.* Desencadear (uma ação); promover, ocasionar, suscitar: *A oposição movia ferrenha campanha aos atos do governo*. **11.** *fig.* Estimular, influenciar, impelir, induzir: *O amor move os homens*. **12.** (*Jur.*) Impetrar (ação judicial) contra; processar, acionar: *Os funcionários demitidos sem justa causa moveram uma ação contra a empresa*. ▶ Conjug. 42.

movimentação (mo.vi.men.ta.*ção*) *s.f.* **1.** Ato ou efeito de movimentar(-se); movimento. **2.** Grande atividade; agitação, circulação, movimento: *As ruas do centro da cidade só têm movimentação durante o dia*. **3.** Andamento das operações financeiras, públicas ou particulares: *Acompanha diariamente a movimentação das ações na bolsa de valores*.

movimentar (mo.vi.men.*tar*) *v.* **1.** Pôr(-se) em movimento; mover(-se): *O fisioterapeuta movimentava os braços e as pernas do paciente; O acidentado movimentava-se com dificuldade*. **2.** Pôr em funcionamento; acionar: *movimentar o motor do carro*. **3.** Ir de um lado a outro; deslocar-se, andar: *A multidão movimentava-se por entre as ruas e praças*. **4.** *fig.* Entusiasmar(-se), animar(-se), agitar(-se): *Os jogos pan-americanos movimentam a cidade; As torcidas movimentavam-se com os lances decisivos do campeonato*. **5.** Fazer movimentação financeira: *O diretor do banco aconselhou o cliente a movimentar seu dinheiro*. ▶ Conjug. 5.

movimento (mo.vi.*men*.to) *s.m.* **1.** Ato ou efeito de mover(-se); movimentação. **2.** Modo próprio de mover-se ou movimentar-se: *Todos se extasiavam com os movimentos da trapezista*. **3.** Ação ou impulso que faz mudar um corpo de um lugar para outro; deslocamento: *o movimento da bola no jogo*. **4.** Grande quantidade de pessoas ou veículos; circulação, movimentação: *Evito sempre as horas de grande movimento no trânsito*. **5.** Agitação, animação, alvoroço: *Essa festa vai ter muito movimento*. **6.** Grupo, organização, partido etc. que visam a um objetivo comum: *Movimento antitabagista; movimento das Diretas, Já!* **7.** Corrente ou tendência (social, cultural, artística etc.) que visam a uma mudança de ideias ou atitudes: *movimento feminista; movimento modernista*. **8.** (*Fís.*) Modificação da posição de um corpo no espaço em relação a um sistema de referência e em função do tempo: *movimento retilíneo; movimento helicoidal*. **9.** (*Mús.*) Andamento.

moviola [ó] (mo.vi:o.la) *s.f.* (*Cine*) Equipamento para a edição final de filmes.

moxa [ô...cha] (*mo*.xa) *s.f.* Espécie de incenso, de formato mais grosso, composto de folhas de artemísia, usado na moxibustão.

moxabustão [ch] (mo.xa.bus.*tão*) *s.f.* Moxibustão.

moxibustão [ch] (mo.xi.bus.*tão*) *s.f.* Processo terapêutico da medicina popular oriental, que consiste na combustão da moxa próximo à pele, em pontos determinados, para lenimento das dores musculares.

mozarela [é] (mo.za.*re*.la) *s.f.* (*Cul.*) Queijo de leite de búfala ou de vaca, muito usado em pratos da culinária oriunda da Itália. || muçarela.

muamba (mu:*am*.ba) *s.f.* Mercadoria originária de roubo ou contrabando.

muambeiro (mu:am.*bei*.ro) *s.m. coloq.* Pessoa que se dedica ao comércio informal de mercadorias, muito frequentemente contrabandeadas.

muar (mu:*ar*) *adj.* **1.** Relativo a animal da raça do burro: *gado muar.* • *s.m.* **2.** (*Zool.*) Burro.

mucama (mu.*ca*.ma) *s.f.* **1.** Escrava ou criada negra, geralmente jovem, que fazia o serviço caseiro na casa-grande, ou servia como acompanhante de sua senhora. **2.** Escrava que era ama de leite dos filhos dos senhores.

muçarela [é] (mu.ça.re.la) *s.f.* Mozarela.

mucilagem (mu.ci.*la*.gem) *s.f.* **1.** Substância gelatinosa encontrada nas raízes, flores e sementes de certos vegetais. **2.** Líquido espesso e pegajoso resultante da dissolução de matéria gelatinosa em água.

muco (*mu*.co) *s.m.* Secreção clara e viscosa, solúvel na água produzida nas mucosas; mucosidade.

mucosa [ó] (mu.*co*.sa) *s.f.* (*Anat.*) Membrana de revestimento das cavidades de alguns órgãos, que está constantemente umedecida pelo muco que segrega: *mucosa bucal.*

mucosidade (mu.co.si.*da*.de) *s.f.* Muco.

mucoso [ô] (mu.*co*.so) *adj.* **1.** Que contém ou segrega muco: *membrana mucosa.* **2.** Que tem características ou aspecto de muco. || f. e pl.: [ó].

muçulmano (mu.çul.*ma*.no) *adj.* **1.** Relativo a Maomé ou ao islamismo. **2.** Que é seguidor do islamismo. • *s.m.* **3.** Seguidor do islamismo.

muda (*mu*.da) *s.f.* **1.** Ato ou efeito de mudar; mudança. **2.** Planta ou galho tirados do viveiro para plantação definitiva. **3.** Renovação das penas, nas aves, e da pele ou do pelo, em certos animais. **4.** Peça de roupa de que se dispõe para o caso de troca. **5.** (*Biol.*) Substituição dos dentes de leite pela dentição definitiva.

mudança (mu.*dan*.ça) *s.f.* **1.** Ato ou efeito de mudar(-se); muda. **2.** Modificação, alteração ou transformação que pode ocorrer a (alguém ou algo) em seu estado, aspecto ou situação: *mudança de humor*; *mudança de clima.* **3.** Transporte dos bens móveis (de alguém) de um domicílio para outro, ou de mercadorias de um estabelecimento para uma nova sede: *mudança de endereço.* **4.** (*Mec.*) Caixa de engrenagens, provida de um comando, por meio da qual se pode variar a velocidade e a marcha de um veículo automotor: *mudança de câmbio.*

mudar (mu.*dar*) *v.* **1.** Pôr(-se) em outro lugar; transferir(-se) de um lugar para outro; deslocar(-se), mover(-se): *O diretor mudou seu gabinete para a nova sede*; *Mudei de apartamento*; *Seus pais mudaram-se do Rio para Brasília.* **2.** Causar ou sofrer mudança (2); ficar diferente; modificar(-se), transformar(-se), alterar(-se): *O candidato mudou o discurso após a eleição*; *As conjunturas estão mudando para melhor*; *O chefe mudou de cordial para despótico*; *Antes frio e insensível, ele mudou-se em uma pessoa amiga e solidária*; *Meu filho mudou muito na adolescência.* **3.** Deixar (uma coisa por outra); trocar, variar, substituir: *A empresa decidiu mudar o uniforme das recepcionistas*; *Mudou de sobrenome ao casar-se.* **4.** Dar ou tomar outra direção; desviar: *Vamos mudar o rumo da conversa*; *O avião mudou de rota.* ▶ Conjug. 5.

mudez [ê] (mu.*dez*) *s.f.* **1.** Condição ou estado de mudo. **2.** Perda ou privação da fala por causas orgânicas. **3.** Recusa voluntária ao uso da fala; mutismo. **4.** *fig.* Ausência de ruído; silêncio, quietude: *Na mudez de seu quarto, o poeta escrevia.*

mudo (*mu*.do) *adj.* **1.** Que não tem a capacidade de falar. **2.** Incapaz de falar sob forte emoção; emudecido: *mudo de espanto.* **3.** *fig.* Que não quer falar; que não deseja exprimir sua opinião ou vontade; calado: *Como forma de protesto, permaneceu mudo durante toda a reunião.*

mugido (mu.*gi*.do) *s.m.* Som emitido pelos bovídeos.

mugir (mu.*gir*) *v.* **1.** Soltar mugidos: *A boiada mugia no silêncio do pasto.* **2.** *fig.* Emitir som semelhante a mugido; berrar: *mugir de dor.* **3.** *fig.* Produzir grande ruído; bramir: *As ondas gigantescas pareciam mugir.* ▶ Conjug. 66 e 92.

mui *adv.* Muito: *mui solene*; *mui lentamente.*

muiraquitã (mui.ra.qui.*tã*) *s.m.* Amuleto de pedra, madeira ou outro material, em forma de pessoas ou animais, usado pelos indígenas da Amazônia.

muito (*mui*.to) *pron. indef.* **1.** Que é em grande quantidade, em grande número; abundante, numeroso: *muito dinheiro*; *muitas vitórias.* **2.** Que excede o normal; excessivo, demasiado, exagerado: *muito calor*; *muita febre.* **3.** Fora do comum; inusitado, excepcional: *É muita coincidência acertar na loteria tantas vezes.* • *adv.* **4.** Em grande quantidade; abundantemente: *O comércio vendeu muito neste Natal.* **5.** Em demasia; excessivamente, exageradamente: *Ganha pouco, mas gasta muito.* **6.** Em alto grau; intensamente: *Ele é um parlamentar muito atuante no Congresso*; *Vive a vida muito bem.* • *s.m.* **7.** Grande quantidade de (alguma coisa): *"Ah, se tu soubesses... o muito que te quero"* (Pixingui-

mula

nha e João de Barro, *Carinhoso*). • *muitos pron. indef.* **8.** Muitas pessoas: *Todos os colegas foram convidados, mas muitos não compareceram.* || *Há muito*: faz muito tempo: *Sua vinda era há muito esperada.* • *Quando muito*: na melhor hipótese; no máximo; se tanto: *Esperava conseguir, quando muito, uma classificação honrosa no concurso.*

mula (*mu*.la) *s.f.* **1.** (*Zool.*) Fêmea do mulo. **2.** *pej.* Pessoa pouco inteligente ou muito teimosa: *É uma verdadeira mula, insiste sempre nos maus negócios.* **3.** *coloq.* Pessoa que transporta drogas de maneira clandestina, especialmente em viagens internacionais.

mulato (mu.*la*.to) *adj. s.m.* **1.** Que descende de brancos e negros. **2.** Mestiço de negro, índio ou branco, de pele morena clara ou escura; pardo, fulo (1). • *s.m.* **3.** Pessoa mulata.

muleta [ê] (mu.*le*.ta) *s.f.* **1.** Bastão com um encosto para a axila na parte superior, que serve de apoio às pessoas com problemas de locomoção. **2.** *fig.* Aquilo que moralmente serve de apoio, arrimo ou amparo: *Não precisou de muletas para conseguir o que queria.*

mulher [é] (mu.*lher*) *s.f.* **1.** Pessoa do sexo feminino. **2.** Pessoa do sexo feminino depois da puberdade. **3.** Esposa, cônjuge, consorte. **4.** Descendente do sexo feminino; filha: *O casal tem duas mulheres e um homem.* **5.** O ser humano feminino considerado como parte da humanidade. **6.** *pej.* Companheira, amante, concubina: *Dizem que ele tem outra mulher.* || aum.: *mulherão* e *mulheraça*.

mulheraça (mu.lhe.*ra*.ça) *s.f.* **1.** Mulher grande e forte. **2.** *fig.* Mulher de formas atraentes; mulherão.

mulherada (mu.lhe.*ra*.da) *s.f. coloq.* Mulherio.

mulherão (mu.lhe.*rão*) *s.m.* Mulheraça (1 e 2).

mulherengo (mu.lhe.*ren*.go) *adj.* Que é dado a mulheres; namorador, conquistador.

mulherio (mu.lhe.*ri*:o) *s.m.* Grupo grande de mulheres; mulherada.

mulo (*mu*.lo) *s.m.* (*Zool.*) Animal produto do cruzamento de cavalo com jumenta ou de égua com jumento; jumento, burro.

multa (*mul*.ta) *s.f.* **1.** Ato ou efeito de multar. **2.** (*Jur.*) Pena imposta à pessoa que não cumpre a obrigação de pagar certa importância em dinheiro, prevista em lei ou em contrato: *multa fiscal*; *multa contratual*.

multar (mul.*tar*) *v.* Impor ou aplicar multa a: *As autoridades competentes irão multar as indús-*

trias poluidoras do meio ambiente; *Os fiscais multaram o comerciante em cinco salários mínimos*; *O guarda de trânsito multou o motorista por ultrapassagem perigosa.* ▶ Conjug. 5.

multicolor [ô] (mul.ti.co.*lor*) *adj.* De muitas cores; multicolorido; multicor.

multicolorido (mul.ti.co.lo.*ri*.do) *adj.* Multicolor, multicor.

multicor [ô] (mul.ti.*cor*) *adj.* Multicolor, multicolorido.

multidão (mul.ti.*dão*) *s.f.* **1.** Agrupamento, geralmente temporário, de pessoas, em função de algum fato social: *Havia uma multidão no comício.* **2.** Grande quantidade de animais: *Ao anoitecer, uma multidão de insetos tomava as casas.* **3.** Grande aglomerado de coisas; profusão, montão: *Era difícil encontrar alguma coisa no meio daquela multidão de papéis.*

multifacetado (mul.ti.fa.ce.*ta*.do) *adj.* Que possui muitas faces ou facetas: *pedra preciosa multifacetada*; (*fig.*) *personalidade multifacetada*.

multifário (mul.ti.*fá*.ri:o) *adj.* Que se apresenta sob vários aspectos: *O conteúdo multifário da internet*; (*fig.*) *o espírito multifário do modernismo no Brasil.*

multiforme [ó] (mul.ti.*for*.me) *adj.* Que tem muitas formas ou que se manifesta sob vários aspectos: *A feira de utilidades exibia um painel multiforme de atrações.*

multilateral (mul.ti.la.te.*ral*) *adj.* **1.** (*Geom.*) Que tem mais de quatro lados (diz-se de figura plana). **2.** Que diz respeito aos interesses, especialmente comerciais, entre muitos países: *tratado multilateral.*

multimídia (mul.ti.*mí*.di:a) *s.f.* **1.** (*Inform.*) Técnica que integra simultaneamente múltiplos meios de comunicação (texto, imagem, som), transmitidos através das redes de computadores. **2.** (*Comun.*) Uso de múltiplos meios de comunicação, aplicável a diversas áreas, como a manifestação cultural, a criação artística, a informação e o entretenimento.

multimilionário (mul.ti.mi.li:o.*ná*.ri:o) *adj.* **1.** Que é extremamente rico, possuidor de muitos milhões. **2.** Que envolve ou vale muitos milhões: *empreendimento multimilionário.* • *s.m.* **3.** Pessoa multimilionária.

multinacional (mul.ti.na.ci:o.*nal*) *adj.* **1.** Relativo a vários países; internacional: *organização multinacional.* **2.** Realizado entre vários países; de que participam vários países: *encontro multinacional de cúpula.* **3.** Que tem atividade (indús-

mundial

trial, comercial, agrícola etc.) em vários países (diz-se de empresa); transnacional.

multipartidário (mul.ti.par.ti.*dá*.ri.:o) *adj.* Pluripartidário.

multipartidarismo (mul.ti.par.ti.da.*ris*.mo) *s.m.* Pluripartidarismo.

multiplicação (mul.ti.pli.ca.*ção*) *s.f.* **1.** Ato ou efeito de multiplicar(-se). **2.** (*Mat.*) Operação pela qual se repete um número (*multiplicando*) tantas vezes quantas forem as unidades de outro (*multiplicador*), para formar-se um produto.

multiplicador [ô] (mul.ti.pli.ca.*dor*) *adj.* **1.** Que multiplica. • *s.m.* **2.** (*Mat.*) Número que, na operação de multiplicação, indica quantas vezes deve somar-se o multiplicando.

multiplicando (mul.ti.pli.*can*.do) *s.m.* (*Mat.*) Na operação de multiplicação, o número que será repetido tantas vezes quantas são as unidades do multiplicador.

multiplicar (mul.ti.pli.*car*) *v.* **1.** Aumentar a quantidade; tornar(-se) maior ou mais numeroso: *A escola multiplicou o número de matrículas*; *A colheita de grãos multiplicou-se nessa safra.* **2.** Aumentar de intensidade; intensificar(-se): *Vamos multiplicar a luta contra a exclusão social*; *Multiplicam-se, em todo o mundo, os apelos em prol da paz.* **3.** Tornar mais frequente; repetir, amiudar: *Com o novo cargo, teve de multiplicar as viagens ao exterior.* **4.** Fazer cópias; reproduzir, copiar: *multiplicar textos.* **5.** Reproduzir(-se), procriar, proliferar: *Com as novas técnicas de avicultura, as aves multiplicam-se em grande escala.* **6.** Desenvolver grande número de atividades: *As mães parecem multiplicar-se em suas tarefas diárias.* **7.** (*Mat.*) Fazer a operação da multiplicação: *Multiplique esse número por mil*; *Os pequenos alunos já sabem multiplicar.* ▶ Conjug. 5 e 35.

multiplicativo (mul.ti.pli.ca.*ti*.vo) *adj.* **1.** Que aumenta (em quantidade, intensidade, importância etc.): *Confiava no efeito multiplicativo de seu dinheiro aplicado em ações.* **2.** (*Mat.*) Que indica a operação de multiplicação (diz-se de sinal). **3.** (*Gram.*) Que expressa multiplicação (diz-se de numeral, como, por exemplo, *duplo*, *triplo*, *quíntuplo*, *cêntuplo* etc.).

multíplice (mul.*tí*.pli.ce) *adj.* **1.** Que se refere a quantidade maior que três; múltiplo. **2.** Formado por elementos diversos; variado, complexo: *uma cultura multíplice.* **3.** Que se processa em várias etapas: *uma obra multíplice.*

multiplicidade (mul.ti.pli.ci.*da*.de) *s.f.* **1.** Qualidade de multíplice. **2.** Grande número; abundância.

múltiplo (*múl*.ti.plo) *adj.* **1.** Multíplice (1). • *s.m.* **2.** (*Mat.*) Número que é exatamente divisível por outro: *Todos os números pares são múltiplos de dois.*

multiprocessador [ô] (mul.ti.pro.ces.sa.*dor*) *s.m.* **1.** (*Inform.*) Modo de operação em que duas ou mais unidades de processamento conectadas executam um ou mais processos em conjunto. **2.** Aparelho eletrodoméstico com múltiplos usos no preparo de alimentos, como bolo, cremes, purês etc. – **multiprocessamento** *s.m.*

múmia (*mú*.mi:a) **1.** Corpo de morto ilustre embalsamado pelos egípcios e outros povos da Antiguidade. **2.** Cadáver embalsamado por processos semelhantes aos usados pelos egípcios. **3.** *fig.* Pessoa sem vida, sem energia; desanimada; parada.

mumificar (mu.mi.fi.*car*) *v.* **1.** Transformar em múmia: *Povos, como os incas e os astecas, mumificavam seus mortos.* **2.** (*Med.*) Tornar(-se) enrijecido, duro, seco: *O acúmulo de colesterol pode mumificar os tecidos*; *As artérias se mumificaram.* **3.** *fig.* Tornar-se envelhecido, mirrado; definhar: *Seu corpo mumificou-se com a grave enfermidade.* **4.** *fig.* Tornar(-se) ultrapassado, antiquado: *O conservadorismo mumifica as mentes*; *Para não mumificar-se, abra-se para novas ideias.* ▶ Conjug. 5 e 35. – **mumificação** *s.f.*

mundana (mun.*da*.na) *s.f.* **1.** Mulher dedicada aos hábitos e prazeres da vida material. **2.** Meretriz.

mundano (mun.*da*.no) *adj.* **1.** Relativo a ou próprio do mundo material (por oposição ao espiritual); terreno: *prazeres mundanos.* **2.** Referente às características e às convenções da vida em sociedade: *O casal era frequentador assíduo das festas e dos salões mundanos.* • *s.m.* **3.** Pessoa mundana.

mundão (mun.*dão*) *s.m.* **1.** Grande extensão: *mundão de terra*; *mundão de água.* **2.** Lugar distante e isolado; grotão: *Os bandeirantes embrenharam-se por perdidos mundões.* **3.** Grande quantidade (de pessoas ou coisas); mundaréu: *mundão de gente*; *mundão de veículos.*

mundaréu (mun.da.*réu*) *s.m.* Mundão (3).

mundial (mun.di:*al*) *adj.* **1.** Concernente ao mundo como um todo; global, universal: *população mundial*; *paz mundial.* • *s.m.* **2.** Evento, geralmente esportivo, de caráter internacional: *Nosso país conquistou várias medalhas no mundial de atletismo.*

mundo

mundo (*mun*.do) *s.m.* **1.** A Terra e os astros considerados como um todo; o Universo: *A teoria do big bang busca explicar a origem do mundo.* **2.** O planeta Terra. **3.** Qualquer parte da Terra e seus habitantes: *o mundo cristão; o mundo árabe.* **4.** Qualquer outro corpo celeste: *Alguns acreditam que seres de outros mundos se dirigem a nosso planeta.* **5.** *fig.* A raça humana; a humanidade: *"Tenho apenas duas mãos e o sentimento do mundo."* (Carlos Drummond de Andrade, *Sentimento do Mundo.*). **6.** *fig.* Domínio de um campo específico do conhecimento ou da atividade humana: *mundo da ciência; mundo do esporte.* **7.** *fig.* A vida em sociedade; mundanidade: *Aquele empresário é um homem do mundo.* **8.** *fig.* Conjunto de coisas de grande importância ou complexidade: *As novas instalações da indústria petrolífera são um mundo.* **9.** *fig.* Grande quantidade (de pessoas ou coisas): *Fez um mundo de amigos na viagem.* || *Cair no mundo*: fugir, escapar, desaparecer. • *Correr mundo*: **1.** viajar por muitos lugares. **2.** espalhar-se, divulgar-se, propagar-se. • *Meio mundo*: grande quantidade de pessoas; mundaréu. • *Mundos e fundos*: muitos recursos; grande quantia em dinheiro. • *No mundo da lua*: fora da realidade; distraído, absorto. • *Primeiro Mundo*: conjunto dos maiores países capitalistas. • *Segundo Mundo*: conjunto dos países socialistas. • *Terceiro Mundo*: conjunto dos países subdesenvolvidos ou em desenvolvimento. || Nestes três últimos casos, usam-se iniciais maiúsculas. • *Ser do outro mundo*: ser extraordinário, excepcional, fora de série.

mungir (mun.*gir*) *v.* Ordenhar: *mungir as vacas leiteiras.* ▶ Conjug. 66 e 92.

mungunzá (mun.gun.*zá*) *s.m.* Munguzá.

munguzá (mun.gu.*zá*) *s.m.* (*Cul.*) Espécie de mingau feito de milho branco, com leite e leite de coco, açúcar e canela; canjica.

munheca [é] (mu.*nhe*.ca) *s.f.* Parte do corpo situada na junção do antebraço e a mão; pulso, punho.

munição (mu.ni.*ção*) *s.f.* **1.** (*Mil.*) Toda provisão de objetos indispensáveis à manutenção de uma tropa militar, seja o material bélico (armas, canhões, balas, pólvora etc.), sejam os víveres e mantimentos. **2.** Conjunto dos artefatos explosivos com que se carregam armas de fogo. **3.** *fig.* Aquilo que pode ser utilizado como defesa e proteção contra alguma ofensa e dano: *Não dê mais munição a seus detratores.*

municiar (mu.ni.ci.*ar*) *v.* **1.** Prover de munição; munir: *municiar tropas.* **2.** Prover do necessário; abastecer, guarnecer, munir: *A prefeitura municiou a despensa de todas as escolas.* ▶ Conjug. 17.

municipal (mu.ni.ci.*pal*) *adj.* **1.** Relativo ou pertencente ao município: *guarda municipal; hospital municipal.* **2.** Relativo a municipalidade (1): *câmara municipal; leis municipais.* • *s.m.* **3.** Teatro pertencente à municipalidade: *O Municipal abriu sua temporada de ópera.* || Nesta acepção, usa-se inicial maiúscula.

municipalidade (mu.ni.ci.pa.li.*da*.de) *s.f.* **1.** Conjunto das pessoas (prefeito, secretários e vereadores) a quem se defere o poder de administrar o município. **2.** Edifícios onde se situam a Prefeitura e a Câmara Municipal. **3.** A área urbana que constitui o município.

municipalismo (mu.ni.ci.pa.*lis*.mo) *s.m.* Sistema de administração em que se fundamentam os direitos do município, sua autonomia e participação na distribuição dos recursos públicos. – **municipalista** *adj.*

municipalizar (mu.ni.ci.pa.li.*zar*) *v.* **1.** Tornar(-se) um município: *municipalizar um distrito; Nos últimos anos, muitos distritos se municipalizaram.* **2.** Transferir para a responsabilidade do município: *municipalizar a pré-escola e o ensino fundamental.* ▶ Conjug. 5. – **municipalização** *s.f.*

munícipe (mu.*ní*.ci.pe) *adj.* **1.** Que é cidadão habitante de um município. • *s.m. e f.* **2.** Cidadão do município.

município (mu.ni.*cí*.pi:o) *s.m.* **1.** Divisão administrativa de um estado, governada por um prefeito que executa as leis aprovadas pela Câmara de Vereadores. **2.** Extensão territorial delimitada em que os munícipes têm o direito de cidadania e da eleição de seus representantes.

munificência (mu.ni.fi.*cên*.ci:a) *s.f.* Qualidade de munificente; generosidade, liberalidade, prodigalidade. – **munificente** *adj.*

munir (mu.*nir*) *v.* **1.** Prover de munição (1); municiar: *munir os batalhões da polícia.* **2.** Prover (-se) do necessário; abastecer(-se), dotar(-se): *O governo deve munir todas as escolas de livros didáticos;* (fig.) *Muniu-se de toda a coragem para enfrentar o público pela primeira vez.* **3.** Prevenir(-se) (contra algum dano ou ofensa); acautelar(-se), municiar(-se): *Você deve munir os colegas contra os perigos dessa aventura; Todos devem munir-se contra os imprevistos da existência.* ▶ Conjug. 66.

muque (mu.que) *s.m. coloq.* Músculo bastante desenvolvido, especialmente o bíceps e o tríceps. || *A muque*: à força; com violência.

musculação

muquirana (mu.qui.*ra*.na) *s.f.* **1.** (*Zool.*) Piolho. • *adj.* **2.** *coloq.* Que se torna aborrecido; enfadonho, maçante, chato. **3.** *coloq.* Que é sovina; avarento, mesquinho. • *s.m.* e *f.* **4.** Pessoa avarenta, mesquinha.

mural (mu.*ral*) *adj.* **1.** Relativo a muro ou parede: *jornal mural*. • *s.m.* **2.** Local ou quadro em que são afixados avisos, informações, resultados de concurso etc.: *Conferiu sua aprovação no mural da faculdade.* **3.** (*Art.*) Pintura, geralmente de grandes proporções, realizada ou aplicada diretamente em muro ou parede: *Admirou o famoso mural de Portinari sobre a paz que está na ONU.* – **muralista** *s.m.* e *f.*

muralha (mu.*ra*.lha) *s.f.* **1.** Muro de grande espessura e altura erguido como proteção e defesa: *Algumas cidades medievais ainda conservam suas muralhas.* **2.** Grande muro construído para cercar terrenos ou residências; paredão. **3.** *fig.* Proteção contra qualquer ameaça (física ou moral): *Ergueu uma muralha contra a inveja dos falsos amigos.* **4.** *fig.* Pessoa de muita força e coragem, frente a problemas e situações adversas: *Aquela mulher é uma muralha de resistência e dignidade.*

murar (mu.*rar*) *v.* **1.** Construir um muro, parede ou tapume em torno de (casa, prédio etc.) ou ao longo de (terreno, solo etc.), para demarcação e proteção; cercar: *murar a frente da casa; murar as terras da fazenda.* **2.** Fortificar (-se), defender(-se) com muro ou muralha: *murar um castelo; murar um forte.* **3.** *fig.* Cercar(-se) de cuidado e prevenção; prevenir(-se), munir(-se): *Murou seu espírito de coragem contra as adversidades; Murou-se contra a maledicência dos invejosos.* ▶ Conjug. 5.

murchar (mur.*char*) *v.* **1.** Tornar(-se) murcho (vegetal); fenecer: *O calor murchou as plantas do jardim; Regue bastante essas flores para que demorem a murchar; As rosas murcham-se rapidamente.* **2.** *fig.* Abater(-se), enfraquecer (-se); desanimar(-se): *A vida dura murchou-lhe as ilusões; Não deixe nunca murchar(-se) o amor.* **3.** *coloq.* Deixar cair, pender, despencar: *Ressabiado, o cachorro murchou as orelhas.* ▶ Conjug. 5.

murcho (mur.*cho*) *adj.* **1.** Que murchou; que perdeu o viço, o frescor: *flores murchas*; (*fig.*) *boca murcha.* **2.** *fig.* Sem ânimo; sem energia; abatido, tristonho: *O fim do romance deixou-os murchos durante toda a festa.* **3.** *coloq.* Caído, despencado, frouxo: *orelhas murchas.* **4.** Que se esvaziou; vazio: *Os quatro pneus estão murchos.*

mureta [ê] (mu.*re*.ta) *s.f.* Muro baixo e de pouca extensão.

muriático (mu.ri.*á*.ti.co) *adj.* (*Quím.*) Antiga denominação de clorídrico (ácido).

murici (mu.ri.*ci*) *s.m.* **1.** (*Bot.*) Árvore típica do cerrado, de frutos comestíveis. **2.** Esse fruto.

muriçoca [ó] (mu.ri.*ço*.ca) *s.f.* (*Zool.*) Mosquito.

murmurante (mur.mu.*ran*.te) *adj.* Que murmura; que produz murmúrio: *fontes murmurantes.*

murmurar (mur.mu.*rar*) *v.* **1.** Dizer (algo) em voz baixa; sussurrar, segredar: *O rapaz murmurava doces palavras (à namorada).* **2.** Fazer mau juízo sobre alguém ou algo; criticar, censurar, difamar: *Murmurava-se que a empresa iria falir; Comprazia-se em murmurar aleivosias sobre seus oponentes.* **3.** Produzir murmúrio (3); murmurejar: *O vento parecia murmurar lamentos na noite escura; No parque das águas, as fontes murmuram incessantemente.* ▶ Conjug. 5.

murmurejar (mur.mu.re.*jar*) *v.* **1.** Produzir murmúrio (3); murmurar: *Correndo entre as pedras do riacho, as águas murmurejavam.* **2.** *fig.* Dizer (algo) em tom baixo; sussurrar, segredar: *murmurejar queixumes.* ▶ Conjug. 10 e 37. – **murmurejante** *adj.*

murmúrio (mur.*mú*.ri:o) *s.m.* **1.** Ato ou efeito de murmurar. **2.** Ruído contínuo e indistinto de muitas vozes simultâneas: *Ouvia-se o murmúrio do público na sala do espetáculo.* **3.** Ruído característico da água corrente, das ondas do mar ou do vento nas folhas: *"Murmúrio dágua, és tão suave a meus ouvidos."* (Manuel Bandeira, *Murmúrio dágua*). **4.** Palavras pronunciadas em voz muito baixa; sussurro: *Arquejante, só conseguia soltar alguns murmúrios.* **5.** Comentário maldoso; mau juízo; maledicência: *Não dê ouvidos aos murmúrios dos invejosos.*

muro (mu.*ro*) *s.m.* **1.** Construção (de pedra, alvenaria etc.) para cercar, vedar ou servir de divisa entre casas, edifícios etc. **2.** Muralha (1).

murro (mur.*ro*) *s.m.* Pancada que se dá com a mão fechada; soco, sopapo. ‖ *Dar murro em faca de ponta:* fig. persistir em algo impossível de concretizar-se.

musa (mu.*sa*) *s.f.* **1.** (*Mit.*) Cada uma das nove divindades que na mitologia greco-romana eram protetoras das artes. **2.** A fonte de inspiração do artista: *"A Musa que inspira meus cantos é livre/ Detesta os preceitos da vil opressão."* (Machado de Assis, *Minha Musa*).

musculação (mus.cu.la.*ção*) *s.f.* Exercício físico cujo objetivo é aumentar a massa muscular.

muscular (mus.cu.*lar*) *adj.* Relativo a ou próprio de músculo: *tecido muscular; dor muscular.*

musculatura (mus.cu.la.*tu*.ra) *s.f.* **1.** (*Anat.*) O conjunto dos músculos de um organismo ou de uma parte do organismo. **2.** *fig.* Força muscular; músculo: *Malhava diariamente para conseguir uma boa musculatura.*

músculo (*mús*.cu.lo) *s.m.* (*Anat.*) Órgão constituído por fibras, com propriedades de contrair-se ou alongar-se, produzindo movimentos, e de manter a posição das diversas partes do corpo humano e animal: *músculo cardíaco; músculo trapézio.*

musculoso [ô] (mus.cu.*lo*.so) *adj.* Que possui músculos fortes e desenvolvidos: *corpo musculoso; atleta musculoso.* || f. e pl.: [ó].

museologia (mu.se:o.lo.*gi*.a) *s.f.* Ciência que tem como objeto a técnica e a prática da conservação, classificação e apresentação dos acervos dos museus.

museólogo (mu.se:*ó*.lo.go) *s.m.* Profissional formado em Museologia.

museu (mu.*seu*) *s.m.* **1.** Instituição, pública ou privada, que se destina à guarda, conservação e exposição ao público de um grande número de peças de interesse artístico, científico, histórico ou cultural: *Museu de Arte Moderna; Museu da Inconfidência.* **2.** *fig.* Lugar com uma miscelânea de objetos variados, artísticos ou não, mas de certo valor: *Sua casa parecia um museu de peças antigas e modernas.*

musgo (*mus*.go) *s.m.* (*Bot.*) Planta desprovida de raízes e de folhas, que cresce, sob a ação da umidade, nas superfícies de rochas, pedras, troncos de árvores, revestindo-as de uma capa verde limosa.

musgoso [ô] (mus.*go*.so) *adj.* **1.** Que está coberto de musgo; limoso, musguento. **2.** Que produz musgo. **3.** Que é semelhante ao musgo. || f. e pl.: [ó].

musguento (mus.*guen*.to) *adj.* Musgoso.

música (*mú*.si.ca) *s.f.* (*Mús.*) **1.** Conjunto de sons, vocais ou instrumentais, ordenados harmoniosamente segundo determinadas regras de estrutura e de continuidade. **2.** Arte de expressar-se através dessa combinação harmoniosa de sons: *Fazer música é sua arte e sua profissão.* **3.** Interpretação de uma composição musical: *concerto de música instrumental.* **4.** Notação escrita de uma composição musical; partitura: *Está aprendendo a ler música.* **5.** Peça musical, composta ou executada, acompanhada ou não de letra: *Gravou um CD com músicas de sua autoria.* **6.** *fig.* Sequência de sons agradáveis de ouvir; melodia, harmonia, musicalidade: *"A brisa... tece carícia e música nos finos fios do arrozal."* (Cecília Meireles, *Campo*).

musical (mu.si.*cal*) *adj.* **1.** Relativo a música. **2.** Que é agradável ao ouvido; melodioso, mavioso: *voz musical.* **3.** Que intercala canções e danças aos diálogos (diz-se de espetáculo teatral e de filme). • *s.m.* **4.** Esse espetáculo ou esse filme: *O cinema americano tem a tradição de musicais inesquecíveis.*

musicalidade (mu.si.ca.li.*da*.de) *s.f.* **1.** Qualidade de musical. **2.** Talento ou grande aptidão para criar ou executar música: *Herdeiro de uma família de músicos, parece trazer a musicalidade no sangue.* **3.** *fig.* Harmonia, melodia, ritmo: *Os poetas simbolistas privilegiaram a musicalidade em seus versos.*

musicar (mu.si.*car*) *v.* **1.** Compor música: *Além de musicar, ele também toca suas composições.* **2.** Colocar música em (poemas, peças teatrais etc.): *Vinícius de Morais teve vários parceiros para musicar suas letras.* ▶ Conjug. 5 e 35.

musicista (mu.si.*cis*.ta) *adj.* **1.** Que cria e executa peças musicais; músico. • *s.m. e f.* **2.** Pessoa que é musicista; músico.

músico (*mú*.si.co) *adj.* **1.** Musical (1 e 2). • *s.m.* **2.** Musicista. **3.** Membro de um conjunto musical (orquestra, banda etc.); instrumentista.

musicoterapia (mu.si.co.te.ra.*pi*.a) *s.f.* (*Mús., Psic.*) Uso da música no tratamento de transtornos físicos, mentais e emocionais: *A musicoterapia auxilia na melhora da coordenação motora e da fala.* – **musicoterápico** *adj.*

musse (*mus*.se) *s.f.* (*Cul.*) **1.** Sobremesa fria preparada com chocolate ou frutas, a que se adicionam creme de leite e clara de ovos batida. **2.** Prato preparado com carne (de ave, peixe, crustáceo etc.) a que se adicionam claras em neve e gelatina em pó, e que é servido frio: *musse de atum.*

musselina (mus.se.*li*.na) *s.f.* Tecido (de algodão, seda ou lã) leve e transparente.

mutação (mu.ta.*ção*) *s.f.* **1.** Ato ou efeito de mudar(-se); modificação, alteração, transformação. **2.** (*Biol.*) Mudança que afeta a estrutura física de um cromossomo ou que decorre de alteração bioquímica em um gene: *mutação genética.*

mutante (mu.*tan*.te) *adj.* **1.** Que sofreu mutação: *gene mutante.* • *s.m. e f.* **2.** Organismo ou

muxoxo

indivíduo resultante de um processo de mutação genética: *Nos filmes de ficção científica os mutantes são personagens constantes.*

mutilado (mu.ti.*la*.do) *adj.* **1.** Que foi privado de algum membro ou parte do corpo; amputado. **2.** Que sofreu dano, estrago (diz-se de monumento). **3.** Que teve parte(s) suprimida(s) (diz-se de obra literária). • *s.m.* **4.** Pessoa mutilada.

mutilar (mu.ti.*lar*) *v.* **1.** Privar (alguém ou a si próprio) de um membro ou de uma parte do corpo; decepar, amputar: *O torno mecânico mutilou-lhe o dedo da mão; Tenha muito cuidado com essa máquina elétrica para não mutilar-se.* **2.** Causar dano, estrago a; deteriorar: *As crianças costumam mutilar seus brinquedos.* **3.** *fig.* Suprimir trechos de (obra literária ou não); cortar, truncar; deturpar: *A censura mutilou muitos livros e canções durante o período autoritário.* ▶ Conjug. 5. – **mutilação** *s.f.*

mutirão (mu.ti.*rão*) *s.m.* Trabalho coletivo temporário, gratuito, de mobilização dos integrantes de uma comunidade (no campo ou na cidade), em favor de uma causa social: *mutirão contra a dengue.*

mutismo (mu.*tis*.mo) *s.m.* Mudez (3).

mutreta [ê] (mu.*tre*.ta) *s.f. gír.* Ação astuciosa, com o fim de enganar; ardil, trama.

mutual (mu.tu:*al*) *adj.* Mútuo.

mutualidade (mu.tu:a.li.*da*.de) *s.f.* **1.** Qualidade ou característica do que é mútuo; reciprocidade. **2.** (*Jur.*) Regime de cooperação, adotado em certas sociedades, em que o capital é constituído pelos lucros e benefícios advindos principalmente de construções de prédios e de seguros.

mutuante (mu.tu:*an*.te) *adj.* Pessoa que, num contrato de mútuo, dá alguma coisa por empréstimo.

mutuário (mu.tu:*á*.ri:o) *s.m.* (*Jur.*) Pessoa que, num contrato de mútuo, toma e recebe o empréstimo.

mutuca (mu.*tu*.ca) *s.f.* (*Zool.*) Inseto díptero, de tamanho médio, cuja fêmea é hematófaga, de picada dolorosa no homem e nos animais, principalmente no gado.

mútuo (*mú*.tu:o) *adj.* **1.** Em que há reciprocidade de parte a parte: *respeito mútuo; mútuo consenso.* • *s.m.* **2.** (*Jur.*) Contrato de empréstimo que envolve algum tipo de ônus; contrato de mútuo.

muvuca (mu.*vu*.ca) *s.f.* **1.** *gír.* Aglomeração ruidosa e com muita animação, especialmente de jovens; agito. **2.** *gír.* Grande confusão; agitação, tumulto.

muxoxo [chôch] (mu.*xo*.xo) *s.m.* **1.** Estalo dado com a língua e os lábios para mostrar desdém ou pouco caso, em relação a pessoa ou coisa. **2.** Leve toque dos lábios em alguém, como carícia ou demonstração de afeto.

n s.m. Décima quarta letra do alfabeto português.

N 1. (*Fís.*) Símbolo de *newton*. **2.** (*Quím.*) Símbolo de *nitrogênio*. **3.** Símbolo de *norte* (2).

N. Abreviação de *norte* (3) e (4).

na¹ Contração da prep. *em* com o art. def. feminino singular *a*, ou com o pron. dem. feminino singular *a*: *Existem árvores na rua onde moro e na que fica próxima*.

na² Forma oblíqua do pron. pess. de terceira pessoa *a* depois de fonemas nasais: *Deram-na*; *fazem-na*.

Na (*Quím.*) Símbolo de *sódio*.

nababesco [ê] (na.ba.*bes*.co) adj. **1.** De nababo; relativo a nababo. **2.** Que envolve luxo e riqueza: *uma festa nababesca*.

nababo (na.*ba*.bo) s.m. **1.** Ricaço que vive uma vida de luxo. **2.** Governador na Índia.

nabo (*na*.bo) s.m. **1.** (*Bot.*) Planta cuja raiz é comestível em sopas e saladas. **2.** A raiz dessa planta.

nação (na.*ção*) s.f. **1.** Território politicamente autônomo habitado por um povo; país: *O Brasil é nossa nação*. **2.** Comunidade cujos membros possuem identidade étnica, cultural, linguística e histórica e que habita um território: *as nações indígenas*. **3.** O território ocupado por essa comunidade. **4.** Entidade jurídica, formada pelo conjunto de indivíduos regidos pelas mesmas leis ou organizados sob o mesmo governo: *As nações latino-americanas aceitaram a proposta da França*. **5.** Povo de um país encarado como um todo, sem distinguir qualquer das classes sociais que o compõem: *Toda a nação clamava por liberdade*. **6.** Nacionalidade: *Era um navegante de nação portuguesa*.

nácar (*ná*.car) s.m. Matéria branca, ou rosada, e brilhante, que reveste interiormente a concha de certos moluscos; madrepérola.

nacarado (na.ca.*ra*.do) adj. Com a cor, brilho ou aspecto de nácar.

nacional (na.ci.o.*nal*) adj. **1.** Relativo a uma nação; próprio de uma nação: *a língua nacional*; *o folclore nacional*. **2.** Que representa uma nação: *a bandeira nacional*; *o hino nacional*. **3.** Que abrange toda a nação: *O presidente falará em rede nacional de televisão*. • s.m. **4.** Pessoa natural de um país, não estrangeira.

nacionalidade (na.ci.o.na.li.*da*.de) s.f. **1.** País de nascimento: *Qual é sua nacionalidade?* **2.** Caráter de nacional. **3.** Condição ou estado de pertencer a uma nação pela origem, pelo nascimento ou pela naturalização: *ter a nacionalidade italiana*. **4.** Conjunto de traços culturais que formam a identidade de uma nação: *A literatura ajuda a criar a nacionalidade brasileira*.

nacionalismo (na.ci.o.na.*lis*.mo) s.m. **1.** Sentimento e atitude de valorização de seu país natal e de tudo que lhe diz respeito. **2.** Doutrina ou prática política que defende e prioriza os interesses nacionais.

nacionalista (na.ci.o.na.*lis*.ta) adj. **1.** Que se caracteriza pelo nacionalismo: *uma medida nacionalista*. • s.m. e f. **2.** Pessoa partidária do nacionalismo: *um nacionalista exaltado*.

nacionalizar (na.ci.o.na.li.*zar*) v. **1.** Tornar(-se) nacional: *O governo nacionalizou os meios de produção*; *O cinema nacionaliza-se nesse país*. **2.** Tornar propriedade do Estado: *Aquele país da América quis nacionalizar toda a exploração de petróleo*. || Nesse sentido, conferir com *privatizar*. ▶ Conjug. 5.

naco (*na*.co) s.m. Pedaço de qualquer coisa, principalmente alimento; bocado: *um naco de pão*.

nada (*na*.da) pron. indef. **1.** Coisa alguma; coisa nenhuma: *Não comeu nada o dia inteiro*. **2.** De maneira nenhuma: *Você vai viajar nada*. • adv. **3.** Em grau nenhum; de modo algum: *Ele não é nada esperto*. • s.m. **4.** A não existência de qualquer coisa: *Era o escuro; era o nada*. **5.** Pessoa ou coisa de valor ínfimo: *Para mim, você é nada*; *Os* *irmãos brigavam por nada.* || *Dar em nada*: não obter resultado algum: *Meus esforços deram em nada.* • *De nada*: sem importância; insignificante: *Isso é uma febrezinha de nada; logo passa.*

nadadeira (na.da.dei.ra) *s.f.* **1.** Nos peixes e em outros animais aquáticos, apêndice que facilita o movimento na água: *as nadadeiras do peixe-boi.* **2.** Acessório de borracha em forma de pé de pato, empregado por mergulhadores e nadadores para locomover-se com maior velocidade na água; pé de pato.

nadador [ô] (na.da.*dor*) *adj.* **1.** Que nada. • *s.m.* **2.** Pessoa que nada. **3.** Atleta que pratica natação.

nadar (na.*dar*) *v.* **1.** Deslocar-se na água em determinada velocidade, usando braços e pernas (homem) ou nadadeiras (peixes): *É uma pena, mas não sei nadar; Para manter a forma, ele nadava 700 m todos os dias.* **2.** Estar imerso num líquido: *A carne vinha nadando em óleo.* **3.** Ter muito; possuir em abundância: *O nababo nada em ouro.* ▶ Conjug. 5.

nádega (*ná*.de.ga) *s.f.* Cada uma das duas partes carnudas e arredondadas que formam a região traseira e superior das coxas.

nadir (na.*dir*) *s.m.* **1.** (*Astron.*) Interseção inferior da vertical do lugar onde se encontra o observador com a esfera celeste, e que é o ponto diametralmente oposto ao zênite. **2.** O ponto mais baixo; o último nível.

nado (*na*.do) *s.m.* **1.** Ato de nadar. **2.** Modo de nadar: *prova de nado livre.*

nafta (*naf*.ta) *s.f.* (*Quím.*) Produto líquido incolor, volátil e combustível, resultante do refino de petróleo.

naftaleno (naf.ta.*le*.no) *s.m.* (*Quím.*) Produto derivado de petróleo, de cheiro característico, usado contra traças e baratas.

naftalina (naf.ta.*li*.na) *s.f.* Designação comercial do naftaleno.

nagô (na.*gô*) *adj.* **1.** Referente ao povo nagô: *ritual nagô.* • *s.m. e f.* **2.** Povo procedente da região do Golfo da Guiné (África), chamado também iorubá: *Os nagôs cultuam os orixás.* • *s.m.* **3.** A língua falada por esse povo: *Alguns velhos escravos ainda falavam nagô.*

náiade (*nái*.a.de) *s.f.* (*Mit.*) Ninfa da mitologia grega que presidia aos rios e às fontes.

náilon (*nái*.lon) *s.m.* **1.** Material sintético resistente, empregado na fabricação de fibras e tecidos. **2.** Fibra ou tecido desse material: *rede de náilon.* || nylon.

naipe (*nai*.pe) *s.m.* **1.** Cada um dos quatro grupos em que se dividem as cartas do baralho (ouros, copas, paus e espadas). **2.** Grupo de instrumentos ou de vozes da mesma natureza, numa orquestra ou no coral: *O naipe de tenores desse coral é excelente.* **3.** Condição, qualidade de pessoas ou coisas: *Os amigos dele eram todos do mesmo naipe.*

naja (*na*.ja) *s.f.* (*Zool.*) Serpente venenosa da África e da Ásia que engrossa e levanta a região da cabeça quando ameaçada.

nambiquara (nam.bi.*qua*.ra) *adj.* **1.** Relativo aos nambiquaras: *uma aldeia nambiquara.* • *s.m. e f.* **2.** Povo indígena brasileiro da região Centro-Oeste e do sul de Rondônia.

nambu (nam.*bu*) *s.f.* (*Zool.*) Inhambu, nhambu.

namibiano (na.mi.bi:*a*.no) *adj.* **1.** Da Namíbia, país da África. • *s.m.* **2.** O natural ou o habitante desse país.

namorada (na.mo.*ra*.da) *s.f.* Moça ou mulher que alguém namora.

namorado (na.mo.*ra*.do) *s.m.* **1.** Homem ou rapaz que namora alguém. **2.** Amante. **3.** (*Zool.*) Peixe comestível do mar.

namorador [ô] (na.mo.ra.*dor*) *adj.* **1.** Que namora muito: *um rapaz namorador.* • *s.m.* **2.** Aquele que namora muito: *João é um namorador de moças bonitas.*

namorar (na.mo.*rar*) *v.* **1.** Ter relações amorosas (com) alguém: *Mário namora Mariana; Mário namora com Mariana; Namoramos há cinco meses.* **2.** *fig.* Olhar para algo desejando; cobiçar, desejar: *Há muito namoro um carro novo numa concessionária da cidade.* ▶ Conjug. 20.

namoricar (na.mo.ri.*car*) *v.* **1.** Namorar sem compromisso e por pouco tempo: *Enquanto estava na cidade, Erasmo namoricava (com) Helena.* **2.** Flertar: *Durante o baile, ela namoricava o Luís.* ▶ Conjug. 5 e 35.

namorico (na.mo.*ri*.co) *s.m.* Namoro passageiro, por pouco tempo.

namoro [ô] (na.*mo*.ro) *s.m.* **1.** Ação ou efeito de namorar. **2.** Relação amorosa, até certo ponto estável, sem coabitação dos namorados: *O namoro desses jovens já dura três anos.*

nanico (na.*ni*.co) *adj.* **1.** Que é muito baixo ou pequeno: *uma criança nanica.* **2.** De pouca importância política: *A reforma vai acabar com os partidos nanicos?* • *s.m.* **3.** Pessoa de baixa estatura; gabiru: *Um nanico passaria bem por esse buraco.*

nanismo (na.*nis*.mo) *s.m.* (*Med.*) Anomalia caracterizada pelo pequeno desenvolvimento

nanquim

ou pela suspensão prematura do crescimento por causa de fatores hormonais.

nanquim (nan.*quim*) *s.m.* Tinta preta usada em desenhos e caligrafia.

não *adv.* **1.** Usado para expressar negação ou recusa: *Quer ir ao cinema? – Não, prefiro ficar em casa.* **2.** Exprime negação da ação expressa pelo verbo: *Não assinaremos a declaração.* **3.** Preposto a um substantivo ou adjetivo, serve para negar o sentido desses substantivo ou adjetivo: *um pacto de não agressão; uma sociedade não industrializada.* **4.** É usado em interrogativa direta para a qual se espera uma resposta afirmativa: *E não era essa a resposta que você esperava?* **5.** Usado no final de uma interrogativa direta para a qual se espera uma resposta afirmativa: *Vocês todos já viram esse filme, não?* **6.** Expressa afirmação enfática numa interrogação direta, à qual vem precedendo: *Eu não afirmei que viria hoje aqui?* **7.** Pode ser usado para reforçar um advérbio de intensidade: *Quanto não trabalhei para lhe dar tudo o que você tem!* • *s.m.* **8.** Negativa: *Terrível palavra é um não!*

napa (*na*.pa) *s.f.* **1.** Pele macia e fina de carneiro, usada na confecção de luvas, bolsas etc. **2.** Pele artificial que imita a consistência e a maciez da napa natural.

napalm (na.*palm*) *s.m.* **1.** Gelatina usada na fabricação de bombas incendiárias jogadas pelos norte-americanos no Vietnã. **2.** Bomba fabricada com essa gelatina: *O uso de napalm devia ser considerado crime contra a humanidade.*

napoleônico (na.po.le.ô.ni.co) *adj.* Relativo ao imperador da França Napoleão Bonaparte (1769-1821) ou ao seu sistema político e militar: *o império napoleônico.*

napolitano (na.po.li.*ta*.no) *adj.* **1.** De Nápoles, cidade da Itália. • *s.m.* **2.** O natural ou o habitante dessa cidade italiana.

naquele [ê] (na.*que*.le) Contração da preposição *em* com o pronome demonstrativo *aquele*.

naquilo (na.*qui*.lo) Contração da preposição *em* com o pronome demonstrativo *aquilo*.

narcisismo (nar.ci.*sis*.mo) *s.m.* (*Psicn.*) Excessiva admiração e amor por sua própria imagem.

narciso (nar.*ci*.so) *s.m.* **1.** (*Bot.*) Planta ornamental de bulbo que produz flores brancas ou amarelas. **2.** A flor dessa planta. **3.** Homem excessivamente vaidoso: *Tiago é um narciso.*

narcodólares (nar.co.*dó*.la.res) *s.m.pl.* Dólares obtidos através do tráfico de narcóticos.

narcolepsia (nar.co.lep.*si*.a) *s.f.* Doença que provoca ataques repentinos de sono incontrolável.

narcose [ó] (nar.*co*.se) *s.f.* Sono e entorpecimento dos sentidos, provocados por meio de narcóticos.

narcótico (nar.*có*.ti.co) *adj.* **1.** Que provoca entorpecimento dos sentidos e causa dependência. • *s.m.* **2.** Qualquer droga que entorpece os sentidos e que induz ao sono.

narcotismo (nar.co.*tis*.mo) *s.m.* **1.** Estado de entorpecimento, inconsciência e sonolência provocado por consumo de narcóticos. **2.** Dependência psicológica ou física de narcóticos.

narcotizar (nar.co.ti.*zar*) *v.* Entorpecer ou anestesiar pelo efeito de narcótico. ▶ Conjug. 5.

narcotráfico (nar.co.*trá*.fi.co) *s.m.* Tráfico de entorpecentes.

nardo (*nar*.do) *s.m.* **1.** Planta cuja raiz aromática é empregada em perfumaria. **2.** O perfume extraído dessa raiz.

narigudo (na.ri.*gu*.do) *adj.* **1.** Que possui nariz grande: *um homem narigudo.* • *s.m.* **2.** Pessoa que possui nariz grande: *Chame, por favor, aquele narigudo aí da frente.*

narina (na.*ri*.na) *s.m.* (*Anat.*) Cada uma das cavidades nasais.

nariz (na.*riz*) *s.m.* **1.** (*Anat.*) Órgão saliente situado entre os olhos e a boca, onde se acham as cavidades nasais, através das quais se respira e se exerce o sentido do olfato. **2.** O sentido do olfato: *Você possui um ótimo nariz para experimentar perfumes.* || *Dar com o nariz na porta*: encontrar fechada a porta que se esperava aberta. • *Meter o nariz*: intrometer-se. • *Torcer o nariz*: mostrar desagrado.

narração (nar.ra.*ção*) *s.f.* **1.** Ato ou efeito de narrar um fato ou uma história, real ou fictícia, oralmente ou por escrito: *Quem fará a narração do fato para os ouvintes?* **2.** (*Cine, Rádio, Telv.*) Discurso que explica ou comenta figuras e fatos apresentados em obras de caráter real ou ficcional: *A narração do documentário sobre o Amazonas deixou muito a desejar.*

narrador [ô] (nar.ra.*dor*) *s.m.* **1.** Pessoa que faz uma narração. **2.** (*Lit.*) Nas narrativas de ficção, aquele que conduz a narração de seu ponto de vista: *um narrador de primeira pessoa; um narrador onisciente.*

narrar (nar.*rar*) *v.* Contar metódica e minuciosamente um fato, uma série de fatos, uma história etc.: *Em sua carta, Pero Vaz de Caminha narrou o acontecimento ao rei.* ▶ Conjug. 5.

narrativa (nar.ra.*ti*.va) *s.f.* **1.** Exposição oral ou escrita de um fato, uma série de fatos, uma história etc.: *O núcleo do poema é uma narrativa.* **2.** Modo de narrar: *A narrativa foi muito atropelada por perguntas e exclamações.*

narrativo (nar.ra.*ti*.vo) *adj.* Relativo a narração ou que tem o caráter de narração: *o foco narrativo; um texto narrativo.*

nasal (na.*sal*) *adj.* **1.** Relativo ao nariz. **2.** (*Gram.*) Que é emitido com a participação das narinas: *fonema nasal.* • *s.m.* **3.** Fonema nasal: *O /n/ é um fonema nasal.*

nasalar (na.sa.*lar*) *v.* **1.** Tornar(-se) nasal (fonema, som). **2.** Pronunciar como nasal (palavra): *Ele nasalava muito sua pronúncia.* ▶ Conjug. 5.

nasalidade (na.sa.li.*da*.de) *s.f.* Qualidade de nasal.

nasalizar (na.sa.li.*zar*) *v.* Nasalar. ‖ Usado preferencialmente a *nasalar* na Fonética e na Fonologia. ▶ Conjug. 5.

nascedoiro (nas.ce.*doi*.ro) *s.m.* Nascedouro.

nascedouro (nas.ce.*dou*.ro) *s.m.* Lugar onde ocorre nascimento. ‖ *nascedoiro.*

nascença (nas.*cen*.ça) *s.f.* Nascimento. ‖ *De nascença:* inato, ingênito.

nascente (nas.*cen*.te) *adj.* **1.** Que começa a existir ou desenvolver-se; que está nascendo. • *s.m.* **2.** Ponto do horizonte de onde parece surgir o Sol. **3.** Leste; levante, oriente. • *s.f.* **4.** Fonte de água; mina, manancial.

nascer (nas.*cer*) *v.* **1.** Sair do útero materno para começar a ter vida independente. **2.** Originar-se de; descender de: *Carlo nasceu de pais italianos.* **3.** Brotar, germinar: *O milho semeado está nascendo.* **4.** Ter origem: *Às vezes o amor nasce da amizade; O córrego nasce naquela serra.* **5.** Iniciar-se, começar: *A escola nasceu com apenas duas salas; O novo milênio nascia muito esperançoso.* **6.** Despontar, surgir: *O sol nascia por trás do morro do cafezal.* • *s.m.* **7.** Ato de nascer, nascimento: *Vimos o nascer do sol na praia de Ipanema.* ▶ Conjug. 39 e 46.

nascida (nas.*ci*.da) *s.f.* Formação de pus em alguma parte do corpo; furúnculo, tumor.

nascimento (nas.ci.*men*.to) *s.m.* **1.** Ato de nascer; nascença. **2.** Princípio, começo, surgimento de alguma coisa: *Na década de 1960, ocorreu o nascimento de vários países da África.*

nascituro (nas.ci.*tu*.ro) *adj.* **1.** Que está para nascer. • *s.m.* **2.** Criança que está para nascer.

nata (*na*.ta) *s.f.* **1.** Parte gordurosa do leite com que se faz a manteiga. **2.** *fig.* O que há de melhor num grupo social ou profissional; elite: *Ele faz parte da nata da intelectualidade brasileira.*

natação (na.ta.*ção*) *s.f.* **1.** Ação de nadar. **2.** Técnica ou esporte de nadar. **3.** Modo de locomoção dos animais aquáticos. **4.** Equipe de nadadores esportivos: *A natação brasileira estará bem representada no Pan-americano.*

natal (na.*tal*) *adj.* **1.** Relativo a nascimento. **2.** Onde se deu o nascimento: *torrão natal.* • *s.m.* **3.** Dia em que a cristandade comemora o nascimento de Jesus Cristo, 25 de dezembro. ‖ Nesta acepção usa-se inicial maiúscula.

natalense (na.ta.*len*.se) *adj.* **1.** De Natal, capital do Estado do Rio Grande do Norte. • *s.m. e f.* **2.** O natural ou o habitante dessa capital.

natalício (na.ta.*lí*.ci:o) *adj.* **1.** Relativo ao dia do nascimento: *aniversário natalício.* • *s.m.* **2.** O dia do nascimento: *Visitava a avó no seu natalício.*

natalidade (na.ta.li.*da*.de) *s.f.* **1.** Percentagem de nascimentos em relação à população total de uma região, num determinado tempo: *índice de natalidade.* **2.** Nascimento de crianças: *Sem natalidade, os países definharão.*

natalino (na.ta.*li*.no) *adj.* Relativo ao Natal: *presentes natalinos.*

natatório (na.ta.*tó*.ri:o) *adj.* Relativo a nado: *vesícula natatória.*

natimorto (na.ti.*mor*.to) *adj.* **1.** Que nasce morto. • *s.m.* **2.** Criança que nasce morta: *um natimorto.*

natividade (na.ti.vi.*da*.de) *s.f.* As datas em que se comemora o nascimento da Virgem Maria, de Jesus Cristo e de São João Batista.

nativismo (na.ti.*vis*.mo) *s.m.* Atitude de valorização de tudo que diz respeito ao país natal. – **nativista** *adj. s.m. e f.*

nativo (na.*ti*.vo) *adj.* **1.** Que é próprio ou natural de um lugar: *uma árvore nativa; uma tribo nativa.* • *s.m.* **2.** Pessoa nascida em um dado lugar; indígena, aborígine. **3.** Qualquer um dos habitantes originários de uma certa região: *Só os nativos conhecem bem esses caminhos.* **4.** Pessoa que nasceu sob um determinado signo do zodíaco: *os nativos de Escorpião.*

nato (*na*.to) *adj.* **1.** Nascido. **2.** Nascido no país (em oposição ao naturalizado): *brasileiro nato.* **3.** De talento congênito para determinada atividade: *Luís Paulo é um engenheiro nato.*

natura (na.tu.ra) s.f. poét. Natureza.

natural (na.tu.ral) adj. **1.** Concernente, pertencente ou conforme a natureza: *a vegetação natural do cerrado*. **2.** Produzido pela natureza sem intervenção humana: *Escondeu-se numa caverna natural*. **3.** Que segue a ordem regular das coisas: *A criança nasceu de parto natural*. **4.** Que não recebeu nenhum ingrediente artificial ou agrotóxico: *Essas uvas são deliciosas porque são totalmente naturais*. **5.** Que é compreensível: *É natural que você se aborreça com uma brincadeira de mau gosto*. **6.** Que nasceu em determinado lugar: *Ela é natural de Alagoas*. **7.** Que é espontâneo: *Ela tem uma graça natural*. **8.** Próprio de uma pessoa; inato: *Ele tem um dom natural para a música*. • s.m. **9.** Pessoa nascida em determinado lugar: *Os naturais do Rio Grande do Sul gostam de conservar suas tradições*. **10.** Disposição, índole inatas: *O natural dele é viver reclamando*.

naturalidade (na.tu.ra.li.da.de) s.f. **1.** Qualidade do que é natural: *Mesmo rica, conserva sua naturalidade*. **2.** Local de seu nascimento (estado, município, região): *Alfredo é de naturalidade sergipana*. || Conferir com *nacionalidade*.

naturalismo (na.tu.ra.lis.mo) s.m. **1.** (*Lit*.) Movimento literário do século XIX que condiciona o homem ao determinismo hereditário e ambiental. **2.** (*Fil*.) Doutrina segundo a qual todos os fenômenos podem ser explicados pelas relações causais que são decorrentes das leis físicas. **3.** Atitude e prática de valorização do que é natural e do contato com a natureza.

naturalista (na.tu.ra.lis.ta) adj. **1.** Referente ao que é natural (4): *uma alimentação naturalista*. **2.** (*Lit*.) Referente ao naturalismo (1): *o romance naturalista*. • s.m. e f. **3.** Adepto do naturalismo (2) e (3). **4.** Pessoa que se dedica às ciências naturais.

naturalizar (na.tu.ra.li.zar) v. Conferir ou adquirir a cidadania de um país estrangeiro: *Bóris, nascido na Ucrânia, naturalizou-se brasileiro*. ▶ Conjug. 5.

natureba [é] (na.tu.re.ba) adj. **1.** joc. Que é adepto de uma vida e, sobretudo, de uma alimentação natural: *um rapaz natureba*. • s.m. e f. **2.** joc. Pessoa adepta de uma vida e, sobretudo, de uma alimentação natural: *Os naturebas preferem arroz integral e açúcar mascavo*.

natureza [ê] (na.tu.re.za) s.f. **1.** Conjunto de todos os seres naturais que existem no universo: *Vamos apreciar e respeitar a natureza*. **2.** Índole, caráter: *Não sei de que natureza é o problema que o preocupa*.

natureza-morta (na.tu.re.za-mor.ta) s.f. (*Art*.) **1.** Tipo de pintura que tem como tema coisas inanimadas: *Este pintor só pinta naturezas-mortas*. **2.** Quadro desse tipo: *Comprou uma natureza-morta com maçãs e uvas*. || pl.: *naturezas-mortas*.

nau s.f. **1.** Antiga embarcação de proa arredondada. **2.** poét. A maneira de levar a vida: *Sua vida era uma nau sem rumo*.

naufragar (nau.fra.gar) v. **1.** Fazer afundar ou afundar embarcação; soçobrar: *O temporal quase naufragou o navio*; *A caravela naufragou com todos os tripulantes*. **2.** fig. Fracassar, falhar, malograr: *Seu plano de ficar rico naufragou*. ▶ Conjug. 5 e 34.

naufrágio (nau.frá.gi:o) s.m. **1.** Desastre de que resulta o afundamento de uma embarcação. **2.** fig. Fracasso, malogro.

náufrago (náu.fra.go) adj. **1.** Que naufragou: *os marinheiros náufragos*. • s.m. **2.** Pessoa que sofreu naufrágio: *Os náufragos foram socorridos pela Marinha do Brasil*. **3.** fig. Indivíduo infeliz, fracassado: *um náufrago da vida*.

náusea (náu.se:a) s.f. **1.** Sensação de indisposição no estômago, às vezes, seguida de vômito. **2.** fig. Sentimento de repulsa e repugnância: *Os políticos corruptos causam-me náuseas*.

nauseabundo (nau.se:a.bun.do) adj. **1.** Que causa náusea, enjoo; nauseante: *cheiro nauseabundo*. **2.** fig. Que repugna; repugnante: *um caráter nauseabundo*.

nauseante (nau.se:an.te) adj. Que nauseia; nauseabundo, que enjoa; enjoativo, repugnante: *um remédio nauseante*; *um aspecto nauseante*.

nausear (nau.se:ar) v. Causar náuseas a; sentir náusea; enjoar; repugnar: *Esta comida nauseia-me*; *Todos se nausearam com o aspecto da comida*. ▶ Conjug. 14.

nauta (nau.ta) s.m. poét. Aquele que navega; navegante; marinheiro.

náutica (náu.ti.ca) s.f. (*Náut*.) Arte ou ciência de navegar.

náutico (náu.ti.co) adj. (*Náut*.) **1.** Relativo à náutica ou a navegação: *os aparelhos náuticos*. • s.m. **2.** Aquele que trabalha em náutica ou tem conhecimentos de náutica ou navegação; nauta; marinheiro.

naval (na.val) adj. (*Náut*.) **1.** Relativo a navios e a navegação: *o poderio naval*. **2.** Relativo a Marinha de Guerra: *Batalha Naval do Riachuelo*. • s.m. **3.** gír. Marinheiro pertencente ao Corpo de Fuzileiros Navais: *Um naval apareceu e impôs o devido respeito*.

navalha (na.*va*.lha) *s.f.* **1.** Instrumento cortante formado por uma lâmina de aço afiado e de um cabo que também funciona como proteção para o fio da lâmina quando fechado. • *adj.* **2.** Diz-se do motorista que dirige mal: *um motorista navalha.* • *s.m.* e *f.* Motorista que dirige mal: *Pedro era um navalha na direção de seu fusca.*

navalhada (na.va.*lha*.da) *s.f.* Golpe de navalha.

navalhar (na.va.*lhar*) *v.* Ferir com a navalha; anavalhar: *O malandro navalhou o braço do comparsa.* ▶ Conjug. 5.

nave (*na*.ve) *s.f.* **1.** *ant.* Navio; nau. **2.** (*Arquit.*) Parte interior de uma igreja, espaço longitudinal entre a entrada e o altar. || *Nave espacial*: veículo para viagens espaciais; aeronave, espaçonave.

navegação (na.ve.ga.*ção*) *s.f.* **1.** (*Náut.*) Ação ou efeito de navegar; arte de navegar. **2.** Exercício de transporte por via marítima ou aérea: *navegação marítima; navegação aérea.* **3.** (*Inform.*) Busca de informações e de comunicação com pessoas distantes através do uso do computador, via internet.

navegador [ô] (na.ve.ga.*dor*) *adj.* **1.** Que navega ou dirige embarcação. • *s.m.* **2.** Profissional que dirige uma embarcação. **3.** Perito encarregado, numa aeronave, navio ou submarino, dos cálculos de navegação: *O navegador do voo para Tóquio tinha grande experiência.* **4.** Programa que permite acesso e conexão à rede mundial de computadores.

navegante (na.ve.*gan*.te) *adj.* **1.** Que navega. • *s.m.* e *f.* **2.** Navegador (2).

navegar (na.ve.*gar*) *v.* **1.** Viajar pela água, pelo ar, ou pelo espaço: *Navegavam pela costa da África; Navegavam pelo espaço em aeronaves; Os nautas portugueses navegaram o Atlântico, o Índico e o Pacífico.* **2.** Buscar informações e comunicação a distância através do computador, via internet: *Em vez de estudar suas lições, fica navegando até tarde na internet.* ▶ Conjug. 8 e 34.

navegável (na.ve.*gá*.vel) *adj.* Que pode ser navegado: *Este rio não é navegável por causa de suas numerosas corredeiras.*

naviarra (na.vi:*ar*.ra) *s.f.* Aumentativo de *navio*.

navio (na.*vi:*o) *s.m.* (*Náut.*) Embarcação de grande porte para transportar passageiros ou cargas.

navio-tanque (na.vi:o-*tan*.que) *s.m.* (*Náut.*) Embarcação aparelhada para transporte de cargas líquidas. || pl.: *navios-tanque* e *navios-tanques*.

nazareno (na.za.*re*.no) *adj.* **1.** De Nazaré, Israel; próprio dessa cidade. • *s.m.* **2.** O natural ou o habitante desta cidade. **3.** Designação dada a Jesus e aos cristãos.

nazismo (na.*zis*.mo) *s.m.* Regime político totalitário e racista, implantado na Alemanha por Adolf Hitler (1889-1945), derrotado no final da Segunda Grande Guerra Mundial (1939--1945); hitlerismo. – **nazista** *adj. s.m.* e *f.*

Nb (*Quím.*) Símbolo de *nióbio*.

Ne (*Quím.*) Símbolo de *neônio*.

NE Símbolo de *nordeste* (1).

N.E. Abreviação de *nordeste* (3 e 4).

neblina (ne.*bli*.na) *s.f.* Nevoeiro denso, baixo, carregado de umidade.

neblinar (ne.bli.*nar*) *v.* **1.** Cair neblina: *Neblinou toda a manhã.* **2.** Cair chuva fina; chuviscar quase imperceptivelmente: *Não está chovendo, está apenas neblinando.* ▶ Conjug. 5.

nebulização (ne.bu.li.za.*ção*) *s.f.* **1.** Ato ou efeito de nebulizar. **2.** (*Med.*) Administração de medicamento líquido através de vaporização.

nebulizador [ô] (ne.bu.li.za.*dor*) *adj.* **1.** Que nebuliza; atomizador. • *s.m.* **2.** Dispositivo que pulveriza líquido com medicamento para as vias nasais; atomizador.

nebulizar (ne.bu.li.*zar*) *v.* **1.** Transformar (um líquido) em vapor. **2.** Aplicar medicamento pelas vias nasais por meio de pulverização. ▶ Conjug. 5.

nebulosa [ó] (ne.bu.*lo*.sa) *s.f.* (*Astron.*) Nuvem de poeira e gás em suspensão no espaço sideral.

nebulosidade (ne.bu.lo.si.*da*.de) *s.f.* **1.** Estado ou qualidade do que é nebuloso. **2.** Conjunto de nuvens ou névoas no céu. **3.** *fig.* Falta de clareza, obscuridade.

nebuloso [ô] (ne.bu.*lo*.so) *adj.* **1.** Cheio de nuvens ou vapores densos; enevoado; nublado. **2.** *fig.* Difícil de ser entendido; pouco inteligível, confuso: *uma proposta nebulosa.* || f. e pl.: [ó].

neca [é] (*ne*.ca) *adv.* **1.** Exprime uma negação: *– Você a viu trabalhando? – Neca; ela nunca trabalha.* • *pron. indef.* **2.** Coisa nenhuma; nada: *Ele não sabe neca.*

necedade (ne.ce.*da*.de) *s.f.* **1.** Ignorância. **2.** Grande tolice.

nécessaire [necessér] (Fr.) *s.f.* Bolsa, geralmente de pequeno tamanho, para guardar cosméticos, utensílios de higiene etc.

necessário (ne.ces.sá.ri:o) *adj.* **1.** Que é imposto pela necessidade, pela urgência; essencial: *É necessário alimentar bem as crianças.* **2.** Que tem de ser; inevitável, forçoso: *Foi necessário usar todo o dinheiro das aplicações para pagar o*

necessidade

prejuízo. **3.** Que tem de ser feito ou realizado: *Achamos necessário pintar o apartamento antes de o vender.* • *s.m.* **4.** O que é necessário, indispensável: *Dê-me o necessário para escrever uma carta.*

necessidade (ne.ces.si.*da*.de) *s.f.* **1.** Condição e qualidade de necessário. **2.** Falta das coisas necessárias; pobreza, carência: *Vive na necessidade porque não tem emprego.* **3.** Coisa necessária: *Alimentar-se bem é uma necessidade.*

necessitar (ne.ces.si.*tar*) *v.* **1.** Sentir ou ter necessidade de; carecer, precisar: *Necessito umas férias; Necessito de umas férias.* **2.** Exigir; reclamar: *O jardim necessitava cuidados; O jardim necessitava de cuidados.* **3.** Passar necessidade; ter privação: *Não deixe de ajudar os que necessitam.* ▶ Conjug. 5.

necrófago (ne.*cró*.fa.go) *adj.* **1.** (*Zool.*) Que se alimenta de cadáveres ou de substâncias em decomposição: *um animal necrófago.* • *s.m.* **2.** O animal que se alimenta de cadáveres ou de substâncias em decomposição.

necrofilia (ne.cro.fi.*li*.a) *s.f.* (*Med.*) Perversão sexual que leva o indivíduo a sentir atração por cadáveres. – **necrófilo** *adj. s.m.*

necrologia (ne.cro.lo.*gi*.a) *s.f.* Relação de pessoas falecidas; obituário. – **necrológico** *adj.*

necrológio (ne.cro.*ló*.gi:o) *s.m.* **1.** Notícia na imprensa sobre os falecimentos ocorridos. **2.** Discurso ou texto de elogio a pessoas mortas.

necromancia (ne.cro.man.*ci*.a) *s.f.* **1.** Suposta arte de adivinhar o futuro por meio da comunicação com os espíritos. **2.** A prática dessa arte. **3.** Magia negra; bruxaria. || *nigromancia.*

necromante (ne.cro.*man*.te) *s.m. e f.* Pessoa que pratica a necromancia.

necropsia (ne.crop.*si*.a) *s.f.* Autópsia realizada num cadáver. || *necrópsia.*

necrópsia (ne.*cróp*.si.a) *s.f.* Necropsia.

necrose [ó] (ne.*cro*.se) *s.f.* (*Med.*) Morte de tecido orgânico ou de um órgão de um corpo ainda vivo. – **necrosar** *v.* ▶ Conjug. 20.

necrotério (ne.cro.*té*.ri:o) *s.m.* Cemitério, morgue.

néctar (*néc*.tar) *s.m.* **1.** (*Mit.*) Na mitologia grega, a bebida dos deuses. **2.** *fig.* Qualquer bebida deliciosa. **3.** (*Bot.*) Líquido açucarado segregado pelas plantas; elemento principal com que as abelhas fazem o mel.

nectarina (nec.ta.*ri*.na) *s.f.* (*Bot.*) Variedade de pêssego, de casca macia e sem pelos.

nédio (*né*.di:o) *adj.* **1.** Gordo: *umas vacas nédias.* **2.** Brilhante, luzidio: *belos gatos de pelos nédios.*

nefando (ne.*fan*.do) *adj.* De que não se deve falar por ser abominável: *uma ação nefanda.*

nefasto (ne.*fas*.to) *adj.* **1.** Que causa desgraça; funesto, ominoso, ruinoso: *uma atitude nefasta.* **2.** De mau agouro: *um sinal nefasto.*

nefelibata (ne.fe.li.*ba*.ta) *adj.* **1.** Que vive nas nuvens. **2.** *fig.* Que vive de sonhos e fantasias: *um poeta nefelibata.* • *s.m. e f.* **3.** Pessoa que vive nas nuvens. **4.** *fig.* Pessoa que vive de sonhos e fantasias: *Juliana é uma nefelibata; não pisa o chão da realidade.*

nefralgia (ne.fral.*gi*.a) *s.f.* (*Med.*) Enfermidade dos rins.

nefrectomia (ne.frec.to.*mi*.a) *s.f.* (*Med.*) Retirada parcial ou total de um dos rins.

nefrite (ne.*fri*.te) *s.f.* (*Med.*) Inflamação nos rins.

nefrologia (ne.fro.lo.*gi*.a) *s.f.* (*Med.*) Parte da Medicina que estuda os rins. – **nefrologista** *s.m. e f.*; **nefrólogo** *s.m.*

nefrose [ó] (ne.*fro*.se) *s.f.* (*Med.*) Enfermidade renal degenerativa.

nefrotomia (ne.fro.to.*mi*.a) *s.f.* (*Med.*) Incisão cirúrgica nos rins.

negaça (ne.*ga*.ça) *s.f.* **1.** Ato ou efeito de negacear. **2.** Negação dissimulada, fingida: *Fazia negaças, mas, na verdade, queria aceitar o presente.* **3.** Artifício com que se ilude alguém: *Usou de negaças para convencê-la a sair daí.* **4.** Atributo ou meio capaz de seduzir alguém; atrair; seduzir: *Diante da negaça daqueles pratos, esqueceu-se da dieta.*

negação (ne.ga.*ção*) *s.f.* **1.** Ato ou efeito de negar. **2.** Resposta negativa a um pedido; recusa: *Não esperava sua negação a um pedido meu.* **3.** Carência de uma qualidade ou vocação; inaptidão, incapacidade: *Em matéria de álgebra, sempre fui uma negação.*

negar (ne.*gar*) *v.* **1.** Afirmar que não; não admitir: *Os acusados negaram a participação no sequestro.* **2.** Não admitir como verdade; contestar: *Por teimosia, negava até a teoria da gravidade.* **3.** Deixar de revelar; ocultar: *Seus modos não negam a educação que recebeu.* **4.** Não realizar ou não proceder como de costume: *A polícia negou fogo.* **5.** Desmentir: *O ministro negou que estivesse se demitindo.* **6.** Repudiar, abandonar: *Negou a nacionalidade, a raça, a fé.* **7.** Não reconhecer; contestar: *O herege negou a autoridade do papa.* **8.** Não dar, não conceder; denegar; recusar: *Negou-lhes tudo que pediram*. **9.** Excusar-se; recusar-se, não se prestar: *Negou-se a praticar aquele ato de covardia*. ▶ Conjug. 8 e 34.

negativismo (ne.ga.ti.*vis*.mo) *s.m.* Atitude negativa; pessimismo.

negativista (ne.ga.ti.*vis*.ta) *adj.* **1.** Que tem atitude negativa; pessimista: *uma pessoa negativista*. • *s.m. e f.* **2.** Pessoa que ostenta negativismo: *Os negativistas negam o futuro promissor do país*.

negativo (ne.ga.*ti*.vo) *adj.* **1.** Que exprime negação: *resposta negativa*. **2.** Maléfico; nocivo, prejudicial: *A censura exerce ação negativa sobre a cultura*. **3.** Que só vê os aspectos ruins dos acontecimentos e das coisas; pessimista: *Tem uma visão muito negativa do país*. **4.** Cujo resultado sai diferente do que era pesquisado: *teste negativo de gravidez*. **5.** Que está abaixo de zero: *saldo negativo*. **6.** (*Gram.*) Diz-se de forma independente (*não*, *ninguém*, *nunca* etc.) ou presa (*in-*, *des-* etc.) que acrescenta a uma palavra ou uma frase o sentido de negação. • *s.m.* **7.** (*Fot.*) Imagem fotográfica onde os claros aparecem escuros e vice-versa.

negligé [*negligê*] (Fr.) *s.m.* Roupa íntima feminina de seda ou tecido semelhante, frequentemente adornada de rendas.

negligência (ne.gli.*gên*.ci:a) *s.f.* **1.** Omissão no desempenho de encargo; displicência. **2.** Falta de cuidado, de diligência, de aplicação.

negligenciar (ne.gli.gen.ci.*ar*) *v.* Tratar com negligência, descuidar: *Carlos nunca negligenciou sua família*. ▶ Conjug. 17.

negligente (ne.gli.*gen*.te) *adj.* Que trata com negligência; desleixado, descuidado, desatento.

nego [ê] (*ne*.go) *s.m.* **1.** Qualquer indivíduo: *Perguntei a um nego onde ficava o ponto do ônibus*. **2.** Amigo; companheiro, camarada: *Você não está bem, nego?* **3.** Negro.

negociação (ne.go.ci:a.*ção*) *s.f.* **1.** Ato ou efeito de negociar. **2.** Diálogo; busca de entendimento: *As negociações com o sindicato duraram uma semana*.

negociador [ô] (ne.go.ci:a.*dor*) *adj.* **1.** Que negocia: *um agente negociador*. • *s.m.* **2.** Agente encarregado de uma negociação entre partes, instituições, governos etc.: *Os negociadores dos dois países não chegaram a nenhuma conclusão*.

negociante (ne.go.ci:*an*.te) *s.m. e f.* Aquele que comercia; comerciante.

negociar (ne.go.ci:*ar*) *v.* **1.** Realizar transação comercial de compra e venda de mercadorias ou serviços: *Meu pai comerciava com café*. **2.** Desenvolver relações para estabelecer e concluir tratados ou convênios: *Estão negociando com a Alfândega a liberação dos livros*. **3.** Manter relações financeiras e comerciais etc.: *O Brasil negocia com os países latino-americanos a exportação de automóveis*. **4.** Fazer acordo acerca de; combinar: *Estão negociando a transferência do preso para a penitenciária de Viana*. ▶ Conjug. 17.

negociata (ne.go.ci:*a*.ta) *s.f.* Negócio em que há fraude ou trapaça e que, geralmente, visa a grandes lucros; mamata.

negócio (ne.*gó*.ci:o) *s.m.* **1.** Transação mercantil; comércio: *Nossa firma faz negócios com empresas asiáticas*. **2.** Empreendimento comercial: *Marcos abriu um negócio em Mato Grosso*. **3.** *fig.* Assunto de interesse: *Estão falando de negócios*. **4.** Qualquer coisa ou objeto cujo nome não se sabe ou não se quer dizer; coisa, troço: *Não sei que negócio é esse que me mandaram*. || *Negócio da China*: negócio muito lucrativo: *Tenho um negócio da China para propor a você*. • *Negócio de ocasião*: bom negócio ou oferta: *Aproveite e compre, que é negócio de ocasião*. • *Negócio de pai para filho*: negócio que oferece grande vantagem para uma parte e pouca ou nenhuma para a outra. • *Negócio furado*: que não correspondeu a boas expectativas: *Entramos nessa sem saber que era um negócio furado*.

negra [ê] (*ne*.gra) *s.f.* **1.** Mulher de cor negra. **2.** Partida final de uma disputa de qualquer esporte ou jogo que tenha terminado em empate: *Vamos desempatar jogando a negra*.

negreiro (ne.*grei*.ro) *adj.* **1.** Relativo a negro: *o ignóbil comércio negreiro*. **2.** Que realiza tráfico de negros: *navio negreiro*.

negríssimo (ne.*grís*.si.mo) *adj.* Superlativo absoluto de *negro*.

negrito (ne.*gri*.to) *adj.* (*Art. Gráf.*) **1.** Que tem traços mais grossos que os comuns (falando-se de tipos gráficos); bold. • *s.m.* **2.** Esse tipo de letra: *Para chamar a atenção, ele digitou a frase em negrito*.

negritude (ne.gri.*tu*.de) *s.f.* **1.** Estado, condição ou qualidade do que é negro. **2.** Movimento ideológico de exaltação dos valores culturais e do imaginário dos povos negros.

negro [ê] (*ne*.gro) *adj.* **1.** Totalmente escuro, falto de toda a cor: *Os cabelos de Iracema eram negros*. **2.** Diz-se de quem tem a pele negra: *os*

negroide

homens negros. **3.** Escurecido pelo tempo ou pelo sol: *Juca ficou negro de tanta praia nesse verão.* **4.** *fig.* Sombrio; triste, funesto: *um destino negro.* • *s.m.* **5.** A cor do carvão: *Veste-se de negro.* **6.** Pessoa de pele negra; nego: *Os negros brasileiros estão resgatando sua cultura.* || sup. abs. do adj.: *nigérrimo* e *negríssimo.*

negroide [ói] (ne.*groi*.de) *adj.* **1.** Que tem características negras. • *s.m.* **2.** Pessoa que tem as características dos povos negros.

negrume (ne.*gru*.me) *s.m.* **1.** Escuridão, trevas, negrura, pretume. **2.** Estado de abatimento e de depressão: *Sua vida era aquele negrume.*

negrura (ne.*gru*.ra) *s.f.* **1.** Qualidade ou condição do que é negro. **2.** Escuridão, negrume: *A noite era uma negrura só.*

nele [ê] (ne.le) Combinação da preposição *em* com o pronome pessoal *ele.*

nelore [ó] (ne.*lo*.re) *adj.* (*Zool.*) **1.** Diz-se de ou variedade de gado proveniente da província indiana de Nelore: *uma vaca nelore.* • *s.m. e f.* **2.** Essa raça de gado.

nem *conj.* **1.** E não; e também não: *Não leu o romance nem viu o filme.* • *adv.* **2.** Não: *Já demonstrou falta de caráter, nem ouse procurá-lo.* **3.** Sequer, pelo menos: *Ela nem me cumprimentou.* **4.** Usado em repetição, adquire sentido de exclusão: *Nem eu nem ele vimos o desfile.* || *Nem que:* mesmo que, ainda que: *Vou ao baile nem que caia um temporal.* • *Que nem:* como, igual a: *Vanda é alta e loura que nem a mãe.*

nematódeo (ne.ma.*tó*.de:o) *s.m.* (*Zool.*) Parasito cujo corpo é constituído de um tubo que vai da boca ao ânus; nematoide.

nematoide [ói] (ne.ma.*toi*.de) *adj.* **1.** Longo e fino como um fio. • *s.m.* **2.** Nematódeo.

nenê (ne.*nê*) *s.m.* Neném, bebê.

neném (ne.*ném*) *s.m. fam.* Criança recém-nascida ou de poucos meses; bebê, nenê.

nenhum (ne.*nhum*) *pron. indef.* **1.** Nem um só; falta total de: *Não havia nenhum estrangeiro na sala.* **2.** Qualquer: *Vendeu mais gado que nenhum outro fazendeiro da região.* **3.** Nulo: *É pessoa de nenhum valor.* **4.** Um só; um único: *Não faltava a nenhum dia de trabalho.* **5.** Empregado para reforçar a negação: *Não ganhou nenhum prêmio.* || *Sem nenhum: gír.* sem dinheiro.

nenhures (ne.*nhu*.res) *adv.* Em lugar nenhum, em parte alguma.

nênia (*nê*.nia) *s.f.* Canto fúnebre, melancólico.

nenúfar (ne.*nú*.far) *s.m.* (*Bot.*) Planta aquática cujas folhas redondas ficam à flor d'água e que dá belas flores.

neoclassicismo (ne:o.clas.si.*cis*.mo) *s.m.* (*Art. Lit.*) Movimento artístico do século XVIII e princípios do XIX que preconizava a volta ao estilo clássico. – **neoclássico** *adj.*

neófito (ne.*ó*.fi.to) *s.m.* **1.** (*Rel.*) Pessoa que acaba de receber o batismo. **2.** Novo adepto de uma religião, de uma doutrina, de um partido. **3.** Novato.

neoformação (ne:o.for.ma.*ção*) *s.f.* (*Med.*) Formação de novos tecidos a partir de tumor benigno ou maligno, a fim de reparar o que foi danificado pela lesão.

neolatino (ne:o.la.*ti*.no) *adj.* **1.** Relativo às nações que têm sua origem na civilização latina: *Portugal é uma nação neolatina.* **2.** (*Ling.*) Diz-se de cada uma das línguas modernas que tiveram sua origem no latim: *O romeno é uma língua neolatina.*

neoliberalismo (ne:o.li.be.ra.*lis*.mo) *s.m.* (*Polít.*) Doutrina econômico-política que defende a liberdade de mercado e prevê a intervenção do Estado apenas como agente de equilíbrio entre os interesses sociais e os interesses privados. – **neoliberal** *adj.*

neolítico (ne:o.*lí*.ti.co) *adj.* **1.** (*Hist.*) Caracterizado pela ocorrência da pedra polida e pelo início da agricultura. • *s.m.* **2.** Esse período. || Nesta acepção, com inicial maiúscula.

neologismo (ne:o.lo.*gis*.mo) *s.m.* (*Ling.*) O emprego de palavra ou expressão novas, normalmente tiradas de uma língua já existente.

neomicina (ne:o.mi.*ci*.na) *s.f.* Antibiótico de ação eficaz contra germes cutâneos e intestinais.

néon [*néon*] (Fr.) *s.m.* Neônio.

neon (ne.*on*) *s.m. Néon*; neônio.

neonatal (ne:o.na.*tal*) *adj.* **1.** Relativo a neonato. **2.** Relativo às quatro primeiras semanas de um neonato.

neonato (ne:o.*na*.to) *s.m.* Criança recém-nascida.

neônio (ne.*ô*.ni:o) *s.m.* (*Quím.*) Elemento químico não-metálico, um dos gases utilizados na iluminação e em letreiros luminosos. || néon, neon. || Símbolo: Ne.

neoplasia (ne:o.pla.*si*.a) *s.f.* (*Anat.*) Neoformação patológica benigna ou maligna.

neozelandês (ne:o.ze.lan.*dês*) *adj.* **1.** Da Nova Zelândia, país da Oceania. • *s.m.* **2.** O natural ou o habitante desse país.

neozoico [ói] (ne:o.zoi.co) adj. (Geol.) Relativo aos seres, particularmente, flora e fauna, que mais recentemente viveram sobre a Terra; cenozoico.

nepalês (ne.pa.lês) adj. **1.** Do Nepal, país da Ásia. • s.m. **2.** O natural ou o habitante do Nepal.

nepote [ó] (ne.po.te) s.m. **1.** Sobrinho ou conselheiro do papa. **2.** Favorito; protegido: *Chegou o nepote do chefe.*

nepotismo (ne.po.tis.mo) s.m. Política de favorecimento de parentes e familiares por pessoas que possuem cargos importantes: *A justiça brasileira condena o nepotismo.*

nerd [nérd] (Ing.) adj. **1.** Que é pouco sociável, preferindo estudar ou trabalhar. • s.m. **2.** Pessoa pouco dada a atividades sociais e que prefere ficar estudando ou trabalhando.

nereida (ne.rei.da) s.f. (Mit.) Ninfa do mar.

nerval (ner.val) adj. Neural.

nervo [ê] (ner.vo) s.m. **1.** (Anat.) Filamento de comunicação do cérebro e da medula espinal com a periferia do corpo e destinado a transmitir sensações e incitações motoras. **2.** fig. Energia, robustez, vigor corporal: *Tenha nervo, não fique nessa moleza.*

nervosismo (ner.vo.sis.mo) s.m. (Med.) Enfermidade ou perturbação do sistema nervoso.

nervoso [ô] (ner.vo.so) adj. **1.** Que se refere aos nervos: *o sistema nervoso.* **2.** Que revela excesso de emotividade; sensibilidade exagerada. ‖ f. e pl.: [ó].

nervura (ner.vu.ra) s.f. **1.** (Bot.) Saliência estreita na face interna das folhas e das pétalas de certas flores. **2.** Filete saliente numa superfície plana. **3.** (Arquit.) Saliência fina, alongada, nas arestas de uma abóbada. **4.** (Art. Gráf.) Conjunto das saliências transversais na lombada dos livros. **5.** Dobra muito fina costurada em tecido.

néscio (nés.ci:o) adj. **1.** Que não sabe; ignorante. **2.** Que não é capaz; incapaz, inepto, mentecapto. • s.m. **3.** Pessoa néscia.

nesga [ê] (nes.ga) s.f. **1.** Pedaço de pano triangular que se cose entre dois panos de uma costura para ampliar mais a peça. **2.** Pequena porção de qualquer espaço: *Numa nesga do terreno plantou uma horta.*

nêspera (nês.pe.ra) s.f. Fruto amarelo de sabor agridoce.

nesse [ê] (nes.se) Contração da preposição *em* com o pronome demonstrativo *esse.*

neste [ê] (nes.te) Contração da preposição *em* com o pronome demonstrativo *este.*

neto [é] (ne.to) s.m. Filho de filho ou filha, em relação ao avô ou à avó.

netúnio (ne.tú.ni:o) s.m. (Quím.) Elemento químico radioativo do grupo dos gases nobres. ‖ Símbolo: Np.

neural (neu.ral) adj. Relativo a nervo, ou próprio do nervo; nerval.

neuralgia (neu.ral.gi.a) s.f. (Med.) Nevralgia.

neurastenia (neu.ras.te.ni.a) s.f. **1.** (Med.) Perturbação mental caracterizada por um conjunto de fenômenos de depressão e excitação do sistema nervoso, tais como astenia física e psíquica, irritabilidade e cefaleia. **2.** fig. Mau humor, irritabilidade fácil.

neurastênico (neu.ras.tê.ni.co) adj. **1.** Que sofre de neurastenia. • s.m. **2.** Pessoa que sofre de neurastenia.

neurite (neu.ri.te) s.f. (Med.) Inflamação de um nervo. ‖ nevrite.

neurocirurgia (neu.ro.ci.rur.gi.a) s.f. (Med.) Cirurgia no sistema nervoso. – **neurocirúrgico** adj.

neurocirurgião (neu.ro.ci.rur.gi.ão) s.m. Médico especialista em neurocirurgia.

neurologia (neu.ro.lo.gi.a) s.f. (Med.) **1.** Estudo do sistema nervoso. **2.** Parte da Medicina que trata das moléstias do sistema nervoso. ‖ nevrologia.

neuromuscular (neu.ro.mus.cu.lar) adj. Que diz respeito aos nervos e aos músculos simultaneamente.

neurológico (neu.ro.ló.gi.co) adj. Relativo a neurologia. ‖ nevrológico.

neurologista (neu.ro.lo.gis.ta) s.m. e f. Médico especialista em neurologia.

neurônio (neu.rô.ni:o) s.m. (Anat.) Célula nervosa adulta e seus prolongamentos.

neurose [ó] (neu.ro.se) s.f. Distúrbio psíquico de ordem emocional do qual o paciente tem consciência por não haver desintegração da personalidade ou diminuição da capacidade intelectiva; psiconeurose. ‖ nevrose.

neurótico (neu.ró.ti.co) adj. **1.** Diz-se de pessoa que sofre de neurose. • s.m. **2.** Pessoa que sofre de neurose. ‖ nevrótico.

neutral (neu.tral) adj. **1.** Que não escolhe, não se declara a favor ou contra; imparcial: *Aquele país manteve uma política neutral.* **2.** Que avalia ou julga imparcialmente: *Os jurados*

neutralizar

do concurso foram absolutamente neutrais. **3.** Neutro: *um país neutral.* • *s.m.* e *f.* **4.** Pessoa que se abstém de tomar posição: *Os neutrais mantiveram-se calados durante a discussão.* **5.** Alguém que evita envolver-se com alguma coisa: *Ernesto não participa de nossas reivindicações; é um neutral no assunto.*

neutralizar (neu.tra.li.*zar*) *v.* **1.** Tornar(-se) neutro: *Seria bom neutralizar a acidez desse suco.* **2.** Anular(-se), inutilizar(-se): *Um bom antídoto para neutralizar o veneno; O veneno neutralizou-se com o antídoto.* ▶ Conjug. 5.

neutro (*neu*.tro) *adj.* **1.** Que não toma partido entre interesses opostos; neutral: *A Suíça manteve-se neutra durante a Grande Guerra.* **2.** Que não toma posição nem a favor nem contra: *O pai esteve neutro durante a disputa dos dois filhos gêmeos.* **3.** Que pertence a um país não beligerante: *navio neutro.* **4.** (*Gram.*) Que não pertence nem ao gênero masculino nem ao feminino: *palavras neutras.*

nêutron (*nêu*.tron) *s.m.* (*Fís.*) Partícula elementar de carga elétrica nula.

nevada (ne.*va*.da) *s.f.* **1.** Queda de neve. **2.** Quantidade de neve que cai uma vez.

nevar (ne.*var*) *v.* **1.** Cair neve: *Não saíram de casa porque nevava.* **2.** Tornar(-se) alvo como a neve: *A claridade da lua nevava o caminho do castelo; Os cabelos da vovó nevaram-se totalmente.* ▶ Conjug. 8.

nevasca (ne.*vas*.ca) *s.f.* Nevada acompanhada de tempestade.

neve (*ne*.ve) *s.f.* **1.** Precipitação atmosférica sólida que ocorre, em forma de flocos, quando a temperatura é inferior a zero. **2.** Camada desses flocos depositados numa superfície: *Helena gostava de esquiar na neve.*

névoa (*né*.vo:a) *s.f.* **1.** Suspensão, nas camadas inferiores da atmosfera, de microscópicas gotas de água que reduzem moderadamente a visibilidade. **2.** *fig.* Aquilo que embaça a visão, a compreensão.

nevoeiro (ne.vo:*ei*.ro) *s.m.* **1.** Névoa densa rente ao chão. **2.** *fig.* Obscuridade.

nevralgia (ne.vral.*gi*.a) *s.f.* (*Med.*) Dor agudíssima no trajeto de um nervo. || *neuralgia.*

nevrálgico (ne.*vrál*.gi.co) *adj.* **1.** Relativo a nevralgia. **2.** *fig.* Delicado; que provoca susceptibilidades: *O ponto nevrálgico de uma questão.* || *neurálgico.*

nevrite (ne.*vri*.te) *s.f.* (*Med.*) Neurite.

nevrologia (ne.vro.lo.*gi*.a) *s.f.* (*Med.*) Neurologia.

nevrológico (ne.vro.*ló*.gi.co) *adj.* Neurológico.

nevrose (ne.*vro*.se) *s.f.* Neurose.

nevrótico (ne.*vró*.ti.co) *adj.* Neurótico.

newton [*níuton*] (Ing.) *s.m.* (*Fís.*) Unidade de medida de força no Sistema Internacional de Unidades. || Símbolo: N.

nexo [écs] (*ne*.xo) *s.m.* **1.** Ligação entre duas ou mais coisas; vínculo. **2.** Conexão racional entre as coisas, fatos e ideias.

nhambu (nham.*bu*) *s.f.* Inhambu, nambu.

nhandu (nham.*du*) *s.f.* Ema.

nhem-nhem-nhém (nhem-nhem-*nhém*) *s.m.* Falatório interminável e enfadonho; resmungo.

nhoque [ó] (*nho*.que) *s.m.* (*Cul.*) Massa alimentícia, feita basicamente de batata e farinha de trigo, cortada em pequenos pedaços, cozida na água e temperada com molho de tomate e queijo ralado.

ni *s.m.* Décima terceira letra do alfabeto grego.

Ni (*Quím.*) Símbolo de *níquel.*

nicaraguense [güe] (ni.ca.ra.*guen*.se) *adj.* **1.** Da Nicarágua, país da América Central. • *s.m.* e *f.* **2.** O natural ou o habitante da Nicarágua.

nicho (*ni*.cho) *s.m.* **1.** Vão ou cavidade em muro ou parede para exposição de estátuas, vasos etc.: *A imagem de Santo Antônio ficava num nicho sobre o altar da capela.* **2.** Divisão numa estante ou num armário: *Escondeu o presente num nicho da estante.* **3.** Espaço delimitado onde se encaixa alguma coisa: *Consegui encaixar a sapateira num nicho do corredor.* **4.** Local no cemitério onde se guardam os ossos dos mortos após exumação. **5.** (*Bot.*) Ambiente restrito onde animais e plantas encontram as condições especiais e necessárias para seu desenvolvimento.

nicotina (ni.co.*ti*.na) *s.f.* (*Quím.*) Substância líquida e tóxica, existente na folha do tabaco.

nictofobia (nic.to.fo.*bi*.a) *s.f.* Pavor da noite e da escuridão.

nictúria (nic.*tú*.ria) *s.f.* (*Med.*) Volume de urina maior à noite do que de dia. || *nicturia.*

nicturia (nic.tu.*ri*.a) *s.f.* Nictúria.

nidificar (ni.di.fi.*car*) *v.* Fazer o ninho: *Os canários nidificaram na laranjeira.* ▶ Conjug. 5 e 35.

nife (*ni*.fe) *s.m.* Antigo nome do centro da Terra, que seria composto de níquel e ferro; barisfera, centrosfera.

nigeriano (ni.ge.ri:*a*.no) *adj.* **1.** Da Nigéria, país da África. • *s.m.* **2.** O natural ou o habitante da Nigéria.

nigérrimo (ni.gér.ri.mo) *adj.* Superlativo absoluto de *negro*.

nigromancia (ni.gro.man.ci.a) *s.f.* Necromancia.

niilismo (ni.i.*lis*.mo) *s.m.* **1.** (*Filos.*) Posição político-ideológica de negação total da ordem social e dos valores por ela estabelecidos, considerados entraves ao progresso da sociedade. **2.** Redução a nada; descrença completa; aniquilamento.

niilista (ni.i.*lis*.ta) *adj.* **1.** Relativo ao niilismo. • *s.m.* e *f.* **2.** Seguidor ou adepto dessa filosofia.

nimbo (*nim*.bo) *s.m.* **1.** Nuvem cinzenta que fica em altitude baixa. **2.** Halo de luz que circunda a cabeça dos santos: auréola.

nímio (*ní*.mi:o) *adj.* Que existe em excesso; demasiado, superabundante.

ninar (ni.*nar*) *v.* Fazer adormecer; acalentar, embalar: *A mãe ninou o bebê e pô-lo no berço.* ▶ Conjug. 5.

ninfa (*nin*.fa) *s.f.* **1.** (*Mit.*) Divindade feminina da mitologia grega, que habitava bosques, fontes, rios etc. **2.** (*Zool.*) Nos insetos, estado intermediário entre o da larva e o de imago.

ninfeta [ê] (nin.*fe*.ta) *s.f.* Menina que desenvolve precocemente a sexualidade.

ninfomania (nin.fo.ma.*ni*:a) *s.f.* (*Med.*) Perturbação sexual de origem psíquica ou endócrina que se manifesta pela exageração dos desejos e necessidades sexuais da mulher. – **ninfômana** *adj. s.f.*

ninguém (nin.*guém*) *pron. ind.* **1.** Nenhuma pessoa, pessoa alguma: *Ninguém o viu chegar.* **2.** *pej.* Pessoa sem importância, de pouco valor; joão-ninguém: *Você para mim é ninguém.*

ninhada (ni.*nha*.da) *s.f.* **1.** Conjunto de ovos, ou de filhotes de ave recém-nascidos: *uma ninhada de pintos.* **2.** Filhotes que a fêmea de um animal teve de uma só gestação: *uma ninhada de gatos.* **3.** *fam.* Grupo de filhos; filharada.

ninharia (ni.nha.*ri*:a) *s.f.* Coisa sem valor; bagatela, insignificância, mesquinharia, mixaria, nuga.

ninho (*ni*.nho) *s.m.* **1.** Pequena habitação feita pelas aves para a postura dos ovos e criação dos filhotes: *um ninho de periquitos.* **2.** *fig.* Lugar onde se recolhe qualquer família de animais. **3.** Lugar onde as fêmeas parem e criam. **4.** *fig.* Lugar resguardado, de abrigo; refúgio, retiro. || *Ninho de cobras*: grupo, comunidade, instituição onde predominam pessoas de mau caráter, traiçoeiras etc.

ninja (*nin*.ja) *s.m.* e *f.* Lutador de uma luta marcial do Oriente.

nióbio (ni:*ó*.bio) *s.m.* (*Quím.*) Elemento químico metálico de cor acinzentada, dúctil e maleável. || Símbolo: Nb.

nipônico (ni.*pô*.ni.co) *adj.* **1.** Do Japão, país da Ásia; referente ao Japão. • *s.m.* **2.** O natural ou o habitante do Japão.

níquel (*ní*.quel) *s.m.* **1.** (*Quím.*) Metal branco-prateado, usado para cunhagem de moedas e em numerosas aplicações na indústria. || Símbolo: Ni. **2.** *fig.* Qualquer moeda ou pequeno valor em dinheiro: *Não fiquei com um níquel na minha carteira.*

niquelar (ni.que.*lar*) *v.* Revestir de níquel. ▶ Conjug. 8.

nirvana (nir.*va*.na) *s.m.* (*Rel.*) No budismo, a absoluta beatitude, paz e conhecimento a que se chega pela meditação e pela renúncia.

nissei (nis.*sei*) *s.m.* e *f.* Filho de pais japoneses nascido na América.

nisso (*nis*.so) Contração da preposição *em* com o pronome demonstrativo *isso.*

nisto (*nis*.to) Contração da prep. *em* com o pron. dem. *isto.*

niteroiense (ni.te.roi.*en*.se) *adj.* **1.** Da cidade de Niterói, no Estado do Rio de Janeiro. • *s.m.* e *f.* **2.** O natural ou o habitante dessa cidade.

nítido (*ní*.ti.do) *adj.* **I.** Que brilha; brilhante: *o nítido sol do verão.* **2.** Claro, limpo: *uma imagem nítida.* **3.** De fácil compreensão; inteligível: *A questão se tornou nítida com sua explicação.* – **nitidez** *s.f.*

nitrato (ni.*tra*.to) *s.m.* (*Quím.*) Sal do ácido nítrico.

nítrico (*ní*.tri.co) *adj.* (*Quím.*) **1.** Relativo ao nitro. **2.** Derivado do nitrogênio, usado como fertilizante.

nitrila (ni.*tri*.la) *s.f.* (*Quím.*) Radical constituído por um átomo de nitrogênio e dois de oxigênio.

nitrito (ni.*tri*.to) *s.m.* (*Quím.*) Sal do ácido nitroso.

nitro (*ni*.tro) *s.m.* (*Quím.*) Nitrato de potássio; salitre.

nitrogênio (ni.tro.*gê*.ni:o) *s.m.* (*Quím.*) Elemento químico não-metálico, que constitui cerca de quatro quintos do ar e participa de vários compostos. || Símbolo: N.

nitroglicerina (ni.tro.gli.ce.*ri*.na) *s.f.* (*Quím.*) Líquido pesado, oleoso e altamente explosivo, que detona por ação de choque ou elevação da temperatura.

nitroso

nitroso [ô] (ni.tro.so) adj. (Quím.) **1.** Que contém nitro; salitroso. **2.** Referente ao ácido formado pela combinação de hidrogênio, nitrogênio e oxigênio. || f. e pl.: [ó].

nível (ní.vel) s.m. **1.** Instrumento que serve para verificar a horizontalidade de um plano. **2.** Ponto elevado em que se encontra uma linha em relação a um plano horizontal que serve de referência. **3.** (Agr.) Corte feito no terreno para plantio e/ou proteção contra erosão. **4.** fig. Padrão; qualidade: *Uma pesquisa de alto nível.* **5.** Altura relativa numa escala de valores: *nível econômico.* **6.** Valor intelectual ou moral: *um candidato de excelente nível.* **7.** Diferentes estágios do ensino: *estudante de nível médio.* **8.** Situação ou condição em relação a uma escala de valores: *um nível baixo de alfabetização.*

nivelar (ni.ve.lar) v. **1.** Medir com o nível; pôr no mesmo nível; aplainar: *Nivelar um terreno.* **2.** Localizar-se no mesmo plano: *A cozinha nivela com a copa.* **3.** Tornar(-se) igual em valor, capacidade etc.; equiparar-se: *Em matéria de inteligência e aplicação aos estudos, os dois jovens se nivelavam; Nivelava seus alunos aos melhores da universidade.* ▶ Conjug. 8.

níveo (ní.ve:o) adj. **1.** Relativo a neve **2.** Alvo como a neve; muito branco.

no¹ Contração da preposição *em* com o artigo definido *o*.

no² pron. pess. Forma que assume o pronome pessoal oblíquo *o* quando enclítico nas formas verbais terminadas em nasal: *Viram-no sair pela manhã.*

no³ pron. pess. Forma que assume o pronome pessoal oblíquo *no* quando combinada com o pronome *lo*: *Este presente nossa mãe no-lo deu.*

nó s.m. **1.** Entrelaçamento apertado que se dá em linha, corda, barbante etc. **2.** Parte mais rija da madeira, do mármore etc. **3.** Cada um dos pontos de inserção dos ramos de uma árvore. **4.** Articulação das falanges dos dedos. **5.** (Náut.) Medida de velocidade de embarcação que equivale a uma milha náutica. **6.** fig. Ponto crítico de alguma questão: *o nó da questão.* **7.** fig. Sistema de ondas estacionárias. || *Nó cego*: **1.** nó difícil de desatar. **2.** problema difícil de resolver. • *Nó na garganta*: sensação de aperto na garganta motivada por emoção ou angústia.

N.O. Símbolo de *noroeste* (3).

nobiliário (no.bi.li:á.ri:o) adj. **1.** Que diz respeito a nobreza: *títulos nobiliários.* • s.m. **2.** Tratado e registro das famílias nobres; nobiliarquia.

nobiliarquia (no.bi.li:ar.qui.a) s.f. Estudo das origens e tradições das famílias nobres; nobiliário (2).

nobiliárquico (no.bi.li:ár.qui.co) adj. Relativo a nobiliarquia; que tem caráter de nobreza: *as tradições nobiliárquicas.*

nobilitar (no.bi.li.tar) v. **1.** Tornar(-se) nobre; engrandecer(-se), enobrecer(-se): *O trabalho nobilita; O trabalho nobilita o homem; Nobilitou-se diante da sociedade pelo seu trabalho.* **2.** Outorgar título de nobreza; enobrecer. ▶ Conjug. 5.

nobre [ó] (no.bre) adj. **1.** Relativo a nobreza. **2.** Que tem títulos de nobreza; que pertence à nobreza: *mulher nobre, homem nobre.* **3.** Digno, ilustre; generoso; magnânimo. **4.** De rara qualidade: *madeiras nobres.* • s.m. **5.** Indivíduo que pelo nascimento pertence à nobreza; fidalgo.

nobreak [nôubreic] (Ing.) s.m. (Eletr.) Dispositivo dotado de bateria para suprir, temporariamente, o fornecimento de energia elétrica em caso de interrupção.

nobreza (no.bre.za) s.f. **1.** Qualidade e condição de nobre. **2.** Conjunto das famílias que têm título e condição de nobre. **3.** Generosidade, dignidade.

noção (no.ção) s.f. **1.** Conhecimento ou informação que se tem de alguma coisa: *O candidato tem boas noções de Geometria.* **2.** Conhecimento elementar; ideia que se tem sobre algo: *Você não tem noção do que está falando.* **3.** Concepção, conceito.

nocaute (no.cau.te) s.m. **1.** (Esp.) No boxe, situação de um lutador colocado fora de combate pelo adversário por mais de dez segundos. **2.** fig. Condição de alguém que perde os sentidos por pancada ou outro agente: *O coice do cavalo o pôs a nocaute.*

nocautear (no.cau.te:ar) v. Pôr em nocaute: *O lutador mexicano nocauteou o porto-riquenho em poucos minutos de luta.* ▶ Conjug. 14.

nocivo (no.ci.vo) adj. Que causa dano, malefício: *A barata é um animal nocivo.*

noctâmbulo (noc.tâm.bu.lo) adj. **1.** Que anda, que vagueia durante a noite; notívago: *O gambá é um caçador noctâmbulo.* • s.m. **2.** Pessoa que caminha durante um sonho, à noite; notívago, sonâmbulo: *A mãe vigiava o noctâmbulo durante a noite.*

noctívago (noc.tí.va.go) adj. s.m. Notívago.

nodal (no.dal) adj. Relativo a nó: *O ponto nodal da questão.*

nodo [ó] (no.do) s.m. **1.** (Anat.) A parte mais saliente de certos ossos. **2.** (Patol.) Tumor duro em volta da articulação dos ossos. **3.** (Med.) Pequena saliência na pele; gânglio. **4.** Pequeno tumor.

nódoa (nó.doa) s.f. **1.** Sinal deixado por um corpo ou substância suja; mancha. **2.** fig. Mácula; desonra.

nodoso [ô] (no.do.so) adj. **1.** Relativo a nó. **2.** Cheio de nós. || f. e pl.: [ó].

nódulo (nó.du.lo) s.m. **1.** Nó pequeno. **2.** (Med.) Pequena protuberância no tecido animal ou vegetal: *Você precisa mostrar ao médico esse nódulo*. **3.** (Anat.) Cada uma das pequenas protuberâncias arredondadas que fazem parte dos sistemas nervoso e linfático; gânglio.

nogueira (no.guei.ra) s.f. (Bot.) Árvore, originária da Europa, que dá a noz e cuja madeira é empregada na fabricação de móveis.

noitada (noi.ta.da) s.f. **1.** Espaço de uma noite. **2.** fig. Divertimento que dura a noite inteira ou grande parte da noite.

noite (noi.te) s.f. **1.** Período de tempo entre o pôr e o nascer do Sol. **2.** Obscuridade que reina durante esse tempo; escuridão; trevas. **3.** Vida social e de lazer noturna: *Há muito não frequento a noite*.

noivado (noi.va.do) s.m. **1.** Compromisso de casamento entre futuros esposos. **2.** Período de tempo entre esse compromisso e o casamento.

noivar (noi.var) v. Ficar ou tornar-se noivo: *Noivaram em maio para casar em dezembro*. ▶ Conjug. 21.

noivo (noi.vo) s.m. **1.** Pessoa que firmou compromisso de casamento com outra pessoa. **2.** O homem no dia do seu casamento. • *noivos* s.m.pl. **3.** Homem e mulher que assumiram o compromisso de casar ou que acabaram de casar: *Os noivos receberão os cumprimentos na igreja*. • *noiva* s.f. **4.** A mulher no dia de seu casamento, vestida com o traje, véu etc.: *Você foi a noiva mais bonita do ano*.

nojeira (no.jei.ra) s.f. Coisa nojenta; repugnante.

nojento (no.jen.to) adj. Que causa nojo; repugnante, repelente, asqueroso.

nojo [ô] (no.jo) s.m. **1.** Sensação física desagradável; náusea, enjoo, asco, entojo: *O doente não queria comer: sentia nojo da comida*. **2.** Repulsão, repugnância, aversão: *Baratas me dão nojo*. **3.** p. us. Luto; dó.

nômade (nô.ma.de) adj. **1.** Diz-se dos povos ou grupos étnicos, sem morada fixa, que se deslocam constantemente em busca de alimentos e de pastagens: *uma tribo nômade da Mongólia*. **2.** Diz-se do indivíduo de um desses grupos ou povos: *Casou-se com o chefe nômade*. **3.** fig. Que não tem endereço fixo. **4.** fig. Vagabundo; errante. **5.** Relativo aos povos errantes ou ao seu tipo de vida: *Ele gostava da vida nômade de sua tribo*. • s.m. e f. **6.** Pessoa pertencente à tribo ou povo nômade.

nome (no.me) s.m. **1.** Prenome: *O nome dela é Regina*. **2.** (Gram.) Palavra que designa pessoa, animal, coisa, ação, estado, qualidade ou conceito abstrato: *Rainha, hortênsia, belo, amizade são nomes*. || *Dar nome aos bois*: dizer claramente a verdade; esclarecer; identificar as pessoas. • *De nome*: **1.** renomado, famoso: *Ele é um médico de nome*. **2.** somente de ter ouvido: *Conheço a moça de nome*. • *Em nome de*: com autorização de; da parte de: *Ele agia em nome do presidente*.

nomeada (no.me:a.da) s.f. Fama, reputação: *Um filósofo de nomeada*.

nomear (no.me.ar) v. **1.** Dar nome; citar o nome: *Queira nomear os livros de Machado que leu*. **2.** Designar alguém para algum cargo: *O presidente nomeou Antônio para secretário*; *O presidente nomeou Antônio como secretário*; *O presidente nomeou Antônio secretário*. **3.** Eleger: *Cada estado nomeia seus três senadores*. ▶ Conjug. 14.

nomenclatura (no.men.cla.tu.ra) s.f. **1.** Conjunto de nomes específicos de uma área do conhecimento; terminologia. **2.** Relação de nomes que constituem um dicionário; nominata.

nominal (no.mi.nal) adj. **1.** Relativo a nome; característico dele e pertencente a ele: *relação nominal dos aprovados*. **2.** Que só existe em nome; que não é real; fictício: *Sua função na empresa era apenas nominal*. **3.** Que se faz nomeando: *chamada nominal*. **4.** Diz-se do cheque ou título comercial em que se declara o nome do beneficiário: *Emitir um cheque nominal para João Ramos da Silveira*. **5.** (Gram.) Que tem função de nome: *predicado nominal*. **6.** (Gram.) Que rege a concordância de substantivos e adjetivos: *concordância nominal*. **7.** Diz-se da forma verbal (infinitivo, particípio e gerúndio) que adquire função de nome na estrutura frasal: *formas nominais do verbo*.

nominata (no.mi.na.ta) s.f. Lista de nomes; nomenclatura (2).

nominativo (no.mi.na.ti.vo) adj. **1.** Que denomina; que indica nomes: *chamada nominativa dos sócios*. **2.** Relativo a denominação. **3.** Que encerra o nome do proprietário: *título nomi-*

nonada

nativo. • *s.m.* **4.** (*Gram.*) Caso do sujeito nas línguas que têm declinação.
nonada (no.*na*.da) *s.f.* Coisa sem valor; bagatela, insignificância.
nonagenário (no.na.ge.*ná*.ri:o) *adj.* **1.** De idade compreendida entre os noventa e os cem anos: *um velho nonagenário*. • *s.m.* **2.** Pessoa nonagenária: *O nonagenário apoiava-se numa bengala*.
nonagésimo (no.na.*gé*.si.mo) *num. ord.* **1.** Que ou o que denota o número noventa numa série. • *num. frac.* **2.** Que ou o que é parte de um todo dividido em noventa partes iguais.
nonato (no.*na*.to) *adj.* **1.** Que ainda não nasceu; que está ainda no útero materno. • *s.m.* **2.** Aquele que ainda não nasceu.
nongentésimo (non.gen.*té*.si.mo) *num. ord.* **1.** Numeral que numa sequência corresponde a 900. • *num. frac.* **2.** Numeral fracionário correspondente a novecentos.
noningentésimo (no.nin.gen.*té*.si.mo) *num. ord. num. frac.* Nongentésimo.
nônio (*nô*.ni:o) *s.m.* (*Fís.*) Escala auxiliar para leitura de frações.
nono (*no*.no) *num. ord.* **1.** Que ou o que denota o número nove numa série. • *num. frac.* **2.** Que ou o que é parte de um todo dividido em nove partes iguais.
nonsense [*nônsens*] (Ing.) *s.m.* Palavra ou ação sem sentido.
nônuplo (*nô*.nu.plo) *num. mult.* Número nove vezes maior que outro.
nora [ó] (*no*.ra) *s.f.* Na perspectiva dos pais, a mulher do seu filho.
nordeste [é] (nor.*des*.te) *s.m.* **1.** Direção entre norte e leste. || Símbolo NE. **2.** Vento que sopra desta direção: *O nordeste soprava forte sobre a cidade*. **3.** Região ou regiões situadas do lado desse ponto: *A Finlândia fica no nordeste da Europa*. **4.** A região do Brasil que abrange os Estados do Maranhão, Piauí, Ceará, Rio Grande do Norte, Paraíba, Pernambuco, Alagoas, Sergipe e Bahia: *Nas férias viajaremos pelo Nordeste*. • *adj.* **5.** Relativo ao nordeste ou dele procedente: *Verifique no lado nordeste do mapa*. || Abreviação: *N.E.*
nordestino (nor.des.*ti*.no) *adj.* **1.** Do Nordeste do Brasil; típico dessa região ou de seu povo: *uma dança nordestina*. • *s.m.* **2.** O natural ou o habitante do Nordeste: *Os nordestinos são hospitaleiros e gentis*.

nórdico (*nór*.di.co) *adj.* **1.** Dos países do norte da Europa (Dinamarca, Islândia, Finlândia, Noruega e Suécia). • *s.m.* **2.** O natural ou o habitante dos países do norte da Europa.
norma [ó] (*nor*.ma) *s.f.* **1.** O que se convenciona como base para o procedimento; teor de vida previsto: *as normas sociais*. **2.** Mandamento, princípio ou preceito: *A norma do prédio impede a entrada de cachorro*. **3.** O que serve de modelo; exemplo; molde: *Escreva o requerimento segundo esta norma*. **4.** Moda: *Não veste o que quer, mas o que dita a norma do momento*. **5.** (*Ling.*) Conjunto de regras que orientam o bom uso de uma língua: *a norma gramatical*.
normal (nor.*mal*) *adj.* **1.** Que é ou que se faz habitual, natural: *um gesto normal*. **2.** Que é conforme a norma e o padrão; regular, habitual: *O filho mudou o seu ritmo normal*. **3.** Saudável de corpo e de mente: *um jovem normal*. **4.** Diz-se do curso de nível médio para formação de professores primários: *o curso normal*. • *s.m.* **5.** O curso de nível médio para formação de professores primários: *Ela preferiu o normal porque sempre quis ser professora*. **6.** (*Geom.*) Reta perpendicular à curva ou superfície: *Traçou uma normal com mão firme*.
normalista (nor.ma.*lis*.ta) *adj.* **1.** Que faz o curso normal: *uma estudante normalista*. • *s.m. e f.* **2.** Aquele que cursa o normal (5): *Alguns normalistas farão estágio nessa escola*.
normalizar (nor.ma.li.*zar*) *v.* Adquirir ou recuperar normalidade; regularizar(-se): *Prometeram normalizar o fornecimento de energia; O trânsito normalizou-se depois da meia-noite*. ▶ Conjug. 5.
normando (nor.*man*.do) *adj.* **1.** Da Normandia, região da França. • *s.m.* **2.** O natural ou o habitante da Normandia.
normativo (nor.ma.*ti*.vo) *adj.* **1.** Próprio para servir de norma; que tem força de regra ou norma: *instruções normativas*. **2.** (*Ling.*) Diz-se da gramática que prescreve uma série de normas para o bom uso da língua: *Gramática Normativa da Língua Portuguesa*.
noroeste [é] (no.ro.*es*.te) *s.m.* **1.** Direção a meio entre o norte e o oeste. || Símbolo: *NW*. **2.** Vento que sopra desta direção. **3.** Região ou regiões que ficam deste lado: *O Reino Unido fica a noroeste da Europa*. • *adj.* **4.** Referente ao noroeste ou dele procedente: *a ala noroeste do castelo*. || Abreviação: *N.O.*
nortada (nor.*ta*.da) *s.f.* Vento frio do norte.

norte [ó] (nor.te) *s.m.* **1.** Um dos quatro pontos cardeais. **2.** Ponto cardeal diretamente oposto ao sul e que fica em frente do observador que tem à sua direita o nascente. ‖ Símbolo: N. **3.** Região ou regiões que ficam para o lado do norte. **4.** A região do Brasil que abrange os estados de Rondônia, Acre, Amazonas, Roraima, Pará, Amapá e Tocantins. **5.** Vento que sopra desse rumo. **6.** *fig.* Direção conhecida; guia, rumo: *Perder o norte.* • *adj.* **7.** Referente ao norte ou dele procedente: *A parte norte da região é pantanosa.* ‖ Abreviação: N.

norte-americano (nor.te-a.me.ri.ca.no) *adj.* **1.** Dos Estados Unidos da América. • *s.m.* **2.** O habitante ou o natural dos Estados Unidos; americano, estadunidense. ‖ pl.: *norte-americanos.*

nortear (nor.te:ar) *v.* **1.** Dirigir, guiar, orientar: *Norteou sua vida para a independência financeira.* **2.** Guiar-se, orientar-se: *Norteou-se pelas estrelas.* ▶ Conjug. 14.

norte-coreano (nor.te-co.re:a.no) *adj.* **1.** Da Coreia do Norte, país da Ásia. • *s.m.* **2.** O natural ou o habitante desse país. ‖ pl.: *norte-coreanos.*

norte-rio-grandense (nor.te-ri:o-gran.den.se) *adj.* **1.** Do Rio Grande do Norte, estado da região Nordeste do Brasil. • *s.m.* **2.** O natural ou o habitante desse estado brasileiro. ‖ pl.: *norte-rio-grandenses.*

nortista (nor.tis.ta) *adj.* **1.** Do Norte do Brasil: *O brasileiro nortista é alegre e generoso.* **2.** Referente ou nascido no norte de um país ou região: *Na Guerra da Secessão dos Estados Unidos, os estados nortistas lutaram contra os sulistas.* • *s.m. e f.* **3.** Pessoa que nasceu ou vive no Norte do Brasil. **4.** Pessoa que nasce ou vive no norte de um país ou região.

nos *pron. pess.* Forma oblíqua do pronome pessoal de primeira pessoa; serve de objeto direto ou indireto do verbo: *Seus amigos nos receberam amavelmente; O correio nos entregou a revista; Encontrar-nos-emos em dezembro.*

nós *pron. pess.* Forma reta, tônica, da primeira pessoa do plural, indicando *eu* mais outra ou outras pessoas.

nosocômio (no.so.cô.mi:o) *s.m.* Hospital.

nosofobia (no.so.fo.bi.a) *s.f.* (*Med.*) Medo exagerado de doenças.

nosologia (no.so.lo.gi.a) *s.f.* Estudo e classificação das doenças.

nosso (nos.so) *pron. poss.* **1.** Que nos pertence ou nos diz respeito. • *nossos s.m.pl.* **2.** Os que consideramos afetivamente mais próximos de nós: *Mauro é um dos nossos.* ‖ A forma feminina singular usa-se em frases nominais exclamativas para expressar surpresa, admiração, repulsa etc.: *Nossa, como você é linda!*

nostalgia (nos.tal.gi.a) *s.f.* **1.** Estado de melancolia, de saudade. **2.** Tristeza causada pelo afastamento da terra natal. **3.** Evocação constante e melancólica do passado.

nostálgico (nos.tál.gi.co) *adj.* **1.** Relativo a nostalgia; em que há nostalgia: *um poema nostálgico.* • *s.m.* **2.** Pessoa que sofre nostalgia: *Lucas é um nostálgico dos tempos passados.*

nota [ó] (no.ta) *s.f.* **1.** Sinal para marcar, registrar, comunicar ou lembrar alguma coisa. **2.** Comentário junto a um escrito: *As notas de pé de página esclarecem o leitor.* **3.** Avaliação sobre o trabalho de alguém: *As notas de alguns alunos foram muito altas.* **4.** Documento que relaciona a(s) mercadoria(s) adquirida(s) pelo freguês, com indicação de quantidade, espécie, preço etc.: *O freguês faz questão de receber a nota.* **5.** Conta de despesa num bar, restaurante etc.: *Garçom, quer trazer a nota, por favor?* **6.** (*Comun.*) Notícia sucinta no jornal, na rádio ou na televisão. **7.** Dinheiro de papel, cédula: *uma nota de dez reais.* **8.** (*Mús.*) Sinal que representa, na pauta musical, um som e sua duração: *As notas musicais são sete.* ‖ *Ser uma nota*: ser de preço excessivo: *A viagem à China foi uma nota!*

notabilizar (no.ta.bi.li.zar) *v.* Tornar(-se) notável; tornar(-se) célebre; celebrizar(-se): *Santos Dumont notabilizou-se como inventor do avião.* ▶ Conjug. 5.

notação (no.ta.ção) *s.f.* **1.** Ação ou efeito de notar. **2.** Conjunto de sinais empregados para representar elementos especiais de um campo do conhecimento: *notação coreográfica.*

notar (no.tar) *v.* **1.** Reparar em; perceber: *Não se esqueça de notar e elogiar o cabelo de sua mulher.* **2.** Pôr nota, pôr marca em. ▶ Conjug. 20.

notariado (no.ta.ri:a.do) *s.m.* Ofício ou função de notário, de tabelião.

notarial (no.ta.ri:al) *adj.* Relativo a notário.

notário (no.tá.ri:o) *s.m.* Escrivão público; tabelião.

notável (no.tá.vel) *adj.* **1.** Digno de nota, de atenção, de reparo: *A atriz teve uma atuação notável.* **2.** Passível ou digno de consideração; considerável: *Esta peça é de notável valor histórico.* **3.** Diz-se de pessoa insigne; célebre, ilustre, eminente: *César Lates foi um notável cientista brasileiro.* **4.** Muito grande; fora do

comum: *Fizeram um esforço notável.* **5.** *fig.* Que ocupa posição de destaque na sociedade: *Ela é uma figura notável da sociedade carioca.*
notebook [noutbuc] (Ing.) *s.m.* Microcomputador portátil; *laptop.*
notícia (no.tí.ci:a) *s.f.* **1.** (*Comun.*) Relato de fato atual divulgado pelo jornal, rádio ou televisão: *Você viu as notícias do terremoto?* **2.** Pessoa ou coisa que desperta interesse público: *Os artistas de cinema são sempre notícia.* **3.** Informação recente; novidade: *Chegou de Brasília com notícias de nosso processo.* **4.** Conhecimento, informação: *Desde que ele saiu daqui nunca mais tive notícia dele.*
noticiar (no.ti.ci:ar) *v.* **1.** (*Comun.*) Tornar conhecido; divulgar, publicar: *Os jornais noticiaram a queda do muro.* **2.** Anunciar, comunicar: *O médico anunciou aos clientes o novo endereço do consultório.* ▶ Conjug. 17.
noticiário (no.ti.ci:á.ri:o) *s.m.* **1.** Conjunto de notícias divulgadas diariamente pelo jornal, rádio ou televisão: *Bordando na poltrona, ela esperava o noticiário das dez; Você já leu o noticiário de hoje?* **2.** Notícias sobre determinado assunto: *As fotos da modelo geraram um noticiário; Ele só lia o noticiário esportivo.*
noticiarista (no.ti.ci:a.ris.ta) *s.m. e f.* **1.** (*Comun.*) Redator de noticiário. **2.** Pessoa que lê os textos de notícias.
noticioso [ô] (no.ti.ci:o.so) *adj.* **1.** Que anuncia ou publica notícias: *um jornal noticioso.* **2.** Que divulga um noticiário: *um programa de rádio noticioso.* • *s.m.* **3.** Programa de rádio ou de televisão destinado a divulgar notícias recentes ou informações importantes: *O noticioso das 18h divulgou os resultados da pesquisa.* || f. e pl.: [ó].
notificar (no.ti.fi.car) *v.* Dar notícia formalmente; comunicar por escrito: *O contribuinte recebeu uma notificação do Imposto de Renda; o Imposto de Renda notificou o contribuinte; O presidente notificou-lhes as mudanças no regimento interno; Notifiquem-se os interessados.* ▶ Conjug. 5 e 35.
notívago (no.tí.va.go) *adj.* **1.** Que anda durante a noite; noctâmbulo: *um animal notívago.* • *s.m.* **2.** Pessoa que tem o hábito de andar à noite: *Às dez da noite o notívago começa sua caminhada.* || *noctívago.*
notoriedade (no.to.ri:e.da.de) *s.f.* **1.** Condição de quem ou de que é notório; fama. **2.** Pessoa de capacidade em seu ramo específico de trabalho ou conhecimento: *O professor Marcos é uma notoriedade em Química Orgânica.*
notório (no.tó.ri:o) *adj.* Que é do conhecimento de todos; manifesto: *O trabalho social daquela senhora é notório na cidade.*

noturno (no.tur.no) *adj.* **1.** Relativo à noite; próprio da noite. **2.** Que se realiza à noite: *uma procissão noturna.* **3.** Que se manifesta e realiza suas principais funções à noite: *um pássaro noturno.* **4.** Que trabalha à noite: *vigia noturno.* • *s.m.* **5.** Trem de passageiros que trafega durante a noite: *A moça viajava no noturno de Belo Horizonte.* **6.** (*Mús.*) Composição para piano ou orquestra, de melodia suave e melancólica.
noutro (nou.tro) Contração de preposição *em* com o pronome indefinido *outro.*
nova [ó] (no.va) *s.f.* Notícia recente; novidade. || Usada mais comumente no plural: *Quais são as novas?* • *Estrela nova:* (*Astron.*) *O grande telescópio observou demoradamente a nova no céu.*
nova-iorquino (no.va-i:or.qui.no) *adj.* **1.** Do Estado e/ou da cidade de Nova York, nos Estados Unidos. • *s.m.* **2.** O natural ou o habitante de Nova York.
novato (no.va.to) *adj.* **1.** Que é novo no lugar: *o aluno novato.* **2.** Que ainda está aprendendo; aprendiz: *um advogado novato.* • *s.m.* **3.** Pessoa novata em qualquer atividade: *É você o novato aqui da firma?*
nove [ó] (no.ve) *num. card.* **1.** Oito mais um. • *s.m.* **2.** Representação gráfica desse número (9 em algarismos arábicos; IX em algarismos romanos).
novecentos (no.ve.cen.tos) *num. card.* **1.** Nove vezes cem • *s.m.* **2.** Representação gráfica desse número (900 em algarismos arábicos; CM em algarismos romanos).
nove-horas (no.ve-ho.ras) *s.f.pl. fam.* Usado na loc. *Cheio de nove-horas.* || *Cheio de nove-horas:* excessivamente sensível para coisas de menor importância; exigente com relação a coisas menores.
novel (no.vel) *adj.* **1.** Que tem curto tempo em existência; novo: *Uma novel casa de espetáculo.* **2.** Que assumiu há pouco tempo uma profissão, uma atividade: *O novel sacerdote celebrou sua primeira missa.*
novela [é] (no.ve.la) *s.f.* **1.** (*Lit.*) Narrativa menos extensa que o romance e mais longa que o conto, com ação, espaço e personagens interligados em vários núcleos. **2.** *fig.* Enredo, intriga; coisa complicada e longa: *Seu namoro foi uma novela.* **3.** Peça literária em capítulos, escrita ou adaptada para se apresentar em capítulos diários no rádio ou na televisão.
noveleiro (no.ve.lei.ro) *adj.* **1.** Que escreve novelas: *um escritor noveleiro.* • *s.m.* **2.** Quem escreve novela; novelista. **3.** Pessoa que assiste a muitas novelas.

novelista (no.ve.*lis*.ta) *s.m. e f.* **1.** Escritor de novelas; para rádio e televisão; noveleiro. **2.** Romancista.

novelo [ê] (no.*ve*.lo) *s.m.* **1.** Bola formada por fio têxtil dobrado e enrolado. **2.** *fig.* Caso enrolado; embrulhada.

novembro (no.*vem*.bro) *s.m.* Décimo primeiro e penúltimo mês do ano.

novena (no.*ve*.na) *s.f.* **1.** O espaço de nove dias; série ou grupo de nove coisas. **2.** Nove dias de orações que se fazem em dias seguidos em preparação para alguma festa religiosa ou para pedir uma graça: *novena do Natal*; *novena a Santo Expedito*. **3.** O texto das orações feitas nesses nove dias: *Trouxe de Aparecida uma novena para você*.

novênio (no.*vê*.ni:o) *s.m.* Espaço de nove anos.

noventa (no.*ven*.ta) *num. card.* **1.** Dez vezes nove. • *s.m.* **2.** Representação gráfica desse número (90 em algarismos arábicos; XC em algarismos romanos).

noviciado (no.vi.ci:*a*.do) *s.m.* **1.** Período de iniciação a que são submetidas as pessoas que pretendem ingressar em uma ordem ou congregação religiosa. **2.** Parte do convento destinada aos noviços.

noviço (no.*vi*.ço) *s.m.* Pessoa (normalmente jovem) que se prepara num convento para ingressar numa ordem ou congregação religiosa.

novidade (no.vi.*da*.de) *s.f.* **1.** Qualidade e condição de novo. **2.** Coisa ainda não conhecida; coisa ocorrida recentemente: *Passar os olhos no jornal para ver as novidades*. **3.** Inovação: *as novidades em cirurgia plástica*. **4.** Notícia, nova: *Quais são as novidades de hoje?* **5.** Dificuldade, imprevisto: *Uma novidade atrapalhou e fez atrasar a viagem*.

novilho (no.*vi*.lho) *s.m.* Boi ou touro novo; vitelo.

novilúnio (no.vi.*lú*.ni:o) *s.m.* O tempo da Lua nova; Lua nova.

novo [ô] (no.vo) *adj.* **1.** Que existe há pouco tempo: *Este cinema é novo; foi inaugurado há dias*. **2.** Que tem pouca idade: *um filho novo*. **3.** Que acresce; outro: *Chegou uma nova cobrança*. **4.** Que não existia ainda: *Você já experimentou o novo chocolate dessa fábrica?* **5.** Que ainda tem pouco ou nenhum uso: *uma gravata nova; um carro novo*. • *s.m.* **6.** Aquilo que é novidade: *O novo sempre provoca interesse*. • **novos** *s.m.pl.* **7.** A gente nova; os literatos iniciantes: *Os novos querem sempre inovar*.

novo-rico (no.vo-*ri*.co) *s.m.* Pessoa de origem modesta, que gosta de exibir a riqueza recente e não possui hábitos que condizem com a nova posição social adquirida a que ascendeu por dinheiro; emergente. || *pl.*: *novos-ricos*.

noz [ó] *s.f.* **1.** Fruto da nogueira, de casca dura e uma única semente. **2.** Qualquer fruto com características semelhantes, seco com uma só semente.

noz-moscada (noz-mos.*ca*.da) *s.f.* **1.** Semente pequena e oval usada como tempero. **2.** Árvore natural da Indonésia que dá a noz-moscada. || *pl.*: *nozes-moscadas*.

noz-vômica (noz-*vô*.mi.ca) *s.f.* **1.** Semente da qual se extrai a estricnina. **2.** Árvore originária da Ásia que dá a noz-vômica. || *pl.*: *nozes-vômicas*.

Np (*Quím.*) Símbolo de netúnio.

nu *adj.* **1.** Que não está vestido; que está sem roupa; pelado. **2.** Sem revestimento: *pés nus*; *espada nua*. **3.** Sem ornamento, sem mobília: *um salão nu*. **4.** Sem vegetação; escalvado: *uma paisagem nua*. • *s.m.* **5.** Pessoa nua: *Vestir os nus*. **6.** Representação artística da nudez humana: *um belo nu artístico*. || *Nu e cru*: exatamente como é; sem disfarce: *Queremos a verdade nua e crua*. • *Pôr a nu*: descobrir, tornar patente: *Pôs a nu todas as mentiras de seu marido*.

nuança (nu:*an*.ça) *s.f.* **1.** Gradação e matiz de cores; cambiante. **2.** Diferença percebida entre coisas semelhantes. **3.** (*Mús.*) Grau de força ou doçura que convém dar aos sons. || nuance.

nuance [nuãns] (Fr.) *s.f.* Nuança, matiz.

nubente (nu.*ben*.te) *adj.* **1.** Que está para casar: *as jovens nubentes de maio*. • *s.m. e f.* **2.** Pessoa que está para casar.

núbil (*nú*.bil) *adj.* Que está em idade de casar; casadouro: *rapaz núbil*; *moça núbil*.

núbio (*nú*.bi:o) *adj.* **1.** Da Núbia, região do Sudão, país da África oriental. • *s.m.* **2.** O natural ou o habitante da Núbia. **3.** (*Ling.*) Língua dos núbios.

nublado (nu.*bla*.do) *adj.* **1.** Coberto de nuvens; nebuloso. **2.** *fig.* De visão obscura; sombrio.

nublar (nu.*blar*) *v.* Cobrir(-se), toldar(-se) de nuvens; anuviar-se: *De repente o céu nublou-se*. ▶ Conjug. 5.

nuca (*nu*.ca) *s.f.* A parte posterior do pescoço, correspondente à vértebra cervical chamada atlas.

nuciforme [ó] (nu.ci.*for*.me) *adj.* Que tem a forma de noz.

nuclear (nu.cle.*ar*) *adj.* **1.** Relativo a núcleo. **2.** (*Fís.*) Que se dá no núcleo do átomo: *reação nuclear*. **3.** (*Fís.*) Que utiliza a energia liberada pelo núcleo do átomo: *bomba nuclear*. **4.** Fundamental, básico, central: *uma questão nuclear*.

núcleo (*nú*.cleo) *s.m.* **1.** A parte central de um todo; centro. **2.** (*Fís.*) O elemento central do átomo, constituído de prótons e nêutrons, em torno do qual giram os elétrons. **3.** (*Biol.*) O elemento central da célula, responsável por sua reprodução. **4.** A parte inicial ou essencial de alguma coisa que se desenvolve: *O núcleo de sua fortuna foi o comércio de fios de cobre*. **5.** (*Astron.*) Parte mais densa da cabeça de um cometa. **6.** Agrupamento de pessoas em torno de alguma coisa: *A universidade possui um núcleo de estudos demográficos*.

nudez [ê] (nu.dez) *s.f.* **1.** Condição ou estado de que ou quem está nu. **2.** O corpo nu: *O filme tem cenas de nudez*. **3.** Ausência de vegetação: *Era impressionante a nudez daqueles campos*. **4.** Ausência de ornatos, de decoração: *a nudez e a simplicidade da capela*.

nudismo (nu.*dis*.mo) *s.m.* Doutrina que prega a vida ao ar livre, em completa nudez: *uma praia de nudismo*. – **nudista** *adj. s.m. e f.*

nuga (*nu*.ga) *s.f.* Coisa de pouco valor; ninharia.

nugá (nu.*gá*) *s.m.* Doce de consistência firme, feito com açúcar ou mel, nozes, amêndoas ou avelãs.

nulidade (nu.li.*da*.de) *s.f.* **1.** Qualidade ou condição do que é nulo. **2.** *fig.* Carência total de engenho, de talento e de capacidade: *No trabalho ela revelou-se uma nulidade*.

nulificar (nu.li.fi.*car*) *v.* Tornar(-se) nulo, anular (-se): *Os países nulificaram o tratado; Desse jeito, você se nulifica diante de todos*. ▶ Conjug. 5 e 35.

nulo (*nu*.lo) *adj.* **1.** Que não é válido; inútil; vão: *recomendações nulas*. **2.** Inexistente: *frequência nula*. **3.** Incapaz; inerte: *Mostrou-se nula naquela atividade*. **4.** Invalidado: *casamento nulo*.

num Contração da preposição *em* com o artigo indefinido *um* ou com o numeral *um*.

nume (*nu*.me) *s.m.* **1.** No paganismo, divindade ou espírito que preside a um lugar e o protege: *os numes tutelares dos romanos*. **2.** *fig.* Protetor de uma atividade.

numeração (nu.me.ra.*ção*) *s.f.* **1.** Ato ou efeito de numerar. **2.** Sequência de números que distingue e relaciona páginas de livros, casas de ruas etc. **3.** Sistema de representação escrita de números: *O I representa 1 no sistema latino de numeração*. **4.** (*Mat.*) Processo de enumerar cada unidade de um conjunto: *Siga a numeração das casas na rua até chegar a 98*.

numerador [ô] (nu.me.ra.*dor*) *adj.* **1.** Que numera. • *s.m.* **2.** (*Mat.*) Numa fração ordinária, o número que fica acima do traço horizontal.

numeral (nu.me.*ral*) *adj.* **1.** Relativo a número. • *s.m.* **2.** Algarismo que representa um número: *5 é um numeral*. **3.** (*Gram.*) Classe de palavras que representa a quantidade de unidades, a ordenação dos elementos, a fração de uma totalidade e a multiplicação de uma unidade: *um numeral cardinal; um numeral fracionário*.

numerar (nu.me.*rar*) *v.* **1.** Pôr números em: *É necessário numerar essas cópias*. **2.** Dispor em ordem numérica: *Numeramos as peças de acordo com a ordem de chegada*. ▶ Conjug. 8.

numerário (nu.me.*rá*.ri:o) *s.m.* Dinheiro em moeda ou cédula; dinheiro vivo.

numérico (nu.*mé*.ri.co) *adj.* **1.** Relativo a número. **2.** Que indica ou é expresso por número: *valor numérico; código numérico*. **3.** Quantitativo: *Somente em termos numéricos vocês são mais que nós*.

número (*nú*.me.ro) *s.m.* **1.** Palavra ou símbolo gráfico que serve para indicar a quantidade ou a ordem das coisas numa série. **2.** Conjunto de algarismos arábicos que identificam o telefone, o código ou a senha etc. de alguém: *Digite corretamente o número de sua senha*. **3.** Quantidade total: *Foi grande o número de premiados na loteria*. **4.** Cada parte de um *show* ou apresentação de um artista: *O primeiro número do show foi uma canção folclórica do Paraguai*. **5.** Cada edição de uma publicação periódica: *Faltam-me alguns números dessa revista na minha coleção*. **6.** Expressão numérica que individualiza um endereço numa rua: *Ângela morava no número 27 da rua da Alegria*. **7.** Classe; categoria: *Ele é contado no número de nossos melhores poetas*. **8.** (*Gram.*) Categoria gramatical que indica se os indivíduos designados por um nome correspondem a um (singular) ou a mais de um (plural). || Em português, a noção de número também se aplica a adjetivos, pronomes e verbos.

numerologia (nu.me:ro.lo.*gi*.a) *s.f.* Tratado ou estudo do significado oculto dos números e da sua influência no caráter ou destino da pessoa. – **numerológico** *adj.*; **numerologista** *s.m. e f.*

numeroso [ô] (nu.me.*ro*.so) *adj.* Que compreende grande número de elementos: *numeroso povo*. || f. e pl.: [ó].

numismata (nu.mis.*ma*.ta) *s.m. e f.* Pessoa versada em numismática.

numismática (nu.mis.*má*.ti.ca) *s.f.* Ciência que tem por objeto de estudo as medalhas e moedas.

nunca (*nun*.ca) *adv.* **1.** Em nenhum momento; jamais: *Ela nunca esteve numa cidade grande.* **2.** De nenhuma maneira: *Ela nunca deixaria de vir a esse encontro.* || *Mais do que nunca*: muito: *Mais do que nunca ela precisava de meu auxílio.*

nunciatura (nun.ci:a.*tu*.ra) *s.f.* **1.** Dignidade de núncio apostólico. **2.** Local onde o núncio apostólico exerce suas funções.

núncio (*nún*.ci:o) *s.m.* **1.** Prelado enviado para representar o papa. **2.** Embaixador da Santa Sé junto a um governo.

nupcial (nup.ci:*al*) *adj.* Relativo a núpcias: *festa nupcial; contrato nupcial.*

núpcias (*núp*.ci:as) *s.f.pl.* **1.** Matrimônio, casamento, himeneu: *Casou-se em segundas núpcias.* **2.** Celebração do casamento; bodas.

nutação (nu.ta.*ção*) *s.f.* (*Astron.*) Oscilação do eixo da Terra, que faz os polos descreverem pequena elipse a cada 18,6 anos.

nutrição (nu.tri.*ção*) *s.f.* **1.** Ato ou efeito de nutrir(-se); nutrimento. **2.** Aquilo que serve para nutrir; alimento. **3.** (*Biol.*) Função natural do organismo de extrair nutrientes do ambiente externo para assegurar a manutenção da vida. **4.** Formação profissional na área de nutrição e alimentação: *Elisa formou-se em Nutrição e trabalha num hospital infantil.*

nutricionismo (nu.tri.ci:o.*nis*.mo) *s.m.* Pesquisa ou estudo dos problemas relacionados com a nutrição.

nutricionista (nu.tri.ci:o.*nis*.ta) *s.m. e f.* Profissional formado em Nutrição.

nutrido (nu.*tri*.do) *adj.* **1.** Que está alimentado. **2.** Desenvolvido, forte, robusto: *Ó João, como você está nutrido!*

nutriente (nu.tri:*en*.te) *adj.* **1.** Que nutre; alimentício, nutritivo. • *s.m.* **2.** Substância química ou orgânica necessária à alimentação.

nutrir (nu.*trir*) *v.* **1.** Alimentar(-se), sustentar (-se): *A jovem mãe nutre seu filho com leite materno; O bebê nutria-se com leite materno.* **2.** *fig.* Manter um sentimento em si: *Jaime nutria boas lembranças de sua antiga namorada.* **3.** *fig.* Sustentar(-se), manter(-se): *O mau clima do setor nutria-se de maledicência; A maledicência nutria o mau clima do setor.* ▶ Conjug. 66.

nutritivo (nu.tri.*ti*.vo) *adj.* Que nutre; que alimenta; substancioso: *uma merenda nutritiva.*

nutriz (nu.*triz*) *s.f.* Mulher que amamenta; ama de leite.

nutrologia (nu.tro.lo.*gi*.a) *s.f.* Especialidade médica voltada para os problemas de saúde ligados à alimentação.

nuvem (*nu*.vem) *s.f.* **1.** Condensação ou congelamento visível de água na atmosfera. **2.** Porção suspensa de poeira, gases etc.: *De longe via-se a grande nuvem de fumaça do vulcão.* **3.** Grande revoada de insetos: *Nuvens de mosquitos entravam pela janela do rancho.* || *Botar (pessoa ou coisa) nas nuvens*: elogiar em excesso: *Diante da futura nora, a mãe botou o filho nas nuvens.* • *Cair das nuvens*: ter grande surpresa, geralmente decepcionante: *Caí das nuvens quando soube de minha reprovação.* • *Em brancas nuvens*: **1.** sem preocupação; sem aborrecimentos: *Passou a vida em brancas nuvens.* **2.** sem lembrança especial; sem comemoração: *O dia de seu aniversário passou em brancas nuvens.*

NW Símbolo de *noroeste* (1).

nylon [*náilon*] (Ing.) *s.m.* Náilon.

Oo

o¹ [ó] *s.m.* **1.** Nome da letra *o*. Décima quinta letra do alfabeto português. **2.** Quarta das cinco letras representativas do sistema vocálico.

o² [ô] *art. def.* **1.** Determina substantivos e substantiva vocábulos, expressões por ele determinados: *o dia*; *o meio-dia*; *o cantar dos pássaros*. • *pron. pess.* **2.** Forma oblíqua do pronome de terceira pessoa: *Aquele farsante? Ainda hoje o vi na cidade*. • *pron. dem.* **3.** Usa-se antes de pronome relativo ou de preposição (equivalendo a *aquele, aquilo*): *Este livro é o que comprei*; *Este livro é o de meu irmão*; *Tudo o que possuía doou para o sobrinho*. || Quando não equivale a *aquilo*, possui as flexões: *a, os, as*.

O (*Quím.*) Símbolo de oxigênio.

O. Abreviação de *oeste* (2). || Conferir com *W*.

ó *interj.* Usa-se como sinalizador de vocativo: *Ó da guarda, podia me dar um minuto de atenção?*

oásis (o:*á*.sis) *s.m.* **1.** Porção de terreno com vegetação, água etc. no meio do deserto. **2.** Zona fértil numa região de terras áridas. **3.** *fig.* Lugar aprazível entre outros que não o são. **4.** *fig.* Qualquer sentimento de alegria, prazer, alívio em meio a desgosto: *Encontrar você foi um oásis em minha vida*.

oba [ô] (*o.ba*) *interj.* Expressa alegria, satisfação; opa.

oba-oba [ô] (*o.ba-o.ba*) *s.m.* Festa, alegria, agito: *Chega de oba-oba e vamos trabalhar*. || pl.: *oba-obas*.

obcecação (ob.ce.ca.*ção*) *s.f.* **1.** Ato ou efeito de obcecar. **2.** Insistência num erro; teimosia. **3.** *fig.* Cegueira de espírito; obscurecimento.

obcecar (ob.ce.*car*) *v.* **1.** Obscurecer, cegar (o espírito, o entendimento): *Suas atitudes obcecam a multidão*. **2.** Induzir a erro: *As ilusões o obcecaram, não o deixaram ver o caminho certo*. **3.** Causar ou ser vítima de obsessão; ideia fixa: *A cobiça de juntar milhões obcecava o jovem empresário*; *Obcecou-se pela ideia de ser campeão olímpico*. ▶ Conjug. 8 e 35.

obedecer (o.be.de.*cer*) *v.* **1.** Cumprir as ordens, as determinações de: *Ele obedecia piamente a sua mãe*; *Por que você não obedece a sua mãe?* **2.** Acatar, observar, cumprir: *O cidadão deve obedecer às leis*. **3.** Não resistir a; ceder a: *A mulher obedeceu aos instintos maternos*; *Não obedeça aos caprichos desse louco*. **4.** Submeter-se a; estar submetido a: *Na construção da ponte, obedeceu-se a todas as normas*; *obedecer aos dispositivos legais*. ▶ Conjug. 41 e 46.

obediência (o.be.di:*ên*.ci:a) *s.f.* **1.** Ato ou ação de obedecer: *obediência aos pais*. **2.** Submissão a uma autoridade legítima; sujeição, subordinação: *Os católicos devem obediência a seus pastores*; *O soldado deve obediência a seu superior*. **3.** Observância, atenção: *obediência às normas da hospitalidade*.

obediente (o.be.di:*en*.te) *adj.* Que presta obediência a; que obedece.

obelisco (o.be.*lis*.co) *s.m.* Monumento quadrangular de pedra com ápice piramidal.

obesidade (o.be.si.*da*.de) *s.f.* Condição ou estado de alguém que é muito gordo.

obeso [é ou ê] (o.*be*.so) *adj.* **1.** Que tem obesidade, gordo: *um homem obeso*. • *s.m.* **2.** Pessoa muito gorda: *O obeso tem dificuldade de encontrar roupas adequadas*.

óbice (*ó*.bi.ce) *s.m.* O que impede; impedimento, obstáculo.

óbito (*ó*.bi.to) *s.m.* Morte, falecimento: *certidão de óbito*.

obituário (o.bi.tu:*á*.ri:o) *s.m.* **1.** Registro dos óbitos. **2.** Seção jornalística que noticia os óbitos com notas biográficas dos falecidos importantes; necrológio.

objeção (ob.je.*ção*) *s.f.* Ato ou efeito de objetar, de se opor a alguma coisa.

objetar (ob.je.*tar*) *v.* **1.** Fazer objeção a; apresentar argumentos contra: *Objetei todos os argumentos dos que defendiam a viagem agora*. **2.** Impugnar (uma afirmação, por exemplo) contrapondo (outro argumento); contrapor: *Ela objetava as razões do pai, apresentando outros argumentos.* ▶ Conjug. 8.

objetiva (ob.je.*ti*.va) *s.f.* (*Fot.*) Lente voltada para o objeto ou imagem que se quer fotografar.

objetivar (ob.je.ti.*var*) *v.* **1.** Ter por fim; pretender: *Com suas economias, objetivava comprar uma casa de campo.* **2.** Concretizar(-se), realizar(-se): *Tentava em vão objetivar suas ideias confusas; Todos os seus desejos se objetivaram.* ▶ Conjug. 5.

objetivo (ob.je.*ti*.vo) *adj.* **1.** Que julga as coisas com isenção; que julga imparcialmente: *Foi um julgamento objetivo.* **2.** Que pensa e age rápido; que é direto: *Nessas situações, você tem que ser objetivo.* • *s.m.* **3.** Alvo ou fim que se quer atingir; meta, mira: *Meu objetivo no momento é comprar uma casa.*

objeto [é] (ob.*je*.to) *s.m.* **1.** Tudo que pode ser matéria de conhecimento ou sensibilidade por parte do sujeito; coisa: *Seus objetos estavam todos espalhados.* **2.** Assunto, tema, matéria: *A imigração italiana é o objeto de suas pesquisas.* **3.** (*Gram.*) O que completa o sentido de um verbo transitivo. || *Objeto direto:* complemento verbal que se liga ao verbo sem auxílio de preposição: *A moça amava as flores.* • *Objeto indireto:* complemento verbal que se liga ao verbo por meio de preposição: *Este livro pertence a Maria.*

oblação (o.bla.*ção*) *s.f.* (*Rel.*) Oferta feita a Deus; oferenda.

oblato (o.*bla*.to) *s.m.* Leigo que se oferece para serviço de uma ordem religiosa: *os oblatos de São Bento.*

oblíquo (o.*blí*.quo) *adj.* **1.** Que não é horizontal nem vertical; inclinado: *traço oblíquo.* **2.** (*Gram.*) Pronome pessoal empregado em função de complemento. – **obliquidade** *s.f.*

obliterar (o.bli.te.*rar*) *v.* **1.** Suprimir, destruir, eliminar, apagar(-se): *A vegetação obliterou a entrada da caverna;* (fig.) *Quando se aposentam, obliteram-se.* **2.** (*Med.*) Desaparecer ou fazer desaparecer progressivamente; fechar(-se) a cavidade de; tapar(-se), obstruir(-se): *O sangue coagulado obliterava a cavidade aberta pela bala; A esclerose obliterou suas artérias.* **3.** Fazer(-se) esquecer: *Nada obliterava as lembranças daquele momento; A imagem de seu rosto obliterou-se com o tempo.* ▶ Conjug. 8.

oblongo (ob.*lon*.go) *adj.* Mais comprido do que largo; alongado, oval: *uma folha oblonga.*

obnubilar (ob.nu.bi.*lar*) *v.* Pôr(-se) em sombras; ofuscar(-se), escurecer(-se), obscurecer(-se): *Com a idade, sua memória foi-se obnubilando; O eclipse obnubilou o Sol.* ▶ Conjug. 5.

oboé (o.bo.*é*) *s.m.* (*Mús.*) Instrumento musical de sopro, de palheta dupla e tubo cônico.

oboísta (o.bo.*ís*.ta) *s.m.* e *f.* Músico que toca oboé.

óbolo (*ó*.bo.lo) *s.m.* Oferta, dádiva de valor pequeno; esmola.

obra [ó] (*o*.bra) *s.f.* **1.** Resultado de um trabalho ou de uma ação: *A limpeza da casa foi obra das mulheres.* **2.** Casa ou edifício em construção: *A obra ao lado do meu prédio não deixa ninguém dormir.* **3.** Conserto, restauração ou modificação feitos em algum lugar: *Não gosto de fazer obras em casa.* **4.** Trabalho realizado por um artista: *O quadro exposto é a melhor obra daquele pintor.* **5.** Conjunto das produções de um escritor ou artista: *Alice leu toda a obra de Mário de Andrade.*

obra-prima (o.bra-*pri*.ma) *s.f.* A obra mais perfeita de uma época, gênero ou autor: *Dom Casmurro é a obra-prima de Machado de Assis.* || pl.: *obras-primas.*

obrar (o.*brar*) *v.* **1.** Trabalhar, agir; realizar obra: *Não gostava de ficar sem fazer nada; queria agir e obrar.* **2.** coloq. Defecar: *Depois que tomou o laxante, ele obrou.* ▶ Conjug. 20.

obreiro (o.*brei*.ro) *s.m.* Operário, trabalhador.

obrigação (o.bri.ga.*ção*) *s.f.* **1.** Dever a ser cumprido: *O jovem só tinha uma obrigação: preparar-se para o vestibular.* **2.** Tarefa ou serviço diário: *Toda manhã sua obrigação era fazer o café.*

obrigado (o.bri.*ga*.do) *adj.* **1.** Imposto por lei, por regulamento ou pelas circunstâncias e convenções: *Vi-me obrigado a incluí-la no grupo.* **2.** Agradecido, grato: *Obrigado por tudo o que você fez por mim.*

obrigar (o.bri.*gar*) *v.* Impor, forçar: *Obrigaram o ladrão a devolver as peças roubadas.* ▶ Conjug. 5 e 34.

obrigatório (o.bri.ga.*tó*.ri:o) *adj.* **1.** Que obriga; que encerra obrigação: *Não é obrigatório casar cedo.* **2.** Imposto pelo dever ou pela lei: *O serviço militar é obrigatório no Brasil.*

obsceno (obs.*ce*.no) *adj.* **1.** Que tem caráter indecente e grosseiro: *uma revista obscena.* **2.** Que fere ou contraria o pudor; imoral, torpe: *gestos obscenos.*

obscurantismo (obs.cu.ran.*tis*.mo) *s.m.* **1.** Doutrina contrária ao desenvolvimento intelectual ou material: *É necessário combater o obscu-*

obscurecer

rantismo com educação e cultura. **2.** Estado de completa ignorância: *tirar as crianças do Brasil do obscurantismo.* – **obscurantista** *adj. s.m. e f.*

obscurecer (obs.cu.re.cer) *v.* **1.** Tornar obscuro: *Algumas palavras arcaicas obscureciam o sentido do texto.* **2.** Tirar ou diminuir a luz ou claridade; toldar: *As cortinas escuras obscureciam o quarto.* **3.** Entrevar(-se), escurecer(-se): *O eclipse obscureceu o céu; Durante o eclipse o céu obscureceu-se.* ▶ Conjug. 41 e 46.

obscuro (obs.cu.ro) *adj.* **1.** Com pouca ou nenhuma claridade; escuro: *Procurou a chave até nos cantos obscuros da casa.* **2.** *fig.* De difícil compreensão; pouco perceptível: *palavras e frases obscuras.* **3.** *fig.* Sem visibilidade social; desconhecido: *Tratava-se de um obscuro funcionário do comércio.*

obsedar (ob.se.dar) *v.* Tornar ideia fixa; obcecar: *A ideia da morte o obsedava.* ▶ Conjug. 8.

obsequiar [z] (ob.se.qui:ar) *v.* **1.** Prestar obséquio, favor; fazer gentileza: *O comerciante obsequiava seus fregueses com um sorriso simpático.* **2.** Agradar com presentes; presentear: *Anualmente obsequiava os fregueses com um belo calendário.* ▶ Conjug. 17.

obséquio [z] (ob.sé.qui:o) *s.m.* Favor, gentileza: *Faça-me o obséquio de fechar a janela.*

obsequioso [ze...ô] (ob.se.qui:o.so) *adj.* Que presta obséquios, serviços, favores, benefícios; prestativo: *um jovem educado e obsequioso.* || f. e pl.: [ó].

observação (ob.ser.va.ção) *s.f.* **1.** Ato ou efeito de observar: *Há pessoas que gostam de fazer observação de pássaros.* **2.** *fig.* Nota de esclarecimento; ressalva: *Acrescentei uma observação ao texto de seu diagnóstico.*

observância (ob.ser.vân.ci:a) *s.f.* **1.** Ação ou efeito de observar, respeitar, cumprir uma lei, determinação, princípio etc.: *Era sempre atento à observância das leis.* **2.** Cumprimento rigoroso de regras monásticas, rigor de vida conventual: *Naquele convento a obervância é rigorosa.*

observar (ob.ser.var) *v.* **1.** Seguir as prescrições ou os preceitos; cumprir, respeitar: *Fique em repouso e observe as prescrições médicas.* **2.** Olhar com atenção; examinar: *Ismália gostava de observar a lua.* **3.** Reparar, notar, perceber: *Tenho observado que você não anda bem.* **4.** Advertir, chamar a atenção para; fazer ver: *O crítico observou que os diálogos do romance não eram bons.* **5.** Cumprir (regras, conselhos, mandamentos): *Observava o jejum nos dias de preceito.* ▶ Conjug. 8.

observatório (ob.ser.va.tó.ri:o) *s.m.* Edificação própria para se fazerem observações astronômicas ou meteorológicas.

obsessão (ob.ses.são) *s.f.* Interesse ou preocupação excessiva com alguma coisa que impede de se preocupar com outras.

obsessivo (ob.ses.si.vo) *adj.* **1.** Relativo a obsessão: *um comportamento obsessivo.* **2.** Que tem obsessão: *Era uma mulher obsessiva.*

obsoleto [é ou ê] (ob.so.le.to) *adj.* **1.** Que caiu em desuso; arcaico, superado: *Essa palavra está obsoleta.* **2.** Que está fora de uso; antiquado: *Minha máquina fotográfica é obsoleta para esse tipo de foto.*

obstaculizar (obs.ta.cu.li.zar) *v.* Criar obstáculo; obstar: *A polícia tentou obstaculizar a obtenção da licença para a passeata.* ▶ Conjug. 5.

obstáculo (obs.tá.cu.lo) *s.m.* **1.** O que impede a passagem: *O ônibus avariado era um obstáculo ao fluxo do trânsito.* **2.** O que impede a realização de alguma coisa: *Amélia venceu todos os obstáculos para estudar Medicina.* **3.** (*Esp.*) Espécie de cavalete que se põe nas pistas de atletismo para a corrida de obstáculos: *O atleta na última etapa derrubou o obstáculo.*

obstante (obs.tan.te) *adj.* Que obsta ou impede; impedidor. || *Não obstante*: apesar de; bem que; embora: *Não obstante as preocupações dos pais, o jovem estudante aceitou a bolsa de estudos para o Japão.*

obstar (obs.tar) *v.* Causar embaraço a; impedir, obstaculizar: *Obstavam-lhe a entrada; Nada obsta a que você viaje no fim de semana.* ▶ Conjug. 20 e 33.

obstetra [é] (obs.te.tra) *s.m. e f.* Médico especialista em Obstetrícia.

obstetrícia (obs.te.trí.ci:a) *s.f.* (*Med.*) Especialidade da Medicina que trata da gravidez e do parto.

obstinação (obs.ti.na.ção) *s.f.* Característica ou comportamento da pessoa que se obstina; teimosia, birra, aferro.

obstinado (obs.ti.na.do) *adj.* **1.** Que persiste numa ideia; pertinaz, firme: *Quando queria alcançar uma coisa, ele tornava-se obstinado.* **2.** Que não cede; teimoso, relutante: *Obstinado, ele não permitiu que a filha casasse com aquele malandro.*

obstinar (obs.ti.nar) *v.* **1.** Tornar obstinado: *A certeza da vitória obstinava o pugilista.* **2.** Manter(-se) obstinado a fazer alguma coisa; aferrar-se: *Obstinava-se na intenção de dirigir a empresa.* ▶ Conjug. 5.

obstrução (obs.tru.*ção*) *s.f.* **1.** Ato ou efeito de obstruir. **2.** (*Med.*) Bloqueio nos vasos ou canais do organismo: *obstrução intestinal; obstrução nasal.* **3.** *fig.* Ato ou atitude que entrava o andamento de alguma ação: *Foi acusado de obstrução do trabalho da polícia.*

obstruir (obs.tru:*ir*) *v.* **1.** Provocar obstrução em; tapar, fechar: *Uma bola de pingue-pongue obstruiu a calha do telhado.* **2.** Impedir com obstáculo a passagem, a circulação, o trânsito: *A grande de pedra obstruiu a estrada.* **3.** *fig.* Não deixar realizar; embaraçar, impedir, estorvar: *A oposição tentou obstruir a votação da lei no Senado.* ▶ Conjug. 80.

obtenção (ob.ten.*ção*) *s.f.* Ato ou efeito de obter; aquisição: *a obtenção de um atestado médico.*

obter (ob.*ter*) *v.* **1.** Chegar a ter; conseguir, conquistar: *Com algum esforço, obteve o necessário para viver.* **2.** Receber ou adquirir: *O engenheiro obteve do imperador o título de barão.* **3.** *fig.* Lograr, conseguir: *Como o pintor obteve esse tom de azul?* ▶ Conjug. 1.

obturação (ob.tu.ra.*ção*) *s.f.* **1.** Ato ou efeito de obturar. **2.** (*Odont.*) Restauração de um dente, substituindo o tecido cariado por resina, porcelana etc.

obturar (ob.tu.*rar*) *v.* Fechar a cavidade do dente ou do canal dentário depois do devido tratamento: *Foi preciso obturar o molar cariado.* ▶ Conjug. 5.

obtuso (ob.*tu*.so) *adj.* **1.** (*Geom.*) Diz-se do ângulo que tem mais de 90° e menos de 180°. **2.** *fig.* Sem perspicácia; pouco inteligente: *uma mente obtusa.*

obumbrar (o.bum.*brar*) *v.* Ofuscar, obscurecer, toldar: *Nuvens negras obumbravam o céu.* ▶ Conjug. 5.

obus (o.*bus*) *s.m.* **1.** (*Mil.*) Peça de artilharia mais comprida que o morteiro e mais curta que o canhão. **2.** O projétil desta arma: *O obus acertou o muro do quartel.*

obviar (ob.vi:*ar*) *v.* **1.** Evitar, prevenir, atalhar: *Sempre obviava (a)os erros da filha.* **2.** Opor-se, obstar: *Corajosamente a tropa obviou (a)os avanços do inimigo.* ▶ Conjug. 17.

óbvio (*ób*.vi:o) *adj.* **1.** Que salta aos olhos, que é evidente: *uma pergunta óbvia.* • *s.m.* **2.** Aquilo que é evidente; que salta aos olhos: *Ela não percebia o óbvio.*

oca [ó] (o.*ca*) *s.f.* Cabana de forma circular que serve de moradia para uma ou mais famílias indígenas.

ocara (o.*ca*.ra) *s.f.* Praça central da taba dos indígenas.

ocarina (o.ca.*ri*.na) *s.f.* (*Mús.*) Instrumento musical de sopro, feito de barro, cujo som assemelha-se ao da flauta.

ocasião (o.ca.si:*ão*) *s.f.* **1.** Tempo de qualquer eventualidade; momento, circunstância: *Você chegou numa ocasião propícia.* **2.** Tempo ou circunstância favorável; oportunidade, ensejo: *Não posso perder essa ocasião de falar com o presidente.* || *De ocasião*: oportuno, vantajoso: *Aproveitei o preço de ocasião para comprar esse barco.* • *Por ocasião*: na oportunidade de; quando, ao ensejo de: *Por ocasião de minha formatura, comprei roupas novas.*

ocasional (o.ca.si:o.*nal*) *adj.* Que acontece por acaso; acidental: *Foi um encontro ocasional.*

ocasionar (o.ca.si:o.*nar*) *v.* Dar ocasião; causar, originar, proporcionar: *A chuvarada que ele pegou ocasionou-lhe um forte resfriado; Da pequena discussão, ocasionou-se uma inimizade.* ▶ Conjug. 5.

ocaso (o.*ca*.so) *s.m.* **1.** O lado do pôr do sol; ocidente, poente. **2.** *fig.* Decadência, ruína, fim: *O ocaso dos engenhos de açúcar foi causado pelo aparecimento das usinas.*

occipício (oc.ci.*pí*.ci:o) *s.m.* (*Anat.*) Porção que fica na parte inferior e posterior do crânio.

occipital (oc.ci.pi.*tal*) *adj.* (*Anat.*) **1.** Relativo a occipício: *buraco occipital.* • *s.m.* **2.** Osso que se situa na parte inferior e posterior do crânio.

occitano (oc.ci.*ta*.no) *adj.* **1.** Diz-se do conjunto dos dialetos românicos do sul da França: *um dialeto occitano.* • *s.m.* **2.** Conjunto dos dialetos do sul da França: *o occitano do sul da França.*

oceânico (o.ce:*â*.ni.co) *adj.* **1.** Relativo a oceano: *fossa oceânica.* **2.** Que vive no oceano: *fauna oceânica.*

oceano (o.ce:*a*.no) *s.m.* **1.** Cada uma das grandes extensões de água salgada que banham os continentes e que, em conjunto, cobrem cerca de 70% da superfície da Terra. **2.** Vasta extensão de água. **3.** *fig.* Qualquer coisa de vasta extensão ou em grande quantidade: *um oceano de verdura.*

oceanografia (o.ce:a.no.gra.*fi*.a) *s.f.* Estudo científico das características físicas, químicas e biológicas dos oceanos.

oceanográfico (o.ce:a.no.*grá*.fi.co) *adj.* Relativo a oceanografia e a oceanógrafo.

oceanógrafo (o.ce:a.*nó*.gra.fo) *s.m.* Profissional formado em Oceanografia.

ocidental (o.ci.den.*tal*) *adj.* **1.** Relativo a ou que se situa no Ocidente. • *s.m.* e *f.* **2.** O natural ou o habitante do Ocidente.

ocidentalizar (o.ci.den.ta.li.*zar*) *v.* **1.** Dar feição ocidental a: *Naquele país oriental, ocidentalizaram a maneira de vestir.* **2.** Adaptar(-se) à civilização ocidental: *Aquela religião oriental ocidentalizou-se.* ▶ Conjug. 5.

ocidente (o.ci.*den*.te) *s.m.* **1.** Lado do horizonte onde o Sol se põe; poente, ocaso. **2.** Parte do hemisfério oeste do globo terrestre. **3.** Povo que habita esta parte: *O Ocidente desconhece certas práticas médicas orientais.* || Conferir com Oriente.

ócio (*ó*.ci:o) *s.m.* **1.** Descanso do trabalho; tempo que dura (esse descanso); folga, repouso, desocupação. **2.** Preguiça, indolência.

ociosidade (o.ci:o.si.*da*.de) *s.f.* Qualidade do que é ocioso; preguiça, ócio.

ocioso [ô] (o.ci:o.so) *adj.* **1.** Que não tem emprego nem ocupação: *terras ociosas.* **2.** Preguiçoso: *um menino indolente e ocioso.* **3.** Desnecessário, inútil, supérfluo: *É ocioso tentar ensinar essas coisas.* • *s.m.* **4.** Indivíduo ocioso, vadio, mandrião: *O ocioso não consegue vencer na vida.* || f. e pl.: [ó].

oclusão (o.clu.*são*) *s.f.* **1.** Ato ou efeito de fechar; fechamento. **2.** (*Med.*) Contato dos dentes de ambos os maxilares quando a boca está fechada.

oclusivo (o.clu.*si*.vo) *adj.* **1.** Em que há oclusão. **2.** (*Ling.*) Diz-se do som da fala emitido com oclusão completa e momentânea de um ponto do aparelho fonador.

oco [ô] (*o*.co) *adj.* **1.** Que não tem conteúdo interior: *esfera oca.* **2.** *fig.* Insignificante, fútil: *palavras ocas.*

ocorrência (o.cor.*rên*.ci:a) *s.f.* **1.** Efeito de ocorrer: *Veja a ocorrência de verbos intransitivos nesse texto.* **2.** Fato sucedido; acontecimento: *Todos souberam da ocorrência.* **3.** *gír.* Fato policial: *O delegado registrou a ocorrência.*

ocorrer (o.cor.*rer*) *v.* **1.** Sobrevir ou acontecer algo: *Ocorreu uma manifestação ontem.* **2.** Vir à memória, ao pensamento; lembrar: *Não me ocorreu que você vinha hoje.* ▶ Conjug. 42.

ocre [ó] (*o*.cre) *adj.* **1.** De cor de argila, tirante a amarelo e vermelho: *paredes ocre.* • *s.m.* **2.** Tinta preparada com argila e óxido de ferro hidratado e que toma várias tonalidades tirantes a amarelo e vermelho.

octaedro [é] (oc.ta.e.dro) *s.m.* (*Geom.*) Poliedro de oito faces.

octana (oc.*ta*.na) *s.f.* (*Quím.*) Octano.

octano (oc.*ta*.no) *s.m.* (*Quím.*) Hidrocarboneto presente no petróleo e na nafta. || octana.

octingentésimo (oc.tin.gen.*té*.si.mo) *num. ord.* **1.** Que numa sequência ocupa o lugar número oitocentos. • *num. frac.* **2.** Que é oitocentas vezes menor que a unidade.

octogenário (oc.to.ge.*ná*.ri:o) *adj.* **1.** De idade compreendida entre os oitenta e os noventa anos. • *s.m.* **2.** Pessoa octogenária.

octogésimo (oc.to.*gé*.si.mo) *num. ord.* **1.** Que numa sequência ocupa o lugar número oitenta: *Eu era o octogésimo da fila.* • *num. frac.* **2.** Que é oitenta vezes menor que a unidade: *Bastava-lhe um octogésimo da imensa fortuna do sogro.*

octogonal (oc.to.go.*nal*) *adj.* **1.** (*Geom.*) Que tem oito ângulos e oito lados; octógono: *um polígono octogonal.* **2.** Diz-se de figura cuja base é um octógono: *pirâmide octogonal.*

octógono (oc.*tó*.go.no) *adj.* **1.** Octogonal. • *s.m.* **2.** (*Geom.*) Polígono de oito lados.

octossílabo (oc.tos.*sí*.la.bo) *adj.* **1.** Que tem oito sílabas. • *s.m.* **2.** Palavra ou verso de oito sílabas.

ocular (o.cu.*lar*) *adj.* **1.** Relativo a olho ou vista: *globo ocular.* **2.** Que presenciou ou viu com os próprios olhos: *testemunha ocular.* • *s.f.* **3.** A lente do aparelho visual mais próxima do olho do observador.

oculista (o.cu.*lis*.ta) *s.m.* e *f.* **1.** (*Med.*) Especialista em enfermidades nos olhos; oftalmologista. **2.** Fabricante ou comerciante de óculos e lentes.

óculo (*ó*.cu.lo) *s.m.* **1.** Qualquer instrumento óptico destinado a facilitar a visão, mediante amplificação através de lentes; binóculo, microscópio etc. **2.** (*Arquit.*) Abertura circular ou elíptica na parede de um edifício para entrada de luz e ar. • *óculos s.m.pl.* **3.** Conjunto formado por duas lentes correspondentes aos dois olhos, ligadas entre si por uma armação adaptada ao nariz de onde saem duas hastes que se prendem às orelhas.

ocultar (o.cul.*tar*) *v.* **1.** Subtrair(-se) à vista; esconder(-se): *Ela ocultou o dinheiro no fundo da gaveta; Como se achava feia, ela escondia-se das visitas.* **2.** Não manifestar; disfarçar, dissimular: *Ela ocultava seu desgosto atrás de palavras suaves; Seu desgosto conseguia ocultar-se por trás das suaves palavras.* ▶ Conjug. 5.

ocultismo (o.cul.*tis*.mo) *s.m.* Estudo de ciências ditas ocultas, que tratam de fenômenos sobrenaturais e que somente são acessíveis a iniciados. – **ocultista** *adj. s.m. e f.*

oculto (o.*cul*.to) *adj.* **1.** Que está subtraído às vistas; encoberto, escondido. **2.** Que é misterioso, sobrenatural: *ciências ocultas.* **3.** (*Gram.*) Diz-se do sujeito da frase não explícito, indicado apenas pela flexão do verbo; elíptico. || Às ocultas: às escondidas; ocultamente.

ocupação (o.cu.pa.*ção*) *s.f.* **1.** Ato ou efeito de invadir, de ocupar um espaço: *a ocupação do prédio inacabado.* **2.** Trabalho em que alguém se ocupa; emprego: *Arranje uma ocupação no comércio.*

ocupacional (o.cu.pa.ci:o.*nal*) *adj.* Referente a ocupação, trabalho: *terapia ocupacional.*

ocupado (o.cu.*pa*.do) *adj.* **1.** Que tem muitas coisas para fazer: *Ando muito ocupado.* **2.** Entretido com alguma coisa: *Vá abrir a porta, que estou muito ocupado.* **3.** Que está sendo usado: *O banheiro está ocupado.*

ocupar (o.cu.*par*) *v.* **1.** Tomar o espaço de; encher, cobrir: *A água ocupa dois terços do globo terrestre.* **2.** Ter ou possuir por direito ou convenção: *Ocupava aquela casa porque a herdou do pai.* **3.** Tornar-se dono; tomar posse de; assenhorear-se, tomar, dominar, conquistar: *Em poucos dias o inimigo ocupou todo o país.* **4.** Consumir (o tempo) com: *Ela ocupa seu tempo com obras sociais.* **5.** Dedicar-se; cuidar: *Ela se ocupa mais dos filhos e do marido do que de si mesma.* **6.** Exercer (um cargo); servir: *Ocupou a Secretaria da Fazenda durante o governo do general.* ▶ Conjug. 5.

odalisca (o.da.*lis*.ca) *s.f.* Escrava ligada aos serviços das mulheres do sultão.

ode [ó] (o.de) *s.f.* (*Lit.*) Poema lírico de estrofação regular no número e medida dos versos.

odiar (o.di:*ar*) *v.* Sentir ódio, aversão, repugnância por alguém ou alguma coisa; detestar: *Eles odiavam aquelas aulas; As antigas amigas hoje se odeiam.* ▶ Conjug. 16.

ódio (*ó*.di:o) *s.m.* **1.** Sentimento de raiva ou rancor contra alguém ou alguma coisa: *Todos odiavam os tiranos e a tirania.* **2.** Sentimento de aversão, repugnância por alguém ou alguma coisa: *As crianças têm ódio a jiló.*

odioso [ô] (o.di:*o*.so) *adj.* Que merece ou provoca ódio; digno de ódio; detestável, execrável: *Achavam odioso aquele jeito de mandar.* || f. e pl.: [ó].

odisseia [éi] (o.dis.*sei*.a) *s.f.* **1.** *fig.* Viagem cheia de episódios e aventuras extraordinárias: *Minha última viagem ao Peru foi uma verdadeira odisseia.* **2.** *fig.* Qualquer processo cheio de obstáculos: *Obter o alvará para abrir a loja foi uma odisseia.*

odontalgia (o.don.tal.*gi*.a) *s.f.* (*Odont.*) Dor de dente.

odontologia (o.don.to.lo.*gi*.a) *s.f.* Parte da ciência médica relativa a doenças da boca, especialmente dos dentes e a sua higiene, terapêutica e cirurgias.

odor [ô] (o.*dor*) *s.m.* **1.** O que é exalado por algum corpo ou substância e é percebido pelo sentido do olfato: *Com as narinas entupidas, ele não sente os odores.* **2.** Cheiro agradável; perfume: *Do jasmineiro florido vinha um suave odor.*

odorante (o.do.*ran*.te) *adj.* Que exala bom cheiro; odorífero: *sabonetes odorantes.*

odorífero (o.do.*rí*.fe.ro) *adj.* Que tem bom cheiro; odorante.

odre [ô] (o.dre) *s.m.* Saco de couro ou pele, geralmente de caprinos, destinado a transporte de líquidos: *Não se ponha vinho novo em odres velhos.*

oeste [é] (o:*es*.te) *s.m.* **1.** Ponto cardeal diretamente oposto ao leste. || Símbolo: W. **2.** Região ou regiões que ficam do lado do oeste. || Abreviação: O. **3.** Vento que sopra desse rumo. • *adj.* **4.** Referente ao oeste ou dele procedente: *A parte oeste da ilha é montanhosa.*

ofegante (o.fe.*gan*.te) *adj.* **1.** Que ofega; ofegoso, esbaforido (1). **2.** *fig.* Que sofre de ansiedade; ansioso.

ofegar (o.fe.*gar*) *v.* Respirar com curtos intervalos por causa de cansaço ou ansiedade: *O ancião ofegava ao final da ladeira.* ▶ Conjug. 8 e 34.

ofegoso [ô] (o.fe.*go*.so) *adj.* Ofegante. || f. e pl.: [ó].

ofender (o.fen.*der*) *v.* **1.** Agredir com palavras ou atos; insultar: *Seu discurso tão injusto ofendeu os amigos.* **2.** Sentir-se agredido, insultado: *Com essas palavras você me ofende.* **3.** Transgredir a lei, os princípios: *Você ofendeu vários artigos de nosso regulamento.* ▶ Conjug. 39.

ofensa (o.*fen*.sa) *s.f.* **1.** Ato ou efeito de ofender; injúria: *É melhor esquecer as ofensas.* **2.** Transgressão de uma lei, de princípios, regras etc.: *Isso é uma ofensa aos mandamentos.*

ofensiva (o.fen.*si*.va) *s.f.* Ação de atacar, de investir contra. || Conferir com *defensiva*.

ofensivo (o.fen.*si*.vo) *adj.* **1.** Que ofende; que causa ofensa: *palavras ofensivas.* **2.** Que ataca; que é apto para atacar: *um time ofensivo.*

ofensor

ofensor [ô] (o.fen.sor) adj. **1.** Que ofende. • s.m. **2.** Aquele que ofende.

oferecer (o.fe.re.cer) v. **1.** Apresentar ou propor para ser aceito; ofertar: *Os magos ofereceram presentes ao menino.* **2.** Colocar(-se) à disposição: *Ofereci-me para ir em seu lugar; Ofereceu ao amigo sua casa de campo.* **3.** Proporcionar, propiciar: *O novo avião oferece conforto e segurança aos passageiros.* ► Conjug. 41 e 46.

oferenda (o.fe.ren.da) s.f. **1.** Aquilo que se oferece a uma divindade; oblação. **2.** Presente, dádiva.

oferta [é] (o.fer.ta) s.f. **1.** O que se propõe por alguma coisa numa relação de venda: *Fiz uma oferta irrecusável pelo carro, mas ele não aceitou.* **2.** Redução no preço de um produto: *Aquela loja tem ofertas incríveis.* **3.** A quantidade de bens ou de serviços que são oferecidos no mercado: *Não é grande a oferta de serviços nesta cidade.*

ofertório (o.fer.tó.ri:o) s.m. (Rel.) **1.** Parte da missa na qual o sacerdote oferece a Deus a hóstia e o vinho ainda não consagrados: *Chegou à igreja na hora do ofertório.* **2.** Oração específica de cada dia que é feita nesse momento: *O celebrante rezou o ofertório em latim.*

office-boy [ófice-bói] (Ing.) s.m. Rapaz encarregado de tarefas simples e pequenos serviços em escritório ou na rua. || Diz-se também apenas *boy*.

off-line [of-láin] (Ing.) adj. (Inform.) Diz-se de qualquer computador que não está conectado à internet nem a uma outra rede de computadores.

off-set [of-sét] (Ing.) s.m. (Art. Gráf.) Ver ofsete.

oficial (o.fi.ci:al) adj. **1.** Que emana de autoridade constituída reconhecida: *texto oficial; versão oficial.* **2.** Referente à administração e às autoridades públicas: *visita oficial do presidente da República.* • s.m. **3.** (Mil.) Militar de graduação superior à de aspirante no Exército, na Aeronáutica e na Polícia Militar e à de guarda-marinha na Marinha. || *Oficial de Justiça*: funcionário judiciário encarregado de citações e outras diligências.

oficialato (o.fi.ci:a.la.to) s.m. Dignidade ou cargo oficial.

oficialidade (o.fi.ci:a.li.da.de) s.f. Conjunto de oficiais de uma das Forças Armadas ou unidade auxiliar (Exército, Marinha, Aeronáutica Polícia Militar e etc.).

oficializado (o.fi.ci:a.li.za.do) s.f. Que se tornou oficial por decisão superior.

oficializar (o.fi.ci:a.li.zar) v. Tornar oficial; dar sanção ou caráter oficial a alguma coisa; regularizar: *resolveram oficializar a união.* ► Conjug. 5.

oficiar (o.fi.ci:ar) v. **1.** Celebrar ofício ou cerimônia religiosa: *O arcebispo oficiou missa solene na catedral de Brasília.* **2.** Endereçar ofício a uma autoridade ou a uma entidade: *O diretor oficiou ao ministro, pedindo verba para a edição.* ► Conjug. 17.

oficina (o.fi.ci.na) s.f. **1.** Lugar onde se fabricam ou reparam máquinas, motores e artefatos siderúrgicos em geral: *oficina de lanternagem.* **2.** Lugar onde se realiza trabalho artesanal: *oficina de cerâmica; oficina de corte e costura.* **3.** Curso prático onde se exercita atividade artística ou intelectual: *oficina literária.*

ofício (o.fí.ci:o) s.m. **1.** Profissão ou trabalho que demanda especialização: *ofício de jardineiro.* **2.** A tarefa de cada profissional em sua área de serviço: *O ofício do professor é ensinar, educando.* **3.** Comunicado formal por escrito emanado de órgãos oficiais ou autárquicos sobre serviço e administração: *O diretor já assinou os ofícios.* **4.** (Rel.) Conjunto de orações, salmos e antífonas com que a Igreja celebra as festas do calendário litúrgico: *ofício de Nossa Senhora; ofício de Trevas.* **5.** Serviço prestado a alguém: *Agradeço seus bons ofícios.* **6.** (Rel.) Qualquer cerimônia de um culto: *celebrar um ofício fúnebre.* • adj. **7.** Diz-se do papel de 22 cm x 33 cm, usado para ofício (3): *Digite o documento em papel ofício.*

oficioso [ô] (o.fi.ci:o.so) adj. Que, sem ser oficial, tem respaldo de alguma autoridade: *uma informação oficiosa.* || f. e pl.: [ó].

ofídico (o.fí.di.co) adj. Relativo a serpentes ou delas provenientes: *veneno ofídico.*

ofídio (o.fí.di:o) s.m. (Zool.) Espécie de réptil de corpo alongado, coberto de escamas lisas, olhos sem pálpebras, sem membros locomotores, dotados ou não de veneno; serpente, cobra.

ofidismo (o.fi.dis.mo) s.m. **1.** Envenenamento por picada de cobra. **2.** Relativo às serpentes e seus venenos.

ofsete [é] (of.se.te) s.m. (Art. Gráf.) Processo gráfico em que a imagem que se quer reproduzir é impressa em suporte flexível antes de ser transferida para o papel.

oftalmia (of.tal.mi.a) s.m. (Med.) Inflamação do globo ocular.

oftalmologia (of.tal.mo.lo.gi.a) s.f. (Med.) Parte da Medicina que estuda a anatomia, a fisiologia e a patologia do olho.

oftalmologista (of.tal.mo.lo.gis.ta) *s.m. e f.* (*Med.*) Médico especialista em oftalmologia.

ofuscar (o.fus.*car*) *v.* **1.** Impedir de ver; ocultar: *A densa neblina ofuscava a paisagem.* **2.** Dificultar, perturbar a visão: *A claridade excessiva ofusca a visão do Sol.* **3.** *fig.* Suplantar, fazer sombra a, empanar o brilho de: *O brilho de suas respostas ofuscava as dos colegas.* **4.** Perder o brilho; obscurecer-se: *Uma inteligência que jamais se ofusca diante do adversário.* ▶ Conjug. 5 e 35.

ogiva (o.*gi*.va) *s.f.* **1.** (*Arquit.*) Arco característico da arquitetura gótica, formado pelo cruzamento de duas curvas que se cortam em ângulo reto. **2.** (*Mil.*) Parte anterior de projéteis, geralmente de forma cônica, como os obuses: *ogiva nuclear*.

ogro [ó] (*o.gro*) *s.m.* No fabulário das histórias infantis, gigante de aspecto assustador.

oh [ó] *interj.* Exprime surpresa ou admiração, ou sentimentos de natureza diversa, como alegria, desprezo, repugnância etc.: *Oh, que horror!*

ohm *s.m.* (*Eletr.*) Unidade prática de resistência elétrica, no Sistema Internacional.

oi *interj.* Expressão empregada para saudação, chamamento ou resposta ao apelo do nome.

oitão (oi.*tão*) *s.m.* **1.** Cada parede lateral de uma casa ou edifício. **2.** Espaço lateral de uma casa.

oitava (oi.*ta*.va) *s.f.* **1.** (*Mús.*) Intervalo de oito notas musicais de uma escala de tons e semitons. **2.** (*Rel.*) Espaço de oito dias em que a Igreja celebra alguma festa solene; o último desses oito dias: *a oitava da Páscoa.* **3.** (*Lit.*) Estrofe composta de oito versos.

oitava de final *s.f.* (*Esp.*) Em torneios por eliminação, rodada em que oito duplas de times ou de atletas jogam pelo direito de disputar a etapa seguinte, ou as quartas de final.

oitavado (oi.ta.*va*.do) *adj.* Que tem oito faces ou lados.

oitavo (oi.*ta*.vo) *num. ord.* **1.** Que ou o que denota o número oito numa série. • *num. frac.* **2.** Que ou o que é parte de um todo dividido em oito partes iguais.

oitenta (oi.*ten*.ta) *num. card.* **1.** Dez vezes oito. • *s.m.* **2.** Representação gráfica desse número (80 em algarismos arábicos; LXXX em algarismos romanos).

oiti (oi.*ti*) *s.m.* **1.** Fruta comestível, de polpa amarela e farinácea, com amêndoa rica em óleo. **2.** (*Bot.*) Oitizeiro.

oiticica (oi.ti.*ci*.ca) *s.f.* (*Bot.*) Árvore brasileira cujas sementes são usadas para extração de um óleo empregado na fabricação de tintas e vernizes.

oitiva (oi.*ti*.va) *s.f.* Audição, ouvido. || *De oitiva*: pelo que ouvi dizer: *Ninguém me avisou; eu soube de oitiva*.

oitizeiro (oi.ti.*zei*.ro) *s.m.* (*Bot.*) Árvore que produz o oiti.

oito (*oi*.to) *num. card.* **1.** Sete mais um. • *s.m.* **2.** Representação gráfica desse número (8 em algarismos arábicos; VIII em algarismos romanos). || *Ou oito ou oitenta*: ou tudo ou nada. • *Nem oito, nem oitenta*: nem de mais, nem de menos.

oitocentos (oi.to.*cen*.tos) *num. card.* **1.** Oito vezes cem. • *s.m.* **2.** Representação gráfica desse número (800 em algarismos arábicos; DCCC em algarismos romanos).

ojeriza (o.je.*ri*.za) *s.f.* Sentimento de antipatia ou aversão por pessoa ou coisa; repulsa.

ola [ô] (*o*.la) *s.f.* Movimento coletivo provocado pela ação de levantar-se e sentar-se ritmadamente durante competições em estádios e ginásios desportivos.

olá (o.*lá*) *interj.* Expressa saudação ou chamamento.

olaria (o.la.*ri*.a) *s.f.* **1.** Local onde se fazem tijolos, telhas, potes e louça de barro. **2.** Arte de fazer objetos de barro.

olé (o.*lé*) *interj.* (*Esp.*) **1.** Grito entusiasmado de incentivo, nas praças de touro e nos estádios de futebol, com que a torcida aplaude a série de dribles ou de lances feitos por um time ou pelo toureiro, tornando o adversário ou o touro desnorteados • *s.m.* **2.** Essa sequência.

oleado (o.le:*a*.do) *adj.* **1.** Untado de óleo. • *s.m.* **2.** Tecido impermeabilizado por uma camada de cera ou verniz, encerado, lona.

oleaginoso [ô] (o.le:a.gi.*no*.so) *adj.* Que contém óleo, que fornece óleo: *sementes oleaginosas*. || f. e pl.: [ó].

olear (o.le.*ar*) *v.* Untar com óleo, lubrificar: *Vamos olear essas engrenagens.* ▶ Conjug. 14.

oleicultura (o.le:i.cul.*tu*.ra) *s.f.* **1.** Indústria de produção, tratamento e conservação de azeite. **2.** Cultivo de oliveiras.

olente (o.*len*.te) *adj.* Que exala olor; odorante: *lírios olentes*.

oleiro (o.*lei*.ro) *s.m.* Pessoa que trabalha numa olaria.

óleo (*ó*.le:o) *s.m.* **1.** Substância líquida, gordurosa, de origem vegetal, animal ou mineral: *óleo de mamona; óleo de baleia.* **2.** Substância gordurosa com pigmentação usada em pintura: *pintura a óleo.* **3.** (*Art.*) Quadro pintado a óleo: *Comprou um óleo de Di Cavalcanti.*

oleoduto (o.le:o.*du*.to) *s.m.* Sistema tubular para transportar petróleo e outros óleos minerais.

oleoso [ô] (o.le:o.so) *adj.* Que tem óleo; gorduroso. || f. e pl.: [ó].

olfativo (ol.fa.*ti*.vo) *adj.* Relativo a olfato ou próprio dele.

olfato (ol.*fa*.to) *s.m.* Sentido com que os cheiros são percebidos, identificados e diferenciados: *Os cães têm o sentido do olfato muito desenvolvido.*

olhada (o.*lha*.da) *s.f.* Ato de olhar rapidamente para alguém ou alguma coisa; espiada.

olhar (o.*lhar*) *v.* **1.** Fitar os olhos em, mirar: *Olhar a chuva cair.* **2.** Estar em frente de ou em face de, dar para: *Minha casa olha para a praça da matriz.* **3.** Estar voltado para, estar de olho em: *O mundo inteiro olha a guerra nos Bálcãs.* **4.** Tomar conta de, cuidar de: *Olhe o garoto por mim.* **5.** Proteger, dispensar benevolência: *Deus, olhai essa pobre gente; Deus, olhai por essa pobre gente.* **6.** Observar com atenção, examinar, estudar: *olhar os prós e os contras.* **7.** Consultar: *olhar um dicionário.* **8.** Contemplar: *olhar um quadro.* **9.** Reparar, prestar atenção: *Olhe, que já começa a anoitecer.* ▶ Conjug. 5. • *s.m.* **10.** Maneira de contemplar, de ver: *Ele tem um olhar bom para ver essas coisas.* **11.** O aspecto dos olhos: *um olhar triste.*

olheira (o.*lhei*.ra) *s.f.* Mancha azulada que contorna o olho e se manifesta mais abaixo das pálpebras inferiores, e que indica doença ou cansaço.

olheiro (o.*lhei*.ro) *s.m.* **1.** Pessoa que vigia, que toma conta de: *O olheiro do clube vigiava os carros dos sócios.* **2.** Pessoa encarregada de vigiar a chegada da polícia para avisar traficantes, bandidos e bicheiros. **3.** Pessoa que observa treinos e jogos de equipes adversárias para passar informações. **4.** Pessoa que observa atividades esportivas ou artísticas à procura de novos talentos: *O olheiro paulista descobriu esse jogador num time de Cachoeiro.*

olho [ô] (o.lho) *s.m.* **1.** (*Anat.*) Órgão exterior da visão, de número par e forma globular, localizado em órbitas ósseas na parte anterior do crânio. **2.** *fig.* Broto de planta que serve para plantio: *Ele levou um olho do pé de fruta-pão para plantar na fazenda.* **3.** A atenção sobre alguém ou alguma coisa: *Fique de olho nas crianças durante o banho de cachoeira.* **4.** Percepção muito apurada para certas coisas: *Carlos tem um olho muito esperto para descobrir talentos musicais.* || A olho nu: com a vista desarmada de qualquer instrumento óptico. • *A olhos vistos*: visivelmente, de maneira inquestionável: *Ela vem engordando a olhos vistos.* • *Abrir o(s) olho(s)*: tomar cuidado para não ser enganado ou surpreendido: *Abra os olhos enquanto há tempo.* • *Abrir o(s) olho(s) de alguém*: fazer ver: *Precisamos abrir-lhe os olhos, senão ele põe tudo a perder.* • *Até os olhos*: a mais não poder, em quantidade excessiva: *Estou de serviço até os olhos.* • *Botar, pôr olho grande em*: invejar, cobiçar. • *Botar, jogar, pôr no olho da rua*: expulsar, despedir alguém. • *Custar os olhos da cara*: ser de preço exorbitante: *Essa roupa custou os olhos da cara.* • *Dar com os olhos*: avistar: *De repente, dei com os olhos no Pão de Açúcar.* • *Dar nos olhos*: chamar a atenção. • *De encher os olhos*: de causar admiração. • *Deitar olho comprido*: cobiçar. • *Estar de olho em*: desejar ardentemente, ambicionar • *Não pregar o olho*: não dormir. • *Olho clínico*: capacidade para avaliar, para julgar bem. • *Olho de lince*: vista aguda. • *Olho mágico*: dispositivo munido de pequena lente que se instala em porta de entrada, através do qual se pode observar quem está lá fora. || pl.: [ó].

olho-d'água (o.lho-d'*á*.gua.) *s.m.* Nascente de água que rebenta do solo. || pl.: *olhos-d'água*.

olho de boi *s.m.* **1.** Abertura provida de vidro, redonda ou elíptica, no teto, para entrar luz. **2.** Selo postal brasileiro emitido em 1843.

olho de gato *s.m.* Vidro espelhado que, à noite, reflete a luz dos faróis dos automóveis nos balizamentos das autoestradas; catadióptrico.

olho de sogra *s.m.* (*Cul.*) Ameixa ou tâmara recheada com doce de ovos.

oligarquia (o.li.gar.*qui*.a) *s.f.* Governo em que a autoridade é exercida por pequeno número de indivíduos ou por uma classe de pessoas: *As oligarquias ainda têm muito poder político no Brasil.* – **oligárquico** *adj.*

oligoceno (o.li.go.*ce*.no) *adj.* **1.** Diz-se de uma das divisões da era terciária, entre 35 e 23 milhões de anos. • *s.m.* **2.** Essa era.

oligofrenia (o.li.go.fre.*ni*.a) *s.f.* (*Psiq.*) Síndrome neurológica caracterizada por desenvolvimento mental deficiente. – **oligofrênico** *adj. s.m.*

oligopólio (o.li.go.*pó*.li:o) *s.m.* (*Econ.*) Forma de mercado em que um número muito reduzido de empresas tem o monopólio da oferta de algum produto.

olimpíada (o.lim.*pí*.a.da) *s.f.* **1.** Na antiguidade, celebração dos jogos olímpicos. • *olimpíadas s.f.pl.* **2.** A partir de 1896, jogos esportivos internacionais que se realizam com intervalo de quatro anos no país escolhido pelo Comitê Olímpico Internacional.

olímpico (o.*lím*.pi.co) *adj.* **1.** Relativo ao Olimpo e aos deuses que lá habitavam. **2.** Relativo às olimpíadas.

olimpo (o.*lim*.po) *s.m.* **1.** Morada dos deuses da mitologia greco-latina. **2.** *fig.* Lugar de delícias; paraíso. **3.** O conjunto das divindades greco-latinas. **4.** Posição respeitável e de destaque na sociedade: *Os milionários vivem no Olimpo.* || Com maiúscula nas acepções 1 e 3.

olindense (o.lin.*den*.se) *adj.* **1.** Da cidade de Olinda, no Estado de Pernambuco. • *s.m.* e *f.* **2.** O natural ou o habitante dessa cidade.

oliva (o.*li*.va) *s.f.* **1.** Oliveira. **2.** Fruto da oliveira; azeitona.

oliváceo (o.li.*vá*.ce:o) *adj.* De cor da oliva ou semelhante.

olival (o.li.*val*) *s.m.* Plantação de oliveiras; olivieral.

oliveira (o.li.*vei*.ra) *s.f.* (*Bot.*) Árvore que dá azeitona ou oliva.

oliveiral (o.li.vei.*ral*) *s.m.* Olival.

olmo [ô] (*ol*.mo) *s.m.* (*Bot.*) Árvore da Europa cultivada como ornamental.

olor [ô] (o.*lor*) *s.m.* Cheiro agradável; perfume, odor: *olor de rosas.*

oloroso [ô] (o.lo.*ro*.so) *adj.* Que tem olor; perfumado. || f. e pl.: [ó].

olvidar (ol.vi.*dar*) *v.* Não lembrar, não se lembrar de; esquecer, esquecer-se de: *Em poucos anos ela olvidou o passado*; *Não se olvide de seus amigos que ficaram.* ▶ Conjug. 5.

olvido (ol.*vi*.do) *s.m.* **1.** Ato ou efeito de olvidar (-se); esquecimento: *Que as coisas más fiquem no olvido.* **2.** *fig.* Repouso, descanso: *Deixou-se ficar numa vida de ócio e olvido.* || Conferir com *ouvido.*

omani (o.ma.*ni*) *adj.* **1.** De Omã, sultanato da península Arábica. • *s.m.* e *f.* **2.** O natural ou o habitante de Omã.

ombrear (om.bre:*ar*) *v.* **1.** Colocar-se ombro a ombro: *O soldado caminhava, ombreando com o companheiro*; *Os camaradas ombreavam-se durante a marcha forçada.* **2.** Comparar-se, equiparar-se: *Nesta classe ninguém ombreia com o Alfredo em Física*; *Nesta classe ninguém se ombreia com o Alfredo em Física.* ▶ Conjug. 14.

ombreira (om.*brei*.ra) *s.f.* **1.** Cada uma das partes laterais e fixas que sustentam a bandeira da porta; umbral. **2.** Enchimento costurado na parte interna de um casaco ou paletó, que serve para modelar o ombro.

ombro (*om*.bro) *s.m.* (*Anat.*) Parte alta do tronco na qual o úmero se articula com a escápula; espádua. || *Ombro a ombro*: lado a lado. • *Dar de ombros*: mostrar indiferença a; fazer pouco caso de.

ombudsman [*ombudsman*] (Sueco) *s.m.* Funcionário que, nas empresas, estabelece um canal de comunicação com os usuários ou consumidores.

ômega (*ô*.me.ga) *s.m.* Vigésima quarta e última letra do alfabeto grego. || *O alfa e o ômega*: o princípio e o fim.

omelete [é] (o.me.*le*.te) *s.m.* e *f.* (*Cul.*) Prato preparado com ovos batidos e fritos aos quais se podem acrescentar outros ingredientes e temperos.

ômicro (*ô*.mi.cro) *s.m.* Ômicron.

ômicron (*ô*.mi.cron) *s.m.* A décima quinta letra do alfabeto grego. || *ômicro.*

ominoso [ô] (o.mi.*no*.so) *adj.* **1.** De mau agouro; de mau presságio. **2.** Nefasto, execrável, detestável. || f. e pl.: [ó].

omissão (o.mis.*são*) *s.f.* **1.** Ato ou efeito de omitir(-se), de deixar de dizer ou de fazer alguma coisa: *Todos censuraram sua omissão naquele caso de indisciplina.* **2.** Esquecimento voluntário ou não: *Não avisar você a tempo foi uma omissão grave.*

omisso (o.*mis*.so) *adj.* **1.** Que se deixou de dizer ou fazer: *um ato omisso.* **2.** Que não cumpre com seus deveres; negligente: *Não seja omisso em seus deveres.* • *s.m.* **3.** Pessoa negligente no cumprimento de seus deveres: *Desculpe-me a franqueza: você sempre foi um omisso.*

omitir (o.mi.*tir*) *v.* **1.** Abster-se ou deixar de dizer alguma coisa propositalmente ou não: *omitir um nome numa lista.* **2.** Manter-se omisso, abster-se de tomar uma atitude: *Não quero tomar partido; prefiro omitir-me.* ▶ Conjug. 66.

omoplata (o.mo.*pla*.ta) *s.f.* (*Anat.*) Denominação substituída por *escápula.*

onça[1] (*on*.ça) *s.f.* **1.** Antiga unidade de medida de peso que varia entre 24 e 33 g. **2.** Medida de massa inglesa equivalente a 1/16 da libra ou a 28,349 g.

onça[2] (*on*.ça) *s.f.* (*Zool.*) Grande felino carnívoro da América do Sul, de que existem várias es-

onça-pintada

pécies; jaguar. || *Ficar ou virar uma onça*: coloq. pôr-se enfurecido; tornar-se uma fera.

onça-pintada (on.ça-pin.*ta*.da) *s.f.* (*Zool.*) Felino carnívoro da América do Sul. || pl.: onças--pintadas.

oncogênico (on.co.gê.ni.co) *adj.* (*Med.*) Que produz tumor cancerígeno.

oncologia (on.co.lo.*gi*.a) *s.f.* (*Med.*) Ramo da Medicina que estuda e trata os tumores cancerígenos. – **oncológico** *adj.*

oncologista (on.co.lo.*gis*.ta) *s.m.* e *f.* Médico especialista em Oncologia.

onda (*on*.da) *s.f.* **1.** A elevação de uma massa de água em lagos, rios, mares, provocada por ventos e movimentos da maré. **2.** *fig.* Grande afluência de coisas ou de pessoas: *Havia uma onda de gente tentando entrar no teatro*. **3.** *gír.* Estado de êxtase provocado por drogas; barato, curtição. **4.** *fig.* Sentimento manifestado com vigor por grande número de pessoas; ideia, torrente: *uma onda de protestos*. **5.** *fig.* Sentimento forte e passageiro, acesso: *uma onda de cólera*. || *Estar na onda*: estar na moda, fazer sucesso. • *Fazer onda*: provocar confusão, tumultuar; procurar indispor. • *Ir na onda de*: deixar-se levar pelos outros ou pelas circunstâncias. • *Tirar uma onda de*: fazer-se ou fingir de, dar-se ares de: *tirar uma onda de intelectual*.

onde (*on*.de) *pron. rel.* **1.** Em que; no lugar em que: *Esta é a cidade onde nasci.* • *adv.* **2.** Em que lugar: *Onde você guardou meu casaco? Não sei onde fica a Rua Bela.* || *Onde quer que*: em qualquer lugar onde: *Onde quer que esteja, ele acabará sabendo.*

ondear (on.de:*ar*) *v.* **1.** Tornar ondeado, tornar sinuoso: *ondear os cabelos.* **2.** Movimentar-se em ondas, como ondas: *O vento soprava, ondeando a bandeira; Os louros trigais ondeavam ao vento.* ▶ Conjug. 14.

ondulação (on.du.la.*ção*) *s.f.* **1.** Movimento das ondas. **2.** Sequência de saliências e depressões: *a ondulação de um terreno.* **3.** Processo de frisar os cabelos: *A ondulação tornou seus cabelos mais bonitos.*

ondular (on.du.*lar*) *v.* **1.** Dar forma de onda a: *Ontem ela ondulou os cabelos.* **2.** Movimentar (-se) como ondas: *O vento ondulava as bandeiras; As bandeiras ondulavam ao vento.* ▶ Conjug. 5.

ondulatório (on.du.la.*tó*.ri:o) *adj.* Que ondula, em que há ondulações: *movimentos ondulatórios.*

onerar (o.ne.*rar*) *v.* **1.** Aumentar a carga de tributos e impostos e obrigações financeiras (ônus): *onerar o povo.* **2.** Sujeitar-se a ônus, a obrigações: *O país onera-se com os empréstimos estrangeiros.* ▶ Conjug. 8.

oneroso [ô] (o.ne.*ro*.so) *adj.* **1.** Que impõe ônus, encargos; dispendioso: *negociações onerosas para os cofres públicos.* **2.** Que é incômodo, penoso, pesado: *tarefa onerosa.* || f. e pl.: [ó].

ônibus (*ô*.ni.bus) *s.m.* Veículo de transporte coletivo com capacidade para grande número de passageiros.

onicofagia (o.ni.co.fa.*gi*.a) *s.f.* Vício de roer as unhas.

onipotente (o.ni.po.*ten*.te) *adj.* Que tudo pode; de poder ilimitado; todo-poderoso: *Deus é onipotente.* – **onipotência** *s.f.*

onipresente (o.ni.pre.*sen*.te) *adj.* Que está presente em toda parte. – **onipresença** *s.f.*

onírico (o.*ní*.ri.co) *adj.* **1.** Relativo aos sonhos. **2.** Que lembra um sonho ou que parece saído de um sonho.

onisciente (o.nis.ci:*en*.te) *adj.* Que sabe tudo, que conhece tudo. – **onisciência** *s.f.*

onívoro (o.*ní*.vo.ro) *adj.* Que come de tudo, que se nutre de alimentos tanto de origem animal como vegetal.

ônix (*ô*.nix) *s.m.2n.* (*Min.*) Pedra semipreciosa, variedade de ágata semitransparente, na qual as camadas coloridas se alternam regular e concentricamente.

on-line [on-*láin*] (Ing.) *adj.* (*Inform.*) **1.** Que está conectado à internet ou a qualquer outra rede de computadores. **2.** Que está disponível na internet ou em qualquer outra rede: *o texto* on-line *do romance.* **3.** Que pode ser feito através da internet: *As inscrições para o concurso podem ser feitas* on-line.

onomástica (ono.*más*.ti.ca) *s.f.* **1.** Conjunto ou relação de nomes próprios. **2.** O estudo dos nomes próprios.

onomástico (o.no.*más*.ti.co) *adj.* **1.** Relativo aos nomes próprios. **2.** Em que se relacionam nomes de pessoas: *índice onomástico.*

onomatopeia [éi] (o.no.ma.to.*pei*.a) *s.f.* (*Ling.*) Vocábulo que procura imitar um ruído ou som natural. – **onomatopaico** *adj.*; **onomatopeico** *adj.*

ontem (*on*.tem) *adv.* **1.** No dia imediatamente anterior àquele em que se está: *Ontem não trabalhei.* **2.** O passado bem recente: *coisas de ontem.* **3.** *fig.* De épocas passadas: *a educação de ontem e a de hoje.* || *Para ontem*: urgentíssimo.

ontologia (on.to.lo.gi.a) *s.f.* (*Filos.*) Parte da Filosofia que especula sobre a natureza do ser. – **ontológico** *adj.*

ônus (ô.nus) *s.m.2n.* **1.** Aquilo que pesa, sobrecarrega; peso. **2.** *fig.* Obrigação que se mostra penosa, difícil de cumprir; fardo: *Não vejo esse trabalho como um ônus*. **3.** *fig.* Dever pessoal; obrigação: *os ônus do casamento*. **4.** Imposto, carga tributária.

onze (on.ze) *num. card.* Dez mais um.

onze-horas (on.ze-ho.ras) *s.f. 2n.* (*Bot.*) Erva de jardim, de belas flores de duração efêmera.

oócito (o:ó.ci.to) *s.m.* (*Biol.*) Cada uma das células que dão origem a um óvulo.

opa [ó] (o.pa) *s.f.* Veste usada em cerimônias pelos membros de certas irmandades católicas.

opa [ô] (o.pa) *interj.* **1.** Exprime admiração, espanto. **2.** Maneira informal de saudar alguém. || **oba.**

opacidade (o.pa.ci.da.de) *s.f.* Qualidade de opaco, propriedade que tem um corpo ou um material de não se deixar atravessar pela luz.

opaco (o.pa.co) *adj.* Que não se deixa atravessar pela luz; que não é transparente: *vidro opaco.*

opala (o.pa.la) *s.f.* **1.** (*Min.*) Variedade de sílica, de aspecto leitoso branco ou azulado. **2.** Tecido fino e leve de algodão.

opalescência (o.pa.les.cên.ci:a) *s.f.* (*Min.*) Fenômeno óptico de irisação que ocorre em minerais de aparência leitosa como a opala (1).

opalescente (o.pa.les.cen.te) *adj.* Que tem o aspecto da opala (1); opalino.

opalina (o.pa.li.na) *s.f.* Substância vítrea, fosca, utilizada na fabricação de vasos e ornamentos.

opalino (o.pa.li.no) *adj.* Que tem o aspecto da opala (1); opalescente.

opção (op.ção) *s.f.* **1.** Ato de optar, escolha, alternativa: *Seria a prisão ou o exílio, o poeta não tinha opção*. **2.** Preferência que se dá a alguém (para comprar ou vender) dentro de determinado prazo e sob certas condições: *Deu a opção a um corretor conhecido.*

opcional (op.ci:o.nal) *adj.* Pelo qual se pode fazer opção, optativo: *Esse curso não é obrigatório; é opcional.*

open market [ópem márquet] (Ing.) *loc. subst.* (*Econ.*) Negócio de compra e venda de títulos, especialmente da dívida pública, que se faz fora do mercado das bolsas.

ópera (ó.pe.ra) *s.f.* **1.** Drama musicado, em que se combinam cantos de árias, canto coral e, às vezes, dança: *O Guarani é uma ópera brasileira*. **2.** O teatro em que se representam esses dramas: *Não deixe de visitar a Ópera de Paris.*

operação (o.pe.ra.ção) *s.f.* **1.** Conjunto de feitos para se chegar a um efeito. **2.** Série de procedimentos que visa a determinados resultados. **3.** Cálculo matemático: *as operações de adição e multiplicação*. **4.** Qualquer intervenção cirúrgica: *operação de catarata*. **5.** Transação comercial ou financeira: *operações bancárias*. **6.** Ação militar, conjunto de movimentos, de manobras, com vistas a assegurar uma posição ou o sucesso de um ataque: *o teatro das operações.*

operacional (o.pe.ra.ci:o.nal) *adj.* **1.** Relativo a operação, que opera: *diretor operacional*. **2.** Relativo às operações militares: *base operacional*. **3.** Que pode ser prontamente posto em funcionamento: *Os novos equipamentos logo se tornarão operacionais.*

operacionalizar (o.pe.ra.ci:o.na.li.zar) *v.* **1.** Tornar operacional: *Tal medida se faz necessária para operacionalizar o projeto*. **2.** Definir e operar estratégias para que se possa realizar uma função: *operacionalizar um projeto*. ▶ Conjug. 5.

operador [ô] (o.pe.ra.dor) *s.m.* **1.** Profissional que opera uma máquina ou um instrumento: *operador de rádio*. **2.** Médico cirurgião. **3.** Profissional que trabalha no mercado de capitais: *operadores da bolsa.*

operadora [ô] (o.pe.ra.do.ra) *s.f.* Empresa que oferece um determinado tipo de serviço: *uma operadora de serviços de jardinagem.*

operante (o.pe.ran.te) *adj.* Que está em operação: *A linha já está operante.*

operar (o.pe.rar) *v.* **1.** Efetuar, realizar: *Este medicamento que opera maravilhas*. **2.** Estar em atividade; estar em funcionamento: *A nova linha do Metrô já está operando*. **3.** Fazer trabalhar; fazer funcionar: *Esse trabalhador opera a máquina perfuradora*. **4.** Realizar cirurgia em: *O jogador operou a patela; O doutor Silva não pode atender: está operando; Operei-me neste hospital público*. ▶ Conjug. 8.

operariado (o.pe.ra.ri:a.do) *s.m.* A classe operária.

operário (o.pe.rá.ri:o) *adj.* **1.** Relativo a operário: *a classe operária*. • *s.m.* **2.** Pessoa que exerce um trabalho manual ou mecânico, em especial aquele que trabalha em indústrias e fábricas. **3.** *fig.* Indivíduo que trabalha

operatório

pela realização de uma ideia: *os operários da educação.*

operatório (o.pe.ra.tó.ri:o) *adj.* Relativo a operações cirúrgicas: *sala operatória.*

opereta [ê] (o.pe.re.ta) *s.f.* Gênero leve de teatro musicado que versa sobre um assunto cômico e sentimental, construído com estrofes cantadas que se alternam com partes faladas.

operoso [ô] (o.pe.ro.so) *adj.* **1.** Trabalhador, realizador: *uma administração operosa.* **2.** Que é difícil, trabalhoso: *uma cirurgia operosa.* || f. e pl.: [ó]. – **operosidade** *s.f.*

opimo (o.pi.mo) *adj.* Fértil, produtivo, rico: *terrenos opimos para o trigo.*

opinar (o.pi.nar) *v.* **1.** Dar ou expressar opinião sobre: *Ele opinou que aquela medida não ia dar resultado.* **2.** Dizer, falar, manifestando opinião: *É melhor não partirmos, opinou o mais moço.* **3.** Dar seu voto ou parecer: *Contavam com que ele opinasse favoravelmente.* ▶ Conjug. 5.

opinativo (o.pi.na.ti.vo) *adj.* Que expressa uma opinião; que opina: *um periódico opinativo.*

opinião (o.pi.ni:ão) *s.f.* **1.** Maneira de julgar, de entender, de pensar: *Tenho a minha opinião.* **2.** Juízo sobre um assunto; avaliação, parecer: *Todos puderam dar sua opinião.* **3.** Juízo que se forma sobre pessoa ou coisa: *Sempre tive boa opinião sobre meus colegas.*

opiniático (o.pi.ni:á.ti.co) *adj.* Que se prende obstinadamente à sua opinião, ao seu modo de pensar; opinioso.

opinioso [ô] (o.pi.ni:o.so) *adj.* Opiniático. || f. e pl.: [ó].

ópio (ó.pi:o) *s.m.* **1.** Substância extraída de várias espécies de papoulas, da qual provém a morfina. **2.** *fig.* Aquilo que causa entorpecimento moral, que leva a um distanciamento da realidade: *A religião não pode ser ópio do povo.*

opiômano (o.pi:ô.ma.no) *adj.* **1.** Que tem o vício do ópio (1). • *s.m.* **2.** Pessoa que é viciada em ópio.

opíparo (o.pí.pa.ro) *adj.* Que se apresenta em grande quantidade; copioso, abundante: *um opíparo banquete.*

oponente (o.po.nen.te) *adj.* **1.** Que se opõe, que faz oposição: *o partido oponente.* • *s.m* **2.** Pessoa que se opõe, que faz oposição; opositor: *O candidato cumprimentou seu oponente.*

opor (o.por) *v.* **1.** Apresentar como entrave, como obstáculo: *Cederam, opondo fraca resistência.* **2.** Colocar duas ou mais coisas face a face, em paralelo, ou com intenção de estabelecer contrastes: *opor dois objetos; opor cores diferentes.* **3.** Ser ou manifestar-se contra: *A mãe opôs-se ao namoro da filha com um desconhecido.* **4.** Pôr qualquer coisa na frente de outra, ou frente a frente, como obstáculo ou enfrentamento: *No jogo final, opuseram-se as duas equipes mais fortes; A polícia opôs uma barricada para enfrentar os revoltosos.* **5.** Alegar uma razão em oposição a outra; objetar: *Nada tenho a opor com relação à decisão adotada.* || part.: *oposto.* ▶ Conjug. 65.

oportunamente (o.por.tu.na.men.te) *adv.* No momento ou na ocasião oportuna: *Oportunamente lhe diremos toda a verdade.*

oportunidade (o.por.tu.ni.da.de) *s.f.* **1.** Condição de oportuno: *Discutiremos a oportunidade de fazer uma coisa.* **2.** Circunstância favorável, ensejo, ocasião: *Aproveitou a oportunidade.*

oportunismo (o.por.tu.nis.mo) *s.m.* Capacidade de aproveitar-se da oportunidade para alcançar um objetivo, geralmente em detrimento de princípios éticos ou morais.

oportunista (o.por.tu.nis.ta) *adj.* **1.** Que se conduz com oportunismo. **2.** Diz-se de vírus ou bactéria que atua sobre um organismo cujas defesas imunológicas estão enfraquecidas. • *s.m.* e *f.* **3.** Pessoa que age com oportunismo, que aproveita qualquer oportunidade para tirar vantagem.

oportuno (o.por.tu.no) *adj.* **1.** Que convém; conveniente, apropriado: *Parece-me oportuno discutir o caso agora.* **2.** Que ocorre no momento certo: *Naquele momento seu conselho foi muito oportuno.*

oposição (o.po.si.ção) *s.f.* **1.** Ato ou efeito de opor(-se); objeção. **2.** Contraste, disparidade, diferença: *a oposição entre o sacro e o profano.* **3.** Partido ou conjunto de partidos que se opõem a um governo: *A oposição impediu a aprovação do projeto.* || *Em oposição a:* **1.** contra: *manifestações em oposição ao projeto de lei.* **2.** em contraste com: *a dança clássica em oposição à dança folclórica.*

oposicionismo (o.po.si.ci:o.nis.mo) *s.m.* Prática, posição e comportamento de se opor a alguma coisa: *um oposicionismo construtivo.* – **oposicionista** *adj.* *s.m.* e *f.*

opositor [ô] (o.po.si.tor) *adj.* **1.** Que se opõe; oponente: *partidos opositores.* • *s.m.* **2.** Aquele que se opõe; oponente: *os opositores da nova lei.*

oposto [ô] (o.pos.to) *adj.* **1.** Que se situa em frente: *Permaneceu no lado oposto da rua du-*

rante muito tempo. **2.** Que se opõe: *Eles têm opiniões opostas sobre o problema.* • *s.m.* **3.** Aquilo que se opõe a outra coisa: *O dia é o oposto da noite.* **4.** Pessoa totalmente diversa de outra: *Ele é o oposto do irmão.* || f. e pl.: [ó].

opressão (o.pres.*são*) *s.f.* **1.** Ato ou efeito de oprimir, de dominar, de subjugar: *a opressão dos mais fracos pelos mais fortes.* **2.** O exercício da violência por abuso de autoridade: *A luta contra a opressão da ditadura começou.* **3.** Dificuldade de respirar; sensação de peso que oprime o peito.

opressivo (o.pres.*si.*vo) *adj.* Que oprime; que é usado para oprimir; opressor: *um clima opressivo.*

opressor [ô] (o.pres.*sor*) *adj.* **1.** Que oprime, opressivo: *um regime político opressor.* • *s.m.* **2.** Indivíduo que oprime, que tiraniza: *O povo exilou o opressor.*

oprimido (o.pri.*mi.*do) *adj.* **1.** Que é vítima de opressão: *classes oprimidas.* • *s.m.* **2.** Pessoa que é oprimida: *É necessário libertar os oprimidos.*

oprimir (o.pri.*mir*) *v.* **1.** Causar opressão a; dominar, subjugar: *Os conquistadores oprimiam os povos conquistados.* **2.** Exercer uma autoridade tirânica sobre: *É covardia oprimir os fracos.* **3.** *fig.* Molestar, afligir, torturar: *Os problemas de família o oprimiam.* **4.** Causar sensação de sufocamento, de opressão: *A asma oprimia-lhe o peito.* **5.** Apertar, comprimir: *O casaco apertado oprimia-lhe o peito.* ▶ Conjug. 66.

opróbrio (o.*pró.*bri:o) *s.m.* **1.** Aquilo que humilha, que envergonha ao extremo; ignomínia, desonra: *Cobriram o réu de opróbrios.* **2.** Estado de humilhação, de decadência extrema: *viver em opróbrio.*

optar (op.*tar*) *v.* Decidir-se por; escolher: *Dos caminhos que lhe propuseram, ele optou pelo mais fácil.* ▶ Conjug. 20 e 33.

optativo (op.ta.*ti.*vo) *adj.* Que se pode escolher ou não; opcional: *matérias optativas.*

óptica (*óp.*ti.ca) *s.f.* **1.** Parte da Física que estuda as leis relativas às radiações luminosas e aos fenômenos da visão. **2.** Estabelecimento que vende ou fabrica óculos e outros instrumentos ópticos. **3.** *fig.* Aspecto particular que adquire um objeto visto a distância; perspectiva, ponto de vista: *Sob esta óptica, é possível que estejam certos.* || ótica.

óptico (*óp.*ti.co) *adj.* Relativo a vista ou a olho: *nervo óptico.* || ótico[2].

opulência (o.pu.*lên.*ci:a) *s.f.* **1.** Abundância de riquezas; magnificência, fausto: *Ele vive na opulência.* **2.** *fig.* O que existe em grande quantidade e variedade; abundância: *a opulência vegetal da Amazônia.*

opulento (o.pu.*len.*to) *adj.* **1.** De grande riqueza; rico: *Era uma família opulenta.* **2.** De grande luxo; luxuoso, suntuoso: *Moravam num palácio opulento.* **3.** Que existe em grande número; abundante.

opus (Lat.) *s.m.* (*Mús.*) Termo usado para indicar a sequência temporal na produção de um compositor.

opúsculo (o.*pús.*cu.lo) *s.m.* Obra pequena, de poucas páginas; folheto.

ora [ó] (o.ra) *adv.* **1.** Agora, nesta ocasião; neste momento; presentemente: *Aquelas cartas, ora esquecidas no fundo da gaveta, já representaram muito para mim.* • *conj.* **2.** Coordena duas orações que expressam alternância; ou... ou: *Ora se põe tagarela, ora emudece; Ora chora, ora ri.* • *interj.* **3.** Manifesta surpresa, irritação, ironia etc.: *Ora! Quem me aparece agora!* || *Por ora:* por enquanto; por agora: *Por ora, não penso em tomar qualquer atitude.*

oração (o.ra.*ção*) *s.f.* **1.** (*Rel.*) Prece dirigida a Deus, à Virgem Maria e aos santos; reza. **2.** (*Gram.*) Frase construída em torno de um verbo: *'Não gosto de caju' é uma oração.* **3.** Discurso: *Pronunciou uma oração congratulatória.*

oracional (o.ra.ci:o.*nal*) *adj.* Que pertence a uma oração (2) ou que a ela se refere: *sujeito oracional.*

oracular (o.ra.cu.*lar*) *adj.* **1.** Relativo a oráculo. **2.** Que encerra um oráculo: *palavras oraculares.*

oráculo (o.*rá.*cu.lo) *s.m.* **1.** Na antiguidade clássica, divindade que era consultada para responder sobre dúvidas e problemas. **2.** Resposta dessa divindade a quem a consultava em seus lugares sagrados: *Édipo consultou o oráculo.*

orador [ô] (o.ra.*dor*) *s.m.* **1.** Pessoa que discursa em público. **2.** Pessoa eloquente, que se comunica facilmente com o público.

orago (o.*ra.*go) *s.m.* Santo que dá nome a uma igreja, uma capela, uma paróquia ou uma cidade: *O orago desta capela é Santo Estêvão.*

oral (o.*ral*) *adj.* **1.** Relativo a boca; bucal: *medicamento por via oral.* **2.** Feito de viva voz: *prova oral.* **3.** Transmitido verbalmente: *história oral.* – **oralidade** *s.f.*

orangotango (o.ran.go.*tan*.go) *s.m.* (*Zool.*) Grande macaco de pelagem longa e de membros anteriores mais alongados.

orar (o.*rar*) *v.* **1.** Fazer oração; rezar: *Jesus subiu a um monte para orar; Os muçulmanos oram voltados para Meca.* **2.** Pedir em oração: *Oremos à Virgem que nos guarde de todo mal; Orou longamente que Deus o curasse; Orava diariamente pelos missionários.* ▶ Conjug. 20.

oratória (o.ra.*tó*.ri:a) *s.f.* Arte de falar em público.

oratório (o.ra.*tó*.ri:o) *adj.* **1.** Próprio de orador: *dotes oratórios.* **2.** Relativo a oratória ou a eloquência: *o gênero oratório.* • *s.m.* **3.** Pequeno armário para abrigar imagens religiosas. **4.** (*Mús.*, *Teat.*) Drama de caráter religioso com música, canto e coro.

orbe [ó] (*or*.be) *s.m.* **1.** Figura esférica ou circular. **2.** Globo terrestre; esfera. **3.** O mundo, a terra: *Não há em todo o orbe cidade mais linda.*

orbicular (or.bi.cu.*lar*) *adj.* Em forma de esfera, esférico, globular.

órbita (*ór*.bi.ta) *s.f.* **1.** (*Anat.*) Cavidade óssea em que se aloja o globo ocular. **2.** (*Astron.*) Trajetória descrita por um corpo celeste que gravita em torno de outro. **3.** *fig.* Esfera de ação, campo em que uma pessoa ou um grupo de pessoas exerce influência ou tem interesses particulares: *Os lobistas gravitam na órbita dos políticos.* || *Entrar em órbita: gír.* perder o sentido da realidade; ficar alienado. • *Fora de órbita:* desligado, não atento à realidade do momento.

orbital (or.bi.*tal*) *adj.* Relativo a órbita: *o trajeto orbital de um planeta.*

orbitar (or.bi.*tar*) *v.* Movimentar-se em círculo, formando uma órbita: *A nave espacial orbitou um dos planetas do sistema solar.* ▶ Conjug. 5.

orca [ó] (*or*.ca) *s.f.* (*Zool.*) Mamífero cetáceo marinho, espécie de baleia, carnívoro e de forte agressividade.

orçamental (or.ça.men.*tal*) *adj.* Orçamentário.

orçamentário (or.ça.men.*tá*.ri:o) *adj.* Relativo a orçamento; orçamental.

orçamento (or.ça.*men*.to) *s.m.* **1.** Estimativa do preço de uma obra, de um serviço: *O orçamento para a construção de uma casa.* **2.** (*Econ.*) Cálculo da receita a ser arrecadada em um exercício financeiro e das despesas a serem feitas pela administração pública: *o orçamento da União para 2007.*

orçar (or.*çar*) *v.* Fazer o orçamento de; calcular o preço de uma obra, de um serviço: *Antes de iniciar a obra, ele orçou o preço do material e da mão de obra.* ▶ Conjug. 20 e 36.

ordeiro (or.*dei*.ro) *adj.* **1.** Que preza a ordem; pacífico, pacato: *uma turma ordeira.* **2.** Em ordem, organizado: *Saíam da sala de modo ordeiro, sem tumulto.*

ordem [ó] (*or*.dem) *s.f.* **1.** Determinação emanada de uma autoridade. **2.** Disposição das coisas sujeitas a um critério: *a ordem das palavras na frase.* **3.** Maneira de dispor, de ordenar: *A ordem dos fatores não altera o produto.* **4.** Sociedade religiosa de frades ou freiras: *a ordem de São Bento; a ordem dos carmelitas.* **5.** Documento de autorização de uma ação ou tarefa: *ordem de despejo.* **6.** Regra de conduta, disciplina: *fazer reinar a ordem; impor ordem num recinto.* **7.** Espécie, gênero, natureza: *São coisas da mesma ordem.* **8.** Qualidade, classe, categoria, segundo um julgamento de valor: *Trata-se de um trabalho de segunda ordem.*

ordenação (or.de.na.*ção*) *s.f.* **1.** Ato ou efeito de ordenar, de pôr em ordem: *ordenação do pensamento.* **2.** (*Rel.*) Cerimônia católica de consagração de um ministro do culto: *ordenação de um diácono; ordenação de um padre.*

ordenado (or.de.*na*.do) *adj.* **1.** Que se acha em ordem, bem arrumado. **2.** Que tem ordem; metódico, organizado: *É um empregado muito ordenado.* **3.** Diz-se do clérigo que recebeu ordens: *um clérigo ordenado.* • *s.m.* **4.** Pagamento mensal feito a um empregado; estipêndio, salário.

ordenada (or.de.*na*.da) *s.f.* (*Geom.*) Segunda das coordenadas que, no sistema cartesiano, define a posição de um ponto no plano e no espaço.

ordenança (or.de.*nan*.ça) *s.f.* **1.** Regulamento militar. • *s.m.* e *f.* **2.** Militar às ordens de outro militar que lhe é superior em patente.

ordenar (or.de.*nar*) *v.* **1.** Mandar, determinar que se faça ou não faça alguma coisa: *Ordenou que trouxessem a refeição; Ordenou que não o interrompesse.* **2.** Colocar em ordem: arrumar: *Finalmente ela conseguiu ordenar seus negócios; Ordenaram as fichas por ordem alfabética.* **3.** (*Rel.*) Conferir ordens sagradas: *O bispo da diocese ordenou vários padres.* ▶ Conjug. 5.

ordenhar (or.de.*nhar*) *v.* Tirar leite da fêmea de certos animais domésticos, manual ou mecanicamente; mungir: *Todas as manhãs a mulher do vaqueiro ordenhava as vacas.* ▶ Conjug. 5.

ordinal (or.di.*nal*) *adj.* (*Gram.*) **1.** Que indica o lugar de um elemento numa série: *Primeiro e segundo são numerais ordinais.* • *s.m.* **2.** Um numeral ordinal: *Escreva os ordinais de um a cem.*

ordinário (or.di.*ná*.ri:o) *adj.* **1.** Que está na ordem das coisas habituais; comum, corrente: *as alegrias e tristezas ordinárias da vida.* **2.** De qualidade mediana; que nada tem de especial; medíocre: *uma inteligência ordinária.* **3.** De qualidade inferior, de pouco valor, barato, vagabundo: *uma joia ordinária.* **4.** De mau caráter, tratante: *um tipo ordinário.* **5.** (*Mil.*) Diz-se do passo de marcha militar mais lento do que o acelerado e usualmente empregado. • *s.m.* **6.** Aquilo que se tem costume de fazer, aquilo que sucede habitualmente: *Nada de novo, apenas o ordinário.* **7.** (*Rel.*) As orações fixas da missa, que se opõem às variáveis, segundo o calendário litúrgico: *ordinário da missa.* || *De ordinário*: na maioria dos casos, geralmente.

ordoviciano (or.do.vi.ci:*a*.no) *adj.* **1.** Diz-se do período da era paleozoica, situado entre o cambriano e o siluriano. • *s.m.* **2.** Esse período.

orégano (o.ré.ga.no) *s.m.* (*Bot.*) Erva usada como tempero, especialmente em pratos de massa. || *orégão*.

orégão (o.ré.gão) *s.m.* Orégano.

orelha [ê] (o.re.lha) *s.f.* **1.** (*Anat.*) Parte exterior do órgão da audição que tem a forma de uma concha. **2.** (*Anat.*) Órgão da audição, responsável também pela manutenção do equilíbrio. **3.** Cada uma das extremidades da sobrecapa ou da capa de um livro, que são dobradas para dentro. **4.** Aquilo que está escrito nas orelhas de um livro: *Desse livro só li as orelhas.* || *Andar de orelha em pé*: andar desconfiado, suspeitoso. • *Até as orelhas*: completamente cheio: *Estou de trabalho até as orelhas.* • *De orelha*: de oitiva, de orelhada: *Soube do caso de orelha.* || *Orelha* substituiu *ouvido* na nova terminologia anatômica.

orelhão (o.re.*lhão*) *s.m. coloq.* Abrigo com cobertura de forma côncava, para telefones públicos.

orelhudo (o.re.*lhu*.do) *adj.* Que tem orelhas grandes.

orfanato (or.fa.*na*.to) *s.m.* Asilo destinado a dar abrigo e educação a órfãos e crianças abandonadas.

orfandade (or.fan.*da*.de) *s.f.* Estado ou condição de órfão.

órfão (*ór*.fão) *adj.* **1.** Que não tem pais ou um deles: *um menino órfão de pai e mãe*; *uma menina órfã de pai.* • *s.m.* **2.** Aquele que ficou órfão: *Os órfãos de guerra serão adotados.*

orfeão (or.fe:*ão*) *s.m.* (*Mús.*) Coral de vários cantores que cantam a várias vozes.

orfeônico (or.fe:*ô*.ni.co) *adj.* Relativo a orfeão: *canto orfeônico.*

organdi (or.gan.*di*) *s.m.* Tecido muito armado, leve e transparente.

orgânico (or.*gâ*.ni.co) *adj.* **1.** Relativo a órgão ou ao organismo ou a organização: *doença de origem orgânica.* **2.** Que pertence a organismos vivos ou deles derivam: *matéria orgânica.* **3.** Que não é cultivado com adubos químicos: *tomates orgânicos.*

organismo (or.ga.*nis*.mo) *s.m.* **1.** (*Biol.*) Conjunto de órgãos que compõem o corpo humano ou o de um animal ou vegetal. **2.** Qualquer corpo organizado de matéria viva: *organismo microscópico.* **3.** *fig.* Instituição de caráter social, político ou administrativo: *A ONU é um organismo internacional.*

organista (or.ga.*nis*.ta) *s.m. e f.* Músico que toca órgão (4).

organização (or.ga.ni.za.*ção*) *s.f.* **1.** Ato ou efeito de organizar(-se): *Todos elogiam seu espírito de organização.* **2.** Estado de um corpo organizado, modo pelo qual este corpo está organizado: *a organização do governo federal.* **3.** Modo pelo qual um conjunto se organiza para poder funcionar; regime, sociedade: *OEA - Organização dos Estados Americanos.* **4.** Coordenação de um conjunto de atividades com vistas a determinado fim; preparação, planejamento: *A organização da festa ficou a cargo de Márcia.* **5.** Associação de pessoas cujos objetivos comuns as unem para trabalharem num determinado campo de atividade: *organização sindical*; *organização de fins não lucrativos.*

organizar (or.ga.ni.*zar*) *v.* **1.** Dar a ou assumir (corpo, estrutura, pessoa, ser) a disposição necessária para as funções a que se destinam: *Os seres vivos se organizam adequadamente.* **2.** Estabelecer as bases de, constituir, formar: *organizar uma empresa de transporte.* **3.** Dispor numa determinada ordem, pôr em ordem, arranjar: *Organizou os livros numa estante.* **4.** Criar, formar (grupo, instituição): *organizar um coral*; *organizar um sindicato.* ▶ Conjug. 5. – **organizador** *adj. s.m.*

organograma (or.ga.no.*gra*.ma) *s.m.* Gráfico ou esquema da estrutura de qualquer organização ou serviço, que representa simultaneamente as diferentes unidades constitutivas, sua hierarquia, as atribuições e as ligações entre elas: *o organograma da Academia Brasileira de Letras.*

organza (or.gan.za) *s.f.* Tecido fino e transparente feito com fios de seda ou sintéticos.

órgão (ór.gão) *s.m.* **1.** (*Biol.*) Estrutura de tecidos que tem uma função específica num animal ou vegetal: *órgãos de reprodução; órgãos genitais.* **2.** *fig.* Parte integrante de um sistema organizado de elementos, com função própria: *órgãos de segurança; órgãos de repressão.* **3.** (*Comun.*) Meio de comunicação, divulgação e informação como jornal, rádio, TV: *Em alguns lugares do Brasil, o rádio é o único órgão de informação de que se dispõe.* **4.** (*Mús.*) Instrumento musical de um ou mais teclados e constituído por tubos de altura e espessura diversas, postos para ressoar com o vento que se introduz neles por intermédio de foles.

orgasmo (or.gas.mo) *s.m.* Momento de maior excitação e clímax do prazer sexual.

orgia (or.gi.a) *s.f.* **1.** Na antiguidade greco-romana, festival em honra de Dioniso ou Baco; bacanal. **2.** Festa na qual a intemperança na bebida se faz acompanhar de prazeres licenciosos. **3.** *fig.* Qualquer excesso cometido: *uma orgia de cores e luzes; uma orgia de gastos públicos.* – **orgíaco** *adj.*

orgulhar (or.gu.lhar) *v.* Fazer sentir ou sentir orgulho: *Esses jovens orgulham a quaisquer pais; Eu me orgulho de meus filhos.* ▶ Conjug. 5.

orgulho (or.gu.lho) *s.m.* **1.** Julgamento muito favorável que alguém faz de si mesmo ou de outrem: *Tinha orgulho de si mesmo e de sua família.* **2.** Sentimento exagerado de satisfação por si mesmo; soberba: *O único defeito de meu amigo é seu desmedido orgulho.* **3.** Sentimento de dignidade pessoal e da preservação dessa dignidade: *Tinha orgulho de se ter feito sem ajuda dos parentes.* **4.** Motivo de vaidade: *Os brasileiros têm orgulho de Santos Dumont.* – **orgulhoso** *adj. s.m.*

orientação (o.ri:en.ta.ção) *s.f.* **1.** Ato ou efeito de orientar(-se). **2.** Posição que se toma em relação aos pontos cardeais. **3.** *fig.* Tendência a seguir uma direção; objetivo; inclinação: *Sempre teve uma forte orientação para a Matemática.* **4.** *fig.* Guia de como proceder num dado assunto, numa dada matéria ou numa circunstância qualquer: *A orientação foi para que nada disséssemos; Preciso de sua preciosa orientação nesse momento difícil.*

orientador [ô] (o.ri:en.ta.dor) *adj.* **1.** Que orienta; que aconselha. • *s.m.* **2.** Aquele que orienta alunos em suas pesquisas e elaboração de dissertações e teses.

oriental (o.ri:en.tal) *adj.* **1.** Relativo a ou originário do Oriente: *a culinária oriental.* **2.** Que está situado a leste de um determinado lugar: *o lado oriental do continente.* • *s.m.* e *f.* **3.** Pessoa originária do Oriente.

orientar (o.ri:en.tar) *v.* **1.** Indicar a direção a ser seguida; encaminhar, nortear: *O guarda orienta as crianças da escola na rua.* **2.** *fig.* Dirigir, guiar (alguém ou os estudos, a educação, o pensamento de alguém): *Teve um bom mestre para orientar sua formação.* **3.** Voltar(-se), dirigir(-se), para uma direção determinada: *Os arquitetos orientaram a frente da construção para o lado do mar; Os muçulmanos orientam-se para Meca para rezar.* ▶ Conjug. 5.

oriente (o.ri:en.te) *s.m.* **1.** Parte do céu em que o Sol aparece quando nasce; leste. **2.** Conjunto de países situados a leste da Europa, em especial o continente asiático. **3.** O conjunto de povos que habita estes países. || *Extremo Oriente*: as regiões mais orientais da Ásia. • *Oriente Médio*: região que compreende a Turquia, os países do sudoeste da Ásia e do norte da África, o Iraque, o Irã e o Afeganistão. • *Oriente Próximo*: Oriente Médio. || Conferir com Ocidente.

orifício (o.ri.fí.ci:o) *s.m.* Qualquer buraco, furo ou passagem de pequena dimensão.

origâmi (o.ri.gâ.mi) *s.m.* Arte japonesa feita com dobraduras de papel que podem assumir diversas formas.

origem (o.ri.gem) *s.f.* **1.** O começo, a primeira manifestação; o princípio, a criação: *a origem do universo.* **2.** Conjunto dos ancestrais de um indivíduo; genealogia, raiz, naturalidade, estirpe: *de origem portuguesa; buscar suas origens.* **3.** O meio social de onde saiu alguém: *de origem modesta.* **4.** A época de uma coisa ou o meio de onde ela proveio: *de origem desconhecida; de origem antiga.* **5.** Etimologia: *a origem de uma palavra.* **6.** O ponto de partida de uma coisa; procedência, proveniência: *a origem de um produto, a origem de um boato.* **7.** Aquilo que explica o surgimento de um fato novo; causa: *a origem de uma guerra.*

original (o.ri.gi.nal) *adj.* **1.** Relativo a origem; que data ou vem da origem: *pecado original, o sentido original de uma palavra.* **2.** Feito pela primeira vez; que provém diretamente do autor: *um texto original, desenhos originais do artista.* **3.** Que provém da origem e é a fonte primeira de reproduções: *edição original.* **4.** Que não tem semelhante, novo, inédito: *ideias originais; um compositor original.* • *s.m.* **5.** Aquilo que é feito pelo próprio autor: *Os originais da obra estão num cofre.* **6.** Aquilo que serve de modelo para um autor: *O retrato é bonito, mas o original é melhor.*

originar (o.ri.gi.*nar*) *v.* **1.** Dar origem a, ser causa de; motivar: *Razões econômicas originaram o conflito.* **2.** Ter origem em, derivar-se de: *Esta palavra se origina do latim.* ▶ Conjug. 5.

originário (o.ri.gi.*ná*.ri:o) *adj.* **1.** Que tem origem num país, numa localidade; próprio, proveniente; oriundo: *costumes originários do Japão.* **2.** Que provém por geração, descendente: *família originária de Sergipe.*

oriundo (o.ri:*un*.do) *adj.* Originário, proveniente.

orixá [ch] (o.ri.*xá*) *s.m.* (*Rel.*) Divindade secundária do culto iorubano, personificação das forças da natureza.

orizicultura (o.ri.zi.cul.*tu*.ra) *s.f.* Cultura do arroz.

orla [ó] (*or*.la) *s.f.* **1.** Acabamento, arremate com guarnição; borla: *a orla de um tecido; uma orla bordada.* **2.** Beira, margem: *orla marítima; a orla de um lago.*

orlar (or.*lar*) *v.* **1.** Guarnecer com orla, pôr arremate em. **2.** Estar situado à orla, à margem de: *As praias que orlam a costa brasileira.* **3.** *fig.* Estar em volta de, rodear: *Trepadeiras em flor orlavam velhas arcadas.* ▶ Conjug. 20.

orlom (or.*lom*) *s.m.* Nome comercial de uma fibra sintética, de aparência sedosa, que possui alto poder de isolamento térmico. ‖ Da marca registrada *Orlon*.

ornamentação (or.na.men.ta.*ção*) *s.f.* **1.** Ato de ornamentar: *a ornamentação do carnaval.* **2.** O conjunto de elementos que ornam; decoração: *ornamentação luxuosa.*

ornamental (or.na.men.*tal*) *adj.* Relativo a ornamento, que serve como ornamento: *palmeiras ornamentais.*

ornamentar (or.na.men.*tar*) *v.* **1.** Guarnecer com ornamentos ou ornatos: *ornamentar um recinto.* **2.** Adornar-se, enfeitar-se: *A cidade ornamentou-se com as cores outonais.* ▶ Conjug. 5.

ornamento (or.na.*men*.to) *s.m.* **1.** Acessório usado para embelezar; enfeite: *Compraram ornamentos para a árvore de Natal.* **2.** Procedimento de expressão que orna um discurso; floreio: *Seu discurso foi cheio de ornamentos.* **3.** (*Mús.*) Uma ou mais notas acrescentadas como decoração à linha melódica principal; ornato, floreado, floreio.

ornar (or.*nar*) *v.* **1.** Pôr ornatos em; enfeitar, decorar: *As moças ornavam com rosas o altar da Virgem.* **2.** *fig.* Enriquecer, embelezar: *Mais outro livro que veio ornar-lhe a obra.* **3.** Embelezar com ornatos de estilo: *ornar um texto.* **4.** Enfeitar-se, adornar-se: *Ela ornou-se com uma flor para esperar o marido.* ▶ Conjug. 20.

ornato (or.*na*.to) *s.m.* Ornamento.

ornitologia (or.ni.to.lo.*gi*.a) *s.f.* (*Zool.*) Parte da Zoologia que estuda as aves. – **ornitológico** *adj.*; **ornitólogo** *s.m.*

ornitorrinco (or.ni.tor.*rin*.co) *s.m.* (*Zool.*) Mamífero aquático australiano dotado de focinho córneo semelhante ao bico de um pato.

orogenia (o.ro.ge.*ni*.a) *s.f.* (*Geol.*) Processo de formação do relevo terrestre.

orogênico (o.ro.*gê*.ni.co) *adj.* Relativo a orogenia.

orografia (o.ro.gra.*fi*.a) *s.f.* Descrição do relevo da Terra. – **orográfico** *adj.*

orquestra [é] (or.*ques*.tra) *s.f.* (*Mús.*) Conjunto de músicos que executam peças compostas para vários instrumentos, sob a regência de um maestro.

orquestrar (or.ques.*trar*) *v.* **1.** Adaptar melodia para uma orquestra, preparando a parte a ser executada pelos instrumentos. **2.** Articular, organizar: *Os presidentes dos partidos orquestraram uma oposição cerrada ao Executivo.* ▶ Conjug. 8.

orquidácea (or.qui.*dá*.ce:a) *s.f.* (*Bot.*) Família botânica a que pertencem as orquídeas.

orquidário (or.qui.*dá*.ri:o) *s.m.* Lugar onde se cultivam orquídeas; estufa de orquídeas.

orquídea (or.*quí*.de:a) *s.f.* (*Bot.*) Nome genérico de plantas da família das orquidáceas, caracterizadas por suas flores irregulares, muito apreciadas como ornamentais.

ortocentro (or.to.*cen*.tro) *s.m* (*Geom.*) Ponto de intersecção das alturas de um triângulo.

ortodontia (or.to.don.*ti*.a) *s.f.* (*Odont.*) Ramo da Odontologia que se ocupa da correção da má disposição dos dentes na arcada dentária. – **ortodôntico** *adj.*

ortodoxia [cs] (or.to.do.*xi*.a) *s.f.* **1.** Qualidade e condição do que é ortodoxo. **2.** Doutrina religiosa considerada legítima. **3.** Conjunto de princípios, de regras, de formulações e de práticas admitidos como legítimos nas áreas da ciência, das artes e do saber em geral: *a ortodoxia marxista.*

ortodoxo [ócs] (or.to.do.xo) *adj.* **1.** Relativo a doutrina, aos dogmas de uma religião. **2.** Relativo aos princípios e práticas admitidos como os únicos verdadeiros numa determinada área das artes, das ciências ou do saber em geral: *uma composição pouco ortodoxa.* • *s.m.* **3.** Pessoa que segue uma ortodoxia: *Em matéria de doutrina ele é um ortodoxo.* **4.** Seguidor das igrejas cristãs ortodoxas: *os ortodoxos russos; os ortodoxos gregos.*

ortoépia (or.to:é.pi:a) *s.f.* (*Gram.*) Parte da gramática que trata da pronúncia correta, das palavras; prosódia. || *ortoepia.*

ortoepia (or.to:e.pi.a) *s.f.* Ortoépia.

ortofonia (or.to.fo.ni.a) *s.f.* (*Ling.*) Correção específica dos sons e dos traços fonológicos de uma língua.

ortogonal (or.to.go.nal) *adj.* (*Geom.*) Que forma ângulo reto.

ortografia (or.to.gra.fi.a) *s.f.* (*Ling.*) Conjunto de normas para escrever corretamente as palavras de uma língua, usando adequadamente os sinais de acentuação e de pontuação. – **ortográfico** *adj.*

ortomolecular (or.to.mo.le.cu.lar) *adj.* (*Med.*) Que se baseia na correção dos níveis de vitaminas e sais minerais presentes no corpo humano e de suas carências: *medicina ortomolecular.*

ortopedia (or.to.pe.di.a) *s.f.* Parte da Medicina que se ocupa especialmente da conservação e restauração da função dos ossos, das suas articulações e estruturas afins.

ortopédico (or.to.pé.di.co) *adj.* (*Med.*) Relativo a Ortopedia.

ortopedista (or.to.pe.dis.ta) *s.m. e f.* Médico especialista em Ortopedia.

orvalhar (or.va.lhar) *v.* **1.** Molhar ou umedecer com orvalho: *A densa umidade orvalhou a grama do jardim.* **2.** *fig.* Borrifar ou aspergir com gotas de qualquer líquido: *As lágrimas orvalhavam-lhe as pálpebras.* **3.** Cair orvalho: *Orvalhou ao amanhecer.* ▶ Conjug. 5.

orvalho (or.va.lho) *s.m.* Vapor de água atmosférico que se condensa sob a forma de pequenas gotas e se deposita nas superfícies expostas ao ar livre durante a noite e pela manhã.

oscilar (os.ci.lar) *v.* **1.** Balançar-se, mover-se para um lado e para outro: *Os bambus oscilavam com a forte ventania.* **2.** Variar, flutuar (falando-se de grandezas e valores): *O câmbio oscilou livremente; A temperatura na serra oscilava entre 10 e 12 graus.* **3.** Hesitar, vacilar: *Sua capacidade de escolher oscilava entre as duas alternativas.* ▶ Conjug. 5. – **oscilação** *s.f.;* **oscilante** *adj.;* **oscilatório** *adj.*

osciloscópio (os.ci.los.có.pi:o) *s.m.* (*Fís.*) Aparelho de medida das variações periódicas de uma corrente elétrica.

ósculo (ós.cu.lo) *s.m.* Beijo de amizade e de reconciliação.

osga [ô] (os.ga) *s.f. reg.* Lagartixa.

osmose [ó] (os.mo.se) *s.f.* (*Fís.*) Passagem de um líquido ou gás através de uma membrana. || *Por osmose:* diz-se da aquisição de conhecimento sem os processos adequados, mas apenas por contato, como se realiza a osmose: *Anda com a gramática debaixo do braço: quer aprender por osmose.*

ossada (os.sa.da) *s.f.* Grupo de ossos humanos ou de animais; esqueleto.

ossário (os.sá.ri:o) *s.m.* Espaço onde se guardam ossos nos cemitérios.

ossatura (os.sa.tu.ra) *s.f.* Arcabouço ósseo dos animais vertebrados; esqueleto.

ósseo (ós.se:o) *adj.* Relativo a osso, da natureza do osso, próprio do osso: *estrutura óssea.*

ossificar (os.si.fi.car) *v.* **1.** Converter-se em tecido ósseo: *ossificar uma cartilagem.* **2.** Dar a consistência de osso: *A moleira ossifica-se gradualmente.* ▶ Conjug. 5 e 35.

osso [ô] (os.so) *s.m.* (*Anat.*) Cada uma das peças sólidas e calcificadas que constituem o esqueleto dos vertebrados. || *Osso duro de roer:* pessoa ou coisa muito difícil de ser tratada. • *Ossos do ofício:* percalços, dificuldades inerentes a qualquer tipo de trabalho.

ossudo (os.su.do) *adj.* Provido de ossos grandes; que tem ossos muito salientes.

osteíte (os.te.í.te) *s.f.* (*Med.*) Inflamação nos ossos.

ostensivo (os.ten.si.vo) *adj.* Que denota ostentação; que é feito ou mostrado com ostentação, com alarde: *um luxo ostensivo.*

ostensório (os.ten.só.ri:o) *adj.* **1.** Ostensivo: *uma riqueza ostensória.* • *s.m.* **2.** (*Rel.*) Peça de ourivesaria, de ouro ou de prata, usada em cerimônias católicas para expor aos fiéis a hóstia consagrada; custódia.

ostentação (os.ten.ta.ção) *s.f.* Demonstração exagerada das ações praticadas, das próprias qualidades ou da riqueza acumulada.

ostentar (os.ten.tar) *v.* Exibir(-se) com aparato; mostrar(-se): *O rico palácio ostentava a riqueza e o bom gosto de seus proprietários; A moça ostentava-se em sua roupa nova.* ▶ Conjug. 5.

ostentoso [ô] (os.ten.to.so) *adj.* Cheio de ostentação; pomposo, aparatoso: *O casal real caminhava ostentoso entre os súditos reverentes.* || f. e pl.: [ó].

osteócito (os.te:ó.ci.to) *s.m.* (*Anat.*) Célula óssea.

osteoartrite (os.te:o.ar.tri.te) *s.f.* (*Med.*) Doença degenerativa que ocorre principalmente em pessoas idosas, caracterizada por degeneração da cartilagem das articulações.

osteologia (os.te:o.lo.gi.a) *s.f.* (*Med.*) Ramo da Medicina que estuda os ossos.

osteoma (os.te:o.ma) *s.m.* (*Med.*) Tumor benigno nos ossos.

osteomielite (os.te:o.mi:e.li.te) *s.f.* (*Med.*) Inflamação aguda dos ossos, geralmente provocada por bactérias, que atinge sobretudo os ossos longos e a coluna vertebral.

osteopatia (os.te:o.pa.ti.a) *s.f.* (*Med.*) Qualquer doença dos ossos.

osteoporose [ó] (os.te:o.po.ro.se) *s.f.* (*Med.*) Condição patológica caracterizada pela perda de densidade do tecido ósseo, que se manifesta em pessoas idosas, sobretudo mulheres, depois da menopausa.

ostra [ô] (os.tra) *s.f.* (*Zool.*) Gênero comestível de molusco marinho que vive numa concha.

ostracismo (os.tra.cis.mo) *s.m.* **1.** Afastamento do poder; exclusão de dignidades. **2.** *fig.* Esquecimento, isolamento, exílio.

ostreicultura (os.tre:i.cul.tu.ra) *s.f.* Criação de ostras; ostricultura.

ostricultura (os.tri.cul.tu.ra) *s.f.* Ostreicultura.

ostreira (os.trei.ra) *s.f.* Lugar onde se criam ostras.

ostrogodo [ô] (os.tro.go.do) *adj.* **1.** Relativo aos ostrogodos, grupo étnico de origem germânica que participou das invasões do Império Romano, em fins do século V. • *s.m.* **2.** Pessoa desse grupo étnico.

otalgia (o.tal.gi.a) *s.f.* (*Med.*) Dor de orelha (2).

otário (o.tá.ri:o) *adj.* **1.** Fácil de ser ludibriado, que se deixa enganar facilmente; tolo, ingênuo. • *s.m.* **2.** Pessoa que se deixa enganar facilmente; tolo, ingênuo.

ótico[1] (ó.ti.co) *adj.* (*Anat.*) Relativo ao ouvido.

ótico[2] (ó.ti.co) *adj.* Óptico.

otimismo (o.ti.mis.mo) *s.m.* **1.** Estado de espírito daquele que sempre vê as coisas da melhor maneira possível. **2.** Caráter daquele que em geral está sempre esperançoso e confiante. – **otimista** *adj. s.m. e f.*

otimizar (o.ti.mi.zar) *v.* **1.** Tornar tão eficiente quanto possível; dar o máximo de rendimento a: *otimizar a produtividade de uma fábrica.* **2.** Preparar um programa que se autorregula para dar a um computador o máximo de eficiência. ▶ Conjug. 5.

ótimo (ó.ti.mo) *adj.* Muito bom; excelente. || sup. abs. de *bom*.

otite (o.ti.te) *s.f.* (*Med.*) Inflamação da orelha (2).

otomano (o.to.ma.no) *adj.* **1.** (*Hist.*) Relativo a Osman I, imperador turco. **2.** (*Hist.*) Relativo a esse império. **3.** Relativo a Turquia ou a seu natural ou habitante; turco: *o Império Otomano.* • *s.m.* **4.** Pessoa nascida na Turquia, turco: *Os otomanos construíram um grande império.*

otorrino (o.tor.ri.no) *s.m.* Forma reduzida de otorrinolaringologista.

otorrinolaringologia (o.tor.ri.no.la.rin.go.lo.gi.a) *s.f.* Parte da Medicina que se ocupa das enfermidades e do estudo da orelha, do nariz e da garganta.

otorrinolaringologista (o.tor.ri.no.la.rin.go.lo.gis.ta) *s.m. e f.* Médico especialista em otorrinolaringologia.

ou *conj.* Liga palavras expressando uma alternativa: *tudo ou nada*; ou orações: *Não sabia se ficava quieta ou chamava a polícia.*

ourela [é] (ou.re.la) *s.f.* **1.** Borda de um tecido. **2.** Borda, margem, orla.

ouriçar (ou.ri.çar) *v.* **1.** Agitar(-se), excitar(-se): *A notícia ouriçou a turma; A turma ouriçou-se com a notícia.* **2.** Tornar(-se) áspero; eriçar(-se): *O gato ouriçou o pelo ao ver o cachorro; O pelo do gato ouriçou-se com os latidos do cachorro.* ▶ Conjug. 5 e 36.

ouriço (ou.ri.ço) *s.m.* (*Zool.*) Pequeno mamífero que tem o corpo eriçado de espinhos.

ouriço-cacheiro (ou.ri.ço-ca.chei.ro) *s.m.* (*Zool.*) Ouriço. || pl.: *ouriços-cacheiros*.

ouriço-do-mar (ou.ri.ço-do-mar) *s.m.* (*Zool.*) Invertebrado marinho, de carapaça redonda com muitos espinhos agudos. || pl.: *ouriços-do-mar*.

ourives (ou.ri.ves) *s.m.2n.* Fabricante ou comerciante de ouro e joias.

ourivesaria (ou.ri.ve.sa.ri.a) *s.f.* **1.** A arte, o ofício do ourives. **2.** Estabelecimento onde se fabricam ou vendem objetos de metais preciosos.

ouro (ou.ro) *s.m.* **1.** (*Quím.*) Metal amarelo, brilhante, inalterável e inoxidável. || Símbolo: Au. **2.** Objetos feitos com esse metal, puro, ou compondo ligas com outros metais em proporções variáveis: *lingote de ouro; medalha de ouro; joia de ouro.* **3.** Padrão monetário baseado nesse metal. • *ouros s.m. pl.* **4.** Um dos naipes do baralho: *Tirei um sete de ouros.* || *De ouro:* muito bom; de grande valor: *Arranjou um noivo de ouro.* • *Entregar o ouro (ao bandido):* revelar segredos ao adversário, ao concorrente. • *Nadar em ouro:* ser muito rico; estar em excelente condição financeira. • *Valer ouro:* ser muito valioso; ser de excelente qualidade.

ouropel (ou.ro.*pel*) *s.m.* Folha delgadíssima de latão que imita o ouro; ouro falso.

ouro-pretano (ou.ro-pre.*ta*.no) *adj.* **1.** Da cidade de Ouro Preto, no Estado de Minas Gerais. • *s.m.* **2.** O natural ou o habitante dessa cidade; ouro-pretense. || pl.: *ouro-pretanos.*

ouro-pretense (ou.ro-pre.*ten*.se) *adj. s.m. e f.* Ouro-pretano. || pl.: *ouro-pretenses.*

ousadia (ou.sa.*di*.a) *s.f.* Qualidade daquele ou daquilo que denota coragem, audácia, atrevimento.

ousado (ou.*sa*.do) *adj.* Que tem ou revela ousadia: *uma proposta ousada.*

ousar (ou.*sar*) *v.* Arriscar-se a; atrever-se a: *Ninguém ousou contestar o policial.* ▶ Conjug. 22.

outdoor [autdór] (Ing.) *s.m.* Grande cartaz de propaganda, colocado em vias e logradouros, bem visível aos olhos do público.

outeiro (ou.*tei*.ro) *s.m.* Pequeno monte, colina, cerro.

outono (ou.*to*.no) *s.m.* **1.** Estação do ano, entre o verão e o inverno, que, no hemisfério sul, vai de 21 de março a 21 de junho. **2.** A velhice, o declínio: *outono da vida.*

outorgar (ou.tor.*gar*) *v.* **1.** Conferir, dar: *O imperador outorgou-lhe o título de barão.* **2.** Conceder, propiciar: *Outorgaram-me a licença requerida.* **3.** Facilitar, tornar possível, possibilitar: *O governo outorgou-lhe a aplicação de recursos excepcionais.* ▶ Conjug. 20 e 34.

output [autpút] (Ing.) *s.m.* **1.** (*Inform.*) Processo de transferência de dados armazenados internamente para um meio externo. **2.** (*Econ.*) Resultado da produção.

outrem (ou.*trem*) *pron. indef.* Outra pessoa, outras pessoas: *Isso compete a mim e não a outrem.*

outro (ou.*tro*) *pron. indef.* **1.** Diverso de um ser especificado; diferente, distinto: *Era uma outra pessoa, não o amigo de tantos anos; Vieram por outro caminho; Essa é uma outra questão.* **2.** Mais um (um segundo, um terceiro etc.): *Aconselharam-no a tentar outra vez.* **3.** Seguinte, imediato, ulterior: *Depois de pernoitar, partiu no outro dia.* **4.** Restante: *Os outros passageiros não quiseram seguir viagem.* **5.** Diferente por ser superior, melhor, maior: *Agora sim, é outra coisa; Levava uma outra vida, sem tristezas nem privações.* **6.** Que está em oposição, oposto: *do outro lado da rua.* **7.** Alguém, que não essa pessoa: *Outro dirá o que aconteceu.* **8.** Pessoa ou coisa referida como não sendo o que está especificado: *Não quero este livro, traga-me outro; Por que você e não outro?* || *Não dar outra:* acontecer como era previsto: *Quando chegamos, não deu outra, estavam furiosos.* • *Por outro lado:* entretanto, no entanto: *Esse carro é o mais caro; por outro lado, é o mais resistente e mais bem equipado.*

outrora [ó] (ou.*tro*.ra) *adv.* Antigamente, em tempos passados.

outrossim (ou.tros.*sim*) *adv.* Igualmente, também, bem assim.

outubro (ou.*tu*.bro) *s.m.* Décimo mês do ano.

ouvido (ou.*vi*.do) *s.m.* **1.** Sentido da audição. **2.** (*Anat.*) Denominação substituída por *orelha.* **3.** Capacidade de memorizar música que ouve: *Ele tem ótimo ouvido.* || *Ouvido de tuberculoso:* ouvido apuradíssimo. • *Dar ouvidos a:* acreditar em, tomar em consideração. • *De ouvido:* (*Mús.*) só pelo ouvido, sem conhecimentos de teoria: *tocar, cantar de ouvido.* • *Emprenhar pelos ouvidos:* dar crédito a tudo o que se ouve dizer; deixar-se levar por intrigas. • *Entrar por um ouvido e sair pelo outro:* não guardar, não reter recomendações: *Não seguiu meu conselho; o que lhe disse entrou por um ouvido e saiu pelo outro.* • *Fazer ouvidos de mercador:* fingir que não ouve, fazer-se de desentendido. • *Fazer ouvidos moucos:* fazer ouvidos de mercador. • *Ser todo ouvidos:* estar muito atento ao que se diz. || Conferir com *olvido.*

ouvidor [ô] (ou.vi.*dor*) *s.m.* **1.** O que ouve. **2.** Juiz nomeado especialmente para funcionar junto de algum ministério ou tribunal. **3.** No período colonial, juiz nomeado pelos donatários, os quais lhe outorgavam competência e alçada em suas terras.

ouvinte (ou.*vin*.te) *s.m. e f.* **1.** Pessoa que ouve rádio, concertos, apresentações musicais. **2.** Estudante que assiste a um curso sem estar regularmente matriculado.

ouvir (ou.*vir*) *v.* **1.** Perceber pelo sentido do ouvido (os sons): *Ouvimos o galo cantar; Ouviram barulho de passos?* **2.** Ter o sentido da audição:

Apesar de velhinho, ele ainda ouve bem. **3.** Dar ouvido às palavras de; escutar: *Pela expressão do olhar, sabíamos que ele nos ouvia.* **4.** Pedir conselho, opinião etc.: *Antes de decidir, quero ouvir sua opinião.* **5.** Dar audiência a: *Uma vez por mês, ouvia seu ministério.* **6.** Escutar discurso, sermão, conferência: *Multidões corriam para ouvi-lo.* **7.** (*Jur.*) Receber o depoimento de; inquirir: *Ouviu as partes.* **8.** Tomar em consideração, atender: *Finalmente você resolveu me ouvir.* **9.** Atender às preces de: *Senhor, ouvi nossa oração.* ▶ Conjug. 75.

ova [ó] (o.va) *s.f.* Ovário de peixes com seus ovos. ‖ *Uma ova*: *loc. interj. coloq.* Expressa protesto enérgico, repulsa violenta: *Inteligente, uma ova! Não passa de um idiota.*

ovação (o.va.ção) *s.f.* Aclamação pública, aplausos entusiásticos prestados a alguém.

ovacionar (o.va.ci:o.*nar*) *v.* Aclamar entusiasticamente com ovações. ▶ Conjug. 5.

ovado[1] (o.*va*.do) *adj.* Oval.

ovado[2] (o.*va*.do) *adj.* Que contém ovos ou ovas: *um peixe ovado.*

oval (o.*val*) *adj.* Cuja forma tem o aspecto de uma curva fechada e alongada; ovado, ovoide: *uma mesa oval.*

ovante (o.*van*.te) *adj.* Que é digno de ovação; triunfante, glorioso.

ovário (o.*vá*.ri:o) *s.m.* **1.** (*Anat.*) Cada um dos dois corpos situados de cada lado do útero, na mulher e nas fêmeas mamíferas, que produzem os óvulos destinados à fecundação. **2.** (*Bot.*) Parte inferior do pistilo que encerra os óvulos vegetais. **3.** (*Zool.*) Órgão em que se formam e se guardam os ovos nas aves e outros animais ovíparos.

oveiro (o.*vei*.ro) *s.m.* Ovário das aves.

ovelha [ê] (o.*ve*.lha) (*Zool.*) *s.f.* Fêmea do carneiro. ‖ *Ovelha negra*: pessoa que, pela sua maneira diferente de agir e pensar, destaca-se negativamente: *a ovelha negra da família.*

ovelhum (o.ve.*lhum*) *adj.* Ovino: *rebanho ovelhum.*

overdose [ôverdouz] (Ing.) *s.f.* Dose excessiva de substância geralmente tóxica; superdose de droga.

overloque (o.ver.*lo*.que) *s.m.* **1.** Peça de máquina de costura para chulear. **2.** Chuleio.

overnight [ôvernáit] (Ing.) *s.m.* (*Econ.*) Aplicação em mercado financeiro para resgate em vinte e quatro horas.

oviário (o.vi:*á*.ri:o) *s.m.* Curral de ovelhas e carneiros; ovil.

ovil (o.*vil*) *s.m.* Oviário.

ovino (o.*vi*.no) *adj.* **1.** Relativo a ovelhas e carneiros; ovelhum. • *s.m.* **2.** Exemplar de gado ovino: *a tosa dos ovinos.*

ovinocultura (o.vi.no.cul.*tu*.ra) *s.f.* Criação de ovelhas.

ovíparo (o.*ví*.pa.ro) *adj.* **1.** Diz-se de animal que põe ovos. • *s.m.* **2.** Animal ovíparo. ‖ Conferir com vivíparo e ovovivíparo. – **oviparidade** *s.f.*

óvni (*óv*.ni) *s.m.* Nome dado aos possíveis engenhos voadores (naves, discos) de origem desconhecida. ‖ Acrônimo de *Objeto Voador Não Identificado.*

ovo [ô] (o.vo) *s.m.* **1.** (*Biol.*) Óvulo de animais como aves, répteis e peixes que, fecundado pelo gameta masculino, é expelido pelo corpo da mãe; zigoto. **2.** Primeira célula de um ser vivo formado pelo óvulo da fêmea fecundado pela célula reprodutora do macho. **3.** Ovo das aves, em especial o da galinha. **4.** *fig.* Princípio, origem, começo. • *ovos s.m.pl.* **5.** *coloq.* Os testículos. ‖ *Cheio como um ovo*: muito cheio; repleto. • *De ovo virado*: de mau humor. • *Pisar em ovos*: proceder com toda a cautela possível: *Fui falar com o chefe pisando em ovos.* • *Ser um ovo*: ser muito pequeno: *Meu apartamento é um ovo.*

ovoide [ói] (o.*voi*.de) *adj.* Em forma de ovo; oval; ovado.

ovovivíparo (o.vo.vi.*ví*.pa.ro) *adj.* (*Zool.*) Diz-se de animal cujos ovos são incubados no interior do organismo materno, como acontece com alguns peixes, répteis e invertebrados.

ovulação (o.vu.la.ção) *s.f.* (*Biol.*) Desprendimento e liberação natural do óvulo maduro pelo ovário.

ovular[1] (o.vu.*lar*) *adj.* Relativo a óvulo: *ciclo ovular.*

ovular[2] (o.vu.*lar*) *v.* Produzir óvulos: *Naquela idade, ela não ovulava mais.* ▶ Conjug. 5.

óvulo (*ó*.vu.lo) *s.m.* (*Biol.*) Gameta feminino que, depois de fecundado, dá origem ao embrião.

oxalá [ch] (o.xa.*lá*) *interj.* Exprime desejo de que aconteça alguma coisa; queira Deus: *Oxalá ela quisesse casar comigo!*

oxente [ch] (o.*xen*.te) *interj.* Exprime surpresa, admiração, estranheza: *Oxente, que bicho é esse?*

oxidante [cs] (o.xi.*dan*.te) *adj.* **1.** Que tem a propriedade de oxidar. • *s.m. e f.* **2.** Substância que produz oxidação.

oxidar

oxidar [cs] (o.xi.*dar*) *v.* **1.** Corroer(-se), enferrujar(-se): *A maresia oxidou a geladeira; As correntes se oxidaram com a umidade.* **2.** Converter(-se) em óxido pela combinação com o oxigênio: *O forte calor oxidou o vinho; O vinho mal guardado oxidou-se rapidamente.* ▶ Conjug. 5.

óxido [cs] (ó.xi.do) *s.m.* (*Quím.*) Substância resultante das combinações do oxigênio com os outros elementos: *A água é o óxido de hidrogênio.*

oxigenação [cs] (o.xi.ge.na.*ção*) *s.f.* Ato ou efeito de oxigenar: *grau de oxigenação; oxigenação do cérebro.*

oxigenado [cs] (o.xi.ge.*na*.do) *adj.* Combinado com oxigênio; que sofreu a ação do oxigênio: *água oxigenada.*

oxigenar [cs] (o.xi.ge.*nar*) *v.* **1.** (*Quím.*) Acrescentar oxigênio a (uma substância), combinar com oxigênio: *Você oxigenou demais o composto químico.* **2.** Suprir ou ser suprido de ar rico em oxigênio: *Foi para as montanhas para oxigenar os pulmões.* **3.** Melhorar a qualidade do ar em lugares fechados: *Abriu as janelas para oxigenar o ambiente.* **4.** Aplicar água oxigenada aos cabelos para os clarear: *A falsa loura oxigenou os cabelos.* ▶ Conjug. 8.

oxigênio [cs] (o.xi.gê.ni:o) *s.m.* (*Quím.*) Elemento químico gasoso imprescindível para a existência de vida. || Símbolo: *O.*

oximoro [cs...ó] (o.xi.*mo*.ro) *s.m.* (*Ret.*) Figura que consiste em associar dois termos de sentidos contraditórios: *doce amargura; "um contentamento descontente"* (Camões, *Rimas*).

oxítono [cs] (o.*xí*.to.no) *adj.* **1.** (*Ling.*) Diz-se de vocábulo cuja última sílaba é tônica: *Cajá, café, tupi, jiló e tatu são palavras oxítonas.* • *s.m.* **2.** Vocábulo oxítono: *Os oxítonos terminados em i e u não levam acento gráfico.*

oxiúro [cs] (o.xi.*ú*.ro) *s.m.* Verme parasita do intestino dos mamíferos, especialmente o homem, os primatas e os roedores.

oxiurose [cs...ó] (o.xi:u.*ro*.se) *s.f.* (*Med.*) Infecção causada por oxiúros, que afeta sobretudo as crianças.

ozônio (o.*zô*.ni.o) *s.m.* (*Quím.*) Variedade de oxigênio que se concentra nas altas camadas da atmosfera e filtra os raios ultravioleta. || *Buraco de ozônio*: ponto na atmosfera terrestre onde se verifica uma rarefação da camada de ozônio devido à poluição industrial.

ozonizar (o.zo.ni.*zar*) *v.* (*Quím.*) Tratar com ozônio: *ozonizar a água.* ▶ Conjug. 5.

ozonosfera [é] (o.zo.nos.*fe*.ra) *s.f.* Camada da atmosfera que contém ozônio gasoso em abundância.

P p

p s.m. **1.** Décima sexta letra do alfabeto português. **2.** (*Fís.* e *Quím.*) Símbolo de *próton*.

P (*Quím.*) Símbolo de *fósforo*.

pá s.f. **1.** Instrumento composto de uma placa larga, ligeiramente côncava e ajustada a um cabo, que é usado para cavar e remover areia, terra, lixo, carvão etc. **2.** Qualquer objeto que se assemelha a uma pá ou que é usado como pá: *a pá de um remo, de um moinho, de um ventilador*. **3.** A parte mais carnuda da perna da rês, que se articula com o tronco. **4.** *gír.* Grande quantidade: *uma pá de comida; uma pá de gente*. || *Da pá virada: fam.* de procedimento estouvado, ou que fere certas convenções: *Joãozinho é um menino da pá virada.* • *Jogar ou pôr uma pá de cal em*: dar por encerrado, pôr fim a, sepultar: *Vamos pôr uma pá de cal nesta história; ela já foi longe demais.*

paca (*pa.*ca) s.f. **1.** (*Zool.*) Mamífero roedor, encontrado do México ao Brasil, de pelo escuro e malhas claras, de cauda quase invisível. • adv. **2.** *gír.* Em grande quantidade; de grande intensidade: *Ele tem dinheiro paca; Ele é feio paca.*

pacato (pa.*ca.*to) adj. **1.** Sem muito movimento, sossegado, tranquilo: *um bairro pacato; uma aldeia pacata.* **2.** Que não é agitado, calmo, sereno: *um jovem pacato.* – **pacatez** s.f.

pacenho (pa.*ce.*nho) adj. **1.** De La Paz, capital da Bolívia. • s.m. **2.** O natural ou o habitante dessa cidade.

pachola [ó] (pa.*cho.*la) adj. **1.** Ingênuo, bom e simples. **2.** Presunçoso, vaidoso, pedante. **3.** Que se veste com elegância pretensiosa; pedante. • s.m. e f. **4.** Pessoa com essas qualidades: *Não dê ouvidos a este pachola.*

pachorra [ô] (pa.*chor.*ra) s.f. **1.** Falta de pressa, vagar, lentidão: *Trabalhavam na maior pachorra.* **2.** Apatia, indolência, preguiça: *Vive entregue à pachorra, sem fazer nada.* – **pachorrento** adj.

paciência (pa.ci.*ên.*ci.a) s.f. **1.** Capacidade para esperar com calma, suportar dores, infortúnios, dissabores com resignação: *A paciência tem limites.* **2.** Perseverança na execução de uma coisa difícil e demorada: *um trabalho de muita paciência.* **3.** Jogo de cartas praticado por uma só pessoa como passatempo. **4.** Jogo que consiste em reconstituir uma figura com peças soltas e recortadas irregularmente. || *Paciência de Jó*: muita paciência, paciência infinda.

paciente (pa.ci.*en.*te) adj. **1.** Que tem paciência: *A professora era muito paciente com a meninada.* **2.** Feito com paciência, devagar, com muito cuidado e atenção: *A execução daquele bordado foi um trabalho paciente de Dona Rita.* • s.m. e f. **3.** Pessoa doente em relação a um médico, a um cirurgião, a um psicólogo; cliente, doente: *O paciente do doutor Maurício vai ter alta amanhã.*

pacificar (pa.ci.fi.*car*) v. **1.** Promover o estado de paz em; levar a paz a: *Pacificar a província rebelada.* **2.** Tornar(-se) calmo, apaziguar(-se), tranquilizar: *Pacificar os ânimos; Com a chegada do dinheiro, os revoltosos pacificaram-se.* ▶ Conjug. 5 e 35.

pacífico (pa.*cí.*fi.co) adj. **1.** Que ama a paz, que aspira à paz; que não é belicoso: *uma organização pacífica.* **2.** Que não se destina à guerra: *a utilização pacífica da energia nuclear.* **3.** Admitido sem discussão; tranquilo: *uma questão pacífica.* • s.m. **4.** Aquele que ama a paz: *Bem-aventurados os pacíficos.*

pacifismo (pa.ci.*fis.*mo) s.m. Ideologia que tem por fundamento a paz universal e o desarmamento geral das nações. – **pacifista** adj. s.m. e f.

paço (*pa.*ço) s.m. **1.** Palácio real, imperial ou episcopal. **2.** A corte, os cortesãos.

pacoba [ó] (pa.*co.*ba) s.f. (*Bot.*) Pacova.

paçoca [ó] (pa.*ço.*ca) s.f. (*Cul.*) **1.** Iguaria preparada com carne desfiada e farinha de mandioca ou de milho socadas no pilão. **2.** Doce feito de amendoim socado com rapadura ou com doce de leite.

pacote [ó] (pa.co.te) *s.m.* **1.** Qualquer embrulho ou conjunto de objetos ligados e formando um só volume; fardo: *um pacote com dez livros*; *um pacote de macarrão*. **2.** Conjunto de serviços e passagens vendidos em bloco: *um pacote turístico para a Europa*. **3.** Conjunto de decretos-leis expedidos em bloco: *um novo pacote de medidas governamentais*; *um pacote econômico*.

pacova [ó] (pa.co.va) *s.m.* **1.** Fruto da pacoveira; banana. **2.** Pessoa sem iniciativa, moleirão, lerdo. || *pacoba*.

pacóvio (pa.có.vi:o) *adj.* **1.** Tolo, estúpido; simplório • *s.m.* **2.** Indivíduo tolo, estúpido, simplório.

pacto (pac.to) *s.m.* Acordo, ajuste, entre duas ou mais pessoas, empresas, nações: *Estabeleceram um pacto de não-agressão*.

pactuar (pac.tu:ar) *v.* **1.** Fazer pacto; ajustar, acordar: *pactuar uma aliança*. **2.** Fazer acordo, aliança com: *Nunca pactuaram com o inimigo*. ▶ Conjug. 5.

pacu (pa.cu) *s.m.* (*Zool.*) Peixe de água doce de que há várias espécies no Brasil, usado na alimentação.

padaria (pa.da.ri.a) *s.f.* Lugar onde se fabricam e vendem pães, biscoitos, bolos etc.; panificação, panificadora.

padecer (pa.de.cer) *v.* **1.** Ser atormentado, afligido por; sofrer: *padecer as penas do amor*; *padecer dores atrozes*. **2.** Ter uma enfermidade, uma doença; sofrer: *Ela padecia de uma doença incurável*. ▶ Conjug. 41 e 46.

padecimento (pa.de.ci.men.to) *s.m.* **1.** Ato ou efeito de padecer. **2.** Dor, sofrimento, mal físico ou moral.

padeiro (pa.dei.ro) *s.m.* Pessoa que faz ou vende pães.

padiola [ó] (pa.di:o.la) *s.f.* **1.** Espécie de cama portátil, em geral de lona, usada para transporte de pessoas doentes ou acidentadas; maca. **2.** Caixa com varas nos quatro cantos para ser carregada por duas ou mais pessoas.

padrão (pa.*drão*) *s.m.* **1.** Aquilo que serve de modelo para uma avaliação: *padrão de beleza*; *padrão de virtudes*; *padrão de comportamento*. **2.** Norma de fabricação, conjunto de regras e procedimentos para a execução de alguma coisa: *um produto fora do padrão*. **3.** Aquilo que é mais usual, mais comum numa comunidade ou sociedade: *uma inteligência acima do padrão*. **4.** Modo mais usual de agir, de se comportar, aceito num grupo: *o padrão de jogo da seleção brasileira*; *o padrão de comportamento das bolsas de valores*. **5.** O conjunto de cores e desenhos para impressão em tecidos ou outras superfícies lisas; padronagem: *Não gostaram dos padrões de estampados dessa indústria têxtil*. || *Padrão monetário*: (*Econ.*) metal em que está fundamentado o valor de uma moeda.

padrasto (pa.*dras*.to) *s.m.* O marido da mãe em relação aos filhos que ela trouxe de casamento anterior.

padre (pa.dre) *s.m.* Sacerdote católico, presbítero. || *O Santo Padre*: o Papa.

padre-nosso (pa.dre-*nos*.so) *s.m.* Pai-nosso. || *Ensinar o padre-nosso ao vigário*: querer dar lições a uma pessoa mais experiente e mais sábia. || pl.: *padres-nossos*.

padrinho (pa.*dri*.nho) *s.m.* **1.** Na Igreja Católica, o homem que leva a criança ou o adulto para receber o batismo ou a crisma. **2.** Indivíduo que serve de testemunha do ato de um casamento: *padrinho de casamento*. **3.** *fig.* Patrono, protetor de alguém ou de alguma coisa: *o padrinho dessa campanha*; *Conseguiu o emprego porque tem padrinho*.

padroeiro (pa.dro:*ei*.ro) *adj.* **1.** Que protege, que guarda e intercede: *santo padroeiro*. • *s.m.* **2.** Santo padroeiro: *São Sebastião é o padroeiro do Rio de Janeiro*.

padronagem (pa.dro.*na*.gem) *s.f.* Estamparia em tecido, louça etc.; padrão (5).

padronização (pa.dro.ni.za.ção) *s.f.* **1.** Ato ou efeito de padronizar. **2.** Condição daquilo que é fabricado em série pela adoção de um único modelo industrial: *A padronização barateia custos*. **3.** Processo de adoção de modelos de ação ou de comportamento.

padronizar (pa.dro.ni.*zar*) *v.* **1.** Criar, estabelecer e adotar regras para agir, fazer, tratar segundo determinado padrão, método ou critério: *padronizar o tratamento das palavras gramaticais*. **2.** Tornar-se padrão; uniformizar-se: *Com a exigência de rapidez e eficiência, tudo se padroniza*. ▶ Conjug. 5.

paella [paélha] (Esp.) *s.f.* (*Cul.*) Prato espanhol preparado com arroz, crustáceos, mariscos, carnes e chouriços.

paetê (pa:e.*tê*) *s.m.* Lentejoula.

paga (*pa*.ga) *s.f.* **1.** Pagamento. **2.** Retribuição: *É essa a paga que você me dá pelo meu sacrifício?*

pagadoria (pa.ga.do.ri.a) *s.f.* Local, escritório ou seção onde se fazem pagamentos.

pagamento (pa.ga.*men*.to) *s.m.* **1.** Ato ou efeito de pagar. **2.** Dinheiro ou qualquer valor que se dá em troca de um serviço, de uma mercadoria ou para saldar dívidas. **3.** *fig.* Agradecimento.

paganismo (pa.ga.*nis*.mo) *s.m.* Conjunto das ideias, costumes e cultos dos pagãos.

paganizar (pa.ga.ni.*zar*) *v.* **1.** Tornar(-se) pagão. **2.** Adquirir e desenvolver o caráter e os costumes de pagão. ▶ Conjug. 5.

pagão (pa.*gão*) *adj.* **1.** Que não foi batizado. **2.** Que não pertence a nenhuma das religiões monoteístas (cristã, judia e muçulmana): *os povos pagãos.* • *s.m.* **3.** Pessoa pagã. ‖ f.: *pagã*; pl.: *pagãos*.

pagar (pa.*gar*) *v.* **1.** Dar dinheiro ou algum valor a alguém em troca de mercadoria, serviço etc.: *Paguei a passagem daquela senhora ao cobrador*; *Pagaremos o preço pedido por essas camisas.* **2.** Fazer aquilo que é devido; que foi prometido: *É tempo de pagar aquela promessa.* **3.** Compensar, retribuir: *Era muito pouco para pagar as noites de sono perdidas.* **4.** Recompensar, retribuir: *Não sei como pagar-lhe as gentilezas.* **5.** Receber ou sofrer punição: *Ele ainda há de me pagar essa ofensa*; *pagar os pecados.* ‖ *Pagar caro*: **1.** comprar ou remunerar por preço acima ao de mercado; **2.** obter com sacrifício: *Pagou caro pela vitória conquistada.* **3.** sofrer as consequências de um procedimento: *Ele ainda vai pagar caro pelo que fez.* • *Pagar na mesma moeda*: retribuir do mesmo modo. • *Pagar o pato*: pagar por uma coisa que prejudica ou desabona e que foi feita por outrem: *Vocês fizeram a bobagem e, agora, eu é que pago o pato.* • *Pagar para ver*: esperar que aconteça alguma coisa de que se duvidava para conferir se era verdade ou mentira. ‖ part.: *pagado* e *pago*. ▶ Conjug. 5 e 34.

pager [*pêiger*] (Ing.) *s.m.* Aparelho portátil que recebe mensagens transmitidas de uma central de recados.

página (pá.gi.na) *s.f.* **1.** Cada um dos dois lados de uma folha de papel, de um livro, uma revista, um jornal etc. **2.** O texto que se encontra nesse lado do papel: *Esta página não tem nenhum erro*; *Leia essa página e veja que beleza.* **3.** Período ou acontecimento importante na vida de alguém ou de um povo: *A campanha da vacina é uma página inesquecível na história do Rio de Janeiro*; *Meu período de faculdade é página saudosa de minha história.* **4.** (Inform.) Documento ou site que se pode acessar na internet: *Não deixe de ver nossa página na internet.* ‖ *Virar a página*: mudar de assunto. – **paginação** *s.f.*

paginar (pa.gi.*nar*) *v.* **1.** (Art. Gráf.) Numerar, pôr em ordem numérica as páginas de um livro, de um caderno: *Paginamos o prefácio em algarismos romanos.* **2.** (Art. Gráf.) Arrumar graficamente as páginas de uma publicação: *Quiseram paginar o jornal de maneira diferente.* ▶ Conjug. 5.

pago¹ (*pa*.go) *adj.* **1.** Entregue para pagamento, que se pagou; quitado: *dívida paga*. **2.** Que recebe pagamento, remunerado: *empregados mal pagos.* **3.** Que não se dá ou se recebe de graça: *Aqui até a água é paga.* **4.** *fig.* Vingado, desforrado: *Estou pago do mal que me fizeram.*

pago² (*pa*.go) *s.m.* **1.** Querência (2). **2.** Lugar do nascimento: *Sinto saudade dos meus pagos.* ‖ Mais usado no plural.

pagode [ó] (pa.go.de) *s.m.* **1.** Reunião festiva em que se canta e dança, especialmente samba e pagode (2). **2.** (Mús.) Gênero de música tocada à base de percussão, violão e cavaquinho, que se dança no pagode (1). **3.** Divertimento ruidoso, alegre e festivo; pagodeira. **4.** Templo budista de vários andares e arquitetura específica.

pagodeira (pa.go.*dei*.ra) *s.f.* Pagode (3).

pagodeiro (pa.go.*dei*.ro) *s.m.* **1.** Pessoa que gosta de pagode. **2.** Pessoa que canta sambas de pagode.

pai *s.m.* **1.** Homem que tem filho(s) e que o(s) cria; progenitor. **2.** Qualquer homem que tem para com alguém cuidados paternais: *É um pai para mim*; ou que exerce a função de pai: *pai adotivo.* **3.** Animal macho que fecundou uma fêmea que, por sua vez, gerou um filhote. **4.** Benfeitor, protetor: *pai dos pobres.* **5.** *fig.* Criador, fundador, inventor: *o pai da Psicanálise*; *o pai da aviação.* **6.** *fig.* Autor: *Quem é o pai desta infeliz ideia?* **7.** Tratamento afetivo dado a escravos idosos: *Pai João*; *Pai Francisco.* • *pais s.m.pl.* **8.** Pai e mãe: *Meus pais moram em outra cidade.* **9.** Ancestrais, avós, antepassados: *a herança de nossos pais.* ‖ *O pai da criança*: o responsável por alguma coisa, por algum acontecimento. • *Pai adotivo*: homem que adota criança para criá-la como pai. • *Pai biológico*: pai (1). • *Pai de família*: homem que tem mulher e filhos e é responsável por eles.

paica (*pai*.ca) *s.f.* (Art. Gráf.) Unidade de medida usada em tipografia equivalente à sexta parte de uma polegada.

pai de santo

pai de santo *s.m.* No candomblé e na umbanda, dirigente do culto; babalorixá. || pl.: *pais de santo*.

pai de todos *s.m. coloq.* O dedo médio. || pl.: *pais de todos*.

pai dos burros *s.m. coloq.* Dicionário. || pl.: *pais dos burros*.

paina [ã] (*pai.na*) *s.f.* Filamento sedoso que se forma em torno das sementes de certos vegetais, como a paineira, usado industrialmente.

painço (pa.*in*.ço) *s.m.* **1.** (*Bot.*) Planta da família das gramíneas cujas sementes são utilizadas na alimentação. **2.** O grão desta planta.

paineira (pai.*nei*.ra) *s.f.* (*Bot.*) Árvore tropical, de belas flores róseas, cujo fruto dá a paina.

painel[1] (pai.*nel*) *s.m.* **1.** Parte ou peça normalmente em relevo e de forma retangular, emoldurada em centro de porta, janela, teto etc. Obra de pintura emoldurada; quadro. **2.** Obra de pintura que decora uma parede ou uma superfície plana: *painel da Primeira Missa no Brasil, de Vítor Meireles*. **3.** Quadro em que são instalados os instrumentos de comando, teclas, chaves etc. de uma máquina ou de um veículo: *painel de uma rede elétrica; painel de um automóvel, de um avião*. **4.** Conjunto de desenhos, esquemas e figuras que dão uma ideia conjunta de um tema.

painel[2] (pai.*nel*) *s.m.* Grupo de especialistas que se reúnem para expor os diversos aspectos de um assunto: *Organizaram um painel sobre o ensino de informática no colegial*.

pai-nosso (pai-*nos*.so) *s.m.* Oração ensinada por Jesus a seus discípulos e, hoje, rezada por todos os cristãos; padre-nosso. || pl.: *pais-nossos*.

paio (*pai*:o) *s.m.* Espécie de linguiça de carne de porco embutida em tripa de intestino grosso.

paiol (pai.*ol*) *s.m.* **1.** Lugar onde se guardam pólvora, armas e munição de guerra. **2.** Casa onde se arrecadam produtos agrícolas, especialmente grãos.

pairar (pai.*rar*) *v.* **1.** Voar lentamente, planar: *A grande águia pairava sobre a floresta*. **2.** Estar parado ou movendo-se lentamente no ar: *Uma névoa densa e fria pairava sobre a montanha*. **3.** *fig.* Aparecer à superfície, aflorar: *Um sorriso pairava-lhe nos lábios*. **4.** Existir, subsistir: *Pairam dúvidas sobre sua honestidade*. **5.** Estar presente, estar iminente, ameaçar: *Aquela grave ameaça pairava sobre a cidade*.
▶ Conjug. 5.

país (pa.*ís*) *s.m.* **1.** Território em que vive um povo independente, com fronteiras definidas, cultura própria e organização política e social: *Nosso país precisa manter sua identidade cultural*. **2.** O território de uma nação ou Estado: *Brasil, um país de dimensões continentais*. **3.** A população, o povo que vive num território com coesão histórica, cultural e política.

paisagem (pai.*sa*.gem) *s.f.* **1.** Área de terreno com seus elementos naturais e artificiais vista a partir de um determinado lugar. **2.** Desenho ou pintura que mostram uma paisagem: *Ele é um bom pintor de paisagens*.

paisagismo (pai.sa.*gis*.mo) *s.m.* **1.** Atividade de concepção, planejamento e criação de espaços paisagísticos e jardins como complemento da arquitetura. **2.** Arte da representação de paisagens em desenho e pintura. – **paisagista** *s.m. e f.*; **paisagística** *s.f.*

paisana (pai.*sa*.na) *s.f.* Usado na locução *à paisana*: em vestes civis; sem farda: *O sargento surpreendeu o soldado à paisana, num pagode*.

paisano (pai.*sa*.no) *adj.* **1.** Que não é militar; civil **2.** Do mesmo país que o outro; conterrâneo: *João e Joaquim eram amigos e paisanos*. • *s.m.* **3.** Pessoa que não é militar; pessoa civil. **4.** Aquele que é do mesmo país; conterrâneo: *Vou conversar com meu paisano*.

paixão (pai.*xão*) *s.f.* **1.** Sentimento ou emoção de intensidade suficiente para alterar a capacidade de raciocínio, a lucidez e o comportamento. **2.** Amor ardoroso com forte atração sexual: *Amava a noiva com paixão*. **3.** O objeto desse amor ou desejo: *A noiva era sua paixão*. **4.** Inclinação ou entusiasmo extremado e obsessivo por alguma coisa: *paixão pelo jogo; paixão pelo poder*. **5.** O objeto dessa inclinação ou desse entusiasmo: *o futebol era sua paixão*. **6.** Pessoa ou coisa que despertam paixão: *Os filhos eram a sua paixão*. **7.** Grande mágoa; dor: *guardar uma paixão*. **8.** O relato do martírio de Cristo: *A paixão segundo Mateus*. **9.** (*Mús.*) Arranjo musical de textos sobre o martírio de Cristo; oratório religioso: *Cantaram a paixão de Bach*. **10.** Representação da paixão de Cristo: *Vai assistir à paixão em Nova Jerusalém*.

paixonite (pai.xo.*ni*.te) *s.f. coloq.* Paixão amorosa súbita e passageira.

pajé (pa.*jé*) *s.m.* Xamã entre os índios brasileiros que realiza rituais mágicos de cura e vidência; piaga.

pajear (pa.je.*ar*) *v.* **1.** Servir de pajem a alguém: *A moça pajeava a velha senhora com muita de-*

palavra-ônibus

dicação. **2.** Lisonjear, adular: *Para ser promovido, vivia pajeando o patrão.* **3.** Vigiar, cuidar de (criança): *Tinha um jeito especial para pajear as crianças da casa.* ▶ Conjug. 14.

pajelança (pa.je.*lan*.ça) *s.f.* Rituais mágicos de pajé para cura e vidência; curandeirice.

pajem (*pa*.jem) *s.m.* **1.** Jovem nobre, colocado junto a um senhor ou senhora para acompanhá-los honorificamente e prestar-lhes serviços. **2.** Criado que acompanha um cavaleiro em viagem. **3.** Menino que entra na igreja com os noivos na cerimônia de casamento.

pala (*pa*.la) *s.f.* **1.** Cartão quadrado, guarnecido de pano branco, com o qual se cobre o cálice na missa. **2.** Peça rija que guarnece a parte inferior e dianteira do boné, da barretina etc., e se prolonga sobre os olhos. **3.** Espécie de viseira colocada na parte superior interna do para-brisa dos automóveis. **4.** Recorte de tecido costurado na parte superior de vestido, saia, blusa ou calça. || *Dar uma pala: coloq.* dar uma pista, uma indicação, uma mostra.

palacete [ê] (pa.la.*ce*.te) *s.m.* **1.** Pequeno palácio. **2.** Casa grande e suntuosa.

palaciano (pa.la.*ci*:a.no) *adj.* **1.** Relativo a palácio; próprio de palácio: *a versão palaciana do fato.* **2.** Próprio de quem vive na corte, de quem frequenta o paço real: *maneiras palacianas; as festas palacianas.* • *s.m.* **3.** Pessoa que vive na corte e se relaciona bem com os governantes: *Os palacianos de Brasília nada sabiam.*

palácio (pa.*lá*.ci:o) *s.m.* **1.** Residência vasta e suntuosa de um chefe de governo, de uma personagem de importância ou de uma pessoa de grande fortuna: *O Palácio da Alvorada; O Palácio de Versailles.* **2.** Sede de um governo, de uma administração, de um tribunal etc.: *Palácio da Justiça.* **3.** *fig.* Edifício grande e aparatoso: *Palácio Austregésilo de Ataíde.*

paladar (pa.la.*dar*) *s.m.* **1.** Sentido da percepção do gosto, dos sabores: *O paladar é um dos nossos cinco sentidos.* **2.** Sabor: *ter bom ou mau paladar.* **3.** (*Anat.*) Palato duro; céu da boca.

paladino (pa.la.*di*.no) *s.m.* **1.** Aquele que defende, com coragem, um princípio, uma ideia: *um paladino da escola pública.* **2.** Cavaleiro andante que acompanhava o rei.

paládio (pa.*lá*.di:o) *s.m.* (*Quím.*) Elemento químico branco-prateado, denso, aplicado em ligas e usos laboratoriais. || Símbolo: *Pd*.

palafita (pa.la.*fi*.ta) *s.f.* **1.** Estaca que sustenta habitações construídas sobre lagos, mangues, margem de rio inundável. **2.** Nome dado a habitações desse tipo.

palanque (pa.*lan*.que) *s.m.* Estrado de madeira com degraus, destinado aos espectadores de uma festa, ou de onde, num comício, falam os oradores e as pessoas de maior importância.

palatal (pa.la.*tal*) *adj.* **1.** Relativo ao palato. **2.** (*Gram.*) Diz-se do som da fala articulado com a língua tocando no palato. • *s.f.* (*Gram.*) **3.** Fonema palatal: *O /che/ e o /ge/ são palatais.*

palatável (pa.la.*tá*.vel) *adj.* **1.** Que é agradável ao paladar: *Este prato está palatável.* **2.** Que pode ser apreciado; que não desagrada: *O risoto não estava uma maravilha, mas era bem palatável.*

palatino (pa.la.*ti*.no) *adj.* Relativo ao palato: *abóbada palatina.*

palato (pa.*la*.to) *s.m.* (*Anat.*) Divisão óssea e muscular entre as cavidades oral e nasal; paladar, céu da boca.

palavra (pa.*la*.vra) *s.f.* **1.** Elemento linguístico que, na fala ou na escrita, tem significação e existência próprias. **2.** *fig.* Expressão de pensamento e afetividade em linguagem verbal: *Aquele orador tem o dom da palavra.* **3.** Afirmação, declaração: *Não se obteve do aluno nenhuma palavra.* **4.** Conversa sobre um assunto determinado: *Preciso ter uma palavra com você.* **5.** Opinião, ensino, doutrina: *Sobre esta matéria, o melhor é seguir a palavra do mestre.* **6.** Permissão para falar: *dar ou negar a palavra a alguém.* **7.** Promessa, compromisso verbal: *cumprir a palavra.* • *palavras s.f.pl.* **8.** Promessas vagas, discursos vãos: *Palavras não bastam, é preciso ação.* || *Dar a palavra a uma pessoa:* permitir que a pessoa fale; passar a palavra para uma pessoa. • *Dar a palavra de honra:* obrigar-se a alguma coisa; jurar, prometer. • *De palavra:* que cumpre o que disse, o que prometeu: *um homem de palavra* • *Medir as palavras:* ter cuidado com o que fala. • *Sem palavra:* que não merece crédito. • *Sem palavras:* estado em que se fica muito impressionado. • *Ser a última palavra em* (algo): ser o que há de mais moderno, de mais atual. • *Ter palavra:* ser cumpridor de seus compromissos. • *Tirar as palavras da boca de alguém:* dizer exatamente aquilo que outra pessoa queria dizer. • *Tomar a palavra:* numa discussão ou debate, expor sua opinião.

palavrão (pa.la.*vrão*) *s.m.* Palavra ou expressão grosseira, obscena, considerada de mau gosto ou inconveniente.

palavra-ônibus (pa.la.vra-*ô*.ni.bus) *s.f.* Palavra que, por expressar ideias vagas, é usada para expressão de grande número de ideias, como *terrível, legal, coisar.* || pl.: *palavras-ônibus.*

palavreado

palavreado (pa.la.vre:a.do) s.m. **1.** Conjunto de palavras que se falam ou se escrevem, mas que têm pouco nexo ou pouca importância; palavrório: *Foi muito palavreado e no fim nada disseram.* **2.** Emprego ou escolha de palavras; maneira de falar: *palavreado simples, palavreado pomposo, palavreado vazio.*

palavrório (pa.la.vró.ri:o) s.m. Palavras abundantes e de pouco sentido ou eficácia; palavreado.

palavroso [ô] (pa.la.vro.so) adj. Cheio de palavras, que tem muitas palavras e poucas ideias; verboso, prolixo. || f. e pl. : [ó].

palco (pal.co) s.m. **1.** (*Teat.*) Parte do teatro onde ocorre a representação dos atores e que pode também ser usado para apresentações de artistas e de concertos de modo geral. **2.** *fig.* A arte teatral, o teatro: *fazer carreira nos palcos; vocação para o palco.* **3.** *fig.* Local de algum acontecimento marcante; cenário: *O centro da cidade é um palco de importantes manifestações políticas.*

paleoceno (pa.le:o.ce.no) adj. **1.** Diz-se de período intercalado entre o cretáceo e o eoceno. • s.m. **2.** O período paleoceno.

paleografia (pa.le:o.gra.fi.a) s.f. Estudo de escritas antigas e dos documentos nelas redigidos. – **paleográfico** adj.

paleógrafo (pa.le:ó.gra.fo) s.m. Profissional especializado em paleografia.

paleolítico (pa.le:o.lí.ti.co) adj. **1.** Diz-se do período mais antigo dos tempos pré-históricos. • s.m. **2.** O período paleolítico.

paleologia (pa.le:o.lo.gi.a) s.f. Estudo das línguas antigas.

paleólogo (pa.le:ó.lo.go) s.m. Profissional que se dedica ao estudo de línguas antigas.

paleontologia (pa.le:on.to.lo.gi.a) s.f. Disciplina que tem por objeto o estudo dos animais e vegetais fósseis, em especial, os deixados em sedimentos geológicos. – **paleontológico** adj.

paleontologista (pa.le:on.to.lo.gis.ta) s.m. e f. Paleontólogo.

paleontólogo (pa.le:on.tó.lo.go) s.m. O estudioso que se especializa em Paleontologia; paleontologista.

paleozoico [ó] (pa.le:o.zoi.co) adj. (*Geol.*) **1.** Diz-se da era geológica que sucedeu a mesozoica e antecedeu o pré-cambriano. • s.m. **2.** Essa era geológica.

palerma [é] (pa.ler.ma) adj. **1.** Que fala e age sem discernimento; idiota, imbecil, tolo, parvo. • s.m. e f. **2.** Pessoa que fala e age sem discernimento; idiota, imbecil.

palermice (pa.ler.mi.ce) s.f. Qualidade de palerma.

palestino (pa.les.ti.no) adj. **1.** Da Palestina, estado árabe do Oriente Próximo. • s.m. **2.** O natural ou o habitante da Palestina.

palestra [é] (pa.les.tra) s.f. **1.** Conferência sobre algum assunto científico, literário, cultural etc.: *Participamos de uma palestra sobre a situação palestina.* **2.** Troca de ideias, conversa: *A palestra está muito boa, mas precisamos trabalhar.*

palestrar (pa.les.trar) v. **1.** Conversar; papear, cavaquear: *palestrar com os amigos.* **2.** Fazer palestra (1): *O professor não parava de palestrar.* ▶ Conjug. 8.

paleta [ê] (pa.le.ta) s.f. **1.** (*Art.*) Placa delgada, de louça ou madeira, em geral ovoide, com uma abertura para enfiar o polegar, sobre a qual os pintores dispõem as tintas e as combinam. **2.** *fig.* O colorido característico de um pintor: *a paleta de Portinari.* **3.** A parte mais alta e grossa das patas dianteiras do cavalo e das reses: *Assou uma paleta de cordeiro para a ceia do Natal.*

paletó (pa.le.tó) s.m. Casaco reto que tem a frente abotoada e com bolsos externos, e cujo comprimento vai até a altura dos quadris. || *Abotoar o paletó:* gír. morrer. • *Paletó de madeira:* gír. caixão funerário.

palha (pa.lha) s.f. **1.** Haste seca de gramíneas, normalmente cereais, usada para alimentação animal. **2.** Fibra, filamento ou outro material (artificial ou natural) passível de ser tecido ou trançado: *palha de milho; palha de bananeira.* || *Não levantar ou não mexer uma palha por:* não auxiliar em hipótese alguma, não fazer nada por alguém.

palhaçada (pa.lha.ça.da) s.f. **1.** Ato, dito de palhaço. **2.** Conjunto de palhaços. **3.** Cena ridícula, burlesca. **4.** Conjunto de atos praticados sem seriedade, de maneira inconsequente: *Pensei que fosse coisa séria, mas não passava de palhaçada.*

palhaço (pa.lha.ço) s.m. **1.** Artista de circo que, vestido e maquilado grotescamente, faz pilhérias e momices para divertir o público. **2.** *fig.* Pessoa que faz os outros rirem; histrião: *Você é muito engraçado; um verdadeiro palhaço.* **3.** *fig.* Pessoa tola, que faz papel ridículo: *Fui um palhaço quando acreditei nele.*

palheiro (pa.lhei.ro) s.m. Lugar onde se guarda palha.

palheta [ê] (pa.*lhe*.ta) *s.f.* **1.** Lâmina ou placa que funciona como propulsor de rodas hidráulicas. **2.** Cada uma das lâminas, de madeira ou outro material, que formam as venezianas. **3.** Pá de ventilador. **4.** (*Mús.*) Lâmina móvel, de madeira ou metal, cujas vibrações produzem o som em instrumentos de sopro, como clarineta, saxofone etc., e em certos tubos do órgão. **5.** (*Mús.*) Pequena peça que pinça ou arranha as cordas dos instrumentos musicais como lira, cítara, violão, bandolim etc.

palhoça [ó] (pa.*lho*.ça) *s.f.* Casa pequena e rústica coberta com palha; palhota.

palhota [ó] (pa.*lho*.ta) *s.f.* Palhoça.

paliar (pa.li:*ar*) *v.* Aliviar momentaneamente, mitigar: *Tomou um analgésico para paliar a dor.* ▶ Conjug. 17.

paliativo (pa.li:a.*ti*.vo) *adj.* **1.** Próprio para paliar, para aliviar provisoriamente. • *s.m.* **2.** Remédio ou tratamento que atenua um mal sem curá-lo. **3.** Expediente que entretém uma expectativa, que adia uma decisão: *É melhor resolver logo a questão e deixar de usar paliativos.*

pálido (*pá*.li.do) *adj.* **1.** Que perdeu a cor; descorado: *Seu rosto, que era corado, ficou pálido com o susto.* **2.** Que tem pouco brilho: *luz pálida.* **3.** De cor pouco viva, desmaiado: *azul pálido.* **4.** *fig.* Sem brilho ou colorido, sem animação: *uma pálida imitação.*

palimpsesto [é] (pa.limp.*ses*.to) *s.m.* Pergaminho do qual se apagou uma escrita para ser novamente utilizado.

palíndromo (pa.*lín*.dro.mo) *adj.* **1.** Diz-se de palavra ou sintagma ou frase que se pode ler, sem alteração do sentido, da esquerda para a direita ou da direita para a esquerda: "*Luz azul*"; "*a diva da vida*" *são sintagmas palíndromos.* *s.m.* **2.** Palavra, sintagma ou frase que são palíndromos: "*Radar*" *é um palíndromo.*

pálio (*pá*.li:o) *s.m.* **1.** Sobrecéu portátil, constituído por um pano quadrangular, sustentado por varas levadas à mão, que, em cortejos e procissões, cobre a pessoa ou o objeto que se pretende honrar. **2.** Faixa ornamental de lã branca, usada em torno do pescoço, que o papa concede a patriarcas, arcebispos e bispos, como testemunho de distinção. **3.** Manto, capa de origem grega.

palitar (pa.li.*tar*) *v.* Limpar os dentes com palito. ▶ Conjug. 5.

paliteiro (pa.li.*tei*.ro) *s.m.* Objeto de formas variadas onde se colocam palitos.

palito (pa.*li*.to) *s.m.* **1.** Haste muito fina e pontiaguda, geralmente de madeira, usada para palitar os dentes. **2.** Haste com que se segura alguma coisa: *palito de picolé; palito de pirolito.* **3.** *fig.* Pessoa muito magra: *Maria Luísa está um palito.*

palma¹ (*pal*.ma) *s.f.* Face interna e côncava da mão, compreendida entre os dedos e o pulso. || *Bater palmas*: aplaudir. • *Conhecer alguém ou alguma coisa como a palma da mão*: conhecer bem; conhecer profundamente: *Conheço minha cidade como a palma da mão.*

palma² (*pal*.ma) *s.f.* **1.** Folha da palmeira. **2.** Vitória, triunfo: *Entre todas, só Marta levou a palma.*

palmada (pal.*ma*.da) *s.f.* Golpe desferido com a palma da mão.

palmatória (pal.ma.*tó*.ri:a) *s.f.* **1.** Pequena tábua de madeira com a qual se davam golpes nas mãos para castigar. **2.** Espécie de castiçal que era usado nos quartos de dormir e para andar no escuro da casa. **3.** (*Bot.*) Tipo de cacto do Nordeste. || *Dar a mão à palmatória*: dar-se por vencido; reconhecer que não tem razão.

palmeira (pal.*mei*.ra) *s.f.* (*Bot.*) Grande árvore com tronco sem galhos, encimada por grandes palmas.

palmeirim (pal.mei.*rim*) *s.m.* **1.** Peregrino, estrangeiro, forasteiro. **2.** Catulé.

palmense (pal.*men*.se) *adj.* **1.** De Palmas, capital do Estado de Tocantins. • *s.m.* e *f.* **2.** O natural ou o habitante dessa capital.

pálmer (*pál*.mer) *s.m.* (*Fís.*) Instrumento de medida de espessuras mínimas.

palmilha (pal.*mi*.lha) *s.f.* **1.** Forro interno da sola dos sapatos, que pode ser fixo ou não. **2.** A parte inferior da meia em que se assenta o pé.

palmilhar (pal.mi.*lhar*) *v.* **1.** Pôr palmilhas em: *Palmilhou todos os seus tênis para as caminhadas matinais.* **2.** Percorrer passo a passo: *Gostaria de palmilhar todos os caminhos de minha terra.* ▶ Conjug. 5.

palmípede (pal.*mí*.pe.de) *adj.* **1.** (*Zool.*) Que tem os dedos dos pés unidos por membrana: *uma ave palmípede.* • *s.m.* e *f.* **2.** (*Zool.*) Animal palmípede: *O pato e o ganso são palmípedes.*

palmito (pal.*mi*.to) *s.m.* (*Bot.*) **1.** Substância tenra e esbranquiçada que constitui o miolo da extremidade superior das palmeiras. **2.** O miolo comestível das palmeiras.

palmo (pal.mo) s.m. Medida tomada pela distância que vai da ponta do polegar à do dedo mínimo, quando a mão está estendida. || *Não enxergar um palmo adiante do nariz*: ser muito ignorante e incapaz.

palmtop computer [palmtóp compiuter] (Ing.) loc. subst. Computador portátil que pode ser usado na palma da mão e pode também ser ligado a um computador maior para troca de dados.

palpar (pal.par) v. Apalpar. ▶ Conjug. 5.

palpável (pal.pá.vel) adj. **1.** Que se pode palpar ou tocar. **2.** Diz-se daquilo de que se pode ter certeza; evidente, claro: *provas palpáveis*.

pálpebra (pál.pe.bra) s.f. (Anat.) Cada um dos dois véus membranosos móveis de cada olho que, aproximando-se um do outro, cobrem completamente o globo ocular.

palpitação (pal.pi.ta.ção) s.f. **1.** Batida muito rápida e irregular do coração. **2.** Tremor, contração muscular convulsiva.

palpitante (pal.pi.tan.te) adj. **1.** Que palpita: *coração palpitante*. **2.** fig. Que causa emoção, que é motivo de vivo interesse: *um relato palpitante*. **3.** De grande atualidade e interesse: *As notícias estão palpitantes*.

palpitar (pal.pi.tar) v. **1.** Ter ou sentir palpitação: *Veja como o coração dele palpita*. **2.** Emocionar-se; impressionar-se: *Palpitava quando ouvia a voz do namorado*. **3.** Dar palpite ou opinião: *Palpitou quem não devia*. ▶ Conjug. 5.

palpite (pal.pi.te) s.m. **1.** Opinião sem base: *São palpites e não dados confiáveis*. **2.** Pressentimento, intuição: *estar com palpite; ter um palpite*. **3.** Dito ou opinião de intrometido: *Ele é do tipo que fica de fora e dá palpite no jogo dos outros*.

palpo (pal.po) s.m. (Zool.) Apêndice articulado e móvel situado lateralmente na boca dos insetos. || *Em palpos de aranha*: em situação difícil ou perigosa.

palrar (pal.rar) v. **1.** Articular, proferir palavras sem nexo; charlar: *Ficava diante da janela palrando para as estrelas*. **2.** Falar muito, tagarelar; palrear: *As vizinhas palravam a tarde inteira*. ▶ Conjug. 5.

palrear (pal.re.ar) v. Palrar. ▶ Conjug. 14.

palude (pa.lu.de) s.m. Terra inundada por águas estagnadas; paul, pântano.

paludismo (pa.lu.dis.mo) s.m. Impaludismo.

paludoso (ô) (pa.lu.do.so) adj. **1.** Cheio de paludes. **2.** Palustre. || f. e pl.: [ó].

palustre (pa.lus.tre) adj. **1.** Relativo a ou próprio de paludes, de terras pantanosas: *plantas palustres, moluscos palustres*. **2.** Cuja causa é de natureza palustre: *febre palustre*.

pamonha (pa.mo.nha) s.f. **1.** (Cul.) Bolo de milho verde, açúcar, leite de vaca e de coco, levado a cozer envolto em palhas de milho ou de bananeira. • s.m. e f. **2.** fig. Pessoa de caráter pouco enérgico, que custa a entender e a agir; molenga: *Faça alguma coisa, pamonha!*

pampa (pam.pa) s.m. **1.** Vasta planície da parte meridional da América do Sul, de vegetação rasteira. • adj. **2.** Diz-se do cavalo que é todo malhado. **3.** Diz-se do animal de cara branca. || *Às pampas*: gír. em abundância, muito.

pâmpano (pâm.pa.no) s.m. Galho novo da videira.

pampeiro (pam.pei.ro) s.m. Vento sudoeste que sopra dos pampas argentinos e que se chama *minuano* no Rio Grande do Sul.

panaca (pa.na.ca) adj. coloq. **1.** Que é muito bobo e simplório: *um novato panaca*. • s.m. e f. **2.** Pessoa muito boba e simplória: *Coitado, ele é um verdadeiro panaca*.

panaceia [é] (pa.na.cei.a) s.f. Remédio que se acredita capaz de curar todos os males.

panamá (pa.na.má) s.m. **1.** Chapéu de verão, masculino, flexível, feito com fibras de folha de palmeira. **2.** Tecido de algodão, de seda artificial ou fibra sintética, macio e lustroso.

panamenho (pa.na.me.nho) adj. **1.** Do Panamá, país da América Central. • s.m. **2.** O natural ou o habitante desse país.

pan-americanismo (pan-a.me.ri.ca.nis.mo) s.m. Doutrina, princípio ou sentimento de solidariedade entre todos os países da América. || pl.: *pan-americanismos*.

pan-americano (pan-a.me.ri.ca.no) adj. Relativo a todas as nações da América. || pl.: *pan-americanos*.

panarício (pa.na.rí.ci:o) s.m. (Med.) Tumor que geralmente dá na raiz das unhas; panariz.

panariz (pa.na.riz) s.m. Panarício.

pança (pan.ça) s.f. Barriga grande.

pancada (pan.ca.da) adj. **1.** Que parece ou é adoidado, amalucado: *Acham que o Nélson anda meio pancada, depois que a Sofia deu-lhe o fora*. • s.f. **2.** Batida violenta de um corpo contra outro: *pancada de martelo; dar uma pancada contra um móvel*. **3.** Agressão física, em especial por meio de golpes dados com pau ou com a mão: *Voltou do encontro moído*

pânico

de pancadas. **4.** *fig.* Chuva forte e repentina: *Houve uma pancada inicial e depois ficou chuviscando o resto da tarde.* **5.** Som produzido por certos relógios para marcar cada uma das horas: *No silêncio da noite, as pancadas do relógio cronometravam minha insônia.*

pancadaria (pan.ca.da.*ri*.a) *s.f.* **1.** Desordem, tumulto, briga em que pessoas se agridem. **2.** Sucessão de pancadas.

pâncreas (*pân*.cre:as) *s.m.2n.* (*Anat.*) Glândula abdominal que tem duas secreções: uma de função digestiva, o suco pancreático, e outra de função hormonal, a insulina. – **pancreático** *adj.*

pançudo (pan.*çu*.do) *adj.* **1.** Que tem pança grande; barrigudo. • *s.m.* **2.** Homem de grande pança, homem barrigudo.

panda (*pan*.da) *s.m.* (*Zool.*) Mamífero do Tibete e do sul da China, com patas, ombros e orelhas pretas, e um círculo preto ao redor dos olhos, que se alimenta preferencialmente de brotos de bambu.

pandarecos [é] (pan.da.*re*.cos) *s.m.pl.* Cacos, pedaços. || *Em pandarecos:* em pedaços, em cacos.

pândega (*pân*.de.ga) *s.f.* **1.** Festa de comes e bebes ruidosa; patuscada. **2.** Brincadeira.

pândego (*pân*.de.go) *adj.* **1.** Brincalhão, engraçado: *Era um tipo muito pândego.* • *s.m.* **2.** Pessoa que frequenta pândegas. **3.** Pessoa dada a fazer brincadeiras.

pandeiro (pan.*dei*.ro) *s.m.* (*Mús.*) Instrumento de percussão, constituído por uma armação circular de madeira, com guizos e chapinhas e um dos lados revestido de couro onde se bate com as mãos.

pandemia (pan.de.*mi*.a) *s.f.* (*Med.*) Doença endêmica que se estende a muitos países, ou que atinge muitas pessoas numa zona geográfica. – **pandêmico** *adj.*

pandemônio (pan.de.*mô*.ni:o) *s.m.* Lugar onde reinam a agitação, a balbúrdia e a desordem.

pando (*pan*.do) *adj.* Que se influu, inflado; inchado: *uma nau de velas pandas.*

pandorga [ó] (pan.*dor*.ga) *s.f.* Papagaio de papel, pipa.

pane (*pa*.ne) *s.f.* Parada de um motor ou de um mecanismo ocasionada por defeito. || *Pane seca*: pane ocasionada pela falta de combustível.

panegírico (pa.ne.*gí*.ri.co) *adj.* **1.** Que contém louvor; laudatório: *palavras panegíricas.* • *s.m.* **2.** Discurso de louvor; elogio.

panejamento (pa.ne.ja.*men*.to) *s.m.* **1.** Roupagem de figuras de pintura ou escultura. **2.** A maneira como estão representados os trajes dessas figuras.

panela [é] (pa.*ne*.la) *s.f.* **1.** Recipiente de alumínio, aço, ferro, barro, pedra, provido de cabo ou alças, em que se cozinham alimentos. **2.** O conteúdo desse recipiente: *Comeram uma panela de arroz.* **3.** *gír.* Grupo de pessoas que não admitem estranhos nos seus negócios e interesses: *Não pertenço àquela panela da universidade.*

panelaço (pa.ne.*la*.ço) *s.m.* Protesto em que os manifestantes fazem ruído batendo em panelas e frigideiras.

panelada (pa.ne.*la*.da) *s.f.* **1.** Panela cheia: *Havia no almoço uma panelada de feijoada.* **2.** Quantidade de panelas: *Comprou uma panelada para sua nova cozinha.*

panelinha (pa.ne.*li*.nha) *s.f.* **1.** Panela pequena. **2.** Círculo fechado de pessoas que se protegem e se concedem ajuda e facilidades: *a panelinha política do prefeito.* **3.** Grupo de literatos ligados pelos laços do elogio recíproco.

panetone (pa.ne.*to*.ne) *s.m.* Espécie de bolo de origem italiana, feito com massa de fermento fresco à qual se acrescentam frutas cristalizadas, passas e conhaque, que tradicionalmente é comido durante as festas natalinas.

panfletagem (pan.fle.*ta*.gem) *s.f.* Ato ou efeito de panfletar, de distribuir panfletos.

panfletar (pan.fle.*tar*) *v.* Distribuir panfletos: *Panfletaram a cidade inteira; Estão panfletando na Praça XV.* ▶ Conjug. 8.

panfletário (pan.fle.*tá*.ri:o) *adj.* **1.** Próprio de panfleto: *mensagem panfletária.* **2.** Que escreve assuntos políticos radicais: *um jornal panfletário.* • *s.m.* **3.** Autor de panfletos: *A polícia queria prender o panfletário que tinha escrito aquilo.* – **panfletista** *adj. s.m. e f.*

panfleto [ê] (pan.*fle*.to) *s.m.* **1.** Folheto de linguagem sensacionalista, combativo e polêmico, que ataca o governo, as instituições, a religião e figuras conhecidas: *A polícia mandou recolher os panfletos sobre o prefeito.* **2.** Folha avulsa de propaganda política: *Distribuía panfletos daquele candidato ao Senado.*

pangaré (pan.ga.*ré*) *s.m. e f.* **1.** Cavalgadura manhosa ou que já não tem mais serventia. **2.** *reg.* Cavalgadura de pelo vermelho ou amarelo desbotado.

pânico (*pâ*.ni.co) *s.m.* Medo súbito e avassalador, com ou sem motivo, que leva a um com-

panificação

portamento irracional e que pode se propagar numa coletividade: *O pânico tomou conta da cidade.*

panificação (pa.ni.fi.ca.*ção*) *s.f.* **1.** Estabelecimento em que se produzem e vendem pães, biscoitos, bolos etc.; padaria, panificadora. **2.** Fabrico de pão.

panificadora [ô] (pa.ni.fi.ca.*do*.ra) *s.f.* Estabelecimento onde se fabricam e vendem pães; panificação; padaria.

panificar (pa.ni.fi.*car*) *v.* Transformar em pão (a farinha): *Por ocasião da festa, panificaram toda a farinha estocada.* ▶ Conjug. 5 e 35.

pan-islamismo (pan-is.la.*mis*.mo) *s.m.* Ideologia e política de união dos países islâmicos.

pano[1] (*pa*.no) *s.m.* **1.** Qualquer tecido de lã, linho, algodão, seda etc.; fazenda: *um pano caro para o terno do casamento.* **2.** Tecido de uso doméstico: *pano de chão; pano de prato.* **3.** pop. Mancha na pele do rosto e do corpo. ‖ *A todo o pano*: às carreiras, a toda a pressa. • *Dar pano para mangas*: dar o que falar, dar assunto para comentários: *A notícia é uma bomba, ela vai dar pano para mangas.* • *Pano da chaminé*: (*Arquit.*) parte interior da chaminé, fronteira e superior à lareira. • *Pano de boca*: (*Teat.*) Cortina ou tela que impede o espectador de ver o palco: *Quando o pano de boca se abriu, a plateia começou a aplaudir.* • *Pano de fundo*: **1.** (*Teat.*) tela pintada, oposta ao pano de boca, que compõe o fundo de um cenário: *O pano de fundo representava uma paisagem com neve.* **2.** *fig.* conjunto de acontecimentos que estão por trás do fato principal: *O pano de fundo da crise política é a briga pelo poder.* • *Por baixo dos panos*: de maneira dissimulada, secretamente. • *Pôr panos quentes em*: contemporizar, adotar medidas que substituam ou adiem a solução que um caso exige.

pano[2] (*pa*.no) *s.m.* Família linguística de alguns povos indígenas do noroeste do Brasil e do leste do Peru e da Bolívia.

panorama (pa.no.*ra*.ma) *s.m.* **1.** Grande quadro circular de paisagem, visto de um ponto central ou mais elevado: *o panorama da cidade visto do Pão de Açúcar.* **2.** *fig.* Visão ampla e geral de uma matéria, de um assunto; panorâmica: *o panorama da literatura brasileira.* **3.** *fig.* Visão geral de uma série de acontecimentos específicos; quadro, cenário: *O panorama atual da política é desalentador.*

panorâmico (pa.no.*râ*.mi.co) *adj.* **1.** Relativo a panorama, que tem características de panorama: *vista panorâmica.* **2.** Que permite grande visibilidade: *janela panorâmica.* • **panorâmica** *s.f.* **3.** (*Cine, Telv.*) Tomada com movimento da câmara em torno do seu próprio eixo, na sequência de uma figura que se move ou numa sequência que descreve um ambiente ou uma paisagem. **4.** Fotografia aérea: *Fiz uma panorâmica de Cabo Frio.*

panqueca [é] (pan.*que*.ca) *s.f.* Massa fina feita de leite, farinha e ovos, que, depois de frita em frigideira ou chapa, tem forma arredondada na qual se põe recheio doce ou salgado.

pantagruélico (pan.ta.gru.*é*.li.co) *adj.* **1.** Que come muito, como Pantagruel, personagem glutão de Rabelais, escritor francês do século XVI; guloso, glutão. **2.** Abundante em comidas: *um jantar pantagruélico.*

pantalha (pan.*ta*.lha) *s.f.* Envoltório das lâmpadas num abajur.

pantalonas (pan.ta.*lo*.nas) *s.f.pl.* Calças compridas e de bocas largas.

pantanal (pan.ta.*nal*) *s.m.* Grande extensão de pântano.

pantaneiro (pan.ta.*nei*.ro) *adj.* **1.** Relativo a pântano; do pântano: *região pantaneira; animal pantaneiro.* **2.** Relativo à zona do Pantanal mato-grossense; típico do Pantanal mato-grossense, seus tipos humanos, seus costumes etc.

pântano (*pân*.ta.no) *s.m.* Extensão de terra baixa e alagadiça; paul, brejo, aguaçal, lameirão: *Nos pântanos há jacarés.* – **pantanoso** *adj.*

panteão (pan.te:*ão*) *s.m.* **1.** Templo da antiga Roma, de forma redonda, dedicado a todos os deuses. **2.** Conjunto das divindades de uma religião politeísta. **3.** Edifício em que se depositam os restos mortais de pessoas célebres ou ilustres; panteon.

panteísmo (pan.te.*ís*.mo) *s.m.* (*Fil.*) Crença religiosa ou atitude filosófica que identifica Deus com tudo que existe no universo. – **panteísta** *adj. s.m. e f.*

panteon (pan.te:*on*) *s.m.* Panteão.

pantera [é] (pan.*te*.ra) *s.f.* **1.** (*Zool.*) Mamífero ágil e feroz da família dos felídeos. **2.** *gír.* Mulher muito bela e atraente.

pantofobia (pan.to.fo.*bi*.a) *s.f.* (*Psiq.*) Medo de tudo. – **pantofóbico** *adj.*

pantógrafo (pan.*tó*.gra.fo) *s.m.* Instrumento com o qual se pode copiar um desenho em vários tamanhos.

pantomima (pan.to.*mi*.ma) *s.f.* **1.** (*Teat.*) Representação em que os atores se exprimem somente pela mímica. **2.** Arte de expressar-se por meio de gestos. – **pantomimar** *v.* ▶ Conjug. 5.; **pantomimeiro** *adj. s.m.*

pantufa (pan.*tu*.fa) *s.f.* Chinelo ou sapato sem salto, leve e macio, usado geralmente dentro de casa.

panturrilha (pan.tur.*ri*.lha) *s.f.* Músculo da parte posterior da perna; barriga da perna, batata da perna.

pão *s.m.* **1.** Alimento feito de farinha de trigo, água, sal e levedo, que se amassa e deixa fermentar antes de ser assado no forno. **2.** Comida, alimento; meio de sobrevivência. || *A pão e laranja (água)*: quase ou em total miséria. • *Comer o pão que o diabo amassou*: sofrer grandes privações; sofrer horrivelmente. • *Pão pão, queijo queijo*: com clareza, sem rodeios. • *Tirar o pão da boca de*: **1.** privar alguém dos meios de subsistência. **2.** impedir alguém de realizar o que estava prestes a realizar.

pão de ló *s.m.* (*Cul.*) Bolo muito leve, feito de farinha de trigo, ovos e açúcar. || pl.: *pães de ló*.

pão-durismo (pão-du.*ris*.mo) *s.m.* coloq. Qualidade, caráter, ato de pão-duro; sovinice. || pl.: *pão-durismos*.

pão-duro (pão-*du*.ro) *adj.* **1.** Avarento, sovina, mão de vaca: *um comerciante pão-duro*. • *s.m. e f.* **2.** Pessoa avarenta, sovina: *Lá vem aquele pão-duro!* • *s.m.* **3.** Espátula de madeira ou plástico, usada para retirar a massa de bolo das paredes do utensílio em que foi preparado. || pl.: *pães-duros*.

papa¹ (*pa*.pa) *s.m.* **1.** O sucessor de São Pedro na chefia da Igreja Católica. **2.** *fig.* Pessoa de grande prestígio e cuja autoridade é indiscutível: *Mário de Andrade, o papa do modernismo*.

papa² (*pa*.pa) *s.m.* **1.** Mistura de farinha com água ou leite que, depois de cozida, adquire uma consistência pastosa. **2.** Qualquer substância ou preparado que tenha consistência de papa: *O arroz de hoje ficou uma papa*. || *Não ter papas na língua*: falar francamente, sem reservas.

papá (pa.*pá*) *s.m.* Comida (na linguagem infantil).

papada (pa.*pa*.da) *s.f.* Quantidade excessiva de tecido adiposo na parte inferior das faces e no pescoço; barbela.

papa-defunto (pa.pa-de.*fun*.to) *s.m. e f.* coloq. Pessoa que trabalha em casa funerária ou que agencia enterros. || pl.: *papa-defuntos*.

papado (pa.*pa*.do) *s.m.* **1.** Dignidade de papa. **2.** Tempo durante o qual um papa exerce essa dignidade: *Estive em Roma durante o papado de Paulo VI*.

papagaiada (pa.pa.gai.*a*.da) *s.f.* Ostentação ou exibição exagerada e ridícula.

papagaio (pa.pa.*gai*.o) *s.m.* **1.** (*Zool.*) Pássaro de plumagem verde, e de outras cores na cabeça e na cauda, de bico grosso e adunco, capaz de imitar a voz humana; louro. **2.** *fig.* Pessoa que fala muito; tagarela. **3.** Brinquedo que consiste em uma armação de varetas de bambu, ou de madeira leve, coberta de papel fino, e que, por meio de uma linha, se empina, mantendo-se no ar; pipa, pandorga. **4.** Qualquer letra de câmbio ou promissória. **5.** Licença provisória para guiar automóvel.

papaguear (pa.pa.gue.*ar*) *v.* **1.** Repetir inconscientemente como um papagaio: *Um estudante medíocre que sempre papagueou as lições*. **2.** Falar muito e com pouca reflexão, tagarelar: *Ninguém o escutava, mas ele continuava a papaguear*. ▶ Conjug. 14.

papai (pa.*pai*) *s.m.* Tratamento afetuoso dado pelos filhos ao pai. || f. : *mamãe*.

papaia (pa.*pai*.a) *s.f.* Espécie pequena de mamão.

papaína (pa.pa.*í*.na) *s.f.* (*Quím.*) Substância química extraída da papaia e usada no tratamento de distúrbios gastrintestinais.

papal (pa.*pal*) *adj.* Relativo ao papa; do papa.

papalvo (pa.*pal*.vo) *adj.* **1.** Que se deixa enganar com facilidade; tolo, bobo: *Não seja papalvo!* • *s.m.* **2.** Pessoa que se deixa enganar com facilidade: *Você agiu como um papalvo*.

papão (pa.*pão*) *s.m.* Monstro imaginário com que se mete medo às crianças; bicho-papão.

papa-ovo (pa.pa-*o*.vo) *s.f.* Caninana. || pl.: *papa-ovos*.

papar (pa.*par*) *v.* **1.** Comer: *O bebê já papou; O bebê já papou sua sopinha*. **2.** *fig.* Ganhar, conquistar: *Papou o primeiro prêmio*. ▶ Conjug. 5.

paparazzo [paparázo] (It.) *s.m.* Fotógrafo que se dedica a tirar fotos indiscretas de pessoas famosas. || pl.: *paparazzi*.

paparicar (pa.pa.ri.*car*) *v.* **1.** Proporcionar carinho e atenção a; mimar, adular: *O avô não se cansa de paparicar os netos*. **2.** Comer pouco e aos poucos: *Em vez de almoçar direito, fica por aí paparicando; Fica paparicando balas e biscoitos*. ▶ Conjug. 5 e 35.

paparico (pa.pa.*ri*.co) *s.m.* Mimo e cuidados excessivos: *Enche o filho de paparicos*.

papável[1] (pa.pá.vel) adj. Que pode ser comido ou papado.

papável[2] (pa.pá.vel) adj. Diz-se do cardeal que tem possibilidade de ser escolhido papa.

papear (pa.pe:ar) v. Bater papo; conversar, palestrar. ▶ Conjug. 14.

papeira (pa.pei.ra) s.f. (Med.) **1.** Aumento patológico da glândula tireoide; bócio. **2.** Inflamação virótica da parótida; caxumba.

papel (pa.pel) s.m. **1.** Folha seca e fina, preparada com fibras vegetais reduzidas à pasta que é empregada para escrever, imprimir, embrulhar etc.: Os chineses inventaram o papel. **2.** Folha, pedaço de papel: Anote isso na sua agenda e não num papel. **3.** Parte que um ator desempenha numa peça, num filme: papel de protagonista. **4.** Maneira de proceder, desempenho, conduta: Fazer um papel triste; O papel dele foi fundamental nas negociações. **5.** (Econ.) Dinheiro em notas. **6.** (Econ.) Qualquer documento (títulos, promissórias, letras de câmbio) que represente dinheiro. • **papéis** s.m.pl. Documentos: Arrume seus papéis para fazer a inscrição; O guarda quis ver os papéis do carro. || De papel passado: oficial com documentação; de acordo com a lei. • Ficar no papel: não sair do projeto. • Pôr no papel: registrar documentalmente.

papelada (pa.pe.la.da) s.f. **1.** Grande porção de papéis. **2.** Conjunto de documentos.

papel-alumínio (pa.pel-a.lu.mí.ni:o) s.m. Folha laminada de alumínio usada para embalar medicamentos e alimentos. || pl.: papéis-alumínio e papéis-alumínios.

papelão (pa.pe.lão) s.m. **1.** Papel encorpado e forte. **2.** Conduta ridícula.

papelaria (pa.pe.la.ri.a) s.f. Loja em que se vendem papel e outros artigos de escrita.

papel-carbono (pa.pel-car.bo.no) s.m. **1.** Papel que tem uma das faces cobertas por uma camada de cera pigmentada, que é usado para fazer cópia por decalque. **2.** Cópia: O menino é um papel-carbono do pai. || pl.: papéis-carbono, papéis-carbonos.

papeleira (pa.pe.lei.ra) s.f. **1.** Cesta ou qualquer outro utensílio coletor de papéis. **2.** Móvel para guardar papéis.

papeleiro (pa.pe.lei.ro) adj. **1.** Relativo a papel: indústria papeleira. • s.m. **2.** Fabricante ou vendedor de papéis.

papeleta [ê] (pa.pe.le.ta) s.f. **1.** Pequeno pedaço de papel em que se fazem anotações ligeiras. **2.** Papel colocado junto ao leito dos pacientes, nos hospitais, onde os médicos e enfermeiros fazem observações sobre medicação administrada.

papel-manteiga (pa.pel-man.tei.ga) s.m. Papel fino, translúcido e impermeável usado para cópia de projetos na área de arquitetura e para, na culinária, forrar tabuleiros, assar biscoitos e suspiros. || pl.: papéis-manteiga e papéis-manteigas.

papel-moeda (pa.pel-mo.e.da) s.m. (Econ.) Dinheiro em forma de papel impresso; cédula, nota. || pl.: papéis-moeda e papéis-moedas.

papelote [ó] (pa.pe.lo.te) s.m. **1.** Pequena tira de papel em que se enrola uma mecha de cabelo para encrespá-la. **2.** gír. Embrulhinho de cocaína ou outra droga em pó.

papelucho (pa.pe.lu.cho) s.m. Papel de pouca importância.

papier-mâché [papiê-machê] (Fr.) s.m. Material obtido da pasta de papel misturada e comprimida com cola, que se presta a moldagens, quando úmido.

papila (pa.pi.la) s.f. (Anat.) Pequena saliência cônica na superfície da pele ou de uma mucosa, formada de ramificações nervosas ou vasculares: papilas gustativas.

papiloma (pa.pi.lo.ma) s.m. (Med.) **1.** Tumor em forma de papila que ocorre na pele e nas mucosas. **2.** Designação comum que se dá a verrugas, calos etc.

papiro (pa.pi.ro) s.m. (Bot.) Planta cultivada no Egito ao longo do Nilo, cujas hastes eram convenientemente preparadas para servir de suporte à escrita.

papisa (pa.pi.sa) s.f. Mulher que exerce o papado.

papista (pa.pis.ta) adj. **1.** Que é do partido do papa. **2.** Católico romano, segundo os protestantes. • s.m. e f. **3.** Pessoa que é partidária do papa. **4.** O católico, segundo os protestantes.

papo (pa.po) s.m. **1.** (Zool.) Bolsa membranosa formada pelo esôfago para onde vão os alimentos engolidos pelas aves, antes de passarem à moela. **2.** Estômago. **3.** Tecido adiposo que se localiza sob o queixo; papada. **4.** Conversa informal: O papo dos dois foi até a madrugada. **5.** Pessoa que tem boa prosa, que gosta de falar: Ele é um dos melhores papos da cidade. || Bater papo: conversar informalmente. • De papo para o ar: sem fazer nada, à toa. • Em papos de aranha: em palpos de aranha. • Estar no papo: estar antecipadamente alcan-

para

çado ou garantido: *Não há por que se preocupar; o negócio está no papo.* • *Papo furado:* conversa sem fundamento; mentira: *Não ligue para o que ele diz, é tudo papo furado.*

papo de anjo (*Cul.*) *s.m.* Doce feito com gemas e açúcar bem batidos que, depois de assados, são mergulhados numa calda de açúcar. || pl.: *papos de anjo.*

papo-firme (pa.po-*fir*.me) *adj.* **1.** Que leva a sério o que diz e cumpre suas promessas: *um amigo papo-firme.* • *s.m.* **2.** Pessoa que leva a sério o que diz e cumpre suas promessas: *João Carlos é um papo-firme.* || pl.: *papos-firmes.*

papo-furado (pa.po-fu.*ra*.do) *adj.* **1.** Que não cumpre suas promessas e que não fala a sério. • *s.m.* **2.** Pessoa que não cumpre o que promete: *Ele é um papo-furado.* || pl.: *papos-furados.*

papoula (pa.*pou*.la) *s.f.* **1.** Planta originária da Grécia e do Oriente Médio, de cuja flor se extrai o ópio. **2.** Essa flor.

páprica (*pá*.pri.ca) *s.f.* Tempero em pó, feito com pimentão vermelho seco.

papua (pa.*pu*.a) *adj.* **1.** Relativo aos papuas; dos papuas. • *s.m.* e *f.* **2.** Indivíduo dos papuas, povo da Oceania. • *s.m.* **3.** Cada uma das línguas papuas faladas na Oceania: *O papua das Ilhas Salomão.*

papuásio (pa.pu:*á*.si:o) *adj.* **1.** De Papua-Nova Guiné, país da Oceania. • *s.m.* **2.** O natural ou o habitante desse país.

papudo (pa.*pu*.do) *adj.* **1.** Que tem papo (3) grande. • *s.m.* **2.** Pessoa que tem boa conversa. **3.** Pessoa que conta vantagens.

paquera [é] (pa.*que*.ra) *s.m.* e *f.* **1.** *gír.* Pessoa que gosta de paquerar; paquerador: *As meninas consideravam-no um ótimo paquera.* • *s.f.* **2.** *gír.* O ato de paquerar; paqueração, flerte: *A paquera corria solta na festa da Laura.*

paquerador [ô] (pa.que.ra.*dor*) *adj.* **1.** Que gosta de paquerar: *um jovem paquerador.* • *s.m.* **2.** Pessoa paqueradora; paquera.

paquerar (pa.que.*rar*) *v.* **1.** Procurar, buscar (alguém) com intenções amorosas: *No momento, ele está paquerando a vizinha.* **2.** *fig.* Namorar de longe, ambicionar, desejar: *Eu paquerava há muito tempo este casaco que você comprou.* **3.** Buscar namoro ou aventura amorosa: *Sai todas as noites para paquerar.* ▶ Conjug. 8.

paquete [ê] (pa.*que*.te) *s.m.* **1.** Embarcação mercante usada para pequenos serviços e transporte de cargas e passageiros. **2.** Embarcação a vela usada no rio São Francisco. **3.** *gír.* Menstruação.

paquiderme [é] (pa.qui.*der*.me) *adj.* **1.** Que tem a pele espessa. • *s.m.* **2.** Espécime dos paquidermes, mamíferos que se caracterizam por terem a pele espessa, como o elefante, o rinoceronte e o hipopótamo. – **paquidérmico** *adj.*

paquímetro (pa.*quí*.me.tro) *s.m.* Instrumento para medir diâmetros, calibres etc.

paquistanês (pa.quis.ta.*nês*) *adj.* **1.** Do Paquistão, país da Ásia. • *s.m.* **2.** Natural ou habitante desse país.

par *adj.* **1.** Igual, semelhante: *peças pares.* **2.** Diz-se de número divisível por dois: *um número par.* **3.** Representado por um número par: *dias pares.* • *s.m.* **4.** Conjunto de duas peças que em geral não se usam em separado: *um par de sapatos.* **5.** Conjunto de duas coisas idênticas ou semelhantes: *um par de vasos.* **6.** Pessoa que acompanha uma outra: *Maria veio com João, seu par.* **7.** Combinação de duas cartas de baralho de mesmo valor: *um par de reis.* **8.** Conjunto de dois animais de mesma espécie que trabalham juntos; parelha: *Uma carroça puxada por um par de burros.* **9.** Formação de duas pessoas que dançam juntas: *Prometi-lhe que seria seu par na próxima dança.* || *A par (de):* informado: *Estou a par de sua demissão.* • *Ao par:* cuja cotação de mercado iguala a do valor nominal ou oficial (tratando-se de título de crédito, taxa de câmbio etc.) • *Sem par:* fora do comum, sem igual: *Ela era de uma beleza sem par.*

para (*pa*.ra) *prep.* **1.** Relaciona termos ou orações, indicando várias noções, entre outras: a) movimento em direção a um ponto: *Encaminhou-se para a porta.* b) de lugar a que se dirige ou se é mandado: *degredado para a África.* c) de lugar para onde se dirige, com intuito de demorar-se: *Partiu para a Europa.* d) de direção ou sentido: *Olhou para os lados. fig. Voltar-se para Deus.* e) de finalidade, objetivo, utilidade: *Estuda para médico; concurso para juiz; um dicionário para estudantes de nível médio.* f) de fim, finalidade: *Saiu para espairecer.* g) de um ponto de vista pessoal, uma opinião: *É preciso para alguns, não tanto para outros.* h) de condições ou ocasião própria para fazer-se uma coisa: *O dia está bom para um passeio.* i) de tempo em que algo se fará (sempre com o sentido de futuro): *Só temos provisões para uma semana; Deixou os afazeres para o dia seguinte.* j) de validade de uma afirmação relativamente às condições ou ao estado de

parabéns

um ser: *um filme proibido para menores; um homem para grandes feitos.* I) de proporcionalidade: *Cinco está para quinze como três para nove.* **2.** Indica com o verbo estar + infinito uma ação iminente, prestes a acontecer: *Está para casar; Quando entrei, ele estava para sair.* **3.** Entra na formação da locução *para com,* da conjunção final *para que* e das locuções adverbiais *para logo, para sempre, para todo o sempre.*

parabéns (pa.ra.*béns*) *s.m.pl.* Cumprimento dirigido a alguém que está comemorando uma data ou um acontecimento feliz. – **parabenizar** *v.* ▶ Conjug. 5.

parábola[1] (pa.*rá*.bo.la) *s.f.* (*Geom.*) Curva plana, aberta, cujos pontos são todos equidistantes de um ponto fixo, chamado foco, e de uma reta fixa, chamada diretriz.

parábola[2] (pa.*rá*.bo.la) *s.f.* (*Lit.*) Narrativa alegórica que envolve preceito moral: *Jesus usava parábolas para ensinar certos conceitos.*

parabólico (pa.ra.*bó*.li.co) *adj.* **1.** De forma semelhante a uma parábola[1]. • *parabólica adj.* **2.** Diz-se da antena usada para comunicação por satélite cuja superfície parabólica recebe e concentra os sinais recebidos: *antena parabólica.* • *s.f.* **3.** Antena usada para comunicação por satélite cuja superfície parabólica recebe e concentra os sinais recebidos: *Já montaram a parabólica.*

para-brisa (pa.ra-*bri*.sa) *s.m.* Vidro fixado na parte dianteira de um veículo, para proteger o condutor do vento, da chuva ou do pó, sem impedir-lhe a visibilidade. || pl.: *para-brisas.*

para-choque (pa.ra-*cho*.que) *s.m.* Barra de aço ou plástico fixada horizontalmente à frente e atrás dos carros, destinada a proteger a carroceria dos impactos e choques. || pl.: *para-choques.*

parada (pa.*ra*.da) *s.f.* **1.** Ato ou efeito de parar: *Todos esperavam a parada total da aeronave para soltar o cinto de segurança.* **2.** Interrupção: *Farei uma parada para um café.* **3.** Lugar onde param habitualmente veículos coletivos para embarque e desembarque dos passageiros; ponto: *O ônibus só para na parada.* **4.** Dinheiro numa aposta: *Agora eu dobro a parada.* **5.** Cerimônia militar na qual as tropas, vestidas com uniformes de gala, desfilam em datas históricas: *a parada de Sete de Setembro.* **6.** *gír.* Empreitada difícil de ser levada a cabo, coisa complicada, de solução difícil: *A prova de Matemática foi uma parada.* **7.** Lista de discos mais ouvidos; parada de sucessos. **8.** Pessoa ou animal genioso, difícil de ser levado: *Minha sogra é uma parada.* **9.** *gír.* Pessoa muito bonita e atraente: *A filha do vizinho é uma parada.*

paradeiro (pa.ra.*dei*.ro) *s.m.* Lugar para onde uma pessoa vai e está: *Não sabemos o paradeiro de Alexandre.*

paradidático (pa.ra.di.*dá*.ti.co) *adj.* Que auxilia no processo de ensino formal junto com os materiais específicos: *Os textos paradidáticos encontram-se na biblioteca da escola.*

paradigma (pa.ra.*dig*.ma) *s.m.* **1.** Modelo, padrão, exemplo: *um paradigma de virtudes.* **2.** (*Gram.*) Exemplo de conjugação ou declinação que mostra todas as formas de flexão de uma palavra: *o paradigma dos verbos da primeira conjugação; o paradigma dos nomes latinos da terceira declinação.* – **paradigmático** *adj.*

paradisíaco (pa.ra.di.*sí*.a.co) *adj.* Relativo a ou próprio de paraíso; aprazível.

parado (pa.*ra*.do) *adj.* **1.** Que não tem movimento; estático, fixo. **2.** Estacionado: *Deixei o carro parado na garagem e fui de ônibus.* **3.** Sem iniciativa: *Aquele ator é muito parado para esse papel.* **4.** Estagnado: *O mosquito da dengue vive bem em água parada.* **5.** Desempregado: *Coitado, está parado desde que a fábrica fechou.*

parador [ô] (pa.ra.*dor*) *adj.* **1.** Diz-se de trem que para em todas as estações ou ônibus que vai parando onde encontra passageiro: *trem parador; ônibus parador.* • *s.m.* **2.** Trem parador: *Não vou tomar o parador porque estou com pressa.*

paradoxo [cs] [ó] (pa.ra.*do*.xo) *s.m.* **1.** (*Fil.*) Conceito, opinião, proposição, afirmação aparentemente contrários à lógica e ao bom senso: *Seus discursos continham paradoxos.* **2.** Falta de coerência; contradição com o contexto: *Miséria e refinamento tecnológico, o paradoxo da vida moderna.*

paraense (pa.ra.*en*.se) *adj.* **1.** Do Estado do Pará. • *s.m.* e *f.* **2.** O natural ou o habitante desse estado; paroara.

paraestatal (pa.ra:es.ta.*tal*) *adj.* **1.** Diz-se de empresas ou instituições cuja atividade é de interesse público, mas que têm administração própria. • *s.f.* **2.** Empresa desse tipo. || *parestatal.*

parafernália (pa.ra.fer.*ná*.li:a) *s.f.* O conjunto do instrumental e outros pertences de uma atividade; tralha.

parafina (pa.ra.*fi*.na) *s.f.* (*Quím.*) Material sólido obtido por destilação do petróleo, usado na

948

fabricação de velas e para impermeabilização, isolamento etc.

parafinar (pa.ra.fi.*nar*) v. **1.** Untar ou recobrir com parafina. **2.** Misturar com parafina. ▶ Conjug. 5.

paráfrase (pa.*rá*.fra.se) s.f. **1.** Desenvolvimento de um texto, tornado mais extenso e prolixo, com a finalidade de facilitar seu entendimento. **2.** *pej.* Desenvolvimento verboso e difuso de um texto: *Você não criticou o texto, você fez uma paráfrase.*

parafrasear (pa.ra.fra.se:*ar*) v. **1.** Comentar, desenvolver por meio de paráfrase: *Num dos mais importantes poemas líricos de Camões, o poeta parafraseia um salmo bíblico.* **2.** (*Mús.*) Fazer arranjos baseados em melodias compostas por outrem: *Um músico estrangeiro parafraseou nosso Hino Nacional.* ▶ Conjug. 14.

parafusar (pa.ra.fu.*sar*) v. Aparafusar. ▶ Conjug. 5.

parafuso (pa.ra.*fu*.so) s.m. **1.** Objeto formado por uma haste metálica cilíndrica, com sulcos em espiral, que se faz penetrar, por meio de movimentos giratórios, no interior de uma peça, também cavada em espiral com sulcos correspondentes aos do parafuso, ou em uma peça de madeira ou metal. **2.** Acrobacia aérea em que o avião desce em espiral em torno do eixo de descida. || *Entrar em parafuso*: perder o domínio das faculdades mentais; ficar sem saber o que fazer. • *Ter um parafuso de menos*: ser amalucado, sem juízo.

paragem (pa.*ra*.gem) s.f. **1.** Ato ou efeito de parar; parada. **2.** Lugar onde se para; parada: *Fixou-se naquela paragem e nunca saiu de lá.* **3.** Qualquer lugar ou sítio: *O que faz você por essas paragens?*

paragrafar (pa.ra.gra.*far*) v. Dividir um texto em parágrafos: *É preciso paragrafar melhor essa dissertação.* ▶ Conjug. 5. – **paragrafação** s.f.

parágrafo (pa.*rá*.gra.fo) s.m. **1.** Seção de um capítulo ou de um discurso que oferece certa unidade de pensamento ou composição. **2.** Seção de um artigo de lei, regulamento, estatuto etc. **3.** O sinal tipográfico (§) que indica esta disposição.

paraguaio (pa.ra.*guai*.o) adj. **1.** Do Paraguai, país da América do Sul. • s.m. **2.** O natural ou o habitante desse país.

paraíba (pa.ra.*í*.ba) s.m. **1.** Trabalhador não qualificado da construção civil. • s.f. **2.** *pej.* Mulher de aspecto e comportamento masculinos.

paraibano (pa.ra:i.*ba*.no) adj. **1.** Do Estado da Paraíba. • s.m. **2.** O natural ou o habitante desse estado.

paraíso (pa.ra.*í*.so) s.m. **1.** O jardim do Éden, onde Deus colocou Adão e Eva. **2.** *fig.* Lugar ou estado de perfeita felicidade.

para-lama (pa.ra-*la*.ma) s.m. Anteparo curvo, em geral metálico, sobre as rodas dos veículos, destinado a evitar os salpicos de lama e água ou de detritos. || pl.: *para-lamas*.

paralela [é] (pa.ra.*le*.la) s.f. **1.** (*Geom.*) Cada uma de duas ou mais retas que, num mesmo plano, prolongam-se até o infinito sem se encontrarem. • *paralelas* s.f.pl. **2.** Barras utilizadas para exercícios físicos.

paralelepípedo (pa.ra.le.le.*pí*.pe.do) s.m. **1.** (*Geom.*) Hexaedro cujas faces são paralelogramos. **2.** Pedra usada em calçamentos de ruas e no acabamento de beiradas de passeio.

paralelismo (pa.ra.le.*lis*.mo) s.m. **1.** Relação que existe entre linhas ou planos que são paralelos entre si. **2.** Correspondência ou simetria entre duas coisas.

paralelo [é] (pa.ra.*le*.lo) adj. **1.** (*Geom.*) Diz-se de linha ou superfície cujos pontos são equidistantes dos de outra linha ou superfície: *linhas paralelas; planos paralelos.* **2.** Que marcha ao lado de outro ou progride na mesma proporção: *evolução paralela; carreiras paralelas.* **3.** Que atua de forma alternativa a entidade correlata da mesma atividade: *câmbio paralelo.* • s.m. **4.** Comparação entre dois ou mais objetos ou seres: *Ele fará um paralelo entre os dois escritores.* **5.** (*Geogr.*) Círculo imaginário paralelo ao Equador.

paralelogramo (pa.ra.le.lo.*gra*.mo) s.m. (*Geom.*) Quadrilátero que tem os lados opostos paralelos.

paralisar (pa.ra.li.*sar*) v. **1.** Tornar certas partes do corpo sem ação e sem movimento; imobilizar: *paralisar os músculos da face.* **2.** Ficar incapaz de agir e de se exprimir; deixar inerte: *O terror o paralisou.* **3.** Fazer deixar de funcionar; fazer parar: *A enchente paralisou os meios de transporte e de comunicação.* **4.** Estacionar, não progredir: *Naqueles ermos, a vida paralisara-se.* ▶ Conjug. 5. – **paralisação** s.f.; **paralisante** adj.

paralisia (pa.ra.li.*si*.a) s.f. **1.** (*Med.*) Diminuição ou abolição da capacidade de mover partes do corpo: *paralisia dos membros inferiores.* **2.** *fig.* Incapacidade de agir; inércia: *paralisia das instituições governamentais.* || *Paralisia in-*

paralítico

fantil: (*Med.*) doença infecciosa que atinge normalmente as crianças, causando a atrofia ou paralisia de certos músculos; poliomielite anterior aguda.

paralítico (pa.ra.*lí*.ti.co) *adj.* **1.** (*Med.*) Relativo a paralisia; que tem paralisia: *membros paralíticos.* • **2.** *s.m.* Pessoa paralítica: *Jesus curou o paralítico.*

paramécio (pa.ra.*mé*.ci:o) *s.m.* (*Zool.*) Protozoário de corpo achatado e oval, dotado de cílios.

paramédico (pa.ra.*mé*.di.co) *adj.* **1.** Que tem função auxiliar na área médica: *o pessoal paramédico.* • *s.m.* **2.** Pessoa que tem função paramédica: *Foram atendidos pelos paramédicos.*

paramentar (pa.ra.men.*tar*) *v.* **1.** Adornar(-se) com paramentos: *Paramentaram a igreja para o Natal.* **2.** Vestir-se com paramentos sacros: *O padre paramentou-se para a missa solene da Páscoa.* ▶ Conjug. 5.

paramento (pa.ra.*men*.to) *s.m.* **1.** Aquilo que paramenta, que adorna; adorno. • *paramentos s.m.pl.* **2.** (*Rel.*) Vestes dos celebrantes e auxiliares nas cerimônias litúrgicas da Igreja Católica.

parâmetro (pa.*râ*.me.tro) *s.m.* **1.** Dado, número ou elemento fixado como padrão a partir do qual se analisa ou valora uma situação; padrão. **2.** (*Mat.*) Elemento que entra numa equação e ao qual se pode atribuir um valor qualquer. **3.** *fig.* Elemento necessário para avaliar, julgar, compreender alguma coisa; modelo.

paramilitar (pa.ra.mi.li.*tar*) *adj.* Diz-se da formação de civis armada e adestrada que atua como se fosse força militar regular de um estado ou país.

páramo (*pá*.ra.mo) *s.m.* **1.** Planície deserta. **2.** Planalto nas montanhas andinas. **3.** *fig.* Cume, o ponto mais alto. **4.** *fig.* O firmamento.

paraná (pa.ra.*ná*) *s.m.* **1.** Canal entre dois rios. **2.** Braço de rio separado do curso d'água principal por uma ou mais ilhas.

paranaense (pa.ra.na.*en*.se) *adj.* **1.** Do Estado do Paraná. • *s.m.* e *f.* **2.** O natural ou o habitante desse estado.

paraninfo (pa.ra.*nin*.fo) *s.m.* Normalmente um professor escolhido por uma turma de formandos como seu padrinho.

paranoia [ói] (pa.ra.*noi*.a) *s.f.* (*Psiq.*) Psicose crônica ou aguda, caracterizada pela presença de ideias delirantes de perseguição ou de desejo. – **paranoico** *adj.*

paranormal (pa.ra.nor.*mal*) *adj.* **1.** Que não pode ser cientificamente explicado: *fenômenos paranormais.* • *s.m.* e *f.* **2.** Pessoa a quem se atribuem poderes paranormais: *Consultaram um paranormal.* – **paranormalidade** *s.f.*

parapeito (pa.ra.*pei*.to) *s.m.* **1.** Parte inferior de uma janela, revestida de madeira, mármore ou outro material, sobre a qual se apoiam os braços. **2.** Muro que se eleva, aproximadamente, à altura do peito; peitoril: *parapeito de uma ponte.* **3.** Parte superior de uma trincheira em que os soldados apoiam suas armas para atirar.

parapente (pa.ra.*pen*.te) *s.m.* Paraquedas de forma retangular, manobrável, com que se salta, estando já aberto, de um ponto elevado, como se fosse de asa-delta.

paraplegia (pa.ra.ple.*gi*.a) *s.f.* (*Med.*) Paralisia das pernas e da metade inferior do corpo.

paraplégico (pa.ra.*plé*.gi.co) *adj.* **1.** Relativo a paraplegia. • *s.m.* **2.** Pessoa afetada de paraplegia.

parapsicologia (pa.ra.psi.co.lo.*gi*.a) *s.f.* Estudo científico dos fenômenos psicológicos.

paraquedas (pa.ra.*que*.das) *s.m.2n.* Aparelho em que alguém se liga e que, ao se lançar no ar, toma a forma de uma cúpula de pano que reduz a velocidade da queda.

paraquedismo (pa.ra.que.*dis*.mo) *s.m.* Técnica e prática do salto de paraquedas. – **paraquedista** *s.m.* e *f.*

parar (pa.*rar*) *v.* **1.** Impedir de continuar, de avançar, de ir mais além (ação, movimento etc.): *Pararam-me na rua.* **2.** Estar, ficar, fixar-se: *Ele não para em lugar nenhum; Os alunos não paravam quietos na sala.* **3.** Ir dar em algum lugar ou ter por paradeiro: *A bola foi parar no quintal do vizinho; O viajante não sabia onde foi parar sua bagagem.* **4.** Aparar: *Parou o golpe lindamente.* **5.** Cessar: *Felizmente pararam de me mandar propostas de venda.* **6.** Cessar de andar, de mover-se, de girar: *Diga ao motorista que pare.* **7.** Interromper, fazer uma pausa: *O infeliz trabalha sem parar.* **8.** Suspender o movimento, deixar de funcionar: *As máquinas pararam.* **9.** Acabar, cessar: *O barulho parou.* **10.** *gír.* Ficar apaixonado por alguém ou alguma coisa: *Ele parava em carros antigos.* ▶ Conjug. 5.

para-raios (pa.ra.*rai*.os) *s.m.2n.* Aparelho formado por uma haste metálica, a cuja extremidade inferior se liga um fio que conduz as descargas atmosféricas para o solo.

parasita (pa.ra.*si*.ta) *adj. s.m.* Parasito.

parasitar (pa.ra.si.*tar*) *v.* **1.** Viver e nutrir-se como parasito à custa do homem, de outro animal ou outra planta: *Certos vermes parasitam o intestino das crianças.* **2.** *fig.* Viver como parasito à custa de outra pessoa: *O filho do vizinho parasitava o cunhado rico.* ▶ Conjug. 5.

parasitário (pa.ra.si.*tá*.ri:o) *adj.* **1.** Causado por parasitos: *moléstia parasitária.* **2.** *fig.* Que vive como parasito: *Levar uma vida parasitária.*

parasitismo (pa.ra.si.*tis*.mo) *s.m.* **1.** Condição de um ser (animal ou vegetal) que vive à custa de outro. **2.** Presença de parasitos num organismo: *parasitismo intestinal.*

parasito (pa.ra.*si*.to) *adj.* **1.** Que nasce, nutre-se e cresce no organismo de outra espécie. **2.** Que vive à custa alheia. • *s.m.* **3.** Animal ou planta que vive no organismo de outra espécie, dita hospedeira, de cujo corpo ele ou ela retira sua nutrição. **4.** Pessoa que vive na ociosidade à custa de outrem ou da sociedade. || *parasita.*

parasitologia (pa.ra.si.to.lo.*gi*.a) *s.f.* Ramo da Biologia que estuda os parasitos.

para-sol (pa.ra-*sol*) *s.m.* Dispositivo que protege da incidência dos raios solares. || pl.: *para-sóis.*

parassimpático (pa.ras.sim.*pá*.ti.co) *adj.* **1.** Que pertence ao ramo do sistema nervoso vegetativo, regulador do organismo quando em repouso. • *s.m.* **2.** O sistema parassimpático.

parati (pa.ra.*ti*) *s.f.* **1.** Cachaça originariamente produzida em Paraty, no Estado do Rio de Janeiro, e, por extensão, qualquer tipo de cachaça. **2.** (*Zool.*) Pequeno peixe das costas brasileira e africana usado como alimento e isca.

paratifo (pa.ra.*ti*.fo) *s.m.* Doença infecciosa semelhante à febre tifoide, porém mais branda.

paratireoide [ó] (pa.ra.ti.re:*oi*.de) *s.f.* Glândula reguladora do metabolismo do cálcio e do fósforo no organismo.

parca[1] (*par*.ca) **1.** Casaco comprido e com capuz. **2.** Casaco esportivo, tipo militar, geralmente impermeável.

parca[2] (*par*.ca) *s.f.* Cada uma das três divindades, Cloto, Láquesis e Átropos, que, segundo a mitologia grega, fiavam, dobavam e cortavam os fios da vida humana.

parceiro (par.*cei*.ro) *s.m.* **1.** Pessoa que compartilha com outra uma atividade: *parceiro de tênis; parceiro de dança.* **2.** Pessoa com quem se tem uma convivência íntima e harmoniosa; companheiro: *Meu irmão é meu parceiro.* **3.** Pessoa que tem relações sexuais com uma outra.

parcel (par.*cel*) *s.m.* Recife, banco de areia ou rocha que aparece na superfície da água.

parcela [é] (par.*ce*.la) *s.f.* **1.** Pequena parte; fração, fragmento: *Pagarei a conta em três parcelas.* **2.** (*Mat.*) Cada um dos números que devem ser somados numa adição: *Escreva a primeira parcela sobre a segunda e efetue a adição.*

parcelamento (par.ce.la.*men*.to) *s.m.* Ato ou efeito de parcelar; divisão em parcelas.

parcelar (par.ce.*lar*) *v.* Dividir em parcelas: *Tentou parcelar a dívida.* ▶ Conjug. 8.

parceria (par.ce.*ri*.a) *s.f.* **1.** Junção de duas ou mais pessoas para certo fim e com interesses comuns: *Fizeram uma parceria para explorar uma mina de ametistas.* **2.** Associação, união, acordo entre duas ou mais coletividades: *A parceria com países da América Latina interessa à União Europeia.* **3.** Dupla de compositores de música popular: *O samba foi composto por Tom Jobim em parceria com Chico Buarque.* **4.** União de duas ou mais pessoas para a realização de uma atividade artística, esportiva etc.: *A parceria de Jacqueline e Sandra tem dado certo no vôlei de praia.*

parcial (par.ci.*al*) *adj.* **1.** Que é parte de um todo que se realiza por partes: *um exame parcial das provas.* **2.** Que só existe ou se realiza em parte: *eclipse parcial do sol.* **3.** Que é a favor ou contra alguém ou alguma coisa sem importar-se com o sentido de justiça e verdade: *um juiz parcial*; *um veredicto parcial.* – **parcialidade** *s.f.*

parcimônia (par.ci.*mô*.ni:a) *s.f.* Moderação nas despesas; economia, sobriedade: *O casal não teve parcimônia nos gastos da festa da filha mais velha.*

parcimonioso [ô] (par.ci.mo.ni:*o*.so) *adj.* Que revela parcimônia; pouco abundante; parco. || f. e pl.: [ó].

parco (*par*.co) *adj.* **1.** Que é pouco, escasso, minguado, parcimonioso: *Pessoa de parcos recursos.* **2.** Que é parcimonioso, modesto, medido: *É uma pessoa de hábitos parcos, mas de muita generosidade com os outros.*

pardacento (par.da.*cen*.to) *adj.* Tirante a pardo; um tanto pardo.

pardal (par.*dal*) *s.m.* **1.** (*Zool.*) Pequeno pássaro pardacento não originário do Brasil, mas muito comum nas cidades e no campo. **2.** Câmara de circuito interno de TV usada na fiscalização do trânsito urbano e rodoviário.

pardieiro (par.di:ei.ro) s.m. Casa ou qualquer edificação em ruínas.

pardo (par.do) adj. **1.** De cor intermediária entre o preto e o branco; quase escuro. **2.** De cor entre o amarelo e o castanho: *papel pardo*. **3.** Mulato, fulo. • s.m. **4.** Pessoa parda. **5.** A cor parda: *O pardo é uma cor intermediária*.

parecença (pa.re.cen.ça) s.f. Semelhança.

parecer¹ (pa.re.cer) v. **1.** Afigurar-se; ser na opinião de alguém: *Parecia-lhe o fim do mundo*; *Não me parece falta grave*. **2.** Ser verossímil, ser provável; dar a impressão: *Parece que vai chover*; *Parecia rirem*. **3.** Assemelhar-se, ser igual ou análogo: *Eles se parecem muito*; *Parecer-se com ou a alguém*. **4.** Dar a impressão de, afigurar-se, ser visto sob certo aspecto: *Parecem felizes*. ► Conjug. 8 e 46.

parecer² (pa.re.cer) s.m. **1.** Aparência, aspecto: *Pessoa de belo parecer*. **2.** Opinião emitida por um especialista em determinada matéria: *Pedi o parecer de um advogado*.

paredão (pa.re.dão) s.m. **1.** Parede alta, grossa e resistente. **2.** Encosta abrupta de serra.

parede [ê] (pa.re.de) s.f. **1.** Obra de alvenaria ou de madeira que se ergue verticalmente e se destina a fechar ou separar espaços, ou a suportar um peso. **2.** Tudo que fecha ou delimita um espaço. **3.** (*Anat.*) Qualquer formação (membrana, tecido) que limita um órgão, uma cavidade: *as paredes do intestino*. **4.** Greve. || *Encostar na parede* ou *imprensar contra a parede*: deixar uma pessoa sem alternativa para agir de outro modo, ou de um modo que lhe seja mais favorável. • *Pôr contra a parede*: encostar na parede.

parede-meia (pa.re.de-mei.a) s.f. Parede que separa duas edificações contíguas e é comum às duas. || pl.: *paredes-meias*.

paregórico (pa.re.gó.ri.co) adj. Que acalma; que ameniza: *elixir paregórico*.

parelha [ê] (pa.re.lha) s.f. **1.** Par de animais usado para tração: *Uma parelha de bois puxava o carro*. **2.** Pessoa ou coisa que se assemelha a outra em algum aspecto: *uma parelha de jarras de opalina*. **3.** (*Esp.*) Par de cavalos inscritos sob o mesmo número numa corrida.

parelho [ê] (pa.re.lho) adj. **1.** Semelhante a outro; que faz par com outro: *objetos parelhos*. **2.** Que se encontra no mesmo nível: *As duas seleções estavam parelhas naquela Copa do Mundo*.

parênquima (pa.rên.qui.ma) s.m. **1.** (*Anat.*) Substância celular que preenche o espaço entre os órgãos. **2.** (*Bot.*) Tecido vegetal de que se forma a polpa dos frutos.

parente (pa.ren.te) s.m. e f. Pessoa que em relação à outra ou outras pertence à mesma família por nascimento ou casamento.

parentela [é] (pa.ren.te.la) s.f. Conjunto de parentes.

parenteral (pa.ren.te.ral) adj. (*Med.*) **1.** Introduzido no organismo por via diversa à do aparelho digestivo: *alimentação parenteral*. • s.f. **2.** Essa via.

parentesco [ê] (pa.ren.tes.co) s.m. **1.** Qualidade de parente; laços de sangue. **2.** *fig.* Relação entre pessoas ou coisas que possuem uma origem comum: *o parentesco entre as línguas neolatinas*. **3.** *fig.* Relação de afinidade, de analogia; semelhança: *É visível o parentesco das duas obras*.

parêntese (pa.rên.te.se) s.m. (*Gram.*) Cada um dos sinais ( ) usados na escrita para marcar os limites entre o início e o fim de um texto menor inserido num maior.

páreo (pá.re:o) s.m. **1.** (*Esp.*) Cada uma das corridas de cavalos que são disputadas no hipódromo. **2.** *fig.* Disputa, competição: *Você já está fora do páreo*.

pareô (pa.re:ô) s.m. Traje usado pelas mulheres do Taiti, adaptado como saída de praia.

parestatal (pa.res.ta.tal) adj. s.f. Paraestatal.

pargo (par.go) s.m. (*Zool.*) Peixe comestível da costa brasileira, especialmente do Sudeste.

pária (pá.ri:a) s.m. **1.** Casta social mais baixa da sociedade tradicional indiana. **2.** Pessoa dessa classe social indiana. **3.** *fig.* Pessoa excluída da sociedade.

paridade (pa.ri.da.de) s.f. **1.** Qualidade do que é semelhante, do que forma par; semelhança. **2.** (*Econ.*) Equivalência entre os sistemas monetários de dois países: *paridade entre o real e o dólar*. **3.** Mesma remuneração, entre níveis profissionais idênticos: *a paridade entre servidores públicos ativos e inativos*.

parideira (pa.ri.dei.ra) s.f. Mulher ou fêmea de animal em idade de parir.

parietal (pa.ri:e.tal) adj. **1.** Relativo ou pertencente a parede. **2.** (*Anat.*) Que forma a parede da caixa craniana: *osso parietal*. • s.m. **3.** (*Anat.*) Cada um dos dois ossos que formam as paredes superolaterais do crânio; osso parietal.

pari passu (Lat.) loc. adv. Na mesma velocidade e com a mesma intensidade; simultaneamen-

paroxismo

te: *O bem-estar social deve caminhar pari passu com o progresso econômico.*

parintintim (pa.rin.tin.*tim*) *adj.* **1.** Relativo aos parintintins, índios da bacia do rio Madeira. • *s.m.* e *f.* **2.** Indivíduo pertencente a esse povo.

parintinense (pa.rin.ti.*nen*.se) *adj.* **1.** Da cidade de Parintins, no Estado do Amazonas. • *s.m.* e *f.* **2.** O natural ou o habitante dessa cidade.

parir (pa.*rir*) *v.* Dar à luz: *Pariu uma bela criança; A cadela pariu cinco filhotes; As fêmeas dos mamíferos parem.* ▶ Conjug. 68.

parisiense (pa.ri.si:*en*.se) *adj.* **1.** De Paris, capital da França. • *s.m.* e *f.* **2.** O natural ou o habitante dessa cidade.

parlamentar¹ (par.la.men.*tar*) *adj.* Pertencente ou concernente ao parlamento. • *s.m.* e *f.* Cada membro de um parlamento ou de uma câmara legislativa.

parlamentar² (par.la.men.*tar*) *v.* Fazer negociações para chegar a um acordo. ▶ Conjug. 5.

parlamentarismo (par.la.men.ta.*ris*.mo) *s.m.* Regime político em que o Poder Executivo (o gabinete do primeiro-ministro) é escolhido pelo parlamento e é neste apoiado. – **parlamentarista** *adj. s.m.* e *f.*

parlamento (par.la.*men*.to) *s.m.* Câmara ou conjunto de câmaras (Senado e Câmara dos Deputados), nos países que têm uma Constituição.

parlapatão (par.la.pa.*tão*) *adj.* **1.** Que gosta de contar vantagem e de se promover: *um jovem parlapatão.* • *s.m.* **2.** Pessoa que gosta de contar vantagens e de se promover. || f.: *parlapatona*; pl.: *parlapatões*.

parlatório (par.la.*tó*.ri:o) *s.m.* Compartimento reservado nos mosteiros, prisões, penitenciárias etc., onde as pessoas em regime de internação podem conversar com outras de fora, quase sempre através de grades ou de parede de vidro.

parmesão (par.me.*são*) *adj.* **1.** De Parma, cidade da Itália. **2.** Diz-se de um queijo especial produzido nessa cidade: *queijo parmesão.* • *s.m.* **3.** Queijo de massa dura para ralar, a princípio produzido naquela cidade italiana: *Não se esqueça do parmesão ralado.* **4.** O natural ou o habitante de Parma.

parnasianismo (par.na.si:a.*nis*.mo) *s.m.* (*Lit.*) Tendência literária iniciada na França, no século XIX, que se preocupava sobretudo com a forma literária, preconizando o uso de um vocabulário rico em palavras de valor plástico, colorido. A poesia, que sempre exalta a beleza, caracteriza-se pelo emprego de rimas ricas ou preciosas e de ritmo perfeito.

parnasiano (par.na.si:a.*no*) *adj.* **1.** Que segue o cânone parnasiano: *Olavo Bilac é o maior dos nossos poetas parnasianos.* • *s.m.* **2.** O adepto da tendência parnasiana na poesia: *os parnasianos brasileiros.*

paroara (pa.ro:*a*.ra) *adj.* **1.** Do Pará; paraense. • *s.m.* e *f.* **2.** O natural ou o habitante do Pará. **3.** Nordestino que vive na Amazônia. **4.** Agenciador de trabalhadores para os seringais da Amazônia.

pároco (*pá*.ro.co) *s.m.* Sacerdote a quem é confiada uma paróquia; vigário.

paródia (pa.*ró*.di:a) *s.f.* **1.** Imitação burlesca de uma obra (literária, teatral, musical). **2.** *fig.* Imitação burlesca de qualquer coisa.

parodiar (pa.ro.di:*ar*) *v.* **1.** Imitar burlescamente, fazer paródia de: *Alguns gaiatos parodiaram o poema romântico.* **2.** Imitar, arremedar: *As crianças estão parodiando o palhaço do circo.* ▶ Conjug. 17.

parola [ó] (pa.*ro*.la) *s.f.* **1.** Conversa inconsequente; conversa fiada. **2.** Fala excessiva; tagarelice.

paronímia (pa.ro.*ní*.mi:a) *s.f.* Qualidade e condição de parônimo. – **paronímico** *adj.*

parônimo (pa.*rô*.ni.mo) *adj.* **1.** (*Gram.*) Diz-se das palavras de forma semelhante, mas significações diferentes: *emigrante* e *imigrante são palavras parônimas.* • *s.m.* **2.** Palavra parônima: *Tráfego e tráfico são parônimos; Vamos estudar alguns parônimos.*

paróquia (pa.*ró*.qui:a) *s.f.* Parte do território de uma diocese que tem uma igreja matriz e é administrada por um pároco ou vigário.

paroquial (pa.ro.qui:*al*) *adj.* **1.** Relativo a paróquia ou ao pároco: *casa paroquial.* **2.** *fig.* Limitado, restrito: *uma visão paroquial.*

parótida (pa.*ró*.ti.da) *s.f.* (*Anat.*) Cada uma das glândulas salivares, localizadas atrás da mandíbula, por baixo da orelha. || *parótide*.

parótide (pa.*ró*.ti.de) *s.f.* Parótida.

parotidite (pa.ro.ti.*di*.te) *s.f.* (*Med.*) Inflamação das parótidas; caxumba.

paroxismo [cs] (pa.ro.*xis*.mo) *s.m.* **1.** (*Med.*) Fase de uma doença em que as crises se tornam mais intensas. **2.** *fig.* O grau mais elevado de uma sensação ou de um sentimento; auge.

paroxítono [cs] (pa.ro.xí.to.no) *adj.* **1.** (*Gram.*) Diz-se do vocábulo cuja penúltima sílaba é tônica: rubrica é *uma palavra paroxítona*. • *s.m.* **2.** Palavra cuja sílaba tônica é a penúltima.

parque (*par*.que) *s.m.* **1.** Espaço mais ou menos extenso, aberto e arborizado, usado para lazer e recreação. **2.** Área reservada e protegida pela autoridade pública para preservação ambiental: *Parque Nacional do Caparaó*. **3.** (*Econ.*) Conjunto de estabelecimentos dedicados a uma atividade econômica em determinado lugar: *o parque industrial de São Paulo*.

parquete [ê] (par.que.te) *s.m.* Assoalho forrado de tacos de madeira, formando desenhos.

parquímetro (par.*quí*.me.tro) *s.m.* Aparelho para medir o tempo em que um veículo permanece num estacionamento.

parra (*par*.ra) *s.f.* Ramo de parreira.

parreira (par.*rei*.ra) *s.f.* Videira cujos ramos se estendem como trepadeira.

parreiral (par.rei.*ral*) *s.m.* Plantação de parreiras.

parricida (par.ri.ci.da) *s.m.* e *f.* A pessoa que matou o próprio pai.

parricídio (par.ri.*cí*.di:o) *s.m.* Ato de matar o próprio pai.

parrudo (par.*ru*.do) *adj.* Que é forte e musculoso.

parte (*par*.te) *s.f.* **1.** Cada fração de um todo: *Escreveu apenas uma parte do trabalho*. **2.** O que toca a alguém na divisão de um todo; quinhão: *Cada um levou sua parte*. **3.** Espaço indeterminado; lugar: *Vieram pessoas de todas as partes do Brasil; Ela está em alguma parte da Europa*. **4.** Ponto, lugar determinado: *Faltou água na parte alta da cidade*. **5.** Lado, banda: *O vento sopra da parte sul*. **6.** (*Jur.*) Cada um dos que fazem um contrato ou que são litigantes numa questão: *Todas as partes estão de acordo; O juiz convocará as partes*. • *partes s.f.pl.* **7.** Os órgãos genitais: *Mandou cobrir as partes*. || À *parte:* separadamente, confidencialmente: *Quero falar com você à parte*. • *Dar parte de:* **1.** denunciar: *Deu parte do marido na delegacia*. **2.** fingir-se de: *Deu parte de doente para não trabalhar*. • *De parte:* à parte. • *Em parte:* parcialmente: *Ele só fez o trabalho em parte*.

parteira (par.*tei*.ra) *s.f.* Mulher cuja profissão é fazer partos, mesmo sem ser médica.

partenogênese (par.te.no.gê.ne.se) *s.f.* (*Biol.*) Processo de reprodução de certos vegetais e animais, mesmo sem a fecundação do ovo;

ocorre principalmente em certos insetos, crustáceos e vermes.

partição (par.ti.*ção*) *s.f.* Ato de partir, de dividir; divisão; repartição; partilha.

participação (par.ti.ci.pa.*ção*) *s.f.* **1.** Ato ou efeito de participar, de fazer parte de: *Foi notória sua participação na elaboração do documento*. **2.** Aviso, comunicação: *Recebi a participação de seu casamento*.

participante (par.ti.ci.*pan*.te) *adj.* **1.** Que participa, que toma parte. • *s.m.* e *f.* **2.** Pessoa que participa de alguma coisa, que toma parte em alguma coisa.

participar (par.ti.ci.*par*) *v.* **1.** Ter parte ou tomar parte em: *A pintora participou da Semana de Arte*. **2.** Fazer saber; anunciar, comunicar: *Participo-lhe meu novo endereço*. **3.** Compartilhar, compartir: *O filho participa da índole paterna*. ► Conjug. 5.

particípio (par.ti.*cí*.pi:o) *s.m.* (*Gram.*) Forma verbal que participa da natureza do verbo (tempo, modo e aspecto) e da natureza do nome (gênero e número), e quase sempre indica passividade.

partícula (par.*tí*.cu.la) *s.f.* **1.** Parte muito pequena de alguma coisa: *Limpou as partículas de neve que estavam nos cabelos dela*. **2.** (*Rel.*) Hóstia pequena que se dá aos comungantes: *O menino Tarcísio levava as sagradas partículas junto ao peito*. **3.** (*Gram.*) Qualquer palavra invariável, em especial os monossílabos átonos: *as várias funções da partícula que*. **4.** (*Fís.*) Parte elementar de um sistema.

particular (par.ti.cu.*lar*) *adj.* **1.** Relativo somente a certas pessoas ou coisas; peculiar, próprio, específico; privativo, exclusivo de alguém: *É sua maneira particular de ver o acontecimento*. **2.** Não destinado ao uso público: *casa particular*. **3.** Que não é comum; especial, raro, singular: *Dedico-lhe minha particular estima; É meu particular amigo*. • *s.m.* **4.** O que é particular: *Induzir é ir do particular para o geral*. **5.** Qualquer um; um sujeito qualquer: *O carro atropelou um particular que ia passando*. **6.** Conversa em particular; assunto confidencial: *Num particular que tivemos, desabafei minha irritação*.

particularidade (par.ti.cu.la.ri.*da*.de) *s.f.* **1.** Marca própria de uma pessoa ou de uma coisa; característica, peculiaridade: *Uma certa rouquidão era a particularidade de sua voz*. **2.** Detalhe, minúcia: *Confessou particularidades de sua vida afetiva*.

particularizar (par.ti.cu.la.ri.zar) v. **1.** Referir com todas as particularidades: *O relatório particularizava todas as realizações da empresa durante o exercício de 2007.* **2.** Fazer distinção ou menção especial: *O relatório particularizava a especial participação dos agentes sociais.* **3.** Especificar, discriminar: *Pediram que o projeto particularizasse os gastos com o pessoal.* ▶ Conjug. 5.

partida (par.ti.da) s.f. **1.** Ato de partir; ida, largada, saída: *Os atletas se prepararam para aguardar o sinal de partida.* **2.** Competição, jogo: *Vamos assistir a uma partida de vôlei.* **3.** Mercadorias expedidas ou recebidas de uma só vez para comércio: *O comércio recebeu partidas de castanhas para o Natal.*

partidário (par.ti.dá.ri:o) adj. **1.** Que segue uma organização ou uma ideia: *as seitas partidárias do bispo herege.* • s.m. **2.** Que é membro ou simpatizante de um partido: *os partidários do presidente deposto.* **3.** Aquele que segue uma corrente ou doutrina: *os partidários da abolição.*

partidarismo (par.ti.da.ris.mo) s.m. Posição partidária apaixonada.

partido (par.ti.do) adj. **1.** Que se quebrou; quebrado: *Dizem que espelho partido dá azar.* • s.m. **2.** Associação de pessoas com as mesmas ideias, opiniões e doutrina, principalmente para fins políticos: *os partidos políticos aliados do governo.* **3.** Facção; união de pessoas contra outras de interesses opostos: *Tomaram o partido do ditador contra a imprensa livre.* **4.** Vantagem, utilidade, proveito: *Não tire partido do seu cargo.* **5.** Alguém com quem se pode casar para ter uma vida segura e tranquila: *Isabel casou-se com um ótimo partido.*

partilha (par.ti.lha) s.f. **1.** Ato ou efeito de dividir com alguém, de fazer partilha; partição. **2.** Divisão de bens de uma herança, de lucros de uma sociedade, de furtos entre ladrões etc.

partilhar (par.ti.lhar) v. **1.** Fazer partilha, repartir, compartilhar: *Partilhou os lucros entre os sócios.* **2.** Participar de, compartilhar, compartir: *A família partilhou feliz a ceia de Natal; Os amigos partilharam com a viúva sua dor.* ▶ Conjug. 5.

partir[1] (par.tir) v. **1.** Dividir(-se) em partes, em pedaços, em frações: *Partiu o pão e o deu a seus amigos; O Equador parte a Terra em dois hemisférios; O prato de porcelana partiu-se em vários pedaços.* **2.** Afligir(-se); mortificar(-se); fazer doer: *As saudades do filho partiam-lhe o coração; Seu coração partiu-se ao ouvir a triste notícia.* ▶ Conjug. 66.

partir[2] (par.tir) v. **1.** Iniciar viagem; ir-se embora: *Teresa partiu para Belém de avião; Cansada daquela vida, ela partiu; Acabada a festa, os convidados partiram; Por que te partiste tão cedo?* **2.** Ter começo, ponto de partida: *O ônibus partia da praia e ia até o centro do povoado; Deste porto do Tietê partiam os bandeirantes.* **3.** Ter como começo; tomar como base; originar-se: *O projeto partiu da necessidade de se fazer uma edição fidedigna do poema medieval.* ▶ Conjug. 66.

partitura (par.ti.tu.ra) s.f. (Mús.) **1.** Registro gráfico de uma composição musical que, decodificada pelos músicos, torna possível sua reprodução: *O compositor ia compondo ao piano e registrando na partitura.* **2.** O papel que contém esse registro: *Cuidado para não rasgar a partitura.*

parto (par.to) s.m. **1.** Ato ou efeito de parir, de dar à luz: *O pai assistiu ao parto.* **2.** Atividade demorada por ser árdua e difícil: *A redação daquele relatório foi um parto.*

parturiente (par.tu.ri.en.te) adj. **1.** Que está prestes a parir, que está em trabalho de parto ou que acaba de parir. • s.f. **2.** Mulher que está para parir, em trabalho de parto ou acaba de parir; puérpera: *A parturiente chegou à maternidade de ambulância.*

parvo (par.vo) adj. **1.** Que tem inteligência curta; que tem pouca capacidade de compreender as coisas: *Esse menino não é parvo.* • s.m. **2.** Pessoa de inteligência curta ou que tem pouca capacidade de compreender as coisas: *Até um parvo sabe resolver esse problema de Matemática.*

parvoíce (par.vo.í.ce) s.f. **1.** Ato ou dito de parvo. **2.** Qualidade ou estado de parvo. **3.** Demência.

pascal (pas.cal) adj. Relativo a Páscoa, de Páscoa: *círio pascal; as festas pascais.* || *pascoal.*

páscoa (pás.co:a) s.f. **1.** Festa anual dos judeus, comemorando a saída dos hebreus do Egito. **2.** Festa cristã da ressurreição de Jesus Cristo, celebrada no domingo que encerra a Semana Santa. **3.** O cumprimento do preceito da comunhão pascal.

pascoal (pas.co:al) adj. Pascal.

pasmaceira (pas.ma.cei.ra) s.f. **1.** Falta de animação, de entusiasmo; monotonia: *Esta festa está uma pasmaceira.* **2.** Condição de pasmado; assombro exagerado: *Depois que viu aquilo, o rapaz ficou numa enorme pasmaceira.*

pasmado (pas.ma.do) adj. Assombrado, surpreso; pasmo.

pasmar

pasmar (pas.*mar*) v. Causar ou sentir pasmo ou admiração: *Sua música pasmou os ouvintes; Pasmei quando vi aquele quadro.* ▶ Conjug. 5.

pasmo (*pas*.mo) adj. **1.** Assombrado; surpreso; perplexo: *Encontrei-o ainda pasmo com o que vira.* • s.m. **2.** Assombro, espanto: *Ficou em estado de pasmo total.*

paspalhão (pas.pa.*lhão*) adj. **1.** Que é tolo, parvo, pateta; paspalho. **2.** Que é sem préstimo; que é sem iniciativa. • s.m. **3.** Pessoa pateta, tola, parva. **4.** Pessoa sem préstimo; sem iniciativa: *Esse paspalhão fica aí, sem fazer nada.*

paspalho (pas.*pa*.lho) adj. s.m. Paspalhão.

pasquim (pas.*quim*) s.m. **1.** Jornal, normalmente impresso precariamente, crítico e maledicente. **2.** Jornal malfeito e de má qualidade.

passa (*pas*.sa) s.f. Fruta seca, especialmente uva.

passada (pas.*sa*.da) s.f. **1.** Movimento dos pés para andar; maneira de andar; passo: *O gigante dava largas passadas.* **2.** Ida rápida a um lugar; estada por pouco tempo: *De manhã ele sempre dá uma passada lá em casa.*

passadeira (pas.sa.*dei*.ra) s.f. **1.** Tapete longo e estreito que se coloca ao longo de corredores e escadas. **2.** Mulher que passa roupa a ferro.

passadiço (pas.sa.*di*.ço) adj. **1.** Passageiro, transitório, efêmero: *um descanso passadiço.* • s.m. **2.** Corredor ou galeria de comunicação; passagem. **3.** (*Náut.*) Ponte, na parte superior do navio, onde fica o leme.

passadio (pas.sa.*di*:o) s.m. Aquilo que se come diariamente, comida habitual: *Todos gostam do bom passadio da pensão de D. Isaura.*

passado (pas.*sa*.do) adj. **1.** Que passou, decorrido, findo: *mês passado.* **2.** O que é imediatamente anterior: *Perdi a sessão passada, mas vou ver a que se inicia agora.* **3.** Despontado, pasmado: *Fiquei passado com a atitude dele.* **4.** Submetido à ação do calor; frito; assado: *bife muito passado.* **5.** Que passou do tempo: *Essas bananas estão passadas.* • s.m. **6.** O que foi feito, vivido anteriormente: *Seu passado não importa.* **7.** O tempo passado: *No passado as coisas eram bem diferentes.* **8.** (*Gram.*) A flexão verbal que representa a ação já finda; o pretérito: *O verbo está no passado.*

passageiro (pas.sa.*gei*.ro) adj. **1.** Que passa depressa, que dura pouco, transitório, efêmero: *A vida na terra é passageira; uma relação passageira.* **2.** De pouca importância: *uma falta passageira.* • s.m. **3.** Pessoa que vai de viagem num veículo terrestre, aquático ou aéreo; viajante.

passagem (pas.*sa*.gem) s.f. **1.** Ato ou efeito de passar: *Vamos comemorar a passagem do cometa.* **2.** Lugar por onde se passa: *Você veio pela passagem secreta?* **3.** A papeleta que comprova o direito de viajar num veículo: *O fiscal pediu a passagem.* **4.** Trecho de uma obra: *Li a passagem de D. Casmurro em que o autor descreve José Dias.* **5.** Caso, acontecimento, lance de história: *Deu-se comigo uma passagem curiosa em Santos.* || *De passagem*: de leve, por alto, incidentalmente. • *Estar de passagem*: estar por pouco tempo; não poder, ou não querer demorar-se.

passamanaria (pas.sa.ma.na.*ri*.a) s.f. Tecido trabalhado ou entrançado com fio grosso, em geral de seda (passamanes, galões, franjas, borlas etc.) e destinado ao acabamento ou adorno de roupas, cortinas etc.

passamanes (pas.sa.*ma*.nes) s.m.pl. Tira de pano bordado em seda, ouro, prata etc.

passamento (pas.sa.*men*.to) s.m. Passagem para a outra vida, morte, falecimento.

passante (pas.*san*.te) adj. **1.** Que passa, que anda por algum lugar: *Os rapazes ficavam olhando as moças passantes.* • s.m. e f. **2.** Pessoa que vai passando; transeunte: *Os passantes não paravam para olhar.* || *Passante de*: além de, mais que, mais do que: *A empresa tem passante de mil funcionários.*

passaporte [ó] (pas.sa.*por*.te) s.m. Documento oficial usado como identidade no exterior e que concede ao portador permissão para sair do país.

passar (pas.*sar*) v. **1.** Transpor, atravessar, percorrer de um lado a outro: *Os hebreus passaram o mar Vermelho.* **2.** Ir além de; deixar atrás: *Quando deu por si, já passara a fronteira; O corredor brasileiro passou o americano a poucos metros da linha de chegada.* **3.** Mudar de condição: *Passou do riso às lágrimas; Passou do partido liberal ao conservador.* **4.** Superar, ultrapassar ou exceder: *O genial aluno passou o professor em conhecimento de Matemática.* **5.** Furar de lado a lado; trespassar: *A bala passou a vidraça e parou no canto da sala.* **6.** Coar, filtrar: *Passou o café e arrumou a mesa.* **7.** Consumir, empregar (falando do tempo): *Ela passa o tempo diante da TV.* **8.** Sofrer, suportar, padecer: *Passamos maus pedaços.* **9.** Alisar com o ferro de engomar: *passar roupa.* **10.** Marcar (tarefa): *A professora passou exercícios* de Matemática. **11.** Pôr em circulação: *Passou dinheiro falso*. **12.** (*Esp.*) No futebol, lançar bola para companheiro de equipe: *Passou a bola ao jogador da frente*. **13.** *gír.* Contrabandear: *Os contrabandistas passavam os cigarros pela fronteira*. **14.** Expedir, despachar: *Passar ordens aos subordinados*; *Passar um telegrama*. **15.** Transmitir, legar; entregar: *Passar o cargo a alguém*; *Passou aos filhos seu bom nome e alguma fortuna*. **16.** Entregar, legar: *Passou a carta ao amigo*. **17.** Introduzir, enfiar: *Passou o arame pelo orifício*. **18.** Fazer alcançar, estender: *Passe-me a manteiga, por favor*. **19.** Dirigir, endereçar: *Passou-me uma repreensão*. **20.** Introduzir-se, penetrar: *O vento passava pela fresta da porta*. **21.** Transmitir-se, transferir-se: *A fazenda passou a novos donos*. **22.** Mudar-se ou ser mudado de uma ocupação ou posição: *O candidato perdedor passou a secretário do Planejamento*. **23.** Ocupar cargos sucessivamente: *Passou por todos os postos na fábrica*. **24.** Exceder, ir além: *Nossas relações nunca passaram de amizade*. **25.** Ser aprovado em exame: *Ela não passou no concurso*; *Nenhum aluno nosso passou*. **26.** Correr, fluir: *O rio Doce passa pelo Espírito Santo*. **27.** Achar-se em determinada condição: *O doente tem passado bem*. **28.** Engatar, engrenar: *Passou da primeira para a segunda marcha*. **29.** Ter sua ação em: *A tragédia passa-se em Corinto*. || *Não passar de*: não ser mais do que: *Você não passa de um covarde*. • *Passar à posteridade*: conservar-se durante várias gerações na memória dos homens. • *Passar a limpo*: copiar do rascunho. • *Passar a perna*: enganar. • *Passar por cima de*: não dar importância; não respeitar a autoridade: *Passou por cima de todas as normas*. ▶ Conjug. 5.

passarada (pas.sa.*ra*.da) *s.f.* **1.** Porção de pássaros. **2.** Os pássaros em geral.

passarela [é] (pas.sa.*re*.la) *s.f.* **1.** Estrado estreito e comprido, onde candidatas a concursos de beleza e modelos desfilam. **2.** Espécie de ponte estreita por onde transitam pedestres com segurança nas ruas e avenidas. **3.** Lugar onde se fazem desfiles de carnaval.

passarinho (pas.sa.*ri*.nho) *s.m.* Pássaro pequeno; ave pequena. || *Ver passarinho verde*: mostrar-se alegre sem causa justificável.

pássaro (*pás*.sa.ro) *s.m.* (*Zool.*) Ave pequena; passarinho.

passatempo (pas.sa.*tem*.po) *s.m.* Ocupação agradável a que a pessoa se entrega para passar o tempo; divertimento.

passável (pas.*sá*.vel) *adj.* Que se pode tolerar; tolerável, aceitável.

passe (*pas*.se) *s.m.* **1.** Permissão para passar de um lugar a outro. **2.** Bilhete, às vezes gratuito, às vezes com redução, usado em transporte coletivo. **3.** (*Esp.*) No futebol, ação de um jogador passar a bola a um companheiro de equipe, mais bem situado. **4.** (*Esp.*) Transferência de contrato de um atleta a outro clube: *Quanto nosso clube vai dar pelo passe de Gláuberson?* • *passes s.m.pl.* (*Rel.*) Ato de passar as mãos repetidas vezes diante ou por cima de pessoa que se pretende curar pela força mediúnica; gestos destinados a transmitir bons fluidos: *No centro espírita, o doente recebeu uns passes*. || *Passe de mágica*: **1.** o movimento rápido feito pelo mágico que não é percebido pela plateia. **2.** modo eficiente e rápido de se conseguir alguma coisa: *Num passe de mágica, ele conseguiu sua nomeação*.

passear (pas.se.*ar*) *v.* **1.** Percorrer um caminho, com certo vagar, para espairecer: *Foi passear com o cachorro*. **2.** Conduzir alguém ou um animal em passeio, levar a passeio: *Passeou a garotada pelo parque*; *É preciso passear o cachorro*. ▶ Conjug. 14.

passeata (pas.se.*a*.ta) *s.f.* Marcha coletiva realizada em sinal de regozijo, reivindicação ou protesto: *Participamos de passeatas contra a ditadura militar*.

passeio (pas.*sei*.o) *s.m.* **1.** Ato ou efeito de passear. **2.** Lugar (jardim, praça, parque) onde se passeia. **3.** Parte lateral e um tanto elevada de uma rua, destinada ao trânsito de pedestres; calçada.

passe-partout [*pas-partú*] (Fr.) *s.m.* **1.** Fita de papel que se cola em redor de uma fotografia ou desenho, como se fosse moldura. **2.** Peça de metal que se adapta às seringas de injeção, para possibilitar o uso de agulhas de diferentes calibres. **3.** Chave para todas as fechaduras; chave mestra.

passional (pas.si:o.*nal*) *adj.* **1.** Relativo a paixão. **2.** Motivado ou provocado por paixão, especialmente amorosa: *crime passional*. **3.** Temperamental: *Laura é uma mulher muito passional*. • *s.m.* **4.** Livro que contém a narrativa da paixão de Cristo.

passista (pas.*sis*.ta) *s.m. e f.* **1.** Nas escolas de samba, pessoa que, por suas habilidades em reproduzir os passos do samba, ganha destaque nas coreografias do desfile. **2.** Dançarino de frevo.

passível

passível (pas.sí.vel) adj. Que está sujeito a: *Essa transgressão é passível de penalidade.*
passividade (pas.si.vi.da.de) s.f. **1.** Qualidade ou condição de passivo. **2.** (*Gram.*) Qualidade de paciente que apresenta um sujeito em relação ao processo verbal: *a passividade do sujeito.*
passivo (pas.si.vo) adj. **1.** Que sofre ou recebe uma ação ou impressão. **2.** Que não atua; que não exerce ação, que não tem parte ativa; submisso. **3.** (*Gram.*) Diz-se da voz do verbo em que o sujeito recebe a ação expressa pelo verbo: *voz passiva.* • s.m. **4.** (*Econ.*) Conjunto das dívidas e encargos avaliáveis em dinheiro que oneram um patrimônio: *Em face do vultoso passivo, a empresa pediu concordata.*
passo[1] (*pas.*so) s.m. **1.** Movimento feito com os pés para caminhar. **2.** Movimento feito com os pés e o corpo para dançar: *os passos da rumba.* **3.** Marca deixada com os pés no solo; pegada. **4.** Marcha, caminho; modo de andar: *Seu passo é muito rápido.* **5.** Trecho, passagem de uma obra: *Leu o passo do romance em que Ema foi para o colégio.* || *Ao passo que:* **1.** à medida que: *Ao passo que a tarde caía, ela ia ficando mais triste.* **2.** Enquanto, mas: *Ele trabalha muito, ao passo que o irmão vive na folga.* • *Marcar passo:* permanecer na mesma posição, não progredir: *Porque não se dedicou ao trabalho, ficou marcando passo na profissão.*
passo[2] (*pas.*so) s.m. **1.** Passagem estreita entre montes e montanhas. **2.** Cada uma das cenas da paixão de Cristo: *os passos da paixão pelo Aleijadinho.*
pasta (*pas.*ta) s.f. **1.** Massa formada da mistura de material sólido com líquido: *A farinha com o leite formou uma pasta.* **2.** (*Cul.*) Qualquer alimento com consistência de pasta: *Comeu uma torrada com pasta de queijo e cebola.* **3.** Espécie de carteira de papelão ou couro para acondicionar papéis, desenhos etc. **4.** Cargo de ministro de Estado; ministério: *O político mineiro ficou com a pasta da Agricultura.* **5.** *gír.* Pessoa estúpida, inerte.
pastagem (pas.*ta.*gem) s.f. **1.** Lugar ou campo com vegetação própria para o gado pastar. **2.** Essa erva própria para o gado pastar.
pastar (pas.*tar*) v. **1.** Nutrir-se no pasto: *As vacas pastavam perto do riacho.* **2.** Comer a erva de algum lugar: *Os jegues pastavam o capim do terreiro.* ▶ Conjug. 5.
pastel[1] (pas.*tel*) s.m. **1.** Massa de farinha de trigo cozida no forno ou frita e recheada com carnes, legumes etc. **2.** *fig.* Pessoa mole, indolente, de pouco préstimo.

pastel[2] (pas.*tel*) s.m. **1.** (*Art.*) Processo de desenhar ou pintar com lápis especial. **2.** Pintura ou desenho por esse processo. **3.** A cor leve e clara do pastel. • adj. **4.** Que é dessa cor: *papéis de parede pastel.*
pastelão (pas.te.*lão*) s.m. **1.** (*Cul.*) Prato de massa com recheio, assado no forno e servido em pedaços. **2.** (*Cine*) Tipo de filme de gênero chanchada com muita agitação e situações de grande comicidade.
pastelaria (pas.te.la.*ri.*a) s.f. **1.** (*Cul.*) Salgados e doces feitos com massa e recheados, prontos para consumo. **2.** Estabelecimento onde se fazem ou vendem esses produtos.
pasteleiro (pas.te.*lei.*ro) s.m. Quem faz ou vende produtos de pastelaria.
pasteurização (pas.teu.ri.za.*ção*) s.f. Processo de esterilização inventado por Pasteur e que consiste em submeter o leite, o vinho, os sucos e outros alimentos a aquecimento de 95 graus, esfriando-os rapidamente.
pasteurizar (pas.teu.ri.*zar*) v. Esterilizar pelo processo de pasteurização: *Os produtores pasteurizam o leite antes do processo de embalagem.* ▶ Conjug. 5.
pastiche (pas.*ti.*che) s.m. Pasticho.
pasticho (pas.*ti.*cho) s.m. Imitação grosseira de obra literária ou artística. || *pastiche.*
pastifício (pas.ti.*fí.*ci:o) s.m. Fábrica de massas alimentícias.
pastilha (pas.*ti.*lha) s.f. **1.** Confeito de açúcar aromatizado, em forma de pequeno disco ou tablete: *pastilhas de aniz.* **2.** (*Farm., Med.*) Medicamento em forma de pastilha: *Tomou umas pastilhas para azia.* **3.** Pequenos quadrados ou hexágonos de cerâmica ou louça vitrificada empregados no revestimento de pisos e paredes: *Revestiram a parede de pastilhas amarelas.*
pasto (*pas.*to) s.m. **1.** Pastagem (1 e 2). **2.** Comida, alimento: *Deram-lhe boa moradia e bom pasto.* **3.** *fig.* Alimento, oportunidade de crescimento: *Não dê pasto aos seus instintos.*
pastor [ô] (pas.*tor*) s.m. **1.** Aquele cujo ofício é apascentar rebanho. **2.** Ministro protestante. **3.** Guia espiritual: *o pastor dos desvalidos.* **4.** Tipo de cão que guarda rebanho.
pastoral (pas.to.*ral*) adj. **1.** Relativo a pastor (1); pastoril: *ambiente pastoral.* **2.** Próprio dos pastores espirituais, especialmente dos bispos: *visita pastoral.* • s.f. (*Rel.*) **3.** Circular emanada do papa ou dos bispos em que se

expõe doutrina religiosa ou moral: *uma pastoral sobre a liturgia*. **4.** (*Rel.*) Movimento de promoção religiosa e social fomentado pela Igreja Católica: *a Pastoral da Criança; a Pastoral da Família*. **5.** (*Mús.*) Ópera ou sinfonia de tema campestre: *A Pastoral é a sexta sinfonia de Beethoven*.

pastorear (pas.to.re.*ar*) *v.* **1.** Servir de pastor, levar os rebanhos ao pasto: *Jacó pastoreava os rebanhos de Labão*. **2.** *fig.* Guiar espiritualmente ou governar eclesiasticamente: *O cura da cidadezinha pastoreava com zelo seus paroquianos; Bento XVI pastoreia a Igreja Católica*. ▶ Conjug. 14.

pastoreio (pas.to.*rei*.o) *s.m.* **1.** Ação de pastorear: *O jesuíta entregou-se ao pastoreio dos índios*. **2.** Vida ou profissão de pastor de gado. **3.** Atividade pastoril: *Aquela tribo vive do pastoreio de cabras*.

pastoril (pas.to.*ril*) *adj.* **1.** Relativo a pastor ou ao campo. **2.** Próprio de pastor: *instrumento musical pastoril*. • *s.m.* **3.** (*Folc.*) Folguedo popular natalino, com personagens fantasiados de pastores e pastoras. **4.** Peça teatral de assunto pastoril.

pastoso [ô] (pas.*to*.so) *adj.* Com a consistência de pasta; intermediário entre sólido e líquido: *estado pastoso*. || f. e pl.: [ó].

pata¹ (*pa*.ta) *s.f.* Fêmea do pato.

pata² (*pa*.ta) *s.f.* **1.** Pé de animal. **2.** *pej.* Pé grande (de pessoa).

pataca (pa.*ta*.ca) *s.f.* Antiga moeda brasileira de prata. || *De meia pataca*: de pouco valor.

patacoada (pa.ta.co.*a*.da) *s.f.* História sem sentido e sem lógica; disparate.

patada (pa.*ta*.da) *s.f.* **1.** Golpe com a pata. **2.** *pej.* Grosseria.

patágio (pa.*tá*.gi.o) *s.m.* (*Zool.*) Membrana que une os membros inferiores e superiores de certos animais, como o morcego, usada para voar ou planar.

patamar (pa.ta.*mar*) *s.m.* **1.** Espaço entre dois lances de uma escada. **2.** Grau ou estágio dos mais elevados: *A produção agrícola atingiu um patamar considerável*.

patativa (pa.ta.*ti*.va) *s.f.* **1.** (*Zool.*) Pássaro de plumagem cinzenta e canto mavioso. **2.** *fig.* Cantor de voz mavioza.

patavina (pa.ta.*vi*.na) *pron. indef.* Nada; coisa alguma: *Não entendeu patavina*.

pataxó [ch] (pa.ta.*xó*) *adj.* **1.** Dos pataxós, extinto povo indígena que ocupava a região de matas dos rios Jequitinhonha, Mucuri e Aracuí. • *s.m.* e *f.* **2.** Indivíduo desse povo. • *s.m.* **3.** A língua desse povo.

patchuli (pat.chu.*li*) *s.m.* **1.** (*Bot.*) Planta da qual se extrai um óleo perfumado. **2.** Perfume fabricado a partir do óleo aromático do *patchuli*.

patê (pa.*tê*) *s.m.* Massa, geralmente de fígado, que se consome normalmente fria, passada no pão, na torrada etc.

patear (pa.te.*ar*) *v.* Bater com os os pés ou com as patas no chão. ▶ Conjug. 14.

patela [é] (pa.*te*.la) *s.f.* (*Anat.*) Osso discoide situado na parte dianteira da articulação do joelho.

patena (pa.*te*.na) *s.f.* (*Rel.*) Pequeno prato de ouro em que se coloca a hóstia e que serve para cobrir o cálice na missa.

patente (pa.*ten*.te) *adj.* **1.** Manifesto, claro, evidente: *É patente a sua má vontade*. • *s.f.* **2.** Posto militar: *patente de oficial; patente de coronel*. **3.** Título de registro de autoria de um invento: *O jovem cientista tirou patente de seu invento*.

patentear (pa.ten.te.*ar*) *v.* **1.** Tornar(-se) ou fazer(-se) patente; manifestar(-se); mostrar (-se): *Patenteou a todos seu desagrado; Seu desagrado patenteou-se*. **2.** Conceder ou registrar patente: *Patenteou sua invenção*. ▶ Conjug. 14.

paternal (pa.ter.*nal*) *adj.* Próprio de pai; como de pai: *cuidados paternais*.

paternalismo (pa.ter.na.*lis*.mo) *s.m.* **1.** Comportamento familiar baseado na autoridade paterna. **2.** Sistema social ou de trabalho em que as relações se fazem de forma protetora: *O chefe tratava seus subordinados mais com paternalismo que com justiça*. – **paternalista** *adj. s.m.* e *f.*

paternidade (pa.ter.ni.*da*.de) *s.f.* **1.** Qualidade ou condição de pai. **2.** Autoria intelectual de uma obra: *Deve-se ao Prof. Chaves a paternidade desse método de ensino*.

paterno [é] (pa.*ter*.no) *adj.* **1.** Relativo, pertencente ou inerente ao pai: *o direito paterno; o conselho paterno*. **2.** Procedente da família do pai: *minha avó paterna*.

pateta [é] (pa.*te*.ta) *adj.* **1.** Que é tolo, bobo: *um garoto pateta*. • *s.m.* e *f.* **2.** Pessoa que é tola ou boba: *Você parece um pateta*.

patético (pa.*té*.ti.co) *adj.* Que causa grande compaixão.

patibular

patibular (pa.ti.bu.*lar*) *adj.* **1.** Relativo a patíbulo. **2.** Que tem aspecto de criminoso, de assassino: *um aspecto patibular.*

patíbulo (pa.*tí*.bu.lo) *s.m.* Estrado ou lugar onde os condenados sofrem a pena capital, sobretudo a forca; cadafalso.

patifaria (pa.ti.fa.*ri*.a) *s.f.* Ato ou comportamento típico de patife.

patife (pa.*ti*.fe) *adj.* **1.** Que não tem caráter; mau-caráter. • *s.m.* **2.** Pessoa que não tem caráter.

patim (pa.*tim*) *s.m.* **1.** Calçado com uma lâmina metálica perpendicular à sola, próprio para se deslizar sobre o gelo. **2.** Calçado com rodas metálicas na sola, próprio para se deslizar num pavimento liso.

pátina (*pá*.ti.na) *s.f.* **1.** Camada esverdeada de carbonato de cobre, que se forma sobre estátuas, medalhas de bronze etc., alterando-as. **2.** Concreção escura causada pela umidade na superfície dos monumentos antigos. **3.** (*Art.*) Técnica usada na pintura para imitar esse efeito.

patinação (pa.ti.na.*ção*) *s.f.* **1.** Ato ou efeito de patinar. **2.** Modalidade de esporte em que se patina sobre o gelo ou sobre rodas.

patinar (pa.ti.*nar*) *v.* **1.** Deslizar sobre patins: *A atriz norueguesa patinou admiravelmente no espetáculo sobre o gelo.* **2.** Fazer girar as rodas (de um veículo) sem que ele inicie o movimento; patinhar. **3.** Fazer pátina: *O pintor patinou o quadro com técnica muito apurada.* ▶ Conjug. 5.

patinete [é] (pa.ti.*ne*.te) *s.f.* Brinquedo formado por uma tábua sobre duas rodas e um guidom; um pé vai sobre a tábua enquanto o outro dá o impulso.

patinhar (pa.ti.*nhar*) *v.* **1.** Agitar a água, como faz o pato: *Passava a tarde patinhando na piscina.* **2.** Caminhar borrifando água, lama, neve etc.: *Cuidado, menino, para não patinhar lama nos que passam!* **3.** Deslizar (a roda do veículo) sem controle; patinar: *O velho fusca patinhava sem sair do lugar.* ▶ Conjug. 5.

patinho (pa.*ti*.nho) *s.m.* **1.** Carne, de primeira qualidade, das pernas traseiras do boi. **2.** Vaso de gargalo alongado usado pelos doentes do sexo masculino para urinar sem sair da cama. **3.** Pequeno pato.

pátio (*pá*.ti:o) *s.m.* Terreno murado e descoberto numa casa, prédio etc.

pato (pa.to) *s.m.* **1.** (*Zool.*) Ave aquática de bico chato e pés dotados de membrana natatória cuja carne é muito apreciada. **2.** *fig.* Pessoa fácil de enganar. || *Pagar o pato*: sofrer as consequências de algum fato.

patoá (pa.to:*á*) *s.m.* Falar próprio de uma região. || Conferir com *patuá*.

patofobia (pa.to.fo.*bi*.a) *s.f.* (*Psiq.*) Medo mórbido de doenças.

patogenia (pa.to.ge.*ni*.a) *s.f.* (*Med.*) Parte da patologia que estuda o modo pelo qual as moléstias se desenvolvem.

patogênico (pa.to.gê.*ni*.co) *adj.* **1.** Relativo a patogenia. **2.** Que provoca doenças.

patologia (pa.to.lo.*gi*.a) *s.f.* (*Med.*) Ramo da Medicina que estuda a natureza, as causas e os sintomas das doenças. – **patológico** *adj.*; **patologista** *s.m. e f.*

patota [ó] (pa.*to*.ta) *s.f. gír.* Grupo de amigos; turma.

patranha (pa.*tra*.nha) *s.f.* História mentirosa; grande mentira.

patrão (pa.*trão*) *s.m.* **1.** Chefe ou proprietário de empresa industrial ou comercial, em relação aos operários e empregados; empregador. **2.** O dono da casa em relação a seus criados.

pátria (*pá*.tri:a) *s.f.* País em que se nasceu ou ao qual se pertence como cidadão.

patriarca (pa.tri:*ar*.ca) *s.m.* **1.** Homem que chefia uma família, uma tribo ou um clã. **2.** Fundador.

patriarcado (pa.tri:ar.*ca*.do) *s.m.* Organização social ou familiar em que prevalece a autoridade do pai.

patriarcal (pa.tri:ar.*cal*) *adj.* **1.** Relativo a patriarca ou a patriarcado: *costumes patriarcais.* **2.** Dirigido por patriarca: *sociedade patriarcal.* **3.** Venerando, respeitável: *aspecto patriarcal.*

patriciado (pa.tri.ci:*a*.do) *s.m.* Classe dos nobres; aristocracia.

patrício (pa.*trí*.ci:o) *adj.* **1.** Que tem a mesma pátria que outro; compatriota. • *s.m.* **2.** Indivíduo da classe dos nobres em Roma.

patrimonial (pa.tri.mo.ni:*al*) *adj.* Relativo a patrimônio; de patrimônio.

patrimônio (pa.tri.*mô*.ni:o) *s.m.* **1.** Bens herdados ou adquiridos por uma pessoa ou instituição. **2.** Conjunto de bens culturais ou naturais que importa conservar: *Olinda e Ouro Preto fazem parte do patrimônio cultural brasileiro.*

pátrio (*pá*.tri:o) *adj.* **1.** Relativo a pátria, da pátria: *a terra pátria.* **2.** Relativo ao pai, do pai: *pátrio poder.*

patriota [ó] (pa.tri:o.ta) *adj.* **1.** Que ama a sua pátria e a serve de bom grado. • *s.m.* e *f.* **2.** Pessoa que ama a sua pátria e procura servi-la. – **patriótico** *adj.*

patriotada (pa.tri:o.*ta*.da) *s.f.* Atitude de exagerado patriotismo.

patriotismo (pa.tri:o.*tis*.mo) *s.m.* Sentimento de patriota; amor à pátria.

patroa [ô] (pa.*tro*.a) *s.f.* **1.** Dona de casa em relação a seus empregados. **2.** Feminino de *patrão*. **3.** Tratamento que alguns maridos dão a sua esposa: *Na minha casa quem manda é a patroa.*

patrocinar (pa.tro.ci.*nar*) *v.* Dar patrocínio financeiro ou apoio a: *Aquela empresa patrocina programas educativos para jovens carentes.* ▶ Conjug. 5.

patrocínio (pa.tro.*cí*.ni:o) *s.m.* Custeio de programas, espetáculos, *shows*, atividades etc. por alguma empresa ou instituição com vistas à publicidade.

patronal (pa.tro.*nal*) *adj.* De patrão, próprio de patrão: *deveres patronais.* Relativo à classe dos patrões: *uma associação patronal.*

patronato (pa.tro.*na*.to) *s.m.* **1.** Autoridade de quem está na função de patrão. **2.** O conjunto de patrões e gerentes de estabelecimentos comerciais: *O patronato nega-se a discutir com os grevistas.* **3.** Estabelecimento onde se abrigam e educam menores.

patronímico (pa.tro.*ní*.mi.co) *adj.* **1.** Relativo ao pai; que indica o nome do pai. • *s.m.* **2.** Sobrenome derivado do nome do pai: *Álvares*, filho de *Álvaro*; *Fernandes*, filho de *Fernando*.

patrono (pa.*tro*.no) *s.m.* **1.** Padroeiro, protetor: *São Bento é o patrono da Europa.* **2.** Advogado que toma o patrocínio de uma causa: *um patrono de causas trabalhistas.* **3.** Pessoa escolhida por uma turma de formandos para ser seu padrinho. **4.** O advogado em relação a seu cliente.

patrulha (pa.*tru*.lha) *s.f.* **1.** (Mil.) Vigilância e proteção dadas por soldados: *Nesse parque, há necessidade de uma patrulha.* **2.** O grupo encarregado de exercer essa vigilância: *uma patrulha do Exército.* – **patrulhamento** *s.m.*

patrulhar (pa.tru.*lhar*) *v.* **1.** Fazer ronda de vigilância em: *Há soldados patrulhando hoje esta rua.* **2.** *fig.* Controlar o procedimento de alguém, cobrando-lhe coerência com princípios éticos, políticos etc. ▶ Conjug. 5.

patrulheiro (pa.tru.*lhei*.ro) *s.m.* Componente de uma patrulha (2).

patuá (pa.tu:*á*) *s.m.* **1.** Espécie de amuleto que se pendura ao pescoço para se livrar de malefícios; bentinho. **2.** Cesto grande de bambu ou de palha; balaio. ‖ Conferir com *patoá*.

patuleia [é] (pa.tu.*lei*.a) *s.f.* A classe baixa; a plebe.

patuscada (pa.tus.*ca*.da) *s.f.* Reunião de patuscos para comer e beber festivamente; pândega.

patusco (pa.*tus*.co) *adj.* **1.** Que gosta de comer e beber festivamente: *um grupo alegre e patusco.* • *s.m.* **2.** Pessoa que participa de ceias alegres; pessoa que gosta de patuscada: *Os patuscos reuniram-se no restaurante da D. Ritinha.*

pau *s.m.* **1.** Pedaço de madeira: *um cavaco de pau.* **2.** Cajado; vara; cacete: *Matou a cobra com um pau.* **3.** Mastro da bandeira: *bandeira a meio pau.* Ripa; vara; viga. **4.** *coloq.* Castigo físico, surra: *O guarda deu um pau no ladrão.* **5.** *chulo* Pênis. • *adj.* **6.** Paulificante; chato: *um romance pau; uma aula pau.* • **paus** *s.m. pl.* **7.** Um dos naipes do baralho: *Tirei um ás de paus.* ‖ *Baixar/sentar o pau em*: *coloq.* **1.** dar uma surra em; dar pancada em: *O guarda baixou / sentou o pau no ladrão.* **2.** falar mal; criticar: *O cronista social baixou/sentou o pau na festa dos Oliveira Marques.* • *Levar pau*: *coloq.* ficar reprovado: *Sérgio levou pau em Matemática.* • *Meter o pau em*: *coloq.* **1.** falar mal de; criticar severamente: *Ela vivia metendo o pau na sogra.* **2.** surrar, espancar: *Meteram o pau no bandido.* **3.** gastar prodigamente; esbanjar, dissipar: *Meteu o pau no dinheiro da sociedade.* • *Pau a pau*: em condição de igualdade; emparelhado: *Os dois cavalos estavam pau a pau na reta final.* • *Pau para toda obra*: prestativo em todas as necessidades.

pau a pique *s.m.* Parede de ripas ou varas cruzadas e barro; taipa.

pau-brasil (pau-bra.*sil*) *s.m.* (Bot.) Árvore brasileira de cuja madeira avermelhada se fazia tinta. ‖ pl.: *paus-brasil* e *paus-brasis*.

pau-d'água (pau-d'*á*.gua) *s.m.* e *f.* Pessoa que bebe muito; ébrio. ‖ pl.: *paus-d'água*.

pau de arara *s.m.* **1.** Instrumento de tortura, constituído de um pau roliço que, depois de ser passado entre ambos os joelhos e cotovelos flexionados, é suspenso em dois suportes, ficando o indivíduo de cabeça para baixo e como de cócoras. **2.** Caminhão coberto, usado no transporte de retirantes nordestinos, apetrechado com varas longitudinais na carroceria, às quais os passageiros se agarram.

pau de sebo

- *s.m.* e *f.* **3.** Retirante que viaja num desses caminhões. **4.** *pej.* Qualquer nordestino.
- **pau de sebo** *s.m.* Mastro untado de sebo, com prêmios no topo, para quem conseguir subir até lá.
- **pau-ferro** (pau-*fer*.ro) *s.m.* Árvore de madeira muito dura. || pl.: *paus-ferro* e *paus-ferros*.
- **paul** (pa.*ul*) *s.m.* Terra encharcada, alagadiça; pântano.
- **paulada** (pau.*la*.da) *s.f.* **1.** Pancada com pau; cacetada. **2.** *fam.* Grande desgosto ou decepção: *O fim de seu casamento foi uma paulada para ela*.
- **paulatino** (pau.la.*ti*.no) *adj.* Feito pouco a pouco, vagaroso, moroso.
- **paulista** (pau.*lis*.ta) *adj.* **1.** Do Estado de São Paulo. • *s.m.* e *f.* **2.** O natural ou o habitante desse estado.
- **paulistano** (pau.lis.*ta*.no) *adj.* **1.** De São Paulo, capital do Estado do São Paulo. • *s.m.* **2.** O natural ou o habitante dessa capital.
- **pau-mandado** (pau-man.*da*.do) *s.m.* Pessoa servil, que faz o que lhe mandam sem discutir. || pl.: *paus-mandados*.
- **pau-marfim** (pau-mar.*fim*) *s.m.* (*Bot.*) Árvore cuja madeira clara e resistente é usada na fabricação de móveis. || pl.: *paus-marfim* e *paus-marfins*.
- **pau-para-toda-obra** (pau-pa.ra-to.da-o.bra) *s.m.* (*Bot.*) Árvore cuja madeira muito resistente é usada para fazer cabo de ferramentas. || pl.: *paus-para-toda-obra*.
- **pauperismo** (pau.pe.*ris*.mo) *s.m.* Total pobreza; indigência.
- **paupérrimo** (pau.*pér*.ri.mo) *adj.* Superlativo absoluto de *pobre*.
- **pausa** (*pau*.sa) *s.f.* Interrupção temporária de alguma coisa (movimento, atividade, ação etc.).
- **pauta** (*pau*.ta) *s.f.* **1.** Conjunto de traços paralelos para orientar a escrita num papel. **2.** (*Mús.*) Traçado de cinco linhas horizontais paralelas onde se escrevem as notas e os sinais musicais; pentagrama. **3.** Lista de assuntos a serem tratados numa reunião. **4.** Roteiro das matérias e notícias mais importantes para edição de uma revista, um jornal, um noticiário de televisão.
- **pautar** (pau.*tar*) *v.* **1.** Riscar com linhas horizontais paralelas, à maneira de pauta: *Pautar folhas de papel*. **2.** Regular(-se), modelar(-se), dirigir(-se): *Não pauto meus atos pelos seus; Pautou-se sempre pelos ensinamentos de seu mestre*. **3.** Pôr em pauta, relacionar: *Pautou os assuntos de que trataria na reunião*. **4.** Programar assunto para edição de um jornal, de um noticiário de televisão: *O editor pautou a reunião dos governadores para a primeira página do jornal de amanhã*. ▶ Conjug. 5.
- **pavana** (pa.*va*.na) *s.f.* Antiga dança e música de corte, grave, séria e de movimentos pausados.
- **pavão** (pa.*vão*) *s.m.* **1.** (*Zool.*) Ave originária da Índia e Sri Lanka, que se distingue por sua cauda e bela plumagem. **2.** *fig.* Pessoa que se dá excessivo valor.
- **pavê** (pa.*vê*) *s.m.* (*Cul.*) Doce composto basicamente de camadas alternadas de biscoitos, molhados em calda ou licor, e de creme.
- **pávido** (*pá*.vi.do) *adj.* Que sente pavor; apavorado.
- **pavilhão** (pa.vi.*lhão*) *s.m.* **1.** Construção ampla de caráter provisório para exposições: *pavilhão do Brasil na Exposição Internacional*. **2.** Construção isolada que integra um conjunto de prédios: *o pavilhão feminino da instituição*. **3.** (*Anat.*) Parte exterior e cartilaginosa da orelha. **4.** Bandeira, estandarte: "...pavilhão da justiça e do amor" (Olavo Bilac, *Hino à Bandeira*).
- **pavimentar** (pa.vi.men.*tar*) *v.* Aplicar revestimento em (calçada, estrada, rua etc.); calçar: *A prefeitura vai pavimentar a estrada do cemitério*. ▶ Conjug. 5.
- **pavimento** (pa.vi.*men*.to) *s.m.* **1.** Revestimento do solo feito com cimento, pedras, asfalto etc. para trânsito de pedestres ou veículos. **2.** Cada um dos andares de um edifício.
- **pavio** (pa.*vi*:o) *s.m.* Mecha inflamável de vela, candeia ou lampião. || *Ter o pavio curto*: ser explosivo, arrebatado; irritar-se facilmente.
- **pavonear** (pa.vo.ne.*ar*) *v.* **1.** Exibir(-se), ostentar(-se) como um pavão: *O jovem galã pavoneava a nova namorada diante dos amigos; Pavoneava-se com suas roupas novas na praça*. **2.** Enfeitar-se com exageros: *Em vez de usar roupas simples como convinha a uma viúva, ela pavoneava-se cheia de joias e berloques*. ▶ Conjug. 14.
- **pavor** [ô] (pa.*vor*) *s.m.* Grande e intenso medo; forte susto: *Marta tem pavor de viagens marítimas; O início da guerra foi um pavor para aquele povo*.
- **pavoroso** [ô] (pa.vo.*ro*.so) *adj.* **1.** Que causa ou infunde pavor: *um incêndio pavoroso*. **2.** Muito ruim; muito feio: *O vestido da cantora era pavoroso*. || f. e pl.: [ó].

pavuna (pa.*vu*.na) *s.f.* Vale fundo e escarpado.

paxá [ch] (pa.*xá*) *s.m.* **1.** Chefe militar e governante do Império Otomano. **2.** *fig.* Homem indolente e amante da boa vida.

paz *s.f.* **1.** Estado de tranquilidade gerado pela ausência ou cessação de hostilidade: *Buscamos a paz entre todos os homens, nações, povos e credos.* **2.** Tratado que mantém ou restabelece esse estado: *Os países em guerra resolveram assinar a paz.* **3.** Tranquilidade; calma, sossego: *Sempre buscou um lugar de paz para viver.* || *Fazer as pazes*: reconciliar-se.

Pb (*Quím.*) Símbolo de *chumbo*.

Pd (*Quím.*) Símbolo de *paládio*.

pé *s.m.* **1.** (*Anat.*) Cada uma das duas partes do corpo que está articulada com a extremidade inferior da perna, e que lhe serve de apoio para se pôr em pé e para caminhar. **2.** Cada um dos membros de apoio, locomoção e/ou fixação dos animais, qualquer que seja a sua estrutura; pata. **3.** (*Bot.*) Cada unidade ou exemplar de uma planta: *um pé de laranja-lima.* **4.** Parte sobre a qual se assentam ou se apoiam muitos objetos; base, pedestal, suporte: *o pé da mesa*; *o pé do abajur*. **5.** A base, a raiz ou a falda de um morro, de uma colina: *Eu morava no pé do morro.* **6.** Parte da cama oposta à cabeceira: *O gato esperava o menino acordar no pé da cama.* **7.** *fig.* Motivo, razão, pretexto, ensejo: *Procurou um pé para não vir.* **8.** Estado ou estágio de um negócio, de uma empresa: *O negócio está neste pé há um mês.* **9.** Medida linear inglesa equivalente a 30,48 cm: *O avião voava a uma altura de três mil pés.* || *Ao pé da letra*: exatamente como está dito ou escrito; literalmente. • *Ao pé de*: junto a, perto de: *Fica ao pé dele até passar o susto.* • *A pé*: andando, caminhando: *Deixou o carro e veio a pé.* • *Bater o pé*: teimar; insistir: *O menino batia o pé que queria sua bola.* • *Cair de pé*: sofrer uma derrota sem perder o ânimo, com dignidade. • *Com pé atrás*: com desconfiança. • *Dar pé*: **1.** estar dentro da água (mar, piscina, rio) com os pés no fundo e a cabeça de fora: *Venha, nessa passagem o rio dá pé.* **2.** ser possível; ser viável. • *Dar o pé e tomar a mão*: abusar da confiança. • *Dar no pé*: ir embora, fugir. • *De pé*: **1.** em posição vertical: *Fiquem todos de pé para a execução do hino.* **2.** confirmado; em vigor: *Nosso combinado está de pé.* • *Em pé de guerra*: em situação de conflito: *Os dois países estavam em pé de guerra.* • *Em pé de igualdade*: em condição de igualdade, de equilíbrio. • *Entrar com o pé direito*: ter boa sorte; começar bem. • *Entrar com o pé esquerdo*: dar-se mal logo no começo de uma empreitada. • *Meter o pé na tábua*: acelerar o automóvel. • *Meter os pés pelas mãos*: **1.** atrapalhar-se, desorientar-se. **2.** dizer ou praticar disparate. • *Pé ante pé*: devagar, cautelosamente. • *Pegar no pé*: insistir com alguém; importunar com insistência. • *Ter os pés no chão*: ser realista, sem otimismo exagerado. • *Um pé no saco*: alguém ou alguma coisa importunos; uma chatice.

peanha (pe:*a*.nha) *s.f.* Pequeno pedestal que é preso à parede para imagens, estátuas e bustos.

peão¹ (pe:*ão*) *s.m.* Peça do jogo de xadrez. || Conferir com *pião*.

peão² (pe:*ão*) *s.m.* **1.** Amansador de cavalos. **2.** Trabalhador rural assalariado. **3.** Operário da construção civil.

pebolim (pe.bo.*lim*) *s.m.* Jogo de mesa em que é simulado um campo de futebol com dois times e seus respectivos onze jogadores, os quais são manipulados pelos dois adversários através de varetas a que estão ligados; totó.

peça [é] (*pe*.ça) *s.f.* **1.** Cada elemento ou unidade de um conjunto: *Quebrou a peça principal do motor.* **2.** Objeto que se constitui em uma unidade: *Comprou uma bela peça de porcelana.* **3.** Pedra de jogos de tabuleiro: *Falta uma peça nesse jogo de xadrez.* **4.** Porção inteira de um pano: *uma peça de seda pura.* **5.** Compartimento de uma casa ou de um apartamento: *uma casa de quatro peças.* **6.** (*Teat., Mús.*) Composição dramática ou musical: *Carlos Gomes compôs belas peças musicais.* || *Pregar uma peça*: enganar, lograr (geralmente por brincadeira).

pecadilho (pe.ca.*di*.lho) *s.m.* Pecado leve.

pecado (pe.*ca*.do) *s.m.* **1.** (*Rel.*) Transgressão de uma lei ou de um preceito religioso. **2.** Transgressão, erro, falta. **3.** Ação ou condição injusta: *É um pecado desperdiçar tanto dinheiro com roupas.*

pecaminoso [ô] (pe.ca.mi.*no*.so) *adj.* Relativo a pecado ou em que há pecado: *desejo pecaminoso.* || f. e pl.: [ó].

pecar (pe.*car*) *v.* **1.** Cometer pecado: *Ela pecou contra Deus e contra o próximo*; *Confessou ao padre que pecara.* **2.** Cometer qualquer falta ou erro: *Este livro peca por ser conciso demais*; *Pecaram quando não ouviram as previsões.* **3.** Incidir numa falta: *Nesse assunto ele sempre peca.* **4.** Ser passível de censura: *Mariana peca por ser muito acomodada.* ▶ Conjug. 8 e 35.

pecha

pecha [é] (pe.cha) s.f. Defeito grave que compromete o bom nome: *Coitado, ele levou a pecha de mau pagador.*

pechincha (pe.chin.cha) s.f. Coisa comprada a preço muito reduzido.

pechinchar (pe.chin.char) v. Pedir que alguma coisa seja vendida por preço mais baixo; regatear. ▶ Conjug. 5.

pechisbeque [é] (pe.chis.be.que) s.m. Liga metálica dourada que imita o ouro.

pecíolo (pe.cí:o.lo) s.m. Segmento da folha que a prende ao ramo.

peçonha (pe.ço.nha) s.f. Secreção venenosa de certos animais; veneno: *A peçonha da cascavel pode ser letal.*

peçonhento (pe.ço.nhen.to) adj. Que tem peçonha; venenoso: *O escorpião é um animal peçonhento.*

pecuária (pe.cu.á.ri:a) s.f. Atividade econômica ligada à criação, tratamento e aproveitamento de gado. – **pecuarista** adj. s.m. e f.

peculato (pe.cu.la.to) s.m. Crime de desvio, por parte de funcionário público, de dinheiro, valor ou qualquer outro bem.

peculiar (pe.cu.li:ar) adj. Que é próprio de uma pessoa ou coisa; especial, próprio, característico: *Essa é a alegria peculiar dos jovens.* – **peculiaridade** s.f.

pecúlio (pe.cú.li:o) s.m. Quantia em dinheiro poupada e guardada; pé-de-meia.

pecúnia (pe.cú.ni:a) s.f. Dinheiro.

pecuniário (pe.cu.ni:á.ri:o) adj. **1.** Relativo a dinheiro: *uma questão pecuniária.* **2.** Constituído de dinheiro: *bens pecuniários.*

pedaço (pe.da.ço) s.m. **1.** Porção de um sólido: *Serrou um pedaço de madeira.* **2.** Trecho de um livro: *Estava lendo aquele pedaço em que Martim encontra Iracema.* **3.** Espaço de tempo: *Já faz um pedaço que não venho a minha terra.*

pedágio (pe.dá.gi:o) s.m. **1.** Taxa que se paga em certos trechos de uma estrada. **2.** Posto onde se paga essa taxa.

pedagogia (pe.da.go.gi.a) s.f. Conjunto de teorias, métodos e técnicas de educação.

pedagogo [ô] (pe.da.go.go) s.m. **1.** Profissional formado em Pedagogia. **2.** Professor.

pé-d'água (pé-d'á.gua) s.m. Chuva forte e passageira. || pl.: *pés-d'água.*

pedal (pe.dal) s.m. Peça de máquinas, veículos etc. em que se assenta o pé e com ele imprime-se movimento para fazê-los funcionar: *o pedal da bicicleta; o pedal da máquina de costura.*

pedalada (pe.da.la.da) s.f. Impulso dado ao pedal.

pedalar (pe.da.lar) v. **1.** Mover ou impulsionar os pedais: *A costureira pedalou sua máquina a noite inteira para entregar o vestido da noiva.* **2.** Andar de bicicleta; praticar o ciclismo: *O atleta pedalou com mais vigor no final da disputa.* ▶ Conjug. 5.

pedalinho (pe.da.li.nho) s.m. Pequena embarcação movida a pedais para passeios de lazer em lagos e lagoas.

pedante (pe.dan.te) adj. **1.** Que faz ostentação afetada dos conhecimentos que, às vezes, não possui. **2.** Que alardeia erudição. • s.m. e f. **3.** Pessoa que ostenta erudição. – **pedantismo** s.m.

peculiar (pe.cu.li:ar) adj. Que é próprio de uma pessoa ou coisa; especial, característico. – **peculiaridade** s.f.

pé de atleta s.m. (Med.) Micose produzida por fungos que se desenvolve nos pés; frieira.

pé de boi s.m. Pessoa que trabalha muito.

pé de cabra s.m. Alavanca de ferro, com a extremidade fendida própria para forçar a abertura de portas.

pé de chinelo adj. **1.** Pobre, de pouca ou nenhuma expressão: *Que festa mais pé de chinelo!* • s.m. **2.** Marginal de pouca periculosidade: *O pé de chinelo ameaçava os transeuntes com um revólver de brinquedo.*

pé de galinha s.m. Rugas que se formam no canto dos olhos.

pé-de-meia (pé-de-mei.a) s.m. Dinheiro junto por economias; pecúlio. || pl.: *pés-de-meia.*

pé de moleque s.m. **1.** Doce sólido e achatado, feito de rapadura ou açúcar e amendoim torrado. **2.** Calçamento de pedras miúdas irregulares.

pé de pato s.m. Espécie de calçado de borracha, com a parte anterior alongada e em forma de leque, usado por nadadores e mergulhadores para dar maior velocidade à natação; nadadeira.

pederasta (pe.de.ras.ta) s.m. Homem que tem relações sexuais com outro homem; homossexual.

pederastia (pe.de.ras.ti.a) s.f. Prática de relações sexuais entre homens; homossexualidade.

pederneira (pe.der.nei.ra) s.f. Pedra que em atrito com metal produz faísca.

pedestal (pe.des.tal) s.m. Suporte com base e cornija sobre o qual se assenta uma estátua, uma coluna, um vaso.

pedestre [é] (pe.des.tre) adj. **1.** Que anda a pé. • s.m. e f. **2.** Pessoa que anda a pé pelas vias públicas (em contraposição aos que viajam em veículos).

pé de vento s.m. Vento forte; tufão.

pediatra (pe.di:a.tra) s.m. e f. Médico especialista em Pediatria.

pediatria (pe.di:a.tri.a) s.f. Ramo da Medicina que trata da saúde e das doenças infantis. – **pediátrico** adj.

pedicure (pe.di.cu.re) s.m. e f. Profissional especializado no tratamento dos pés. || Pedicuro.

pedicuro (pe.di.cu.ro) s.m. Pedicure.

pedido (pe.di.do) s.m. **1.** Ato de pedir: *pedido de asilo*. **2.** Aquilo que se pede; a coisa pedida: *Faça um pedido antes de apagar as velinhas*. **3.** Ordem de compra; encomenda: *A loja suspendeu o pedido da mercadoria*. **4.** Rogo, súplica. **5.** Solicitação de casamento: *O namorado dela já fez o pedido*. • **pedida** s.f. **6.** Pedido ou sugestão oportunos: *A grande pedida de hoje no restaurante é carne assada com creme de espinafre*.

pedigree [pedigrí] (Ing.) s.m. Registro de uma linha de ancestrais, principalmente de cachorros ou cavalos.

pedinte (pe.din.te) adj. **1.** Que pede esmola habitualmente; que mendiga. • s.m. e f. **2.** Pessoa pedinte, que pede esmolas; mendigo.

pedir (pe.dir) v. **1.** Fazer conhecer a alguém o desejo ou a vontade de obter algo: *Pedi ao chefe aumento de salário*. **2.** Implorar, rogar, suplicar: *Ela pedia a Deus uma graça muito especial*. **3.** Estipular preço: *Quanto devemos pedir pelo carro, nesse estado?* **4.** Exigir, demandar: *Comporte-se, como pede sua posição de chefe; A solenidade pede roupa a rigor*. **5.** Mendigar, esmolar: *Saiu por aí, a pedir*. **6.** Fazer pedidos ou súplicas; orar: *Ela pedia com muita fé*. ▶ Conjug. 71.

pé-direito (pé-di.rei.to) s.m. (Arquit.) Altura entre o piso e o teto de uma sala, de um apartamento: *Esta sala não tem três metros de pé-direito*. || pl.: pés-direitos.

peditório (pe.di.tó.ri:o) s.m. Pedido repetitivo: *Vivia num peditório sem-fim*.

pedofilia (pe.do.fi.li.a) s.f. (Psiq.) **1.** Atração sexual mórbida do adulto por crianças. **2.** Prática sexual de adulto com crianças.

pedófilo (pe.dó.fi.lo) adj. **1.** Que tem ou manifesta pedofilia: *impulsos pedófilos*. • s.m. **2.** Pessoa que pratica ou deseja praticar sexo com crianças: *A polícia prendeu o pedófilo*.

pedra [é] (pe.dra) s.f. **1.** Mineral sólido e duro da natureza das rochas: *A pedra do alto do morro poderia rolar a qualquer instante*. **2.** Qualquer pedaço de rocha: *Jogou uma pedra na água do lago*. **3.** Mineral precioso ou semiprecioso usado em joalheria: *A pedra de seu anel era uma safira*. **4.** (Med.) Concreção calcária que se forma na bexiga, nos rins, na vesícula e outras partes do corpo humano; cálculo: *Eliminou as pedras da vesícula, usando raio laser*. **5.** (Bot.) Corpos duros que podem aparecer no mesocarpo dos frutos. **6.** Granizo, saraiva. **7.** Qualquer pedaço de substância sólida e dura: *pedra de enxofre; pedra de gelo*. **8.** Quadro-negro: *A professora escreveu na pedra o nome das capitais da região Sudeste*. **9.** Lápide de uma sepultura. **10.** Peças de jogo de tabuleiro (dama, xadrez). || *Botar uma pedra em cima*: abafar, encobrir; esquecer. • *Com quatro pedras na mão*: com disposição belicosa; de um modo agressivo. • *Não deixar pedra sobre pedra*: arrasar totalmente (no sentido real ou figurado). • *Ser uma pedra no caminho*: ser um obstáculo, um impedimento. • *Ser uma pedra no sapato*: ser um incômodo permanente, um empecilho.

pedrada (pe.dra.da) s.f. Golpe ou arremesso de pedra.

pedra-pomes (pe.dra-po.mes) s.f. Pedra leve e porosa usada em polimento e higiene. || pl.: pedras-pomes.

pedraria (pe.dra.ri.a) s.f. Grande quantidade de pedras preciosas; joias.

pedra-sabão (pe.dra-sa.bão) s.f. Pedra não muito dura própria para escultura e artesanato: *Os Profetas do Aleijadinho são de pedra-sabão*. || pl.: pedras-sabão e pedras-sabões.

pedra-ume (pe.dra-u.me) s.f. (Quím.) Pedra adstringente, empregada para cicatrizar lesões leves na pele. || pl.: pedras-ume e pedras-umes.

pedregoso [ô] (pe.dre.go.so) adj. Em que há muitas pedras; cheio de pedras. || f. e pl.: [ó].

pedregulho (pe.dre.gu.lho) s.m. **1.** Pedra grande; penedo. **2.** Grande porção de pedras miúdas.

pedreira (pe.*drei*.ra) *s.f.* Grande rocha de onde se extrai pedra para construção.

pedreiro (pe.*drei*.ro) *s.m.* Profissional que trabalha em alvenaria (pedra e tijolo) e em revestimento (ladrilho e azulejo).

pedrento (pe.*dren*.to) *adj.* Que tem aspecto ou consistência de pedra ou tem pedra em abundância.

pedrês (pe.*drês*) *adj.* Que tem pintas pretas e brancas; carijó: *uma galinha pedrês*.

pê-efe (pê-e.fe) *s.m.* Prato comercial que já vem pronto; prato feito. || pl.: *pê-efes*.

pé-frio (pé-*fri*:o) *s.m.* Pessoa considerada azarenta. || pl.: *pés-frios*.

pega [é] (*pe*.ga) *s.f.* **1.** Ato ou efeito de pegar. **2.** Lugar por onde se pega uma coisa (asa, cabo etc.). • *s.m.* **3.** Discussão acalorada, desavença: *A discussão acabou num grande pega*. **4.** *gír.* Corrida ilegal de disputa entre carros ou motos pelas vias públicas; racha: *um pega de motos*.

pega [ê] (*pe*.ga) *s.f.* **1.** (*Zool.*) Gralha. **2.** *fig.* Mulher faladeira.

pegada (pe.*ga*.da) *s.f.* **1.** Ação de pegar. **2.** Sinal que o pé deixa impresso no solo; rastro; pista. **3.** *fig.* Sinal, vestígio. **4.** No futebol, combate permanente ao adversário. **5.** No pugilismo, soco forte.

pegadiço (pe.ga.*di*.ço) *adj.* **1.** Que pega ou adere facilmente. **2.** Inoportuno, pegajoso.

pegadinha (pe.ga.*di*.nha) *s.f.* (*Telv.*) Quadro em que uma pessoa, sem saber que está sendo filmada, tem que reagir a uma situação cômica e/ou constrangedora encenada por um ator.

pegador [ô] (pe.ga.*dor*) *adj.* **1.** Que pega. • *s.m.* **2.** Instrumento que serve para pegar alguma coisa: *pegador de panela*. **3.** No futebol, jogador que exerce marcação ferrenha sobre o adversário. **4.** Pugilista que tem soco forte.

pegajoso [ô] (pe.ga.*jo*.so) *adj.* Que pega; que adere facilmente; viscoso; pegadiço. || f. e pl.: [ó].

pega-ladrão (pe.ga-la.*drão*) *s.m.* **1.** Dispositivo que prende alfinetes de gravata, broches e outras joias, para impedir que sejam roubados ou se percam. **2.** Dispositivo elétrico ou mecânico para dar alarma nos casos de arrombamentos de casa, cofre etc. || pl.: *pega-ladrões*.

pega-pega (pe.ga-*pe*.ga) *s.m.* Correria e tumulto em vias públicas para pegar algum ladrão ou assaltante. || pl.: *pegas-pegas* e *pega-pegas*.

pegar (pe.*gar*) *v.* **1.** Fixar(-se), aderir, colar: *Pegar figurinhas no álbum*. **2.** Segurar, agarrar; prender, reter: *pegar um touro à unha*; *pegar um pássaro na gaiola*. **3.** Apanhar, tomar, acessar meio de transporte: *pegar uma condução*. **4.** Apanhar ou buscar alguém ou alguma coisa: *Ela veio me pegar na rodoviária*. **5.** Contrair, adquirir, transmitir: *pegar uma infecção*; *pegar bons hábitos*. **6.** Entender, compreender, captar, apreender: *Ele pega bem as lições de escola*; *Ele pegou bem a mensagem*. **7.** Surpreender alguém em prática delituosa ou censurável: *A mulher o pegou revistando-lhe a sua bolsa*. **8.** Atropelar ou chocar-se com: *O caminhão pegou a moto na curva da estrada*. **9.** Tomar uma direção, um caminho: *Pegaram o rumo do mar*. **10.** Firmar-se: *uma moda que não pegou*. **11.** Ser condenado a uma pena: *Pegou quinze anos de cadeia*. **12.** Atrapalhar, prejudicar: *O que pega é sua falta de traquejo*. **13.** Aproveitar um evento: *Foi pegar um cinema no dia de folga*. **14.** Assumir um trabalho: *Ela só pega às dez horas*. **15.** Pedir proteção a; agarrar-se a: *Pegou-se com São Judas Tadeu para passar em Matemática*. **16.** Fixar-se com vida: *A roseira que plantei pegou*. **17.** Convencer: *Seu argumento não pega*. || *Pegar bem*: ter boa repercussão; ser bem aceito. • *Pegar mal*: não ter boa repercussão, não ser bem aceito por ser inadequado. || Part.: pegado e pego. ► Conjug. 8 e 34.

pega-rapaz (pe.ga-ra.*paz*) *s.m.* Mecha de cabelo usada em certa época pelas moças, pendente sobre a testa. || pl.: *pega-rapazes*.

pego [é] (*pe*.go) *s.m.* A parte mais funda de mar, rio, lago, lagoa etc.; pélago, lagamar.

pegureiro (pe.gu.*rei*.ro) *s.m.* **1.** Pastor que guarda gado ou rebanho. **2.** Cão que guarda gado ou rebanho.

peia (*pei*.a) *s.f.* **1.** Corda ou correia que prende as patas dos animais. **2.** *fig.* Obstáculo, estorvo, impedimento: *Agiu sem peias*. **3.** Chicote de tiras de couro trançadas. **4.** *fam.* Surra.

peidar (pei.*dar*) *v. coloq.* Emitir gases pelo ânus. ► Conjug. 18.

peido (*pei*.do) *s.m. coloq.* Ato de peidar; pum, traque.

peignoir [penhoar] (Fr.) *s.m.* Penhoar.

peita (*pei*.ta) *s.f.* **1.** Gratificação que se dá a alguém para obter alguma coisa. **2.** Suborno.

peitada (pei.*ta*.da) *s.f.* Golpe dado com o peito.

peitar[1] (pei.*tar*) *v.* Enfrentar corajosamente. ► Conjug. 18.

peitar² (pei.*tar*) *v.* Corromper com peita; subornar. ▶ Conjug. 18.

peitaria (pei.ta.*ri*.a) *s.f. coloq.* Seios volumosos.

peitilho (pei.*ti*.lho) *s.m.* Parte do vestuário que reveste o peito.

peito (*pei*.to) *s.m.* (*Anat.*) **1.** Parte do tronco compreendida entre o pescoço e o abdômen que contém os pulmões e o coração; tórax. **2.** Corpo mamário; mama, seio. **3.** *fig.* Coragem. || *A peito*: com decisão; com empenho: *Levou a peito sua decisão*. • *De peito aberto*: de coração franco e sincero; com toda franqueza. • *Do peito*: íntimo, muito querido (falando-se de amigo). • *Lavar o peito*: desabafar. • *Meter os peitos*: atirar-se com decisão a um empreendimento, a uma tarefa. • *No peito e na raça*: com todo empenho; sem medir esforço; denodadamente: *Ganhei o concurso no peito e na raça*. • *Tomar a peito*: empenhar-se; interessar-se seriamente por.

peitoral (pei.to.*ral*) *adj.* **1.** Relativo ao peito: *um emplastro peitoral*. • *s.m.* **2.** (*Anat.*) Cada um dos músculos da parede torácica anterior. **3.** Correia que cinge o peito do cavalo. **4.** (*Farm., Med.*) Medicamento usado para males do pulmão.

peitoril (pei.to.*ril*) *s.m.* Muro erigido até a altura do peito e que serve para se apoiar; parapeito.

peitudo (pei.*tu*.do) *adj.* **1.** Que tem peito desenvolvido ou forte: *um homem peitudo*; *uma mulher peituda*. **2.** *fig.* Valente, corajoso: *um soldado peitudo*. • *s.m.* Pessoa de muita coragem e valentia: *Só mesmo um peitudo para enfrentar essa situação*.

peixada [ch] (pei.*xa*.da) *s.f.* (*Cul.*) Prato preparado à base de peixe.

peixaria [ch] (pei.xa.*ri*.a) *s.f.* Loja onde se vendem peixes e frutos do mar.

peixe [ch] (*pei*.xe) *s.m.* **1.** (*Zool.*) Animal vertebrado que nasce e vive na água e respira por guelras. • *peixes s.m.pl.* **2.** (*Astrol.*) Signo do Zodíaco das pessoas nascidas entre 19 de fevereiro e 20 de março. • *s.m.* e *f.* **3.** Pisciano. || *Como o peixe na água*: à vontade, no seu elemento. • *Não ter nada com o peixe*: estar alheio à contenda, nada ter com o caso de que se trata. • *Vender o seu peixe*: manifestar a sua opinião; tratar habilmente dos seus interesses.

peixe-boi (pei.xe-*boi*) *s.m.* (*Zool.*) Mamífero aquático de pele lisa e corpo roliço, hoje em dia encontrado nas bacias dos rios Amazonas e Orinoco. || pl.: *peixes-boi* e *peixes-bois*.

peixe-elétrico (pei.xe-e.*lé*.tri.co) *s.m.* (*Zool.*) Peixe de água doce, dotado de órgão que produz uma corrente elétrica; poraquê. || pl.: *peixes-elétricos*.

peixe-espada (pei.xe-es.*pa*.da) *s.m.* (*Zool.*) Peixe marinho de corpo longo e delgado semelhante a uma espada. || pl.: *peixes-espada* e *peixes-espadas*.

peixeira [ch] (pei.*xei*.ra) *s.f.* **1.** Vendedora de peixes. **2.** Faca comprida, de ponta delgada e muito cortante, usada como arma branca.

peixeiro [ch] (pei.*xei*.ro) *s.m.* Vendedor de peixes.

peixe-voador (pei.xe-vo.a.*dor*) *s.m.* (*Zool.*) Peixe marinho cujas nadadeiras, abertas em leque, lhe permitem o vôo. || pl.: *peixes-voadores*.

peixinho [ch] (pei.*xi*.nho) *s.m.* **1.** Peixe pequeno. **2.** Pessoa que recebe privilégios de seus chefes. **3.** (*Esp.*) No futebol, salto rente ao chão com que o jogador tenta cabecear a bola e, no vôlei, tentativa de defender uma bola baixa antes que ela atinja o chão.

pejamento (pe.ja.*men*.to) *s.m.* **1.** Ato de pejar(-se). **2.** Aquilo que causa pejo, incômodo, embaraço.

pejar (pe.*jar*) *v.* **1.** Encher(-se), carregar(-se): *Pejava os bolsos de balas e caramelos*; *A boa senhora pejou-se de compaixão*. **2.** Causar ou ter pejo; envergonhar-se, corar: *Você se peja com tolices*; *Não se pejava de explorar os amigos*. ▶ Conjug. 10 e 37.

pejo [ê] (*pe*.jo) *s.m.* Pudor, acanhamento, vergonha.

pejorativo (pe.jo.ra.*ti*.vo) *adj.* Que mostra desaprovação, depreciação, desvalorização: *uma palavra de sentido pejorativo*.

pela¹ [é] (*pe*.la) *s.f.* **1.** Bola, especialmente de borracha, empregada em brinquedos infantis e jogos esportivos. **2.** A bola que o seringueiro faz com as peles defumadas do látex. **3.** Nome de um jogo semelhante ao tênis.

pela² [é] (*pe*.la) *s.f.* **1.** Cada camada de cortiça de um sobreiro. **2.** Ato ou efeito de tirar a pele ou casca.

pelada¹ (pe.*la*.da) *s.f.* **1.** Jogo de futebol realizado em campo improvisado e praticado por amadores. **2.** Partida de futebol mal jogada.

pelada² (pe.*la*.da) *s.f.* Doença do couro cabeludo que provoca a queda de tufos de cabelos.

pelado¹ (pe.*la*.do) *adj.* Sem pelo; que não tem pelo: *cabeça pelada*.

pelado² (pe.*la*.do) *adj.* **1.** Sem pele: *tomate pelado*. **2.** Nu, despido. **3.** Sem dinheiro.

pelagem (pe.*la*.gem) *s.f.* Os pelos que cobrem o corpo dos mamíferos: *um gato de pelagem branca*.

pélago (*pé*.la.go) *s.m.* Mar profundo, pego.

pelagra (pe.*la*.gra) *s.f.* (*Med.*) Doença causada por falta de vitaminas cujos sintomas são: vermelhidão na pele e problemas digestivos, psíquicos e nervosos.

pelanca (pe.*lan*.ca) *s.f.* **1.** Pele mole e caída. **2.** Peles que se encontram nas bordas dos cortes de carne bovina, suína e galinácea.

pelancudo (pe.lan.*cu*.do) *adj.* Cheio de pelancas.

pelar¹ (pe.*lar*) *v.* Tirar o pelo de: *Pelou o carneiro*. ▶ Conjug. 8.

pelar² (pe.*lar*) *v.* **1.** Tirar pele ou casca de: *pelar o legume, o porco*. **2.** *fig.* Tirar os haveres de: *Ela pelou o amante*. **3.** Estar muito quente: *O chá está pelando*. ▶ Conjug. 8.

pele [é] (pe.le) *s.f.* Membrana que reveste exteriormente o corpo humano e o de muitos animais. **2.** Casca fina de certos frutos: *tirar a pele da laranja*. **3.** Couro de animal, separado do corpo: *casaco de pele*. || *Salvar a pele*: salvar a si próprio.

pelego [ê] (pe.*le*.go) *s.m.* **1.** Pele do carneiro com a lã, usada sobre a montaria. **2.** *pej.* Designação dada aos agentes estranhos aos meios operários e que se infiltram nos sindicatos a serviço dos patrões ou do governo.

peleja [ê] (pe.*le*.ja) *s.f.* Ação de pelejar; lide.

pelejar (pe.le.*jar*) *v.* **1.** Combater, batalhar, lutar com, contra ou por: *Jacó pelejou com o anjo*; *Os patriotas pelejaram contra o invasor*; *Ela peleja por dias melhores*. **2.** Insistir, instar: *Pelejei para que ela escrevesse o artigo*. ▶ Conjug. 10 e 37.

pelerine (pe.le.*ri*.ne) *s.f.* Capa redonda de lã ou pano grosso que cobre os ombros e vai até os joelhos.

peleteria (pe.le.te.*ri*.a) *s.f.* Estabelecimento comercial que fabrica artigos de pele animal ou vende peles.

pele-vermelha (pele-ver.*me*.lha) *adj.* **1.** Relativo aos peles-vermelhas, índios dos Estados Unidos. • *s.m. e f.* **2.** Indivíduo dos peles-vermelhas. || pl.: peles-vermelhas.

pelica (pe.*li*.ca) *s.f.* Pele fina de cabrito ou carneiro, curtida e preparada para calçados, luvas etc.

peliça (pe.*li*.ça) *s.f.* Roupa ou colcha forradas de peles muito macias.

pelicano (pe.li.*ca*.no) *s.m.* (*Zool.*) Ave aquática de bico largo e bem desenvolvido, longo pescoço e um grande papo sob o bico.

película (pe.*lí*.cu.la) *s.f.* **1.** Pele muito delgada; membrana finíssima. **2.** Filme cinematográfico.

pelintra (pe.*lin*.tra) *adj.* **1.** Que não sente vergonha de seus atos condenáveis; sem-vergonha. • *s.m. e f.* **2.** Pessoa que não tem constrangimento de seus atos condenáveis; sem-vergonha.

pelo¹ (*pe*.lo) *prep.* Aglutinação da antiga preposição *per* com a antiga forma do artigo definido ou pronome demonstrativo *lo/la*. *Per+lo* gerou o artigo *pello*, daí a forma atual.

pelo² [ê] (*pe*.lo) *s.m.* Filamento que cobre o corpo de certos animais e cresce em certas partes do corpo humano. || *Em pelo*: **1.** nu, sem vestuário algum. **2.** sem arreios (montaria).

pelota [ó] (pe.*lo*.ta) *s.f.* **1.** Pequena bola; bolinha. **2.** A bola de futebol. || *Não dar pelota*: não demonstrar interesse algum; não dar atenção.

pelotaço (pe.lo.*ta*.ço) *s.m.* Chute muito forte.

pelotão (pe.lo.*tão*) *s.m.* **1.** (*Mil.*) Divisão de uma companhia de soldados. **2.** Grupo de profissionais reunidos: *um pelotão de repórteres*; *um pelotão de fotógrafos*.

pelourinho (pe.lou.*ri*.nho) *s.m.* Coluna de pedra, em lugar público, junto da qual se expunham e castigavam os criminosos e os escravos.

pelúcia (pe.*lú*.ci.a) *s.f.* Tecido de lã, seda etc., aveludado e felpudo de um lado.

peludo (pe.*lu*.do) *adj.* **1.** Que tem muito pelo; viloso. **2.** *coloq.* Que tem muita sorte.

pelugem (pe.*lu*.gem) *s.f.* **1.** Conjunto de pelos da face ou da pele. **2.** Primeiros pelos que aparecem no rosto.

pelve [é] (*pel*.ve) *s.f.* (*Anat.*) Pélvis, bacia. – **pélvico** *adj.*

pélvis (*pél*.vis) *s.f.* (*Anat.*) Cavidade óssea formada pela união dos ossos ilíacos com o sacro e o cóccix; pelve, bacia.

pena¹ (*pe*.na) *s.f.* **1.** Castigo aplicado a alguém que cometeu alguma falta ou crime; penalidade: *pena de prisão*. **2.** Compaixão, dó, piedade: *Todos tinham pena da viúva*. **3.** Aflição, cuidado, sofrimento: *Quem me consolará em minhas penas?* || *A duras penas*: com muitas dificuldades: *Construiu sua casa a duras penas*. • *Pena capital*: condenação à morte. • *Valer a pena*: ser compensador, valer o sacrifício.

pena² (*pe*.na) *s.f.* **1.** Cada uma das plumas que revestem o corpo das aves. **2.** Pequena peça de metal que se adapta a uma caneta, para escrever ou desenhar.

penacho (pe.*na*.cho) *s.m.* Ramo de penas com que se adornam chapéus, capacetes etc.

penada (pe.*na*.da) *s.f.* Traço feito com pena de escrever. || *De uma penada:* de uma só vez: *De uma penada demitiu todos os seus auxiliares.*

penado (pe.*na*.do) *adj.* Que está penando: *alma penada.*

penal (pe.*nal*) *adj.* (*Dir.*) Relativo a penas judiciais ou a leis punitivas: *código penal; instituto penal.*

penalidade (pe.na.li.*da*.de) *s.f.* Punição imposta por lei ou regulamento; pena.

penalizar (pe.na.li.*zar*) *v.* **1.** Causar ou sentir pena ou dó de: *Sua situação de pobreza penalizava-nos*; *Vendo-o alvo de tamanho sofrimento, penalizei-me.* **2.** (*Jur.*) Aplicar pena ou penalidade: *O juiz penalizou os réus com uma multa.* **3.** Sobrecarregar de modo penoso: *Os pesados impostos penalizavam o povo.* ▶ Conjug. 5.

pênalti (*pê*.nal.ti) *s.m.* (*Esp.*) **1.** No futebol, infração cometida por jogador dentro da grande área. **2.** Cobrança dessa penalidade por parte de um jogador do time adversário.

penar (pe.*nar*) *v.* **1.** Sofrer pena ou padecimento; padecer: *A pobre mulher penava com aquela longa doença.* • *s.m.* **2.** Sofrimento: *Lastimo seu penar.* ▶ Conjug. 5.

penca (*pen*.ca) *s.f.* **1.** Conjunto de flores ou frutos presos a uma haste: *uma penca de bananas.* **2.** *fig.* Quantidade, porção: *Ela tem uma penca de filhos.*

pence (*pen*.ce) *s.f.* Prega feita no avesso do tecido de uma roupa para ajustá-la ao corpo.

pendão (pen.*dão*) *s.m.* **1.** Bandeira, estandarte, lábaro: "*Salve, lindo pendão da esperança...*", Olavo Bilac, *Hino à Bandeira.* **2.** (*Bot.*) Inflorescência de certos vegetais como cana-de-açúcar, milho, arroz etc.

pendência (pen.*dên*.ci:a) *s.f.* **1.** Questão ainda não resolvida. **2.** Litígio, rixa, contenda. **3.** (*Dir.*) Tempo durante o qual uma questão judicial está pendente.

pendente (pen.*den*.te) *adj.* **1.** Que pende, que está pendurado, suspenso: *um quadro pendente da parede.* **2.** Que está ou é inclinado: *com a cabeça pendente.* **3.** Que ainda não foi resolvido: *uma questão pendente.*

pender (pen.*der*) *v.* **1.** Estar pendurado ou suspenso: *A bandeira nacional pendia do alto do mastro.* **2.** Vergar(-se), inclinar(-se): *A laranjeira, carregada que estava, pendia.* **3.** Ter tendência ou propensão para: *Ele sempre pendeu para os estudos das ciências exatas.* **4.** Estar para cair: *A pedra pendia ameaçadora sobre as casas da vila.* ▶ Conjug. 39.

pendor [ô] (pen.*dor*) *s.m.* Inclinação ou tendência que se tem para alguma coisa: *O jovem sempre teve pendor para a música.*

pendular (pen.du.*lar*) *adj.* Que oscila como um pêndulo: *movimento pendular.*

pêndulo (*pên*.du.lo) *s.m.* Corpo pendente de um ponto fixo e que oscila pela ação do próprio peso sobre a gravidade.

pendura (pen.*du*.ra) *s.f. coloq.* Compra fiada: *Os estudantes deixaram a conta do restaurante na pendura.* || dependura.

pendurar (pen.du.*rar*) *v.* **1.** Prender algo a uma certa altura do chão: *Tirou o paletó e pendurou-o na maçaneta da porta.* **2.** Suspender-se: *Os macacos e saguis penduravam-se nos cipós da mata.* **3.** Empenhar; pôr no prego: *Pendurou as joias da mulher para poder comprar o remédio.* **4.** Comprar fiado; ficar devendo (conta, despesa): *Compro tudo e penduro as despesas até o final do mês.* **5.** Ocupar longo tempo; não largar: *Pendurou-se ao telefone durante duas longas horas.* || dependurar. ▶ Conjug. 5.

penduricalho (pen.du.ri.*ca*.lho) *s.m.* Ornato pendente de cordão ou pulseira para enfeite; pingente; berloque; badulaque.

penedia (pe.ne.*di*.a) *s.f.* **1.** Aglomeração de penedos. **2.** Grande rocha.

penedo [ê] (pe.*ne*.do) *s.m.* Pedra grande; penha, penhasco; rocha.

peneira (pe.*nei*.ra) *s.f.* Utensílio geralmente circular com aro de madeira ou metal e fundo em trançado de arame fino, crina ou taquara, pelo qual passam apenas as substâncias reduzidas a minúsculos fragmentos; crivo.

peneirar (pe.nei.*rar*) *v.* **1.** Passar por peneira: *Não deixe de peneirar a farinha.* **2.** *fig.* Selecionar, escolher: *A empresa peneirava os candidatos com uma duríssima prova de Português.* **3.** Chuviscar brandamente, miudamente: *Está peneirando, não precisa de guarda-chuva.* ▶ Conjug. 18.

penetra [é] (pe.*ne*.tra) *s.m. e f.* Pessoa que entra em bailes, festas e cerimônias sem convite.

penetração (pe.ne.tra.*ção*) *s.f.* Ato ou efeito de penetrar.

penetrante (pe.ne.*tran*.te) *adj.* **1.** Que penetra; que fura. **2.** Profundo, intenso (diz-se de sen-

penetrar

sações como frio, dor etc.): *Fazia um frio penetrante.* **3.** Com grande poder e alcance: *um olhar penetrante; uma mente penetrante.*

penetrar (pe.ne.*trar*) *v.* **1.** Passar através de; atravessar, entrar, introduzir-se em: *O tiro penetrou o vidro da janela.* **2.** *fig.* Compreender, perceber, perscrutar: *Penetrar seus desígnios; penetrar no grande mistério.* **3.** *fig.* Persuadir-se ou compenetrar-se: *Ele deixou-se penetrar por suas responsabilidades.* ▶ Conjug. 8. – **penetrável** *adj.*

pênfigo (*pên*.fi.go) *s.m.* Doença que provoca bolhas na pele que se transformam em feridas; fogo-selvagem.

penha (pe.nha) *s.f.* Rocha isolada e destacada, rochedo; penedo, fraga.

penhasco (pe.*nhas*.co) *s.m.* Penha alta, grande rochedo.

penhoar (pe.nho:*ar*) *s.m.* Roupa feminina de uso caseiro que se veste sobre as roupas íntimas ou as de dormir; *peignoir*, robe, roupão.

penhor [ô] (pe.*nhor*) *s.m.* Valor ou objeto que se dá como garantia de pagamento ou de dívida.

penhora [ó] (pe.*nho*.ra) *s.f.* (*Jur.*) Apreensão judicial de bens, valores etc., pertencentes ao devedor para pagamento de dívida.

penhorado (pe.nho.*ra*.do) *adj.* **1.** Que foi oferecido como penhor. **2.** Muito agradecido.

penhorar (pe.nho.*rar*) *v.* **1.** Dar em penhor como garantia de empréstimo: *Penhorou a casa de campo para obter o dinheiro.* **2.** Efetuar a penhora: *Como não conseguiu pagar o empréstimo, a casa foi penhorada.* **3.** Mostrar-se reconhecido, agradecido: *Penhorei-me ao médico que me salvou a vida.* ▶ Conjug. 20.

peniano (pe.ni:*a*.no) *adj.* Do pênis; referente ao pênis: *prótese peniana.*

penicilina (pe.ni.ci.*li*.na) *s.f.* Antibiótico obtido a partir de certos fungos.

penico (pe.*ni*.co) *s.m. coloq.* Urinol.

península (pe.*nín*.su.la) *s.f.* Ponta de terra cercada de água por todos os lados, excetuando-se apenas um deles, pelo qual se liga a outra terra.

pênis (*pê*.nis) *s.m.* (*Anat.*) Órgão sexual dos machos; falo.

penitência (pe.ni.*tên*.ci:a) *s.f.* **1.** Arrependimento de haver pecado. **2.** Sacramento católico que consiste na declaração a um sacerdote dos pecados cometidos. **3.** Pena imposta pelo sacerdote para absolvição dos pecados confessados. **4.** Qualquer sacrifício (jejum, mortificações etc.) feito para expiação dos pecados.

penitenciar (pe.ni.ten.ci:*ar*) *v.* **1.** Impor penitência a: *Penitenciou-os com três dias de jejum.* **2.** Castigar-se por falta cometida: *Já me penitenciei pelo ato indigno.* ▶ Conjug. 17.

penitenciária (pe.ni.ten.ci:*á*.ri:a) *s.f.* Estabelecimento no qual se cumprem as penas privativas da liberdade, impostas pela prática de crimes; presídio.

penitente (pe.ni.*ten*.te) *s.m. e f.* Pessoa que faz penitência ou confissão dos seus pecados: *O sacerdote atendeu alguns penitentes.*

penosa [ó] (pe.*no*.sa) *coloq.* Galinha.

penoso [ô] (pe.*no*.so) *adj.* **1.** Que é causa de pena, de dor, sofrimento ou incômodo: *um tratamento penoso.* **2.** Difícil, trabalhoso: *um penoso caminho; uma subida penosa.* || f. e pl.: [ó].

pensador [ô] (pen.sa.*dor*) *adj.* **1.** Que pensa, que medita. • *s.m.* **2.** Intelectual que faz e, normalmente, escreve cogitações sobre temas e aspectos de interesse humano, social, cultural, filosófico, religioso, artístico etc.

pensamento (pen.sa.*men*.to) *s.m.* **1.** Ato ou efeito de pensar. **2.** Capacidade e atividade de formular ideias, cogitações, conceitos; reflexão: *Todo o pensamento do mestre era voltado para as questões da justiça social.* **3.** O produto dessa atividade mental: *Seu pensamento está expresso em seus três livros.* **4.** Linha de produção intelectual de uma dada época, classe social ou pessoal: *o pensamento renascentista; o pensamento das classes dominantes; o pensamento marxista.* **5.** Mente, maneira de pensar, cabeça: *O pensamento do velho professor era conservador.* **6.** Ideia ou conceito resumido numa frase: *Recolhia todos os pensamentos do almanaque.*

pensante (pen.*san*.te) *adj.* Que pensa; que usa a razão: *Pascal disse que o homem não era mais que um caniço, mas era um caniço pensante.*

pensão (pen.*são*) *s.f.* **1.** Renda que, por justiça, alguém recebe periodicamente de outra pessoa ou de uma instituição: *pensão alimentícia; pensão de ex-combatente.* **2.** Hotel familiar que recebe hóspedes ou fornece comida para fregueses que vão lá fazer refeições: *Perto da estação rodoviária há uma pensão.* **3.** Os serviços de alimentação incluídos na diária de um hotel ou pensão (2): *A casa oferece pensão completa.* **4.** Fornecimento de alimentação

penúria

entregue em domicílio ou no próprio estabelecimento: *Dona Isaura dá pensão para fora.*

pensar (pen.*sar*) *v.* **1.** Elaborar ideias, raciocínios, cogitações; refletir; meditar: *Ele está sempre pensando no problema da segurança; O homem é o único animal que pensa.* **2.** Delinear no pensamento; planejar: *Você pensou bem o plano de ação?; Ando pensando em fazer ginástica.* **3.** Lembrar-se, recordar-se: *Ela pensa muito em sua cidade natal.* **4.** Julgar, supor: *Penso que todos já chegaram.* **5.** Preocupar-se com: *Maria só pensava em seus alunos.* **6.** Aspirar a: *Nunca pensei em ocupar cargos administrativos.* **7.** Ser de determinado parecer: *Não penso como ela.* **8.** Tratar de; cuidar de: *A enfermeira pensou as feridas do soldado.* ▶ Conjug. 5.

pensativo (pen.sa.*ti*.vo) *adj.* Imerso em pensamentos; meditativo.

pênsil (*pên*.sil) *adj.* **1.** Que pende; suspenso. **2.** Sustentado por cabos presos a altas colunas: *ponte pênsil.*

pensionato (pen.si:o.*na*.to) *s.m.* **1.** Internato. **2.** Casa que aluga apartamentos para pessoas idosas, moças que estudam e/ou trabalham.

pensionista (pen.si:o.*nis*.ta) *s.m. e f.* **1.** Pessoa que recebe uma pensão (1). **2.** Pessoa que mora num pensionato ou numa pensão (2).

penso (*pen*.so) *s.m.* Curativo numa ferida.

pentacampeão (pen.ta.cam.pe:*ão*) *s.m.* Indivíduo, equipe ou agremiação que se sagrou campeão cinco vezes.

pentacampeonato (pen.ta.cam.pe:o.*na*.to) *s.m.* Campeonato cinco vezes vencido pelo mesmo concorrente.

pentaedro [é] (pen.ta.*e*.dro) *s.m.* (*Geom.*) Poliedro de cinco faces.

pentágono (pen.*tá*.go.no) *s.m.* (*Geom.*) Polígono de cinco ângulos e cinco lados.

pentagrama (pen.ta.*gra*.ma) *s.m.* **1.** (*Mús.*) Grupo de cinco linhas retas e paralelas sobre as quais se escrevem as notações musicais; pauta. **2.** (*Geom.*) Estrela de cinco pontas.

pentassílabo (pen.tas.*sí*.la.bo) *adj.* **1.** Que tem cinco sílabas: *Executivo é um vocábulo pentassílabo.* • *s.m.* **2.** Vocábulo pentassílabo: *Executivo é um pentassílabo.*

pentatlo (pen.*ta*.tlo) *s.m.* (*Esp.*) Competição esportiva constituída de provas atléticas em cinco modalidades.

pente (*pen*.te) *s.m.* **1.** Utensílio de osso, marfim, plástico etc., com dentes, com o qual se desembaraçam, alisam e ajeitam os cabelos. **2.** Peça onde se encaixam as balas das armas automáticas.

penteadeira (pen.te:a.*dei*.ra) *s.f.* Móvel com espelhos e gavetas, diante do qual as senhoras se penteiam e fazem maquiagem.

penteado (pen.te:*a*.do) *adj.* **1.** Que se penteou. • *s.m.* **2.** Arranjo dado aos cabelos.

pentear (pen.te:*ar*) *v.* Arrumar com o pente ou com a escova os cabelos próprios ou dos outros: *O cabeleireiro penteou a noiva muito bem; Ela penteava-se diante do espelho; Esta cabeleireira corta e penteia.* ▶ Conjug. 14.

pentecostalismo (pen.te.cos.ta.*lis*.mo) *s.m.* (*Rel.*) Movimento religioso nas igrejas cristãs (católica e protestantes) que se caracteriza pela busca de uma experiência pessoal de Deus sob o impulso do Espírito Santo.

pentecostes [ó] (pen.te.*cos*.tes) *s.m.* (*Rel.*) **1.** Festa que os católicos celebram cinquenta dias depois da Páscoa, comemorando a descida do Espírito Santo sobre os apóstolos. **2.** Festa judaica em que se comemora o recebimento por Moisés dos cinco primeiros livros da Bíblia, celebrada cinquenta dias após o primeiro dia da Páscoa judaica.

pente-fino (pen.te-*fi*.no) *s.m.* **1.** Pente de dentes finos e muito próximos uns dos outros. **2.** *coloq.* Exame rigoroso para localizar irregularidades numa empresa, num documento etc. ‖ Usa-se particularmente para designar esse tipo de exame nas declarações de imposto de renda. ‖ pl.: *pentes-finos*

pentelhar (pen.te.*lhar*) *v. chulo* Importunar, chatear, amolar: *Esse menino me pentelhou o dia inteiro, querendo uma bicicleta nova.* ▶ Conjug. 10.

pentelho [ê] (pen.te.lho) *s.m.* **1.** *chulo* Pelo que cobre a região pubiana. **2.** Pessoa desagradável, importuna, chata.

penugem (pe.*nu*.gem) *s.f.* **1.** Primeiras penas que nascem nas aves. **2.** Primeiros pelos da barba e bigode dos adolescentes; buço. **3.** Pelos macios e curtos.

penúltimo (pe.*núl*.ti.mo) *adj.* **1.** Que vem imediatamente antes do último: *o penúltimo dia das férias.* • *s.m.* **2.** Aquele que vem imediatamente antes do último: *O último e o penúltimo da fila não serão atendidos hoje.*

penumbra (pe.*num*.bra) *s.f.* **1.** Estado de transição entre a luz e a sombra. **2.** Meia-luz.

penúria (pe.*nú*.ri:a) *s.f.* Privação do essencial ou necessário; indigência.

pepino

pepino (pe.*pi*.no) *s.m.* Legume (1) de cor verde, de forma cilíndrica e alongada, cuja polpa branca é consumida em saladas e conservas.

pepita (pe.*pi*.ta) *s.f.* Pequena massa de metal, principalmente de ouro.

pepsia (pep.*si*.a) *s.f.* Conjunto dos processos da digestão.

pepsina (pep.*si*.na) *s.f.* (*Quím.*) Enzima do suco gástrico que atua sobre as proteínas alimentares.

pequena (pe.*que*.na) *s.f.* **1.** *coloq.* Mocinha, menina. **2.** Namorada: *Iracema é minha pequena desde a infância.*

pequenez [ê] (pe.que.*nez*) *s.f.* Qualidade e condição de pequeno; pequeneza.

pequeneza [ê] (pe.que.*ne*.za) *s.f.* Pequenez.

pequenino (pe.que.*ni*.no) *adj.* **1.** Muito pequeno. • *s.m.* **2.** Menino pequeno.

pequeníssimo (pe.que.*nís*.si.mo) *adj.* Superlativo absoluto de *pequeno.*

pequeno (pe.*que*.no) *adj.* **1.** Que tem pouca extensão, ou pouco volume, ou pouco valor: *uma casa pequena*; *um campo pequeno*; *uma falta pequena.* **2.** Que tem pouca intensidade: *uma pequena paixão.* **3.** Mesquinho: *uma pessoa pequena.* **4.** Modesto, humilde: *um pequeno fabricante.* • *s.m.* **5.** Menino; criança: *Vou buscar meu pequeno na escola.* **6.** Namorado: *O pequeno da Sônia está no Exército.* • *pequenos s.m.pl.* **7.** A classe economicamente desfavorecida da sociedade. **8.** As crianças em geral; os filhos. **9.** Os fracos, os humildes. || sup. comp.: *menor*; sup. abs.: *mínimo*; *pequeniníssimo.*

pé-quente (pé-*quen*.te) *s.m.* e *f.* Pessoa que dá sorte; que tem sorte. || pl.: *pés-quentes.*

pequerrucho (pe.quer.*ru*.cho) *adj.* Pequenino; muito pequeno: *um menino pequerrucho.* • *s.m.* Criança pequena: *Este pequerrucho ainda não anda.*

pequi (pe.*qui*) *s.m.* **1.** (*Bot.*) Árvore que dá o pequi. **2.** Fruto dessa árvore, oleoso e aromático, usado na fabricação de licores e na culinária das regiões Centro-Oeste e Nordeste.

pequinês [ê] (pe.qui.*nês*) *adj.* **1.** De Pequim, capital da China. **2.** De uma raça de cães de pequeno porte e felpudos: *um cão pequinês.* • *s.m.* **3.** Natural ou habitante de Pequim. **4.** Raça de cães pequenos e felpudos: *De todos os cães, prefiro o pequinês.*

per [ê] *prep.* Por. || Usado apenas na locução *de per si.* || *De per si*: cada um por si, isoladamente: *As provas serão examinadas de per si.* || Forma arcaica a que se sobrepôs *por.*

pera [ê] (pe.ra) *s.f.* **1.** Fruto da pereira. **2.** Porção da barba que se deixa crescer na parte inferior do queixo.

peralta (pe.*ral*.ta) *adj.* **1.** Travesso, levado, traquinas: *Vejam que menino peralta!* • *s.m.* e *f.* **2.** Pessoa afetada no trajar e no andar; janota: *Onde você arranjou esses trajes de peralta?* **3.** Criança travessa, traquinas, levada: *O peralta acabou quebrando o brinquedo.*

perambeira (pe.ram.*bei*.ra) *s.f.* Abismo, precipício; pirambeira.

perambular (pe.ram.bu.*lar*) *v.* Vaguear a pé; passear sem destino; flanar: *Vivia perambulando pelas feiras e praças.* ▶ Conjug. 5.

perante (pe.*ran*.te) *prep.* **1.** Diante de, em presença de: *O professor elogiou o trabalho do aluno perante a turma toda.* **2.** Em relação a: *Todos somos iguais perante a lei.*

pé-rapado (pé-ra.*pa*.do) *s.m.* (*coloq.*) Pessoa de baixa condição social. || pl.: *pés-rapados.*

perau (pe.*rau*) *s.m.* Declive acentuado na margem de um rio ou córrego; barranco.

percal (per.*cal*) *s.m.* Tecido usado em lençóis de trama fechada com 180 ou mais fios que podem ser exclusivamente de algodão ou mesclados com poliéster.

percalço (per.*cal*.ço) *s.m.* Transtorno inerente a um ofício, função, estado etc.: *os percalços da vida de um professor.*

percalina (per.ca.*li*.na) *s.f.* Tecido lustroso de algodão, usado para encadernar livros.

per capita (*Lat.*) *loc. adj.* Por cabeça, por pessoa: *renda per capita.*

perceber (per.ce.*ber*) *v.* **1.** Conhecer por meio dos sentidos: *Ela nada percebe; está inconsciente.* **2.** Enxergar, divisar: *Nesta escuridão, nada percebo.* **3.** Compreender, entender: *Não percebo sua intenção ao dizer isso.* **4.** Dar-se conta de; notar, reparar: *Você parece não perceber a gravidade da situação.* **5.** Recolher, receber vencimentos, ordenados, honorários etc.: *Quanto você percebe de ordenado por mês?* ▶ Conjug. 41.

percentagem (per.cen.*ta*.gem) *s.f.* Porcentagem.

percentual (per.cen.tu:*al*) *adj.* **1.** Relativo a percentagem; de percentagem: *Os quarenta por cento percentuais não serão pagos agora.* • *s.m.* **2.** Numeração comparada a cem; uns tantos por cento; percentagem: *São quatro mil reais sem contar os percentuais.*

percepção (per.cep.ção) *s.f.* **1.** Ação de analisar, avaliar, aquilatar: *Sua percepção dos problemas tem evoluído bastante.* **2.** Apreensão pelos sentidos: *Às vezes os sentidos nos enganam e temos uma percepção errada das coisas.*

perceptível (per.cep.tí.vel) *adj.* **1.** Que pode ser percebido. **2.** Que tem capacidade de perceber; perceptivo.

perceptivo (per.cep.ti.vo) *adj.* **1.** Relativo a percepção: *padrão perceptivo.* **2.** Perceptível.

percevejo [ê] (per.ce.ve.jo) *s.m.* **1.** (*Zool.*) Inseto sugador de sangue, que se aloja nas fendas e interstícios dos leitos para atacar à noite. **2.** *fig.* Pequeno prego de cabeça larga, redonda e chata, utilizado para fixar papel em quadros de avisos.

percorrer (per.cor.rer) *v.* **1.** Correr através, andar ao longo de: *Percorreu o caminho de Santiago com três amigos.* **2.** Passar ao longo de: *O processo percorreu várias fases, até a sua conclusão.* **3.** Passar a vista, ligeiramente, sobre algo: *Percorri as páginas do livro, sem muita atenção.* **4.** Esquadrinhar, explorar, investigar: *Percorri todo o documento, em busca de falhas na argumentação.* ▶ Conjug. 42.

percuciência (per.cu.ci.ên.ci.a) *s.f.* Qualidade de percuciente.

percuciente (per.cu.ci.en.te) *adj.* **1.** Que percute ou fere. **2.** (*fig.*) Agudo, penetrante, profundo: *observação percuciente.*

percurso (per.cur.so) *s.m.* **1.** Ato ou efeito de percorrer. **2.** Caminho percorrido; trajeto.

percussão (per.cus.são) *s.f.* **1.** Ato ou efeito de percutir. **2.** Choque ou embate de dois corpos. **3.** (*Mús.*) Instrumento ou conjunto de instrumentos de percussão como tambor, bongô, tarol etc.

percussionista (per.cus.si:o.nis.ta) *s.m. e f.* Pessoa que toca instrumento de percussão.

percutir (per.cu.tir) *v.* **1.** Bater ou tocar com força: *Seus passos percutiam no chão.* **2.** Repercutir: *Os fortes trovões percutiam pela selva.* ▶ Conjug. 66.

perda [ê] (per.da) *s.f.* **1.** Ato ou efeito de perder(-se). **2.** Privação de coisa que se possuía: *perda dos documentos; perda de um amigo.* **3.** Dano total ou, pelo menos, muito considerável: *a perda de toda a tripulação do navio.* **4.** Falecimento, morte: *Nunca se recuperou da perda da esposa.* **5.** Derrota (num jogo, numa competição): *A perda do campeonato deixou-o deprimido.*

perdão (per.dão) *s.m.* Remissão ou livramento de crime, culpa, ofensa, dívida, pena etc.

perdedor [ô] (per.de.dor) *adj.* **1.** Que perde; que é derrotado: *O time perdedor sairá da disputa.* • *s.m.* **2.** Pessoa que é frequentemente malsucedida: *Coitado do João: é um eterno perdedor.*

perde-ganha (per.de-ga.nha) *s.m.2n.* **1.** Jogo em que ganha o parceiro que primeiro perde, ou o que faz menos pontos. **2.** Atividade ou competição em que igualmente se ganha e se perde.

perder (per.der) *v.* **1.** Ficar privado de alguma coisa que se possuía: *Na confusão, ela perdeu todos os documentos; Numa batalha, perdeu a vista.* **2.** Ficar privado de alguém por morte ou separação: *Perdeu a mãe aos dez anos; A moça perdeu o noivo para a prima.* **3.** Não completar a gravidez: *Levou um tombo e perdeu a criança.* **4.** Emagrecer certa quantidade de peso: *Perdeu cinco quilos em um mês.* **5.** Deixar de presenciar, de ver, de assistir: *Você perdeu o maior filme de todos os tempos!* **6.** Desperdiçar, desaproveitar; jogar fora: *Você está perdendo bons momentos de sua vida.* **7.** Despender, consumir, gastar: *Paulo perde duas horas na condução, diariamente.* **8.** Atrasar-se, chegar atrasado; não estar presente na hora: *perder a aula; perder a condução.* **9.** Desgraçar; causar a ruína de: *O vício da bebida perdeu-a.* **10.** Não vencer, ser derrotado: *Seu time perdeu do meu; Meu candidato perdeu para o adversário.* **11.** Deixar de ter temporária ou permanentemente: *A história me fez perder o sono; Com a notícia, ela perdeu o apetite.* **12.** Sofrer prejuízo ou algum dano: *Só ele saiu perdendo naquele negócio.* **13.** Desaparecer, extraviar-se: *Nós nos perdemos na mata.* **14.** Confundir-se, atrapalhar-se: *Perdeu-se em meio a tantos números.* **15.** Prostituir-se: *A menina perdeu-se por andar em más companhias.* ▶ Conjug. 51.

perdição (per.di.ção) *s.f.* **1.** Ato ou efeito de perder(-se). **2.** Perda, ruína, desgraça: *Não saber economizar foi sua perdição.* **3.** Desonra: *Sua desonestidade contumaz foi a perdição do nome de sua família.* **4.** Aquilo que exerce uma atração irresistível: *Doce de leite é minha perdição.*

perdido (per.di.do) *adj.* **1.** Que desapareceu ou extraviou-se: *um documento perdido.* **2.** Que não se pode recuperar: *meu primeiro amor perdido.* **3.** Desenganado; sem esperança: *um caso perdido.* **4.** Que tem comportamento imoral: *uma moça perdida.* **5.** Sem rumo; desorientado: *Sentia-me perdido naquela confusão.* **6.** Que fica muito longe; distante; remoto: *A casa fica num lugar perdido do sertão.*

perdigão (per.di.*gão*) *s.m.* O macho da perdiz.

perdigoto [ô] (per.di.*go*.to) *s.m.* **1.** O filhote da perdiz. **2.** Salpico de saliva.

perdigueiro (per.di.*guei*.ro) *adj.* **1.** Próprio para a caça de perdizes: *um cão perdigueiro.* • *s.m.* **2.** Cão de orelhas largas e pendentes, empregado na caça de perdizes.

perdiz (per.*diz*) *s.f.* (*Zool.*) Ave de plumagem parda muito apreciada como caça e na culinária.

perdoar (per.do:*ar*) *v.* **1.** Conceder perdão; desculpar: *Deus perdoa nossos pecados; Já perdoei suas injúrias; Perdoamos ao vizinho sua indelicadeza conosco.* **2.** Abrir mão de receber uma dívida, um pagamento: *Perdoou ao amigo a dívida antiga.* ▶ Conjug. 25.

perdulário (per.du.*lá*.ri:o) *adj.* **1.** Que gasta excessivamente, gastador, dissipador, mão-aberta, pródigo: *Ele tinha hábitos perdulários.* • *s.m.* **2.** Aquele que dissipa a fortuna: *Como ganhava muito dinheiro, tornou-se um perdulário.*

perdurar (per.du.*rar*) *v.* Durar muito; manter-se; subsistir: *Bens materiais não perduram.* ▶ Conjug. 5. – **perdurável** *adj.*

pereba [é] (pe.*re*.ba) *s.f.* **1.** *coloq.* Erupção cutânea pustulosa. **2.** Escabiose. • *s.m.* e *f.* **3.** *coloq.* Pessoa que não é boa naquilo que faz, especialmente jogador de futebol.

perecedouro (pe.re.ce.*dou*.ro) *adj.* Que está próximo do fim; que vai logo chegar ao fim; mortal.

perecer (pe.re.*cer*) *v.* **1.** Acabar de viver; morrer: *Não quero que você pereça nessa luta.* **2.** Ter fim; acabar: *Aqui perecem as minhas esperanças.* ▶ Conjug. 41 e 46.

perecível (pe.re.*cí*.vel) *adj.* **1.** Que pode perecer: *Nosso corpo é perecível.* **2.** Que está sujeito à deterioração: *alimentos perecíveis.*

peregrinação (pe.re.gri.na.*ção*) *s.f.* **1.** Viagem por lugares longínquos. **2.** Viagem, em romaria, a lugares santos: *a peregrinação a Meca.*

peregrinar (pe.re.gri.*nar*) *v.* **1.** Viajar por lugares distantes: *Peregrinou por ilhas do Índico e do Pacífico até o Japão.* **2.** Ir em romaria a lugares santos: *Os devotos peregrinavam a/até Roma, Jerusalém e Santiago.* ▶ Conjug. 5.

peregrino (pe.re.gri.no) *adj.* **1.** Que peregrina ou que anda em peregrinação. **2.** Estranho; raro, extraordinário, excepcional: *Eis aí um fato peregrino.* • *s.m.* **3.** Indivíduo que peregrina, que anda por terras estranhas ou longínquas. **4.** Indivíduo que viaja para um lugar sagrado ou um santuário; romeiro: *O peregrino tinha voltado de Jerusalém.*

pereira (pe.*rei*.ra) *s.f.* (*Bot.*) Árvore que dá a pera.

peremptório (pe.remp.*tó*.ri:o) *adj.* Que é categórico, terminante, definitivo: *uma decisão peremptória.*

perene (pe.*re*.ne) *adj.* **1.** Que dura para sempre; perpétuo, sempiterno: *uma fonte perene.* **2.** Que dura muitos anos: *Uma perene amizade nos aproxima.* – **perenidade** *s.f.*

perenizar (pe.re.ni.*zar*) *v.* Tornar perene: *Sua memória está perenizada neste monumento.* ▶ Conjug. 5.

perereca [é] (pe.re.*re*.ca) *s.f.* **1.** (*Zool.*) Anfíbio anuro liso, de cor verde ou parda, semelhante a rã, porém, bem menor. **2.** *chulo* O órgão sexual da mulher. **3.** *coloq.* Dentadura postiça; prótese dentária móvel.

pererecar (pe.re.re.*car*) *v.* **1.** Ir de um lado para outro sem rumo definido: *Depois de voltar da escola, ficou pererecando por aí.* **2.** Dar pulos e saltos como a perereca (1): *A bola pererecou na grande área e saiu pelos fundos.* ▶ Conjug. 8 e 35.

perfazer (per.fa.*zer*) *v.* **1.** Fazer até o fim; acabar de fazer; concluir: *Só conseguiu perfazer a viagem em lombo de burro.* **2.** Completar o número de: *Vendendo uns terrenos que tinha, conseguiu perfazer o valor necessário para a viagem.* || part.: perfeito. ▶ Conjug. 61.

perfeccionismo (per.fec.ci:o.*nis*.mo) *s.m.* Tendência exagerada para alcançar a perfeição na execução de alguma coisa. – **perfeccionista** *adj. s.m.* e *f.*

perfectível (per.fec.*tí*.vel) *adj.* Suscetível de aperfeiçoamento; que se pode aperfeiçoar.

perfeição (per.fei.*ção*) *s.f.* **1.** O mais alto nível de qualidade que se pode conceber: *a perfeição divina.* **2.** Máximo grau de excelência que se atinge na execução de um trabalho ou tarefa: *Os bordados de D. Iaiá são de uma perfeição extrema.* **3.** O mais alto ponto de virtude ou bondade: *Os santos atingiram a perfeição com trabalho e persistência.*

perfeito (per.*fei*.to) *adj.* **1.** Que possui todas as qualidades em mais alto grau: *Deus é um ser perfeito.* **2.** Que só tem qualidades boas, sem defeitos: *uma mulher perfeita; um marido perfeito.* **3.** Executado sem defeito algum:

uma circunferência perfeita; um muro perfeito. **4.** (*Gram.*) Diz-se do tempo verbal que indica uma ação conclusa em relação a uma determinada época.

perfídia (per.fí.di:a) *s.f.* **1.** Qualidade e condição de pérfido. **2.** Ação pérfida; deslealdade, má-fé: *O que você fez foi uma perfídia.*

pérfido (pér.fi.do) *adj.* **1.** Que age com deslealdade; desleal. **2.** Que trai a palavra dada.

perfil (per.*fil*) *s.m.* **1.** Delineamento do rosto de alguém visto de lado. **2.** Representação de um objeto ou de uma figura vista por um dos lados. **3.** Descrição, em traços rápidos, do retrato de uma pessoa: *A polícia já tem o perfil do sequestrador.*

perfilar (per.fi.*lar*) *v.* **1.** Traçar ou desenhar o perfil; rematar o contorno. **2.** Alinhar homens, soldados: *O sargento perfilou a tropa antes de apresentá-la ao capitão.* **3.** Pôr(-se) em posição de sentido: *Perfilou-se diante do comandante e apresentou-se como cabo da companhia.* || Conferir com *perfilhar.* ▶ Conjug. 5.

perfilhar (per.fi.*lhar*) *v.* **1.** (*Jur.*) Reconhecer como filho, de acordo com os preceitos legais. **2.** *fig.* Adotar, abraçar uma ideia, uma causa etc.: *Vou perfilhar a causa da conservação do que resta da Mata Atlântica.* || Conferir com *perfilar.* ▶ Conjug. 5. – **perfilhação** *s.f.*; **perfilhamento** *s.m.*

performance [perfórmance] (Ing.) *s.f.* **1.** Execução cabal de uma função, uma atividade ou de uma tarefa; desempenho: *Depois da performance do baterista, o público interrompeu a apresentação da banda.* **2.** (*Teat.*) Cena em que atores se apresentam por conta própria, fora do texto ou programa: *Depois do espetáculo, a atriz convidada fez uma performance que foi muito aplaudida.*

perfumar (per.fu.*mar*) *v.* **1.** Pôr perfume em: *Perfumou as roupas do bebê com alfazema.* **2.** Espalhar perfume em: *As brancas magnólias perfumavam o jardim.* **3.** Pôr perfume em si mesmo: *Perfumou-se com água-de-colônia, vestiu a capa e saiu.* ▶ Conjug. 5.

perfumaria (per.fu.ma.ri.a) *s.f.* **1.** Estabelecimento em que se fabricam ou vendem perfumes. **2.** Conjunto ou coleção de perfumes. **3.** *fig.* Coisa pequena, desnecessária e superficial: *Resolva os verdadeiros problemas e deixe para lá as perfumarias.*

perfume (per.*fu*.me) *s.m.* **1.** Emanação agradável ao olfato, que se exala de certas substâncias ou coisas: *Pela janela aberta entrava o perfume do jasmineiro em flor.* **2.** (*Farm.*) Preparado odorífero composto de essências aromáticas para perfumar o corpo ou as roupas: *A bela senhora só usava perfume francês.*

perfunctório (per.func.tó.ri:o) *adj.* Que se pratica por obrigação e não por necessidade nem com fim útil.

perfuradora [ô] (per.fu.ra.do.ra) *s.f.* **1.** Máquina dotada de broca para furar o solo; perfuratriz. **2.** Dispositivo para furar cartões e fichas.

perfurar (per.fu.*rar*) *v.* **1.** Furar de lado a lado. **2.** Penetrar. **3.** Fazer furo ou furos em; furar: *A mocinha perfurou as orelhas para usar os brincos da avó.* **4.** Cavar, escavar; abrir: *Perfuravam poços para procurar água potável.* ▶ Conjug. 5.

perfuratriz (per.fu.ra.triz) *s.f.* Máquina que serve para perfurar; perfuradora.

pergaminho (per.ga.*mi*.nho) *s.m.* **1.** Pele de carneiro ou cabrito, preparada para servir de suporte à escrita ou para fazer encadernação: *Os pergaminhos são mais duráveis que o papel.* **2.** Manuscrito ou documento escrito nessa pele: *Ele leu essa história num pergaminho antigo.*

pérgula (pér.gu.la) *s.f.* (*Arquit.*) Estrutura arquitetônica, sustentada por colunas paralelas de alvenaria ou mármore, coberta de travessas, que, geralmente, sustentam plantas trepadeiras, e que serve de galeria ou passeio em jardins e lugares públicos.

pergunta (per.gun.ta) *s.f.* **1.** Frase interrogativa que solicita ou pressupõe resposta; interrogação. **2.** Questão que se coloca em provas ou em exames para ser respondida: *Na prova só não soube responder à pergunta sobre a Capitania de Ilhéus.*

perguntar (per.gun.*tar*) *v.* Fazer perguntas; indagar, interrogar: *Pergunta se posso falar com o chefe; Perguntou pais ausentes; Esse menino gosta muito de perguntar; Ela se perguntava se tinha feito a melhor escolha.* ▶ Conjug. 5.

perianto (pe.ri:*an*.to) *s.m.* (*Bot.*) Conjunto de cálice e corola, que guarda os órgãos de reprodução da flor.

pericárdio (pe.ri.*cár*.di:o) *s.m.* (*Anat.*) Membrana que envolve o coração.

pericarpo (pe.ri.*car*.po) *s.m.* (*Bot.*) Parte do fruto que envolve a semente.

perícia (pe.*rí*.ci:a) *s.f.* **1.** Qualidade de perito. **2.** Destreza, habilidade; maestria, mestria. **3.** (*Jur.*) Exame ou vistoria de caráter técnico e especializado: *O juiz mandou fazer uma perícia*

periclitante

na moto encontrada. **4.** O resultado apresentado nesse exame: *A perícia acrescentou novas implicações do suspeito no crime.*

periclitante (pe.ri.cli.*tan*.te) *adj.* Que periclita, que corre perigo.

periclitar (pe.ri.cli.*tar*) *v.* Correr perigo; perigar: *Sua saúde periclitava, antes de ele iniciar o tratamento médico.* ▶ Conjug. 5.

periculosidade (pe.ri.cu.lo.si.*da*.de) *s.f.* **1.** Qualidade e condição de perigoso. **2.** (*Jur.*) Conjunto de traços psicológicos e de circunstâncias que indicam inclinação e propensão de alguém para o mal e o crime: *Todos sabiam que ele era um bandido de alta periculosidade.*

peridural (pe.ri.du.*ral*) *adj.* (*Anat.*) **1.** Que se localiza em torno da dura-máter: *região peridural.* **2.** Diz-se da anestesia aplicada na região peridural: *anestesia peridural.*

periecos [é] (pe.ri:e.cos) *s.m.pl.* **1.** (*Hist.*) Na Grécia antiga, classe de pessoas intermediárias entre os cidadãos e os escravos. **2.** (*Astron.*) Pessoas que vivem no mesmo paralelo de latitude, mas em longitudes cuja diferença de horário é de 12 horas.

periélio (pe.ri:é.li:o) *s.m.* (*Astron.*) Ponto da órbita em que um astro está mais próximo do Sol.

periferia (pe.ri.fe.*ri*.a) *s.f.* **1.** Contorno de uma figura por uma linha imaginária ou não; contorno, perímetro. **2.** Localização ou condição do que está em volta, nas margens e não no centro: *a periferia das grandes cidades; Você não abordou o núcleo do problema; ficou na periferia.* **3.** Região afastada do centro das grandes cidades: *Ela trabalha no centro, mas mora na periferia.*

periférico (pe.ri.*fé*.ri.co) *adj.* **1.** Que está na periferia; que pertence à periferia: *Hoje, fala-se em nações centrais e nações periféricas.* • *s.m.* **2.** (*Inform.*) Equipamento que não faz parte dos componentes centrais de um computador, mas a ele é acoplado para complementar suas funções: *A impressora é um periférico.*

perífrase (pe.*rí*.fra.se) *s.f.* (*Ling.*) Série de palavras usadas em lugar de um termo específico; circunlóquio, circunlocução.

perifrasear (pe.ri.fra.se:*ar*) *v.* Expressar(-se) usando perífrases; recorrer a perífrases para expressar-se. ▶ Conjug. 14.

perifrástico (pe.ri.*frás*.ti.co) *adj.* **1.** (*Ling.*) Relativo a perífrase: *uma locução perifrástica.* **2.** Que se exprime por uma perífrase.

perigar (pe.ri.*gar*) *v.* Correr perigo, estar em perigo; periclitar: *A vida do doente perigava cada dia mais.* ▶ Conjug. 5 e 34.

perigeu (pe.ri.*geu*) *s.m.* (*Astron.*) Ponto em que um planeta, ao descrever sua órbita, acha-se mais próximo da Terra. || Conferir com *apogeu.*

perigo (pe.*ri*.go) *s.m.* **1.** Situação de risco ou de ameaça para alguém ou alguma coisa. **2.** Aquilo que provoca ou pode provocar essa situação: *Dirigir em grande velocidade constitui um perigo.*

perigoso [ô] (pe.ri.go.so) *adj.* Que expõe a perigo; em que há perigo: *um esporte perigoso; uma viagem perigosa.* || f. e pl.: [ó].

perimetral (pe.ri.me.*tral*) *adj.* Relativo a perímetro; perimétrico.

perimetria (pe.ri.me.*tri*.a) *s.f.* Medição do perímetro.

perimétrico (pe.ri.*mé*.tri.co) *adj.* Perimetral.

perímetro (pe.*rí*.me.tro) *s.m.* (*Geom.*) Linha que limita ou contorna uma figura plana ou superfície geométrica: *o perímetro do círculo.*

períneo (pe.*rí*.ne:o) *s.m.* (*Anat.*) Região compreendida entre o ânus e os órgãos sexuais.

periodicidade (pe.ri:o.di.ci.*da*.de) *s.f.* Qualidade do que é periódico; periodismo.

periódico (pe.ri:*ó*.di.co) *adj.* **1.** Relativo a período. **2.** Que se manifesta ou se reproduz em intervalos regulares: *Tinha periódicos ataques de febre.* **3.** Diz-se da obra ou publicação que possuem periodicidade regular: *publicações periódicas.* • **4.** *s.m.* Esse tipo de publicação: *Nessa biblioteca há uma seção de periódicos.*

periodismo (pe.ri:o.*dis*.mo) *s.m.* **1.** Condição daquilo que está subordinado a intervalos ou movimentos periódicos; periodicidade. **2.** Atividade ou função de jornalista.

periodista (pe.ri:o.*dis*.ta) *s.m. e f.* Jornalista que escreve em periódicos.

período (pe.*rí*:o.do) *s.m.* **1.** Qualquer espaço de tempo: *o período de seca; o período de férias.* **2.** Tempo decorrido entre dois fenômenos, acontecimentos ou datas: *o período compreendido entre a Primeira e a Segunda Grande Guerra.* **3.** Espaço de tempo definido por acontecimentos históricos ou características próprias: *o período da Regência; o período republicano.* **4.** Cada um dos intervalos de tempo em que se dividem as eras geológicas: *período cambriano; período neolítico.* **5.** (*Gram.*) Oração ou grupo de orações que possuem sentido completo: *período simples; período composto.*

976

periodontia (pe.ri:o.don.*ti*.a) *s.f.* (*Odont.*) Especialidade da Odontologia que trata dos tecidos próximos aos dentes, como gengivas e alvéolos. – **periodontista** *s.m.* e *f.*

periodontite (pe.ri:o.don.*ti*.te) *s.f.* (*Odont.*) Infecção ou inflamação do periodonto.

periodonto (pe.ri:o.*don*.to) *s.m.* (*Odont.*) Conjunto de tecidos que fixam os dentes nos alvéolos.

periosteíte (pe.ri:os.te.*í*.te) *s.f.* (*Med.*) Inflamação do perióstео.

perióstео (pe.ri.*ós*.te:o) *s.m.* (*Anat.*) Tecido que envolve os ossos.

peripécia (pe.ri.pé.ci:a) *s.f.* Caso imprevisto; incidente; aventura: *Nossa viagem ao Pantanal foi cheia de peripécias.*

périplo (*pé*.ri.plo) *s.m.* **1.** Viagem (especialmente marítima) em torno de um continente ou de uma ilha; circum-navegação. **2.** *fig.* Viagem longa: *Depois de fazerem o périplo da ilha, rumaram para o continente.*

periquito (pe.ri.*qui*.to) *s.m.* (*Zool.*) Nome dado a várias aves de múltipla coloração, originárias dos países tropicais: *O periquito do Brasil é totalmente verde; Há periquitos australianos de várias cores.*

periscópio (pe.ris.*có*.pi:o) *s.m.* Aparelho óptico que, por meio de espelhos, permite ver por cima de obstáculos, empregado especialmente pelos submarinos como aparelho de observação.

peristalse (pe.ris.*tal*.se) *s.f.* Peristaltismo. – **peristáltico** *adj.*

peristaltismo (pe.ris.tal.*tis*.mo) *s.m.* Conjunto de movimentos contráteis do tubo digestivo e outros órgãos tubulares que impulsionam seu conteúdo para o exterior; peristalse.

perito (pe.*ri*.to) *adj.* **1.** Que é conhecedor especializado de determinado assunto: *Aceite o parecer do Andrade, pois ele é perito nesse assunto.* • *s.m.* **2.** Pessoa especializada em determinado assunto; experto: *um perito em contabilidade.* **3.** (*Jur.*) Pessoa nomeada judicialmente para fazer perícia: *Chegaram os peritos para examinar os destroços do carro.* **4.** Pessoa que adquiriu habilidade para fazer alguma coisa prática: *Almeida é perito em abrir porta de carro sem chave.*

peritônio (pe.ri.*tô*.ni:o) *s.m.* (*Anat.*) Membrana que reveste interiormente as paredes abdominais e recobre as vísceras.

peritonite (pe.ri.to.*ni*.te) *s.f.* (*Med.*) Inflamação do peritônio.

perjurar (per.ju.*rar*) *v.* Renunciar a uma crença, a uma opinião, a um princípio; abjurar: *Ele nunca perjurou sua fé; Queriam que ela perjurasse diante do tribunal.* ▶ Conjug. 5.

perjúrio (per.*jú*.ri:o) *s.m.* **1.** Juramento falso. **2.** Quebra de juramento.

perjuro (per.*ju*.ro) *adj.* **1.** Que perjura ou falta à fé jurada: *um político perjuro.* • *s.m.* **2.** Pessoa que falta à fé jurada, que perjura: *Se você fizer isso, será um perjuro.*

permanecer (per.ma.ne.*cer*) *v.* **1.** Conservar (-se), subsistir, continuar: *Sua memória permanece entre nós.* **2.** Ficar, manter-se em determinado lugar por certo tempo: *Alberto permaneceu na fazenda todo o verão.* **3.** Ficar, manter-se em determinada condição ou estado por certo tempo: *Permaneceu calada durante todo o julgamento.* **4.** Perseverar, persistir: *João permaneceu em seus princípios até o fim.* ▶ Conjug. 41 e 46.

permanência (per.ma.*nên*.ci:a) *s.f.* **1.** Ato ou resultado de permanecer; estada: *Sua permanência no cargo é questionada por muitos.* **2.** Condição de permanente: *A permanência dos sintomas levou-o a procurar um médico.*

permanente (per.ma.*nen*.te) *adj.* **1.** Que permanece, que perdura; douradouro: *um acordo permanente.* **2.** Contínuo, ininterrupto: *fonte permanente de alegria.* • *s.f.* **3.** Ondulação artificial do cabelo, relativamente duradoura: *Seus cabelos ficaram lindos com essa permanente.*

permear (per.me.*ar*) *v.* **1.** Fazer passar ou passar através de; atravessar: *Os raios do sol permeavam as altas copas das árvores.* **2.** Estar de permeio: *O período que permeia as duas guerras mundiais.* **3.** Intercalar, entremear, colocar de permeio: *Permearam o canteiro de alface com mudas de cenoura.* ▶ Conjug. 14.

permeável (per.me.*á*.vel) *adj.* **1.** Diz-se de corpos ou substâncias através de cujos poros e interstícios passam outros: *tecido permeável.* **2.** Que se deixa induzir por algo: *um fiscal permeável a suborno.*

permeio (per.*mei*.o) *s.m.* Usado apenas na locução *de permeio*: **1.** em situação intermediária; entre: *Brasil e África com o Atlântico de permeio.* **2.** no meio de; misturado com: *Havia muitas laranjas e duas maçãs de permeio.*

permiano (per.mi:*a*.no) *adj.* (*Geol.*) **1.** Diz-se do último período da era paleozoica, compreendido entre o carbonífero e o triásico. • *s.m.* **2.** Esse período.

permissão

permissão (per.mis.*são*) *s.f.* Ato ou efeito de permitir; licença, consentimento, autorização.

permissível (per.mis.*sí*.vel) *adj.* Que pode ser permitido; admissível.

permissivo (per.mis.*si*.vo) *adj.* Que permite facilmente; que sempre dá permissão: *Os pais não devem ser permissivos.*

permitir (per.mi.*tir*) *v.* **1.** Admitir, consentir em: *Não permitiram sua presença.* **2.** Dar lugar, dar ocasião a, admitir, tolerar: *Maus governantes permitem abusos.* **3.** Dar liberdade, poder ou licença para; consentir: *Nunca lhe permitirei sair de casa.* **4.** Tomar a liberdade de: *Ele se permitiu algumas brincadeiras.* ▶ Conjug. 66.

permuta (per.*mu*.ta) *s.f.* Ato ou efeito de permutar; troca.

permutar (per.mu.*tar*) *v.* Dar reciprocamente; trocar: *Os namorados permutam confidências.* ▶ Conjug. 5.

perna [é] (*per*.na) *s.f.* **1.** (Anat.) Cada um dos membros locomotores inferiores do homem e de diversos animais. **2.** Parte dos membros inferiores, do joelho ao pé. **3.** Peça de suporte e de apoio de diversos objetos: *pernas da mesa; pernas da cadeira.* **4.** As hastes de algumas letras: *O ene tem duas pernas, e o eme, três.* || *Passar a perna*: **1.** dar uma rasteira. **2.** *fig.* Prejudicar alguém de modo deliberado; enganar; lograr.

pernada (per.*na*.da) *s.f.* **1.** Passada larga: *Ele andava depressa, dando largas pernadas.* **2.** Pancada com a perna: *Deu-lhe uma pernada e derrubou-o no chão.* **3.** Movimento das pernas na natação.

perna de pau *adj.* **1.** (Esp.) No futebol, diz-se do jogador ruim, sem habilidade para jogar: *Jogador perna de pau é o Cláuderson.* • *s.m.* **2.** Jogador de futebol ruim, sem habilidade; perneta (2): *Seu time só tem perna de pau.*

pernalta (per.*nal*.ta) *adj.* Que tem pernas compridas.

pernambucano (per.nam.bu.*ca*.no) *adj.* **1.** Do Estado de Pernambuco. • *s.m.* **2.** O natural ou o habitante desse estado.

perneira (per.*nei*.ra) *s.f.* Conjunto de peças de couro que protegem a perna.

perneta [ê] (per.*ne*.ta) *s.m. e f.* **1.** Pessoa a quem falta uma das pernas ou tem uma delas prejudicada. • *s.m.* **2.** No futebol, jogador que joga mal; perna de pau.

pernicioso (per.ni.*ci*.o.so) *adj.* Que pode fazer mal ou prejudicar; nocivo, malsão: *Aquela amizade era perniciosa a minha filha.* || f. e pl.: [ó].

pernil (per.*nil*) *s.m.* Coxa de porco e de outros animais quadrúpedes comestíveis: *pernil de porco; pernil de cordeiro.*

pernilongo (per.ni.*lon*.go) *s.m.* Mosquito de pernas longas.

pernoitar (per.noi.*tar*) *v.* Passar a noite: *Pernoitou no escritório para entregar o trabalho pronto pela manhã.* ▶ Conjug. 21.

pernoite (per.*noi*.te) *s.m.* Ação de pernoitar.

pernóstico (per.*nós*.ti.co) *adj.* **1.** Que fala de tudo afetadamente, usando palavras difíceis e raras; pedante: *um jovem inteligente, mas muito pernóstico.* • *s.m.* **2.** Pessoa que gosta de falar sobre todos os assuntos e o faz de modo afetado; pedante: *Lá vem o pernóstico exibir-se para sua plateia.*

peroba [ó] (pe.*ro*.ba) *s.f.* Árvore cuja madeira de lei é usada em marcenaria e construção.

pérola (*pé*.ro.la) *s.f.* **1.** Concreção normalmente globular, de cor branca brilhante, que se forma no interior de certas conchas e é usada em joias: *um colar de pérolas.* **2.** *fig.* Pessoa de qualidades muito apreciáveis: *Ângela é uma pérola.* • *s.m.* **3.** A cor da pérola: *O pérola é uma cor discreta.* • *adj.* **4.** Que é dessa cor: *Usava luvas pérola.*

perônio (pe.*rô*.ni.o) *s.m.* (Anat.) Osso longo da região externa da perna, situado ao lado da tíbia. || Denominação substituída por *fíbula.*

peroração (pe.ro.ra.*ção*) *s.f.* Parte final de um discurso.

perorar (pe.ro.*rar*) *v.* **1.** Discursar a favor de alguém ou de alguma coisa: *As senhoras da vila peroravam a decência e os bons costumes.* **2.** Terminar o discurso: *Ao fim de duas horas, o presidente perorou.* **3.** Discursar pretensiosamente, afetadamente: *O orador perorou longamente sobre as guerras de Napoleão.* ▶ Conjug. 20.

perpassar (per.pas.*sar*) *v.* **1.** Passar ao longo de (certo lugar): *Perpassou as muralhas da cidade; Perpassou os olhos pelo campo florido.* **2.** Passar, correr, decorrer: *Os dias de férias perpassavam cheios de alegria.* **3.** Deslizar sobre, alisar: *Os dedos do avô perpassavam os longos cabelos de sua netinha.* ▶ Conjug. 5.

perpendicular (per.pen.di.cu.*lar*) *adj.* (Geom.) **1.** Que forma um ângulo reto com outra linha ou um plano: *uma linha perpendicular.* • *s.f.* **2.** Linha perpendicular: *Trace uma perpendicular a este plano.*

perpetrar (per.pe.*trar*) *v.* **1.** Praticar ou cometer um crime ou qualquer ato condenável:

personalidade

Perpetram-se crimes diários contra a floresta amazônica. **2.** *pej.* Escrever obra literária de valor duvidoso: *O poetastro perpetrou um soneto.* ▶ Conjug. 8.

perpétua (per.pé.tu:a) *s.f.* **1.** (*Bot.*) Planta de flores roxas que duram muito. **2.** (*Bot.*) Flor dessa planta.

perpetuar (per.pe.tu:*ar*) *v.* **1.** Tornar perpétuo, fazer durar muito tempo ou para sempre: *Os nomes de rua perpetuam a memória dos heróis da cidade.* **2.** Manter para sempre: *Querem perpetuar esse homem no poder?* **3.** Continuar existindo, reproduzir-se: *Em ambiente propício, esses animais se perpetuarão.* ▶ Conjug. 5.

perpétuo (per.pé.tu:o) *adj.* **1.** Que não tem fim; perene. **2.** Que é para durar para sempre; vitalício: *D. Pedro, Imperador e Defensor Perpétuo do Brasil.*

perplexo [écs] (per.ple.xo) *adj.* Sem reação diante de uma surpresa, de alguma situação inesperada.

perquirir (per.qui.*rir*) *v.* Inquirir, perscrutar, investigar minuciosamente: *O delegado houve por bem perquirir todos os suspeitos de estarem envolvidos no caso.* ▶ Conjug. 66.

perrengue (per.ren.gue) *s.m.* **1.** Situação difícil de resolver: *Paulo disse que está num perrengue com a sogra.* • *adj.* **2.** Adoentado, indisposto: *Esse menino anda muito perrengue.*

persa [é] (per.sa) *adj.* **1.** Da Pérsia, antiga região no Sudoeste da Ásia, hoje Irã; pérsico • *s.m.* e *f.* **2.** O natural ou o habitante da Pérsia. • *s.m.* **3.** A língua dos persas em qualquer de suas várias formas históricas.

perscrutar (pers.cru.*tar*) *v.* Examinar a fundo; investigar minuciosamente; perquirir: *O terapeuta sabia perscrutar as profundezas da alma humana.* ▶ Conjug. 5.

persecução (per.se.cu.*ção*) *s.f.* **1.** Ação de sair ao encalço de alguém ou alguma coisa; perseguição. **2.** Trabalho e esforço para atingir um objetivo, para alcançar um ideal: *Inácio muito trabalhou na persecução de seu ideal de professor.*

persecutório (per.se.cu.tó.ri:o) *adj.* **1.** Relativo a perseguição. **2.** (*Psiq.*) Em que a pessoa se imagina objeto de perseguições: *Coitada, ela sofre de delírio persecutório.*

perseguição (per.se.gui.*ção*) *s.f.* **1.** Ação de perseguir, de ir ao encalço de: *Vários policiais participaram da perseguição aos sequestradores.* **2.** Tratamento injusto, hostil: *É abominável que se faça perseguição às pessoas por suas convicções políticas ou religiosas.*

perseguir (per.se.*guir*) *v.* **1.** Procurar, alcançar, seguir de perto; acossar: *O guarda perseguiu o ladrão.* **2.** Tratar com hostilidade; hostilizar: *Alguns imperadores romanos perseguiram os cristãos.* **3.** Vexar, importunar, incomodar: *O barulho da festa me perseguiu a noite inteira.* **4.** Procurar alcançar alguma coisa: *Renato sempre perseguiu essa meta.* ▶ Conjug. 69 e 93.

perseverar (per.se.ve.*rar*) *v.* **1.** Continuar um esforço para obtenção de algo; insistir: *Felizmente sua firmeza persevera.* **2.** Continuar ocorrendo: *Persevera a temperatura aquecida e úmida na cidade.* **3.** Permanecer em determinada condição: *Perseveravam em oração, aguardando os acontecimentos.* ▶ Conjug. 8.

persiana (per.si:a.na) *s.f.* **1.** Esquadria de pequenas lâminas horizontais móveis que se colocam em janelas e portas para impedir a vista de fora para dentro e deixar passar o ar sem entrar o sol ou o excesso de luz. **2.** Cortina feita de lâminas móveis de madeira ou plástico para controlar a entrada de luz num ambiente.

pérsico (pér.si.co) *adj.* Da Pérsia; persa: *o Golfo Pérsico.*

persignar-se (per.sig.*nar*-se) *v.* Fazer com o polegar três sinais da cruz: o primeiro na testa; o segundo na boca, e o terceiro no peito, dizendo respectivamente: Pelo sinal da Santa Cruz, livrai-nos Deus, Nosso Senhor, dos nossos inimigos. ▶ Conjug. 5, 6 e 33.

persistência (per.sis.*tên*.ci:a) *s.f.* **1.** Qualidade de persistente; constância. **2.** Ação de persistir.

persistente (per.sis.ten.te) *adj.* **1.** Que persiste; teimoso: *uma pessoa persistente.* **2.** Que continua; constante: *um sentimento persistente.*

persistir (per.sis.*tir*) *v.* **1.** Continuar empenhando-se; insistir: *Helena persiste na ideia de se tornar uma concertista internacional.* **2.** Insistir em fazer algo negativo: *Ela persiste em prejudicar o ex-marido.* **3.** Existir; durar, perdurar: *Persiste a violência urbana.* **4.** Permanecer, continuar: *Ela persistiu impassiva.* ▶ Conjug. 66.

personagem (per.so.*na*.gem) *s.2g.* **1.** Cada um dos papéis numa peça de teatro, num filme, numa narrativa de ficção: *Chicó é uma personagem do* Auto da Compadecida, *de Ariano Suassuna.* **2.** Pessoa importante; personalidade: *Havia muitas personagens na inauguração da biblioteca.*

persona grata (Lat.) *loc. subst.* Pessoa que é bem recebida (por alguém em algum lugar).

personalidade (per.so.na.li.*da*.de) *s.f.* **1.** Conjunto de caracteres de cada pessoa que a distin-

personalismo

guem das outras. **2.** Pessoa que se destaca na sociedade: *O senador é uma personalidade.*

personalismo (per.so.na.*lis*.mo) *s.m.* **1.** Qualidade do que é pessoal, subjetivo. **2.** Conduta de quem toma a si mesmo como referência para todas as coisas. – **personalista** *adj.*

personalizar (per.so.na.li.*zar*) *v.* **1.** Dar caráter pessoal a; tornar mais pessoal; pessoalizar: *Aquele banco personalizou o tratamento ao cliente.* **2.** Personificar, atribuir qualidades de pessoa a: *Nas fábulas personalizam-se animais e coisas.* ▶ Conjug. 5.

personal trainer [pêrsonal trêiner] (Ing.) *loc. subst.* Profissional que planeja e acompanha um programa de exercícios físicos para seu cliente.

persona non grata (Lat.) *loc. subst.* Pessoa que não é bem-vinda, que não se tem prazer em receber.

personificação (per.so.ni.fi.ca.*ção*) *s.f.* Atribuição de qualidades humanas a animais e coisas; prosopopeia.

personificar (per.so.ni.fi.*car*) *v.* **1.** Atribuir qualidades de pessoa a, tornar igual a uma pessoa: *O autor personifica bichos, numa excelente fábula.* **2.** Ser ou tornar-se a personificação de, a representação de; personalizar: *A criança personifica a inocência, e o velho, a sabedoria.* ▶ Conjug. 5 e 35.

perspectiva (pers.pec.*ti*.va) *s.f.* **1.** Processo ou técnica de representar objetos tridimensionais numa superfície plana. **2.** Maneira de se considerar uma situação, um caso, um problema; ponto de vista: *Veja o problema de outra perspectiva.* **3.** Probabilidade de desenvolvimento, de crescimento etc.: *Naquele escritório ele tinha perspectiva de progredir.* || **perspetiva**.

perspetiva (pers.pe.*ti*.va) *s.f.* Perspectiva.

perspicácia (pers.pi.*cá*.ci:a) *s.f.* **1.** Qualidade de perspicaz. **2.** Agudeza de raciocínio.

perspicaz (pers.pi.*caz*) *adj.* **1.** Que percebe e/ou compreende o que se passa com clareza e rapidez. **2.** Que tem observação atenta e rápida e compreensão fina para o que ocorre no momento. || sup. abs.: *perspicacíssimo.*

perspicacíssimo (pers.pi.ca.*cís*.si.mo) *adj.* Superlativo absoluto de *perspicaz.*

persuadir (per.su:a.*dir*) *v.* Levar (alguém ou a si próprio) a crer ou a aceitar o que se propõe; convencer(-se): *Pedro persuadiu Antônio da inocência de Maria; Finalmente ele persuadiu-se de que aquilo não era sério; Persuadiu-se, por fim, a agir dentro das normas.* ▶ Conjug. 66.

persuasão (per.su:a.*são*) *s.f.* **1.** Ato ou efeito de persuadir(-se). **2.** Capacidade de persuadir.

persuasivo (per.su:a.*si*.vo) *adj.* Que persuade; convincente; que tem habilidade de persuadir; persuasório.

persuasório (per.su:a.*só*.ri:o) *adj.* Persuasivo.

pertencer (per.ten.*cer*) *v.* **1.** Ser da propriedade de: *Este livro me pertence; Essas fazendas pertenciam a meu avô.* **2.** Ser parte de: *A Groenlândia pertence à Dinamarca.* **3.** Ser da competência de; competir: *Pertence ao professor acabar sua aula quando a sirene toca.* ▶ Conjug. 41 e 46.

pertences (per.*ten*.ces) *s.m.pl.* Objetos pessoais: *Junta teus pertences e vai embora.*

pertinácia (per.ti.*ná*.ci:a) *s.f.* Qualidade de pertinaz; persistência, teimosia, obstinação, afinco.

pertinacíssimo (per.ti.na.*cís*.si.mo) *adj.* Superlativo absoluto de *pertinaz.*

pertinaz (per.ti.*naz*) *adj.* Persistente; teimoso, obstinado. || sup. abs.: *pertinacíssimo.*

pertinência (per.ti.*nên*.ci:a) *s.f.* Qualidade de pertinente.

pertinente (per.ti.*nen*.te) *adj.* **1.** Que é conveniente (ao momento, ao assunto etc.): *No momento pertinente, ele revelou o segredo.* **2.** Importante, relevante: *Acrescentou detalhes pertinentes do acontecimento.* **3.** Concernente, próprio: *Essa história não é pertinente ao caso que estamos analisando.*

perto [é] (*per*.to) *adv.* **1.** A pouca distância; próximo: *Quando abri os olhos, vi que estávamos perto.* **2.** Em tempo próximo: *O Natal está perto.* || *Perto de:* **1.** a pouca distância (no espaço e no tempo): *Nós o vimos perto do bar; Ela virá perto do Natal.* **2.** cerca de, aproximadamente: *Perto de mil soldados desfilaram no dia nacional.* **3.** quase, a ponto de: *Elas andavam perto de um ataque de nervos.*

perturbar (per.tur.*bar*) *v.* **1.** Causar ou sofrer transtorno; perder ou fazer perder a tranquilidade: *Seus discursos me perturbavam muito; Ouviu a reprimenda sem se perturbar.* **2.** Importunar, incomodar: *Suas brincadeiras estão perturbando seu irmão.* **3.** Causar transtorno; agitar; pôr fim a: *A entrada dos atrasados perturbou a concentração dos alunos.* ▶ Conjug. 5.

peru (pe.*ru*) *s.m.* **1.** (Zool.) Grande ave galinácea originária da América do Norte, de plumagem parda com reflexos esverdeados, pescoço e cabeça nus, cuja carne é muito apreciada. **2.** *chulo* Pênis.

perua (pe.*ru*.a) *s.f.* **1.** Fêmea do peru. **2.** Pequeno ônibus. **3.** *coloq.* Mulher que muito se enfeita, para chamar a atenção sobre si.

peruano (pe.ru:a.no) *adj.* **1.** Do Peru, país andino da América do Sul. • *s.m.* **2.** O natural ou o habitante desse país.

peruar (pe.ru:*ar*) *v.* **1.** *coloq.* Ficar perto de jogadores, espiando o jogo e dando palpites: *Não fique aí peruando o jogo.* **2.** *coloq.* Sair para dar uma volta: *Depois do almoço, fomos peruar pelas ruas da cidade.* ▶ Conjug. 5.

peruca (pe.*ru*.ca) *s.f.* Cabeleira postiça.

perueiro (pe.ru:ei.ro) *s.m.* Motorista de perua (2).

perversão (per.ver.*são*) *s.f.* **1.** Ato ou efeito de perverter(-se). **2.** Degeneração, depravação.

perversidade (per.ver.si.*da*.de) *s.f.* **1.** Qualidade ou condição de perverso. **2.** Ato de perverso; maldade.

perverso [é] (per.ver.so) *adj.* **1.** Que tem má índole; que comete perversidades. • *s.m.* **2.** Pessoa de má índole, que comete perversidades.

perverter (per.ver.*ter*) *v.* **1.** Tornar(-se) perverso ou depravado; corromper(-se): *O jogo dos interesses pessoais e partidários perverte os parlamentos.* **2.** Adulterar(-se); desvirtuar(-se): *Acusavam-na de perverter os costumes da aldeia; Perverteram-se os princípios legados pelos antepassados.* ▶ Conjug. 41.

pesada (pe.*sa*.da) *s.f.* **1.** Ato de pesar; pesagem. **2.** O que se pesa de uma vez na balança. || *Da pesada*: *gír.* **1.** qualificado para enfrentar qualquer problema: *Deixe com ele, que ele é da pesada.* **2.** que deve ser respeitado porque tem poder ou é violento: *Chico é um tipo da pesada.*

pesadelo [ê] (pe.sa.*de*.lo) *s.m.* **1.** Sonho mau e angustiante. **2.** *fig.* Pessoa ou coisa que atormenta ou que preocupa desagradavelmente: *Esse caso já está virando um pesadelo.*

pesado (pe.*sa*.do) *adj.* **1.** Que tem peso; que pesa muito: *um pacote pesado.* **2.** Que exige muito esforço; difícil, trabalhoso: *uma tarefa pesada.* **3.** Que se move com lentidão: *um jogador pesado; uma carroça pesada.* **4.** Incômodo, tenso, opressivo, carregado: *um clima pesado.* **5.** Difícil de ser interrompido por ser intenso; profundo: *um sono pesado.* **6.** *fig.* De difícil digestão; indigesto: *comida pesada.* • *adv.* **7.** Com intensidade, com força, com vigor: *Trabalhar pesado; lutar pesado.*

pesagem (pe.*sa*.gem) *s.f.* **1.** Operação de pesar. **2.** Lugar de pesagem.

pêsames (*pê*.sa.mes) *s.m.pl.* Manifestação de pesar por morte de alguém; condolências, sentimentos.

pesar¹ (pe.*sar*) *v.* **1.** Avaliar o peso, tomar o peso de: *A vendedora pesou a mercadoria.* **2.** Ter o peso de: *A caixa pesa 20 quilos.* **3.** *fig.* Examinar atentamente; ponderar, considerar: *O chefe pesou os prós e os contras da compra do computador.* **4.** *fig.* Causar mágoa, desgosto: *Pesa-me sua indiferença; O que pesava ao pai era a indiferença da filha.* **5.** *fig.* Influir decisivamente: *Sua formação católica pesa em suas decisões.* **6.** *fig.* Pressionar, oprimir: *Pesavam sobre ela as infidelidades do marido.* **7.** Recair em, estar a cargo de: *Pesa sobre seus ombros muita responsabilidade.* ▶ Conjug. 8.

pesar² (pe.*sar*) *s.m.* Mágoa, desgosto; remorso, arrependimento: *Sentiu imenso pesar por ter castigado o filho sem razão.*

pesaroso [ô] (pe.sa.*ro*.so) *adj.* **1.** Cheio de pesar; desgostoso. **2.** Com remorso; arrependido. || f. e pl. : [ó].

pesca [é] (*pes*.ca) *s.f.* **1.** Ato de pescar com fins comerciais, esportivos ou de subsistência; pescaria. **2.** A coisa pescada: *Nutre-se da pesca que pega.*

pescada (pes.*ca*.da) *s.f.* (*Zool.*) Peixe de carne clara e leve.

pescado (pes.*ca*.do) *s.m.* Aquilo que se pesca; qualquer peixe comestível, depois de tirado da água: *Veja na feira como está o preço do pescado.*

pescador [ô] (pes.ca.*dor*) *adj.* **1.** Que pesca: *O urso é um animal pescador.* • *s.m.* **2.** Pessoa que pesca ou que vive da pesca que faz: *Os pescadores reúnem-se nessa praia, antes de sair para o mar.*

pescar (pes.*car*) *v.* **1.** Praticar a pesca; apanhar peixe com o anzol ou qualquer outro instrumento: *Jogaram a rede e pescaram muitos peixes; Eu prefiro pescar com molinete.* **2.** Apanhar da água qualquer objeto: *Consegui pescar minha camisa que o rio ia levando.* **3.** *fig.* Ficar sabedor de; captar, compreender: *Logo pescamos sua verdadeira intenção.* ▶ Conjug. 8 e 35.

pescaria (pes.ca.*ri*.a) *s.f.* **1.** Pesca (1). **2.** Jogo de quermesse e de parque de diversão que consiste em tentar retirar com um anzol o número de uma prenda que está escondida.

pescoção (pes.co.*ção*) *s.m.* Golpe de mão no pescoço; cachação.

pescoço [ô] (pes.co.ço) *s.m.* (*Anat.*) **1.** Parte do corpo que une o tronco à cabeça. **2.** *fig.* Gargalo. **3.** (*Esp.*) Diferença correspondente ao tamanho aproximado de um pescoço, que distancia um cavalo de outro, no final de um páreo: *Meu cavalo está ganhando por um pescoço.*

peseta [ê] (pe.se.ta) *s.f.* Moeda da Espanha, antes da adoção do euro.

peso [ê] (*pe.so*) *s.m.* **1.** Força exercida em cima de um corpo sobre seu ponto de apoio em razão da força de gravidade. **2.** *fig.* Tudo que faz pressão. **3.** Peças de metal usadas nas balanças como medidas. **4.** O que é penoso de suportar: *o peso da doença; o peso da idade.* **5.** Valor, importância: *Sua palavra não tem peso nesta assembleia.* **6.** Moeda da Argentina, do Chile, do México e de outros países da América Latina **7.** (*Esp.*) Cada uma das categorias do boxe, judô e alguns outros esportes. **8.** (*Mat.*) Parâmetro com que, em várias operações matemáticas, se multiplicam certas grandezas para dar-lhes maior ou menor importância: *Esta questão tinha peso dois.* || *De peso*: importante, de muito valor, influente: *Ele era um sócio de peso nesse clube.* • *Em peso*: na totalidade, completamente: *A sociedade em peso condenou esse aumento de salário.*

pespegar (pes.pe.*gar*) *v.* Aplicar com violência: *Pespegou um tremendo soco no colega.* ▶ Conjug. 8 e 34.

pespontar (pes.pon.*tar*) *v.* Coser com pespontos: *A costureira pespontou a gola do vestido.* ▶ Conjug. 5.

pesponto (pes.*pon*.to) *s.m.* Ponto largo de arremate de uma costura.

pesqueiro (pes.*quei*.ro) *adj.* **1.** Da ou próprio da pesca; que serve para pescar: *porto pesqueiro; barco pesqueiro.* • *s.m.* **2.** Barco pesqueiro: *Apreendeu um pesqueiro do país vizinho.*

pesquisa (pes.*qui*.sa) *s.f.* **1.** Ato ou efeito de pesquisar. **2.** Conjunto metódico de atividades que têm por finalidade a descoberta de conhecimentos novos no domínio científico, literário ou artístico.

pesquisar (pes.qui.*sar*) *v.* Fazer pesquisa ou investigação sobre algum assunto: *Pesquisou o vocabulário usado nos romances de Guimarães Rosa; Ela pesquisa os processos de reprodução das bactérias.* ▶ Conjug. 5.

pessegada (pes.se.*ga*.da) *s.f.* Doce de cortar feito de pêssego.

pêssego (*pês*.se.go) *s.m.* Fruto do pessegueiro, carnudo, de casca levemente aveludada e de sabor adocicado.

pessegueiro (pes.se.*guei*.ro) *s.m.* (*Bot.*) Árvore que dá o pêssego.

pessimismo (pes.si.*mis*.mo) *s.m.* Tendência a encarar negativamente as situações e os acontecimentos. – **pessimista** *adj. s.m. e f.*

péssimo (*pés*.si.mo) *adj.* Superlativo absoluto de *mau*, de *ruim*; malíssimo.

pessoa [ô] (pes.*so*.a) *s.f.* **1.** Indivíduo considerado em si mesmo, homem ou mulher; ser humano: *Deve entrar uma pessoa de cada vez.* **2.** (*Gram.*) Categoria que se manifesta através dos pronomes ou das desinências verbais para indicar quem fala, a quem se fala e de que ou de quem se fala. **3.** (*Rel.*) Cada uma das individualidades da Santíssima Trindade: *as três pessoas da Trindade.*

pessoal (pes.so:*al*) *adj.* **1.** Relativo a pessoa, exclusivo de certa pessoa; próprio a cada pessoa: *O convite é pessoal e intransferível.* **2.** Diz-se dos pronomes que designam as pessoas do discurso. **3.** Diz-se das formas verbais que se flexionam quanto à pessoa: *infinitivo pessoal.* • *s.m.* **4.** Conjunto que tem interesses comuns: *O pessoal do vôlei vai jogar em Santos.* **5.** Conjunto de pessoas que fazem o mesmo trabalho ou a mesma tarefa; staff: *O pessoal da fábrica terá férias coletivas.*

pessoalizar (pes.so:a.li.*zar*) *v.* Personalizar. ▶ Conjug. 5.

pessoense (pes.so:*en*.se) *adj.* **1.** De João Pessoa, capital do Estado da Paraíba. • *s.m. e f.* **2.** O natural ou o habitante dessa cidade.

pestana (pes.*ta*.na) *s.f.* Cada um dos pelos que guarnecem as bordas das pálpebras. || *Queimar as pestanas*: coloq. estudar muito. • *Tirar uma pestana*: coloq. tirar um cochilo; cochilar.

pestanejar (pes.ta.ne.*jar*) *v.* **1.** Mover as pestanas; abrir e fechar rapidamente os olhos; piscar: *Com muito sono, ela pestanejava sem parar.* **2.** Hesitar, vacilar: *Na hora de defender seu ponto de vista, ele não pestanejou.* || *Sem pestanejar*: sem vacilar: *O menino obedeceu sem pestanejar.* ▶ Conjug. 10 e 37.

peste [é] (pes.te) *s.f.* **1.** (*Med.*) Doença epidêmica, contagiosa e muito mortífera. **2.** (*Med.*) Qualquer epidemia sem caráter definido, que produza grande mortandade. **3.** Pessoa de má índole ou rabugenta.

pestear (pes.te:*ar*) *v.* Empestear: *Era um mau cheiro de pestear o ar.* ▶ Conjug. 14.

pesticida (pes.ti.ci.da) *adj.* **1.** Que extermina parasitas de plantas e animais: *um preparado pesticida*. • *s.m.* **2.** Preparado para exterminar parasitas de plantas e animais: *Borrifou a samambaia com um pesticida*.

pestífero (pes.*tí*.fe.ro) *adj.* Que transmite peste.

pestilento (pes.ti.*len*.to) *adj.* **1.** Infectado de peste: *um ar pestilento*. **2.** Repugnante, asqueroso: *Usava roupas pestilentas*. **3.** Que corrompe ou perverte: *um vício pestilento*. – **pestilência** *s.f.*

peta [ê] (*pe*.ta) *s.f.* Mentira, fraude: *Ora, deixe de petas!*

pétala (*pé*.ta.la) *s.f.* (*Bot.*) Cada uma das peças que compõem a corola da flor.

petardo (pe.*tar*.do) *s.m.* **1.** Engenho explosivo, portátil, para destruir obstáculo por explosão; bomba. **2.** (*Esp.*) No futebol, chute violento: *O gol resultou de um petardo de Cláuderson*.

peteca [é] (pe.*te*.ca) *s.f.* Brinquedo, normalmente feito de pelica ou material semelhante, com recheio de material macio, ao qual se fixam penas, e que se joga com a palma da mão. ǁ *Deixar a peteca cair*: vacilar, falhar.

peteleco [é] (pe.te.*le*.co) *s.m.* Pancada que se dá com a ponta dos dedos médio e/ou indicador, apoiados no polegar e soltos com força; piparote.

petéquia (pe.*té*.qui:a) *s.f.* (*Med.*) Pequena mancha avermelhada ou arroxeada que surge na pele.

petição (pe.ti.*ção*) *s.f.* **1.** Ato de pedir. **2.** Pedido por escrito que é dirigido a uma autoridade ou a um tribunal; requerimento.

petiscar (pe.tis.*car*) *v.* **1.** Comer petiscos: *Paulo gosta de petiscar enquanto espera o jantar*. **2.** Comer um pouco para provar ou porque não deseja comer mais: *Petiscou um pouco do risoto*; *Não quis jantar, apenas petiscou*. ▶ Conjug. 5 e 35.

petisco (pe.*tis*.co) *s.m.* **1.** Comida muito apetitosa; quitute. **2.** Coisas miúdas e saborosas que se comem como aperitivo; acepipe.

petisqueira (pe.tis.*quei*.ra) *s.f.* **1.** Estabelecimento onde se comem petiscos. **2.** Utensílio para servir petiscos.

petit pois [peti puá] (Fr.) *s.m.* Grãos de ervilha em conserva.

petiz (pe.*tiz*) *adj.* **1.** Que é pequeno; que é criança: *Ele é ainda petiz*. • *s.m.* **2.** Criança, menino: *O petiz brincava com seu carrinho*.

petrechos [ê] (pe.*tre*.chos) *s.m.pl.* **1.** Objetos e utensílios necessários à execução de qualquer coisa; apetrechos: *O fotógrafo chegou com os petrechos para fazer as fotos*. **2.** Instrumentos e munições de guerra.

pétreo (*pé*.tre:o) *adj.* **1.** Que é da qualidade ou da natureza da pedra. **2.** *fig.* Desumano, insensível: *O monstro mantinha um sorriso pétreo*.

petrificar (pe.tri.fi.*car*) *v.* **1.** Converter(-se) em pedra, empedrar(-se): *A forte seca petrificou o solo*; *Com a forte seca, o solo petrificou-se*. **2.** Tornar imóvel como pedra: *O susto petrificou o rapaz*; *O rapaz petrificou-se com o susto*. ▶ Conjug. 5 e 35.

petrodólar (pe.tro.*dó*.lar) *s.m.* Dólar obtido com a exportação de petróleo.

petrografia (pe.tro.gra.*fi*.a) *s.f.* **1.** (*Geol.*) Estudo descritivo e sistemático das rochas. **2.** Representações de imagens e ícones feitas nas paredes de cavernas pelo homem primitivo.

petroleiro (pe.tro.*lei*.ro) *adj.* **1.** Relativo ao petróleo. **2.** Que transporta petróleo: *um navio petroleiro*. • *s.m.* **3.** Profissional da indústria e do comércio petroleiro. **4.** Navio especialmente construído para o transporte do petróleo: *O petroleiro está entrando no porto*.

petróleo (pe.*tró*.le:o) *s.m.* Óleo mineral natural, resultante da decomposição de restos orgânicos de épocas remotas, de largo emprego como combustível, lubrificante e matéria-prima da indústria petroquímica.

petrolífero (pe.tro.*lí*.fe.ro) *adj.* **1.** Que contém petróleo: *campos petrolíferos*. **2.** Que produz petróleo: *a indústria petrolífera*.

petrologia (pe.tro.lo.*gi*.a) *s.f.* Parte da geologia que trata da formação, evolução e classificação das rochas; litologia.

petropolitano (pe.tro.po.li.*ta*.no) *adj.* **1.** Da cidade de Petrópolis, no Estado do Rio de Janeiro. • *s.m.* **2.** O natural ou o habitante dessa cidade.

petroquímica (pe.tro.*quí*.mi.ca) *s.f.* Indústria que se ocupa com a produção e o aproveitamento dos subprodutos da refinação do petróleo.

petulante (pe.tu.*lan*.te) *adj.* **1.** Que age com petulância; atrevido, ousado, insolente, descarado. **2.** Desavergonhado. – **petulância** *s.f.*

petúnia (pe.*tú*.ni.a) *s.f.* (*Bot.*) Planta de flores roxas ou brancas, usadas em decoração.

pexote [ó] (pe.*xo*.te) *s.m.* Pixote.

pez [ê] *s.m.* Substância negra e viscosa, obtida pela destilação do alcatrão; piche.

pezada (pe.*za*.da) *s.f.* Golpe com o pé.

pezudo

pezudo (pe.*zu*.do) *adj.* Que tem pé grande.
pi *s.m.* **1.** Décima sexta letra do alfabeto grego. **2.** (*Mat.*) Representação da razão constante entre o perímetro de uma circunferência e o seu diâmetro: 3,14159.
pia (*pi*.a) *s.f.* Bacia fixa na parede ou sobre suporte com água corrente e escoamento para ser utilizada em banheiros, lavabos e cozinhas.
piá (pi:*á*) *s.m.* **1.** Caboclinho, menino filho de índio e branco. **2.** Qualquer menino.
piaba (pi:*a*.ba) *s.f.* (*Zool.*) Pequeno peixe prateado de córregos e rios brasileiros muito apreciado na cozinha do interior do Brasil; lambari.
piaçaba (pi:a.*ça*.ba) *s.f.* (*Bot.*) **1.** Palmeira de cujas fibras se fazem vassouras. **2.** A fibra dessa palmeira. **3.** Vassoura feita com essa fibra. || *piaçava*.
piaçava (pi:a.*ça*.va) *s.f.* Piaçaba.
piada (pi:*a*.da) *s.f.* **1.** Dito ou pequena história engraçada e espirituosa; anedota, chiste, pilhéria. **2.** Qualquer pessoa ou coisa que não se pode levar a sério.
piado (pi:*a*.do) *s.m.* O piar das aves; pio.
piaga (pi:*a*.ga) *s.m.* Espécie de sacerdote dos índios do Brasil; pajé.
pia-máter (pi.a-*má*.ter) *s.f.* (*Anat.*) A mais interna das três membranas que envolvem o cérebro e a medula. || pl.: *pias-máteres*.
pianíssimo (pi:a.*nís*.si.mo) *adv.* **1.** (*Mús.*) Muito docemente, com pouquíssima força. • *s.m.* **2.** Trecho tocado muito docemente: *Aquele pianíssimo do concerto foi maravilhoso.*
pianista (pi:a.*nis*.ta) *s.m.* e *f.* **1.** Artista que toca piano; pessoa que sabe tocar piano. **2.** *gír.* Político que simula voto para ausente, acionando, em seu lugar, a tecla do painel de votação.
piano (pi:*a*.no) *s.m.* (*Mús.*) **1.** Instrumento musical de cordas e teclado que dá as notas por percussão de martelos acionados por 88 teclas. **2.** O pianista de um conjunto musical.
piano-bar (pi:a.no-*bar*) *s.m.* Bar de ambiente calmo com som de piano. || pl.: *pianos-bar* e *pianos-bares*.
pianola [ó] (pi:a.*no*.la) (*Mús.*) *s.f.* Piano mecânico cujo teclado é posto em ação por um jogo de pedais ou pela corrente elétrica.
pião (pi:*ão*) *s.m.* **1.** Brinquedo em forma de pera, com uma ponta de ferro, que se faz girar por meio de um cordel enrolado nele, ou por meio de uma mola interna. **2.** Haste de sustentação de uma escada em caracol. **3.** Na capoeira, movimento de rotação que o capoeirista faz apoiado na cabeça. || Conferir com *peão*.
piar (pi:*ar*) *v.* **1.** Dar pios (ave): *O passarinho piava no ninho.* **2.** *coloq.* Emitir opinião, dar palpite: *É melhor não piar, porque você não sabe do que se trata realmente.* ▶ Conjug. 17.
piauiense (pi:au.i:*en*.se) *adj.* **1.** Do Estado do Piauí. • *s.m.* e *f.* **2.** O natural ou o habitante desse estado.
pica (*pi*.ca) *s.f.* **1.** *chulo* Pênis. **2.** Espécie de lança.
picada (pi.*ca*.da) *s.f.* **1.** Ferida produzida por objeto de ponta, agulha, inseto, cobra, escorpião etc.; picadura. **2.** Trilha, passagem ou caminho improvisado no mato.
picadeiro (pi.ca.*dei*.ro) *s.m.* **1.** Área central de um circo onde se mostram as atrações; arena. **2.** Lugar onde se adestram cavalos ou se fazem exercícios de equitação.
picadinho (pi.ca.*di*.nho) *adj.* **1.** Cortado em pequenos pedaços. • *s.m.* **2.** Guisado feito de carne picada em pequenos pedaços.
picado (pi.*ca*.do) *adj.* **1.** Que foi picado ou está coberto de picadas: *Voltou do campo com os braços picados.* **2.** Cortado em pedaços bem pequenos: *papel picado; pão picado.*
picadura (pi.ca.*du*.ra) *s.f.* **1.** Ato ou efeito de picar. **2.** Picada.
picanha (pi.*ca*.nha) *s.f.* Parte posterior da anca da rês; a carne dessa região.
picante (pi.*can*.te) *adj.* **1.** Que pica: *lã picante.* **2.** Que tem sabor ardido: *uma pimenta picante.* **3.** Que revela malícia; malicioso: *uma comédia picante.*
picão (pi.*cão*) *s.m.* **1.** Instrumento de ferro usado para lavrar ou picar pedras ou rochas. **2.** Picareta. **3.** O ferrão da aguilhada. **4.** (*Bot.*) Planta cujas sementes se grudam no pelo dos animais e na roupa das pessoas.
pica-pau (pi.ca-*pau*) *s.m.* Pássaro que pica repetidamente troncos de árvores em busca de insetos para se alimentar. || pl.: *pica-paus*.
picape (pi.*ca*.pe) *s.f.* Veículo de carga leve, semelhante a uma caminhoneta, com carroceria aberta; *pick-up*.
picar (pi.*car*) *v.* **1.** Ferir com objeto pontiagudo; furar pouco profundamente: *A agulha picou meu dedo; Piquei meu dedo com a agulha; Picou-se com uma agulha.* **2.** Reduzir a pequenos fragmentos: *O menino picava o papel para jogar na hora do gol; Pique a cebola e o alho.* **3.** Dar (o inseto, o animal) picada ou ferroada

em: *A cobra picou o rapaz no calcanhar; A abelha picou-me no rosto.* **4.** Provocar comichão ou ardência: *A lã grossa picava o pescoço da menina.* ▶ Conjug. 5 e 35.

picardia (pi.car.*di*.a) *s.f.* **1.** Desfeita, pirraça. **2.** Maldade. **3.** Astúcia, malícia: *Um jogador cheio de picardias.*

picaresco [ê] (pi.ca.*res*.co) *adj.* **1.** Próprio de pícaro. **2.** Que provoca riso, ridículo ou zombaria. **3.** (*Lit.*) Romance ou peça em que se pinta a vida dos pícaros. **4.** Diz-se de qualquer romance burlesco ou escabroso.

picareta [ê] (pi.ca.*re*.ta) *s.f.* **1.** Instrumento de ferro, com duas pontas, usado para escavar a terra, arrancar pedras etc.; picão. • *s.m. e f. gír.* **2.** Pessoa sem valor ou mérito próprio, que usa de expedientes e embustes para alcançar favores ou vantagens; oportunista.

picaretagem (pi.ca.re.*ta*.gem) *s.f. gír.* Expediente ou embuste para enganar e tirar vantagens.

pícaro (*pí*.ca.ro) *adj.* **1.** Astucioso, ardiloso. • *s.m.* **2.** Pessoa que é astuciosa, ardilosa; esperto, sagaz. **3.** Personagem central de um tipo de romance espanhol do século XVII que se caracterizava pela esperteza com que tirava proveito dos patrões.

piçarra (pi.*çar*.ra) *s.f.* (*Geol.*) **1.** Argila ferrosa endurecida, usada em pavimentação. **2.** Mistura de pedra, areia e terra; cascalho.

pichar (pi.*char*) *v.* **1.** Aplicar piche em. **2.** Rabiscar, escrever (em parede, muro etc.): *Picharam todo o muro da escola.* **3.** *gír.* Falar mal de alguém ou de alguma coisa; criticar acerbamente: *Picharam o colega em sua ausência; O crítico pichou, sem piedade, o romance do escritor estreante.* ▶ Conjug. 5.

piche (*pi*.che) *s.m.* Substância negra, resinosa e muito pegajosa, produto de destilação do alcatrão ou da terebintina; pez.

pick-up [*pic-ap*] (Ing.) *s.f.* picape.

picles (*pi*.cles) *s.m.pl.* (*Cul.*) Vegetais conservados em vinagre ou em salmoura, usados como aperitivo ou condimento.

pico (*pi*.co) *s.m.* **1.** Ponta aguda de uma montanha ou monte: *O pico da Bandeira fica na divisa do Espírito Santo com Minas Gerais.* **2.** Ponta aguçada, bico. **3.** Movimento intenso; grande agitação; pique: *Na hora do pico, há muito engarrafamento no trânsito.* **4.** Ponto mais alto, o auge, pique: *O canal X estava no seu pico de assistência.*

picolé (pi.co.*lé*) *s.m.* Sorvete congelado em torno de um palito do qual se deixa uma extremidade a descoberto, por onde se pega.

picotar (pi.co.*tar*) *v.* **1.** Fazer picotes em (papel, talão, bilhete etc.): *O funcionário picotou o ingresso e o devolveu.* **2.** Cortar em pedacinhos: *Picotou papel de seda de cores variadas.* ▶ Conjug. 20.

picote [ó] (pi.*co*.te) *s.m.* **1.** Furo que se faz com máquina apropriada para invalidar um bilhete, um ingresso, uma passagem etc. **2.** Pequenos furos bem unidos, em sequência, que facilitam o corte manual de papel. **3.** Recorte denteado nas bordas dos selos postais.

pictórico (pic.*tó*.ri.co) *adj.* Relativo a pintura: *o acervo pictórico do Museu Nacional de Belas-Artes.*

picuá (pi.cu.*á*) *s.m.* **1.** Espécie de cesto; balaio. **2.** Saco para roupa e comida.

picuinha (pi.cu:*i*.nha) *s.f. coloq.* **1.** Dito ou alusão picante. **2.** Atitude tomada para fazer pirraça a alguém. **3.** Comportamento hostil revelador de desconfiança; prevenção.

pidão (pi.*dão*) *adj.* **1.** Que está sempre pedindo. • *s.m.* **2.** Pessoa que está sempre pedindo.

piedade (pi:e.*da*.de) *s.f.* **1.** Compaixão pelos males alheios; pena; dó; comiseração. **2.** Devoção religiosa; fervor religioso; religiosidade.

piedoso [ô] (pi:e.*do*.so) *adj.* Que tem ou revela piedade; pio. || f. e pl.: [ó].

piegas [é] (pi:e.*gas*) *adj. s.m. e f. 2n.* **1.** Em que há excesso de sentimentalismo: *um poema piegas.* • *s.m. e f. 2n.* **2.** Quem revela excesso de sentimentalismo: *Francisco é um piegas.*

pieguice (pi:e.*gui*.ce) *s.f.* Qualidade ou condição de piegas; sentimentalismo ridículo.

piemontês (pi:e.mon.*tês*) *adj.* **1.** Do Piemonte, região da Itália. • *s.m.* **2.** O natural ou o habitante desta região. **3.** O dialeto do Piemonte.

píer (*pí*.er) *s.m.* Estrutura montada junto ao mar para servir de embarcadouro.

piercing [*pírcin*] (Ing.) Peça geralmente de metal, de formas diversas, usada como adorno preso ao corpo através de um orifício na pele, nas cartilagens ou na língua.

pierrô (pi:er.*rô*) *s.m.* **1.** (*Teat.*) Personagem da comédia de arte italiana, cuja fantasia é larga, de grande gola e enfeitada de pompons: *Pierrô sofre pelo amor de Colombina.* **2.** Fantasia de carnaval que é a reprodução do vestuário dessa personagem: *Já encomendei meu pierrô para o baile de carnaval.*

pifão (pi.*fão*) *s.m.* Bebedeira.

pifar (pi.*far*) *v.* **1.** Deixar de funcionar; avariar-se: *Como acontece nessas horas, o computador pifou!* **2.** Chegar à exaustão; ficar exausto: *Lá pelas duas da manhã, pifei.* ▶ Conjug. 5.

pífaro (pí.fa.ro) *s.m.* **1.** Flauta rústica de seis orifícios, sem chaves e de som muito agudo. **2.** O tocador desse instrumento.

pífio (pí.fi:o) *adj.* De pouca qualidade; medíocre: *O concerto dessa noite foi pífio.*

pigarrear (pi.gar.re:ar) *v.* **1.** Tossir com pigarro. **2.** Fazer certo ruído com a garganta para se livrar do pigarro ou para chamar a atenção de alguém: *Antes de pedir aumento ao patrão, ele pigarreou e enxugou a testa.* ▶ Conjug. 14.

pigarrento (pi.gar.ren.to) *adj.* **1.** Que tem pigarro. **2.** Que causa pigarro. **3.** Pigarroso.

pigarro (pi.gar.ro) *s.m.* **1.** Embaraço na garganta, causado por mucosidades, fumo, partículas de secreção anormais etc. **2.** Som emitido ao fazer-se esforço com os músculos da garganta, para livrar-se desse embaraço ou para chamar a atenção de alguém.

pigmentação (pig.men.ta.ção) *s.f.* **1.** Produção e acumulação de substância corante num organismo. **2.** Coloração obtida por meio de pigmentos.

pigmentar[1] (pig.men.tar) *adj.* Relativo a pigmento e a pigmentação.

pigmentar[2] (pig.men.tar) *v.* Dar ou adquirir pigmentação: *O chá pigmentou as resinas mais do que o café; A trufa já pigmentou-se por inteiro; Com esse tratamento, a pele começa a pigmentar-se em cerca de cinco dias.* ▶ Conjug. 5.

pigmento (pig.men.to) *s.m.* **1.** (*Biol.*) Substâncias responsáveis pela coloração das células, líquidos ou tecidos vegetais e animais. **2.** (*Quím.*) Substância natural ou produzida quimicamente, utilizada como corante.

pigmeu (pig.meu) *adj.* **1.** Que é muito baixo; baixinho: *um homem pigmeu.* **2.** Relativo aos pigmeus, etnia da África. • *s.m.* **3.** Pessoa de baixa estatura: *Carlinhos é um pigmeu.* **4.** Pessoa que pertence a uma etnia da África cuja estatura não passa de 1,50m. **5.** Pessoa sem grandeza moral, mesquinha, insignificante: *Você não passa de um pigmeu da imprensa.*

pijama (pi.ja.ma) *s.m.* Vestuário caseiro, usado para dormir, composto de casaco e calças folgadas.

pilantra (pi.lan.tra) *adj.* **1.** Que é mau-caráter, desonesto, enganador: *um vendedor pilantra.* • *s.m. e f.* **2.** Pessoa que é mau-caráter, desonesta, enganadora: *Eu não sabia que ele era um pilantra.* – **pilantragem** *s.f.*

pilão (pi.lão) *s.m.* Peça de madeira com que se trituram ou descascam substâncias sólidas como grãos, em recipiente de pedra, madeira ou metal; almofariz.

pilar[1] (pi.lar) *v.* Esmagar ou descascar no pilão ou em máquina descascadora: *Meu avô tinha uma máquina de pilar café.* ▶ Conjug. 5.

pilar[2] (pi.lar) *s.m.* (*Arquit.*) Coluna simples, sem ornatos, que serve de apoio a uma edificação.

pilastra (pi.las.tra) *s.f.* (*Arquit.*) Pilar retangular ou quadrado, usado como adorno ou suporte, em fachada, destacado ou embutido na parede.

pilates (pi.la.tes) *s.m.* Método criado por um atleta alemão, Joseph H. Pilates, em 1920, de exercícios físicos, feitos em aparelhos especiais, para exercitar músculos e articulações e corrigir postura.

pileque [é] (pi.le.que) *s.m.* Embriaguez, bebedeira.

pilha (pi.lha) *s.f.* **1.** Monte de coisas colocadas umas sobre as outras: *uma pilha de pratos; uma pilha de roupas.* **2.** (*Fís.*) Aparelho que transforma em corrente elétrica a energia desenvolvida em uma reação química ou que converte energia térmica em energia elétrica. || *Ser ou estar uma pilha*: ser ou estar excessivamente nervoso, muito irritável.

pilhar (pi.lhar) *v.* **1.** Roubar, saquear: *A tropa invasora pilhou os armazéns.* **2.** Aparecer inesperadamente diante de; surpreender: *Se alguém te pilhar aqui, estarás em maus lençóis.* **3.** Alcançar, obter: *O afilhado do deputado pilhou um bom cargo.* ▶ Conjug. 5. – **pilhagem** *s.f.*

pilhéria (pi.lhé.ri:a) *s.f.* Dito engraçado, chiste; piada.

pilheriar (pi.lhe.ri:ar) *v.* Fazer pilhéria, piada; troçar: *Pilheriavam muito com ele, quando seu time era derrotado; Os veteranos da turma pilheriavam de tudo o que os novatos diziam.* ▶ Conjug. 17.

pilífero (pi.lí.fe.ro) *adj.* Provido de pelos; piloso.

piloro [ô] (pi.lo.ro) *s.m.* (*Anat.*) Orifício de comunicação do estômago com o duodeno.

piloso [ô] (pi.lo.so) *adj.* Cheio de pelos; peludo; pilífero. || f. e pl.: [ó]. – **pilosidade** *s.f.*

pilotagem (pi.lo.ta.gem) *s.f.* **1.** Operação de pilotar. **2.** Técnica ou ofício de piloto.

pilotar (pi.lo.tar) *v.* Dirigir como piloto: *Pilotava aviões pequenos; O rapaz já está pilotando carros de corrida.* ▶ Conjug. 20.

pilotis (pi.lo.tis) s.m.pl. (Arquit.) Conjunto de colunas que sustentam uma edificação, deixando livre a área do pavimento térreo.

piloto [ô] (pi.lo.to) adj. **1.** Diz-se de uma realização para experiência ou adaptação de novos métodos ou processos: *plano piloto; projeto piloto; programa piloto*. • s.m. **2.** Pessoa que dirige qualquer veículo: avião, navio, carro de corrida; balão etc. **3.** Bico de gás num aquecedor, que serve para acender os demais.

pílula (pí.lu.la) s.f. **1.** (Farm., Med.) Medicamento sólido, de tamanho pequeno, que é ingerido com um pouco de água. **2.** (Farm., Med.) A pílula anticoncepcional: *Parou de tomar a pílula para engravidar*. **3.** fig. Coisa difícil de suportar: *Isso é mesmo uma pílula!* **4.** Engano, logro: *Como não percebi suas verdadeiras intenções, engoli a pílula*.

pimenta (pi.men.ta) s.f. **1.** (Bot.) Nome de várias plantas cujos frutos de sabor picante são usados como condimento. **2.** Criança muito levada e ardilosa: *Esse menino é uma pimenta*.

pimenta-do-reino (pi.men.ta-do-rei.no) s.f. (Bot.) Planta trepadeira cujos frutos granulosos, secos e triturados, são usados como condimento. || pl.: *pimentas-do-reino*.

pimenta-malagueta (pi.men.ta-ma.la.gue.ta) s.f. (Bot.) Tipo de pimenta de pequenos frutos que ficam vermelhos quando maduros e são muito picantes. || pl.: *pimentas-malaguetas* e *pimentas-malagueta*.

pimentão (pi.men.tão) s.m. **1.** (Bot.) Planta muito cultivada como hortaliça cujos frutos verdes, amarelos ou vermelhos são bastante usados na culinária. **2.** coloq. Camarão (2).

pimenteira (pi.men.tei.ra) s.f. (Bot.) Planta que dá pimenta.

pimpão (pim.pão) adj. **1.** Que se veste com afetação; vaidoso. • s.m. **2.** Pessoa vaidosa que se veste com afetação.

pimpolho [ô] (pim.po.lho) s.m. **1.** Rebento da videira ou de outras plantas; broto. **2.** fig. Criança, menino. **3.** Criança forte.

pinacoteca [é] (pi.na.co.te.ca) s.f. **1.** Coleção de quadros. **2.** Museu de pintura.

pináculo (pi.ná.cu.lo) s.m. **1.** Parte mais alta de um lugar; píncaro. **2.** fig. O mais alto grau, ápice, apogeu, auge: *O diplomata atingiu o pináculo de sua carreira*.

pinça (pin.ça) s.f. **1.** Instrumento constituído de duas hastes rígidas que funcionam como alavancas articuladas, usado para prender ou arrancar sob pressão. **2.** (Zool.) Órgão apreensor de certos animais como a lagosta, o caranguejo e o escorpião.

pinçar (pin.çar) v. **1.** Prender, pegar ou arrancar com pinça: *A menina pinçava os pelos das sobrancelhas*. **2.** Selecionar, extrair: *O professor pinçou algumas redações de seus melhores alunos*. ▶ Conjug. 5 e 36. – **pinçamento** s.m.

píncaro (pín.ca.ro) s.m. **1.** Ponto mais alto de qualquer coisa, especialmente de um monte; pináculo. **2.** Auge, ápice, apogeu: *A atriz chegou aos píncaros da popularidade*.

pincel (pin.cel) s.m. **1.** Utensílio formado por um tufo de pelos fortemente ligados por uma das extremidades a um cabo geralmente de madeira, utilizado para aplicar tintas, verniz etc. sobre uma superfície: *Comprou vários pincéis para pintar a casa; Ele usa em suas pinturas ora o pincel, ora a espátula*. **2.** Utensílio de cabo curto e pelos macios, usado para espalhar creme de barbear no rosto. **3.** fig. O estilo e o modo de pintar: *Ele é um pincel de notável leveza*.

pincelada (pin.ce.la.da) s.f. **1.** Traço de pincel embebido em tinta. **2.** Comentário ou explicação breve, sem muito aprofundamento: *O professor deu umas pinceladas sobre a Idade Média e entrou no Renascimento*.

pincelar (pin.ce.lar) v. Passar pincel embebido em tinta ou em um líquido qualquer: *O padeiro pincelou os pães com gema de ovo, antes de levá-los ao forno*. ▶ Conjug. 8.

pincenê (pin.ce.nê) s.m. Óculos sem haste, preso ao nariz por uma mola.

pinchar (pin.char) v. Arremessar(-se), atirar(-se) longe: *Com muita disposição, pinchou o anzol no meio do rio; Com medo dos maribondos, pinchou-se da goiabeira em poucos segundos*. ▶ Conjug. 5.

pindaíba (pin.da.í.ba) s.f. Usado na locução *na pindaíba*: sem dinheiro algum; sem tostão; lisura: *Chegou da viagem na pindaíba*.

pindoba [ó] (pin.do.ba) s.f. Palmeira de belo aspecto, de cujas nozes se faz óleo.

pineal (pi.ne:al) adj. **1.** Que se assemelha a uma pinha. **2.** Diz-se de uma pequena glândula situada na base do cérebro: *glândula pineal*.

pinel (pi.nel) adj. **1.** gír. Diz-se da pessoa amalucada, adoidada: *uma mulher pinel*. • s.m. e f. **2.** Pessoa amalucada, adoidada. || *Ficar pinel*: enlouquecer.

pinga (pin.ga) s.f. Cachaça.

pingadeira (pin.ga.*dei*.ra) *s.f.* **1.** Sequência de pingos. **2.** Pequena saliência no telhado, distante da parede, para escoar a água da chuva.

pingado (pin.*ga*.do) *adj.* **1.** Cheio de pingos. **2.** Diz-se do café em que se pingou uma porção de leite. **3.** Embriagado.

pingar (pin.*gar*) *v.* **1.** Deitar pingos ou gotas em; gotejar: *Deve-se pingar água no cozido, de vez em quando*. **2.** Começar a chover: *Vem muita chuva aí; já está pingando*. ▶ Conjug. 5 e 34.

pingente (pin.*gen*.te) *s.m.* **1.** Objeto pendente, em forma de pingo. **2.** Brinco pendente. **3.** Berloque. **4.** Passageiro que viaja no estribo de condução coletiva.

pingo (*pin*.go) *s.m.* **1.** Pequena porção de um líquido que cai, que pinga. **2.** Quantidade mínima de qualquer coisa: *Não tinha um pingo de coragem para fazer aquilo*. || *Pingo de gente*: pessoa de pequena estatura; criança. • *Pôr os pingos nos is*: expressar-se de maneira clara e minuciosa.

pingo-d'água (pin.go-d'*á*.gua) *s.m.* Nome dado ao quartzo hialino rolado e ao topázio incolor rolado || pl.: *pingos-d'água*.

pinguço (pin.*gu*.ço) *adj. gír.* Que bebe muito; bêbado: *um rapaz pinguço*. • *s.m.* Pessoa que é dada a bebedeiras; bêbado: *O pinguço não conseguia meter a chave na fechadura*.

pingue (*pin*.gue) *adj.* **1.** Gordo, gorduroso. **2.** Fértil, produtivo: *terrenos pingues*. **3.** Abundante, farto: *lucros pingues*.

pinguela [é] (pin.*gue*.la) *s.f.* Prancha, viga ou tronco, atravessados sobre um rio, uma vala etc. para servir de ponte.

pingue-pongue (pin.gue-*pon*.gue) *s.m.* Tênis de mesa, jogado com pequenas bolas de celuloide que são impulsionadas por uma raquete para passar sobre uma rede no meio da mesa; tênis de mesa. || pl.: *pingue-pongues*.

pinguim [güi] (pin.*guim*) *s.m.* (*Zool.*) Ave palmípede preta e branca que vive nas regiões geladas do hemisfério austral.

pinha (*pi*.nha) *s.f.* **1.** Fruto da pinheira; fruta-de-conde; ata. **2.** Fruto das várias espécies de pinheiro. **3.** Objeto decorativo em forma de pinha.

pinhal (pi.*nhal*) *s.m.* Plantação de pinheiros; pinheiral.

pinhão (pi.*nhão*) *s.m.* Fruto dos vários tipos de pinheiro.

pinhé (pi.*nhé*) *s.m.* Espécie de gavião, comum no Brasil, que se alimenta de carrapatos, bernes, cupins e lagartas.

pinheiro (pi.*nhei*.ro) *s.m.* (*Bot.*) Árvore, geralmente em forma de cone, usada em reflorestamento, cuja madeira, clara e leve, é usada em carpintaria.

pinheiro-do-paraná (pi.nhei.ro-do-pa.ra.*ná*) *s.m.* Espécie de pinheiro de forma característica, cujos frutos são comestíveis e cuja madeira tem várias utilidades; araucária. || pl.: *pinheiros-do-paraná*.

pinho (*pi*.nho) *s.m.* **1.** Madeira tirada do pinheiro. **2.** *poét.* Violão.

pinicar (pi.ni.*car*) *v.* **1.** Picar com o bico: *O galo pinicava o miolo de pão*. **2.** Provocar comichão: *A lã pinicava meu pescoço*. **3.** Beliscar; cutucar: *A menina pinicou o colega que cochilava na aula*. ▶ Conjug. 5 e 35.

pino (*pi*.no) *s.m.* **1.** Haste metálica que une ou articula duas ou mais peças. **2.** Haste da válvula em motor de explosão. **3.** Ponto mais alto do sol; zênite. **4.** (*Eletr.*) Numa instalação elétrica, elemento macho duplo que se insere na tomada para fazer ligação elétrica. **5.** (*Odont.*) Haste metálica para fixar pivôs ou incrustações. || *A pino*: verticalmente. • *Bater pino*: **1.** (*Mec.*) Desregular (o motor à explosão) por falta de combustível ou defeito. **2.** Mostrar exaustão, extremo cansaço: *Hoje estou batendo pino de cansaço*.

pinoia [ó] (pi.*noi*.a) *s.f. coloq.* Coisa nenhuma; de maneira nenhuma. || Mais usado na expressão *uma pinoia*: *Pois sim que eu vou; uma pinoia*.

pinote [ó] (pi.*no*.te) *s.m.* **1.** Salto súbito e violento que a cavalgadura dá, escoiceando. **2.** Pulo; pirueta.

pinotear (pi.no.te:*ar*) *v.* Dar pinotes (o cavalo): *Quando o cavalo pinoteou, o jóquei caiu*. ▶ Conjug. 14.

pinta (*pin*.ta) *s.f.* **1.** Pequena mancha na pele; sarda. **2.** *gír.* Aparência, fisionomia de alguém ou de alguma coisa: *Não gostei nada da pinta dele*.

pinta-brava (pin.ta-*bra*.va) *s.m. e f.* Pessoa mal-encarada, de aspecto ameaçador. || pl.: *pintas-bravas*.

pintado (pin.*ta*.do) *adj.* **1.** Que se pintou; apresentado em pintura: *uma natureza-morta pintada na tela*. **2.** Coberto de tinta: *um portão pintado*; *uma parede pintada*. **3.** Cheio de pintas: *uma pele pintada*. **4.** Maquiado: *o rosto pintado, e o cabelo feito*.

pintalgar (pin.tal.*gar*) *v.* Pintar de cores variegadas: *O pintor pintalgou a relva de numerosas florinhas brancas, azuis, vermelhas e amarelas*. ▶ Conjug. 5 e 34.

pintar (pin.*tar*) *v.* **1.** Colorir com tinta, cobrir de cores: *Pintei todas as paredes da casa de amarelo.* **2.** Representar por meio de pintura: *Ele pintou o retrato da amada a óleo.* **3.** Descrever vivamente um evento: *Pintou o crime com detalhes.* **4.** Ser pintor: *Ele pinta desde a mocidade.* **5.** Aplicar maquiagem em: *O maquiador pintou a noiva muito bem.* **6.** Ter os primeiros fios de cabelos brancos: *Ele começou a pintar aos quarenta anos.* **7.** Figurar de certa maneira; retratar: *Pintava a sogra como uma jararaca.* **8.** Surgir, aparecer: *Pintou uma boa oportunidade para mim.* **9.** Fazer travessuras, brincar intensamente: *As crianças pintaram durante as férias na fazenda.* ▶ Conjug. 5.

pintarroxo [ô] (pin.tar.ro.xo) *s.m.* (*Zool.*) Pássaro de plumagem castanha com manchas vermelhas cujo canto é apreciado.

pintassilgo (pin.tas.*sil*.go) *s.m.* (*Zool.*) Pássaro de plumagem negra, dorso verde e faixas amarelas nas asas e na cauda e canto agradável.

pinto (*pin*.to) *s.m.* **1.** Filhote da galinha. **2.** *chulo* Pênis. || *Ser pinto*: **1.** considerar (trabalho ou tarefa) fáceis: *Para mim esse problema é pinto.* **2.** ter menor valor que outro: *Você é pinto diante de seu irmão.*

pintor [ô] (pin.*tor*) *s.m.* **1.** Artista que pinta quadros. **2.** Profissional que pinta paredes.

pintoso [ô] (pin.*to*.so) *adj. gír.* Que tem boa-pinta, bonito, elegante. || f. e pl.: [ó].

pintura (pin.*tu*.ra) *s.f.* **1.** Ato ou efeito de pintar: *Iniciou a pintura do apartamento; A pintura ficou muito boa.* **2.** Arte e técnica de pintar, de representar figuras, retratos, paisagens etc. numa tela ou parede com tinta a óleo ou acrílica: *A pintura é uma das artes plásticas; A pintura dos grandes murais mexicanos é muito admirada.* **3.** Obra de arte pintada: *Este museu tem pinturas de Picasso.* **4.** A profissão de pintor: *O artista francês vivia da pintura.* **5.** Maquiage: *A pintura dos olhos e da boca realçou-lhe a beleza.* **6.** *fig.* Pessoa muito bonita: *Aquela menina é uma pintura.*

pinturesco [ê] (pin.tu.*res*.co) *adj.* Pitoresco.

pio¹ (*pi*:o) *s.m.* Voz de certas aves; piado.

pio² (*pi*:o) **1.** Piedoso, devoto. **2.** Caridoso, misericordioso. || sup. abs.: *piíssimo*.

piogênico (pi:o.*gê*.ni.co) *adj.* Que produz pus: *uma bactéria piogênica.*

piolhento (pi:o.*lhen*.to) *adj.* Coberto de piolhos; cheio de piolhos.

piolho [ô] (pi:o.lho) *s.m.* (*Zool.*) Inseto parasita que se desenvolve entre pelos e cabelos e que suga sangue de seu hospedeiro; muquirana.

pioneiro (pi:o.*nei*.ro) *adj.* **1.** Que abre caminho em regiões desconhecidas: *uma expedição pioneira.* **2.** Que lança novas ideias, novos hábitos: *uma escola pioneira.* • *s.m.* **3.** Pessoa que abre caminho em regiões desconhecidas: *Os bandeirantes foram os pioneiros do interior do Brasil.* **4.** Pessoa ou empresa que são as primeiras numa realização ou num estudo ou pesquisa: *Os Curies foram os pioneiros no estudo do rádio.*

pior [ó] (pi:or) *adj.* **1.** Superlativo e comparativo de superioridade dos *adj. mau, ruim*: *Aquele tinha sido o seu pior desempenho; Esse trabalho é pior do que esperávamos.* • *adv.* **2.** Superlativo comparativo de *mal*: *Quando está nervoso, ele fala pior; Ele nada pior do que os colegas.* • *s.m.* **3.** Aquilo que é inferior em qualidade; o que é menos adequado; o que é mais grave: *O pior ainda está por vir.* **4.** O mais ruim; o péssimo: *De todos os ofícios, você escolheu o pior.* || *Levar a pior*: ser vencido numa disputa: *No jogo de xadrez, ele leva sempre a pior.* • *Na pior*: **1.** *coloq.* em situação muito difícil: *Carlos perdeu o emprego e ficou na pior.* **2.** deprimido: *coloq.* Perdeu a namorada e ficou na pior.

piora [ó] (pi:o.ra) *s.f.* **1.** Ato ou efeito de piorar: *Houve uma piora nas relações entre eles.* **2.** Agravamento de uma doença: *Com aquele tratamento, o doente teve uma piora.*

piorar (pi:o.*rar*) *v.* **1.** Pôr em pior estado; tornar pior; agravar (um mal): *A friagem piorou sua gripe.* **2.** Tornar-se pior: *As emendas pioraram o soneto.* ▶ Conjug. 20.

piorreia [é] (pi:or.*rei*.a) *s.f.* **1.** (*Med.*) Corrimento de pus. **2.** (*Odont.*) Inflamação do alvéolo dentário.

pipa (*pi*.pa) *s.f.* **1.** Barril de madeira para vinhos e outros líquidos. **2.** Papagaio de papel, pandorga. **3.** *fig.* Pessoa gorda e baixa.

piparote [ó] (pi.pa.*ro*.te) *s.m.* Pancada que se dá com a ponta do dedo médio ou do indicador, apoiado sobre o polegar e soltando de repente e com força; peteleco.

pipeta [ê] (pi.*pe*.ta) *s.f.* Tubo de vidro ou de plástico, usado em laboratório de química para retirar quantidade de líquido por aspiração.

pipi (pi.*pi*) *s.m.* **1.** Na linguagem infantil, xixi. **2.** Na linguagem infantil, órgão sexual dos meninos. || *Fazer pipi*: urinar.

pipilar (pi.pi.*lar*) *v.* Soltar pios, piar (a ave): *O passarinho pipilava na gaiola.* ▶ Conjug. 5. – **pipilo** *s.m.*

pipoca

pipoca [ó] (pi.po.ca) s.f. Milho especial que se leva ao fogo com gordura ou manteiga para rebentar.

pipocar (pi.po.car) v. **1.** Rebentar com ruído de pipoca, estalar: *As metralhadoras pipocavam lá no morro*. **2.** Surgir, ir aparecendo: *Por todos os lados do bairro pipocam farmácias*. ▶ Conjug. 20 e 35.

pipoco [ô] (pi.po.co) s.m. **1.** Ação de pipocar. **2.** Ruído do que estoura, estala ou arrebenta.

pipoqueiro (pi.po.quei.ro) s.m. Pessoa que faz e vende pipoca.

pique[1] (pi.que) s.m. **1.** Brincadeira de criança em que uma deve pegar a outra, antes que esta ponha a mão num ponto (o pique). **2.** Lugar onde deve tocar a criança que corre da outra nessa brincadeira. **3.** Corrida apressada: *Saiu num pique para fugir da chuva*.

pique[2] (pi.que) s.m. **1.** O ponto ou o estágio mais alto; o pico: *A fábrica atingiu neste mês o pique de produção*. **2.** Grande disposição; garra: *Apesar da idade, ela tem um grande pique para o trabalho*. **3.** Agitação, tumulto, confusão: *Deixou para sair na hora do pique e ficou preso no engarrafamento*.

piquenique (pi.que.ni.que) s.m. Passeio a lugares agradáveis de lazer onde se faz uma refeição ligeira; convescote.

piquete [ê] (pi.que.te) s.m. **1.** (*Mil.*) Pequeno corpo de tropa, que forma guarda avançada ou fica de prontidão. **2.** Nas greves, grupo de trabalhadores que ficam na porta do local de trabalho para impedir que alguém entre e fure a greve. **3.** Estaca erguida para marcar os limites de um terreno; convescote.

pira[1] (pi.ra) s.f. **1.** Vaso em que se acende e deixa arder o fogo simbólico. **2.** Fogueira em que se queimavam os cadáveres.

pira[2] (pi.ra) s.m. **1.** Usado na locução: *Dar o pira*. gír. **2.** Sair apressadamente de um lugar; dar o fora; fugir, pirar.

piracema (pi.ra.ce.ma) s.f. **1.** Movimento migratório de peixes, no sentido das nascentes dos rios, com fins de reprodução. **2.** Época em que isso ocorre.

pirado (pi.ra.do) adj. gír. Louco, maluco.

pirambeira (pi.ram.bei.ra) s.f. Depressão escarpada de terreno; perambeira, abismo, precipício.

piramidal (pi.ra.mi.dal) adj. **1.** Que tem forma de pirâmide. **2.** *fig.* Colossal, monumental.

pirâmide (pi.râ.mi.de) s.f. **1.** (*Geom.*) Sólido limitado por triângulos de vértice comum e cortados por um plano formado de um polígono qualquer. **2.** (*Arquit.*) Monumento de base quadrangular e faces triangulares, terminado em ponta, típico da arquitetura funerária egípcia.

piranha (pi.ra.nha) s.f. **1.** (*Zool.*) Peixe de água doce, carnívoro, extremamente voraz e com dentes afiadíssimos. **2.** *fig.* Mulher que tem vida licenciosa; pistoleira.

pirão (pi.rão) s.m. (*Cul.*) Massa de farinha de mandioca cozida no caldo e que se come com carne, peixes, mariscos etc.

pirar (pi.rar) v. **1.** Enlouquecer, endoidar, surtar: *Você pirou de vez com essa história de tesouro escondido*. **2.** Fugir; dar o pira; dar o fora: *Quando ele viu o perigo, pirou*. ▶ Conjug. 5.

pirarucu (pi.ra.ru.cu) s.m. (*Zool.*) Grande peixe de água doce que habita os rios da bacia amazônica.

pirata (pi.ra.ta) adj. *fig.* **1.** Reproduzido sem autorização legal: *um CD pirata*. **2.** Que opera sem autorização legal, na clandestinidade: *uma rádio pirata*. • s.m. e f. **3.** Ladrão que assalta navios; bucaneiro.

pirataria (pi.ra.ta.ri.a) s.f. **1.** Assalto praticado no mar por navio armado contra outro navio, para se apoderar de sua carga. **2.** Cópia de material comercializado ilegalmente. || *Pirataria aérea*: sequestro de aviões.

piratear (pi.ra.te:ar) v. **1.** Saquear embarcações como pirata: *Navios ingleses pirateavam no Caribe e no Atlântico*. **2.** Fabricar cópias ilegais de um determinado produto e comerciá-las: *Andaram pirateando discos do cantor brasileiro*. ▶ Conjug. 14.

pirenaico (pi.re.nai.co) adj. Relativo aos Pirineus, cadeia de montanhas entre a França e a Espanha; pirineu.

pires (pi.res) s.m.2n. Pequeno prato em que se coloca a xícara.

pirético (pi.ré.ti.co) adj. (*Med.*) Relativo a febre.

piretologia (pi.re.to.lo.gi.a) s.f. (*Med.*) Estudo sobre a febre.

piretoterapia (pi.re.to.te.ra.pi.a) s.f. (*Med.*) Tratamento médico em que se provoca artificialmente uma febre.

pirex [écs] (pi.rex) s.m. Designação industrial de um tipo de vidro que se caracteriza por sua resistência a temperaturas elevadas.

pirexia [cs] (pi.re.xi.a) s.f. (*Med.*) Febre; estado febril.

pírico (pí.ri.co) adj. Relativo a fogo e a pira.

piriforme [ó] (pi.ri.*for*.me) *adj.* Que tem forma de pera.

pirilampo (pi.ri.*lam*.po) *s.m.* (*Zool.*) Inseto que apresenta fosforescência no abdome; vaga-lume.

pirineu (pi.ri.*neu*) *adj.* Pirenaico.

piripaque (pi.ri.*pa*.que) *s.m.* **1.** Qualquer indisposição física repentina. **2.** Ataque de nervos; chilique.

piriri (pi.ri.*ri*) *s.m. coloq.* Desarranjo intestinal; diarreia.

pirita (pi.*ri*.ta) *s.f.* Mineral usado na fabricação de ácido sulfúrico e que, por ser amarelo, é confundido com o ouro.

piroca [ó] (pi.*ro*.ca) *s.f. chulo* Pênis.

piroga [ó] (pi.*ro*.ga) *s.f.* Embarcação comprida e estreita, escavada num tronco de árvore, usada pelos índios.

pirogênico (pi.ro.*gê*.ni.co) *adj.* Que é produzido pelo calor.

pirogravura (pi.ro.gra.*vu*.ra) *s.f.* (*Art.*) **1.** Técnica de gravação com ponta metálica incandescente. **2.** Obra produzida por esse processo.

piromania (pi.ro.ma.*ni*.a) *s.f.* (*Psiq.*) Prazer patológico de produzir incêndio. – **piromaníaco** *adj.*

pirometria (pi.ro.me.*tri*.a) *s.f.* Método de medição de altas temperaturas.

pirômetro (pi.*rô*.me.tro) *s.m.* (*Fís.*) Instrumento que serve para medir altas temperaturas.

pirose [ó] (pi.*ro*.se) *s.f.* (*Med.*) Sensação de ardor ao longo do esôfago até a faringe; azia.

pirotecnia (pi.ro.tec.*ni*.a) *s.f.* Técnica de empregar o fogo ou de lidar com fogos de artifício. – **pirotécnico** *adj.*

pirraça (pir.*ra*.ça) *s.f.* Atitude tomada para irritar ou magoar alguém; manha. – **pirracento** *adj.*

pirralho (pir.*ra*.lho) *s.m.* Criança, fedelho.

pirueta [ê] (pi.ru.*e*.ta) *s.f.* **1.** Volta inteira de uma pessoa sobre si, equilibrando-se na ponta de um pé só. **2.** Cambalhota no ar.

pirulito (pi.ru.*li*.to) *s.m.* Bala em forma de cone ou de disco, fixada a um palito.

pisa (*pi*.sa) *s.f.* **1.** Esmagamento das uvas com os pés no lagar. **2.** *fig.* Sova, surra.

pisada (pi.*sa*.da) *s.f.* **1.** Ato ou efeito de pisar. **2.** Pegada, rastro.

pisadela [é] (pi.sa.*de*.la) *s.f.* **1.** Ato ou efeito de pisar. **2.** Pisada leve e rápida.

pisadura (pi.sa.*du*.ra) *s.f.* **1.** Marca de pisada. **2.** Lesão superficial; equimose.

pisar (pi.*sar*) *v.* **1.** Pôr o pé ou os pés sobre; mover-se com os pés; andar: *É proibido pisar na grama*; *Ele pisa torto, coitado*. **2.** Calcar, esmagar com os pés: *As crianças eram encarregadas de pisar as uvas*. **3.** Pressionar (acelerador, embreagem): *Na reta final, o corredor pisou no acelerador e ganhou a corrida*. **4.** Chegar a uma terra e nela ingressar: *Os portugueses pisaram maravilhados nas praias baianas*. **5.** Frequentar: *Depois desse acontecimento, nunca mais pisei na casa dela*. **6.** Tratar com rudeza ou desdém: *Ele gosta de pisar em seus subordinados*. ▶ Conjug. 5.

piscada (pis.*ca*.da) *s.f.* **1.** Ato de piscar. **2.** Sinal dado pelo piscar de um olho. – **piscadela** *s.f.*

pisca-pisca (pis.ca-*pis*.ca) *s.m. e f.* **1.** Pessoa que tem o cacoete de piscar os olhos constantemente. • *s.m.* **2.** Na sinalização do trânsito, farol de advertência, que acende e apaga continuamente. **3.** Nos automóveis, farolete que pisca e serve para indicar mudança de direção na marcha do veículo. || pl.: *pisca-piscas*.

piscar (pis.*car*) *v.* **1.** Fechar e abrir rapidamente (os olhos): *Maria piscava os olhos*. **2.** Fazer sinal, piscando: *Ela piscou um olho, e ele entendeu a advertência*. **3.** Cintilar, tremeluzir: *Ao longe, as luzes da cidade piscavam*. ▶ Conjug. 5 e 35.

piscatório (pis.ca.*tó*.ri:o) *adj.* Relativo a pesca e a pescador.

pisciano (pis.ci:*a*.no) *adj.* **1.** (*Astrol.*) Que nasce sob o signo de Peixes (de 19 de fevereiro a 20 de março). • *s.m.* **2.** Pessoa que nasce sob o signo de Peixes.

piscicultura (pis.ci.cul.*tu*.ra) *s.f.* Criação de peixes. – **piscicultor** *s.m.*

pisciforme [ó] (pis.ci.*for*.me) *adj.* Que tem forma de peixe.

piscina (pis.*ci*.na) *s.f.* **1.** Grande tanque com água tratada para a prática de natação e de alguns outros esportes aquáticos. **2.** Tanque de água para usos diversos, como criação de peixes e crustáceos, lavagem de roupa ou para dar de beber ao gado.

piscinão (pis.ci.*não*) *s.m.* **1.** Estrutura subterrânea para acumular águas pluviais e evitar enchentes. **2.** Piscina grande.

piscoso [ô] (pis.*co*.so) *adj.* Em que há muito peixe. || f. e pl.: [ó].

piso (*pi*.so) *s.m.* **1.** Superfície em que se pisa, chão: *piso irregular*. **2.** Revestimento dessa superfície: *piso de cerâmica*. **3.** Andar de um edifício; pavimento: *O escritório fica no décimo*

pisotear

piso. || *Piso salarial*: salário mínimo estipulado para uma profissão.

pisotear (pi.so.te:*ar*) *v.* **1.** Pisar, calcar com os pés: *Os animais pisotearam o canteiro de flores.* **2.** *fig.* Espezinhar, humilhar: *Infelizmente ele gosta de pisotear os subordinados.* ▶ Conjug. 14.

pista (*pis*.ta) *s.f.* **1.** Leito de uma estrada ou de uma rua por onde passam os carros. **2.** (*Esp.*) Área preparada para a prática de esportes, como corridas, atletismo e patinação. **3.** Vestígio que pessoas e animais deixam no terreno em que andaram; pegada, rastro: *Não achara nenhuma pista do cavalo fujão.* **4.** Indicação, indício para a descoberta de alguma coisa: *Finalmente encontraram uma pista para desvendar o crime.* **5.** Faixa de pouso e decolagem de aviões: *O avião não podia pousar porque a pista estava ocupada.* **6.** Parte de um salão destinada a dança: *Um casal muito animado evoluía na pista.* **7.** Conselho, dica, orientação: *Ela me deu boas pistas para minha viagem a Buenos Aires.*

pistache (pis.*ta*.che) *s.m.* **1.** Semente empregada em confeitaria, sorveteria ou como condimento. **2.** Árvore que produz essa semente.

pistão (pis.*tão*) *s.m.* Pistom.

pistilo (pis.*ti*.lo) *s.m.* (*Bot.*) Órgão sexual feminino, nos vegetais, formado de ovário, estilete e estigma.

pistola [ó] (pis.*to*.la) *s.f.* Arma de fogo portátil.

pistolão (pis.to.*lão*) *s.m.* **1.** Pessoa importante ou influente que intervém em favor de outra. **2.** Empenho ou recomendação de pessoa importante ou de prestígio.

pistoleiro (pis.to.*lei*.ro) *s.m.* **1.** Pessoa contratada para matar; assassino profissional. **2.** Facínora, bandido. • *pistoleira s.f.* **3.** *gír.* Mulher sem princípio e de vida desregrada; piranha.

pistom (pis.*tom*) *s.m.* **1.** (*Mús.*) Dispositivo em forma de êmbolo usado em instrumentos de sopro, como trompete e trombone, cuja movimentação faz variar a altura da nota. **2.** (*Mús.*) Trompete. **3.** Êmbolo de motores. || *pistão*. – **pistonista** *s.m. e f.*

pita (*pi*.ta) *s.f.* (*Bot.*) **1.** Planta de que se extrai o tanino e se aproveitam as fibras. **2.** A fibra extraída dessa planta.

pitada (pi.*ta*.da) *s.f.* **1.** Pequena porção de pó de qualquer substância: *pitada de sal*; *pitada de rapé*. **2.** Cada uma das sucções de fumo em cigarro, charuto ou cachimbo.

pitanga (pi.*tan*.ga) *s.f.* Pequena fruta vermelha e agridoce da pitangueira.

pitangueira (pi.tan.*guei*.ra) *s.f.* (*Bot.*) Planta que dá a pitanga.

pitar (pi.*tar*) *v.* Fumar cigarro, charuto, cachimbo: *Ficava horas na janela pitando seu cachimbo; Depois de jantar, ele gosta de pitar.* ▶ Conjug. 5.

pitecantropo [ô] (pi.te.can.*tro*.po) *s.m.* Animal fóssil considerado o elo entre o macaco e o homem.

piteira (pi.*tei*.ra) *s.f.* Tubo no qual se coloca o cigarro ou a cigarrilha para fumar; boquilha.

pitéu (pi.*téu*) *s.m.* **1.** Iguaria, petisco, gulodice. **2.** Mulher atraente.

piti (pi.*ti*) *s.m.* Ataque nervoso; chilique.

pítia (*pí*.ti:a) *s.f.* Sacerdotisa da Grécia antiga que anunciava os oráculos; pitonisa.

pito¹ (*pi*.to) *s.m.* Cachimbo.

pito² (*pi*.to) *s.m.* Reprimenda, repreensão, descompostura.

pitoco [ô] (pi.*to*.co) *adj.* **1.** Que tem rabo curto ou cortado, cotó: *um cachorro pitoco.* **2.** De tamanho reduzido; pequeno: *Peguei este gatinho quando ele era ainda pitoco.* • *s.m.* **3.** Fragmento, pedaço: *Fechou a garrafa com um pitoco de madeira.*

pitomba (pi.*tom*.ba) *s.f.* Pequena fruta agridoce, de cheiro agradável, fruto da pitombeira.

pitombeira (pi.tom.*bei*.ra) *s.f.* (*Bot.*) Árvore que dá pitomba.

píton (*pí*.ton) *s.m.* (*Zool.*) Nome genérico de répteis ofídios não venenosos do Velho Mundo que matam suas presas por constrição.

pitonisa (pi.to.*ni*.sa) *s.f.* **1.** Pítia. **2.** Mulher que prevê o futuro; profetisa.

pitoresco [ê] (pi.to.*res*.co) *adj.* **1.** Relativo a pintura; pictórico. **2.** Digno de ser pintado: *uma paisagem pitoresca.* • *s.m.* **3.** Tudo o que há de pitoresco em qualquer coisa; o que é pitoresco: *O turista soube apreciar o pitoresco de Salvador.*

pitorra [ô] (pi.*tor*.ra) *s.f.* **1.** Pião, piorra. • *s.m.* e *f.* **2.** Pessoa gorda e baixa.

pitu (pi.*tu*) *s.m.* (*Zool.*) Camarão grande de água doce.

pit-stop [pit-stop] (Ing.) *s.m.* Nas corridas de carro, local de parada para abastecimento, consertos, reparos, troca de pneus etc.

pituíta (pi.tu.*í*.ta) *s.f.* Secreção esbranquiçada e viscosa saída das mucosas do nariz e dos brônquios.

pituitária (pi.tu:i.*tá*.ri:a) *s.f.* **1.** (*Anat.*) Membrana mucosa que reveste as fossas nasais. **2.** Hipófise.

pium (pi:um) *s.m.* (*Zool.*) Pequeno mosquito; borrachudo.

pivete [é] (pi.ve.te) *s.m. e f.* Criança de rua que mendiga ou furta.

pivô (pi.vô) *s.m.* **1.** Peça cilíndrica que une duas outras, de modo a formar um eixo giratório. **2.** Agente principal de alguma coisa; eixo: *Márcia foi o pivô de nosso desentendimento.* **3.** (*Odont.*) Haste metálica que sustenta dentes e coroas artificiais; pino. **4.** *fig.* (*Esp.*) Jogador de futebol ou basquete que, de costas para o gol ou a cesta do adversário, faz o arremate de uma jogada.

pixaim (pi.xa:im) *adj.* **1.** Muito crespo; encarapinhado. • *s.m.* **2.** Cabelo encarapinhado; carapinha.

pixote [ó] (pi.xo.te) *s.m.* **1.** Criança nova; pexote. **2.** Pessoa inexperiente.

pizza [pitza] (It.) *s.f.* (*Cul.*) Iguaria feita com massa de farinha de trigo e cuja variação fica por conta da combinação de acompanhamentos à base de muçarela e tomate condimentados com anchova, linguiça calabresa etc. || *Acabar em pizza*: *gír.* não dar resultados (investigação de escândalos, inquéritos etc.).

pizzaria (piz.za.ri.a) *s.f.* Estabelecimento onde se preparam e vendem *pizzas*.

plá *s.m.* **1.** *gír.* Informação ou indicação válida; dica: *Vou lhe dar um plá sobre o assunto.* **2.** Conversa breve; papo.

placa (pla.ca) *s.f.* **1.** Folha plana e fina de qualquer material para destinações diversas. **2.** Chapa metálica com inscrição do número de licença de um veículo: *O guarda anotou a placa de seu carro.* **3.** Lâmina, chapa de metal ou plástico. **4.** (*Inform.*) Peça que contém os componentes eletrônicos de um computador; circuito impresso. **5.** (*Med.*) Área que difere do resto de uma superfície, geralmente pela coloração: *placa dentária.*

placa-mãe (pla.ca-mãe) *s.f.* (*Inform.*) Placa (4) de um computador onde está colocada a unidade central de processamento. || pl.: *placas-mãe* e *placas-mães*.

placar (pla.car) *s.m.* **1.** Cartaz; placa onde se marcam os resultados em partida esportiva, votação etc. **2.** Esses resultados.

placebo [ê] (pla.ce.bo) *s.m.* (*Farm., Med.*) Substância ou preparado farmacêutico sem qualquer efeito, usado em experiências para determinar a eficácia de substâncias medicinais: *A uns deram o antibiótico, a outros, um placebo.*

placenta (pla.cen.ta) *s.f.* (*Anat.*) Órgão formado no interior do útero que estabelece comunicação entre o sistema circulatório do feto e o da mãe durante a vida uterina. – **placentário** *adj.*

plácido (plá.ci.do) *adj.* Tranquilo, sossegado, calmo, manso: *um lugar plácido*. – **placidez** *s.f.*

plaga (pla.ga) *s.f. poét.* País, terra, região.

plagiar (pla.gi:ar) *v.* **1.** Apresentar como seu trabalho alheio: *Plagiou o conto do amigo e mandou-o para um concurso.* **2.** Copiar, imitar obra de outra pessoa: *Nesta parte de seu trabalho, você plagiou um capítulo de Barthes.* ▶ Conjug. 17.

plágio (plá.gi:o) *s.m.* **1.** Ato de apropriar-se de trabalho, ideia ou projeto alheio. **2.** Cópia ou imitação de trabalho alheio, apresentada como própria.

plaina (plai.na) *s.f.* Ferramenta manual utilizada em carpintaria para aplainar, desbastar e alisar madeiras.

planador [ô] (pla.na.dor) *adj.* **1.** Que plana ou paira. • *s.m.* **2.** Avião sem motor.

planalto (pla.nal.to) *s.m.* Superfície elevada mais ou menos plana; platô; altiplano.

plâncton (plânc.ton) *s.m.* Conjunto dos microrganismos animais e vegetais, aquáticos, que flutuam livremente em suspensão na água marinha ou doce.

planejar (pla.ne.jar) *v.* **1.** Fazer plano de; projetar: *O grande arquiteto brasileiro planejou Brasília.* **2.** Fazer o planejamento de; programar: *Nessa época, os operários planejavam uma greve geral*; *O professor cuidava sempre de bem planejar suas aulas.* **3.** Pôr em mente; tencionar; desejar: *Há muito ele planejava fazer uma grande viagem.* ▶ Conjug. 10 e 37. – **planejamento** *s.m.*

planeta [ê] (pla.ne.ta) *s.m.* (*Astron.*) Corpo celeste sem luz nem calor próprios, iluminado pela luz de uma estrela, tal como o Sol, em torno da qual ele gira: *A Terra é um dos planetas do Sol.*

planetário (pla.ne.tá.ri:o) *adj.* **1.** Relativo aos planetas. • *s.m.* **2.** (*Astron.*) Instalação que permite representar, numa cúpula análoga à abóbada celeste, o conjunto dos movimentos dos corpos celestes. **3.** Edifício em que se encontram tais instalações.

plangente (plan.gen.te) *adj.* Que chora, choroso; doloroso, triste: *uma voz plangente.*

planger (plan.ger) *v.* **1.** Soar tristemente (o sino): *Os sinos plangiam pela morte do rei.* **2.** *poét.*

planície

Chorar; lastimar-se: *As mulheres plangiam a ruína da cidade.* ▶ Conjug. 39 e 47.

planície (pla.*ní*.ci:e) s.f. Grande extensão de terreno plano.

planificar (pla.ni.fi.*car*) v. **1.** Estabelecer um plano; programar, planejar: *Planificou detalhadamente o trabalho a ser executado.* **2.** Desdobrar um corpo sólido num plano: *Os alunos planificaram um cubo na aula de geometria.* ▶ Conjug. 5 e 35.

planilha (pla.*ni*.lha) s.f. Formulário padronizado em que se registram informações: *uma planilha de custos.*

planisfério (pla.nis.*fé*.ri:o) s.m. Mapa em que os dois hemisférios terrestres estão representados sobre superfície plana.

plano (*pla*.no) adj. **1.** Diz-se da superfície sem desigualdades, sem ondulações nem reentrâncias: *um tablado plano.* • s.m. **2.** Superfície plana: *A casa foi construída sobre um plano no alto do morro.* **3.** Desenho que representa a projeção horizontal de objetos, máquinas, jardins, praças e ruas: *O jardim obedece a um plano de famoso paisagista francês.* **4.** Conjunto de disposições que se fixam para a execução de um projeto: *o plano do anel rodoviário.* **5.** *fig.* Projeto, intenção, desígnio: *meus planos para as férias de julho.* **6.** (*Cine*) Trecho do filme que se faz com uma única tomada. **7.** *fig.* Situação, posição, categoria: *Você está em primeiro plano nesta empresa.*

planta (*plan*.ta) s.f. **1.** Qualquer vegetal. **2.** Desenho que representa em projeção horizontal um apartamento, um edifício, um terreno etc. || *Planta do pé:* a parte inferior do pé.

plantação (plan.ta.*ção*) s.f. **1.** Ato de plantar; plantio: *Em algumas regiões, a plantação de alho é feita em março.* **2.** Terreno onde se plantou: *Depois daquela ponte, há uma grande plantação de milho.* **3.** A área plantada: *plantação de legumes e verduras.*

plantão (plan.*tão*) s.m. **1.** Serviço noturno ou em dias feriados ou domingos, em hospitais, redações de jornais etc.: *Ele não gosta de dar plantão nos fins de semana.* **2.** O período desse trabalho: *Esse médico dá plantão uma vez por semana.*

plantar[1] (plan.*tar*) adj. Relativo a planta do pé: *O espinho feriu a região plantar.*

plantar[2] (plan.*tar*) v. **1.** Meter semente, muda ou planta na terra para germinar: *Pedro plantou muitas árvores; Plantamos roseiras no jardim; O professor aposentado gosta de plantar.* **2.** Fincar verticalmente na terra: *Plantou uma bandeira no topo do monte.* **3.** Manter(-se) parado: *Plantou-se na porta do diretor até ele sair; Plantou um empregado na frente do consultório.* ▶ Conjug. 5.

plantel (plan.*tel*) s.m. **1.** Lote de animais de boa raça, escolhidos entre os melhores da criação: *Foi apresentado um belo plantel de bovinos na exposição agropecuária.* **2.** *fig.* Grupo de profissionais, especialmente atletas: *Todo o plantel da seleção está descansando em Teresópolis.*

plantio (plan.*ti*:o) s.m. Ato ou efeito de plantar; plantação.

plantonista (plan.to.*nis*.ta) s.m. e f. Pessoa encarregada de um plantão.

planura (pla.*nu*.ra) s.f. Área muito plana.

plaqueta [ê] (pla.*que*.ta) s.f. **1.** Pequena placa de metal. **2.** Elemento sanguíneo que intervém na coagulação do sangue.

plasma (*plas*.ma) s.m. Parte líquida do sangue e da linfa.

plasmar (plas.*mar*) v. **1.** Modelar em gesso, barro, cera: *O artista plasmou a estátua em gesso.* **2.** Formar(-se), organizar(-se): *O povo brasileiro se plasmou na miscigenação das três raças.* ▶ Conjug. 5.

plastia (plas.*ti*.a) s.f. (*Med.*) Cirurgia feita para recuperação de um órgão.

plástica (*plás*.ti.ca) s.f. **1.** Arte de modelar uma substância maleável (gesso, argila). **2.** As formas do corpo humano. **3.** (*Med.*) Cirurgia destinada a corrigir imperfeições em determinadas partes do corpo; cirurgia plástica.

plasticidade (plas.ti.ci.*da*.de) s.f. Estado ou qualidade do que é plástico.

plástico (*plás*.ti.co) adj. **1.** Relativo a plástica: *material plástico.* **2.** Capaz de ser moldado, modelado: *massa plástica.* **3.** Que envolve trabalhos com formas ou pratica esse tipo de trabalho: *artes plásticas; artista plástico.* **4.** Que intervém produzindo efeitos corretivos na aparência de alguém ou de uma parte de seu corpo: *cirurgia plástica.* **5.** Feito de plástico (6): *saco plástico; copo plástico.* • s.m. **6.** Material sintético e maleável, derivado do petróleo, de múltiplas aplicações na vida moderna.

plastificar (plas.ti.fi.*car*) v. Revestir com plástico: *Mandei plastificar minha carteira de identidade.* ▶ Conjug. 5 e 35. – **plastificação** s.f.

plataforma [ó] (pla.ta.*for*.ma) s.f. **1.** Superfície plana e horizontal, situada em plano mais elevado que a área que a rodeia. **2.** Área de estação ferroviária, na qual embarcam e desembarcam passageiros, se carregam ou descarregam mercadorias e bagagens. **3.** Rampa para lançamento de foguetes, mísseis e outros projéteis. **4.** Estrado na parte posterior ou na anterior de certos veículos. **5.** Conjunto de compromissos assumidos por um partido político ou um candidato a cargo eletivo: *Na plataforma do candidato vencido, a educação básica era prioridade.* **6.** (*Inform.*) A configuração de um computador em relação ao programa que é usado para operá-lo.

plátano (plá.ta.no) *s.m.* Árvore ornamental do hemisfério norte, cuja madeira é usada em construção e fabrico de móveis.

plateia [é] (pla.tei.a) *s.f.* **1.** Conjunto de pessoas que formam o público de um espetáculo teatral, circense, musical etc. **2.** A seção térrea de um teatro, onde ficam as poltronas.

platelminto (pla.tel.min.to) *s.m.* (*Zool.*) Verme parasita do intestino, como as solitárias e os esquistossomos.

platibanda (pla.ti.ban.da) *s.f.* **1.** (*Arquit.*) Espécie de mureta construída no alto da parede externa de uma construção para proteger ou ornamentar a fachada. **2.** Grade de ferro ou muro que rodeia e delimita uma área. **3.** Bordadura vegetal de um canteiro de flores.

platina (pla.ti.na) *s.f.* (*Quím.*) Substância metálica usada na confecção de instrumentos cirúrgicos e odontológicos. || Símbolo: Pt.

platinado (pla.ti.na.do) *adj.* **1.** Revestido de uma camada de platina: *uma medalha platinada* **2.** Que tem a cor cinza prateada da platina: *cabelos platinados.* • *s.m.* **3.** Componente da parte elétrica do motor que interrompe a corrente de um circuito.

platinar (pla.ti.nar) *v.* **1.** Revestir de uma camada de platina: *O clube mandou platinar alguns troféus esportivos.* **2.** Branquear ou dar o brilho da platina: *Usaram uma substância que platinou velhos objetos de metal.* ▶ Conjug. 5.

platino (pla.ti.no) *adj.* **1.** Da região do rio da Prata. • *s.m.* **2.** O natural ou o habitante dessa região.

platirrino (pla.tir.ri.no) *adj.* **1.** Que tem o nariz largo ou achatado em relação ao comprimento. • *s.m.* **2.** Pessoa de nariz largo ou achatado em relação ao comprimento.

platô (pla.tô) *s.m.* Planalto, altiplano.

platônico (pla.tô.ni.co) *adj.* **1.** Relativo a Platão, filósofo grego (428 a 348 ou 347 a.C.), ou à sua filosofia idealista: *a concepção platônica da beleza.* **2.** *fig.* Que não envolve sexo; puramente ideal: *amor platônico.*

platonismo (pla.to.nis.mo) *s.m.* Filosofia de Platão e de seus seguidores.

plausível (plau.sí.vel) *adj.* Que pode ser aceito como razoável ou verdadeiro; aceitável: *uma versão plausível do fato.*

play [plei] (Ing.) *s.m.* Forma reduzida de *playground*: *As crianças foram brincar no play.*

playback [plêibéque] (Ing.) *s.m.* **1.** Gravação instrumental usada como acompanhamento de um cantor. **2.** Gravação prévia de uma canção que é executada enquanto o cantor simula que a canta.

playboy [pleibói] (Ing.) *s.m.* Homem, geralmente jovem, rico e solteiro, de intensa vida social e amores de grande evidência.

playground [pleigraund] (Ing.) *s.m.* Local destinado à recreação infantil e ao lazer, geralmente dotado de brinquedos e aparelhos de ginástica.

play-off [plei-of] (Ing.) *s.m.* (*Esp.*) Jogo ou sequência de jogos finais para desempate ou decisão de um campeonato.

plebe [é] (ple.be) *s.f.* Classe social de menor riqueza e prestígio; patuleia, ralé.

plebeísmo (ple.be.ís.mo) *s.m.* Maneiras, linguagem e comportamento próprios da plebe.

plebeu (ple.beu) *adj.* **1.** Relativo à plebe. • *s.m.* **2.** Pessoa que pertence à plebe.

plebiscito (ple.bis.ci.to) *s.m.* Consulta popular através do voto para a decisão de uma questão específica; referendo.

plêiada (plêi.a.da) *s.f.* Plêiade.

plêiade (plêi.a.de) *s.f.* Grupo de pessoas ilustres, de homens célebres etc. || plêiada.

pleistoceno (pleis.to.ce.no) *adj.* (*Geol.*) **1.** Diz-se do período geológico da era cenozoica em que surgiram os primeiros seres humanos e ocorreram grandes expansões das geleiras, que cobriram mais de um quarto da Terra: *o período pleistoceno.* • *s.m.* **2.** Esse período: *O ser humano surgiu durante o pleistoceno.*

pleitear (plei.te.ar) *v.* **1.** Esforçar-se para conseguir, para obter: *O senador pleiteava um ministério para seu partido.* **2.** Mostrar-se favorável a, defender: *Ninguém pleiteara antes tais questões.* **3.** Apresentar-se como candidato a; concorrer a: *Mauro pleiteia um emprego naquela empresa.* **4.** (*Jur.*) Demandar em juízo; requerer: *O trabalhador lesado tem direito a pleitear uma indenização.* ▶ Conjug. 14.

pleito

pleito (*plei*.to) *s.m.* **1.** Votação para preenchimento de cargos públicos como presidente, governador, vereador, deputado e senador; eleição. **2.** (*Jur.*) Disputa judicial; demanda; litígio. **3.** Confronto de opiniões; debate.

plenário (ple.*ná*.ri:o) *adj.* **1.** Pleno, inteiro, completo. **2.** Diz-se da indulgência completa concedida pela Igreja ao fiel que cumprir certas devoções e exercícios espirituais: *indulgência plenária*. • *s.m.* **3.** Conjunto dos membros de uma associação, reunidos numa assembleia: *O assunto será resolvido no plenário do grêmio*. • **plenária** *s.f.* **4.** Sessão plenária: *No final do congresso, houve uma plenária para as decisões finais.*

plenilúnio (ple.ni.*lú*.ni:o) *s.m.* Fase da lua em que ela está toda iluminada; lua cheia.

plenipotência (ple.ni.po.*tên*.ci:a) *s.f.* Poder sem restrição.

plenipotenciário (ple.ni.po.ten.ci:*á*.ri:o) *adj.* **1.** Revestido de plenos poderes: *uma ditadura plenipotenciária*. • *s.m.* **2.** Representante diplomático de um governo com plenos poderes para quaisquer negociações: *um embaixador plenipotenciário*.

plenitude (ple.ni.*tu*.de) *s.f.* Condição ou estado do que está pleno, completo; completude.

pleno (*ple*.no) *adj.* **1.** Que está cheio, repleto: *Seu discurso era pleno de malícia*. **2.** Que é completo; total: *Deu plena satisfação de seu procedimento*. **3.** Diz-se da sessão com assistência de todos os membros: *sessão plena*. **4.** Usado para caracterizar uma situação não usual em algum tempo ou lugar: *Tomava banho frio em pleno inverno*.

pleonasmo (ple:o.*nas*.mo) *s.m.* (*Gram.*) Figura de linguagem que consiste na repetição de uma expressão ou ideia já enunciada anteriormente; redundância. – **pleonástico** *adj.*

pletora [ó] (ple.*to*.ra) *s.f.* **1.** (*Med.*) Superabundância de sangue ou de glóbulos sanguíneos no sistema circulatório. **2.** *fig.* Abundância de vitalidade; exuberância. **3.** *fig.* Qualquer tipo de excesso. – **pletórico** *adj.*

pleura (*pleu*.ra) *s.f.* (*Anat.*) Membrana que reveste o tórax e envolve o pulmão. – **pleural** *adj.*

pleurisia (pleu.ri.*si*.a) *s.f.* (*Med.*) Inflamação da pleura; pleurite.

pleurite (pleu.*ri*.te) *s.f.* Pleurisia.

plexo [écs] (*ple*.xo) *s.m.* (*Anat.*) **1.** Conexão de nervos, vasos sanguíneos ou linfáticos. **2.** A região dessa conexão. || *Plexo solar*: o maior dos plexos, que se situa na frente da artéria aorta e por trás do estômago.

plica (*pli*.ca) *s.f.* Dobra de uma membrana, de um tecido etc.; plicatura.

plicatura (pli.ca.*tu*.ra) *s.f.* **1.** Plica. **2.** Cirurgia para diminuição de um órgão.

plioceno (pli:o.*ce*.no) *adj.* **1.** (*Geol.*) Diz-se do período geológico final da era cenozoica em que já existiam os mamíferos e começaram a surgir os primeiros ancestrais do homem: *o período plioceno*. • *s.m.* **2.** Esse período: *Vivia no plioceno*.

plissado (plis.*sa*.do) *adj.* **1.** Com pregas, formando plissê; preguado: *uma saia plissada*. • *s.m.* **2.** Plissê.

plissar (plis.*sar*) *v.* Fazer pregas finas e permanentes num tecido, numa peça de roupa: *A costureira plissou a saia azul da baronesa*. ▶ Conjug. 5.

plissê (plis.*sê*) *s.m.* Sequência de pregas permanentes, feitas num tecido ou peça de roupa com máquina apropriada.

plotar (plo.*tar*) *v.* **1.** (*Náut.*) Localizar um alvo ou uma embarcação, usando mapa, desenho, roteiro etc. **2.** (*Inform.*) Transpor para o papel uma imagem gerada por computador. ▶ Conjug. 20.

plotter [plóter] (Ing.) *s.m.* (*Inform.*) Aparelho que imprime imagens, linha a linha, a partir de penas ou pinos móveis.

plugado (plu.*ga*.do) *adj.* **1.** Diz-se de aparelho elétrico ligado na tomada: *O ventilador está plugado*. **2.** Ligado a um computador ou a uma rede de computadores. **3.** *gír.* Ligado, atento, atualizado: *um garoto plugado*.

plugar (plu.*gar*) *v.* **1.** Ligar (eletrodomésticos, luz etc.) a uma tomada. **2.** (*Inform.*) Conectar equipamentos a um computador: *Plugou a impressora a seu computador*. **3.** Conectar um computador a uma rede de computadores: *É preciso plugar seu computador à rede da empresa*. ▶ Conjug. 5 e 34.

plugue (*plu*.gue) *s.m.* (*Eletrôn.*) Peça de um ou mais pinos, que se conecta na tomada, para estabelecer-se uma ligação elétrica.

pluma (*plu*.ma) *s.f.* **1.** Pena de ave, geralmente longa e flexível. **2.** *poét.* Pena de escrever.

plumagem (plu.*ma*.gem) *s.f.* **1.** Conjunto das plumas de uma ave. **2.** Aparência exterior.

plúmbeo (*plúm*.be:o) *adj.* **1.** Relativo ao chumbo, de chumbo. **2.** Que tem cor de chumbo.

plumbismo (plum.*bis*.mo) *s.m.* Intoxicação causada pela absorção de chumbo; saturnismo.

plural (plu.*ral*) *adj.* **1.** Que marca a existência de mais de um; variado, diversificado: *uma cultura plural*. • *s.m.* **2.** (*Gram.*) Categoria gramatical que exprime a existência de mais de um elemento (nome) ou faz referência a mais de uma pessoa (verbo).

pluralidade (plu.ra.li.*da*.de) *s.f.* **1.** Qualidade ou caráter do que é plural. **2.** Existência de muitas variações de alguma coisa ao mesmo tempo; diversidade: *a pluralidade racial do povo brasileiro*. **3.** Grande quantidade, grande número: *a pluralidade de opiniões*. **4.** O maior número, a maioria: *a pluralidade dos votos*.

pluralismo (plu.ra.*lis*.mo) *s.m.* **1.** Coexistência de vários princípios, interesses, opiniões e experiências. **2.** Ideia ou conceito de que na mesma entidade, sociedade, ou mesmo pessoa, podem coexistir em harmonia crenças, visões e aspectos diferentes. – **pluralista** *adj. s.m. e f.*

pluralizar (plu.ra.li.*zar*) *v.* **1.** Empregar ou colocar palavras, frases ou expressões no plural: *No exercício, o professor mandava pluralizar alguns substantivos compostos*. **2.** Tornar mais numerosos; multiplicar: *Pluralizaram os pedidos de auxílio*. **3.** *fig.* Diversificar: *Recomendaram-me pluralizar meus investimentos na Bolsa*. ▶ Conjug. 5.

pluricelular (plu.ri.ce.lu.*lar*) *adj.* (*Biol.*) Que é composto de mais de uma célula; multicelular.

plurilateral (plu.ri.la.te.*ral*) *adj.* **1.** Que tem vários lados: *uma figura plurilateral*. **2.** Que envolve a participação de várias nações: *um acordo plurilateral*.

plurilíngue [güe] (plu.ri.*lín*.gue) *adj.* **1.** Em que se falam várias línguas; multilíngue: *A Suíça é um país plurilíngue*. • *s.m.* **2.** Pessoa que fala várias línguas; poliglota.

pluriovulado (plu.ri:o.vu.*la*.do) *adj.* (*Biol.*) Que tem muitos óvulos; multiovulado.

pluripartidarismo (plu.ri.par.ti.da.*ris*.mo) *s.m.* Característica dos regimes políticos em que o sistema de representação do eleitorado se faz através de vários partidos. – **pluripartidário** *adj.*

plurissecular (plu.ris.se.cu.*lar*) *adj.* Que existe há muitos séculos; multissecular.

plutocracia (plu.to.cra.*ci*.a) *s.f.* **1.** Sistema político em que há no governo a preponderância das classes mais abastadas. **2.** O conjunto dos componentes dessa classe. – **plutocrata** *adj. s.m. e f.* – **plutocrático** *adj.*

plutônio (plu.*tô*.ni:o) *s.m.* (*Quím.*) Elemento químico radioativo, sintético, usado na produção de energia nuclear e de armas atômicas. ‖ Símbolo: *Pu*.

pluvial (plu.vi:*al*) *adj.* Relativo a chuva; da chuva: *águas pluviais*.

pluviometria (plu.vi:o.me.*tri*.a) *s.f.* Ciência que estuda a distribuição das chuvas numa determinada região, conforme a época do ano. – **pluviométrico** *adj.*

pluviômetro (plu.vi:*ô*.me.tro) *s.m.* Instrumento que serve para medir a quantidade de chuva que cai em determinado lugar, em determinado tempo.

pluvioso [ô] (plu.vi:*o*.so) *adj.* **1.** Que traz ou anuncia chuva: *nuvens pluviosas*. **2.** *poét.* Onde chove muito; chuvoso: *uma região pluviosa*. ‖ f. e pl.: [ó]. – **pluviosidade** *s.f.*

pneu *s.m.* Cada um dos tubos circulares de borracha que, cheios de ar, revestem as rodas de um veículo; pneumático.

pneumático (pneu.*má*.ti.co) *adj.* **1.** Relativo ao ar e aos gases: *pressão pneumática*. **2.** Diz-se do aparelho que funciona com a energia gerada pela pressão do ar. • *s.m.* **3.** Pneu. • *pneumática s.f.* **4.** Ciência que estuda as características dos gases.

pneumatologia (pneu.ma.to.lo.*gi*.a) *s.f.* **1.** Pneumática. **2.** (*Rel.*) Estudo dos espíritos tomados como seres intermediários entre os homens e Deus.

pneumogástrico (pneu.mo.*gás*.tri.co) *adj.* Referente aos pulmões e ao estômago.

pneumonia (pneu.mo.*ni*.a) *s.f.* (*Med.*) Inflamação dos pulmões, causada pela ação de bactérias ou vírus.

pneumopatia (pneu.mo.pa.*ti*.a) *s.f.* (*Med.*) Doença dos pulmões. – **pneumopático** *adj.*

pneumotomia (pneu.mo.to.*mi*.a) *s.f.* (*Med.*) Cirurgia do pulmão.

pneumotórax [cs] (pneu.mo.*tó*.rax) *s.m.2n.* (*Med.*) Presença anormal de ar na cavidade da pleura.

Po (*Quím.*) Símbolo de *polônio*.

pó *s.m.* **1.** Porção de partículas tenuíssimas de qualquer substância suspensa no ar ou depositada sobre uma superfície. **2.** Qualquer substância sólida reduzida a partículas mínimas. ‖ *Em pó*: reduzido a pó; pulverizado: *ouro em pó*; *canela em pó*.

pô

pô *interj.* Expressa indignação, raiva, surpresa: *Pô! Você de novo!*

pobre [ó] (po.bre) *adj.* **1.** Que é parco de dinheiro e outros bens em comparação com outros: *Aquela família era a mais pobre da minha rua.* **2.** Que revela pobreza, carência de recursos: *uma região pobre* **3.** Pouco produtivo, que produz pouco ou é pouco fértil: *uma terra pobre.* **4.** *fig.* Que é simples, pouco elaborado: *uma escrita pobre; uma arquitetura pobre.* **5.** De quem se tem compaixão, pena: *Pobre dessa mulher!* • *s.m.* e *f.* **6.** Pessoa que tem pouco dinheiro ou poucos recursos. **7.** Pessoa que vive de esmolas, mendigo: *Aquela associação cuida dos pobres de rua.* || sup. abs.: *paupérrimo, pobríssimo.*

pobre-diabo (po.bre-di:a.bo) *s.m.* **1.** Pessoa sem importância porque não tem nome nem recursos. **2.** Sujeito inofensivo, insignificante ou sem personalidade. || pl.: *pobres-diabos.*

pobretão (po.bre.tão) *s.m.* Pessoa pobre que tenta, às vezes, mostrar-se rico.

pobreza [ê] (po.bre.za) *s.f.* **1.** Estado ou condição de pobre. **2.** Falta do necessário para a vida; penúria, escassez.

poça [ô ou ó] (po.ça) *s.f.* **1.** Buraco, depressão ou cova onde se acumula água: *Depois da chuva, ficaram várias poças no quintal.* **2.** Líquido derramado e estagnado: *uma poça de gasolina; uma poça de água.*

poção (po.ção) *s.f.* Bebida com propriedades medicinais.

pocar (po.car) *v. reg.* Estourar: *Encheu tanto o balão, que ele pocou.* ▶ Conjug. 20 e 35.

pochete [é] (po.che.te) *s.f.* Bolsa pequena que se carrega presa à cintura com documentos, dinheiro etc.

pocilga (po.cil.ga) *s.f.* **1.** Chiqueiro de porcos. **2.** *fig.* Lugar imundo e repulsivo.

poço [ô] (po.ço) *s.m.* **1.** Cova funda aberta na terra para chegar à água do lençol freático. **2.** Qualquer buraco profundo: *o poço do elevador.* **3.** O ponto de maior profundidade num rio ou lago; pego. **4.** Abertura feita para exploração de recursos minerais: *um poço de petróleo.*

poda [ó] (po.da) *s.f.* **1.** Ato ou efeito de podar as plantas; podadura. **2.** Época de podar as plantas.

podadeira (po.da.dei.ra) *s.f.* Tesoura própria para podar as plantas.

podadura (po.da.du.ra) *s.f.* Poda.

podão (po.dão) *s.m.* Espécie de foice para podar árvores ou cortar madeira.

podar (po.dar) *v.* **1.** Cortar galhos de plantas: *Convém podar as parreiras na época certa.* **2.** *fig.* Cortar o que é demasiado: *Tiveram que podar algumas gratificações dos chefes.* ▶ Conjug. 20.

pó de arroz *s.m.* Pó fino e perfumado usado para suavizar a expressão natural do rosto e dar-lhe cor e textura desejáveis. || pl.: *pós de arroz.*

pó de mico *s.m.* Pó fino extraído de certas plantas, que provoca coceira. || pl.: *pós de mico.*

poder[1] (po.der) *v.* **1.** Ter a faculdade de; ter possibilidade de; ser capaz de: *Ninguém pode adivinhar o futuro.* **2.** Ter autorização, permissão, licença para: *Você não pode sair agora.* **3.** Ter condições para: *Você não pode sair da cama, ainda.* **4.** Estar arriscado ou exposto a; ter ocasião de: *Você pode se dar mal se faltar ao trabalho.* **5.** Ter autoridade, ter força para: *Deus tudo pode; Ele pode demitir quem ele quiser.* **6.** Ter calma para: *Não pude aguentar tanta humilhação.* **7.** Ter permissão para: *Podemos comer desse pudim?* **8.** Ser capaz de dominar: *Ninguém podia com aquele menino.* ▶ Conjug. 64.

poder[2] (po.der) *s.m.* **1.** Governo: *o poder constituído.* **2.** Capacidade, habilidade ou aptidão específicas: *Ele tem poder para reerguer esta empresa.* **3.** Direito de deliberar e agir: *Conferiu-lhe o poder de decidir sobre o assunto.* **4.** Faculdade ou capacidade de impor obediência, de exercer controle; autoridade: *Ela tem imenso poder sobre sua família.* **5.** Império, soberania: *O ditador teve muitos anos de poder.* **6.** Domínio, posse: *As joias ficaram em poder dos ladrões.* **7.** Força ou influência: *o poder da palavra; o poder da religião.* **8.** Domínio: *o poder dos nobres.* **9.** Efeito: *o poder da droga; o poder de cura das ervas.* • *poderes s.m.pl.* **10.** Autorização, procuração: *Os poderes que me confere essa procuração.* || *Poder aquisitivo*: (Econ.) Capacidade de adquirir bens. • *Poder de fogo*: **1.** capacidade de (um exército, uma tropa etc.) exercer fogo cerrado sobre o inimigo: *O poder de fogo daquele pelotão durou pouco tempo.* **2.** capacidade de mobilizar recursos para algum fim: *Logo se viu que o poder de fogo daqueles empresários era muito grande.* • *Poder Executivo*: (Jur.) num Estado democrático, a autoridade constituída para executar as leis e administrar a nação. • *Poder Legislativo*:

(*Jur.*) num Estado democrático, a autoridade constituída para criar as leis. • *Poder Judiciário*: (*Jur.*) num Estado democrático, a autoridade constituída para zelar sobre a observância das leis. • *Poder público*: o conjunto de poderes constituídos para o governo do Estado.

poderio (po.de.*ri*.o) *s.m.* **1.** Autoridade e dominação exercidos por alguém ou alguma instituição sobre uma área ou sobre um grupo de pessoas: *Aquela família exerceu um enorme poderio sobre o Estado*. **2.** Grande poder: *o poderio militar daquela potência*.

poderoso [ô] (po.de.*ro*.so) *adj.* **1.** Que tem poder de exercer domínio sobre alguém ou alguma coisa: *o poderoso domínio dos Estados Unidos sobre a ONU*. **2.** Que tem grande vigor: *a poderosa indústria paulista; os poderosos músculos daquele atleta*. **3.** Que tem efeito intenso: *um poderoso entorpecente*. • *s.m.* **4.** Pessoa que tem poder ou domínio sobre os outros: *Recebia com igual deferência o pobre e o poderoso*. • *s.m.pl.* **5.** Aqueles que, numa sociedade, detêm o poder: *Nem todos os poderosos estão na capital.* || f. e pl.: [ó].

pódio (*pó*.di.o) *s.m.* Local destacado, com diferentes níveis, onde se sagram os vencedores, o segundo e o terceiro colocados em competições e torneios.

podômetro (po.*dô*.me.tro) *s.m.* Instrumento que conta os passos dados numa caminhada.

podre [ô] (*po*.dre) *adj.* **1.** Que está em decomposição; estragado. **2.** Que cheira muito mal, fétido. **3.** *fig. coloq.* Que está muito cansado, esgotado: *Depois daquela faxina, fiquei podre*. **4.** Diz-se da massa farinhenta e quebradiça usada para fazer empadas. • *s.m.* **5.** Parte estragada de alguma coisa: *Cuidado para não comer o podre da maçã.* • *podres s.m.pl.* **6.** Os defeitos, os fatos condenáveis da vida de alguém: *A imprensa mostrou todos os podres do candidato.* || *Podre de rico*: muitíssimo rico: *Aquele empresário é podre de rico*.

podridão (po.dri.*dão*) *s.f.* **1.** Estado ou qualidade do que é podre ou está podre. **2.** *fig.* Comportamento condenável, perversão.

poedeira (po:e.*dei*.ra) *adj.* **1.** Diz-se da galinha que já põe ovos ou que os põe em grande quantidade. • *s.f.* **2.** Galinha que já põe ovos ou os põe em grande quantidade.

poeira (po:*ei*.ra) *s.f.* **1.** Terra seca reduzida a partículas em suspensão no ar ou depositada sobre os corpos; pó. **2.** Partículas de terra ou areia, levantadas pela passagem de um veículo ou pelo vento. **3.** *gír.* Cinema de baixa categoria: *Vimos o filme num poeira de Madureira*.

poeirada (po:ei.*ra*.da) *s.f.* Nuvem de pó.

poeirento (po:ei.*ren*.to) *adj.* Cheio de poeira, coberto de poeira.

poejo [ê] (po:*e*.jo) *s.m.* Planta medicinal rasteira, usada no tratamento de afecções pulmonares; tomilho.

poema (po:*e*.ma) *s.m.* (*Lit.*) **1.** Composição literária caracterizada pelo uso de linguagem condensada e pelo uso de determinadas técnicas como métrica, ritmo, rima e metáfora. **2.** Qualquer composição em verso.

poemeto [ê] (po:e.*me*.to) *s.m.* (*Lit.*) Pequeno poema.

poente (po:*en*.te) *adj.* **1.** Que se põe, que está no ocaso: *o sol poente*. • *s.m.* **2.** Lugar onde o sol se põe; o ocidente: *Havia ainda alguma luz no poente*.

poesia (po:e.*si*.a) *s.f.* (*Lit.*) **1.** Arte de escrever obras em verso; a arte poética: *a poesia e a prosa*. **2.** Pequena composição poética: *Leia essa poesia*. **3.** A obra poética de um autor, de uma época, de um povo: *a poesia de Gonçalves Dias; a poesia romântica; a poesia brasileira*.

poeta [é] (po:*e*.ta) *s.m.* **1.** Escritor que compõe poemas ou que se dedica à poesia. **2.** *fig.* Pessoa que se entrega a devaneios e tem pouco sentido da realidade: *É um poeta; não se preocupa com o dinheiro*.

poetar (po:e.*tar*) *v.* **1.** Fazer versos; versejar: *Os rapazes passavam pela fase de poetar*. **2.** Cantar alguma coisa em versos: *Bilac poetou a morte de Fernão Dias, o Bandeirante das Esmeraldas*. ▶ Conjug. 8.

poetastro (po:e.*tas*.tro) *s.m.* Mau poeta: *Não leio esse poetastro*.

poética (po:*é*.ti.ca) *s.f.* (*Lit.*) **1.** Atividade linguística que procura criar com a linguagem uma emoção estética por meio da aplicação de processos estilísticos. **2.** A arte de fazer versos ou elaborar composições poéticas. **3.** Tratado de versificação de poesia.

poético (po:*é*.ti.co) *adj.* **1.** Relativo a poesia: *a obra poética de Tobias Barreto*. **2.** Que tem o caráter de poesia: *texto poético*.

poetisa (po:e.*ti*.sa) *s.f.* Mulher que escreve poesia: *Cecília Meireles é nossa maior poetisa*.

poetizar (po:e.ti.*zar*) *v.* Tornar poético: *O amor poetiza a vida*. ▶ Conjug. 5.

point [*póint*] (Ing.) Lugar público (praia, bar, loja) muito concorrido.

pois

pois *conj.* **1.** Porque, visto que: *Estude, pois o estudo é necessário.* **2.** Logo; portanto; por conseguinte: *Faltou; recebeu, pois, uma advertência.* **3.** Então, diante disso: *Você pretende melhorar de vida? Pois trabalhe!* || *Pois é*: expressão usada num diálogo para mostrar concordância com o que foi dito ou reforçar o que se vai dizer: *Pois é, foi assim que ela agiu.* • – *Pois não* **1.** expressão de polidez, empregada para iniciar um contato: *Pois não. Que é que o senhor deseja?* **2.** sim, claro que sim: *A senhora pode me dar licença para passar? – Pois não.* • – *Pois sim*: **1.** sim; claro que sim: *Você já foi à Bahia? – Pois sim; fui no ano passado.* **2.** *irôn.* não, de jeito nenhum: *Pois sim, que eu vou te dar dinheiro para a viagem!*

polaca (po.*la*.ca) *s.m.* **1.** Dança de origem polonesa. **2.** Música para essa dança. **3.** *pej.* A Constituição Federal de 1937. **4.** *pej.* Meretriz, prostituta.

polaco (po.*la*.co) *adj.* **1.** Da Polônia, país da Europa; polonês. • *s.m.* **2.** O natural ou o habitante desse país; o polonês. **3.** A língua falada na Polônia; polonês.

polaina (po.*lai*.na) *s.f.* Peça de pano ou de couro que se calça por cima dos sapatos e cobre o peito do pé e a parte inferior da perna.

polar (po.*lar*) *adj.* **1.** Relativo a cada um dos pólos: *círculo polar ártico; círculo polar antártico.* **2.** Relativo aos pólos de um ímã ou de algum objeto alongado. **3.** Que se opõe completamente a outro elemento: *divergências polares.*

polaridade (po.la.ri.*da*.de) *s.f.* (*Eletr.*) Característica que define o sentido da passagem de corrente elétrica num ponto do circuito, em relação a seus pólos.

polarização (po.la.ri.za.*ção*) *s.f.* Concentração de grupos, forças ou interesses em torno de duas posições conflitantes: *polarização da opinião pública.*

polarizar (po.la.ri.*zar*) *v.* **1.** Atrair para si; concentrar a atenção: *As telenovelas polarizam a atenção das mulheres durante o horário nobre da televisão.* **2.** Fixar(-se) em pólos opostos ou em duas posições conflitantes: *A visita do papa polarizou fiéis e ateus; Polariza-se entre o jornalismo e as aulas na universidade.* ▶ Conjug. 5.

polca [ó] (*pol*.ca) *s.f.* **1.** Dança originária da Europa central e do norte, de movimento animado, executada por pares. **2.** Música para essa dança.

poldro [ô] (*pol*.dro) *s.m.* Cavalo novo, potro.

polegada (po.le.*ga*.da) *s.f.* **1.** Medida mais ou menos correspondente ao comprimento da falange do polegar. **2.** Medida anglo-saxã de comprimento equivalente a 25,40 mm.

polegar (po.le.*gar*) *adj. s.m.* **1.** Diz-se do dedo mais grosso e mais curto que fica numa das extremidades da mão, em oposição aos outros dedos. **2.** Diz-se do artelho mais grosso do pé; hálux; dedão.

poleiro (po.*lei*.ro) *s.m.* **1.** Armação horizontal nas gaiolas e galinheiros, para as aves nela pousarem. **2.** *coloq.* Camarote ou galeria no alto dos circos e teatros; torrinha.

polêmica (po.*lê*.mi.ca) *s.f.* **1.** Debate gerado por divergência de opinião a respeito de um assunto; controvérsia. **2.** Discussão falada ou escrita.

polêmico (po.*lê*.mi.co) *adj.* Que gera ou produz polêmica; que causa controvérsia: *um assunto polêmico; uma decisão polêmica.*

polemizar (po.le.mi.*zar*) *v.* Travar polêmica; criar polêmica: *O professor Alberto polemizou com o professor Diego sobre o aquecimento global; Eles gostam de polemizar.* ▶ Conjug. 5.

pólen (*pó*.len) *s.m.* (*Bot.*) Grãos mínimos produzidos pelas flores que, levados pelos ventos e por animais, têm a função de fecundar outras plantas.

polenta (po.*len*.ta) *s.f.* (*Cul.*) Alimento pastoso feito de fubá de milho com água e sal, às vezes com manteiga e queijo.

pole position [*pôul posichon*] (Ing.) *s.f.* **1.** (*Esp.*) No automobilismo, a primeira colocação na largada de uma corrida. **2.** O piloto que consegue essa colocação.

polia (po.*li*.a) *s.f.* (*Mec.*) Maquinismo formado por uma roda presa a um eixo e cuja circunferência recebe uma correia transmissora de movimento do outro eixo; roldana.

poliandria (po.li:an.*dri*.a) *s.f.* Estado ou qualidade da mulher que tem, simultaneamente, vários maridos.

policêntrico (po.li.*cên*.tri.co) *adj.* Que tem vários centros.

polichinelo [é] (po.li.chi.*ne*.lo) *s.m.* **1.** Exercício físico que consiste em dar saltos, abrindo alternadamente os braços e as pernas. (*Teat.*) **2.** Personagem do teatro cômico italiano. **3.** Boneco que representa tal personagem, de aparência disforme, corcunda e com nariz comicamente adunco. **4.** Marionete que representa esse personagem.

polícia (po.lí.ci:a) s.f. **1.** Conjunto de leis e disposições que garantem a segurança e a ordem públicas. **2.** Parte do serviço público encarregado da segurança e da manutenção da ordem. **3.** Cada pessoa encarregada desse serviço; soldado de polícia.

policial (po.li.ci:al) adj. **1.** Relativo a polícia: *inquérito policial*; *cerco policial*. • s.m. e f. **2.** Soldado de polícia; pessoa pertencente à corporação policial.

policiar (po.li.ci:ar) v. **1.** Manter a ordem pela ação da polícia. **2.** Tomar conta; vigiar: *Tinha por função policiar o recreio dos alunos*. **3.** Conter, refrear as próprias atitudes; reprimir-se: *Consegui policiar minha ira contra aquele malvado*; *Policiei-me para não dizer coisas inconvenientes*. ▶ Conjug. 17.

policlínica (po.li.clí.ni.ca) s.f. (*Med.*) Estabelecimento de assistência médica onde se tratam diferentes doenças.

policromia (po.li.cro.mi.a) s.f. **1.** Grande quantidade de cores: *Apreciava da janela a policromia de seu jardim*. **2.** Característica daquilo que é multicor.

policultura (po.li.cul.tu.ra) s.f. Cultura simultânea de vários produtos agrícolas na mesma área. || Conferir com *monocultura*.

polidez [ê] (po.li.dez) s.f. **1.** Qualidade de polido. **2.** Boa educação; civilidade, urbanidade.

polido (po.li.do) adj. **1.** Que recebeu polimento e tem a superfície lisa: *pedra polida*. **2.** Que ficou brilhante pelo polimento: *metal polido*. **3.** Civilizado, culto, cortês: *um jovem polido*.

polidor [ô] (po.li.dor) adj. **1.** Que dá polimento; que pule. • s.m. **2.** Pessoa que se ocupa em polir. **3.** Preparado usado para dar polimento.

poliedro [é] (po.li:e.dro) adj. **1.** Que tem muitas faces. • s.m. **2.** (*Geom.*) Sólido geométrico limitado por quatro ou mais faces.

poliéster (po.li:és.ter) s.m. (*Quím.*) Variedade de matéria plástica resinosa usada, entre outras coisas, para a fabricação de tecido sintético.

poliestireno (po.li:es.ti.re.no) s.m. (*Quím*) Matéria plástica usada na fabricação de isopor.

polietileno (po.li:e.ti.le.no) s.m. Matéria plástica usada na fabricação de recipientes, embalagens e tubos.

polifonia (po.li.fo.ni.a) s.f. (*Mús.*) Música produzida pela combinação de diferentes melodias, em execução vocal ou instrumental, independentes e simultâneas.

poligamia (po.li.ga.mi.a) s.f. **1.** Casamento de uma pessoa com vários cônjuges ao mesmo tempo. **2.** Costume de algumas sociedades onde essa prática é aceitável. – **poligâmico** adj.; **polígamo** s.m.

poliglota [ó] (po.li.glo.ta) adj. **1.** Que fala várias línguas: *um diplomata poliglota*. **2.** Que foi escrito em muitas línguas: *um manual poliglota*. • **3.** s.m. e f. Pessoa que fala ou sabe muitas línguas.

polígono (po.lí.go.no) s.m. (*Geom.*) Figura geométrica plana de muitos lados e ângulos. – **poligonal** adj.

polígrafo (po.lí.gra.fo) s.m. **1.** Pessoa que escreve sobre matérias diversas. **2.** Instrumento que, conectado a alguém, registra alterações em funções fisiológicas, como oscilação do pulso, pressão arterial etc., sendo, por isso, usado também como detector de mentira. **3.** Pessoa erudita. – **poligráfico** adj.

poli-insaturado (po.li-in.sa.tu.ra.do) adj. (*Quím.*) Diz-se de substância orgânica com vários pares de átomos de carbono, dupla ou triplamente saturados.

polimento (po.li.men.to) s.m. **1.** Ato ou efeito de polir. **2.** Lustre, verniz. **3.** *fig.* Polidez, delicadeza, educação.

polimerização (po.li.me.ri.za.ção) s.f. (*Quím.*) Reação em que se combinam duas ou mais moléculas pequenas, formando outras maiores e que contêm os mesmos elementos na mesma proporção das pequenas.

polimerizar (po.li.me.ri.zar) v. Converter em polímero. ▶ Conjug. 5.

polímero (po.lí.me.ro) s.m. (*Quím.*) Composto que apresenta, em relação a outro, moléculas de tamanhos diferentes, mas com as mesmas propriedades químicas.

polimórfico (po.li.mór.fi.co) adj. **1.** Que se apresenta de diversas formas: *cristais polimórficos*. **2.** Que se manifesta de diversas maneiras: *uma infecção polimórfica*.

polimorfo [ó] (po.li.mor.fo) adj. Polimórfico.

polinésio (po.li.né.si:o) adj. **1.** Da Polinésia, grupo extenso de ilhas da Oceania. • s.m. **2.** O natural ou o habitante da Polinésia. **3.** Língua malaio-polinésia falada nessa região da Oceania.

polineurite (po.li.neu.ri.te) s.f. (*Med.*) Inflamação que afeta simultaneamente vários nervos.

polinizar (po.li.ni.zar) v. Fecundar por meio do pólen: *As abelhas polinizam as flores*. ▶ Conjug. 5.

polinômio (po.li.nô.mi:o) s.m. (Mat.) Expressão algébrica formada pela soma de vários termos.

pólio (pó.li:o) s.f. (Med.) Forma reduzida de poliomielite.

poliomielite (po.li:o.mi:e.li.te) s.f. (Med.) Inflamação da substância cinzenta da medula espinhal. || *Poliomielite anterior aguda*: paralisia infantil.

pólipo (pó.li.po) s.m. (Med.) **1.** Massa carnosa que se forma numa mucosa. **2.** (Zool.) Animal invertebrado aquático.

polir (po.lir) v. **1.** Tornar brilhante, lustrar: *Antes da festa, mandou-se polir a prata*. **2.** Tornar (-se) educado; civilizar(-se); refinar(-se): *Fazia o maior esforço para polir as maneiras de seus sobrinhos*; *Poliu-se com leituras e viagens à Europa*. **3.** Aprimorar o estilo; melhorar o estilo: *Passou alguns meses polindo seu discurso de posse*. ▶ Conjug. 89.

polissacarídeo (po.lis.sa.ca.rí.de:o) s.m. (Quím.) Molécula de carboidrato formada por uma cadeia de outras mais simples.

polissemia (po.lis.se.mi.a) s.f. Multiplicidade de significados para um significante: *manga* (fruta), *manga* (parte da blusa), *manga* (verbo mangar). – **polissêmico** adj.

polissilábico (po.lis.si.lá.bi.co) adj. Diz-se do vocábulo que tem mais de três sílabas: *anfetamina é um vocábulo polissilábico*.

polissílabo (po.lis.sí.la.bo) adj. **1.** Polissilábico. • s.m. **2.** (Gram.) O vocábulo que tem mais de três sílabas: *documentário é um polissílabo*.

politécnico (po.li.téc.ni.co) adj. **1.** Relativo a artes e ciências variadas. • *politécnica* s.f. **2.** Escola onde se estudam diversas artes e ofícios.

politeísmo (po.li.te.ís.mo) s.m. Sistema religioso que admite pluralidade de deuses. || Conferir com *monoteísmo*. – **politeísta** adj. s.m. e f.

política (po.lí.ti.ca) s.f. **1.** Arte e ciência de organizar, administrar e governar um Estado: *Um dos filhos escolheu a política, o outro, a Engenharia*. **2.** Todo o conjunto de conceitos, fatos, processos e instituições que envolvem e regem a vida pública e o relacionamento entre eles. **3.** O gerenciamento de uma dessas instituições ou do conjunto de todas elas: *uma boa política educacional*. **4.** Os conceitos que orientam a forma de gerenciamento de uma instituição: *a nova política de aplicações de capital do banco*. **5.** Habilidade para comerciar e harmonizar interesses diferentes ou divergentes: *Ele agiu com política para melhorar a convivência dentro de suas fábricas*.

politicagem (po.li.ti.ca.gem) s.f. pej. Baixa política, que só cuida de interesses particulares e mesquinhos; politicalha; politiquice.

politicalha (po.li.ti.ca.lha) s.f. pej. Politicagem, politiquice.

político (po.lí.ti.co) adj. **1.** Relativo a política; próprio da política ou dos políticos: *um gesto político*; *uma decisão política*. **2.** Diz-se do direito que o cidadão tem de participar, direta ou indiretamente, do governo e da administração do Estado, elegendo seus agentes ou sendo eleito: *direito político*. **3.** Hábil para negociar com pessoas de opiniões diversas ou divergentes: *Felizmente o síndico era um hábil político*. • s.m. **4.** Pessoa que se dedica à política (1) e (2).

politiqueiro (po.li.ti.quei.ro) adj. **1.** Que faz politicagem: *um vereador politiqueiro*. • s.m. **2.** Quem faz politicagem: *Não votarei naquele politiqueiro*.

politiquice (po.li.ti.qui.ce) s.f. pej. Politicagem, politicalha.

politizar (po.li.ti.zar) v. **1.** Dar ou adquirir conhecimento a respeito dos direitos e dos deveres sociais e políticos: *O professor politizava suas aulas, ensinando os alunos a serem cidadãos*. **2.** Dar caráter político a: *Politizaram a greve*. ▶ Conjug. 5.

poliuretano (po.li:u.re.ta.no) s.m. (Quím.) Grupo de substâncias sintéticas usadas como isolantes, adesivos etc.

poliuria (po.li:u.ri.a) s.f. Poliúria.

poliúria (po.li:ú.ri:a) s.f. Produção e excreção de urina em quantidade acima do normal. || poliuria.

polo¹ [ó] (po.lo) s.m. **1.** (Geogr.) Cada uma das duas extremidades do eixo imaginário em torno do qual a Terra e os outros planetas fazem seu movimento de rotação. **2.** Cada uma das duas regiões glaciais que ficam nas extremidades norte (Polo Norte) e sul (Polo Sul) da Terra. **3.** (Fís.) Cada um dos terminais opostos de uma pilha, circuito ou gerador elétrico. **4.** fig. A parte mais importante e mais evidente; centro; foco: *As Olimpíadas eram nessa época o polo dos noticiários da imprensa*.

polo² [ó] (po.lo) s.m. (Esp.) Esporte equestre que consiste em impulsionar com um taco uma bola de madeira para ultrapassar a meta adversária. || *Polo aquático*: jogo disputado em piscina, no qual uma equipe procura marcar gols contra a equipe adversária.

polonês (po.lo.*nês*) *adj.* **1.** Da Polônia; polaco. • *s.m.* **2.** O natural ou o habitante da Polônia; polaco. **3.** Língua falada na Polônia; polaco.

polônio (po.lô.ni:o) *s.m.* (*Quím.*) Elemento químico metálico, naturalmente radioativo, que é empregado em baterias termonucleares. || Símbolo: Po.

polpa [ô] (*pol*.pa) *s.f.* **1.** Parte carnuda, geralmente comestível, de diversos frutos e raízes: *polpa de tamarindo*; *polpa de graviola*. **2.** Material pastoso; massa: *polpa de celulose*.

polposo [ô] (pol.*po*.so) *adj.* Polpudo. || f. e pl.: [ó].

polpudo (pol.*pu*.do) *adj.* **1.** Que tem muita polpa; polposo, carnudo: *um pêssego polpudo*. **2.** *fig.* Diz-se de negócio muito rendoso: *A aplicação rendeu-lhe polpudos juros*. **3.** De grande vulto; vultoso: *A noiva trouxe para o casamento polpudo dote*.

poltrão (pol.*trão*) *adj.* **1.** Que é covarde, fraco, medroso. • *s.m.* **2.** Homem covarde, medroso, fraco.

poltrona (pol.*tro*.na) *s.f.* **1.** Cadeira de braços, estofada, de grande comodidade. **2.** Esse tipo de cadeira em cinemas e teatros.

polução (po.lu.*ção*) *s.f.* Emissão involuntária de esperma.

poluente (po.lu:*en*.te) *adj.* **1.** Que polui; que gera poluição. • *s.m.* **2.** Substância que polui: *O mercúrio é um poluente dos rios*.

poluição (po.lu:i.*ção*) *s.f.* **1.** Ato ou efeito de poluir. **2.** Degradação do meio ambiente, causada pela ação do homem ou por outros fatores. **3.** Situações de interferência de fatores sensoriais estranhos ao ambiente normal: *poluição visual*; *poluição sonora*.

poluir (po.lu.*ir*) *v.* **1.** Causar poluição em: *A fábrica poluía os rios da bacia do Paraíba*. **2.** *fig.* Cometer ação indigna; corromper(-se): *Aqueles poucos deputados que não se poluíram com negócios escusos*. ▶ Conjug. 80.

polvilhar (pol.vi.*lhar*) *v.* Salpicar substância em pó sobre alguma coisa: *Polvilhou canela em pó sobre a banana assada*. ▶ Conjug. 5.

polvilho (pol.*vi*.lho) *s.m.* **1.** Pó fino. **2.** Pó muito fino, resultante do depósito da água retirada da mandioca; amido de mandioca.

polvo [ô] (*pol*.vo) *s.m.* (*Zool.*) Molusco marinho comestível, com oito tentáculos providos de ventosas.

pólvora (*pól*.vo.ra) *s.f.* Mistura inflamável e explosiva, composta de carvão, salitre e enxofre cuja detonação impele projéteis em armas de fogo.

polvorosa [ó] (pol.vo.*ro*.sa) *s.f.* Grande agitação; tumulto.

pomada (po.*ma*.da) *s.f.* (*Farm.*, *Med.*) Preparado farmacêutico gorduroso, usado externamente como medicamento ou cosmético.

pomar (po.*mar*) *s.m.* Plantação de árvores frutíferas; vergel.

pomba (*pom*.ba) *s.f.* (*Zool.*) Fêmea do pombo.

pombal (pom.*bal*) *s.m.* Lugar adaptado para criar e abrigar pombos domésticos.

pombalino (pom.ba.*li*.no) *adj.* Referente ao Marquês de Pombal, ministro de D. José, no século XVIII: *reforma pombalina*; *arquitetura pombalina*.

pombo (*pom*.bo) *s.m.* (*Zool.*) Ave domesticada em tempos remotos pelos asiáticos, que serve de alimento e faz serviço de correio.

pombo-correio (pom.bo-cor.*rei*:o) *s.m.* (*Zool.*) Variedade de pombo, utilizada para levar comunicações e correspondência. || pl.: *pombos-correio* e *pombos-correios*.

pomicultura (po.mi.cul.*tu*.ra) *s.f.* Cultura de árvores frutíferas; fruticultura.

pomo (*po*.mo) *s.m.* Fruto carnudo de forma arredondada como a maçã, o pêssego e a pera. || *Pomo da discórdia*: pessoa ou coisa que dá origem a uma discórdia.

pomo de adão *s.m.* (*Anat.*) Denominação substituída por *proeminência laríngea*. || pl.: *pomos de adão*.

pompa (*pom*.pa) *s.f.* Ostentação, esplendor exagerado, luxo.

pompear (pom.pe:*ar*) *v.* **1.** Expor com vaidade; ostentar: *A nova moradora da cidade pompeava seus ricos vestidos nas missas de domingo*. **2.** Exibir viço e beleza: *A parreira pompeava seus cachos arroxeados e maduros*. ▶ Conjug. 14.

pompom (pom.*pom*) *s.m.* Borla de fios curtos de seda ou lã, usada como ornato de vestuário ou para aplicar talco e pó de arroz na pele.

pomposo [ô] (pom.*po*.so) *adj.* **1.** Em que há pompa: *casamento pomposo*. **2.** Muito eloquente e ornado: *discurso pomposo*; *linguagem pomposa*. || f. e pl.: [ó].

pômulo (*pô*.mu.lo) *s.m.* Maçã do rosto.

poncã (pon.*cã*) *s.f.* Espécie de tangerina graúda.

ponche (*pon*.che) *s.m.* Bebida adocicada feita com sucos e pedaços de frutas, água e vinho.

poncheira

poncheira (pon.*chei*.ra) *s.f.* Recipiente em que se faz ou se serve o ponche.

poncho (*pon*.cho) *s.m.* Capa de lã, de forma quadrangular, com uma abertura no meio, pela qual se enfia a cabeça.

ponderação (pon.de.ra.*ção*) *s.f.* **1.** Ato ou efeito de ponderar. **2.** Bom senso; prudência **3.** Consideração; reflexão.

ponderado (pon.de.*ra*.do) *adj.* **1.** Que revela ponderação. **2.** Grave, prudente, refletido.

ponderar (pon.de.*rar*) *v.* **1.** Pesar no espírito, avaliar, examinar miudamente: *Ele ponderava demoradamente os argumentos do pai e seu desejo de viajar.* **2.** Apresentar argumentos; expor: *Dr. Osvaldo ponderava ao cliente a necessidade da cirurgia.* **3.** Pensar bastante sobre alguma coisa; refletir: *Antes de casar, ele ponderou sobre a escolha que tinha feito.* ▶ Conjug. 8.

ponderável (pon.de.*rá*.vel) *adj.* Que se pode e deve ponderar; merecedor de ponderação: *Sua influência na casa era ponderável.*

pônei (*pô*.nei) *s.m.* Cavalo pequeno, oriundo da Escócia e ilhas adjacentes e do País de Gales.

ponta (*pon*.ta) *s.f.* **1.** Extremidade mais ou menos aguda e perfurante: *Furou o pé na ponta de um espinho.* **2.** Extremidade que se vai adelgaçando; bico: *Pisou na ponta do rabo da cobra.* **3.** Qualquer extremidade de um objeto: *Comece a dobrar pela ponta.* **4.** Saliência ou excrescência de qualquer objeto: *uma bolinha cheia de pontas.* **5.** Primeira colocação numa competição esportiva: *Luís ficou na ponta dos nadadores da escola.* **6.** Pequeno papel num espetáculo de teatro, cinema ou televisão; extra: *Era um ator que só fazia ponta nas telenovelas.* **7.** (*Geogr.*) Pequeno cabo que entra pelo mar. **8.** (*Esp.*) Extremidade lateral da linha dianteira: *Cláuderson joga bem na ponta.* **9.** *fig.* Pequena quantidade; um pouco: *Sentia uma ponta de ciúme do marido.* • *s.m.* **10.** (*Esp.*) Jogador de futebol que joga na ponta: *Cláuderson é o melhor ponta do time.* || *Aguentar as pontas*: suportar valentemente situação difícil. • *De ponta*: avançado; atualizado: *tecnologia de ponta.* • *De ponta a ponta*: de cabo a rabo, do princípio até o fim. • *Estar de ponta com alguém*: estar com implicância com alguém. • *Saber na ponta da língua*: saber perfeitamente.

ponta-cabeça (pon.ta-ca.*be*.ça) *s.f.* Usado na locução *de ponta-cabeça*: de cabeça para baixo. || pl.: *pontas-cabeça* e *pontas-cabeças.*

pontada (pon.*ta*.da) *s.f.* Dor aguda e pouco duradoura.

ponta de lança *s.m. e f.* **1.** (*Esp.*) Atacante (futebol) que joga na linha mais avançada; centro-avante. **2.** Aquele ou o que está à frente, na vanguarda. || pl.: *pontas de lança.*

ponta-direita (pon.ta-di.*rei*.ta) *s.m.* (*Esp.*) Atacante (futebol) que joga pela extrema-direita. || pl.: *pontas-direitas.*

ponta-esquerda (pon.ta-es.*quer*.da) *s.m.* (*Esp.*) Atacante (futebol) que joga pela extrema-esquerda. || pl.: *pontas-esquerdas.*

pontal (pon.*tal*) *s.m.* (*Geogr.*) Ponta de terra ou penedia que entra no mar ou num rio.

pontão (pon.*tão*) *s.m.* Barca chata destinada a formar com outras uma ponte flutuante.

pontapé (pon.ta.*pé*) *s.m.* Golpe dado com a ponta do pé; chute.

pontaria (pon.ta.*ri*.a) *s.f.* **1.** Ação ou efeito de apontar para um alvo: *um atirador hábil na pontaria.* **2.** Maior ou menor habilidade em acertar o alvo: *O soldado tinha boa pontaria.*

ponte (*pon*.te) *s.f.* **1.** Construção que liga dois pontos separados por um rio, uma baía, um lago ou uma depressão no terreno: *a ponte Rio-Niterói.* **2.** (*Náut.*) Pavimento superior do navio, do qual o comandante dirige as manobras. **3.** (*Odont.*) Conjunto de dentes postiços que se prendem, por meio de uma placa, a dois ou mais dentes naturais.

pontear (pon.te:*ar*) *v.* **1.** Cobrir ou marcar com pontinhos: *O aluno ponteou o contorno do mapa do Brasil.* **2.** (*Mús.*) Tocar com delicadeza notas sucessivas em instrumento de corda: *Ficava horas ponteando o violão.* ▶ Conjug. 14.

ponteira (pon.*tei*.ra) *s.f.* Peça que guarnece a extremidade inferior das bengalas, guarda-chuvas, bainhas de espadas ou qualquer objeto pontudo.

ponteiro (pon.*tei*.ro) *s.m.* **1.** Agulha que nos mostradores dos relógios indica as horas e as frações destas. **2.** Agulha móvel que indica velocidade, temperatura, altitude etc. num mostrador. **3.** Pequena haste para apontar em mapas, quadros etc.

pontiagudo (pon.ti:a.*gu*.do) *adj.* Que tem ponta aguda; que termina em ponta aguçada; pontudo.

pontificado (pon.ti.fi.*ca*.do) *s.m.* **1.** Dignidade de pontífice: *João XXIII chegou ao pontificado* *depois de Pio XII.* **2.** Tempo durante o qual um pontífice exerce sua autoridade: *O papa polonês teve um longo pontificado.*

pontificar (pon.ti.fi.*car*) *v.* **1.** Oficiar como pontífice. **2.** Doutrinar; falar ou escrever com superioridade, com ênfase: *Mais do que dar aula, aquele professor pontifica em sua matéria.* ▶ Conjug. 5 e 35.

pontífice (pon.*tí*.fi.ce) **1.** Sacerdote romano da mais alta categoria. **2.** Chefe supremo da Igreja Católica Romana; o papa.

pontilhão (pon.ti.*lhão*) *s.m.* Pequena ponte.

pontilhar (pon.ti.*lhar*) *v.* **1.** Marcar com pontinhos; pontuar: *Pontilhe no mapa as capitais dos estados.* **2.** Desenhar com pontinhos: *Pontilhou o desenho a lápis, antes de cobrir as linhas com tinta.* ▶ Conjug. 5.

ponto (*pon*.to) *s.m.* **1.** Marca ou sinal de dimensão mínima e formato normalmente arredondado. **2.** Lugar determinado: *o ponto de encontro dos amigos.* **3.** Local de parada de ônibus ou de estacionamento de táxis: *Este ônibus não para fora do ponto.* **4.** Unidade usada na contagem de jogo, disputas, competição, avaliação etc.: *Quantos pontos você já marcou?* **5.** Assunto, questão: *Nesse ponto há uma discordância entre os sócios.* **6.** Estado, situação: *A que ponto chegaram as coisas!* **7.** Porção de linha entre um furo e outro numa costura ou sutura: *Bastaram três pontos para fechar o corte.* **8.** Cada apanhado que é feito com a agulha de tricô e crochê: *Ela aprendeu esse ponto novo de crochê em Minas.* **9.** Registro de hora de entrada e de saída num escritório, fábrica, repartição etc.: *relógio de ponto.* **10.** Grau determinado numa escala de medida: *O doce chegou ao ponto de açucaramento.* **11.** (*Gram.*) Sinal na escrita para assinalar o fim de um período. **12.** Sinal usado no final de uma abreviatura e sobre as letras *j* e *i*. **13.** Pessoa que no teatro fica escondida para lembrar aos atores suas falas. ‖ *Ponto alto:* melhor momento ou melhor qualidade de alguma coisa. • *Ponto cardeal:* cada uma das quatro direções principais da rosa dos ventos. • *Ponto de exclamação:* sinal (!) para marcar o fim de uma frase exclamativa. • *Ponto de interrogação:* sinal (?) usado no final de uma interrogação direta. • *Ponto de vista:* modo individual de considerar uma questão ou assunto. • *Ponto facultativo:* dia em que, não sendo feriado, é permitido às instituições, empresas, escolas, repartições públicas etc. não trabalhar. • *Ponto final:* **1.** (*Gram.*) Ver (11). **2.** termo, fim. • *Ponto morto:* o ponto em que, nos veículos automotivos, não está engatada nenhuma marcha. • *Ponto pacífico:* questão sobre a qual não há discordância. • *Ao ponto:* (*Cul.*) diz-se do bife entre bem passado e malpassado. • *A ponto de:* pronto para, prestes a. • *De ponto em branco:* com esmero; com apuro. • *Dormir no ponto: coloq.* tardar a tomar providência em defesa dos próprios interesses; não agir no momento oportuno. • *Em ponto:* exatamente, precisamente.

ponto e vírgula *s.m.* Sinal (;) que indica, na escrita, uma pausa maior que a marcada pela vírgula e menor que a marcada pelo ponto. ‖ pl.: *pontos e vírgulas* e *ponto e vírgulas*.

pontuação (pon.tu:a.*ção*) *s.f.* **1.** (*Gram.*) Ato ou efeito de pontuar. **2.** (*Gram.*) Colocação dos sinais gráficos na escrita. **3.** Totalidade de pontos obtidos numa avaliação, competição etc.: *O atleta brasileiro obteve excelente pontuação nos jogos.*

pontual (pon.tu:*al*) *adj.* **1.** Que cumpre o horário ou o prazo marcado: *um aluno pontual; um trem pontual.* **2.** Que se refere a um ponto determinado de um problema, de uma situação, de uma coisa mais ampla etc.: *Isso é uma dificuldade pontual que não interessa à totalidade do projeto.* – **pontualidade** *s.f.*

pontuar (pon.tu:*ar*) *v.* **1.** Usar os sinais de pontuação: *Convém pontuar melhor esse texto.* **2.** *fig.* Marcar presença; estar presente: *Uma intensa alegria pontuava aquela festa de São João.* **3.** Marcar pontos: *Quem pode pontuar este jogo de sinuca?* ▶ Conjug. 5.

pontudo (pon.*tu*.do) *adj.* **1.** Que termina em ponta, aguçado; pontiagudo. **2.** Que tem pontas.

poodle [*púdou*] (Ing.) *s.m.* Raça de cães que têm o pelo encrespado e as orelhas pendentes.

pool [*pul*] (Ing.) *s.m.* **1.** Associação de empresas do mesmo ramo com a finalidade de eliminar a concorrência, fixar preços e dividir o lucro: *O pool de seguradoras está fixando os preços dos seguros.* **2.** Conjunto de pessoas que se unem para um objetivo comum: *Um pool de digitadores vai adiantar o trabalho.* **3.** Conjunto de pessoas que exercem a mesma atividade; grupo: *Há um pool de bandidos assaltando os incautos.*

pop [*póp*] (Ing.) *s.m.* **1.** Cultura popular, sobretudo a divulgada pelos meios de comunicação de massa. **2.** (*Art.*) Forma reduzida de *pop art.* **3.** (*Mús.*) Forma reduzida de *pop music.*

popa

popa [ô] (po.pa) s.f. Extremidade posterior de uma embarcação, oposta à proa.

popeline (po.pe.li.ne) s.f. Tecido fino de algodão, usado na confecção de camisas e vestidos.

população (po.pu.la.ção) s.f. **1.** Totalidade de habitantes de uma localidade, de um território, de um país, do mundo. **2.** O número desses habitantes.

populaça (po.pu.la.ça) s.f. O povo das classes mais baixas da sociedade; plebe; ralé; populacho.

populacho (po.pu.la.cho) s.m. O povo das classes mais populares; plebe; ralé; populaça.

popular (po.pu.lar) adj. **1.** Pertencente ou concernente ao povo, próprio do povo: *festa popular*; *manifestação popular*. **2.** Aceito, querido entre o povo: *um presidente popular*. **3.** Destinado ao povo; para o povo: *biblioteca popular*. **4.** Acessível ao povo; de baixo preço: *carro popular*. • s.m. **5.** Pessoa do povo: *Um popular socorreu a velha senhora*. – **popularidade** s.f.

popularizar (po.pu.la.ri.zar) v. **1.** Tornar(-se) popular, conhecido por um grande número de pessoas; divulgar(-se); difundir(-se): *O maestro deseja popularizar a música erudita*; *Essa sinfonia popularizou-se por causa de uma telenovela*. **2.** Apresentar um assunto de forma inteligível ou interessante ao público: *As revistas em quadrinhos popularizaram certos romances brasileiros*. ▶ Conjug. 5.

populismo (po.pu.lis.mo) s.m. Política que, baseando-se no apoio das camadas sociais menos favorecidas, fundamenta-se, sinceramente ou não, na defesa de interesses e reivindicações populares. – **populista** adj. s.m. e f.

populoso [ô] (po.pu.lo.so) adj. Que tem muitos habitantes; muito povoado. || f. e pl.: [ó].

pôquer (pô.quer) s.m. Jogo de cartas em que cada jogador procura organizar na melhor sequência possível suas cinco cartas, dentro de uma ordem padrão.

por prep. Estabelece diversas relações como: **1.** Lugar; através de; ao longo de: *Ela passa diariamente por este caminho*. **2.** Perto de: *Ela mora por aqui*. **3.** Causa, motivo, razão: *Ele não pagou por falta de dinheiro*. **4.** Meio, expediente, instrumento: *Ele foi escolhido por aclamação*. **5.** Preço: *Comprou a casa por um milhão*. **6.** Finalidade, fim: *Fiz tudo isso por te agradar*. **7.** Em prol de: *Lutaremos por nossa pátria*.

pôr v. **1.** Depositar, incluir, pendurar, colocar (em algum lugar): *Pôs os livros sobre a mesa*; *Ponha o nome dele na lista dos convidados*; *Pus o quadro na parede*. **2.** Colocar(-se) em determinado lugar ou posição: *Pôs o bebê na cama*; *Pôs-se de pé diante da mesa do diretor*; *Ponha-se de bruços*. **3.** Dar (nome e apelido): *Puseram na terra o nome de Brasil*; *Puseram no menino o apelido de Juquinha*. **4.** Apresentar(-se) para alguma coisa: oferecer(-se): *Pôs sua fortuna à disposição da causa*; *Ponho-me às ordens das autoridades*. **5.** Botar (ovos): *Essas galinhas de raça põem muitos ovos*. **6.** Arrumar a mesa (para refeição): *Teresa pôs a mesa para o lanche*. **7.** Vestir, calçar, usar: *Ela pôs o vestido verde e as sandálias brancas*; *Puseram-se de luto para ir à missa*. **8.** Colocar(-se) ficticiamente no lugar de alguém: *Ponha-se no meu lugar e veja o que sinto*. **9.** Ocultar-se no horizonte: *O sol se põe cedo no verão*. **10.** Tornar, fazer ficar: *Aquilo foi me pondo irritado*. || Usado como auxiliar, como pronominal seguido da prep. *a* e infinitivo do verbo principal, indicando início de uma ação: *Sentou-se à mesa e pôs-se a escrever*; *Sem mais nem menos, punha-se a chorar*. || part.: posto. ▶ Conjug. 65.

porão (po.rão) s.m. **1.** Parte de uma habitação abaixo do andar térreo; sótão. **2.** Espaço mais baixo no interior do navio.

poraquê (po.ra.quê) s.m. (Zool.) Peixe de água doce semelhante à enguia, que produz descarga elétrica; peixe-elétrico.

porca [ó] (por.ca) s.f. **1.** (Zool.) Fêmea do porco. **2.** Peça de metal perfurada, geralmente com rosca interna que se atarraxa num parafuso.

porcalhão (por.ca.lhão) adj. **1.** Que é sujo e sem capricho no trabalho: *um menino porcalhão*. • s.m. **2.** Que é sujo e sem capricho no trabalho: *Não suje o caderno, seu porcalhão!*

porção (por.ção) s.f. **1.** Parte de um todo: *A porção principal da terra era coberta de cafezais*. **2.** Certa quantidade de uma coisa: *Ponha o açúcar na mesma porção da farinha*. **3.** Grande número: *O menino ganhou uma porção de brinquedos*. **4.** Quinhão: *Queria receber logo sua porção nos lucros do negócio*.

porcaria (por.ca.ri.a) s.f. **1.** Sujeira, imundície, sujidade. **2.** fig. Coisa feita sem capricho; coisa malfeita, sem valor e de má qualidade: *Você comprou essa porcaria?*

porcelana (por.ce.la.na) s.f. Cerâmica fina, dura e brilhante: *xícaras de porcelana*.

porcentagem (por.cen.ta.gem) s.f. **1.** Fração de denominador 100; porção de valor dado, que se determina sabendo-se o quanto corresponde a cada cento. **2.** Importância que se

porreta

recebe a título de gratificação, honorário, comissão etc. e que varia em proporção a outra importância maior. || *percentagem*.

porco [ô] (*por.co*) *s.m.* **1.** (*Zool.*) Mamífero doméstico do qual se aproveitam as carnes e a banha; cerdo. **2.** *fig.* Pessoa suja, imunda. • *adj.* **3.** Sujo, imundo. **4.** Que é malfeito; sem capricho: *serviço porco*.

porco-do-mato (*por.co-do-ma.to*) *s.m.* Espécie de porco selvagem; queixada. || pl.: *porcos-do-mato*.

porco-espinho (*por.co-es.pi.nho*) *s.m.* (*Zool.*) Mamífero roedor cujos pelos parecem espinhos. || pl.: *porcos-espinho* e *porcos-espinhos*.

pôr do sol *s.m.* Desaparecimento do sol no horizonte; poente; ocaso. || pl.: *pores do sol*.

porejar (*po.re.jar*) *v.* **1.** Deixar sair líquido pelos poros; gotejar; suar, marejar: *O teto do banheiro porejava a umidade do vazamento; Suas mãos porejavam de nervoso*. **2.** Cobrir-se de gotículas como se suasse; exsudar: *As janelas do vagão porejavam*. ▶ Conjug. 10 e 37.

porém (*po.rém*) *conj.* **1.** Mas, entretanto, no entanto: *Estava muito envelhecido, porém ainda muito lúcido*. • *s.m.* **2.** Obstáculo, empecilho: *A viagem foi muito boa, mas houve um porém: choveu o tempo todo*. **3.** Lado ruim; aspecto impróprio: *Às vezes, até uma coisa boa tem o seu porém*.

porfia (*por.fi.a*) *s.f.* **1.** Discussão acalorada, polêmica: *Todos viram a porfia que ocorreu na eleição do sindicato*. **2.** Luta, combate: *A porfia da polícia contra o crime é notória*. **3.** Obstinação, teimosia: *O calçamento da rua saiu graças à porfia dos moradores*.

porfiar (*por.fi:ar*) *v.* **1.** Empenhar-se em conseguir: *Tanto porfiou que se formou em Medicina*. **2.** Manter seu ponto de vista, insistir, teimar: *Porfiou com o chefe, que acabou lhe dando razão*. **3.** Altercar, discutir: *Porfiou com o juiz e foi expulso do jogo*. ▶ Conjug. 17.

pormenor [ó] (*por.me.nor*) *s.m.* Minúcia, minudência, detalhe.

pormenorizar (*por.me.no.ri.zar*) *v.* Referir, narrar ou descrever com todos os pormenores; detalhar: *Escreveu um relatório pormenorizando toda a viagem*. ▶ Conjug. 5.

pornô (*por.nô*) *adj.* Forma reduzida de *pornográfico*: *filme pornô*; *revista pornô*.

pornochanchada (*por.no.chan.cha.da*) *s.f.* Espetáculo, geralmente filme, de baixa qualidade e com forte apelo pornográfico.

pornografia (*por.no.gra.fi.a*) *s.f.* **1.** Característica ou condição do que apresenta o sexo como coisa obscena, imoral, indecente. **2.** Textos escritos, desenhos, fotografias, filmes etc. como expressões da pornografia.

pornográfico (*por.no.grá.fi.co*) *adj.* **1.** Que se refere a pornografia. **2.** Em que há pornografia: *um filme pornográfico*.

poro [ó] (*po.ro*) *s.m.* **1.** Pequeno orifício na estrutura de qualquer ser vivo ou inanimado: *os poros da pele; os poros da rocha*. **2.** (*Anat.*) Cada uma das pequenas aberturas na superfície da pele do homem e de certos animais, através das quais se elimina o suor.

pororoca [ó] (*po.ro.ro.ca*) *s.f.* Grande onda ruidosa, de alguns metros de altura, que se forma no encontro das águas de um rio com o mar (especialmente no estuário do Amazonas).

poroso [ô] (*po.ro.so*) *adj.* **1.** Aquele que apresenta poros ou interstícios. **2.** Permeável: *um filtro poroso; uma pedra porosa*. || f. e pl.: [ó].

porquanto (*por.quan.to*) *conj.* Porque, uma vez que, visto que.

porquê (*por.quê*) *s.m.* Razão, causa, motivo de alguma coisa: *Não entendo o porquê de sua atitude*.

porque (*por.que*) *conj.* Visto que, uma vez que: *Não veio à aula porque estava indisposto*.

porqueira (*por.quei.ra*) *s.f.* **1.** Porcaria, imundície. **2.** *coloq.* Coisa ou pessoa de pouca importância: *Casou-se com um porqueira*.

porquinho-da-índia (*por.qui.nho-da-ín.di:a*) *s.m.* Mamífero roedor usado em testes e experiências científicas; cobaia.

porra [ô] (*por.ra*) *s.f. chulo* Sêmen, esperma, líquido viscoso liberado na ejaculação. • *interj. coloq.* Expressa irritação etc.

porrada (*por.ra.da*) *s.f.* **1.** *coloq.* Pancada, bordoada, cacetada. **2.** Grande quantidade de coisas ou pessoas: *Havia uma porrada de gente na festa*.

porra-louca (*por.ra-lou.ca*) *adj.* **1.** *coloq.* Que procede de modo irrefletido, inconsequente, sem noção de responsabilidade: *um rapaz porra-louca*. • *s.m. e f.* **2.** Aquele que age de modo inconsequente, irresponsável: *Não passa de um porra-louca*. || pl.: *porras-loucas*.

porre [ó] (*por.re*) *s.m. coloq.* **1.** Bebedeira. **2.** Situação ou acontecimento enfadonho, aborrecido: *A peça era um porre*.

porreta [ê] (*por.re.ta*) *adj.* Bom, belo, legal, jeitoso; leal: *um filme porreta; um passeio porreta*;

porretada

um amigo porreta. || Palavra-ônibus de vários significados.
porretada (por.re.*ta*.da) *s.f.* Pancada com porrete.
porrete [ê] (por.re.te) *s.m.* Bastão de madeira para bater.
porrinha (por.ri.nha) *s.f.* Jogo em que os participantes escondem palitos (ou qualquer outra coisa pequena) na mão fechada e procuram adivinhar o número de palitos escondidos.
porta [ó] (*por*.ta) *s.f.* **1.** Abertura que permite a entrada e a saída num edifício, numa casa, numa dependência da casa, num carro ou condução: *a porta da casa; a porta do quarto.* **2.** Peça de madeira ou metal, giratória ou corrediça, que serve para fechar essa abertura: *Mandou instalar um olho-mágico na porta; A porta de meu carro não está fechando bem.*
porta-aviões (por.ta-a.vi:ões) *s.m.2n.* (*Náut.*) Navio destinado a conduzir aviões e a servir-lhes de base em alto-mar.
porta-bagagem (por.ta-ba.*ga*.gem) *s.m.* Lugar ou acessórios que se adaptam ao carro, à moto e à bicicleta para acomodar bagagem. || pl.: *porta-bagagens.*
porta-bandeira (por.ta-ban.*dei*.ra) *s.m. e f.* Pessoa que leva a bandeira numa cerimônia ou desfile. || pl.: *porta-bandeiras.*
porta-chapéus (por.ta-cha.*péus*) *s.m.2n.* Móvel com cabides para chapéus; chapeleira.
porta-chaves (por.ta-*cha*.ves) *s.m.2n.* **1.** Chaveiro. **2.** Quadro com ganchos, fixado na parede, em que se dependuram as chaves.
portada (por.*ta*.da) *s.f.* **1.** Fachada de um prédio: *Resolveram pintar só a portada.* **2.** Porta grande de um edifício; pórtico. **3.** Página de rosto, normalmente ornamentada, de um livro: *A portada do livro continha iluminuras de belas cores.*
portador [ô] (por.ta.*dor*) *adj.* **1.** Que porta, leva ou conduz: *o caramujo portador do vírus.* • *s.m.* **2.** Aquele que leva e entrega carta ou encomenda: *Aproveito a gentileza do portador para lhe mandar bombons do Espírito Santo.* **3.** (*Med.*) Aquele que hospeda em seu corpo os vírus e bactérias específicos de uma doença, da qual é o disseminador: *Um mosquito é o portador do vírus da malária.*
porta-estandarte (por.ta-es.tan.*dar*.te) *s.m. e f.* **1.** Pessoa que leva o estandarte ou bandeira de uma corporação num desfile. • *s.f.* **2.** Mulher que leva a bandeira de uma escola de samba nos desfiles carnavalescos: *Creusa,*

a porta-estandarte da escola, fazia belíssimas evoluções. || pl.: *porta-estandartes.*
porta-joias (por.ta-*joi*.as) *s.m.2n.* Pequena caixa onde se guardam joias; escrínio.
portal (por.*tal*) *s.m.* **1.** Porta grande e principal de um edifício ou de um templo. **2.** (*Inform.*) Espécie de *site* que funciona como uma porta de entrada para serviços e informações na *internet* concernentes a um tema ou área.
porta-lápis (por.ta-*lá*.pis) *s.m.2n.* **1.** Estojo ou outro objeto para guardar lápis. **2.** Dispositivo para prender um lápis a instrumento de desenho como o compasso.
porta-luvas (por.ta-*lu*.vas) *s.m.2n.* Compartimento, em geral na parte direita do painel dos automóveis, que se destina a guardar documentos e pequenos objetos.
porta-malas (por.ta-*ma*.las) *s.m.2n.* Lugar num veículo destinado a guardar malas e outros objetos.
portanto (por.*tan*.to) *conj.* Logo; pois; por conseguinte: *Você não fez o que ordenei, portanto, não terá sua mesada.*
portão (por.*tão*) *s.m.* **1.** Porta de dimensões maiores que as ordinárias; portada. **2.** Porta de ferro ou de madeira, com ou sem grades, que, a partir da rua, dá acesso a uma casa, a um jardim etc.
portar (por.*tar*) *v.* **1.** Levar, conduzir, carregar consigo: *Portava sempre uma bolsa a tiracolo.* **2.** Agir de certa maneira; haver-se; comportar-se: *O menino portava-se mal diante das visitas.* ▶ Conjug. 20.
porta-retratos (por.ta-re.*tra*.tos) *s.m.2n.* Moldura, geralmente com vidro e apoio para ficar de pé, onde se colocam retratos para expô-los à vista.
portaria (por.ta.*ri*.a) *s.f.* **1.** Porta principal de edifícios, escolas, hospitais, conventos etc.: *Deixarei o pacote na portaria de seu edifício.* **2.** Documento que oficializa qualquer decisão administrativa: *portaria de nomeação de revisor do Serviço Público.*
portátil (por.*tá*.til) *adj.* Que pode ser carregado com facilidade: *um ventilador portátil; uma TV portátil.*
porta-toalhas (por.ta-to:*a*.lhas) *s.m.2n.* Peça em que se prendem toalhas nos banheiros e toaletes.
porta-voz (por.ta-*voz*) *s.m.* Pessoa que fala por outrem, que transmite as opiniões de outrem; arauto. || pl.: *porta-vozes.*

1008

porte [ó] (*por.te*) *s.m.* **1.** Tamanho, dimensão, grandeza: *uma cidade de porte médio*. **2.** Ato ou efeito de levar, portar: *porte de armas*. **3.** O aspecto físico de uma pessoa; modo de apresentar-se, de andar; postura: *Aquela mulher tinha um porte de rainha*. **4.** Consideração, importância: *Estava longe de ser um escritor do porte de Guimarães Rosa*.

porteira (*por.tei.ra*) *s.f.* Cancela ou portão de entrada de fazenda ou sítio.

porteiro (*por.tei.ro*) *s.m.* Pessoa que toma conta da portaria de um edifício ou de um estabelecimento.

portenho (*por.te.nho*) *adj.* **1.** De Buenos Aires, capital da Argentina. • *s.m.* **2.** O natural ou o habitante dessa cidade.

portento (*por.ten.to*) *s.m.* Coisa maravilhosa, extraordinária: *A jovem estrela era um portento de beleza*.

portentoso [ô] (*por.ten.to.so*) *adj.* Extraordinário, insólito, maravilhoso: *O mestre possuía um conhecimento portentoso*. || f. e pl.: [ó].

portfólio (*port.fó.li.o*) *s.m.* **1.** Conjunto de amostras ou listagem de produtos de propaganda de uma empresa. **2.** Pasta sanfonada para guardar documentos e folhetos. **3.** Álbum de fotos de modelos, trabalhos de um artista, de um fotógrafo etc.

pórtico (*pór.ti.co*) *s.m.* **1.** Portal de edifício nobre ou de templo. **2.** Átrio amplo, com teto sustentado por colunas ou pilares.

portinhola [ó] (*por.ti.nho.la*) *s.f.* Pequena porta.

porto [ô] (*por.to*) *s.m.* Lugar e construção na costa marítima, fluvial ou lacustre onde os navios atracam para carga e descarga, embarque e desembarque.

porto-alegrense (*por.to-a.le.gren.se*) *adj.* **1.** De Porto Alegre, capital do Estado do Rio Grande do Sul. • *s.m. e f.* **2.** O natural ou o habitante dessa capital. || pl.: *porto-alegrenses*.

porto-riquenho (*por.to-ri.que.nho*) *adj.* De Porto Rico, país do Caribe; porto-riquense. • *s.m.* O natural ou o habitante de Porto Rico; porto-riquense. || pl.: *porto-riquenhos*.

porto-riquense (*por.to-ri.quen.se*) *adj. s.m.* Porto-riquenho. || pl. *porto-riquenses*.

porto-velhense (*por.to-ve.lhen.se*) *adj.* **1.** De Porto Velho, capital do Estado de Rondônia. • *s.m. e f.* **2.** O natural ou o habitante dessa capital. || pl.: *porto-velhenses*.

portuário (*por.tu.á.ri.o*) *adj.* **1.** Relativo a porto: *sistema portuário*. • *s.m.* **2.** Que trabalha em porto: *greve dos portuários*.

português (*por.tu.guês*) *adj.* **1.** De Portugal: *o povo português*. • *s.m.* **2.** O habitante ou o cidadão de Portugal. **3.** Língua românica falada em Portugal, no Brasil e nas regiões de colonização portuguesa na Ásia, África e Oceania.

portunhol (*por.tu.nhol*) *s.m.* Maneira de se expressar resultante da mistura da língua portuguesa e da espanhola.

porventura (*por.ven.tu.ra*) *adv.* Por acaso, talvez: *Se, porventura, não gostarem das acomodações, reclamem ao gerente*.

porvindouro (*por.vin.dou.ro*) *adj.* Que há de vir, futuro: *os netos porvindouros*.

porvir (*por.vir*) *s.m.* Tempo que há de vir; futuro: *Os jovens devem ter esperanças no porvir*.

posar (*po.sar*) *v.* **1.** Pôr-se de modo conveniente para se deixar fotografar ou pintar: *A moça posou em frente da janela, à luz do sol poente.* **2.** Servir de modelo para pintura ou escultura: *Ela foi convidada a posar para um fotógrafo.* **3.** Fazer-se de; bancar: *Você é um pobretão que posa de rico.* ▶ Conjug. 20.

poscênio (*pos.cê.ni.o*) *s.m.* (*Teat.*) Parte do teatro que fica por trás do palco; bastidores. || Conferir com *proscênio*.

pós-datar (*pós-da.tar*) *v.* Pôr em documento ou cheque uma data posterior à verdadeira: *Vou pós-datar o cheque porque só terei esse dinheiro na semana que vem*. || Conferir com *pré-datar*. ▶ Conjug. 5.

pós-diluviano (*pós-di.lu.vi.a.no*) *adj.* Posterior ao dilúvio. || pl.: *pós-diluvianos*.

pós-doutorado (*pós-dou.to.ra.do*) *s.m.* Curso de pós-graduação destinado àqueles que concluíram o doutorado. || pl.: *pós-doutorados*.

pose [ô] (*po.se*) *s.f.* **1.** Posição estudada para se deixar fotografar ou pintar ou servir de modelo a um pintor ou escultor. **2.** Atitudes e maneiras afetadas.

pós-escrito (*pós-es.cri.to*) *adj.* **1.** Escrito no fim. • *s.m.* **2.** Aquilo que se escreve numa carta depois de assinada, porque não convinha escrever no corpo da carta, ou porque foi esquecido. || pl.: *pós-escritos*.

posfácio (*pos.fá.ci.o*) *s.m.* Texto explicativo posto no fim de um livro. || Conferir com *prefácio*.

pós-guerra (*pós-guer.ra*) *s.m.2n.* **1.** Período que se segue a uma guerra: *No pós-guerra há sempre carência de alimentos*. • *adj.* **2.** Relativo a esse período: *a Alemanha pós-guerra; o período pós-guerra*.

posição

posição (po.si.ção) s.f. **1.** Lugar onde está uma pessoa ou coisa: *Diga qual é sua posição para irmos buscá-lo.* **2.** Modo de colocar o corpo ou parte dele; postura: *Mantenha-se nessa posição, que já estou acabando o desenho.* **3.** Modo em que alguma coisa está colocada: *Amanhã vou mudar a posição desses móveis.* **4.** Classe; condição social, moral ou econômica: *Carlos gozava de uma posição excelente na cidade.* **5.** Terreno adequado para nele se estabelecer uma força armada, fundar-se obra de fortificação, sustentar-se ataque ou defesa: *Estávamos em melhor posição que o inimigo.* **6.** Ponto de vista: *Todos já sabem minha posição em relação ao assunto.*

posicionar (po.si.ci:o.nar) v. **1.** Colocar-se em certa posição: *Posicione-se mais para a esquerda.* **2.** Assumir uma posição, uma opinião: *Você também precisa se posicionar em relação ao aquecimento global.* ▶ Conjug. 5.

positivar (po.si.ti.var) v. Concretizar(-se); efetivar(-se): *Só pude positivar a compra do apartamento depois que recebi a herança; Infelizmente minhas suspeitas positivaram-se.* ▶ Conjug. 5.

positivismo (po.si.ti.vis.mo) s.m. (Filos.) Sistema filosófico de Augusto Comte que só admite como verdade os fatos conhecidos pela observação e pela experiência.

positivo (po.si.ti.vo) adj. **1.** Que exprime uma afirmação ou confirmação: *O exame de sangue deu positivo.* **2.** Que expressa aprovação, aceitação: *O filme recebeu críticas muito positivas.* **3.** Que revela otimismo, confiança: *Suas palavras foram muito positivas.*

pós-meridiano (pós-me.ri.di:a.no) adj. Que ocorre depois do meio-dia: *Não abria mão de seu repouso pós-meridiano.* || pl.: pós-meridianos.

posologia (po.so.lo.gi.a) s.f. (Farm., Med.) Indicação das doses em que os medicamentos devem ser administrados.

pós-operatório (pós-o.pe.ra.tó.ri:o) adj. **1.** Que ocorre posterior à operação: *período pós-operatório.* • s.m. **2.** Esse período: *Seu pós-operatório foi muito doloroso.* || pl.: pós-operatórios.

pospor (pos.por) v. **1.** Pôr uma coisa depois de outra: *Posponha sua assinatura à minha.* **2.** Transferir uma data para depois; adiar: *Chega de pospor a conversa que precisamos ter.* || part.: posposto. ▶ Conjug. 65.

possante (pos.san.te) adj. **1.** Poderoso; vigoroso, forte: *um urro possante.* **2.** Com boa capacidade de desempenho: *um possante trator.*

posse [ó] (pos.se) s.f. **1.** Circunstância de se possuir alguma coisa: *a posse do tesouro.* **2.** Estado de quem possui ou domina algo: *Ele está de posse do segredo do cofre.* **3.** Admissão, investidura num cargo: *Tomou posse do cargo de ministro.* • **posses** s.f.pl. **4.** Bens, recursos, haveres: *Era um homem de muitas posses.*

posseiro (pos.sei.ro) s.m. Aquele que está de posse de uma terra devoluta e a cultiva para subsistência.

possessão (pos.ses.são) s.f. **1.** Ato ou efeito de possuir; a coisa possuída: *Aquelas terras já foram possessão de minha família.* **2.** Território sem independência, que vive sob a autoridade de um país soberano: *Todo o arquipélago foi possessão espanhola.* **3.** Diz-se do estado de certos indivíduos que, segundo crença religiosa, são possuídos e inteiramente dirigidos por entidade infernal: *Foi vítima de possessão diabólica.*

possessivo (pos.ses.si.vo) adj. **1.** (Gram.) Diz-se do pronome que indica posse: *meu é um pronome possessivo.* **2.** Que tem muito forte o sentido de posse: *um marido possessivo; uma namorada possessiva.*

possesso [é] (pos.ses.so) adj. **1.** Que está possuído pelo demônio; endemoniado: *uma mulher possessa do demônio.* **2.** Fora de si, muito irritado: *Maria ficou possessa quando o namorado chegou atrasado.* • s.m. **3.** Pessoa possuída pelo demônio: *Levaram o possesso ao exorcista.*

possibilitar (pos.si.bi.li.tar) v. Tornar alguma coisa possível a alguém; propiciar: *O aumento do salário possibilitou-lhe uma viagem à terra de seus avós.* ▶ Conjug. 5.

possível (pos.sí.vel) adj. **1.** Que pode ser, acontecer, praticar-se ou existir: *É possível que chova hoje; Não foi possível completar a ligação.* • **2.** s.m. Aquilo que pode ser, acontecer, praticar-se ou existir: *Faremos todo o possível para atendê-lo bem.* – **possibilidade** s.f.

possuído [ô] (pos.su:í.do) adj. **1.** De que se tem posse (1). **2.** Que demonstra possessão (3): *A pobre mulher parecia possuída por uma força estranha.* • s.m. **3.** A coisa que se possui: *Vendeu os possuídos e mudou-se para longe.*

possuir (pos.su:ir) v. **1.** Ter a posse de; ser dono de: *O grande negociante possuía inúmeras fazendas e muito dinheiro aplicado.* **2.** Estar de posse de: *Era o único que possuía o segredo do cofre.* **3.** Apresentar qualidade, característica etc.: *Paulo possuía um caráter forte.* **4.** Deixar-se dominar por: *Estavam todos possuídos de grande pavor.* ▶ Conjug. 80.

posta [ó] (*pos*.ta) *s.f.* Pedaço de carne, peixe etc.

postal (pos.*tal*) *adj.* **1.** Relativo ao correio: *Utilize o serviço postal.* • *s.m.* **2.** Cartão-postal: *Mande-me um postal do México.*

postar¹ (pos.*tar*) *v.* **1.** Colocar alguém num lugar ou posto: *Postou um guarda em cada porta do teatro.* **2.** Colocar-se num ponto: *Postei-me debaixo de sua janela e esperei por você.* ▶ Conjug. 20.

postar² (pos.*tar*) *v.* Enviar carta pelo correio: *Ontem postei uma carta para meus parentes da Itália.* ▶ Conjug. 20.

posta-restante (pos.ta-res.*tan*.te) *s.f.* **1.** Correspondência ou encomenda a serem retiradas na agência do correio. **2.** Seção onde se guarda essa correspondência. || pl.: *postas-restantes*.

poste [ó] (*pos*.te) *s.m.* Peça de madeira, ferro, concreto etc. fixada no solo, para sustentar condutores de eletricidade, fios telegráficos ou telefônicos, lâmpadas de iluminação etc.

pôster (*pôs*.ter) *s.m.* Cartaz impresso para decoração e publicidade.

postergar (pos.ter.*gar*) *v.* **1.** Transferir para depois; adiar: *Postergaram o pagamento para o mês que vem.* **2.** Deixar de lado; deixar em segundo plano: *Postergou a carreira política à atividade social.* ▶ Conjug. 8 e 34.

posteridade (pos.te.ri.*da*.de) *s.f.* **1.** Caráter ou condição de posterior. **2.** Série de pessoas oriundas de ancestrais comuns. **3.** O tempo que deverá suceder ao atual; o futuro.

posterior [ô] (pos.te.*ri*:or) *adj.* **1.** Que está, vem ou acontece depois; ulterior. **2.** Situado atrás.

póstero (*pós*.te.ro) *adj.* **1.** Que há de vir depois. • *pósteros* *s.m.pl.* **2.** As gerações pósteras; pessoas que hão de vir: *Que mundo deixaremos para nossos pósteros?*

posteroexterior (pos.te.ro.ex.te.*ri*:or) *adj.* Situado atrás e na parte de fora: *parte posteroexterior da coxa.*

posteroinferior (pos.te.ro.in.fe.*ri*:or) *adj.* Situado atrás e na parte de baixo: *parte posteroinferior da cabeça.*

posterointerior (pos.te.ro.in.te.*ri*:or) *adj.* Situado atrás e na parte de dentro: *A garganta localiza-se na parte posterointerior do pescoço.*

posterossuperior (pos.te.ros.su.pe.*ri*:or) *adj.* Situado atrás e na parte de cima.

postiço (pos.*ti*.ço) *adj.* **1.** Que se usa em lugar do que é natural; artificial: *cabelo postiço*; *dente postiço*. **2.** Diz-se do grau de parentesco atribuído por afetividade a alguém com que não se tem aquela relação: *Gosto de D. Iaiá como se fosse minha tia; ela é minha tia postiça.*

postigo (pos.*ti*.go) *s.m.* Pequena abertura numa porta ou janela.

postilhão (pos.ti.*lhão*) *s.m.* Mensageiro.

post meridiem (Lat.) *loc. adv.* Expressão que denota hora depois de meio-dia. || Abreviação: *p.m.*

posto¹ [ô] (*pos*.to) *s.m.* **1.** Função para a qual alguém foi nomeado: *Tomás foi indicado para o posto de embaixador no Japão.* **2.** O local dessa função: *Ele já chegou a seu posto.* **3.** Repartição ou órgão público que presta serviço social: *Vá ao posto de saúde do município.* **4.** Lugar de venda de gasolina, produtos e serviços para veículos automotores: *Parei no posto para calibrar os pneus.*

posto² [ô] (*pos*.to) *adj.* **1.** Colocado. **2.** Diz-se do Sol depois do poente: *Depois do Sol posto, saímos da praia.*

postulação (pos.tu.la.*ção*) *s.f.* Ato ou efeito de postular, de solicitar.

postulado (pos.tu.*la*.do) *s.m.* **1.** Princípio admitido sem demonstração, sem discussão. **2.** (Filos.) Proposição que se toma como ponto de partida de um raciocínio; premissa.

postulante (pos.tu.*lan*.te) *adj.* **1.** Que se candidata a um emprego ou função. • *s.m. e f.* **2.** O candidato a um cargo ou função.

postular (pos.tu.*lar*) *v.* **1.** Pedir com insistência: *Há tempos ela vem postulando um cargo na Prefeitura de Manaus.* **2.** (Jur.) Requerer por direito, documentando a alegação: *De posse do diploma de mestrado, Ulisses postulou uma promoção profissional.* ▶ Conjug. 5.

póstumo (*pós*.tu.mo) *adj.* Que acontece posteriormente à morte de alguém: *um livro póstumo; uma homenagem póstuma.*

postura (pos.*tu*.ra) *s.f.* **1.** Colocação, posição do corpo: *Conseguiu melhorar a postura com exercícios físicos.* **2.** Posição que se assume diante de alguma coisa: *Você adotou uma postura correta em relação ao problema de sua filha.* **3.** Ação de (a ave) pôr ovos: *As marrecas não estavam ainda em fase de postura.* • *posturas* *s.f.pl.* **4.** Conjunto de preceitos municipais que devem ser seguidos pelos serviços públicos e pelos cidadãos: *As posturas municipais proíbem animais soltos na rua.*

1011

pós-verbal (pós-ver.*bal*) *adj.* Que vem depois do verbo: *um complemento pós-verbal*. || pl.: *pós-verbais*.

potamita (po.ta.*mi*.ta) *adj.* Que vive nos rios: *uma alga potamita*.

potamografia (po.ta.mo.gra.*fi*.a) *s.f.* (*Geogr.*) **1.** Ramo da geografia que estuda e descreve os rios. **2.** Relação de rios de uma região, de um país ou de um continente: *potamografia amazônica; potamografia sul-americana*.

potassa (po.*tas*.sa) *s.f.* (*Quím.*) Produto químico derivado do potássio, usado como fertilizante e no fabrico de sabão.

potássio (po.*tás*.si:o) *s.m.* (*Quím.*) Metal alcalino, branco-prateado, mole, de que há abundância na natureza. || Símbolo: K.

potável (po.*tá*.vel) *adj.* Que se pode beber.

pote [ó] (*po*.te) *s.m.* Vaso de barro para líquidos, especialmente água potável.

potência (po.*tên*.ci:a) *s.f.* **1.** Força, poder, eficácia. **2.** Vigor sexual. **3.** Capacidade de produção de energia. **4.** Nação de grande poder político e militar: *As potências aliadas*. **5.** (*Mat.*) O produto obtido pela multiplicação de fatores iguais: *27 é potência de 3*. **6.** (*Mat.*) Número de vezes, indicado pelo expoente, que um número é multiplicado por ele mesmo em uma potenciação: *3 elevado à potência 4 é igual a 81*. **7.** Capacidade de alcance de uma emissora, expressa em watts e quilowatts.

potenciação (po.ten.ci:a.*ção*) *s.f.* (*Mat.*) Operação pela qual se multiplica um número qualquer por ele mesmo quantas vezes estiver indicado no expoente.

potencial (po.ten.ci:*al*) *adj.* **1.** Relativo a potência. **2.** Que pode vir a ser; possível: *Carlos era o substituto potencial do chefe*. • *s.m.* **3.** Capacidade de agir, produzir ou realizar: *Esse menino tem um grande potencial*. – **potencialidade** *s.f.*

potenciômetro (po.ten.ci:ô.*me*.tro) *s.m.* (*Eletr.*) Aparelho para medir as diferenças de potencial elétrico.

potentado (po.ten.*ta*.do) *s.m.* Pessoa de grande poder, autoridade ou influência.

potente (po.*ten*.te) *adj.* **1.** Que pode; que tem poder. **2.** Que tem potência (1); forte, poderoso: *um barco de motor potente; um apito potente*. **3.** Com capacidade fisiológica para copular; sexualmente apto.

potestade (po.tes.*ta*.de) *s.f.* **1.** Poder, potência sobre alguém ou alguma coisa: *Nosso imperador tem grande potestade*. **2.** Pessoa de grande poder, autoridade ou influência. **3.** Poder supremo, divindades: *Pediram a todas as potestades do Olimpo*.

potiguar (po.ti.*guar*) *adj.* **1.** Do Rio Grande do Norte; rio-grandense-do-norte. • *s.m.* e *f.* **2.** O natural ou o habitante do Rio Grande do Norte; rio-grandense-do-norte.

potoca [ó] (po.*to*.ca) *s.f. coloq.* Mentira, peta.

potoqueiro (po.to.*quei*.ro) *adj.* **1.** Que conta mentira ou potoca. • *s.m.* **2.** Pessoa que é dada a contar mentiras ou potocas.

potranca (po.*tran*.ca) *s.f.* **1.** Égua entre um e dois anos de idade. **2.** *gír.* Mulher cujas formas chamam a atenção.

potranco (po.*tran*.co) *s.m.* Filhote de cavalo entre um e dois anos.

potro [ô] (*po*.tro) *s.m.* Cavalo novo, até a idade de quatro anos; poldro.

pouca-vergonha (pou.ca-ver.*go*.nha) *s.f.* **1.** Ato vergonhoso e imoral. **2.** Desonestidade, patifaria. || pl.: *poucas-vergonhas*.

pouco (*pou*.co) *pron. indef.* **1.** Que é em pequena quantidade; em pequeno número: *Comeu pouco pão e bebeu pouco vinho*. **2.** Pequeno, limitado: *Seu dinheiro era pouco*. • *adv.* **3.** Em pouca quantidade ou intensidade; insuficiente: *Você trabalha pouco*; *Ela é muito pouco elegante*; *Ela dorme pouco*. • *poucos pron. indef. pl.* **4.** Poucas pessoas: *Poucos se lembraram do aniversário do colega*. || *Fazer pouco de*: zombar, menosprezar: *As crianças não faziam pouco do velho*. • *Há pouco*: depois de pouco tempo decorrido: *Há pouco ela ainda estava aqui*. • *Por pouco*: por um triz; pouco faltou para: *Por pouco ela não caiu no rio*.

pouco-caso (pou.co-*ca*.so) *s.m.* Demonstração de indiferença: *Não faça pouco-caso de nossos conselhos*. || pl.: *poucos-casos*.

poupança (pou.*pan*.ça) *s.f.* **1.** Ação de poupar. **2.** (*Econ.*) Conta bancária em que o dinheiro depositado rende juros e correção monetária: *Com o dinheiro dos atrasados, Doralice abriu uma poupança*.

poupar (pou.*par*) *v.* **1.** Não gastar ou gastar com moderação, economizar: *Desde jovem ele sempre teve o cuidado de poupar*. **2.** Livrar, salvar alguém ou alguma coisa de: *Consegui poupá-la de muitos aborrecimentos*. **3.** Tratar com piedade, com indulgência: *Nem seus melhores amigos ele poupou em suas críticas ferozes*. **4.** Esquivar(-se), eximir(-se), subtrair(-se): *Poupe-se do trabalho de vir até aqui*. ▶ Conjug. 22.

pousada (pou.sa.da) s.f. Espécie de pequeno hotel em lugares turísticos: *uma pousada na Ilha Grande*.

pousar (pou.sar) v. **1.** Descer ao solo depois de vôo: *A garça descreveu uma bela curva e pousou na beira da lagoa*. **2.** Pôr, depositar alguma coisa sobre uma superfície: *Pouse a bandeja sobre a mesa e sirva-me o chá*. **3.** Passar a noite; pernoitar: *Naquela noite ele pousou no mosteiro e, de manhã, seguiu caminho*. ▶ Conjug. 22.

pousio (pou.si:o) s.m. **1.** Fase de suspensão no cultivo da terra: *Na plantação alternavam-se os períodos de cultivo e os de pousio*. • adj. **2.** Que não tem cultivo: *terras pousias*.

pouso (pou.so) s.m. **1.** Ação de pousar: *O avião fez um pouso na fazenda de meu tio*. **2.** Lugar onde pousa (ave, avião, helicóptero): *As garças gostam desse pouso à beira da lagoa*. **3.** Lugar onde se pode pernoitar: *A cabana servia de pouso aos viajantes*.

povão (po.vão) s.m. Conjunto de pessoas de condição modesta; povaréu.

povaréu (po.va.réu) s.m. Povão.

povo [ô] (po.vo) s.m. **1.** Conjunto de pessoas que habitam um país, uma região: *o povo brasileiro; o povo latino-americano*. **2.** O conjunto de pessoas que têm a mesma cultura, religião, costumes, língua etc.: *o povo cigano; o povo xavante*. **3.** Grande número de pessoas; aglomeração de pessoas: *Cuidado para não se perder no meio do povo*.

povoação (po.vo:a.ção) s.f. **1.** Ato ou efeito de povoar: *A povoação desses lugares começou tarde*. **2.** Lugar povoado, menor que a vila: *Ele veio de uma pequena povoação às margens do rio Doce*. **3.** Conjunto de habitantes de uma localidade: *Toda a povoação fugiu com medo da enchente*.

povoado (po.vo:a.do) adj. **1.** Que se povoou: *uma terra pouco povoada*. • s.m. **2.** Pequeno lugar; lugarejo com pequena povoação: *O missionário vivia num povoado perto do São Francisco*.

povoar (po.vo:ar) v. **1.** Prover de habitantes; tornar habitado: *Vieram povoar as regiões inabitadas do país*. **2.** Encher de sentimentos, ideias: *As noites de luar povoavam sua cabeça de fantasias*. ▶ Conjug. 25. – **povoamento** s.m.

praça (pra.ça) s.f. **1.** Logradouro público, amplo, cuja área é rodeada de casas, lojas, bares etc. **2.** Conjunto de casas comerciais e bancárias numa cidade. • s.m. **3.** Soldado sem patente: *Mandaram dois praças e um cabo buscar a mercadoria*. || *Boa praça*: simpático, bom companheiro, amigo.

pracinha (pra.ci.nha) s.m. **1.** (*Hist*.) Soldado da Força Expedicionária Brasileira, na Segunda Guerra Mundial. • s.f. **2.** Pequena praça (1).

pracista (pra.cis.ta) s.m. e f. Aquele que exerce sua profissão numa praça.

pradaria (pra.da.ri.a) s.f. Grande planície com prados.

prado (pra.do) s.m. **1.** Terreno plano, coberto de ervas, não cultivado e geralmente utilizado pelo gado como pastagem. **2.** Hipódromo.

praga (pra.ga) s.f. **1.** Doença contagiosa que ataca muitos animais e muitas plantas ao mesmo tempo: *A praga do pulgão dizimou as laranjeiras; Muitas galinhas morreram de uma praga desconhecida*. **2.** O mal que se roga a alguém ou a alguma coisa: *Seus inimigos rogaram uma praga contra ele*. **3.** Grande desgraça; calamidade; flagelo: *A seca tem sido uma praga para aquela região*. **4.** Pessoa ou coisa importuna: *Esses apagões são uma praga*.

pragmática (prag.má.ti.ca) s.f. **1.** Conjunto de normas ou regras sobre procedimentos rituais litúrgicos ou de corte. **2.** Conjunto de normas ou regras de procedimento formais de etiqueta. **3.** Ramo da Semiologia que trata das relações entre o signo e seu usuário.

pragmático (prag.má.ti.co) adj. Que valoriza o aspecto prático e objetivo das coisas; realista; objetivo; prático: *um dirigente pragmático*.

pragmatismo (prag.ma.tis.mo) s.m. **1.** Teoria segundo a qual se considera a utilidade prática de um coisa como critério de valor e verdade. **2.** Atitude de quem considera as coisas pelo seu lado prático.

praguejar (pra.gue.jar) v. Rogar praga (2) contra alguém ou alguma coisa; amaldiçoar: *Os caminhantes praguejavam contra o sol e o calor; Seu grande defeito era viver praguejando*. ▶ Conjug. 10 e 37.

praia (prai.a) s.f. **1.** Orla baixa do mar, geralmente coberta de areia ou pedras: *Sentou-se na areia da praia para ver nascer o sol*. **2.** Litoral; região banhada pelo mar; beira-mar: *Passava os verões nas praias do Nordeste*. || *Morrer na praia*: não conseguir atingir o objetivo quase alcançado: *Embora tivesse muitos votos, não foram suficientes para elegê-lo, e ele morreu na praia*. • *Não ser a praia de (alguém)*: não ser do interesse, da profissão ou do gosto de alguém: *Discutir futebol não era sua praia*.

praiano (prai.*a*.no) *adj.* **1.** Relativo a praia: *moda praiana; período praiano.* **2.** Situado na praia, à beira-mar: *um recanto praiano.* • *s.m.* **3.** Pessoa que mora na praia ou no litoral: *Casou-se com um praiano.*

prancha (*pran*.cha) *s.f.* **1.** Grande tábua grossa e larga. **2.** Tábua que se lança de uma embarcação para terra a fim de por ela se passar. **3.** (*Esp.*) Peça plana, longa e estreita de isopor ou fibra usada para natação ou surfe.

pranchada (pran.*cha*.da) *s.f.* **1.** Golpe aplicado com a prancha. **2.** Cada descida do surfista na onda.

prancheta [ê] (pran.*che*.ta) *s.f.* **1.** Mesa própria para desenho, usada principalmente pelos arquitetos. **2.** Prancha estreita e delgada, usada como apoio para escrever.

prantear (pran.te:*ar*) *v.* Chorar por; lamentar: *Todos pranteavam os mortos na batalha; Os pais pranteavam o filho morto; Não se pranteie por tão pouco.* ▶ Conjug. 14.

pranto (*pran*.to) *s.m.* Ato de prantear; choro.

prata (*pra*.ta) *s.f.* **1.** (*Quím.*) Elemento químico metálico, precioso, de cor acinzentada, capaz de polimento em alto grau. || Símbolo: *Ag.* **2.** *gír.* Dinheiro: *Ele está cheio de prata.* || *Prata da casa*: Quem se criou, se educou e se formou no mesmo lugar em que atua: *Este professor é prata da casa.*

prataria¹ (pra.ta.*ri*.a) *s.f.* Conjunto dos utensílios de prata (1): *Antes da festa, poliam a prataria da casa.*

prataria² (pra.ta.*ri*.a) *s.f.* Conjunto de pratos.

prateado (pra.te:*a*.do) *adj.* **1.** Coberto de prata ou de uma solução de prata: *um cordão prateado.* **2.** Que tem cor de prata: *sapatos prateados.*

pratear (pra.te:*ar*) *v.* **1.** Revestir de uma camada de prata: *Mandou pratear toda a baixela.* **2.** Dar o aspecto e o brilho da prata: *Com a idade, seus cabelos foram prateando.* ▶ Conjug. 14.

prateleira (pra.te.*lei*.ra) *s.f.* Cada uma das tábuas colocadas horizontalmente no interior de armário, guarda-louça, estante etc. sobre a qual se colocam objetos ou livros.

prática (*prá*.ti.ca) *s.f.* **1.** Ato de praticar uma ação habitualmente: *A prática de exercícios físicos faz bem à saúde.* **2.** Experiência adquirida através de ação feita continuadamente: *Cecília tinha muita prática em aplicar injeções.*

praticar (pra.ti.*car*) *v.* **1.** Levar a efeito, realizar: *Aquelas freiras praticam a verdadeira caridade.* **2.** Exercitar-se (em qualquer atividade): *Mário não gosta de praticar exercícios físicos.* **3.** Atuar profissionalmente em; exercer: *Carlos praticava a Medicina com entusiasmo.* ▶ Conjug. 5 e 35.

praticável (pra.ti.*cá*.vel) *adj.* **1.** Que se pode praticar ou realizar. **2.** Pelo qual se pode transitar; transitável. • *s.m.* **3.** (*Teat.*) Peça do cenário facilmente desmontável e portátil.

praticidade (pra.ti.ci.*da*.de) *s.f.* Qualidade do que é prático.

prático (*prá*.ti.co) *adj.* **1.** Relativo a prática ou a ação; que envolve prática (em oposição a teórico): *Faziam exercícios práticos de ortografia.* **2.** Planejado de modo a ser facilmente usado e eficaz; funcional: *um aparador de grama muito prático.* **3.** Apropriado, conveniente para uma situação: *Não é prático usar roupas pesadas no verão.* **4.** Que é sensato, que se decide pelo que é mais viável: *Como era muito prático, escolhia sempre o modo mais simples de resolver as coisas.* • *s.m.* **5.** (*Náut.*) Piloto que conhece bem certas paragens de um porto e serve de guia a embarcações.

prato (*pra*.to) *s.m.* **1.** Recipiente normalmente de louça, redondo e raso, em que se come ou se serve a comida. **2.** Cada uma das iguarias que entram numa refeição; tipo de iguaria: *O jantar era composto de cinco pratos diferentes; Meu prato preferido é feijoada.* **3.** Cada uma das peças arredondadas e côncavas de uma balança. • *pratos s.m.pl.* (*Mús.*) Instrumento musical de percussão, formado por duas peças circulares de metal. || *Cuspir no prato em que comeu*: ser ingrato com quem lhe deu auxílio. • *Pôr em pratos limpos*: tirar a limpo, esclarecer. • *Prato feito*: **1.** refeição comercial em que os componentes são previamente escolhidos pelo comerciante, e não pelo cliente; pê-efe. **2.** situação de que alguém pode tirar proveito: *A desistência de Roberto em concorrer foi um prato feito para Ricardo.*

praxe [ch] (*pra*.xe) *s.f.* Costume, hábito: *É praxe dar um presente a quem faz anos.*

práxis [cs] (*prá*.xis) *s.f.* **1.** Prática, atividade, ação. **2.** (*Fil.*) Segundo o pensamento marxista, a ação humana que pode modificar as relações entre as pessoas.

prazenteiro (pra.zen.*tei*.ro) *adj.* Em que há ou mostra prazer: *Marcos bebeu, prazenteiro, um copo de suco de laranja.*

prazer (pra.*zer*) *s.m.* **1.** Sentimento ou sensação agradável; deleite, satisfação: *Os banhos* *na cachoeira davam-lhe imenso prazer.* **2.** Entretenimento; divertimento; contentamento: *Alternava os momentos de trabalho com os de prazer.* **3.** Satisfação sexual: *Não se deve buscar um prazer imoderado.* – **prazeroso** *adj.*

prazo (*pra.zo*) *s.m.* Espaço de tempo determinado, dentro do qual se há de fazer uma coisa: *Foi-lhe dado um prazo para ele sair do apartamento.*

preá (*pre:á*) *s.m. e f.* (*Zool.*) Mamífero roedor de patas anteriores com quatro dedos e as posteriores com três.

preamar (*pre:a.mar*) *s.f.* Momento em que a maré atinge o máximo; maré-cheia, influxo.

preâmbulo (*pre:âm.bu.lo*) *s.m.* Texto preliminar ou fala curta que introduzem ou anunciam o assunto principal; exórdio. || *Sem mais preâmbulos*: entrando logo no assunto; sem mais delongas.

prear (*pre:ar*) *v.* Capturar, aprisionar: *Preavam animais selvagens para domesticá-los.* ▶ Conjug. 14.

prebenda (*pre.ben.da*) *s.f.* **1.** (*Rel.*) Remuneração decorrente de certos postos na Igreja. **2.** *fig.* Atividade muito rendosa, mas sem muito trabalho: *Conseguiu uma prebenda num ministério em Brasília.* **3.** *irôn.* Tarefa desagradável: *Veja que prebenda arrumei para mim.*

pré-candidato (*pré-can.di.da.to*) *s.m.* Pessoa que pretende ser candidato a um cargo eletivo: *O governador daquele estado é pré-candidato à presidência da República.* || pl.: *pré-candidatos.*

precariíssimo (*pre.ca.ri.ís.si.mo*) *adj.* Superlativo absoluto de *precário.*

precário (*pre.cá.ri:o*) *adj.* **1.** Escasso, insuficiente: *recurso econômico precário.* **2.** Sujeito a eventualidades; contingente; de pouca estabilidade ou duração: *um emprego precário.* **3.** Frágil, débil, delicado, debilitado: *uma saúde precária.* **4.** Que não está em boas condições de operação e não atende seus objetivos: *uma economia precária; uma educação precária; um policiamento precário; aparelhamento precário.* || sup. abs.: *precariíssimo.* – **precariedade** *s.f.*

precatar (*pre.ca.tar*) *v.* Acautelar(-se); precaver (-se) contra, de: *É necessário precatar-se contra a violência; Precatou-se da dengue, evitando a proliferação de mosquitos.* || É mais comumente usado como pronominal. ▶ Conjug. 5.

precatória (*pre.ca.tó.ri:a*) *s.f.* (*Jur.*) Carta pela qual um órgão da Justiça solicita a um outro que tome uma providência. || Usa-se normalmente *carta precatória.*

precatório (*pre.ca.tó.ri:o*) *adj.* **1.** Que roga; que pede: *um documento precatório.* • *s.m.* **2.** Documento ou carta em que se pede alguma coisa: *Enviou um precatório ao juiz da comarca.*

precaução (*pre.cau.ção*) *s.f.* **1.** Ato ou efeito de precaver-se; cautela antecipada; prevenção: *Tomaram todas as precauções para evitar o rompimento da represa.* **2.** Característica ou estado de quem age com cautela; prudência: *Percebi que minha precaução era desnecessária.*

precaver (*pre.ca.ver*) *v.* Pôr(-se) de sobreaviso; prevenir(-se); precatar(-se); acautelar(-se) antecipadamente: *É necessário precaver-se dos perigos da rua; Todos nós nos precavemos contra a propaganda enganosa.* || Verbo defectivo. Não é conjugado nas formas rizotônicas. ▶ Conjug. 45.

precavido (*pre.ca.vi.do*) *adj.* Que toma precaução; cauteloso.

prece [é] (*pre.ce*) *s.f.* Oração oral ou mental que se dirige a Deus, aos santos ou divindades para pedir ou agradecer alguma coisa; reza.

precedência (*pre.ce.dên.ci:a*) *s.f.* **1.** Qualidade ou condição de precedente; antecedência: *O jornalista chegou ao teatro com a precedência de uma hora para entrevistar a atriz antes da peça.* **2.** Prioridade que se dá a alguém ou a alguma coisa: *A preservação da vida humana tem precedência sobre outras preocupações.*

precedente (*pre.ce.den.te*) *adj.* **1.** Que precede, que vem anteriormente, antecedente. • *s.m.* **2.** Fato, ato, situação ou decisão que serve como parâmetro para deliberações futuras: *Aquele fato abriu um precedente indesejável.*

preceder (*pre.ce.der*) *v.* **1.** Anteceder, chegar, acontecer antes de: *O período de provas precede as férias* (ou *às férias.*) **2.** Ir adiante; ter precedência: *Na saída, as senhoras e os idosos precederão os outros* (ou *aos outros*). **3.** Existir antes de: *Os gregos precederam os romanos* (ou *aos romanos*). ▶ Conjug. 41.

preceito (*pre.cei.to*) *s.m.* **1.** O que se recomenda como regra e ensinamento: *Há uma série de preceitos sobre como portar-se à mesa.* **2.** Ensinamento que faz parte de uma doutrina: *os preceitos da Bíblia; os preceitos do Alcorão.*

preceituar (*pre.cei.tu:ar*) *v.* **1.** Estabelecer como preceito: *O cristianismo preceitua o amor ao próximo.* **2.** Ordenar; prescrever: *A Medicina preceitua exercícios ao ar livre para manter a saúde.* **3.** Estabelecer regras: *Cabe à ABL preceituar sobre a ortografia da Língua Portuguesa no Brasil.* ▶ Conjug. 5.

preceituário (pre.cei.tu:á.ri:o) *s.m.* Coleção ou reunião de preceitos.

preceptor [ô] (pre.cep.*tor*) *s.m.* Pessoa encarregada da educação privada de uma criança ou de um jovem.

preciosidade (pre.ci:o.si.*da*.de) *s.f.* **1.** Qualidade do que é precioso. **2.** Coisa de muito valor.

preciosismo (pre.ci:o.*sis*.mo) *s.m.* Grande refinamento no falar ou escrever ou executar alguma coisa: *É uma poesia cheia de preciosismos*; *Os preciosismos do pianista agradaram a plateia*.

precioso [ô] (pre.ci:*o*.so) *adj.* **1.** De grande valor: *A vida é o mais precioso dos bens.* **2.** De muito apreço e estima: *Guarde bem esse livro porque ele é precioso.* || f. e pl.: [ó].

precipício (pre.ci.*pí*.ci:o) *s.m.* Acidente geográfico que consiste numa profunda depressão, com paredes escarpadas; báratro.

precipitação (pre.ci.pi.ta.*ção*) *s.f.* **1.** Pressa irrefletida; açodamento ao tomar uma decisão ou ao fazer alguma coisa; afobação: *A pintura foi prejudicada pela precipitação do pintor em acabá-la.* **2.** Queda de água no solo em forma de chuva, neve, orvalho ou granizo: *A terra está seca porque não tem ocorrido precipitação nessa região.* **3.** (*Quím.*) Processo em que uma substância insolúvel misturada a um líquido se deposita no interior do recipiente.

precipitado (pre.ci.pi.*ta*.do) *adj.* **1.** Diz-se de alguém que age irrefletidamente; afoito: *Não seja precipitado, pondere antes de decidir.* **2.** Feito, dado ou tomado com excessiva pressa, afoitamente: *uma resposta precipitada; uma decisão precipitada.*

precipitar (pre.ci.pi.*tar*) *v.* **1.** Atirar(-se) de um lugar mais alto para baixo; lançar(-se), despenhar(-se): *Precipitou o carro na ribanceira; Precipitou-se no mar.* **2.** Apressar, antecipar, açodar: *As discussões cada vez mais acirradas precipitaram a separação.* **3.** Levar, arrastar à situação difícil, a aventuras etc.: *Os gastos descontrolados precipitaram a empresa na inadimplência.* **4.** (*Quím.*) Fazer depositar-se no fundo do recipiente como precipitado: *O mercúrio precipita toda proteína com a qual entra em contato.* **5.** Lançar-se; atirar-se contra: *O valoroso soldado precipitou-se sobre o inimigo.* **6.** Fazer condensar-se a água: *A queda da temperatura precipitou a umidade condensada.* ▶ Conjug. 5.

precípuo (pre.*cí*.pu:o) *adj.* Que é o mais importante; principal; essencial.

precisão (pre.ci.*são*) *s.f.* **1.** Total acerto ao se medir algo ou ao se fazer um cálculo: *Mediram com precisão a altura do poste; Calculei com precisão o número de presentes.* **2.** Clareza na expressão de uma ideia: *Explicou o problema com a maior precisão.* **3.** A quase perfeição apresentada por alguns serviços, mecanismos etc. **4.** Falta ou carência de alguma pessoa ou coisa: *Há precisão de gente nas obras daquele edifício.*

precisar (pre.ci.*sar*) *v.* **1.** Ter necessidade de; ser necessário: *Ela precisava de roupas e sapatos novos; Ela mendiga porque precisa.* **2.** Determinar; indicar com precisão: *Precise para nós a latitude e a longitude da ilha.* || Usa-se como verbo auxiliar seguido do verbo principal no infinitivo, denotando necessidade ou obrigação: *Preciso comprar um par de sapatos; Preciso registrar meu filho recém-nascido.* ▶ Conjug. 5.

preciso (pre.*ci*.so) *adj.* **1.** Necessário: *É preciso obedecer às leis.* **2.** Diz-se do cálculo correto, exato: *O engenheiro foi preciso no cálculo da resistência da ponte.* **3.** Diz-se da clara e correta expressão oral ou escrita de uma mensagem ou texto: *Sua carta dá uma descrição precisa do acontecimento.* **4.** Certeiro (tiro): *Acertou no alvo com um tiro preciso.*

preclaro (pre.*cla*.ro) *adj.* Distinto e conhecido por seu saber, méritos e demais boas qualidades: *O Professor Matoso era um homem preclaro.*

pré-classificado (pré-clas.si.fi.*ca*.do) *adj.* **1.** Que se classificou previamente para a etapa seguinte de um torneio, um concurso, um processo de seleção etc. • *s.m.* **2.** Pessoa que se classificou previamente para a etapa seguinte de um torneio, um concurso, um processo de seleção: *Os pré-classificados deverão pagar a taxa de inscrição para a etapa seguinte do concurso.*

preço [ê] (pre.*ço*) *s.m.* **1.** Quantia estipulada pelo vendedor para se adquirir alguma mercadoria ou serviço que ele oferece. **2.** *fig.* Custo moral ou de outra natureza para a aquisição de alguma coisa: *Pagou um preço alto pela deslealdade que cometeu.*

precoce [ó] (pre.*co*.ce) *adj.* **1.** Que amadurece antes do tempo; prematuro: *Colheu as mangas precoces deste ano.* **2.** Que desenvolveu certas habilidades mais cedo do que ocorre comumente: *Sabe-se que Mozart foi um menino precoce na arte da música.* – **precocidade** *s.f.*

preconceber (pre.con.ce.*ber*) *v.* Conceber, planejar ou fazer suposições antecipadamente: *Como vocês preconceberam aquele desfecho da luta?* ▶ Conjug. 41 e 46.

preconceito (pre.con.*cei*.to) *s.m.* **1.** Opinião ou ideia formada antecipadamente e sem reflexão nem fundamento razoável sobre alguém ou alguma coisa. **2.** Atitude genérica de rejeição de ideias, grupos, pessoas, com base em sexo, raça, nacionalidade ou naturalidade, adotada sem exame e imposta pelo meio, pela educação. – **preconceituoso** *adj.*

preconizar (pre.co.ni.*zar*) *v.* Apregoar; divulgar; aconselhar ou elogiar demasiadamente: *Preconizava diante de todos a eficácia do novo medicamento.* ▶ Conjug. 5.

precordial (pre.cor.di:*al*) *adj.* (*Anat.*) Referente à região próxima ao coração.

precursor [ô] (pre.cur.*sor*) *adj.* **1.** Que precede alguém ou alguma coisa: *um ritmo precursor do samba.* • *s.m.* **2.** Alguém ou alguma coisa que precede algo ou alguém que está ou vem na frente: *São João Batista foi o precursor de Cristo; Manuel Bandeira é considerado o precursor do Modernismo.*

predador [ô] (pre.da.*dor*) *adj.* **1.** (*Zool.*) Diz-se do animal que se alimenta de outro animal; rapace: *o leão é um animal predador.* • *s.m.* **2.** Animal que se alimenta de outros animais; rapace: *A piranha é um terrível predador de alguns rios brasileiros.* **3.** Qualquer ser (homem ou animal) que destrói o ambiente em que vive ou elementos dele: *É preciso dar um basta aos predadores da Amazônia.*

pré-datado (pré-da.*ta*.do) *adj.* Que tem data posterior à de sua emissão; datado de antemão. || pl.: pré-datados.

pré-datar (pré-da.*tar*) *v.* Datar documento, normalmente cheque, com data posterior à sua emissão: *Vou pré-datar o cheque porque meu pagamento só sai na semana que vem.* || Conferir com *pós-datar.* ▶ Conjug. 5.

predatório (pre.da.*tó*.ri:o) *adj.* Que causa destruição: *a ação predatória das madeireiras.*

predecessor [ô] (pre.de.ces.*sor*) *adj.* **1.** Que precede ou antecede: *o presidente predecessor.* • *s.m.* **2.** Aquele que precede; antecessor: *Carlos foi meu predecessor nesse cargo.* || Conferir com *sucessor.*

predestinar (pre.des.ti.*nar*) *v.* **1.** Destinar com antecipação alguém ou alguma coisa para determinado fim: *Seu gosto pela pesquisa o predestinava a uma carreira acadêmica.* **2.** Destinar para alguém coisa que há de acontecer: *Deus predestinou Maria para ser a mãe de Jesus.* ▶ Conjug. 5. – **predestinação**; *s.f.* **predestinado** *adj.*

predeterminar (pre.de.ter.mi.*nar*) *v.* Determinar antecipadamente; prefixar: *Acredita-se que o meio social do artista predetermina sua arte.* ▶ Conjug. 5. – **predeterminação** *s.f.*; **predeterminado** *adj.*

predial (pre.di:*al*) *adj.* Relativo a prédio: *imposto predial.*

prédica (*pré*.di.ca) *s.f.* Discurso de conteúdo religioso ou moralista; pregação; sermão; prática: *Às quintas-feiras havia as prédicas do Padre Dagoberto na capela.*

predicação (pre.di.ca.*ção*) *s.f.* **1.** Atribuição de propriedades às pessoas e às coisas. **2.** Prédica, sermão. **3.** (*Gram.*) Propriedade que têm os verbos de organizar sintaticamente a oração.

predicado (pre.di.*ca*.do) *s.m.* **1.** Qualidade de alguém ou de alguma coisa: *Irene é uma moça de muitos predicados.* **2.** (*Gram.*) Aquilo que se afirma numa oração e que tem, geralmente, como núcleo um verbo: *Não existe oração sem predicado.*

predição (pre.di.*ção*) *s.f.* Anúncio antecipado do que está para acontecer: *Houve falsas predições sobre o século XXI.*

predicativo (pre.di.ca.*ti*.vo) *s.m.* (*Gram.*) Termo que constitui atributo, identidade ou indicação situacional do sujeito ou de outros complementos da oração.

predicatório (pre.di.ca.*tó*.ri:o) *adj.* Que tem caráter elogioso: *Louvava sua amada num texto predicatório.*

predileção (pre.di.le.*ção*) *s.f.* Preferência por alguém ou alguma coisa.

predileto [é] (pre.di.*le*.to) *adj.* **1.** Que é querido com predileção: *Antônio é o meu amigo predileto.* • *s.m.* **2.** Aquele que é estimado ou querido extremamente: *Ele sempre foi o predileto dos pais.*

prédio (*pré*.di:o) *s.m.* **1.** Construção de vários andares, destinada a moradia ou a atividades múltiplas. **2.** Qualquer edificação.

predispor (pre.dis.*por*) *v.* **1.** Tornar propício, favorecer: *A falta de alimentação adequada predispõe às doenças.* **2.** Mostrar-se disposto; prontificar-se: *O jovem foi tão gentil, que se predispôs a me conduzir até o local que eu procurava.* || part.: predisposto. ▶ Conjug. 5.

predisposição (pre.dis.po.si.ção) *s.f.* **1.** Tendência, inclinação: *Esse menino sempre teve predisposição para as ciências exatas.* **2.** Alta probabilidade que se tem para adquirir ou desenvolver uma doença: *Você deve se alimentar bem, porque tem uma predisposição para a anemia.*

predizer (pre.di.zer) *v.* Anunciar o que vai acontecer; prognosticar: *Há métodos modernos de predizer o tempo com grande antecedência.* ▶ Conjug. 57.

predominar (pre.do.mi.nar) *v.* Ser mais evidente; sobressair; ter mais destaque: *No imenso cartaz, os nomes dos protagonistas predominavam sobre os nomes dos coadjuvantes.* ▶ Conjug. 5.

predomínio (pre.do.mí.ni:o) *s.m.* **1.** Superioridade numérica; preponderância: *Na população de alguns países da América Latina, há um predomínio do elemento indígena.* **2.** Superioridade qualitativa; superioridade em poder: *o predomínio do futebol brasileiro.*

pré-eleitoral (pré-e.lei.to.ral) *adj.* Que acontece antes das eleições: *o período pré-eleitoral.*

preeminente (pre:e.mi.nen.te) *adj.* **1.** Que ocupa lugar mais elevado; excelso: *figuras preeminentes da literatura brasileira.* **2.** Distinto; nobre; qualificado: *Dr. Siqueira é uma personalidade preeminente.* ‖ Conferir com *proeminente.* – **preeminência** *s.f.*

preencher (pre:en.cher) *v.* **1.** Encher completamente; ocupar integralmente: *Inácia preenche seu tempo fazendo crochê.* **2.** Ocupar (cargo ou função): *Haverá concurso para preencher o cargo de arquiteto.* **3.** Satisfazer: *O estagiário preenche todos os requisitos.* **4.** Fornecer informações solicitadas, por escrito, nos espaços específicos: *Preencha o formulário e pague a taxa de inscrição no banco.* ▶ Conjug. 39. – **preenchimento** *s.m.*

preensão (pre:en.são) *s.f.* Ato ou efeito de prender, segurar, agarrar.

preênsil (pre:ên.sil) *adj.* Que é capaz de segurar, agarrar, prender; preensor: *uma forte garra preênsil.*

preensor [ô] (pre:en.sor) *adj.* Preênsil.

pré-escolar (pré-es.co.lar) *adj.* O que antecede ao período ou idade pré-escolar. ‖ pl.: *pré-escolares.*

preestabelecer (pre:es.ta.be.le.cer) *v.* Determinar antecipadamente: *É difícil preestabelecer a hora de sua chegada.* ▶ Conjug. 41 e 46. – **preestabelecimento** *s.m.*

pré-estreia [éi] (pré-es.trei.a) *s.f.* Apresentação de um espetáculo teatral, musical ou de um filme para convidados especiais e que antecede a apresentação pública. ‖ pl.: *pré-estreias.*

preexistente [z] (pre:e.xis.ten.te) *adj.* Que já existia anteriormente: *uma dívida preexistente.*

preexistir [z] (pre:e.xis.tir) *v.* Existir anteriormente a: *Segundo a filosofia platônica, preexistimos em outra vida.* ▶ Conjug. 66.

pré-fabricado (pré-fa.bri.ca.do) *adj.* O que é constituído de peças ou partes que já estão fabricadas e prontas para serem armadas ou montadas. ‖ pl.: *pré-fabricados.*

prefaciar (pre.fa.ci.ar) *v.* **1.** Escrever o prefácio ou a introdução de: *Pediu-me que prefaciasse o livro dela.* **2.** Apresentar como prefácio ou introdução a: *Prefaciou sua fala com uma história engraçada.* **3.** Deixar prever: *Nuvens escuras prefaciavam o temporal que inundou a cidade.* ▶ Conjug. 17.

prefácio (pre.fá.ci:o) *s.m.* **1.** Parte introdutória de uma obra, da autoria do próprio autor, do editor ou de alguma pessoa de reconhecida competência no assunto tratado na obra. **2.** (Rel.) Parte da missa que antecede a liturgia eucarística. ‖ Conferir com *posfácio.*

prefeito (pre.fei.to) *s.m.* Chefe do Poder Executivo de uma municipalidade: *Todos os municípios possuem um prefeito.*

prefeitura (pre.fei.tu.ra) *s.f.* **1.** A função exercida pelo prefeito: *Candidatou-se à prefeitura da cidade serrana.* **2.** Edifício em que o prefeito exerce suas funções: *Nessa cidade há uma praça em frente à prefeitura.*

preferência (pre.fe.rên.ci:a) *s.f.* **1.** Ato ou efeito de preferir. **2.** Atenção, simpatia maior por uma pessoa ou coisa; predileção: *Era notória sua preferência por filmes de terror.* **3.** Prioridade; primazia: *Dá-se preferência a quem tenha diploma de curso superior.*

preferencial (pre.fe.ren.ci:al) *adj.* **1.** Que tem preferência; que goza de preferência: *cliente preferencial.* • *s.f.* **2.** Nos cruzamentos de ruas, aquela em que os veículos têm preferência de passagem sobre os que procedem de vias confluentes.

preferir (pre.fe.rir) *v.* **1.** Escolher, eleger uma entre outras coisas: *Prefiro ficar em casa a sair em noite de chuva.* **2.** Ter predileção por; dar preferência a; gostar mais de: *O velho rei preferia a filha mais velha à filha mais nova; Prefiro cerejas a morangos.* ‖ Ainda que muito comum, deve-se evitar o uso, nas situações em que o ato linguístico se reveste de maior formalidade, da locução "do que", diante do complemento verbal que expressa a pessoa ou a coisa preferida; em tais casos, use-se a preposição "a", assim, por exemplo: *Paulo prefere Mauá a Cabo Frio, ao passo que Maria prefere Cabo Frio a Mauá.* Do mesmo modo, evite-se o uso do advérbio de intensidade "mais" modificando "preferir". Diga-se, pois, assim: *Se Joana gosta mais de ir ao cinema do que ler uma obra de ficção, pode-se dizer, então, que Joana prefere ir ao cinema a ler uma obra de ficção.* ▶ Conjug. 69.

preferível (pre.fe.rí.vel) *adj.* Que é objeto da preferência: *É preferível lutar a deixar-se abater.* || As observações feitas ao uso do verbo *preferir* são válidas também para o adjetivo *preferível*.

prefigurar (pre.fi.gu.rar) *v.* Figurar ou representar antecipadamente: *As primeiras chuvas prefiguravam um verão de grandes enchentes.* ▶ Conjug. 5.

prefixação [cs] (pre.fi.xa.ção) *s.f.* **1.** Ato ou efeito de prefixar. **2.** (*Gram.*) Processo de formação de palavras pelo acréscimo de um prefixo à palavra já existente.

prefixar [cs] (pre.fi.xar) *v.* **1.** Fixar ou estabelecer anteriormente; predeterminar: *O governo prefixou o preço do litro de gasolina.* **2.** (*Gram.*) Acrescentar prefixo a um radical ou palavra: *Prefixando-se a palavra* fazer, *pode-se formar* desfazer. ▶ Conjug. 5.

prefixo [cs] (pre.fi.xo) *s.m.* **1.** Algarismos iniciais nos números de telefones que caracterizam uma região ou cidade: *O prefixo do Rio de Janeiro é 21 e o de Belo Horizonte é 31.* **2.** Conjunto de números ou letras ou combinação de números e letras que identificam aviões, viaturas, trens etc. **3.** Trecho musical que marca o início de um programa de rádio ou televisão. **4.** (*Gram.*) Elemento formador de palavras que se posiciona antes do radical. || Conferir com *afixo* e *sufixo*.

prega [é] (pre.ga) *s.f.* **1.** Dobra num tecido ou numa peça de vestuário: *uma saia de muitas pregas.* **2.** Dobra na pele, especialmente nas articulações: *pregas vocais.*

pregação (pre.ga.ção) *s.f.* **1.** Prédica de difusão de ideias religiosas e morais; sermão. **2.** Fala de repreensão: *Mamãe me veio com uma pregação contra o cigarro.*

pregada (pre.ga.da) *s.f.* Ferimento causado por prego ou instrumento pontiagudo.

pregador [ô] (pre.ga.dor) *s.m.* Orador sacro: *Vieira foi o maior pregador em Língua Portuguesa.*

pregão (pre.gão) *s.m.* **1.** Divulgação oral de produtos à venda ou em leilão. **2.** Local da Bolsa de Valores onde essa divulgação é feita.

pregar[1] (pre.gar) *v.* **1.** Fixar; prender: *O decorador pregou os quadros na parede; Pregue o edital no quadro de avisos; É necessário pregar os botões da camisa.* **2.** Cravar (cravo, prego, objeto pontiagudo): *Pregou a ferradura no casco do cavalo.* **3.** Aplicar, provocar: *Pregou um susto no irmão.* **4.** Cansar, desgastar: *Os exercícios pregaram os atletas; O nadador pregou logo.* **5.** Fixar, imobilizar: *A surpresa pregou-o na cadeira.* ▶ Conjug. 8 e 34.

pregar[2] (pre.gar) *v.* **1.** Pronunciar sermão: *Vieira pregou em Lisboa, na Bahia e no Maranhão; O padre está pregando na igreja; Santo Antônio pregava aos peixes.* **2.** Exaltar, difundir, preconizar (ideia, conceito): *Nas suas aulas, pregava a igualdade e a justiça; Aquele pequeno jornal pregava a anarquia.* ▶ Conjug. 8 e 34.

prego [é] (pre.go) *s.m.* **1.** Peça metálica, formada por uma haste delgada, terminada numa extremidade por uma parte mais grossa e achatada (cabeça), e na outra, por uma ponta afilada. **2.** *coloq.* Instituição financeira que empresta dinheiro em troca de objetos preciosos que ficam retidos até o pagamento do empréstimo: *Botou as joias da mulher no prego.* **3.** *coloq.* Cansaço; esgotamento: *Depois do jogo, ficou num prego terrível.*

pregoeiro (pre.go:ei.ro) *s.m.* **1.** Aquele que lança pregões nos leilões; leiloeiro. **2.** Pessoa que apregoa produtos.

preguear (pre.gue:ar) *v.* Fazer pregas ou dobras em pano, papel etc.: *preguear uma cortina.* ▶ Conjug. 14.

pregresso [é] (pre.gres.so) *adj.* Que decorreu ou sucedeu antes: *Quis saber todos os detalhes de sua vida pregressa.*

preguiça (pre.gui.ça) *s.f.* **1.** Falta de vontade ou de energia para agir, para atuar em qualquer atividade; desídia, leseira, lombeira: *Deixou de ir à escola por preguiça.* **2.** (*Zool.*) Certo mamífero de densa pelagem que vive nas árvores e se locomove com lentidão.

preguiçar (pre.gui.çar) *v.* Vadiar; fazer as coisas com preguiça: *Passava o dia preguiçando no sofá sem fazer nada.* ▶ Conjug. 5 e 36.

preguiçosa [ó] (pre.gui.ço.sa) *s.f.* **1.** Espreguiçadeira. **2.** Pequena serpente muito venenosa.

preguiçoso

preguiçoso [ô] (pre.gui.ço.so) *adj.* **1.** Que tem preguiça; indolente. • *s.m.* **2.** Pessoa que é preguiçosa. || f. e pl.: [ó].

pré-história (pré-his.*tó*.ri:a) *s.f.* (*Hist.*) **1.** Período da história humana anterior à escrita e ao uso dos metais. **2.** *fig.* O período em que uma ciência, uma técnica ou uma instituição se encontram em seu início, em seus primeiros passos: *a pré-história da navegação aérea*. || pl.: *pré-histórias*.

pré-impressão (pré-im.pres.*são*) *s.f.* Fase anterior à impressão em que se prepara a configuração final dos textos e das imagens, com vistas à produção eletrônica dos fotolitos para impressão. || pl.: *pré-impressões*.

preito (*prei*.to) *s.m.* **1.** Demonstração de consideração; apreço: *Rendemos preito a nossos heróis*. **2.** Tributo de vassalagem.

prejudicar (pre.ju.di.*car*) *v.* **1.** Causar prejuízo ou dano a, ou sofrê-lo: *O excesso de água prejudica muitas plantas; Você pode se prejudicar agindo assim*. **2.** Perturbar, atrapalhar: *A passeata prejudicou o trânsito*. ▶ Conjug. 5 e 35.

prejudicial (pre.ju.di.ci:*al*) *adj.* Que pode causar prejuízo; nocivo, danoso: *O álcool é prejudicial à saúde*.

prejuízo (pre.ju:*í*.zo) *s.m.* **1.** Perda de dinheiro ou outros bens: *O café foi vendido com prejuízo; O terremoto causou sérios prejuízos à cidade*. **2.** Perda de qualquer natureza: *A licença será concedida sem prejuízo das atividades normais*. **3.** *coloq.* Despesa em compra, serviço: *Garçom, quanto é o prejuízo?*

prejulgar (pre.jul.*gar*) *v.* Formar juízo (sobre alguém ou alguma coisa) sem exame ou avaliação. ▶ Conjug. 5 e 34.

prelado (pre.*la*.do) *s.m.* Título honorífico de certos dignitários eclesiásticos.

prelazia (pre.la.*zi*.a) *s.f.* Tipo de diocese em região de missão.

preleção (pre.le.*ção*) *s.f.* **1.** Palestra de caráter didático. **2.** (*Esp.*) Palavras de incentivo do treinador a seus jogadores antes dos jogos.

prelibar (pre.li.*bar*) *v.* Gozar previamente por imaginação um prazer ou uma diversão: *Já no elevador, ele prelibava as delícias do jantar da mamãe*. ▶ Conjug. 5.

preliminar (pre.li.mi.*nar*) *adj.* **1.** Que precede alguma coisa de maior importância: *O discurso preliminar do Diretor abriu a sessão; as condições preliminares*. • *s.f.* **2.** (*Esp.*) Partida que antecede o jogo principal (geralmente em futebol): *Na preliminar da grande partida final, jogaram dois times locais*.

prélio (*pré*.li:o) *s.m.* Combate; batalha; luta.

prelo [é] (*pre*.lo) *s.m.* (*Art. Gráf.*) Aparelho primitivo de impressão manual; prensa. || *No prelo*: diz-se do livro que está sendo impresso ou que sairá em breve.

preludiar (pre.lu.di:*ar*) *v.* **1.** Ser indício de; prenunciar: *Os constantes desencontros diplomáticos preludiavam a guerra entre os dois países*. **2.** Ensaiar antes de tocar ou cantar: *O tenor não se apresentava antes de preludiar todo o repertório*. ▶ Conjug. 17.

prelúdio (pre.*lú*.di:o) *s.m.* **1.** Princípio ou começo de alguma coisa. **2.** Prenúncio de alguma coisa: *Esse calor abafado é prelúdio de um temporal*. **3.** (*Mús.*) Peça musical de certa autonomia que serve de introdução a um concerto, uma ópera etc., mas que pode ser tocada isoladamente: *A orquestra sinfônica executou um dos prelúdios de Debussy*.

preluzir (pre.lu.*zir*) *v.* Brilhar intensamente; resplandecer. ▶ Conjug. 82.

pré-matrícula (pré-ma.*trí*.cu.la) *s.f.* Matrícula que se faz antecipadamente para assegurar o direito à definitiva. || pl.: *pré-matrículas*.

prematuro (pre.ma.*tu*.ro) *adj.* **1.** Que acontece antes do tempo normal; precoce: *florescimento prematuro; morte prematura*. **2.** Que nasceu antes do termo da gestação: *um bebê prematuro*. • *s.m.* **3.** Criança prematura: *Os prematuros ficam neste lado do berçário*.

premeditar (pre.me.di.*tar*) *v.* Meditar sobre e decidir com antecedência: *O réu jurava que não havia premeditado a morte do amigo*. ▶ Conjug. 5. – **premeditação** *s.f.*

premência (pre.*mên*.ci:a) *s.f.* Condição do que é premente; urgência.

pré-menstrual (pré-mens.tru:*al*) *adj.* Referente ao período que ocorre antes da menstruação. || pl.: *pré-menstruais*.

premente (pre.*men*.te) *adj.* **1.** Que faz pressão ou comprime. **2.** Que tem premência; urgente; imediato.

premer (pre.*mer*) *v.* **1.** Espremer; amassar; premir: *Comprou um aparelho para premir laranjas; A cozinheira premia as batatas cozidas para fazer purê*. **2.** Comprimir; apertar; premir: *Premeu a campainha e ficou aguardando*. ▶ Conjug. 39.

premiar (pre.mi:*ar*) *v.* **1.** Conceder prêmios ou láureas a: *O governo premiou os atletas do*

preocupar

Pan. **2.** Recompensar: *A difícil vitória premiou os jogadores do time; Premiou a filha, dando-lhe uma bicicleta.* **3.** Conferir, por sorteio, prêmio a: *A loteria premiou um cidadão de Campinas.* ▶ Conjug. 17.

premier [premiê] (Fr.) *s.m.* Primeiro-ministro.

première [premiérre] (Fr.) *s.f.* Estreia.

prêmio (prê.mi:o) *s.m.* **1.** Retribuição ou recompensa dada a alguém por seu mérito ou por serviço prestado: *A velha professora recebeu um prêmio por sua longa dedicação.* **2.** Pagamento que um segurado faz a uma seguradora para poder gozar da indenização no caso de ocorrer determinado sinistro. **3.** Dinheiro ou coisa de valor dada a alguém que vence um concurso ou sorteio: *O prêmio do concurso era uma viagem a Paris.*

premir (pre.*mir*) *v.* Premer. ▶ Conjug. 84 e 66.

premissa (pre.*mis*.sa) *s.f.* Ideia da qual se parte para estabelecer um raciocínio; postulado: *Sua premissa não é verdadeira.*

pré-modernismo (pré-mo.der.*nis*.mo) *s.m.* Período literário e estético de transição para o Modernismo: *Bandeira foi um poeta modernista que vinha do Pré-modernismo.* || pl.: pré-modernismos.

pré-molar (pré-mo.*lar*) *adj.* **1.** Diz-se de dente situado entre os caninos e os molares: *um dente pré-molar.* • *s.m.* **2.** Esse dente: *Foi necessário extrair o pré-molar.* || pl.: pré-molares.

premonição (pre.mo.ni.*ção*) *s.f.* **1.** Espécie de advertência que se recebe de que alguma coisa está para acontecer. **2.** Acontecimento ou sinal que serve de aviso. – **premonitório** *adj.*

premunir (pre.mu.*nir*) *v.* Tomar medidas acautelatórias; acautelar(-se) contra (perigos, doenças, dificuldades etc.), prevenir(-se): *O médico premuniu o jovem contra os perigos do tabaco; Eles premuniram-se contra picadas de insetos antes de entrar na mata.* ▶ Conjug. 66.

pré-natal (pré-na.*tal*) *adj.* **1.** Referente ao período anterior ao nascimento da criança. • *s.m.* **2.** Tratamento médico que a mãe recebe durante a gestação. || pl.: pré-natais.

prenda (*pren*.da) *s.f.* **1.** Objeto que se recebe em algumas brincadeiras ou competições; brinde: *Quem acertar no alvo ganhará uma prenda.* **2.** Presente, dádiva. **3.** Habilidades ou qualidades domésticas: *uma esposa de muitas prendas.* – **prendado** *adj.*

prender (pren.*der*) *v.* **1.** Fixar; atar: *Prendeu a calça com uma tira de couro; Prendeu os cabelos com uma fita verde.* **2.** Aprisionar; reter; encarcerar: *A polícia prendeu todos os arruaceiros.* **3.** Apanhar; capturar; pegar: *O menino soltou o passarinho que tinha prendido na gaiola.* **4.** Ter algo preso em algum ponto: *O operário prendeu a mão na engrenagem da máquina; Prendeu a saia no arame farpado.* **5.** Conter; segurar (atividades físicas ou emocionais): *Ela prendeu o choro para não irritar o marido; Prendi a respiração de tanto medo.* **6.** Atrair; cativar; seduzir: *A beleza da menina prendeu o rapaz para sempre.* **7.** Ligar-se afetivamente: *Cada dia o rapaz se prendia mais àquela moça; Ele não se prende a ninguém.* **8.** Estar relacionado; estar vinculado: *A crise se prendia à situação econômica desfavorável.* || part.: prendido e preso. ▶ Conjug. 39.

prenhe (*pre*.nhe) *adj.* **1.** Diz-se da fêmea no período de gestação; grávida. **2.** *fig.* Cheio, repleto; pleno: *Uma cabeça prenhe de conhecimentos.* – **prenhez** *s.f.*

prenome (pre.*no*.me) *s.m.* Nome que precede o sobrenome; nome de batismo.

prensa (*pren*.sa) *s.f.* **1.** Aparelho usado para comprimir, apertar ou achatar objetos, estampar ou imprimir alguma coisa. **2.** Máquina usada para imprimir livros, jornais, folhetos, revistas, gravuras etc.

prensar (pren.*sar*) *v.* **1.** Comprimir, apertar em prensa: *Prensaram as folhas antes de mandá-las encadernar.* **2.** Apertar muito; pressionar; espremer: *É recomendável prensar bem a massa para fazer o queijo.* ▶ Conjug. 5.

prenunciar (pre.nun.ci:*ar*) *v.* **1.** Anunciar com antecedência; fazer supor; predizer: *Os desentendimentos do casal prenunciavam a separação.* **2.** Ocorrer antes de; preceder: *O relâmpago prenuncia o trovão.* ▶ Conjug. 17.

prenúncio (pre.*nún*.ci:o) *s.m.* Anúncio de coisa futura; prognóstico: *Esta chuva é um prenúncio de fartura no campo.*

pré-nupcial (pré-nup.ci:*al*) *adj.* Que é anterior ao casamento: *exame pré-nupcial.* || pl.: pré-nupciais.

preocupação (pre:o.cu.pa.*ção*) *s.f.* **1.** Ato ou efeito de preocupar ou preocupar-se. **2.** Pensamento que provoca ansiedade, medo, angústia etc.: *Ando cheio de preocupação com o futuro de meus filhos.*

preocupar (pre:o.cu.*par*) *v.* **1.** Causar preocupação; ficar apreensivo: *A doença do chefe preocupa seus subordinados; A mãe se preocupava com os sumiços do filho.* **2.** Levar em

pré-olímpico

consideração: *O governo precisa se preocupar com a educação básica.* **3.** Dar valor a: *Não se preocupe com esses detalhes.* ▶ Conjug. 5. – **preocupado** *adj.*; **preocupante** *adj.*

pré-olímpico (pré-o.*lím*.pi.co) *adj.* **1.** Refere-se ao período de preparação para os jogos olímpicos. • *s.m.* **2.** Esse período: *O Brasil esteve bem no pré-olímpico.* || pl.: pré-olímpicos.

pré-operatório (pré-o.pe.ra.*tó*.ri:o) *adj.* (Med.) **1.** Relativo à fase de preparação para uma cirurgia: *cuidados pré-operatórios.* • *s.m.* **2.** Essa fase preparatória: *O doente estava bem no pré-operatório.* || pl.: pré-operatórios.

preparação (pre.pa.ra.*ção*) *s.f.* **1.** Ato ou efeito de preparar(-se); preparo; preparativo. **2.** Conhecimento de certas ciências ou habilidades específicas: *Recebeu uma boa preparação para o cargo.*

preparado (pre.pa.*ra*.do) *adj.* **1.** Que se preparou; que está pronto. **2.** Que tem boa formação intelectual; instruído; culto: *Guilherme é muito preparado.* • *s.m.* **3.** Produto resultante de preparação química ou farmacêutica: *Encomendou o preparado na farmácia.*

preparar (pre.pa.*rar*) *v.* **1.** Aprontar alguma coisa para poder utilizá-la: *A noiva prepara com carinho seu enxoval.* **2.** Planejar, cuidar para que alguma coisa aconteça: *Os amigos prepararam uma festa de despedida para a colega.* **3.** Fazer, compor a partir de componentes e ingredientes: *A avó preparou uma feijoada para esperar o neto; Mandou preparar o remédio na farmácia.* **4.** Criar um estado favorável a que algo aconteça: *Prepararam o espírito das crianças para a mudança de professores; Os funcionários estão se preparando para entrar em greve.* **5.** Habilitar(-se) pelo estudo ou treinamento: *O treinador preparou bem a equipe; Preparou-se para enfrentar o adversário; Preparei-me para passar nesse exame.* **6.** Vestir(-se); arrumar(-se): *A mãe preparou a filha para ir à missa; A baronesa preparou-se para o baile.* ▶ Conjug. 5.

preparativo (pre.pa.ra.*ti*.vo) *adj.* **1.** Preparatório (1). • *s.m.* **2.** Preparação (1). • *preparativos s.m.pl.* Conjunto de medidas providenciadas ou realizadas para viabilizar e concretizar alguma coisa: *os preparativos para o churrasco; os preparativos para a excursão.*

preparatório (pre.pa.ra.*tó*.ri:o) *adj.* **1.** Que prepara ou serve para preparar; preparativo. **2.** Preliminar; prévio. **3.** Que ensina ou habilita para outros cursos ou profissão: *escola preparatória; estudos preparatórios.*

preparo (pre.*pa*.ro) *s.m.* **1.** Ato ou efeito de preparar; preparação. **2.** Cultura intelectual; instrução: *um homem de grande preparo.* **3.** Conhecimento, habilidade e prática para executar uma tarefa ou ocupar um cargo: *Luís tem o preparo necessário para dirigir essa empresa.* **4.** Condição física e treinamento: *Está excelente o preparo de nossos atletas.*

preponderar (pre.pon.de.*rar*) *v.* Ter maior peso; ter primazia: *Uma terra feliz onde npondera o bem sobre o mal.* ▶ Conjug. 8. – **preponderância** *s.f.*; **preponderante** *adj.*

prepor (pre.*por*) *v.* **1.** Pôr antes de; antepor: *Em certos casos, deve-se prepor o pronome oblíquo ao verbo.* **2.** Dar preferência: *Prepor a música à literatura.* || part.: preposto. ▶ Conjug. 65.

preposição (pre.po.si.*ção*) *s.f.* **1.** Ato ou efeito de prepor. **2.** (Gram.) Palavra invariável que estabelece uma relação entre as partes constitutivas de um sintagma.

preposicionado (pre.po.si.ci:o.*na*.do) *adj.* (Gram.) Diz-se de um complemento precedido de preposição: *trata-se de objeto direto preposicionado.*

preposto [ô] (pre.*pos*.to) *adj.* **1.** Posto antes ou adiante. • *s.m.* **2.** Pessoa que fica em lugar de outra, que exerce uma função em nome de outra: *Viajou, mas deixou um preposto em seu lugar.*

prepotência (pre.po.*tên*.ci:a) *s.f.* **1.** Atitude de pretensa superioridade; arrogância. **2.** Opressão; despotismo; abuso de poder. – **prepotente** *adj.*

pré-primário (pré-pri.*má*.ri:o) *adj.* **1.** Relativo ao curso anterior ao antigo primário (atual primeiro ciclo do ensino fundamental): *Aquela escola possui um bom curso pré-primário.* • *s.m.* **2.** Esse curso: *Essa criança já está no pré-primário.* || pl.: pré-primários.

prepúcio (pre.*pú*.ci:o) *s.m.* (Anat.) Pele que cobre a glande do pênis.

pré-requisito (pré-re.qui.*si*.to) *s.m.* Condições básicas preliminarmente exigidas. || pl.: pré-requisitos.

prerrogativa (prer.ro.ga.*ti*.va) *s.f.* **1.** Poder ou direito especial pertencente a uma pessoa, classe ou corporação: *O uso dessa arma é prerrogativa das Forças Armadas.* **2.** Direito de usufruir um determinado privilégio: *É prerrogativa da rainha abrir as sessões do Parlamento.*

presa [ê] (pre.sa) *s.f.* **1.** Ato ou efeito de apresar, de se apossar de algo do adversário. **2.** O que se apreendeu do inimigo: *Levaram como* *presa os ornamentos do templo.* **3.** Aquilo que é arrebatado, tomado à força: *A águia levou sua presa para as alturas.* **4.** Dente canino. **5.** Mulher que foi aprisionada: *Trouxeram comida para a presa.* **6.** *fig.* Vítima de uma situação ou condição indesejáveis: *Ela transformou-se em presa do ciúme do marido.*

presbiopia (pres.bi:o.*pi*.a) *s.f.* (*Med.*) Dificuldade de visão, ligada à idade, que impede de ver com clareza os objetos próximos; presbiopsia.

presbiopsia (pres.bi:op.*si*.a) *s.f.* Presbiopia.

presbiterianismo (pres.bi.te.ri:a.*nis*.mo) *s.m.* (*Rel.*) Igreja protestante cuja direção está a cargo de um grupo de leigos denominados presbíteros. – **presbiteriano** *adj. s.m.*

presbítero (pres.*bí*.te.ro) *s.m.* **1.** Sacerdote; padre. **2.** No presbiterianismo, membro eleito pelos fiéis da igreja para governá-la e instruí-la.

presciência (pres.ci:*ên*.ci:a) *s.f.* **1.** Conhecimento do futuro. **2.** Previsão, previdência. – **presciente** *adj.*

prescindir (pres.cin.*dir*) *v.* Dispensar; deixar de precisar: *Não podemos prescindir da colaboração de Juliana nessa tarefa.* ▶ Conjug. 66. – **prescindível** *adj.*

prescrever (pres.cre.*ver*) *v.* **1.** Ordenar; determinar explicitamente: *Os estatutos do clube prescrevem que somente sócios têm direito a usar a piscina.* **2.** (*Farm., Med.*) Recomendar; receitar (remédios, dietas, tratamentos etc.): *O médico prescreveu repouso absoluto ao doente.* **3.** (*Jur.*) Perder a vigência; perder o efeito legal: *Essa lei já prescreveu há vários anos.* || part.: *prescrito*. ▶ Conjug. 41.

prescrição (pres.cri.*ção*) *s.f.* **1.** Ato ou efeito de prescrever. **2.** Ordem formal e explícita; regra; preceito: *Não se pode abolir nenhuma prescrição do estatuto.* **3.** Receita ou recomendação de um médico: *A prescrição do dr. Robério é fazer repouso absoluto.* **4.** (*Jur.*) Cessação da efetividade de um direito, obrigação, penalidade etc.: *Ele foi beneficiado pela prescrição do crime.* – **prescritivo** *adj.*

presença (pre.*sen*.ça) *s.f.* **1.** Comparecimento ou assistência de alguém num lugar determinado: *A cerimônia contou com a presença do prefeito da cidade.* **2.** Existência ou permanência de alguma coisa em algum lugar: *Verificou-se a presença de bactérias na água do poço.* **3.** Bom aspecto; boa aparência: *Era uma senhora de muita presença.* **4.** Assiduidade, frequência: *Quem não tiver presença não receberá certificado.* || *Presença de espírito*: desembaraço, presteza para reagir como convém no momento.

presenciar (pre.sen.ci:*ar*) *v.* Estar presente durante um fato; assistir a, testemunhar: *Os jornalistas presenciaram a assinatura do tratado de paz.* ▶ Conjug. 17.

presente (pre.*sen*.te) *adj.* **1.** Que existe ou está em determinado lugar: *Poucos alunos estavam presentes nesse dia.* **2.** Que existe ou ocorre no momento atual: *Os presentes acontecimentos provam o que estou dizendo.* **3.** Que está sempre na memória; inesquecível: *Sua imagem querida está sempre presente.* • *s.m.* **4.** O tempo em que estamos vivendo: *No presente ainda se encontram bons alfaiates.* **5.** Coisa que se dá a alguém em datas especiais; regalo: *Já comprei o presente de Natal de meus sobrinhos.* **6.** (*Gram.*) Tempo verbal que situa o enunciado no tempo atual. • **presentes** *s.m.* e *f. pl.* **7.** Pessoas presentes (1): *Os presentes aplaudiram o discurso do chefe.* || *Presente de grego*: presente que é um estorvo para quem o recebe.

presentear (pre.sen.te:*ar*) *v.* Dar alguma coisa de presente: *No fim do ano, a empresa presenteia seus clientes com livros de arte.* ▶ Conjug. 14.

presepada (pre.se.*pa*.da) *s.f. coloq.* **1.** Fanfarronada; gabolice: *Ele é muito de presepada, mas não resolve nada.* **2.** Cena ridícula; espetáculo extravagante: *A festa de despedida do chefe foi uma presepada.*

presépio (pre.*sé*.pi:o) *s.m.* Representação do nascimento de Jesus e adoração dos pastores e dos reis magos.

preservar (pre.ser.*var*) *v.* Conservar(-se) livre de perigo, dano, corrupção, destruição: *Cada dia se torna mais imperativo preservar a natureza; Rosa Maria preservou-se da influência das más companhias.* ▶ Conjug. 8.

preservativo (pre.ser.va.*ti*.vo) *adj.* **1.** Que preserva; próprio para preservar de algum mal ou perigo: *cuidados preservativos.* • *s.m.* **2.** Envoltório de material elástico e delgado com que se reveste o pênis durante a relação sexual, a fim de impedir a gravidez e evitar doenças sexualmente transmissíveis.

presidência (pre.si.*dên*.ci:a) *s.f.* **1.** Ato ou efeito de presidir. **2.** Cargo, funções ou dignidade de presidente: *Exerceu a presidência num período atribulado; A presidência dos trabalhos coube ao representante do ministro.* **3.** O tempo de exercício dessa dignidade: *durante a presidência de Artur Bernardes.* **4.** O lugar onde é exercida essa dignidade ou função: *Entregue*

presidencialismo

o livro de protocolo na presidência; o palácio da presidência.

presidencialismo (pre.si.den.ci:a.*lis*.mo) s.m. Regime político em que o Poder Executivo é exercido pelo Presidente da República, o qual, como chefe do governo, escolhe o ministério, que só depende de sua confiança, e não da do congresso. – **presidencialista** adj. s.m. e f.

presidenciável (pre.si.den.ci:á.vel) adj. **1.** Que tem possibilidade de ser indicado candidato a presidente: *O governador desse estado é presidenciável.* • s.m. e f. **2.** Pessoa que tem possibilidade de ser indicada candidato a presidente: *Os partidos já estão escolhendo seus presidenciáveis.*

presidenta (pre.si.*den*.ta) s.f. Mulher que exerce a presidência.

presidente (pre.si.*den*.te) adj. **1.** Que preside. • s.m. e f. **2.** Pessoa que preside a uma assembleia, uma comissão, uma junta, uma banca, um tribunal etc. **3.** Título oficial do chefe do Poder Executivo numa república presidencialista.

presidiário (pre.si.di:á.ri:o) adj. **1.** Relativo a presídio; de presídio: *administração presidiária.* • s.m. **2.** Pessoa que cumpre pena de prisão num presídio; preso em presídio: *Alguns presidiários tiveram indulto de Natal.*

presídio (pre.*sí*.di:o) s.m. **1.** Instituição onde os condenados da Justiça cumprem suas penas. **2.** Casa ou edifício onde se instala esse tipo de instituição, penitenciária: *O governador inaugurou o novo presídio.*

presidir (pre.si.*dir*) v. **1.** Exercer as funções de presidente; dirigir: *O general presidiu a nação (à nação); O médico presidiu o seminário (ao seminário).* **2.** Ocupar o lugar principal numa assembleia com a incumbência de regular a marcha dos trabalhos: *O diretor do colégio presidiu a reunião dos pais (à reunião dos pais).* ▶ Conjug. 66.

presilha (pre.si.lha) s.f. **1.** Tira para prender ou afivelar uma coisa a outra. **2.** Peça ornamental para manter os cabelos presos. **3.** Cada uma das pequenas tiras de pano presas no cós da calça para prender o cinto.

preso [ê] (*pre*.so) adj. **1.** Que está ligado, amarrado ou atado a alguém ou a alguma coisa por qualquer meio: *O balde desceu preso na ponta da corda.* **2.** Que, condenado pela Justiça, está detido numa prisão: *os réus condenados e presos.* **3.** Ligado moralmente: *Estamos presos a nossos compromissos.* **4.** Impedido, tolhido, sem movimento: *Ficou horas preso no trânsito.* • s.m. **5.** Pessoa detida numa cadeia ou num presídio: *Os presos tomavam banho de sol no pátio da cadeia.*

pressa [é] (*pres*.sa) s.f. **1.** Necessidade ou desejo de, sem demora, realizar alguma coisa, chegar a algum lugar ou atingir certo ponto: *Responda logo, que estou com pressa; Tenho pressa em chegar à escola.* **2.** Afobação; precipitação: *A pressa não permitiu que ela acabasse bem o bordado; A pressa é inimiga da perfeição.* **3.** Velocidade, rapidez: *Ela partiu na maior pressa para chegar a tempo.* ‖ Às pressas: apressadamente, precipitadamente.

pressagiar (pres.sa.gi:*ar*) v. **1.** Prognosticar; profetizar; prever: *O padrinho pressagiava um futuro brilhante para o afilhado.* **2.** Dar sinal de; anunciar: *Trovões distantes pressagiavam o temporal.* ▶ Conjug. 17.

presságio (pres.*sá*.gi:o) s.m. **1.** Sinal que se toma como anúncio de um acontecimento futuro; agouro: *O pio da coruja era tido como presságio de morte.* **2.** Suposto conhecimento do que vai acontecer no futuro: *Felizmente os presságios da bruxa não se realizaram.*

pressago (pres.*sa*.go) adj. Que anuncia ou pressagia alguma coisa: *sonhos pressagos.*

pressão (pres.*são*) s.f. **1.** Ato ou efeito de premer, de comprimir, de apertar, de pressionar: *Fez pressão contra a tampa da lata para fechá-la bem.* **2.** Coerção; imposição feita sobre alguém para que faça ou não faça alguma coisa: *Fez muita pressão para que o filho se casasse.* **3.** Colchete de pressão. **4.** (*Fís.*) Força aplicada a uma superfície por unidade de área. ‖ *Pressão arterial*: (*Med.*) pressão (4) exercida sobre as paredes dos vasos por onde circula o sangue. • *Pressão atmosférica*: pressão (4) exercida por uma massa de ar sobre um ponto qualquer da atmosfera terrestre.

pressentir (pres.sen.*tir*) v. Sentir antecipadamente por intuição: *A mãe pressentia muito bem o destino de sua família.* ▶ Conjug. 69. – **pressentimento** s.m.

pressionar (pres.si:o.*nar*) v. **1.** Apertar com o dedo, com o pé ou outra coisa: *Pressione o botão para desligar o aparelho.* **2.** Fazer pressão sobre alguém; forçar alguém a: *Pressionou o suspeito a dizer a verdade; A mulher pressionava o marido para que ele deixasse aquele emprego.* ▶ Conjug. 5.

pressupor (pres.su.*por*) v. **1.** Supor previamente a partir de certos indícios; presumir: *Quan-*

do ela viu o belo pacote, pressupôs que fosse seu presente. **2.** Estar supostamente baseado em alguma coisa: *Tratar com tanto carinho dos pobres pressupõe uma caridade verdadeira.* || part.: pressuposto. ▶ Conjug. 65.

pressuposto [ô] (pres.su.pos.to) *adj.* **1.** Que se pressupõe; que se supõe antecipadamente; presumido: *O valor pressuposto não foi alcançado.* • *s.m.* **2.** Pressuposição; conjetura; suposição: *Acreditou no pressuposto de que suas ações na Bolsa renderiam mais.* || f. e pl.: [ó].

pressurizar (pres.su.ri.*zar*) *v.* Manter próximo do normal a pressão atmosférica de ambientes fechados, principalmente em grandes alturas ou grandes profundidades: *pressurizar os aviões; pressurizar os submarinos.* ▶ Conjug. 5. – **pressurização** *s.f.*

pressuroso [ô] (pres.su.ro.so) *adj.* **1.** Que tem pressa de agir; apressado; diligente: *Onde você vai tão pressuroso?* **2.** Solícito em servir: *Toquei a campainha, e ela veio, pressurosa, abrir-me a porta.* || f. e pl.: [ó].

prestação (pres.ta.ção) *s.f.* **1.** Ato ou efeito de prestar (um serviço, um favor). **2.** Cada uma das parcelas de pagamento de uma compra feita a prazo.

prestamista (pres.ta.mis.ta) *s.m. e f.* **1.** Pessoa que empresta dinheiro. **2.** Pessoa que compra a prestações.

prestar (pres.*tar*) *v.* **1.** Ter préstimo; ser útil; ter serventia: *Esta terra não presta para plantar milho; Este parafuso ainda presta?* **2.** Ter boa índole; ser bom; ser honesto: *Esse sujeito não presta!* **3.** Apresentar alguma coisa como reverência ou realizar alguma coisa como consideração: *prestar continência; prestar culto; prestar homenagem.* **4.** Informar sobre (o que foi solicitado ou exigido): *Prometeram prestar informações sobre o desastre.* **5.** Submeter-se; sujeitar-se: *Não sei como ele se presta a fazer esses papéis; Não me presto a isso.* **6.** Ser adequado; ser apropriado. ▶ Conjug. 8.

prestativo (pres.ta.*ti*.vo) *adj.* Que tem préstimo; que está pronto a prestar auxílio; prestimoso, obsequioso, solícito.

preste [é] (pres.te) *adj.* Prestes.

prestes [é] (pres.tes) *adj.* **1.** Preparado; pronto: *Estou prestes a te ajudar quando quiseres.* **2.** Que está a ponto de; próximo: *Essa casa velha está prestes a desabar.*

presteza [ê] (pres.te.za) *s.f.* **1.** Agilidade; rapidez. **2.** Qualidade de pressuroso, de quem atende com presteza e boa vontade.

prêt-à-porter

prestidigitação (pres.ti.di.gi.ta.*ção*) *s.f.* **1.** Arte e habilidade de fazer mágicas com as mãos; ilusionismo. – **prestidigitador** *s.m.*

prestigiar (pres.ti.gi.*ar*) *v.* **1.** Conferir valor a; dar preferência a: *prestigiar a lavoura cacaueira.* **2.** Expressar apreço através de comparecimento ou participação: *Vamos prestigiar o poeta no lançamento de seu livro.* ▶ Conjug. 17.

prestígio (pres.*tí*.gi:o) *s.m.* Consideração, reputação, renome que alguém adquire por seus trabalhos ou atitudes.

préstimo (*prés*.ti.mo) *s.m.* **1.** Utilidade; proveito; serventia: *uma gravata velha sem préstimo.* **2.** Obséquio, serviço, auxílio: *Ofereci-lhe meus bons préstimos.* || Na acepção 2 é geralmente usado no plural. – **prestimoso** *adj.*

préstito (*prés*.ti.to) *s.m.* **1.** Procissão, cortejo. **2.** Agrupamento de muitas pessoas caminhando juntas.

presumido (pre.su.*mi*.do) *adj.* **1.** Baseado em presunção, em suposição: *a data presumida.* **2.** Que se tem em alta conta; imodesto: *um rapaz presumido.* **3.** Que tem muita presunção; que se considera mais do que é; arrogante. • *s.m.* **4.** Pessoa que se considera mais do que é; que tem presunção e é arrogante.

presumir (pre.su.*mir*) *v.* **1.** Conjeturar, entender, levando em conta certas probabilidades; supor, pressupor: *Não presuma que esses jovens não tenham responsabilidades; Ele não veio, presumo que esteja doente.* **2.** Julgar-se; supor-se; pretender-se: *Algumas pessoas medíocres presumem-se de intelectuais.* **3.** Ter presunção; vangloriar-se. ▶ Conjug. 66. – **presumível** *adj.*

presunção (pre.sun.*ção*) *s.f.* **1.** Ato ou efeito de presumir(-se). **2.** Suposição de que algo é certo ou verdadeiro com base na aparência ou em experiências. **3.** Convicção muitas vezes infundada das próprias qualidades; pretensão, imodéstia, empáfia.

presunçoso [ô] (pre.sun.*ço*.so) *adj.* **1.** Que tem presunção (3); pretensioso; vaidoso. • *s.m.* **2.** Pessoa presunçosa. || f. e pl.: [ó].

presuntivo (pre.sun.*ti*.vo) *adj.* Que se pode presumir; pressuposto.

presunto (pre.*sun*.to) *s.m.* **1.** Pernil ou quarto de porco salgado e curado no fumeiro. **2.** *gír.* Cadáver.

prêt-à-porter [prêta-portê] (Fr.) *adj.* **1.** Refere-se à roupa fabricada em série e vendida já pronta para usar: *um casaco prêt-à-porter.* • *s.m.* **2.** Qualquer peça de vestuário fabricada e vendida nessas condições: *Comprou um prêt-à-porter para viajar.*

pretendente (pre.ten.den.te) *adj.* **1.** Que pretende: *Alguns rapazes pretendentes à mão da moça estavam presentes.* • *s.m.* e *f.* **2.** Pessoa que pretende; aspirante; candidato: *Os pretendentes ao posto devem ter nível superior.* **3.** Que pretende se casar com alguém: *A bela moça tinha inúmeros pretendentes.* **4.** Que se julga com direito a um trono (a ser rei ou rainha de um país que já foi monárquico): *o pretendente ao trono da França.*

pretender (pre.ten.der) *v.* **1.** Ter a intenção de; ter pretensão de: *Isabel pretende ir à Europa este ano; Nunca pretendi ser o primeiro aluno da classe.* **2.** Exigir; esperar de; contar com: *Não se pode pretender nada desse homem.* **3.** Aspirar a; desejar: *Maliciosamente ele pretendia tomar o lugar do colega; Não pretendo mais que levar minha vida em paz.* **4.** Ter-se em conta de; considerar-se: *Ela se pretendia a rainha da festa.* ▶ Conjug. 39.

pretensão (pre.ten.são) *s.f.* **1.** Ato ou efeito de pretender. **2.** Excesso de vaidade; presunção: *Ela tem a pretensão de ser a mais bela da cidade.* **3.** Intenção, desejo, ambição: *Felipe estuda muito porque tem a pretensão de fazer um concurso.*

pretensioso [ô] (pre.ten.si:o.so) *adj.* Que se considera melhor do que é; presunçoso; convencido. || f. e pl.: [ó].

pretenso (pre.ten.so) *adj.* **1.** Que pretende ser alguma coisa: *O pretenso médico foi preso como charlatão.* **2.** Que não se sabe se é ou não; suposto: *O pretenso pai não foi reconhecido pelo exame de DNA.*

preterir (pre.te.rir) *v.* **1.** Não levar em conta; desprezar: *Ele sempre preteriu os conselhos da mãe.* **2.** Deixar de promover a cargo ou posto (pessoa com merecimento): *Promoveram os medíocres e preteriram os melhores.* ▶ Conjug. 69.

pretérito (pre.té.ri.to) *adj.* **1.** Que já passou; que já aconteceu: *Por que se aborrecer com coisas pretéritas?* • *s.m.* **2.** (*Gram.*) Tempo verbal que situa o enunciado no tempo passado. || No modo indicativo há o *pretérito imperfeito,* o *pretérito perfeito,* o *pretérito mais-que-perfeito.*

pretextar [s] (pre.tex.tar) *v.* Dar como pretexto; alegar para esconder o motivo real: *Pretextou uma dor de cabeça e saiu cedo para ver o jogo.* ▶ Conjug. 8.

pretexto [ês] (pre.tex.to) *s.m.* Razão suposta para encobrir a verdadeira; desculpa, subterfúgio: *Como estava cansada, arranjou um pretexto para não sair de casa.* || *A pretexto de:* com o fim aparente de: *A pretexto de evitar fraudes, o governo burocratizou demais o órgão.*

preto [ê] (pre.to) *adj.* **1.** Que é da cor mais escura que existe; negro. *Vestia-se de preto desde que lhe morrera o marido.* **2.** Diz-se da pessoa de pele escura: *um homem preto.* **3.** Muito sujo; emporcalhado: *As crianças voltaram do sítio com a roupa preta.* **4.** Árduo; difícil de resolver: *A situação está preta.* • *s.m.* **5.** A cor mais escura que existe; o negro. **6.** Pessoa de pele escura. || *Pôr o preto no branco:* esclarecer alguma coisa; explicitar alguma coisa.

preto e branco *adj.* **1.** Que tem partes pretas e partes brancas: *Usava um estampado preto e branco.* **2.** (*Cine, Fot., Telv.*) Que não é colorido (falando-se de filme fotográfico, filme cinematográfico e programa de TV): *Não gostava de filmes preto e branco; preferia os coloridos.* • *s.m.* **3.** Combinação de preto com branco e diversas nuanças de cinza: *O preto e branco é uma técnica bastante adotada pelos fotógrafos de moda.*

pretor [ô] (pre.tor) *s.m.* Antigo magistrado romano.

pretoria (pre.to.ri.a) *s.f.* **1.** Divisão judiciária a cargo de um pretor. **2.** Edifício onde o pretor exerce suas funções.

pretume (pre.tu.me) *s.m.* **1.** A cor preta. **2.** Negrume; escuridão.

prevalecer (pre.va.le.cer) *v.* **1.** Valer mais; ter primazia; preponderar, levar vantagem: *O bem tem que prevalecer sobre o mal.* **2.** Tirar partido; fazer uso de; aproveitar-se de: *Ele sempre se prevaleceu de suas funções de mando.* ▶ Conjug. 41 e 46.

prevalência (pre.va.lên.cia) *s.f.* Qualidade de quem ou do que prevalece; supremacia; predominância: *Nesta obra há uma prevalência da técnica sobre a inspiração.*

prevaricar (pre.va.ri.car) *v.* **1.** Faltar ao dever: *O policial que prevaricou foi afastado de seu batalhão.* **2.** Proceder de maneira incorreta; agir com desacerto: *O funcionário foi suspenso porque prevaricou.* **3.** Cometer adultério: *Nunca prevaricou, viveu sempre fiel à mulher.* ▶ Conjug. 5 e 35. – **prevaricação** *s.f.*

prevenção (pre.ven.ção) *s.f.* **1.** Ato ou efeito de prevenir(-se). **2.** Disposição negativa preconcebida contra alguém; preconceito: *Você sempre teve prevenção contra seu colega.* **3.** Medida tomada para evitar males que podem sobrevir;

primavera

precaução; cautela: *Por prevenção contra ladrões, instalou mais fechaduras na porta; A prevenção da gripe faz-se através da vacinação.*

prevenir (pre.ve.*nir*) *v.* **1.** Avisar alguém de alguma coisa (normalmente de caráter negativo): *Eu a tenho prevenido do perigo que está correndo.* **2.** Tomar providência para impedir que aconteça alguma coisa: *É melhor prevenir do que remediar.* **3.** Evitar; atalhar: *Os alimentos ferrosos previnem contra a anemia.* ▶ Conjug. 72.

preventivo (pre.ven.*ti*.vo) *adj.* **1.** Que previne um mal, um perigo, uma doença: *um acordo preventivo; uma medida preventiva.* • *s.m.* **2.** Aquilo que previne ou evita: *Esse remédio é um bom preventivo contra a gripe.* **3.** Exame feito em mulheres para detectar doenças ginecológicas malignas em seu estágio inicial.

prever (pre.*ver*) *v.* **1.** Ver com antecipação; antever: *O serviço de meteorologia previu um temporal para a Região Sudeste.* **2.** Profetizar; adivinhar; pressagiar: *A vidente só não previu que seria presa.* ▶ Conjug. 59.

pré-vestibular (pré-ves.ti.bu.*lar*) *adj.* **1.** Diz-se do curso que prepara para o vestibular: *Está fazendo um curso pré-vestibular.* • *s.m.* **2.** Esse curso: *Você já se matriculou no pré-vestibular?* || pl.: *pré-vestibulares.*

prévia (*pré*.vi:a) *s.f.* Pesquisa que se realiza com os eleitores para se delinear a tendência do eleitorado.

previdência (pre.vi.*dên*.ci:a) *s.f.* **1.** Qualidade ou condição daquele que é previdente: *Não fosse sua previdência, teriam faltado mantimentos.* **2.** Capacidade de prever o que vai acontecer; presciência: *Na verdade, foi mais sorte nossa do que previdência dele.* • **Previdência Social**: conjunto de dispositivos para proteger e amparar trabalhadores, funcionários e suas famílias por meio de aposentadoria, pensões e assistência médica e hospitalar: *Ficou de licença, amparado pela Previdência Social.*

previdenciário (pre.vi.den.ci:*á*.ri:o) *adj.* **1.** Relativo à Previdência Social. • *s.m.* **2.** Funcionário do instituto de Previdência.

previdente (pre.vi.*den*.te) *adj.* **1.** Que prevê o futuro: *Como ele era muito previdente, fez um grande sortimento.* **2.** Que se previne; cauteloso; precavido: *Não gastou todo o dinheiro, porque era previdente.*

prévio (*pré*.vi:o) *adj.* Que ocorre antes de outra coisa com a qual está relacionada: *Teremos um encontro prévio com o presidente antes da sessão.*

previsão (pre.vi.*são*) *s.f.* **1.** Ato ou efeito de prever; antevisão; presciência. **2.** Estudo e análise prévios do que deve acontecer, antecipando o que deve ser feito ou evitado. – **previsibilidade** *s.f.*

previsível (pre.vi.*sí*.vel) *adj.* Que pode ser previsto.

previsto (pre.*vis*.to) *adj.* **1.** Visto antecipadamente; profetizado; prognosticado; conjeturado; prenunciado. **2.** Conhecido antecipadamente; calculado ou conjeturado com antecedência. **3.** Prevenido ou mencionado antecipadamente.

prezado (pre.*za*.do) *adj.* Que se preza; querido; estimado.

prezar (pre.*zar*) *v.* **1.** Ter(-se) em grande apreço; respeitar(-se): *Todas as turmas da escola prezam muito aquele professor; Todos os que se prezam respeitam essas normas de vida.* **2.** Orgulhar-se; jactar-se; honrar-se; gloriar-se: *Maria Amélia se preza de ser uma excelente diplomata.* ▶ Conjug. 8.

prima[1] (*pri*.ma) *s.f.* Filha de tio ou tia de uma pessoa em relação a essa pessoa; prima-irmã. || Aplica-se também às primas do pai ou da mãe e às filhas de primos dos pais.

prima[2] (*pri*.ma) **1.** (*Mús.*) A primeira ou mais delgada corda do violino, do violão e de outros instrumentos análogos, a que produz o som mais agudo. **2.** (*Rel.*) A primeira das horas canônicas nos mosteiros e conventos.

primado (pri.*ma*.do) *s.m.* Primeiro lugar, primazia: *O papa tem o primado entre todos os bispos da Igreja Católica.*

prima-dona (pri.ma-*do*.na) *s.f.* A cantora que interpreta o papel principal numa ópera. || pl.: *prima-donas.*

primar (pri.*mar*) *v.* Distinguir-se; mostrar-se notável; sobressair: *Seus bordados primam pela delicadeza dos pontos e das cores; Este professor prima pela qualidade de suas aulas.* ▶ Conjug. 5.

primário (pri.*má*.ri:o) *adj.* **1.** Que antecede outros; primeiro; original: *as causas primárias.* **2.** Simples; elementar; básico: *Você cometeu um erro primário.* **3.** De pouca instrução; rude.

primata (pri.*ma*.ta) *adj.* **1.** Relativo aos primatas. • *s.m.* e *f.* (*Zool.*) **2.** Mamífero de cérebro e membros muito desenvolvidos: *O homem e o macaco são primatas.*

primavera [é] (pri.ma.*ve*.ra) *s.f.* Estação do ano que sucede ao inverno e precede o verão. ||

primaz

No hemisfério sul, de 22 de setembro a 20 de dezembro; no hemisfério norte, de 21 de março a 20 de junho. – **primaveril** adj.

primaz (pri.*maz*) adj. **1.** Que ocupa o primeiro lugar. • s.m. **2.** Título dado ao bispo da diocese mais antiga de um país ou de uma região: *O arcebispo da Bahia é o primaz do Brasil.*

primazia (pri.ma.zi.a) s.f. **1.** Importância que uma pessoa tem em relação a outra. **2.** Prioridade; superioridade. **3.** Dignidade de primaz.

primeira (pri.*mei*.ra) s.f. Marcha do motor usada para dar partida em um carro. || *De primeira*: de excelente qualidade: *Comprou um carro de primeira.*

primeira-dama (pri.mei.ra-*da*.ma) s.f. Esposa do Presidente da República, do governador de um estado e do prefeito de uma cidade. || pl.: *primeiras-damas*.

primeiro (pri.*mei*.ro) num. ord. **1.** Que ou o que numa sequência denota o número um: *A viajante tomou lugar no primeiro vagão.* **2.** Que precede os outros: *A artista era ainda pouco conhecida em seu primeiro filme.* **3.** Aquele que ocupa o primeiro lugar: *Ele sempre foi o primeiro aluno da classe.* • adv. **4.** Em primeiro lugar; primeiramente: *Primeiro, vou cumprimentar os amigos; depois, irei descansar.*

primeiro-ministro (pri.mei.ro-mi.*nis*.tro) s.m. Chefe do governo num regime parlamentarista. || pl.: *primeiros-ministros*.

primevo [é] (pri.*me*.vo) adj. **1.** Inicial; primeiro: *Voltar à idade primeva.* **2.** Antigo; primitivo: *O Rio primevo dos tamoios e dos franceses.*

primícias (pri.*mí*.ci:as) s.f.pl. **1.** Primeiros resultados de um trabalho. **2.** Os primeiros frutos de uma colheita. **3.** Inícios.

primípara (pri.*mí*.pa.ra) s.f. Fêmea que pare pela primeira vez.

primitivo (pri.mi.*ti*.vo) adj. **1.** Que é dos primeiros tempos; original; inicial: *O templo primitivo foi demolido para dar lugar ao novo.* **2.** De uma sociedade sem indústrias nem modernas máquinas, que tem um estado de vida muito simples, sem as complexidades modernas: *O povo daquela ilha era primitivo*; *Trabalhavam com ferramentas primitivas.* **3.** Simples, rudimentar: *Havia desenhos primitivos nas paredes da caverna.*

primo[1] (*pri*.mo) s.m. Filho do tio ou da tia de uma pessoa em relação a essa pessoa; primo-irmão. || Aplica-se também aos primos dos pais e a seus filhos.

primo[2] (*pri*.mo) adj. **1.** Diz-se do número que só pode ser dividido por um ou por ele mesmo. • s.m. **2.** O número primo (1). || Os primos de um a dez são: 1, 2, 3, 5 e 7.

primogênito (pri.mo.gê.ni.to) adj. **1.** Que nasceu dos mesmos pais, antes dos outros: *Bernardo é meu filho primogênito.* • s.m. **2.** O primeiro filho do matrimônio; o mais velho: *Dei o anel a meu primogênito.* – **primogenitura** s.f.

primor [ô] (pri.*mor*) s.m. **1.** Qualidade daquilo que é superior, muito bom; excelente; perfeito: *Em tudo o que fazia, buscava o primor.* **2.** Perfeição; beleza; delicadeza: *Os tons de azul daquele pintor são um primor.*

primordial (pri.mor.di:*al*) adj. **1.** Relativo ao primórdio. **2.** Que se originou primeiro; que surgiu no início: *o homem primordial.* **3.** Que é mais importante; imprescindível: *É primordial que você esteja presente.*

primórdio (pri.*mór*.di:o) s.m. Origem, início, princípio: *Essa igreja data dos primórdios da cidade.*

princesa [ê] (prin.*ce*.sa) s.f. **1.** Filha de rei ou rainha. **2.** Soberana de um principado. **3.** Esposa de um príncipe. **4.** Título que se dá às moças que se classificam entre as primeiras em certos concursos: *Fotografaram a rainha da uva e suas princesas.*

principado (prin.ci.*pa*.do) s.m. **1.** Dignidade de príncipe ou princesa. **2.** Território ou Estado cujo soberano é um príncipe ou uma princesa: *principado de Mônaco.*

principal (prin.ci.*pal*) adj. **1.** Que é mais importante; que mais se destaca: *A estrela principal do balé.* **2.** Fundamental; essencial: *Vamos cuidar do assunto principal da reunião.* **3.** (*Gram.*) Diz-se da oração a que estão subordinadas outras.

príncipe (*prín*.ci.pe) s.m. **1.** Filho de um rei ou de uma rainha. **2.** Marido da rainha, em certos países em que existe monarquia. **3.** Soberano de um principado.

principiar (prin.ci.pi:*ar*) v. Dar começo ou ter início; começar, encetar: *Principiaram a construção da casa pelos alicerces*; *O inverno ainda não principiou.* ▶ Conjug. 17.

princípio (prin.*cí*.pi.o) s.m. **1.** Ato de começar ou principiar; começo; origem; início: *Logo no princípio da viagem, o carro enguiçou*; *Na água estava o princípio da vida.* **2.** A causa primeira de alguma coisa: *Deus é o princípio de todo bem*; *O trabalho deveria ser o princípio da prosperidade.* **3.** Regra; norma: *Ele tem por princípio não dar ouvidos à maledicência.* • *princípios* pl.

privilégio

4. Noções básicas numa área do conhecimento: *No serviço militar, ele adquiriu uns princípios de conservação de armas.* **5.** Normas de moral e de comportamento social: *Infelizmente ele era um homem sem princípios.* || **A princípio**: no começo: *A princípio, ela ainda me visitava uma vez por ano.* • **Em princípio**: Conceitualmente, antes de qualquer outra coisa: *Em princípio nada temos contra essas ideias, mas convém aguardar a opinião dos outros.* • **Princípio ativo**: (Farm., Quím.) num medicamento, a substância que é a base da ação terapêutica.

príon (prí.on) *s.m.* (Biol.) Proteína infecciosa, causadora de doenças do sistema nervoso, que é sintetizada naturalmente pelo organismo.

prior [ô] (pri.or) *s.m.* Superior de convento, em certas ordens monásticas.

priora [ô] (pri.o.ra) *s.f.* Religiosa que é superiora de um convento ou mosteiro em certas ordens monásticas; prioresa.

prioresa [ê] (pri.o.re.sa) *s.f.* Religiosa que é superiora de um convento ou mosteiro em certas ordens monásticas; priora.

prioridade (pri:o.ri.da.de) *s.f.* **1.** Condição de preferência que se dá a alguém ou a alguma coisa; preferência; primazia: *Os idosos terão prioridade no desembarque; Na distribuição do leite, a prioridade é das crianças.* **2.** A pessoa ou a coisa a que se dá preferência ou primazia: *Nossa prioridade no momento é a construção da sede do clube.* – **prioritário** *adj.*

priorizar (pri:o.ri.zar) *v.* Dar primazia a; tornar prioritário: *O documento visa a priorizar o combate ao analfabetismo.* ▶ Conjug. 5.

prisão (pri.são) *s.f.* **1.** Ato ou efeito de prender. **2.** Lugar onde alguém fica privado de sua liberdade, por força da lei ou por outra força qualquer; cadeia; presídio: *O delegado pôs os bandidos na prisão; O rapaz sequestrado fugiu da prisão.* **3.** Condição ou estado de prisioneiro: *É triste a vida na prisão.* **4.** Tudo o que representa cerceamento da liberdade individual: *Não queria casar porque dizia que o casamento é uma prisão.*

prisco (pris.co) *adj.* Relativo ao tempo passado; prístino.

prisioneiro (pri.si:o.nei.ro) *adj.* **1.** Que foi privado de liberdade; preso; cativo. • *s.m.* **2.** Pessoa encarcerada; preso.

prisma (pris.ma) *s.m.* **1.** (Geom.) Sólido cujas bases são dois polígonos, situados em planos paralelos, e cujas faces laterais são paralelogramos. **2.** (Fís.) Cristal, com duas faces planas inclinadas, que decompõe a luz nas várias frequências visíveis ou cores do arco-íris. **3.** *fig.* Ponto de vista; modo de considerar os fatos: *Analisando sob esse prisma, tudo parece falso.* – **prismático** *adj.*

prístino (prís.ti.no) *adj. poét.* Antigo; primitivo; prisco.

privacidade (pri.va.ci.da.de) *s.f.* Condição de privado, do que diz respeito unicamente ao indivíduo: *Precisamos resguardar nossa privacidade.*

privações (pri.va.ções) *s.f.pl.* Falta, carência do que é essencial à vida: *Leva uma vida de privações.*

privada (pri.va.da) *s.f.* Latrina, toalete.

privado (pri.va.do) *adj.* **1.** Destinado a uma única pessoa ou grupo de pessoas; privativo, particular: *jardim privado; estacionamento privado.* **2.** Particular; íntimo; pessoal: *uma conversa privada.* **3.** Que não pertence ao Estado: *uma empresa privada.* **4.** A quem ou a que falta alguma coisa; carente: *De repente viu-se privado de seu carro.*

privar (pri.var) *v.* **1.** Tirar alguma coisa de alguém: *Privou a mulher de suas telenovelas; Privou-se de certas comidas para emagrecer alguns quilos.* **2.** Impedir alguém ou a si mesmo de ter a posse ou gozo de alguma coisa: *Por ser muito tímida, Maria privava-se de ter amigos; O pai, muito intransigente, privou a filha de um bom casamento.* **3.** Conviver, viver na intimidade, ser íntimo: *Ele privava da intimidade do príncipe.* ▶ Conjug. 5.

privativo (pri.va.ti.vo) *adj.* Que é de uso exclusivo de alguém ou de um pequeno grupo; privado.

privatizar (pri.va.ti.zar) *v.* Trazer para o setor privado ou particular o que é público; desestatizar, desnacionalizar: *O governo privatizou a companhia petrolífera.* ▶ Conjug. 5.

privilegiado (pri.vi.le.gi:a.do) *adj.* Que goza de privilégio; que tem certas prerrogativas e imunidades.

privilegiar (pri.vi.le.gi:ar) *v.* **1.** Conceder privilégio, dar preferência: *As novas medidas privilegiavam o mercado interno.* **2.** Tratar com distinção, com destaque; dar mais valor: *O esquema privilegiava os bancos estrangeiros.* ▶ Conjug. 17.

privilégio (pri.vi.lé.gi:o) *s.m.* **1.** Vantagem ou benefício concedido a alguém. **2.** Atributo específico de uma pessoa ou de um grupo: *Receber*

pró

educação e ter saúde não pode ser privilégio de uma classe social.

pró prep. **1.** A favor, em defesa de: *Era um jornal pró-aliados.* • adv. **2.** De modo favorável; a favor: *No que diz respeito à cassação do parlamentar, todos votaram pró.* • s.m. **3.** Vantagens; aspectos positivos: *É necessário pesar os prós e os contras.*

proa [ô] (pro.a) s.f. (*Náut.*) Extremidade anterior de uma embarcação, oposta à popa.

probabilidade (pro.ba.bi.li.da.de) s.f. **1.** Qualidade, característica ou condição do que é provável: *Não existe nenhuma probabilidade de o príncipe chegar.* **2.** Possibilidade de que certo caso aconteça, expressa numericamente: *Há 50% de probabilidade de você estar errado.*

probatório (pro.ba.tó.ri:o) adj. **1.** Relativo à prova. **2.** Que contém prova ou serve de prova: *documentos probatórios.*

probidade (pro.bi.da.de) s.f. Integridade de caráter; retidão; honestidade.

problema (pro.ble.ma) s.m. **1.** Situação difícil que requer uma solução: *Doenças tropicais eram o grande problema da região.* **2.** Disfunção orgânica: *Ele sofre muito com problemas de alergia.* **3.** (*Mat.*) Questão numérica para ser resolvida: *O professor mandou resolver os problemas da página 25.* – **problemático** adj.

probo [ó] (pro.bo) adj. Que é de caráter íntegro; honesto, honrado; impoluto.

probóscide (pro.bós.ci.de) s.f. (*Zool.*) Tromba de elefante.

procarionte (pro.ca.ri:on.te) adj. s.m. Procarioto.

procarioto [ô] (pro.ca.ri:o.to) adj. Que é formado de uma única célula desprovida de membrana; procarionte.

procedência (pro.ce.dên.cia) s.f. **1.** Ato ou efeito de proceder. **2.** Lugar donde procede alguém ou alguma coisa; proveniência; origem: *Qual a procedência desses pacotes de livros?*

procedente (pro.ce.den.te) adj. **1.** Que procede; proveniente; originário: *Hospedei um amigo procedente de Caracas.* **2.** Consequente; lógico: *Sua resposta não é procedente.*

proceder (pro.ce.der) v. **1.** Atuar, agir, fazer: *Como devo proceder para tirar meu passaporte?* **2.** Provir; vir; dimanar: *Esses turistas procedem da Escandinávia.* **3.** Comportar-se: *Você deve proceder como uma menina de família.* **4.** Ter fundamento; ter cabimento: *Seus argumentos não procedem.* **5.** Ter algo ou alguém como origem: *Às vezes o amor procede da amizade.* **6.** Levar a efeito; realizar: *A fundação procederá ao recenseamento de seus servidores.* • s.m. **7.** Maneira de se comportar; comportamento: *Seu proceder nem sempre foi exemplar.* ▶ Conjug. 41.

procela [é] (pro.ce.la) s.f. Tormenta furiosa no mar; borrasca; tempestade.

procelária (pro.ce.lá.ri:a) s.f. Ave oceânica que, às vezes, chega ao litoral.

prócer (pró.cer) s.m. Homem importante de uma nação, classe, partido etc.: *Os próceres do partido reuniram-se em Brasília.*

processador [ô] (pro.ces.sa.dor) adj. **1.** Que processa. • s.m. **2.** (*Inform.*) Componente físico de um computador, capaz de manipular dados. || *Processador de alimentos*: eletrodoméstico que exerce várias funções na cozinha como descascar, cortar, extrair sucos etc. • *Processador de textos*: (*Inform.*) aplicativo que serve para registrar, organizar, formatar e classificar textos em arquivo eletrônico.

processamento (pro.ces.sa.men.to) s.m. Ato ou efeito de processar. || *Processamento de dados*: (*Inform.*) organização, classificação, tratamento e armazenamento de dados e informações em computador, de maneira a ser possível recuperá-los, quando necessário.

processar (pro.ces.sar) v. **1.** (*Jur.*) Instaurar processo contra; intentar ação judicial contra; acionar: *O cantor processou o autor de sua biografia não autorizada.* **2.** (*Inform.*) Submeter a processamento de dados: *Os novos dados estão sendo processados.* **3.** Registrar, catalogar e classificar material bibliográfico: *Falta processar esses livros e essas revistas.* **4.** fig. Dar tratamento intelectual ou material: *Ainda não processamos as últimas informações sobre o terremoto.* ▶ Conjug. 8.

processo [é] (pro.ces.so) s.m. **1.** Continuação de uma ação; andamento. *Meu requerimento está ainda em processo de avaliação.* **2.** Desenvolvimento gradativo; evolução: *o processo de crescimento.* **3.** Modo pelo qual se faz alguma coisa; método: *o processo de asfaltamento das ruas.* **4.** Conjunto de documentos com que se dá prosseguimento a uma questão: *Arquive-se o presente processo.* **5.** (*Jur.*) Ação judicial: *Entramos com um processo contra a fundação.* **6.** (*Anat.*) Saliência na extremidade de um osso. || *Processo* substituiu *apófise* na nova terminologia anatômica.

procissão (pro.cis.são) s.f. Cerimônia litúrgica em que um ministro religioso e fiéis caminham rezando orações e entoando cânticos.

proclama (pro.*cla*.ma) *s.m.* Proclamação de casamento lida durante ofício religioso, colocada em quadro de aviso ou publicada em órgão oficial: *Já saíram os proclamas do casamento de Carlos e Joana.* || Usado normalmente no plural.

proclamação (pro.cla.ma.*ção*) *s.f.* **1.** Ato ou efeito de proclamar, de declarar publicamente: *a Proclamação da República.* **2.** Escrito que contém o que se proclama: *A proclamação foi lida em todas as igrejas.*

proclamar (pro.cla.*mar*) *v.* **1.** Tornar alguma coisa pública em ato oficial ou não. *O príncipe proclamou a independência durante uma viagem a São Paulo.* **2.** Atribuir a alguém ou a si mesmo um título ou um posto: *Proclamaram-no defensor perpétuo do Brasil*; *Derrubou o governo e proclamou-se ditador.* ▶ Conjug. 5.

próclise (*pró*.cli.se) *s.f.* (*Gram.*) Colocação do pronome pessoal oblíquo átono antes do verbo.

procrastinar (pro.cras.ti.*nar*) *v.* Deixar para depois; deixar para amanhã; adiar, protelar: *Ele era inimigo de procrastinar o que tinha de fazer.* ▶ Conjug. 5. – **procrastinação** *s.f.*

procriar (pro.cri*ar*) *v.* Gerar; fazer conceber; reproduzir-se: *O gado procriava bem na fazenda*; *O fazendeiro procriou muitos filhos.* ▶ Conjug. 17.

proctologia (proc.to.lo.*gi*.a) *s.f.* Ramo da Medicina que trata de doenças do reto e do ânus.

procura (pro.*cu*.ra) *s.f.* **1.** Ato de procurar; busca: *Andávamos à procura desse livro.* **2.** (*Econ.*) Interesse do consumidor em adquirir um produto: *Na Páscoa, há uma grande procura de ovos de chocolate.*

procuração (pro.cu.ra.*ção*) *s.f.* Documento pelo qual uma pessoa passa para outra autoridade para tratar de seus interesses, podendo assumir encargos, dar quitação, efetuar compra e venda etc.

procurador [ô] (pro.cu.ra.*dor*) *s.m.* **1.** (*Jur.*) Pessoa que tem procuração para tratar de interesses de outra. **2.** Advogado do Estado, membro do Ministério Público.

procuradoria (pro.cu.ra.do.*ri*.a) *s.f.* **1.** Cargo de procurador. **2.** Repartição onde o procurador exerce suas funções.

procurar (pro.cu.*rar*) *v.* **1.** Esforçar-se por encontrar o que foi perdido: *Anda há dias procurando sua carteira de identidade.* **2.** Esforçar-se por conseguir: *Em vão, ele procurava acalmá-la*; *Procuramos achar a paz.* **3.** Sair atrás de; perguntar por: *O chefe está procurando a secretária*; *Se me procurarem, estou no setor de venda.* **4.** Pesquisar; buscar solução para: *Centros de pesquisas médicas procuram uma vacina para a AIDS.* ▶ Conjug. 5.

prodigalizar (pro.di.ga.li.*zar*) *v.* Gastar excessivamente; dissipar; esbanjar; liberalizar: *O rapaz prodigalizou toda a herança que recebeu do pai.* ▶ Conjug. 5. – **prodigalidade** *s.f.*

prodígio (pro.*dí*.gi:o) *s.m.* **1.** Pessoa, coisa ou fato extraordinário; maravilha; milagre: *A passagem do cometa não foi o prodígio que esperávamos.* **2.** Pessoa de extraordinário talento: *Este pianista é um verdadeiro prodígio.*

prodigioso [ô] (pro.di.gi:*o*.so) *adj.* Diz-se daquilo que tem caráter de prodígio; extraordinário. || f. e pl.: [ó].

pródigo (*pró*.di.go) *adj.* **1.** Que despende em excesso; que gasta demais. **2.** Que gosta de dividir o que tem com os outros. **3.** Que produz muito; que tem facilidade para produzir; fértil.

produção (pro.du.*ção*) *s.f.* **1.** Ato ou efeito de produzir. **2.** Tudo que é criado, feito, gerado, ou o processo de produzi-lo: *produção artística*; *produção industrial.* **3.** (*Cine, Teat., Telv.*) Todas as atividades necessárias para o processo de realização de programas de rádio, cinema, televisão e teatro, desde a busca de recursos até a confecção de figurinos e cenários. **4.** A quantidade ou o valor dos bens produzidos por uma empresa, um país, em determinado setor: *a produção nacional de aço*; *a produção de açúcar das usinas paulistas.* **5.** O conjunto de obras produzidas por alguém, alguma empresa, numa época, num país, numa tendência literária etc.: *A produção teatral de Machado de Assis*; *a produção da Ferro e Aço de Vitória*; *a produção do Romantismo brasileiro*; *a produção musical de Chico Buarque de Holanda.*

producente (pro.du.cen.te) *adj.* Que produz.

produtividade (pro.du.ti.vi.*da*.de) *s.f.* **1.** Capacidade de produzir. **2.** Rendimento de uma atividade econômica. **3.** (*Econ.*) Relação entre os bens produzidos (calculados em termos de quantidade e valor) e os bens e insumos de produção (máquinas, matéria-prima, mão de obra etc.).

produtivo (pro.du.*ti*.vo) *adj.* **1.** Relativo a produção ou que produz: *trabalho produtivo*; *terras produtivas*; *atividade produtiva.* **2.** Que traz proveito; rendoso; proveitoso: *A lavoura* *canavieira está se tornando uma atividade produtiva.*

produto (pro.du.to) *s.m.* **1.** Aquilo que resulta da atividade humana ou de um processo natural. **2.** Coisa ou utensílio produzidos como bens de consumo. **3.** (*Mat.*) Resultado de uma multiplicação.

produtor [ô] (pro.du.tor) *adj.* **1.** Que produz; produtivo: *as atividades produtoras.* • *s.m.* **2.** Indivíduo que produz: *um grande produtor de queijos.* **3.** Pessoa ou instituição que produzem mercadorias: *Os produtores de sal estão felizes com a estiagem.* **4.** Pessoa responsável por uma produção (3).

produzir (pro.du.zir) *v.* **1.** Fazer nascer de si; dar: *A mangueira que plantei produziu muitas frutas.* **2.** Fabricar: *O Brasil produz e exporta automóveis.* **3.** Causar, motivar, ter como consequência: *Poeira produz alergia em algumas pessoas.* **4.** Compor; criar pela imaginação: *O poeta produz melhor à noite.* **5.** Fazer produção (3): *O artista produziu vários filmes e programas de televisão.* **6.** *coloq.* Vestir-se e arrumar-se com capricho: *Ângela produziu-se toda para ir ao baile em Nova Friburgo.* ▶ Conjug. 82.

proeminência (pro:e.mi.nên.ci:a) *s.f.* **1.** Saliência; relevo; protuberância: *Na baixada perto do rio, havia uma proeminência com a casa do pescador.* **2.** Superioridade; preeminência: *Na cidade, todos reconheciam a proeminência do juiz da comarca.* || *Proeminência laríngea:* (*Anat.*) saliência na parte anterior do pescoço do homem; pomo de adão.

proeminente (pro:e.mi.nen.te) *adj.* **1.** Que se alteia, formando relevo; que é mais alto do que aquilo que o rodeia. **2.** Que é superior, ilustre, insigne. || Conferir com *preeminente*.

proeza [ê] (pro:e.za) *s.f.* Ato notável de valor, de coragem, de valentia; façanha.

profanar (pro.fa.nar) *v.* **1.** Violar a santidade de lugares ou objetos sagrados: *Os invasores profanaram os templos e os objetos do culto.* **2.** Tratar com irreverência o que, por seu caráter, merece respeito: *Profanaram o monumento ao herói da independência.* ▶ Conjug. 5. – **profanação** *s.f.*

profano (pro.fa.no) *adj.* **1.** Estranho à religião; que não tem nada a ver com religião: *A festa realizou-se num espaço profano.* **2.** Que pertence ao mundo material, em oposição ao que é de caráter espiritual ou religioso: *Mozart compôs obras religiosas e profanas.* • *s.m.* **3.** Aquilo que é oposto às coisas religiosas: *o sacro e o profano.*

profecia (pro.fe.ci.a) *s.f.* **1.** Predição de coisas futuras feitas por um profeta. **2.** Predição baseada em suposições, presunções e probabilidades. **3.** (*Rel.*) Anúncio da palavra de Deus.

proferir (pro.fe.rir) *v.* Expressar oralmente: *Ela não proferiu uma palavra.* ▶ Conjug. 69.

professar (pro.fes.sar) *v.* **1.** Ser seguidor ou adepto de: *Professo a fé católica; Ele professa o islamismo.* **2.** Atuar numa profissão: *Há muitos anos ele professa a Medicina.* **3.** Expressar publicamente: *Ele professou sua paixão pelo time da terra.* **4.** Fazer solenemente os votos religiosos: *Teresa professou na ordem carmelita.* ▶ Conjug. 8.

professo [é] (pro.fes.so) *adj.* **1.** Diz-se do religioso que professou numa ordem ou congregação: *um dominicano ainda não professo.* **2.** Que é perito e hábil em algum assunto ou ofício: *José é um carpinteiro professo.* • *s.m.* **3.** Pessoa que professou numa ordem ou congregação religiosa: *O mosteiro abriga numerosos professos da ordem beneditina.*

professor [ô] (pro.fes.sor) *s.m.* Pessoa cuja especialidade é ensinar uma matéria a alunos.

professorado (pro.fes.so.ra.do) *s.m.* **1.** A categoria profissional dos professores. **2.** O conjunto dos professores de um determinado lugar, estado ou país: *O professorado catarinense; o professorado da Faculdade de Letras.* **3.** O exercício do magistério: *Poderia exercer a Medicina, mas preferiu o professorado.*

professorando (pro.fes.so.ran.do) *s.m.* Estudante prestes a colar o grau de professor.

profeta [é] (pro.fe.ta) *s.m.* **1.** Homem que prediz o futuro por inspiração divina. **2.** Homem que dá testemunho de sua fé por palavras e obras. – **profético** *adj.*

profetisa (pro.fe.ti.sa) *s.f.* Mulher que faz profecias; que profetiza.

profetizar (pro.fe.ti.zar) *v.* **1.** Anunciar na condição de profeta: *Miqueias profetizou o lugar de nascimento de Jesus; Profetizava um futuro de paz e tranquilidade.* **2.** Prever o futuro por meio de deduções e prognósticos; prognosticar: *Cientistas profetizam grandes degelos nas regiões polares.* ▶ Conjug. 5.

proficiência (pro.fi.ci:ên.ci:a) *s.f.* **1.** Qualidade de proficiente. **2.** Conhecimento cabal e perfeito de alguma ciência ou arte.

proficiente (pro.fi.ci:en.te) *adj.* Que é extremamente capaz e eficiente; que tem proficiência: *Carlos é proficiente em italiano e romeno.*

profícuo (pro.fí.cu:o) *adj.* Que se faz com proveito; proveitoso; vantajoso, frutífero.

profilaxia [cs] (pro.fi.la.xi.a) *s.f.* (Med.) Parte da Medicina que tem por objeto as medidas preventivas contra as doenças. – **profilático** *adj.*

profissão (pro.fis.são) *s.f.* **1.** Ato ou efeito de professar: *Fez profissão numa ordem religiosa.* **2.** Atividade que demanda preparo técnico-científico: *Formou-se em Engenharia, mas não exerce a profissão.* **3.** Atividade ou ocupação habitualmente exercida por uma pessoa para se prover dos recursos necessários a sua existência; ocupação; ofício: *Ele vive de sua profissão.* – **profissional** *adj. s.m. e f.*

profissionalismo (pro.fis.si:o.na.lis.mo) *s.m.* Dedicação profissional competente a uma atividade ou carreira.

profissionalizar (pro.fis.si:o.na.li.zar) *v.* **1.** Tornar alguém ou a si próprio profissional: *Ofereceu cursos para profissionalizar todos os seus empregados; Ela fazia bem seu serviço, mas queria mesmo se profissionalizar.* **2.** Conferir caráter profissional: *Será realmente útil profissionalizar o atletismo?* **3.** Adquirir caráter profissional: *No Brasil, não é fácil ao escritor profissionalizar-se.* ▶ Conjug. 5. – **profissionalização** *s.f.*; **profissionalizante** *adj.*

pro forma (Lat.) *loc. adj.* Por formalidade: *Aquela arguição foi apenas pro forma; não vai valer nota.*

prófugo (pró.fu.go) *adj. poét.* **1.** Que foge; fugitivo; desertor: *Encontraram pelo caminho um prófugo soldado de um pelotão vencido.* • *s.m.* **2.** Alguém que foge; fugitivo; desertor: *O prófugo escondeu-se numa caverna.*

profundas (pro.fun.das) *s.f.pl.* **1.** A parte mais profunda; as profundezas. **2.** O inferno: *Quero que você vá pras profundas.*

profundeza [ê] (pro.fun.de.za) *s.f.* **1.** Qualidade de profundo. **2.** Profundidade.

profundidade (pro.fun.di.da.de) *s.f.* **1.** Qualidade ou caráter do que é profundo: *a profundidade da baía.* **2.** Extensão considerada da superfície ao fundo; fundura: *Medimos a profundidade do lago.* **3.** (Geom., Fís.) Num sólido ou num espaço, a distância entre o plano mais próximo e o mais distante. **4.** *fig.* Caráter do que é difícil de penetrar ou de compreender; profundeza: *Naquele tempo eu não sabia compreender a profundidade de suas palavras.*

profundo (pro.fun.do) *adj.* **1.** Muito fundo; que se estende muito baixo ou abaixo da superfície ou da borda: *um talho profundo; uma vala profunda.* **2.** Que vai ao âmago das coisas, não ficando apenas na superfície: *Fez um profundo exame de toda a documentação.* **3.** Muito grande e abrangente: *Tem profundos conhecimentos de Retórica e Gramática.*

profusão (pro.fu.são) *s.f.* Grande quantidade; abundância: *Havia uma profusão de gente fantasiada no salão.*

profuso (pro.fu.so) *adj.* Que é muito numeroso; que ocorre em grande quantidade: *A rede trouxe uma profusão de peixes de vários tamanhos.*

progênie (pro.gê.ni:e) *s.f.* **1.** Origem; ascendência; procedência: *O noivo era de ilustre progênie.* **2.** Ascendência; linhagem; estirpe. **3.** Prole; descendência: *O bandeirante deixou progênie na sociedade paulista.* **4.** Progenitura.

progenitor [ô] (pro.ge.ni.tor) *s.m.* Aquele que gera ou gerou, como pai, avô e ascendentes masculinos.

progenitora [ô] (pro.ge.ni.to.ra) *s.f.* Aquela que concebe ou concebeu, como mãe, avó e ascendentes femininos.

progenitura (pro.ge.ni.tu.ra) *s.f.* Progênie; descendência.

progesterona (pro.ges.te.ro.na) *s.f.* Hormônio sexual feminino, responsável pelo ciclo de menstruação e pela fixação do óvulo fecundado; é também essencial para a manutenção da gestação.

prognatismo (prog.na.tis.mo) *s.m.* Projeção acentuada da mandíbula inferior.

prógnata (próg.na.ta) *adj.* **1.** Que tem prognatismo; prógnato. • *s.m. e f.* **2.** Pessoa que tem prognatismo. || prógnato.

prógnato (próg.na.to) *adj.* **1.** Que tem prognatismo; prógnata. • *s.m.* **2.** Pessoa que tem prognatismo; prógnata.

prognosticar (prog.nos.ti.car) *v.* Fazer prognóstico de; predizer baseando-se em sinais ou sintomas; antecipar: *Com base em informações, a imprensa prognostica mudanças no ministério.* ▶ Conjug. 5 e 35.

prognóstico (prog.nós.ti.co) *s.m.* **1.** Conjetura sobre processos ou resultados futuros a partir do conhecimento das condições vigentes e do desempenho provável dos fatores atuantes. **2.** (Med.) Parecer do médico sobre a provável evolução de uma doença.

programa (pro.gra.ma) s.m. **1.** Plano de atividades tanto de lazer quanto de trabalho: essas atividades: *O programa da empresa prevê a criação de cursos profissionalizantes para os trabalhadores jovens; Seu programa de domingo é ir à praia, almoçar com os pais e ir à missa das 18 horas.* **2.** Impresso com a descrição de atividades de um evento a se realizarem; essas atividades: *Ontem distribuíram os programas do seminário de literatura espanhola; O programa é uma homenagem a Cervantes.* **3.** Apresentações de rádio, cinema ou televisão: *Seu programa de rádio preferido não é mais apresentado; As crianças preferem um programa de filmes infantis; O programa dos cinemas muda às terças-feiras.* **4.** O conteúdo de um curso, de uma matéria, de uma cadeira etc. ou o que pode ser cobrado num concurso: *O professor não conseguiu dar todo o programa; Esse assunto não estava no programa do concurso.* **5.** Conjunto de instruções que definem o que o computador deve fazer; software: *Criou um programa para levantar o vocabulário de José de Alencar.*

programação (pro.gra.ma.ção) s.m. **1.** Ato ou efeito de programar. **2.** Planejamento de uma instituição ou de alguma pessoa para um determinado período: *A empresa já está preparando sua programação para o próximo ano.* **3.** Conjunto de programas e eventos a serem apresentados nas emissoras de rádio e televisão: *A programação desse canal está ótima.* **4.** (*Inform.*) Área de preparo de programas de computador.

programador [ô] (pro.gra.ma.dor) adj. **1.** Que prepara programas. • s.m. **2.** Pessoa que elabora programas de computador: *Há uma vaga de programador nessa empresa.*

programar (pro.gra.mar) v. **1.** Estabelecer plano para alguma ação, atividade ou lazer: *Ainda não programei minhas férias nas ilhas gregas.* **2.** Estabelecer programas computacionais: *Contratamos um técnico para programar o que for preciso na área da informática.* ▶ Conjug. 5.

progredir (pro.gre.dir) v. **1.** Caminhar para a frente; avançar, aperfeiçoando capacidades e desenvolvendo potencialidades: *Esta criança tem progredido muito em sua aprendizagem de línguas estrangeiras.* **2.** Fazer progresso; ir crescendo: *A construção da ponte vem progredindo como se esperava.* **3.** Tornar-se mais grave; agravar-se: *Em poucos dias a gripe progrediu para uma pneumonia.* ▶ Conjug. 72.

progressão (pro.gres.são) s.f. **1.** Ato ou efeito de progredir. **2.** Encaminhamento gradual e constante de um processo; avanço.

progressista (pro.gres.sis.ta) adj. **1.** Relativo ao progresso. **2.** Que é partidário de ideias novas e de reformas. **3.** Que é partidário do progresso econômico, político e social. • s.m. **4.** Pessoa partidária das ideias do progresso.

progressivo (pro.gres.si.vo) adj. **1.** Que progride gradualmente; em que há progressão: *Depois desse fato, a cidade entrou em progressivo declínio.* **2.** Que faz progresso gradual ou por etapas: *Com o tratamento, o doente passou a apresentar uma progressiva melhora.*

progresso [é] (pro.gres.so) s.m. **1.** Ato ou efeito de progredir. **2.** Avanço num processo, numa caminhada, num trabalho etc.: *Não tem havido progresso algum nas conversações entre os dois países.* **3.** Desenvolvimento; evolução: *É impressionante o progresso dessa cidade!*

proibir (pro.i.bir) v. Impedir; não consentir; vetar: *A lei proíbe o trabalho de menores; A mãe proibiu a filha de ir ao cinema com o namorado; A lei proíbe que se vendam pássaros em cativeiro.* ▶ Conjug. 90. – **proibição** s.f.; **proibitivo** adj.

projeção (pro.je.ção) s.f. **1.** Ato ou efeito de projetar(-se). **2.** Exibição de filmes e imagens numa tela: *O filme tinha duas horas de projeção; A projeção dos slides motivou os alunos para o estudo da matéria.* **3.** Cálculo antecipado e por alto de alguma coisa: *Pelas nossas projeções, o aluguel, com o condomínio e o IPTU, ficará perto de dois mil e quinhentos reais.* **4.** Importância, notoriedade: *Com essa projeção toda, você deve se candidatar.*

projetar (pro.je.tar) v. **1.** Fazer projeto ou traçar plano de obra: *Os gregos projetavam teatros com acústica perfeita.* **2.** Exibir filmes, slides, transparências etc.: *À medida que eu for projetando os slides, lhes vou dando as explicações.* **3.** Atirar(-se) a distância, lançar(-se) longe; arremessar(-se): *O pescador projetou o anzol a uma longa distância; A moça saudosa projetou-se nos braços de seu amado.* **4.** Planejar, programar (seguido de expressão de tempo): *Projetaram o baile para a noite de São João.* **5.** *fig.* Tornar(-se) famoso: *O jogo final do campeonato projetou o pouco conhecido Cláuderson; O remador capixaba projetou-se na Olimpíada.* ▶ Conjug. 8.

projetil (pro.je.til) s.m. Projétil.

projétil (pro.jé.til) s.m. **1.** Objeto arremessado por arma de fogo. **2.** Qualquer objeto sólido que é arremessado. || *projetil*.

projetista (pro.je.tis.ta) s.m. e f. Profissional especializado em fazer projetos.

projeto [é] (pro.je.to) s.m. **1.** Plano para se fazer algo em futuro próximo ou remoto: *Há um projeto para se fazer no futuro um túnel sob a baía de Guanabara*. **2.** Esboço minucioso de uma obra: *O projeto da ponte foi apresentado em seus mínimos detalhes*. **3.** Tudo aquilo que se deseja fazer dentro de um plano estabelecido: *Pretendem rever todos os projetos de reflorestamento da Mata Atlântica*.

projetor [ô] (pro.je.tor) s.m. Aparelho que serve para a projeção de imagens numa tela.

prol [ó] s.m. Usado na locução em prol de: a favor de, em defesa de: *A rica senhora trabalhava em prol das crianças órfãs*.

pró-labore (pró-la.bo.re) s.m. **1.** Remuneração por serviço especial fora da rotina. **2.** Remuneração que os sócios podem tirar de uma empresa em sociedade. || pl.: pró-labores.

prolação (pro.la.ção) s.f. Ato ou efeito de proferir em voz alta e clara.

prolapso (pro.lap.so) s.m. (Med.) Deslocamento da posição normal de um órgão.

prole [ó] (pro.le) s.f. Conjunto dos filhos de um casal.

proletário (pro.le.tá.ri.o) s.m. **1.** Pessoa pobre que vive do salário de seu trabalho; operário. • adj. **2.** Relativo ao proletário ou à sua classe. – **proletariado** s.m.

proliferar (pro.li.fe.rar) v. Crescer ou reproduzir-se em grande quantidade; propagar-se: *Seitas religiosas proliferam no Brasil*. ▶ Conjug. 8.

prolífero (pro.lí.fe.ro) adj. Que prolifera; que pode gerar prole; fecundo; prolífico: *um reprodutor prolífero*.

prolífico (pro.lí.fi.co) adj. Que produz muito; prolífero: *um romancista prolífico*.

prolixo [cs] (pro.li.xo) adj. **1.** Que se expressa com mais palavras e frases do que é necessário. **2.** Muito longo e entediante: *um discurso prolixo; um sermão prolixo*. – **prolixidade** s.f.

prólogo (pró.lo.go) s.m. Parte introdutória, escrita, de uma obra ou de uma peça teatral; exórdio.

prolongamento (pro.lon.ga.men.to) s.m. **1.** Ato ou efeito de prolongar(-se), de tornar mais longo. **2.** Trecho ou parte prolongados; extensão: *Siga pelo prolongamento da avenida até o cais à beira-rio*.

prolongar (pro.lon.gar) v. **1.** Tornar(-se) mais longo no espaço e no tempo: *Pretende-se prolongar a estrada até o porto; Ele desejava muito prolongar aqueles dias em Porto Seguro; Os dias de chuva prolongavam-se monotonamente*. **2.** Deixar para depois; adiar; procrastinar: *Não quero prolongar mais essa decisão*. ▶ Conjug. 5 e 34.

promessa [é] (pro.mes.sa) s.f. **1.** Ato ou efeito de prometer. **2.** Compromisso que se assume de se fazer ou não fazer alguma coisa: *Os noivos trocaram promessas de eterno amor*. **3.** (Rel.) Alguma coisa que se promete a Deus, à Virgem, aos anjos ou santos para se obter uma graça: *A doente fez a promessa de ir a Aparecida, se ficasse curada da erisipela*.

prometer (pro.me.ter) v. **1.** Assumir compromisso, verbal ou por escrito, de fazer ou não fazer alguma coisa: *O filho prometeu ao pai visitá-lo todos os meses; O bombeiro prometeu à senhora que consertaria o vazamento no dia seguinte*. **2.** Dar indícios de; dar sinais de: *O dia prometia ser de sol e muito calor*. **3.** Dar esperanças ou sinais de um bom futuro: *Este menino promete ser um ótimo cirurgião; Essa menina promete...* **4.** Garantir que pagará: *Prometeu ao empregado o décimo terceiro e as férias; Prometeu-lhe aumentar a mesada*. **5.** Fazer promessa: *Se você não pode cumprir, é melhor não prometer*. ▶ Conjug. 41.

promiscuidade (pro.mis.cu:i.da.de) s.f. Qualidade ou condição de promíscuo.

promiscuir-se (pro.mis.cu:ir-se) v. Misturar-se, mesclar-se, unir-se: *Nessas condições, pessoas de vida honesta acabam promiscuindo-se com marginais e ladrões*. ▶ Conjug. 80 e 67.

promíscuo (pro.mís.cu:o) adj. **1.** Que é constituído pela mistura de elementos diversificados. **2.** Que envolve elementos obscenos, imorais e amorais. **3.** Que tem relações amorosas com diferentes parceiros.

promissor [ô] (pro.mis.sor) adj. **1.** Diz-se daquilo que se prevê que vai ser bom: *O clima tem-se mostrado promissor para o cultivo de laranjas*. **2.** Que promete: *um futuro promissor*. **3.** Que traz boas notícias: *um anúncio promissor*.

promissória (pro.mis.só.ri:a) s.f. Documento pelo qual alguém (emitente) se compromete a pagar a outra pessoa (beneficiário ou favorecido), em tempo determinado, certo valor em dinheiro; nota promissória.

promitente (pro.mi.ten.te) adj. **1.** Que faz uma promessa a alguém. • s.m. e f. (Jur.) **2.** Pessoa que faz uma promessa a alguém.

promoção¹ (pro.mo.ção) s.f. Elevação a emprego, posto, graduação ou cargo superiores ao atual: *Pela alta qualidade de seu trabalho, ele ganhou uma promoção*.

promoção

promoção² (pro.mo.ção) s.f. **1.** Estratégia de venda que consiste em baixar o preço de determinados produtos com a finalidade de atrair compradores: *Há uma grande promoção de carros naquela concessionária; Comprou roupa de cama numa promoção da fábrica.* **2.** Conjunto de atividades e estratégias postas em processo para valorizar alguém ou alguma coisa: *Todas essas reportagens sobre a nova estrela da TV não passam de promoção de sua próxima telenovela.*

promontório (pro.mon.tó.ri:o) s.m. (Geogr.) Cabo formado por afloramento rochoso.

promotor (pro.mo.tor) adj. **1.** Que promove, divulga e estimula. • s.m. **2.** Pessoa ou instituição que promove, organiza e divulga eventos: *É melhor contratar os serviços de um promotor para nossa festa.* **3.** Servidor público, formado em Direito, que promove o andamento dos processos judiciais perante juízes e tribunais. **4.** Profissional que trabalha na melhoria e na divulgação da imagem de alguém ou de alguma instituição.

promotoria (pro.mo.to.ri.a) s.f. **1.** Cargo ou ofício de promotor (3). **2.** Repartição onde trabalha o promotor (3).

promover¹ (pro.mo.ver) v. **1.** Fornecer recursos para um evento, uma festa, congresso, seminário etc.: *A reitoria da universidade promoveu um seminário sobre a América pré-colombiana.* **2.** Causar, provocar: *A divulgação do fato promoveu a discórdia na família.* **3.** Nomear alguém para cargo ou função superiores aos atuais: *Promoveram o secretário a presidente.* **4.** Favorecer o desenvolvimento de: *Algumas escolas têm promovido os esportes entre os alunos.* ▶ Conjug. 42.

promover² (pro.mo.ver) v. Tornar(-se) famoso; valorizar(-se): *A editora tem promovido seus escritores nas bienais do livro; Aquela cantora promovia-se através de romances com homens famosos.* ▶ Conjug. 42.

prompt [prômpt] (Ing.) s.m. (Inform.) Sinal gráfico que indica que o computador está apto a receber novos comandos do usuário.

prompter [prômpter] (Ing.) s.m. (Inform.) Aparelho eletrônico que exibe num monitor de vídeo o texto a ser lido por locutores, artistas, jornalistas etc.

promulgar (pro.mul.gar) v. Tornar público; expedir, publicar oficialmente: *O governo promulgou a lei logo que foi assinada.* ▶ Conjug. 5 e 34.

pronome (pro.no.me) s.m. (Gram.) Palavra usada em lugar de um substantivo ou nome para designar pessoas ou coisas (pronome substantivo) ou o acompanha para esclarecer-lhe o significado (pronome adjetivo).

pronominal (pro.no.mi.nal) adj. **1.** Relativo ao pronome: *locução pronominal.* **2.** Diz-se do verbo conjugado com pronome oblíquo da mesma pessoa que o sujeito: *Arrepender-se é um verbo pronominal.*

prontidão (pron.ti.dão) s.f. **1.** Estado de quem se encontra pronto para entrar em ação: *Naqueles dias, todos os quartéis ficaram de prontidão.* **2.** Presteza e agilidade na execução de alguma coisa: *Fui atendido com a maior prontidão.* • s.m. **3.** reg. Policial que fica de prontidão na delegacia de polícia.

prontificar-se (pron.ti.fi.car-se) v. Mostrar-se pronto para; oferecer-se para; declarar-se disposto a, predispor(-se): *Ele prontificou-se a comprar os bilhetes de entrada do teatro.* ▶ Conjug. 5, 6 e 35.

pronto (pron.to) adj. **1.** Que não demora; rápido; ligeiro: *Este comprimido lhe dará pronto alívio.* **2.** Que está concluído: *Finalmente ficou pronto o filme sobre o Conselheiro.* **3.** Que está preparado para alguma coisa: *A mãe já está pronta para sair; A cumeeira da casa está pronta para receber as telhas.* **4.** Rápido, direto: *O menino tinha resposta pronta para tudo.* **5.** Sem dinheiro: *Os gastos com a viagem me deixaram pronto.* • s.m. **6.** Pessoa sem dinheiro: *João Pedro é um pronto.*

pronto-socorro (pron.to-so.cor.ro) s.m. Hospital ou setor de um hospital onde se atendem casos urgentes, de socorro imediato. || pl.: *prontos-socorros.*

prontuário (pron.tu:á.ri:o) s.m. Caderno, fichário ou ficha que contém informações sobre alguém ou alguma coisa: *O médico pediu o prontuário do doente do leito 15.*

pronúncia (pro.nún.ci:a) s.f. Ato ou modo de pronunciar; pronunciação; fala: *Sua pronúncia melhorou muito com as aulas de francês.*

pronunciado (pro.nun.ci:a.do) adj. **1.** Que foi dito; que se pronunciou: *um vocábulo bem pronunciado.* **2.** fig. Aquilo que se destaca; acentuado: *um nariz bem pronunciado.*

pronunciamento (pro.nun.ci:a.men.to) s.m. **1.** Ato ou efeito de pronunciar; pronunciação. **2.** Qualquer coisa de importância que é enunciada; declaração importante: *O Presidente fará hoje um pronunciamento.*

pronunciar (pro.nun.ci:*ar*) v. **1.** Proferir; articular sons ou palavras: *Pronunciava com muito cuidado as palavras mais difíceis.* **2.** Falar com autoridade; declarar; determinar: *O juiz ainda não pronunciou a sentença.* **3.** Dar opinião; manifestar-se a respeito: *Os peritos ainda não se pronunciaram; Os professores pronunciaram-se sobre a aprovação automática.* ▶ Conjug. 17.

propaganda (pro.pa.gan.da) s.f. Disseminação de ideias, princípios, conhecimentos ou produtos; publicidade: *Intelectuais fizeram propaganda dos princípios abolicionistas e republicanos; O apresentador do programa fazia propaganda de artigos eletrodomésticos.* – **propagandista** s.m. e f.

propagar (pro.pa.*gar*) v. **1.** Espalhar(-se); difundir (-se); divulgar, irradiar: *Os filósofos franceses do século XVIII propagavam a ideia de igualdade entre os homens; Suas ideias propagaram-se com rapidez.* **2.** Ampliar a descendência; reproduzir(-se); proliferar: *Naquela situação, os mosquitos se propagaram com rapidez.* **3.** Espalhar-se; disseminar-se por contágio: *A malária propagava-se sem controle naquela região.* ▶ Conjug. 5 e 34.

propalar (pro.pa.*lar*) v. Tornar público; divulgar; espalhar: *Propalaram por aí que você tinha ido embora.* ▶ Conjug. 5.

propano (pro.pa.no) s.m. (*Quím.*) Produto secundário do petróleo, muito usado como combustível doméstico, sob a designação de gás engarrafado.

proparoxítono [cs] (pro.pa.ro.xí.to.no) adj. **1.** (*Gram.*) Com o acento tônico na antepenúltima sílaba; esdrúxulo: *pérola é um vocábulo proparoxítono.* • s.m. **2.** Vocábulo proparoxítono: *Acentuam-se os proparoxítonos.*

propelente (pro.pe.len.te) s.m. Explosivo capaz de efetuar a propulsão de um corpo sólido (foguete, projétil).

propelir (pro.pe.*lir*) v. **1.** Fazer alguma coisa andar para diante: *O vento propelia a poeira para dentro de casa.* **2.** Fazer progredir; fazer avançar: *O petróleo recém-encontrado propeliu os movimentos culturais da cidade.* ▶ Conjug. 69 e 86.

propender (pro.pen.der) v. Ter ou mostrar pendor, inclinação; ser propenso: *Esses alunos propendem para o estudo das letras.* ▶ Conjug. 39.

propensão (pro.pen.são) s.f. Pendor, tendência, vocação para determinada coisa: *Ela sempre mostrou propensão para fazer pesquisas biológicas.*

propenso (pro.pen.so) adj. **1.** Que tem propensão para alguma coisa: *Marcos é propenso a crises de asma.* **2.** Predisposto: *Mariana está propensa a desmanchar o noivado.*

propiciar (pro.pi.ci:*ar*) v. **1.** Tornar propício, favorável: *O tempo propiciou um belo passeio de barco.* **2.** Oferecer condições para que algo suceda; proporcionar, possibilitar: *A chegada dos colonos propiciou o desenvolvimento da lavoura cafeeira.* ▶ Conjug. 17.

propício (pro.pí.ci:o) adj. Que favorece; que ajuda; que facilita: *O tempo bom é propício às atividades físicas.*

propina (pro.pi.na) s.f. Gratificação com que se recompensa um serviço eventual; gorjeta; gratificação.

propínquo (pro.pín.quo) adj. Que está próximo; que é vizinho.

própole (pró.po.le) s.f. Própolis.

própolis (pró.po.lis) s.f. (*Farm., Med.*) Resina que as abelhas retiram de certas plantas para usar na construção dos alvéolos e no reparo das colmeias e que é usada como medicamento pelos homens. ‖ **própole**.

propor (pro.*por*) v. **1.** Apresentar; designar; colocar como candidato: *O partido proporá um nome de consenso para a prefeitura.* **2.** Indicar; oferecer; sugerir: *A vida, às vezes, nos propõe grandes exemplos de bravura.* **3.** Apresentar para exame e resolução: *O professor de Matemática propôs uma série de problemas algébricos.* **4.** Apresentar para aceitação; oferecer: *O cardápio propunha pratos deliciosos a bom preço.* **5.** Apresentar proposta de; submeter à apreciação; sugerir: *Carlos propôs uma parceria a sua amiga Ângela; Os dentistas propõem o uso de flúor para fortalecer os dentes das crianças.* **6.** Oferecer-se; apresentar-se para algum fim: *Ela se propôs para ir apanhar as crianças.* ‖ part.: **proposto**. ▶ Conjug. 65.

proporção (pro.por.ção) s.f. **1.** Parte dividida de alguma coisa inteira, em relação a seu todo; fração: *Cresce a proporção de homens não fumantes.* **2.** Ordenação harmoniosa das partes que compõem um todo; harmonia: *A arte clássica é a arte da proporção.* **3.** (*Mat.*) Igualdade entre duas razões. **4.** fig. Dimensão; importância: *Ninguém esperava que o caso assumisse essa proporção.* • **proporções** s.f.pl. **5.** Tamanho, dimensão: *O novo teatro tem proporções impressionantes.* ‖ **À proporção que**: em número, em dimensão ou em quantidade proporcional: *À proporção que subíamos, sentíamos mais frio.*

proporcionado

proporcionado (pro.por.ci:o.na.do) *adj.* Que tem boas proporções; harmonioso: *um corpo proporcionado.*

proporcional (pro.por.ci:o.nal) *adj.* **1.** Relativo a proporção: *pagamento proporcional às horas de trabalho.* **2.** (*Gram.*) Diz-se da locução conjuncional subordinativa que, iniciando uma oração (a subordinada), exprime aumento ou diminuição de alguma coisa na mesma proporção do que esse aumento ou diminuição são expressos na principal. • *s.f.* **3.** Essa conjunção e essa oração: *uma proporcional* (conjunção ou oração). – **proporcionalidade** *s.f.*

proporcionar (pro.por.ci:o.nar) *v.* **1.** Tornar proporcional; harmonizar: *É justo proporcionar o salário do trabalhador ao tempo de trabalho.* **2.** Dar; oferecer; propiciar: *Essa janela proporciona uma visão de todo o desfile.* **3.** Tornar-se proporcional; harmonizar-se; acomodar-se: *Sua presunção proporcionava-se com sua ignorância.* ▶ Conjug. 5.

proposição (pro.po.si.ção) *s.f.* **1.** Ato ou efeito de propor; o que se propõe: *Todos aceitaram sua proposição.* **2.** Alguma coisa que se sugere; proposta: *Vocês gostariam de apresentar mais uma proposição?* **3.** Afirmação; asserção: *Sua proposição não parecia pertinente.* **4.** (*Lóg.*) Sentença em que se nega ou afirma algo de um sujeito.

proposicional (pro.po.si.ci:o.nal) *adj.* Relativo a proposição.

proposital (pro.po.si.tal) *adj.* Que é feito com um propósito; intencional. ‖ Conferir com *acidental.*

propósito (pro.pó.si.to) *s.m.* Aquilo que alguém pretende fazer ou alcançar; intenção; intento. ‖ *A propósito*: **1.** por falar nisso: *Vou à farmácia; a propósito, você não quer nada de lá?* **2.** na ocasião oportuna, a tempo: *Esse feriado vem a propósito para eu poder arrumar meus livros.* **3.** a respeito, sobre: *Não se sabe sua opinião a propósito do que escrevi.* • *De propósito*: com intenção especial, de caso pensado: *Fez isso de propósito, para me aborrecer.* • *Fora de propósito*: sem vir ao caso, inoportunamente: *Sua intervenção no debate foi completamente fora de propósito.*

proposta [ó] (pro.pos.ta) *s.f.* **1.** Ato ou efeito de propor. **2.** Coisa que se propõe; oferta; proposição. **3.** Plano de realização de alguma coisa.

propriedade (pro.pri:e.da.de) *s.f.* **1.** Qualidade de próprio. **2.** Posse legal de alguma coisa: *O dicionário novo é minha propriedade.* **3.** Bens de raiz; imóvel, terreno, sítio, fazenda dos quais se é proprietário: *Visitamos domingo as propriedades do Sr. Henriques.* **4.** Qualidade ou atributo inerente: *as propriedades do mercúrio.* **5.** Condição do que é apropriado, pertinente: *O diretor traja-se sempre com muita propriedade.*

proprietário (pro.pri:e.tá.ri:o) *adj.* **1.** Que tem propriedade: *a empresa proprietária dos ônibus.* • *s.m.* **2.** Pessoa que tem propriedade: *Esse homem é o proprietário do carro mal estacionado.*

próprio (pró.pri:o) *adj.* **1.** Que pertence a alguém; que lhe é privativo: *O engenheiro mora em casa própria.* **2.** Que é natural; que pertence à essência: *O idealismo é próprio dos jovens bem formados.* **3.** Diz-se do sentido literal de uma palavra: *Usei a palavra no sentido próprio e não no figurado.* **4.** Natural; peculiar; característico: *É próprio do Sérgio ser amável com os colegas.* • *próprios s.m.pl.* **5.** Propriedade (3).

propugnar (pro.pug.nar) *v.* Combater a favor de algo: *Os servidores estão propugnando pelo plano de carreira da fundação.* ▶ Conjug. 5 e 33.

propulsão (pro.pul.são) *s.f.* **1.** Ato ou efeito de propelir, de impulsionar. **2.** Meio de fazer algo mover-se para a frente.

propulsar (pro.pul.sar) *v.* **1.** Impelir para frente; impulsionar; propulsionar: *O forte vento propulsava as velas das naus.* **2.** Repelir; expulsar: *Com coragem e bravura, propulsaram os invasores para além da fronteira.* ▶ Conjug. 5.

propulsionar (pro.pul.si:o.nar) *v.* Propulsar; dar propulsão; impulsionar: *O ar quente propulsiona o balão para o alto.* ▶ Conjug. 5. – **propulsor** *adj. s.m.*

pro rata (Lat.) *loc. adj.* Proporcionalmente determinado ou rateado: *Façamos a divisão pro rata, dando mais aos mais velhos.*

prorrogação (pror.ro.ga.ção) *s.f.* **1.** Ato ou efeito de prorrogar. **2.** Ampliação de prazo ou de duração: *O prefeito determinou que houvesse prorrogação do prazo de vacinação.*

prorrogar (pror.ro.gar) *v.* Estender um prazo ou duração; adiar; prolongar: *O professor prorrogou a data de entrega dos trabalhos.* ▶ Conjug. 20 e 34. – **prorrogável** *adj.*

prorromper (pror.rom.per) *v.* Sair com ímpeto; irromper impetuosamente: *Os espectadores prorromperam em palmas; As palmas prorromperam em todo o auditório.* ▶ Conjug. 39.

prosa [ó] (pro.sa) *s.f.* **1.** Discurso, escrito ou falado, não sujeito a metro nem a ritmo (que se

prostrar

opõe a verso). **2.** Conversa informal. • *adj.* **3.** Convencido, cheio de si: *Você é muito prosa.* • *s.m. e f.* **4.** Pessoa convencida e cheia de si: *Chegou o prosa da turma.*

prosador (pro.sa.*dor*) *s.m.* Autor que escreve em prosa. || Opõe-se a *poeta*.

prosaico (pro.*sai*.co) *adj.* **1.** Relativo ou pertencente à prosa (1): *estilo prosaico.* **2.** Trivial; comum; banal.

prosápia (pro.*sá*.pi:a) *s.f.* **1.** Linhagem; ascendência; genealogia. **2.** Vaidade; orgulho; bazófia.

prosar (pro.*sar*) *v.* **1.** Conversar; prosear: *Para fazer hora, puseram-se a prosar.* **2.** Escrever em prosa: *Muitos escritores brasileiros prosaram com elegância.* ▶ Conjug. 20.

proscênio (pros.*cê*.ni:o) *s.m.* Parte anterior do palco, cenário. || Conferir com *poscênio*.

proscrever (pros.cre.*ver*) *v.* **1.** Desterrar; banir; expulsar: *O Marquês de Pombal proscreveu os jesuítas; O clube pensa em proscrever os sócios inadimplentes.* **2.** Proibir; condenar: *A lei dos Estados Unidos ainda não proscreveu a pena de morte; A Igreja Católica proscreve o aborto.* **3.** Acabar com; abolir: *O médico proscreveu doces e comidas gordurosas.* || part.: proscrito. ▶ Conjug. 41. – **proscrição** *s.f.*

proscrito (pros.*cri*.to) *adj.* **1.** Que sofreu proscrição: *os inconfidentes proscritos.* **2.** Que foi proibido: *um romance proscrito.* **3.** Abolido; extinto: *privilégios proscritos.* • *s.m.* **4.** Pessoa banida de seu país; desterrado; exilado: *Depois da revolução, voltaram os proscritos.*

prosear (pro.se.*ar*) *v.* Manter prosa; conversar; papear: *Gostava de prosear com o porteiro do prédio.* ▶ Conjug. 14.

proselitismo (pro.se.li.*tis*.mo) *s.m.* Diligência em fazer prosélitos, em recrutar novos adeptos. – **proselitista** *adj. s.m. e f.*

prosélito (pro.*sé*.li.to) *s.m.* Indivíduo recém-convertido a uma fé religiosa, a um partido, a uma doutrina, a uma ideologia.

prosódia (pro.*só*.di:a) *s.f.* (*Gram.*) **1.** Acentuação e entoação característica dos vocábulos de uma língua ou dialeto. **2.** Pronunciação correta dos vocábulos; ortoépia; ortofonia. **3.** Parte da gramática que expõe as normas de entoação e acentuação corretas.

prosopopeia [éi] (pro.so.po.*pei*.a) *s.f.* **1.** (*Ling.*) Figura que confere atributos humanos aos animais e às coisas inanimadas; personificação. **2.** *pej.* Discurso solene, empolado e artificial.

prospecção (pros.pec.*ção*) *s.f.* **1.** (*Geol.*) Exame de um terreno para verificar a existência de minérios, petróleo etc. **2.** *fig.* Análise profunda, sondagem do íntimo de uma pessoa ou das características de uma obra de arte.

prospecto [é] (pros.*pec*.to) *s.m.* Pequeno texto impresso no qual se anuncia ou se faz propaganda de serviços, empresas, produtos etc.; folheto.

prosperar (pros.pe.*rar*) *v.* Tornar-se mais produtivo e crescer em riqueza: *Nossa cidade prospera graças à exploração do petróleo na região.* ▶ Conjug. 8. – **prosperidade** *s.f.*

próspero (*prós*.pe.ro) *adj.* **1.** Que juntou dinheiro, bens, riquezas: *um negociante próspero.* **2.** Que foi bem-sucedido; que alcançou êxito: *uma empresa próspera.* **3.** Favorável, ditoso, afortunado: *um ano próspero.*

prosseguir (pros.se.*guir*) *v.* **1.** Dar seguimento a; continuar: *O cientista prossegue em suas pesquisas.* **2.** Continuar por; seguir: *Os viajantes prosseguiram até chegar à casa do caseiro.* **3.** Ir adiante; seguir avante: *Convenci-me de que devia prosseguir; O orador bebeu um gole de água e prosseguiu seu discurso.* **4.** Permanecer; ficar: *Prosseguiu silencioso durante todo o almoço.* ▶ Conjug. 6 e 93. – **prossecução** *s.f.*; **prosseguimento** *s.m.*

próstata (*prós*.ta.ta.) *s.f.* (*Anat.*) Glândula própria do aparelho genital masculino que circunda o colo da bexiga e a base da uretra e é parcialmente responsável pela produção do esperma.

prosternar (pros.ter.*nar*) *v.* **1.** Fazer cair; derrubar: *O valente guerreiro prosternou o inimigo.* **2.** Inclinar-se por terra em sinal de respeito; prostrar-se. ▶ Conjug. 8.

prostíbulo (pros.*tí*.bu.lo) *s.m.* Casa de prostituição; bordel.

prostituição (pros.ti.tu:i.*ção*) *s.f.* **1.** Ato ou efeito de prostituir ou prostituir-se. **2.** Participação em ato sexual ou libidinoso em troca de dinheiro. **3.** Modo de vida em que a realização desses atos constitui a principal fonte de renda; meretrício.

prostituir (pros.ti.tu.*ir*) *v.* **1.** Levar a fazer ou passar a fazer sexo por dinheiro. **2.** *fig.* Corromper(-se); degradar(-se): *Muitos se prostituem em busca de poder e dinheiro; A ambição, às vezes, prostitui os homens.* ▶ Conjug. 80.

prostituto (pros.ti.*tu*.to) *adj.* **1.** Que se prostituiu. • *s.m.* **2.** Homem que faz sexo por dinheiro. • *prostituta s.f.* **3.** Mulher prostituta; meretriz, marafona.

prostração (pros.tra.*ção*) *s.f.* Estado de extrema fraqueza física e desânimo.

prostrar (pros.*trar*) *v.* **1.** Lançar por terra; fazer cair; derrubar; abater: *Um formidável soco* *prostrou o assaltante.* **2.** Debilitar física ou moralmente: *Um forte resfriado prostrou-a por vários dias.* **3.** Curvar-se até o chão em sinal de respeito: *Os magos prostraram-se diante do menino e o adoraram.* ▶ Conjug. 20.

protagonista (pro.ta.go.*nis*.ta) *s.m. e f.* **1.** (*Lit., Teat.*) Principal personagem de um romance, um filme, uma telenovela ou uma peça teatral. **2.** (*Cine, Teat., Telv.*) Ator ou atriz que desempenha o papel principal num filme, telenovela ou peça teatral. – **protagonizar** *v.* ▶ Conjug. 5.

proteção (pro.te.*ção*) *s.f.* **1.** Ato ou efeito de proteger(-se). **2.** Cuidado especial com alguém ou alguma coisa considerados frágeis: *proteção às crianças e aos velhos.* **3.** Alguma coisa que fornece abrigo e segurança contra perigos, danos etc.: *Ela buscou proteção numa caverna que havia na mata; O muro alto servia de proteção contra os ladrões.*

protecionismo (pro.te.ci:o.*nis*.mo) *s.m.* (*Econ.*) Sistema econômico de proteção da indústria e do comércio nacional, por meio de elevação dos direitos aduaneiros, de imposição de taxas ou de cotas de importação a produtos estrangeiros. – **protecionista** *adj. s.m. e f.*

proteger (pro.te.*ger*) *v.* **1.** Dar proteção a; defender(-se); amparar(-se); preservar(-se): *É necessário proteger o país dos corruptos; Proteja-se da malária com os remédios adequados.* **2.** Servir de barreira, de proteção contra alguma coisa: *Uma cerca protegia a horta da invasão dos animais; Um dique protegia a cidade das enchentes.* **3.** Privilegiar; favorecer: *O chefe protegia alguns funcionários.* ▶ Conjug. 41 e 47.

protegido (pro.te.*gi*.do) *adj.* **1.** Que recebe algum tipo de proteção ou privilégio; apaniguado: *Os alunos menores eram protegidos.* • *s.m.* **2.** Pessoa que recebe algum tipo de proteção ou privilégio: *Os protegidos do chefe receberam computadores novos.*

proteína (pro.te.*í*.na) *s.f.* (*Biol.*) Elemento essencial aos organismos vivos, encontrado na carne, no leite, ovos, peixes etc.

protelar (pro.te.*lar*) *v.* Deixar para depois; adiar; procrastinar: *Desejando permanecer fora de casa, ficava protelando a viagem de volta.* ▶ Conjug. 8. – **protelatório** *adj.*

protervo [é] (pro.*ter*.vo) *adj.* Petulante; insolente.

prótese (*pró*.te.se) *s.f.* **1.** Peça ou aparelho artificial usado para substituir um órgão ou uma parte do corpo ou melhorar-lhe a atuação: *prótese dentária; prótese peniana.* **2.** (*Gram.*) Acréscimo de fonema no início de um vocábulo sem lhe alterar o significado: *ajuntar; alembrar.* **3.** (*Gram.*) Anteposição do pronome pessoal oblíquo átono ao verbo: *Me disseram: te amamos.*

protestante (pro.tes.*tan*.te) *adj.* **1.** Que protesta. **2.** Relativo ou próprio do protestantismo: *igrejas protestantes.* • *s.m. e f.* **3.** Pessoa que protesta. **4.** Fiel de uma das igrejas cristãs protestantes.

protestantismo (pro.tes.tan.*tis*.mo) *s.m.* Designação que abarca o conjunto das igrejas cristãs (salvo as ortodoxas) que não reconhecem a autoridade e a primazia da Igreja Católica Romana, as quais são originárias da Reforma, movimento religioso cristão ocorrido no século XVI.

protestar (pro.tes.*tar*) *v.* **1.** Manifestar discordância, revolta; insatisfação: *Trabalhadores e estudantes protestaram contra a corrupção e a impunidade; Todos protestavam vivamente.* **2.** (*Jur.*) Cobrar um pagamento de dívida na justiça: *Os credores ameaçavam protestar os títulos vencidos; Se você não pagar, protestarei.* ▶ Conjug. 8.

protesto [é] (pro.*tes*.to) *s.m.* **1.** Manifestação pública ou não de discordância, de revolta ou de insatisfação: *Parece que o violento protesto dos trabalhadores não deu resultado algum; O superior entendeu perfeitamente meu protesto silencioso.* **2.** (*Jur.*) Ação jurídica pela qual se registra a falta de pagamento de um título de crédito, a fim de que a dívida seja cobrada judicialmente: *O comerciante levou o protesto as dívidas do comprador inadimplente.*

protético (pro.*té*.ti.co) *adj.* **1.** Relativo a prótese; em que há prótese. • *s.m.* **2.** Pessoa especializada em trabalhos de prótese dentária.

protetor [ô] (pro.te.*tor*) *adj.* **1.** Que protege: *um guarda-chuva protetor; meu santo protetor.* • *s.m.* **2.** Aquele ou aquilo que protege; que oferece proteção: *Não se esqueça do protetor solar; Ele sempre foi o protetor dos pobres e necessitados.*

protetorado (pro.te.to.*ra*.do) *s.m.* **1.** Situação de um país colocado sob a autoridade de outro. **2.** País que se acha nessa situação.

protocolar¹ (pro.to.co.*lar*) *adj.* Relativo a protocolo; em conformidade com o protocolo, a etiqueta: *a visita protocolar do embaixador ao presidente; um encontro protocolar.*

protocolar² (pro.to.co.*lar*) *v.* Registrar na repartição do protocolo: *Não deixe de protocolar a entrada do requerimento.* ▶ Conjug. 20.

protocolo [ó] (pro.to.*co*.lo) *s.m.* **1.** Registro de atos oficiais ou de conferências internacionais:

o protocolo de Kioto. **2.** Livro de registro da correspondência oficial de repartições públicas ou privadas. **3.** Documento comprovante do que foi registrado nesse livro. **4.** Conjunto de regras a serem observadas em cerimônias oficiais; etiqueta.

protofonia (pro.to.fo.*ni*.a) *s.f.* Introdução orquestral de ópera, sinfonia ou concerto: *a protofonia de O Guarani, de Carlos Gomes*.

proto-história (pro.to-his.*tó*.ri:a) (*Hist.*) *s.f.* Período que se põe entre a pré-história e a história, um tempo pouco anterior ao aparecimento da escrita.

próton (*pró*.ton) *s.m.* (*Fís.*, *Quím.*) Partícula atômica de carga elétrica positiva que, junto com o nêutron, constitui o núcleo dos átomos. || Símbolo: p.

protoplasma (pro.to.*plas*.ma) *s.m.* (*Biol.*) Substância gelatinosa de composição variável que constitui a célula viva.

protótipo (pro.*tó*.ti.po) *s.m.* **1.** Primeiro exemplar do tipo de um produto, que é usualmente empregado como modelo em testes: *Os técnicos aprovaram o protótipo do automóvel nacional fabricado no Acre*. **2.** Exemplar mais perfeito, mais exato: *A viúva considerava o finado o protótipo do marido perfeito*.

protozoário (pro.to.zo:*á*.ri:o) *s.m.* (*Zool.*) Espécie animal constituída de uma única célula.

protuberância (pro.tu.be.*rân*.ci:a) *s.f.* Parte saliente de uma superfície; excrescência. – **protuberante** *adj*.

prova [ó] (*pro*.va) *s.f.* **1.** Aquilo que evidencia uma verdade: *As rosas vermelhas eram uma prova de amor de seu marido*. **2.** Conjunto de questões usadas para avaliação do conhecimento de alguém: *A prova de Matemática constava de duas questões de Álgebra e três de Geometria*. **3.** Competição esportiva: *A atleta brasileira saiu-se muito bem nas provas de barras paralelas*. **4.** Experiência: *Ele passou por várias provas antes de ser escolhido*. **5.** Ato de vestir uma roupa para experimentá-la: *Foi ao alfaiate para a prova do terno*. **6.** Degustação de bebidas e alimentos para avaliação de sabor: *D. Bilu ofereceu uma prova de seus famosos papos de anjo*.

provação (pro.va.*ção*) *s.f.* **1.** Ato ou efeito de provar. **2.** Situação de sofrimento e infortúnio: *A morte do filho foi para ele uma dolorosa provação*.

provador [ô] (pro.va.*dor*) *adj.* **1.** Que prova. • *s.m.* **2.** Profissional que faz degustação de vinhos e alimentos para testar sabor e qualidade. **3.** Nas lojas, compartimento onde se provam roupas.

provar (pro.*var*) *v.* **1.** Demonstrar que alguma coisa é verdade: *Colombo provou que a Terra é redonda*. **2.** Suportar; padecer: *Aquele pobre homem tinha provado todos os tipos de sofrimento*. **3.** Comer ou beber para experimentar se é bom: *Já provei todos os doces da festa*. **4.** Vestir ou calçar para ver se está bem: *Provou o paletó e depois foi à sapataria provar os sapatos*. **5.** Experimentar; ter experiência de: *Coitada, ela provou de tudo nesta vida*. ▶ Conjug. 20.

provável (pro.*vá*.vel) *adj.* **1.** Que se pode provar: *Esse fato é verdadeiro e provável para quem duvidar*. **2.** Que tem grande chance de ser verdadeiro: *É provável que ele nem venha mais*.

provecto [é] (pro.*vec*.to) *adj.* **1.** De idade avançada: *um homem provecto*. **2.** Que progrediu ou avançou em alguma coisa: *O rapaz já estava bem provecto em línguas estrangeiras*.

provedor [ô] (pro.ve.*dor*) *s.m.* **1.** Pessoa que dá sustento e provê necessidades: *Depois da morte do irmão, João ficou sendo o provedor de duas famílias*. **2.** O dirigente de uma instituição de assistência: *Pedro é o provedor de um asilo de velhinhos*. || *Provedor de acesso* (*Inform.*) Empresa que dispõe de conexão de alta capacidade e velocidade, com rede de computadores, e que facilita essa conexão a seus clientes e associados.

proveito (pro.*vei*.to) *s.m.* **1.** Utilidade; serventia de alguma coisa: *Que proveito você vai tirar disso?* **2.** Ganho; lucro; préstimo: *Reformou o apartamento e vendeu-o com muito proveito*.

proveitoso [ô] (pro.vei.to.so) *adj.* Que traz proveito; que tem utilidade: *Foi proveitoso para seu desenvolvimento ter feito o serviço militar*. || f. e pl.: [ó].

provençal (pro.ven.*çal*) *adj.* **1.** Relativo à Provença, região da França. • *s.m. e f.* **2.** O natural ou o habitante da Provença. • *s.m.* **3.** Língua original da Provença, constituída de diversos dialetos occitanos.

proveniência (pro.ve.ni:*ên*.ci:a) *s.f.* Origem; fonte; procedência.

proveniente (pro.ve.ni:*en*.te) *adj.* Que provém ou é originário; derivado.

provento (pro.*ven*.to) *s.m.* **1.** Rendimento; proveito; lucro. • *proventos s.m.pl.* **2.** Remuneração recebida por funcionários públicos e profissionais liberais.

prover (pro.ver) v. **1.** Preencher um cargo ou função por nomeação: *Não se devem prover os cargos públicos com candidatos incapazes.* **2.** Nomear, promover, investir: *O secretário proveu os professores aprovados no quadro do magistério estadual.* **3.** Fornecer, abastecer: *As terras férteis das margens do Nilo proviam os egípcios de produtos agrícolas.* || part.: provido. ▶ Conjug. 59. Nas formas derivadas do perfeito, ▶ Conjug. 39.

provérbio (pro.vér.bi:o) s.m. Sentença ou máxima breve que expressa a sabedoria popular consagrada pelo uso; adágio, anexim. – **proverbial** adj.

proveta [ê] (pro.ve.ta) s.f. Tubo cilíndrico de vidro, graduado, usado em laboratórios de Química e de Biologia; tubo de ensaio.

providência (pro.vi.dên.ci:a) s.f. **1.** Ação realizada para evitar alguma coisa ou anular seus efeitos: *A prefeitura vem tomando providências para evitar o congestionamento do trânsito nas principais vias de acesso à cidade.* **2.** Disposição prévia dos meios necessários para um fim: *O pai cuidou de todas as providências para que a viagem transcorresse em paz.* **3.** (Rel.) A suprema sabedoria com que Deus governa o mundo. || Neste caso, com inicial maiúscula.

providencial (pro.vi.den.ci:al) adj. Que veio na hora certa, na melhor oportunidade: *Sua visita foi providencial.*

providenciar (pro.vi.den.ci:ar) v. **1.** Tomar providências com relação a alguma coisa: *É necessário providenciar o transporte das malas até o cais.* **2.** Obter, conseguir, arranjar: *Providencie algum alimento para a viagem.* ▶ Conjug. 17.

provimento (pro.vi.men.to) s.m. **1.** Ato ou efeito de prover; provisão. **2.** Despacho favorável de uma petição. **3.** Preenchimento de cargo ou ofício público.

província (pro.vín.ci:a) s.f. **1.** Divisão territorial, administrativa e política de alguns países. **2.** Qualquer parte do território de um país, excluídas a capital e suas cercanias. – **provincial** adj.

provinciano (pro.vin.ci:a.no) adj. **1.** Pertencente ou concernente à província. **2.** Que tem a mentalidade e costumes próprios da província. • s.m. **3.** Pessoa natural ou habitante da província.

provir (pro.vir) v. **1.** Vir como consequência de; advir; resultar: *A febre proveio de uma infecção no pé.* **2.** Proceder; descender: *Bernardo provém de uma família tradicional do Piauí.* **3.** Originar-se; vir: *Chamam-se neolatinas as línguas que provêm do latim.* || part.: provindo. ▶ Conjug. 85.

provisão (pro.vi.são) s.f. **1.** Ato ou efeito de prover; provimento. **2.** Estoque de gêneros alimentícios e artigos de necessidade.

provisório (pro.vi.só.ri:o) adj. Que não é definitivo; temporário; transitório.

provocação (pro.vo.ca.ção) s.f. **1.** Ato ou efeito de provocar. **2.** Incitamento com desafio, insulto etc.: *Ela não dava atenção às provocações que vinham das amigas.* **3.** Qualquer pessoa ou coisa que desperta tentação: *Ricardo achava o sorriso de Isabel uma provocação; Esse doce de coco é uma provocação.*

provocante (pro.vo.can.te) adj. **1.** Que provoca. **2.** fig. Que desperta interesse sexual; tentador: *Laura usava um vestido provocante.* **3.** fig. Que provoca curiosidade; que provoca discussão: *uma tese provocante.*

provocar (pro.vo.car) v. **1.** Convocar insistentemente para briga; desafiar, reptar: *Provocava os colegas para brigar, mas era o primeiro a correr.* **2.** Ser o agente gerador de; suscitar; despertar; causar: *O remédio provocava urticária; A beleza de Luzia provocava ciúmes.* **3.** Incitar; estimular; incentivar alguém a fazer alguma coisa: *A boa aceitação de seu conto provocou Carlos a entrar no concurso literário.* **4.** Estimular desejos sexuais em alguém: *Aquele decote audacioso provocava os rapazes da turma.* ▶ Conjug. 20 e 35.

proxeneta [cs...ê] (pro.xe.ne.ta) s.m. e f. Pessoa que agencia e explora economicamente a seu favor as atividades sexuais de uma prostituta; cafetão.

próximo [ss] (pró.xi.mo) adj. **1.** Que está a pequena distância no espaço e no tempo: *na rua próxima; no próximo ano.* **2.** Que se parece com; que se assemelha a: *Ele adotou uma atitude próxima à de seu amigo.* **3.** Diz-se de pessoa com quem se tem ligação estreita: *um amigo próximo.* **4.** Diz-se de parentesco em grau não afastado: *um parente próximo.* **5.** Imediato, direto: *causa próxima.* • s.m. **6.** Cada pessoa; o conjunto dos homens, os nossos semelhantes: *Amar o próximo como a nós mesmos.* • adv. **7.** Perto; aproximadamente: *A casa fica próximo à estação.* – **proximidade** s.f.

prudência (pru.dên.ci:a) s.f. **1.** Virtude que leva a evitar tudo o que possa ser prejudicial ou inconveniente. **2.** Cautela; cuidado.

prumada (pru.ma.da) s.f. **1.** Vertical da linha de prumo. **2.** (Náut.) Ação de lançar o prumo para verificar a profundidade da água. **3.** A profundidade medida.

prumo (pru.mo) s.m. **1.** Instrumento formado por um peso suspenso à extremidade de um fio, usado na construção civil para determinar a direção vertical de uma superfície. **2.**

psicotrópico

(*Náut.*) Instrumento usado para medir a profundidade de rios, lagos, mares e oceanos. **3.** *fig.* Prudência, tino, cautela. || *A prumo*: em posição vertical de 90° em relação à horizontal; perpendicularmente.

prurido (pru.*ri*.do) *s.m.* **1.** Irritação na pele que leva o indivíduo a coçar-se; comichão, coceira. **2.** *fig.* Resistência a alguma coisa por apego a princípios morais ou de qualquer outra natureza: *Pruridos nacionalistas o impediam de comprar artigos estrangeiros.* **3.** *fig.* Excitação, inquietação. – **pruriginoso** *adj.*

prussiano (prus.si:*a*.no) *adj.* **1.** Da Prússia, região do norte da Alemanha. • *s.m.* **2.** O natural ou habitante da Prússia.

pseudônimo (pseu.*dô*.ni.mo) *s.m.* Nome falso ou suposto usado por escritores e artistas para ocultar seu verdadeiro nome.

psi *s.m.* Vigésima terceira letra do alfabeto grego.

psicanálise (psi.ca.*ná*.li.se) *s.f.* (*Psicn.*) **1.** Teoria formulada por Sigmund Freud, segundo a qual existem estruturas inconscientes responsáveis pelo comportamento das pessoas, presentes na fala, sonhos e significados. **2.** Terapia baseada nessa teoria, na qual o terapeuta conduz o paciente a interpretar os significados inconscientes presentes em sua fala, sonhos e ações. – **psicanalista** *adj. s.m.* e *f.*; **psicanalítico** *adj.*

psicodélico (psi.co.*dé*.li.co) *adj.* **1.** Que causa alucinações ou alteração na percepção: *drogas psicodélicas.* **2.** Que lembra ou remete a esse estado alterado da percepção: *cores psicodélicas; arte psicodélica.*

psicodrama (psi.co.*dra*.ma) *s.m.* (*Psic.*) Terapia de grupo em que terapeuta e pacientes, por meio de cenas dramáticas improvisadas, analisam em conjunto o que cada paciente revela de si.

psicografar (psi.co.gra.*far*) *v.* Escrever sob a inspiração de um espírito. ▶ Conjug. 5.

psicografia (psi.co.gra.*fi*.a) *s.f.* Escrita dos espíritos feita pela mão do médium.

psicologia (psi.co.lo.*gi*.a) *s.f.* **1.** (*Psic.*) Ciência que estuda as estruturas psíquicas e o comportamento do ser humano. **2.** Conjunto de estados e de disposições psíquicas de um indivíduo ou de um grupo: *a psicologia do chinês.* – **psicológico** *adj.*

psicólogo (psi.*có*.lo.go) *s.m.* Profissional especializado em Psicologia.

psicometria (psi.co.me.*tri*.a) *s.f.* (*Psic.*) Parte da Psicologia que trata da crítica dos métodos de mensuração e avaliação de fenômenos e características psicológicas. – **psicométrico** *adj.*

psiconeurose [ó] (psi.co.neu.*ro*.se) *s.f.* (*Psiq.*) Distúrbio psíquico que não causa desestruturação da psique da pessoa nem provoca distorção da realidade; neurose.

psicopata (psi.co.*pa*.ta) *adj.* **1.** Que sofre doença mental ou psicopatia. • *s.m.* e *f.* **2.** Pessoa que sofre doença mental ou psicopatia.

psicopatia (psi.co.pa.*ti*.a) *s.f.* (*Psiq.*) Distúrbio psíquico cujas características principais são a tendência a comportamentos antissociais e violentos e a ausência de sentimento de culpa pelos atos praticados.

psicopatologia (psi.co.pa.to.lo.*gi*.a) *s.f.* (*Psic.*) Ramo da Psicologia voltado para o estudo e a análise dos tipos, estruturas e causas dos distúrbios psíquicos.

psicopedagogia (psi.co.pe.da.go.*gi*.a) *s.f.* (*Psic.*) Ramo da Pedagogia que trata da aplicação dos resultados da psicologia do aprendizado a práticas e métodos pedagógicos.

psicose [ó] (psi.*co*.se) *s.f.* (*Psiq.*) **1.** Distúrbio mental agudo que provoca perturbação na percepção da realidade. **2.** *fig.* Ideia fixa.

psicossomático (psi.cos.so.*má*.ti.co) *adj.* **1.** Que pertence, simultaneamente, aos domínios orgânico e psíquico. **2.** Diz-se de doença ou sintoma físico que têm origem em problemas psicológicos.

psicotécnica (psi.co.*téc*.ni.ca) *s.f.* Disciplina que mede e avalia reações psicológicas e psicossomáticas do paciente. – **psicotécnico** *adj.*

psicoterapia (psi.co.te.ra.*pi*.a) *s.f.* (*Psic.*) Conjunto de processos e técnicas empregados no tratamento de problemas psicológicos por meio de persuasão, sugestão, atividades lúdicas ou de trabalho, sem recurso a medicamentos. – **psicoterápico** *adj.*; **psicoterapeuta** *s.m.* e *f.*

psicótico (psi.*có*.ti.co) *adj.* (*Psiq.*) **1.** Que apresenta caso de psicose: *um paciente psicótico.* Relativo à psicose. • *s.m.* **2.** Pessoa que apresenta caso de psicose.

psicotrópico (psi.co.*tró*.pi.co) *s.m.* (*Farm., Quím., Med., Psiq.*) **1.** Substâncias, medicamentos, plantas etc. que podem alterar a psique, o comportamento e a percepção de uma pessoa: *O médico receitou-lhe um psicotrópico.* • *adj.* **2.** Diz-se das substâncias, medicamentos, plantas etc. que podem alterar a psique, o comportamento e a percepção de uma pessoa: *um cogumelo psicotrópico.*

psique (psi.que) *s.f.* (*Psic.*) O conjunto organizado das estruturas, processos e fenômenos mentais conscientes e inconscientes de uma pessoa; psiquismo. || *psiquê.*

psiquê (psi.*quê*) *s.f.* (*Psic.*) Psique; psiquismo.

psiquiatra (psi.qui:a.tra) *s.m. e f.* (*Psiq.*) Médico especializado em Psiquiatria.

psiquiatria (psi.qui:a.*tri*.a) *s.f.* (*Med.*) Parte da Medicina que se ocupa do estudo e tratamento dos distúrbios mentais. – **psiquiátrico** *adj.*

psiquismo (psi.*quis*.mo) *s.m.* Psique. – **psíquico** *adj.*

psitacismo (psi.ta.*cis*.mo) *s.m.* (*Psiq.*) Distúrbio psíquico que se caracteriza pela repetição maquinal de palavras.

psiu *interj.* Usada como chamamento ou para impor silêncio.

psoríase (pso.*rí*.a.se) *s.f.* (*Med.*) Moléstia da pele, caracterizada essencialmente pela aparição de placas cutâneas de número e dimensões variadas.

Pt (*Quím.*) Símbolo de platina.

Pu (*Quím.*) Símbolo de plutônio.

ptialina (pti:a.*li*.na) *s.f.* Enzima da saliva responsável por uma etapa da digestão dos amidos.

pua (*pu*.a) *s.f.* **1.** Ferramenta com ponto em espiral, usada para perfurar madeira. **2.** Ponta aguçada. **3.** Haste de espora.

puberdade (pu.ber.*da*.de) *s.f.* Fase das transformações psicofisiológicas das características ligadas à maturação sexual que traduzem a passagem progressiva da infância à adolescência; pubescência.

púbere (*pú*.be.re) *adj.* Que se encontra na puberdade.

pubescência (pu.bes.*cên*.ci:a) *s.f.* Puberdade.

pubiano (pu.bi:*a*.no) *adj.* (*Anat.*) Relativo ao púbis; púbico.

púbico (*pú*.bi.co) *adj.* Relativo ao púbis; pubiano.

púbis (*pú*.bis) *s.m.* **1.** (*Anat.*) Parte anterior da base do osso ilíaco. **2.** (*Anat.*) Parte inferior do abdome, de forma triangular, que a partir da puberdade é coberta de pelos. **3.** Os pelos que cobrem a região genital.

publicação (pu.bli.ca.*ção*) *s.f.* **1.** Ato ou efeito de publicar. **2.** Aquilo que se publica. **3.** Trabalho científico ou literário editado e divulgado na imprensa. **4.** Livro, revista, folheto.

pública-forma (pú.bli.ca-*for*.ma) *s.f.* (*Jur.*) Cópia feita e reconhecida por tabelião, que tem a validade do original. || pl.: *públicas-formas.*

publicar (pu.bli.*car*) *v.* **1.** Tornar público; divulgar: *O Diário Oficial publicou minha aposentadoria.* **2.** Reproduzir por escrito (em suporte de papel) ou eletronicamente uma obra literária ou científica: *Mário de Oliveira publicou um romance.* ▶ Conjug. 5 e 35. – **publicável** *adj.*

publicidade (pu.bli.ci.*da*.de) *s.f.* **1.** Ato ou efeito de fazer alguém ou alguma coisa conhecidos e aceitos pelo público. **2.** Conjunto dos meios de comunicação empregados para fazer conhecidos uma pessoa, uma empresa, um produto etc. **3.** Material usado para divulgação (folhetos, cartazes, anúncios em rádio e televisão etc.).

publicista (pu.bli.*cis*.ta) *s.m. e f.* **1.** Pessoa que escreve sobre assuntos públicos, questões sociais ou sobre política. **2.** (*Jur.*) Especialista em Direito Público.

publicitário (pu.bli.ci.*tá*.rio) *adj.* **1.** Relativo a publicidade. • *s.m.* **2.** Profissional que faz a publicidade de um produto.

público (*pú*.bli.co) *adj.* **1.** Concernente ou pertencente ou destinado ao povo: *bem público; saúde pública.* **2.** Relativo ao governo do país: *serviço público; erário público.* **3.** Para uso e acesso de todos: *banheiro público; escola pública.* **4.** Que se faz diante de todos: *uma agressão pública.* • *s.m.* **5.** Pessoas que se reúnem para participar de um evento, assistir a um espetáculo etc.: *O público aplaudiu delirantemente o concerto no parque.* **6.** Os destinatários de uma campanha, de uma produção artística, de uma mensagem publicitária etc.: *A mensagem não atingiu seu público.*

puçá (pu.*çá*) *s.m.* Pequena rede com um círculo de madeira na boca, provida de cabo para manejo, empregada na pesca de crustáceos, peixes etc.

puçanga (pu.*çan*.ga) *s.f.* Remédio caseiro; mezinha.

púcaro (*pú*.ca.ro) *s.m.* Pequeno vaso com asas, com o qual se bebe água ou se tiram líquidos de vasos maiores.

pudendo (pu.*den*.do) *adj.* **1.** Que é tímido; recatado. **2.** (*Med.*) Relativo aos órgãos genitais; *partes pudendas.*

pudente (pu.*den*.te) *adj.* Que tem pudor; casto; pudico.

pudera [é] (pu.*de*.ra) *interj.* Claro! Está visto! || Usado para ressaltar que se realiza um fato esperado.

pudicícia (pu.di.cí.ci:a) *s.f.* **1.** Qualidade de pudico; castidade; pudor. **2.** Ato ou palavras que denotam pudor.

pudicíssimo (pu.di.cís.si.mo) *adj.* Superlativo absoluto de *pudico*.

pudico (pu.di.co) *adj.* **1.** Que tem ou denota grande pudor; casto. **2.** Que denota timidez, vergonha; acanhado, envergonhado. || sup. abs.: *pudicíssimo*.

pudim (pu.dim) *s.m.* (*Cul.*) Iguaria cremosa de variados sabores, feita à base de ovos e assada em banho-maria.

pudor [ô] (pu.dor) *s.m.* **1.** Sentimento de vergonha, diante de coisas que firam a honestidade, a decência ou a modéstia. **2.** Esse sentimento dirigido especificamente a assuntos sexuais; recato; pudicícia.

puerícia (pu:e.rí.ci:a) *s.f.* Infância.

puericultura (pu:e.ri.cul.tu.ra) *s.f.* Ciência que busca favorecer o desenvolvimento físico e mental da criança, desde a gestação até a puberdade. – **puericultor** *s.m.*

pueril (pu:e.ril) *adj.* **1.** Relativo a criança. **2.** Que é ingênuo ou imaturo: *atitude pueril*.

puérpera (pu:ér.pe.ra) *adj.* **1.** Que pariu recentemente. • *s.f.* **2.** Mulher que pariu recentemente; parturiente.

puerperal (pu:er.pe.ral) *adj.* Relativo a puérpera ou ao parto: *febre puerperal*.

puerpério (pu:er.pé.ri:o) *s.m.* **1.** Período de aproximadamente 40 dias durante o qual a mulher se restabelece do parto, e seu corpo volta à normalidade. **2.** Os fenômenos fisiológicos que ocorrem nesse período.

pufe (pu.fe) *s.m.* Tamborete redondo, baixo e estofado.

pugilato (pu.gi.la.to) *s.m.* Espécie de luta ou combate em que se usam os punhos, dando socos.

pugilismo (pu.gi.lis.mo) *s.m.* (*Esp.*) Prática esportiva do pugilato; boxe. – **pugilista** *s.m.* e *f.*

pugna (pug.na) *s.f.* **1.** Ato ou efeito de pugnar; combater algo ou alguém: *uma pugna pelos imigrantes*. **2.** Ação ou efeito de lutar em prol de alguma coisa: *uma pugna pelos direitos humanos*. **3.** Confronto exaltado de ideias: *uma pugna entre torcedores de futebol*.

pugnar (pug.nar) *v.* Lutar; combater; pelejar: *Passou a vida pugnando pelos pobres e desvalidos.* ▶ Conjug. 5 e 33.

pugnaz (pug.naz) *adj.* Dado à pugna; lutador; pelejador; guerreador; belicoso; brigão.

puir (pu:ir) *v.* Desgastar(-se) pelo uso, esfregando ou roçando: *A camisa puiu no colarinho*; *Ele puiu a camisa no colarinho*. || Para alguns, conjuga-se completamente; para outros, é defectivo nas formas em que ao radical se seguem [o] ou [a]; para um terceiro grupo, só se conjuga nas formas arrizotônicas. ▶ Conjug. 80.

pujança (pu.jan.ça) *s.f.* Força; vigor; robustez.

pujante (pu.jan.te) *adj.* **1.** Que é forte, robusto, vigoroso: *um atleta pujante*. **2.** Que cresce e se desenvolve com força: *uma vegetação pujante*. **3.** Rico, forte, poderoso: *uma empresa pujante*.

pular (pu.lar) *v.* **1.** Mover o corpo para cima, afastando-se do chão; saltar: *Ele tinha que pular para alcançar a bola no alto*. **2.** Passar por cima de obstáculos: *As crianças pulavam a cerca para tirar mangas do vizinho*. **3.** Atirar-se de um lugar mais elevado; saltar: *O paraquedista pulou do avião e logo abriu seu paraquedas*. **4.** Deixar de ler; deixar de contar: *Como a narrativa era enfadonha, pulei algumas páginas para ler adiante*; *Contou de 1 a 11, pulando os números pares*. **5.** Pôr-se de pé prontamente: *Pulamos da cama, assim que ouvimos a campainha*. **6.** Divertir-se; dançar no carnaval: *Jandira pulou as quatro noites de carnaval*. ▶ Conjug. 5.

pulcro (pul.cro) *adj. poét.* Que denota beleza, graça e formosura: *Ó Virgem branca, Estrela dos altares, / ó Rosa pulcra dos Rosais polares!* (Cruz e Sousa, *Broquéis*.) || sup. abs.: *pulquérrimo*.

pule (pu.le) *s.f.* **1.** Bilhete de aposta em corridas de cavalos. **2.** A cotação de um cavalo de acordo com suas oportunidades de ganhar uma corrida. **3.** O prêmio de aposta em um cavalo, definido com base em sua cotação.

pulga (pul.ga) *s.f.* (*Zool.*) Pequeno inseto que se locomove aos saltos e se nutre sugando sangue do homem e dos animais.

pulgão (pul.gão) *s.m.* (*Zool.*) Nome comum a insetos que vivem como parasitas nos vegetais, danificando-os.

pulgueiro (pul.guei.ro) *s.m. gír.* Cinema de ínfima categoria; poeira.

pulguento (pul.guen.to) *adj.* Cheio de pulgas: *um cão pulguento*.

pulha (pu.lha) *s.f.* **1.** Ato ou comportamento de quem é mau-caráter; canalhice. • *s.f.* e *m.* **2.** Pessoa que não tem caráter; canalha; patife. • *adj.* **3.** Que não tem caráter; canalha, patife.

pulmão (pul.*mão*) *s.m.* (*Anat.*) Cada um dos dois órgãos (direito e esquerdo) do sistema respiratório, envolvidos pela pleura, contidos no tórax, e responsáveis pelas trocas gasosas, fornecendo oxigênio e eliminando gás carbônico.

pulo (*pu*.lo) *s.m.* **1.** Ação ou resultado de pular, de impulsionar o corpo para o alto ou para certa distância. **2.** *fig.* Pulsação forte: *coração aos pulos.*

pulôver (pu.*lô*.ver) *s.m.* Suéter.

púlpito (*púl*.pi.to) *s.m.* **1.** Lugar elevado na igreja, usado pelo sacerdote para fazer daí o sermão, a homilia. **2.** *fig.* Eloquência sagrada.

pulquérrimo (pul.*quér*.ri.mo) *adj.* Superlativo absoluto de *pulcro.*

pulsação (pul.sa.*ção*) *s.f.* **1.** Ato ou efeito de pulsar. **2.** Movimento de contração e de dilatação alternadas do coração ou de uma artéria; palpitação.

pulsar¹ (pul.*sar*) *s.m.* (*Astron.*) Estrela que emite ondas de rádio em impulsos de repetição regular.

pulsar² (pul.*sar*) *v.* Palpitar; latejar (coração, sangue nas veias etc.): *Com o susto que levou, seu coração começou a pulsar com mais força.* ▶ Conjug. 5.

pulseira (pul.*sei*.ra) *s.f.* Joia ou bijuteria que se usa em torno do pulso ou do braço; bracelete.

pulso (*pul*.so) *s.m.* **1.** (*Anat.*) Parte do corpo que fica entre o final do braço e o início da mão; munheca, punho. **2.** Pulsação das artérias, provocada pelo fluxo sanguíneo impulsionado pelas batidas do coração, que é percebida na parte interna do pulso (1). **3.** *p. ext.* Parte do antebraço, junto à mão, onde se sente o pulso da artéria radial. **4.** *fig.* Firmeza, vigor, autoridade para dar ordens. || *A pulso*: à força. • *De pulso*: enérgico; vigoroso.

pulular (pu.lu.*lar*) *v.* **1.** Existir com abundância; estar cheio de; fervilhar, infestar: *O grande salão pululava de foliões; As crianças pululavam em torno da mesa de doces.* **2.** Germinar com rapidez; nascer: *Quanto mais se esforçava por entender, mais dificuldades pululavam em sua cabeça.* ▶ Conjug. 5.

pulverizador [ô] (pul.ve.ri.za.*dor*) *s.m.* Aparelho usado para espalhar pó ou líquido em porções mínimas.

pulverizar (pul.ve.ri.*zar*) *v.* **1.** Espalhar em minúsculas porções: *Pulverizou inseticida no piso da garagem.* **2.** Reduzir a pequenos fragmentos: *Pulverize as folhas secas da erva.* **3.** *fig.* Vencer fragorosamente os argumentos do adversário: *O professor pulverizou os argumentos do aluno rebelde.* ▶ Conjug. 5.

pulverulento (pul.ve.ru.*len*.to) *adj.* Poeirento.

pum *s.m. fam.* Emissão pelo ânus de gases provenientes da digestão dos alimentos; ventosidade; peido, traque.

puma (*pu*.ma) *s.m.* (*Zool.*) Felino de grande porte, de pelagem clara, que vive nas Américas, do Canadá à Patagônia; suçuarana.

punção (pun.*ção*) *s.f.* **1.** Ato ou efeito de pungir; de perfurar com instrumento pontiagudo. **2.** (*Med.*) Operação que consiste em praticar uma abertura por meio de instrumento pontiagudo num tecido para extrair material de análise ou líquidos.

puncionar (pun.ci.o.*nar*) *v.* (*Med.*) Fazer corte ou furo com bisturi ou instrumento pontiagudo: *O médico puncionou o baço do paciente para retirar material para análise.* ▶ Conjug. 5.

punctura (punc.*tu*.ra) *s.f.* Puntura.

punga (*pun*.ga) *s.f.* **1.** Furto praticado por punguista. **2.** Habilidade nesse tipo de furto.

pungente (pun.gen.te) *adj.* **1.** Que punge. **2.** Que fere agudamente; doloroso: *"É que uma dor assim pungente/não há de ser inutilmente."* Aldir Blanc, *O bêbado e a equilibrista.* – **pungência** *s.f.*

pungir (pun.*gir*) *v.* **1.** Picar; ferir: *Pedras e espinhos pungiam os pés descalços dos caminhantes.* **2.** Estimular; incitar: *O desejo da vitória pungia os jogadores da seleção brasileira.* **3.** Afligir; torturar: *Punge-me a saudade de minha cidade.* **4.** Começar a nascer (a barba, a vegetação): *Os primeiros pelos pungiam o rosto do adolescente.* || Para alguns, defectivo nas formas em que ao radical se seguem [o] ou [a]. ▶ Conjug. 92.

punguear (pun.gue:*ar*) *v.* Furtar carteira, dinheiro dos bolsos das vítimas em lugares tumultuados: *Na entrada do estádio pungueáram minha carteira.* ▶ Conjug. 14.

punguista (pun.*guis*.ta) *s.m. e f. gír.* Ladrão especializado na punga; ladrão que pungueia.

punhada (pu.*nha*.da) *s.f.* Golpe desferido com os punhos.

punhado (pu.*nha*.do) *s.m.* **1.** Porção que se pode conter na mão fechada; mancheia. **2.** Quantidade indeterminada, quase sempre não grande.

punhal (pu.*nhal*) *s.m.* Faca de curta lâmina de aço, perfurante, de dois gumes.

punhalada (pu.nha.*la*.da) *s.f.* **1.** Golpe de punhal. **2.** *fig.* Coisa que ofende muito.

punheta [ê] (pu.*nhe*.ta) *s.f.* Masturbação masculina.

punho (*pu*.nho) *s.m.* **1.** (*Anat.*) Parte do braço que fica antes da mão. **2.** A mão fechada. **3.** Parte da camisa que cobre o punho. **4.** Parte por onde se seguram certos instrumentos; cabo. **5.** Cada uma das duas pontas pelas quais se pendura a rede. || *De próprio punho*: diz-se de documento redigido pela própria mão de quem o assina.

punição (pu.ni.*ção*) *s.f.* Ato ou efeito de punir; castigo, pena.

púnico (*pú*.ni.co) *adj.* **1.** Relativo a Cartago, antiga cidade fenícia do norte da África (localizada na atual Líbia), ou aos cartagineses. • *s.m.* **2.** O habitante ou natural de Cartago; cartaginês **3.** O idioma dos cartagineses.

punir (pu.*nir*) *v.* Infligir(-se) pena; impor punição; castigar(-se): *A justiça puniu os culpados; Ela punia-se pelo seu passado.* ▶ Conjug. 66. – **punitivo** *adj.*; **punível** *adj.*

punk [pank] (Ing.) *s.m.* **1.** Movimento de jovens, surgido nos Estados Unidos por volta de 1975, que contraria as normas sociais tradicionais e que se manifesta em formas de vestuário, comportamento e expressão musical. • *adj.* **2.** Que se relaciona com esse movimento: *uma atitude punk*. • *s.m. e f.* **3.** Adepto desse movimento: *Não admitiam a entrada de punks.*

puntura (pun.*tu*.ra) *s.f.* Ferida feita por instrumento pontiagudo. || *punctura.*

pupa (*pu*.pa) *s.f.* Inseto na fase intermediária entre a larva e a fase adulta.

pupila (pu.*pi*.la) *s.f.* **1.** (*Anat.*) Pequena abertura circular no meio da íris, que controla, pela abertura e fechamento, a penetração da luz no olho. **2.** Feminino de *pupilo*.

pupilo (pu.*pi*.lo) *s.m.* **1.** Menor que segue os ensinamentos de um mestre; discípulo. **2.** Criança órfã que é protegida por um benfeitor.

purê (pu.*rê*) *s.m.* Alimento de consistência pastosa, feito de batatas, inhames, maçãs etc. cozidos e amassados.

pureza [ê] (pu.*re*.za) *s.f.* **1.** Qualidade do que é puro, do que não está misturado a outros elementos; que não tem mistura: *a pureza da água da fonte; a pureza da língua vernácula.* **2.** Qualidade de quem é isento, de quem é sincero e sem malícia: *a pureza das crianças; a pureza de alguns jovens.*

purga (*pur*.ga) *s.f.* Medicamento purgativo; purgante; purgação.

purgação (pur.ga.*ção*) *s.f.* **1.** Ato ou efeito de purgar. **2.** Evacuação produzida por purgante. **3.** Catarse.

purgante (pur.*gan*.te) *adj.* **1.** Que purga: *um medicamento purgante.* • *s.m.* **2.** (*Med.*) Medicamento ou qualquer substância que provoca diarreia e, consequentemente, elimina impurezas do organismo. **3.** *fam.* Pessoa ou coisa enfadonha, tediosa: *A conferência do Prof. Castro foi um purgante.*

purgar (pur.*gar*) *v.* **1.** Tornar puro pela eliminação de impurezas ou matérias estranhas: *É necessário purgar o ouro de suas impurezas.* **2.** (*Med.*) Expelir secreções, pus: *A ferida deixou de purgar.* **3.** Expiar; apagar, remir-se de: *Carolina purgou todos os seus erros e pecados.* **4.** Livrar, afastar alguém do que é prejudicial: *Quero purgar minha família de tudo que é mau.* ▶ Conjug. 5 e 34. – **purgativo** *adj. s.m.*

purgatório (pur.ga.*tó*.ri:o) *s.m.* (*Rel.*) Segundo os ensinamentos da Igreja Católica, lugar onde as almas se purificam para serem admitidas no Céu.

purificação (pu.ri.fi.ca.*ção*) *s.f.* **1.** Ato ou efeito de purificar(-se). **2.** Cerimônia litúrgica de caráter purificador.

purificador [ô] (pu.ri.fi.ca.*dor*) *adj.* **1.** Que purifica. • *s.m.* **2.** Material ou mecanismos usados para purificar alguma coisa, como o ar, a água etc.

purificar (pu.ri.fi.*car*) *v.* **1.** Retirar impurezas e sujeiras de si ou de outras pessoas ou coisas; tornar puro: *Purificavam a água por filtragem e fervura.* **2.** Limpar(-se) de falhas e defeitos morais: *A Igreja Católica ensina que a confissão sacramental purifica os penitentes; Ela purificava-se fazendo penitências no convento.* ▶ Conjug. 5 e 35.

purismo (pu.*ris*.mo) *s.m.* **1.** Atitude de manutenção da pureza dos ideais, dos costumes e das tradições. **2.** (*Ling.*) Respeito exagerado às formas linguísticas consagradas pela tradição do idioma. – **purista** *adj. s.m. e f.*

puritano (pu.ri.*ta*.no) *adj.* **1.** Que é muito rígido na manutenção dos padrões de moralidade e dos bons costumes, especialmente no que se refere ao sexo: *um escritor puritano; uma sogra puritana.* **2.** Que segue a doutrina do presbiterianismo. • *s.m.* **3.** Pessoa muito rígida na manutenção dos padrões de moralidade, especialmente no que se refere ao sexo: *Ninguém diria que você é um puritano.* **4.** Adepto do presbiterianismo, seita que adota literalmente as imposições e ensinamentos da Bíblia. – **puritanismo** s.m.

puro (pu.ro) adj. **1.** Sem mistura de outras substâncias: *Não quer café com leite, prefere café puro; Respire este ar puro da serra!* **2.** Que tem aspecto transparente; límpido: *a água pura da fonte.* **3.** Que revela bondade, generosidade, honestidade: *É um homem puro e bom.* **4.** Que não sabe nada de sexo ou que não o pratica; casto: *um jovem seminarista puro; uma donzela pura.* **5.** Sem restrição; absoluto: *uma atitude de puro egoísmo.* **6.** Único, simples, só: *Isso é pura mentira.*

puro-sangue (pu.ro-san.gue) adj. **1.** Diz-se de cavalo de raça fina sem cruzamento de outra: *um cavalo puro-sangue.* • s.m. **2.** Cavalo de raça fina sem cruzamento de outra: *Comprou um puro-sangue árabe para correr no hipódromo.* || pl.: *puros-sangues.*

púrpura (púr.pu.ra) s.f. **1.** Corante vermelho-escuro que se extrai de um molusco. **2.** A cor desse corante. **3.** Tecido tingido de púrpura. • adj. **4.** Que é dessa cor: *um manto púrpura; uma estola púrpura.*

purpurina (pur.pu.ri.na) s.f. Pó metálico e brilhante de cores variadas, usado em ornamentação, maquiagem etc.

purulento (pu.ru.len.to) adj. Que contém pus; de onde sai pus: *uma chaga purulenta.*

pus s.m. Líquido espesso, opaco e amarelado que sai de feridas infeccionadas e é composto de leucócitos e micróbios mortos.

pusilânime (pu.si.lâ.ni.me) adj. **1.** Que tem ânimo fraco, sem energia nem força de vontade: *um jovem pusilânime.* • s.m. e f. **2.** Pessoa que não tem energia nem firmeza nem força de vontade: *Escolheram um pusilânime para dirigir essa empresa.* – **pusilanimidade** s.f.

pústula (pús.tu.la) s.f. (Med.) Ferida purulenta.

puta (pu.ta) s.f. **1.** *chulo* Prostituta. **2.** *chulo* Mulher de vida desregrada e libertina. • adj. *chulo* **3.** Grande, intenso, fora do comum: *Houve uma puta festa no aniversário da namorada dele.*

putaria (pu.ta.ri.a) s.f. **1.** *chulo* Comportamento considerado indecente, libertino, imoral; devassidão. **2.** Comportamento desleal, traiçoeiro; safadeza.

putativo (pu.ta.ti.vo) adj. Que se atribui a alguém sem ser: *um filho putativo.*

puto (pu.to) adj. **1.** *chulo* Devasso; dissoluto; libertino. **2.** Muito zangado; irritado. • s.m. **3.** *chulo* Homem que faz sexo por dinheiro. **4.** *chulo* Pederasta.

putrefação (pu.tre.fa.ção) s.f. **1.** Processo de putrefazer(-se), de tornar(-se) podre; apodrecimento. **2.** (*Biol.*) Decomposição de matéria orgânica, produzida pela ação de bactérias.

putrefato (pu.tre.fa.to) adj. Que está em putrefação; que apodreceu; podre.

putrefazer (pu.tre.fa.zer) v. **1.** Apodrecer; ficar podre; estragar(-se): *A falta de refrigeração putrefez a carne; Os pêssegos putrefizeram-se com o calor.* **2.** *fig.* Deteriorar(-se) moralmente; corromper(-se): *Alguns ministros putrefizeram-se com o poder.* || part.: *putrefeito.* ▶ Conjug. 61.

pútrido (pú.tri.do) adj. **1.** Podre; putrefato. **2.** Que exala mau cheiro; fétido.

puxa (pu.xa) interj. Usada para expressar surpresa, espanto ou impaciência.

puxada (pu.xa.da) s.f. **1.** Ação de puxar; de trazer alguma coisa para si; puxão. **2.** Caminhada de grande distância; estirão. **3.** Ritmo acelerado; impulso; crescimento. **4.** Cômodo extra normalmente nos fundos da casa; puxado.

puxado (pu.xa.do) adj. **1.** Que sofreu estiramento; que foi estirado: *Amarrou os cabelos puxados para trás.* **2.** Arrastado por uma força de tração: *charrete puxada por cavalos.* **3.** Diz-se do preço elevado: *As prestações da casa eram puxadas.* **4.** Diz-se do trabalho difícil, árduo: *Carregar água é um trabalho puxado.* • s.m. **5.** Cômodo extra, normalmente nos fundos da casa; puxada.

puxador [ô] (pu.xa.dor) s.m. **1.** Peça por onde se puxa uma gaveta ou porta de móvel para abri-los. **2.** *gír.* Ladrão de carro. **3.** Pessoa que inicia e dirige as rezas ou os cantos: *o puxador do samba-enredo.*

puxão (pu.xão) s.m. Ato de puxar alguma coisa ou alguém com violência.

puxa-puxa (pu.xa-pu.xa) s.f. **1.** Melaço grosso a ponto de ficar em pasta e poder ser manipulado e puxado. • adj. **2.** Que tem essa consistência: *bala puxa-puxa.* || pl.: *puxas-puxas* e *puxa-puxas.*

puxar (pu.xar) v. **1.** Fazer mover para perto de si: *Sentou-se e puxou a cadeira.* **2.** Mover após si, arrastar: *O menino puxava o carrinho que ganhou no Natal.* **3.** Tirar com esforço; arrancar: *Puxou com força a tampa do poço; Puxou o prego com o alicate.* **4.** Transportar; aguentar: *Meu caminhão puxa duas toneladas de cana.* **5.** Sacar: *O bandido puxou a faca e avançou para* *o homem.* **6.** Iniciar; provocar: *Sentou-se na minha mesa e puxou conversa.* **7.** Gastar; consumir: *Este aparelho puxa muita força elétrica.* **8.** Herdar traços e qualidades de; sair semelhante a: *Esse menino puxou o avô paterno; A moça puxou a beleza da mãe.* ▶ Conjug. 5.

puxa-saco (pu.xa-sa.co) *s.m. e f. coloq.* Bajulador; adulador. || pl.: *puxa-sacos*.

puxeta [ê] (pu.xe.ta) *s.f.* (*Esp.*) Jogada em que o jogador, estando de costas, chuta a bola para trás sobre o próprio corpo.

puxo (pu.xo) *s.m. coloq.* Dor anal sofrida por quem tem dificuldade de evacuar.

puzzle [pâsle] (Ing.) *s.m.* **1.** Quebra-cabeça. **2.** *fig.* Problema de difícil solução.

Q q

q *s.m.* Décima sétima letra do alfabeto português.

Q.G. (*Mil.*) Sigla de *quartel-general* (1).

quadra (*qua.*dra) *s.f.* **1.** Área demarcada destinada à prática de certos jogos, como basquetebol, voleibol, tênis etc. **2.** Quarteirão: *Essa rua fica a três quadras daqui.* **3.** (*Lit.*) Estância de quatro versos; quarteto. **4.** Época, fase: *A quadra da juventude é a mais alegre da vida.*

quadrado (qua.*dra*.do) *adj.* **1.** (*Geom.*) Que tem quatro lados iguais, formando ângulos retos. **2.** (*Mat.*) Diz-se de raiz que, multiplicada uma vez por si mesma, dá um número determinado: *A raiz quadrada de 25 é 5.* **3.** Que não aceita inovações; conservador: *pais quadrados.* • *s.m.* **4.** (*Geom.*) Figura geométrica quadrada. **5.** (*Mat.*) Quantidade que resulta de multiplicar outra por si mesma: *O quadrado de 5 é 25.*

quadragenário (qua.dra.ge.*ná*.ri:o) *adj.* **1.** De idade compreendida entre os quarenta e os cinquenta anos. • *s.m.* **2.** Pessoa quadragenária.

quadragésimo (qua.dra.*gé*.si.mo) *num. ord.* **1.** Que ou o que denota o número quarenta numa série. • *num. frac.* **2.** Que ou o que é parte de um todo dividido em quarenta partes iguais.

quadrangular (qua.dran.gu.*lar*) *adj.* **1.** Que tem quatro ângulos. **2.** Que tem quatro participantes. • *s.m.* (*Esp.*) Torneio de quatro participantes.

quadrante (qua.*dran*.te) *s.m.* **1.** Quarta parte de um círculo ou circunferência. **2.** Mostrador de relógio de sol.

quadratura (qua.dra.*tu*.ra) *s.f.* (*Geom.*) Construção de um quadrado igual, em área, a uma dada superfície. || *Primeira quadratura*: quarto crescente da Lua. • *Segunda quadratura*: quarto minguante da Lua.

quadríceps (qua.*drí*.ceps) *adj.* (*Anat.*) Diz-se do músculo que se divide em quatro porções e está situado na frente da coxa.

quadrícula (qua.*drí*.cu.la) *s.f.* Pequeno quadrado; quadrículo.

quadriculado (qua.dri.cu.*la*.do) *adj.* **1.** Pautado em quadradinhos; quadricular: *caderno quadriculado.* **2.** Dividido em quadradinhos; quadricular: *estampa quadriculada.*

quadricular[1] (qua.dri.cu.*lar*) *adj.* Quadriculado.

quadricular[2] (qua.dri.cu.*lar*) *v.* Dividir em quadradinhos: *Quadriculou todo o desenho em branco e preto.* ▶ Conjug. 5.

quadrículo (qua.*drí*.cu.lo) *s.m.* Quadrícula.

quadriênio (qua.dri:*ê*.ni:o) *s.m.* Período de quatro anos; quatriênio. – **quadrienal** *adj.*

quadriga (qua.*dri*.ga) *s.f.* Entre os antigos romanos, carro de duas rodas puxado por quatro cavalos, usado especialmente em competições esportivas.

quadrigêmeo (qua.dri.*gê*.me:o) *adj.* **1.** Relativo a cada um de quatro irmãos gêmeos. • *s.m.* **2.** Cada um de quatro gêmeos; quádruplo.

quadril (qua.*dril*) *s.m.* (*Anat.*) Região lateral do corpo humano, da cintura até a extremidade superior da coxa; cadeira.

quadrilátero (qua.dri.*lá*.te.ro) *adj.* **1.** Que tem quatro lados. • *s.m.* (*Geom.*) **2.** Polígono de quatro lados.

quadrilha (qua.*dri*.lha) *s.f.* **1.** Grupo de ladrões ou malfeitores. **2.** Dança executada por duas alas de pares, típica das festas juninas.

quadrimestral (qua.dri.mes.*tral*) *adj.* **1.** Relativo a quadrimestre. **2.** Que sucede de quatro em quatro meses.

quadrimestre [é] (qua.dri.*mes*.tre) *s.m.* Período de quatro meses.

quadrinhos (qua.*dri*.nhos) *s.m.pl.* Narração de uma história feita por meio de desenhos dentro de quadros, nos quais também figuram balões com as falas dos personagens; história em quadrinhos.

quadro (*qua.dro*) *s.m.* **1.** Quadrado plano, especialmente o que forma uma série com outros: *história em quadrinhos*. **2.** Peça quadrada ou retangular, de madeira ou outra matéria, em que se fixam ou escrevem notícias ou avisos. **3.** Pintura, desenho ou gravura colocados numa moldura para serem pendurados na parede. **4.** Quadro-negro. **5.** Apresentação esquemática cujos elementos aparecem escritos dentro de um sistema de linhas horizontais e verticais ou de chaves. **6.** Conjunto de circunstâncias; situação, panorama. **7.** Painel em que está colocada uma série de dispositivos: *quadro de luz*. **8.** Armação de uma bicicleta ou motocicleta. **9.** Divisão de ato de peça teatral. **10.** Conjunto de funcionários de uma corporação, repartição ou empresa. **11.** Conjunto de pessoas que constituem uma equipe de trabalho, artístico ou desportivo: *o quadro de sócios de um clube*. **12.** Pessoa altamente capacitada que tem mando ou autoridade (em um organismo ou uma empresa): *O reitor disse que havia falta de quadros para tocar a administração e as atividades acadêmicas*. **13.** (*Cine*) Cada imagem de um filme. **14.** (*Med.*) Conjunto de sintomas: *Há 24 horas, o paciente iniciou um quadro de dor abdominal difusa*.

quadro de giz *s.m.* Quadro-negro.

quadro-negro (*qua.dro-ne.gro*) *s.m.* Peça retangular de madeira ou ardósia para escritos e cálculos em sala de aula; quadro, quadro de giz, lousa. || pl.: *quadros-negros*.

quadrúpede (*qua.drú.pe.de*) *adj.* **1.** Que tem quatro pés. • *s.m.* **2.** Mamífero quadrúpede.

quadruplicar (*qua.dru.pli.car*) *v.* Tornar-se quatro vezes maior: *A empresa quadruplicou o seu lucro*; *O número de internautas no Brasil quadruplicou em três anos*. ▶ Conjug. 5 e 35. – **quadruplicação** *s.f.*

quádruplo (*quá.dru.plo*) *num. mult.* **1.** Que ou o que é quatro vezes maior que outro: *lista quádrupla*; *O quádruplo de dois é oito*. • *s.m.* **2.** Quadrigêmeo.

qual *pron. indef.* **1.** Que coisa ou pessoa entre outras possíveis: *Qual será a resposta certa?*; *É difícil dizer qual ator trabalhou melhor na peça.* • *pron. rel.* **2.** Aquele ou aquilo previamente mencionado (sempre precedido de um artigo definido): *Meu quarto, o qual era pequeno e escuro, era o pior da casa*. • *conj.* **3.** Comparativa: *Falava qual louco*.

qualidade (*qua.li.da.de*) *s.f.* **1.** Característica pela qual alguém se distingue dos demais. **2.** Característica positiva; virtude: *Sua maior qualidade é saber ouvir os outros*. **3.** Condição, classe: *Falou na qualidade de representante da Secretaria do Meio Ambiente*.

qualificação (*qua.li.fi.ca.ção*) *s.f.* **1.** Ato ou efeito de qualificar(-se). **2.** Conjunto dos dados próprios e exclusivos de um indivíduo: nome, idade, endereço, estado civil etc. **3.** Condição de qualificado.

qualificado (*qua.li.fi.ca.do*) *adj.* **1.** Que se qualificou. **2.** Que tem formação especializada e notável competência: *profissional qualificado*; *Falta trabalhador qualificado para a construção civil*. **3.** Que exige formação especializada e notável competência: *Presta-se trabalho qualificado de magistério*. **4.** Que é competente em uma atividade ou para algo: *Você está mais do que qualificada para falar desse assunto*.

qualificar (*qua.li.fi.car*) *v.* **1.** Indicar as qualidades de; classificar: *O ministro qualificou o documento de razoável*; *Ela qualificou o programa como inovador*. **2.** Tornar(-se) qualificado: *qualificar trabalhadores (para o mercado)*; *Ainda não conseguiu emprego na profissão para a qual se qualificou*. **3.** Ser aprovado em concurso, torneio etc.: *A nossa seleção qualificou-se para o Mundial de futebol*. ▶ Conjug. 5 e 35. – **qualificativo** *adj. s.m.*

qualitativo (*qua.li.ta.ti.vo*) *adj.* **1.** Relativo a qualidade, e não a quantidade. **2.** Que qualifica.

qualquer [é] (*qual.quer*) *pron. indef.* **1.** Refere-se a pessoa, ou coisa indeterminada: *Esse tipo de problema pode acontecer com qualquer pessoa*; *Qualquer dia desses, venha nos visitar*. **2.** Refere-se a pessoa ou coisa sem importância (posposto ao substantivo): *Ponha a mistura num recipiente qualquer, que possa ser jogado fora em seguida*; *Disse que não mudava de opinião por causa de um sujeitinho qualquer*. || pl.: *quaisquer*.

quando (*quan.do*) *adv.* **1.** Em que tempo, em que ocasião: *Quando chegaram?*; *Avise-me quando chegar*. • *conj.* **2.** Temporal: no tempo em que; no momento em que: *Quando a noite chegar, eu partirei*. **3.** Concessiva: ainda que; embora; posto que; mesmo que: *Não para de me telefonar, quando sabe que vivo ocupada*. • *pron. rel.* **4.** Em que: *Esta roupa é da época quando Juliana era bebê*. || *De quando em quando*: de vez em quando. • *De vez em quando*: de tempo em tempo; de quando em quando.

quantia (quan.ti.a) s.f. Porção de dinheiro; soma, importância.

quantidade (quan.ti.da.de) s.f. **1.** Número (de unidades de uma coleção de coisas consideradas como conjunto) ou medida (de uma porção de matéria): *Comprou uma grande quantidade de ovos; Achei que a quantidade de fermento era exagerada para a quantidade de farinha.* **2.** Grande porção (de algo imaterial): *Ele ainda não se deu conta da quantidade de sofrimento que gerou com o seu temperamento.*

quantificar (quan.ti.fi.car) v. Determinar a quantidade de: *Por métodos estatísticos, pode-se quantificar o lucro esperado para determinado período de tempo.* ▶ Conjug. 5 e 35. – **quantificação** s.f.

quantitativo (quan.ti.ta.ti.vo) adj. **1.** Relativo a quantidade, e não a qualidade. • s.m. **2.** Quantidade determinada.

quanto (quan.to) pron. indef. **1.** Que quantidade: *Quantos vêm?; A professora perguntou quantos alunos tinham faltado.* **2.** Que número de: *Quantas pessoas foram chamadas?; Não sei quantas vezes já lhe falei para não fazer isso.* **3.** Que preço: *Quanto é?; O cliente perguntou quanto custava a calça.* • pron. rel. **4.** Que (precedido de tudo): *Não diga tudo quanto sabe.* • adv. **5.** Quão grandemente; como: *Os filhos não imaginam quanto os amamos.* || *Quanto a*: no que se refere a; a respeito de.

quão adv. Quanto, como: *Quão grande é o Universo!*

quarador [ô] (qua.ra.dor) s.m. Coradouro.

quaradouro (qua.ra.dou.ro) s.m. Coradouro.

quarar (qua.rar) v. Corar. ▶ Conjug. 5.

quarenta (qua.ren.ta) num. card. **1.** Dez vezes quatro. • s.m. **2.** Representação gráfica desse número (40 em algarismos arábicos; XL em algarismos romanos).

quarentena (qua.ren.te.na) s.f. **1.** Período de quarenta dias. **2.** Período de isolamento de passageiros e animais portadores ou possíveis portadores de doenças contagiosas. **3.** Período em que uma pessoa deve ficar afastada de certa atividade.

quaresma [é] (qua.res.ma) s.f. (*Rel.*) Na religião católica, período de quarenta dias que decorrem desde a Quarta-Feira de Cinzas até o domingo de Páscoa. – **quaresmal** adj.

quaresmeira (qua.res.mei.ra) s.f. Árvore de flores geralmente roxas.

quarta[1] (quar.ta) s.f. **1.** Uma das quatro partes iguais em que se pode dividir qualquer unidade. **2.** Vaso de barro para água; bilha, cântaro.

quarta[2] (quar.ta) s.f. Redução de *quarta-feira*.

quarta de final s.f. (*Esp.*) A etapa de um torneio em que se realizam quatro jogos, com oito times, para buscar-se a classificação para as semifinais.

quarta-feira (quar.ta-fei.ra) s.f. Dia da semana que se segue à terça-feira. || pl.: *quartas-feiras*.

quarteirão (quar.tei.rão) s.m. **1.** Área urbana quadrangular ou retangular formada por quatro ruas; quadra. **2.** Quarta parte de cem.

quartel[1] (quar.tel) s.m. Quarta parte de um todo: *Era um coche do primeiro quartel do século XVIII.*

quartel[2] (quar.tel) s.m. (*Mil.*) Edifício destinado a alojamento de tropas militares.

quartel-general (quar.tel-ge.ne.ral) **1.** (*Mil.*) Acampamento ou prédio onde trabalham o general e seu estado-maior. **2.** fig. Ponto de reunião e sede de qualquer grupo ou sociedade: *Colônia foi o quartel-general dos brasileiros durante a Copa da Alemanha.*

quarteto [ê] (quar.te.to) s.m. **1.** Estância de quatro versos; quadra. **2.** Conjunto de quatro vozes ou de quatro instrumentos. **3.** (*Mús.*) Composição para quatro instrumentos ou vozes. **4.** Reunião de quatro pessoas.

quarto (quar.to) num. ord. **1.** Que ou o que denota o número quatro numa série. • num. frac. **2.** Que ou o que é parte de um todo dividido em quatro partes iguais. • s.m. **3.** Cômodo para dormir. **4.** Um quarto (2) de hora ou quinze minutos.

quartzo (quar.tzo) s.m. (*Min.*) Mineral de sílica muito duro, incolor e de brilho cristalino.

quasar (qua.sar) s.m. (*Astron.*) Corpo celeste de aparência estelar que emite ondas de rádio mais intensas que as galáxias.

quase (qua.se) adv. Não completamente, mas faltando pouco para isso: *Ele quase marcou um gol; Ela ficou no exterior quase dois anos; Quase dormi durante a prova.*

quaternário (qua.ter.ná.ri:o) adj. **1.** Composto de quatro unidades ou elementos. **2.** (*Mús.*) Diz-se do compasso que tem quatro tempos iguais. **3.** (*Geol.*) Diz-se do período geológico da Terra caracterizado pelo surgimento do homem. • s.m. **4.** (*Geol.*) Esse período. || Nesta acepção, usa-se inicial maiúscula.

quati (qua.ti) s.m. (*Zool.*) Mamífero carnívoro com focinho longo e cauda preta com anéis.

quebrar

quatorze [ô] (qua.tor.ze) *num. card.* **1.** Treze mais um. • *s.m.* **2.** Representação gráfica desse número (14 em algarismos arábicos; XIV em algarismos romanos). || *catorze.*

quatriênio (qua.tri:ê.ni:o) *s.m.* Quadriênio.

quatrilhão (qua.tri.*lhão*) *num. card.* Mil trilhões. || *quatrilião.*

quatrilião (qua.tri.li:*ão*) *num. card.* Quatrilhão.

quatro (*qua*.tro) *num. card.* **1.** Três mais um. • *s.m.* **2.** Representação gráfica desse número (4 em algarismos arábicos; IV em algarismos romanos).

quatrocentos (qua.tro.cen.tos) *num. card.* **1.** Quatro vezes cem. • *s.m.* **2.** Representação gráfica desse número (400 em algarismos arábicos; CD em algarismos romanos).

que *pron. indef.* **1.** Qual: *Que livro pretendes ler?* **2.** Que coisa: *Que comprou para o jantar?* (também antecedido de o: *O que comprou para o jantar?*). **3.** Usado em frases exclamativas: *Que vestido lindo!* • *pron. rel.* **4.** Reporta-se à palavra antecedente: *O anel que tu me deste.* • *conj. coord.* **5.** Explicativa: *Leia, que você entenderá o que eu estou dizendo.* • *conj. sub.* **6.** Causal: *Não podia fazer estas coisas, que sua consciência não lhe permitia.* **7.** Consecutiva: *Ficou tão espantado, que perdeu a voz.* **8.** Comparativa: *A jovem é mais bela que sua irmã.* **9.** Integrante: *Eu disse que viria.* • *prep.* **10.** De (apenas em locução verbal com o verbo *ter*): *Ajoelhou, tem que rezar!* || *Que nem*: tal qual, como: *Ele é forte que nem um touro.* • *É que*: usa-se apenas como elemento de caráter estilístico para realçar algum termo da frase: *É por aqui que se vai para lá?* || Em final de frase, o *que* ganha maior tonicidade, o que é mostrado na escrita por meio de um acento circunflexo: *O quê? Ele não virá?*

quê[1] *s.m.* Qualquer coisa: *Este quadro tem um quê misterioso.* • *interj.* Indica espanto: *Quê! Você ainda não foi?*

quê[2] *s.m.* Nome da letra *q*.

quebra [é] (*que*.bra) *s.f.* **1.** Ato ou efeito de quebrar. **2.** Desagregação das partes de um todo; ruptura, fratura. **3.** Interrupção, descontinuidade, falha: *quebra no fornecimento, na segurança.* **4.** Rompimento, descumprimento: *quebra de contrato.* **5.** Transgressão, violação: *quebra de sigilo.* **6.** Ato de cessar um negócio por não poder fazer frente às obrigações contraídas. || *De quebra*: além do devido; a mais: *Comprou uma dúzia de caquis e ganhou mais dois de quebra.*

quebra-cabeça (que.bra-ca.*be*.ça) *s.m.* **1.** Jogo que consiste em encaixar peças que, unidas, formam uma figura. **2.** Problema difícil; questão complicada. || *pl.*: *quebra-cabeças.*

quebradeira (que.bra.*dei*.ra) *s.f.* **1.** Falta de forças; lassidão. **2.** Ruína financeira.

quebradiço (que.bra.*di*.ço) *adj.* Que se quebra facilmente; frágil, débil; réptil.

quebrado (que.*bra*.do) *adj.* **1.** Feito em pedaços; partido, fendido. **2.** Que não funciona; enguiçado. **3.** Que abriu falência; falido, insolvível. **4.** Exausto de forças; enfraquecido, lasso. **5.** Violado por transgressão; infringido. **6.** *gír.* Sem dinheiro; duro. • *s.m.* **7.** (*Mat.*) Fração. • *quebrados s.m.pl.* **8.** Dinheiro trocado.

quebra-galho (que.bra-*ga*.lho) *s.m. coloq.* Pessoa, recurso ou utensílio que ajuda a resolver uma situação de emergência. || *pl.*: *quebra-galhos.*

quebra-luz (que.bra-*luz*) *s.m.* Abajur. || *pl.*: *quebra-luzes.*

quebra-mar (que.bra-*mar*) *s.m.* Paredão ou qualquer obra sólida que oponha resistência ao embate das ondas do mar; molhe. || *pl.*: *quebra-mares.*

quebra-molas (que.bra-*mo*.las) *s.m.2n.* Pequeno obstáculo, construído transversalmente nas ruas e estradas, para reduzir a velocidade dos veículos; lombada.

quebra-nozes (que.bra-*no*.zes) *s.m.2n.* Utensílio metálico para quebrar nozes.

quebrantar (que.bran.*tar*) *v.* **1.** Diminuir o vigor; amansar, enfraquecer: *O bom coração quebranta a má fortuna; A resposta branda a ira quebranta.* **2.** Deixar-se abater; enfraquecer-se, debilitar-se: *Sua alma varonil nunca se quebrantou.* ▶ Conjug. 5. – **quebrantado** *adj.*; **quebrantamento** *s.m.*

quebranto (que.*bran*.to) *s.m.* **1.** Mal produzido, segundo a crendice popular, pelo olhar de certas pessoas, nas crianças, em gente sadia ou em animais; mau-olhado; enguiço. **2.** Ato ou efeito de quebrantar(-se); abatimento, fraqueza, prostração.

quebra-pau (que.bra-*pau*) *s.m. gír.* Briga, discussão. || *pl.*: *quebra-paus.*

quebra-pedra (que.bra-*pe*.dra) *s.f.* Certa planta que, consumida como chá, teria o poder de dissolver cálculos renais. || *pl.*: *quebra-pedras.*

quebra-quebra (que.bra-*que*.bra) *s.m. coloq.* Motim de rua no qual se quebram vitrinas, tabuletas etc. || *pl.*: *quebra-quebras.*

quebrar (que.*brar*) *v.* **1.** Fragmentar(-se) em partes; despedaçar(-se), partir(-se), romper(-se): *Seguindo o ritual grego, quebraram pratos*

quebra-vento

para desejar alegria e felicidade aos noivos; A chave quebrou dentro da fechadura. **2.** Sofrer fratura de: *Ela quebrou a perna esquiando.* **3.** Danificar(-se), avariar(-se): *A cozinheira quebrou o liquidificador; Meu computador quebrou na mudança.* **4.** Interromper; cortar: *quebrar o silêncio, a tensão, o clima etc.* **5.** Faltar ao cumprimento de: *quebrar uma promessa, um acordo etc.* **6.** Enfraquecer, debilitar: *quebrar o ânimo, a determinação etc.* **7.** Arruinar-se financeiramente; falir: *Segundo a pesquisa, a metade das empresas quebra antes de dois anos.* **8.** Ultrapassar; superar: *bater o recorde.* **9.** Infringir; violar: *quebrar o sigilo.* ▶ Conjug. 8.

quebra-vento (que.bra-*ven*.to) s.m. Nas portas dianteiras de certos veículos, pequena janela móvel para direcionar o vento. ‖ pl.: *quebra-ventos*.

queda [é] (*que*.da) s.f. **1.** Ato ou efeito de cair. **2.** Movimento do corpo que cai; tombo. **3.** Salto de água. **4.** Inclinação natural; pendor, jeito, propensão, vocação. **5.** Perda do poder, da supremacia; decadência: *a queda da Monarquia*.

queda-d'água (que.da-*d'á*.gua) s.f. Cachoeira, cascata. ‖ pl.: *quedas-d'água*.

queda de braço s.f. Jogo para medir forças em que um dos dois participantes tenta encostar o antebraço do outro na mesa.

quede (que.*de*) adv. *coloq.* Cadê.

quedê (que.*dê*) adv. *coloq.* Cadê.

quedo [ê] (*que*.do) adj. **1.** Que não se move; quieto, imóvel. **2.** Tranquilo, sereno, quieto.

queijadinha (quei.ja.*di*.nha) s.f. (*Cul.*) Doce feito de coco, ovos e açúcar.

queijo (*quei*.jo) s.m. (*Cul.*) Alimento produzido pela coagulação do leite, seguido ou não de cocção ou de fermentação. – **queijaria** s.f.; **queijeiro** s.m.

queima (*quei*.ma) s.f. **1.** Ato ou efeito de queimar. **2.** Liquidação. ‖ *Queima de arquivo*: assassinato de pessoa que possui informações sobre um crime.

queimada (quei.*ma*.da) s.f. Prática prejudicial ao meio ambiente que consiste em queimar parte da vegetação de um campo ou floresta, com o objetivo de desocupar o solo para plantar.

queimadura (quei.ma.*du*.ra) s.f. Lesão produzida pela ação do fogo.

queimar (quei.*mar*) v. **1.** Destruir(-se) pelo fogo: *Minha mãe esqueceu o fogo ligado e queimou a comida toda; A vela já (se) queimou por completo.* **2.** Submeter(-se) à ação do fogo ou do calor excessivo; crestar(-se), tostar(-se): *Queimou a ponta da agulha para tirar a farpa da pele; Queimou-se ao tirar a travessa do forno.* **3.** Produzir um efeito comparável ao do fogo: *Essa lagarta não queima; Queimei-me com limão na praia.* **4.** Bronzear(-se): *O reflexo do sol na areia também queima a pele; Passou o filtro solar para não se queimar muito; O mormaço queima.* **5.** Produzir ardor febril e intenso: *Seu rosto queimava (de febre).* **6.** Vender a preço reduzido; liquidar: *A loja está queimando todo o seu estoque.* **7.** *coloq.* Perder prestígio: *Ao agredir o adversário, o jogador se queimou com os torcedores.* ▶ Conjug. 18.

queima-roupa (quei.ma-*rou*.pa) s.f. Usado apenas na locução *à queima-roupa*. ‖ *À queima-roupa*: de muito perto, cara a cara.

queixa [ch] (*quei*.xa) s.f. Ato ou efeito de queixar-se.

queixa-crime (quei.xa-*cri*.me) s.f. (*Jur.*) Petição com que o ofendido toma a iniciativa de processar o ofensor. ‖ pl.: *queixas-crimes, queixas-crime*.

queixada [ch] (quei.*xa*.da) s.f. **1.** Mandíbula. **2.** (*Zool.*) Porco do mato.

queixar-se [ch] (quei.*xar*-se) v. **1.** Emitir gemidos ou palavras que expressam dor ou pesar: *Queixava-se muito das noras.* **2.** Manifestar descontentamento ou indignação: *O jogador queixou-se ao árbitro de ter havido falta do adversário.* **3.** Manifestar dor física: *Ele queixou-se de dor no peito.* ▶ Conjug. 18 e 6.

queixo [ch] (*quei*.xo) s.m. A parte inferior do rosto, abaixo dos lábios. ‖ *Bater o queixo*: tremer de frio ou de medo. • *Ficar de queixo caído*: ficar perplexo.

queixoso [chô] (quei.*xo*.so) adj. **1.** Cheio de queixas: *Saiu para trabalhar queixoso e desanimado.* **2.** Próprio de quem se queixa: *tom queixoso*. ‖ f. e pl.: [ó].

queixudo [ch] (quei.*xu*.do) adj. Que tem queixo proeminente.

queixume [ch] (quei.*xu*.me) s.m. Queixa reiterada; lamento, lastimação.

queloide [ói] (que.*loi*.de) s.m. (*Med.*) Cicatriz saliente, dura, de cor rosa.

quelônio (que.*lô*.ni:o) s.m. (*Zool.*) Réptil provido de carapaça, quatro patas grossas e curtas e cabeça pequena, como a tartaruga e o jabuti.

quem pron. *indef.* **1.** Que pessoa(s): *Quem é?; Nunca se soube quem roubou o quadro.*

2. Aquele que: *Quem viver, verá.* **3.** Alguém que: *Deixo meu posto para quem queira.* • *pron. rel.* **4.** Aquele(s) que (sempre precedido de preposição): *A pessoa a quem falei foi embora.*

queniano (que.ni:*a*.no) *adj.* **1.** Do Quênia, país da África. • *s.m.* **2.** O natural ou o habitante desse país.

quentão (quen.*tão*) *s.m.* Cachaça com gengibre, açúcar e canela, servida quente.

quente (quen.te) *adj.* **1.** Que tem temperatura elevada: *dia quente.* **2.** Que alcançou temperatura acima do normal: *O carro parou porque o motor estava muito quente.* **3.** Que proporciona calor: *roupa quente.* **4.** Fogoso, ardente, sensual. **5.** *reg.* Apimentado.

quentinha (quen.*ti*.nha) *s.f.* **1.** Embalagem de alumínio para conservar alimentos quentes. **2.** A comida contida nessa embalagem.

quentura (quen.*tu*.ra) *s.f.* Estado de quente; calor.

quepe [é] (*que*.pe) *s.m.* Boné usado por militares.

quer *conj.* Ou: *Irei, quer chova, quer faça sol.*

querela [é] (que.*re*.la) *s.f.* **1.** Queixa apresentada em juízo. **2.** Disputa, pendência.

querência (que.*rên*.ci:a) *s.f. reg.* **1.** Paragem onde o animal pasta habitualmente, ou onde foi criado. **2.** Lugar onde alguém nasceu ou onde mora; pago.

querer (que.*rer*) *v.* **1.** Ter o desejo ou a vontade de; desejar: *Ele quer seguir a carreira diplomática; Você quer abacaxi ou melancia como sobremesa?* **2.** Sentir afeto ou amor por (alguém): *Quero-te (bem); Separaram-se porque não se queriam mais.* **3.** Pedir (certa quantia por algo): *Quanto quer por esse tapete?* **4.** Ser de opinião de; julgar; acreditar: *Não é recalque, como quer Freud, mas uma decorrência da perda de identidade entre todas as coisas.* **5.** Desejar possuir ou adquirir: *A família agora quer uma casa de campo.* • *s.m.* **6.** Ato de querer; desejo, vontade. || *Querer crer:* admitir, acreditar: *Li toda a entrevista e quero crer que a ministra foi infeliz em sua afirmação.* • *Querer dizer:* equivaler a; significar: *Postergar quer dizer 'adiar'.* • *Por querer:* voluntariamente. • *Sem querer:* involuntariamente. ▶ Conjug. 56.

querido (que.*ri*.do) *adj.* **1.** Que é amado, estimado, prezado. • *s.m.* **2.** Pessoa querida.

quermesse [é] (quer.*mes*.se) *s.f.* Feira beneficente ao ar livre, com leilão de prendas.

querosene (que.ro.se.ne) *s.m.* Produto líquido derivado do petróleo, usado inicialmente para a iluminação e atualmente como combustível para a aviação.

querubim (que.ru.*bim*) *s.m.* **1.** Anjo da primeira hierarquia. **2.** (*Art.*) Criança com asas que representa um querubim.

quesito (que.*si*.to) *s.m.* **1.** Questão, ponto: *Samba-enredo é o primeiro quesito no critério de desempate.* **2.** Condição necessária; requisito: *Um dos quesitos para o cargo é estar cursando Ciências Contábeis.*

questão (ques.*tão*) *s.f.* **1.** Pergunta para aprender alguma coisa ou testar o conhecimento de alguém. **2.** Matéria que implica dificuldades, que suscita discussão; problema: *a questão social.* || *Em questão de:* cerca de, aproximadamente: *No bingo, você ganha e perde dinheiro em questão de minutos.* • *Em questão:* em foco, em pauta: *Voltemos ao assunto em questão.* • *Fazer questão de:* não transigir em, exigir: *Faço questão de que você venha jantar conosco hoje.*

questionar (ques.ti:o.*nar*) *v.* **1.** Fazer questões: *Os alunos questionaram o escritor sobre sua vida e obra; A polícia questionou o criminoso sobre o paradeiro das joias.* **2.** Pôr em dúvida; discutir: *Outros pesquisadores questionaram a legitimidade da pesquisa.* **3.** Contestar em juízo: *Insatisfeitos, os trabalhadores estudam questionar decisão da Justiça.* ▶ Conjug. 5. – **questionamento** *s.m.;* **questionável** *adj.*

questionário (ques.ti:o.*ná*.ri:o) *s.m.* Lista de questões ou perguntas.

quiabo (qui:*a*.bo) *s.m.* Fruto cônico, de cor verde, comestível, usado em saladas e ensopados.

quibe (*qui*.be) *s.m.* (*Cul.*) Iguaria da culinária árabe, geralmente feita de carne moída e trigo integral.

quibebe [é ou ê] (qui.*be*.be) *s.m.* (*Cul.*) Iguaria feita de abóbora reduzida à consistência de papa.

quiçá (qui.*çá*) *adv.* Talvez; porventura.

quicar (qui.*car*) *v.* **1.** Fazer saltar ou saltar (a bola): *O jogador quicou a bola no próprio pé; A bola quicou e dificultou a defesa do goleiro.* **2.** *coloq.* Ficar furioso, irritado: *O chefe quicou quando soube que o funcionário não viria.* ▶ Conjug. 5 e 35.

quiche (*qui*.che) *s.f.* (*Cul.*) Torta salgada feita com farinha e manteiga e recheada à base de ovos e requeijão.

quietar (qui:e.*tar*) v. Tornar(-se) quieto; tranquilizar(-se); aquietar(-se): *A notícia do aumento de empregos quietou a população; O bebê quietou(-se) com a chupeta.* ▶ Conjug. 8. – **quietação** s.f.

quieto [é] (qui:e.to) adj. **1.** Que não se move, que não se agita; parado, imóvel, quedo: *Seu filho não para quieto.* **2.** Tranquilo, sossegado, sereno, calmo: *Ele é uma pessoa quieta.* **3.** Sem ruído; silencioso: *cidade quieta.*

quietude (qui:e.*tu*.de) s.f. Ausência de movimento e barulho.

quilate (qui.*la*.te) s.m. **1.** Unidade que corresponde a 24 avos do ouro puro, empregada para indicar a proporção de ouro puro de uma liga. **2.** Unidade de peso equivalente a 200 mg e que se emprega para pesar diamantes. **3.** fig. Grau de qualidade; excelência, perfeição, valor, superioridade.

quilha (*qui*.lha) s.f. (*Náut.*) Peça de madeira ou de ferro a qual se estende da proa à popa e na qual se assenta toda a armação do navio.

quilo[1] (*qui*.lo) s.m. (*Biol.*) Líquido esbranquiçado a que ficam reduzidos os alimentos na última fase de digestão no intestino. || *Fazer o quilo*: fazer a digestão.

quilo[2] (*qui*.lo) s.m. Redução de quilograma.

quilograma (qui.lo.*gra*.ma) s.m. Unidade de peso equivalente a mil gramas. || Símbolo: *kg.*

quilo-hertz (qui.lo-*hertz*) s.m. (*Fís.*) Unidade de frequência equivalente a mil hertz.

quilolitro (qui.lo.*li*.tro) s.m. Unidade de capacidade equivalente a mil litros.

quilombo (qui.*lom*.bo) s.m. Acampamento fortificado nas matas ou locais agrestes, que servia de refúgio a escravos fugidos.

quilombola [ó] (qui.lom.*bo*.la) s.m. e f. Escravo que viveu em quilombo, ou seu descendente.

quilometragem (qui.lo.me.*tra*.gem) s.f. Medição em quilômetros.

quilometrar (qui.lo.me.*trar*) v. Medir ou marcar por quilômetros: *Zerou o marcador do carro para quilometrar a viagem.* ▶ Conjug. 8.

quilômetro (qui.*lô*.me.tro) s.m. Unidade de comprimento equivalente a mil metros. || Símbolo: *km*. – **quilométrico** adj.

quilowatt (qui.lo.*watt*) s.m. (*Eletr., Fís.*) Unidade de potência elétrica equivalente a mil watts. || Símbolo: *kW.*

quilowatt-hora (qui.lo.watt-*ho*.ra) s.m. (*Eletr., Fís.*) Unidade de potência elétrica equivalente a mil watts. || Símbolo: *kWh*; pl.: *quilowatts--horas* e *quilowatts-hora.*

quimera [é] (qui.*me*.ra) s.f. **1.** Fantasia, sonho, utopia, mito (4). **2.** Animal fabuloso com cabeça de leão, corpo de cabra e cauda de dragão.

química (*quí*.mi.ca) s.f. **1.** Ciência que estuda a composição da matéria, suas transformações e suas propriedades. **2.** fig. Bom entendimento entre duas pessoas.

químico (*quí*.mi.co) adj. **1.** Relativo a Química. • s.m. **2.** Profissional formado em Química.

quimioterapia (qui.mi:o.te.ra.*pi*.a) s.f. Procedimento terapêutico que emprega substâncias químicas. – **quimioterápico** adj.

quimo (*qui*.mo) s.m. (*Biol.*) Pasta a que se reduzem os alimentos pela digestão estomacal.

quimono (qui.*mo*.no) s.m. **1.** Roupão de origem asiática, usado por pessoas de ambos os sexos. **2.** (*Esp.*) Espécie de roupão com calças amplas, de tecido resistente e confortável, usado para praticar judô, caratê etc.

quina[1] (*qui*.na) s.f. Aresta, ponta: *Os protetores de silicone evitam que as crianças se machuquem nas quinas de mesas de vidro.*

quina[2] (*qui*.na) s.f. **1.** Conjunto de cinco elementos. **2.** Na loto, acerto de cinco números.

quina[3] (*qui*.na) s.f. (*Bot.*) Árvore cuja casca é usada em Medicina por suas propriedades antitérmicas.

quindim (quin.*dim*) s.m. **1.** (*Cul.*) Doce feito com gemas de ovo, coco ralado e açúcar. **2.** Pessoa muito querida: *Ele é o quindim da vovó.*

quinhão (qui.*nhão*) s.m. **1.** Parte que cabe a cada pessoa na repartição de um todo entre várias; cota. **2.** fig. Sorte, destino.

quinhentos (qui.*nhen*.tos) num. card. **1.** Cinco vezes cem. • s.m. **2.** Representação gráfica desse número (500 em algarismos arábicos; D em algarismos romanos). || *São outros quinhentos*: é outra coisa.

quinina (qui.*ni*.na) s.f. (*Quím.*) Alcaloide extraído da casca da quina[3]; quinino.

quinino (qui.*ni*.no) s.m. (*Quím.*) Quinina.

quinquagenário [üi] (quin.qua.ge.*ná*.ri:o) adj. **1.** De idade compreendida entre os cinquenta e os sessenta anos. • s.m. **2.** Pessoa quinquagenária.

quinquagésimo [üi] (quin.qua.*gé*.si.mo) num. ord. **1.** Que ou o que denota o número cinquenta numa série. • num. frac. **2.** Que ou o que é parte de um todo dividido em cinquenta partes iguais.

quinquênio [üinqüê] (quin.*quê*.ni:o) s.m. Período de cinco anos; lustro. – **quinquenal** adj.

quinquilharia (quin.qui.lha.*ri*.a) s.f. Objeto sem valor (mais usado no plural).

quinta[1] (*quin*.ta) s.f. Habitação campestre; granja; chácara.

quinta² (*quin*.ta) *s.f.* Redução de quinta-feira.

quinta-coluna (quin.ta-co.*lu*.na) *s.m.* e *f.* Grupo organizado que, em um país em guerra, age ocultamente em favor do inimigo. ‖ pl.: *quinta-colunas*. – **quinta-colunismo** *s.m.*

quinta-essência (quin.ta-es.*sên*.ci:a) *s.f.* O que há de melhor; a parte mais pura: *O teórico afirmou que a literatura fantástica é a quinta-essência da literatura.* ‖ *quintessência*; pl.: *quinta-essências*.

quinta-feira (quin.ta-*fei*.ra) *s.f.* Dia da semana que se segue à quarta-feira. ‖ pl.: *quintas-feiras*.

quintal (quin.*tal*) *s.f.* Terra nos fundos da casa, onde podem ser plantadas pequena horta ou árvores frutíferas.

quintessência (quin.tes.*sên*.ci:a) *s.f.* Quinta-essência.

quinteto [ê] (quin.*te*.to) *s.m.* **1.** Conjunto de cinco vozes ou de cinco instrumentos. **2.** (*Mús.*) Composição para cinco instrumentos ou vozes.

quintilhão (quin.ti.*lhão*) *num. card.* Mil quatrilhões. ‖ *quintilião*.

quintilião (quin.ti.li:*ão*) *num. card.* Quintilhão.

quinto (*quin*.to) *num. ord.* **1.** Que ou o que denota o número cinco numa série. • *num. frac.* **2.** Que ou o que é parte de um todo dividido em cinco partes iguais. ‖ *Ir para os quintos*: **1.** sumir ou morrer. **2.** não ter êxito; fracassar. • *Mandar para os quintos*: **1.** fazer desaparecer ou matar. **2.** dizer impropérios.

quíntuplo (*quín*.tu.plo) *num. mult.* **1.** Que ou o que é cinco vezes maior que outro. • *s.m.* **2.** Cada um de cinco gêmeos.

quinze (*quin*.ze) *num. card.* **1.** Quatorze mais um. • *s.m.* **2.** Representação gráfica desse número (15 em algarismos arábicos; XV em algarismos romanos).

quinzena (quin.*ze*.na) *s.f.* Período de quinze dias sucessivos. – **quinzenal** *adj.*

quiosque [ó] (qui:*os*.que) *s.m.* Pequena construção de madeira ou de ferro, instalada em locais públicos, utilizada para venda de jornais, flores, refrescos, sanduíches etc.

quiproquó [üi] (qui.pro.*quó*) *s.m.* Grande confusão resultante de um engano, mal-entendido (3).

quiromancia (qui.ro.man.*ci*.a) *s.f.* Adivinhação pelas linhas da mão. – **quiromante** *s.m.* e *f.*

quisto (*quis*.to) *s.m.* (*Med.*) Tumor formado por um saco de conteúdo mais ou menos líquido; cisto.

quitação (qui.ta.*ção*) *s.f.* **1.** Ato ou efeito de quitar. **2.** Documento que comprova o pagamento de uma dívida.

quitanda (qui.*tan*.da) *s.f.* Pequena loja onde se vendem frutas, hortaliças, ovos etc.

quitandeiro (qui.tan.*dei*.ro) *s.m.* Proprietário ou empregado de quitanda.

quitar (qui.*tar*) *v.* Desobrigar-se de (dívida); saldar: *Usou a herança para quitar o financiamento da sua casa própria.* ▶ Conjug. 5.

quite (*qui*.te) *adj.* **1.** Livre de (dívida ou obrigação): *estar quite com as obrigações eleitorais*. **2.** Igualado, empatado: *Agora que você também perdeu um gol, estamos quites.*

quitinete [é] (qui.ti.*ne*.te) *s.f.* **1.** Cozinha muito reduzida. **2.** Apartamento conjugado ou de sala e quarto com esse tipo de cozinha.

quitute (qui.*tu*.te) *s.m.* Iguaria delicada e saborosa; acepipe. – **quituteiro** *s.m.*

quiuí (qui:u:*í*) *s.m.* **1.** Fruto comestível de polpa verde e sumarenta, de árvore nativa da Ásia. **2.** (*Zool.*) Certa ave da Nova Zelândia, caracterizada por possuir bico longo e fino e por ser desprovida de asas. ‖ *quivi*.

quivi (qui.*vi*) *s.m.* Quiuí.

quixotada (qui.xo.*ta*.da) *s.f.* **1.** Ato ou dito próprio de quixote; quixotice. **2.** Bravata, fanfarronice, quixotice.

quixote [ó] (qui.*xo*.te) *s.m.* Pessoa idealista que luta inutilmente em defesa de causas que considera justas.

quixotesco [ê] (qui.xo.*tes*.co) *adj.* **1.** Relativo a Dom Quixote, personagem de Cervantes. **2.** Próprio de quixote.

quixotice (qui.xo.*ti*.ce) *s.f.* Quixotada.

quixotismo (qui.xo.*tis*.mo) *s.m.* Procedimento quixotesco.

quizila (qui.*zi*.la) *s.f.* Zanga, antipatia, repugnância. ‖ *quizília*.

quizília (qui.*zí*.li:a) *s.f.* Quizila.

quizumba (qui.*zum*.ba) *s.f. gír.* Briga com muitas pessoas envolvidas.

quociente (quo.ci:*en*.te) *s.m.* (*Mat.*) Resultado de uma operação de divisão. ‖ *cociente*.

quorum (Lat.) *s.m.* Número necessário de participantes em uma assembleia para que se tomem certas deliberações.

quota [ó] (*quo*.ta) *s.f.* Cota.

quota-parte (quo.ta-*par*.te) *s.f.* Cota-parte. ‖ pl.: *quotas-partes*.

quotar (quo.*tar*) *v.* Cotar. ▶ Conjug. 20.

quotidiano (quo.ti.di:*a*.no) *s.m.* Cotidiano.

quotista (quo.*tis*.ta) *adj.* Cotista.

quotizar (quo.ti.*zar*) *v.* Cotizar. ▶ Conjug. 5.

r *s.m.* Décima oitava letra do alfabeto português.

Ra (*Quím.*) Símbolo de *rádio²*.

rã *s.f.* Anfíbio anuro, que vive em lagoas ou locais pantanosos; jia.

rabada (ra.*ba*.da) *s.f.* **1.** (*Cul.*) Prato feito à base do rabo de boi cozido. **2.** Rabadilha. **3.** Golpe dado com um rabo de animal; rabanada (2).

rabadilha (ra.ba.*di*.lha) *s.m.* Parte traseira do corpo de alguns mamíferos, aves e peixes de onde se prolonga a cauda; rabo, rabada.

rabanada (ra.ba.*na*.da) *s.f.* **1.** (*Cul.*) Fatia de pão que se frita, depois de embebida em leite e passada no ovo, servida com açúcar e canela. **2.** Golpe dado com o rabo; rabada (3).

rabanete [ê] (ra.ba.*ne*.te) *s.m.* **1.** (*Bot.*) Planta de raiz comestível. **2.** A raiz dessa planta, de sabor picante, consumida em saladas.

rabeca [é] (ra.*be*.ca) *s.f.* (*Mús.*) Instrumento musical semelhante a um violino mais rudimentar, muito utilizado em manifestações de cultura popular e folclórica.

rabecão (ra.be.*cão*) *s.m.* Veículo para transportar cadáveres.

rabeira (ra.*bei*.ra) *s.f.* **1.** Parte posterior de um objeto; traseira: *a rabeira do veículo*. **2.** A última posição ou colocação: *Seu time está na rabeira do campeonato*.

rabi (ra.*bi*) *s.m.* Rabino.

rabiça (ra.*bi*.ça) *s.f.* Cabo do arado que se pega para lavrar.

rabicho (ra.*bi*.cho) *s.m.* **1.** Pequena trança de cabelo que cai a partir da nuca. **2.** Correia dos arreios que sai da sela e passa sob a cauda da cavalgadura. **3.** *coloq.* Relacionamento amoroso; namoro.

rabicó (ra.bi.*có*) *adj.* Que não tem rabo ou só tem uma parte dele; cotó.

rábico (*rá*.bi.co) *adj.* Relativo à raiva: *vacina antirrábica*.

rábido (*rá*.bi.do) *adj.* Raivoso, rábico.

rabino (ra.*bi*.no) *s.m.* Líder religioso da comunidade judaica, grande mestre e intérprete de suas leis; rabi.

rabiscar (ra.bis.*car*) *v.* **1.** Fazer rabiscos (1): *Não rabisque os livros*; *Gastava o tempo a rabiscar*. **2.** Escrever (algo) de maneira ilegível, às pressas: *Rabiscou algumas palavras que mal se podiam ler*. ▶ Conjug. 5 e 35.

rabisco (ra.*bis*.co) *s.m.* **1.** Traço ou desenho feito de forma incipiente ou tosca; garatuja. **2.** Primeira versão de um desenho; esboço. • *rabiscos s.m.pl.* **3.** Escrita inteligível, feita às pressas; garranchos.

rabo (*ra*.bo) *s.m.* **1.** Prolongamento da coluna vertebral de certos mamíferos. **2.** Nos peixes, répteis e insetos, diz-se da extremidade do corpo oposta à cabeça. **3.** Nas aves, tufo de penas que nasce do uropígio e lhes serve para orientar o voo. **4.** *chulo* As nádegas ou o ânus.

rabo de arraia *s.m.* Golpe de capoeira que consiste em apoiar-se sobre as mãos e rodar o corpo de encontro às pernas do adversário para derrubá-lo.

rabo de cavalo *s.m.* Penteado em que os cabelos, atados por fita, elástico, prendedor etc., pendem do alto da cabeça.

rabo de foguete *s.m. coloq.* Problema difícil de ser resolvido.

rabo de galo *s.m.* Aperitivo preparado com aguardente e vermute.

rabo de palha *s.m.* Má reputação devida a atitudes censuráveis e reprováveis.

rabo de saia *s.m. coloq.* Mulher.

rabugem (ra.*bu*.gem) *s.f.* **1.** (*Vet.*) Espécie de sarna que dá nos cães. **2.** *fig.* Mau humor; rabugice.

rabugento (ra.bu.*gen*.to) *adj.* **1.** Que tem rabugem (1) (diz-se de cão). **2.** Que tem mau humor; irritadiço, implicante, ranzinza, ranheta: *velho rabugento*.

rábula (rá.bu.la) *s.m.* **1.** *pej.* Mau advogado, que faz uso de ardis e chicanas para atrapalhar a ação judicial. **2.** Pessoa que advoga sem ser diplomada em Direito.

raça (ra.ça) *s.f.* **1.** Grupo de pessoas que se distinguem de outras coletividades por suas características socioculturais (língua, religião, história, tradições etc.); grupo étnico. **2.** Conjunto dos seres humanos; a humanidade: *a raça humana*. **3.** Subespécie animal resultante de cruzamento para manutenção e aprimoramento de uma espécie: *touro de raça; cão da raça labrador*. **4.** *fig.* Grande determinação; espírito de luta, coragem, fibra, garra: *É preciso muita raça para vencer na vida*. **5.** *pej.* Espécie, classe, laia: *Não confie nessa raça de gente*. || *Acabar com a raça de*: *coloq.* matar, exterminar. • *Na raça*: *coloq.* com forte disposição; *no peito e na raça*.

ração (ra.ção) *s.f.* Porção de víveres calculada para o consumo de uma pessoa ou de um animal por dia ou para uma refeição.

racha (ra.cha) *s.f.* **1.** Abertura causada por uma ruptura; fenda, rachadura. • *s.m.* **2.** Divergência entre os integrantes de um mesmo grupo, ocasionando a formação de uma facção dissidente: *Um racha no partido deu origem a outra ala mais radical*. **3.** *coloq.* Partida amistosa de futebol; pelada. **4.** *coloq.* Corrida ilegal, disputada em carros ou motos por vias públicas; pega.

rachadura (ra.cha.du.ra) *s.f.* Ato ou efeito de rachar(-se); fenda, racha.

rachar (ra.char) *v.* **1.** Abrir ou sofrer rachadura; fender(-se), partir(-se): *O jarro de cristal caiu e rachou(-se); O frio do inverno rachou meus lábios*. **2.** Abrir de meio a meio; partir violentamente: *O raio rachou a velha árvore*. **3.** Partir, lascar (lenha). **4.** *coloq.* Dividir, repartir (algo) (com alguém): *Os namorados racharam o lanche; Ao final do jantar, os convivas racharam a despesa*. **5.** *coloq.* Cindir-se, separar-se, desmembrar-se: *Não houve consenso e a bancada do partido rachou*. ▶ Conjug. 5.

racial (ra.ci:al) *adj.* Relativo a raça (1): *preconceito racial; integração racial*.

raciocinar (ra.ci:o.ci.nar) *v.* **1.** Buscar o conhecimento ou o entendimento, apontando ou discutindo razões; pensar, refletir: *Só consigo raciocinar em silêncio; Os filósofos raciocinam a respeito das grandes questões da existência*. **2.** Fazer raciocínio(s) ou considerações; considerar, ponderar, pensar: *Raciocine bem se deve ou não efetuar esse negócio*. ▶ Conjug. 5.

raciocínio (ra.ci:o.cí.ni:o) *s.m.* **1.** Ato ou efeito de raciocinar. **2.** Atividade mental que, por meio do encadeamento de razões e argumentos, elabora uma conclusão, um julgamento ou uma inferência. **3.** A capacidade de exercer essa atividade, de raciocinar; juízo, razão, racionalidade, inteligência: *Aquele aluno tem um raciocínio rápido*.

racional (ra.ci:o.nal) *adj.* **1.** Dotado da faculdade de raciocínio: *O homem é um animal racional*. **2.** Que se fundamenta na razão e no raciocínio: *Deixe de argumentos absurdos e formule uma hipótese racional*. **3.** Que é razoável, coerente, lógico, inteligente: *Deu uma resposta racional às questões apresentadas*. **4.** Que denota bom senso ou juízo; sensato, ponderado: *atitude racional*. **5.** (*Mat.*) Que é a expressão exata da razão entre dois números inteiros (diz-se de número). • *s.m.* **6.** O ser racional (por oposição a *irracional*). **7.** (*Mat.*) Número racional.

racionalidade (ra.ci:o.na.li.da.de) *s.f.* **1.** Qualidade ou característica do que é racional. **2.** Tendência a sempre agir em conformidade com a razão: *Nele, a racionalidade se sobrepõe ao sentimento*. **3.** (*Mat.*) Propriedade de racional (diz-se de número, variável ou função).

racionalismo (ra.ci:o.na.lis.mo) *s.m.* **1.** Tendência à observação e à compreensão da realidade, fundamentada na preponderância da razão sobre o sentimento e a emoção. **2.** (*Fil.*) Sistema filosófico que atribui à razão e ao raciocínio a primazia do conhecimento e explicação da realidade.

racionalista (ra.ci:o.na.lis.ta) *adj.* **1.** Relativo ou pertencente ao Racionalismo. **2.** Que segue as ideias do Racionalismo. • *s.m. e f.* **3.** Pessoa que segue ou professa o Racionalismo.

racionalizar (ra.ci:o.na.li.zar) *v.* **1.** Tornar (alguém) mais racional, mais reflexivo: *O conhecimento filosófico racionalizou-o, libertando-o do conhecimento empírico*. **2.** Tornar (algum método ou alguma atividade) mais eficiente, por meio de organização e planejamento logísticos: *racionalizar a produção agrícola; racionalizar o processo de aceleração da economia*. **3.** (*Psic.*) Justificar (uma ideia ou um comportamento), cujas causas verdadeiras não se podem perceber por meio de explicações racionais, coerentes e aceitáveis: *racionalizar o erro, a culpa*. ▶ Conjug. 5. – **racionalização** *s.f.*

racionamento

racionamento (ra.ci:o.na.*men*.to) *s.m.* **1.** Ato ou efeito de racionar. **2.** Distribuição ou venda controlada de certos gêneros ou víveres à população, determinada pelas autoridades governamentais, em períodos de grande carência.

racionar (ra.ci:o.*nar*) *v.* **1.** Distribuir ou vender em quantidades limitadas e controladas: *racionar a água; racionar combustível*. **2.** Consumir com moderação; poupar: *racionar o uso de aparelhos elétricos*. ▶ Conjug. 5.

racismo (ra.*cis*.mo) *s.m.* **1.** Recusa em reconhecer os direitos de outra pessoa ou grupo social de características culturais ou étnicas diferentes, em nome de uma pretensa e inerente superioridade. **2.** Atitude de preconceito, discriminação ou até mesmo hostilidade em relação a certos segmentos sociais ou geográficos diferentes.

racista (ra.*cis*.ta) *adj.* **1.** Relativo ao racismo. **2.** Que professa o racismo. • *s.m.* e *f.* **3.** Pessoa adepta do racismo.

rack [réc] (Ing.) *s.m.* Espécie de estante onde fica disposta especialmente a aparelhagem eletrônica em uso.

radar (ra.*dar*) *s.m.* **1.** Técnica de localização de objeto (avião, submarino etc.) a uma certa distância, por meio da emissão de ondas radioelétricas e da análise de seus reflexos. **2.** Equipamento usado para essa função.

radiação (ra.di:a.*ção*) *s.f.* **1.** (Fís.) Energia emitida por uma fonte e que se irradia por meio de ondas ou partículas. **2.** (Fís.) Corrente de elétrons, prótons, nêutrons ou de partículas alfa. **3.** (Med.) Tratamento por elétrons, nêutrons ou outras radiações ionizantes.

radiador [ô] (ra.di:a.*dor*) *s.m.* **1.** Aparelho composto de tubos paralelos em que circulam vapor de água ou água quente, que serve para aquecer ambientes fechados; aquecedor. **2.** (Mec.) Aparelho que serve para resfriar a água que circula em motores de explosão. • *adj.* **3.** Que radia; irradiador.

radial (ra.di:*al*) *adj.* **1.** Relativo a raio. **2.** Que emite raios. **3.** Que se propaga ou se estende de um ponto central para fora, na forma de raios (3). **4.** (Anat.) Relativo ao rádio (osso do antebraço). **5.** Que parte, em linha reta ou quase reta, do centro urbano para a periferia da cidade (diz-se de avenida). • *s.f.* **6.** Essa avenida: *Na ida para o trabalho, tomo sempre a Radial Oeste*.

radialista (ra.di:a.*lis*.ta) *s.m.* e *f.* (Rádio, Telv.) Profissional que exerce atividades no rádio ou na televisão, como os locutores, artistas, técnicos etc.

radiante (ra.di:*an*.te) *adj.* **1.** Que emite ou se propaga através de raios: *calor radiante*. **2.** Que radia luz; brilhante, cintilante, fulgurante, irradiante: *astro radiante*. **3.** *fig.* Transbordante de alegria; exultante, feliz: *A noiva estava radiante de felicidade*.

radiar (ra.di:*ar*) *v.* **1.** Emitir raios de luz ou calor; irradiar: *O sol radiava no céu límpido*. **2.** Brilhar, fulgurar, refulgir, resplandecer: *O colar de brilhantes radiava em seu belo colo*. **3.** *fig.* Transmitir (sentimento, sensação, ideia); difundir, propagar: *O professor radiava entusiasmo (a seus alunos)*. ▶ Conjug. 17.

radiatividade (ra.di:a.ti.vi.*da*.de) *s.f.* Radioatividade.

radical (ra.di.*cal*) *adj.* **1.** Relativo a raiz. **2.** *fig.* Que é extremamente rígido, inflexível, intransigente em suas opiniões e posições: *um defensor radical das minorias*. **3.** Que, por envolver riscos, exige perícia, destreza e coragem (diz-se de atividades esportivas): *É exímio em manobras radicais no surfe*. **4.** (Gram.) Núcleo em que reside a significação externa da palavra, ao qual se seguem normalmente um ou mais elementos mórficos indicadores das flexões ou desinências (de gênero e número para os nomes e de número, pessoa, tempo e modo para os verbos): *Em* alunas, *o radical é* alun-, *seguido da desinência* -a *de feminino e da desinência* -s *de plural; em* canto, *ao radical* cant- *segue-se a desinência* -o *da primeira pessoa do singular*. **5.** (Mat.) Símbolo (√) com que se indica a extração de uma raiz. **6.** (Quím.) Grupo de átomos de uma molécula que, durante as reações químicas, passa dessa molécula a outra, sem sofrer modificações. ‖ *Radical livre*: molécula geralmente instável e muito reativa, que se caracteriza por conter em sua estrutura elétrons desemparelhados: *A ação oxidante de certos radicais livres pode causar processos degenerativos e de envelhecimento*.

radicalismo (ra.di.ca.*lis*.mo) *s.m.* **1.** Atitude de quem é radical (3); intransigência, intolerância, inflexibilidade. **2.** Doutrina que prega a transformação imediata e total de um sistema (social, político, cultural, religioso), por meio de reformas radicais em sua estrutura e funcionamento.

radicalista (ra.di.ca.*lis*.ta) *adj.* **1.** Relativo ao radicalismo. **2.** Que adota as ideias do radicalismo. • *s.m.* e *f.* **3.** Partidário do radicalismo.

radicalizar (ra.di.ca.li.*zar*) v. Tornar(-se) radical (2): *A bancada oposicionista decidiu radicalizar sua atuação no Congresso; Os líderes grevistas concordaram em que não era o momento de radicalizar; A campanha política se radicalizou na reta final das eleições.* ▶ Conjug. 5.

radicando (ra.di.*can*.do) s.m. (*Mat.*) Número ou expressão algébrica que está sob um símbolo de radical.

radicar (ra.di.*car*) v. **1.** Fixar(-se) de maneira profunda; enraizar(-se), arraigar(-se), infundir(-se), consolidar(-se): *É preciso radicar a paz entre os povos; A esperança num mundo melhor foi-se radicando entre os homens.* **2.** Estabelecer-se em algum lugar; fixar residência; residir: *Os imigrantes japoneses se radicaram principalmente em São Paulo.* ▶ Conjug. 5 e 35.

radiciação (ra.di.ci.*a.ção*) s.f. (*Mat.*) Operação pela qual se calcula a raiz de um número ou expressão.

radícula (ra.*dí*.cu.la) s.f. **1.** Pequena raiz. **2.** (*Bot.*) Parte do embrião que depois se transforma em raiz. ǁ dim. de *raiz*.

radiculado (ra.di.cu.*la*.do) adj. Provido de raiz ou de radícula.

rádio[1] (*rá*.di:o) s.m. (*Anat.*) Osso menor dos dois que formam o antebraço.

rádio[2] (*rá*.di:o) s.m. (*Quím.*) Elemento metálico, leve, branco-prateado, fortemente radioativo, utilizado em tratamento radioterápico e na fabricação de tintas luminescentes. ǁ Símbolo: *Ra*.

rádio[3] (*rá*.di:o) s.m. **1.** (Rádio) Sistema de comunicação a distância por meio de ondas radioelétricas; radiodifusão. **2.** Aparelho receptor dos sinais radiofônicos de uma emissora de rádio: *o rádio do carro; rádio portátil.* **3.** Aparelho emissor ou receptor de telegrafia e de telefonia sem fio. **4.** Aparelho emissor ou receptor usado na comunicação entre aeronaves, navios, radiotáxis etc. e suas bases, e também por radioamadores. **5.** A mensagem transmitida por esse aparelho: *O piloto do avião enviou um rádio à torre do comando antes de aterrissar.* • s.f. **6.** Emissora de rádio; radiodifusora: *Gosto de ouvir a Rádio Ministério da Educação.*

radioamador [ô] (ra.di:o:a.ma.*dor*) **1.** adj. Relativo a radioamadorismo. **2.** Que pratica radioamadorismo. • s.m. **3.** Praticante de radioamadorismo.

radioamadorismo (ra.di:o:a.ma.do.*ris*.mo) s.m. Atividade em que, por meio de uma estação de rádio particular, um operador se comunica com vários locais em todo o mundo, sem finalidade lucrativa.

radioatividade (ra.di:o:a.ti.vi.*da*.de) s.f. (*Fís.*) Fenômeno da desintegração espontânea do núcleo atômico de certos elementos, que se acompanha de uma emissão de partículas de natureza diversa ou de radiação eletromagnética.

radioativo (ra.di:o:a.*ti*.vo) adj. Que emite radiação; que possui radioatividade.

radiodifusão (ra.di:o.di.fu.*são*) s.f. (*Rádio*) **1.** Propagação de sinais de comunicação a distância por meio de ondas radioelétricas ou hertzianas; rádio[3] (1). **2.** Transmissão de programas (culturais, informativos, de entretenimento etc.) por meio de radiodifusão: *A radiodifusão, no Brasil, está sujeita à concessão do poder público.*

radiodifusora [ô] (ra.di:o.di.fu.*so*.ra) s.f. (*Rádio*) Radioemissora.

radioelemento (ra.di:o:e.le.*men*.to) s.m. Qualquer elemento químico com propriedades radioativas.

radioeletricidade (ra.di:o:e.le.tri.ci.*da*.de) s.f. (*Fís.*) Ramo da Física que se ocupa do estudo e das aplicações das ondas eletromagnéticas ou hertzianas. – **radioelétrico** adj.

radioemissora [ô] (ra.di:o.e.mis.*so*.ra) s.f. (*Rádio*) Estação que transmite programas radiofônicos pelo sistema de ondas hertzianas; radiodifusora; radiotransmissora; rádio[3] (6).

radiofonia (ra.di:o.fo.*ni*.a) s.f. Sistema de transmissão de sons por meio de ondas hertzianas; radiotelefonia. – **radiofônico** adj.

radiofoto [ó] (ra.di:o.*fo*.to) s.f. Redução de *radiofotografia*.

radiofotografia (ra.di:o.fo.to.gra.*fi*.a) s.f. **1.** (*Rádio*) Técnica de transmissão de fotografias por meio de radiodifusão (1). **2.** Fotografia transmitida por esse processo. – **radiofotográfico** adj.

radiografar (ra.di:o.gra.*far*) v. Fazer a radiografia de: *radiografar os pulmões, a coluna vertebral.* ▶ Conjug. 5.

radiografia (ra.di:o.gra.*fi*.a) s.f. **1.** (*Med.*) Técnica de registro em chapa fotográfica de uma parte do corpo submetida à ação dos raios X, para fins de diagnóstico. **2.** Chapa obtida por meio dessa técnica. **3.** *fig.* Exame percuciente, análise penetrante de (assunto, fato, problema etc.): *O ministro apresentou uma radiografia da educação no Brasil.* – **radiográfico** adj.

radiograma

radiograma (ra.di:o.*gra*.ma) *s.m.* **1.** Comunicação realizada por radiotelegrafia. **2.** Telegrama enviado ou recebido por esse meio.

radiojornal (ra.di:o.jor.*nal*) *s.m.* (Rádio) Noticiário transmitido por meio da radiodifusão (2).

radiojornalismo (ra.di:o.jor.na.*lis*.mo) *s.m.* (*Rádio*) Jornalismo veiculado por meio da radiodifusão (2). – **radiojornalista** *s.m.* e *f.*

radiola [ó] (ra.di:o.la) *s.f.* Aparelho que funciona como rádio e vitrola; radiovitrola.

radiologia (ra.di:o.lo.*gi*.a) *s.f.* (*Med.*) Ramo da Medicina que utiliza os raios X e outras formas de radiação para fins de diagnóstico ou terapêuticos. – **radiológico** *adj.*

radiologista (ra.di:o.lo.*gis*.ta) *s.m.* e *f.* Médico especialista em Radiologia.

radionovela [é] (ra.di:o.no.*ve*.la) *s.f.* Novela transmitida por radiofusão.

radiopatrulha (ra.di:o.pa.*tru*.lha) *s.f.* **1.** Sistema de policiamento, especialmente nos centros urbanos, em que uma central de controle mantém comunicação com policiais em veículos equipados com rádio³ (4). **2.** O veículo assim equipado e seu respectivo efetivo de policiais.

radiorreceptor [ô] (ra.di:or.re.cep.*tor*) *s.m.* Aparelho que se destina a captar sinais radioelétricos.

radiorreportagem (ra.di:or.re.por.*ta*.gem) *s.m.* (Rádio) Programa jornalístico transmitido por emissora de rádio. – **radiorrepórter** *s.m.* e *f.*

radioscopia (ra.di:os.co.*pi*.a) *s.f.* Exame de um órgão pela sua projeção em alvo iluminado pelos raios X.

radioso [ô] (ra.di:*o*.so) *adj.* **1.** Que emite raios de luz; brilhante, cintilante, resplandecente: *manhã radiosa*. **2.** *fig.* Que demonstra grande alegria; jubiloso, contente, radiante: *sorriso radioso.* || f. e pl.: [ó]. – **radiosidade** *s.f.*

radiotáxi [cs] (ra.di:o.*tá*.xi) *s.m.* Táxi equipado com aparelho de rádio (4), para comunicação contínua com uma central de operações, que repassa ao motorista as requisições e a localização dos passageiros.

radioteatro (ra.di:o.te:*a*.tro) *s.m.* (*Rádio, Teat.*) Representação teatral adequada à transmissão radiofônica.

radiotécnica (ra.di:o.*téc*.ni.ca) *s.f.* **1.** Ciência radioelétrica. **2.** Conjunto de procedimentos técnicos relativos a essa ciência e suas aplicações, especialmente na comunicação a distância.

radiotécnico (ra.di:o.*téc*.ni.co) *s.m.* **1.** Relativo ou pertencente a radiotécnica. **2.** Especialista em radiotécnica.

radiotelefonia (ra.di:o.te.le.fo.*ni*.a) *s.f.* Radiofonia.

radiotelefonista (ra.di:o.te.le.fo.*nis*.ta) *s.m.* e *f.* Pessoa que opera aparelho de radiotelefonia.

radiotelegrafia (ra.di:o.te.le.gra.*fi*.a) *s.f.* Sistema de telegrafia no qual as mensagens são transmitidas por meio de ondas eletromagnéticas; telegrafia sem fio.

radiotelegrafista (ra.di:o.te.le.gra.*fis*.ta) *s.m.* e *f.* Operador de radiotelegrafia.

radioterapia (ra.di:o.te.ra.*pi*.a) *s.f.* (*Med.*) Tratamento terapêutico de certas doenças, especialmente o câncer, por meio de radiação. – **radioterápico** *adj.*

radiotransmissão (ra.di:o.trans.mis.*são*) *s.f.* Radiodifusão.

radiotransmissor [ô] (ra.di:o.trans.mis.*sor*) *s.m.* Aparelho que produz e irradia ondas eletromagnéticas.

radiotransmissora [ô] (ra.di:o.trans.mis.*so*.ra) *s.f.* Radioemissora.

radiouvinte (ra.di:ou.*vin*.te) *s.m.* e *f.* Pessoa que ouve as emissões radiofônicas.

radiovitrola [ó] (ra.di:o.vi.*tro*.la) *s.f.* Radiola.

radônio (ra.*dô*.ni:o) *s.m.* (*Quím.*) Elemento químico radioativo, da família dos gases nobres, usado no tratamento radioterápico do câncer. || Símbolo: *Rn*.

rafeiro (ra.*fei*.ro) *adj.* **1.** Diz-se do cão que serve para guardar o gado. • *s.m.* **2.** Cão rafeiro.

ráfia (*rá*.fi:a) *s.f.* (*Bot.*) Palmeira nativa de regiões tropicais, de cujas grandes folhas se extrai uma fibra muito resistente, que, transformada em fio, tem utilização industrial em bolsas, cestos e mobiliário leve.

ragu (ra.*gu*) *s.m.* (*Cul.*) Ensopado de carne com legumes e muito molho.

raia¹ (*rai*.a) *s.f.* **1.** Risca, traço, linha, estria: *Os escravos tinham nas costas raias deixadas pelos açoites*. **2.** Faixa de demarcação do espaço regulamentar (em piscina ou pista de corrida) entre os atletas competidores: *O corredor da raia número cinco foi o vencedor*. **3.** Pista em corrida de cavalo. **4.** Limite ou fronteira de um país ou estado. **5.** *fig.* Limiar, borda, limite: *Aquela situação o estava levando às raias da loucura*. || *Fechar a raia*: no turfe, chegar (o cavalo) em último lugar na pista. • *Fugir da raia*: *coloq.* esquivar-se de enfrentar situação, compromisso ou disputa difícil e embaraçosa.

raia² (*rai.*a) *s.f.* Arraia.

raiar¹ (rai.*ar*) *v.* **1.** Emitir raios luminosos; irradiar, brilhar, refulgir, luzir: *As estrelas raiavam no céu do sertão.* **2.** Aparecer no horizonte; surgir, despontar: *"Raia sanguínea e fresca a madrugada..."* (Raimundo Correia, As pombas); (*fig.*) *"Já raiou a liberdade no horizonte do Brasil".* (*Hino da Independência*, Evaristo da Veiga). ▶ Conjug. 5.

raiar² (rai.*ar*) *v.* **1.** Traçar raias, riscas ou estrias em: *O arame da cerca raiou-lhe os braços e as pernas*; *As crianças raiaram o chão de branco, para demarcar o campo da pelada.* **2.** *fig.* Tocar as raias (5) de; chegar ao ponto de; beirar: *Sua resposta raia ao absurdo.* ▶ Conjug. 5.

raid (Ing.) Ver **reide**.

rainha (ra.i.nha) *s.f.* **1.** Soberana de uma monarquia. **2.** Esposa ou viúva de um rei. **3.** *fig.* Mulher que se destaca pela autoridade ou pela excelência de seus atributos: *rainha do lar*; *rainha da beleza*. **4.** (*Zool.*) Fêmea fértil de alguns insetos, como as abelhas, os cupins e as formigas. **5.** No jogo de xadrez, peça mais importante depois do rei, que pode ser movimentada em todas as direções do tabuleiro.

raio (rai.*o*) *s.m.* **1.** (*Fís.*) Onda de radiação eletromagnética; raio de luz. **2.** (*Astron.*) Meteoro com origem na eletricidade atmosférica, produzido por descargas elétricas bruscas, que se manifesta por uma luz rápida e intensa (relâmpago), seguida de ruído forte e prolongado (trovão). **3.** (*Geom.*) Segmento de reta que liga o centro de um círculo ou esfera a qualquer de seus pontos. **4.** Distância que vai de um centro à periferia: *Num raio de vinte quilômetros do centro urbano, já rareavam as casas e a gente.* **5.** Cada uma das hastes metálicas que une o aro ao centro de uma roda. **6.** *fig.* Aquilo que transmite sentimentos positivos: *A melhora do enfermo trouxe um raio de esperança à família.* **7.** *fig. coloq.* Espécie, tipo, classe: *Que raio de doença é essa de que se fala tanto?* || *Raios X*: (*Fís.*) radiação eletromagnética, semelhante aos raios ultravioleta, porém de menor comprimento de onda e, portanto, de menor energia, empregada em radiologia, para fins de diagnóstico, e em radioterapia, para tratamento de algumas doenças.

raiom (rai.*om*) *s.m.* **1.** Fibra sintética, feita a partir da celulose, usada na indústria têxtil. **2.** O tecido feito com essa fibra.

raiva (rai.*va*) *s.f.* **1.** Acesso violento de ira; cólera, fúria: *Os olhos do malfeitor estavam congestionados de tanta raiva.* **2.** Ressentimento, mágoa, rancor: *Tinha raiva dos críticos de seu livro.* **3.** Grande aversão (a algo ou a alguém); ojeriza, horror: *Tem raiva de tomar remédios*; *Sentia enorme raiva de pessoas falsas e bajuladoras.* **4.** (*Vet.*) Zoonose infecciosa aguda, causada por vírus, que acomete o sistema nervoso central de alguns animais, como o morcego, o cão e o gato, e que se transmite por mordedura ao homem; hidrofobia.

raivoso [ô] (rai.*vo*.so) *adj.* **1.** Diz-se do animal ou indivíduo contaminado pela raiva; hidrófobo. **2.** Dominado pela raiva; colérico, furioso, furibundo. || f. e pl.: [ó].

raiz (ra.*iz*) *s.f.* **1.** (*Bot.*) Parte inferior do vegetal, que cresce em sentido oposto ao caule, introduzindo-se no solo, para fixar-se e para absorver dele as substâncias necessárias a seu desenvolvimento. **2.** (*Anat.*) Parte por meio da qual um órgão ou uma estrutura orgânica se implanta em um tecido: *raiz dos cabelos*; *raiz das unhas*. **3.** (*Anat.*) Parte do dente que se acha implantada no alvéolo. **4.** *fig.* Aquilo que dá origem, que ocasiona (alguma coisa): *É preciso descobrir a raiz dos problemas que causam a violência.* **5.** *fig.* Vínculo ou laço forte que liga (alguém) a sua origem familiar geográfica ou cultural: *Meus pais têm orgulho de suas raízes lusitanas.* || É mais usado no plural. **6.** (*Gram.*) Radical primário ou irredutível de uma língua, comum a todas as palavras de uma mesma família, como, por exemplo, a raiz *fug*, presente em *fugir, fugaz, refúgio* etc. **7.** (*Mat.*) Número que, elevado ao índice do radical, reproduz o radicando. || *Raiz cúbica*: (*Mat.*) aquela cujo índice é três. • *Raiz quadrada*: (*Mat.*) aquela cujo índice é dois.

rajá (ra.*já*) *s.m.* Príncipe ou soberano indiano.

rajada (ra.*ja*.da) *s.f.* **1.** Aumento repentino da intensidade do vento; lufada. **2.** *fig.* Manifestação súbita e violenta; acesso, ataque: *O assaltante detido lançou uma rajada de impropérios.* **3.** Descarga ininterrupta de tiros de metralhadora ou outras armas: *À noite, rajadas de balas assustavam os moradores.*

rajado (ra.*ja*.do) *adj.* **1.** Que apresenta raias, riscos ou estrias: *uma tela branca rajada de cores vivas.* **2.** Que tem manchas escuras (diz-se de animal).

ralação (ra.la.*ção*) *s.f.* **1.** Ato ou efeito de ralar por meio do ralador. **2.** *fig. coloq.* Trabalho ou esforço extenuante; batalha, luta: *Seu dia a dia é uma ralação constante.*

ralador [ô] (ra.la.*dor*) *s.m.* Instrumento para ralar ou reduzir a migalhas substâncias sólidas,

ralar

friccionando-as sobre superfície com orifícios de rebordos salientes; ralo.

ralar (ra.*lar*) *v.* **1.** Reduzir (substâncias sólidas) a fragmentos pequenos, por meio do ralador; moer, triturar: *ralar coco; ralar queijo.* **2.** Provocar arranhão em (parte do corpo); esfolar, escoriar, arranhar-se: *Esse menino vive ralando os braços e as pernas; Seu pé ralou ao pisar o chão áspero.* **3.** *fig.* Afligir(-se), atormentar(-se), corroer(-se), consumir(-se): *O rancor ralava-lhe a alma; Ralava-se de ciúmes do marido.* **4.** *fig. coloq.* Trabalhar ou esforçar-se exaustivamente; batalhar, lutar: *Ralou muito para ter a carteira assinada.* **5.** *coloq.* Não dar a menor importância a; não ligar para; não se incomodar; lixar-se: *Ela está se ralando para o que comentam a seu respeito.* ▶ Conjug. 5. – **raladura** *s.f.*

ralé (ra.*lé*) *s.f.* **1.** *pej.* A camada menos favorecida economicamente em uma sociedade; plebe, populacho, povão. **2.** Agrupamento de marginais e desordeiros; choldra, gentalha, escória.

ralhar (ra.*lhar*) *v.* **1.** Repreender em voz alta, com severidade; admoestar: *As mães ralham com os filhos, quando necessário; Não se deve ralhar sem motivo.* **2.** Criticar em voz alta, com veemência; censurar, reprovar: *O pessimista ralha contra tudo e contra todos; Só sabia ralhar, não era capaz de uma crítica construtiva.* ▶ Conjug. 5.

ralho (ra.*lho*) *s.m.* **1.** Ato ou efeito de ralhar. **2.** Repreensão em voz alta; admoestação; censura, descompostura.

rali (ra.*li*) *s.m.* (*Esp.*) Prova automobilística ou de motociclismo realizada por etapas, em percurso longo e com muitos obstáculos, com o objetivo de comprovar a habilidade dos competidores e a qualidade de seus veículos.

ralo¹ (ra.*lo*) *adj.* **1.** Que tem pouca quantidade ou pouca densidade; escasso, pouco, raro: *barba rala; vegetação rala.* **2.** De pouca consistência cremosa: *sopa rala.* **3.** Que tem baixa concentração de sua substância básica: *café ralo; suco ralo.* **4.** Ralador.

ralo² (ra.*lo*) *s.m.* Peça com pequenos orifícios, de metal ou plástico, que se coloca nos escoadouros de pias, tanques, banheiras etc., para impedir o entupimento causado por detritos.

rama (ra.*ma*) *s.f.* Conjunto de ramos de uma árvore ou de outro vegetal; ramada, ramagem.

ramada (ra.*ma*.da) *s.f.* Rama.

ramagem (ra.*ma*.gem) *s.f.* **1.** Rama. **2.** Desenho de flores ou folhas sobre um tecido, um papel etc.

ramal (ra.*mal*) *s.f.* **1.** Ramificação de ferrovia ou rodovia, que sai da via principal para servir a localidades onde elas não passam. **2.** Ramificação interna de uma rede telefônica particular. **3.** *fig.* Subdivisão, braço, ramo, ramificação: *A violência urbana espraia-se por muitos ramais.*

ramalhete [ê] (ra.ma.*lhe*.te) *s.m.* Pequeno ramo de flores artisticamente reunidas; buquê.

ramalho (ra.*ma*.lho) *s.m.* Ramo grande, geralmente cortado da árvore.

rameira (ra.*mei*.ra) *s.f.* Prostituta, meretriz.

ramerrão (ra.mer.*rão*) *s.m.* Repetição monótona e enfadonha; rotina, mesmice, monotonia: *Queria fugir do ramerrão em que se transformara sua vida.*

ramificação (ra.mi.fi.ca.*ção*) *s.f.* **1.** Ato ou efeito de ramificar(-se). **2.** (*Bot.*) Conjunto de ramos em que se subdivide o caule. **3.** Subdivisão de uma ferrovia em vias subsidiárias; ramal. **4.** *fig.* Divisão específica de uma arte, ciência etc.; ramo (3). **5.** *fig.* Consequência, resultado, efeito: *Espera-se que as medidas governamentais tenham ramificações na vida da população.*

ramificar (ra.mi.fi.*car*) *v.* **1.** Gerar ramos ou raízes, ou subdividir-se neles: *Certas plantas ramificam muitas raízes; O caule ainda não (se) ramificou.* **2.** Subdividir(-se) em ramais: *A estrada de ferro se ramificava em várias linhas secundárias.* **3.** Dividir(-se), desdobrar(-se) (em outros ramos, partes, braços etc.): *ramificar o ensino; O tumor se ramificou; O partido se ramificou em várias facções.* **4.** *fig.* Estender-se, espalhar-se, alastrar-se: *A esperança ramificou-se no coração daquela gente sofrida.* ▶ Conjug. 5 e 35.

ramo (ra.*mo*) *s.m.* **1.** (*Bot.*) Subdivisão do caule das plantas; galho. **2.** *fig.* Cada uma das famílias de um mesmo tronco numa árvore genealógica: *Ela é uma princesa de um dos ramos da família imperial brasileira.* **3.** Especialização de atividades profissionais ou de uma ciência ou arte: *Aquele comerciante trabalha no ramo de atacados; Ortopedia é um ramo da Medicina.* **4.** Feixe de flores ou folhagens; buquê, ramalhete.

rampa (ram.*pa*) *s.f.* **1.** Terreno inclinado, em aclive ou declive; ladeira: *O ancião se cansava de subir a rampa que levava à igreja.* **2.** Plano inclinado, construído para a subida ou descida de materiais ou objetos diversos: *As embarcações eram levadas ao mar pela rampa.* **3.** Plataforma para o lançamento de projéteis ou mísseis.

rancheira (ran.*chei*.ra) *s.f.* **1.** Dança popular, comum na Argentina e também no Rio Grande do Sul, sobretudo em bailes campestres. **2.** Música para tal dança.

rancheiro (ran.*chei*.ro) *s.m.* **1.** Proprietário, administrador ou morador de rancho (1). **2.** (*Mil.*) Pessoa que prepara o rancho (4) nos quartéis e presídios.

rancho (*ran*.cho) *s.m.* **1.** Pequena fazenda; chácara, sítio. **2.** Habitação rústica, em meio à lavoura, para trabalhadores do campo; cabana, palhoça. **3.** Bloco carnavalesco que desfila com dança e música de ritmo lento e cadenciado. **4.** Grupo de pessoas reunidas para um fim, geralmente para uma excursão ou jornada. **5.** Refeição servida geralmente em quartéis e presídios. **6.** Local em que é servido o rancho; refeitório.

ranço (*ran*.ço) *s.m.* **1.** Decomposição que sofre uma substância gordurosa em contato com o ar, com liberação de ácidos graxos, tendo como resultado cheiro acre e sabor desagradável. **2.** *fig.* Aquilo que se tornou antiquado, obsoleto; ultrapassado; velharia: *Tudo nela – gestos, fala, vestuário – tinha um ranço de passado.*

rancor [ô] (ran.*cor*) *s.m.* Ressentimento, geralmente velado, contra algum mal ou ofensa recebidos; mágoa, aversão, animosidade, ódio. – **rancoroso** *adj.*

rançoso [ô] (ran.ço.so) *adj.* **1.** Que tem ranço; que apresenta sabor e cheiros desagradáveis: *manteiga rançosa*. **2.** *fig.* Que é antiquado, obsoleto, ultrapassado: *ideias rançosas*. || f. e pl.: [ó].

rangedor (ran.ge.*dor*) *adj.* Rangente.

rangente (ran.*gen*.te) *adj.* Que range: *bota rangente; porta rangente.*

ranger (ran.*ger*) *v.* **1.** Produzir ruído áspero como o do atrito entre superfícies duras; chiar, ringir: *O assoalho rangia sob seus pés.* **2.** Atritar os dentes: *Os portadores de bruxismo rangem os dentes instintivamente.* ▶ Conjug. 39 e 47. – **rangido** *s.m.*

rango (*ran*.go) *s.m. coloq.* Comida, refeição.

ranheta [ê] (ra.*nhe*.ta) *adj.* Que está sempre reclamando, de mau humor; rabugento, ranzinza. – **ranhetice** *s.f.*

ranho (*ra*.nho) *s.m.* Secreção viscosa das fossas nasais; muco; catarro. – **ranhoso** *adj.*

ranhura (ra.*nhu*.ra) *s.f.* **1.** Entalhe feito em madeira ou metal onde se encaixa o ressalto de outra peça. **2.** Pequena raia ou risca em uma superfície.

rani (ra.*ni*) *s.f.* Mulher de rajá.

ranicultor [ô] (ra.ni.cul.*tor*) *s.m.* O que se dedica à ranicultura.

ranicultura (ra.ni.cul.*tu*.ra) *s.f.* Criação de rãs.

ranking [*rânquin*] (Ing.) *s.m.* Classificação (de pessoas, instituições etc.) numa escala de valores, segundo determinados critérios: *O Brasil mantém-se em 1º lugar no ranking de futebol.*

ranzinza (ran.*zin*.za) *adj.* Que vive a queixar-se ou a implicar; rabugento, impertinente, implicante, ranheta. – **ranzinzice** *s.f.*

ranzinzar (ran.zin.*zar*) *v.* Mostrar-se ranzinza: *Está sempre mal-humorado, a ranzinzar.* ▶ Conjug. 5.

rap [*rép*] (Ing.) *s.m.* (*Mús.*) Gênero de música popular urbana que se constitui de um monólogo acelerado, geralmente contendo crítica social e melodia em ritmo bem marcado.

rapa (*ra*.pa) *s.m.* **1.** Viatura municipal destinada a apreender mercadorias falsas ou contrabandeadas vendidas por ambulantes sem licença. **2.** O fiscal ou o policial que executa essa apreensão. **3.** Raspa (3). **4.** *fig.* Roubo, furto: *fazer um rapa no cofre.*

rapace (ra.*pa*.ce) *adj.* **1.** Propenso a roubar; rapinante, roubador: *comerciante rapace*. **2.** Que ataca e prende outras aves ou animais; predador: *O gavião é ave rapace.*– **rapacidade** *s.f.*

rapadura (ra.pa.*du*.ra) *s.f.* Açúcar mascavo solidificado, reduzido à forma de pequenos tijolos.

rapapé (ra.pa.*pé*) *s.m.* **1.** Cortesia exagerada, com excesso de gestos e mesuras; salamaleque, barretada (2). **2.** *fig.* Bajulação, adulação, lisonja: *Os bons chefes dispensam os rapapés dos bajuladores.*

rapar (ra.*par*) *v.* **1.** Reduzir a pequenos fragmentos; ralar, raspar: *rapar queijo parmesão.* **2.** Cortar rente à pele (cabelo, barba); barbear-se, escanhoar-se, raspar: *rapar a cabeça; Rapa-se logo ao levantar.* **3.** Cortar rente, pela raiz; roçar: *rapar o mato.* **4.** *coloq.* Apossar-se ardilosamente de; roubar, furtar, raspar: *Rapou todo o dinheiro da firma.* **5.** *coloq.* Causar a morte de; matar, ceifar: *A tuberculose, que rapou muitas vidas, hoje tem cura.* **6.** *coloq.* Fugir, sair, evadir-se: *O ladrão tentava rapar da prisão; Tratou de rapar antes que o detivessem.* ▶ Conjug. 5.

rapariga (ra.pa.*ri*.ga) *s.f.* **1.** Moça, jovem, adolescente. **2.** Prostituta, meretriz.

rapaz (ra.*paz*) *s.m.* Homem jovem ou adolescente; moço. || aum.: *rapagão*; dim.: *rapazola* e *rapazote*.

rapaziada (ra.pa.zi:a.da) s.f. **1.** Grupo ou reunião de rapazes. **2.** Ato ou dito de rapaz. **3.** Ato ou dito que revelam pouco juízo; imprudência, inconveniência.

rapazola [ó] (ra.pa.zo.la) s.m. Rapaz cuja idade varia de 14 a 20 anos; rapazinho, rapazote.

rapazote [ó] (ra.pa.zo.te) Rapazola.

rapé (ra.pé) s.m. Pó aromático resultante de folhas de tabaco torradas e moídas, que provoca espirros ao ser aspirado.

rapel (ra.pel) s.m. (Esp.) Prova de montanhismo que consiste em descer um desfiladeiro ou paredão, por meio de cordas duplas presas ao corpo e controladas pelo próprio participante.

rapidez [ê] (ra.pi.dez) s.f. Qualidade do que é rápido; ligeireza; velocidade, celeridade.

rápido (rá.pi.do) adj. **1.** Que se move muito depressa; veloz, célere: *A gazela é um animal muito rápido*. **2.** Que dura pouco tempo; momentâneo, instantâneo; breve: *Fez uma viagem rápida ao exterior*. **3.** Que executa (algo) com prontidão; ágil, lépido: *O xerife do filme de faroeste era rápido no gatilho*. **4.** Que tem efeito ou resultado imediato: *Fez um curso rápido por correspondência*. • adv. **5.** De modo rápido; rapidamente: *Os bombeiros chegaram rápido ao local do incêndio*. • s.m. **6.** Transporte coletivo (trem, ônibus) que faz o percurso em menor tempo por não realizar paradas ao longo do trajeto; expresso.

rapina (ra.pi.na) s.f. Ato ou efeito de rapinar; roubo, extorsão, rapinagem. ‖ *Ave de rapina*: ave predadora, de bico curvo, grandes asas e garras, que se alimenta dos animais que ataca.

rapinagem (ra.pi.na.gem) s.f. **1.** Ato ou efeito de rapinar; roubo, saque. **2.** O produto do roubo.

rapinar (ra.pi.nar) v. Subtrair (algo de alguém) de forma ardilosa ou violenta; apropriar-se de; roubar, furtar, saquear: *Os funcionários foram descobertos ao rapinar os cofres públicos*. ▶ Conjug. 5.

raposa [ô] (ra.po.sa) s.f. **1.** (Zool.) Animal mamífero de pequeno porte, de cor castanho-avermelhada, de focinho e cauda longos, pelagem espessa, muito veloz e arisco, esperto, matreiro. **2.** fig. Pessoa cheia de manhas: *Ele sabia ser uma raposa no comando de suas empresas*. – **raposice** s.f.

raposo [ô] (ra.po.so) s.m. **1.** (Zool.) Macho da raposa. **2.** Raposa (2). adj. **3.** Que tem a cor castanho-avermelhada própria da raposa (diz-se de bovino).

rapsódia (rap.só.di:a) s.f. **1.** Na Grécia antiga, trechos de poemas épicos recitados por rapsodos. **2.** Fragmento de uma composição poética. **3.** (Mús.) Composição musical de caráter épico ou heroico, que utiliza temas populares e tradicionais de um povo ou região: *O concerto encerrou-se com as Rapsódias Húngaras, de Liszt*. – **rapsódico** adj.

rapsodo [ó ou ô] (rap.so.do) s.m. **1.** Recitador de rapsódias na Grécia antiga. **2.** Autor de poesia; poeta, vate.

raptar (rap.tar) v. **1.** Cometer rapto contra (alguém): *Guerrilheiros raptaram um grupo de jornalistas estrangeiros*. **2.** fig. Apossar-se de; arrebatar, roubar: *Posso raptar por uns instantes seu convidado para uma conversa de negócios?* ▶ Conjug. 5 e 33.

rapto (rap.to) s.m. Retirada de pessoa(s), contra sua vontade, do local onde se encontra(m) para outro, geralmente ignorado, mediante o emprego de força, violência, grave ameaça ou engano: *O rapto constitui um crime contra a liberdade individual*.

raptor [ô] (rap.tor) s.m. Pessoa que pratica rapto.

raque[1] (ra.que) s.f. **1.** (Anat.) Coluna vertebral. **2.** (Zool.) Eixo sólido das penas das aves. **3.** (Bot.) Eixo da inflorescência acima do pedúnculo, que sustenta as flores e os frutos.

raque[2] (ra.que) s.f. Raquianestesia.

raquetada (ra.que.ta.da) s.f. Golpe com raquete.

raquete [é] (ra.que.te) s.f. Peça de madeira, geralmente de forma ovalada, guarnecida por uma rede de cordas e munida de um cabo, utilizada para jogar tênis, pingue-pongue, frescobol etc.

raquianestesia (ra.qui:a.nes.te.si.a) s.f. (Med.) Tipo de anestesia obtida com a introdução de solução anestésica na parte inferior do abdômen ou nos membros inferiores; raquidiana, raque[2].

raquiano (ra.qui:a.no) adj. Raquidiano.

raquidiana (ra.qui.di:a.na) s.f. Raquianestesia.

raquidiano (ra.qui.di:a.no) adj. Relativo a raque (coluna vertebral).

raquítico (ra.quí.ti.co) adj. **1.** Que sofre de raquitismo. **2.** Muito frágil, pouco desenvolvido, franzino. **3.** fig. Acanhado, limitado, escasso, mesquinho. • s.m. **4.** Pessoa raquítica.

raquitismo (ra.qui.tis.mo) s.m. **1.** (Med.) Doença da infância e da adolescência causada por carência da vitamina D, que se caracteriza pela má calcificação dos ossos e debilidade do estado geral do paciente. **2.** *fig.* Ausência de grandeza; limitação, mesquinhez.

rarear (ra.re:ar) *v.* Tornar(-se) raro, menos frequente; reduzir(-se), rarefazer(-se): *O presidente rareou suas viagens ao exterior*; *Na entressafra, certos produtos rareiam.* ▶ Conjug. 14. – **rareamento** *s.m.*

rarefação (ra.re.fa.ção) *s.f.* Ato ou efeito de rarefazer(-se); carência, falta, rareamento.

rarefazer (ra.re.fa.zer) *v.* **1.** Tornar(-se) rarefeito: *O calor rarefaz certas substâncias*; *Com a poluição, o ar se rarefaz.* **2.** Tornar(-se) menos numeroso; diminuir, rarear: *A fraca campanha do candidato contribuiu para rarefazer seus eleitores*; *A violência se rarefaz com a justiça social.* **3.** Tornar menos frequente; rarear: *O ator rarefez suas aparições.* || *part.*: rarefeito. ▶ Conjug. 61.

rarefeito (ra.re.fei.to) *adj.* **1.** Que se rarefez; pouco denso ou espesso: *ar rarefeito.* **2.** Que se tornou menos numeroso; escasso, reduzido: *Um público rarefeito assistiu ao espetáculo.*

raridade (ra.ri.da.de) *s.f.* **1.** Caráter ou condição de raro: *Hoje em dia, o uso de chapéu é uma raridade.* **2.** Objeto raro, único, valioso: *Este museu tem verdadeiras raridades.*

raro (ra.ro) *adj.* **1.** Que poucas vezes acontece; pouco frequente: *oportunidade rara*; *visitas raras.* **2.** Que poucas vezes se encontra; incomum, invulgar: *livros raros.* **3.** Que está em processo de extinção: *animal raro.* **4.** Extraordinário, admirável, notável: *beleza rara*; *talento raro.* • *adv.* **5.** Raramente, poucas vezes: *Só muito raro aquele escritor concede entrevistas.* || *De raro em raro*: raramente. • *Não raro*: com alguma frequência.

rasante (ra.san.te) *adj.* **1.** Que faz trajetória no ar muito próxima ao chão (diz-se de voo). **2.** Que se efetua na direção de uma linha de defesa ou paralelamente ao solo (diz-se de fogo). • *s.m.* **3.** Voo rasante (de avião, de ave etc.).

rasca (ras.ca) *s.f.* **1.** Rede de arrastar; arrasto. **2.** *coloq.* Parte que cabe a cada um na divisão dos lucros; quinhão.

rascante (ras.can.te) *adj.* **1.** Que deixa certo travo na boca, por excesso de tanino (diz-se de vinho). **2.** Que parece arranhar ou raspar (algo), produzindo som áspero e desagradável: *voz rascante.* • *s.m.* **3.** Vinho rascante.

rascar (ras.car) *v.* **1.** Raspar, rapar: *rascar o couro.* **2.** Tirar lascas de; lascar, desbastar: *rascar a madeira.* **3.** Causar arranhadura; arranhar, ferir: *rascar a pele com as unhas.* **4.** Deixar travo na boca (o vinho): *Essa foi uma boa safra de vinhos que rascam.* ▶ Conjug. 5 e 35.

rascunhar (ras.cu.nhar) *v.* Fazer o rascunho, o esboço ou a minuta de; esboçar: *rascunhar redação, carta, ofício.* ▶ Conjug. 5.

rascunho (ras.cu.nho) *s.m.* Primeira versão de um texto ou de um documento que se deseja elaborar e na qual se anotam as necessárias emendas, com vistas ao texto definitivo; esboço, minuta, borrão.

rasgado (ras.ga.do) *adj.* **1.** Que se rasgou; rompido, cortado: *vestido rasgado.* **2.** *fig.* Grande, largo, amplo: *boca rasgada*; *olhos rasgados.* **3.** *fig.* Franco, aberto, caloroso: *cumprimentos rasgados.* **4.** Que tem o ritmo bem marcado: *samba rasgado.* • *s.m.* **5.** Rasgão, rasgo.

rasgão (ras.gão) *s.m.* Rasgadura, rasgo, rasgado, corte.

rasgar (ras.gar) *v.* **1.** Fazer rasgo ou rasgão em: *Cuidado, menina, para não rasgar o vestido novo*; *Com muito uso, a roupa rasgou-se toda.* **2.** Fazer(-se) em pedaços; partir(-se), romper (-se), fender(-se): *Passou o dia a rasgar papéis velhos*; *Algumas embalagens rasgam-se facilmente.* **3.** Romper violentamente (parte do corpo); ferir, dilacerar: *A bala perdida rasgou-lhe o abdômen.* **4.** Fazer sulcos (em terra); cavar, sulcar: *Era o tempo de rasgar o solo fértil para o plantio.* **5.** Alargar, estender, espaçar: *O progresso fazia rasgar novas ruas e avenidas.* **6.** Atravessar, cruzar (ar, mar): *Os navegadores rasgaram bravamente ignotos oceanos.* **7.** *fig.* Magoar(-se) profundamente; atormentar(-se), afligir(-se): *O rancor rasgava-lhe o coração*; *Os invejosos rasgam-se de inveja do sucesso alheio.* || *Rasgar o verbo*: *coloq.* falar franca e diretamente. ▶ Conjug. 5 e 34. – **rasgadura** *s.f.*

rasgo (ras.go) *s.m.* **1.** Rasgão, rasgado, rasgadura: *Fez um rasgo na roupa ao cair.* **2.** Arranhão, arranhadura: *Os espinhos deixaram-lhe rasgos na mão.* **3.** *fig.* Ação nobre ou heroica: *Num rasgo de bravura, os bombeiros salvaram as vítimas do incêndio.* **4.** *fig.* Impulso, ímpeto, arroubo, lampejo: *Seus versos saíam-lhe num rasgo de inspiração.*

raso (ra.so) *adj.* **1.** Que tem pouca profundidade: *rio raso.* **2.** Sem elevação, depressão ou acidentes: *planície rasa.* **3.** Cheio de líquido até as bordas: *olhos rasos d'água.* **4.** Cujo conteúdo não ultrapassa as bordas (diz-se de colher, xícara etc., usada como medida): *Para cada 30 ml de água, pôr uma colher rasa de sopa de leite em pó.* **5.** Diz-se de calçado que não cobre o

raspa

peito do pé ou não tem salto: *sandália rasa*. **6.** (*Mil.*) Que não tem graduação: *soldado raso*. • *s.m.* **7.** Local (de rio, lagoa etc.) em que a água tem pouca profundidade: *Aqui nesse ponto o rio é raso e dá pé*.

raspa (*ras*.pa) *s.f.* **1.** Parte retirada de um corpo ou superfície que se raspa; lasca, apara: *raspas de lenha*. **2.** Raspadeira (1). **3.** Acúmulo de resíduo de comida que adere ao fundo de panela, tacho; rapa etc.: *As crianças gostam de comer as raspas dos doces caseiros*.

raspadeira (ras.pa.*dei*.ra) *s.f.* **1.** Instrumento utilizado para raspar e polir superfícies (madeira, parede etc.). **2.** Pente de ferro para raspar o pelo dos animais.

raspadinha (ras.pa.*di*.nha) *s.f. reg.* Tipo de refresco feito com suco de frutas e gelo picado.

raspagem (ras.*pa*.gem) *s.f.* **1.** Ato ou efeito de raspar; raspa. **2.** (*Med.*) Curetagem.

raspão (ras.*pão*) *s.m.* Ferimento leve causado por algum atrito (sobre a pele ou parte do corpo); arranhão, arranhadura: *Na escalada, sofreu raspões nas mãos e nos pés*. || *De raspão*: de lado; obliquamente (diz-se de golpe, pancada etc.): *Ao apartar a briga, levou um soco de raspão*.

raspar (ras.*par*) *v.* **1.** Desbastar, alisar, polir (uma superfície) com raspadeira: *raspar parede*. **2.** Retirar sujeira ou resíduos aderidos a alguma coisa: *raspar o fundo da panela*. **3.** Cortar rente à pele (cabelo, barba); rapar: *Raspou o bigode que usava há muitos anos*. **4.** Ralar (queijo, legume etc.): *A mãe raspava a maçã para dar ao bebê*. **5.** Tocar ou arranhar de raspão: *A bola raspou na trave; Por pouco a bala não lhe raspava a cabeça*. **6.** Retirar todo o dinheiro aplicado; rapar: *Raspou as economias para a compra da casa própria*. **7.** (*coloq.*) Furtar, tirar, roubar; rapar: *Os ladrões rasparam todo o dinheiro da caixa do mercado*. **8.** *coloq.* Fugir, evadir-se, escapar: *Alguns detentos se rasparam da cadeia*. ▶ Conjug. 5.

rasteira (ras.*tei*.ra) *s.f.* Movimento rápido em que se mete o pé ou a perna por entre as pernas de outrem, para provocar-lhe a queda; pernada. || *Dar ou passar uma rasteira em*: **1.** derrubar (alguém) com uma rasteira, numa luta ou de brincadeira. **2.** *fig.* Prejudicar (alguém) de modo deliberado; enganar, lograr, tapear; passar a perna.

rasteiro (ras.*tei*.ro) *adj.* **1.** Que cresce rente ao solo (diz-se de planta). **2.** Que anda de rastros; rastejante: *animal rasteiro*. **3.** Que se move sem elevar-se muito do chão: *voo rasteiro*. **4.** *fig.* Abjeto, reles, vulgar, desprezível: *caráter rasteiro*. **5.** *fig.* De pouco valor; sem muita importância: *Não se preocupe com questões rasteiras*.

rastejante (ras.te.*jan*.te) *adj.* **1.** Que rasteja; rastejador, rasteiro. **2.** (*Bot.*) Cujo caule ou rizoma se prolongam horizontalmente com o solo, em vez de crescer verticalmente (diz-se de vegetal): *planta rastejante*.

rastejar (ras.te.*jar*) *v.* **1.** Andar de rastros; arrastar-se pelo chão: *As serpentes rastejavam por entre a mata*. **2.** Seguir o rastro ou a pista de; rastrear: *rastejar o fugitivo; rastejar a caça*. **3.** *fig.* Ser subserviente ou servil; humilhar-se, aviltar-se: *Não (se) rasteje diante de ninguém*. **4.** *fig.* Ser principiante ou novato: *Ainda estou rastejando em computação*. ▶ Conjug. 10 e 37. – **rastejador** *adj. s.m.*

rastelo [ê] (ras.*te*.lo) *s.m.* Ancinho.

rastilho (ras.*ti*.lho) *s.m.* **1.** Fio embebido em pólvora ou outra substância inflamável que serve para atear fogo a alguma coisa. **2.** Rastro, vestígio, pista: *Os policiais buscavam algum rastilho dos prisioneiros evadidos*. **3.** *fig.* Motivo ou pretexto para o desencadeamento de uma ação, geralmente violenta ou radical: *A queda da Bastilha foi o rastilho para a Revolução Francesa*.

rasto (*ras*.to) *s.m.* Rastro.

rastreamento (ras.tre:a.*men*.to) *s.f.* **1.** Ato ou efeito de rastrear; rastreio. **2.** Busca sistemática de (pistas, indícios, vestígios); exame minucioso; investigação, pesquisa. **3.** Acompanhamento de um satélite, um míssil ou uma nave espacial, por meio de radar, rádio ou fotografia. **4.** Escuta telefônica secreta; grampo.

rastrear (ras.tre:*ar*) *v.* **1.** Seguir o rastro ou a pista de; rastejar: *rastrear o tráfico de drogas*. **2.** Proceder ao rastreamento (3) e (4): *rastrear o desmatamento ilegal da Amazônia; rastrear os contatos telefônicos entre os suspeitos de formação de quadrilha*. ▶ Conjug. 14.

rastreio (ras.*trei*.o) *s.m.* Ação de rastrear; rastreamento.

rastro (*ras*.tro) *s.m.* **1.** Marca deixada por pessoa ou animal no solo ou na areia; pegada, vestígio, rasto: *Pelos rastros, sabia-se que a caça era de grande porte*. **2.** Traço ou vestígio deixado por (alguma coisa) em sua trajetória: *A queimada deixava um rastro de fumaça; Foram cenas terríveis do tsunami e seu rastro de destruição*.

rasura (ra.su.ra) *s.f.* Emenda ou raspagem feita em um texto, com a intenção de anular as palavras ali contidas ou substituí-las por outras.

rasurar (ra.su.*rar*) *v.* Fazer rasura em: *O escrivão não pode rasurar as certidões.* ▶ Conjug. 5.

rata[1] (*ra*.ta) *s.f.* (*Zool.*) Fêmea do rato; ratazana.

rata[2] (*ra*.ta) *s.f.* Atitude ou dito desastrado ou inoportuno, que leva alguém ao ridículo; inconveniência, fiasco, gafe: *Informe-se bem sobre o que vai falar, para não dar nenhuma rata.*

rataplã (ra.ta.*plã*) *s.m.* Som do toque do tambor; rufo.

rataria (ra.ta.*ri*.a) *s.f.* Grande quantidade de ratos.

ratazana (ra.ta.*za*.na) *s.f.* **1.** (*Zool.*) Fêmea do rato; rata. **2.** Rato ou rata grande. **3.** *coloq.* Pessoa que pratica furto; ladrão, gatuno.

ratear[1] (ra.te:*ar*) *v.* Dividir (algo) proporcionalmente (entre outros); rachar: *A empresa irá ratear os lucros esse ano entre os sócios; Os convivas concordaram em ratear as despesas do jantar.* ▶ Conjug. 14.

ratear[2] (ra.te:*ar*) *v.* **1.** Apresentar mau funcionamento (um mecanismo); falhar: *Verifique se o motor de seu carro está rateando.* **2.** *fig.* Perder a força ou o vigor; debilitar-se, enfraquecer-se, fraquejar: *Procurou o médico, porque sentia ratear o coração.* ▶ Conjug. 14.

rateio (ra.*tei*.o) *s.m.* Distribuição ou divisão proporcional.

raticida (ra.ti.*ci*.da) *adj.* **1.** Que mata ratos. • *s.m.* **2.** Produto raticida.

ratificar (ra.ti.fi.*car*) *v.* **1.** Confirmar a autenticidade ou a validade de (ato, declaração, promessa etc.); autenticar, validar: *Os sócios ratificaram os termos do contrato de venda da empresa; O diretor-presidente ratificou a indicação do funcionário para o cargo de secretário.* **2.** Atestar a veracidade; comprovar, corroborar, afirmar: *A vitória nas urnas só veio ratificar todas as pesquisas de opinião.* **3.** (*Jur.*) Aprovar oficialmente os termos de (tratado internacional): *As potências militares ratificaram o tratado de não-proliferação de armas nucleares.* ‖ Conferir com *retificar*. ▶ Conjug. 5 e 35. – **ratificação** *s.f.*

rato (*ra*.to) *s.m.* **1.** (*Zool.*) Pequeno mamífero roedor, doméstico ou silvestre, de focinho pontudo, cauda longa e pelo cinza, muito voraz e prolífero, responsável pela transmissão de várias doenças infecciosas. **2.** *coloq.* Ladrão, gatuno, ratazana. **3.** *fig.* Frequentador assíduo de determinado lugar; *habitué*: *Ele é um rato de livrarias.*

rato-branco (ra.to-*bran*.co) *s.m.* (*Zool.*) Espécie albina de ratazana, criada especialmente como cobaia de laboratório. ‖ pl.: *ratos-brancos*.

ratoeira (ra.to:*ei*.ra) *s.f.* **1.** Armadilha para apanhar ratos. **2.** *fig.* Trama engendrada com a intenção de ludibriar (alguém); cilada, ardil, armadilha.

ravina (ra.*vi*.na) *s.f.* **1.** Escoamento de grande torrente de águas pluviais que se precipitam pelas encostas das montanhas. **2.** Depressão do solo ou sulco cavado por essa enxurrada; barranco.

raviôli (ra.vi:*ó*.li) *s.m.* (*Cul.*) **1.** Tipo de massa em formato de pequenos quadrados, recheados de queijo, espinafre, carne moída etc. **2.** Prato preparado com essa massa, servido com molho de tomate e polvilhado com queijo parmesão.

razão (ra.*zão*) *s.f.* **1.** Capacidade que tem a mente humana de estabelecer relações lógicas entre as coisas da realidade, de conhecê-las e compreendê-las, em contraste com as funções exercidas pelos sentidos; inteligência, raciocínio: *A razão distingue a espécie humana dos animais irracionais.* **2.** Capacidade própria do homem de julgar, avaliar e ponderar ideias universais; discernimento, bom senso, prudência, justiça: *A razão comanda sempre seu julgamento.* **3.** Justificativa para uma ação; causa, motivo, fundamento: *O suspeito negou-se a revelar as razões do atentado.* **4.** (*Psiq.*) Saúde mental; mente, juízo: *Uma afecção neurológica levou-o a perder a razão.* **5.** (*Mat.*) Quociente entre dois números. ‖ *Razão social*: (*Jur.*) nome registrado oficialmente pelo comerciante para o uso de sua atividade comercial. • *Dar razão a (alguém)*: concordar com a atitude ou o ponto de vista de (alguém). • *Em razão de*: por causa de; em virtude de: *O tráfego aéreo foi suspenso em razão do temporal.* • *Ter razão*: ter como certa sua opinião.

razia (ra.*zi*.a) *s.f.* **1.** Invasão de território inimigo em incursão rápida, seguida de saques e roubos. **2.** *fig.* Emprego de violência e malefícios perpetrados contra um grupo ou uma coletividade.

razoável (ra.zo:*á*.vel) *adj.* **1.** Que se explica pela razão; lógico, plausível, racional: *argumentos razoáveis.* **2.** Que demonstra bom senso, sensatez, juízo: *Procuro ser sempre razoável em meus julgamentos.* **3.** Não excessivo; moderado, comedido, módico: *Fez um empréstimo a juros razoáveis*. **4.** Acima do mediano; regular, aceitável, suficiente: *É um aluno razoável.* **5.** De alguma importância; considerável: *talento razoável*; *fortuna razoável.* **6.** Legítimo, justo; procedente: *O governador considerou razoáveis as reivindicações dos grevistas.*

Rb (*Quím.*) Símbolo de *rubídio.*

ré[1] *s.f.* Mulher ou entidade denunciada ou acusada por ato criminoso.

ré[2] *s.f.* Marcha a ré: *O motorista deu uma ré ao deixar o estacionamento.*

ré[3] *s.m.* (*Mús.*) **1.** A segunda nota musical da escala do dó. **2.** Sinal que representa essa nota na pauta musical.

reabastecer (re:a.bas.te.*cer*) *v.* Tornar a abastecer (-se): *reabastecer o carro*; *reabastecer a geladeira de frutas e legumes*; *As tropas reabasteceram-se de víveres e de munição*. ▶ Conjug. 41 e 46. – **reabastecimento** *s.m.*

reabilitar (re:a.bi.li.*tar*) *v.* **1.** (Fazer) recobrar a consideração pública, a dignidade, a credibilidade: *O sucesso nos palcos reabilitou o veterano ator*; *Com uma atuação firme, o político reabilitou-se frente a seu eleitorado*. **2.** (*Jur.*) Repor (alguém) na posse de algo (condição, cargo, direito etc.) que lhe havia sido retirado: *A justiça reabilitou o profissional acusado injustamente de envolvimento nas fraudes*. **3.** (Fazer) voltar ao convívio social pessoa condenada por delinquência ou ilícito penal: *A sociedade deve obrigar-se a reabilitar os menores infratores*; *O preso reabilitou-se para a sociedade, após cumprir sua pena.* **4.** (*Med.*) (Fazer) readquirir uma função ou atividade reduzida por traumas físicos ou psíquicos: *A fisioterapia reabilitou o atleta para a competição*; *Reabilitou-se inteiramente de seu transtorno emocional*. ▶ Conjug. 5. – **reabilitação** *s.f.*; **reabilitado** *adj.*; **reabilitador** *adj. s.m.*

reabrir (re:a.*brir*) *v.* **1.** Tornar a abrir(-se): *O comerciante reabriu seu negócio em outra praça*; *Depois das obras, o museu irá reabrir este mês*; *O ferimento parecia cicatrizado, mas reabriu-se*. **2.** Reiniciar, reativar, retomar: *As nações em litígio reabriram as negociações*; *Reabriram-se os trabalhos da comissão de inquérito*. || *part.*: *reaberto*. ▶ Conjug. 66. – **reabertura** *s.f.*

reabsorver (re:ab.sor.*ver*) *v.* **1.** Tornar a absorver: *O organismo reabsorve substâncias vitais*. **2.** Reincorporar, reintegrar, reaproveitar: *O mercado de trabalho tem reabsorvido muitos aposentados*. ▶ Conjug. 42. – **reabsorção** *s.f.*

reação (re:a.*ção*) *s.f.* **1.** Ato ou efeito de reagir. **2.** Ação de um corpo em resposta a outro com o qual se choca ou que o comprime. **3.** Atitude ou sentimento contrário a agressão (física ou moral) de outrem; rebate, contra-ataque: *Sua reação foi imediata diante das críticas a seu trabalho*; *Apesar de mais fraco, teve uma reação firme contra o agressor.* **4.** (*Med.*) Erupção ou outra alteração produzida no organismo sob o efeito de um agente interno ou externo (medicamento, vacina, meio ambiente etc.): *reação anafilática*; *reação alérgica.* **5.** (*Fís.*) Força que um corpo submetido à ação de outro exerce sobre ele em direção oposta. **6.** (*Quím.*) Interação de duas ou mais substâncias reagentes, que dá origem a novas substâncias e compostos: *reação química.* **7.** (*Quím.*) O resultado dessa interação. **8.** Tendência ou sistema político apegado à tradição e contrário à evolução política e social; conservadorismo, reacionarismo. **9.** (*Jur.*) No Direito Penal, o princípio da legítima defesa.

reacender (re:a.cen.*der*) *v.* **1.** Tornar a acender: *reacender o fogo*; *reacender as luzes.* **2.** Reavivar(-se), revigorar(-se), reanimar(-se), renovar(-se): *A troca de opiniões reacendeu o debate*; (fig.) *Reacendeu-se sua fé num mundo melhor.* ▶ Conjug. 39.

reacionário (re:a.ci.o.*ná*.ri:o) *adj.* **1.** Que se manifesta integralmente contrário às ideias de transformação da sociedade; conservador: *política reacionária.* • *s.m.* **2.** Pessoa reacionária: *Os reacionários insistem em contestar a evolução em todos os campos, inclusive na arte.*

reacionarismo (re:a.ci.o.na.*ris*.mo) *s.m.* **1.** Condição ou atitude de reacionário; conservadorismo. **2.** Sistema político tradicionalista, contrário à evolução das instituições sociais; reação.

readaptação (re:a.dap.ta.*ção*) *s.f.* **1.** Ato ou efeito de readaptar ou remodelar (uma coisa) para ajustá-la a uma nova finalidade: *readaptação de peças de veículos.* **2.** Aproveitamento de funcionário em função ou cargo mais compatível com sua capacidade física ou intelectual: *Após o tratamento médico, conseguiu a readaptação para uma função menos exaustiva.*

readaptar (re:a.dap.*tar*) *v.* **1.** Tornar a adaptar (-se): *readaptou o carro (ao novo combustível)*; *O convalescente se readaptava aos poucos à vida normal.* **2.** Efetivar a readaptação (2) de; reaproveitar, reinvestir: *O diretor determinou que se readaptassem os funcionários com curso superior.* ▶ Conjug. 5 e 33.

readmitir (re:ad.mi.*tir*) *v.* **1.** Tornar a admitir; conceder a readmissão ou o reingresso: *A fábrica readmitiu (nos cargos) os operários demitidos; Readmitiram o velho líder como presidente do partido.* **2.** Tornar a reconhecer (algo); reconsiderar: *Diante das provas, foi obrigado a readmitir sua culpa.* ▶ Conjug. 66. – **readmissão** *s.f.*

readquirir (re:ad.qui.*rir*) *v.* Tornar a adquirir; recuperar, recobrar: *Conseguiu readquirir os bens roubados de sua residência; Os presos políticos readquiriram a liberdade e seus plenos direitos.* ▶ Conjug. 66.

reafirmar (re:a.fir.*mar*) *v.* Tornar a afirmar; confirmar, comprovar: *O réu reafirmou em juízo sua inocência.* ▶ Conjug. 5. – **reafirmação** *s.f.*

reagente (re:a.gen.te) *adj.* **1.** Que reage; que tem reação; reativo. • *s.m.* **2.** (*Quím.*) Qualquer substância que provoque reação química e que sirva nas análises para reconhecer as substâncias simples ou compostas que entram em determinada composição.

reagir (re:a.*gir*) *v.* **1.** Exercer reação (3) contra; lutar, resistir: *Você não deve reagir a assaltantes; Imobilizado pelos policiais, o marginal deixou de reagir.* **2.** Demonstrar reação (3); protestar: *Reagiu contra o preconceito na empresa.* **3.** Apresentar reação (4) ou resposta a um estímulo: *O enfermo não reagiu ao tratamento; Reagiu bem à vacina.* **4.** Entrar em reação química: *O oxigênio reage com o carbono, produzindo o gás carbônico.* ▶ Conjug. 92.

reagrupar (re:a.gru.*par*) *v.* Tornar a agrupar(-se) ou a reunir(-se): *Reagrupou os alunos numa sala; Os manifestantes reagruparam-se antes de sair em passeata.* ▶ Conjug. 5.

reajustar (re:a.jus.*tar*) *v.* **1.** Tornar a ajustar: *reajustar as peças da máquina; Reajustava as roupas para o filho mais novo.* **2.** Adequar (salários, vencimentos) à elevação do custo de vida: *O presidente reajustou o salário mínimo.* ▶ Conjug. 5. – **reajustamento** *s.m.*; **reajuste** *s.m.*

real[1] (re:*al*) *adj.* **1.** Que existe de fato; verdadeiro, por oposição a falso, fictício, imaginário: *Esse filme é baseado em fatos da vida real.* **2.** Relativo às coisas atuais, concretas: *O aquecimento global é uma ameaça real ao planeta.* **3.** Que não admite dúvida ou contestação; certo, incontestável, indiscutível: *Esses documentos são a prova real do delito.* **4.** (*Econ.*) Que exclui a inflação (diz-se de moeda, ação, contrato etc.); deflacionado: *salário real; juros reais.* **5.** (*Mat.*) • *s.m.* **6.** Aquilo que é real; realidade.

real[2] (re:*al*) *adj.* Relativo ou pertencente ao rei, à rainha ou à realeza: *palácio real; a guarda real.*

real[3] (re:*al*) *s.m.* (*Econ.*) Nome do dinheiro usado no Brasil a partir de 1994.

realçar (re:al.*çar*) *v.* **1.** Fazer sobressair ou aparecer mais distintamente; dar realce; salientar: *A maquiagem realçava os olhos da atriz; Realçou o belo colo com um colar de pérolas.* **2.** Dar ou adquirir destaque; (fazer) ressaltar a importância de; destacar(-se): *O presidente da mesa realçou as qualidades do conferencista; Ele sempre se realçou pela atuação política e social.* ▶ Conjug. 5 e 36.

realce (re:al.ce) *s.m.* **1.** Ato ou efeito de realçar. **2.** Maior evidência, destaque, ênfase que se dá a (alguém ou algo), fazendo-o sobressair entre os demais: *O orador deu realce às realizações do homenageado; O pintor emprestou realce a certas partes de seu quadro.*

realejo [ê] (re:a.le.jo) *s.m.* (*Mús.*) Instrumento musical, espécie de órgão mecânico portátil, que funciona por meio de manivela.

realeza [ê] (re:a.le.za) *s.f.* **1.** O monarca e a família real: *A realeza está nesse momento no castelo de verão.* **2.** Designação de uma série de soberanos: *Ele é historiador da realeza espanhola.* **3.** Poder, dignidade e autoridade de um monarca: *A realeza daquele soberano não o deixava alheio à vida de seus súditos.*

realidade (re:a.li.*da*.de) *s.f.* **1.** Qualidade ou característica do que é real ou verdadeiro; verdade: *Tudo isso que lhe estou contando é a mais pura realidade.* **2.** A vida real, por oposição à irrealidade, à fantasia, à ficção: *O fim de seus sonhos trouxe-o de volta à dura realidade.* || *Na realidade*: na verdade; com efeito; efetivamente.

realismo (re:a.*lis*.mo) *s.m.* **1.** Qualidade ou característica do que é real. **2.** Forma de considerar e apresentar as coisas e os fatos como uma imitação da realidade: *O realismo das cenas da tragédia comoveu os espectadores.* **3.** Propensão a considerar a realidade em seus aspectos concretos, práticos e utilitários, em oposição a uma atitude idealista ou fantasiosa. **4.** (*Art., Lit.*) Movimento das artes plásticas e da literatura, do fim do séc. XIX, que privilegiava a objetividade e o rigor na imitação da realidade, em oposição aos ideais do Romantismo. || Nessa acepção, usa-se inicial maiúscula.

realista[1] (re:a.*lis*.ta) *adj.* **1.** Que é partidário da realeza: *"Não queira ser mais realista do que o rei."* • *s.m. e f.* **2.** Pessoa realista.

realista² (re:a.*lis*.ta) *adj.* **1.** Relativo a ou próprio do Realismo⁴. **2.** Cuja obra segue as concepções do Realismo⁴: *escritor realista; pintor realista.* **3.** Que tem uma visão objetiva da realidade; que tem espírito prático; pragmático: *Os homens serão mais realistas que as mulheres?*

realizador [ô] (re:a.li.za.*dor*) *adj.* **1.** Que realiza. **2.** Que é dado a frequentes ou grandes empreendimentos: *empresário realizador.* • *s.m.* **3.** Pessoa que realiza ou leva à execução uma obra. **4.** (*Cine, Telv.*) Autor de um programa ou de um filme; diretor de execução.

realizar (re:a.li.*zar*) *v.* **1.** Tornar(-se) real; concretizar(-se), efetivar(-se): *Os pais almejam realizar todas as ambições dos filhos; Ainda jovem, realizou-se seu sonho de fama e consagração pública.* **2.** Pôr em prática; praticar, executar, fazer: *Realizou a viagem há longo tempo programada; Os manifestantes realizaram uma passeata.* **3.** Dar forma a; criar, produzir: *Ele realiza verdadeiras obras de arte.* **4.** Verificar-se, efetuar-se, dar-se, acontecer, ocorrer: *No dia três de maio de 1500 realizou-se a primeira missa no Brasil.* **5.** Sentir-se realizado; alcançar, cumprir (meta ou ideal): *Ela se realizou plenamente na maternidade.* ▶ Conjug. 5. – **realização** *s.f.;* **realizado** *adj.*

reanexar [cs] (re:a.ne.*xar*) *v.* Tornar a anexar: *A nação vitoriosa reanexou vários territórios vizinhos; Reanexe esses documentos ao processo.* ▶ Conjug. 8. – **reanexação** *s.f.*

reanimador [ô] (re:a.ni.ma.*dor*) *adj.* Que reanima; estimulante: *Essa notícia foi reanimadora.*

reanimar (re:a.ni.*mar*) *v.* **1.** Trazer de novo a vida; fazer reviver: *Os médicos fizeram todos os procedimentos para reanimar o moribundo.* **2.** Restaurar as forças, o vigor, a energia; revigorar: *O café forte reanimou-o após a noite de insônia; O convalescente reanimava-se pouco a pouco.* **3.** Dar ou adquirir novo ânimo ou entusiasmo; estimular(-se): *As intervenções reanimaram o debate; Reanimou-se com as perspectivas de um novo emprego.* ▶ Conjug. 5. – **reanimação** *s.f.*

reaparecer (re:a.pa.re.*cer*) *v.* Tornar a aparecer ou surgir; mostrar-se de novo; ressurgir: *A lua reaparecia de quando em quando entre as nuvens;* (fig.) *A esperança de paz reapareceu no cenário da guerra.* ▶ Conjug. 41 e 46. – **reaparecimento** *s.m.;* **reaparição** *s.f.*

reaparelhar (re:a.pa.re.*lhar*) *v.* Tornar a aparelhar, a prover do necessário; reequipar: *reaparelhar o centro médico; reaparelhar a polícia.* ▶ Conjug. 9.

reaplicar (re:a.pli.*car*) *v.* **1.** Tornar a aplicar; fazer nova aplicação de: *É tempo de reaplicar as doses de vacina.* **2.** Tornar a investir: *Os sócios decidiram reaplicar seus dividendos.* ▶ Conjug. 5 e 35.

reaprender (re:a.pren.*der*) *v.* Tornar a aprender; recuperar conhecimentos ou práticas: *Queria reaprender as técnicas de seu ofício, que havia deixado pelo meio.* ▶ Conjug. 39.

reapresentar (re:a.pre.sen.*tar*) *v.* Tornar a apresentar: *O grupo teatral irá reapresentar seu consagrado espetáculo por mais uma temporada.* ▶ Conjug. 5.

reaproveitar (re:a.pro.vei.*tar*) *v.* Tornar a aproveitar; reutilizar: *reaproveitar garrafas de plástico.* ▶ Conjug. 18.

reaproximar [ss] (re:a.pro.xi.*mar*) *v.* **1.** Tornar a aproximar(-se); acercar(-se): *Reaproximou o rosto da janela do trem; Reaproximava-se, a medo, do tumulto na rua.* **2.** Tornar a estabelecer(-se) (contato, relação, aliança etc.); reconciliar(-se): *A solidariedade reaproximou os antigos companheiros; A saudade reaproximou o filho da família; Os países emergentes se reaproximaram para a formação de um grupo econômico.* ▶ Conjug. 5. – **reaproximação** *s.f.*

reaquisição (re:a.qui.si.*ção*) *s.f.* Ato ou efeito de readquirir: *reaquisição de direitos; reaquisição da saúde.*

reassentar (re:as.sen.*tar*) *v.* Tornar a assentar(-se): *O governo irá reassentar os sem-terra na fazenda desapropriada; Muitos trabalhadores rurais já se assentaram em suas terras.* ▶ Conjug. 5. – **reassentamento** *s.m.*

reassumir (re:as.su.*mir*) *v.* **1.** Tornar a assumir; readquirir, recuperar, recolher: *O ministério reassumiu o controle da política ambiental;* (fig.) *O professor reassumiu o ar bondoso diante dos alunos.* **2.** Tornar a exercer (cargo, função), do qual se havia sido afastado: *Absolvido no inquérito administrativo, o funcionário reassumiu o antigo posto.* ▶ Conjug. 66. – **reassunção** *s.f.*

reatar (re:a.*tar*) *v.* **1.** Tornar a atar ou amarrar: *reatar os cordões do tênis.* **2.** Continuar (o que se havia interrompido); recomeçar, retomar: *reatar as negociações; reatar o noivado.* **3.** (*Jur.*) Restabelecer relações que se haviam rompido (entre dois países): *As nações em litígio reataram relações comerciais.* ▶ Conjug. 5. – **reatamento** *s.m.*

reativar (re:a.ti.*var*) *v.* **1.** Tornar a ativar(-se): *O país pretende reativar o programa nuclear; A* edição de livros reativou-se nos últimos anos. **2.** Reavivar: *reativar a fogueira*. **3.** Revitalizar, revigorar, fortalecer: *Os exercícios físicos reativam os músculos*. ▶ Conjug. 5. – **reativação** *s.f.*

reativo (re:a.*ti*.vo) *adj.* **1.** Que produz uma reação química. **2.** Reagente (1).

reator [ô] (re:a.*tor*) *s.m.* **1.** (*Eletr.*) Dispositivo que se utiliza num circuito com o objetivo de controlar ou estabilizar a intensidade de uma corrente elétrica. **2.** (*Quím.*) Dispositivo em que se realiza uma reação química. • *adj.* **3.** Que reage. || *Reator nuclear*: (*Fís.*) dispositivo em que se realiza uma reação de fissão nuclear em cadeia, para aproveitar a energia liberada ou utilizar os nêutrons emitidos.

reavaliar (re:a.va.li:*ar*) *v.* Tornar a avaliar; fazer nova avaliação: *O governo deve reavaliar o plantio da soja e do milho transgênico.* ▶ Conjug. 17. – **reavaliação** *s.f.*

reaver (re:a.*ver*) *v.* Tornar a ter; readquirir, recuperar, retomar: *O parlamentar cassado tenta reaver seus direitos políticos*. || Só se conjuga nas formas arrizotônicas. ▶ Conjug. 2.

reavivar (re:a.vi.*var*) *v.* **1.** Tornar a avivar; reacender: *reavivar o fogo*; (fig.) *Reavivou-se a chama daquele amor.* **2.** Trazer de novo à memória; fazer reviver; relembrar: *O gosto do doce reavivou-lhe os dias da infância.* **3.** *fig.* Dar ou receber novo alento; estimular(-se); reanimar(-se), reativar(-se): *A inflação baixa reaviva as vendas do comércio; Reavivaram-se as esperanças num futuro melhor para as crianças.* ▶ Conjug. 5.

rebaixar [ch] (re.bai.*xar*) *v.* **1.** Tornar(-se) mais baixo: *rebaixar o teto; O solo rebaixou(-se) com a chuva.* **2.** Fazer diminuir o preço ou o valor de: *Os supermercados rebaixaram vários produtos.* **3.** *fig.* Diminuir(-se), depreciar(-se), humilhar(-se), aviltar(-se): *Constitui assédio moral rebaixar alguém em seu ambiente de trabalho; Nunca se rebaixe diante de ninguém.* **4.** (*Mil.*) Sofrer (o militar) pena de rebaixamento na hierarquia militar: *A polícia militar rebaixou de posto alguns de seus integrantes.* ▶ Conjug. 5.

rebaixamento [ch] (re.bai.xa.*men*.to) *s.m.* **1.** Ato ou efeito de rebaixar. **2.** Diminuição da altura. **3.** Desconto em preço; abatimento. **4.** (*Mil.*) Pena imposta ao militar que cometeu falta grave, que implica a perda de posto na hierarquia.

rebanho (re.*ba*.nho) *s.m.* **1.** Grande número de animais da mesma espécie, apascentados pelo homem: *rebanho de ovelhas.* **2.** Conjunto de animais criados para corte: *Em Mato Grosso está o maior rebanho bovino do Brasil.* **3.** Bando de animais quadrúpedes, geralmente em estado selvagem: *rebanho de búfalos.* **4.** Congregação de fiéis de uma paróquia: *O padre cuida espiritualmente de seu rebanho.* **5.** *fig.* Grupo de pessoas sem opinião ou vontade próprias que se deixam facilmente manipular: *Alguns ingênuos são conduzidos como um rebanho por espertalhões.*

rebarba (re.*bar*.ba) *s.f.* **1.** Saliência natural, de forma angulosa, em uma peça de madeira cortada; quina; aresta. **2.** Excesso de material em peça de metal trabalhada ou fundida. **3.** *fig. coloq.* Algo que sobra por fazer ou concluir; resto, pendência: *O funcionário pegou as rebarbas da questão administrativa mal resolvida.*

rebarbativo (re.bar.ba.*ti*.vo) *adj.* **1.** Em que há rebarbas ou arestas. **2.** *fig.* Carrancudo, rude, desagradável: *fisionomia rebarbativa.* **3.** *fig.* Desinteressante, enfadonho, árido: *assunto rebarbativo.*

rebate[1] (re.*ba*.te) *s.m.* Ato ou efeito de rebater; rebatida, rebatimento.

rebate[2] (re.*ba*.te) *s.m.* **1.** Toque de alarme que anuncia acontecimento imprevisto ou desastroso. **2.** Toque de sino feito para soar um alarme. **3.** Indício ou prenúncio de um fato ou acontecimento: *O paciente teve um rebate de febre esta noite.* || *Rebate falso*: alarme falso, injustificado, de um acontecimento esperado: *A gravidez, tão desejada, foi um rebate falso.*

rebater (re.ba.*ter*) *v.* **1.** Contestar, repelir, desmentir, rechaçar: *Rebateu todas as acusações com provas concretas.* **2.** Censurar, criticar, verberar: *A opinião pública rebateu a falta de ética na política.* **3.** Reprimir, refrear, debelar, conter: *A força policial rebateu a violência* (com o reforço de tropas federais). **4.** Repelir, aparar (golpe de adversário): *O lutador tentava deslealmente rebater os socos* (com golpes baixos). **5.** (*Esp.*) Impelir a bola em outro sentido ou devolvê-la para o campo contrário: *A zaga rebatia sempre os chutes adversários.* **6.** Tornar a bater, a calcar: *Rebateu os pregos que estavam soltos.* **7.** Dobrar, batendo com martelo, a ponta do prego cravado, quando esta aparece um tanto para fora; arrebitar: *rebater pregos.* **8.** Datilografar ou digitar novamente: *rebater um texto cheio de erros.* **9.** (*Geom.*) Fazer rebatimento: *rebater um plano.* **10.** *coloq.* Auxiliar a digestão: *Esse chá ajuda a rebater uma refeição pesada.* ▶ Conjug. 39. – **rebatedor** *adj. s.m.*

rebelar (re.be.*lar*) v. **1.** Insurgir(-se) contra (autoridade constituída); revoltar(-se), amotinar(-se): *Os maus-tratos rebelaram os prisioneiros*; *Um grupo de amotinados rebelou a tropa contra o comando geral*; *A população rebelou-se contra o despotismo dos soberanos*. **2.** Tornar-se rebelde (2); insubordinar-se, contrapor-se: *Não se rebelem os filhos contra os pais*; *Os jovens rebelam-se por serem jovens*.

rebelde [é] (re.*bel*.de) *adj.* **1.** Que se rebela contra (autoridade constituída); revoltoso, insurgente, amotinado: *tropas rebeldes*. **2.** Que não se submete; que desacata; insubordinado, indisciplinado: *alunos rebeldes*. **3.** Não domesticado; indomável, bravio: *potro rebelde*. **4.** Difícil de debelar, de ceder: *doença rebelde*. **5.** Em desalinho; revolto, despenteado: *cabelos rebeldes*. • *s.m. e f.* **6.** Pessoa rebelde. ▶ Conjug. 8. – **rebeldia** *s.f.*

rebelião (re.be.li:*ão*) *s.f.* **1.** Ato ou efeito de rebelar(-se). **2.** Insurreição contra autoridade ou ordem estabelecida; revolta, levante: *Frustrou-se a tentativa de rebelião no presídio*. **3.** Oposição, resistência, desobediência a uma determinação (de caráter político, jurídico ou administrativo): *Houve uma verdadeira rebelião contra o aumento de impostos*.

rebenque (re.*ben*.que) *s.m.* Pequeno chicote de couro, usado para tocar a montaria.

rebentação (re.ben.ta.*ção*) *s.f.* **1.** Ato ou efeito de rebentar(-se). **2.** Arrebentação.

rebentar (re.ben.*tar*) *v.* **1.** Fazer(-se) em pedaços; romper(-se), quebrar(-se) de modo violento: *A cheia rebentou os muros de contenção*; *Com a enchente, os diques rebentaram*; *A jangada rebentou-se de encontro às pedras*. **2.** Explodir com estrondo; estourar: *As crianças rebentavam os balões coloridos*; *Bombas rebentaram no silêncio da noite*. **3.** Fazer-se em espuma; quebrar-se: *As ondas rebentavam na praia deserta*. **4.** Lançar rebentos (1); desabrochar, brotar: *As flores rebentam na primavera*. **5.** *fig.* Irromper, manar, brotar: *Lágrimas rebentaram de seus olhos*; *O pranto rebentou sem que ela pudesse impedir*. **6.** *fig.* Desencadear, explodir, eclodir: *O público rebentou em aplausos ao fim do espetáculo*; *Rebentaram novos conflitos naquela região conflagrada*. **7.** Fazer cansar até a exaustão; estafar: *A carga pesada rebentou o animal*; *Os escravos rebentavam de tanto trabalhar*. **8.** (Med.) Supurar, abrir-se: *O furúnculo rebentou*. || *arrebentar*. ▶ Conjug. 5.

rebento (re.*ben*.to) *s.m.* **1.** Broto de uma flor; vergôntea. **2.** *fig.* Resultado, produto, fruto: *O investimento em tecnologia trouxe rebentos para toda a indústria*. **3.** *fig.* O filho ou o descendente: *A mãe se orgulhava de seus lindos rebentos*.

rebite (re.*bi*.te) *s.m.* **1.** Dobra na ponta de um prego, para que não se solte da madeira. **2.** Pino de metal usado para unir duas ou mais peças. **3.** *coloq.* Bebida estimulante preparada com anfetaminas, conhaque e café. || *arrebite*.

reboar (re.bo:*ar*) *v.* Ecoar fortemente, com estrondo; retumbar: *"Mas o vento vem danado/ reboando, reboando"* (Jorge de Lima, *Na carreira do vento*). ▶ Conjug. 25. – **reboante** *adj.*

rebobinar (re.bo.bi.*nar*) *v.* Tornar a bobinar: *rebobinar o filme*. ▶ Conjug. 5. – **rebobinadeira** *s.f.*

rebocador [ô] (re.bo.ca.*dor*) *adj.* **1.** Que reboca, que dá reboque. • *s.m.* **2.** Embarcação de grande força destinada a conduzir outros barcos a reboque. **3.** Veículo empregado para rebocar outros que estejam privados de movimento; guincho.

rebocar[1] (re.bo.*car*) *v.* **1.** Conduzir (embarcação) a reboque: *rebocar o navio até o porto*. **2.** Levar (veículo avariado ou que infringiu as leis de trânsito) por meio de reboque ou guincho: *Rebocaram os carros estacionados nas calçadas*. **3.** *coloq.* Fazer-se seguir por; arrastar atrás de si: *Por onde vai o cantor, reboca uma legião de fãs*. ▶ Conjug. 20 e 35. – **rebocamento** *s.m.*

rebocar[2] (re.bo.*car*) *v.* Cobrir com reboco; revestir: *rebocar as paredes*. ▶ Conjug. 20 e 35.

reboco [ô] (re.*bo*.co) *s.m.* **1.** Argamassa que se coloca sobre o emboço da parede, a fim de tornar a superfície lisa para receber a mão de pintura. **2.** Massa de areia e cal com que se ligam os tijolos de uma construção. **3.** Material com que se reveste o interior de um recipiente, para impermeabilizá-lo.

rebojo [ô] (re.*bo*.jo) *s.m.* **1.** Redemoinho de água que se forma no mar ou no rio; sorvedouro, turbilhão, voragem. **2.** Redemoinho de vento, quando muda de direção ao encontrar um obstáculo. **3.** *reg.* O vento sudoeste.

rebolado (re.bo.la.do) *adj.* **1.** Que faz rebolar: *dança rebolada*. **2.** Que tem música e dança para rebolar: *teatro rebolado*. • *s.m.* **3.** Movimento dos quadris, ao andar ou ao dançar; bamboleio, remelexo, meneio, saracoteio.

rebolar (re.bo.*lar*) *v.* **1.** Remexer(-se), bambolear(-se), balançar(-se), menear(-se): *Dançava, rebolando os quadris*; *Ao ritmo do samba, todos começavam a rebolar*; *A passista rebolava-se diante da bateria da escola*. **2.** Rolar, revirar:

As crianças rebolavam na grama do parque. **3.** *coloq.* Esforçar-se; empenhar-se (para vencer dificuldades); trabalhar duro: *Você vai ter que rebolar se quiser a aprovação no concurso.* ▶ Conjug. 20.

rebolo [ô] (re.bo.lo) *s.m.* Pedra de mó que, girando sobre um eixo fixo a uma bancada, serve para amolar instrumentos cortantes.

reboo (re.bo:o) *s.m.* Ato ou efeito de reboar.

reboque [ó] (re.bo.que) *s.m.* **1.** Ato ou efeito de rebocar. **2.** Guincho, rebocador. || *A reboque:* **1.** *fig.* ligado por vontade própria ou não a alguém; na dependência de; preso, atrelado: *Vive a reboque da família.* **2.** Na sequência de; a seguir; logo após: *Graves consequências vieram a reboque de sua atitude desastrada.*

rebordo [ô] (re.bor.do) *s.m.* **1.** Borda voltada para fora ou revirada: *rebordo do colarinho.* **2.** Banda, lado, lateral: *rebordo da mesa.*

rebordosa [ó] (re.bor.do.sa) *s.f.* **1.** Situação difícil ou embaraçosa: *Vive entrando em rebordosas.* **2.** Situação de tumulto; confusão, alvoroço: *A turma estava em rebordosa.* **3.** Recaída de doença: *Já havia saído do hospital, quando teve uma rebordosa.*

rebotalho (re.bo.ta.lho) *s.m.* **1.** Aquilo que sobra depois de escolhido ou retirado o melhor de (algo); resíduo inútil; refugo, resto. **2.** *fig.* Pessoa sem merecimento ou categoria social; escória da sociedade; ralé.

rebote [ó] (re.bo.te) *s.m.* (*Esp.*) **1.** No basquete, lance em que os jogadores procuram recuperar a bola, após ela ter batido no aro ou na tabela. **2.** No futebol, bola de volta aos pés de um atacante, após ter sido lançada ao gol adversário.

rebrilhante (re.bri.lhan.te) *adj.* Que rebrilha; muito brilhante; resplandecente.

rebrilhar (re.bri.lhar) *v.* Brilhar intensamente; resplandecer: *As estrelas rebrilham no firmamento; A prataria rebrilhava de tão polida.* ▶ Conjug. 5.

rebu (re.bu) *s.m. gír.* Confusão, agitação; rebuliço.

rebuçado (re.bu.ça.do) *adj.* **1.** Que se rebuçou; embuçado, oculto, disfarçado: *Os homens traziam os rostos rebuçados.* **2.** (*Cul.*) Bala (2), caramelo.

rebuçar (re.bu.çar) *v.* **1.** Encobrir(-se) com rebuço (1); embuçar(-se): *O véu rebuçava o rosto da mulher árabe; O malfeitor rebuçava-se em sua capa.* **2.** *fig.* Ocultar(-se), disfarçar(-se), dissimilar(-se): *rebuçar a ansiedade; A raiva mal se rebuçava em sua fisionomia.* ▶ Conjug. 5 e 36.

rebuço (re.bu.ço) *s.m.* **1.** Parte do vestuário destinada a cobrir o rosto. **2.** Parte do casaco ou do colete, a qual se vira de revés para acompanhar a gola; lapela. **3.** *fig.* Disfarce, dissimulação. || *Sem rebuços:* com franqueza; sem rodeios; abertamente: *falar sem rebuços.*

rebuliço (re.bu.li.ço) *s.m.* Movimento irregular e simultâneo de muita gente; confusão, alvoroço, agitação: *Houve um grande rebuliço na cidade com a chegada do Papa.*

rebuscado (re.bus.ca.do) *adj.* Feito com muito requinte e esmero; aprimorado, apurado: *uma decoração rebuscada; um estilo rebuscado.*

rebuscar (re.bus.car) *v.* **1.** Tornar a buscar; procurar minuciosamente; revirar, vasculhar: *Rebuscava velhos artigos de jornal para sua pesquisa.* **2.** Burilar (texto, estilo); usar de requinte e esmero; apurar, aprimorar: *Os poetas parnasianos rebuscam seus versos.* ▶ Conjug. 5 e 35. – **rebuscamento** *s.m.*

recadastrar (re.ca.das.trar) *v.* Tornar a cadastrar (-se): *recadastrar os beneficiários da Previdência Social; Todos os pensionistas tiveram que recadastrar-se.* ▶ Conjug. 5. – **recadastramento** *s.m.*

recado (re.ca.do) *s.m.* Mensagem, aviso ou advertência, oral ou escrita, geralmente curta: *Havia muitos recados em sua secretária eletrônica;* (*fig.*) *O homem deve ouvir os recados da natureza devastada.* || *Dar recado:* transmitir (ideias, informações) de modo preciso e definitivo: *Embora jovem, o orador soube dar o seu recado aos manifestantes.*

recaída (re.ca.í.da) *s.f.* **1.** Ato ou efeito de recair; reincidência. **2.** (*Med.*) Reaparecimento ou recrudescimento de sintomas de moléstias durante a convalescença.

recair (re.ca.ir) *v.* **1.** Tornar a cair; tombar: *A criança começava a andar, caía e recaía a todo instante.* **2.** Voltar a um estado ou condição anterior: *recair no sono; recair no vício.* **3.** Sofrer recaída (2): *O paciente recaiu no surto psicótico; Livre da gripe, tomava cuidado para não recair.* **4.** Tornar a incorrer em; reincidir: *Você deve aprender a não recair no mesmo erro.* **5.** Ser atribuída (acusação, culpa etc.) a alguém; pesar sobre: *Todas as suspeitas recaíram sobre o mordomo.* **6.** Cair sobre; sobrevir, incidir: *Os desastres da guerra recaem muitas vezes sobre inocentes.* **7.** Caber (dever, responsabilidade) a alguém; tocar: *O peso da responsabilidade recaiu sobre o filho mais velho.* **8.** Caber por nomeação ou votação: *A direção da escola recaiu sobre o decano dos professores.* **9.** Cair, incidir:

recalcado

O acento gráfico recai sobre a penúltima sílaba das palavras paroxítonas terminadas em i(s) ou u(s), como júri e bônus. ▶ Conjug. 83.

recalcado (re.cal.*ca*.do) *adj.* **1.** Que se recalcou ou repisou: *solo recalcado*. **2.** (*Psicn.*) Relativo a ou próprio do recalque (2). **3.** Reprimido, refreado, contido: *sentimentos recalcados*. • *s.m.* **4.** Pessoa recalcada.

recalcar (re.cal.*car*) *v.* **1.** Tornar a calcar; repisar: *Recalcou bem o solo para o plantio das sementes*. **2.** (*Psicn.*) Recusar inconscientemente ideias, impulsos e sentimentos penosos, cuja rememoração produz desprazer: *O analista ajudava-o a não recalcar suas emoções*. ▶ Conjug. 5 e 35.

recalcitrante (re.cal.ci.*tran*.te) *adj.* **1.** Que recalcitra; obstinado, teimoso, desobediente. • *s.m.* e *f.* **2.** Pessoa recalcitrante.

recalcitrar (re.cal.ci.*trar*) *v.* Não ceder ou não obedecer; resistir, teimar, obstinar-se: *Recalcitrava em seguir as recomendações do médico; Diante das novas medidas, alguns parlamentares recalcitravam.* ▶ Conjug. 5.

recall [*ricól*] (Ing.) *s.m.* Chamada, através da mídia, dos consumidores de determinado produto, por parte dos fabricantes, para a correção ou substituição de peças que possam causar algum dano a esses usuários.

recalque (re.*cal*.que) *s.m.* **1.** Ato ou efeito de recalcar. **2.** (*Psicn.*) Repulsa em admitir algum aspecto penoso da realidade.

recambiar (re.cam.bi.*ar*) *v.* **1.** Fazer retornar ao lugar de origem: *O juiz mandou recambiar o preso reincidente para o presídio de segurança máxima; Recambiaram a criança perdida à sua família*. **2.** (*Econ.*) Devolver (título, certificado de ações etc.) que não foi aceito ou pago: *recambiar letras de câmbio*. ▶ Conjug. 17. – **recâmbio** *s.m.*

recamo (re.*ca*.mo) *s.m.* **1.** Bordado ou ornato em relevo sobre tecido. **2.** *fig.* Ornato, ornamento, adorno, enfeite. – **recamado** *adj.*; **recamar** *v.* ▶ Conjug. 8.

recanto (re.*can*.to) *s.m.* **1.** Canto ou lugar retirado e discreto: *Num recanto do salão, executivos conversavam reservadamente*. **2.** Lugar agradável e aprazível: *A serra tem recantos esplêndidos para contemplação e descanso*. **3.** *fig.* Aquilo que é mais íntimo, recôndito, profundo: *Guardava as ilusões num recanto da alma*.

recapacitar (re.ca.pa.ci.*tar*) *v.* **1.** Tornar(-se) de novo capaz ou capacitado: *A fisioterapia recapacitou o atleta (para novas competições); Buscava recapacitar-se na profissão, seguindo cursos de atualização.* **2.** Dar-se conta; convencer-se, persuadir-se: *É preciso que todos se recapacitem da necessidade do combate à dengue.* ▶ Conjug. 5. – **recapacitação** *s.f.*

recapear (re.ca.pe.*ar*) *v.* **1.** Tornar a capear; revestir, recobrir: *recapear paredes*. **2.** Restaurar (asfalto); repavimentar: *O governo irá recapear alguns trechos de estradas*. ▶ Conjug. 14. – **recapeamento** *s.m.*

recapitular (re.ca.pi.tu.*lar*) *v.* **1.** Reduzir (texto, lição) a seus itens principais; resumir; sintetizar: *Recapitulou com os colegas todos os tópicos da prova*. **2.** Relembrar, rememorar: *Recapitulou em seu discurso os principais momentos de sua trajetória literária*. ▶ Conjug. 5. – **recapitulação** *s.f.*

recapturar (re.cap.tu.*rar*) *v.* Tornar a capturar; prender novamente; aprisionar: *A polícia recapturou os fugitivos*. ▶ Conjug. 5. – **recaptura** *s.f.*

recarga (re.*car*.ga) *s.f.* **1.** Ato ou efeito de recarregar. **2.** Aplicação de nova carga: *Deu uma recarga na bateria do celular*. **3.** Nova carga ou ataque; segunda investida: *Uma recarga de disparos de fuzis reiniciou o tiroteio*.

recarregar (re.car.re.*gar*) *v.* **1.** Tornar a carregar; dotar de nova carga: *recarregar a bateria, uma arma*. **2.** Ficar repleto; encher-se: *O céu recarregou-se de nuvens*. ▶ Conjug. 8 e 34.

recatado (re.ca.*ta*.do) *adj.* **1.** Que tem recato; pudico, decente: *moças recatadas*. **2.** Que não faz alarde de seus dotes; modesto, simples: *Apesar da fama, leva uma vida recatada*.

recatar (re.ca.*tar*) *v.* **1.** Guardar(-se) em recato; resguardar(-se), acautelar(-se), defender(-se): *recatar um segredo; recatar os filhos das más companhias; recatar-se dos vícios*. **2.** Viver em recato; esconder-se, ocultar-se: *Ele queria recatar-se do mundo exterior*. ▶ Conjug. 5.

recato (re.*ca*.to) *s.m.* **1.** Pudor, pejo, decência, honestidade: *o recato das heroínas românticas*. **2.** Modéstia, simplicidade, humildade: *Leva uma vida de recato em meio a suas obras de arte*.

recauchutadora [ô] (re.cau.chu.ta.*do*.ra) *s.f.* Oficina de recauchutagem de pneus.

recauchutar (re.cau.chu.*tar*) *v.* **1.** Recobrir (pneumático) com nova camada de borracha: *Mandou recauchutar os pneus já muito gastos*. **2.** *coloq. joc.* Reparar, corrigir, melhorar (a aparência), geralmente por meio de cirurgia plástica: *recauchutar a face; Recauchutou-se toda pelas mãos do famoso cirurgião*. ▶ Conjug. 5. – **recauchutado** *adj.*; **recauchutagem** *s.f.*

recear (re.ce:ar) v. **1.** Ter receio ou apreensão; temer; assustar(-se), preocupar(-se): *recear a volta da inflação; Os pais receiam pelo futuro dos filhos; Ele não se receia dos problemas a enfrentar.* **2.** Achar, pensar, crer, acreditar: *Receio tê-lo ofendido com meus comentários sobre seu livro.* ▶ Conjug. 14.

recebedoria (re.ce.be.do.ri.a) s.f. Repartição pública ou departamento fiscal que tem a atribuição de receber ou arrecadar as verbas (impostos, taxas etc.) devidas ao Estado.

receber (re.ce.ber) v. **1.** Obter, ganhar, conseguir (algo) como recompensa, favor ou merecimento: *receber um prêmio de consolação; receber uma bolsa de estudos do governo francês.* **2.** Ser o destinatário ou o receptor de algo: *receber uma mensagem; receber o sinal de televisão.* **3.** Ter como pagamento (ou equivalente): *Recebe um alto salário; Recebeu da firma uma gratificação; Recebe sempre no último dia do mês.* **4.** Entrar na posse de: *receber uma herança.* **5.** Ser o alvo de: *A Terra recebe a luz solar.* **6.** Ser o depositário ou o receptáculo de: *Os esgotos recebem toda a água da chuva.* **7.** Acolher, hospedar: *Recebeu os amigos para um jantar de confraternização; Aquela socialite recebe muito bem.* **8.** Dar as boas-vindas; recepcionar: *A academia recebeu seu novo membro.* **9.** Ser punido por; padecer, sofrer: *O criminoso recebeu o castigo merecido.* **10.** Apanhar, aparar: *receber um soco, uma surra.* **11.** Admitir ou acolher (alguém ou algo) com deferência: *Recebeu o amigo como um irmão; Recebia as críticas como elogios.* **12.** Tomar como cônjuge; unir-se em matrimônio; casar-se: *Recebeu a amiga de infância por esposa; Os noivos receber-se-ão no dia 15 de maio na igreja matriz.* **13.** (Rel.) Incorporar (um orixá ou outra entidade espiritual): *receber o santo.* ▶ Conjug. 41. – **recebimento** s.m.

receio (re.cei.o) s.m. **1.** Ato ou efeito de recear. **2.** Sentimento de apreensão e medo diante de possíveis riscos: *Tem receio de sair à noite.* **3.** Estado de incerteza ou dúvida em relação a fatos e resultados: *Os cientistas manifestaram seu receio sobre as conseqüências do aquecimento global.*

receita (re.cei.ta) s.f. **1.** Toda soma ou quantia recebida ou arrecadada. **2.** Rendimentos de um Estado, de uma sociedade, de um indivíduo: *Cumpre equilibrar a despesa com a receita.* **3.** Escrito em que o médico formula a qualidade e a quantidade dos medicamentos que prescreve. **4.** Fórmula para a preparação de produtos industriais ou da economia doméstica: *receita médica; receita de doces.* **5.** *fig.* Indicação relativa ao modo de proceder; conselho, modelo: *Qual é a sua receita de sucesso?*

receitar (re.cei.tar) v. **1.** Prescrever uma receita médica: *receitar um analgésico; Receitou ao paciente uma série nova de medicamentos; Só os médicos podem receitar.* **2.** *fig.* Recomendar, aconselhar, sugerir: *O professor receitava (aos alunos) mais empenho e interesse nas aulas.* ▶ Conjug. 18.

receituário (re.cei.tu:á.ri:o) s.m. **1.** Formulário usado pelos médicos para receitar. **2.** Conjunto de receitas prescritas pelo médico durante o tratamento.

receiver [ricíver] (Ing.) s.m. Amplificador e sintonizador reunidos em um só aparelho.

recém (re.cém) adv. reg. Pouco antes; ainda agora; recentemente. || É usado como prefixo ligado por hífen a um particípio: *recém-nascido; recém-formado; recém-casado* etc.

recendente (re.cen.den.te) adj. Que recende; fragrante, aromático: *incenso recendente.*

recender (re.cen.der) v. **1.** Exalar cheiro de: *recender odor desagradável; recender um doce perfume; A casa inteira recendia a flores; O ar recendia suavemente.* **2.** *fig.* Lançar de si; espalhar: *Sua figura recendia paz.* ▶ Conjug. 39.

recensão (re.cen.são) s.f. **1.** Recenseamento. **2.** Notícia circunstanciada; apreciação breve de um livro ou de um escrito; resenha. **3.** Lista, catálogo. **4.** Cotejo de uma edição antiga com os manuscritos do autor, a fim de restabelecer o texto definitivo.

recenseador [ô] (re.cen.se:a.dor) adj. **1.** Que realiza o recenseamento. • s.m. **2.** Pessoa que recenseia.

recenseamento (re.cen.se:a.men.to) s.m. **1.** Ato ou efeito de recensear. **2.** Contagem do número de pessoas ou coisas, em certo tempo e em determinado território, para verificação ou fins estatísticos; censo.

recensear (re.cen.se:ar) v. **1.** Fazer o recenseamento ou o censo de: *recensear a população do país.* **2.** Fazer a listagem de; enumerar, relacionar, listar: *recensear os militantes do partido.* ▶ Conjug. 14.

recente (re.cen.te) adj. **1.** Que ocorreu há muito pouco tempo: *notícia recente.* **2.** Que existe há pouco tempo; novo: *noivado recente.*

receoso [ô] (re.ce:o.so) adj. **1.** Que sente receio; temeroso, medroso: *Você é receoso de tudo.* **2.** Que hesita em fazer (algo), na incerteza das

recepção

consequências; hesitante, vacilante, inseguro: *Ficava receoso toda vez que fazia uma entrevista de trabalho.* || f. e pl.: [ó].

recepção (re.cep.ção) *s.f.* **1.** Ato ou efeito de receber. **2.** Cerimônia em que se recebe um novo membro de uma instituição científica, literária etc.: *Foi solene a recepção de posse do novo imortal da Academia de Letras.* **3.** Reunião festiva para convidados, com comida e bebida; coquetel: *Após o casamento, haverá uma recepção no salão paroquial.* **4.** Em um estabelecimento, setor onde se recebem e atendem clientes: *a recepção do hotel.*

recepcionar (re.cep.ci:o.nar) *v.* **1.** Dar recepção (3): *Aquela dama sabe recepcionar muito bem.* **2.** Receber (alguém) em estação, aeroporto, cais, com atenção e aparato: *A torcida recepcionou os campeões à sua chegada no aeroporto.* ▶ Conjug. 5.

recepcionista (re.cep.ci:o.nis.ta) *adj.* **1.** Que recepciona. • *s.m.* e *f.* **2.** Pessoa que tem por função receber os clientes ou fregueses em uma festa, escritório, hotel ou local de negócios. **3.** Pessoa encarregada de atender o público em um setor de recepção.

receptáculo (re.cep.tá.cu.lo) *s.m.* **1.** Objeto usado para guardar ou conter alguma coisa; recipiente. **2.** Ponto de confluência de coisas provenientes de origens diversas.

receptar (re.cep.tar) *v.* Receber, comprar ou guardar, em proveito próprio ou alheio, objetos resultantes de delito (furtados ou contrabandeados), sabendo de sua procedência: *Foi incriminado por receptar objetos furtados de museus.* ▶ Conjug. 8 e 33. − **receptação** *s.f.*; **receptador** *adj. s.m.*

receptividade (re.cep.ti.vi.da.de) *s.f.* **1.** Qualidade de receptivo. **2.** Disposição para receber sugestões e opiniões alheias; acolhimento, aceitação: *As novas diretrizes educacionais tiveram boa receptividade no ambiente escolar.*

receptivo (re.cep.ti.vo) *adj.* **1.** Que tem comportamento afável e acolhedor: *Os alunos foram muito receptivos com os novos colegas.* **2.** Que demonstra disposição para aceitar ideias novas; que está aberto a: *A Bolsa de Valores foi receptiva às medidas econômicas.*

receptor [ô] (re.cep.tor) *adj.* **1.** Que recebe ou recepta; receptador. • *s.m.* **2.** (*Ling.*) No ato da comunicação, aquele que recebe a mensagem e a decodifica. **3.** Qualquer equipamento capaz de registrar, gravar ou reproduzir sinais sonoros ou visuais transmitidos por meios elétricos (ondas magnéticas, fios ou cabos especiais etc.). **4.** (*Med.*) Indivíduo que recebeu uma transfusão de sangue ou um transplante de tecidos ou órgãos retirados de um doador.

recessão (re.ces.são) *s.f.* **1.** Diminuição de uma atividade; retraimento, retrocesso. **2.** (*Econ.*) Período de atividade econômica reduzida, caracterizado pela diminuição das atividades industriais e comerciais, geralmente passageira, cujos sintomas são o decréscimo da produção, do trabalho, dos salários, de benefícios etc.

recessivo (re.ces.si.vo) *adj.* **1.** Relativo a ou próprio de recessão: *medidas recessivas.* **2.** (*Biol.*) Diz-se do caráter genético que, embora presente, não se manifesta na configuração genética.

recesso [é] (re.ces.so) *s.m.* **1.** Lugar íntimo, recatado, resguardado; recanto, canto: *o recesso do lar.* **2.** (*Jur.*) Período em que há interrupção das atividades parlamentares ou dos trabalhos do Judiciário: *A votação do projeto ficou para depois do recesso parlamentar.*

rechaçar (re.cha.çar) *v.* **1.** Fazer retroceder, recuar ou retirar; repelir, desbaratar: *Os policiais rechaçaram a investida dos traficantes.* **2.** Fazer resistência a; resistir, opor-se: *A moça rechaçou as tentativas de assédio do colega de trabalho.* **3.** (*Esp.*) Rebater defensivamente (a bola): *Os zagueiros conseguiram rechaçar todos os lançamentos do time adversário.* ▶ Conjug. 5 e 36. − **rechaço** *s.m.*

réchaud [rechô] (Fr.) *s.m.* Suporte para panelas, travessas etc., elétrico ou provido de fogo na parte inferior, que mantém o calor dos alimentos à mesa.

rechear (re.che:ar) *v.* **1.** (*Cul.*) Colocar recheio em alimento: *rechear empadas; recheou o peru com farofa.* **2.** Encher com estofo; estofar: *rechear travesseiros (com penas de ganso).* **3.** Encher bastante; entupir: *Recheou o estômago com as carnes do churrasco; O ladrão não conseguiu rechear o saco de dinheiro.* **4.** *fig.* Colocar em meio à conversa; entremear, intercalar: *O advogado recheava sua fala de expressões latinas e forenses.* ▶ Conjug. 14.

recheio (re.chei.o) *s.m.* **1.** Ato ou efeito de rechear. **2.** Aquilo que enche ou preenche (recipiente, espaço, cavidade etc.); conteúdo: *Os sofás gastos não escondiam mais o recheio.* **3.** (*Cul.*) Tipo de alimento com que se recheia outro alimento: *bolo com recheio de chocolate.*

rechonchudo (re.chon.chu.do) *adj.* Gordo, roliço (diz-se de pessoa); gorducho: *criança rechonchuda.*

recibo (re.ci.bo) s.m. **1.** Documento com que se atesta o recebimento de alguma coisa pela pessoa a quem foi entregue; quitação: *recibo de pagamento do aluguel*. **2.** *coloq.* Retribuição de uma agressão (física ou moral); reação, revide, desforra: *Não deixa insulto sem recibo*. || *Dar ou passar recibo de*: **1.** revidar, desforrar-se, vingar-se: *Deu o devido recibo aos que o criticaram*. **2.** tornar evidente; manifestar, patentear: *Perdeu a cabeça; passou recibo de sua imaturidade*.

reciclagem (re.ci.cla.gem) s.f. **1.** Ato ou efeito de reciclar. **2.** Conjunto de técnicas de reaproveitamento de detritos do sistema de produção ou de consumo, a fim de introduzi-los novamente no ciclo de produção: *reciclagem de papel, de garrafas de plástico*. **3.** Revisão ou reforma de métodos de trabalho: *reciclagem do ensino*. **4.** Formação profissional complementar; atualização; requalificação: *Muitos operários buscam uma reciclagem para progredir na profissão*.

reciclar (re.ci.*clar*) v. **1.** Proceder a reciclagem (2) de; reaproveitar, reutilizar, recuperar: *Frente à evidência do aquecimento global, é cada vez mais imperioso reciclar a água potável*. **2.** Promover a reciclagem (4) de; atualizar(-se), requalificar(-se): *reciclar profissionais da área de construção civil; O bom professor está sempre a reciclar-se*. ► Conjug. 5.

reciclável (re.ci.clá.vel) adj. Que pode ser reciclado: *garrafa reciclável; lata de alumínio reciclável*.

recidiva (re.ci.di.va) s.f. **1.** (Med.) Reaparecimento de uma doença depois de um período de convalescença; recaída, recorrência: *Felizmente não houve recidiva da doença no paciente*. **2.** (Jur.) Reincidência na mesma falta ou crime.

recidivo (re.ci.di.vo) adj. **1.** Que torna a cometer falta ou delito; que reincide. **2.** Que reaparece (moléstia).

recife (re.ci.fe) s.m. (Geol.) Formação rochosa que se apresenta paralela à costa, ao nível do mar ou submersa; arrecife.

recifense (re.ci.fen.se) adj. **1.** De Recife, capital do Estado de Pernambuco. • s.m. e f. **2.** O natural ou o habitante dessa capital.

recinto (re.cin.to) s.m. **1.** Espaço fechado, compreendido entre certos limites: *Havia algumas centenas de pessoas no recinto da convenção partidária*. **2.** Local preservado, vedado a certas atividades: *É proibido fumar neste recinto*.

recipiente (re.ci.pi:en.te) adj. **1.** Que recebe: *organismo recipiente*. • s.m. **2.** Utensílio (caixa, frasco, saco etc.) em que se guardam mercadorias e coisas diversas; receptáculo. **3.** Vaso em que se recebem os produtos de uma operação química, à medida que se vão formando.

recíproca (re.cí.pro.ca) s.f. **1.** Reciprocidade. **2.** Ideia ou atitude oposta; contrário, inverso: *Ele simpatiza com a nova colega, mas a recíproca não é verdadeira*.

reciprocidade (re.ci.pro.ci.da.de) s.f. Condição do que é recíproco, de tudo que estabelece relações mútuas ou correspondência.

recíproco (re.cí.pro.co) adj. **1.** Que implica troca, permuta ou retribuição; mútuo: *respeito recíproco; antipatia recíproca*. **2.** (Jur.) Que apresenta equivalência ou correspondência entre as partes: *direitos recíprocos; obrigações recíprocas*.

récita (ré.ci.ta) s.f. **1.** Declamação de composições literárias, com ou sem acompanhamento musical; recital. **2.** Qualquer representação de cantor, musicista, companhia de atores ou companhia lírica: *Comprei ingressos para todas as récitas do Teatro Municipal nesta temporada*.

recitação (re.ci.ta.ção) s.f. Ato ou efeito de recitar; declamação.

recital (re.ci.tal) s.m. **1.** Sessão de declamação, dada por um só declamador. **2.** Concerto de música vocal ou instrumental, dado geralmente por um solista. **3.** Leitura ou recitação de composições poéticas. **4.** Apresentação dos alunos de um professor ou de uma escola de música.

recitalista (re.ci.ta.lis.ta) adj. s.m. e f. Pessoa que dá recitais.

recitar (re.ci.tar) v. **1.** Dizer texto poético em voz alta, com entonação expressiva; declamar: *Recitou brilhantemente O Navio Negreiro, de Castro Alves; Gostava de recitar poemas para os filhos; Sempre gostou de recitar*. **2.** Dizer em voz alta (oração): *recitar o Pai-Nosso*. **3.** (Mús.) Executar um recitativo (3): *O cantor lírico recitou os textos declamativos entre as árias famosas*. ► Conjug. 5. – **recitador** adj. s.m.

recitativo (re.ci.ta.ti.vo) adj. **1.** Que é próprio para ser recitado. • s.m. **2.** Poesia destinada a ser recitada, com ou sem acompanhamento musical. **3.** (Mús.) Trecho de ópera declamado, com acompanhamento de acordes e apresentando ligeira linha melódica.

reclamação (re.cla.ma.ção) s.f. **1.** Ato ou efeito de reclamar; reclamo. **2.** (Jur.) Reivindicação de um direito; queixa, protesto: *reclamação trabalhista*.

reclamante (re.cla.*man*.te) *adj.* **1.** Que reclama. • *s.m.* e *f.* **2.** (*Jur.*) Aquele que interpõe uma reclamação judicial.

reclamar (re.cla.*mar*) *v.* **1.** Fazer reclamações; queixar-se, lamentar-se: *reclamar da demora no atendimento; Reclamou contra o excesso de trabalho; Ao invés de só reclamar, comece a agir.* **2.** Reivindicar, exigir, pleitear: *Reclamou seus direitos funcionais.* **3.** Pedir, invocar, implorar, rogar: *reclamar justiça; O jovem reclamava mais atenção dos pais.* **4.** Exigir a presença ou a ação de (alguém) com certa urgência: *As obrigações reclamam por mim.* **5.** Chamar a si; exigir, pleitear: *Reclamo a paternidade dessa ideia.* ▶ Conjug. 5.

reclame (re.*cla*.me) *s.m.* Anúncio publicitário veiculado nos meios de comunicação; propaganda, publicidade, reclamo.

reclamo (re.*cla*.mo) *s.m.* **1.** Ato ou efeito de reclamar; reclamação: *Não queria ouvir os reclamos da sua consciência.* **2.** Reclame.

reclassificar (re.clas.si.fi.*car*) *v.* **1.** Tornar a classificar: *reclassificar arquivos.* **2.** Efetuar a revisão de (cargo, salário etc.) na administração pública: *O concurso interno levou a reclassificar diversas categorias de funcionários.* ▶ Conjug. 5 e 35. – **reclassificação** *s.f.*

reclinar (re.cli.*nar*) *v.* **1.** Inclinar(-se) para trás; recostar(-se), apoiar(-se): *Reclinou a cabeça sobre o ombro da mãe; reclinar-se na cabeceira da cama.* **2.** Pôr(-se) de forma horizontal; deitar(-se): *Reclinou bem o corpo no sofá; Reclinou-se para cochilar.* **3.** Dobrar-se, envergar-se, recurvar-se: *As copas das árvores reclinavam sob a chuva torrencial.* ▶ Conjug. 5.

reclinatório (re.cli.na.*tó*.ri:o) *s.m.* Objeto sobre que se reclina pessoa ou coisa; encosto.

reclusão (re.clu.*são*) *s.f.* **1.** Ato ou efeito de prender, de encerrar. **2.** Estado ou condição de prisioneiro; prisão, cativeiro: *Deixou o cárcere após uma longa pena de reclusão.* **3.** Condição de afastamento do convívio social; recolhimento, isolamento: *O idoso levava uma vida de reclusão.* **4.** (*Jur.*) Pena de prisão com isolamento; regime fechado.

recluso (re.*clu*.so) *adj.* **1.** Preso, prisioneiro, encarcerado: *criminosos reclusos.* **2.** Que vive em clausura nos conventos: *monges reclusos.* **3.** Que vive isolado do convívio social: *doente recluso.* • *s.m.* **4.** Pessoa reclusa (1) e (2).

recoberto [é] (re.co.*ber*.to) *adj.* Que se tornou a cobrir; coberto. || part. de *recobrir*.

recobrar (re.co.*brar*) *v.* **1.** Recuperar (o que se havia perdido); reaver, readquirir, retomar: *recobrar a memória; recobrar a posse da propriedade.* **2.** Recuperar o ânimo, a disposição, as forças: *recobrar os sentidos; Ainda não se recobrou do trauma por que passou.* ▶ Conjug. 20.

recobrir (re.co.*brir*) *v.* **1.** Tornar a cobrir(-se): *Recobriu as letras com caneta preta; Os canteiros recobriram-se de flores.* **2.** Cobrir(-se) bem ou completamente: *Recobriu os filhos com o edredom; Recobriu-se porque voltou a fazer frio.* || part.: *recoberto.* ▶ Conjug. 76. – **recobrimento** *s.m.*

recolha [ô] (re.*co*.lha) *s.f.* **1.** Ato ou efeito de recolher; recolhimento, coleta: *recolha do lixo.* **2.** Local para abrigar provisoriamente o gado.

recolher (re.co.*lher*) *v.* **1.** Fazer a colheita de; colher: *Os agricultores recolheram nessa safra toneladas de frutas.* **2.** Apanhar, juntar, coletar: *recolher o lixo da casa.* **3.** Colocar em recipiente ou invólucro; guardar, fechar: *recolher a água da chuva em cisternas.* **4.** Reunir (coisas dispersas); coligir, compilar, juntar: *recolher assinaturas num abaixo-assinado.* **5.** Receber, angariar: *Recolhia doações para os desabrigados da chuva.* **6.** Tirar de circulação: *O governo vai recolher as antigas cédulas.* **7.** Puxar para si; retrair, encolher: *O polvo recolhia seus tentáculos.* **8.** Pôr ao abrigo; levar a; conduzir: *recolher o gado ao curral.* **9.** Remover, guardar: *Este trem será recolhido ao centro de manutenção.* **10.** Dar hospitalidade a; hospedar, abrigar: *Recolheu os familiares pobres em sua casa.* **11.** Abrigar-se, refugiar-se: *Os rebeldes recolheram-se em um lugar secreto.* **12.** Retirar-se do mundo; fechar-se, encerrar-se: *A jovem recolheu-se ao claustro.* **13.** Dirigir-se a seus aposentos; deitar-se para dormir: *Recolhi-me cedo ontem.* **14.** Concentrar-se, absorver-se, ensimesmar-se: *recolher-se em seus pensamentos.* **15.** *coloq.* Desaparecer (doença) da pele, desenvolvendo-se internamente: *O sarampo recolheu.* **16.** Tornar-se latente; deixar de manifestar-se: *Com o tempo a dor se recolhe.* ▶ Conjug. 42.

recolhimento (re.co.lhi.*men*.to) *s.m.* **1.** Ato ou efeito de recolher(-se); recolha, coleta, arrecadação: *recolhimento de impostos.* **2.** Estado de quem se retira do convívio social: *Preferiu o recolhimento à vida mundana.* **3.** Local de isolamento, de meditação; retiro.

recolocar (re.co.lo.*car*) *v.* Tornar a colocar; repor: *recolocar o filme na máquina.* ▶ Conjug. 20 e 35.

recomeçar (re.co.me.*çar*) *v.* Tornar a começar; reiniciar, retomar: *Com o apoio dos filhos, de-*

cidiu recomeçar os estudos interrompidos; Após um breve recesso, o julgamento recomeçou; Recomeçou a chover. ▶ Conjug. 8 e 36. – **recomeço** s.m.

recomendação (re.co.men.da.ção) s.f. **1.** Ato ou efeito de recomendar. **2.** Conselho, advertência, aviso: *Não acatou a recomendação dos pais.* **3.** Qualidade de recomendável: *Seu silêncio é a melhor recomendação.* • **recomendações** s.f.pl. **4.** Cumprimentos, saudações, lembranças: *Recomendações a seus familiares.*

recomendar (re.co.men.dar) v. **1.** Indicar como bom; aconselhar, sugerir: *recomendar um bom dentista; Recomendou à empregada que não deixasse ninguém entrar.* **2.** Confiar aos cuidados: *Recomendou a educação dos filhos aos melhores colégios; Recomendou-se às mãos de um grande cirurgião.* **3.** Apresentar cumprimentos: *Recomende-me a seus pais.* ▶ Conjug. 5. – **recomendável** adj.

recompensa (re.com.pen.sa) s.f. **1.** Ato ou efeito de recompensar(-se). **2.** Gratificação pecuniária; remuneração, prêmio recebido como retribuição a um serviço prestado. **3.** Indenização; compensação por danos ou prejuízos sofridos.

recompensar (re.com.pen.sar) v. **1.** Dar recompensa (2) e (3); compensar; gratificar, premiar: *O patrão recompensou a empregada pelos anos de serviço; Recompensaram o funcionário exemplar com uma placa de agradecimento.* **2.** Ser compensador; valer a pena o esforço: *Ver os filhos formados recompensou todos os sacrifícios; Recompensava o trabalho duro com a esperança de progredir; Recompensava-se da rotina com longas caminhadas.* ▶ Conjug. 5.

recompor (re.com.por) v. **1.** Tornar a compor (-se); refazer(-se), reconstituir(-se), recuperar(-se): *Recompôs o texto antes de enviá-lo ao editor; As peças do crime se recompuseram para a absolvição do réu.* **2.** Reorganizar, reestruturar, reordenar: *recompor o arquivo.* **3.** Recuperar, restabelecer, restaurar: *recompor uma indústria falida.* **4.** Reconciliar(-se), congraçar (-se), harmonizar(-se): *A matriarca procurava recompor a união da família; Os sócios se recompuseram para o bem da firma.* || part.: recomposto. ▶ Conjug. 65. – **recomposição** s.f.

recôncavo (re.côn.ca.vo) s.m. **1.** Cavidade funda entre rochedos; gruta. **2.** (*Geogr.*) Pequena baía; enseada.

reconcentrar (re.con.cen.trar) v. **1.** Tornar a concentrar(-se); fazer convergir ou convergir para um foco: *O ato público reconcentrou milhares de participantes; É preciso reconcentrar investimentos no Nordeste; Todos os esforços se reconcentraram na promoção da justiça social.* **2.** Entregar-se inteiramente a; mergulhar, concentrar-se: *Reconcentrava-se cada vez mais nos estudos.* ▶ Conjug. 5.

reconciliação (re.con.ci.li:a.ção) s.f. **1.** Ato ou efeito de reconciliar(-se). **2.** Restabelecimento das pazes, da união (do que se havia separado ou estava em litígio): *reconciliação dos amigos; reconciliação dos sócios.* **3.** (*Jur.*) Restabelecimento da sociedade conjugal, que se havia desfeito por vontade dos cônjuges: *reconciliação do casal.*

reconciliar (re.con.ci.li:ar) v. Pôr-se de acordo novamente; fazer as pazes; congraçar(-se), conciliar(-se), harmonizar(-se): *reconciliar opiniões conflitantes; reconciliar o filho pródigo com a família; Marido e mulher se reconciliaram diante do juiz.* ▶ Conjug. 17. – **reconciliador** adj. s.m.; **reconciliatório** adj.; **reconciliável** adj.

recondicionar (re.con.di.ci:o.nar) v. **1.** Restituir à condição anterior; restaurar: *recondicionar alimentos;* (*fig.*) *recondicionar forças.* **2.** Pôr (aparelho, peça, motor desgastados pelo uso) em condições de funcionamento: *recondicionar os pneus do carro.* ▶ Conjug. 5. – **recondicionamento** s.m.

recôndito (re.côn.di.to) adj. **1.** Que está escondido, oculto, secreto: *os segredos recônditos da floresta amazônica.* **2.** Que não é conhecido; desconhecido, ignoto, ignorado: *Vinha de um vilarejo recôndito do interior.* **3.** Que só existe no íntimo de (alguém); interno, intrínseco, profundo: *pensamentos recônditos.* • s.m. **4.** Parte íntima, profunda de (alguém ou algo); âmago: *o recôndito da alma.*

reconduzir (re.con.du.zir) v. **1.** Conduzir de novo; levar, acompanhar, guiar: *Um lanterninha reconduzia os espectadores (a seus lugares).* **2.** Devolver, restituir: *O salva-vidas reconduziu a criança perdida a sua família.* **3.** Reeleger ou renomear: *O voto popular não reconduziu o governador; Reconduziram-no à presidência da empresa por unanimidade.* ▶ Conjug. 82.

reconfortar (re.con.for.tar) v. **1.** Dar novo conforto a; consolar: *Todos procuravam reconfortar o amigo pela perda do ente querido.* **2.** Recobrar(-se); reanimar(-se), revigorar(-se): *O chá quente reconfortou-a; Reconfortou-se com uma boa noite de sono.* ▶ Conjug. 20. – **reconfortante** adj.

reconforto [ô] (re.con.for.to) s.m. Ato ou efeito de reconfortar; consolação.

reconhecer

reconhecer (re.co.nhe.*cer*) *v.* **1.** Tornar a conhecer, a distinguir (o que se havia perdido de vista): *Custei a reconhecê-lo depois da longa ausência.* **2.** Admitir; aceitar, confessar: *reconhecer os próprios defeitos; reconhecer-se culpado.* **3.** Fazer o reconhecimento (4) de: *reconhecer a assinatura.* **4.** Declarar como estabelecido legitimamente: *O Brasil reconheceu o novo governo do país africano; O povo reconheceu o libertador como seu autêntico líder.* **5.** Mostrar-se agradecido por: *Reconheço os sacrifícios que meus pais fizeram por mim.* **6.** Estar certo ou convencido de: *Reconheço a exatidão de suas palavras.* **7.** Observar, explorar, conhecer: *O guia sabe reconhecer todas as trilhas da montanha.* **8.** (*Jur.*) Perfilhar legalmente: *Após a investigação de paternidade, reconheceu o filho como legítimo.* ▶ Conjug. 41. – **reconhecível** *adj.*

reconhecimento (re.co.nhe.ci.*men*.to) *s.m.* **1.** Ato ou efeito de reconhecer. **2.** Confissão de erro, delito etc.: *reconhecimento de culpa.* **3.** Aceitação de (algo) como legal ou legítimo: *reconhecimento da soberania de um país.* **4.** Declaração da autenticidade de uma assinatura: *reconhecimento de firma.* **5.** Recompensa por serviços prestados ou favores concedidos: *O benfeitor recebeu o reconhecimento de toda a comunidade.* **6.** Agradecimento por um benefício recebido; gratidão, retribuição: *Quero manifestar meu reconhecimento ao júri que me premiou.* **7.** Verificação, averiguação, exploração, exame: *Vamos proceder ao reconhecimento do lugar.* **8.** (*Jur.*) Perfilhação: *reconhecimento de filiação.*

reconquista (re.con.*quis*.ta) *s.f.* **1.** Ato ou efeito de reconquistar. **2.** Lugar, pessoa ou objeto reconquistado. **3.** (*Hist.*) Recuperação do território espanhol invadido pelos muçulmanos, que se efetivou na tomada de Granada em 1492. || Nesta acepção, usa-se inicial maiúscula.

reconquistar (re.con.quis.*tar*) *v.* **1.** Tornar a conquistar: *As tropas reconquistaram territórios tomados pelos inimigos na batalha anterior.* **2.** Tornar a obter (o que se havia perdido); recuperar, recobrar, retomar: *O funcionário esforçava-se para reconquistar seu antigo posto na empresa.* ▶ Conjug. 5.

reconsiderar (re.con.si.de.*rar*) *v.* **1.** Tornar a considerar ou ponderar; reexaminar, repensar: *O advogado pediu tempo ao cliente para reconsiderar o caso; Reconsidere bem, antes de qualquer decisão.* **2.** Suspender uma resolução já tomada; voltar atrás; desdizer-se, desmentir-se: *É humano arrepender-se e reconsiderar.* ▶ Conjug. 8. – **reconsideração** *s.f.*

reconstituir (re.cons.ti.tu.*ir*) *v.* **1.** Tornar a constituir; reorganizar, refazer, recompor: *Os irmãos reconstituíram a antiga sociedade familiar.* **2.** Restaurar as forças; revigorar, restabelecer: *reconstituir a saúde.* **3.** Determinar as circunstâncias de (delito) através de simulação: *reconstituir as cenas do crime.* ▶ Conjug. 80. – **reconstituição** *s.f.*; **reconstituinte** *adj. s.m.*

reconstruir (re.cons.tru.*ir*) *v.* **1.** Tornar a construir; reedificar: *reconstruir a cidade arrasada pela passagem do furacão.* **2.** Reconstituir, reorganizar, reformar: *reconstruir a vida.* **3.** Dar outra configuração ou novo formato; reestruturar, reformar: *reconstruir um texto.* ▶ Conjug. 80. – **reconstrução** *s.f.*

recontagem (re.con.*ta*.gem) *s.f.* **1.** Ato ou efeito de recontar. **2.** Novo escrutínio dos votos de uma eleição.

recontar (re.con.*tar*) *v.* **1.** Fazer a recontagem (2): *A justiça eleitoral determinou que se recontassem todos os votos.* **2.** Tornar a calcular ou a computar: *O caixa contava e recontava as cédulas.* **3.** Tornar a contar ou a narrar: *Os idosos costumam recontar sempre as mesmas histórias.* ▶ Conjug. 5.

recontratar (re.con.tra.*tar*) *v.* Tornar a contratar: *A empresa recontratou funcionários já aposentados.* ▶ Conjug. 5.

recordação (re.cor.da.*ção*) *s.f.* **1.** Ato ou efeito de recordar. **2.** Lembrança reavivada de fatos, pessoas ou sentimentos; reminiscência: *recordação da infância; recordação de amores vividos.* **3.** Objeto que evoca lembrança; presente, brinde: *Trouxe recordações da viagem para toda a família.*

recordar (re.cor.*dar*) *v.* **1.** Fazer voltar à memória; lembrar: *recordar a juventude; Eu me recordo bem o nome de meus alunos; Recordei-lhe nosso compromisso; Recordava-se de todos os detalhes da cena.* **2.** Ter semelhança com; lembrar: *Sua fisionomia me recorda alguém que conheço.* **3.** Recapitular (lições, assuntos etc.); rever, repassar: *Recordava com os colegas a matéria da prova.* ▶ Conjug. 20.

recorde [ó] (re.cor.de) *s.m.* **1.** Feito esportivo, de caráter oficial, que ultrapassa marcas anteriores da mesma modalidade: *A atleta bateu o recorde pan-americano de salto tríplice.* **2.** Superação dos índices alcançados anteriormente em qualquer gênero de atividade: *O Brasil bateu o recorde de exportações de frangos.* • *adj.* **3.** Que supera os índices já registrados: *O feriado teve um congestionamento recorde de 100 km.*

recrudescer

recordista (re.cor.*dis*.ta) *adj.* **1.** Que é detentor de um recorde: *atleta recordista.* • *s.m. e f.* **2.** Pessoa recordista: *Todos os recordistas olímpicos posaram para fotos.*

reco-reco [é] (re.co-re.co) *s.m.* **1.** (*Mús.*) Instrumento de percussão que produz som pela fricção de uma baqueta sobre uma superfície de madeira ou bambu com sulcos transversais, usado no acompanhamento de música popular. **2.** Brinquedo infantil que, ao girar, produz som semelhante ao reco-reco. || pl.: *reco-recos.*

recorrência (re.cor.*rên*.ci:a) *s.f.* **1.** Ato ou efeito de recorrer. **2.** Caráter do que é recorrente; retorno, repetição. **3.** Reaparecimento periódico ou frequente de fato ou fenômeno: *Há recorrência de ciclones naquela região.* **4.** (*Med.*) Reaparecimento de sintomas de uma doença infecciosa após um período de aparente cura; recrudescência: *É preciso cuidado para evitar a recorrência da malária.*

recorrente (re.cor.*ren*.te) *adj.* **1.** Que recorre; que torna a aparecer, a repetir-se: *Esse é um tema recorrente nas discussões políticas.* **2.** (*Jur.*) Que recorre de decisão judicial: *ação recorrente.* **3.** (*Med.*) Diz-se de estado patológico que evolui após várias recaídas: *febre recorrente.* • *s.m. e f.* **4.** Pessoa recorrente (2), que interpõe recurso.

recorrer (re.cor.*rer*) *v.* **1.** Pedir auxílio, proteção ou benevolência a (alguém); socorrer-se de (algo ou alguém): *recorrer a Deus; Recorro a você para me salvar desta situação aflitiva.* **2.** Lançar mão de (algum recurso); valer-se de; empregar, usar: *recorrer à força, à violência; Recorreu a seu banco para conseguir um empréstimo.* **3.** (*Jur.*) Interpor ação judicial ou administrativa; apelar: *O promotor irá recorrer da sentença do juiz.* **4.** Tornar a correr; percorrer: *Os bandeirantes recorreram terras até então ignoradas.* **5.** Examinar minuciosamente; investigar, esquadrinhar: *Recorreu atentamente todos os arquivos de seu computador.* ▶ Conjug. 42.

recortar (re.cor.*tar*) *v.* **1.** Cortar em pedaços: *recortar papel.* **2.** Cortar seguindo os contornos de: *recortar silhuetas.* **3.** Separar ou retirar, cortando: *recortar uma foto de revista.* **4.** Cortar, talhar: *Aquele alfaiate recorta ternos perfeitos.* ▶ Conjug. 20.

recorte [ó] (re.*cor*.te) *s.m.* **1.** Ato ou efeito de recortar. **2.** Corte, talho: *o recorte de um vestido.* **3.** Amostra de tecido ou papel, geralmente usada em trabalhos manuais: *uma colcha feita de recortes de tecidos diferentes.* **4.** Trecho escolhido e retirado do corpo de jornais, revistas etc.: *Os alunos fizeram um mural com recortes dos periódicos da semana.* **5.** Delimitação, demarcação (de um tema a ser tratado): *O doutorando apresentou ao orientador o recorte de sua tese.*

recostar (re.cos.*tar*) *v.* **1.** Apoiar(-se) em um recosto; reclinar(-se); inclinar(-se), encostar(-se): *Recostou a cabeça no ombro do marido; Recostou-se confortavelmente no sofá.* **2.** Estender-se para repousar; deitar-se: *Já é hora de recostar-me.* ▶ Conjug. 20.

recosto [ô] (re.*cos*.to) *s.m.* **1.** Parte do assento onde se apoiam as costas; encosto: *o recosto da cadeira.* **2.** Lugar próprio para descansar, recostando-se.

recreação (re.cre.a.*ção*) *s.f.* **1.** Ato ou efeito de recrear(-se). **2.** Recreio (1): *pátio de recreação.*

recrear (re.cre:*ar*) *v.* **1.** Proporcionar recreação a (alguém ou a si mesmo); divertir(-se), distrair(-se), entreter(-se): *recrear as crianças na creche; Recreavam-se no parque de diversões.* **2.** Entregar-se a uma ocupação agradável; deleitar-se: *Recreio-me ouvindo boa música.* ▶ Conjug. 14. – **recreador** *adj. s.m.*; **recreativo** *adj.*

recreio (re.*crei*.o) *s.m.* **1.** Distração, divertimento, entretenimento, recreação. **2.** Período de folga ou descanso em meio às aulas, destinado à merenda e a brincadeiras: *As crianças acham o horário do recreio muito curto.* **3.** O próprio local onde os alunos permanecem durante esse período. **4.** *fig.* Lugar agradável, que proporciona deleite e prazer: *Essa praia isolada e deserta é um recreio para os olhos.*

recriar (re.cri:*ar*) *v.* **1.** Tornar a criar: *O cinema está sempre recriando histórias e personagens; A natureza cria, o homem recria.* **2.** Restabelecer, reconstituir, restaurar: *recriar forças.* ▶ Conjug. 16. – **recriação** *s.f.*

recriminar (re.cri.mi.*nar*) *v.* Fazer severas críticas a; criticar, censurar, repreender, admoestar: *Não recrimine ninguém sem motivo; Ele se recriminava por sua atitude impensada.* ▶ Conjug. 5. – **recriminação** *s.f.*; **recriminatório** *adj.*

recrudescer (re.cru.des.*cer*) *v.* **1.** Tornar-se mais intenso; aumentar, exacerbar(-se): *O incêndio, que parecia controlado, recrudesceu.* **2.** (*Med.*) Reaparecer com maior intensidade (sintoma ou moléstia), após um intervalo de aparente cura; recorrer, recair: *A febre recrudesceu.* ▶ Conjug. 8 e 46. – **recrudescência** *s.f.*; **recrudescente** *adj.*

recruta

recruta (re.cru.ta) *s.m. e f.* **1.** (*Mil.*) Soldado recém-alistado no serviço militar. **2.** Pessoa recém-ingressada em uma instituição, associação, partido etc.; calouro, novato.

recrutar (re.cru.tar) *v.* **1.** (*Mil.*) Convocar para o serviço militar; alistar: *As Forças Armadas estão recrutando os jovens que vão completar dezoito anos.* **2.** Angariar (adeptos) para ingressar em associações, grêmios, seitas etc.: *recrutar novos militantes para o partido.* **3.** Contratar (pessoal) para determinado fim: *recrutar agentes sanitários.* ▶ Conjug. 5. – **recrutamento** *s.m.*

récua (ré.cu:a) *s.f.* **1.** Tropa de bestas de carga que vão juntas umas às outras. **2.** Carga que estas bestas conduzem. **3.** *fig. pej.* Ajuntamento de pessoas vis e desprezíveis; corja: *uma récua de desocupados.*

recuado (re.cu.a.do) *adj.* **1.** Que recuou. **2.** Que se encontra afastado, distante (no tempo): *Pesquisava épocas históricas recuadas.* **3.** Que está em recuo em relação a um alinhamento: *casas recuadas.* **4.** (*Esp.*) No futebol, que está na parte de trás do campo: *O time jogava recuado.*

recuar (re.cu.ar) *v.* **1.** Andar para trás, de costas; retroceder: *O comandante mandou recuar as tropas; O pai ensinou-o a não recuar diante do perigo.* **2.** Desistir de um propósito; voltar atrás; reconsiderar, renunciar: *O alto custo fez com que recuasse de seus planos de viagem.* **3.** Voltar atrás (no tempo): *Revendo fotos antigas, recuou à quadra feliz de sua infância.* **4.** Mover ou colocar para trás (em relação a uma posição anterior): *Os colonizadores conseguiram recuar as fronteiras conquistadas.* **5.** Diminuir em extensão: *O avanço do mar fez recuar a areia da praia.* ▶ Conjug. 5.

recuo (re.cu.o) *s.m.* **1.** Ato ou efeito de recuar: *o recuo das tropas; o recuo das calçadas; O filme faz um recuo aos tempos da colônia.* **2.** Afastamento da fachada (de edifício) em relação ao alinhamento de outras construções no mesmo bloco ou quarteirão. **3.** Incorporação de uma faixa de terreno particular a um logradouro público para fins de alinhamento ou alargamento.

recuperação (re.cu.pe.ra.ção) *s.f.* **1.** Ato ou efeito de recuperar(-se). **2.** Reeducação, readaptação de (pessoa) à vida social ou profissional: *Trabalha na recuperação de ex-detentos.* **3.** Reconquista da saúde e do bem-estar: *Está em franca recuperação do grave acidente sofrido.* **4.** Reintegração na posse de (algo) perdido, extraviado ou furtado: *Até agora não houve recuperação das joias roubadas.* **5.** Período durante o qual o estudante, em vias de ser reprovado, prepara-se para uma nova oportunidade de obter aprovação: *recuperação escolar.* **6.** A prova realizada ao fim desse período de estudo.

recuperar (re.cu.pe.rar) *v.* **1.** Ter novamente a posse de (algo) que se havia perdido, extraviado ou furtado; reaver, readquirir: *recuperar o carro roubado.* **2.** Recobrar (as forças, a saúde); restabelecer(-se): *O acidentado recuperou todos os movimentos; Recuperou-se inteiramente do traumatismo.* **3.** Reintegrar(-se) à vida social ou profissional; reabilitar(-se), reeducar(-se): *recuperar menores delinquentes; A família ajudou-o a recuperar-se das drogas.* **4.** Restaurar, consertar, reparar: *recuperar antigas igrejas.* ▶ Conjug. 8. – **recuperável** *adj.*

recurso (re.cur.so) *s.m.* **1.** Ato ou efeito de recorrer. **2.** Alternativa usada para vencer uma situação difícil ou embaraçosa; meio, solução, expediente: *Como último recurso, os trabalhadores decidiram-se pela greve.* **3.** Auxílio, ajuda, socorro, amparo, proteção: *Conto com seu recurso para conseguir aquele emprego.* **4.** (*Jur.*) Novo exame dos autos do processo judicial para emenda ou anulação de uma decisão desfavorável: *impetrar um recurso.* • **recursos** *s.m.pl.* **5.** Aptidões naturais, dons, talentos, dotes: *É um escritor de muitos recursos de estilo.* **6.** Bens materiais, posses, riquezas: *família de muitos recursos.* || *Recursos naturais*: elementos que existem naturalmente em determinado território e que podem ser utilizados pela comunidade ou transformados em recursos econômicos, como, por exemplo, o solo, a água, o petróleo etc.

recurvado (re.cur.va.do) *adj.* **1.** Muito curvo; encurvado: *ombros recurvados.* **2.** Inclinado para baixo: *nariz recurvado.*

recurvar (re.cur.var) *v.* **1.** Tornar a curvar: *O vento recurvava a copa das árvores.* **2.** Tornar(-se) curvo; curvar(-se), encurvar(-se), arquear(-se): *A carga pesada fazia-o recurvar as costas;* (*fig.*) *O peso dos anos recurvara o ancião; O lutador recurvou-se sob a saraivada de golpes do adversário.* ▶ Conjug. 5.

recusa (re.cu.sa) *s.f.* **1.** Ato ou efeito de recusar. **2.** Resposta negativa; negação: *Respondeu com uma recusa a indicação para a presidência da empresa.*

recusar (re.cu.sar) *v.* **1.** Não aceitar (oferecimento, auxílio, favor etc.); declinar de; rejeitar:

Recusou delicadamente o convite para a festa de congraçamento. **2.** Não admitir (solução, hipótese etc.); refutar, repelir: *Permita-me recusar seus argumentos.* **3.** Não atender a (solicitação, sugestão etc.); não conceder; negar: *O banco recusou (ao correntista) o pedido de empréstimo.* **4.** Não se submeter à vontade de (outrem); não obedecer, não acatar: *Insubordinado, recusou-se a cumprir as ordens de seus superiores.* **5.** Oferecer resistência; opor-se, negar-se, furtar-se: *A equipe derrotada recusou-se a cumprimentar o adversário vitorioso.* ▶ Conjug. 5.

recusável (re.cu.sá.vel) *adj.* Que pode ou deve ser recusado: *pedido recusável; proposta recusável.*

redação (re.da.ção) *s.f.* **1.** Ato ou efeito de redigir. **2.** Elaboração escrita de um documento: *O secretário encarregou-se da redação do manifesto.* **3.** Exercício escolar sobre um tema escolhido, destinado a aprimorar a expressão do aluno na norma culta escrita da língua. **4.** Corpo de redatores de um órgão da imprensa. **5.** Prédio ou sala em que trabalha a equipe editorial desse órgão.

redarguir [güi] (re.dar.guir) *v.* **1.** Opor aos argumentos de (outrem) seus próprios argumentos; contradizer, contraditar: *O parlamentar subiu à tribuna para redarguir que era contrário à proposta apresentada; Não soube redarguir às provocações do adversário político; Redarguiu ao comentarista que ele estava equivocado em suas considerações.* **2.** (*Jur.*) Refutar as provas apresentadas pela parte contrária numa ação judicial; replicar, impugnar: *redarguir uma acusação.* ▶ Conjug. 81. – **redarguível** *adj.*

redator [ô] (re.da.tor) *s.m.* **1.** Profissional que redige (editoriais, noticiário, crônicas etc.) para um periódico (jornal, revista etc.), para uma agência de notícias ou para emissora de rádio ou televisão. **2.** Profissional de texto em publicidade, editoras, dicionários etc.

redatorial (re.da.to.ri:al) *adj.* Relativo a redator ou a redação: *equipe redatorial.*

rede [ê] (re.de) *s.f.* **1.** Entrelaçamento de fios, fibras, cordas, arames etc., formando uma espécie de tecido de malha. **2.** Dispositivo feito com malha de fios naturais ou sintéticos para apanhar peixes, aves ou insetos: *rede de pesca.* **3.** Espécie de leito feito de tecido resistente, pendente em suas extremidades por ganchos presos a paredes ou árvores: *A jovem embalava-se languidamente na rede da varanda.* **4.** Equipamento, de material resistente, utilizado em circo ou pelo corpo de bombeiros, para amortecer o choque de um corpo em queda. **5.** (*Esp.*) Equipamento que divide ao meio as quadras de jogos como o tênis e o voleibol. **6.** (*Esp.*) Armação em fibra sintética que recobre as traves do gol no futebol, handebol etc. **7.** Sistema interconectado de circuitos elétricos ou eletrônicos: *rede elétrica; rede telefônica.* **8.** Sistema interligado dos meios e vias de transporte; malha: *rede ferroviária.* **9.** Conjunto de estabelecimentos, geralmente pertencentes a um mesmo grupo, que presta determinados serviços: *rede bancária; rede de supermercados.* **10.** *fig.* Grupo de pessoas envolvidas em atividades secretas ou escusas: *rede de espionagem; rede de traficantes.* **11.** (*Rádio, Telv.*) Grupo de emissoras associadas ou afiliadas que transmitem integralmente ou somente em parte uma programação comum: *A fala do Ministro da Saúde foi transmitida em rede nacional.* **12.** (*Inform.*) Sistema de computadores interconectados através de meios físicos (cabo, *link* etc.). **13.** (*Inform.*) As informações e os serviços disponíveis por meio desse sistema. ‖ *Cair na rede*: *coloq.* ser enganado e cair num golpe sujo, numa cilada, armadilha etc.: *Não seja incauto, não caia na rede de charlatães.*

rédea (ré.de:a) *s.f.* **1.** Correia presa ao freio de uma cavalgadura, que o cavaleiro empunha para dominar e guiar o animal de montaria. **2.** *fig.* Direção, governo, comando, controle: *as rédeas do poder.* ‖ *À rédea solta*: *fig.* à vontade, livre de pressões. • *Tomar as rédeas*: *fig.* assumir o controle de uma situação; dirigir, comandar, governar.

redemoinho (re.de.mo:i.nho) *s.m.* **1.** Movimento giratório em espiral; remoinho; rodamoinho, torvelinho. **2.** Grande massa de água que se forma no mar ou no rio pelo cruzamento de correntes contrárias; turbilhão, sorvedouro. **3.** Mudança brusca da direção do vento; rajada, tufão. **4.** Mecha de cabelos ou de pelos que crescem em sentido contrário ao dos outros.

redenção (re.den.ção) *s.f.* **1.** Ato ou efeito de redimir(-se). **2.** (*Rel.*) No cristianismo, salvação da humanidade pela paixão e morte de Jesus Cristo. **3.** Resgate de uma situação extrema; libertação, salvação: *Os incentivos agrícolas serão a redenção do campo.*

redentor [ô] (re.den.tor) *adj.* **1.** Que redime, que salva; salvador. • *s.m.* **2.** Aquele que redime, que liberta ou resgata (de uma aflição, opressão etc.): *A princesa Isabel foi a redentora da*

redescoberto

escravidão. **3.** (*Rel.*) No cristianismo, Jesus Cristo. || Nesta acepção, usa-se inicial maiúscula.

redescoberto [é] (re.des.co.ber.to) *adj.* Que se redescobriu; reencontrado. || part. de *redescobrir*.

redescobrir (re.des.co.*brir*) *v.* Tornar a descobrir, a encontrar; reencontrar: *Redescobriu velhos papéis atirados no fundo da gaveta.* ▶ Conjug. 76. || part.: *redescoberto*. – **redescobrimento** *s.m.*

redescontar (re.des.con.*tar*) *v.* Fazer redesconto: *redescontar um título.* ▶ Conjug. 5.

redesconto (re.des.*con*.to) *s.m.* (*Econ.*) Operação bancária em que uma instituição financeira desconta, mediante endosso, títulos de crédito (duplicatas, promissórias etc.) que já foram descontados anteriormente por outra instituição.

redigir (re.di.*gir*) *v.* **1.** Expressar-se por escrito; escrever: *redigir um contrato*; *redigir uma mensagem para a aniversariante*; *Esses alunos redigem muito bem*. **2.** Exercer o ofício de redator: *redigir os verbetes de um dicionário*; *Ele redige matérias para jornais e revistas.* ▶ Conjug. 92.

redil (re.*dil*) *s.m.* Aprisco.

redimir (re.di.*mir*) *v.* **1.** Livrar(-se), libertar(-se), resgatar(-se), remir(-se): *O apoio da família redimiu-o (da depressão)*; *Redimiu-se completamente dos erros cometidos*. **2.** Reparar (pecado, falta, delito etc.); expiar; pagar: *O arrependimento redime o mal praticado*. **3.** (*Rel.*) Livrar da condenação eterna; salvar: *Jesus Cristo redimiu a humanidade.* ▶ Conjug. 66.

redistribuir (re.dis.tri.bu:*ir*) *v.* Tornar a distribuir, a repartir: *O filantropo redistribuiu todos os seus bens*; *A Cruz Vermelha irá redistribuir mantimentos para os refugiados*; *O serventuário redistribuiu os processos entre as diversas varas de Justiça.* ▶ Conjug. 80. – **redistribuição** *s.f.*

redivivo (re.di.*vi*.vo) *adj.* **1.** Que voltou à vida; ressuscitado: *No relato bíblico, Lázaro foi redivivo por Cristo*. **2.** *fig.* Que ganhou sobrevida; renovado, renascido: *uma paixão rediviva*.

redizer (re.di.*zer*) *v.* Tornar a dizer ou dizer repetidas vezes; repetir, recontar: *Disse e redisse a você que não pretendo ir àquela festa*. || part.: *redito*. ▶ Conjug. 57.

redobrar (re.do.*brar*) *v.* **1.** Tornar a dobrar, fazer novas dobras em: *redobrar a roupa de cama*. **2.** Reduplicar, quadruplicar: *redobrar os lucros*; *Desempregado, viu suas dívidas redobrarem*; *Redobraram-se os problemas financeiros*. **3.** Aumentar consideravelmente; multiplicar(-se): *A espera redobrava a ansiedade*; *A mãe redobrou de cuidados com o filho doente*; *O custo de vida redobrou*; *Redobraram-se os protestos dos trabalhadores*. **4.** Tornar a dobrar (o sino): *O sacristão redobrava o sino da igreja*; *Os sinos redobravam ao longo do dia.* ▶ Conjug. 20. – **redobramento** *s.m.*

redoma (re.*do*.ma) *s.f.* Peça de vidro, em forma de campânula, usada para colocar à vista objeto delicado e ao mesmo tempo resguardá-lo da poeira ou do manuseio: *O museu expunha as pequenas esculturas em marfim em redomas distribuídas no salão*.

redondeza [ê] (re.don.*de*.za) *s.f.* **1.** Qualidade de redondo: *a redondeza da Terra*. **2.** Qualquer forma ou espaço redondo: *a redondeza de um rosto de criança*. • *redondezas* *s.m.pl.* **3.** Arredores, cercanias, vizinhança: *O circo instalou-se nas redondezas do estádio*.

redondilha (re.don.*di*.lha) *s.f.* (*Lit.*) Verso de cinco ou sete sílabas. || *Redondilha maior*: verso de sete sílabas. • *Redondilha menor*: verso de cinco sílabas.

redondo (re.*don*.do) *adj.* **1.** Que tem a forma do círculo; circular, esférico: *mesa redonda*. **2.** Cuja forma se assemelha ao círculo; arredondado: *Tinha os olhos pretos e redondos*. **3.** *fig.* Muito gordo; rechonchudo: *Ficou redondo com a idade*. **4.** Feito com esmero; bem-acabado; benfeito: *O texto do trabalho escolar ficou redondo*. **5.** Que não pode ser contestado; definitivo, total, rotundo: *Recebeu um não redondo da namorada*.

redor [ó] (re.*dor*) *s.m.* Usado apenas nas locuções *ao/em redor* e *ao/em redor de*. || *Ao/em redor*: em volta; em torno; à roda: *Olhava ao longe e não avistava vivalma ao/em redor*. • *Ao/em redor de*: **1.** em volta de; em torno de: *A Terra gira ao/em redor do Sol*. **2.** por volta de; perto de: *Essa história aconteceu ao/em redor de 1950*; *Gastou ao/em redor de trinta mil reais com a reforma da casa*.

redução (re.du.*ção*) *s.f.* **1.** Ato ou efeito de reduzir; diminuição, restrição: *redução de vagas*; *redução da pena*. **2.** Abatimento no valor de (mercadoria, serviço etc.); desconto: *redução no preço dos remédios*. **3.** Cópia de (textos, fotografias etc.) em escala menor: *Esta loja faz ampliação e redução de documentos*. **4.** (*Med.*) Recolocação de um órgão deslocado (víscera, hérnia, osso etc.) em seu lugar. **5.** (*Ling.*) Forma encurtada de uma palavra ou locução; abreviação: *A palavra moto é uma redução de motocicleta*.

redundância (re.dun.dân.ci:a) s.f. **1.** Característica do que é redundante. **2.** Insistência nas mesmas ideias, palavras etc.; repetição, prolixidade. **3.** (Gram.) Repetição de um termo já expresso ou de uma ideia já sugerida, geralmente com valor expressivo, para fins de clareza ou ênfase; pleonasmo, tautologia.

redundante (re.dun.dan.te) adj. Em que há redundância (2); excessivo, supérfluo, superabundante: *Era redundante ao falar e ao redigir.*

redundar (re.dun.dar) v. **1.** Ser a consequência de; provir, advir: *Todos os seus problemas redundaram da má situação financeira.* **2.** Ter como resultado; vir a dar; resultar: *Os anos de estudo redundaram em um grande sucesso profissional.* **3.** Ter em excesso, em abundância, abundar: *No texto daquele poeta redundam adjetivos.* ▶ Conjug. 5.

reduplicar (re.du.pli.car) v. **1.** Tornar a duplicar; quadruplicar: *É necessário reduplicar a malha rodoviária do país.* **2.** Aumentar consideravelmente; multiplicar, redobrar: *O comércio reduplicou suas vendas nesse trimestre; Em todo o mundo, reduplicaram os apelos pela paz.* ▶ Conjug. 5 e 35.

reduto (re.du.to) s.m. **1.** Local fechado e fortificado, que serve para observação do inimigo e como bastião de resistência: *As tropas tomaram de assalto o reduto dos insurgentes.* **2.** fig. Recinto isolado, refúgio, abrigo: *O lar é o seu reduto preferido.* **3.** fig. Lugar de encontro ou de concentração de grupos que têm as mesmas tendências ou objetivos: *O bar é o reduto dos boêmios.*

redutor [ô] (re.du.tor) adj. **1.** Que reduz. **2.** (Quím.) Que tem a propriedade de desoxidar (diz-se de substância). **3.** Diz-se de máquina que permite reduzir (texto, desenho, fotografia etc.). **4.** Diz-se de mecanismo que diminui a velocidade de rotação de um eixo. • s.m. **5.** Aquilo que reduz.

reduzido (re.du.zi.do) adj. **1.** Pequeno, diminuto, limitado, restrito: *Esse time tem chances reduzidas de ser campeão.* **2.** Em pouca quantidade; pouco, escasso, parco: *salário reduzido; público reduzido.* **3.** Diminuído, desacelerado (diz-se de velocidade). **4.** (Gram.) Diz-se de oração subordinada cujo verbo se encontra no infinitivo, no gerúndio ou no particípio.

reduzir (re.du.zir) v. **1.** Tornar(-se) menor; diminuir(-se): *reduzir o peso; A altura do homem se reduz com a senectude.* **2.** Limitar(-se), restringir(-se), resumir(-se): *reduzir gastos, impostos; Sua vida se reduz ao trabalho e à família.* **3.** Abrandar(-se), aplacar(-se), mitigar(-se): *reduzir a febre; As altas temperaturas irão reduzir-se com a entrada de uma frente fria.* **4.** Copiar em escala menor: *Essa máquina reduz e amplia qualquer documento.* **5.** Passar de um estado ou situação a outro(a) diferente; transformar(-se); converter(-se): *reduzir a pó uma substância; O pobre homem reduziu-se a uma sombra do que foi.* **6.** Impelir (alguém) ou ser impelido a uma situação não desejada, penosa ou aflitiva: *Os maus negócios reduziram-no à miséria.* **7.** (Med.) Repor na posição normal (órgão, osso etc.): *reduzir uma hérnia.* **8.** (Quím.) Perder (um corpo) átomos de oxigênio ou outros grupos de átomos eletronegativos: *reduzir a carga negativa.* **9.** (Mat.) Converter (frações) a termos mais simples; simplificar: *reduzir frações ao mesmo denominador.* ▶ Conjug. 82. – **redutível** adj.

reedificar (re.e.di.fi.car) v. **1.** Tornar a edificar; reconstruir: *reedificar a cidade arrasada pela guerra.* **2.** fig. Tornar a instituir; reformar, restaurar, restabelecer: *A luta do povo reedificou a democracia no país.* ▶ Conjug. 5 e 35. – **reedificação** s.f.

reeditar (re.e.di.tar) v. **1.** Tornar a editar ou publicar: *A nova editora pretende reeditar somente os clássicos da nossa literatura.* **2.** fig. Tornar a instituir, a pôr em prática; restabelecer, restaurar: *O novo governo não reeditou projetos políticos ultrapassados.* ▶ Conjug. 5. – **reedição** s.f.

reeducar (re.e.du.car) v. **1.** Tornar a educar: *reeducar motoristas e pedestres.* **2.** Reabilitar pessoas que tenham afetadas suas faculdades psíquicas ou motoras: *reeducar portadores de deficiência.* ▶ Conjug. 5 e 35. – **reeducação** s.f.

reeleger (re.e.le.ger) v. Tornar a eleger(-se): *reeleger um político; O povo elegeu-o (como) representante máximo da nação; Vários parlamentares elegeram-se para um segundo mandato.* || part.: *reelegido* e *reeleito.* ▶ Conjug. 8 e 47. – **reeleição** s.f.

reeleito (re.e.lei.to) adj. **1.** Que se reelegeu. • s.m. **2.** Aquele que foi reeleito. || part. de *reeleger.*

reembolsar (re.em.bol.sar) v. **1.** Tornar a embolsar(-se); voltar a receber o que havia despendido: *Quer reembolsar o dinheiro emprestado ao amigo; Reembolsou-se da parte da quantia gasta com o tratamento médico.* **2.** Pagar (a alguém) o que se deve; devolver, restituir, indenizar: *A instituição financeira reembolsou o cliente (do que lhe fora cobrado indevidamente).* ▶ Conjug. 20.

reembolso

reembolso [ô] (re.em.*bol*.so) s.m. Recebimento ou restituição de quantia em dinheiro que se tenha despendido ou emprestado. || *Reembolso postal*: sistema de vendas através do correio, mediante pagamento no ato da entrega.

reencarnação (re.en.car.na.*ção*) s.f. **1.** Ato ou efeito de reencarnar(-se). **2.** (*Rel.*) Para algumas doutrinas (como a dos espíritas), crença no retorno de uma alma à vida com outro corpo humano. **3.** (*Rel.*) No cristianismo, crença na ressurreição dos corpos no dia do Juízo Final.

reencarnar (re.en.car.*nar*) v. Tornar a encarnar: *Acreditava que o espírito do pai havia reencarnado*; *Segundo algumas doutrinas, as almas se reencarnam sucessivas vezes*. ▶ Conjug. 5.

reencontrar (re.en.con.*trar*) v. Tornar a encontrar(-se): *Reencontrou um antigo companheiro de colégio*; *Reencontrou-se com a família depois de longa separação*; *Os chefes de Estado do Brasil e da Argentina reencontraram-se no Palácio do Planalto*. ▶ Conjug. 5. – **reencontro** s.m.

reengenharia (re.en.ge.nha.*ri*:a) s.f. Reestruturação, reorganização de uma empresa, visando à maior competitividade em seu mercado de atuação.

reentrância (re.en.*trân*.ci:a) s.f. **1.** Qualidade ou característica de reentrante. **2.** Movimento, curva ou ângulo voltado para dentro: *A construção apresenta reentrâncias e saliências*. – **reentrante** adj.

reentrar (re.en.*trar*) v. **1.** Tornar a entrar: *A nave espacial reentrou na atmosfera da Terra*. **2.** Voltar para casa; recolher-se: *É tarde, é hora de reentrar*. ▶ Conjug. 5.

reenviar (re.en.vi.*ar*) v. **1.** Tornar a enviar: *reenviar uma carta extraviada*. **2.** Reproduzir (som, imagem); refletir, repercutir: *reenviar os sinais de TV aos receptores*. ▶ Conjug. 17.

reerguer (re.er.*guer*) v. Tornar a erguer(-se): *Os técnicos reergueram as torres de transmissão derrubadas pelo temporal*; *Com a queda, o ancião teve dificuldade em reerguer-se*; (fig.) *Apoiado pela família, soube reerguer-se na vida*. ▶ Conjug. 41 e 48.

reescalonar (re.es.ca.lo.*nar*) v. **1.** Tornar a escalonar; reclassificar: *A empresa reescalonou os funcionários pelo grau de antiguidade na função*. **2.** (*Econ.*) Fixar novos prazos para pagamento de (dívidas): *O contribuinte pôde reescalonar seus débitos com a Receita Federal*. ▶ Conjug. 5. – **reescalonamento** s.m.

reescrever (re.es.cre.*ver*) v. Tornar a escrever; escrever de uma nova forma: *A professora mandava reescrever o ditado, sem nenhuma incorreção*. || part.: reescrito. ▶ Conjug. 41.

reescrito (re.es.*cri*.to) adj. Escrito novamente. || part. de reescrever.

reestruturar (re.es.tru.tu.*rar*) v. Tornar a estruturar(-se): *reestruturar prédio, empresa*; (fig.) *Depois de amargar muitas decepções, conseguiu reestruturar-se profissionalmente*. ▶ Conjug. 5. – **reestruturação** s.f.

reestudar (re.es.tu.*dar*) v. Tornar a estudar; estudar mais: *Estudou e reestudou toda a matéria da prova*. ▶ Conjug. 5.

reexaminar [z] (re.e.xa.mi.*nar*) v. Tornar a examinar; examinar mais minuciosamente: *reexaminar uma questão*; *reexaminar uma proposta*. ▶ Conjug. 5. – **reexame** s.m.

refazer (re.fa.*zer*) v. **1.** Tornar a fazer: *refazer contas, cálculos*. **2.** Reconstituir, reorganizar, reformar, consertar, reparar: *refazer a praça de esportes*. **3.** Corrigir, emendar: *refazer um texto*. **4.** Recuperar(-se), restaurar(-se), restabelecer(-se): *A caminhada diária refazia suas forças*; *Custou a refazer-se da incômoda gripe*. **5.** Indenizar(-se), ressarcir(-se), compensar(-se): *O governo tomou medidas para refazer os prejuízos do campo*; *A família ainda não se refez das despesas com a compra da casa própria* || part.: refeito. ▶ Conjug. 61. – **refazimento** s.m.

refeição (re.fei.*ção*) s.f. **1.** Ato ou efeito de refazer as forças, alimentando-se. **2.** Porção de alimentos que se toma de cada vez a certas horas do dia ou da noite.

refeito (re.*fei*.to) adj. **1.** Feito novamente: *contas refeitas*. **2.** Restabelecido, recuperado, restaurado: *saúde refeita*. **3.** Corrigido, emendado: *exercícios refeitos*. || part. de *refazer*.

refeitório (re.fei.*tó*.ri:o) s.m. Em estabelecimentos que alojam muita gente, como colégios, conventos, quartéis etc., lugar em que se fazem refeições.

refém (re.*fém*) s.m. **1.** Pessoa, grupo, cidade etc. tomados como garantia do cumprimento de certas exigências: *Os assaltantes do banco detiveram como reféns funcionários e clientes*; *O tratado de paz libertou as cidades que foram feitas reféns pelas tropas inimigas*. **2.** fig. Pessoa dependente de (alguma coisa da qual não consegue libertar-se): *refém do vício*; *refém do consumismo*.

referência (re.fe.*rên*.ci:a) s.f. **1.** Ato ou efeito de referir, de contar, de relatar. **2.** Aquilo que se refere. **3.** Menção ou alusão a (alguém ou algo): *O livro faz referência a fatos e figuras da História do Brasil.* **4.** Relação de determinadas coisas entre si: *Esse assunto guarda referência com os outros temas abordados.* **5.** Pessoa, grupo, entidade etc. que são expoentes em seu campo de ação; referencial: *Aquele grande hospital é referência no tratamento de doenças cardíacas.* • **referências** s.f.pl. **6.** Declaração dada por pessoas idôneas com informações que abonam a capacidade e a integridade de (alguém): *Não se aceitam candidatos sem referências.*

referencial (re.fe.ren.ci:al) adj. **1.** Que se refere a; que faz referência (3) a: *Ao final da obra vêm as notas referenciais.* • s.m. **2.** Referência (5): *Essa instituição de ensino é um referencial na área de educação.*

referendar (re.fe.ren.dar) v. **1.** Assinar a seguir de outrem, para também ter responsabilidade sobre um ato: *referendar uma disposição administrativa.* **2.** Assinar (ministro) abaixo da assinatura do chefe de Estado num documento legal, para que seja publicado e executado: *referendar um decreto.* **3.** Aprovar ou submeter à aprovação atos praticados ou decisões tomadas por outrem: *Os sócios referendaram a proposta encaminhada pela diretoria.* ▶ Conjug. 5.

referendo (re.fe.ren.do) s.m. Prática política de submeter à votação do eleitorado medidas propostas pelo Poder Legislativo, para que sejam ratificadas ou rejeitadas; plebiscito.

referente (re.fe.ren.te) adj. Que se refere, direta e claramente a; que diz respeito a: *As observações referentes ao terceiro parágrafo do processo foram acatadas.*

referir (re.fe.rir) v. **1.** Expor, oralmente ou por escrito; contar, relatar: *O livro refere fielmente as aventuras do autor em sua volta ao mundo; O entrevistado referiu toda a sua vida pública ao repórter.* **2.** Fazer menção ou referência a; reportar-se, aludir, citar: *Ele está sempre se referindo aos antepassados ilustres.* **3.** Ter relação com; relacionar-se: *Os pronomes relativos se referem a um termo anterior chamado antecedente.* ▶ Conjug. 69.

referver (re.fer.ver) v. **1.** Tornar a ferver; ferver muito: *referver o leite; A água refervia na chaleira.* **2.** Tornar(-se) agitado; vibrar, rugir: *O mar refervia.* **3.** fig. Exaltar-se, inflamar-se, excitar-se, exacerbar-se: *A cólera refervia em seu íntimo.* ▶ Conjug. 41.

refestelar-se (re.fes.te.lar-se) v. **1.** Sentar-se ou estender-se comodamente; estirar-se, recostar-se: *Refestelou-se no divã para tirar um cochilo.* **2.** Dedicar-se a algo prazeroso; comprazer-se, deleitar-se: *As crianças refestelavam-se nos brinquedos do parque.* ▶ Conjug. 8 e 6.

refil (re.fil) s.m. Produto, geralmente em embalagem mais econômica, para repor ou recarregar o conteúdo de certos objetos, como caneta esferográfica, batom etc.

refilmar (re.fil.mar) v. Tornar a filmar: *Vamos refilmar essa cena, pediu o diretor.* ▶ Conjug. 5. – **refilmagem** s.f.

refinado (re.fi.na.do) adj. **1.** Que sofreu processo de refinamento; puro: *sal refinado.* **2.** fig. Dotado de finura; delicado, requintado, fino, sofisticado: *Formavam um casal refinado de anfitriões.* **3.** fig. Completo, acabado, rematado: *um refinado bajulador.*

refinamento (re.fi.na.men.to) s.m. **1.** Ato ou efeito de refinar(-se); refinação, refino. **2.** fig. Grande requinte; delicadeza, elegância, finura.

refinar (re.fi.nar) v. **1.** Submeter (produto) a processo para retirar-lhe impurezas ou excessos: *refinar petróleo.* **2.** fig. Tornar(-se) mais requintado; apurar(-se), aprimorar(-se): *refinar as maneiras; Seu estilo refinou-se com o largo ofício de escritor.* ▶ Conjug. 5. – **refinação** s.f.

refinaria (re.fi.na.ri.a) s.f. **1.** Usina em que se processa a refinação do petróleo em seus subprodutos e derivados. **2.** Fábrica onde se refinam produtos como o açúcar, o sal etc.

refletido (re.fle.ti.do) adj. **1.** Que sofreu reflexão (4). **2.** Que resulta de reflexão (4); reflexo. **3.** Que demonstra reflexão (3); reflexivo.

refletir (re.fle.tir) v. **1.** Provocar a reflexão de (4); desviar-se (uma energia ondulatória) ao chegar a uma superfície: *A Terra reflete os raios solares.* **2.** Devolver (uma superfície brilhante) a imagem de (alguém ou algo): *O espelho refletia sua figura esguia; As águas do lago refletiam a luz da Lua.* **3.** Tornar(-se) patente; deixar(-se) transparecer; evidenciar(-se), mostrar(-se): *Seu semblante refletia grande aflição; O medo refletia-se em todos os olhares.* **4.** Recair sobre; incidir, repercutir: *A crise econômica refletia em todos os setores da sociedade; O aumento de impostos se refletirá no custo de vida.* **5.** Fazer reflexão (2); pensar detidamente; concentrar-se, meditar: *Ficava absorto a refletir nos rumos de sua vida; Não agia nunca sem antes refletir bem.* ▶ Conjug. 69.

refletor [ô] (re.fle.tor) adj. **1.** Que reflete: *superfície refletora.* • s.m. **2.** Dispositivo de ilumina-

reflexão

ção provido de espelho esférico, que reflete os raios luminosos de uma lâmpada a sua frente, projetando um feixe de luz: *A cantora entrou no palco sob a luz dos refletores.*

reflexão [cs] (re.fle.*xão*) *s.f.* **1.** Ato ou efeito de refletir(-se). **2.** Concentração do espírito; meditação: *Os monges estavam mergulhados em profunda reflexão.* **3.** Observação, apreciação, consideração, ponderação: *Os discípulos ouviam atentamente as reflexões do mestre sobre a existência e a humanidade.* **4.** (*Fís.*) Modificação da direção de propagação de uma onda que incide sobre uma interface que separa dois meios diferentes e retorna para o meio inicial.

reflexivo [cs] (re.fle.*xi*.vo) *adj.* **1.** Que reflete; que demonstra reflexão (3); prudente, ponderado, judicioso, refletido: *Era um observador atento e reflexivo da realidade social.* **2.** Voltado para si mesmo; introvertido: *caráter reflexivo.* **3.** (*Gram.*) Diz-se do pronome oblíquo da mesma pessoa, que significa *a mim mesmo, a ti mesmo* etc., como, por exemplo, em *eu me visto, tu te vestes* etc. **4.** (*Gram.*) Diz-se do verbo cujo sujeito é ao mesmo tempo agente e paciente da ação, como, por exemplo, em *eu me banho, ele se feriu* etc.

reflexo [écs] (re.*fle*.xo) *adj.* **1.** Que resulta de reflexão (4); refletido: *luz reflexa.* • *s.m.* **2.** (*Fís.*) Resultado da reflexão de luz, som, calor ou de outras formas de energia ondulatória: *reflexos dos raios solares na água.* **3.** Resposta fisiológica, súbita e involuntária, provocada por um estímulo sensorial: *reflexo do riso; reflexo lacrimal.* **4.** *fig.* Consequência (de fato, atitude); indício, vestígio, repercussão: *Seu prestígio adveio como um reflexo de suas realizações.* **5.** *fig.* Manifestação ou evocação de (algo) de forma imprecisa ou incompleta: *Na velha mansão ainda havia reflexos da antiga opulência.* **6.** Luzes (6).

reflorescer (re.flo.res.*cer*) *v.* **1.** Tornar a florescer; reflorir: *O tempo bom vai reflorescer os jardins; É primavera, reflorescem as flores nos parques e nos campos.* **2.** *fig.* Fazer reviver; reavivar, reanimar: *O reencontro fez reflorescer o antigo sentimento; Um novo amor refloresceu naquele coração solitário.* ▶ Conjug. 41 e 46. – **reflorescência** *s.f.*; **reflorescente** *adj.*

reflorestar (re.flo.res.*tar*) *v.* Reconstituir a cobertura vegetal, mediante o plantio de árvores em áreas de florestas primitivas que foram desmatadas: *Os ambientalistas pretendem reflorestar áreas devastadas da Mata Atlântica.* ▶ Conjug. 8. – **reflorestamento** *s.m.*

reflorir (re.flo.*rir*) *v.* Reflorescer (1): *Reflorir os parques e jardins da cidade é a meta da prefeitura; A natureza voltou a reflorir.* ▶ Conjug. 66 e 86.

refluir (re.flu:*ir*) *v.* **1.** Fluir (um líquido) para trás, voltando ao ponto de onde veio: *As marés refluem incessantemente.* **2.** Retornar ao ponto de partida; voltar, regressar, retroceder: *A multidão, que se havia dispersado, refluiu à praça principal.* **3.** Chegar com grande intensidade; acudir: *O sangue refluiu-lhe ao rosto.* ▶ Conjug. 80.

refluxo [cs] (re.*flu*.xo) *s.m.* **1.** Movimento da maré descendente; vazante. **2.** Movimento sucessivo em direção contrária a outro: *o refluxo do trânsito.* **3.** (*Med.*) Fluxo do conteúdo líquido de um conduto ou de uma cavidade em sentido contrário ao de seu escoamento normal; regurgitação.

refogado (re.fo.*ga*.do) *adj.* **1.** Que se refogou; repassado em mistura de gordura ou azeite com temperos diversos: *couve refogada.* • *s.m.* **2.** (*Cul.*) Alimento cozido com essa mistura de temperos e condimentos: *refogado de carne.*

refogar (re.fo.*gar*) *v.* (*Cul.*) **1.** Passar uma mistura de temperos e condimentos (cebola, alho, tomate, salsa etc.) em gordura ou azeite quente: *refogar os temperos.* **2.** Cozinhar com refogado; guisar: *refogar o feijão, o arroz.* ▶ Conjug. 20 e 34.

reforçar (re.for.*çar*) *v.* **1.** Tornar(-se) mais forte, mais resistente; fortalecer(-se): *reforçar o arcabouço do prédio; Reforçou-se com exercícios diários de musculação.* **2.** Tornar mais numeroso; aumentar: *reforçar o efetivo policial.* **3.** Dar ênfase, enfatizar: *reforçar um pedido.* **4.** Revigorar, reanimar, restaurar: *O chá quente reforçou-lhe o ânimo.* **5.** Dar ou tomar mais força; fortalecer(-se), robustecer(-se): *O advogado reforçou a defesa com muitas provas; Seu projeto reforçou-se com o apoio dos superiores.* ▶ Conjug. 20 e 36.

reforço [ô] (re.*for*.ço) *s.m.* **1.** Ato ou efeito de reforçar(-se). **2.** Peça ou artefato que confere maior resistência a (algo): *pôr um reforço no cotovelo dos paletós.* **3.** Pessoa ou grupo de pessoas convocadas para tornar (algo) mais forte ou eficiente: *A polícia pediu o reforço das forças federais.*

reforma [ó] (re.*for*.ma) *s.f.* **1.** Ato ou efeito de reformar. **2.** Mudança com vistas ao aprimoramento ou à renovação de algo: *reforma ortográfica; reforma partidária.* **3.** (*Rel.*) Movimento religioso do começo do século XVI, que rompeu com os dogmas da Igreja Católica, dando origem a numerosas igrejas cristãs protestantes. || Nesta acepção, usa-se inicial maiúscula. **4.** (*Mil.*) Aposentadoria militar. || *Reforma agrária*: revisão da posse de terra improdutiva, para fins de desapropriação e de uma exploração mais racional, de modo a promover justiça social no campo e um maior aproveitamento econômico.

reformar (re.for.*mar*) *v.* **1.** Reconstituir a antiga forma ou dar nova forma: *reformar o apartamento*. **2.** Dar melhor forma a; melhorar, aprimorar: *reformar um texto*. **3.** Consertar, reparar, restaurar: *reformar o sofá*. **4.** Corrigir-se, reabilitar-se, recuperar-se: *Todo aquele que incorreu em um erro é capaz de reformar-se*. **5.** (*Mil.*) Conceder ou obter reforma (4): *O exército reformou o militar acidentado em serviço; Reformou-se no posto de coronel.* ▶ Conjug. 20. – **reformador** *adj. s.m.*

reformatório (re.for.ma.*tó*.ri:o) *adj.* **1.** Que reforma. • *s.m.* **2.** Estabelecimento a que são recolhidos menores infratores para receberem atendimento especializado com vistas a sua ressocialização.

reformismo (re.for.*mis*.mo) *s.m.* Doutrina que postula reformas econômicas, sociais e políticas sucessivas e graduais, repudiando mudanças bruscas ou métodos revolucionários.

reformista (re.for.*mis*.ta) *adj.* **1.** Relativo a reforma ou a reformista. **2.** Diz-se de partidário de uma reforma (política, religiosa etc.). • *s.m. e f.* **3.** Pessoa reformista.

reformular (re.for.mu.*lar*) *v.* Tornar a formular; reestruturar, reelaborar: *reformular a empresa; reformular a questão.* ▶ Conjug. 5. – **reformulação** *s.f.*

refração (re.fra.*ção*) *s.f.* **1.** Ato ou efeito de refratar(-se). **2.** (*Fís.*) Desvio de direção de propagação que sofrem as ondas (luminosas, acústicas, eletromagnéticas etc.), ao passarem de um meio para outro de densidade diferente.

refranger (re.fran.*ger*) *v.* Refratar: *Os vitrais refrangiam os raios solares; A luz refrangia-se no espelho-d'água.* ▶ Conjug. 39 e 47. – **refrangente** *adj.*

refrão (re.*frão*) *s.m.* (*Lit., Mús.*) Verso ou conjunto de versos que se repetem no início, no fim ou entre as estrofes de uma composição poética ou canção; estribilho.

refratar (re.fra.*tar*) *v.* Produzir ou sofrer refração (2); refletir(-se), refranger(-se): *O prisma refrata a luz; Os raios luminosos refratam-se numa superfície líquida.* ▶ Conjug. 5. – **refrator** *adj.*

refratário (re.fra.*tá*.ri:o) *adj.* **1.** Que resiste à ação física ou química: *louça refratária*. **2.** Que se posiciona contrariamente a (lei, princípios, autoridade etc.): *Homem conservador, era refratário a mudanças sociais.* • *s.m.* **3.** Utensílio resistente a temperaturas elevadas: *A comida deve ser levada ao micro-ondas num refratário.*

refrear (re.fre:*ar*) *v.* **1.** Segurar pelo freio; frear: *refrear a montaria.* **2.** Impedir (a ação, o movimento etc.) de; reprimir, deter: *Uma ação policial conjunta conseguiu refrear o avanço da rede de tráfico.* **3.** *fig.* Conter(-se), dominar (-se), recalcar(-se): *refrear o choro, os ânimos; As paixões refreiam-se com o tempo.* ▶ Conjug. 14. – **refreável** *adj.*

refrega [é] (re.*fre*.ga) *s.m.* **1.** Combate, luta, briga, confronto: *A refrega entre grupos rivais terminou com vários feridos.* **2.** Trabalho, labuta, lida, faina: *a refrega diária pela subsistência.* **3.** Rajada de vento forte, mas pouco duradoura.

refrescante (re.fres.*can*.te) *adj.* Que refresca; refrigerante: *suco refrescante; brisa refrescante.*

refrescar (re.fres.*car*) *v.* **1.** Tornar mais fresco (o tempo); baixar a temperatura; amenizar, arrefecer: *Ventos leves refrescaram o calor do meio-dia; Se refrescar, sairei à tarde.* **2.** Diminuir ou fazer diminuir o calor do corpo; refrigerar-se: *A ducha fria refrescou-o agradavelmente; Nada melhor que um banho de piscina para refrescar-se.* **3.** Avivar, reavivar, reativar: *refrescar a memória.* **4.** *fig.* Acalmar, tranquilizar, aquietar: *refrescar a cabeça.* ▶ Conjug. 8 e 35.

refresco [ê] (re.*fres*.co) *s.m.* **1.** Aquilo que refresca. **2.** Bebida gelada refrescante, geralmente suco de frutas; refrigerante. **3.** *fig.* Alívio, consolo, conforto, refrigério: *A bela paisagem era um refresco para seus olhos cansados.* **4.** *fig.* Ajuda, auxílio, socorro: *O dinheiro inesperado foi um refresco em suas necessidades.* || *Dar um refresco*: coloq. dar alívio, refrigério (a alguém).

refrigerador [ô] (re.fri.ge.ra.*dor*) *adj.* **1.** Que refrigera. • *s.m.* **2.** Aparelho ou câmara frigorífica para refrigerar e conservar alimentos e bebidas; geladeira.

refrigerante (re.fri.ge.*ran*.te) *adj.* **1.** Que refrigera: *vento refrigerante.* • *s.m.* **2.** Bebida refrescante, geralmente gaseificada; refresco.

refrigerar (re.fri.ge.*rar*) *v.* **1.** Tornar frio; esfriar, gelar; refrigerar: *refrigerar a água; Esta geladeira não está refrigerando.* **2.** Aliviar(-se) do calor; refrescar(-se): *Roupas claras refrigeram o corpo; Refrigeravam-se no banho de cachoei-*

refrigério

ra. **3.** Dar ou ter um refrigério (2); aliviar(-se), confortar(-se): *Os livros refrigeram-me a mente; Refrigerava-se na leitura de bons livros.* ▶ Conjug. 8. – **refrigeração** *s.f.*

refrigério (re.fri.gé.ri:o) *s.m.* **1.** Ato ou efeito de refrigerar(-se). **2.** *fig.* Alívio, consolo, conforto, refresco: *A esperança é o refrigério da alma.*

refugar (re.fu.*gar*) *v.* **1.** Pôr de lado (algo desinteressante, desagradável ou inútil); recusar, rejeitar: *As crianças refugam certos alimentos.* **2.** Negar-se (animal, especialmente cavalgadura) a obedecer ao cavaleiro; esquivar-se, relutar, recuar: *O cavalo refugou no último obstáculo da disputa olímpica.* ▶ Conjug. 5 e 34.

refugiar-se (re.fu.gi:*ar*-se) *v.* **1.** Procurar refúgio ou proteção em lugar seguro; abrigar-se: *As vítimas da guerra refugiam-se nos acampamentos da ONU.* **2.** Asilar-se (em país estrangeiro); exilar-se: *Expatriado, refugiou-se na França.* **3.** Proteger-se, resguardar-se: *Refugiou-se da chuva sob uma marquise.* **4.** Buscar amparo ou consolo: *refugiar-se na fé.* ▶ Conjug. 17 e 6. – **refugiado** *adj. s.m.*

refúgio (re.fú.gi:o) *s.m.* **1.** Lugar para onde se foge para ficar em segurança: *Os fugitivos da guerra acharam refúgio em nosso país.* **2.** Lugar de retiro, de recolhimento: *O gabinete de estudo é o meu refúgio.* **3.** *fig.* Apoio, auxílio, amparo, proteção: *Encontrou refúgio nos braços da família.*

refugo (re.*fu*.go) *s.m.* **1.** Ato de refugar. **2.** O que foi refugado, posto de lado, recusado; resto, rebotalho.

refulgir (re.ful.*gir*) *v.* **1.** Fulgir ou brilhar intensamente; luzir, resplandecer: *No céu do verão, o sol refulgia.* **2.** *fig.* Destacar-se pelos méritos ou qualidades; distinguir-se, sobressair-se: *A atriz famosa refulgia por seu talento e beleza.* || Para alguns, defectivo nas formas em que ao radical se seguem [o] ou [a]. ▶ Conjug. 92. – **refulgência** *s.f.*; **refulgente** *adj.*

refundir (re.fun.*dir*) *v.* **1.** Tornar a fundir(-se), a derreter(-se) (especialmente metais): *refundir a prata*; *O ferro refunde-se nos altos-fornos.* **2.** Fazer correções; emendar, reformar, corrigir: *Ao reler o texto, decidiu refundir algumas passagens.* ▶ Conjug. 66.

refutar (re.fu.*tar*) *v.* **1.** Afirmar o contrário de; desmentir, negar: *O homem público refutou as declarações dos adversários políticos.* **2.** Não aceitar; recusar, rejeitar, reprovar: *Refutou a proposta para lançar-se candidato.* **3.** Rebater (as objeções de outrem) com argumentos próprios; contestar, contradizer: *Os advogados de defesa refutaram a tese da promotoria.* ▶ Conjug. 5. – **refutação** *s.f.*

refutável (re.fu.*tá*.vel) *adj.* Que se pode refutar: *argumento refutável*; *opinião refutável.*

rega-bofe (re.ga-*bo*.fe) *s.m.* **1.** Festa com muita comida e bebida. **2.** Qualquer festa ou comemoração com muita gente. || pl.: *rega-bofes.*

regaço (re.*ga*.ço) *s.m.* **1.** Parte do corpo que vai da cintura aos joelhos, na posição sentada; colo: *No regaço da mãe, o bebê dormia tranquilo.* **2.** *fig.* Lugar acolhedor, em que se acha repouso ou abrigo: *Queria voltar ao regaço da família.*

regador [ô] (re.ga.*dor*) *adj.* **1.** Que rega. **2.** Recipiente dotado de um bico ao qual se adapta um ralo, que serve para regar plantas.

regalar (re.ga.*lar*) *v.* **1.** Trazer regalo ou prazer (a alguém ou a si mesmo); deleitar(-se), deliciar(-se): *A doce música regalava seu ouvido*; *Regalavam-se com bons pratos e bons vinhos.* **2.** Presentear (alguém); ofertar, brindar: *Regalou o amigo com uma obra valiosa de sua biblioteca particular.* ▶ Conjug. 5.

regalia (re.ga.*li*.a) *s.f.* Vantagem, privilégio, prerrogativa que se atribui a alguém em caráter especial: *Um governante tem regalias inerentes a seu cargo.*

regalo (re.*ga*.lo) *s.m.* **1.** Prazer produzido pelo bom tratamento, especialmente de mesa: *comer com regalo.* **2.** Presente, mimo, dádiva: *Uma joia é sempre um bom regalo.*

regar (re.*gar*) *v.* **1.** Molhar (por aspersão ou irrigação); aguar: *regar o jardim.* **2.** Umedecer, banhar: *As lágrimas regavam sua face.* **3.** Encharcar, inundar: *O suor dos escravos regou aquele solo.* **4.** Acompanhar (refeição) com bebida: *regar a festa com champanhe.* ▶ Conjug. 8 e 34.

regata (re.*ga*.ta) *s.f.* **1.** (*Esp.*) Competição à vela ou a remo. **2.** Camiseta decotada e sem mangas.

regatear (re.ga.te:*ar*) *v.* **1.** Discutir (preços), insistindo em pedir sua redução ou um abatimento; pechinchar: *Regateou o preço da mercadoria (ao camelô)*; *Não compra nada sem regatear.* **2.** Dar com parcimônia ou relutando: *Não era pessoa de regatear elogios e cumprimentos.* **3.** Diminuir, depreciar, rebaixar: *A inveja o faz regatear os méritos dos outros.* ▶ Conjug. 14. – **regateio** *s.m.*

regato (re.*ga*.to) *s.m.* Curso de água de pouca profundidade e extensão; arroio, riacho, córrego.

regelar (re.ge.*lar*) *v.* **1.** Tornar(-se) gelado; congelar(-se): *O frio abaixo de zero regelava os men-*

regimento

digos na rua; *Os ossos pareciam regelar-se no inverno.* **2.** *fig.* Tornar(-se) frio, insensível, impassível, gélido: *O egoísmo fez regelar seus sentimentos; Sentia seu coração solitário regelar-se.* ▶ Conjug. 8. – **regelação** *s.f.*

regência (re.gên.ci:a) *s.f.* **1.** Ato ou efeito de reger(-se). **2.** Governo interino instituído durante o impedimento de um rei ou soberano, em razão de sua menoridade ou incapacidade. **3.** Período em que se exerce a regência. **4.** No magistério, exercício da função de professor em sala de aula, em determinada disciplina ou cadeira: *regência de turma.* **5.** (*Gram.*) Relação de dependência entre dois termos de uma oração, um dos quais, dito *regido*, serve de complemento a outro, dito *regente*, como ocorre, por exemplo, com os verbos e seus complementos (objeto direto e objeto indireto). **6.** (*Mús.*) A arte e a técnica da direção de uma execução musical. **7.** (*Hist.*) Período em que o Brasil esteve sob regência (1831-1840), devido à menoridade de D. Pedro II. ‖ Nesta acepção, usa-se inicial maiúscula.

regencial (re.gen.ci:al) *adj.* Relativo a regência: *período regencial.*

regenerar (re.ge.ne.rar) *v.* **1.** Tornar a gerar(-se) (estrutura lesada ou destruída); reconstituir(-se), renovar(-se), reproduzir(-se): *regenerar células, tecidos; Os nervos não se regeneraram.* **2.** Corrigir(-se), reabilitar(-se), recuperar(-se): *regenerar menores infratores; Com o apoio da família regenerou-se totalmente.* ▶ Conjug. 8. – **regeneração** *s.f.*; **regenerador** *adj.*; **regenerativo** *adj.*

regente (re.gen.te) *adj.* **1.** Que rege: *príncipe regente.* **2.** (*Gram.*) Diz-se do termo de uma construção gramatical a que se subordina outro termo (regido) que lhe serve de complemento. • *s.m. e f.* **3.** Chefe de governo durante uma regência (2). **4.** Professor responsável por uma disciplina ou cadeira. **5.** (*Mús.*) Diretor de orquestra ou coro; maestro.

reger (re.ger) *v.* **1.** Exercer o poder (rei, soberano) ou a regência: *A rainha da Inglaterra regeu um grande império; O padre Feijó regeu durante a menoridade de D. Pedro II.* **2.** Governar(-se), dirigir(-se), administrar(-se): *O pai severo queria reger a vida dos filhos; Ele sempre se regeu pelas leis e pelos bons costumes.* **3.** Regulamentar, regular: *O estatuto da instituição rege os princípios a serem seguidos por seus integrantes.* **4.** Dirigir (orquestra, coro) numa execução musical: *O famoso maestro virá reger a Orquestra Sinfônica Brasileira; Ele já regeu duas vezes no Teatro Municipal.* **5.** Ministrar aulas (o professor); lecionar: *O novo professor irá reger as turmas de oitava série.* **6.** (*Gram.*) Marcar a subordinação de um vocábulo determinante (*regente*) a um vocábulo determinado (*regido*) num sintagma. ▶ Conjug. 41 e 47.

regido (re.gi.do) *adj.* **1.** Que se regeu. **2.** (*Gram.*) Diz-se do termo que, numa construção gramatical, serve de complemento a outro termo (regente).

região (re.gi.ão) *s.f.* **1.** Grande extensão territorial. **2.** Território que se distingue de outros próximos por condições particulares de clima, de aspecto físico ou pelos povos que o habitam. **3.** Grande extensão de um país ou de superfície terrestre: *região Norte; região polar.* **4.** Espaço de terreno caracterizado por algum meio de produção: *região do café; região petrolífera.* **5.** (*Anat.*) Cada uma das partes do corpo cujos limites são, em geral, arbitrariamente definidos, tendo por finalidade facilitar a localização e a descrição anatômicas: *região dorsal; região lombar.* **6.** (*Mil.*) Circunscrição territorial que abrange vários estados da federação sob o comando de um general.

regicídio (re.gi.cí.di:o) *s.m.* Assassinato de um rei ou soberano. – **regicida** *adj. s.m. e f.*

regime (re.gi.me) *s.m.* **1.** Sistema político de um país; forma de governo: *regime presidencial; regime parlamentar.* **2.** Modo de alimentação adequado às necessidades nutricionais de pessoas saudáveis ou doentes: *Faz regime para perder peso.* **3.** (*Gram.*) Regência. ‖ *Regime de bens*: (*Jur.*) conjunto de regras que regem as relações patrimoniais entre cônjuges: *regime de comunhão de bens; regime de separação de bens.* ‖ **regímen**.

regímen (re.gí.men) *s.m.* Regime.

regimental (re.gi.men.tal) *adj.* Relativo a regimento ou a regulamento; regimentar.

regimentar (re.gi.men.tar) *adj.* Regimental.

regimento (re.gi.men.to) *s.m.* **1.** Ato ou efeito de reger. **2.** Conjunto de normas ou instruções que regem uma instituição e determinam seus deveres e obrigações; estatuto: *Os condôminos aprovaram o novo regimento do prédio.* **3.** (*Mil.*) Corpo de tropas constituído de dois ou mais batalhões, sob o comando de um coronel. **4.** *fig.* Grande número de pessoas reunidas sob a dependência ou influência de (alguém): *Em suas viagens, o chefe de governo era acompanhado por um regimento de assessores.*

régio

régio (ré.gi:o) *adj.* **1.** Relativo a ou próprio do rei ou da realeza: *pompa régia; carta régia.* **2.** *fig.* Magnífico, esplêndido: *uma régia vitória.* **3.** *fig.* Muito bom; excelente, formidável: *Recebe um régio salário.*

regional (re.gi:o.*nal*) *adj.* **1.** Relativo a ou próprio de uma região. • *s.m.* **2.** Conjunto musical que toca composições típicas de uma região.

regionalismo (re.gi:o.na.*lis*.mo) *s.m.* **1.** Doutrina social e política que favorece os interesses de uma região em particular. **2.** Tendência a valorizar os aspectos (culturais, físicos etc.) da região em que se habita. **3.** (*Lit., Mús.*) Caráter da obra que se baseia em ou reflete costumes, tradições e linguagem regional. **4.** (*Ling.*) Palavra, locução ou acepção próprias de uma determinada região.

regionalista (re.gi:o.na.*lis*.ta) *adj.* **1.** Relativo a regionalismo. **2.** Partidário do regionalismo • *s.m. e f.* **3.** Pessoa ou escritor regionalista.

regionalizar (re.gi:o.na.li.*zar*) *v.* **1.** Dividir (um país) em regiões, para dar-lhes maior autonomia política, econômica e administrativa em relação ao poder central: *Regionalizar o país é conferir-lhe mais governabilidade.* **2.** Tornar(-se) regional; dar ou adquirir caráter ou feição regional: *regionalizar impostos; A programação da tevê pública vem-se regionalizando.* ▶ Conjug. 5. – **regionalização** *s.f.*

registrador [ô] (re.gis.tra.*dor*) *adj.* **1.** Que registra. **2.** Que serve para registrar • *s.m.* **3.** Pessoa que tem a seu cargo a escrituração de livro de registro. **4.** Parte de instrumento que registra automaticamente as variações de luz, gás, força elétrica, pressão atmosférica etc.; registro.

registradora [ô] (re.gis.tra.do.ra) *s.f.* Máquina usada no comércio para registrar e computar o valor da compra, guardar a quantia recebida e emitir nota comprovante ao comprador.

registrar (re.gis.*trar*) *v.* **1.** Transcrever (documento) em registro oficial, para que tenha autenticidade ou validade: *registrar nascimento; registrar diploma.* **2.** Inscrever(-se) em livro próprio de registro: *Registrou-se e ao filho no mesmo hotel.* **3.** Marcar por meio de máquina registradora: *A caixa registrada a mais um produto do carrinho de compras.* **4.** Obter registro de (marca, título etc.) para fins de direitos autorais: *registrar um invento.* **5.** Marcar os índices de consumo de (água, luz, gás etc.): *registrar os gastos de eletricidade.* **6.** Fazer o registro postal: *Registrou a carta enviada ao exterior.* **7.** Assinalar, consignar: *A Academia Brasileira de Letras registrou o centenário de morte de seu fundador, Machado de Assis.* **8.** Guardar na memória, memorizar: *Registrei tudo o que você me confidenciou.* ▶ Conjug. 5.

registro (re.gis.tro) *s.m.* **1.** Ato ou efeito de registrar. **2.** Inscrição oficial de (documentos) para validá-los legalmente: *registro de nascimento; registro de imóvel.* **3.** Livro próprio em que se faz esse ato. **4.** Repartição ou cartório que tem a competência para fazer registros oficiais. **5.** Aparelho ou dispositivo para marcar o consumo de (eletricidade, água, gás); relógio. **6.** Chave de torneira que regula o fluxo de líquido em canalizações. **7.** Modalidade de registro postal em que a correspondência é entregue sob recibo. **8.** (*Mús.*) Extensão do som de um instrumento ou da voz de um cantor: *registro grave; registro agudo.* **9.** (*Ling.*) Mudança no uso da língua por parte do falante, conforme a situação social: *registro formal, registro informal.*

rego [ê] (re.go) *s.m.* **1.** Sulco deixado na terra pelo arado ou pelas rodas de um carro. **2.** Pequena vala aberta para escoamento e distribuição de água em terras cultivadas. **3.** *chulo* O sulco entre as nádegas.

regougar (re.gou.*gar*) *v.* **1.** Emitir seu som característico (a raposa, o gambá): *Regougava a raposa no encalço de sua presa.* **2.** *fig.* Falar em tom áspero semelhante ao da raposa; resmungar: *O homem estranho regougou palavras desconexas; O pobre velho vivia a regougar.* ▶ Conjug. 22 e 34.

regozijar (re.go.zi.*jar*) *v.* Causar ou sentir regozijo; alegrar(-se) grandemente; rejubilar(-se): *A volta do ente querido regozijou toda a família; Regozijaram-se todos com o sucesso profissional do filho.* ▶ Conjug. 5 e 37.

regozijo (re.go.zi.jo) *s.m.* Demonstração pública de alegria; grande satisfação; júbilo: *Houve um grande regozijo pela nova conquista do campeonato mundial.*

regra [é] (re.gra) *s.f.* **1.** Aquilo que regula ou rege; regulamento: *regras de trânsito; regras de um jogo.* **2.** Norma ou lei a serem observadas; preceito, princípio: *as regras da gramática; as regras trabalhistas.* **3.** (*Rel.*) Estatuto de certas ordens religiosas: *as regras da ordem de São Bento.* **4.** Moderação, comedimento, cuidado: *Não gaste sem regra.* • *regras s.f.pl.* **5.** Menstruação. ‖ **Regra de três.** (*Mat.*) cálculo do valor de um termo desconhecido por meio de outros dois conhecidos que guardam uma proporção entre si. • *Em regra:* de modo geral; como de costume; por via de regra.

regrar (re.*grar*) *v.* **1.** Submeter a certas regras; dirigir: *Foi necessário regrar a entrada de torcedores no estádio.* **2.** Usar de comedimento; moderar, comedir, conter: *Ela sabe regrar muito bem a receita e a despesa familiar.* **3.** Orientar-se, nortear-se, pautar-se: *Em sua vida pública, sempre se regrou pelo decoro e pela ética.* ▶ Conjug. 8.

regredir (re.gre.*dir*) *v.* **1.** Voltar atrás; retroceder, recuar: *A economia não pode regredir aos anos de inflação alta.* **2.** Diminuir em intensidade; abrandar, ceder: *A dor de cabeça regrediu.* ▶ Conjug. 72.

regressão (re.gres.*são*) *s.f.* **1.** Ato ou efeito de regredir; retrocesso. **2.** (Psicn.) Retorno a um padrão de comportamento próprio de uma fase anterior do desenvolvimento individual, frequentemente funcionando como mecanismo de defesa em situações de conflito.

regressar (re.gres.*sar*) *v.* **1.** Voltar a ou de (algum lugar); tornar, retornar: *Regressou ontem da viagem ao exterior; Breve regressará a Brasília.* **2.** Fazer retornar; mandar de volta: *O juiz fez regressar as testemunhas à sala do júri.*

regressivo (re.gres.*si.vo*) *adj.* **1.** Que retrocede; que se volta para fatos passados; retroativo: *efeito regressivo.* **2.** (Econ.) Cuja porcentagem vai diminuindo, segundo o rendimento em que recai: *imposto regressivo.* **3.** Que diminui, que decresce; decrescente: *contagem regressiva.* ▶ Conjug. 8.

regresso [é] (re.gres.*so*) *s.m.* Ato ou efeito de regressar; volta ao ponto de partida, retorno.

régua (*ré*.gua) *s.f.* Peça longa, de bordas retilíneas ou curvas, dividida em unidades de medida, que serve para traçar linhas retas ou curvas e para medir.

regulador [ô] (re.gu.la.*dor*) *adj.* **1.** Que regula • *s.m.* **2.** Aparelho ou peça que regula. **3.** Peça que se coloca em uma máquina para torná-lhe uniforme o movimento: *regulador de voltagem.*

regulamentar[1] (re.gu.la.men.*tar*) *adj.* **1.** Relativo a regulamento. **2.** Que consta de regulamento ou está em conformidade com ele: *O árbitro encerrou a partida no tempo regulamentar.*

regulamentar[2] (re.gu.la.men.*tar*) *v.* Submeter (algo) a regulamento; estabelecer normas; regularizar, regular, regrar: *O governo vem regulamentando as terras dos quilombolas.* ▶ Conjug. 5. – **regulamentação** *s.f.*

regulamento (re.gu.la.*men*.to) *s.m.* **1.** Ato ou efeito de regular ou regulamentar. **2.** Conjunto de regras, instruções ou prescrições a ser seguido por uma coletividade, instituição, corporação etc.; estatuto: *regulamento de um colégio, de uma empresa; regulamento militar.*

regulagem (re.gu.*la*.gem) *s.f.* **1.** Ato ou efeito de regular; regulamento. **2.** Regularização, ajustamento, ajuste: *regulagem do motor.*

regular[1] (re.gu.*lar*) *adj.* **1.** Que está ou age em conformidade com as regras ou as leis; regulamentar. **2.** Que tem continuidade; constante, uniforme, igual: *o movimento regular das máquinas.* **3.** Que se faz com regularidade, a intervalos iguais: *Faz consultas regulares ao dentista.* **4.** Bem proporcionado, harmonioso: *feições regulares.* **5.** Que está no meio-termo (nem grande nem pequeno, nem bom nem mau); médio, mediano, medíocre: *peso regular; filme regular.* **6.** (Gram.) Que segue as regras do paradigma de sua conjugação (diz-se de verbo). **7.** (Geom.) Que têm lados e ângulos iguais entre si (diz-se de figuras geométricas): *polígono regular.*

regular[2] (re.gu.*lar*) *v.* **1.** Estabelecer regras para; regulamentar: *regular o trabalho informal.* **2.** Submeter a regras; regrar: *regular o comportamento dos alunos.* **3.** Ter comedimento; moderar, conter, suster: *regular os gastos domésticos.* **4.** Fazer funcionar; fazer a regulagem ou o ajuste de; ajustar: *regular o relógio; Esse motor está regulando mal.* **5.** Custar ou valer aproximadamente; equivaler: *O preço do carro regula com o que posso pagar.* **6.** Ter aproximadamente a mesma idade: *Sua idade regula com a de meu irmão.* **7.** Ter equilíbrio ou sanidade mental: *Suas atitudes mostram que não está regulando bem.* **8.** Orientar(-se), guiar(-se), nortear (-se), pautar(-se): *Você não deve meter-se a regular a vida dos outros; Os filhos regulam-se pelo exemplo dos pais.* ‖ *Não regular bem:* não ter juízo; ser amalucado; não bater bem. ▶ Conjug. 5. – **regularidade** *s.f.*

regularizar (re.gu.la.ri.*zar*) *v.* **1.** Tornar regular[1] (1); regulamentar, regular: *regularizar o direito de greve.* **2.** Tornar(-se) normal; pôr(-se) em ordem; normalizar(-se): *regularizar o fornecimento de água; O trem permanecerá parado por mais alguns instantes, aguardando regularizar-se o tráfego à frente.* ▶ Conjug. 5. – **regularização** *s.f.*

régulo (*ré*.gu.lo) *s.m.* **1.** Rei ou príncipe quando jovem. **2.** Rei de um pequeno Estado. **3.** *pej.* Chefe com pequenos poderes, mas autoritário.

regurgitar

regurgitar (re.gur.gi.*tar*) *v.* **1.** Expelir o excesso de (alimento ou suco gástrico); vomitar, lançar: *Regurgitou a comida que não lhe caiu bem; Os bebês às vezes regurgitam após a mamada*. **2.** *fig.* Estar muito cheio; transbordar: *O teatro regurgitava de espectadores entusiasmados; Tarde da noite, a festa ainda regurgitava*. ▶ Conjug. 5. – **regurgitação** *s.f.*

rei *s.m.* **1.** Chefe de Estado numa monarquia; soberano, monarca. **2.** Pessoa que se destaca dentre os demais de seu grupo social, em sua profissão, em sua atividade etc.: *rei do futebol; rei do petróleo*. **3.** Carta de baralho com a figura de rei. **4.** Peça principal do jogo de xadrez.

reide (*rei*.de) *s.m.* **1.** (*Mil.*) Ataque ou incursão de surpresa em território inimigo. **2.** (*Esp.*) Competição de longo percurso, que consiste em uma prova de resistência tanto dos participantes quanto dos meios de locomoção utilizados.

reidratação (re:i.dra.ta.*ção*) *s.f.* (*Med.*) Tratamento da desidratação por meio da reposição de líquidos e sais no organismo.

reidratar (re:i.dra.*tar*) *v.* Fazer reidratação: *reidratar a pele; O paciente precisou reidratar-se*. ▶ Conjug. 5. – **reidratante** *adj. s.m.*

reimpressão (re:im.pres.*são*) *s.f.* **1.** Ato ou efeito de reimprimir. **2.** Nova impressão.

reimprimir (re:im.pri.*mir*) *v.* Tornar a imprimir: *A editora pretende reimprimir várias obras já esgotadas*. ▶ Conjug. 66.

reinação (rei.na.*ção*) *s.f.* Brincadeira infantil, travessura, traquinice, arte: *Quem não leu as Reinações de Narizinho, de Monteiro Lobato?*

reinado (rei.*na*.do) *s.m.* **1.** Governo de um rei, rainha ou imperador. **2.** *fig.* Período em que predomina alguma coisa (pensamento, atividade, moda etc.): *Estamos vivendo o reinado do consumismo*.

reinante (rei.*nan*.te) *adj.* **1.** Que reina. **2.** Que domina ou grassa (epidemia). **3.** Que está na moda. • *s.m. e f.* **4.** Aquele que reina; o rei ou a rainha.

reinar (rei.*nar*) *v.* **1.** Governar um Estado como soberano: *D. Pedro I reinou no Brasil de 1822 a 1831; No regime parlamentarista, o rei reina, mas não governa*. **2.** Ter grande poder ou influência; predominar, preponderar, imperar: *A internet reina no mundo da informação e da comunicação*. **3.** Ter destaque entre os demais; sobressair-se: *A grande atriz reina absoluta nos palcos*. **4.** Estar em voga; estar na moda: *O jeans continua a reinar entre os jovens*.

5. Alastrar-se, propagar-se, grassar: *Naquela região devastada pela guerra, reinam a miséria e as doenças*. **6.** Fazer reinação: *Essas crianças reinam o dia inteiro*. **7.** *fig.* Estabelecer-se, instalar-se, generalizar-se: *Reinava a maior confusão nas filas do estádio; Reinava o silêncio na sala de aula*. ▶ Conjug. 18.

reincidir (re:in.ci.*dir*) *v.* **1.** Tornar a incidir ou recair em: *reincidir no erro; A experiência ensina a não reincidir*. **2.** (*Jur.*) Repetir um ato delituoso: *reincidir no crime da corrupção*. ▶ Conjug. 66. – **reincidência** *s.f.*; **reincidente** *adj. s.m. e f.*

reincorporar (re:in.cor.po.*rar*) *v.* Tornar a incorporar(-se): *O partido político reincorporou antigos partidários; Muitos aposentados já se reincorporaram ao mercado de trabalho*. ▶ Conjug. 20. – **reincorporação** *s.f.*

reindexar [cs] (re:in.de.*xar*) *v.* Tornar a indexar: *A política econômica em vigor não reindexa preços nem salários*. ▶ Conjug. 8. – **reindexação** *s.f.*

reingressar (re:in.gres.*sar*) *v.* Tornar a ingressar: *Reingressou na universidade para concluir o curso que interrompera*. ▶ Conjug. 8. – **reingresso** *s.m.*

reiniciar (re:i.ni.ci.*ar*) *v.* Tornar a iniciar; recomeçar: *Reiniciou a leitura do livro; As aulas já reiniciaram*. ▶ Conjug. 17. – **reinício** *s.m.*

reino (*rei*.no) *s.m.* **1.** Estado governado por um rei ou rainha; monarquia. **2.** O conjunto dos súditos de uma monarquia. **3.** (*Biol.*) Cada uma das três divisões da natureza: *reino animal, reino vegetal, reino mineral*. **4.** *fig.* Domínio, esfera, âmbito, mundo: *A adolescente vive no reino da fantasia*. || *Reino de Deus; Reino do céu* (*Rel.*): a vida eterna: *"Venha a nós o vosso reino", reza-se no Pai-Nosso*.

reinol (rei.*nol*) *adj.* **1.** Relativo a ou próprio de reino. • *s.m. e f.* **2.** O natural ou o habitante de um reino.

reinscrever (re:ins.cre.*ver*) *v.* Tornar a inscrever (-se): *Reinscreveu, de forma legível, seu nome no abaixo-assinado; Ele pretende reinscrever-se num concurso público*. || part.: *reinscrito* ▶ Conjug. 41. – **reinscrição** *s.f.*

reinserir (re:in.se.*rir*) *v.* Tornar a inserir(-se): *Releu a carta e reinseriu-a na bolsa; Após um breve afastamento, reinseriu-se em seu grupo de estudo*. ▶ Conjug. 69. – **reinserção** *s.f.*

reintegrar (re:in.te.*grar*) *v.* Tornar a integrar (-se): *As políticas sociais buscam reintegrar a população desassistida; Reintegrou-se totalmente à vida tranquila do campo*. ▶ Conjug. 8. – **reintegração** *s.f.*

reintroduzir (re:in.tro.du.*zir*) *v.* Tornar a introduzir(-se): *Reintroduzia a chave na porta, sem*

relacionar

conseguir abri-la; O ladrão foi preso, quando tentava reintroduzir-se no prédio que já havia assaltado. ▶ Conjug. 82. – **reintrodução** *s.f.*

reinvestir (re:in.ves.*tir*) *v.* **1.** Tornar a investir: *Reinvestiu o que tinha na recuperação da empresa; Ganhou muito dinheiro na Bolsa de Valores, mas não pensava em reinvestir.* **2.** Tornar a atacar, a arremeter contra: *A força policial reinvestiu contra a nova ofensiva dos traficantes.* ▶ Conjug. 69. – **reinvestimento** *s.m.*

réis *s.m.pl.* Plural de real (antiga moeda).

reisado (rei.*sa*.do) *s.m.* Festa popular com que se festejam os Reis Magos.

reiterar (re:i.te.*rar*) *v.* Repetir com insistência; reafirmar: *reiterar um pedido, um conselho, um apoio.* ▶ Conjug. 8. – **reiteração** *s.f.*; **reiterativo** *adj.*

reitor [ô] (rei.*tor*) *s.m.* **1.** Diretor de universidade: *O Magnífico Reitor dará a aula inaugural.* **2.** Diretor de certos estabelecimentos escolares: *o reitor do Colégio de São Bento.* **3.** Superior de certas ordens religiosas.

reitorado (rei.to.*ra*.do) *s.m.* **1.** Cargo de reitor; reitoria. **2.** Período durante o qual é exercido esse cargo.

reitoria (rei.to.*ri*.a) *s.f.* **1.** Cargo ou jurisdição de reitor. **2.** Gabinete onde o reitor exerce suas funções. **3.** Edifício onde se situa esse gabinete.

reiuno (rei.*u*.no) *adj.* **1.** Que é fornecido pelo Estado, para uso dos soldados (diz-se do uniforme e dos demais pertences). **2.** *coloq.* De má qualidade; ordinário, inferior, ruim. **3.** *coloq.* De baixa condição; reles, desprezível.

reivindicar (re:i.vin.di.*car*) *v.* **1.** Reclamar, requerer, exigir, vindicar (o que é seu legítimo direito): *reivindicar o cumprimento das leis trabalhistas.* **2.** Pretender reaver (o que lhe foi tomado ou usurpado); readquirir, recuperar, retomar: *O filho, preterido no testamento, reivindicava sua parte nos bens da família.* **3.** Atribuir a si próprio, avocar-se, reclamar, exigir: *Reivindicou na justiça os direitos autorais sobre as canções do espetáculo.* ▶ Conjug. 5 e 35. – **reivindicação** *s.f.*; **reivindicador** *adj. s.m.*; **reivindicante** *adj.*; **reivindicativo** *adj.*

rejeição (re.jei.*ção*) *s.f.* **1.** Ato ou efeito de rejeitar; recusa, repulsa, repúdio: *rejeição ao aumento dos impostos; rejeição à proposta indecorosa.* **2.** (*Med.*) Reação de anticorpos ao transplante ou enxerto (de órgão, tecido) no organismo.

rejeitar (re.jei.*tar*) *v.* **1.** Não aceitar; recusar: *Não rejeite nunca uma mão amiga.* **2.** Não admitir; desaprovar, opor-se, negar-se: *Os parlamentares rejeitaram a proposta de reforma política.* **3.** Defender-se de; repelir, repudiar: *Rejeitou, com provas, as insinuações sobre sua administração.* **4.** Menosprezar, desprezar, desdenhar: *Rejeitava pessoas fúteis e arrogantes.* **5.** (*Med.*) Sofrer rejeição (2): *rejeitar um órgão transplantado.* **6.** Lançar de si; expelir, vomitar, regurgitar: *O bebê só não rejeitava o leite materno.* ▶ Conjug. 18.

rejeito (re.*jei*.to) *s.m.* **1.** Ato ou efeito de rejeitar. **2.** (*Fís.*) Substância não reutilizada, resultante do processo de combustão nuclear que, por sua radioatividade, é material nocivo ao homem e ao meio ambiente; lixo atômico.

rejubilar (re.ju.bi.*lar*) *v.* Encher(-se) de júbilo; alegrar(-se), regozijar(-se): *Sua presença em nossa casa rejubilava-nos; Rejubilou-se com o 1º lugar conquistado no vestibular.* ▶ Conjug. 5. – **rejubilação** *s.f.*

rejuvenescer (re.ju.ve.nes.*cer*) *v.* **1.** Tornar(-se) ou parecer mais jovem; remoçar: *A cirurgia plástica rejuvenesceu-a; Fez tratamento para rejuvenescer; Rejuvenesceu-se com exercícios físicos e alimentação saudável.* **2.** *fig.* Renovar(-se), atualizar(-se), modernizar(-se): *rejuvenescer as ideias; A mente se rejuvenesce com os livros e o conhecimento.* ▶ Conjug. 41 e 47. – **rejuvenescimento** *s.m.*

relação (re.la.*ção*) *s.f.* **1.** Listagem discriminada de (pessoas ou coisas); lista, rol, arrolamento: *relação dos candidatos aprovados; relação dos bens do casal.* **2.** Vínculo (entre pessoas, fatos ou coisas); ligação, conexão, dependência: *relação de parentesco; relação entre causa e efeito.* **3.** Semelhança, parecença, analogia: *O professor mostrava a relação entre os autores do mesmo estilo literário.* **4.** Exposição ou informação de um fato; relato; narração, descrição: *Fez uma minuciosa relação do que realmente aconteceu.* • **relações** *s.f.pl.* **5.** Pessoas com as quais se mantém vínculo social, de cortesia ou de amizade: *ter boas relações; cortar relações.* **6.** Ato sexual. || *Relações públicas*: atividade profissional, cujo objetivo é a aplicação de técnicas de comunicação que promovem maior integração entre indivíduos, instituições e a coletividade.

relacionar (re.la.ci.o.*nar*) *v.* **1.** Fazer a relação (1) de; listar, arrolar, enumerar: *relacionar os documentos a serem apresentados.* **2.** Estabelecer relação (2); ligar(-se), conectar(-se): *relacionar um fato a (com) outro; O aquecimento global se*

relações-públicas

relaciona diretamente com a ação do homem. **3.** Ter ou adquirir relações de (amizade, conhecimento, convivência etc.): *Insistiu para que eu o relacionasse com o meu grupo; Pessoa afável, relaciona-se bem no trabalho e com a família.* **4.** Expor oralmente ou por escrito; relatar, narrar, referir: *Reuniu os amigos para relacionar as aventuras da viagem.* ▶ Conjug. 5. – **relacionamento** *s.m.*

relações-públicas (re.la.ções-pú.bli.cas) *s.m. e f. 2n.* Pessoa que trabalha em relações públicas.

relais (Fr.) *s.m.* Ver relé.

relâmpago (re.lâm.pa.go) *s.m.* **1.** Meteoro com origem na eletricidade atmosférica, produzido por uma ou várias descargas, que se manifesta por uma luz rápida e intensa, precedendo o ruído do trovão. • *adj.* **2.** Rápido como um relâmpago: *sequestro relâmpago.* || *Num relâmpago*: num breve espaço de tempo; rapidamente.

relampear (re.lam.pe:ar) *v.* Relampejar: *O temporal amainava, mas ainda relampeava ao longe.* ▶ Conjug. 14.

relampejar (re.lam.pe.jar) *v.* **1.** Ocorrer um relâmpago ou uma sucessão de relâmpagos: *Relampejava e estrondavam os trovões.* **2.** *fig.* Brilhar intensamente; reluzir, fulgurar, lampejar: *Seus olhos relampejavam, sobressaindo-se na bela face.* **3.** *fig.* Lançar, dirigir, voltar: *Relampejou um olhar de inveja indisfarçável.* ▶ Conjug. 10 e 37. – **relampejante** *adj.*

relance (re.lan.ce) *s.m.* **1.** Ato ou efeito de relancear. **2.** Olhar rápido; lance de vista. || *De relance*: num abrir e fechar de olhos; rapidamente, num relance. • *Num relance*: de relance.

relancear (re.lan.ce:ar) *v.* Lançar uma vista rápida a; olhar de relance: *Relanceava as pessoas à sua volta, sem muita atenção; Relanceou um olhar curioso à moça que passava.* ▶ Conjug. 14.

relapso (re.lap.so) *adj.* **1.** Que deixa de cumprir com seus deveres e obrigações; negligente, relaxado, displicente: *um profissional relapso.* **2.** Que reincide em (falta, erro, pecado, delito): *um criminoso relapso.*

relatar (re.la.tar) *v.* **1.** Expor oralmente ou por escrito; narrar, descrever, mencionar, referir: *Limite-se a relatar apenas o que presenciou; Relatou aos amigos, com detalhes, as aventuras da viagem.* **2.** Fazer relação, lista, rol; relacionar: *relatar despesas.* **3.** Fazer ou apresentar relatório: *O secretário relatou em ata a reunião.*

4. (*Jur.*) Expor (o juiz) aos demais membros de um tribunal os fundamentos de uma questão para o devido parecer e julgamento: *relatar um processo.* ▶ Conjug. 5.

relatividade (re.la.ti.vi.da.de) *s.f.* Qualidade ou caráter do que é relativo; relativismo. || *Teoria da relatividade*: (*Fís.*) uma das teorias fundamentais da Física moderna, desenvolvida por Albert Einstein (1879-1955), que interpreta os fenômenos físicos através de uma nova concepção de espaço e tempo.

relativismo (re.la.ti.vis.mo) *s.m.* **1.** Qualidade do que é relativo; relatividade. **2.** (*Fil.*) Doutrina de acordo com a qual o conceito de verdade é relativo e varia conforme o contexto (histórico, cultural, linguístico) de uma sociedade ou de um indivíduo.

relativizar (re.la.ti.vi.zar) *v.* Atribuir a (alguma coisa) uma importância ou um valor relativo (2): *Ele tende a relativizar tudo o que vê e o que ouve; Os problemas se relativizam diante do caráter efêmero da realidade.*

relativo (re.la.ti.vo) *adj.* **1.** Que tem relação com aquilo de que se trata; que se refere ou que concerne a; referente, concernente: *Raquiano é um termo relativo a raque.* **2.** Que não é absoluto; variável, acidental, circunstancial: *Alguns conceitos são relativos, variam com a época e a sociedade.* **3.** Razoável, aceitável, satisfatório: *um relativo sucesso.* **4.** (*Gram.*) Que funciona como conectivo, ligando uma oração subordinada adjetiva à oração principal (diz-se de pronome). **5.** (*Gram.*) Diz-se do superlativo que destaca a qualidade de um ser em comparação com outros seres. ▶ Conjug. 5.

relato (re.la.to) *s.m.* **1.** Ato ou efeito de relatar; relação. **2.** Exposição oral ou escrita de um fato; narração, descrição: *O policial fez o relato da ocorrência.*

relator [ô] (re.la.tor) *adj.* **1.** Que relata. • *s.m.* **2.** Aquele que relata ou narra (algo). **3.** Aquele que faz um relatório. **4.** (*Jur.*) Juiz encarregado de expor, por escrito, perante outros juízes, os fundamentos da questão submetida ao veredicto deles, para que a julguem.

relatório (re.la.tó.ri:o) *s.m.* Exposição oral ou escrita acerca de fato(s), com a discriminação de todos os seus aspectos ou elementos.

relax [rilécs] (Ing.) *s.m.2n.* Relaxamento (3).

relaxado (re.la.xa.do) *adj.* **1.** Que não está tenso ou contraído; distendido, descontraído. **2.** Que não tem cuidado com a própria aparência; desleixado, desmazelado, desalinhado.

religar

3. Que é negligente em suas obrigações e compromissos; displicente, relapso. • s.m. 4. Pessoa relaxada (1) e (2).

relaxamento (re.la.xa.men.to) s.m. 1. (Med.) Diminuição do tono muscular ou da elasticidade dos tecidos. 2. (Med.) Estado que se segue ao período de contração de um músculo, quando ele retorna a sua condição normal; distensão, descontração. 3. Diminuição da tensão mental, que vem acompanhada de uma sensação de alívio e repouso; relaxamento; relax. 4. Falta de cuidados pessoais; desleixo, desmazelo, desalinho. 5. Negligência no cumprimento de (dever, tarefa, regulamento etc.). 6. Diminuição ou liberação de (castigo, pena, condenação). 7. Alisamento de cabelos crespos ou encaracolados.

relaxante (re.la.xan.te) adj. 1. Que relaxa: exercícios relaxantes. • s.m. 2. Aquilo que relaxa, reduz as tensões: relaxante muscular.

relaxar (re.la.xar) v. 1. Diminuir a tensão mental ou o cansaço físico; distender, descontrair: relaxar os nervos; Tire umas férias, você está precisando relaxar. 2. Debilitar(-se), enfraquecer(-se), afrouxar(-se): relaxar o ânimo; Sua força de vontade nunca relaxa. 3. Desleixar(-se), desmazelar(-se): relaxar(-se) na aparência física. 4. Negligenciar, descuidar, descurar: Passou a relaxar nos deveres escolares. 5. Tornar menos severo; atenuar, abrandar: O magistrado decidiu relaxar a prisão dos indiciados. 6. Corromper(-se), perverter(-se), depravar(-se): relaxar a moral e os bons costumes; Relaxou-se numa vida de vícios e devassidão. ▶ Conjug. 5.

relé (re.lé) s.m. (Eletr.) Dispositivo que, mediante o emprego de uma corrente auxiliar, colocado num circuito, permite modificar ou controlar a intensidade de uma corrente elétrica.

release [reliz] (Ing.) s.m. Material informativo distribuído aos órgãos de comunicação (imprensa, rádio, TV etc.) para divulgação pública.

relegar (re.le.gar) v. 1. Pôr em plano secundário: O bom governo não relega a educação nem a cultura. 2. Afastar com desdém; desprezar, menosprezar: Depois do sucesso, relegou os antigos amigos. 3. Exilar, expatriar, banir: As ditaduras relegam do país seus opositores. ▶ Conjug. 8 e 34.

relembrar (re.lem.brar) v. Tornar a lembrar; recordar, rememorar: O poeta relembrava "a infância querida, que os anos não trazem mais"; Relembrou aos amigos o encontro marcado. ▶ Conjug. 5. – **relembrança** s.f.

relento (re.len.to) s.m. Umidade atmosférica da noite; sereno, orvalho. || Ao relento: exposto à umidade da noite: Os mendigos dormiam ao relento.

reler (re.ler) v. 1. Tornar a ler: Pretendo reler toda a prosa de Machado de Assis. 2. Rever, revisar (um texto), para eventuais correções: Releu a redação várias vezes, emendando aqui e ali. ▶ Conjug. 49. – **releitura** s.f.

reles [é] (re.les) adj. Sem grande valor ou importância; insignificante, desprezível, pífio: O homem é um reles mortal; Recebia um reles salário naquela firma.

relevante (re.le.van.te) adj. 1. Que tem relevo ou importância: Foi homenageado por seus relevantes serviços às causas sociais. 2. Que merece consideração, por seu interesse ou conveniência: Vamos tratar agora de questões relevantes. • s.m. 3. O essencial, o necessário, o indispensável: O relevante nesse momento é manter a estabilidade econômica. – **relevância** s.f.

relevar (re.le.var) v. 1. Perdoar, desculpar, escusar: O locutor pediu que relevassem as falhas técnicas da transmissão; Não é possível relevar-lhe as faltas e os atrasos ao trabalho. 2. Dar ou adquirir relevo; sobressair(-se), salientar(-se), distinguir(-se): A graça e a beleza a relevavam entre as mulheres; O que mais se releva em sua obra é a brasilidade. ▶ Conjug. 8.

relevo [ê] (re.le.vo) s.m. 1. (Geogr.) Conjunto das características de altitude da superfície da Terra ou de determinada região. 2. Conjunto de saliências e reentrâncias em uma superfície. 3. Obra de escultura executada sobre uma superfície geralmente plana. 4. fig. Condição daquilo que distingue alguma coisa entre as demais coisas; destaque, ênfase, realce, relevância: O filme nacional ganha cada vez mais relevo na indústria cinematográfica.

relha [ê] (re.lha) s.f. 1. Parte do arado que perfura a terra e faz os sulcos para a semeadura. 2. Peça de ferro que segura e reforça as rodas do carro de boi.

relho [ê] (re.lho) s.m. Chicote feito de uma tira torcida de couro cru; açoite.

relicário (re.li.cá.ri.o) s.m. 1. Recipiente (urna, caixa, cofre) próprio para guardar relíquias. 2. Bolsinha ou medalha com alguma relíquia, que muitos devotos trazem ao pescoço. 3. fig. Algo precioso, de grande valor e importância.

religar (re.li.gar) v. 1. Tornar a ligar: religar a luz, o telefone. 2. Atar, ligar bem: Religou fortemente os cabos que prendiam a embarcação. ▶ Conjug. 5 e 34. – **religamento** s.m.

religião

religião (re.li.gi:*ão*) *s.f.* **1.** Crença na existência de um ente supremo como criador do Universo, que como tal deve ser adorado e cultuado. **2.** Manifestação dessa crença por meio de um conjunto de doutrinas, dogmas, cultos e rituais próprios: *religião católica; religião muçulmana.* **3.** Crença fervorosa; devoção, religiosidade: *É pessoa de muita religião.* **4.** *fig.* Modo de pensar ou agir escrupulosamente; princípios: *Minha religião é praticar o bem.*

religioso [ô] (re.li.gi:*o.so*) *adj.* **1.** Relativo a ou próprio de religião. **2.** Que segue uma religião. **3.** Observador dos preceitos religiosos; devoto, piedoso, pio: *Minha mãe é muito religiosa.* • *s.m.* **4.** Aquele que exerce o ofício religioso (sacerdote, pastor, ministro etc.). **5.** Membro de uma ordem religiosa. **6.** Casamento religioso. ‖ f. e pl.: [ó]. – **religiosidade** *s.f.*

relinchar (re.lin.*char*) *v.* Soltar a voz (cavalos e outros equídeos): *O asno empacava e relinchava furioso.* ▶ Conjug. 5. – **relincho** *s.m.*

relíquia (re.*lí*.qui.a) *s.f.* **1.** Objeto raro ou antigo, de grande valor material ou sentimental: *Essas peças são uma relíquia da família há muitas décadas.* **2.** (*Rel.*) Parte do corpo de um santo ou um objeto que a ele tenha pertencido ou tocado em seu corpo: *Esta igreja guarda uma relíquia de seu santo padroeiro.*

relógio (re.*ló*.gi:o) *s.m.* **1.** Instrumento ou maquinismo usado para medir o tempo e marcar as horas. **2.** Aparelho que marca o consumo de água, luz ou gás; registro. ‖ *Relógio de ponto*: maquinismo provido de um dispositivo que registra a hora de entrada e saída de empregados em seu local de trabalho. • *Relógio de sol*: instrumento constituído por uma haste vertical que, ao projetar sua sombra num plano, indica a posição do sol e as horas do dia.

relojoaria (re.lo.jo:a.*ri*.a) *s.f.* **1.** Técnica de fabricar ou consertar relógios. **2.** Oficina onde se fabricam ou consertam relógios. **3.** Loja onde se vendem relógios.

relojoeiro (re.lo.jo:*ei*.ro) *adj.* **1.** Relativo a relógio ou a relojoaria: *indústria relojoeira* • *s.m.* **2.** Aquele que fabrica, conserta ou vende relógios.

relutar (re.lu.*tar*) *v.* Oferecer resistência a; opor-se a; obstinar-se, resistir: *Apesar do empenho da família, relutava em seguir a profissão do pai; Relutou muito, antes de aceitar o convite para o cargo.* ▶ Conjug. 5. – **relutante** *adj.*

reluzir (re.lu.*zir*) *v.* Luzir muito; brilhar, resplandecer: *Nem tudo o que reluz é ouro;* (fig.) *Seus olhos reluzem quando fala.* ▶ Conjug. 82. – **reluzente** *adj.*

relva (*rel*.va) *s.f.* **1.** Erva rala e rasteira, da família das gramíneas. **2.** Lugar (caminho, campo, jardim etc.) coberto por esse tipo de vegetação; gramado, relvado.

relvado (rel.*va*.do) *adj.* **1.** Coberto de relva: *terreno relvado.* • *s.m.* **2.** Lugar coberto por relva; gramado.

remador [ô] (re.ma.*dor*) *adj.* **1.** Que rema. • *s.m.* **2.** Aquele que rema. **3.** (*Esp.*) Atleta do remo.

remanchar (re.man.*char*) *v.* **1.** Tardar em fazer alguma coisa; demorar-se: *O aluno remanchava para entregar a prova.* **2.** Ser vagaroso, muito lento; demorar-se: *A jovem remanchava-se nos cuidados com a aparência.* ▶ Conjug. 5.

remanejar (re.ma.ne.*jar*) *v.* Fazer nova distribuição, alterando disposição anterior; reorganizar, reordenar, recompor: *remanejar turmas de alunos; remanejar vagas no vestibular; remanejar assessores no ministério.* ▶ Conjug. 10 e 37.

remanescente (re.ma.nes.*cen*.te) *adj.* **1.** Que remanesce; que resta; restante: *O indianista contactou uma tribo remanescente da Amazônia.* • *s.m.* **2.** O que fica de um todo depois de retiradas algumas partes; resto, sobra, sobejo.

remanescer (re.ma.nes.*cer*) *v.* Permanecer como resto; sobrar, sobejar, restar: *Remanesciam ali algumas ruínas do antigo fausto; Uma rosa remanescia viva na floreira.* ▶ Conjug. 41 e 46.

remanso (re.*man*.so) *s.m.* **1.** Trecho mais largo de rio em que, por ausência de correnteza, as águas são mais mansas. **2.** *fig.* Ausência de movimento; inatividade, descanso, sossego. **3.** *fig.* Lugar de recolhimento e repouso; retiro, pouso: *o remanso do lar.* – **remansoso** *adj.*

remar (re.*mar*) *v.* Mover (embarcação) por meio de remo(s): *Nunca remei um caíque; Disputaram a regata, remando em dupla.* ▶ Conjug. 5.

remarcar (re.mar.*car*) *v.* **1.** Tornar a marcar ou pôr nova marca em: *remarcar as reses.* **2.** Reajustar preços de mercadorias: *Os supermercados remarcaram os produtos em promoção.* **3.** Fixar nova data: *remarcar a consulta do dentista.* ▶ Conjug. 5 e 35. – **remarcação** *s.f.*; **remarcado** *adj.*

rematado (re.ma.*ta*.do) *adj.* **1.** Que se rematou; concluído, acabado, pronto: *Seu novo livro foi rematado durante a estada em Paris.* **2.** Total, completo, perfeito: *Essas afirmações são uma rematada tolice.*

rematar (re.ma.*tar*) *v.* **1.** Dar remate a; executar os últimos serviços necessários a; arrematar: *rematar uma obra*. **2.** Concluir (algo), completar, finalizar: *Rematou o pronunciamento e foi muito aplaudido.* **3.** Fazer remate ou acabamento em costura: *Ainda falta rematar a saia.* **4.** Dar o último lance em leilão: *O colecionador rematou o valioso quadro.* **5.** Ter fim; terminar-se, acabar-se, findar-se: *Finalmente remataram-se todas as suas preocupações financeiras.* || arrematar. ▶ Conjug. 5.

remate (re.*ma*.te) *s.m.* **1.** Ato ou efeito de rematar; conclusão, término, desfecho, fim, arremate. **2.** Acabamento em costura. **3.** Peça ou ornato que se põe por último no acabamento de uma obra de arquitetura. **4.** (*Esp.*) No futebol, lançamento para o gol; finalização. || arremate.

remediado (re.me.di:*a*.do) *adj.* **1.** Que não é rico nem pobre; que tem condições financeiras modestas, mas suficientes para sua subsistência. • *s.m.* **2.** Pessoa remediada.

remediar (re.me.di:*ar*) *v.* **1.** Tratar com remédio; aliviar com remédio: *remediar a dor.* **2.** Diminuir, atenuar, minorar: *remediar as carências da população empobrecida.* **3.** Fazer reparo; emendar, corrigir, reparar: *Nunca é tarde para remediar uma injustiça; Mais vale prevenir que remediar.* **4.** *fig.* Sair-se bem; arranjar-se, arrumar-se, defender-se: *Cada um procura remediar-se com o que tem.* ▶ Conjug. 16. – **remediável** *adj.*

remédio (re.*mé*.di:o) *s.m.* **1.** Substância ou grupo de medicamentos utilizadas para curar, aliviar ou prevenir uma doença, um estado patológico ou seus sintomas; medicamento. **2.** *fig.* Aquilo que serve para minorar um sofrimento moral: *O tempo é o melhor remédio para os males do coração.* **3.** Expediente usado para um determinado fim; recurso, solução: *O governo busca remédio para a conjuntura econômica.* **4.** Socorro, auxílio, proteção: *Encontrou remédio na fé.* || *Sem remédio*: irremediavelmente, inevitavelmente, fatalmente.

remela [é] (re.*me*.la) *s.f.* Secreção viscosa amarelada ou esbranquiçada que se acumula nos bordos das pálpebras e nos cantos dos olhos. – **remelento** *adj.*

remelexo [êch] (re.me.*le*.xo) *s.m.* Movimento de balanço do corpo, especialmente dos quadris; bamboleio, rebolado, requebrado, requebro.

rememorar (re.me.mo.*rar*) *v.* Tornar a lembrar; relembrar, recordar: *Só gosto de rememorar os bons momentos vividos; Os dias felizes passaram, agora só lhe resta rememorar.* ▶ Conjug. 20. – **rememoração** *s.f.*

remendar (re.men.*dar*) *v.* **1.** Pôr remendo(s) em; consertar: *remendar a sola do sapato; Levou à costureira algumas roupas para remendar.* **2.** *fig.* Corrigir (um equívoco, uma impropriedade ou inconveniência); emendar: *Não conseguiu remendar a gafe cometida.* ▶ Conjug. 5.

remendo (re.*men*.do) *s.m.* **1.** Pedaço de pano, couro etc., que se costura à roupa ou ao calçado gastos ou rotos; conserto. **2.** *fig.* Correção ou emenda que atenua o efeito de uma afirmação errônea ou inoportuna.

remessa [é] (re.*mes*.sa) *s.f.* **1.** Ato ou efeito de remeter. **2.** Coisa ou conjunto de coisas remetidas.

remetente (re.me.*ten*.te) *adj.* **1.** Que remete, que envia alguma coisa • *s.m. e f.* **2.** Pessoa remetente.

remeter (re.me.*ter*) *v.* **1.** Enviar, expedir, mandar: *Remeteu os convites de casamento a todos os amigos; Remeteu o dinheiro por caixa postal.* **2.** Dirigir(-se), encaminhar(-se): *Estamos remetendo seu caso à consideração da diretoria; Remeta-se diretamente à autoridade competente.* **3.** Adiar, postergar, procrastinar: *Os deputados remeteram a discussão do projeto para depois do recesso parlamentar.* **4.** Fazer referência a; referir-se, reportar-se: *O verbete emigrar (sair) remete ao verbete imigrar (entrar); Essas questões remetem-se a outras mais fundas.* || Conferir com remitir. ▶ Conjug. 41.

remexer [ch] (re.me.*xer*) *v.* **1.** Tornar a mexer ou mexer várias vezes: *O menino remexia a comida no prato, sem querer comer.* **2.** Mexer, bulir, tocar: *Gostava de remexer no velho baú do sótão.* **3.** Revolver, cavoucar: *remexer a terra para o plantio.* **4.** Mover(-se), movimentar(-se), mexer(-se): *remexer os olhos; A torcida remexia-se nas arquibancadas.* **5.** Requebrar(-se), rebolar(-se): *remexer os quadris; Todos remexiam-se ao som contagiante da música.* ▶ Conjug. 8.

remição (re.mi.*ção*) *s.f.* **1.** Ato ou efeito de remir(-se). **2.** (*Jur.*) Direito assegurado ao devedor de resgatar um bem que lhe pertence, mediante o pagamento ou resgate do valor do débito: *remição da hipoteca.* || Conferir com remissão.

remido (re.*mi*.do) *adj.* **1.** (*Jur.*) Que teve o benefício da remição; que foi desobrigado de um ônus; resgatado, desonerado, quitado: *dívida remida.*

reminiscência

2. Diz-se do sócio que, mediante o pagamento de uma cota estipulada, adquire o direito de pertencer vitaliciamente a uma sociedade.

reminiscência (re.mi.nis.cên.ci:a) *s.f.* Lembrança vaga, imprecisa; recordação, rememoração.

remir (re.*mir*) *v.* **1.** Livrar(-se) de (castigo, pena, cativeiro, opressão); libertar(-se), soltar(-se): *A Lei Áurea remiu os escravos; O prisioneiro remiu-se de pena maior pelo bom comportamento.* **2.** (*Rel.*) Livrar(-se) do castigo eterno; salvar(-se), redimir(-se): *Cristo remiu os homens com sua paixão e morte; Remiu-se dos pecados com a penitência.* **3.** Reabilitar-se, regenerar-se, recuperar-se: *Todos podem remir-se de seus erros.* **4.** (*Jur.*) Livrar (bem, propriedade) de ônus ou encargo, por meio de pagamento ou resgate; resgatar: *remir o imóvel hipotecado.* ▶ Conjug. 66 e 86.

remissão (re.mis.*são*) *s.f.* **1.** Ato ou efeito de remir. **2.** Misericórdia, compaixão, indulgência, perdão: *Ele cometeu uma falta muito grave, que não tem remissão.* **3.** (*Rel.*) Perdão dos pecados concedido pela Igreja, através do ato da confissão e pela penitência: *"Creio na remissão dos pecados", rezam os fiéis.* **4.** (*Med.*) Diminuição da intensidade dos sintomas de uma doença; remitência: *a remissão dos efeitos da febre.* **5.** *fig.* Lenitivo, alívio, consolo: *Todo sofrimento tem remissão.* **6.** Ato ou efeito de remeter: *O Vocabulário Ortográfico da Língua Portuguesa indica ao consulente as remissões de um verbete a outro.* || Conferir com *remição*.
– **remissível** *adj.*

remissivo (re.mis.*si*.vo) *adj.* Que remete para outro ponto, que se refere ou faz alusão a; referente, alusivo: *Consulte o índice remissivo do dicionário.*

remitência (re.mi.*tên*.ci:a) *s.f.* Remissão (3).

remitente (re.mi.*ten*.te) *adj.* **1.** Que apresenta remitência ou remissão (diz-se de doença): *febre remitente.* **2.** Que remete; remissivo.

remitir (re.mi.*tir*) *v.* **1.** Conceder remissão (2); perdoar, absolver, indultar, remir: *Só o juiz pode remitir os culpados; Em sua sentença, o juiz remitiu a pena dos réus.* **2.** Considerar como pago ou satisfatório (débito, empréstimo etc.); quitar: *Tentava remitir suas dívidas junto aos bancos.* **3.** Tornar-se menos intenso; abrandar(-se), mitigar(-se): *A chuva remitiu o calor; A febre e o mal-estar da gripe remitiram-se com os medicamentos.* || Conferir com *remeter* ▶ Conjug. 66.

remo (re.mo) *s.m.* **1.** Haste de madeira que se vai achatando e alargando para um dos extremos, com a qual se movimenta uma embarcação. **2.** (*Esp.*) O esporte de remar: *Ganhou medalha de ouro no remo.*

remoção (re.mo.*ção*) *s.f.* **1.** Ato ou efeito de remover. **2.** Retirada: *Os bombeiros fizeram rapidamente a remoção das vítimas do acidente.* **3.** (*Med.*) Retirada cirúrgica de um elemento estranho ao organismo do paciente; extração: *remoção de um tumor.* **4.** Afastamento de funcionário ou empregado de um lugar, posto ou cargo; deslocamento, transferência: *No início do ano letivo, houve remoção de professores.*

remoçar (re.mo.*çar*) *v.* **1.** Dar ou adquirir aparência de moço ou mais moço; rejuvenescer (-se): *Uma vida saudável remoça as pessoas; Remoçou bastante com a cirurgia plástica; Os pais se remoçam na convivência com os filhos adolescentes.* **2.** Readquirir força, energia, ânimo; revigorar-se: *Uma vida saudável remoça as pessoas.* ▶ Conjug. 20 e 36.

remodelar (re.mo.de.*lar*) *v.* **1.** Refazer sob novo modelo ou molde: *Queria remodelar todo o seu vestuário.* **2.** Fazer modificações; reestruturar, restaurar: *O prefeito pretende remodelar todas as praças da cidade.* ▶ Conjug. 8. – **remodelação** *s.f.*

remoer (re.mo:*er*) *v.* **1.** Tornar a moer: *remoer o café, a carne.* **2.** Mastigar novamente (o alimento); ruminar: *O gado remoía o capim do pasto.* **3.** *fig.* Pensar demoradamente; refletir, meditar: *remoer preocupações.* **4.** *fig.* Incomodar, aborrecer, molestar: *Um sentimento estranho remoía seu coração.* **5.** *fig.* Atormentar-se, consumir-se, roer-se: *remoer-se de inveja, de ódio.* ▶ Conjug. 43.

remoinho (re.mo:i.nho) *s.m.* Redemoinho: *"Como correntes de oceano, movem-se cordões constantes rodando remoinhos".* (João Guimarães Rosa, *Sagarana.*)

remonta (re.*mon*.ta) *s.f.* **1.** Aquisição de animais de montaria para suprir as tropas de cavalaria. **2.** Comissão de oficiais nomeados para essa aquisição. **3.** Gado adquirido para aqueles fins. **4.** *coloq.* Reforma, reparação, conserto.

remontar (re.mon.*tar*) *v.* **1.** Tornar a montar, a armar, a dispor: *remontar um motor; remontar o quebra-cabeça.* **2.** Tornar a encenar (peça de teatro): *A companhia teatral irá remontar o Auto da Compadecida, de Ariano Suassuna.* **3.** Tornar a montar em cavalgadura: *Refeita da queda, remontou seu cavalo.* **4.** Voltar no tempo; reportar-se a passado distante: *Para entender o Renascimento, é preciso remontar à Antiguidade greco-romana.* **5.** Fazer menção ou alusão; aludir, referir-se: *Sua poesia remonta-se sempre aos amores vividos.* ▶ Conjug. 5. – **remontagem** *s.f.*

remoque [ó] (re.mo.que) *s.m.* **1.** Dito engraçado, zombaria, caçoada. **2.** Insinuação maliciosa; indireta.

remorso [ó] (re.mor.so) *s.m.* Sentimento de culpa e de arrependimento que se abate sobre a consciência, em função de uma falta ou uma injustiça cometidas.

remoto [ó] (re.mo.to) *adj.* **1.** Distante no tempo ou no espaço; longínquo: *Recordava com saudade os dias remotos da infância; Viajou por mares e terras remotas.* **2.** Que tem poucas possibilidades de realizar-se; improvável: *As chances de vitória de seu time são remotas.* **3.** Que pode ser acionado ou acessado a distância (diz-se de aparelho ou dispositivo): *controle remoto.*

removedor [ô] (re.mo.ve.dor) *s.m.* Produto que serve para tirar manchas ou remover restos de tinta, esmalte etc.

remover (re.mo.ver) *v.* **1.** Deslocar (algo) de um lugar para outro: *remover os móveis (para o depósito).* **2.** Transferir (funcionário, empregado) de um lugar, posto ou cargo: *Parte do funcionalismo federal foi removida do Rio para Brasília.* **3.** Tirar, retirar, eliminar: *remover manchas de tinta.* **4.** Fazer desaparecer; eliminar, afastar: *remover obstáculos;* (fig.) *remover as pedras do caminho.* **5.** (Med.) Retirar cirurgicamente um elemento estranho ao organismo; extração: *remover um cancro.* ▶ Conjug. 20. – **removível** *adj.*

remuneração (re.mu.ne.ra.ção) *s.f.* **1.** Ato ou efeito de remunerar. **2.** Pagamento por trabalho realizado; salário, ordenado, honorários, paga. **3.** Gratificação por serviços prestados; recompensa, prêmio. – **remunerado** *adj.*

remunerar (re.mu.ne.rar) *v.* **1.** Pagar (salário, soldo, honorários etc.) por trabalho realizado: *Essa empresa remunera bem seus empregados.* **2.** Gratificar, geralmente com dinheiro, por um serviço prestado; recompensar, premiar: *Remunerou os garçons da festa com uma generosa quantia.* ▶ Conjug. 8. – **remunerador** *adj. s.m.;* **remunerável** *adj.*

rena (re.na) *s.f.* (*Zool.*) Mamífero ruminante das regiões árticas, com galhadas semelhantes ao veado e cascos adaptados para locomover-se na neve.

renal (re.nal) *adj.* Relativo a ou próprio do rim: *função renal; cálculo renal.*

renascença (re.nas.cen.ça) *s.f.* **1.** Ato ou efeito de renascer. **2.** Vida nova; renovação, renascimento: *O 3º milênio foi saudado como uma renascença.* **3.** (*Art., Hist.*) Renascimento. ‖ Nesta acepção, usa-se inicial maiúscula.

renascer (re.nas.cer) *v.* **1.** Tornar a nascer; crescer de novo, brotar, desabrochar: *As flores renasceram esplendorosas nos jardins.* **2.** Adquirir nova vida ou vitalidade; renovar-se: *Renasceu com a volta aos estudos.* **3.** Tornar-se mais moço; rejuvenescer, remoçar: *A senhora renasceu com uma bem-sucedida cirurgia plástica.* **4.** Mostrar(-se) (após um intervalo); reaparecer, ressurgir, voltar, volver: *O reencontro fez renascer o antigo amor.* ▶ Conjug. 39 e 46.

renascimento (re.nas.ci.men.to) *s.m.* **1.** Ato ou efeito de renascer; renascença. **2.** Reaparecimento, ressurgimento, renovação, revitalização: *Assistimos atualmente ao renascimento dos valores humanísticos.* **3.** (*Art., Hist*) Movimento intelectual e artístico dos séculos XV e XVI, que inaugura uma nova era na visão do mundo, do conhecimento e das artes, remontando aos valores e modelos da Antiguidade greco-romana e instaurando o antropocentrismo em oposição ao teocentrismo medieval; Renascença. ‖ Nesta acepção, usa-se inicial maiúscula. – **renascentista** *adj.*

renda¹ (ren.da) *s.f.* **1.** Quantia recebida por alguém em forma de salário, lucro, juro, aluguel ou remuneração por serviço prestado; rendimento: *renda pessoal; renda familiar.* **2.** Quantia arrecadada por meio de imposto, taxa, multa, juro etc.; receita. **3.** Qualquer recebimento em dinheiro: *Este ano aumentou a renda levantada no espetáculo beneficente.* ‖ *Renda nacional*: (*Econ.*) conjunto das riquezas apuradas num país durante um exercício financeiro. • *Renda per capita*: (*Econ.*) indicador usado para medir o grau de desenvolvimento de um país, obtido pela divisão da renda nacional pelo número de habitantes.

renda² (ren.da) *s.f.* Tecido decorativo de textura delicada, feito à mão ou à máquina, com fios que se entrelaçam, formando desenhos, aplicado como guarnição ou ornamentação de peças de vestuário, roupa de cama e mesa, cortina, alfaias etc. – **rendado** *adj.*

rendeiro¹ (ren.dei.ro) *adj.* **1.** Que toma propriedade rural por arrendamento, arrendatário. • *s.m.* **2.** Pessoa arrendatária.

rendeiro² (ren.dei.ro) *s.m.* Fabricante ou vendedor de rendas.

render (ren.der) *v.* **1.** Entregar(-se) por rendição; (fazer) capitular; dominar(-se), curvar(-se): *As forças aliadas renderam as tropas inimigas; O*

rendição

bando de sequestradores, acuado, não demorou a render-se. **2.** *fig.* Deixar-se encantar ou cativar; subjugar-se, submeter-se: *O rapaz rendeu-se à magia do olhar da jovem desconhecida.* **3.** Fazer o revezamento de (alguém ou grupo) em tarefa ou serviço: *Outros operários vieram render a turma da noite; São horas de render a guarda.* **4.** Dar rendimento ou lucro: *Seu novo empreendimento rendeu-lhe muito dinheiro; A caderneta de poupança está rendendo pouco.* **5.** Manifestar reverência a; prestar, oferecer: *Sua nova obra rendeu-lhe muitas homenagens e elogios.* **6.** Ter bom resultado; ser produtivo ou proveitoso; prosperar: *Trabalha tanto, mas parece que o dia não rende.* **7.** Ter como consequência; causar, originar, provocar: *As enchentes renderam muita destruição; Seus negócios só lhe renderam muitas dívidas.* **8.** Deixar como produto; dar, produzir: *Essa receita de bolo rende um tabuleiro.* **9.** *coloq.* Durar muito; alongar-se, demorar: *Vamos embora, que essa discussão ainda vai render.* ▶ Conjug. 39.

rendição (ren.di.*ção*) *s.f.* **1.** Ato ou efeito de render(-se). **2.** (*Mil.*) Revezamento ou substituição de um militar em serviço ou de uma tropa em ação.

rendilha (ren.*di*.lha) *s.f.* **1.** Renda pequena e delicada. **2.** Ornato de madeira ou de pedra, de contextura delicada e caprichosa, imitando renda.

rendilhado (ren.di.*lha*.do) *adj.* **1.** Que tem rendilhas ou ornatos semelhantes a rendilhas: *toalha rendilhada; madeira rendilhada.* • *s.m.* **2.** Conjunto de aberturas formando desenhos à maneira de renda em qualquer trabalho decorativo, em madeira, metal, porcelana, papel etc.

rendimento (ren.di.*men*.to) *s.m.* **1.** Importância recebida por alguém ou grupo como remuneração de trabalho ou prestação de serviços; renda: *O total de seus rendimentos o isenta do pagamento do Imposto de Renda.* **2.** (*Econ.*) Lucro resultante da aplicação de capital em operações financeiras; renda: *O rendimento dos fundos de ações foi maior neste trimestre.* **3.** Eficiência no desempenho de alguma atividade; produtividade: *A tecnologia aumenta o rendimento da indústria; O time vem mantendo um alto rendimento nessa temporada.*

rendoso [ô] (ren.*do*.so) *adj.* Que rende, que dá bons lucros; lucrativo: *negócio rendoso.* || f. e pl.: [ó].

renegado (re.ne.*ga*.do) *adj.* **1.** Que renega sua fé em nome de outra crença religiosa; apóstata. **2.** Que renega suas próprias convicções e opiniões. **3.** *coloq.* Que é rejeitado, odiado, execrado. • *s.m.* **4.** Pessoa renegada (1) e (2). **5.** Pessoa malvada, odienta, abominável.

renegar (re.ne.*gar*) *v.* **1.** Renunciar a sua própria religião ou crença em nome de outra confissão religiosa; abjurar: *A Reforma protestante renegou a Igreja Católica.* **2.** Abandonar antigas ideias, opiniões, posicionamentos: *Alguns políticos renegam o partido que os elegeu.* **3.** Odiar, execrar, abominar: *Os pacifistas renegam a violência e a guerra.* **4.** Desfazer o mérito de (alguém); não reconhecer; negar: *A inveja fazia-o renegar o sucesso alheio.* **5.** Rejeitar, desprezar, repudiar: *renegar o passado.* **6.** Não dar importância a; não fazer caso de; prescindir de: *Não renegue uma mão amiga; Orgulhoso, renegou do apoio dos amigos.* ▶ Conjug. 8 e 34.

renhir (re.*nhir*) *v.* **1.** Travar combate; combater, lutar, contender: *Tropas aliadas e inimigas renhiram uma disputada batalha nas duas trincheiras; Os soldados renhiram bravamente (com os inimigos) até a vitória final.* **2.** Tornar-se muito disputado; intenso, violento: *Na arena, renhia a luta entre os gladiadores.* ▶ Conjug. 66 e 86. – **renhido** *adj.*

renitente (re.ni.*ten*.te) *adj.* Que se obstina; que teima; obstinado, teimoso, insistente: *pecador renitente.* – **renitência** *s.f.*

renomado (re.no.*ma*.do) *adj.* Que tem renome; célebre, famoso, reputado: *Consultou-se com um renomado cardiologista.*

renome (re.*no*.me) *s.m.* Boa reputação, resultante de qualidades ou ações excepcionais; celebridade, fama, crédito, prestígio: *um cientista de renome.*

renovar (re.no.*var*) *v.* **1.** Tornar novo; dar aparência ou aspecto de novo: *renovar a pintura da casa.* **2.** Substituir por algo novo; recompor, repor: *renovar o estoque; renovar o guarda-roupa.* **3.** Dizer ou fazer (algo) mais de uma vez; repetir: *O trabalhador renovou seu pedido de licença médica.* **4.** Modificar para melhor; reformar, melhorar: *As escolas de samba renovaram o carnaval.* **5.** Dar continuidade a; refazer: *renovar um contrato; renovar uma promissória.* **6.** Reiniciar, recomeçar; retomar: *É hora de renovar os compromissos da campanha eleitoral.* **7.** Adquirir novas forças ou vigor; revigorar(-se), rejuvenescer(-se): *O clima de montanha sempre me renova; Renovou-se com a prática de exercícios físicos.* **8.** Surgir de novo; ressurgir, reaparecer: *A febre renovou-se durante vários dias.* **9.** Estar em dia com o que é novo; atualizar-se, modernizar-se: *A arte e a* ciência se renovam a cada dia. ▶ Conjug. 20. – **renovação** s.f.; **renovador** adj. s.m.

rentabilidade (ren.ta.bi.li.*da*.de) s.f. **1.** Qualidade do que é rentável. **2.** Aptidão ou capacidade para produzir rendimentos ou lucros. **3.** Grau de rendimentos de uma empresa, proporcionado por determinado investimento de capital.

rentável (ren.*tá*.vel) adj. Que gera renda ou lucro; rendoso: *As atividades ligadas ao mundo da moda são muito rentáveis.*

renque (*ren*.que) s.2g. Série de pessoas ou objetos dispostos numa mesma linha; ala, fileira, alinhamento: *renque de soldados; renque de árvores.*

rente (*ren*.te) adj. **1.** Que é muito curto, perto da raiz ou da base: *cabelo rente; unhas rentes.* • adv. **2.** Muito próximo a; perto de: *A bola passou rente ao travessão.* **3.** Pela raiz; pelo pé: *Cortou a franja bem rente aos olhos.*

renúncia (re.*nún*.ci:a) s.f. Ato ou efeito de renunciar; desistência voluntária; abdicação, abandono: *renúncia ao trono; renúncia à herança.*

renunciar (re.nun.ci:*ar*) v. **1.** Deixar voluntariamente (cargo ou posto a que se tem direito); desistir de; abdicar: *renunciar o trono; O parlamentar renunciou ao mandato para não se tornar inelegível; Os adversários pretendiam que o governador renunciasse.* **2.** Abandonar (crença, ideologia etc.); abjurar, renegar: *Renunciou a fé de sua infância; Não renunciou aos antigos ideais.* **3.** Não aceitar; abrir mão; recusar, rejeitar: *Renunciou aos bens dos pais em favor dos irmãos.* **4.** Não fazer caso de; desdenhar, desprezar: *Renunciou às futilidades da vida mundana.* ▶ Conjug. 17.

reordenar (re:or.de.*nar*) v. Tornar a ordenar; pôr de novo em ordem: *Reordenou as pastas retiradas do arquivo.* ▶ Conjug. 5. – **reordenação** s.f.; **reordenado** adj.; **reordenamento** s.m.

reorganizar (re:or.ga.ni.*zar*) v. Dar nova ou melhor organização a; reestruturar: *reorganizar uma empresa, um partido político.* ▶ Conjug. 5. – **reorganização** s.f.; **reorganizador** adj. s.m.

reostato (re:os.*ta*.to) s.m. (*Eletr.*) Aparelho através do qual se faz variar a resistência em um circuito elétrico, tornando constante a intensidade desejada. || *reóstato.*

reóstato (re:*ós*.ta.to) s.m. (*Eletr.*) Reostato.

reparação (re.pa.ra.*ção*) s.f. **1.** Ato ou efeito de reparar; reparo, conserto, restauração. **2.** Satisfação dada a quem sofreu uma ofensa ou injustiça; retratação. **3.** (*Jur.*) Retribuição pecuniária devida pelo dano ou prejuízo que se tenha causado a alguém; ressarcimento, indenização.

reparar (re.pa.*rar*) v. **1.** Fazer reparo ou conserto em; consertar, refazer, restaurar, endireitar: *Levou o carro à oficina para reparar os danos causados pela batida.* **2.** Aperfeiçoar, aprimorar, retocar, melhorar: *reparar as linhas do desenho.* **3.** Corrigir, emendar, remediar: *reparar uma injustiça.* **4.** Recuperar, recobrar, restabelecer: *reparar as forças.* **5.** Recompensar(-se) de (prejuízo ou transtorno sofrido); ressarcir(-se), indenizar(-se): *O novo diretor conseguiu reparar as perdas da empresa; Tentava reparar-se dos problemas financeiros que o atingiram.* **6.** Prestar atenção; observar, perceber, notar: *Não reparou que já escurecera; O jovem reparou primeiro no andar gracioso da colega de trabalho.* **7.** Dar importância a; ligar para: *Não repare na simplicidade da minha casa.* **8.** Proteger-se, abrigar-se, restaurar-se: *reparar-se da chuva e do frio.* ▶ Conjug. 5. – **reparador** adj. s.m.; **reparável** adj.

reparo (re.*pa*.ro) s.m. **1.** Ato ou efeito de reparar; reparação, conserto, reforma, restauração: *Meu carro necessita de reparos.* **2.** Observação crítica; censura ou crítica leve; advertência: *A estilista fez alguns reparos quanto às roupas do desfile.* **3.** Peça que se põe em encanamentos para vedar o vazamento de água.

repartição (re.par.ti.*ção*) s.f. **1.** Ato ou efeito de repartir(-se); partilha, partição, divisão, distribuição: *Para agilizar o serviço, faremos uma repartição de tarefas.* **2.** Setor, seção ou divisão administrativa, do serviço público ou privado, destinada ao atendimento da população: *Informe-se sobre o seu processo nas repartições da prefeitura.* **3.** Local em que funciona esse setor ou divisão: *O chefe não se encontra, no momento, na repartição.*

repartir (re.par.*tir*) v. **1.** Fazer a repartição (1) de; separar, dividir: *Ela reparte o cabelo no lado direito; O professor repartiu os temas do seminário entre os alunos.* **2.** Distribuir em quinhões; partir, partilhar, compartilhar: *São Francisco de Assis repartiu suas riquezas entre os pobres; Os egoístas não conseguem repartir nada com ninguém.* **3.** Dividir(-se) entre diversos interesses, ocupações, atividades etc.: *Reparte seu dia entre o trabalho e o estudo; Reparte-se entre a literatura e o jornalismo.* **4.** Espalhar-se, dispersar-se, ramificar-se: *A violência reparte-se por toda a cidade.* ▶ Conjug. 5.

repassar (re.pas.sar) v. **1.** Tornar a passar (1); voltar: *Passou e repassou a barreira da polícia sem ser incomodado; Na pista de corrida os carros repassam velozmente.* **2.** Ler ou estudar repetidas vezes: *repassar a matéria da prova; repassar a letra da música.* **3.** Transferir (crédito) para um grupo, empresa, órgão administrativo etc.: *O banco não irá repassar juros; O governo repassou a verba da educação para os municípios.* **4.** Encharcar(-se), embeber (-se), impregnar(-se), ensopar(-se): *A umidade repassava as paredes da casa; Meu sapato repassou-se da água da chuva.* **5.** Deixar(-se) invadir; tomar-se, encher-se: *Repassou-se de coragem para enfrentar o desafio da nova vida.* ▶ Conjug. 5. **- repasse** s.m.

repasto (re.pas.to) s.m. Refeição lauta, para muitos convivas; banquete.

repatriar (re.pa.tri.ar) v. Fazer regressar à pátria ou regressar a ela: *O governo irá repatriar os estrangeiros que vivem ilegalmente no país; Finda a ditadura, os exilados políticos repatriaram-se.* ▶ Conjug. 17. **- repatriação** s.f.

repelão (re.pe.lão) s.m. Choque mais ou menos violento entre pessoas; encontrão, empurrão.

repelente (re.pe.len.te) adj. **1.** Que causa nojo, asco ou repugnância; asqueroso, nojento. • s.m. **2.** Substância ou produto usado para afastar insetos.

repelir (re.pe.lir) v. **1.** Impelir para longe; afastar, rechaçar: *repelir o ataque inimigo.* **2.** Impedir de aproximar-se: *A faixa de proteção repele os passantes no local do incêndio.* **3.** Opor-se, defender-se, reagir a; rebater: *repelir uma acusação.* **4.** Ter repugnância; recusar, rejeitar: *O bebê repele o leite de vaca.* **5.** fig. Não admitir; não aceitar, repudiar: *Repele qualquer interferência em suas decisões.* ▶ Conjug. 69.

repenicar (re.pe.ni.car) v. **1.** Fazer vibrar ou vibrar (instrumento de percussão, de corda etc.), produzindo sons breves e repetidos; repicar: *O violeiro repenicava sua viola caipira; Os tamborins repenicavam na roda de samba.* **2.** Produzir sons agudos e repetidos, percutindo superfícies metálicas; repicar: *repenicar sinos.* ▶ Conjug. 5 e 35. **- repenique** s.m.

repensar (re.pen.sar) v. Tornar a pensar ou a considerar; reconsiderar: *O homem prudente pensa e repensa nas decisões a tomar; Pressionado a agir, o executivo disse que precisava repensar.* ▶ Conjug. 5.

repente (re.pen.te) s.m. **1.** Ação ou dito repentino e impensado, irrefletido; ímpeto, impulso: *Teve um repente de raiva, mas logo se controlou.* **2.** Verso cantado ou recitado de improviso. || *De repente*: de súbito; num momento, repentinamente.

repentino (re.pen.ti.no) adj. Que ocorre de repente; súbito, rápido, inopinado, imprevisto: *chuva repentina; fúria repentina.*

repentista (re.pen.tis.ta) adj. **1.** Que compõe e executa repentes (2). • s.m. e f. **2.** Músico ou poeta repentista.

repercussão (re.per.cus.são) s.f. **1.** Ato ou efeito de repercutir(-se). **2.** fig. Interesse despertado pelas reais qualidades de (algo ou alguém); fama, prestígio: *Os filmes nacionais tiveram boa repercussão nos festivais de cinema.*

repercutir (re.per.cu.tir) v. **1.** Reproduzir(-se) (um som); repetir(-se): *A sala de concertos repercutia o som dos sopros e das cordas; Por toda a parte, repercutia(-se) o som das fanfarras.* **2.** Refletir(-se) (a luz): *Os vitrais da catedral repercutiam a luminosidade do sol; A luz repercutia (-se) nos espelhos do salão.* **3.** Ter repercussão (2): *A imprensa estrangeira repercutiu as notícias do acidente aéreo; As novas medidas adotadas pelo governo repercutiam(-se) em todo o país.* ▶ Conjug. 69.

repertório (re.per.tó.ri.o) s.m. **1.** Conjunto das peças teatrais ou das composições musicais de um determinado autor, de uma época ou estilo: *Essa companhia de atores tem um repertório de comédias e tragédias clássicas; O programa radiofônico tem um repertório exclusivamente nacional.* **2.** Conjunto das obras interpretadas por um artista do teatro ou da música: *Não gosto do repertório desse cantor.* **3.** fig. Conjunto ou coleção de (algo): *Está sempre pronto a contar uma anedota de seu imenso repertório.*

repesar (re.pe.sar) v. **1.** Tornar a pesar: *repesar os atletas após o jogo.* **2.** fig. Examinar atentamente; reconsiderar, repensar: *repesar todos os lados da questão.* ▶ Conjug. 8.

repescagem (re.pes.ca.gem) s.f. Em certos concursos públicos ou em competições esportivas, regra que permite ao candidato ou competidor, mal classificado na fase inicial, permanecer na disputa com os demais participantes.

repeteco [é] (re.pe.te.co) s.m. coloq. Ato de repetir; repetição.

repetência (re.pe.tên.ci.a) s.f. **1.** Ato ou efeito de repetir(-se). **2.** Condição de repetente (2).

repetente (re.pe.ten.te) adj. **1.** Que repete; repetidor. **2.** Diz-se de estudante que, reprovado ao final de um ano letivo, tem de voltar a frequentar as aulas e submeter-se a novos exames.

repetição (re.pe.ti.ção) s.f. **1.** Ato ou efeito de repetir(-se); reiteração. **2.** (Ling.) Figura de linguagem que consiste em repetir uma mesma palavra ou frase: *A anáfora é uma figura de linguagem que consiste na repetição de uma ou mais palavras no início de frases ou versos.*

repetidora [ô] (re.pe.ti.do.ra) s.f. (Rádio, Telv.) Estação que capta sinais de som e imagem de uma determinada direção e os retransmite a uma ou mais estações receptoras; retransmissora.

repetir (re.pe.tir) v. **1.** Tornar a dizer ou a escrever; insistir na mesma declaração; reiterar, repisar: *Repita a leitura sem gaguejar; A professora repetiu pacientemente a matéria aos alunos; Esse autor repete-se muito em seus livros.* **2.** Tornar a fazer, a executar ou a usar: *O atleta repetiu seu bom desempenho na competição; Elegante, nunca repete o mesmo vestido.* **3.** Tornar a comer ou a beber: *Repetia sempre a comida feita pela mãe.* **4.** Tornar a cursar (disciplina ou série escolar): *Reprovado em várias matérias, teve que repetir toda a oitava série.* **5.** Tornar a acontecer; dar-se novamente: *A história não se repete do mesmo modo.* ▶ Conjug. 69. – **repetidor** adj.

repetitivo (re.pe.ti.ti.vo) adj. **1.** Que repete ou se repete: *É um apresentador de poucos recursos, sempre repetitivo.* **2.** Em que há muita repetição: *discurso repetitivo.*

repicar (re.pi.car) v. **1.** Tornar a picar (algo), reduzindo-o a pedaços muito pequenos: *repicar papel.* **2.** Produzir sons agudos e sucessivos; repenicar: *O sacristão repicava o sino nas festividades na igreja; Gostava de ouvir repicarem os sinos das cidades históricas mineiras.* ▶ Conjug. 5 e 35.

repique (re.pi.que) s.m. **1.** Ato ou efeito de repicar. **2.** Toque festivo de sinos, repetido e com certo ritmo. **3.** Som agudo e repetido de certos instrumentos de percussão: *o repique dos tamborins.* **4.** No futebol, o rebote.

repiquete [ê] (re.pi.que.te) s.m. **1.** Repique de sinos com intervalos curtos entre as badaladas. **2.** Mudança repentina da direção do vento. **3.** Grande quantidade de água que desce da cabeceira do rio com as chuvas que ali caem.

repisar (re.pi.sar) v. **1.** Tornar a pisar; calcar seguidamente com os pés: *repisar a terra.* **2.** Dizer ou fazer (algo) repetidas vezes; insistir em; repetir: *Ficava a repisar velhas mágoas; Com falta de assunto, o orador repisava sempre na mesma tecla.* ▶ Conjug. 5.

replantar (re.plan.tar) v. Tornar a plantar: *Replantaram as mudas que o vento destruiu.* ▶ Conjug. 5. – **replantação** s.f.

replantio (re.plan.ti:o) s.m. Novo plantio; replantação.

replay [riplêi] (Ing.) s.m. **1.** Repetição, em parte ou na íntegra, de um programa gravado de rádio ou televisão: *Assisti ao replay da final do campeonato; Vale a pena ver o replay dessa novela?* **2.** coloq. Nova ocorrência; repetição: *Esse escândalo é um replay de vários outros.*

réplica (ré.pli.ca) s.f. **1.** Ato ou efeito de replicar. **2.** Argumento com o qual se refuta outro argumento; contestação, refutação. **3.** Resposta incisiva contra alguma crítica recebida. **4.** (Jur.) Fala do promotor em resposta aos argumentos do advogado de defesa. **5.** Reprodução muito similar de uma obra de arte original ou de outro objeto; cópia, imitação: *O museu expõe a réplica da taça que foi roubada.*

replicar (re.pli.car) v. **1.** Contestar com argumentos; refutar, retorquir, objetar, redarguir: *O suspeito replicou as acusações; Ninguém pode replicar à sentença do juiz; Diante da argumentação da defesa, o promotor desistiu de replicar.* **2.** Fazer réplica ou cópia; reproduzir: *O próprio artista replicou suas obras mais famosas.* ▶ Conjug. 5 e 35.

repolho [ô] (re.po.lho) s.m. Variedade de couve, de folhas lisas ou crespas sobrepostas, brancas, verde-claras ou roxas, que podem ser usadas na alimentação cruas ou cozidas.

repolhudo (re.po.lhu.do) adj. **1.** Cuja forma se assemelha à do repolho: *alface repolhuda.* **2.** fig. Roliço, rechonchudo, gorducho.

repor (re.por) v. **1.** Tornar a pôr (algo) em sua posição anterior; recolocar: *Reponha os livros onde você os encontrou.* **2.** Devolver, restituir (o que foi emprestado ou tomado): *Repôs o empréstimo feito pelo amigo; É preciso repor ao funcionalismo suas perdas salariais.* **3.** Restabelecer(-se), reconstituir(-se): *Repôs suas forças numa academia de ginástica; Precisava de férias para se repor.* || part.: **reposto.** ▶ Conjug. 65.

reportagem (re.por.ta.gem) s.f. **1.** Atividade jornalística exercida por repórteres, que levantam informações sobre um assunto ou acontecimento, para produzir o noticiário ou a matéria a serem veiculados pela imprensa escrita, falada ou televisionada. **2.** Esse noticiário ou essa matéria. **3.** Equipe de repórteres de um meio de comunicação.

reportar

reportar (re.por.tar) v. **1.** (Fazer) retroceder, recuar (no tempo); remontar(-se): *Essa canção me reporta à adolescência; Gostava de reportar-se ao passado.* **2.** Fazer alusão a; remeter; referir-se, aludir: *O velejador reportou aos ouvintes suas aventuras em alto-mar; Repetitivo, ele sempre se reporta ao mesmo assunto.* ▶ Conjug. 20.

repórter (re.pór.ter) s.m. e f. Jornalista encarregado da cobertura dos acontecimentos, apuração, seleção e tratamento das notícias ou matérias, para a divulgação em um órgão de imprensa.

reposição (re.po.si.ção) s.f. **1.** Ato ou efeito de repor; restituição, recolocação: *reposição de estoque; reposição da bola em jogo.* **2.** Troca ou substituição de aparelho ou peça gastos ou defeituosos por outros novos: *A fábrica garante a reposição de qualquer peça com defeito.*

repositório (re.po.si.tó.ri:o) s.m. **1.** Lugar apropriado para a guarda ou arquivamento de alguma coisa; depósito: *repositório de medicamentos, de livros.* **2.** fig. Acúmulo de informações ou conhecimentos: *O dicionário é um repositório de conhecimentos.*

reposteiro (re.pos.tei.ro) s.m. Cortina pesada que cobre as portas interiores de palácios, repartições públicas, igrejas etc.

repousar (re.pou.sar) v. **1.** Pôr em repouso (o corpo ou parte dele); descansar, sossegar: *Repousou a cabeça sobre a almofada; Trate de repousar, o dia foi estafante.* **2.** Proporcionar repouso, alívio ou tranquilidade a: *O verde da paisagem repousa a vista.* **3.** Estar sepultado; jazer: *Aqui, neste monumento, repousam os heróis da pátria.* **4.** Fundamentar-se, fundar-se, basear-se: *A grandeza de um país repousa na educação.* **5.** Estar colocado ou estabelecido em; assentar-se: *A cidadezinha repousa num vale muito fértil.* ▶ Conjug. 22. – **repousante** adj.

repouso (re.pou.so) s.m. **1.** Ato ou efeito de repousar; descanso. **2.** Ausência de movimento; imobilidade, sossego: *Com dores na coluna, precisou ficar em repouso absoluto.* **3.** Pausa ou folga no trabalho ou outra atividade: *A empregada doméstica tem direito ao repouso dominical.* **4.** Sono. || *Repouso eterno*: fig. último sono; a morte.

repovoar (re.po.vo:ar) v. **1.** Tornar a povoar(-se): *repovoar as regiões devastadas pela seca; Alguns estados repovoaram-se com a chegada de imigrantes.* **2.** Fazer criação de (peixes, animais de caça etc.) em tanques, lagos, parques etc.:

Com a construção da barragem no rio, foi preciso repovoar suas águas. ▶ Conjug. 25. – **repovoamento** s.m.

repreender (re.pre.en.der) v. **1.** Advertir alguém com energia e severidade; admoestar, censurar: *O ator não gostou que o diretor o repreendesse diante de todos; O gerente repreendeu-lhe os frequentes atrasos ao trabalho.* **2.** Acusar duramente; increpar: *O juiz repreendeu o acusado por falso testemunho.* ▶ Conjug. 39. – **repreensivo** adj.; **repreensor** adj.

repreensão (re.pre.en.são) s.f. **1.** Ato ou efeito de repreender; advertência, admoestação, censura, reprimenda: *Temia a repreensão dos pais, assim que eles se inteirassem de suas notas baixas.* **2.** (Jur.) Censura, geralmente por escrito, ao funcionário ou empregado por uma falta ou transgressão ao dever.

represa [ê] (re.pre.sa) s.f. **1.** Ato ou efeito de represar; represamento. **2.** Barreira para represar água corrente; açude, dique. **3.** Grande construção transversal ao fluxo de um rio, para o armazenamento de água a ser utilizada no abastecimento de populações e indústria na irrigação, geração de energia elétrica etc.; barragem.

represália (re.pre.sá.li:a) s.f. Ação praticada por uma pessoa contra outra que a ofendeu ou prejudicou; vingança, desforra, retaliação.

represar (re.pre.sar) v. **1.** Deter o curso de corrente de água: *represar as águas do rio.* **2.** fig. Conter, reprimir, refrear, sufocar: *represar um sentimento.* **3.** Opor obstáculo a; impedir, impossibilitar: *Tudo será feito para represar a violência na cidade.* ▶ Conjug. 8. – **represamento** s.m.

representação (re.pre.sen.ta.ção) s.f. **1.** Ato ou efeito de representar(-se). **2.** Ideia ou imagem que reproduz, imita ou simboliza (pessoa, coisa, fato): *O painel de Portinari na ONU representa a guerra e a paz.* **3.** (Teat.) Encenação de uma peça: *Foi uma representação inesquecível de Romeu e Julieta.* **4.** (Cine, Teat., Telv.) Interpretação, por parte do artista, de um determinado papel; atuação: *Os atores estiveram irrepreensíveis em sua representação.* **5.** Conjunto de membros que integram uma delegação ou comissão: *A representação brasileira era a mais numerosa nos jogos pan-americanos.* **6.** (Jur.) Petição que consiste em protesto ou queixa fundamentada contra atos prejudiciais ou abusivos de autoridades. || *Representação diplomática*: corpo de diplomatas designado para representar oficialmente seu país em outro país com o qual ele mantém relações. • *Representação política:* conjunto dos membros do Poder Legislativo, eleitos pelo voto popular, para defender e proteger os direitos da coletividade.

representante (re.pre.sen.*tan*.te) *adj.* **1.** Que representa. • *s.m.* e *f.* **2.** Pessoa que representa ou age em nome de (outra pessoa, uma empresa, uma categoria profissional, um país etc.), em determinado lugar e determinada circunstância: *representante de produtos farmacêuticos; representante diplomático.* **3.** Pessoa que, por eleição, representa o povo em assembleias legislativas: *Os senadores, deputados e vereadores são representantes do povo.*

representar (re.pre.sen.*tar*) *v.* **1.** Ser a imagem, a reprodução ou o símbolo de; reproduzir, simbolizar: *Verde e amarelo são as cores que representam o Brasil.* **2.** Significar, denotar, revelar, mostrar, patentear: *A conquista do campeonato representou a incontestável superioridade do nosso esporte.* **3.** (*Teat.*) Levar à cena (uma peça teatral); encenar: *O Auto da Compadecida, de Ariano Suassuna, é a peça que irão representar no festival de teatro.* **4.** (*Cine, Teat., Telv.*) Desempenhar um papel; interpretar, atuar: *Aquela atriz representa sempre papéis românticos; O veterano ator declarou que representará até morrer.* **5.** Dar ares; aparentar; fingir, dissimular: *Engana a todos, representando o que não é; Não acredite em suas falsas juras, ele representa muito bem.* **6.** Chefiar uma embaixada, uma missão junto a: *O ministro das Relações Exteriores representará o país na conferência mundial.* **7.** Ser o representante (2) ou o procurador de: *O filho representou o pai ausente na cerimônia de entrega de prêmios; Nossos advogados representarão a empresa da família.* **8.** Dirigir uma representação (6) a; fazer uma petição ou queixa: *O funcionário representou uma queixa à direção da empresa; Para ser atendido em seu pleito, decidiu representar ao próprio presidente.* **9.** (*Jur.*) Substituir (alguém) na sucessão de direitos: *Os filhos representaram o pai falecido.* ▶ Conjug. 5. – **representatividade** *s.f.*

representativo (re.pre.sen.ta.*ti*.vo) *adj.* **1.** Que representa (1) e (2): *exemplo representativo; vitória representativa.* **2.** Que é constituído de representantes: *O presidente recebeu a delegação representativa do país vizinho.* **3.** Diz-se de pessoa ou entidade eleita para representar o povo e a nação: *O Congresso é o poder representativo do eleitorado; O regime representativo é característico da democracia.*

repressão (re.pres.*são*) *s.f.* **1.** Ato ou efeito de reprimir(-se). **2.** Aquele ou aquilo que reprime: *Os militantes tinham de esconder-se da repressão.* **3.** (*Psicn.*) Mecanismo psíquico de defesa pelo qual impulsos, ideias, sentimentos, emoções ou lembranças desagradáveis ou penosas são inibidas na consciência ou rejeitadas para o inconsciente; recalque. **4.** (*Jur.*) Meio de fazer cessar, de impedir ou coibir um ato ilícito ou proibido; proibição, coibição. – **repressivo** *adj.*; **repressor** *adj. s.m.*; **reprimido** *adj.*

reprimenda (re.pri.*men*.da) *s.f.* Advertência severa; repreensão, admoestação, recriminação, carão: *Muitas vezes, uma reprimenda justa é melhor que o castigo.*

reprimir (re.pri.*mir*) *v.* **1.** Impedir (uma ação), usando de ameaça ou de violência: *Não houve tentativa de reprimir a marcha pacífica de protesto.* **2.** Combater, proibir, punir: *reprimir os jogos de azar.* **3.** Não manifestar(-se); ocultar (-se), dominar(-se), conter(-se): *Não conseguiu reprimir um riso sarcástico de desdém; Reprimiu-se para não dizer o que realmente pensava.* **4.** (*Psicn.*) Manifestar repressão; recalcar: *Reprima e rejeitava as lembranças da infância triste.* ▶ Conjug. 66.

reprisar (re.pri.*sar*) *v.* **1.** Tornar a apresentar (programa de rádio ou televisão, filme, espetáculo etc.): *As emissoras de tevê costumam reprisar suas novelas.* **2.** *fig.* Repetir determinada ação: *Só vale reprisar o que claramente deu certo.* ▶ Conjug. 5.

reprise (re.*pri*.se) *s.f.* Reapresentação de (peça teatral, filme, espetáculo etc.): *Vou aguardar a reprise dos melhores filmes do ano.*

réprobo (ré.pro.bo) *adj.* **1.** Que merece reprovação e condenação da sociedade, por suas más ações, delitos ou crimes; detestado, odiado, execrado. • *s.m.* **2.** Pessoa réproba.

reprocessamento (re.pro.ces.sa.*men*.to) *s.m.* Ato ou efeito de reprocessar: *reprocessamento do urânio.*

reprocessar (re.pro.ces.*sar*) *v.* Tornar a processar material já submetido a processo industrial: *reprocessar combustível.* ▶ Conjug. 8.

reprochar (re.pro.*char*) *v.* Censurar, reprovar, recriminar, exprobar: *Todos reprocharam o comportamento antiético do homem público; A opinião mundial reprocha a todas as nações a degradação do meio ambiente.* ▶ Conjug. 20.

reproche [ó] (re.pro.che) *s.m.* Ato ou efeito de reprochar; censura, recriminação, reprovação.

reprodução (re.pro.du.*ção*) *s.f.* **1.** Ato ou efeito de reproduzir(-se). **2.** Cópia xerográfica de

reprodutor

textos e imagens; reduplicação. **3.** Imitação fiel de obra literária, artística ou científica, a partir do original, cujos direitos de propriedade tenham sido cedidos pelo respectivo autor. **4.** (*Biol.*) Função pela qual os seres vivos geram seres semelhantes.

reprodutor [ô] (re.pro.du.*tor*) *adj.* **1.** Que reproduz. • *s.m.* **2.** Animal destinado à reprodução.

reproduzir (re.pro.du.*zir*) *v.* **1.** Tornar a produzir; repetir: *Os filhos, quando adultos, reproduzem muitas vezes os gestos dos pais.* **2.** Fazer cópia ou imitação de (texto, fotografia, quadro etc.): *Reproduziu fielmente uma tela de Van Gogh.* **3.** Inserir em (jornal, revista, livro etc.) trecho extraído de outra publicação: *Reproduziu, sem a autorização do autor, passagens de seu último livro.* **4.** Perpetuar(-se) a espécie; multiplicar(-se), procriar: *Os seres vivos reproduzem seres semelhantes; O ser humano reproduziu-se em toda a face da Terra.* **5.** Ocorrer ou manifestar-se mais de uma vez; repetir-se, renovar-se: *Espero que este fato não se reproduza.* ▶ Conjug. 82.

reprovação (re.pro.va.*ção*) *s.f.* **1.** Ato ou efeito de reprovar. **2.** Censura, recriminação, repreensão, reproche. **3.** Não aprovação em um exame.

reprovar (re.pro.*var*) *v.* **1.** Não aprovar, recusar, rejeitar: *Os economistas reprovam o aumento da taxa de juros.* **2.** Censurar severamente; recriminar, desaprovar: *Não reprove seus filhos diante de estranhos.* **3.** Não aprovar (alguém) em prova ou concurso: *A banca examinadora decidiu reprovar todos os candidatos.* ▶ Conjug. 20.

reprovável (re.pro.*vá*.vel) *adj.* Que merece reprovação: *atitude reprovável.*

reptar (rep.*tar*) *v.* **1.** Dirigir repto ou desafio a; desafiar, provocar: *Reptou seus detratores.* **2.** Estar em oposição a; opor-se: *reptar a autoridade constituída.* ▶ Conjug. 8 e 33. – **reptação** *s.f.*

reptil (rep.*til*) *s.m.* (*Zool.*) Réptil. || pl.: *reptis*.

réptil (*rép*.til) *s.m.* (*Zool.*) Animal vertebrado rastejante, cujo corpo se apresenta coberto de escamas ou placas, como as serpentes, os lagartos e os crocodilos, ou carapaças, como as tartarugas. || pl.: *répteis*.

república (re.*pú*.bli.ca) *s.f.* **1.** Forma de governo na qual o povo elege pelo voto os representantes que irão exercer o Poder Executivo e o Poder Legislativo do Estado durante um mandato de duração determinada pela constituição em vigor. **2.** O país que tem essa forma de governo. **3.** Grupo de estudantes que vivem em coletividade. **4.** Essa habitação coletiva. || *República federativa*: república que se divide em estados autônomos quanto a sua administração e interesses, mas que compõem uma unidade federal: *O Brasil é uma república federativa.*

republicano (re.pu.bli.*ca*.no) *adj.* **1.** Relativo a ou próprio de república: *Depois de mais de um século do regime republicano, ainda há monarquistas no Brasil.* **2.** Que é partidário da república como forma de governo. • *s.m.* **3.** Pessoa partidária da república: *Benjamim Constant foi um grande republicano.*

republicar (re.pu.bli.*car*) *v.* Tornar a publicar; reeditar: *A editora irá republicar várias obras há muito esgotadas.* ▶ Conjug. 5 e 35.

repudiar (re.pu.di.*ar*) *v.* **1.** Não admitir; não aceitar; condenar, repelir: *repudiar o preconceito, a violência.* **2.** Deixar ao desamparo; abandonar, largar: *A família não repudiou o filho pródigo.* **3.** (*Jur.*) Separar-se legalmente de um cônjuge; divorciar-se: *repudiar a esposa, o esposo.* ▶ Conjug. 17.

repúdio (re.*pú*.di:o) *s.m.* **1.** Ato ou efeito de repudiar; não aceitação; rejeição: *Manifestou seu repúdio à corrupção reinante.* **2.** (*Jur.*) Dissolução do casamento por parte de um dos cônjuges.

repugnância (re.pug.*nân*.ci:a) *s.f.* **1.** Sentimento de aversão, animosidade ou repúdio, motivado ou sem causa aparente: *Ele tem verdadeira repugnância aos falsos e hipócritas.* **2.** Sensação física de repulsa, asco ou nojo: *repugnância a ratos e baratas.*

repugnante (re.pug.*nan*.te) *adj.* **1.** Que repugna; que provoca aversão ou repulsa; nojento, asqueroso, nauseabundo. **2.** *fig.* Que causa indignação ou revolta; revoltante.

repugnar (re.pug.*nar*) *v.* **1.** Provocar repugnância (1) e (2) em: *O cidadão repugna o crime e a impunidade; O cheiro nauseabundo repugnava a todos; O horror da guerra repugna; As crianças se repugnam com certos alimentos.* **2.** Ser contrário a; ser incompatível com; contrariar, opor-se: *A mera suposição repugna à ciência.* ▶ Conjug. 5 e 33.

repulsa (re.*pul*.sa) *s.f.* Sentimento de repúdio ou repugnância; repulsão: *Os atos de vandalismo com os bens públicos causam repúdio a toda a população.*

repulsão (re.pul.*são*) *s.f.* **1.** Repulsa. **2.** (*Fís.*) Força com que dois corpos ou partículas se repelem mutuamente.

repulsivo (re.pul.si.vo) adj. Que provoca repulsa; repugnante, repelente.

reputação (re.pu.ta.ção) s.f. **1.** Conceito (bom ou mau) em que uma pessoa é tida em seu meio social ou junto à opinião pública: *Sua reputação não é das melhores entre seus pares.* **2.** Prestígio, renome, consideração, fama: *Ganhou reputação como analista político.*

reputar (re.pu.tar) v. **1.** Ter(-se) em conta de; julgar(-se), considerar(-se): *Reputo-o o mais indicado para a direção da empresa; Reputa-se muito capaz para exercer o cargo.* **2.** Avaliar, calcular, estimar: *Reputa-se em bilhões o saldo da balança comercial.* ▶ Conjug. 5.

repuxar (re.pu.xar) v. **1.** Puxar para trás, com força ou violência: *A correnteza repuxava os barcos; Hoje o mar está repuxando.* **2.** Esticar, espichar: *Repuxou o cabelo e prendeu-o no alto da cabeça.* **3.** Contrair, franzir: *repuxar os lábios, os olhos.* ▶ Conjug. 5. – **repuxado** adj. s.m.

repuxo (re.pu.xo) s.m. **1.** Ato ou efeito de repuxar. **2.** Construção para a condução de água, de maneira que ela se eleve em um jato contínuo. **3.** Esse jato de água.

requalificar (re.qua.li.fi.car) v. Tornar a qualificar; atribuir nova qualificação a: *requalificar novos servidores para o cargo.* ▶ Conjug. 5 e 35. – **requalificação** s.f.

requebrado (re.que.bra.do) adj. **1.** Que tem requebros (2). • s.m. **2.** Requebro do corpo; bamboleio, remelexo, rebolado.

requebrar (re.que.brar) v. Mover (o corpo) em meneios ritmados; rebolar(-se), remexer(-se), bambolear(-se): *requebrar os quadris; Requebrava-se com graça ao dançar.* ▶ Conjug. 8.

requeijão (re.quei.jão) s.m. Queijo pastoso, produzido com a nata do leite coalhado pela ação do calor.

requeimar (re.quei.mar) v. **1.** Tornar a queimar ou queimar demasiado: *A antiga fiação requeimou; A cozinheira sempre requeima a comida.* **2.** Tostar, crestar, torrar: *O sol a pino requeimava a pele.* **3.** Ter sabor acre ou picante; arder: *A comida apimentada requeimou minha boca; Aprecio as especiarias que requeimam.* ▶ Conjug. 18.

requentar (re.quen.tar) v. **1.** Tornar a esquentar (comida, bebida): *requentar a sopa.* **2.** *fig.* Insistir em (assunto, notícia) bastante conhecido; reprisar: *A revista não apresentou fatos novos, apenas requentou o que já se sabia.* ▶ Conjug. 5.

requerente (re.que.ren.te) adj. **1.** Que requer. • s.m. e f. **2.** Autor de um requerimento. **3.** (Jur.) Impetrante, suplicante (2).

requerer (re.que.rer) v. **1.** Encaminhar requerimento (2) à autoridade pública competente; pleitear: – *Já tenho tempo de serviço para requerer aposentadoria;* – *Venho requerer a Vossa Senhoria a concessão da licença-prêmio a que faço jus.* **2.** Pedir, demandar, exigir, reclamar: *O estado de saúde da paciente requer cuidados; As crianças requerem dos pais muita atenção.* **3.** Solicitar (apoio, ajuda, serviço etc.) de alguém: *O policiamento requer um número maior de guardas e viaturas.* **4.** Ter merecimento; ser digno de; merecer: *O sucesso de seu novo livro requer grandes comemorações.* **5.** Determinar, exigir: *A ocasião requer traje a rigor.* **6.** (Jur.) Fazer petição em juízo; impetrar ação: *requerer o divórcio, a guarda dos filhos.* ▶ Conjug. 52.

requerido (re.que.ri.do) adj. **1.** Que se solicitou ou pleiteou. • s.m. **2.** O objeto ou o conteúdo do requerimento.

requerimento (re.que.ri.men.to) s.m. **1.** Ato ou efeito de requerer. **2.** Petição escrita à autoridade administrativa ou judicial, tendo em vista a concessão de algo a que se tem direito.

requestado (re.ques.ta.do) adj. **1.** Que se requestou; pedido, solicitado, pleiteado: *direitos requestados.* **2.** Disputado, cortejado, galanteado: *Era a moça mais requestada do baile.*

requestar (re.ques.tar) v. **1.** Pedir, solicitar, demandar, pleitear: *requestar o apoio dos correligionários.* **2.** Tentar conquistar (uma mulher); cortejar, galantear: *requestar a bela vizinha.* ▶ Conjug. 8.

réquiem (ré.qui:em) s.m. **1.** (Rel.) Missa católica realizada em memória dos mortos. **2.** (Mús.) Composição sobre o texto litúrgico da missa dos mortos: *Grandes autores, como Mozart e Verdi, compuseram réquiens.*

requintar (re.quin.tar) v. **1.** Aprimorar(-se), esmerar(-se), apurar(-se), refinar(-se), sofisticar(-se): *requintar as maneiras; Seu gosto requintou-se em contato com os artistas.* **2.** Proceder com elegância e refinamento; caprichar, exceder-se: *A anfitriã requintava-se em gentilezas para com os convidados.* ▶ Conjug. 5. – **requintado** adj.

requinte (re.quin.te) s.m. **1.** Ato ou efeito de requintar(-se). **2.** Grande esmero; refinamento, elegância, sofisticação: *A casa foi mobiliada com grande requinte.* **3.** Manifestação (qualidade, sentimento etc.) no mais alto grau; exagero, excesso: *O sequestro teve requintes de crueldade.*

requisição

requisição (re.qui.si.*ção*) *s.f.* **1.** Ato ou efeito de requisitar; pedido, solicitação, requerimento: *requisição de material*. **2.** (*Jur.*) Ato da Justiça que determina que se cumpra uma exigência legal ou se tomem as devidas providências: *requisição de documentos*.

requisitante (re.qui.si.*tan*.te) *adj. s.m. e f.* Que requisita, pede ou exige: *funcionário requisitante*.

requisitar (re.qui.si.*tar*) *v.* **1.** Fazer requisição (1); pedir, solicitar, requerer: *requisitar uma bolsa de estudos; O chefe requisitou à superintendência mais funcionários para o setor*. **2.** (*Jur.*) Determinar o cumprimento de uma exigência legal: *O juiz requisitou a presença de testemunhas*. ▶ Conjug. 5. – **requisitado** *adj.*

requisito (re.qui.si.to) *s.m.* **1.** Condição que deve ser satisfeita, para alcançar-se determinado fim: *Esta é a lista dos requisitos para o cargo que pretende*. **2.** (*Jur.*) Exigência legal para que um ato se cumpra dentro das regras jurídicas.

requisitório (re.qui.si.*tó*.ri:o) *adj.* **1.** Que requisita; precatório: *carta requisitória*. • *s.m.* **2.** (*Jur.*) Requisição escrita em que o representante do Ministério Público apresenta a fundamentação de uma acusação judicial.

rés *s.m.* Usado apenas na locução *ao rés de*. || *Ao rés de*: próximo de, rente a, ao nível de: *ao rés do chão*.

rês *s.f.* Qualquer quadrúpede (vaca, carneiro etc.), que se abate para a alimentação do homem.

rescaldo (res.*cal*.do) *s.m.* **1.** Ação ou efeito de lançar água para apagar os últimos focos em um incêndio: *Os bombeiros ainda trabalhavam no rescaldo do incêndio*. **2.** *fig.* Aquilo que resta ou sobra de (alguma coisa); resultado, saldo: *É difícil eliminar o rescaldo de tantas décadas de improbidade administrativa*. – **rescaldar** *v.* ▶ Conjug. 5.

rescindir (res.cin.*dir*) *v.* Promover a rescisão; tornar nulo; revogar, invalidar, dissolver, resilir: *rescindir um contrato, um acordo*. ▶ Conjug. 66. – **rescindível** *adj.*; **rescisório** *adj.*

rescisão (res.ci.*são*) *s.f.* **1.** Ato ou efeito de rescindir. **2.** (*Jur.*) Anulação judicial de (um ato) decretada pelo juiz.

rés do chão *s.m.2n.* Pavimento de casa ou edifício ao nível do chão; andar térreo.

resedá (re.se.*dá*) *s.m.* (*Bot.*) Erva de flores amarelas e perfumadas, cultivada como ornamental e para extração de óleo e de tintura.

resenha (re.se.nha) *s.f.* **1.** Ato ou efeito de resenhar. **2.** Descrição pormenorizada de (um fato) em seus vários aspectos. **3.** Apreciação breve de um livro; recensão: *Faz resenhas para o caderno literário do jornal*. **4.** Resumo ou apanhado de notícias ou matérias veiculadas pela imprensa, rádio ou televisão num determinado período: *Assiste sempre à resenha esportiva em seu canal preferido*.

resenhar (re.se.*nhar*) *v.* Fazer a resenha de (livro, matéria, noticiário): *O veterano jornalista era o encarregado de resenhar os jogos na televisão*. ▶ Conjug. 5.

reserva [é] (re.*ser*.va) *s.f.* **1.** Ato ou efeito de reservar(-se). **2.** Estoque ou acúmulo de (algo), a ser utilizado em alguma emergência; poupança, economia: *reserva de água potável; reserva de dinheiro*. **3.** Ação de garantir com antecedência o ingresso em casas de espetáculos ou meios de transporte, ou uma vaga em hotel, restaurante etc.: *Os cinemas não fazem reserva*. **4.** Quantidade de recursos naturais (minério, carvão ou petróleo) existentes numa região ou país. **5.** Lastro monetário de um país: *O Brasil vem aumentando sua reserva de dólares*. **6.** Área administrada pelo Estado para conservação e proteção de sua fauna e flora: *reserva florestal*. **7.** Território delimitado pelo Estado para o assentamento de populações indígenas: *reserva indígena*. **8.** (*Mil.*) Conjunto de cidadãos aptos para o serviço militar, postos à disposição das Forças Armadas: *oficiais da reserva do Exército*. **9.** (*Esp.*) Em esportes coletivos, jogador que pode substituir o titular; suplente: *Ficou no banco de reservas todo o primeiro tempo*. **10.** *fig.* Ressalva, restrição, condição: *Tenho reservas a fazer quanto a sua dissertação*. **11.** *fig.* Discrição, sigilo, cuidado: *É um assunto confidencial, conto com sua reserva*. • *reservas*: *s.m.pl.* **12.** (*Econ.*) Conjunto dos recursos monetários de um país, resultante do *superavit* em seu balanço de pagamento: *reservas cambiais*. **13.** Alimentos acumulados em parte do organismo, suscetíveis de serem transformados em fonte de energia: *reservas alimentares*. || *Sob reservas*: (*Jur.*) exprime que o ato jurídico é praticado sob condições ou cláusulas restritivas; sob protestos.

reservado (re.ser.*va*.do) *adj.* **1.** Que se reservou: *ingresso reservado*. **2.** Posto de reserva; poupado, economizado: *dinheiro reservado para emergências*. **3.** Circunspecto, retraído, discreto: *jovem reservada*. **4.** Confidencial, sigiloso: *papéis reservados*. • *s.m.* **5.** Compar-

1112

timento particular ou privativo: *Ocupou o reservado dos não fumantes*. **6.** *coloq.* Sanitário, privada.

reservar (re.ser.*var*) *v.* **1.** Fazer reserva (1); pôr de parte; guardar, poupar, economizar: *A família reservou parte da renda familiar para a viagem de férias*. **2.** Fazer reserva (3): *Reservou ingressos para o balé no Municipal*. **3.** Destinar, ocasionar, preparar: *Não sei o que o futuro me reserva*. **4.** Pôr à disposição de; conceder: *reservar terras para os índios*. **5.** Guardar(-se), preparar(-se), proteger(-se): *Reservo-me o direito de permanecer calado; O atleta reservou-se para as provas finais*. ▶ Conjug. 8.

reservatório (re.ser.va.*tó*.ri:o) *adj.* **1.** Próprio para reservar (coisas). • *s.m.* **2.** Lugar apropriado para guardar e conservar (materiais, grãos etc.); depósito. **3.** Grande construção para acúmulo e tratamento da água destinada ao consumo da população. **4.** (*Biol.*) Lugar no organismo onde vive e se multiplica um agente infeccioso e de onde pode ser transmitido a um hospedeiro.

reservista (re.ser.vis.ta) *s.m. e f.* (*Mil.*) Militar que está na reserva (8).

resfolegar (res.fo.le.*gar*) *v.* **1.** Respirar com dificuldade, por grande esforço ou cansaço: *Subia resfolegando a escadaria*. **2.** Fazer ruído semelhante ao resfôlego: *A velha locomotiva resfolegava, subindo a serra*. • *s.m.* **3.** Resfôlego: *Ouvia-se o resfolegar do asmático no quarto*. ▶ Conjug. 27. – **resfolegante** *adj.*

resfôlego (res.*fô*.le.go) *s.m.* Ato ou efeito de resfolegar.

resfriado (res.fri:*a*.do) *adj.* **1.** Que sofreu resfriamento: *motor resfriado*. **2.** Que tem resfriado (4): *Em casa, todos estão resfriados*. • *s.m.* **3.** Ação ou efeito de resfriar. **4.** (*Med.*) Infecção das vias respiratórias causada, principalmente, por vírus, que se manifesta por inflamação da mucosa do nariz e da garganta, coriza, tosse, cefaleia, mal-estar e pouca ou nenhuma febre.

resfriamento (res.fri:a.*men*.to) *s.m.* **1.** Ato ou efeito de resfriar, de promover o abaixamento de uma temperatura. **2.** Condição de quem ficou resfriado (2).

resfriar (res.fri:*ar*) *v.* **1.** Submeter a resfriamento: *resfriar o aço*. **2.** Apanhar um resfriado: *Tome cuidado no inverno para não resfriar; Com a aplicação da vacina, os idosos se resfriam menos*. **3.** Tornar(-se) frio; esfriar(-se): *A sopa resfriou (-se)*. **4.** *fig.* Desanimar(-se), desalentar(-se),

residência

esmorecer: *O ardor da juventude resfriou(-se) com o passar dos anos*. ▶ Conjug. 17.

resgatar (res.ga.*tar*) *v.* **1.** Libertar(-se) de (cativeiro, sequestro), com ou sem pagamento de quantia em dinheiro: *A polícia resgatou a mãe e os filhos sequestrados por ladrões; O refém conseguiu resgatar-se do local onde fora escondido*. **2.** Retirar vítimas (vivas ou mortas) de acidentes trágicos: *Os bombeiros conseguiram resgatar alguns sobreviventes do desastre aéreo*. **3.** Reaver, recuperar, readquirir (coisa já possuída): *Vou resgatar minhas joias penhoradas*. **4.** Extinguir (dívida, título, promissória etc.), mediante pagamento; quitar: *resgatar um empréstimo*. **5.** Retirar parte do dinheiro de um fundo de investimento: *Resgatou somente o necessário, para cobrir despesas imprevistas*. **6.** *fig.* Voltar a ter; recuperar, recobrar, retomar: *resgatar a saúde; resgatar a fé perdida*. ▶ Conjug. 5. – **resgatável** *adj.*

resgate (res.*ga*.te) *s.m.* **1.** Ato ou efeito de resgatar(-se); libertação. **2.** Quantia paga por essa libertação. **3.** Recuperação de algo vendido ou penhorado, mediante pagamento do valor estabelecido. **4.** Pagamento de um débito; quitação. **5.** Recolhimento de vítimas de acidentes ou catástrofes.

resguardar (res.guar.*dar*) *v.* **1.** Guardar(-se) com cuidado; proteger(-se), defender(-se): *resguardar a saúde; Os pais sabem resguardar os filhos dos perigos; Procurava apoio para resguardar-se dos vícios*. **2.** Servir de proteção; cobrir, tapar: *Os óculos escuros resguardam a vista da forte claridade*. **3.** Proteger (o próprio corpo) das intempéries do tempo: *Resguardou a cabeça com o gorro de lã; Resguarde-se bem contra o vento*. **4.** Ter obediência a; observar, cumprir, guardar: *resguardar as leis*. ▶ Conjug. 5.

resguardo (res.*guar*.do) *s.m.* **1.** Ato ou efeito de resguardar(-se). **2.** Qualquer meio de preservação contra perigos ou danos: *Pôs uma grade de resguardo nas portas e janelas da casa*. **3.** Prevenção contra fenômenos climáticos extremados: *resguardo da chuva; resguardo contra o sol inclemente*. **4.** Período, após o parto, em que a mulher observa certos cuidados e mantém repouso.

residência (re.si.*dên*.ci:a) *s.f.* Lugar onde se reside; casa, moradia, domicílio: *Preencha a ficha com a rua, o número e o bairro de sua residência*. ‖ *Residência médica*: período de treinamento de um médico em um hospital, após sua graduação.

residencial

residencial (re.si.den.ci:al) *adj.* **1.** Destinado para residências: *prédio residencial.* **2.** Em que há residências: *rua residencial.*

residente (re.si.den.te) *adj.* **1.** Que reside em determinado local; morador, habitante. **2.** Que faz residência médica. • *s.m. e f.* **3.** Pessoa residente (1) e (2).

residir (re.si.*dir*) *v.* **1.** Ter residência ou domicílio em; morar, habitar, viver: *Depois de casados, passaram a residir em Brasília.* **2.** Ter lugar; localizar-se, achar-se: *Onde reside exatamente a dor que o senhor está sentindo?* **3.** *fig.* Ser inerente a; estar presente em: *O mal e o bem residem no coração humano.* **4.** Ter fundamento; consistir em; basear-se: *O desenvolvimento de um país reside na educação.* ▶ Conjug. 66.

residual (re.si.du:al) *adj.* Relativo a ou próprio de resíduo: *A atividade industrial descarrega um elevado índice residual no meio ambiente.*

resíduo (re.sí.du:o) *adj.* **1.** Substância que fica depois de uma transformação mecânica, física ou química; resto, sedimento: *resíduos da cana-de-açúcar; resíduo atômico.* **2.** *fig.* Resto, vestígio, resquício, traço: *Não ficara nenhum resíduo da chama daquele amor.*

resignação (re.sig.na.ção) *s.f.* **1.** Ato ou efeito de resignar(-se). **2.** Submissão à vontade de outrem ou aos desígnios do destino; conformação, aceitação, renúncia. **3.** Demissão voluntária de um cargo; exoneração a pedido.

resignar (re.sig.nar) *v.* **1.** Ter resignação (a); conformar-se: *Nunca se resignou à vida que levava; Não é humano resignar-se ao sofrimento.* **2.** Demitir-se voluntariamente; renunciar a (cargo); exonerar-se: *resignar a presidência da empresa.* ▶ Conjug. 5 e 33. – **resignado** *adj.*

resilir (re.si.*lir*) *v.* Rescindir (contrato); anular, desfazer, dissolver: *As partes contratantes decidiram resilir as cláusulas do contrato.* ▶ Conjug. 66.

resina (re.si.na) *s.f.* Substância amorfa, odorífera, secretada de diversas plantas, inflamável, insolúvel na água, mas podendo ser dissolvida no álcool ou no éter. || *Resina acrílica*: (*Quím.*) classe de resinas formada por derivados do etileno, usada na indústria de objetos de plástico e largamente aplicada na restauração de dentes.

resistência (re.sis.tên.ci:a) *s.f.* **1.** Ato ou efeito de resistir. **2.** Capacidade de suportar a fadiga, o esforço, a doença. **3.** Não submissão à vontade de (outrem); oposição, reação. **4.** Qualidade de quem demonstra força de caráter; firmeza, persistência. **5.** (*Fís.*) Força que se opõe ao movimento de um corpo. **6.** (*Eletr.*) Propriedade pertinente a todo condutor de opor-se à passagem da corrente elétrica. **7.** (*Med.*) Capacidade de um organismo para reagir a determinadas infecções ou ao efeito nocivo de fatores internos ou externos. **8.** (*Mil.*) Organização de (militares e civis) que se opõe à dominação estrangeira em seu território, com táticas não convencionais de emboscada, sabotagem e guerrilha. **9.** *fig.* Aquilo que causa embaraço ou transtorno; obstáculo, empecilho, estorvo: *A família exerce forte resistência ao noivado da filha.* || *Resistência do ar*: força que o ar, mesmo imóvel, opõe ao deslocamento de um corpo. • *Resistência dos materiais*: ciência que estuda as dimensões dos elementos de uma construção e as tensões e deformações a que estão sujeitos.

resistente (re.sis.ten.te) *adj.* **1.** Que tem resistência (2): *Os homens são mais resistentes a trabalhos pesados do que as mulheres.* **2.** Que opõe resistência (5) a qualquer força, rígido, sólido, firme, seguro: *materiais resistentes.* **3.** Que resiste ao desgaste do tempo; durável: *sapatos resistentes.* • *s.m. e f.* **4.** Membro de um movimento de resistência (7): *Os resistentes franceses lutaram valentemente contra os invasores nazistas.*

resistir (re.sis.*tir*) *v.* **1.** Oferecer resistência (2) a; não ceder, não sucumbir: *resistir ao pecado da gula; O acidentado não resistiu e morreu.* **2.** Opor resistência (3) a; não aceitar; recusar, negar: *Resistiu à proposta de candidatar-se.* **3.** Fazer frente a; lutar contra; defender-se: *A população resistiu à invasão das tropas estrangeiras; Os soldados resistiram até o fim.* **4.** Que tem resistência (5): *Essas vigas resistem bem ao peso da construção.* **5.** Sobreviver, subsistir, conservar-se: *A par do racionalismo e da ciência, a fé tem resistido através dos tempos.* ▶ Conjug. 66.

resistor [ô] (re.sis.tor) *s.m.* (*Eletr.*) Componente de um circuito elétrico, utilizado para impedir ou dificultar a passagem da corrente elétrica, de forma a controlar a voltagem em um circuito. || Impropriamente chamado de *resistência*.

resma [ê] (res.ma) *s.f.* Conjunto de quinhentas folhas de papel de um determinado tipo ou formato.

resmungão (res.mun.gão) *adj.* **1.** Que resmunga com frequência; ranzinza, rabugento. • *s.m.* **2.** Pessoa que resmunga muito. || f.: *resmungona.*

resmungar (res.mun.gar) *v.* Proferir em tom baixo, entre dentes, palavras pouco inteligíveis,

respiração

dando mostras de mau humor, impertinência, aborrecimento etc.: *O aluno, inseguro, resmungou respostas inaudíveis ao professor; Ele só vive resmungando, reclamando.* ▶ Conjug. 5 e 34. – **resmungo** *s.m.*; **resmunguento** *adj. s.m.*

resolução (re.so.lu.ção) *s.f.* **1.** Ato ou efeito de resolver(-se); solução. **2.** Decisão, deliberação, intenção, propósito: *Tenho que tomar logo uma resolução.* **3.** Ato deliberativo aprovado por (governo, congresso, assembleia, reunião de cúpula etc.): *A resolução sobre aquele tema ainda não foi publicada.* **4.** (*Med.*) Cura ou desaparecimento de (inflamação, tumor ou lesão), sem intervenção cirúrgica. **5.** (*Fot., Cine, Telv.*) Capacidade de (um sistema óptico ou de um processo fotográfico) reproduzir com nitidez os menores detalhes de uma imagem ou distinguir na foto objetos próximos uns dos outros; definição: *imagem de alta resolução.*

resoluto (re.so.lu.to) *adj.* **1.** Que demonstra firmeza em suas opiniões e atitudes; determinado, decidido, seguro: *Mantém-se resoluto em sua decisão de dedicar-se à carreira de músico.* **2.** Que foi resolvido, solucionado.

resolúvel (re.so.lú.vel) *adj.* **1.** Que se pode resolver: *problema resolúvel.* **2.** (*Mat.*) Que tem solução: *equação resolúvel.*

resolver (re.sol.ver) *v.* **1.** Tomar uma decisão ou deliberação; decidir(-se), determinar(-se): *Resolveu fazer a especialização no exterior; Ele ainda não se resolveu sobre a carreira a seguir.* **2.** (Fazer) chegar a (uma solução); explicar(-se), achar(-se), solucionar(-se): *Venha ao quadro resolver o problema; As desavenças familiares sempre se resolvem com bom-senso e compreensão.* **3.** Trazer vantagem, benefício ou proveito; ter algum efeito, adiantar: *O protesto isolado não resolve, mas sim a união de todos.* ▶ Conjug. 20.

respaldar¹ (res.pal.dar) *s.m.* As costas da cadeira; respaldo, espaldar.

respaldar² (res.pal.dar) *v.* **1.** Dar respaldo ou apoio a; apoiar; aprovar: *A opinião pública respalda as ações de protesto dos ambientalistas.* **2.** Tornar plano; aplainar, alisar: *respaldar o terreno.* ▶ Conjug. 5.

respaldo (res.pal.do) *s.m.* **1.** Ato ou efeito de respaldar. **2.** Apoio moral; aprovação: *Algumas medidas governamentais não contam com o respaldo da população.* **3.** Aplainamento ou nivelamento (do solo). **4.** Encosto de cadeira ou outro assento; respaldar, espaldar.

respectivo (res.pec.ti.vo) *adj.* **1.** Que, num conjunto de pessoas ou de coisas, diz respeito a cada um em particular ou separadamente: *Por favor, apresentem-se ao guichê com seus respectivos documentos.* **2.** Que compete ou pertence a (alguém ou algo) que foi citado anteriormente; devido, próprio: *Trouxeram o paciente, que foi tratado com os respectivos cuidados.*

respeitar (res.pei.tar) *v.* **1.** Ter respeito, deferência ou reverência por: *O bom comunicador respeita o público; Governo e oposição se respeitam.* **2.** Cumprir, acatar, observar: *É prova de cidadania respeitar as leis.* **3.** Levar em conta, considerar, reconhecer, admitir, aceitar: *respeitar as diferenças.* **4.** Dizer respeito a; ser concernente a; referir-se a; concernir: *Pelo que respeita a seus direitos, fique descansado.* **5.** Temer, recear: *Mesmo os domadores respeitam as feras.* **6.** Dar-se ao respeito; fazer-se respeitado: *Aquele que se respeita, merece o respeito de todos.* ▶ Conjug. 18.

respeitável (res.pei.tá.vel) *adj.* **1.** Digno de respeito; que deve ser respeitado: *mestres respeitáveis.* **2.** De grande importância ou de grande proporção; relevante, expressivo: *A tecnologia tem apresentado avanços respeitáveis.* – **respeitabilidade** *s.f.*

respeito (res.pei.to) *s.m.* **1.** Ato ou efeito de respeitar(-se). **2.** Consideração, deferência, reverência: *respeito aos idosos.* **3.** Obediência, acatamento, observância: *respeito às regras de trânsito.* **4.** Temor, receio, apreensão: *A tempestade impunha respeito aos moradores.* • **respeitos** *s.m.pl.* **5.** Cumprimentos, saudações: *Meus respeitos a seus pais.* || *A respeito de:* relativamente a; no tocante a. • *De respeito:* digno de respeito; respeitável. • *Dizer respeito:* ser relativo a; referir-se a. • *Faltar ao respeito:* tratar (alguém) de modo descortês ou grosseiro; desrespeitar. – **respeitoso** *adj.*

respingar (res.pin.gar) *v.* **1.** Lançar (um líquido) pingos ou borrifos; salpicar: *Tome cuidado para não respingar o café na toalha de mesa.* **2.** Manchar(-se) com borrifos ou salpicos: *Respingou de lama a barra da calça; Respingou-se todo com o molho da comida.* ▶ Conjug. 5 e 34. – **respingo** *s.m.*

respiração (res.pi.ra.ção) *s.f.* **1.** Ato ou efeito de respirar; respiro. **2.** (*Biol.*) Troca gasosa no organismo, pela qual os tecidos absorvem oxigênio de que necessitam e liberam gás carbônico, que passa a ser transportado do sangue para os pulmões; respiração interna. **3.** (*Biol.*) Conjunto de movimentos inspiratórios e expiratórios dos pulmões que levam o

respirador

oxigênio do ar até os alvéolos pulmonares e promovem a oxigenação do sangue; respiração externa. **4.** O ar que sai pela boca durante a respiração; hálito, bafo. || *Respiração artificial:* a que se realiza com o auxílio de um respirador mecânico.

respirador [ô] (res.pi.ra.*dor*) *adj.* **1.** Que serve para a respiração. • *s.m.* **2.** (*Med.*) Aparelho destinado a assegurar uma ventilação pulmonar eficiente.

respiradouro (res.pi.ra.*dou*.ro) *s.m.* **1.** Abertura por onde entra e sai um gás; respiro. **2.** Orifício de escapamento de (ar, vapores ou outras emanações). **3.** Orifício de ventilação. **4.** Tubo do equipamento de mergulho submarino, que permite ao mergulhador respirar com a cabeça sob a água por determinado período.

respirar (res.pi.*rar*) *v.* **1.** Aspirar (o organismo) oxigênio e expirar gás carbônico: *Os animais e os vegetais respiram.* **2.** Sorver, inspirar, inalar: *respirar o ar puro da montanha.* **3.** Estar vivo; viver: *Infelizmente ele deixou de respirar.* **4.** *fig.* Manifestar, evidenciar, mostrar, patentear: *Nesse lar respira-se muita harmonia.* **5.** *fig.* Sentir-se aliviado de (esforço, trabalho, preocupação); descansar, repousar: *Enfim vou poder respirar depois desse dia agitado.* **6.** *fig.* Ser tomado por (sentimento, sensação, interesse etc.): *A cidade toda respira a alegria do carnaval.* ▶ Conjug. 5.

respiratório (res.pi.ra.*tó*.ri:o) *adj.* **1.** Relativo a respiração: *problemas respiratórios.* **2.** Que serve para efetuar a respiração: *aparelho respiratório.*

respirável (res.pi.*rá*.vel) *adj.* Que se pode respirar: *atmosfera respirável.*

respiro (res.*pi*.ro) *s.m.* **1.** Ato ou efeito de respirar; respiração. **2.** Abertura de escape (do ar, de líquido, vapor, fumaça); respiradouro. **3.** *fig.* Descanso, repouso, folga, trégua: *É hora de tirar um respiro nas múltiplas atividades.*

resplandecência (res.plan.de.*cên*.ci:a) *s.f.* **1.** Ato ou efeito de resplandecer. **2.** Qualidade de resplandecente. **3.** Claridade de objeto que resplandece.

resplandecente (res.plan.de.*cen*.te) *adj.* Que resplandece; brilhante, rutilante, resplendente.

resplandecer (res.plan.de.*cer*) *v.* **1.** Brilhar intensamente; rutilar, luzir, resplender: *"... a imagem do Cruzeiro resplandece."* (Joaquim Osório Duque Estrada, *Hino Nacional Brasileiro*). **2.** Manifestar-se com brilhantismo; sobressair-se, distinguir-se, brilhar: *Sua graça feminina resplandecia entre tantas beldades.* ▶ Conjug. 39 e 46.

resplendente (res.plen.*den*.te) *adj.* Resplandecente.

resplender (res.plen.*der*) *v.* Resplandecer. ▶ Conjug. 39.

resplendor [ô] (res.plen.*dor*) *s.m.* **1.** Resplandecência. **2.** Auréola. **3.** *fig.* Brilho, glória, fama. **4.** Adereço carnavalesco, preso às costas e adornado com grandes plumas. – **resplendoroso** *adj.*

respondão (res.pon.*dão*) *adj.* **1.** Que responde mal às pessoas, de modo grosseiro. • *s.m.* **2.** Indivíduo respondão. || f.: *respondona.*

responder (res.pon.*der*) *v.* **1.** Dizer (algo), oralmente ou por escrito, em resposta: *Respondeu que não poderia ir; Logo respondeu à convocação do partido; Precisa responder ao diretor se aceita a indicação para o novo cargo; Ele só sabe perguntar, mas não gosta de responder.* **2.** Contestar, refutar, replicar, retorquir: *O advogado respondeu aos argumentos da acusação; O suspeito avocou-se o direito de não responder.* **3.** Ser respondido, questionador: *É feio uma criança que responde.* **4.** Dar em troca; retribuir: *Precisava responder às amabilidades dos novos vizinhos.* **5.** Corresponder(-se), equivaler(-se), condizer: *Esse prêmio responde aos esforços de todos; Amor e ódio frequentemente se respondem.* **6.** Ser responsável por; responsabilizar-se: *Respondo por meus atos.* **7.** Revidar (ataque, agressão): *Já não respondia aos golpes do adversário.* **8.** Reagir, resistir: *Seu organismo responde bem ao tratamento.* **9.** (*Jur.*) Ser submetido a (processo): *Esse homem responde por perjúrio e falso testemunho.* ▶ Conjug. 39.

responsabilidade (res.pon.sa.bi.li.*da*.de) *s.f.* **1.** Qualidade ou condição de quem é responsável. **2.** Obrigação de responder (6) pelos atos próprios ou pelos de outrem; encargo, dever, compromisso, ônus: *São muitas as responsabilidades de seu cargo.* **3.** (*Jur.*) Cumprimento das obrigações ou sanções impostas por um ato judicial: *Provada sua responsabilidade criminal, está sujeito à aplicação da pena.* **4.** Seriedade, sensatez, confiabilidade: *É um homem de responsabilidade.*

responsabilizar (res.pon.sa.bi.li.*zar*) *v.* **1.** Tornar(-se) ou considerar(-se) responsável; (fazer) assumir a responsabilidade: *Responsabilizou a conjuntura econômica pela falência da empresa; O jornal não se responsabiliza pelas matérias independentes publicadas.* **2.** (*Jur.*) Compelir (alguém) a cumprir um compromisso ou a pagar por ato praticado: *O inquérito administrativo responsabilizou o funcionário por desvio de dinheiro; Os pais responsabilizaram-se pela guarda partilhada dos filhos.* ▶ Conjug. 5. – **responsabilização** *s.f.*

responsável (res.pon.sá.vel) *adj.* **1.** Que tem responsabilidade (2); que responde pelas próprias ações ou pelas ações de outrem: *É responsável pela área de compra e venda da empresa.* **2.** Que cumpre suas obrigações; sério, correto: *profissional responsável.* **3.** (*Jur.*) Que possui responsabilidade (3); culpado: *Estão presos os responsáveis pelo crime.* • *s.m. e f.* **4.** Pessoa responsável.

responso (res.*pon*.so) *s.m.* (*Rel.*) **1.** Palavras cantadas ou recitadas nos ofícios litúrgicos, por uma ou mais vozes, e respondidas pelo coro. **2.** Oração que se dirige a Santo Antônio para recuperar um objeto perdido.

responsório (res.pon.só.ri:o) *s.m.* (*Rel.*) Livro de responsos.

resposta [ó] (res.*pos*.ta) *s.f.* **1.** Ato ou efeito de responder. **2.** Solução afirmativa ou negativa a (pergunta, consulta, proposta, problema etc.): *A resposta a meu pedido foi positiva; Não acertou a resposta do problema.* **3.** Revide a (golpe, agressão, ataque etc.); reação: *A resposta da polícia ao cerco dos traficantes foi imediata.* **4.** (*Fís.*) Qualquer mudança produzida por um estímulo num instrumento. **5.** (*Med.*) Incidência de um efeito sobre (um organismo): *A medicação não teve a resposta esperada.*

resquício (res.*quí*.ci:o) *s.m.* **1.** Resíduo de algum material; resto: *Encontraram resquícios de pólvora nas mãos do suspeito.* **2.** Vestígio, remanescência, traço, sinal: *Naquela casa ainda havia resquícios da antiga riqueza.*

ressabiado (res.sa.bi:a.do) *adj.* Que se ressabiou; desconfiado, assustadiço: *Ficava ressabiado diante de desconhecidos.*

ressaca (res.*sa*.ca) *s.f.* **1.** Forte movimento das ondas, resultante de mar agitado, quando se choca contra obstáculos do litoral. **2.** Mal-estar causado pelo excesso de bebida alcoólica ou por uma noite passada em claro.

ressaibo (res.*sai*.bo) *s.m.* **1.** Sabor desagradável proveniente de resto de comida ou bebida aderente a (panela, prato, copo etc.); ranço. **2.** *fig.* Vestígio, indício, traço, resquício: *Havia ressaibos de lágrimas em seus olhos.* **3.** *fig.* Sentimento de mágoa, decepção, desgosto, ressentimento: *Ficaram-lhe ressaibos de amargura pelo compromisso desfeito.*

ressaltar (res.sal.*tar*) *v.* Pôr ou ficar em destaque, em relevo; sobressair-se, distinguir-se, destacar-se, salientar-se: *Os jornais ressaltaram a bravura dos soldados do fogo na tragédia; O olhar doce ressaltava no rosto da madona.* ▶ Conjug. 5.

ressalto (res.*sal*.to) *s.m.* **1.** Ato ou efeito de ressaltar. **2.** Parte saliente que se destaca de uma superfície; relevo, saliência. **3.** Salto repentino para trás; recuo.

ressalva (res.*sal*.va) *s.f.* **1.** Nota para validar rasuras em documentos: *Fez uma ressalva no verso do cheque, para corrigir a data.* **2.** Nota inserida em uma publicação, com a relação dos erros ocorridos e respectivas correções; errata. **3.** Cláusula que modifica termos de um contrato. **4.** Certidão que comprova a isenção dos deveres militares ou eleitorais. **5.** Restrição, exceção, reserva: *Gostei do filme, mas com ressalvas sobre a interpretação dos atores.*

ressalvar (res.sal.*var*) *v.* **1.** Fazer ressalva em (texto, documento, contrato) para emendá-los e validá-los: *Na segunda edição, o autor ressalvou as incorreções da obra.* **2.** Livrar(-se) de responsabilidade ou culpa; eximir(-se); excluir(-se), isentar(-se): *Ressalvou o sócio de toda a culpa pelos problemas financeiros da firma; A empreiteira ressalvou-se da responsabilidade do desmoronamento da obra.* ▶ Conjug. 5.

ressarcimento (res.sar.ci.*men*.to) *s.m.* **1.** Ato ou efeito de ressarcir(-se). **2.** (*Jur.*) Ato pelo qual se cumpre o pagamento, compensação ou indenização por danos ou prejuízos causados.

ressarcir (res.sar.*cir*) *v.* (Fazer) efetuar o ressarcimento; pagar(-se), compensar(-se), indenizar(-se), reparar(-se): *ressarcir danos; A sentença judicial determinou que o banco ressarcisse os clientes dos juros abusivos; Procurou a Justiça para ressarcir-se da cobrança indevida de multas.* ‖ Para alguns, só se conjugaria nas formas arrizotônicas; modernamente constata-se seu uso também nas formas rizotônicas. ▶ Conjug. 66 e 94.

ressecado (res.se.*ca*.do) *adj.* Que se ressecou; muito seco, ressequido: *solo ressecado; cabelos ressecados.*

resseção (res.se.*ção*) *s.f.* Ressecção.

ressecar[1] (res.se.*car*) *v.* Tornar(-se) muito seco; ressequir(-se): *A baixa umidade nessa época do ano resseca a pele; O sertanejo via ressecarem-se os rios e açudes na longa estiagem.* ▶ Conjug. 8 e 35. – **ressecamento** *s.m.*

ressecar

ressecar² (res.se.*car*) v. (*Med.*) Fazer a ressecção de: *ressecar um músculo.* ▶ Conjug. 8 e 35.

ressecção (res.sec.*ção*) s.f. (*Med.*) Operação cirúrgica pela qual se faz a extração parcial de um órgão, segmento ou tecido. || *resseção*.

resseguro (res.se.gu.ro) adj. Operação de transferência de parte dos riscos de um seguro e respectivos prêmios de uma companhia seguradora para outra, que por eles passa a ser responsável. – **ressegurar** v. ▶ Conjug. 5.

ressentimento (res.sen.ti.*men*.to) s.m. **1.** Ato ou efeito de ressentir(-se). **2.** Sentimento de mágoa ou decepção por uma atitude descortês, ofensiva ou danosa (de outrem).

ressentir (res.sen.*tir*) v. **1.** Tornar(-se) presa de ressentimento; magoar(-se), ofender(-se), melindrar(-se): *O adolescente ressentia a incompreensão da família; Os empregados se ressentiam das diatribes dos patrões; Ela se ressente facilmente.* **2.** Sentir os efeitos ou sofrer as consequências de (alguma coisa): *Os passageiros se ressentem de mais segurança e pontualidade em seus voos.* ▶ Conjug. 69.

ressequir (res.se.*quir*) v. Tornar(-se) muito seco; ressecar(-se): *O sol abrasador ressequia as pastagens; Esquecidas, as flores ressequiam-se no jarro.* ▶ Conjug. 66 e 86. – **ressequido** adj.

ressoar (res.so:ar) v. **1.** Soar com força ou com estrondo; retumbar: *As trombetas do castelo ressoavam, advertindo do iminente ataque.* **2.** Fazer soar; entoar, tocar, cantar: *Os sinos ressoavam seus tristes toques; O coro de cem vozes ressoou pela sala de concertos.* **3.** Reproduzir (sons); repercutir, ecoar: *A caverna ressoava os gritos de animais noturnos; No silêncio da noite, ressoavam passos apressados.* ▶ Conjug. 25. – **ressoante** adj.

ressocializar (res.so.ci:a.li.*zar*) v. Tornar a socializar(-se): *O Estatuto da Criança e do Adolescente pretende ressocializar os menores infratores; Ao ganhar a liberdade, procurou ressocializar(-se).* ▶ Conjug. 5. – **ressocialização** s.f.

ressonância (res.so.*nân*.ci:a) s.f. **1.** Repercussão de sons: *a ressonância dos trovões.* **2.** *fig.* Repercussão, consequência: *O acidente aéreo teve uma ressonância nacional.* **3.** (*Fís.*) Fenômeno que experimenta um sistema oscilante (mecânico, acústico, elétrico etc.) quando recebe impulsos de frequência igual à sua ou a seu múltiplo. || *Ressonância magnética nuclear*: (*Fís.*) Método de produção de imagens, baseado na propriedade de certos núcleos atômicos, quando colocados em um campo magnético forte, de emitir parte da energia sob a forma de um sinal de rádio.

ressonar (res.so.*nar*) v. **1.** Respirar com regularidade durante o sono: *O bebê ressonava tranquilo no colo da mãe.* **2.** Respirar com ruído durante o sono; roncar: *Tão logo adormecia, o marido começava a ressonar forte.* **3.** Fazer soar; ressoar: *O carrilhão ressona inexoravelmente as horas; Os sinos ressonam nas festas do padroeiro.* **4.** Soar forte; retumbar, ressoar: *Ressonam os toques da banda marcial.* ▶ Conjug. 5. – **ressonante** adj.

ressudar (res.su.*dar*) v. **1.** Deixar passar (líquido); destilar, gotejar, ressumar: *Do velho cano ressudava um filete de água.* **2.** Suar muito; transpirar: *O corpo ressudava no calor do meio-dia.* **3.** Expelir por meio do suor; transudar: *Cristo, na agonia, ressudou sangue.* ▶ Conjug. 5.

ressumar (res.su.*mar*) v. **1.** Deixar cair (um líquido) gota a gota; gotejar; destilar, verter, ressudar: *O caucho ressuma a resina da borracha.* **2.** *fig.* Deixar(-se) transparecer; manifestar(-se), revelar(-se), evidenciar(-se): *Seu corpo ressuma sensualidade; A felicidade parecia ressumar de sua figura.* || *ressumbrar*. ▶ Conjug. 5.

ressumbrar (res.sum.*brar*) v. Ressumar. ▶ Conjug. 5.

ressurgir (res.sur.*gir*) v. **1.** Tornar a surgir; reaparecer: *A Lua surgia e ressurgia por entre as nuvens;* (*fig.*) *A paz ressurgirá um dia.* **2.** Ressuscitar, reviver, renascer: *No Credo, recita-se que Cristo ressurgiu dos mortos e subiu ao céu.* ▶ Conjug. 92. – **ressurgimento** s.m.

ressurreição (res.sur.rei.*ção*) s.f. **1.** Ato ou efeito de ressurgir ou ressuscitar; ressuscitação: *A ressurreição dos mortos é um dogma da fé cristã.* **2.** (*Rel.*) Festa em que a Igreja celebra, no domingo de Páscoa, a ressurreição de Cristo. **3.** *fig.* Ressurgimento, reaparecimento, retorno: *O cinema promoveu a ressurreição de veteranos atores há muito afastados.*

ressuscitação (res.sus.ci.ta.*ção*) s.f. **1.** Ato ou efeito de ressuscitar; ressurreição. **2.** (*Med.*) Conjunto de medidas de emergência para restabelecer a respiração e os batimentos cardíacos, em caso de morte aparente de um paciente, mediante respiração artificial ou massagem cardíaca.

ressuscitar (res.sus.ci.*tar*) v. **1.** Restituir à vida; fazer reviver: *Segundo o relato bíblico, Cristo ressuscitou Lázaro.* **2.** Voltar a viver; renascer, ressurgir: *Os cristãos creem que ressurgirão em corpo e alma.* **3.** *fig.* Reaparecer, ressurgir, reviver: *Para que ressuscitar velhas mágoas?*; *O velho político ressuscitou do longo ostracismo voluntário.* **4.** *fig.* Trazer à memória; reproduzir, recordar, lembrar: *ressuscitar o passado distante.* ▶ Conjug. 5.

restabelecer (res.ta.be.le.cer) *v.* **1.** Tornar a estabelecer(-se); voltar à antiga condição ou posição: *Os filhos restabeleceram a empresa da família*; *Restabeleceu-se com a mulher no Rio, depois de longa estada em Brasília.* **2.** Recuperar (as forças, a saúde); recobrar(-se), revigorar(-se), reparar(-se): *Os exercícios físicos restabeleceram-no*; *Restabeleci-me completamente da forte virose.* **3.** Instituir(-se) novamente; reinstalar(-se); reimplantar(-se); restaurar(-se): *O acordo restabeleceu a paz entre os países beligerantes*; *Após os anos de arbítrio, restabeleceu-se a democracia.* ▶ Conjug. 41 e 46. – **restabelecimento** *s.m.*

restante (res.*tan*.te) *adj.* **1.** Que resta; que sobra; remanescente: *Pagou de uma vez as parcelas restantes da dívida.* • *s.m.* **2.** Aquilo que resta; resto, sobra: *Conte-nos o restante da história.*

restar (res.*tar*) *v.* **1.** Ficar como resto de (alguma coisa); sobrar, sobejar, remanescer: *Restaram da juventude as boas recordações*; *Endividado, só lhe restou a casa herdada dos pais.* **2.** Faltar por fazer, concluir ou cumprir: *Ainda restam vários candidatos para entrevistar*; *Resta-me toda uma obra para revisar.* ▶ Conjug. 8.

restauração (res.tau.ra.*ção*) *s.f.* **1.** Ato ou efeito de restaurar(-se). **2.** Retorno a um estado ou condição anterior; restabelecimento: *restauração da saúde.* **3.** Recuperação de obra de arte ou edifício parcialmente danificado, para restituí-lo, dentro do possível, à forma original; restauro: *Trabalha na restauração de igrejas coloniais.* **4.** Restabelecimento de um sistema político que havia sido destituído ou abolido: *a restauração da monarquia na Espanha.* || *Restauração dentária*: (Odont.) procedimento para substituir ou restabelecer, por meios artificiais, dentes que faltem ou apresentem lesões.

restaurante (res.tau.*ran*.te) *s.m.* Estabelecimento comercial em que se preparam e servem refeições.

restaurar (res.tau.*rar*) *v.* **1.** Pôr em bom estado; recompor; recuperar, reparar, consertar: *restaurar os móveis*; *restaurar um dente.* **2.** Instituir novamente; restabelecer: *restaurar a democracia*; *restaurar a moralidade na vida pública.* **3.** Reaver, recuperar, recobrar, readquirir: *restaurar a confiança perdida.* **4.** Restabelecer (-se), reanimar(-se), revigorar(-se): *restaurar as forças*; *O pedinte restaurou-se com uma sopa fumegante.* ▶ Conjug. 5. – **restaurador** *adj. s.m.*

restauro (res.*tau*.ro) *s.m.* Restauração.

réstia (*rés*.ti:a) *s.f.* **1.** Corda feita de hastes entrelaçadas: *réstia de alhos, de cebolas.* **2.** Feixe ou raio de luz que passa através de um orifício ou abertura estreita.

restinga (res.*tin*.ga) *s.f.* (Geogr.) **1.** Faixa de areia ou de pedra que se estende do litoral até o mar. **2.** Terreno arenoso e salino próximo ao mar e coberto de ervas e arbustos característicos de lugares litorâneos.

restituir (res.ti.tu:*ir*) *v.* **1.** Entregar (algo) pertencente legitimamente a outrem; devolver: *Nunca restitui os livros que pede emprestado*; *Os grileiros terão de restituir aos índios suas terras.* **2.** Fazer voltar; mandar de volta: *O mar restitui os dejetos nele jogados*; *restituir o menor de rua à família.* **3.** Reconstituir, restabelecer: *restituir um documento.* **4.** Fazer readquirir ou recuperar: *O prêmio restituiu-lhe a auto-estima.* **5.** Reconduzir, devolver, repor: *restituir o presidente deposto ao cargo.* **6.** Pagar(-se), ressarcir(-se), indenizar(-se), reembolsar(-se): *O fisco restitui o imposto de renda, primeiramente, aos maiores de 60 anos*; *Ainda não conseguiu restituir-se inteiramente das perdas financeiras.* **7.** Promover a ressuscitação (2): *Não foi possível restituir à vida o paciente.* ▶ Conjug. 8. – **restituição** *s.f.*

resto [é] (*res*.to) *s.m.* **1.** Parte que sobra de um todo, geralmente pouco aproveitável; resíduo: *restos de comida, de bebida.* **2.** Quantidade que falta a um todo; restante: *Pretendiam estar juntos o resto de suas vidas.* **3.** *fig.* Vestígio, remanescência, sinal, resquício: *Em tudo sempre fica um resto de esperança.* **4.** (Mat.) Numa divisão, diferença entre o dividendo e o produto do divisor pelo quociente. **5.** (Mat.) Resultado de uma subtração. • *restos s.m.pl.* **6.** Fragmentos, destroços, escombros: *os restos da implosão do edifício.* **7.** Despojos (cadáver, ossada, cinzas) de uma pessoa: *restos mortais.* || *De resto*: além do mais; aliás: *Houve uma reviravolta no caso, o que, de resto, já era esperado.*

restolho [ô] (res.*to*.lho) *s.m.* **1.** Parte inferior do trigo e de outras gramíneas, que fica enraizada na terra depois da ceifa. **2.** Resto, resíduo, refugo.

restrição (res.tri.*ção*) *s.f.* **1.** Ato ou efeito de restringir(-se). **2.** Condição imposta ao exer-

restringir

cício de alguma atividade ou de algum direito; imposição, limitação, limite: *Não pode haver restrição à vontade soberana do povo.* **3.** Ressalva, reserva, exceção: *A crítica fez algumas restrições à última obra do escritor.*

restringir (res.trin.*gir*) *v.* Manter(-se) dentro de determinados limites; limitar(-se), delimitar (-se), reduzir(-se), resumir(-se): *O Ministério da Saúde pretende restringir a propaganda de bebidas alcoólicas; Não restrinja sua vida apenas aos bens materiais; A atividade econômica não se restringe mais à monocultura.* ▶ Conjug. 66 e 92.

restritivo (res.tri.*ti*.vo) *adj.* **1.** Que restringe; que limita; limitativo: *cláusula restritiva.* **2.** (*Gram.*) Diz-se da oração adjetiva que restringe ou precisa a significação do substantivo ou do pronome antecedente.

restrito (res.*tri*.to) *adj.* **1.** Que se cinge ao essencial; rigoroso, exato, estrito: *Procurava entender o sentido restrito das palavras que ouvia.* **2.** Limitado, circunscrito, exclusivo, privativo: *área restrita a carros de passeio.* **3.** Reduzido, diminuto, pequeno, exíguo: *conhecimentos restritos; ganhos restritos.*

resultado (re.sul.*ta*.do) *s.m.* **1.** Efeito ou consequência de uma ação, atitude ou ocorrência: *O tratamento teve bom resultado; A guerra só traz resultados funestos.* **2.** Solução de uma operação matemática: *Todos os alunos chegaram ao resultado certo do problema.* **3.** Resolução sobre um tema ou assunto; deliberação, decisão: *Qual foi o resultado da reunião da diretoria?* **4.** No comércio, lucro, ganho, saldo: *O setor de eletrodomésticos teve resultados favoráveis nesse trimestre.*

resultante (re.sul.*tan*.te) *adj.* **1.** Que resulta; consequente: *força resultante.* • *s.f.* **2.** Resultado, consequência, efeito: *Ainda não se pode definir a resultante dessa crise política.* **3.** (*Fís.*) Força que é a soma vetorial das forças que agem sobre um sistema. **4.** (*Fís.*) A linha reta que representa essa força.

resultar (re.sul.*tar*) *v.* Ser o resultado, a consequência ou o efeito de; originar-se, seguir-se: *Seu sucesso resulta de um grande marketing pessoal.* **2.** Transformar-se em; converter-se, redundar, reverter: *A negligência no trabalho resultou em sua demissão.* **3.** Vir a ser; tornar-se, ficar: *Algumas medidas econômicas ao longo do tempo resultaram desastrosas.* ▶ Conjug. 5.

resumir (re.su.*mir*) *v.* **1.** Fazer o resumo de; dizer ou escrever (algo) de maneira sucinta; sintetizar, concentrar, condensar: *resumir uma entrevista; O tempo da conferência é limitado, procure resumir-se.* **2.** Conter o essencial de (tema, matéria); sintetizar: *Esse compêndio resume as noções básicas da Física.* **3.** Restringir (-se) a; limitar(-se), reduzir (-se), concentrar(-se): *O capitalismo resume a atividade econômica a lucro e benefício; A vida não se resume apenas em dinheiro e poder.* ▶ Conjug. 66.

resumo (re.su.mo) *s.m.* **1.** Ato ou efeito de resumir(-se); sinopse, sumário, síntese. **2.** Exposição sucinta de um fato ou de uma série de ocorrências, tendo em foco seus aspectos mais relevantes: *Antes do grande noticiário, o locutor fez um breve resumo das notícias do dia.* **3.** Apresentação concisa do texto ou conteúdo de (livro, filme, peça teatral) ou de qualquer documento escrito, com seleção dos elementos de maior interesse ou importância do original: *Leia o livro e faça um resumo crítico.* **4.** Epítome que se põe ao fim de um capítulo ou de uma obra em forma de breve recapitulação. **5.** *fig.* Pessoa ou coisa que sintetiza certas qualidades ou características: *Os filhos, quando adultos, são muitas vezes o resumo dos pais.*

resvaladiço (res.va.la.*di*.ço) *adj.* **1.** Em que se resvala facilmente; escorregadio: *terreno resvaladiço.* **2.** *fig.* Cheio de evasivas ou subterfúgios; escorregadio: *Ele tem um caráter resvaladiço.*

resvalar (res.va.*lar*) *v.* **1.** Perder o equilíbrio em um declive; escorregar, cair, rolar, deslizar: *Os cavalos, sob o peso da carga, resvalaram pelo despenhadeiro.* **2.** Passar de raspão; tocar de leve, roçar: *Uma bala perdida resvalou o ombro do rapaz.* **3.** *fig.* Incorrer em (erro, falta, delito): *O menor se recuperou, depois de resvalar na senda do crime.*

resvalo (res.*va*.lo) *s.m.* **1.** Ato ou efeito de resvalar. **2.** Lugar por onde se resvala; declive, descida. ▶ Conjug. 5.

reta [é] (re.ta) *s.f.* **1.** Traço que segue sempre uma mesma direção. **2.** Longo trecho de estrada sem curvas. **3.** Conceito básico da Geometria que se determina por dois de seus pontos e a menor distância entre eles; linha reta. || *Reta de chegada*: no turfe, parte da pista, em linha reta, em que terminam as corridas; reta final. • *Reta final*: **1.** reta de chegada. **2.** parte final de um trabalho ou tarefa. **3.** *fig.* o fim da existência; a proximidade da morte.

retábulo (re.*tá*.bu.lo) *s.m.* Nas igrejas, elemento arquitetônico e decorativo, em madeira talhada e pintada, que se eleva na parte posterior do altar, cobrindo-o com imagens e cenas sacras.

retaguarda (re.ta.guar.da) *s.f.* **1.** (*Mil.*) Última companhia, esquadrão ou fila de qualquer corpo de exército. **2.** Parte posterior de qualquer lugar.

retal (re.*tal*) *adj.* Relativo ou pertencente ao reto: *cavidade retal; artéria retal.*

retalhar (re.ta.*lhar*) *v.* **1.** Cortar em retalhos ou pedaços; recortar, talhar: *retalhar uma peça de carne.* **2.** Golpear ou ferir com um instrumento cortante: *Retalhou inadvertidamente o rosto com a lâmina de barbear.* **3.** *fig.* Dividir, separar, fracionar: *A guerra civil retalhou o norte e o sul dos Estados Unidos.* **4.** *fig.* Causar mal; magoar, mortificar: *O desespero retalhava seu coração.* ▶ Conjug. 5. – **retalhação** *s.f.;* **retalhadura** *s.f.*

retalho (re.ta.*lho*) *s.m.* **1.** Parte que se tira ou se recorta de (tecido, madeira etc); pedaço, fragmento, apara. **2.** Sobra de uma peça de tecido utilizada para trabalhos de costura: *colcha de retalhos.* || *A retalhos:* em pequenas porções; a varejo: *Certos medicamentos já podem ser comprados a retalhos.*

retaliar (re.ta.li:*ar*) *v.* Exercer retaliação ou represália contra (alguém); revidar (agressão ou ofensa recebida); pagar com a mesma moeda; vingar: *O ditador retaliou os autores da insurreição malograda; É prova de caráter perdoar, não retaliar.* ▶ Conjug. 17. – **retaliação** *s.f.*

retangular (re.tan.gu.*lar*) *adj.* **1.** Que tem ângulos retos. **2.** Que se assemelha ou tem forma de retângulo.

retângulo (re.*tân*.gu.lo) *adj.* **1.** Que tem ângulos retos; retangular. • *s.m.* **2.** (*Geom.*) Quadrilátero cujos ângulos são retos.

retardado (re.tar.*da*.do) *adj.* **1.** Que se retardou; atrasado: *Terminado o horário de verão, os relógios devem ser retardados em uma hora.* **2.** Que foi adiado, procrastinado, transferido: *A posse da nova diretoria foi retardada de alguns dias.* **3.** Prolongado, demorado, duradouro: *medicamento de ação retardada.* **4.** Que apresenta retardo mental. • *s.m.* **5.** Pessoa com retardo mental.

retardamento (re.tar.da.*men*.to) *s.m.* **1.** Ato ou efeito de retardar; protelação, delonga, atraso. **2.** Retardo (1) e (2).

retardar (re.tar.*dar*) *v.* **1.** (Fazer) chegar mais tarde; atrasar(-se): *A chuva retardou o início do desfile; Retardou-se no escritório e perdeu o avião.* **2.** Causar adiamento; adiar, protelar: *O Congresso retardou a decisão sobre a maioridade penal.* **3.** Reduzir (o ritmo, a intensidade); diminuir, desacelerar: *As clínicas de estética prometem retardar o envelhecimento.* ▶ Conjug. 5.

retardatário (re.tar.da.*tá*.ri:o) *adj.* **1.** Que está atrasado; que chega fora do horário: *Os candidatos retardatários não puderam entrar no recinto do vestibular.* • *s.m.* **2.** Pessoa retardatária.

retardo (re.*tar*.do) *s.m.* **1.** Ato ou efeito de retardar; retardamento. **2.** (*Med.*) Diminuição do ritmo de desenvolvimento, pela nutrição insuficiente de calorias e proteínas. || *Retardo mental:* (*Psiq.*) falta de desenvolvimento ou desenvolvimento incompleto das funções intelectuais, com comprometimento da linguagem, da motricidade e do comportamento.

retemperar (re.tem.pe.*rar*) *v.* **1.** Dar nova têmpera a metal: *retemperar o aço.* **2.** *fig.* Criar novas forças; fortificar(-se), revigorar(-se), revitalizar(-se): *retemperar o ânimo; Para retemperar-se, nada melhor que uma temporada num spa.* **3.** Aprimorar(-se), aperfeiçoar(-se), esmerar(-se), apurar(-se): *O poeta veio retemperando passo a passo o seu verso; Os artistas buscam retemperar-se no palco, frente a frente com o público.* ▶ Conjug. 8. – **retemperante** *adj.*

retenção (re.ten.*ção*) *s.f.* **1.** Ato ou efeito de reter(-se). **2.** Manutenção de algo ou alguém em determinado lugar ou posição: *retenção no trânsito; retenção do homem no campo.* **3.** (*Med.*) Acúmulo de um líquido ou um sólido na cavidade que o contém: *retenção urinária.* **4.** (*Jur.*) Posse de (alguma coisa) em garantia até que se efetue o pagamento do débito.

reter (re.*ter*) *v.* **1.** Manter firme (nas mãos); segurar: *Reteve o braço do filho ao atravessar a rua.* **2.** Não entregar; não devolver; guardar, conservar: *A Receita Federal reteve a devolução de alguns lotes do Imposto de Renda.* **3.** Guardar na memória; saber de cor: *Não consigo reter o nome de ninguém.* **4.** Impedir de prosseguir; obrigar a permanecer; deter: *Um engarrafamento nos reteve à saída do estádio.* **5.** Reprimir(-se); refrear(-se), conter(-se): *Não conseguiu reter o acesso de choro; Pensou em corrigir o amigo em público, mas reteve-se.* ▶ Conjug. 1.

retesado (re.te.*sa*.do) *adj.* Que se retesou; que se esticou; esticado, tenso, teso, hirto: *músculos retesados.*

retesar (re.te.*sar*) *v.* **1.** Tornar teso, esticado, estirado; estender, endireitar: *retesar a corda do arco, as cordas do violão.* **2.** Tornar(-se) tenso, contraído, hirto; endurecer-se, enrijecer(-se):

reticência

retesar os músculos; *O corpo todo retesou-se diante do perigo iminente*. ▶ Conjug. 8. – **retesamento** s.m.

reticência (re.ti.cên.ci:a) s.f. **1.** Supressão intencional de (alguma coisa), que não se poderia ou deveria omitir numa exposição oral ou escrita: *A conversa entre os namorados era intercalada por reticências*. • **reticências** s.f.pl. **2.** (*Gram.*) Sinal de pontuação (...) que marca uma interrupção no enunciado, para indicar, expressivamente, hesitação, surpresa, dúvida, insinuação etc.

reticente (re.ti.cen.te) adj. **1.** Relativo a reticência: *diálogo reticente*. **2.** Que demonstra reticência ao falar ou escrever; hesitante, indeciso, impreciso: *O patrão mostrou-se reticente quanto ao pedido de aumento dos empregados*.

retícula (re.tí.cu.la) s.f. Processo gráfico pelo qual uma rede de diminutos pontos, traçada sobre vidro ou película transparente, e colocada entre o original e uma placa sensível, torna possível a reprodução de uma imagem (foto, desenho) e sua gradação de cores.

reticulado (re.ti.cu.la.do) adj. **1.** Que tem o formato de rede; reticular. **2.** Que se imprimiu com o processo de retícula.

reticular (re.ti.cu.lar) adj. Reticulado: *tecido reticular, nervuras reticulares*. – **reticulação** s.f.

retículo (re.tí.cu.lo) s.m. **1.** Pequena rede. **2.** (*Zool.*) A segunda cavidade do estômago dos ruminantes; barrete.

retidão (re.ti.dão) s.f. **1.** Característica do que é reto: *Oscar Niemeyer preferiu as curvas à retidão em sua arquitetura*. **2.** *fig.* Integridade, probidade, correção, lisura: *a retidão do caráter*. **3.** *fig.* Conformidade com as leis; legalidade, legitimidade: *a retidão de uma sentença*.

retífica (re.tí.fi.ca) s.f. **1.** Retificação (de motores de automóvel). **2.** Oficina em que se faz retificação de motores.

retificação (re.ti.fi.ca.ção) s.f. **1.** Ato ou efeito de retificar(-se); colocação na posição devida; ajuste, alinhamento. **2.** Emenda, correção, corrigenda. **3.** (*Eletrôn.*) Processo de alteração de uma corrente alternada em contínua. **4.** (*Quím.*) Processo de purificação de um líquido por meio de sucessivas destilações. **5.** (*Geom.*) Operação com que se determina um segmento de reta de comprimento igual ao de um arco de curva. **6.** Modificação do traçado de uma estrada para reduzir o número de suas curvas.

retificador [ô] (re.ti.fi.ca.dor) adj. **1.** Que retifica, que alinha. • s.m. **2.** Aparelho ou máquina utilizados num processo de retificação. **3.** (*Eletrôn.*) Aparelho ou válvula que permitem converter uma corrente alternada em contínua.

retificar (re.ti.fi.car) v. **1.** Tornar reto: *retificar uma estrada*. **2.** Tornar certo, exato; corrigir, emendar: *retificar a declaração do Imposto de Renda*. **3.** Proceder à retificação de motores e peças (especialmente de automóveis); alinhar, ajustar: *retificar um motor de explosão*. **4.** (*Eletrôn.*) Transformar (corrente alternada) em contínua. **5.** (*Quím.*) Destilar (líquido), tornando-o mais purificado: *retificar o álcool*. **6.** (*Geom.*) Determinar o comprimento de (um arco de curva). || Conferir com *ratificar*. ▶ Conjug. 5 e 35.

retilíneo (re.ti.lí.ne:o) adj. **1.** Que segue uma linha reta em sua trajetória: *movimento retilíneo*. **2.** Formado por linhas retas: *ângulo retilíneo*. **3.** Cuja forma se assemelha à linha reta: *nariz retilíneo*. **4.** *fig.* Que demonstra retidão (2) e (3); correto, íntegro, austero, probo: *caráter retilíneo; comportamento retilíneo*.

retina (re.ti.na) s.f. **1.** (*Anat.*) Membrana de 0,2 a 0,3 cm de espessura, que recobre internamente os dois terços posteriores do globo ocular e que contém as células capazes de captar os sinais luminosos. **2.** *fig.* A capacidade da visão; os olhos: *"Nunca me esquecerei desse acontecimento / na vida de minhas retinas tão fatigadas."* (Carlos Drummond de Andrade, *No meio do caminho*).

retinir (re.ti.nir) v. **1.** Tinir prolongadamente; produzir som agudo e vibrante; repenicar, ressoar: *A campainha retinia, marcando o fim das aulas*. **2.** *fig.* Causar impressão profunda em; repercutir, ecoar: *Os versos do poema ficaram retinindo em sua mente*. ▶ Conjug. 66.

retinite (re.ti.ni.te) s.f. (*Med.*) Inflamação da retina.

retinto (re.tin.to) adj. **1.** Que se tornou a tingir. **2.** De cor muito escura e carregada: *preto retinto*. **3.** Que possui pelo negro e luzidio (diz-se de touro).

retirada (re.ti.ra.da) s.f. **1.** Ato ou efeito de retirar(-se). **2.** Extração, remoção, ablação: *a retirada de um tumor*. **3.** (*Mil.*) Manobra militar que consiste no recuo de tropas, por estratégia de guerra, ou diante da iminência de um combate desfavorável. **4.** Emigração de sertanejos, em época de seca prolongada, em busca de sobrevivência em outras regiões do país. **5.** Saque em dinheiro, feito em instituições bancárias ou financeiras, ou em caixas eletrônicos. || *Bater em retirada*: **1.** recuar,

retrocer. 2. *fig.* sair rapidamente; escapar, fugir.

retirado (re.ti.*ra*.do) *adj.* 1. Que se retirou. 2. Que está afastado do convívio familiar ou social; isolado, recolhido: *Leva uma vida retirada.* 3. Que é distante e pouco povoado (diz-se de local); isolado, ermo: *Internou-se em uma cidadezinha retirada para escrever seu novo romance.*

retirante (re.ti.*ran*.te) *adj.* 1. Que emigra de regiões tornadas inóspitas para outras regiões do país em busca de condições de subsistência. • *s.m. e f.* 2. Pessoa retirante: *Portinari pintou em suas telas o drama social dos retirantes.*

retirar (re.ti.*rar*) *v.* 1. Tirar (do lugar onde está); pôr fora: *retirar o lixo; retirar a roupa da gaveta.* 2. Puxar para trás ou para si; retrair, recolher: *Estendeu a mão para o desafeto, mas retirou-a logo.* 3. Libertar, livrar, resgatar: *A capacitação profissional retirou-o do trabalho informal.* 4. Afastar, desviar: *Não conseguia retirar os olhos de sua imagem no espelho.* 5. Ter lucro; auferir, obter: *Pensava em retirar um bom dinheiro com o novo negócio.* 6. Sacar dinheiro: *Só pode retirar essa quantia depois da compensação bancária.* 7. Não conceder; privar, cassar: *É preciso retirar certos privilégios no serviço público; Alguns partidos retiraram o apoio ao governo.* 8. Voltar atrás; desdizer-se, retardar-se: *Retirou as acusações que fizera aos antigos sócios.* 9. Bater em retirada; recuar, retroceder, fugir: *Reduzida a um pequeno contingente, só restou à tropa retirar(-se).* 10. Ir-se embora; ausentar-se, sair, partir: *Retirou-se cedo para a festa.* 11. Afastar-se do convívio social; recolher-se, refugiar-se: *Retirou-se para a vida contemplativa.* ▶ Conjug. 5.

retiro (re.*ti*.ro) *s.m.* 1. Ato ou efeito de retirar(-se); retirada. 2. Lugar isolado, geralmente distante dos grandes centros urbanos, onde se vai em busca de descanso e tranquilidade: *O sítio no interior é seu retiro nos fins de semana.* 3. Local de recolhimento de religiosos ou leigos para o exercício da fé: *retiro espiritual.* 4. Período que dura esse recolhimento.

reto [é] (re.to) *adj.* 1. Que não apresenta curvatura ou sinuosidade; linear: *traçado reto.* 2. Que segue sempre na mesma direção; direto: *Esse é o caminho mais reto para chegar à cidade.* 3. *fig.* Que tem a virtude da retidão; honesto, íntegro, correto, probo: *caráter reto.* 4. (*Geom.*) Cuja distância entre dois pontos determinados é a menor possível; linha reta. 5. (*Geom.*) Que é formado por duas linhas perpendiculares (diz-se de ângulo). 6. (*Anat.*) A última porção do intestino grosso, situada entre o cólon e o ânus. 7. (*Gram.*) Diz-se dos pronomes pessoais (*eu, tu, ele, ela, nós, vós, eles, elas*) que exercem na oração a função de sujeito.

retocar (re.to.*car*) *v.* Dar retoque(s) em; corrigir, ajeitar, emendar, aperfeiçoar: *retocar a maquiagem; Retocaram a foto do modelo na capa da revista.* ▶ Conjug. 20 e 35.

retomada (re.to.*ma*.da) *s.f.* 1. Ato ou efeito de retomar. 2. Reconquista, geralmente pelas armas, de (uma praça de guerra, fortaleza, cidade etc.): *a retomada de Granada pelos Reis Católicos.* 3. Reinício de uma atividade ou trabalho: *a retomada das votações no Congresso.* 4. (*Jur.*) Ação judicial através da qual um proprietário pede a devolução de seu imóvel alugado, fundamentado em princípios legais.

retomar (re.to.*mar*) *v.* 1. Tomar de volta; ter novamente a posse de; reaver, recuperar, resgatar: *retomar um imóvel;* (*fig.*) *Tentava retomar o prestígio abalado pelos escândalos.* 2. Reconquistar, reocupar, reapoderar-se: *retomar a cidadela inimiga.* 3. Dar continuidade ou prosseguimento a (uma atividade): *retomar os estudos, a leitura.* 4. Reatar (o que se havia interrompido ou rompido): *retomar o namoro.* 5. Voltar à condição anterior; reassumir, readquirir: *O país empreende a retomada do desenvolvimento econômico.* ▶ Conjug. 5.

retoque [ó] (re.to.que) *s.m.* 1. Ato ou efeito de retocar. 2. Correção de imperfeições ou qualquer alteração produzida em uma obra: *retoque na pintura; retoque no texto.*

retorcer (re.tor.*cer*) *v.* 1. Tornar a torcer; torcer muito: *retorcer a roupa ao lavar.* 2. Contrair o corpo; torcer(-se); contorcer(-se): *retorcer as mãos, os olhos; Retorcia-se de dor.* 3. *fig.* Usar, ao falar ou escrever, de muitas evasivas e torneios; tergiversar: *O orador retorcia-se em digressões, que nada tinham a ver com o tema proposto.* ▶ Conjug. 42 e 46. – **retorcido** *adj.*

retórica (re.*tó*.ri.ca) *s.f.* 1. (*Fil.*) Arte da utilização da linguagem para persuadir ou influenciar pessoas, por meio do bom uso da argumentação. 2. Conjunto de regras que constituem a arte da palavra, da eloquência; oratória. 3. Livro ou tratado sobre retórica. 4. *pej.* Discurso enfático, pomposo, com excesso de ornamentos e rodeios, porém superficial e vazio.

retórico (re.*tó*.ri.co) *adj.* 1. Relativo a Retórica. 2. Que fala segundo os preceitos da Retórica. 3. Cujo estilo é palavroso, pomposo, su-

retornar

perficial, empolado. • *s.m.* **4.** Especialista em Retórica. **5.** *pej.* Orador ou escritor de estilo afetado, empolado, mas pouco profundo.

retornar (re.tor.*nar*) *v.* **1.** Retornar ao ponto de partida; voltar, regressar: *O acadêmico retornou do congresso em Lisboa; Retornou ao Rio depois de uma temporada no exterior; Não sei se o chefe retorna ainda hoje.* **2.** Voltar a dedicar-se a, ocupar-se com: *Vou retornar a meus afazeres.* **3.** Voltar a manifestar-se: *A dor de cabeça retornou mais forte.* **4.** Tornar a estabelecer-se, a instituir-se: *A paz retornará entre os povos.* **5.** Ligar de volta (numa chamada telefônica): *Por favor, queira retornar essa ligação.* ▶ Conjug. 20.

retorno [ô] (re.tor.no) *s.m.* **1.** Ato ou efeito de retornar; volta, regresso. **2.** Volta às atividades, após uma interrupção: *retorno às aulas.* **3.** Resultado, compensação, ganho, lucro: *O investimento na Bolsa de Valores me trouxe um bom retorno.* **4.** Numa rodovia ou logradouro, desvio que leva à pista de direção contrária: *Há um retorno a 500 metros.* **5.** Resposta a (ligação telefônica, solicitação, consulta etc.): *As autoridades não deram retorno ao pedido de entrevista.* **6.** Reprodução de um som por meio de amplificadores no mesmo ambiente em que foi produzido e imediatamente após a sua emissão: *O retorno do som é indispensável para os músicos em cena.*

retorquir [qui ou qüi] (re.tor.*quir*) *v.* **1.** Dizer em resposta; responder, retrucar: *Não sabia retorquir às perguntas que o professor lhe fazia; Sem saber o que dizer, não retorquiu.* **2.** Contrapor argumentos; replicar, objetar, refutar, redarguir: *Detido para averiguação, o suspeito retorquiu que era inocente; A defesa retorquiu à promotoria sua linha de argumentação.* ▶ Conjug. 84 e 87.

retorquível [qui ou qüi] (re.tor.*quí*.vel) *adj.* Que se pode retorquir; contestável.

retração (re.tra.*ção*) *s.f.* **1.** Ato ou efeito de retrair(-se); retraimento, contração, encolhimento, diminuição, afastamento: *retração das águas de um rio.* **2.** No comércio, falta, restrição ou carência de operações de compra e venda: *retração de mercado.* **3.** (*Med.*) Diminuição do volume ou da extensão de um órgão ou tecido: *retração da gengiva; retração de um dente.*

retráctil (re.*trác*.til) *adj.* Retrátil.

retraído (re.tra.*í*.do) *adj.* **1.** Que se retraiu: *nervo retraído.* **2.** *fig.* Metido consigo mesmo; reservado, calado, acanhado, tímido: *Na adolescência, fora retraído e introvertido.*

retraimento (re.tra:i.*men*.to) *s.m.* **1.** Ato ou efeito de retrair(-se); retração. **2.** Reserva, acanhamento, timidez. **3.** (*Fís.*) Contração de um corpo por perda de calor ou de umidade. **4.** (*Med.*) Encolhimento ou encurtamento patológico de um órgão ou tecido; retração.

retrair (re.tra:*ir*) *v.* **1.** Puxar (o corpo ou parte dele) para trás; recolher, retirar: *O tratador fez a fera retrair as garras.* **2.** Encolher(-se), contrair(-se): *retrair a musculatura; retrair-se de dor, de medo.* **3.** Afastar-se, apartar-se, isolar-se, retirar-se: *Retraiu-se do convívio com os velhos amigos.* **4.** Fazer retroceder, recuar, bater em retirada: *O comando decidiu retrair as tropas.* **5.** Deixar de desenvolver(-se); reduzir (-se), restringir(-se): *Os juros altos retraem os negócios; As vendas no comércio tendem a retrair-se após o Natal.* **6.** Tornar-se retraído; demonstrar timidez; acanhar-se: *A criança se retrai diante de estranhos.* ▶ Conjug. 83.

retranca (re.*tran*.ca) *s.f.* **1.** Rabicho (2). **2.** Em editoração, marcação feita em códigos e números nos originais (texto, fotografia etc.), para orientar os trabalhos de paginação. **3.** (*Telv.*) Código usado em telejornalismo para identificar cada uma das matérias produzidas para um determinado programa. **4.** (*Esp.*) No futebol, tática de jogo defensivo, à espera de chances de contra-ataque.

retransmissora [ô] (re.trans.mis.*so*.ra) *s.f.* **1.** (*Eletrôn.*) Estação que capta e retransmite ondas radioelétricas. **2.** (*Rádio, Telv.*) Emissora de rádio e televisão que retransmite sinais de telecomunicação de outra emissora; repetidora.

retransmissor [ô] (re.trans.mis.*sor*) *adj.* **1.** Que retransmite. • *s.m.* **2.** (*Eletrôn.*) Aparelho que transmite sinais captados de rádio e televisão.

retransmitir (re.trans.mi.*tir*) *v.* **1.** (*Eletrôn.*) Transmitir sinais captados de rádio e televisão: *retransmitir ondas radioelétricas.* **2.** (*Rádio, Telv.*) Tornar a transmitir, repetir (programa, noticiário etc.): *Alguns canais irão retransmitir a final do campeonato.* **3.** Informar, cientificar, comunicar: *retransmitir recado, ordem.* ▶ Conjug. 66. – **retransmissão** *s.f.*

retrasado (re.tra.*sa*.do) *adj.* Imediatamente anterior a uma outra data; passado: *Ele só voltou da viagem na semana retrasada.*

retrasar (re.tra.*sar*) *v.* **1.** Mover para trás; retroceder, atrasar: *retrasar os ponteiros do relógio.* **2.** Passar para data posterior; adiar, protelar;

atrasar: *retrasar o pagamento das prestações*. **3.** Prejudicar, lesar, atrasar: *Os maus investimentos retrasaram sua independência financeira*.

retratação (re.tra.ta.ção) *s.f.* **1.** Ato ou efeito de retratar(-se). **2.** Declaração que visa a reconsiderar e a desdizer uma afirmação anterior, que se evidenciou como enganosa ou de má-fé; desmentido. **3.** (*Jur.*) Revogação de injúrias ou calúnias imputadas por alguém a outra pessoa, com a finalidade de livrar o que se retrata da imposição de pena. ▶ Conjug. 5.

retratar[1] (re.tra.*tar*) *v.* **1.** Retirar o que se disse anteriormente; voltar atrás em uma afirmação; desdizer(-se), desmentir(-se): *retratar uma inverdade*; *Falou o que não devia e teve que retratar-se*. **2.** Admitir o próprio erro, a culpa; dar explicações; explicar-se, desculpar-se: *Retratou-se publicamente das aleivosias levantadas contra o adversário político*. **3.** (*Jur.*) Proceder à retratação (3); revogar, anular, desfazer: *retratar acusações improcedentes*. ▶ Conjug. 5.

retratar[2] (re.tra.*tar*) *v.* **1.** Fazer ou tirar o retrato de (alguém); pintar(-se), desenhar(-se), fotografar(-se): *Tarsila do Amaral retratou figuras famosas do Modernismo e também retratou-se esplendidamente*. **2.** Reproduzir com exatidão; representar, descrever: *Vidas Secas, de Graciliano Ramos, retrata a triste saga dos retirantes*. **3.** Deixar transparecer; manifestar(-se), expressar(-se); mostrar(-se): *Seu rosto retratava profundo sofrimento*; *Sua bondade retratava-se no doce olhar*. **4.** Representar, simbolizar: *"Em teu seio formoso retratas este céu de puríssimo azul"* (Olavo Bilac, *Hino à Bandeira*). **5.** Atribuir certa imagem a (alguém); apresentar, descrever: *Os contos infantis retratam as madrastas como malvadas e invejosas*. ▶ Conjug. 5.

retrátil (re.*trá*.til) *adj.* **1.** Capaz de retrair-se: *tentáculo retrátil*. **2.** Que produz retração: *força retrátil*. || retráctil.

retratista (re.tra.*tis*.ta) *s.m. e f.* **1.** Pintor ou desenhista de figuras humanas. **2.** Profissional especializado em fotografar pessoas; fotógrafo. **3.** Romancista ou dramaturgo que buscam retratar a realidade tal como se lhes apresenta: *Aluísio de Azevedo foi o grande retratista daquele pequeno mundo do cortiço*.

retrato (re.*tra*.to) *s.m.* **1.** Trabalho fotográfico que registra a imagem de (alguém); fotografia: *Você saiu bem no retrato*. **2.** Obra de arte (pintura, gravura, escultura) que reproduz a imagem de uma pessoa: *Visitou a galeria de retratos do museu*. **3.** *fig.* Cópia exata das feições de uma pessoa; sósia: *Ele é o retrato de um antigo namorado meu*. **4.** *fig.* Aquele ou aquilo que constitui um bom exemplo; modelo: *Ela é o retrato da professora dedicada*; *Sua casa era o retrato da sofisticação*.

retreta [ê] (re.*tre*.ta) *s.f.* Apresentação de banda de música em praça pública.

retrete [é ou ê] (re.*tre*.te) *s.f.* Privada, latrina.

retribuir (re.tri.bu.*ir*) *v.* **1.** Corresponder da mesma forma a (um gesto), atitude, sentimento etc.); dar em troca: *retribuir o carinho dos pais*; *retribuir visitas*; *Agradeço-lhe e retribuo-lhe os votos de Boas-Festas*. **2.** Pagar, remunerar, recompensar: *O condomínio retribui bem seus funcionários*; *É justo retribuir-lhes as horas trabalhadas a mais*. ▶ Conjug. 80. – **retribuição** *s.f.*

retriz (re.*triz*) *s.f.* (*Zool.*) Cada uma das penas das caudas das aves, que orientam o seu voo.

retroagir (re.tro:a.*gir*) *v.* **1.** Fazer voltar ao passado: *Se pudesse retroagir no tempo, seguiria outro caminho na vida*. **2.** (*Jur.*) Fazer ter validade (lei, sentença etc.) a partir de uma data anterior a sua promulgação: *As leis retroagem apenas para beneficiar*. ▶ Conjug. 92.

retroalimentação (re.tro:a.li.men.ta.ção) *s.f.* **1.** (*Eletr., Eletrôn.*) Realimentação, *feedback*. **2.** (*Comun.*) Sinais percebidos pelo emissor da reação do receptor ante a mensagem que lhe foi transmitida; *feedback*.

retroatividade (re.tro:a.ti.vi.*da*.de) *s.f.* **1.** Qualidade do que é retroativo. **2.** (*Jur.*) Extensão, a fatos passados, dos efeitos de uma lei, um ato jurídico etc.

retroativo (re.tro:a.*ti*.vo) *adj.* **1.** Relativo a ou próprio do passado. **2.** (*Jur.*) Que retroage: *A lei não tem efeito retroativo sobre o direito adquirido*.

retroceder (re.tro.ce.*der*) *v.* **1.** Voltar para trás (no espaço ou no tempo); retrogradar, recuar: *Prestes a serem vencidas, as tropas inimigas decidiram retroceder*; *Os policiais determinaram que os curiosos retrocedessem para além da faixa de proteção*; *O romance nos faz retroceder à época do Brasil colonial*. **2.** Ter um retrocesso; regredir, involuir: *As condições precárias de trabalho levam o homem a retroceder à escravidão*. **3.** Voltar atrás (em um propósito); desistir, renunciar, ceder: *Nunca retrocedeu no desejo de tornar-se um grande músico*; *O homem de*

retrocesso

fibra enfrenta os obstáculos, não retrocede. ▶ Conjug. 41.
retrocesso [é] (re.tro.ces.so) *s.m.* **1.** Ato ou efeito de retroceder. **2.** Voltar atrás (no espaço ou no tempo); recuo, regresso. **3.** Retorno a um estado de coisas, considerado pior que a situação atual; regressão, involução, atraso: *As medidas econômicas pretendem evitar um retrocesso ao caos inflacionário.* **4.** (*Astron.*) Reversão da contagem regressiva, a fim de evitar o lançamento de um veículo espacial.
retrogradação (re.tro.gra.da.*ção*) *s.f.* **1.** Ato ou efeito de retrogradar. **2.** (*Astron.*) Fase do movimento de um planeta, durante o qual sua longitude é decrescente.
retrogradar (re.tro.gra.*dar*) *v.* **1.** (Fazer) retroceder (no espaço ou no tempo); recuar: *O exército inimigo foi obrigado a retrogradar até suas fronteiras; Para as tropas aliadas, a ordem era não retrogradar.* **2.** *fig.* Seguir em direção contrária ao progresso; regredir, involuir, declinar: *O regime autoritário retrograda as instituições políticas; Progredir sempre, retrogradar jamais.* **3.** (*Astron.*) Efetuar (um planeta) movimento de retrogradação: *Marte retrograda-se.* ▶ Conjug. 5.
retrógrado (re.*tró*.gra.do) *adj.* **1.** Que se efetua no sentido oposto ao movimento direto. **2.** Que se mostra conservador em suas ideias e atitudes; contrário ao progresso, a mudanças sociais e políticas, e avesso a inovações de qualquer ordem; reacionário, ultrapassado, quadrado. • *s.m.* **3.** Pessoa retrógrada.
retroprojetor [ô] (re.tro.pro.je.*tor*) *adj.* **1.** Diz-se de aparelho óptico destinado a projetar, em uma tela ou parede, imagens ampliadas de (texto, desenho, gráfico etc.), impressas em transparências. • *s.m.* **2.** Esse aparelho.
retrós (re.*trós*) *s.m.* **1.** Fio de seda, lã ou algodão enrolado em um cilindro de plástico, papel etc., usado em trabalhos de costura. **2.** Esse cilindro.
retrospectiva (re.tros.pec.*ti*.va) *s.f.* **1.** Exposição de obras de um artista ou de um estilo, abrangendo várias fases ou épocas de sua produção: *Foi trazida ao Brasil uma retrospectiva da pintura de Joan Miró.* **2.** Relato ou balanço de uma série de acontecimentos que tiveram lugar durante determinado período; retrospecto.
retrospectivo (re.tros.pec.*ti*.vo) *adj.* Relativo a fatos passados; que se volta para o passado: *O artigo lança um olhar retrospectivo sobre o Brasil nos anos cinquenta do século passado.*

retrospecto [é] (re.tros.*pec*.to) *s.m.* **1.** Retrospectiva (2). **2.** (*Esp.*) Conjunto dos desempenhos de um esportista ou de uma equipe esportiva durante uma série de competições: *O time vem apresentando um bom retrospecto no campeonato.*
retrovírus (re.tro.*ví*.rus) *s.m.* (*Biol.*) Espécie de vírus cujo material genético é o ácido ribonucleico (ARN ou RNA) e que é causador da AIDS.
retrovisor [ô] (re.tro.vi.*sor*) *s.m.* **1.** Pequeno espelho colocado nas laterais e no interior do veículo, que proporciona a quem dirige melhor visibilidade e facilidade de locomoção. • *adj.* **2.** Relativo a esse espelho.
retrucar (re.tru.*car*) *v.* Responder de imediato, argumentando; replicar, redarguir, retorquir: *— Não poderei ir a sua festa, retrucou o convidado; O vendedor retrucou ao cliente com maus modos; Não soube retrucar ao adversário político as graves acusações.* ▶ Conjug. 5 e 35.
retumbante (re.tum.*ban*.te) *adj.* **1.** Que retumba, estronda, ribomba: *trovões retumbantes.* **2.** *fig.* De grande ressonância e repercussão; estrondoso: *sucesso retumbante.*
retumbar (re.tum.*bar*) *v.* Produzir um grande som; estrondar, estrepitar, reboar, ribombar: *"Aqui outrora retumbaram hinos."* (Raimundo Correia, *Saudade*). ▶ Conjug. 5.
returno (re.*tur*.no) *s.m.* (*Esp.*) Em competições esportivas, série de disputas entre equipes que já se haviam enfrentado numa primeira etapa ou turno; segundo turno.
réu *s.m.* **1.** (*Jur.*) No direito penal, pessoa contra a qual se apresenta denúncia por fato criminoso, que lhe é atribuído ou de que é responsável; denunciado, acusado. **2.** *fig.* Pessoa responsável por alguma falta ou culpa.
reumático (reu.*má*.ti.co) *adj.* **1.** Relativo a reumatismo. **2.** Que sofre de reumatismo. • *s.m.* **3.** Pessoa reumática.
reumatismo (reu.ma.*tis*.mo) *s.m.* (*Med.*) Afecção aguda ou crônica, em geral dolorosa e acompanhada de inflamação local, que atinge as articulações, os músculos, os tendões, os nervos ou os tecidos.
reumatologia (reu.ma.to.lo.*gi*.a) *s.f.* (*Med.*) Área da Medicina que se dedica ao estudo e tratamento das doenças reumáticas.
reumatologista (reu.ma.to.lo.*gis*.ta) *s.m. e f.* Médico especialista em Reumatologia.
reunião (re:u.ni:*ão*) *s.f.* **1.** Ato ou efeito de reunir(-se). **2.** Nova união de coisas separadas

ou dispersas; junção, ajuntamento: *Fez a reunião de seus artigos e crônicas, para publicação em um volume*. **3.** Agrupamento de pessoas, geralmente momentâneo, para fins de trabalho ou estudo, ou para alguma comemoração e congraçamento: *O presidente está em reunião com a diretoria; reunião de condomínio; reunião de ex-alunos*. **4.** Fusão, mistura, incorporação de (duas ou mais coisas): *A empresa, ao reestruturar-se, procedeu à reunião de vários departamentos*.

reunir (re.u.*nir*) *v.* **1.** Juntar, agrupar, unir (pessoas ou coisas): *Reuniu toda a família para a ceia de Natal; Essa antologia reúne o melhor da obra do escritor; Tropas das diferentes armas reuniram-se para um exercício militar conjunto*. **2.** Conciliar, harmonizar, reconciliar: *O presidente do partido buscou reunir as diferentes facções*. **3.** Ter, possuir, apresentar: *O candidato reúne os requisitos para o cargo*. **4.** Aliar, juntar, combinar, associar: *O romance policial reúne mistério e terror; A casa reunia comodidade a um extremo bom gosto*. **5.** Promover ou participar de reunião (3); agregar(-se), congregar(-se): *O clube reuniu os sócios para discutir a mudança do estatuto; Os antigos colegas se reuniram na festa do centenário do colégio*. ▶ Conjug. 66 e 90.

revanche (re.*van*.che) *s.f.* **1.** Ato ou efeito de desforrar-se de uma afronta ou ofensa sofrida; desforra, vingança, represália, satisfação. **2.** (*Esp.*) Competição entre esportistas ou equipes que já se enfrentaram, na qual o perdedor tem nova chance de sair vitorioso.

revascularização (re.vas.cu.la.ri.za.*ção*) *s.f.* (*Med.*) Cirurgia que reconstitui a vascularização ou irrigação sanguínea, após a interrupção ou destruição de vasos sanguíneos ou de determinado órgão ou membro do corpo humano.

réveillon [reveiõ] (Fr.) *s.m.* **1.** A véspera do Ano-Novo; a passagem do ano. **2.** Ceia e festejos com que se comemora essa data.

revel (re.*vel*) *adj.* **1.** Que se rebela, revolta-se ou insurge-se (geralmente contra autoridade ou poder constituído); rebelde, revoltoso, insurgente. **2.** Que se mostra obstinado (em suas ideias ou atitudes); teimoso, contumaz. **3.** (*Jur.*) Que, intimado, não comparece a juízo, sem justificativa ou desculpa, desobedecendo intencionalmente à ordem da autoridade judicial (diz-se de réu). • *s.m. e f.* **4.** Pessoa revel.

revelação (re.ve.la.*ção*) *s.f.* **1.** Ato ou efeito de revelar(-se). **2.** Divulgação de fato ou assunto de que não se tinha notícia, que se ignorava ou era mantido em sigilo: *Não passe adiante uma revelação confidencial*. **3.** Descoberta e reconhecimento público de um real atributo, talento ou vocação de (alguém) em uma área específica: *concurso para revelação de jovens cientistas*. **4.** Pessoa que se destaca e se reconhece como autêntico talento: *Nelson Freire foi revelação no piano, ainda criança*. **5.** (*Fot.*) Procedimento químico que transforma a imagem fotográfica latente em imagem visível. **6.** (*Rel.*) Manifestação dos desígnios divinos e das verdades eternas, que estão descritos nos livros do Velho e do Novo Testamento e que são o fundamento da fé judaica e da cristã. **7.** Inspiração súbita; lampejo, iluminação; descoberta: *De repente, veio-lhe a revelação do final que iria dar a seu livro*.

revelador [ô] (re.ve.la.*dor*) *adj.* **1.** Que revela, mostra, manifesta. **2.** Diz-se do banho que transforma a imagem fotográfica latente em imagem visível. • *s.m.* **3.** Aquele que revela. **4.** Líquido usado no banho revelador.

revelar (re.ve.*lar*) *v.* **1.** Levar ao conhecimento de um ou de muitos (algo ignorado, reservado ou sigiloso); divulgar, difundir, propagar: *É incapaz de revelar um segredo; Não revele sua senha a ninguém*. **2.** Deixar ver; descobrir, desvelar: *Em alguns países do Oriente, a mulher não revela o rosto em público*. **3.** Dar a conhecer(-se); mostrar(-se), manifestar(-se): *Suas notas revelam que é ótimo aluno; Ao esquecer o apoio dos amigos leais, revelou-se um grande ingrato*. **4.** (*Cine, Fot.*) Realizar a revelação (4): *Ainda não mandei revelar as fotos da viagem*. **5.** (*Rel.*) Manifestar(-se) (Deus) aos homens, fazendo-os conhecer sua vontade, seus desígnios e mistérios: *O Senhor revelou sua vontade a Abraão; Deus revelou-se aos profetas no Antigo Testamento*. ▶ Conjug. 8.

revelia (re.ve.*li*.a) *s.f.* **1.** Qualidade ou condição de revel; rebeldia, desobediência. **2.** (*Jur.*) Condição do réu que, intimado, não comparece ao próprio julgamento. || *À revelia*: **1.** (*Jur.*) sem conhecimento e sem audiência da parte do réu. **2.** sem o conhecimento de: *À revelia dos professores, as provas foram adiadas*. • *Deixar correr à revelia*: não se importar; descuidar, negligenciar: *Deixou o curso correr à revelia e agora está na iminência de ser reprovado*.

revender (re.ven.*der*) *v.* Tornar a vender: *Ele compra e revende antiguidades; Revendeu ao brechó suas roupas fora de moda; Essas são peças do mostruário, não são para revender*. ▶ Conjug. 39. – **revenda** *s.f.*; **revendedor** *adj. s.m.*

rever (re.*ver*) *v.* **1.** Tornar a ver: *Voltou à cidade natal para rever os parentes.* **2.** Ver(-se) por mais de uma vez; mirar(-se), contemplar(-se): *rever fotos antigas; Revia-se no espelho, deleitando-se com a própria imagem.* **3.** Examinar cuidadosamente; revisar, corrigir, emendar: *Rever os originais de um dicionário é trabalho de muita atenção e experiência.* **4.** Chegar a novas conclusões; reexaminar, reconsiderar, refazer: *A equipe econômica reviu as metas de inflação do período.* **5.** Trazer à memória; relembrar, recordar, rememorar: *Ao chegar à terceira idade, revia, como num filme, a vida que passou tão rapidamente.* **6.** Reconhecer-se nas características físicas ou morais de (outrem); refletir-se, espelhar-se: *A jovem romântica revia-se nas heroínas das novelas.* || part.: *revisto.* ▶ Conjug. 59.

reverberação (re.ver.be.ra.*ção*) *s.f.* **1.** Ato ou efeito de reverberar; revérbero. **2.** Reflexo (da luz, do calor ou de um som) sobre uma superfície. **3.** (*Fís.*) Persistência de uma ou mais ondas acústicas, num espaço fechado, após cessar sua emissão pela fonte sonora.

reverberante (re.ver.be.*ran*.te) *adj.* **1.** Que reverbera: *bateria reverberante.* **2.** Que produz a reverberação: *asfalto reverberante.*

reverberar (re.ver.be.*rar*) *v.* **1.** Produzir reverberação (2) e (3): *Os vitrais reverberam a luz do sol; Os raios solares reverberam nas águas do lago; Para que o som não reverbere na sala de concertos, as paredes devem ser revestidas.* **2.** *fig.* Brilhar, luzir, resplandecer: *A beleza da jovem reverberava entre as demais.* ▶ Conjug. 8.

reverência (re.ve.*rên*.ci:a) *s.f.* **1.** Veneração ao que se considera sagrado; adoração. **2.** Atitude de grande respeito por (alguém ou algo), em virtude de seus méritos ou de sua autoridade; consideração, deferência. **3.** Movimento de inclinação do corpo ou reflexão do joelho como forma cerimoniosa de cumprimento. || *Sua Reverência*: forma de tratamento usada para referir-se a sacerdotes em geral. • *Vossa Reverência*: forma de tratamento usada para dirigir-se a sacerdotes.

reverenciar (re.ve.ren.ci:*ar*) *v.* **1.** Prestar culto a; venerar, adorar: *Desde sempre, o homem procurou reverenciar divindades.* **2.** Tratar com reverência ou deferência (2); respeitar, considerar, acatar: *A universidade reverenciou os antigos mestres.* **3.** Fazer reverência (3); cumprimentar respeitosamente: *Ao final do concerto, o maestro reverenciou o público, que o aplaudia de pé.* ▶ Conjug. 17.

reverendíssimo (re.ve.ren.*dís*.si.mo) *adj.* **1.** Que é digno de muita reverência e respeito; venerável; respeitável. **2.** *coloq.* Que apresenta um atributo, em geral negativo, em alto grau; completo, rematado: *Ele é um reverendíssimo tolo.* || *Sua Reverendíssima*: forma de tratamento usada para referir-se a altos dignitários eclesiásticos (cardeais, arcebispos e bispos). • *Vossa Reverendíssima*: forma de tratamento usada para dirigir-se a esses dignitários.

reverendo (re.ve.*ren*.do) *adj.* **1.** Que é digno de ser reverenciado; venerável, respeitável. • *s.m.* **2.** Tratamento dispensado a sacerdotes em geral e à madre superiora de uma ordem religiosa. **3.** Padre ou sacerdote (especialmente nas denominações evangélicas). || sup. abs.: *reverendíssimo.*

reversão (re.ver.*são*) *s.f.* **1.** Ato ou efeito de reverter(-se). **2.** Volta ao ponto de partida de uma ação; retorno, regresso, reingresso. **3.** Volta ao estado ou posição anterior; retrocesso. **4.** Na administração pública, ato pelo qual o funcionário aposentado ou o militar reformado reingressa ao serviço ativo. **5.** (*Jur.*) Retorno dos bens ao patrimônio do doador, se o donatário morre sem deixar herdeiros; requisição de bens. **6.** Em Meteorologia, mudança de direção dos ventos e das marés.

reversível (re.ver.*sí*.vel) *adj.* **1.** Que se pode reverter; que é passível de reversão. **2.** Que pode assumir outro aspecto ou função, visando a uma utilização diferente da habitual: *quarto reversível.* **3.** Que pode ser utilizado pelo lado direito ou pelo avesso (diz-se de tecido ou roupa). **4.** (*Jur.*) Que devem retornar ao proprietário, em casos previstos pela legislação (diz-se de bens). – **reversibilidade** *s.f.*

reverso [é] (re.ver.so) *adj.* **1.** Que se reverteu. **2.** Que voltou à posição ou ao estado anterior. **3.** Que fica na parte contrária àquela que primeiro se observa ou se considera: *lado reverso.* • *s.m.* **4.** O lado contrário ao que se tem como principal; verso, avesso, revés: *reverso do tecido, da moeda.* **5.** *fig.* Situação adversa, contrária ao que se esperava; revés. || antôn. (3) e (4): *anverso.*

reversor [ô] (re.ver.*sor*) *s.m.* (*Aer.*) Freio aerodinâmico que reverte o fluxo de ar das turbinas de uma aeronave.

reverter (re.ver.*ter*) *v.* **1.** Voltar ao ponto ou à condição inicial; retornar, regressar, retroceder: *O baque financeiro o fez reverter à vida modesta de antes.* **2.** Tomar ou fazer tomar uma direção contrária; alterar(-se), modificar(-se):

reverter a mão da estrada; *Os prognósticos sombrios dos médicos se reverteram diante da melhora do paciente*. **3.** Transformar(-se) (uma coisa em outra); converter-se: *reverter o motor do carro*; *reverter o quarto de empregada em uma suíte*. **4.** Resultar, redundar, converter-se: *O dinheiro dos impostos deve reverter em benefícios para a população*. **5.** Reingressar (o aposentado ou o reformado) ao serviço ativo: *O funcionário, depois de algum tempo de aposentadoria, decidiu reverter às antigas funções*. **6.** (Jur.) Retornar à posse do legítimo dono: *Por morte do donatário, os bens revertem ao doador ou a seus herdeiros*. ▶ Conjug. 41.

revertério (re.ver.té.ri:o) *s.m. coloq.* Mudança imprevista de uma situação favorável a uma situação desfavorável; reviravolta, revés, guinada: *Temia um revertério na rentabilidade da empresa*.

revés (re.vés) *s.m.* **1.** Reverso (4). **2.** Acontecimento desfavorável; reviravolta, contratempo, vicissitude: *os reveses da sorte*. ‖ *Ao revés*: ao contrário, às avessas: *andar ao revés*. • *De revés*: de modo oblíquo; de lado; de soslaio, de esguelha: *olhar de revés*.

revestimento (re.ves.ti.men.to) *s.m.* **1.** Ato ou efeito de revestir. **2.** Matéria ou substância empregada em construção, para recobrir, proteger ou preservar (pia, teto, parede, estrada etc.): *A sala tem um revestimento especial para impedir a reverberação do som*; *Iniciou-se o revestimento de concreto e asfalto das principais rodovias do país*.

revestir (re.ves.tir) *v.* **1.** Aplicar revestimento em (determinada superfície); recobrir, cobrir: *Revestiu o quarto das crianças com papel de parede em tons suaves*. **2.** Cobrir(-se), adornar(-se), ornar(-se), enfeitar(-se): *A primavera revestiu os campos de verde*; (fig.) *revestir a vida de sonhos e desejos*; *A noiva revestiu-se de flores e pérolas*. **3.** Prover(-se), munir(-se), armar(-se), encher(-se): *Sua fé revestia-o de amor e esperança*; *Revestiu-se da autoridade que o cargo exigia*. **4.** Dar aparência de; converter em: *Ela reveste de drama tudo o que lhe acontece*. ▶ Conjug. 69.

revezamento (re.ve.za.men.to) *s.m.* Ato ou efeito de revezar; alternância, substituição, troca, permuta: *corrida de revezamento*; *revezamento da guarda*.

revezar (re.ve.zar) *v.* Substituir(-se) alternadamente (pessoas ou coisas); alternar(-se), permutar(-se): *revezar os sentinelas*; *Essa turma de operários reveza com os companheiros do turno da noite*; *Os enfermeiros se revezavam dia e noite à cabeceira do doente*. ▶ Conjug. 8.

revidar (re.vi.dar) *v.* Responder a (crítica, afronta, agressão) da mesma maneira ou mais violentamente; reagir, vingar: *Não quis revidar os ataques do adversário político*; *Revidou o golpe do assaltante com golpes certeiros de caratê*; *Todos esperaram dele uma forte reação, mas ele preferiu não revidar*. ▶ Conjug. 5. – **revide** *s.m.*

revigorante (re.vi.go.ran.te) *adj.* **1.** Que revigora, fortifica. • *s.m.* **2.** Substância ou medicamento que revigora; fortificante: *elixir revigorante*.

revigorar (re.vi.go.rar) *v.* **1.** Dar ou adquirir novo vigor, força, energia; fortalecer(-se); fortificar(-se), robustecer(-se): *O repouso revigorou-o*; *O medicamento receitado fez com que se revigorasse*. **2.** *fig.* Dar ou receber novo ânimo ou estímulo; reanimar(-se), estimular(-se): *A volta aos palcos revigorou o veterano ator*; *A ordem democrática revigora-se periodicamente com o espetáculo das eleições*. ▶ Conjug. 20.

revirar (re.vi.rar) *v.* **1.** Tornar a virar(-se) ou virar(-se) repetidas vezes: *Revirava o corpo na rede, sem sono*; *A criança revirava-se no chão, brincando à solta*. **2.** Remexer, revolver: *Revirou os arquivos à procura do documento*. **3.** Mexer, retorcer, contorcer: *revirar as mãos, os olhos*. **4.** Percorrer longamente; correr, palmilhar: *Revirou a cidade toda a pé, descobrindo seus encantos*. **5.** Provocar náusea; enjoar, embrulhar: *A comida muito gordurosa revirou seu estômago*. ▶ Conjug. 5.

reviravolta [ó] (re.vi.ra.vol.ta) *s.f.* **1.** Volta rápida em torno de si mesmo, firmando-se em um dos pés; pirueta, volteio: *as reviravoltas das bailarinas*. **2.** Mudança brusca de uma situação para outra (melhor ou pior); revés, revertério, guinada: *O rumo das averiguações sofreu uma reviravolta com as novas provas e testemunhas*.

revisão (re.vi.são) *s.f.* **1.** Ação ou estado de rever ou revisar. **2.** Novo exame, nova vista, nova leitura. **3.** Leitura atenta, por parte de um revisor, de uma prova tipográfica, confrontando-a com o texto original e indicando, por meio de símbolos convencionais, as necessárias emendas. **4.** Corpo de revisores de (jornal, revista, editora), encarregado de indicar as correções a serem feitas pelos gráficos. **5.** Local ou departamento onde se revisam textos. **6.** Inspeção periódica em (equipamentos, máquina etc.) para prevenção ou correção de falhas e desgastes; revista, vistoria: *Antes de pegar a estrada, fez uma revisão*

revisar

completa no carro. **7.** (*Jur.*) Alteração de uma norma jurídica que se tenha tornado obsoleta, para adaptá-la a uma nova situação legal; atualização.

revisar (re.vi.*sar*) *v.* **1.** Fazer a revisão (2) de; emendar, corrigir, rever: *Antes de entregar a redação, revisou-a atentamente.* **2.** Ler (prova tipográfica), assinalando os possíveis erros encontrados no confronto com os originais: *Os revisores já encaminharam os textos revistos para impressão.* **3.** Estudar atentamente, mais de uma vez; recapitular, rememorar, rever: *Revisou toda a matéria da prova de Português.* **4.** Tornar a examinar ou pensar em; reexaminar, repensar, reconsiderar, rever: *O governo revisou algumas das metas previstas para o cenário econômico.* ▶ Conjug. 5.

revisionismo (re.vi.si:o.*nis*.mo) *s.m.* Doutrina ou tendência que preconiza a revisão ou o reexame de (uma teoria, crença, política etc.), em função das modificações da conjuntura social, política e econômica.

revisionista (re.vi.si:o.*nis*.ta) *adj.* **1.** Relativo a revisionismo. • *s.m.* e *f.* **2.** Partidário do revisionismo.

revisor [ô] (re.vi.*sor*) *adj.* **1.** Que revisa. • *s.m.* **2.** Profissional encarregado da revisão de provas tipográficas.

revista¹ (re.*vis*.ta) *s.f.* **1.** Ato ou efeito de revistar. **2.** Inspeção ou vistoria feita a (pessoas ou coisas): *Os policiais fizeram uma revista no suspeito de sequestro e em sua casa.* **3.** (*Mil.*) Inspeção do contingente militar em posição de formatura ou do material de um batalhão ou tropa.

revista² (re.*vis*.ta) *s.f.* Publicação periódica que trata de assuntos de interesse geral ou relacionados a uma determinada atividade ou ramo do conhecimento, como, por exemplo, entre outras, as revistas de arte, de ciência, de moda, de esporte, de histórias em quadrinhos etc.

revista³ (re.*vis*.ta) *s.f.* (*Teat.*) Peça teatral composta por uma sequência de números musicais coreografados, entremeados com esquetes humorísticos e satíricos; teatro de revista.

revistar (re.vis.*tar*) *v.* **I.** Submeter (alguém ou algo) a um exame minucioso; vistoriar, inspecionar, vasculhar: *Os agentes alfandegários revistaram o passageiro e sua bagagem à procura de contrabando.* **2.** (*Mil.*) Passar revista (1) e (3): *revistar a tropa, as armas.* ℅ Conjug. 5.

reviver (re.vi.*ver*) *v.* **1.** Tornar a viver; ressuscitar: *Aquele que tem fé acredita que reviverá após a morte.* **2.** Tornar a surgir; ressurgir, renascer: *Revivem os campos na primavera.* **3.** *fig.* Ter nova vida; voltar a existir; manifestar-se novamente: *O reencontro depois de tantos anos fez reviver a antiga paixão.* **4.** Fazer voltar à lembrança; recordar, lembrar, rememorar: *Reviva os dias felizes, esqueça os maus momentos.* **5.** Colocar novamente em uso; tornar atual ou presente; atualizar: *A moda está sempre revivendo tendências e estilos.* ▶ Conjug. 39.

revivescência (re.vi.ves.*cên*.ci:a) *s.f.* Ato ou efeito de revivescer; revivescimento.

revivescer (re.vi.ves.*cer*) *v.* Reviver (2) e (3): *A chuva revivesceu o solo árido;* (fig.) *A esperança nunca morre, sempre revivesce.* ▶ Conjug. 41 e 46. – **revivescente** *adj.*

revivificar (re.vi.vi.fi.*car*) *v.* Dar nova vida ou vitalidade; reviver, revivescer: *Para revivificar uma flor, mergulhe-a em água fria;* (fig.) *O apoio espiritual revivificou sua fé.* ▶ Conjug. 5 e 35.

revoada (re.vo:*a*.da) *s.f.* **1.** Voo da ave para o ponto de onde partiu. **2.** Bando de aves em voo: *uma revoada de andorinhas.*

revoar (re.vo:*ar*) *v.* **1.** Voltar (as aves em bando) ao ponto de onde partiram: *As pombas revoam, ao cair da tarde, aos pombais.* **2.** Executar (a ave) seu voo; voejar, esvoaçar, adejar, voar: *A gaivota revoava baixo sobre a praia.* **3.** *fig.* Dar voltas (a mente); revolutear, agitar-se: *Insone, as ideias revoavam em sua cabeça.* ▶ Conjug. 25.

revogar (re.vo.*gar*) *v.* **1.** Tornar (algo) sem efeito; anular, cancelar, desfazer, rescindir: *revogar uma medida.* **2.** (*Jur.*) Proceder à revogação de: *revogar uma lei; revogar um testamento.* ▶ Conjug. 20 e 34. – **revogação** *s.f.*

revogatória (re.vo.ga.*tó*.ri:a) *s.f.* (*Jur.*) Documento pelo qual são anulados poderes que foram concedidos anteriormente.

revogatório (re.vo.ga.*tó*.ri:o) *adj.* **1.** Relativo a ou próprio de revogação. **2.** (*Jur.*) Que anula os efeitos de um ato jurídico anterior.

revogável (re.vo.*gá*.vel) *adj.* Que se pode revogar, tornar sem efeito, anular, cancelar: *sentença revogável.*

revolta [ó] (re.*vol*.ta) *s.f.* **1.** Ato ou efeito de revoltar(-se). **2.** Rebelião, geralmente armada, contra autoridade estabelecida; motim, sublevação, sedição, levante, revolução (1): *Unidades da Marinha brasileira sublevaram-se, em 1893, contra o governo de Floriano Peixoto, no que ficou conhecido como a Revolta da Ar-*

mada. **3.** Sentimento de grande indignação e repúdio: *revolta contra a miséria*.

revoltante (re.vol.*tan*.te) *adj.* Que causa revolta (3): *crime revoltante*.

revoltar (re.vol.*tar*) *v.* **1.** Provocar revolta; insubordinar(-se), sublevar(-se), insurgir(-se), revelar(-se): *revoltar as tropas*; *revoltar o partido contra os dirigentes*; *Os inconfidentes revoltaram-se contra a opressão da corte portuguesa*. **2.** Causar ou sentir indignação ou repulsa; indignar(-se): *A impunidade do assassino revoltou os familiares da vítima*; *Os atos de injustiça sempre revoltam*; *A comunidade revoltou-se contra o descaso das autoridades competentes*. ▶ Conjug. 20.

revolto [ô] (re.*vol*.to) *adj.* **1.** Tempestuoso, tormentoso: *mar revolto*. **2.** Em desalinho, desgrenhado: *cabelos revoltos*. **3.** Revirado, remexido, revolvido: *Após a passagem das crianças, a casa ficava revolta*. || part. de revolver.

revoltoso [ô] (re.vol.*to*.so) *adj.* **1.** Que participa de revolta ou rebelião; rebelde, insurreto, insurgente: *As províncias revoltosas aceitaram o acordo de paz com o governo central*. • *s.m.* **2.** Aquele que participa de uma revolta: *A rebelião nos quartéis foi logo dominada, e os revoltosos, presos*. || f. e pl.: [ó].

revolução (re.vo.lu.*ção*) *s.f.* **1.** Movimento de caráter político com o objetivo de depor ou alterar, pela força das armas, o governo ou os poderes constituídos e estabelecer uma nova ordem política, econômica e social: *Em 1789, a tomada da Bastilha determinou o fim da monarquia e a vitória da Revolução Francesa*. **2.** *fig.* Transformação radical em qualquer ramo do conhecimento: *revolução industrial*; *revolução tecnológica*. **3.** (*Fís.*) Movimento de um corpo que, percorrendo uma curva, circular ou elíptica, volta a sua posição inicial. **4.** (*Astron.*) Retorno periódico de um astro a um ponto de sua própria órbita: *revolução astral*. **5.** (*Astron.*) Intervalo de tempo decorrido durante esse movimento.

revolucionar (re.vo.lu.ci.o.*nar*) *v.* **1.** Incitar à revolução (1) ou dela participar; sublevar(-se), insurgir(-se), revoltar(-se): *As ideias liberais e republicanas revolucionaram o movimento de Vila Rica conhecido como Inconfidência Mineira*; *Os inconfidentes revolucionaram-se inicialmente contra a derrama instituída pela corte portuguesa*. **2.** Provocar notável mudança em algum campo do conhecimento ou da atividade humana; transformar, renovar, inovar: *Picasso revolucionou a arte do século XX*. **3.** *fig.* Causar grande comoção; agitar, perturbar: *A visão da tragédia revolucionou até os mais insensíveis corações*. ▶ Conjug. 5.

revolucionário (re.vo.lu.ci:o.*ná*.ri:o) *adj.* **1.** Relativo a ou próprio de revolução: *movimento revolucionário*. **2.** Que toma parte em revolução; sublevado, insurgente, revoltoso. **3.** Que prega ou introduz mudanças (sociais, culturais, artísticas); inovador, progressista: *A internet é um meio revolucionário de comunicação*. • *s.m.* **4.** Pessoa que participa de uma revolução. **5.** Pessoa que promove ou é adepta de mudanças e inovações.

revolutear (re.vo.lu.te:*ar*) *v.* **1.** Agitar-se em várias direções; revolver-se, voltear, rodopiar: "*A mata agita-se, revoluteia, contorce-se toda e sacode-se.*" (Manuel Bandeira, *A mata*). **2.** Bater as asas; voejar, esvoaçar: *Mariposas revoluteiam ao redor dos focos de luz*. ▶ Conjug. 14.

revolver (re.vol.*ver*) *v.* **1.** Mover(-se) muito; remexer(-se), agitar(-se), revirar(-se): *Revolvia o corpo na cama, sem conseguir dormir*; *O bebê dormia tranquilo sem se revolver*. **2.** Cavar (a terra) para plantar: *Os filhos ajudavam-no a revolver a terra com os arados*. **3.** Remexer, revirar: *Revolvia os bolsos, procurando as chaves*. **4.** Examinar cuidadosamente; investigar, esquadrinhar, vasculhar: *Revolveu toda a documentação para embasar sua pesquisa*. ▶ Conjug. 41.

revólver (re.*vól*.ver) *s.m.* Arma de fogo portátil, de cano curto, com dispositivo em forma de tambor giratório e várias culatras, o que permite disparar vários tiros sem tornar a carregá-la.

reza [é] (*re*.za) *s.f.* **1.** Ato ou efeito de rezar; prece. **2.** (*Rel.*) Oração dirigida pelos cristãos a Deus, a seus anjos e santos, ou aos orixás, nos cultos afro-brasileiros. **3.** Segundo a crença popular, ato de benzer, mediante uma determinada sequência de palavras proferidas pelo rezador ou curandeiro, com o intuito de curar enfermidades e afastar o mal.

rezadeira (re.za.*dei*.ra) *adj.* **1.** Que reza muito ou que é muito devota; beata. • *s.f.* **2.** Mulher que usa de rezas (3) para benzer pessoas e curar-lhes os males; benzedeira.

rezador [ô] (re.za.*dor*) *adj.* **1.** Que reza muito ou é muito devoto; beato. • *s.m.* **2.** Homem que pretende alcançar a cura de males por meio de rezas (3); benzedeiro, curandeiro.

rezar (re.*zar*) *v.* **1.** Recitar (oração); fazer prece; orar: *Rezava o rosário diariamente*; *Rezava sempre a Nossa Senhora*; *Rezou uma prece a seu santo padroeiro*; *Rezamos pelos mortos da*

rezinga

tragédia aérea; *Ajoelhou-se na capela para rezar.* **2.** Realizar a celebração eucarística: *O cardeal rezou missa no santuário do Cristo Redentor.* **3.** Fazer reza (3) (a rezadeira ou rezador); benzer: *Em regiões de precárias condições de saúde, ainda se rezam as mais diversas doenças.* **4.** Discorrer sobre; tratar, determinar, prescrever: *A Constituição reza, em seu artigo 5º, que todos são iguais perante a lei.* ▶ Conjug. 8.

rezinga (re.zin.ga) *s.f.* **1.** Ato ou efeito de rezingar. **2.** Discussão, altercação, desinteligência, discórdia. **3.** Rabugice, ranzinzice, mau humor.

rezingão (re.zin.gão) *adj.* **1.** Que vive resmungando; rabugento, ranzinza, resmungão. • *s.m.* **2.** Pessoa que vive rezingando.

rezingar (re.zin.gar) *v.* **1.** Expressar(-se) de mau humor, por entre dentes; murmurar, resmungar: *Rezingava palavras desconexas*; *Vivia pelos cantos, rezingando.* **2.** Discutir, altercar, polemizar: *Parem de rezingar e cheguem ao entendimento.* **3.** Fazer crítica ou reclamação; reclamar, queixar-se: *Rezinga com tudo e com todos.* ▶ Conjug. 5 e 34.

Rh (*Quím.*) Símbolo de ródio.

riacho (ri.a.cho) *s.m.* Pequeno rio; regato, ribeira, arroio.

riba (ri.ba) *s.f.* Margem alta de um rio; ribanceira, barranco. || *Em riba de:* coloq. em cima de: *Colocou a carga em riba do jumento.*

ribalta (ri.bal.ta) *s.f.* (*Teat.*) **1.** Fileira de lâmpadas que iluminam o primeiro plano do palco: *as luzes da ribalta.* **2.** A parte dianteira do palco; proscênio. **3.** *fig.* A arte dramática; o teatro, o palco: *Seu sonho de artista sempre foi a ribalta.*

ribanceira (ri.ban.cei.ra) *s.f.* **1.** Margem alta de um rio; riba, barranco. **2.** Grande depressão ou cavidade natural; despenhadeiro, precipício. **3.** Subida ou rampa muito íngreme.

ribeira (ri.bei.ra) *s.f.* **1.** Pequeno rio; riacho, ribeiro. **2.** O terreno banhado por esse rio.

ribeirão (ri.bei.rão) *s.m.* Curso de água maior que um ribeiro e menor que um rio.

ribeirinho (ri.bei.ri.nho) *adj.* **1.** Que vive junto aos rios e ribeiras: *aves ribeirinhas; população ribeirinha.* **2.** Relativo a ou próprio de rios e ribeiros: *vegetação ribeirinha.* • *s.m.* **3.** Habitante das margens de um rio.

ribeiro (ri.bei.ro) *s.m.* Pequeno curso de água, riacho, regato, arroio, córrego.

riboflavina (ri.bo.fla.vi.na) *s.f.* (*Biol.*) Vitamina do complexo B; substância cristalina e amarela, encontrada no leite, no ovo, no levedo, nos cereais e em muitos legumes.

ribombante (ri.bom.ban.te) *adj.* Que ribomba; retumbante.

ribombar (ri.bom.bar) *v.* Soar fortemente, com estrondo; troar, retumbar: *Os disparos dos canhões ribombavam a espaços periódicos.* || *rimbombar.* ▶ Conjug. 5.

ribombo (ri.bom.bo) *s.m.* Som muito forte (como o troar dos trovões e dos canhões); estrondo, fragor, retumbância. || *rimbombo.*

ribonucleico [éi ou ei] (ri.bo.nu.clei.co) *adj.* (*Biol.*) Diz-se do ácido responsável pela transmissão de informações genéticas (sigla *ARN* ou *RNA*), encontrado no núcleo e no citoplasma das células.

ricaço (ri.ca.ço) *adj.* **1.** Que é muito rico. • *s.m.* **2.** Pessoa muito rica. || aum. de *rico.*

rícino (rí.ci.no) *s.m.* Mamona ou carrapateira.

rico (ri.co) *adj.* **1.** Que tem muito dinheiro ou muitos bens; opulento. **2.** Que possui em abundância; farto: *O leite materno é o alimento mais rico para os bebês.* **3.** Produtivo, fértil, fecundo: *A Amazônia é rica em biodiversidade*; (fig.) *Tem uma mente rica de ideias e projetos.* **4.** Precioso, valioso, raro: *uma rica coleção de porcelanas; versos de rima rica.* **5.** De excelente qualidade ou extremo bom gosto: *A peça teatral apresentava um rico vestuário de época.*

ricochete [ê] (ri.co.che.te) *s.m.* Salto de um corpo ou de projétil depois de chocar-se contra uma superfície dura ou de tocar no chão.

ricochetear (ri.co.che.te:ar) *v.* Fazer ricochete: *A bala ricocheteou na parede e não atingiu ninguém.* ▶ Conjug. 14.

ricota [ó] (ri.co.ta) *s.f.* (*Cul.*) Queijo branco, de consistência macia, feito com soro do leite desnatado, usado em pastas, recheios etc., e muito recomendado em regime alimentar.

ricto (ric.to) *s.m.* Contração dos músculos da face ou da boca. || *ríctus.*

ríctus (ríc.tus) *s.m.2n.* Ricto.

ridicularizar (ri.di.cu.la.ri.zar) *v.* **1.** Expor ao ridículo; fazer zombaria de; zombar, caçoar, escarnecer, motejar: *Tinha o reprovável hábito de ridicularizar os mais humildes.* **2.** Tornar(-se) ridículo: *Algumas criações da moda parecem querer ridicularizar os que as vestem; Com seu pensamento retrógrado, ele se ridicularizou ao falar a um público jovem.* ▶ Conjug. 5.

ridículo (ri.dí.cu.lo) *adj.* **1.** Que é digno de riso, de zombaria, de escárnio, por estar em dissonância com o que é convencionalmente aceito: *roupa ridícula; opinião ridícula.* **2.** Que tem pouco valor; insignificante, irrisório: *salário ridículo.* • *s.m.* **3.** Pessoa ridícula. **4.** Aquilo que é motivo de riso, de zombaria ou escárnio: *Muita gente não teme o ridículo.*

rifa (ri.fa) *s.f.* Sorteio de um ou mais objetos por meio de bilhetes numerados, vendidos a várias pessoas, regulado geralmente pela loteria.

rifar (ri.far) *v.* **1.** Fazer rifa ou sorteio de: *Rifavam objetos de pouco valor para angariar dinheiro para a quermesse.* **2.** *gír.* Deixar de lado (pessoa ou coisa); descartar-se de; dispersar: *Rifou o namorado de infância.* ▶ Conjug. 5.

rifle (ri.fle) *s.m.* Espingarda de cano longo; carabina, fuzil.

rigidez (ri.gi.dez) *s.f.* **1.** Qualidade ou condição do que é rígido ou rijo: *a rigidez do aço.* **2.** *fig.* Austeridade de princípios e comportamento; severidade, inflexibilidade, firmeza, escrúpulo: *rigidez de caráter.* **3.** *fig.* Falta de indulgência; intransigência, rigor, rispidez: *Trata os subordinados com muita rigidez.* **4.** *fig.* Grande exatidão e precisão; rigor: *Os cálculos foram feitos com toda a rigidez.*

rígido (rí.gi.do) *adj.* **1.** Em que há rigidez; duro, hirto, resistente, rijo: *material rígido.* **2.** *fig.* Austero, severo, inflexível, rijo: *pessoa de princípios rígidos.* **3.** Intransigente, intolerante, rude, ríspido: *pais rígidos.* **4.** *fig.* Exato, preciso, rigoroso, estrito: *um rígido controle de qualidade.*

rigor [ô] (ri.gor) *s.m.* **1.** Inflexibilidade, severidade, austeridade, rigidez: *o rigor da lei; O internato era famoso por seu rigor na educação dos jovens.* **2.** Precisão absoluta; exatidão: *o rigor científico.* **3.** Alto grau de intensidade de (um fenômeno): *o rigor do inverno.*

rigoroso [ô] (ri.go.ro.so) *adj.* **1.** Que age com rigor ou demonstra rigor (1); rígido: *patrão rigoroso; Exige-se o cumprimento rigoroso das normas do condomínio.* **2.** Minucioso, meticuloso, exato, preciso, estrito: *O delegado procedeu a uma investigação rigorosa do caso.* **3.** Muito intenso (diz-se de clima). || f. e pl.: [ó].

rijo (ri.jo) *adj.* **1.** Que apresenta grande resistência a pressão; inflexível, duro, firme, resistente, rígido: *móveis de madeira rija;* (fig.) *homens de escrúpulos e de vontade rijos.* **2.** De grande vigor físico; forte, robusto, vigoroso: *atletas musculosos e rijos.* **3.** Árduo, penoso, exaustivo, cansativo: *o trabalho rijo do campo.*
— **rijeza** *s.f.*

rilhar (ri.lhar) *v.* **1.** Produzir rangido com os dentes; ranger, trincar: *Rilha os dentes quando dorme.* **2.** Produzir ruído áspero ao atritar-se; ranger: *O giz rilhou o quadro-negro; O soalho rilhava sob seus pés.* ▶ Conjug. 5.

rim *s.m.* (Anat.) Cada um dos dois órgãos simétricos, situados em cada lado da região lombar, cuja função é filtrar o sangue, excretando os produtos finais do metabolismo sob a forma de urina. • **rins** *s.m.pl. coloq.* A parte inferior da região lombar.

rima (ri.ma) *s.f.* **1.** (Lit.) Concordância de sons, finais ou interiores, entre um verso e outro, ou no corpo do mesmo verso. **2.** Palavra que apresenta rima (1): *"Vida" é rima de "lida".* • **rimas** *s.f.pl.* **3.** Versos, poemas: *as Rimas de Camões.*

rimar (ri.mar) *v.* **1.** Escrever em forma de versos rimados: *Os parnasianos usavam rimar palavras raras; Os modernistas preferiam os versos livres a rimar.* **2.** Formar rima: *"Para que rimar amor e dor", já dizia um samba antigo; Olavo Bilac, em "Via Láctea", rimou "aurora" com "sonora" e "outrora".* **3.** *fig.* Estar em concordância; combinar, condizer, concordar: *A elegância não rima necessariamente com muito dinheiro; Em sua afirmação, há alguma coisa que não rima.* ▶ Conjug. 5.

rimbombar (rim.bom.bar) *v.* Ribombar: *"– Brilha o raio, / E o ronco do trovão após rimbomba".* (Gonçalves Dias, *A tempestade*). ▶ Conjug. 5.

rimbombo (rim.bom.bo) *s.m.* Ribombo.

rímel (rí.mel) *s.m.* Cosmético para colorir cílios e supercílios e dar-lhes volume.

rinçagem (rin.ça.gem) *s.f.* Tratamento cosmético dado aos cabelos, depois de lavados, que consiste em aplicar-lhes um produto especial para alterar-lhes a cor e/ou o brilho.

rincão (rin.cão) *s.m.* **1.** Lugar afastado, distante; recanto: *Mesmo nos mais longínquos rincões, a votação se faz com as urnas eletrônicas.* **2.** *reg.* Qualquer área do campo onde há regato e mato: *rincão gaúcho.*

rinchar (rin.char) *v.* **1.** Emitir rincho (os equinos); relinchar: *O cavalo rinchava e escoiceava.* **2.** Ranger, rangir: *Os sapatos novos rinchavam.* ▶ Conjug. 5.

rincho (rin.cho) *s.m.* Som emitido por equinos; relincho.

ringir (rin.gir) *v.* **1.** Trincar os dentes uns contra os outros; rilhar: *Com frio, a criança não parava de ringir os dentes.* **2.** (Fazer) ranger; rinchar, chiar: *O carro de bois ringia no caminho de terra.* ▶ Conjug. 6 e 92.

ringue (rin.gue) s.m. (*Esp.*) Tablado elevado, quadrado, cercado por cordas, onde se disputam as modalidades esportivas do boxe, da luta livre etc.

rinha (ri.nha) s.f. **1.** Briga de galos. **2.** Lugar onde se realizam essas brigas. – **rinhar** v. ▶ Conjug. 5.

rinite (ri.ni.te) s.f. (*Med.*) Inflamação aguda ou crônica da mucosa nasal.

rinoceronte (ri.no.ce.ron.te) s.m. (*Zool.*) Mamífero de grande porte, de pele espessa, cabeça grande com um ou dois chifres, encontrado na África e na Ásia: *O rinoceronte é um animal em extinção.*

rinovírus (ri.no.ví.rus) s.m. (*Biol.*) Vírus causador de infecções respiratórias.

rinque (rin.que) s.m. Pista de patinação.

rio (ri:o) s.m. **1.** Curso de água proveniente de nascente natural, que deságua em outro rio, no mar ou num lago: *O rio Amazonas é o segundo rio em comprimento do mundo.* **2.** *fig.* Grande quantidade de qualquer coisa: *Verteu rios de lágrimas; Gastou rios de dinheiro.* || Nesta acepção, é mais usado no plural.

rio-branquense (ri:o-bran.quen.se) adj. **1.** De Rio Branco, capital do Estado do Acre. • s.m. e f. **2.** O natural ou o habitante dessa capital. || pl.: *rio-branquenses.*

rio-grandense (ri:o-gran.den.se) adj. s.m. e f. Rio-grandense-do-norte e rio-grandense-do-sul. || pl.: *rio-grandenses.*

rio-grandense-do-norte (ri:o-gran.den.se-do-nor.te) adj. **1.** Do Estado do Rio Grande do Norte; potiguar. • s.m. e f. **2.** O natural ou o habitante desse estado. || pl.: *rio-grandenses-do-norte.*

rio-grandense-do-sul (ri:o-gran.den.se-do-sul) adj. **1.** Do Estado do Rio Grande do Sul; gaúcho. • s.m. e f. **2.** O natural ou o habitante desse estado. || pl.: *rio-grandenses-do-sul.*

ripa (ri.pa) s.f. **1.** Pedaço comprido, estreito e flexível de madeira. **2.** Peça de madeira empregada em construções como assentamento e suporte de telhas. || *Meter a ripa em:* **1.** bater, espancar. **2.** falar mal de (alguém); criticar, arrasar.

ripada (ri.pa.da) s.f. **1.** Golpe dado com uma ripa ou outro objeto contundente. **2.** *coloq.* Censura, crítica, admoestação.

ripar (ri.par) v. **1.** Cortar ou serrar (a madeira), separando em ripas: *ripar as peças de madeira.* **2.** Pregar ripas; assentar com ripas: *ripar uma cerca.* **3.** *coloq.* Dar ripadas, bater, espancar: meter a ripa em (1): *O feitor mandava ripar os escravos que fugiam.* **4.** *coloq.* Falar mal de (alguém); criticar, arrasar: meter a ripa (2): *Invejoso, ripou o trabalho dos colegas.* ▶ Conjug. 5.

riqueza [ê] (ri.que.za) s.f. **1.** Qualidade ou condição de quem é rico. **2.** Abundância de bens materiais ou valores; fortuna: *Acumulou uma considerável riqueza com seus empreendimentos.* **3.** Imponência, opulência, suntuosidade, luxo, fausto: *O visitante se extasia com a riqueza e o esplendor dos palácios reais.* **4.** Conjunto dos recursos naturais de uma terra; fertilidade, fecundidade: *a riqueza do solo brasileiro.* **5.** *fig.* Conjunto dos recursos expressivos de uma obra (literária, artística): *É um autor de grande riqueza vocabular.* **6.** *fig.* Fonte de bens ou valores morais, não materiais: *Os filhos são sua maior riqueza.*

rir v. **1.** Expressar alegria, felicidade, satisfação, através do riso: *Apaixonados, viviam rindo; Ria-se, de bem com a vida.* **2.** Achar graça de; considerar cômico ou risível: *As crianças riam(-se) com as trapalhadas dos palhaços.* **3.** Tratar (alguém ou algo) com escárnio ou desdém; zombar, troçar, escarnecer, ridicularizar: *Todos riram(-se) das gafes da entrevistada; O infortúnio dos outros não é motivo para rir(-se).* **4.** Dar mostras de simpatia ou agrado; mostrar-se risonho; sorrir: *No colo da mãe, o bebê ria para todos.* **5.** Dar, emitir (riso): *A jovem ria um riso contagiante.* ▶ Conjug. 91.

risada (ri.sa.da) s.f. **1.** Riso aberto, alto, sonoro; gargalhada. **2.** Riso simultâneo de várias pessoas reunidas: *A risada foi geral, ao ouvirem o desfecho da anedota.*

risca (ris.ca) s.f. **1.** Traço ou linha que se faz com objeto próprio para escrever, desenhar ou pintar; risco. **2.** Linha que demarca ou separa algum espaço: *Os meninos fizeram uma risca no chão para delimitar os dois lados do campinho de futebol.* **3.** Carreira aberta pelo pente, que divide o cabelo em duas partes; repartido. || *À risca:* exatamente; rigorosamente; ao pé da letra: *Siga à risca as instruções do manual.*

riscado (ris.ca.do) adj. **1.** Que se riscou; cheio de riscos (1); rabiscado. **2.** Que tem riscas ou listras: *tecido riscado.* **3.** Diz-se do fósforo já usado. • s.m. **4.** Tecido listrado. || *Entender do riscado:* *coloq.* conhecer bem um assunto; ter competência para determinada coisa: *Contratei um eletricista que entende bem do riscado.*

riscar (ris.car) v. **1.** Fazer riscos, traços ou riscas em: *É um ato de vandalismo riscar prédios e monumentos; Os jatos riscavam o céu com seus* *rastros brancos*. **2.** Apagar (algo escrito), recobrindo-o de riscos: *Riscou da fotografia a dedicatória*. **3.** Fazer o esboço de; delinear, traçar, esboçar, bosquejar: *A costureira risca em papel fino o molde dos tecidos*. **4.** Acender, friccionando: *riscar um fósforo*. **5.** Eliminar, suprimir, excluir, banir: *Riscou de seu convívio os amigos desleais*. **6.** *fig.* Apagar-se, desvanecer-se, desaparecer, sumir: *Não deixe que se risquem da memória os bons momentos vividos*. ▶ Conjug. 5 e 35.

risco¹ (ris.co) *s.m.* **1.** Traço feito numa superfície plana com objeto pontiagudo; rabisco, risca: *Fazia riscos com o lápis de cor nas folhas do caderno*. **2.** Esboço de (desenho, quadro etc.); traçado, bosquejo: *os riscos do bordado*. **3.** Marca deixada (em parte do corpo) por um golpe ou um corte superficial; talho, vergão: *A espada da esgrima deixou no adversário um risco no braço*.

risco² (ris.co) *s.m.* **1.** Probabilidade de ocorrência de (algo) muito próximo e geralmente adverso. **2.** Possibilidade de perigo, perda, doença ou morte: *risco cirúrgico; risco de vida*. **3.** Possibilidade de danos ou efeitos nocivos em virtude da exposição a um agente físico ou químico: *risco de contaminação; risco de extinção*. **4.** (*Jur.*) Em contratos de seguro, ocorrência que acarreta o pagamento de indenização: *risco de roubo e acidente*.

risível (ri.sí.vel) *adj.* **1.** Que provoca riso; ridículo, cômico: *Sua afetação e empáfia são risíveis*. • *s.m.* **2.** Aquilo que é motivo de riso.

riso (ri.so) *s.m.* **1.** Ato ou efeito de rir. **2.** *fig.* Demonstração de alegria, felicidade, regozijo: *"Como que a vida é mais sadia / E os risos são mais francos / Por este mês de crisântemos brancos / E de Maria"*. (Mário Pederneiras, *Cantares*). **3.** Atitude de escárnio ou desdém para com alguém ou algo; zombaria, troça, galhofa, chacota, risota.

risonho (ri.so.nho) *adj.* **1.** Que está sempre a rir ou a sorrir; sorridente: *criança risonha*. **2.** Que denota alegria, felicidade: *Saudou-me com um ar risonho*. **3.** Que causa prazer; agradável, aprazível, prazeroso: *uma manhã risonha de sol*. **4.** Que se afigura venturoso, promissor: *um futuro risonho*.

risota [ó] (ri.so.ta) *s.f.* Riso zombeteiro; troça, galhofa, chacota.

risoto [ô] (ri.so.to) *s.m.* (*Cul.*) Prato preparado com arroz e diversos ingredientes, como frango desfiado, camarão, crustáceos, ervilhas e recoberto com queijo parmesão ralado.

ríspido (rís.pi.do) *adj.* **1.** Que é rude na maneira de tratar; grosseiro, mal-educado, descortês: *Não seja ríspido com ninguém*. **2.** Próprio de quem é ríspido: *Usa de um tom ríspido ao dirigir-se a seus empregados*. – **rispidez** *s.f.*

rissole [ó] (ris.so.le) *s.m.* (*Cul.*) Pastelzinho recheado de carnes, legumes, peixes, camarão ou queijo, empanado e assado no forno ou frito.

riste (ris.te) *s.m.* Peça de ferro fixada na armadura em que o cavaleiro apoiava a lança no momento de investir. ‖ *Em riste*: em posição erguida; levantado: *O bedel repreendeu os alunos rebeldes com o dedo em riste*.

ritmar (rit.mar) *v.* **1.** Dar ritmo ou cadência a; cadenciar: *É uma cantora que sabe ritmar bem o samba*. **2.** Andar ou mover-se com certo ritmo: *Os soldados ritmavam os passos ao som da banda marcial*. ▶ Conjug. 5 e 33. – **ritmado** *adj.*

rítmico (rít.mi.co) *adj.* **1.** Relativo a ou próprio de ritmo. **2.** Que obedece a um ritmo; ritmado: *ginástica rítmica*.

ritmista (rit.mis.ta) *s.m. e f.* **1.** Nas escolas de samba, músico que faz a marcação do ritmo. **2.** Músico especialista em instrumentos de percussão; percussionista.

ritmo (rit.mo) *s.m.* **1.** Sucessão de sons ou movimentos que se repetem a intervalos regulares: *o ritmo do pulso; o ritmo do coração*. **2.** *fig.* Movimentação, periódica e regular, de um processo ou atividade; periodicidade: *o ritmo das ondas; É preciso acelerar o ritmo dessa obra*. **3.** (*Mús.*) Subdivisão de uma duração sonora em intervalos de tempo regulares: *Com a melodia e a harmonia, o ritmo é um dos elementos básicos da música*. **4.** (*Mús.*) Marcação de tempo própria de cada gênero musical: *o ritmo do samba; o ritmo da valsa*. **5.** (*Lit.*) Na literatura, especialmente na poesia, alternância de sons tônicos e átonos e de pausas, distribuídos a intervalos regulares.

rito (ri.to) *s.m.* **1.** Conjunto das cerimônias instituídas para o culto à divindade por uma igreja, seita ou prática religiosa: *rito católico romano; igreja de rito maronita*. **2.** Qualquer denominação religiosa; igreja, seita, culto: *No Brasil, há uma grande diversidade de ritos*. **3.** Conjunto das regras e convenções que regem determinadas condições ou relações sociais; ritual: *ritos fúnebres*.

ritual (ri.tu.al) *adj.* **1.** Relativo a rito. • *s.m.* **2.** Culto religioso; cerimônia, liturgia. **3.** Conjunto dos ritos próprios de uma religião ou

ritualismo

seita. **4.** Conjunto das regras socialmente estabelecidas para determinada solenidade; cerimonial, etiqueta: *o ritual do beija-mão ao soberano.*

ritualismo (ri.tu:a.*lis*.mo) *s.m.* **1.** Conjunto de ritos de uma religião, seita etc. **2.** Observância e apego excessivo a rituais religiosos ou a formalismos sociais. – **ritualista** *adj. s.m. e f.*

rival (ri.*val*) *adj.* **1.** Que rivaliza; que aspira a prevalecer na disputa ou concorrência com outra pessoa; competidor, concorrente, êmulo: *times rivais; No romance Esaú e Jacó, de Machado de Assis, os irmãos gêmeos Pedro e Paulo eram rivais na conquista do coração de Flora.* • *s.m. e f.* **2.** Pessoa rival.

rivalidade (ri.va.li.*da*.de) *s.f.* **1.** Qualidade ou condição de rival. **2.** Disputa entre pessoas, grupos ou instituições pela supremacia em sua área de atuação; competição, concorrência, emulação: *A rivalidade entre adversários não pode acompanhar-se de deslealdade.* **3.** Desentendimento, intransigência, hostilidade entre (povos, nações, instituições); oposição, luta, conflito: *O acordo pôs fim à antiga rivalidade entre os países vizinhos.*

rivalizar (ri.va.li.*zar*) *v.* **1.** Ser rival de (outrem); entrar em competição para disputar a primazia; concorrer, disputar, emular: *O homem não deve rivalizar com a mulher, e vice-versa; Os atletas rivalizam com os adversários na conquista de medalhas; Os dois escritores rivalizam-se no gosto do público.* **2.** Pretender aproximar-se das qualidades de outro; igualar-se, emparelhar-se, emular: *Essa nova marca de sabão em pó rivaliza com as marcas tradicionais.* ▶ Conjug. 5.

rixa [ch] (*ri*.xa) *s.f.* **1.** Hostilidade ou desavença entre pessoas ou grupos que pode levar à briga e consequente inimizade; discórdia, disputa, querela. **2.** Grande tumulto e perturbação da ordem; revolta, motim.

rixento [ch] (ri.*xen*.to) *adj.* Que é dado a rixas; brigão, briguento, desordeiro.

rizicultura (ri.zi.cul.*tu*.ra) *s.f.* Cultura de arroz. – **rizicultor** *adj. s.m.*

rizoma (ri.*zo*.ma) *s.m.* (*Bot.*) Caule subterrâneo cuja face inferior produz raízes e cuja face superior emite rebentos que vêm à superfície. – **rizomático** *adj.*

rizotônico (ri.zo.*tô*.ni.co) *adj.* (*Gram.*) Diz-se do vocábulo cujo acento tônico está no radical, por exemplo, *cheg-o, pens-o, serv-e.*

Rn (*Quím.*) Símbolo de *radônio.*

RNA (*Biol.*) Ver *ribonucleico.*

robalo (ro.*ba*.lo) *s.m.* (*Zool.*) Peixe marinho de corpo alongado e prateado, de peso até 15 kg, cuja carne é muito apreciada por sua ótima qualidade.

robe [ó] (*ro*.be) *s.m.* Roupão, bata, penhoar.

robô (ro.*bô*) *s.m.* **1.** Máquina automática dotada de um programa e de memória, capaz de executar ações e movimentos semelhantes aos humanos. **2.** *fig.* Pessoa sem opinião ou vontade própria, que age sem pensar, como um autômato.

robótica (ro.*bó*.ti.ca) *s.f.* Ciência e técnica da concepção e construção de robôs e de sua utilização em linhas de produção.

robotizar (ro.bo.ti.*zar*) *v.* **1.** Introduzir o emprego de robôs em (atividade industrial): *A fábrica irá robotizar alguns setores da produção.* **2.** Transformar(-se) em robô (2); automatizar (-se), mecanizar(-se): *A máquina pode robotizar o homem; Sem voz e sem iniciativa, o homem se robotiza.* ▶ Conjug. 5. – **robotização** *s.f.*

robustecer (ro.bus.te.*cer*) *v.* **1.** Tornar(-se) robusto; fortalecer(-se), fortificar(-se): *Os exercícios físicos e a alimentação adequada robustecem o corpo; Malhava diariamente, para robustecer-se.* **2.** *fig.* Engrandecer(-se), enaltecer(-se): *Uma acertada política de juros robustece a produção nacional; A democracia se robustece com a justiça social.* **3.** *fig.* Confirmar, ratificar, corroborar, validar: *robustecer uma posição; robustecer um ideal.* ▶ Conjug. 41 e 46. – **robustecimento** *s.m.*

robusto (ro.*bus*.to) *adj.* **1.** Fisicamente muito forte; vigoroso, potente: *lutador robusto.* **2.** De boa saúde; saudável, sadio, são: *criança robusta.* **3.** Resistente, sólido, firme, duro, rijo: *madeira robusta.* **4.** *fig.* Inabalável, firme, resistente, consistente: *A sustentabilidade política se fundamenta em instituições econômico-sociais robustas.* – **robustez** *s.f.*

roca[1] [ó] (*ro*.ca) *s.f.* Grande massa de pedra que se eleva no mar ou em terra; rocha, penhasco, rochedo, penedo.

roca[2] [ó] (*ro*.ca) *s.f.* Instrumento que serve para fiar, formado de um bastão comprido e fino, com um bojo na extremidade superior, no qual se enrola o fio de lã, linho ou algodão.

roça [ó] (*ro*.ça) *s.f.* **1.** Ato ou efeito de roçar. **2.** Terra de lavoura, geralmente pequena; plantação, roçado. **3.** Pequena propriedade rural, onde se cultivam produtos hortifrutigranjeiros e se cria um pequeno gado. **4.** A zona rural; o campo (por oposição à cidade): *Mora na roça, mas os filhos estudam na capital.*

roçado (ro.ça.do) *adj.* **1.** Diz-se do terreno em que se roçou a vegetação para o cultivo. **2.** Desgastado pelo uso ou por atrito; gasto, surrado. • *s.m.* **3.** Terreno roçado; plantação, roça.

roçagar (ro.ça.*gar*) *v.* **1.** Arrastar(-se) pelo chão: *As damas antigas roçagavam seus vestidos pelo chão*; *Na valsa, os vestidos roçagavam no salão.* **2.** Tocar ou passar de leve; deslizar, roçar: *Seus dedos roçagaram a face da mãe doente.* ▶ Conjug. 5 e 34.

rocambole [ó] (ro.cam.*bo*.le) *s.m.* (*Cul.*) Bolo de massa fina, espécie de pão de ló, recheado com chocolate, doce de leite etc. e enrolado sobre si mesmo.

rocambolesco [ê] (ro.cam.bo.*les*.co) *adj.* **1.** Relativo a Rocambole, personagem aventureiro dos romances do escritor francês Ponson du Terrail (1829-1871). **2.** *fig.* Rico em aventuras, peripécias e imprevistos extraordinários, inverossímeis; enredado, mirabolante: *Todos riam das histórias rocambolescas que afirmava ter vivido.*

roçar (ro.*çar*) *v.* **1.** Tocar de leve; deslizar por, roçagar-se, resvalar-se: *O vestido de festa roçava o salão de baile*; *As garças mal roçavam nas águas do rio.* **2.** Tocar de raspão; passar rente a; raspar: *A bala roçou o para-brisas do carro.* **3.** Atritar(-se), esfregar(-se), friccionar(-se), tocar(-se): *Na queda, roçou os joelhos nos seixos*; *No vagão superlotado, os passageiros se roçavam uns aos outros.* **4.** Botar abaixo (mato, vegetação); derrubar, cortar: *Os filhos ajudavam os pais a roçar o terreno.* ▶ Conjug. 20 e 36.

roceiro (ro.*cei*.ro) *adj.* **1.** Relativo a roça. **2.** Morador ou trabalhador na roça; interiorano, caipira, matuto. • *s.m.* **3.** Pessoa que planta roçados (3). **4.** Pessoa que vive na roça.

rocha [ó] (*ro*.cha) *s.f.* **1.** Grande massa de pedra; rochedo, roca, penhasco, penedo. **2.** (*Geol.*) Todo material que compõe a crosta terrestre (excetuando a água e o gelo), constituído por um conjunto de minerais ou um só mineral consolidado. **3.** *fig.* Aquilo que é rígido, duro, inflexível, insensível: *Seu coração é duro como uma rocha.*

rochedo [ê] (ro.*che*.do) *s.m.* Grande massa de rocha escarpada, em terra ou no mar; penhasco, penedo, roca.

rochoso [ô] (ro.*cho*.so) *adj.* **1.** Relativo a rocha. **2.** Formado de rochas; em que há rochas: *montanhas rochosas.* || f. e pl.: [ó].

rocio (ro.*ci*:o) *s.m.* Orvalho.

rock (Ing.) *s.m.* Ver roque[2].

rock-and-roll [*rocanrôu*] (Ing.) *s.m.* Roque[2].

rococó (ro.co.*có*) *adj.* **1.** Diz-se do estilo artístico surgido na França, no século XVIII, que se contrapõe ao barroco pela profusão de ornamentos graciosos e requintados (flores, folhagens, laços, conchas, volutas), que influenciaram primeiramente as artes decorativas e logo a seguir a pintura, a escultura e a arquitetura desse período. **2.** *pej.* Diz-se daquilo que apresenta excessivo rebuscamento de formas e ornamentos. **3.** *pej.* Diz-se do que é de mau gosto ou está fora de moda; antiquado, desusado. • *s.m.* **4.** O estilo rococó. **5.** Período de vigência desse estilo.

roda [ó] (*ro*.da) *s.f.* **1.** Peça circular que se move em torno de um eixo e que movimenta inúmeros mecanismos: *roda do automóvel*; *roda do moinho.* **2.** Qualquer objeto de forma circular; círculo. **3.** A barra ou a extremidade inferior de uma peça de vestuário: *saia com muita roda.* **4.** Ajuntamento casual e passageiro de pessoas: *Formou-se uma roda de curiosos em torno do acidente.* **5.** Grupo de pessoas que mantêm relações comuns de convívio, trabalho, interesses etc.: *roda de amigos*; *a alta-roda.* **6.** Conjunto de músicos, cantores etc., dispostos geralmente em círculo, para uma apresentação: *roda de samba*; *roda de capoeira.* **7.** Brincadeira em que as crianças formam um círculo de mãos dadas e cantam e dançam cantigas infantis.

rodada (ro.*da*.da) *s.f.* **1.** O movimento completo executado por uma roda. **2.** Giro, volta, passeio: *Dei uma rodada pelas livrarias.* **3.** (*Esp.*) Cada um dos jogos de uma competição esportiva: *Faltam duas rodadas para o término do campeonato.* **4.** Cada uma das etapas de um evento político, econômico etc.: *O Ministro das Relações Exteriores está participando da Rodada de Doha, no Catar.* || Nessa acepção, usa-se inicial maiúscula. **5.** Cada uma das vezes em que se servem bebida ou comida a pessoas reunidas em bar, restaurante etc.: *uma rodada de chope*; *uma rodada de pizza.*

rodado (ro.*da*.do) *adj.* **1.** Que tem muita roda (3): *vestido rodado.* **2.** Diz-se da distância percorrida por um veículo: *O velocímetro já marca 1.000 km rodados.* **3.** *fig.* Muito usado, desgastado, gasto: *Comprou um carro velho, muito rodado.* • *s.m.* **4.** A roda (3) de um vestido ou saia.

rodagem (ro.*da*.gem) *s.f.* **1.** Ato ou efeito de rodar. **2.** Conjunto das rodas de uma máquina.

roda-gigante

3. (*Cine, Telv.*) Filmagem. || *Estrada de rodagem*: rodovia.

roda-gigante (ro.da-gi.*gan*.te) *s.f.* Brinquedo de parque de diversões, formado de duas grandes rodas paralelas, que giram em torno de um eixo e sustentam bancos oscilantes, nos quais se sentam duas ou mais pessoas. || pl.: *rodas-gigantes*.

rodamoinho (ro.da.mo:i.nho) *s.m.* Redemoinho.

rodapé (ro.da.*pé*) *s.m.* **1.** Barra de proteção feita de madeira, mármore etc., que rodeia a parte inferior das paredes. **2.** Em editoração, parte inferior de uma página de jornal, revista ou livro, geralmente composta em corpo menor e separada por uma linha horizontal. **3.** Nota que se insere no rodapé (2), com informações adicionais do próprio autor, do tradutor ou do editor.

rodar (ro.*dar*) *v.* **1.** Girar ou fazer girar: *A biruta roda sem parar*; *A água faz rodar a mó do moinho.* **2.** Dar volta em: *rodar a chave na fechadura.* **3.** Fazer movimento de rotação; girar: *A Terra roda.* **4.** Descrever círculo; girar: *Os planetas rodam em torno do Sol.* **5.** Andar em volta; rodear, voltear: *A criançada rodou a praça atrás da banda.* **6.** Viajar por; percorrer, correr: *A trupe rodou todo o país com seu espetáculo.* **7.** Percorrer (um veículo) determinada distância: *O caminhão rodou 2.000 km para entregar a carga*; *Esse velho carro não roda mais.* **8.** Dar uma rodada (2); caminhar, andar, vagar: *Gostava de rodar pelas ruelas da cidade.* **9.** Imprimir ou ser impresso graficamente: *A rotativa rodou uma edição extra do jornal*; *Fechado o jornal, as máquinas deixaram de rodar.* **10.** (*Cine, Telv.*) Filmar: *O diretor mandou rodar a cena várias vezes*; *Conseguido o patrocínio para o filme, já podemos começar a rodar.* **11.** *coloq.* Sair de (lugar onde se é indesejável); ir-se embora: *Os policiais mandaram que os desocupados rodassem dali.* ▶ Conjug. 20.

roda-viva (ro.da-*vi*.va) *s.f.* Grande atividade e movimentação; azáfama, barafunda, confusão. || pl.: *rodas-vivas*.

rodear (ro.de:*ar*) *v.* **1.** Andar em volta de; contornar, voltear, rodar: *Os manifestantes rodearam o prédio de mãos dadas num protesto.* **2.** Estar em volta de; cercar, circundar, cingir: *Grades altas rodeiam toda a casa.* **3.** Cercar (-se) de; acompanhar-se de: *Os fãs rodearam o cantor*; *Rodeou-se de assessores competentes.* **4.** Mover-se em torno de, descrevendo uma órbita; girar, rodar: *Os satélites rodeiam os planetas.* **5.** Cingir, ornar, coroar: *Uma coroa de louros rodeava a cabeça do vencedor.* **6.** *fig.* Usar de rodeios ou subterfúgios; tergiversar: *Rodeava a questão sem saber como resolvê-la.* ▶ Conjug. 14.

rodeio (ro.*dei*:o) *s.m.* **1.** Ato ou efeito de rodear. **2.** Volta em redor de (algo); giro, roda. **3.** Curva que alonga um caminho: *uma estrada cheia de rodeios.* **4.** Exposição oral ou escrita, na qual se fazem digressões e circunlóquios em relação ao tema principal: *O orador fez um rodeio, antes de entrar no tema da conferência.* **5.** Argumentação cheia de evasivas e subterfúgios; tergiversação: *Deixe de rodeios e explique-se!* **6.** Exibição e competição que consiste em montar cavalo ou boi não domesticado e manter-se sobre o animal o máximo de tempo possível.

rodela [é] (ro.*de*.la) *s.f.* **1.** Pequena roda. **2.** Pedaço redondo de um alimento: *rodela de pão*; *rodela de limão.*

rodilha (ro.*di*.lha) *s.f.* **1.** Pano enrolado sobre a cabeça, em cima do qual se coloca o que se quer transportar. **2.** Pedaço de pano ou trapo usado em limpeza; esfregão.

ródio (*ró*.di:o) *s.m.* (*Quím.*) Elemento químico, inalterável em contato com a atmosfera, resistente à corrosão, usado em ligas de metal, contatos elétricos e catalisadores. || Símbolo: Rh.

rodízio (ro.*dí*.zi:o) *s.m.* **1.** Revezamento de pessoas em certas funções ou atividades; alternância, rotatividade: *Os funcionários trabalham em sistema de rodízio.* **2.** Serviço de restaurante em que se oferecem as especialidades a preço fixo, para a livre escolha dos clientes: *É excelente o serviço de rodízio daquela churrascaria.*

rodo [ô] (ro.do) *s.m.* **1.** Utensílio de cabo longo com uma tira de borracha na borda inferior, que serve para puxar a água parada nos pisos. **2.** Espécie de enxada com uma tábua curta pregada na ponta, que serve para ajuntar cereais na colheita e sal nas salinas.

rododendro (ro.do.*den*.dro) *s.m.* (*Bot.*) Arbusto de regiões temperadas, de flores brancas ou vermelhas, muito cultivado como ornamental; azaleia.

rodologia (ro.do.lo.*gi*.a) *s.f.* Parte da Botânica que estuda as rosas.

rodopiar (ro.do.pi:*ar*) *v.* **1.** Dar muitas voltas seguidamente; girar, voltear: *Ao som da valsa, os pares rodopiavam no salão.* **2.** Mover-se descrevendo círculos: *As pipas rodopiam no céu do subúrbio.* ▶ Conjug. 17.

rodopio (ro.do.*pi*:o) *s.m.* **1.** Ato ou efeito de rodopiar. **2.** Série de voltas ou giros feitos em

1138

rolar

movimentos constantes. **3.** Vertigem provocada por essa série de movimentos.

rodovia (ro.do.vi.a) s.f. Estrada destinada ao tráfego de veículos automotores; estrada de rodagem.

rodoviária (ro.do.vi.á.ri:a) s.f. Terminal de ônibus interurbanos, interestaduais e internacionais.

rodoviário (ro.do.vi:á.ri:o) adj. **1.** Relativo a rodovia: *malha rodoviária*. **2.** Que é funcionário de empresa de ônibus. • s.m. **3.** Funcionário de empresa de ônibus: *Terminou a greve dos rodoviários*.

roedor [ô] (ro:e.dor) adj. **1.** Que rói. **2.** Que corrói; que destrói, destruidor. **3.** Relativo aos animais roedores. • s.m. **4.** (Zool.) Mamífero de pequeno porte, herbívoro, com um par de incisivos salientes em cada maxilar, como, entre outros, os ratos, esquilos e ouriços.

roedura (ro:e.du.ra) s.f. Ato ou efeito de roer.

roer (ro:er) v. **1.** Cortar com os dentes; triturar: *As traças roeram os livros da biblioteca*. **2.** Comer aos poucos e continuadamente: *roer um pedaço de pão*. **3.** Corroer, carcomer, desgastar, destruir: *A ferrugem roeu a geladeira*. **4.** *fig.* Atormentar(-se), consumir(-se), martirizar(-se): *A suspeita roía-lhe o coração; roer-se de inveja; roer-se de ciúme*. || *Duro de roer*: *coloq.* difícil, custoso, trabalhoso, dificultoso: *O novo trabalho está sendo duro de roer*. ▶ Conjug. 43.

rogar (ro.gar) v. **1.** Rezar ou pedir (uma graça ou mercê); suplicar, implorar: *Rogou que Deus perdoasse seus pecados; Rogou aos santos que atendessem suas preces; "Santa Maria, mãe de Deus, rogai por nós pecadores", reza-se na ave-maria; No culto, rogavam todos juntos com muita fé*. **2.** Pedir com empenho e insistência; insistir, instar: *Rogou aos pais que o deixassem viajar com os amigos; A população saiu às ruas, rogando pela paz*. ▶ Conjug. 20 e 34.

rogativa (ro.ga.ti.va) s.f. **1.** Ato ou efeito de rogar; rogo, súplica. **2.** Pedido, solicitação, instância.

rogativo (ro.ga.ti.vo) adj. Que expressa um rogo ou uma rogativa; rogatório.

rogatória (ro.ga.tó.ri:a) s.f. (*Jur.*) **1.** Solicitação feita por um juiz ou tribunal de um país à jurisdição de outro país para o cumprimento de um ato judicial. **2.** Documento em que se formaliza essa solicitação: *carta rogatória*.

rogatório (ro.ga.tó.ri:o) adj. Rogativo.

rogo [ô] (ro.go) s.m. **1.** Ato ou efeito de rogar; rogativa. **2.** Súplica a divindade, santos e anjos; oração, prece, reza.

rojão (ro.jão) s.m. **1.** Fogo de artifício que consiste em um tubo de papelão carregado com pólvora e com um pavio, ao qual se ateia fogo, fazendo-o subir e estourar com grande estrondo; foguete. **2.** *fig.* Ritmo de vida ou de trabalho intenso, exaustivo: *Nesse rojão, sua saúde não vai resistir muito tempo*.

rojar (ro.jar) v. **1.** Mover (algo) de rojo ou de rastos; arrastar: *Os prisioneiros rojavam pesos nos pés*. **2.** Deslizar(-se) pelo chão; rastejar (-se), arrojar(-se): *Os crocodilos rojavam(-se) sorrateiros pelas margens*. **3.** Tocar de leve; roçar, roçagar: *A barra do vestido rojava pelo gramado*. **4.** Arremessar longe; lançar, atirar, arrojar: *rojar pedras*. ▶ Conjug. 20 e 37.

rojo [ô] (ro.jo) s.m. **1.** Ato ou efeito de rojar(-se), de andar de rastos. **2.** Ruído produzido por esse movimento. || *De rojo*: de rastos.

rol s.m. Lista ou relação em que se enumeram objetos, artigos, preços etc., ou se registram nomes de pessoas para determinados fins: *rol de roupas; rol de compras; Seu nome foi incluído no rol de testemunhas*.

rola [ô] (ro.la) s.f. (*Zool.*) Ave semelhante a uma pequena pomba; rolinha.

rolagem (ro.la.gem) s.f. **1.** Ato ou efeito de rolar; rolamento. **2.** *fig.* Negociação para postergar um débito vencido ou em atraso: *O governo conseguiu a rolagem da dívida externa*.

rolamento (ro.la.men.to) s.m. **1.** Ato ou efeito de rolar; rolagem. **2.** Mecanismo que permite reduzir o atrito entre duas peças de um veículo, facilitando o movimento de rotação; rolimã. **3.** Fluxo e escoamento do tráfego: *pista de rolamento*.

rolar (ro.lar) v. **1.** Cair revoluteando, dando voltas sobre si mesmo: *Tropeçou e rolou escada abaixo; Uma avalanche de pedras rolou pelo despenhadeiro*. **2.** Escorrer, fluir, correr: *As lágrimas rolavam sobre sua face*. **3.** Andar sobre rodas; rodar: *Os caminhões rolavam devagar pelas estradas malconservadas*. **4.** *fig.* Adiar pagamento de (débito, empréstimo etc.) para uma nova data de vencimento: *Conseguiu rolar sua dívida com a financeira*. **5.** Lutar corpo a corpo; embolar-se, engalfinhar-se, atracar-se: *Rolou com o assaltante que queria tomar-lhe o celular; Os lutadores rolavam no tatame*. **6.** Mexer-se muito; remexer-se, revirar-se, revolver-se: *Rolava no leito, insone*. **7.** *coloq.* Acontecer, ocorrer, realizar-se, desenrolar-se:

1139

Vai rolar uma festança na comemoração da conquista do campeonato. **8.** *coloq.* Ter em grande quantidade, à farta: *Rolou muita comida e bebida na festa.* || *Rolar de rir*: rir muito; dobrar-se de rir. ▶ Conjug. 20.

roldana (rol.*da*.na) *s.f.* Polia.

roldão (rol.*dão*) *s.m.* **1.** Desordem, confusão, bagunça. **2.** Arremesso para longe; lançamento, precipitação. || *De roldão*: repentinamente, atropeladamente; de golpe; de chofre: *Entraram de roldão porta adentro.*

rolé (ro.*lé*) *s.m.* Usado na locução *dar um rolé.* || *Dar um rolé*: *gír.* Dar uma volta, um giro, uma rodada.

roleta [ê] (ro.*le*.ta) *s.f.* **1.** Jogo de azar em que o número sorteado é indicado pela parada de uma pequena bola em uma das 37 casas que constam de uma grande roda giratória. **2.** Essa roda.

roleta-russa (ro.le.ta-*rus*.sa) *s.f.* Ato temerário, prova de bravata e exibicionismo, que consiste em deixar apenas uma bala no tambor de um revólver, rodá-lo e apontá-lo para si mesmo, puxando o gatilho sem conhecer a posição exata da bala. || pl.: *roletas-russas.*

rolete [ê] (ro.*le*.te) *s.m.* **1.** Pequeno rolo. **2.** Parte da cana-de-açúcar compreendida entre dois nós consecutivos do caule. **3.** Pedaço de cana-de-açúcar descascado.

rolha [ô] (ro.lha) *s.f.* **1.** Peça roliça, de forma cilíndrica, de cortiça, borracha, plástico etc., com que se tapa o gargalo de garrafas e frascos. **2.** *fig.* Restrição à liberdade de expressão; imposição de silêncio; censura: *A ditadura impôs uma rolha à imprensa.*

roliço (ro.*li*.ço) *adj.* **1.** Que tem forma de rolo ou de barra cilíndrica. **2.** *fig.* Que possui formas arredondadas; redondo, gordo, gorducho: *O bebê era muito fofo, com suas perninhas roliças.*

rolimã (ro.li.*mã*) *s.m.* **1.** Rolamento (2). **2.** Pequeno cano de madeira, formado de uma tábua montada sobre um mecanismo de rolamento.

rolinha (ro.*li*.nha) *s.f.* (*Zool.*) Rola.

rolo [ô] (*ro*.lo) *s.m.* **1.** Qualquer objeto de forma cilíndrica e alongado. **2.** Tubo oco, geralmente de papelão, em que se enrola papel, tecido, lã etc.: *rolo de papel higiênico.* **3.** Bastão roliço com cabos nas extremidades, usado para estender massa de salgados e doces: *rolo de pastel.* **4.** Embrulho, volume, fardo enrolado ou metido num invólucro roliço: *No canto da cordoaria, havia rolos de corda empilhados.* **5.** Massa mais ou menos densa de gases ou de pó, que aparenta forma cilíndrica: *rolo de fumaça; rolo de poeira.* **6.** Espécie de almofada comprida e roliça que guarnece camas e sofás. **7.** Pequeno cilindro revestido de lã, preso a um cabo longo, com o qual se aplica tinta em superfícies planas: *rolo de pintura.* **8.** (*Cul.*) Massa doce ou salgada, enrolada com recheio e servida em fatias: *bolo de rolo.* **9.** *fig. coloq.* Confusão, tumulto, bafafá, embrulhada: *Não se meta nesse rolo.* || *Rolo compressor*: máquina dotada de um ou dois grandes cilindros, usada no nivelamento, compactação e pavimentação de solos.

romã (ro.*mã*) *s.f.* (*Bot.*) Fruto de casca dura e amarelada, cujo interior é dividido em cavidades com muitas sementes envoltas em polpa comestível, sumarenta e acridoce.

romance (ro.*man*.ce) *s.m.* **1.** (*Lit.*) Obra de ficção em prosa, contendo a narração de fatos imaginários ou baseados em histórias reais, cuja trama ou enredo se concentra no conflito entre personagens, até chegar ao previsto ou imprevisível desfecho. **2.** *fig.* Narrativa fantasiosa, exagerada, por vezes inverossímil e inacreditável: *Fazia um romance dos fatos mais banais.* **3.** *fig.* Relacionamento amoroso; namoro, caso: *O romance chegou ao fim, sem briga ou ressentimento.* **4.** (*Ling.*) Românico (5).

romancear (ro.man.ce:*ar*) *v.* **1.** Escrever romance (1): *romancear episódios da História; Machado de Assis foi o grande mestre na arte de romancear.* **2.** *fig.* Narrar (algo) de forma fantasiosa; imaginar, inventar, fantasiar: *Jovem sonhadora, romanceava as mais lindas histórias de amor; As adolescentes vivem a romancear.* ▶ Conjug. 14.

romanceiro (ro.man.*cei*.ro) *s.m.* (*Lit.*) **1.** Coleção de obras narrativas, em prosa ou em verso, dos primórdios da literatura na península ibérica. **2.** Conjunto de poesias e canções populares que constituem a literatura poética de um povo; cancioneiro.

romanche (ro.*man*.che) *adj.* **1.** (*Ling.*) Relativo ao dialeto falado no cantão dos Grisões, na Suíça, e que se tornou a quarta língua oficial daquele país, a partir de 1938. • *s.m.* **2.** Esse dialeto.

romancista (ro.man.*cis*.ta) *s.m.* e *f.* Autor de romance.

românico (ro.*mâ*.ni.co) *adj.* **1.** (*Ling.*) Diz-se das línguas que, como o Português, provêm do latim vulgar; neolatino. **2.** Relativo a ou próprio dessas línguas. **3.** Relativo a Roma, especialmente à Roma antiga, ao império romano e aos romanos; romano. **4.** Diz-se da arte predominantemente religiosa da Europa Ocidental durante o auge do feudalismo (séculos XI e XII). • *s.m.* **5.** As línguas românicas. **6.** A arte românica.

romanizar (ro.ma.ni.*zar*) *v.* Transmitir ou adotar características da civilização romana: *Júlio César venceu os gauleses e romanizou a Gália; Sob o domínio de Roma, toda a península itálica romanizou-se.* ▶ Conjug. 5. – **romanização** *s.f.*

romano (ro.*ma*.no) *adj.* **1.** De Roma, capital da Itália ou do império constituído por Roma na Antiguidade. **2.** Relativo a Igreja Católica apostólica. • *s.m.* **3.** O natural ou o habitante de Roma ou da Roma antiga.

romântico (ro.*mân*.ti.co) *adj.* **1.** Relativo a ou próprio do romantismo: *estilo romântico.* **2.** Diz-se dos escritores e artistas do Romantismo. **3.** Cheio de lirismo; poético, sentimental, apaixonado: *canções românticas.* **4.** *fig.* Sonhador, fantasioso, romanesco: *jovem romântica.* • *s.m.* **5.** Escritor romântico. **6.** Pessoa romântica.

romantismo (ro.man.*tis*.mo) *s.m.* **1.** (*Arte, Lit., Mús.*) Movimento estético que dominou a cultura ocidental (Europa e América) entre o final do século XVIII e meados do século XIX, como uma reação à regularidade e ao racionalismo do Classicismo, caracterizando-se pela maior liberdade expressiva, pelo subjetivismo e pelo lirismo. **2.** Qualidade do que é romântico ou romanesco. **3.** Comportamento de quem é muito sentimental, sonhador, romanesco.

romantizar (ro.man.ti.*zar*) *v.* Dar caráter romântico a; fantasiar, romancear: *Tem tendência a romantizar os fatos de sua vida.* ▶ Conjug. 5. – **romantização** *s.f.*

romaria (ro.ma.*ri*.a) *s.f.* **1.** Peregrinação a algum lugar de devoção: *romaria ao santuário de Aparecida.* **2.** Jornada, visita ou passeio a algum lugar de grande afluência de pessoas: *Os fãs fazem anualmente uma romaria ao túmulo do famoso cantor.*

romãzeira (ro.mã.*zei*.ra) *s.f.* (*Bot.*) Árvore que produz a romã.

rômbico (*rôm*.bi.co) *adj.* Que tem a forma de rombo (2); rombiforme.

rombiforme [ó] (rom.bi.*for*.me) *adj.* Rômbico.

rombo¹ (*rom*.bo) *s.m.* **1.** Grande abertura; buraco, furo: *uma parede cheia de rombos; Fez um rombo na sola do sapato.* **2.** Abertura feita à força, com violência; arrombamento: *A explosão deixou um rombo no cofre-forte.* **3.** *fig.* Desvio ou malversação de dinheiro; prejuízo, desfalque: *Há divergências sobre a extensão do rombo no sistema previdenciário.*

rombo² (*rom*.bo) *s.m.* **1.** (*Geom.*) Losango. • *adj.* **2.** Cuja ponta é arredondada; rombudo. **3.** *fig.* Tolo, parvo, imbecil, obtuso.

romboide [ói] (rom.*boi*.de) *s.m.* (*Geom.*) **1.** Paralelogramo. • *adj.* **2.** Que tem a forma de paralelogramo.

rombudo (rom.*bu*.do) *adj.* **1.** Que não tem ponta aguçada; rombo (2). **2.** *fig.* Rombo (3).

romeiro (ro.*mei*.ro) *s.m.* Pessoa que participa de romaria; peregrino.

romeno (ro.*me*.no) *adj.* **1.** Da Romênia, país da Europa. • *s.m.* **2.** O natural ou o habitante desse país. **3.** A língua falada na Romênia.

romeu e julieta (ro.meu e ju.li:e.ta) *s.m.* (*Cul.*) Queijo com goiabada.

rompante (rom.*pan*.te) *adj.* **1.** Arrogante, orgulhoso, presunçoso: *caráter rompante.* **2.** Impulsivo, repentino, irrefletido: *atitude rompante.* • *s.m.* **3.** Altivez, orgulho, presunção: *Fala sempre com rompantes.* **4.** Atitude intempestiva, irrefletida; impulso, ímpeto: *um rompante de raiva.*

romper (rom.*per*) *v.* **1.** Fazer(-se) em pedaços; despedaçar-se, partir(-se), quebrar(-se), arrebentar(-se): *O cão furioso rompeu a corrente que o prendia; Os cristais se rompem facilmente.* **2.** Abrir passagem à força; invadir, arrombar: *A ressaca rompeu os diques do cais.* **3.** Penetrar em; transpassar, rasgar: *Com um golpe certeiro da espada, o toureiro rompeu a cerviz do touro.* **4.** Entrar com ímpeto; irromper, arremessar-se: *Um grupo de torcedores rompeu pelo campo para abraçar os campeões.* **5.** Ultrapassar, superar, vencer: *romper a barreira do som;* (*fig.*) *Conseguiu romper as barreiras que a vida colocou em seu caminho.* **6.** Fazer estremecer; estrondar, atroar, retumbar: *Trovões rompiam os ares.* **7.** *fig.* Cessar ou fazer por algum tempo; interromper(-se), suspender(-se), quebrar(-se): *A chegada das crianças rompeu o silêncio e a calma que até então reinavam na casa; Rompeu-se a trégua entre os países em permanente conflito.* **8.** Surgir, aparecer, nascer, despontar, irromper: *Começaram a romper os dentes do bebê; O sol rompe majestoso atrás da serrania.* **9.** Ter posição contrária; opor-se a; resistir: *Contestador, rompeu com todos os*

rompimento

padrões. **10.** Desfazer compromisso ou relacionamento; terminar: *De comum acordo, romperam o noivado; Rompeu relações com o vizinho importuno; Juraram que aquele casamento nunca se romperia*. **11.** Manifestar-se de súbito; irromper: *romper em prantos; romper em gargalhadas*. **12.** Não cumprir; violar, infringir: *romper acordo, contrato*. ‖ part.: *rompido* e *roto*. ▶ Conjug. 39. – **rompedor** *adj. s.m.*

rompimento (rom.pi.men.to) *s.m.* **1.** Ato ou efeito de romper(-se); ruptura: *rompimento da encanação; rompimento de tendões*. **2.** Quebra ou corte de relações entre pessoas ou países: *Espera-se que as hostilidades constantes não levem ao rompimento entre as duas potências*. **3.** (*Jur.*) Violação ou infringência de (contrato, acordo, ajuste etc.).

roncadura (ron.ca.du.ra) *s.f.* Ato ou efeito de roncar; ronca, ronco.

roncar (ron.*car*) *v.* **1.** Respirar ruidosamente durante o sono; ressonar: *O bêbedo roncava adormecido em um canto*. **2.** Produzir barulho surdo e continuado: *Os motores roncam nas pistas*. **3.** Produzir grande estrondo; estrondear, estrugir: *Trovões ainda roncavam ao longe*. **4.** *coloq.* Apresentar borborigmo: *A má digestão faz roncar o estômago*. ▶ Conjug. 5 e 35. – **roncador** *adj. s.m.*

ronceiro (ron.cei.ro) *adj.* **1.** Que se movimenta devagar; lento, vagaroso, moroso: *animal ronceiro*. **2.** Pouco diligente; indolente, pachorrento, preguiçoso. – **ronceirice** *s.f.*

ronco (ron.co) *s.m.* **1.** Ruído produzido pela vibração do véu do palato durante o sono; ronca, roncadura. **2.** (*Med.*) Respiração cavernosa e roufenha, indicando a presença de secreções mucosas nos brônquios. **3.** Ruído forte e áspero; estrondo, estouro. **4.** Som característico de um motor em funcionamento. **5.** Som emitido por certos animais, como o porco, o javali etc.; grunhido.

ronda (ron.da) *s.f.* **1.** Ato ou efeito de rondar. **2.** Inspeção, vigilância ou patrulhamento realizado por soldados ou guardas, para verificação da ordem ou da segurança. **3.** Grupo de pessoas ou guardas, encarregado da vigilância e do patrulhamento de certas zonas de uma cidade: *A ronda noturna tranquilizava os moradores do bairro*.

rondar (ron.*dar*) *v.* **1.** Fazer ronda a; patrulhar: *As sentinelas rondam o quartel; Os guardas-noturnos rondam pelas ruas desertas*. **2.** Andar por perto, à espreita; observar, vigiar: *Desconhecidos rondavam o condomínio*. **3.** *fig.* Acercar-se de; envolver, invadir: *Uma suspeita começava a rondar sua mente*. ▶ Conjug. 5. – **rondante** *adj.*

rondó (ron.dó) *s.m.* **1.** (*Lit.*) Composição de forma fixa, construída sobre duas rimas apenas e com o mesmo refrão. **2.** (*Mús.*) Peça musical que se caracteriza pela alternância de um tema fixo com outros alternados.

rondoniano (ron.do.ni:a.no) *adj.* **1.** Do Estado de Rondônia. • *s.m.* **2.** O natural ou o habitante desse estado.

ronha (ro.nha) *s.f.* **1.** Espécie de sarna que acomete especialmente cavalos e ovelhas. **2.** *fig. coloq.* Habilidade para ludibriar (outrem); malícia, manha, trapaça, velhacaria. – **ronhento** *adj.*

ronqueira (ron.quei.ra) *s.f.* **1.** Ruído da respiração difícil, causado pela obstrução das vias respiratórias; ronco. **2.** Moléstia equina causada por problemas respiratórios.

ronquido (ron.qui.do) *s.m.* Ronqueira.

ronrom (ron.*rom*) *s.m.* **1.** Ruído característico da respiração dos gatos quando descansam. **2.** Ruído surdo e contínuo semelhante ao dos gatos. – **ronronar** *v.* ▶ Conjug. 5.

roque[1] (ro.que) *s.m.* **1.** Peça de jogo de xadrez; torre. **2.** Lance duplo, no jogo de xadrez, que consiste num movimento combinado da peça do rei e uma das torres para defesa da posição do rei.

roque[2] (ro.que) *s.m.* (*Mús.*) Música popular, de origem norte-americana, popularizada em todo o mundo a partir da década de 50 do século XX, com um ritmo rápido e marcado por instrumentos amplificados eletronicamente; *rock*; *rock-and-roll*.

roquefor [ó] (ro.que.*for*) *s.m.* (*Cul.*) Queijo de leite de ovelha no qual se desenvolvem fungos que lhe dão um gosto especialmente forte.

roqueiro (ro.quei.ro) *s.m.* Instrumentista, cantor ou compositor de roque (2).

ror [ô] *s.m. coloq.* Grande quantidade; abundância.

roraimense (ro.rai.men.se) *adj.* **1.** Do Estado de Roraima. • *s.m. e f.* **2.** O natural ou o habitante desse estado.

rorejar (ro.re.*jar*) *v.* **1.** Banhar, borrifar, orvalhar, umedecer: *O orvalho rorejou a grama*. **2.** Brotar (um líquido) em gotas; gotejar, borbotar: *O suor roreja na face do trabalhador*. ▶ Conjug. 10 e 37. – **rorejante** *adj.*

rosa [ó] (ro.sa) s.f. **1.** Flor delicada, de suave perfume e cores variegadas, cultivada mundialmente como ornamental e usada também em perfumaria e cosméticos. **2.** Roseira: *O jardim é todo plantado de rosas.* **3.** Círculo rosado em cada uma das faces. • s.m. **4.** A cor de uma variedade de rosa; cor-de-rosa: *Sua boneca favorita veste rosa dos pés à cabeça.* • adj. **5.** Que é dessa cor: *batom rosa; blusa rosa.*

rosácea (ro.sá.ce:a) s.f. (Arquit.) **1.** Ornato arquitetônico em forma de rosa, redondo, geralmente colocado no centro de tetos e abóbadas. **2.** Grande janela circular das igrejas e catedrais góticas, decoradas com vitrais de cores vivas, subdivididos em arcos estrelados.

rosáceo (ro.sá.ce:o) adj. **1.** Relativo a rosa (flor); róseo. **2.** Que tem a forma dessa flor.

rosa-choque (ro.sa-*cho*.que) adj. **1.** Que tem uma tonalidade rosa muito viva. • s.m.2n. **2.** Essa cor. || *rosa-shocking.*

rosa-cruz (ro.sa-*cruz*) s.f.2n. **1.** Nome de diversas fraternidades que usam o emblema da rosa e da cruz e seguem certas doutrinas espirituais e esotéricas. • s.m. e f. 2n. **2.** Membro de uma dessas fraternidades. • adj. **3.** Relativo a essas fraternidades ou a seus seguidores.

rosado (ro.sa.do) adj. **1.** Que tem a tonalidade cor-de-rosa; róseo: *lábios rosados.* **2.** Corado, enrubescido, vermelho: *Ficava rosada de vergonha diante de estranhos.*

rosa dos ventos s.f. Mostrador em forma de estrela, no qual aparecem indicados os pontos cardeais, os pontos colaterais e os pontos subcolaterais, e que é utilizado em bússolas de navegação e também em meteorologia, para indicar a frequência relativa dos ventos.

rosal (ro.sal) s.m. Roseiral.

rosário (ro.sá.ri:o) s.m. **1.** (Rel.) No catolicismo, objeto de devoção e prática religiosa, que consiste num cordão de contas (vidro, madrepérola etc.), correspondentes a 15 dezenas de ave-marias e 15 pai-nossos, que pode ser desfiado em conjunto pelos fiéis ou individualmente; terço. **2.** *fig.* Sequência de (palavras, ações, acontecimentos); série, sucessão, enfiada: *A pobre mulher desfiou um rosário de queixas para o assistente social.*

rosa-shocking s.m. Rosa-choque.

rosbife (ros.bi.fe) s.m. (Cul.) Pedaço de carne bovina de primeira, bem-passada por fora e malpassada por dentro, servida em finas fatias.

rosca [ô] (ros.ca) s.f. **1.** Sulco em espiral na parte interna dos parafusos. **2.** Espiral de outro objeto qualquer. **3.** (Cul.) Bolo, pão ou biscoito retorcido em forma de argola.

roseira (ro.sei.ra) s.f. (Bot.) Arbusto ou trepadeira com espinhos, que dá as rosas, e dos quais há inúmeras espécies em todo o mundo.

roseiral (ro.sei.*ral*) s.m. Terreno plantado de roseiras; rosal.

roséola (ro.sé.o.la) s.m. **1.** (Med.) Erupção cutânea formada de manchas disseminadas de coloração rósea, como no sarampo e na rubéola. **2.** Bico do peito de mama; mamilo.

roseta [ê] (ro.se.ta) s.f. **1.** Qualquer objeto com forma semelhante a uma rosa. **2.** Nó de fita, em forma de rosa, que se usa na lapela como insígnia ou condecoração. **3.** Parte móvel da espora, em forma de roda dentada.

rosilho (ro.si.lho) adj. **1.** Diz-se de animal equino ou bovino de pelagem mesclada de pelos brancos e avermelhados. • s.m. **2.** Animal com essa pelagem.

rosmaninho (ros.ma.ni.nho) s.m. Planta nativa do Mediterrâneo, especialmente de Portugal, de folhas pequenas e flores aromáticas, usada na Medicina, em perfumaria e cosméticos.

rosnar (ros.*nar*) v. **1.** Emitir (animal) som surdo e áspero, em sinal de ameaça: *O cão feroz rosnava, arreganhando os dentes.* **2.** Falar em voz baixa, por entre dentes; resmungar: *O pedinte rosnava umas palavras a quem passava; O tipo mal-encarado rosnava enquanto o detinham.* ▶ Conjug. 20.

rosquear (ros.que:*ar*) v. **1.** Fazer rosca em: *Essa máquina rosqueia porcas e parafusos.* **2.** Apertar com rosca; parafusar: *rosquear a válvula da torneira.* ▶ Conjug. 14.

rossio (ros.si:o) s.m. Terreno largo e espaçoso; praça.

rosto [ô] (ros.to) s.m. **1.** Parte anterior da cabeça humana; face, cara. **2.** As feições de uma pessoa; fisionomia, semblante, aparência, expressão: *O chefe tinha o rosto preocupado ao entrar.* **3.** A primeira folha ou página de um documento ou de obra impressa; frontispício, portada; folha de rosto. || *Lançar em rosto*: criticar abertamente; censurar, exprobrar: *O amigo lançou-lhe em rosto toda sua ingratidão.*

rostro [ô] (ros.tro) s.m. **1.** Bico das aves. **2.** Parte frontal pontiaguda da cabeça de certos insetos, como os percevejos e os barbeiros, que serve para sugar e picar. **3.** (Bot.) Prolongamento pontiagudo de certos vegetais; esporão.

rota

rota [ó] (ro.ta) s.f. **1.** Direção, rumo, trajeto, itinerário, percurso: *Os bandeirantes seguiam a rota do ouro.* **2.** Linha de navegação marítima ou aérea: *Essa companhia tem rotas para o Caribe.*

rotação (ro.ta.*ção*) s.f. **1.** (*Fís.*) Movimento circular de um corpo ao redor de um eixo que passa pelo centro da massa desse corpo. **2.** (*Med.*) Movimento de um osso ou parte do corpo em torno do eixo de uma articulação. **3.** Rodízio, alternância, revezamento, rotatividade: *rotação de mão-de-obra.* || *Rotação da Terra*: (*Astron.*) movimento que a Terra executa em torno da linha dos pólos de oeste para o leste através do dia.

rotativa (ro.ta.*ti*.va) s.f. Máquina impressora que funciona por meio de formas cilíndricas dotadas de movimento de rotação, em volta das quais o papel das bobinas se desenrola para receber a impressão.

rotatividade (ro.ta.ti.vi.*da*.de) s.f. **1.** Qualidade de rotativo. **2.** Rodízio, alternância, rotação: *Em certas empresas, é grande a rotatividade de funcionários.*

rotativo (ro.ta.*ti*.vo) adj. **1.** Que imprime rotação a: *movimento rotativo.* **2.** Que gira; giratório: *máquina rotativa.* **3.** Que se sucede alternadamente: *A instituição tem membros permanentes e outros rotativos.*

rotatório (ro.ta.*tó*.ri:o) adj. **1.** Que executa movimento de rotação; giratório. **2.** Relativo a rotação, caracterizado por ela (movimento circular).

roteirista (ro.tei.*ris*.ta) s.m. e f. Autor de roteiro de filme, telenovela, documentário etc.

roteirizar (ro.tei.ri.*zar*) v. Fazer a roteirização de: *O próprio autor roteirizou seu romance na adaptação para o cinema.* ► Conjug. 5. – **roteirização** s.f.

roteiro (ro.*tei*.ro) s.m. **1.** Itinerário previsto para uma viagem ou excursão: *Já decidi sobre seu roteiro nas férias?* **2.** Publicação com indicações dos logradouros e da malha viária de uma cidade ou região; guia: *roteiro de ruas.* **3.** Planejamento das etapas de uma atividade: *roteiro de estudos.* **4.** (*Cine, Rádio, Teat., Telv.*) Esquema de (filme, peça teatral, programa etc.) a ser realizado, indicando a sequência em que as cenas deverão ser apresentadas, bem como as rubricas técnicas relativas a personagens, cenários e diálogos; *script.*

rotina (ro.*ti*.na) s.f. **1.** Sucessão de atos e procedimentos que se manifestam por força do hábito, como que mecanicamente: *Não se afastava nunca de sua rotina: casa-trabalho-casa.* **2.** Prática ou uso a ser observado regularmente: *exames médicos de rotina.* **3.** *fig.* Aversão ou resistência às inovações, ao progresso; conservadorismo, reacionarismo.

rotineiro (ro.ti.*nei*.ro) adj. **1.** Relativo a rotina; que segue a rotina; habitual, usual, costumeiro: *O grupo reunia-se no fim de semana para uma rotineira partida de futebol.* ● s.m. **2.** Pessoa rotineira.

rotisseria (ro.tis.se.*ri*.a) s.f. Loja ou sessão de supermercado onde se vendem frios, queijos e diversos tipos de carne.

roto [ô] (*ro*.to) adj. **1.** Que se rompeu; feito em pedaços; quebrado, rompido: *canos rotos.* **2.** Desgastado pelo uso; danificado, estragado, esfarrapado: *ternos e sapatos rotos.* **3.** *fig.* Que se infringiu; que não se acatou; violado, desrespeitado: *acordo roto.* ● s.m. **4.** Pessoa que traz as vestes rotas; maltrapilho.

rotor [ô] (ro.*tor*) s.m. **1.** Parte giratória de certas máquinas e motores, especialmente dos elétricos. **2.** Mecanismo rotativo das hélices que proporciona a decolagem e aterrissagem de um helicóptero.

rótula (*ró*.tu.la) s.f. **1.** (*Anat.*) Patela. **2.** (*Arquit.*) Gradeado de finas ripas de madeira, paralelas ou cruzadas, que, colocadas em portas ou janelas, deixa entrar luz e ar, e permite olhar sem ser visto; gelosia: *janela de rótula.*

rotulação (ro.tu.la.*ção*) s.f. Rotulagem.

rotuladora [ô] (ro.tu.la.*do*.ra) s.f. Máquina que coloca rótulos em garrafas, latas ou outros recipientes.

rotulagem (ro.tu.*la*.gem) s.f. Ato ou efeito de rotular; rotulação.

rotular (ro.tu.*lar*) v. **1.** Colocar rótulo ou etiqueta em; etiquetar: *O empregado devia rotular as novas embalagens com o preço reajustado.* **2.** *fig.* Definir ou qualificar (alguém ou a si mesmo) de maneira superficial, muitas vezes sem exatidão ou propriedade: *Não rotule as pessoas pela aparência; Gostava de rotular os poderosos de seus amigos; Rotulava-se de grande poeta, mas tinha uma obra medíocre.* ► Conjug. 5.

rótulo (*ró*.tu.lo) s.m. **1.** Etiqueta colocada externamente no invólucro ou embalagem de mercadorias e medicamentos, com as informações necessárias exigidas pela fiscalização sanitária. **2.** *fig.* Classificação superficial, simplista, de (algo ou alguém).

rotunda (ro.tun.da) *s.f.* **1.** (*Arquit.*) Edifício de planta circular e que termina por uma cobertura em cúpula. **2.** (*Teat.*) Cortina de pano, geralmente preto, colocada em semicírculo no fundo do palco; pano de fundo.

rotundo (ro.tun.do) *adj.* **1.** Que tem forma igual ou semelhante a uma esfera; redondo, esférico. **2.** *fig.* Muito gordo; obeso, corpulento. **3.** *fig.* Que não dá margem a dúvida ou contestação; decisivo, definitivo, categórico: *A proposta dos sócios recebeu um rotundo não da diretoria*.

roubalheira (rou.ba.lhei.ra) *s.f.* **1.** Roubo de grandes proporções, especialmente de bens públicos. **2.** *coloq.* Exorbitância nos preços ao consumidor: – *Uma roubalheira, reclamou a dona-de-casa, ao saber quanto custava o quilo de carne.*

roubar (rou.bar) *v.* **1.** Apropriar-se de (bem alheio) mediante violência, ameaça ou fraude; furtar, subtrair: *Os assaltantes roubaram toda a carga do caminhão; Robin Hood roubava dos ricos o dinheiro que distribuía aos pobres;* "*Não roubar*" *é um dos dez mandamentos*. **2.** Retirar (alguém) de modo violento de seu lugar próprio; raptar, sequestrar: *A quadrilha roubou o estudante e exigiu vultoso resgate*. **3.** Realizar saque em; saquear, pilhar: *O bando de cangaceiros vinha roubando casas e fazendas*. **4.** *fig.* Provocar desgaste em; consumir, gastar, tirar: *As dores roubam-lhe todo o ânimo*. **5.** *fig.* Tomar para si; conquistar, seduzir: *Roubou a namoradinha do amigo; O belo rapaz roubava o coração de todas as moças*. **6.** Apresentar como de sua autoria (obra de outrem); plagiar: *Foi acusado de roubar roteiros de filmes de outros autores*. **7.** Falsificar, adulterar, enganar: *Os comerciantes desonestos roubam no peso dos produtos*. **8.** Favorecer (jogador, equipe) em detrimento do adversário durante um jogo ou competição: *O juiz roubou o meu time; Não sabe jogar baralho sem roubar.* ▶ Conjug. 22.

roubo (rou.bo) *s.m.* **1.** Ato ou efeito de roubar, de apropriar-se indebitamente de bem alheio. **2.** O conjunto das coisas roubadas ou a coisa que se roubou. **3.** Usurpação de autoria; plágio. **4.** Favorecimento de um competidor em prejuízo do adversário. **5.** Preço exorbitante; roubalheira.

rouco (rou.co) *adj.* **1.** Que apresenta rouquidão: *O resfriado deixou-me rouco*. **2.** Que tem som áspero e cavernoso: *voz rouca; tosse rouca*.

roufenho (rou.fe.nho) *adj.* **1.** Que tem a voz fanhosa, anasalada; rouco: *O cantor, roufenho, pediu desculpas a seu público*. **2.** Que tem som áspero e seco; rouco: *Um grito roufenho saiu-lhe da garganta*.

round [ráund] (Ing.) *s.m.* (*Esp.*) Cada um dos períodos de tempo em que se divide uma luta livre ou uma luta de boxe, jiu-jítsu etc.; assalto.

roupa (rou.pa) *s.f.* **1.** Peça ou conjunto de peças do vestuário; traje: *Compra suas roupas em liquidações*. **2.** Tipo especial de vestimenta para cada uso ou ocasião; indumentária: *roupa de festa; roupa esportiva*. **3.** Qualquer espécie de pano ou tecido para uso doméstico: *roupa de cama e mesa.* ‖ *Roupa de baixo*: peça íntima do vestuário masculino e feminino.

roupagem (rou.pa.gem) *s.f.* **1.** Conjunto de roupas; rouparia. **2.** *fig.* Aspecto exterior de (alguém); aparência, exterioridade: *Ele não engana ninguém com sua roupagem de bom moço*.

roupão (rou.pão) *s.m.* Vestimenta ampla e comprida que se usa em casa por cima de outras ou diretamente sobre o corpo ao entrar no banho ou dele sair; robe, penhoar.

rouparia (rou.pa.ri.a) *s.f.* **1.** Local, em estabelecimentos de uso coletivo (hotéis, clubes, colégios etc.), em que se guardam roupas dos usuários. **2.** Conjunto ou quantidade de roupas; roupagem.

roupeiro (rou.pei.ro) *s.m.* **1.** Pessoa encarregada de cuidar de uma rouparia (1). **2.** Móvel para guardar a roupa, especialmente a utilizada no arranjo da casa.

rouquidão (rou.qui.dão) *s.f.* **1.** Estado de quem está rouco. **2.** (*Med.*) Distúrbio da fonação caracterizado pela voz áspera e baixa, devido à inflamação ou afecção da laringe.

rouxinol [ó] (rou.xi.nol) *s.m.* (*Zool.*) **1.** Ave de canto mavioso encontrada na Europa, África e Ásia. **2.** *fig.* Pessoa que canta muito bem.

roxo [ô] (ro.xo) *s.m.* **1.** Cor violácea, resultante da mistura do vermelho com o azul. • *adj.* **2.** Da cor roxa: *colar de pedras roxas*. **3.** *coloq.* Muito desejoso; ansioso, sôfrego: *As crianças ficam roxas por chocolate*.

royalty [róialti] (Ing.) *s.m.* (*Econ.*) Valor pago ao detentor de uma marca, patente, produto ou obra original pelos direitos de sua exploração comercial. ‖ Usado também no plural: *royalties*.

Ru (*Quím.*) Símbolo de *rutênio*.

rua (ru.a) *s.f.* **1.** Via pública urbana determinada por um alinhamento a partir do qual se edificam moradias e estabelecimentos diversos, como lojas, escolas, hospitais etc.: *Em que rua fica esse prédio?* **2.** Qualquer lugar fora da moradia: *Trabalha na rua.* **3.** O conjunto dos habitantes de uma rua: *A rua organizou uma concorrida festa junina.* || *Rua da amargura*: *fig.* situação difícil, moral e financeiramente. • *Pôr na rua*: despedir (alguém); demitir, despejar.

ruandense (ru:an.*den*.se) *adj.* **1.** De Ruanda, país da África; ruandês. • *s.m. e f.* **2.** O natural ou o habitante desse país.

ruandês (ru:an.*dês*) *adj.* Ruandense.

rubéola (ru.*bé*:o.la) *s.f.* (*Med.*) Infecção aguda, de origem viral, que acomete principalmente crianças e jovens e se caracteriza por febre e exantemas semelhantes ao sarampo, que se propagam do rosto para o resto do corpo.

rubi (ru.*bi*) *s.m.* **1.** Pedra preciosa de cor vermelha. **2.** Cor vermelha muito forte. • *adj.* **3.** Que tem essa cor: *lábios rubi.*

rubídio (ru.*bí*.di:o) *s.m.* (*Quím.*) Elemento químico pertencente ao grupo dos metais alcalinos, muito leve, de cor branco-prateada, que se inflama explosivamente no ar. || Símbolo: *Rb.*

rubicundo (ru.bi.*cun*.do) *adj.* **1.** Muito vermelho; rubro. **2.** Cujas faces estão avermelhadas; corado.

rubiginoso [ô] (ru.bi.gi.*no*.so) *adj.* Ferrugento, enferrujado. || f. e pl.: [ó].

rublo (*ru*.blo) *s.m.* Unidade monetária e moeda da Federação Russa e do Tadjiquistão.

rubor [ô] (ru.*bor*) *s.m.* **1.** Qualidade do que é rubro, vermelho. **2.** Cor vermelha nas faces; vermelhidão. **3.** *fig.* Timidez, acanhamento, vergonha, pudor.

ruborizar (ru.bo.ri.*zar*) *v.* **1.** Tornar(-se) rubro ou vermelho; avermelhar(-se): *O sol poente ruborizava a tarde*; *O céu se ruborizava no cálido crepúsculo.* **2.** Tornar(-se) corado; enrubescer(-se): *A timidez ruborizava sua face*; *Ruborizou-se com a gafe cometida.* ▶ Conjug. 5. – **ruborização** *s.f.*

rubrica (ru.*bri*.ca) *s.f.* **1.** Assinatura abreviada usada para apor um visto ou autenticar um documento. **2.** Título ou denominação que encabeça e classifica um assunto, geralmente de caráter administrativo: *Esses gastos estão incluídos na rubrica de restos a pagar.* **3.** (*Cine, Rádio, Teat., Telv.*) Marcação incluída em roteiro de (filme, peça teatral, novela etc.), para uso de diretores e atores; rubrica técnica. **4.** (*Mús.*) Indicação de como deve ser executado um trecho musical.

rubricado (ru.bri.*ca*.do) *adj.* Em que se apôs rubrica; assinado, firmado, conferido, validado.

rubricar (ru.bri.*car*) *v.* Apor rubrica em: *Rubricou o documento no alto de todas as páginas.* ▶ Conjug. 5 e 35.

rubro (*ru*.bro) *s.m.* **1.** Vermelho muito vivo. • *adj.* **2.** Que apresenta essa cor: *sangue rubro.* **3.** Que se enrubesceu; corado, afogueado: *Muito tímida, fica rubra de vergonha diante de estranhos.*

ruçar (ru.*çar*) *v.* **1.** Tornar(-se) ruço, pardacento, esmaecido: *O sol ruça as roupas expostas no varal*; *O terno ruçou-se com o uso.* **2.** Tornar (-se) grisalho; encanecer: *O tempo ruçou seus cabelos*; *A barba já começa a ruçar(-se).* ▶ Conjug. 5 e 36.

ruço (*ru*.ço) *adj.* **1.** Que é pardo-claro, pardacento. **2.** Entremeado de fios brancos (diz-se de cabelo, pelos, barba, bigode); grisalho. **3.** Esmaecido pelo uso; gasto, desbotado, surrado: *paletó ruço.* **4.** Que tem cabelo louro ou castanho muito claro: *Nasceu-lhes um filho moreno e outro ruço.* • *s.m.* **5.** Pessoa de cabelo louro ou castanho-claro. **6.** Cavalo ruço (2). **7.** Nevoeiro denso comum na Serra do Mar. || Conferir com *russo.*

rúcula (*rú*.cu.la) *s.f.* (*Bot.*) Planta comestível de folhas verde-escuras, muito consumida em saladas por seu sabor levemente picante.

rude (*ru*.de) *adj.* **1.** Que revela pouca civilidade ou fineza; grosseiro, descortês, indelicado: *maneiras rudes.* **2.** Sem instrução; ignorante, inculto: *Vindo de uma família rude, estudou e formou-se na capital.* **3.** Rígido, severo, áspero, duro: *Desculpe-me se fui muito rude em minha resposta.* **4.** Difícil de suportar; rigoroso, insuportável: *Tivemos este ano um rude inverno.* – **rudeza** *s.f.*

rudimentar (ru.di.men.*tar*) *adj.* **1.** Relativo aos rudimentos, às primeiras noções de (algo); elementar, superficial, básico: *Seus conhecimentos sobre a matéria são rudimentares.* **2.** Pouco desenvolvido; limitado, resumido, incompleto: *Algumas empresas ainda empregam técnicas rudimentares de produção.*

rudimento (ru.di.*men*.to) *s.m.* **1.** Elemento básico de alguma estrutura que necessita ainda de elaboração; início, primórdio, fundamento: *Expôs ao diretor os rudimentos de seu projeto.* **2.** Noções elementares de algum conhecimento: *Aprendeu com o pai os rudimentos do violão.* || Nas duas acepções, mais usado no plural.

rueiro (ru:ei.ro) *adj.* **1.** Relativo a rua. **2.** Que não para em casa; que gosta muito de andar na rua. • *s.m.* **3.** Pessoa rueira.

ruela [é] (ru:e.la) *s.f.* Rua pequena e estreita; viela, travessa, beco.

rufar (ru.*far*) *v.* **1.** Produzir toques de rufo em (tambor, pandeiro e outros instrumentos de percussão): *Os músicos vinham atrás dos palhaços, rufando os tambores; Abrindo o espetáculo, os tambores começaram a rufar.* **2.** Produzir sons semelhantes a rufos; tamborilar: *A chuva de granizo rufava nos beirais.* ▶ Conjug. 5.

rufião (ru.fi:*ão*) *s.m.* **1.** Pessoa que tira proveito da prostituição alheia; cáften, cafetão, proxeneta. **2.** Pessoa que se envolve em brigas constantes; brigão, arruaceiro. **3.** *reg.* Pessoa que está sempre à busca de conquistas amorosas; conquistador, namorador. || pl.: *rufiães* e *rufiões*.

rufianismo (ru.fi:a.*nis*.mo) *s.m.* Exploração da prostituição alheia com a intenção de lucro.

ruflar (ru.*flar*) *v.* **1.** Levantar voo (a ave), fazendo rumor com as asas: *Os pássaros ruflaram em bando.* **2.** Arrastar (o vestido) pelo chão, produzindo um som de ruge-ruge: *As longas saias ruflam como a deslizar pelo salão.* **3.** Fazer tremular; agitar: *O vento rufla as bandeiras.* ▶ Conjug. 5. – **ruflo** *s.m.*

rufo (ru.fo) *s.m.* **1.** Som cadenciado produzido pelo toque alternado de duas baquetas sobre o tambor, pandeiro ou outro instrumento de percussão. **2.** Qualquer som semelhante a esse toque. **3.** (*Mús.*) Toque de viola brasileira.

ruga (ru.ga) *s.f.* **1.** Dobra ou prega da pele humana ou de animais. **2.** Dobra em tecido ou em outro material maleável; vinco. – **rugoso** *adj.*

rúgbi (*rúg*.bi) *s.m.* (*Esp.*) Esporte praticado por duas equipes de quinze jogadores com uma bola oval, que deve ser levada até a linha de fundo adversária, com as mãos ou os pés, ultrapassando o cerrado bloqueio contrário.

ruge (ru.ge) *s.m.* Cosméticos em pó ou em pasta, de uma tonalidade que varia entre o rosa e o vermelho, usado para colorir as maçãs do rosto; *blush*.

ruge-ruge (ru.ge-ru.ge) *s.m.* **1.** Ruído produzido pelo arrastar de saias. **2.** Som semelhante a esse; sussurro.

rugido (ru.*gi*.do) *s.m.* **1.** Som emitido pelos grandes felinos (leão, tigre etc.); urro. **2.** Som cavernoso, semelhante a esse; bramido, estrondor, fragor: *o rugido das ondas do mar.* **3.** *fig.* Grito humano; brado, berro.

rugir (ru.*gir*) *v.* **1.** Soltar rugido (1): *As feras rugiam nas jaulas.* **2.** Fazer ruge-ruge; ruflar: *As damas antigas rugiam seus vestidos ao andar; As saias rodadas rugiam pelo chão.* **3.** *fig.* Produzir som semelhante a rugido: *"E o rio desce..., / cresce / corre rugindo nas pedras".* (Jorge de Lima, *Rio de São Francisco*). **4.** *fig.* Proferir em tom furioso; bradar, berrar: *O assaltante rugia ameaças aos passageiros.* ▶ Conjug. 66 e 92.

ruído (ru.*í*.do) *s.m.* **1.** Som produzido pela queda de um corpo, pelo choque ou atrito entre dois ou mais corpos; barulho. **2.** Qualquer som, mais ou menos prolongado, que não se consegue distinguir bem; rumor. **3.** Som confuso de muitas vozes; gritaria, burburinho, bulício. **4.** (*Comun.*) Todo fenômeno que interfere na transmissão de uma mensagem através de um canal, ocasionando perda de informação e dificuldade na comunicação entre o emissor e o receptor.

ruidoso [ô] (rui.*do*.so) *adj.* **1.** Que produz muito ruído; barulhento: *máquina ruidosa.* **2.** Em que há muito ruído: *festa ruidosa.* **3.** *fig.* Que provoca grande reação pública; espetacular, impactante: *escândalo ruidoso.* || f. e pl.: [ó].

ruim (ru:*im*) *adj.* **1.** Mau, malvado, perverso, impiedoso: *Tem um coração ruim.* **2.** Prejudicial, nocivo, pernicioso: *Beber é ruim para a saúde.* **3.** Com defeito; estragado, deteriorado, imprestável: *A imagem do televisor está ruim.* **4.** Cujo desempenho é insatisfatório; incapaz, inepto: *Todo o time esteve ruim no jogo decisivo.* **5.** Infeliz, funesto, infausto, triste: *Teve um pressentimento ruim.* **6.** Árduo, difícil, penoso: *Passa por uma fase muito ruim em sua vida.* **7.** Escasso, limitado, pequeno, pobre: *safra ruim.* **8.** Desfavorável, desabonador: *Sua reputação entre os diretores é ruim.* **9.** Inadequado, indevido, impróprio: *Escolheu uma ocasião ruim para solicitar um aumento de salário.* **10.** Que causa mal; maligno, maléfico: *doença ruim.*

ruína (ru.*í*.na) *s.f.* **1.** Ato ou efeito de ruir. **2.** Restos de construção que ruiu, pela ação do tempo ou outra ação destruidora; destroços, escombros: *Essas são as ruínas de Pompeia, destruída pela erupção do vulcão Vesúvio.* **3.** *fig.* Decadência, queda, destruição, derrocada: *a ruína dos impérios colonizadores.* **4.** *fig.* Perda de bens morais ou materiais; abatimento, aviltamento, miséria: *O desregramento levou-o à ruína e à de sua família.* **5.** *fig.* Pessoa, coisa ou

ruindade

instituição que já não são mais o que foram, que perderam muitos de seus atributos; vestígio, sombra: *Aquela antiga beleza e elegância é agora uma ruína.*

ruindade (ru:in.*da*.de) *s.f.* **1.** Qualidade de ruim. **2.** Ação própria de pessoa ruim; maldade, perversidade.

ruinoso [ô] (rui.*no*.so) *adj.* **1.** Que causa ruína ou perda; que deixa estragos gerais; prejudicial, nocivo, nefasto: *negócios ruinosos.* **2.** Que ameaça ruir; que está prestes a desmoronar. || f. e pl.: [ó].

ruir (ru:*ir*) *v.* Cair precipitadamente, geralmente com estrondo; desmoronar-se, despenhar-se, desabar: *O choque do avião fez ruir as grandes torres.* ▶ Conjug. 80 e 84.

ruivo (*rui*.vo) *adj.* **1.** De cor amarelo-avermelhada. **2.** Diz-se do pelo ou do cabelo dessa cor. • *s.m.* **3.** Pessoa que tem o cabelo dessa cor.

rum *s.m.* Aguardente obtida pela fermentação e destilação do melaço da cana-de-açúcar.

ruma (*ru*.ma) *s.f.* Grande quantidade de coisas, geralmente empilhadas; pilha, monte, montão.

rumar (ru.*mar*) *v.* **1.** Dirigir(-se) (embarcação) para um rumo determinado: *O capitão decidiu rumar o navio em direção à costa; A barca rumou para Paquetá.* **2.** Encaminhar-se, dirigir-se, ir: *Depois de um dia cansativo no trabalho, só pensava em rumar para casa.* ▶ Conjug. 5.

rumba (*rum*.ba) *s.f.* (*Mús.*) Dança cubana, de ritmo sincopado, e a música que a acompanha.

ruminação (ru.mi.na.*ção*) *s.f.* **1.** Ato ou efeito de ruminar. **2.** Processo fisiológico da alimentação de determinados animais, que consiste em regurgitar o alimento de volta do estômago à boca, remastigando-o, para nova deglutição.

ruminante (ru.mi.*nan*.te) *adj.* **1.** Que rumina. **2.** Relativo aos animais ruminantes. • *s.m.* e *f.* **3.** Mamífero, entre os quais se incluem o boi, o veado, o camelo, a girafa etc., cujo processo de digestão de alimentos é a ruminação.

ruminar (ru.mi.*nar*) *v.* **1.** Executar (certos animais) o processo da ruminação: *O gado ruminava pachorrento no pasto.* **2.** *fig.* Pensar longamente em; refletir, meditar, repensar: *Vingativo, ruminava represálias contra os adversários; Antes de qualquer decisão, ficava ruminando profundamente.* ▶ Conjug. 5.

rumo (*ru*.mo) *s.m.* **1.** Cada um dos 32 espaços em que se divide a rosa-dos-ventos. **2.** Direção de (embarcação) quando está navegando; rota. **3.** Direção, orientação, caminho, destino: *Os manifestantes tomaram o rumo da praça principal;* (fig.) *As negociações seguem o rumo previsto.* || *Rumo a:* em direção a; para o lado de.

rumor [ô] (ru.*mor*) *s.m.* **1.** Ruído produzido pelo choque ou queda de alguma coisa; barulho: *Antes de avistá-las, já se ouvia o rumor das cachoeiras.* **2.** Som indistinto de muitas vozes; murmúrio; burburinho: *No saguão do aeroporto, ouvia-se um rumor confuso e continuado.* **3.** *fig.* Notícia que se propaga rapidamente; boato: *Correm rumores sobre o clima político na capital.*

rumorejar (ru.mo.re.*jar*) *v.* **1.** Fazer rumor frequente e contínuo; murmurar: *Na praça, as fontes secas deixaram de rumorejar.* **2.** Falar baixo, em segredo; cochichar, segredar: *As moças rumorejavam confidências mútuas; Longe do plenário, os políticos iam rumorejar.* **3.** Propagar rumores (3); espalhar, veicular: *A imprensa não pode rumorejar informações enganosas.* ▶ Conjug. 10 e 37. – **rumorejante** *adj.*; **rumorejo** *s.m.*

rumoroso [ô] (ru.mo.*ro*.so) *adj.* **1.** Que produz muito barulho; ruidoso, barulhento: *festa rumorosa.* **2.** *fig.* Que provoca grande reação pública; clamoroso, ruidoso: *um escândalo rumoroso.* || f. e pl.: [ó].

rupestre [é] (ru.*pes*.tre) *adj.* **1.** Relativo a rocha. **2.** Que cresce em rochas: *vegetação rupestre.* **3.** Construído sobre rocha (diz-se de habitação). **4.** Diz-se das inscrições e pinturas feitas em rochas ou no interior de cavernas, principalmente as realizadas no período pré-histórico. || f. e pl.: [ó].

rupia (ru.*pi*.a) *s.f.* Unidade monetária e moeda da Índia, Paquistão, Nepal, Indonésia, Sri Lanka, entre outros países; rúpia.

rúpia (*rú*.pi:a) *s.f.* Rupia.

rúptil (*rúp*.til) *adj.* Que se rompe com facilidade; quebradiço, frágil.

ruptura (rup.*tu*.ra) *s.f.* **1.** Ato ou efeito de romper(-se); rompimento. **2.** Quebra de relações sociais ou compromisso: *ruptura do noivado.* **3.** Solução de continuidade; interrupção, suspensão, corte: *ruptura da corrente elétrica.* **4.** (*Jur.*) Violação ou infringência de um contrato, acordo ou ajuste. **5.** (*Med.*) Fratura de (osso, cartilagem, tendão etc.): *ruptura dos meniscos.*

rural (ru.*ral*) *adj.* **1.** Relativo a ou próprio do campo (por oposição à cidade); campestre, rústico: *hábitos rurais.* **2.** Relativo a agricultu-

1148

ra; agrícola: *produtos rurais*. **3.** Localizada no campo, fora dos limites urbanos: *propriedade rural*. – **ruralização** *s.f.*

ruralismo (ru.ra.*lis*.mo) *s.m.* **1.** Sistema econômico que privilegia os meios de produção do setor agrícola de um país. **2.** Concentração demográfica em áreas do campo, por oposição à concentração urbana. **3.** Conjunto de características da vida no campo. **4.** (*Arte, Lit.*) Pintura ou descrição de cenas rurais em obras de arte e literárias.

ruralista (ru.ra.*lis*.ta) *adj.* **1.** Relativo a ruralismo. **2.** Que é proprietário rural ou defende os interesses do ruralismo (1): *a bancada ruralista do Congresso*. **3.** Diz-se dos artistas que apresentam cenas rurais em suas obras. • *s.m. e f.* **4.** Adepto do ruralismo. **5.** Agricultor, lavrador, campesino.

rusga (*rus*.ga) *s.f.* **1.** Desentendimento, desavença ou briga entre duas ou mais pessoas: *Pequenas rusgas podem gerar grandes inimizades*. **2.** Zanga passageira; amuo, arrufo, implicância: *As rusgas entre o casal eram rapidamente esquecidas*. – **rusguento** *adj.*

rush [*râch*] (Ing.) *s.m.* Grande afluxo de veículos no perímetro urbano, geralmente nos horários de entrada e saída do trabalho.

russo (*rus*.so) *adj.* **1.** Da Federação Russa (Europa e Ásia). • *s.m.* **2.** O natural ou o habitante desse país. **3.** A língua falada nesse país.

rústico (*rús*.ti.co) *adj.* **1.** Relativo ao campo; próprio da vida rural; campestre. **2.** Feito sem grande acabamento ou arte; simples, tosco (diz-se de objeto). **3.** Que se desenvolve naturalmente, sem necessidade de cultivo (diz-se de planta). **4.** *fig.* Sem instrução; ignorante, inculto, simplório. **5.** *pej.* Pouco educado, sem civilidade, grosseiro, rude. • *s.m.* **6.** Pessoa que habita o campo. **7.** Aquilo que é rústico, tosco, sem arte. – **rusticidade** *s.f.*

rutênio (ru.*tê*.ni:o) *s.m.* (*Quím.*) Elemento químico metálico, de cor branco-acinzentada, brilhante e resistente, usado em catalisadores e ligas. || Símbolo: *Ru*.

rutilante (ru.ti.*lan*.te) *adj.* Que rutila; cintilante, rútilo: *joias rutilantes*.

rutilar (ru.ti.*lar*) *v.* **1.** Emitir ou fazer emitir grande brilho e luminosidade: *O sol rutilava a cúpula dourada da igreja; A prataria rutilava sob as luminárias*. **2.** *fig.* Lançar de si; emitir, despedir, chamejar, dardejar: *Seu olhar rutila a alegria de viver*. ▶ Conjug. 5. – **rutilação** *s.f.*; **rutilância** *s.f.*

rútilo (*rú*.ti.lo) *adj.* Rutilante.

s *s.m.* **1.** Décima quinta letra do alfabeto português. **2.** Símbolo de *segundo* (6).

S 1. Símbolo de *sul* (4). **2.** (*Quím.*) Símbolo de *enxofre*.

S. Abreviação de *sul* (5).

saariano (sa.a.ri:*a*.no) *adj.* **1.** Do deserto do Saara, na África. • *s.m.* **2.** O natural ou o habitante desse deserto.

sabá (sa.*bá*) *s.m.* **1.** (*Rel.*) Descanso dos judeus consagrado a Jeová no sábado, conforme a lei de Moisés. **2.** Segundo a crença medieval, reunião secreta de feiticeiros e bruxas que ocorria semanalmente.

sábado (*sá*.ba.do) *s.m.* Dia da semana que se segue à sexta-feira. || *Sábado de aleluia*: o sábado da Semana Santa.

sabão (sa.*bão*) *s.m.* **1.** Produto em pó, em barra ou líquido, feito com sais de sódio ou de potássio solúveis na água, utilizado em limpeza. **2.** *coloq.* Repreensão, censura, reprimenda.

sabático (sa.*bá*.ti.co) *adj.* **1.** Relativo a sábado: *licença sabática*. **2.** Relativo a sabá: *descanso sabático*. **3.** Diz-se de período que apresente interrupção de atividade regular.

sabatina (sa.ba.*ti*.na) *s.f.* Ato de avaliar um aluno por meio de questões orais; arguição, exame. – **sabatinar** *v.* ▶ Conjug. 5.

sabedoria (sa.be.do.*ri*.a) *s.f.* **1.** Qualidade de sábio. **2.** Conhecimento adquirido; ciência, erudição, saber, sapiência. **3.** Prudência, comedimento, temperança, sapiência.

saber (sa.*ber*) *v.* **1.** Ter ou tomar conhecimento de; informar-se, inteirar-se: *Soube o nome (do novo colega) quando chegou ao trabalho*. **2.** Adquirir ou ter conhecimento específico; entender de: *Sabíamos Geografia e História na ponta da língua*; *Ele sabe muito!* **3.** Possuir habilidade para; ser capaz de: *Minha avó sabia costura e bordado*. **4.** Gravar na memória; decorar, guardar, memorizar: *Sabia os nomes de quase todos os alunos*. **5.** Sentir antecipadamente; prever, antever, pressentir: *Sabia que não havia passado no concurso*. **6.** Ter sabor de; ter gosto de: *O café sabia a chá*. • *s.m.* **7.** Conhecimento, sabedoria. **8.** Experiência, prática. **9.** Prudência, sensatez. || *A saber*: isto é; na seguinte ordem: *Aquele estudo se baseia em dois autores, a saber, Machado de Assis e José de Alencar*. ▶ Conjug. 55.

sabe-tudo (sa.be-*tu*.do) *s.m. e f.* **2n.** *pej.* Sabichão (1).

sabiá (sa.bi:*á*) *s.m. e f.* (*Zool.*) Ave canora encontrada no Brasil, com penas marrons, cinza ou pretas, que come frutos e vermes.

sabichão (sa.bi.*chão*) *adj.* **1.** *pej.* Diz-se de pessoa que supõe saber muito; malandro, sabe-tudo; espertalhão. **2.** Diz-se de pessoa que é grande conhecedora de um ou mais assuntos. • *s.m.* **3.** Pessoa sabichona. || f.: *sabichã* e *sabichona*.

sabido (sa.*bi*.do) *adj.* **1.** Que se sabe; conhecido, público. **2.** *fig.* Que é sensato; ajuizado, sábio: *garoto sabido*. **3.** *fig.* Que é trapaceiro; velhaco: *velhote sabido*. • *s.m.* **4.** Pessoa sabida.

sábio (*sá*.bi:o) *adj.* **1.** Que é erudito. **2.** Que é especialista; experto, perito. **3.** Que é sensato; equilibrado, sabido. • *s.m.* **4.** Pessoa sábia.

sabonete [ê] (sa.bo.*ne*.te) *s.m.* Tipo de sabão perfumado utilizado para a limpeza do corpo.

saboneteira (sa.bo.ne.*tei*.ra) *s.f.* **1.** Local ou recipiente em que se coloca o sabonete durante o uso. **2.** (*Anat.*) *coloq.* Cada uma das cavidades localizadas acima da clavícula.

sabor [ô] (sa.*bor*) *s.m.* **1.** Sensação provocada nos órgãos do paladar; gosto. **2.** *fig.* Charme, encanto, graça: *A viagem a Paris deu mais sabor às suas férias*. || *Ao sabor de*: conforme a vontade de: *O barco prosseguia ao sabor do vento*.

saborear (sa.bo.re:*ar*) *v.* **1.** Beber ou comer com prazer; degustar, experimentar, provar: *Ela sorria para mim enquanto saboreava uma taça de vinho tinto*. **2.** *fig.* Deleitar-se com; apreciar, deliciar-se: *O jogador saboreou a goleada*. ▶ Conjug. 14.

saboroso [ô] (sa.bo.ro.so) *adj.* **1.** Que tem gosto bom; delicioso, gostoso: *café saboroso*. **2.** *fig.* Que é agradável; gostoso: *noite saborosa*. || f. e pl.: [ó].

sabotar (sa.bo.*tar*) *v.* **1.** Destruir intencionalmente; danificar, estragar, quebrar: *O agente sabotou as instalações da fábrica*. **2.** Arruinar sorrateiramente; atrapalhar, prejudicar: *Com propaganda mentirosa, sabotou a carreira do adversário*. ▶ Conjug. 20. – **sabotador** *adj. s.m.*; **sabotagem** *s.f.*

sabre (sa.bre) *s.m.* Espada pequena, com fio de um só lado.

sabugo (sa.*bu*.go) *s.m.* **1.** Espiga de milho sem grãos. **2.** Parte do dedo em que a unha fica presa.

sabugueiro (sa.bu.*guei*.ro) *s.m.* (*Bot.*) Tipo de arbusto original do Brasil e da Argentina, com flores brancas e aromáticas, que é purgante e provoca vômito.

sabujo (sa.*bu*.jo) *adj.* **1.** *fig.* Diz-se de pessoa bajuladora; adulador, servil. • *s.m.* **2.** Cão de caça. – **sabujice** *s.f.*

saburra (sa.*bur*.ra) *s.f.* Camada esbranquiçada que reveste a parte superior da língua, geralmente decorrente de determinadas doenças.

saca (sa.ca) *s.f.* **1.** Saco largo e comprido usado no comércio. **2.** Bolsa que parece um saco com alças, usada para fazer compras; sacola. **3.** Unidade de medida variável, utilizada no comércio, que se baseia no conteúdo de uma saca.

sacação (sa.ca.*ção*) *s.f. gír.* Ato de perceber com clareza; estalo, ideia, sacada.

sacada (sa.*ca*.da) *s.f.* **1.** Ato ou efeito de sacar. **2.** Varanda pequena, saliente, de um edifício; balcão. **3.** *gír.* Olhada, espiada. **4.** *gír.* Sacação.

sacana (sa.*ca*.na) *adj. chulo* **1.** Canalha, velhaco. **2.** Gozador, trocista. **3.** Libertino, devasso. • *s.m. e f.* **4.** Pessoa sacana. – **sacanagem** *s.f.*

sacanear (sa.ca.ne:*ar*) *v. chulo* **1.** Comportar-se como sacana: *Sempre que podia, sacaneava*. **2.** Causar aborrecimento a; chatear, irritar: *Ele sacaneou o amigo*. ▶ Conjug. 14.

sacar (sa.*car*) *v.* **1.** Puxar de dentro de (algo ou lugar) com rapidez ou violência; arrancar: *O advogado sacou o documento (da gaveta)*; *O atirador sacava com destreza*. **2.** Retirar (dinheiro) de conta-corrente: *Ele sacou o fundo de garantia (para ajudar o irmão)*. **3.** (*Esp.*) Dar saque[1] (3): *O jogador sacou e acertou a bola na rede*. **4.** *gír.* Espreitar escondendo; observar, vigiar: *Os vizinhos sacaram o movimento da casa*. **5.** *gír.* Captar com a inteligência; compreender, entender, perceber: *Eles sacaram a proposta (do amigo)*. ▶ Conjug. 5 e 35. – **sacado** *adj.*; **sacador** *adj. s.m.*

sacaria (sa.ca.*ri*.a) *s.f.* **1.** Grande quantidade de sacas ou sacos. **2.** Fábrica de sacos.

sacarina (sa.ca.*ri*.na) *s.f.* (*Quím.*) Substância sintética, com baixo teor calórico, usada para substituir o açúcar.

saca-rolhas (sa.ca-*ro*.lhas) *s.m.2n.* Utensílio constituído por uma haste de ferro, terminada por uma rosca acabada em ponta, com o qual se tiram as rolhas de cortiça das garrafas.

sacarose [ó] (sa.ca.*ro*.se) *s.f.* (*Quím.*) Açúcar extraído da cana e da beterraba.

sacerdócio (sa.cer.*dó*.ci:o) *s.m.* **1.** (*Rel.*) Dignidade e função de sacerdote. **2.** (*Rel.*) O ofício de sacerdote. **3.** *fig.* Missão, tarefa, incumbência. – **sacerdotal** *adj.*

sacerdote [ó] (sa.cer.*do*.te) *s.m.* **1.** (*Rel.*) Pessoa que prega os sacramentos de uma igreja; religioso, eclesiástico, padre, pastor, reverendo. **2.** *fig.* Pessoa que se dedica a uma causa ou missão. – **sacerdotal** *adj.*

sacerdotisa (sa.cer.do.*ti*.sa) *s.f.* Mulher que exercia a função de sacerdote nos templos pagãos.

sachê (sa.*chê*) *s.m.* Saquinho de pano, recheado com plantas ou substâncias aromáticas, utilizado para perfumar roupas guardadas em gavetas, armários ou ambientes fechados.

sacho (sa.cho) *s.m.* Enxada pequena, com peça pontiaguda no lugar do encaixe do cabo, usada para moldar e escavar a terra.

saci (sa.*ci*) *s.m.* (*Folc.*) De acordo com a crença popular, garoto negro, o qual tem somente uma perna, fuma cachimbo e usa um barrete vermelho, que assusta as pessoas; saci-pererê.

saciar (sa.ci:*ar*) *v.* **1.** Matar a fome ou a sede (de); fartar(-se), satisfazer(-se): *Saciou a fome com um sanduíche*; *Saciaram-se bebendo água*. **2.** Aplacar o desejo (de); satisfazer(-se): *Saciei minha curiosidade lendo a revista*; *Saciou-se indo à exposição de seu artista preferido*. ▶ Conjug. 17. – **saciável** *adj.*

saciedade (sa.ci:e.*da*.de) *s.f.* Estado de satisfação do apetite. || *À saciedade*: até fartar: *coloq. Discutimos o assunto à saciedade.*

saci-pererê (sa.ci-pe.re.*rê*) *s.m.* (*Folc.*) Saci.

saco (sa.co) *s.m.* **1.** Recipiente retangular, com abertura na parte de cima, feito de papel, plástico, pano ou outro material, usado para embrulhar ou transportar alimentos, bebidas

sacola

etc.; sacola. **2.** (*Anat.*) Cavidade ou estrutura que envolve certos órgãos do organismo. **3.** *chulo* Os testículos. **4.** *chulo* Aborrecimento, chateação. **5.** (*Geogr.*) Pequena enseada; angra. || *Saco de gatos*: bagunça, confusão: *Aquele departamento parecia um saco de gatos!* • *Saco de pancada*: *coloq.* pessoa que sempre leva a culpa de algum ato: *Ele é o saco de pancada do escritório.* • *Saco sem fundo*: *coloq.* **1.** pessoa que come ou gasta demais: *Esse menino é um saco sem fundo!* **2.** Empreendimento dispendioso: *O projeto se tornou um saco sem fundo.* • *Colocar no mesmo saco*: atribuir a mesma importância a: *O crítico colocou os diferentes estilos no mesmo saco.* • *Dar no saco*: *chulo* aborrecer, amolar, chatear: *Aquele jogo dava no saco.* • *De saco cheio*: *chulo* aborrecido, amolado, chateado: *Ele estava de saco cheio daquele trabalho.* • *Encher/torrar o saco*: *chulo* aborrecer(-se), amolar(-se), chatear(-se): *Ele torrou o saco do pai para que comprasse a motocicleta; Encheu o saco daquela casa e se mudou.* • *Estar sem saco*: *chulo* estar sem disposição para fazer algo: *Ele estava sem saco de arrumar o quarto.* • *Puxar o saco*: *chulo* adular, bajular: *Puxava o saco do patrão, elogiando-o.*

sacola [ó] (sa.co.la) *s.f.* **1.** Saco pequeno ou médio, com alças, utilizado para carregar compras ou outros objetos. **2.** Bolsa. **3.** Alforje.

sacolão (sa.co.*lão*) *s.m. coloq.* Estabelecimento que vende hortaliças, legumes, frutas etc.

sacolé (sa.co.*lé*) *s.m.* **1.** *coloq.* Pequeno saco plástico que contém sorvete congelado, vendido como se fosse picolé. **2.** *gír.* Pequeno saco plástico que contém drogas.

sacoleiro (sa.co.*lei*.ro) *s.m. coloq.* Pessoa que compra mercadorias em fábricas e lojas em atacado e as revende no varejo.

sacolejar (sa.co.le.*jar*) *v.* **1.** Sacudir(-se) várias vezes; agitar(-se), balançar(-se): *Sacolejou o cofrinho para saber se tinha dinheiro; O carro sacolejava pela estrada; Sacolejou-se na cadeira, inquieto.* **2.** Rebolar, remexer: *No samba, sacolejou o corpo sem parar; Sacolejou(-se) ao som do ritmo da banda.* **3.** *fig.* Abalar, comover, impressionar: *Aquela declaração sacolejou a plateia.* ▶ Conjug. 10 e 37. – **sacolejo** *s.m.*

sacralizar (sa.cra.li.*zar*) *v.* Tornar(-se) sagrado: *A história sacralizou alguns clássicos da literatura; Alguns ritos católicos se sacralizaram.* ▶ Conjug. 5. – **sacralização** *s.f.*

sacramentar (sa.cra.men.*tar*) *v.* **1.** (*Rel.*) Tornar sagrado; sacralizar: *Na Igreja, o padre sacramentou a união.* **2.** (*Jur.*) Dar amparo legal a; legalizar: *O tabelião sacramentou o ato do escrevente.* **3.** *coloq.* Legitimar: *O juiz sacramentou a vitória do time adversário.* ▶ Conjug. 5.

sacramento (sa.cra.*men*.to) *s.m.* (*Rel.*) Rito destinado a conceder ou confirmar a graça concedida a um fiel. – **sacramental** *adj. s.m.*; **sacramentado** *adj. s.m.*

sacrário (sa.*crá*.ri:o) *s.m.* (*Rel.*) Local em que são guardados objetos considerados sagrados, como a hóstia, o cálice etc.

sacrificar (sa.cri.fi.*car*) *v.* **1.** Dar(-se) em sacrifício; imolar(-se), oferecer(-se): *Na Antiguidade, os gregos sacrificavam bodes (aos deuses); Os druidas também sacrificavam; Quíron se sacrificou por Prometeu.* **2.** Devotar(-se) a; consagrar(-se), dedicar(-se): *Ela sacrificou sua vida às causas sociais; Muitos médicos se sacrificaram ao ofício.* **3.** Abdicar, desistir, renunciar: *Sacrificou sua vocação (para cuidar do pai); Sacrifiquei-me para cuidar da casa e trabalhar fora.* **4.** Matar, abater: *O nazismo sacrificou milhões de pessoas.* **5.** Causar dano a; lesar, prejudicar: *A falta de água sacrifica a cidade.* ▶ Conjug. 5 e 35. – **sacrificante** *adj. s.m. e f.*

sacrifício (sa.cri.*fí*.ci:o) *s.m.* **1.** Ato ou efeito de sacrificar(-se). **2.** Imolação, oferenda. **3.** (*Rel.*) Missa. **4.** Privação, voluntária ou não; abstinência. **5.** *fig.* Sofrimento, custo. **6.** Suplício, martírio.

sacrilégio (sa.cri.*lé*.gi:o) *s.m.* **1.** (*Rel.*) Desrespeito pelo que é sagrado; profanação, violação. **2.** *fig.* Ato reprovável; desrespeito, ultraje, ofensa.

sacrílego (sa.*crí*.le.go) *adj.* **1.** Que possui caráter de sacrilégio: *obra sacrílega.* **2.** Que comete sacrilégio: *família sacrílega.* • *s.m.* **3.** Pessoa sacrílega.

sacristão (sa.cris.*tão*) *s.m.* (*Rel.*) Empregado que cuida da sacristia e auxilia o padre nos ofícios divinos. || pl.: *sacristães* e *sacristões*; f.: *sacristã* e *sacristoa*.

sacristia (sa.cris.*ti*.a) *s.f.* (*Rel.*) Lugar, dentro ou fora da igreja, no qual são guardados os paramentos e os demais objetos utilizados nos cultos.

sacro (*sa*.cro) *adj.* **1.** Que é divino; sagrado, santo: *imagem sacra.* **2.** Relativo a osso sacro. • *s.m.* **3.** (*Anat.*) Osso com formato triangular, formado por cinco vértebras, situado na parte posterior da bacia.

sacrossanto (sa.cros.*san*.to) *adj.* **1.** Que é sagrado e santo: *cruz sacrossanta.* **2.** Que é inviolável: *mistério sacrossanto.*

sacudir (sa.cu.*dir*) *v.* **1.** Agitar(-se) com força; balançar(-se): *Perdeu a cabeça e sacudiu o jogador adversário; O paciente sacudiu-se convulsivamente.* **2.** Mexer(-se), mover(-se), requebrar(-se): *Sacudia a cabeça negando tudo; Os passistas sacudiram-se ao som da bateria.* **3.** Limpar movendo: *Sacudi a toalha da mesa.* **4.** *fig.* Estimular, entusiasmar, excitar: *A banda sacudiu a plateia.* ▶ Conjug. 77. – **sacudidela** *s.f.*; **sacudido** *adj.*

sádico (sá.di.co) *adj.* **1.** Relativo a sadismo. **2.** Que pratica o sadismo. **3.** Que tem prazer com o sofrimento alheio. • *s.m.* **4.** (*Psicn.*) Pessoa sádica.

sadio (sa.di:o) *adj.* Saudável.

sadismo (sa.dis.mo) *s.m.* **1.** (*Psicn.*) Perversão sexual cuja satisfação deriva da necessidade de praticar atos de violência ou crueldade com outra pessoa. **2.** Prazer obtido com a prática de atos cruéis.

sadomasoquismo (sa.do.ma.so.quis.mo) *s.m.* (*Psicn.*) Perversão sexual caracterizada pela prática simultânea de sadismo e masoquismo. – **sadomasoquista** *adj. s.m. e f.*

safado (sa.fa.do) *adj. coloq.* **1.** Que é cínico; desavergonhado. **2.** Que é devasso; obsceno. • *s.m.* **3.** Pessoa safada. – **safadeza** *s.f.*

safanão (sa.fa.não) *s.m. coloq.* **1.** Bofetada, tapa. **2.** Esbarrão, empurrão.

safar (sa.far) *v.* Esquivar(-se) de alguém ou algo; escapar: *Sempre safava o amigo (dos problemas); Os seguranças safaram-se do tiroteio.* ▶ Conjug. 5.

safári (sa.fá.ri) *s.m.* **1.** Expedição organizada para caça, em especial na África. **2.** Qualquer expedição.

safena (sa.fe.na) *s.f.* (*Anat.*) Qualquer veia superficial da perna.

safenado (sa.fe.na.do) *adj.* (*Med.*) **1.** Que fez cirurgia de ponte de safena. • *s.m.* **2.** Pessoa safenada.

sáfico (sá.fi.co) *adj.* **1.** Relativo à poetisa Safo (VII-VI a.C.) **2.** Relativo a safismo; lésbico.

safira (sa.fi.ra) *s.f.* **1.** (*Min.*) Pedra preciosa que apresenta cor amarela, azul, laranja ou rósea, transparente ou opaca. **2.** Cor azul.

safismo (sa.fis.mo) *s.m.* Lesbianismo.

safo (sa.fo) *adj. coloq.* Diz-se de pessoa desembaraçada; despachado: *entregador safo.*

safra (sa.fra) *s.f.* Colheita.

saga (sa.ga) *s.f.* **1.** (*Lit.*) Narrativa da literatura medieval escandinava. **2.** Narrativa de aventura histórica ou ficcional. **3.** (*Lit.*) Narrativa sobre uma família e suas várias gerações, que mistura história e ficção.

sagaz (sa.gaz) *adj.* **1.** Que é perspicaz; arguto, sutil: *crítico sagaz.* **2.** Que é astuto; malicioso: *espião sagaz.* – **sagacidade** *s.f.*

sagitariano (sa.gi.ta.ri:a.no) *adj.* **1.** Que nasce sob o signo de Sagitário (22 de novembro a 21 de dezembro). • *s.m.* **2.** (*Astrol.*) Pessoa nascida sob o signo de Sagitário.

sagrado (sa.gra.do) *adj.* **1.** Que foi investido: *cavaleiro sagrado.* **2.** Que é divino; sacro; santo: *fogo sagrado.* **3.** Que é inviolável; sacrossanto: *vale sagrado.* **4.** Que é venerável; respeitável: *mestre sagrado.*

sagrar (sa.grar) *v.* **1.** Investir numa dignidade através de cerimônia: *sagrar um cardeal.* **2.** Consagrar(-se): *Sagrou sua vida ao santo; O fiel sagrou-se à Ordem.* **3.** Conquistar reconhecimento: *A jogadora sagrou-se campeã brasileira.* ▶ Conjug. 5. – **sagração** *s.f.*

sagu (sa.gu) *s.m.* **1.** Fécula extraída do caule de uma planta utilizada para fazer mingau ou algumas sobremesas. **2.** (*Bot.*) Planta que parece uma palmeira, comestível e ornamental, da qual se extrai essa fécula; sagueiro.

saguão (sa.guão) *s.m.* Sala de entrada de um edifício; *hall*, vestíbulo.

sagueiro [güei] (sa.guei.ro) *s.m.* (*Bot.*) Sagu (2).

sagui [güi] (sa.gui) *s.m.* (*Zool.*) Mico. || *saguim.*

saguim [güim] (sa.guim) *s.m.* (*Zool.*) Sagui.

saia (sai.a) *s.f.* Traje feminino, justo ou rodado, que desce do cós da cintura até as pernas, com comprimento variável. || *Saia-justa*: *coloq.* situação desconcertante: *A sua pergunta me deixou numa saia-justa!*

saia-calça (sai.a-cal.ça) *s.f.* Tipo de calça feminina larga, parecida com uma saia, com comprimento variável. || pl.: *saias-calça* e *saias-calças.*

saião (sai.ão) *s.m.* (*Bot.*) Planta medicinal e ornamental nativa das Ilhas Canárias e do Mediterrâneo.

saibro (sai.bro) *s.m.* Mistura de areia grossa com pedra granulada, utilizada como argamassa.

saída (sa.í.da) *s.f.* **1.** Ato ou efeito de sair. **2.** Local por onde se sai; passagem. **3.** Instante em que se sai. **4.** Forma de resolver um assunto; recurso, expediente, meio. **5.** Procura, venda. **6.** Escapatória. **7.** Evasão, fuga. **8.** Passeio, caminhada, giro. || *Não dar nem para a saída*: *coloq.* não apresentar condições de alcançar ou satisfazer um objetivo, desejo etc.: *Esse sorvete não deu nem para a saída!*

saída de banho s.f. Roupão usado na saída da piscina. || pl.: *saídas de banho*.

saída de praia s.f. Traje que se veste sobre o biquíni, maiô etc. || pl.: *saídas de praia*.

saideira (sai.*dei*.ra) s.f. *coloq*. **1.** A última dose de bebida alcoólica que se toma numa festa, bar, reunião etc. **2.** A última coisa que se faz antes de se ir embora de algum lugar.

saído (sa.*í*.do) adj. **1.** Que saiu; ausente. **2.** *coloq*. Que é desenvolto, esperto. **3.** *coloq*. Que é intrometido, abelhudo.

saiote [ó] (sai.o.te) s.m. **1.** Saia curta. **2.** Saia vestida por baixo de outra saia.

sair (sa.*ir*) v. **1.** Ir de dentro para fora; deixar um lugar: *Ele saiu de casa muito cedo*. **2.** Ir a (algum local); deslocar-se, mover-se: *A vizinha saiu de carro*. **3.** Abandonar um cargo, um emprego etc.; deixar, largar: *Meu pai saiu daquela empresa*. **4.** Soltar-se, escapar: *De repente, um cheiro de gás saiu da cozinha; As chamas saíam com força*; (fig.) *A situação saiu do seu controle*; *Saíram muito bem da dificuldade*. **5.** *fig*. Fluir, manar, escapar: *Os gritos saíram daquela loja*; *Os suspiros saíam sem que eu me desse conta*. **6.** Crescer, aparecer, surgir: *Umas bolinhas estranhas saíram na minha pele*. **7.** Deixar um corpo ou volume, depois de atravessá-lo: *A bala o atingiu na barriga e saiu por suas costas*. **8.** Soltar-se de algo a que estava preso; desunir-se, desencaixar-se: *A tampa saiu (da caixa)*. **9.** Desaparecer, desfazer-se: *Aquela mancha de café não saiu*. **10.** *fig*. Ter origem; proceder: *Ele saiu de uma classe pobre*. **11.** *coloq*. Acontecer, ocorrer, sobrevir: *Saiu uma briga do nada*. **12.** *fig*. Resultar: *A capa da revista saiu feia*. **13.** Alcançar um resultado: *Ele se saiu mal no concurso*. **14.** Concluir (um curso); formar-se, diplomar-se: *Saiu da faculdade com ótimas notas*. **15.** Ser divulgado; lançar-se, publicar-se: *Saiu o novo jornal do sindicato*. **16.** Ter saída; vender: *Essa revista sai muito!* **17.** Ser escolhido: *O prêmio não saiu para o filme esperado*; *O nome do meu filho saiu na lista do Exército*. **18.** *fig*. Parecer-se a; puxar: *Ele saiu ao pai*. **19.** *coloq*. Relacionar(-se), ver (-se): *Minha irmã saiu com ele*; *Eles saem há seis meses*. **20.** Desfilar em; apresentar-se: *Ele saiu na Mangueira*. ▶ Conjug. 83.

sal s.m. **1.** (*Quím*.) Qualquer composto químico resultante da ação de um ácido sobre uma base. **2.** Pó branco usado para salgar alimentos ou conservá-los; sal de cozinha, cloreto de sódio. **3.** *fig*. Graça, espírito, vivacidade: *pessoa sem-sal*. • **sais** s.m.pl. **4.** Substâncias voláteis usadas para reanimar pessoas desmaiadas. **5.** Grãos ou pós usados para perfumar a água do banho.

sala (sa.la) s.f. **1.** Cômodo de um apartamento ou de uma casa, mais ou menos amplo, destinado a visitas ou refeições. **2.** Cômodo de um prédio destinado ao desempenho de alguma atividade. **3.** Cômodo de um prédio destinado à prestação de serviços. **4.** Local utilizado para a apresentação de um espetáculo artístico. **5.** Local utilizado para o ensino; sala de aula. **6.** Os alunos de uma turma; classe. || *Sala de espera*: cômodo em que as pessoas aguardam atendimento. • *Fazer sala a*: distrair (uma visita): *Minha mãe fez sala à minha tia toda a tarde*.

salada (sa.*la*.da) s.f. **1.** (*Cul*.) Comida geralmente preparada com folhas, legumes crus ou cozidos, frutas, carnes, peixes, frios, entre outros, temperada com sal, azeite, vinagre, pimenta e molhos diversos, servida fria. **2.** *fig*. Mistura de diferentes elementos. **3.** *fig*. Confusão, bagunça, caos. || *Salada de frutas*: sobremesa preparada com frutas picadas que pode ser acompanhada de cremes, licores, sorvetes etc.

sala e quarto s.m.2n. Apartamento residencial que possui um quarto e uma sala. || pl.: *salas e quarto* e *salas e quartos*.

salafrário (sa.la.*frá*.ri:o) s.m. *coloq*. Pessoa vil; patife, cafajeste, canalha.

salamaleque [é] (sa.la.ma.*le*.que) s.m. **1.** Saudação utilizada entre os muçulmanos. **2.** Cumprimento afetado; mesura, rapapé.

salamandra (sa.la.*man*.dra) s.f. (*Zool*.) Anfíbio de regiões temperadas, parecido com um lagarto, com cauda longa e membros curtos.

salame (sa.*la*.me) s.m. (*Cul*.) Embutido grosso feito de carne de boi ou de porco temperada.

salaminho (sa.la.*mi*.nho) s.m. (*Cul*.) Tipo de salame mais fino e curto.

salão (sa.*lão*) s.m. **1.** Sala grande. **2.** Exposição de obras de arte, produtos etc.; mostra. **3.** Estabelecimento comercial que se dedica a cuidar de cabelo, barba etc.; barbeiro, cabeleireiro.

salário (sa.*lá*.ri:o) s.m. Remuneração paga a um trabalhador por sua força de trabalho; ordenado, estipêndio, féria (2). || *Décimo terceiro salário*: remuneração extra paga a um trabalhador equivalente a um mês de seu salário normal.

salário-mínimo (sa.lá.ri:o-mí.ni.mo) s.m. Menor salário permitido por lei pago a um trabalhador. || pl.: *salários-mínimos*.

saldar (sal.*dar*) v. Quitar. ▶ Conjug. 5.

saldo (*sal*.do) s.m. **1.** Dinheiro disponível numa conta bancária. **2.** Estoque restante vendido com desconto. **3.** *fig.* Resultado, consequência, fruto. **4.** Aquilo que resta ou sobra de (alguma coisa); rescaldo (2).

saleiro (sa.*lei*.ro) adj. **1.** Relativo a sal. • s.m. **2.** Recipiente para guardar ou para servir sal à mesa. **3.** Produtor ou comerciante de sal.

salesiano (sa.le.si:*a*.no) adj. **1.** Relativo à Congregação Salesiana. **2.** Diz-se de padre ou freira dessa Congregação. • s.m. **3.** (*Rel.*) Freira ou padre salesiano.

saleta [ê] (sa.*le*.ta) s.f. Sala pequena.

salga (*sal*.ga) s.f. **1.** Ato ou efeito de salgar. **2.** Na charqueada, lugar onde é feita a salga de carne.

salgadinho (sal.ga.*di*.nho) s.m. (*Cul.*) Petisco pequeno, salgado, servido como aperitivo em festas, reuniões etc.

salgado (sal.*ga*.do) adj. **1.** Que contém sal; salso: *O mar é salgado*. **2.** Que contém sal acima do necessário: *A sopa ficou salgada*. **3.** *coloq.* Diz-se do que tem preço elevado; caro. • s.m. **4.** Qualquer carne de boi ou porco que foi salgada ou defumada.

salgar (sal.*gar*) v. **1.** Colocar sal em; temperar: *salgar o arroz*. **2.** Colocar sal em excesso: *salgar uma sopa*. **3.** Conservar em sal: *salgar a orelha de um porco*. ▶ Conjug. 5 e 34. – **salgadura** s.f.

sal-gema (sal-*ge*.ma) s.m. (*Min.*) Mineral que pode ser utilizado como tempero ou na fabricação de carbonato de sódio; cloreto de sódio. || pl.: *sais-gemas*.

salgueiro (sal.*guei*.ro) s.m. (*Bot.*) Árvore e arbusto ornamental dos quais também se extrai madeira, com ramos pendentes e folhas estreitas.

salicultura (sa.li.cul.*tu*.ra) s.f. Produção de sal obtida por meio de salinas.

saliência (sa.li:*ên*.ci:a) s.f. **1.** Qualidade de saliente. **2.** Parte que se projeta para fora em uma superfície; protuberância. **3.** *coloq. fig.* Comportamento atrevido; assanhamento.

salientar (sa.li:en.*tar*) v. Pôr(-se) em evidência; destacar(-se): *O coordenador salientou a boa organização da equipe*; *Ele salientou-se por sua profissão*. ▶ Conjug. 5.

salpicão

saliente (sa.li:*en*.te) adj. **1.** Que é protuberante: *osso saliente*. **2.** *fig.* Que se destaca; evidente: *característica saliente*. **3.** *coloq. fig.* Que é assanhado: *jeito saliente*.

salina (sa.*li*.na) s.f. **1.** Lugar onde é represada a água do mar ou da lagoa salgada, para que, por meio de processo de evaporação, seja produzido sal. **2.** Empresa que produz sal. – **salinação** s.f.

salineiro (sa.li.*nei*.ro) adj. **1.** Relativo a salina. • s.m. **2.** Pessoa que trabalha em salina. **3.** Proprietário de salina.

salino (sa.*li*.no) adj. Que contém sal ou que é composto de sal: *solo salino*. – **salinidade** s.f.

salitre (sa.*li*.tre) s.m. (*Quím.*) Nitrato de potássio, matéria-prima indispensável à fabricação da pólvora.

saliva (sa.*li*.va) s.f. Secreção transparente, incolor, viscosa, expelida pelas glândulas salivares para lubrificar a boca e os alimentos, facilitando a digestão e protegendo os dentes de cáries; cuspe.

salivar[1] (sa.li.*var*) adj. **1.** Relativo a saliva: *fluxo salivar*. **2.** Que expele saliva: *glândula salivar*.

salivar[2] (sa.li.*var*) v. Expelir saliva: *O cachorro salivava sem parar*. ▶ Conjug. 5. – **salivação** s.f.

salmão (sal.*mão*) s.m. **1.** (*Zool.*) Peixe marinho que desova em rio e apresenta cor entre o rosa e o laranja. • adj. **2.** Que tem a cor do salmão: *camisa salmão*. **3.** Diz-se dessa cor.

salmo (*sal*.mo) s.m. (*Rel.*) Cada um dos cento e cinquenta cânticos do Livro dos Salmos do Antigo Testamento. – **salmista** s.m. e f.

salmonela [é] (sal.mo.*ne*.la) s.f. (*Biol.*) Bactéria encontrada no reino animal ou no meio ambiente que provoca diversas doenças no ser humano.

salmoura (sal.*mou*.ra) s.f. Água impregnada com sal marinho, usada na conservação de alimentos; marinada.

salobre [ô] (sa.*lo*.bre) adj. Salobro.

salobro [ô] (sa.*lo*.bro) adj. **1.** Que contém sal: *ambiente salobro*. **2.** Diz-se de água que possui sais ou substâncias que produzem gosto desagradável. || *salobre*.

salomônico (sa.lo.*mô*.ni.co) adj. **1.** Relativo a Salomão, rei dos hebreus (970-931 a.C.): *justiça salomônica*. **2.** *fig.* Que é sábio e justo: *governante salomônico*. **3.** Das Ilhas Salomão, no Pacífico Sul. • s.m. **4.** O natural ou o habitante dessas ilhas.

salpicão (sal.pi.*cão*) s.m. (*Cul.*) Salada que geralmente é feita com frango desfiado, batata-palha, pimentão e maionese.

salpicar

salpicar (sal.pi.*car*) v. **1.** Temperar (alimento) borrifando sal; salgar: *salpicar a salada*. **2.** Manchar com salpicos; enodoar: *Sem querer, salpicou molho (na pessoa que comia ao lado)*. **3.** Polvilhar, espalhar(-se), cobrir(-se): *Sempre salpicava queijo ralado no macarrão; Salpicou-se de farinha da cabeça aos pés*. **4.** *fig.* Entremear, inserir, intercalar: *Salpicou o discurso de elogios*. ▶ Conjug. 5 e 35.

salpico (sal.*pi*.co) s.m. **1.** Ato ou efeito de salpicar; pingo. **2.** Mancha, nódoa, pinta.

salsa (*sal*.sa) s.f. (*Bot.*) **1.** Erva aromática e medicinal, originária da Europa e da Ásia ocidental, rica em vitamina C. **2.** (*Mús.*) Tipo de música popular dos anos quarenta, originário de Cuba.

salsaparrilha (sal.sa.par.*ri*.lha) s.f. (*Bot.*) Planta com flores pequenas cuja raiz é aromática e medicinal.

salsicha (sal.*si*.cha) s.f. (*Cul.*) Tripa fina recheada de carne de porco, frango, peru etc., temperada com diferentes condimentos e sal.

salsichão (sal.si.*chão*) s.m. (*Cul.*) Salsicha longa e grossa.

salsicharia (sal.si.cha.*ri*.a) s.f. **1.** Técnica de produção de salsichas. **2.** Estabelecimento comercial que fabrica ou vende salsichas.

salsicheiro (sal.si.*chei*.ro) s.m. Pessoa que fabrica ou vende salsichas e produtos afins.

salso (*sal*.so) adj. *poét.* Que é salgado: *mar salso*.

salsugem (sal.*su*.gem) s.f. **1.** Qualidade do que é salso ou salgado. **2.** Lodo que apresenta substâncias salinas. **3.** Detritos encontrados nas praias ou em portos. – **salsuginoso** adj.

saltar (sal.*tar*) v. **1.** Elevar-se do solo por meio de movimento provocado pelo impulso dos pés; pular: *A nadadora saltava com graça e leveza; Saltou para a margem com medo*. **2.** Fazer quicar (uma bola): *A bola saltou de volta à rede*. **3.** Soltar-se com força; despregar-se, desprender-se: *Com a batida, o espelho do carro saltou fora*. **4.** Descer de; desembarcar: *Saltei do metrô com pressa*. **5.** Arremessar-se sobre ou contra; atirar-se, lançar-se: *O leão saltou sobre o domador*. **6.** Brotar, irromper, jorrar: *As lágrimas saltaram dos seus olhos*. **7.** Palpitar com força; pulsar: *Meu coração saltava de alegria*. **8.** Salientar-se, sobressair: *Os olhos saltavam-lhe das órbitas*; (fig.) *Sua falta de ética salta aos olhos*. **9.** *fig.* Pular rapidamente; ignorar, omitir: *Como a história estava monótona, saltou algumas páginas*. **10.** Mudar de um estado para outro: *Saltou de contínuo para auxiliar de contabilidade*. || Conferir com *soltar*. ▶ Conjug. 5.

salteado (sal.te:*a*.do) adj. **1.** Que é alternado; entremeado: *Sabia o alfabeto de cor e salteado*. **2.** (*Cul.*) Diz-se de alimento que foi cozido em fogo alto com muita gordura: *camarão salteado*.

salteador [ô] (sal.te:a.*dor*) adj. **1.** Que pratica assalto; assaltante: *velho salteador*. • s.m. **2.** Pessoa salteadora.

saltear (sal.te:*ar*) v. **1.** Percorrer intercalando; entremear: *saltear os versos de um poema*. **2.** (*Cul.*) Cozinhar (alimento) em fogo alto, usando muita gordura, agitando a panela para não grudar no fundo: *saltear cebolas*. ▶ Conjug. 14. – **salteamento** s.m.

saltério (sal.*té*.ri:o) s.m. **1.** (*Mús.*) Instrumento de cordas com caixa de ressonância de madeira, associado historicamente aos salmos do Livro dos Salmos, do Antigo Testamento. **2.** (*Rel.*) Livro dos Salmos, do Antigo Testamento.

saltimbanco (sal.tim.*ban*.co) s.m. Artista popular itinerante que se apresenta em lugares públicos.

saltitar (sal.ti.*tar*) v. Dar pequenos saltos: *O pássaro saltitava devagar entre as árvores*. ▶ Conjug. 5. – **saltitante** adj.

salto (*sal*.to) s.m. **1.** Ato ou efeito de saltar; pulo. **2.** Movimento provocado pelo impulso dos pés, elevando o corpo do chão. **3.** Mudança de um estado para outro; transformação, alteração. **4.** Parte que é omitida: *Leia tudo, sem saltos!* **5.** Cachoeira; queda-d'água; itororó. **6.** Parte posterior do sapato que eleva o pé; tacão. || *Jogar de salto alto*: (*Esp.*) gír. jogar mal devido ao excesso de autoconfiança.

salto-mortal (sal.to-mor.*tal*) s.m. Salto em que o corpo dá uma volta de 360 graus no ar, sem o apoio das mãos. || pl.: *saltos-mortais*.

salubre (sa.*lu*.bre) adj. Salutar: *água salubre*. – **salubridade** s.f.

salutar (sa.lu.*tar*) adj. **1.** Que é bom para a saúde; sadio, salubre, são, saudável: *corpo salutar*. **2.** *fig.* Que é construtivo; edificante: *medida salutar*.

salva (*sal*.va) s.f. **1.** Disparo simultâneo de tiros; descarga. **2.** Tipo de bandeja. || *Salva de palmas*: aplauso, ovação.

salvação (sal.va.*ção*) s.f. **1.** Ato ou efeito de salvar(-se). **2.** (*Rel.*) Redenção, remissão, libertação. **3.** (*Rel.*) Estado de graça e felicidade eterna após a morte.

salvadorenho (sal.va.do.re.*nho*) adj. **1.** Da República de El Salvador, país da América Central, ou sua capital. • s.m. **2.** O natural ou o habitante desse país.

salvadorense (sal.va.do.ren.se) *adj.* **1.** De Salvador, capital do Estado da Bahia. • *s.m. e f.* **2.** O natural ou o habitante dessa capital; sotoropolitano.

salvado (sal.va.do) *s.m.* (*Mil.*) Objeto perdido em campo de batalha, reaproveitado posteriormente. || Mais usado no plural.

salvaguarda (sal.va.guar.da) *s.f.* **1.** Ato ou efeito de salvaguardar. **2.** Medida de proteção adotada por uma instituição ou autoridade para proteger uma pessoa ou uma coletividade. **3.** Preservação, proteção, segurança. **4.** *fig.* Privilégio concedido a pessoas de determinada classe profissional; salvo-conduto, passe.

salvaguardar (sal.va.guar.dar) *v.* Proteger ou garantir os direitos de; resguardar: *salvaguardar direitos trabalhistas.* ▶ Conjug. 5.

salvar (sal.var) *v.* **1.** Livrar(-se) de (algo); defender(-se): *Os bombeiros salvaram o garoto (do incêndio); Salvou-se do assalto por sorte.* **2.** Preservar(-se) de; resguardar(-se): *Com minha assiduidade, salvei meu emprego; O político salvou-se das críticas dos jornalistas.* **3.** (*Rel.*) Alcançar ou conceder a salvação eterna: *Jesus salvou os homens do pecado; Os justos se salvarão.* **4.** (*Inform.*) Gravar em (memória, disco etc.); armazenar: *salvar um documento.* || part.: *salvado* e *salvo.* ▶ Conjug. 5. – **salvamento** *s.m.*

salva-vidas (sal.va-vi.das) *adj.* **1.** Diz-se de acessório destinado a impedir que alguém se afogue: *colete salva-vidas.* • *s.m. e f.* 2n. **2.** Profissional encarregado de salvar pessoas afogadas.

salve-rainha (sal.ve-ra.i.nha) *s.f.* (*Rel.*) Oração dedicada à Virgem Maria. || pl.: *salve-rainhas.*

salve-se quem puder *s.m.2n.* Situação de perigo.

sálvia (sál.vi:a) *s.f.* (*Bot.*) Erva medicinal ou aromática, usada também para fazer licores e tinta a óleo.

salvo (sal.vo) *adj.* **1.** Que se livrou de uma ameaça: *criança salva.* **2.** (*Inform.*) Armazenado, gravado. **3.** Que alcançou a graça eterna: *cristão salvo.* • *prep.* **4.** Afora, exceto, senão.

salvo-conduto (sal.vo-con.du.to) *s.m.* **1.** (*Jur.*) Documento oficial que permite ao portador o livre trânsito por um território. **2.** Salvaguarda (3). || pl.: *salvo-condutos* e *salvos-condutos.*

samambaia (sa.mam.bai.a) *s.f.* (*Bot.*) Planta ornamental que se reproduz por meio de esporos e pode ser cultivada no solo ou na água.

samaritano (sa.ma.ri.ta.no) *adj.* **1.** Da Samaria, cidade e região da Palestina. **2.** Diz-se de pessoa caridosa: *bom samaritano.* • *s.m.* **3.** O natural ou o habitante dessa cidade ou região. **4.** Dialeto do aramaico falado pelos antigos habitantes da Samaria. **5.** Pessoa samaritana.

samba (sam.ba) *s.m.* (*Mús.*) **1.** Dança e música popular brasileira de origem africana. **2.** Tipo de baile popular em que predomina o samba.

samba-canção (sam.ba-can.ção) *s.m.* **1.** (*Mús.*) Samba mais lento que o tradicional, em que o caráter melódico predomina sobre o sincopado, com letras sentimentais. **2.** *joc.* Tipo de cueca folgada feita de tecidos leves. || pl.: *sambas-canção* e *sambas-canções.*

samba-enredo (sam.ba-en.re.do) *s.m.* (*Mús.*) Samba narrativo composto para desfiles carnavalescos com um tema determinado. || pl.: *sambas-enredo* e *sambas-enredos.*

sambaqui (sam.ba.qui) *s.m.* Restos acumulados de objetos ou ossos da época pré-colombiana encontrados em praias, lagoas e rios.

sambar (sam.bar) *v.* **1.** Dançar samba: *Ela sambava sempre descalça.* **2.** *coloq.* Estar folgado, largo: *A calça nova sambava e o deixava com uma aparência estranha.* **3.** *coloq.* Dar errado; falhar, gorar: *O casamento dele sambou.* **4.** *coloq.* Ser preso: *Aqueles ladrões sambaram.* **5.** *coloq.* Ser demitido: *Ele sambou do cargo de chefe.* ▶ Conjug. 5.

sambista (sam.bis.ta) *adj.* **1.** Que dança, compõe ou canta samba. • *s.m. e f.* **2.** Autor, cantor ou dançarino de samba.

sambódromo (sam.bó.dro.mo) *s.m.* Local em que ocorrem os desfiles carnavalescos.

samburá (sam.bu.rá) *s.m.* Tipo de cesto, de cipó ou taquara, de fundo largo e de boca estreita, utilizado para levar iscas e material de pesca.

samoano (sa.mo:a.no) *adj.* **1.** Do Estado Independente de Samoa, arquipélago do centro-leste da Oceania. • *s.m.* **2.** O natural ou o habitante desse arquipélago. **3.** Idioma falado nesse arquipélago. || *samoense.*

samoense (sa.mo:en.se) *adj. s.m. e f.* Samoano.

samovar (sa.mo.var) *s.m.* Recipiente de metal pequeno, com um tubo no centro em que são colocadas brasas, utilizado na Rússia para manter quente a água destinada a fazer chá.

samurai (sa.mu.rai) *s.m.* Guerreiro feudal japonês que servia a um nobre que governava determinado território do Império.

sanar (sa.*nar*) *v.* **1.** Fazer recuperar a saúde; curar, sanear (1), sarar: *sanar uma doença*. **2.** *fig.* Reparar (erro); emendar, remediar: *sanar uma falha*. **3.** *fig.* Pagar: *sanar uma dívida*. ▶ Conjug. 5.

sanatório (sa.na.*tó*.ri:o) *s.m.* Estabelecimento para repouso de convalescentes ou para tratamento de doentes com patologias como a tuberculose, doenças nervosas, mentais etc.

sanca (*san*.ca) *s.f.* (*Arquit.*) Moldura curva, geralmente feita de gesso, que une a parede ao teto, usada para decoração.

sanção (san.*ção*) *s.f.* (*Jur.*) **1.** Aprovação ou confirmação de uma lei; ratificação. **2.** Ato do Poder Executivo confirmando uma lei votada pelo Poder Legislativo. **3.** Vantagem ou penalidade decorrente do cumprimento ou da falta de cumprimento de uma lei. || Conferir com *veto*.

sancionar (san.ci:o.*nar*) *v.* (*Jur.*) Dar sanção a; ratificar: aprovar, ratificar: *sancionar uma lei*. ▶ Conjug. 5.

sandália (san.*dá*.li:a) *s.f.* Calçado formado por uma sola, com salto alto ou não, presa ao pé por meio de tiras.

sândalo (*sân*.da.lo) *s.m.* **1.** (*Bot.*) Árvore ornamental pequena, oriunda da Índia, cuja madeira fornece material para a fabricação de incensos e da qual é extraído um óleo usado para a fabricação de cosméticos ou produtos medicinais. **2.** Madeira extraída dessa árvore. **3.** Óleo extraído dessa árvore.

sandeu (san.*deu*) *adj. pej.* **1.** Que é tolo; idiota, pateta. • *s.m. pej.* **2.** Pessoa sandia. || f.: *sandia*.

sandice (san.*di*.ce) *s.f.* Qualidade, ato ou dito de sandeu; asneira, bobagem, disparate, estupidez.

sandinismo (san.di.*nis*.mo) *s.m.* Ideologia nacionalista e anti-imperialista adotada pelos nicaraguenses partidários da Frente Sandinista de Libertação Nacional, com inspiração nas ações do líder César Augusto Sandino (1893-1934). – **sandinista** *adj. s.m. e f.*

sanduíche (san.du.*í*.che) *s.m.* **1.** (*Cul.*) Alimento que se constitui de duas fatias de pão, que têm entre si tiras ou pedaços de carne, presunto, salame, queijo, molhos, salada etc. **2.** *fig.* Pressão sofrida por uma ou mais pessoas ou coisas colocadas entre outras: *Fez um sanduíche com duas placas de argamassa e uma de alumínio*.

saneamento (sa.ne:a.*men*.to) *s.m.* **1.** Ato ou efeito de sanear. **2.** Conjunto de medidas que visam melhorar a qualidade de vida de uma população ou preservar o meio ambiente.

sanear (sa.ne:*ar*) *v.* **1.** Sanar (1): *sanear uma peste*. **2.** Higienizar, desinfetar, limpar: *sanear uma área*. **3.** Reparar, remendar, remediar: *O governo saneou os erros no cálculo do imposto*. **4.** Conter, coibir, reprimir: *sanear roubos*. ▶ Conjug. 14.

sanefa [é] (sa.*ne*.fa) *s.f.* Tira larga de tecido, lisa ou preguada, colocada na parte superior de uma cortina.

sanfona (san.*fo*.na) *s.f.* (*Mús.*) Instrumento musical de formato hexagonal ou octogonal, com dois teclados laterais e mecanismo semelhante ao da harmônica e do acordeão; concertina, harmônica (2).

sanfoneiro (san.fo.*nei*.ro) *s.m.* Pessoa que toca sanfona.

sangradouro (san.gra.*dou*.ro) *s.m.* Canal utilizado para desviar parte da água de um rio, represa etc.

sangrar (san.*grar*) *v.* **1.** (*Med.*) Expelir ou perder sangue: *O cavalo sangrou até morrer*. **2.** (*Med.*) Lancetar uma veia: *sangrar um tumor*. **3.** Escoar por meio de sangradouro; drenar: *sangrar uma barragem*. **4.** *fig.* Ferir, atormentar, amargurar: *Suas palavras sangraram meu coração!*; *Com o abandono, meu peito sangrou de dor*. **5.** *fig.* Extorquir, espoliar, explorar: *Sangrou o irmão com seus excessos*. **6.** Tirar a vida; matar: *sangrar uma galinha*. ▶ Conjug. 5. – **sangradura** *s.f.*; **sangramento** *s.m.*

sangrento (san.*gren*.to) *adj.* **1.** Que é cruel; sanguinário, sanguinolento: *disputa sangrenta*. **2.** Que está cheio de sangue; ensanguentado, sanguinolento: *ferida sangrenta*. **3.** (*Cul.*) Diz-se de carne malpassada.

sangria (san.*gri*.a) *s.f.* **1.** Ato ou efeito de sangrar; sangradura, sangramento. **2.** *fig.* Extorsão, exploração. **3.** Bebida feita com vinho, água, açúcar e pedaços de frutas. **4.** Escoamento de um líquido. || *Sangria desatada*: situação urgente: *Essa viagem não é nenhuma sangria desatada*.

sangue (*san*.gue) *s.m.* **1.** (*Biol.*) Líquido que circula nas artérias, nas veias capilares e no coração, transportando nutrientes e oxigênio para as células do corpo dos seres humanos e de alguns animais. **2.** Estirpe, família, linhagem. **3.** Seiva das plantas; sumo. **4.** *fig.* Existência, vida. **5.** *fig.* Energia, vitalidade. **6.** *fig.* Violência, matança. || *Sangue azul*: aristocracia, fidalguia, nobreza. • *Sangue quente*: sangue dos vertebrados, cuja variação da temperatura independe do meio externo. • *Subir o sangue à ca-*

beça: enraivecer-se. • *Ter o sangue quente*: ser exaltado. • *Ter sangue nas veias*: ser irritadiço. • *Ter sangue de barata*: *pej.* não reagir diante de uma ofensa, provocação, agressão etc.

sangue-frio (san.gue-fri.o) *s.m.* Controle diante de situações difíceis; calma, impassibilidade. || pl.: *sangues-frios*.

sangueira (san.guei.ra) *s.f.* **1.** Muito sangue derramado. **2.** Chacina, matança.

sanguessuga (san.gues.su.ga) *s.f.* **1.** (*Zool.*) Verme que vive em água doce, mares ou terra, com ventosas usadas para sugar o sangue de vertebrados. **2.** *pej.* Pessoa que explora outra, extorquindo-lhe favores, bens ou dinheiro; oportunista, parasita.

sanguinário [güi *ou* gui] (san.gui.ná.ri:o) *adj.* **1.** Que é cruel; desumano: *bandido sanguinário*. • *s.m.* **2.** Pessoa sanguinária.

sanguíneo [güi *ou* gui] (san.guí.ne:o) *adj.* **1.** Relativo a sangue: *tipo sanguíneo*. **2.** Que apresenta parentesco: *laço sanguíneo*. **3.** Diz-se do que apresenta cor de sangue.

sanguinolento [güi *ou* gui] (san.gui.no.len.to) *adj.* **1.** Relativo a sangue: *secreção sanguinolenta*. **2.** Sangrento (1 e 2).

sanha (sa.nha) *s.f.* **1.** Sentimento de ódio, fúria, ira. **2.** Desejo compulsivo.

sanhaço (sa.nha.ço) *s.m.* (*Zool.*) Pássaro com cor verde ou azul-acinzentado, que se alimenta de frutas. || *sanhaçu*.

sanhaçu (sa.nha.çu) *s.m.* (*Zool.*) Sanhaço.

sanidade (sa.ni.da.de) *s.f.* **1.** Qualidade de são. **2.** Condição de bem-estar; saúde. **3.** Condição de normalidade física ou mental.

sânie (sâ.ni:e) *s.f.* (*Med.*) Líquido purulento e fétido produzido por feridas, fístulas e úlceras. – **sanioso** *adj.*

sanitário (sa.ni.tá.ri:o) *adj.* **1.** Relativo a saúde ou a higiene; salubre: *aterro sanitário*. **2.** Relativo a banheiro: *pia sanitária*. • *s.m.* **3.** Lugar dotado de instalações sanitárias; banheiro. **4.** Vaso sanitário; privada.

sanitarista (sa.ni.ta.ris.ta) *s.m. e f.* (*Med.*) Médico especializado em saúde pública.

sânscrito (sâns.cri.to) *s.m.* Língua indo-europeia antiga, usada principalmente na religião e na literatura clássica da Índia.

sansei (san.sei) *s.m. e f.* Neto de imigrantes japoneses nascido na América.

santantônio (san.tan.tô.ni:o) *s.m.* **1.** Barra vertical metálica situada atrás do assento do piloto nos carros de corrida, cuja finalidade é impedir que o teto afunde em caso de capotagem. **2.** Parte da frente da sela onde o cavaleiro pode se segurar. || *santo-antônio*.

santareno (san.ta.re.no) *adj.* **1.** De Santarém, Estado do Pará. • *s.m.* **2.** O natural ou o habitante dessa cidade.

santarrão (san.tar.rão) *adj.* **1.** *coloq. pej.* Que finge ser devoto: *beato santarrão*. • *s.m.* **2.** *coloq. pej.* Pessoa santarrona. || f.: *santarrona*.

santeiro (san.tei.ro) *adj.* **1.** Que é beato; devoto. **2.** Que esculpe ou comercializa imagens e gravuras de santos: *arte santeira*. • *s.m.* **3.** Pessoa santeira; imaginário (3).

santidade (san.ti.da.de) *s.f.* **1.** Qualidade de santo. **2.** Estado de religiosidade. || *Sua Santidade*: forma de tratamento usada para se referir ao papa. • *Vossa Santidade*: forma de tratamento usada para se dirigir ao papa.

santificar (san.ti.fi.car) *v.* **1.** (*Rel.*) Canonizar: *O papa santificou Madre Paulina*. **2.** Louvar, adorar, glorificar: *santificar o nome divino*. ▶ Conjug. 5 e 35. – **santificação** *s.f.*; **santificado** *adj.*

santinho (san.ti.nho) *s.m.* **1.** (*Rel.*) Pequena estampa religiosa. **2.** *coloq.* Pessoa sonsa, que finge ser boa. **3.** *coloq.* Impresso pequeno, geralmente com retrato e número de um candidato a cargo político, utilizado para campanha eleitoral.

santíssimo (san.tís.si.mo) *adj.* **1.** Muito santo. **2.** Tratamento dado ao papa. • *s.m.* **3.** (*Rel.*) O sacramento da Eucaristia.

santista (san.tis.ta) *adj.* **1.** Da cidade de Santos, Estado de São Paulo • *s.m. e f.* **2.** O natural ou o habitante dessa cidade.

santo (san.to) *adj.* **1.** Que se baseia em princípios religiosos: *gesto santo*. **2.** Que é divino; sagrado: *manto santo*. **3.** Que é bondoso; generoso: *alma santa*. **4.** Que é útil; eficiente: *santo remédio*. • *s.m.* **5.** (*Rel.*) Pessoa canonizada; são[2]. **6.** (*Rel.*) Orixá. || *Santo do pau oco*: *coloq.* pessoa sonsa. • *Despir um santo para cobrir/vestir outro*: *coloq.* favorecer alguém em detrimento de outra pessoa. • *Ter santo forte*: *coloq.* **1.** ser protegido de alguém; ter pistolão. **2.** ter proteção espiritual. || sup. abs.: *santíssimo*.

santo-antônio (san.to-an.tô.ni:o) *s.m.* Santantônio. || pl.: *santo-antônios* e *santos-antônios*.

santuário (san.tu:á.ri:o) *s.m.* **1.** (*Rel.*) Templo ou local sagrado. **2.** (*Biol.*) Reserva ecológica. **3.** *fig.* Interior, âmago.

são¹ *adj.* **1.** Que possui saúde física ou mental: *corpo são.* **2.** Que é saudável; salutar (1): *produto são.* • *s.m.* **3.** Pessoa sã.

são² *adj.* Santo (5).

são-bernardo (são-ber.*nar*.do) *s.m.* (*Zool.*) Cão de raça com orelha pequena e cauda longa, conhecido por socorrer vítimas de avalanches. || pl.: *são-bernardos.*

são-luisense (são-lu:i.*sen*.se) *adj.* **1.** De São Luís, capital do Estado do Maranhão. • *s.m.* e *f.* **2.** O natural ou o habitante dessa capital. || pl.: *são-luisenses.*

são-tomense (são-to.*men*.se) *adj.* **1.** De São Tomé e Príncipe, arquipélago da costa oeste da África. • *s.m.* e *f.* **2.** O natural ou o habitante desse arquipélago.

sapa¹ (*sa*.pa) *s.f.* (*Zool.*) Fêmea do sapo.

sapa² (*sa*.pa) *s.f.* **1.** Ato de cavar fossos, trincheiras etc. **2.** Tipo de pá usada para cavar.

sapata (sa.*pa*.ta) *s.f.* **1.** Peça metálica que faz parte do mecanismo que ajuda a frear um veículo. **2.** Parte mais larga do alicerce de uma construção; base, apoio, suporte. **3.** *pej.* Mulher homossexual; sapatão.

sapatão (sa.pa.*tão*) *s.m.* **1.** Sapato grande. **2.** *fig. pej.* Lésbica, sapata.

sapataria (sa.pa.ta.*ri*.a) *s.f.* **1.** Loja ou fábrica de sapatos. **2.** Técnica de produzir sapatos.

sapateado (sa.pa.te:*a*.do) *s.m.* Dança que exige o uso de sapatos especiais, em que se bate com os dedos dos pés e com os calcanhares no chão, marcando o ritmo. – **sapateador** *adj. s.m.*

sapatear (sa.pa.te:*ar*) *v.* Dançar o sapateado: *O bailarino sapateou um ritmo norte-americano*; *No espetáculo, as espanholas sapatearam sem parar.* ▶ Conjug. 14. – **sapateio** *s.m.*

sapateira (sa.pa.*tei*.ra) *s.f.* Móvel ou lona costurada com pequenos bolsos onde os sapatos são guardados.

sapateiro (sa.pa.*tei*.ro) *s.m.* Profissional que faz, vende ou conserta sapatos.

sapatilha (sa.pa.*ti*.lha) *s.f.* **1.** Tipo de sapato usado pelos bailarinos. **2.** Tipo de sapato feito de tecido macio e flexível.

sapato (sa.*pa*.to) *s.m.* Calçado que geralmente apresenta sola dura e salto, usado para caminhar e proteger os pés.

sapé (sa.*pé*) *s.m.* (*Bot.*) Sapê.

sapê (sa.*pê*) *s.m.* (*Bot.*) Grama comprida seca utilizada para cobrir casas. || *sapé.*

sapear (sa.pe:*ar*) *v. coloq.* Olhar de fora: *sapear um jogo.* ▶ Conjug. 14.

sapeca [é] (sa.*pe*.ca) *adj.* **1.** Diz-se de criança travessa: *menina sapeca.* **2.** Diz-se de pessoa namoradeira. • *s.m.* e *f.* **3.** Pessoa sapeca. – **sapequice** *s.f.*

sapecar (sa.pe.*car*) *v.* **1.** Lançar rapidamente; desferir, tascar: *Ela sapecou um beijo no namorado.* **2.** Divertir-se, farrear: *Ele sapecou por toda a madrugada.* **3.** Queimar rapidamente; chamuscar, torrar, tostar: *sapecar(-se) um alimento.* ▶ Conjug. 8 e 35.

sápido (*sá*.pi.do) *adj.* Que apresenta sabor; gostoso, saboroso: *produto sápido.*

sapiência (sa.pi:*én*.ci:a) *s.f.* Sabedoria (2 e 3).

sapiente (sa.pi:*en*.te) *adj.* **1.** Que é culto; sábio: *mestre sapiente.* **2.** Que é sensato; equilibrado: *pai sapiente.* • *s.m.* e *f.* **3.** Pessoa sábia.

sapinho (sa.*pi*.nho) *s.m.* **1.** (*Med.*) Inflamação com formação de pontos brancos e escamosos na parte interna da boca, ou em outras regiões do corpo, provocada por um fungo. **2.** (*Zool.*) Sapo pequeno.

sapo (*sa*.po) *s.m.* (*Zool.*) Animal anfíbio de pele rugosa, sem cauda, com a cabeça incorporada ao corpo, com membros posteriores crescidos, usados para saltar. || *Engolir sapo*: *coloq. fig.* suportar situações desagradáveis, voluntariamente ou não, sem reagir. – **saparia** *s.f.*

sapota [ó] (sa.*po*.ta) *s.f.* **1.** (*Bot.*) Árvore pequena, originária da América Central, produtora do látex usado para fabricar chicletes. **2.** Sapoti.

sapo-boi (sa.po-*boi*) *s.f.* (*Zool.*) Anfíbio grande que possui boca avantajada e pequenos chifres carnosos sobre os olhos. || pl.: *sapos-boi* e *sapos-bois.*

sapo-cururu (sa.po-cu.ru.*ru*) *s.m.* (*Zool.*) Sapo grande, de pele granulosa amarelada com manchas marrons, que se alimenta de insetos e é muito usado para controle de pragas; cururu. || pl.: *sapos-cururus.*

sapólio (sa.*pó*.li:o) *s.m.* Produto de limpeza abrasivo, granulado, em barra ou líquido. || Da marca registrada *Sapólio.*

saponáceo (sa.po.*ná*.ce:o) *adj.* **1.** Que possui propriedades do sabão: *pasta saponácea.* • *s.m.* **2.** Substância saponácea.

sapoti (sa.po.*ti*) *s.m.* **1.** (*Bot.*) Árvore originária da América Latina e das Antilhas que produz uma seiva leitosa e dá frutos. **2.** (*Bot.*) Fruto dessa árvore, com casca fina e marrom, tam-

sari

bém usado para fins medicinais; sapota. – **sapotizeiro** s.m.

sapucaia (sa.pu.cai.a) s.f. (Bot.) Árvore originária da Mata Atlântica, com madeira dura e folhas róseas, usada como ornamento.

saque[1] (sa.que) s.m. **1.** Ato ou efeito de sacar. **2.** Retirada (de dinheiro) de conta-corrente. **3.** (Esp.) Jogada que dá início a um jogo de vôlei, tênis etc.

saque[2] (sa.que) s.m. Ato ou efeito de saquear; furto, roubo, pilhagem.

saquê (sa.quê) s.m. Bebida japonesa alcoólica, feita de arroz fermentado, geralmente aquecida para ser tomada.

saquear (sa.que:ar) v. Roubar, usando violência ou não; furtar, pilhar: *Saquearam aquela loja durante a noite*; *Os bandidos saqueavam sempre que podiam*. ▶ Conjug. 14. – **saqueador** adj. s.m.

sarabanda (sa.ra.ban.da) s.f. **1.** Dança popular barroca. **2.** fig. Repreensão, advertência, censura.

sarabatana (sa.ra.ba.ta.na) s.f. Zarabatana.

saracotear (sa.ra.co.te:ar) v. **1.** coloq. Mexer(-se) com movimentos fortes; gingar, rebolar: *saracotear as ancas*; *As sambistas saracoteavam(-se) com gosto*. **2.** coloq. Passear despreocupadamente; zanzar: *Minha tia e minha mãe saracotearam todo o verão*. ▶ Conjug. 14. – **saracoteio** s.m.

saracura (sa.ra.cu.ra) s.f. (Zool.) Pássaro de pernas e bico comprido, com canto estridente, que vive em pântanos, margens de rios e lagos e se alimenta de insetos, crustáceos e peixes.

sarado (sa.ra.do) adj. **1.** Que se sarou, se curou. **2.** coloq. Que é sadio; saudável. **3.** coloq. Que apresenta o físico trabalhado pela prática de ginástica ou esporte; musculoso, malhado (4). **4.** coloq. Que é bonito; elegante.

saraiva (sa.rai.va) s.f. Granizo.

saraivada (sa.rai.va.da) s.f. **1.** Arremesso feito repetidamente de algo: *saraivada de balas*. **2.** Granizo.

sarampo (sa.ram.po) s.m. (Med.) Doença contagiosa que ataca principalmente as crianças e provoca febre, dor de cabeça e catarro.

sarapatel (sa.ra.pa.tel) s.m. (Cul.) Guisado feito com sangue e vísceras de porco ou carneiro, com muitos condimentos e azeite-de-dendê.

sarapintar (sa.ra.pin.tar) v. Fazer pintas em; salpicar com diversas cores: *sarapintar um painel*. ▶ Conjug. 5.

sarapintado (sa.ra.pin.ta.do) adj. Salpicado de cores; malhado: *cavalo sarapintado*.

sarar (sa.rar) v. **1.** Recuperar a saúde (de alguém ou a própria); curar(-se); restabelecer(-se): *Sarou sua depressão (com terapia)*; *Sarou(-se) da dor do pé*. **2.** Fechar, secar, cicatrizar: *A ferida sarou*. ▶ Conjug. 5.

sarará (sa.ra.rá) adj. **1.** Diz-se dos cabelos crespos ruivos ou alourados de pessoas mestiças. **2.** Diz-se de pessoa albina. • s.m. e f. **3.** Pessoa sarará.

sarau (sa.rau) s.m. **1.** Reunião cujo objetivo consiste em fazer leitura de textos literários ou apresentações musicais; serão. **2.** Festa.

saravá (sa.ra.vá) s.m. interj. (Rel.) Saudação usada em cultos afro-brasileiros; salve.

sarça (sar.ça) s.f. **1.** (Bot.) Tipo de espinheiro. **2.** Mata densa; matagal.

sarcasmo (sar.cas.mo) s.m. Ironia mordaz; escárnio, zombaria.

sarcástico (sar.cás.ti.co) adj. Que expressa sarcasmo; irônico, sardônico, zombeteiro, mordaz (1): *risada sarcástica*.

sarcófago (sar.có.fa.go) s.m. **1.** Túmulo ou caixão em que os povos antigos colocavam seus mortos. **2.** Túmulo, tumba, sepultura.

sarcoma (sar.co.ma) s.m. (Med.) Tumor maligno.

sarda (sar.da) s.f. Pequena mancha amarelada ou marrom que aparece na pele de pessoas claras, principalmente após a exposição ao sol; pinta.

sardento (sar.den.to) adj. Diz-se de pessoas que possuem sardas.

sardinha (sar.di.nha) s.f. (Zool.) Peixe marinho pequeno, com corpo de cor prateada, comprimido para a lateral, boca e dentes pequenos e cauda bifurcada, muito usado na alimentação.

sardo (sar.do) adj. **1.** Da Sardenha, ilha da Itália, na Europa. • s.m. **2.** O natural ou o habitante dessa ilha. **3.** Um dos dialetos falados nessa ilha.

sardônico (sar.dô.ni.co) adj. Sarcástico.

sargaço (sar.ga.ço) s.m. (Bot.) Alga marinha grande, de cor escura, com talos e tufos, que aparece em mares de climas tropical, subtropical e temperado.

sargento (sar.gen.to) s.m. (Mil.) **1.** Patente da hierarquia militar. **2.** Militar que detém essa patente.

sari (sa.ri) s.m. Traje feminino usado na Índia. || *sári*.

sári (sa.ri) s.m. Sari.

sarilho (sa.ri.lho) s.m. **1.** Cilindro utilizado para enrolar ou desenrolar cabos flexíveis, como cordas, mangueiras etc. **2.** (*Mil.*) Haste em formato de cruz, utilizada para apoiar armas. **3.** *coloq.* Confusão, rolo, tumulto.

sarja (sar.ja) *s.f.* Tecido trançado de algodão, seda ou lã, usado para produzir roupas.

sarjeta [ê] (sar.je.ta) *s.f.* **1.** Escoadouro de água junto ao meio-fio de logradouros públicos; vala, valeta, sumidouro (2). **2.** *fig.* Estado de decadência; degradação.

sarna (sar.na) *s.f.* **1.** (*Med.*) Escabiose. **2.** *coloq.* Pessoa inoportuna; chato. || *Sarna para se coçar: coloq.* aquilo que causa aborrecimento ou sofrimento: *Quando aceitou dirigir o projeto, ele procurou sarna para se coçar.*

sarmento (sar.men.to) s.m. (*Bot.*) Ramo de videira.

sarnento (sar.nen.to) *adj.* **1.** Que tem sarna: *cão sarnento.* • s.m. **2.** Animal ou pessoa sarnenta.

sarongue (sa.ron.gue) s.m. Vestimenta originária da Oceania, que consiste num retângulo de pano colorido amarrado na cintura ou sob as axilas, usada como saia ou vestido pelas mulheres.

sarraceno (sar.ra.ce.no) *adj.* **1.** Relativo a sarraceno. • s.m. **2.** (*Hist.*) Termo utilizado pelos cristãos ao se referirem a muçulmanos no período das Cruzadas; árabe, mouro.

sarrafo (sar.ra.fo) s.m. **1.** Pau estreito e comprido; ripa. **2.** *coloq.* Porrete, cacete. || *Baixar/descer/sentar o sarrafo em (alguém): gír.* **1.** surrar, espancar: *O bando baixou o sarrafo na vítima.* **2.** *coloq.* criticar, depreciar: *A imprensa baixou o sarrafo no político.*

sarro (sar.ro) s.m. **1.** Resíduo de nicotina. **2.** Mancha de nicotina. **3.** Placa endurecida que se forma na base dos dentes. || *Tirar um sarro:* **1.** *chulo* apalpar de forma libidinosa: *O casal tirava um sarro dentro da caminhonete.* **2.** *gír.* zombar, debochar: *Ele tirou um sarro da minha cara quando o meu time perdeu.*

sashimi [*sachimi*] (Jap.) s.m. (*Cul.*) Tira fina de peixe cru servida com molho de soja e pasta condimentada.

satã (sa.tã) s.m. Satanás.

satanás (sa.ta.nás) s.m. Diabo, satã.

satânico (sa.tâ.ni.co) *adj.* Que é diabólico; demoníaco: *trama satânica.*

satanismo (sa.ta.nis.mo) s.m. **1.** Qualidade de satânico. **2.** Culto a satã. **3.** (*Fil., Lit.*) Ideologia de alguns escritores do século XIX, cujas obras eram devotadas ou simulavam devoção a satanás. – **satanista** *adj.* s.m. e *f.*

satélite (sa.té.li.te) s.m. **1.** (*Astron.*) Corpo celeste que gira em volta de um planeta; astro. • *adj.* **2.** Diz-se de cidade, estado ou país que possui dependência política ou econômica de outra cidade, estado ou país.

sátira (sá.ti.ra) *s.f.* **1.** (*Lit.*) Texto que ironiza outro com objetivo de crítica; epigrama (1). **2.** Ironia, troça, zombaria.

satírico (sa.tí.ri.co) *adj.* Que é irônico, zombeteiro: *programa satírico.* – **satirista** *adj.* s.m. e *f.*

satirizar (sa.ti.ri.zar) *v.* **1.** (*Lit.*) Escrever sátiras: *Aquele escritor satirizava com maestria.* **2.** Criticar, censurar, ridicularizar, zombar: *O cartunista satirizou o gol perdido pelo jogador.* ▶ Conjug. 5.

sátiro (sá.ti.ro) s.m. **1.** Na mitologia grega, semideus habitante das florestas, com chifre curto, patas de bode e pequena cauda; fauno. **2.** *fig.* Homem libertino; devasso.

satisfação (sa.tis.fa.ção) *s.f.* **1.** Ato ou efeito de satisfazer(-se). **2.** Estado de contentamento; alegria, prazer. **3.** Justificativa para uma atitude, um comportamento etc.; desculpa, explicação, razão.

satisfatório (sa.tis.fa.tó.ri:o) *adj.* Que satisfaz; aceitável, razoável: *desempenho satisfatório.*

satisfazer (sa.tis.fa.zer) *v.* **1.** Agradar, contentar (-se): *O currículo do candidato não satisfaz o pré-requisito solicitado; As notas dos alunos não satisfizeram os professores; Seu desempenho não satisfez; Satisfiz-me com suas respostas.* **2.** Aplacar a fome ou a sede; saciar (-se), fartar(-se), saturar(-se): *Satisfazia sua fome com frutas; Bebeu muita água, mas não se satisfez.* **3.** Cumprir, realizar: *Minha mãe satisfez o seu desejo de viajar.* || part.: *satisfeito.* ▶ Conjug. 61.

satisfeito (sa.tis.fei.to) *adj.* **1.** Que se satisfaz. **2.** Que está contente: *treinador satisfeito.* **3.** Que se saciou; farto: *fome satisfeita.* **4.** Que se cumpriu; realizado: *exigência satisfeita.*

sátrapa (sá.tra.pa) s.m. *fig.* Tirano, déspota, usurpador.

saturação (sa.tu.ra.ção) *s.f.* **1.** Ato ou efeito de saturar(-se). **2.** (*Fís., Quím.*) Estado de um vapor em equilíbrio com seu líquido.

saturado (sa.tu.*ra*.do) *adj.* **1.** Que se saturou. **2.** Que se esgotou: *assunto saturado*. **3.** *fig.* Que está repleto; cheio: *armazém saturado*. **4.** *fig.* Que está aborrecido; amolado: *pessoa saturada*.

saturar (sa.tu.*rar*) *v.* **1.** Ficar repleto; tomar completamente: *A quantidade de profissionais da área saturou o mercado (de vendas)*. **2.** Saciar a fome ou a sede; empanturrar(-se), fartar(-se), satisfazer(-se): *Saturou a gula comendo doces; Saturei-me de batatas fritas e passei mal*. **3.** *fig.* Enfastiar, cansar, incomodar: *Os constantes desrespeitos às leis saturaram o consumidor; Saturou-se com o descaso das autoridades*. ▶ Conjug. 5.

saturnino (sa.tur.*ni*.no) *adj.* **1.** Relativo a chumbo e seus compostos. **2.** (*Med.*) Diz-se de enfermidade provocada pelo chumbo. **3.** Em astrologia, diz-se daquele que nasce sob a influência de Saturno, mostrando-se melancólico e sombrio.

saturnismo (sa.tur.*nis*.mo) *s.m.* (*Med.*) Intoxicação aguda ou crônica causada por inalação ou ingestão de chumbo; plumbismo.

saudação (sa:u.da.*ção*) *s.f.* Ato ou efeito de saudar; cumprimento, aceno.

saudade (sa:u.da.de) *s.f.* **1.** Sentimento provocado pela ausência, perda ou lembrança de alguém ou algo. • *saudades s.f.pl.* **2.** Cumprimentos, respeitos.

saudar (sa:u.*dar*) *v.* **1.** Cumprimentar com palavra ou aceno: *saudar um vizinho; Os congressistas saudaram-se com um aperto de mão*. **2.** Aclamar, homenagear: *O público saudou o artista com aplausos*. **3.** Manifestar alegria à vista de: *O escritor saudava a terra natal, emocionado*. ▶ Conjug. 16.

saudável (sa:u.*dá*.vel) *adj.* **1.** Que é bom para a saúde; sadio, salutar (1): *alimento saudável*. **2.** Que é forte, vigoroso, sadio: *rapaz saudável*. **3.** Que faz bem ao espírito; sadio: *debate saudável*.

saúde (sa.*ú*.de) *s.f.* **1.** Estado de bem-estar físico ou mental. **2.** Brinde feito com o fim de comemoração ou saudação. || É usado em expressões nominais para expressar votos de saúde. • *Vender saúde*: *coloq.* ter vigor: *Com setenta anos, vendia saúde*.

saudita (sau.*di*.ta) *adj.* **1.** Do Reino da Arábia Saudita, no Oriente Médio. • *s.m.* e *f.* **2.** O natural ou o habitante desse país.

saudosismo (sa:u.do.*sis*.mo) *s.m.* Tendência ou costume de valorizar em excesso o que se refere ao passado.

saudosista (sa:u.do.*sis*.ta) *adj.* **1.** Que é apegado ao passado: *tom saudosista*. • *s.m.* e *f.* **2.** Pessoa adepta do saudosismo.

saudoso [ô] (sa:u.*do*.so) *adj.* Que sente, provoca ou expressa saudade: *voz saudosa*. || f. e pl.: [ó].

sauna (*sau*.na) *s.f.* **1.** Exposição ao vapor de temperatura elevada com o fim de desintoxicação dos poros. **2.** Local em que se faz essa exposição. **3.** *fig.* Espaço fechado onde faz muito calor.

saúva (sa.*ú*.va) *s.f.* (*Zool.*) Formiga que ataca plantações e se alimenta de fungos que atacam folhas. – **sauveiro** *s.m.*

savana (sa.*va*.na) *s.f.* **1.** Vegetação que mistura grama, arbustos e algumas árvores. **2.** Região plana e seca onde cresce essa forma de vegetação.

saveiro (sa.*vei*.ro) *s.m.* Barco a vela com um ou dois mastros, utilizado para transporte de pessoas e cargas, pesca e turismo.

savoir-faire [*savoar-fér*] (Fr.) *s.m.2n.* Competência, tino.

saxão [cs] (sa.*xão*) *adj.* **1.** Da Saxônia, região da Alemanha, país da Europa. **2.** Da Inglaterra, país da Europa. • *s.m.* **3.** O natural ou o habitante dessa região. **4.** O natural ou o habitante desse país.

saxofone [cs] (sa.xo.*fo*.ne) *s.m.* (*Mús.*) Instrumento musical de sopro, feito de metal, com palheta simples, muito usado em orquestras.

saxofonista [cs] (sa.xo.fo.*nis*.ta) *s.m.* e *f.* (*Mús.*) Pessoa que toca saxofone.

sazão (sa.*zão*) *s.f.* **1.** Cada estação do ano. **2.** Período de colheita. **3.** *fig.* Ocasião propícia.

sazonal (sa.zo.*nal*) *adj.* Relativo a sazão: *depressão sazonal*.

sazonado (sa.zo.*na*.do) *adj.* Que está maduro: *fruto sazonado*.

scanner [*iscâner*] (Ing.) *s.m.* (*Inform.*) Escâner.

script [*iscrípiti*] (Ing.) *s.m.* (*Comun.*) Roteiro.

se[1] *pron. pess.* Forma oblíqua átona da terceira pessoa do singular que funciona como: a) complemento de verbo transitivo direto, expressando reciprocidade ou reflexividade: *Ele cortou-se ontem; Os dois se amam perdidamente*. b) complemento de verbo transitivo indireto ou bitransitivo: *Os namorados deram-se as mãos; Submeteram-se à vontade dos pais*. c) parte de verbo pronominal que expressa sentimento ou mudança de estado físico: *Eles se arrependeram de seus erros; Com falta de ar, sentou-se*. d) pronome apassivador: *Conser-*

se

tam-se eletrodomésticos. **e)** índice de indeterminação do sujeito: *Precisa-se de vendedoras*. **f)** pronome de realce ou expletivo: *O copo quebrou-se em mil pedaços*.

se² *conj.* **1.** No caso de; na hipótese de: *Se ele for, eu não irei*. **2.** Uma vez que; visto que; já que: *Se ninguém quer ir ao cinema, eu irei sozinho*. **3.** Inicia uma oração subordinada substantiva: *Ela não sabe se voltará tarde*.

Se (*Quím.*) Símbolo de *selênio*.

SE Símbolo de *sueste* ou *sudeste* (6).

S.E. Abreviação de *sudeste* (7).

sé *s.f.* (*Rel.*) Igreja principal de uma diocese, chefiada pelo bispo; matriz, sede. || *Santa Sé*: o Vaticano.

seara (se:a.ra) *s.f.* **1.** Plantação de cereais. **2.** Campo cultivado. || *Seara alheia: coloq.* aquilo que compete a outra pessoa: *Ele se meteu na seara alheia*.

sebáceo (se.bá.ce:o) *adj.* **1.** Relativo a sebo ou gordura. **2.** Seboso (1): *secreção sebácea*. **3.** (*Med.*) Diz-se de cisto que surge em consequência do entupimento das glândulas sebáceas.

sebe [é] (se.be) *s.f.* Cerca de plantas ou arbustos que contorna casas, jardins etc.

sebento (se.ben.to) *adj.* **1.** Seboso (1): *baralho sebento*. • *s.m.* **2.** Pessoa sebenta.

sebo [ê] (se.bo) *s.m.* **1.** Substância gordurosa; gordura, banha. **2.** Secreção das glândulas sebáceas. **3.** *coloq. fig.* Pessoa arrogante. **4.** Livraria que vende livros e periódicos usados. || *Passar/pôr sebo nas canelas: coloq.* fugir de algo ou de alguém; correr: *Assustado com o assalto, passou sebo nas canelas e não parou mais!*

seborreia [éi] (se.bor.rei.a) *s.f.* (*Med.*) Enfermidade caracterizada pela secreção excessiva de gordura na pele. – **seborreico** *adj.*

seboso [ô] (se.bo.so) *adj.* **1.** Que contém ou produz sebo; engordurado, sebáceo, sebento: *cabelo seboso*. **2.** *coloq.* Diz-se de pessoa arrogante; esnobe, presunçoso. • *s.m.* **3.** Pessoa sebosa; sebo. || f. e pl.: [ó].

seca [ê] (se.ca) *s.f.* Ausência de chuva; estiagem, secura.

secador [ô] (se.ca.dor) *s.m.* **1.** Aparelho usado para secar algo: *secador de cabelos*. **2.** Tipo de varal usado para secar roupas em área ou janela de apartamento. **3.** Estufa.

secante¹ (se.can.te) *adj.* **1.** Que seca: *aditivo secante*. **2.** Diz-se de óleo utilizado para acelerar a secagem de tintas. **3.** Diz-se de líquido usado em máquina de lavar louças. • *s.m.* **4.** Óleo secante.

secante² (se.can.te) *adj.* (*Geom.*) **1.** Diz-se de reta que corta outra ou uma curva. **2.** (*Mat.*) Diz-se de função inversa à do cosseno.

seção (se.ção) *s.f.* **1.** Ato ou efeito de secionar (-se). **2.** Parte de algo; fração, parcela, segmento. **3.** Repartição, departamento, divisão, setor. **4.** (*Comun.*) Espaço de um periódico destinado a uma matéria, notícia etc. **5.** (*Med.*) Incisão, corte. || *secção*. || Conferir com *cessão* e *sessão*. – **secional** *adj.*

secar (se.car) *v.* **1.** Ficar ou fazer ficar seco: *Secou a roupa na máquina*; *Com a estiagem, os rios secaram*; *Ele sempre se secava com a mesma toalha*. **2.** Fechar (ferida, machucado etc.); cicatrizar, sarar: *Meu ferimento secou*. **3.** Ficar ou fazer ficar murcho; ressequir(-se), ressecar (-se): *Aquele produto secou a minha pele*; *Com o calor, as flores secaram*(-se); (*fig.*) *Secava sua alma na reclusão*; *Com a decepção, seu coração secou*(-se). **4.** *coloq. fig.* Ficar magro: *Com a dieta, minha amiga secou*. **5.** *coloq.* Lançar mau agouro: *Secava a vizinha com seus olhares estranhos*. ▶ Conjug. 8 e 35. – **secagem** *s.f.*

secção (sec.ção) *s.f.* Seção. – **seccional** *adj.*

seccionar (sec.ci:o.nar) *v.* Secionar. ▶ Conjug. 5.

secionar (se.ci:o.nar) *v.* **1.** Dividir(-se) em partes; segmentar(-se): *secionar*(-se) *um pavimento*. **2.** (*Med.*) Fazer uma incisão em; cortar: *secionar um músculo*. || *seccionar*. ▶ Conjug. 5.

secessão (se.ces.são) *s.f.* **1.** Ato de separar; separação. **2.** (*Jur.*) Desmembramento de uma unidade política; divisão.

seco [ê] (se.co) *adj.* **1.** Que está enxuto: *pano seco*. **2.** Que se tornou árido: *solo seco*. **3.** Que cicatrizou: *ferida seca*. **4.** Diz-se de alimento que foi desidratado: *banana seca*. **5.** Que está murcho; ressecado, ressequido: *flor seca*. **6.** *coloq. fig.* Que está magro em excesso: *mulher seca*. **7.** *coloq.* Que é insensível, frio: *homem seco*. **8.** Que foi abafado: *barulho seco*. **9.** *coloq.* Que está ávido: *Minha irmã está seca para voltar*. • *s.m.* **10.** Lugar seco: *Colocou a roupa no seco*. • *secos s.m.pl.* **11.** Alimentos sólidos ou secos: *Ele tem um armazém de secos e molhados*. || *A seco*: **1.** diz-se de modo de lavagem de roupas, tapetes etc. sem o uso de água. **2.** sem comer ou beber: *Na festa, fiquei a seco*. • *Engolir em seco*: ficar nervoso diante de uma situação difícil: *Quando viu seu nome na lista dos demitidos, engoliu em seco*.

secreção (se.cre.ção) *s.f.* **1.** Ato ou efeito de secretar; expulsão, excreção. **2.** (*Med.*) Produção de substâncias que ocorre numa célu-

1164

la, posteriormente secretadas ou eliminadas para dentro ou para fora de um organismo. **3.** (*Med.*) Cada uma dessas substâncias. – **secretório** *adj.*

secreta [é] (se.*cre*.ta) *s.m.* Agente da polícia secreta.

secretar (se.cre.*tar*) *v.* Segregar (1): *secretar uma toxina.* ▶ Conjug. 8.

secretaria (se.cre.ta.*ri*.a) *s.f.* **1.** Parte da administração de uma empresa, um clube, uma escola etc. **2.** Cada órgão do governo responsável pela administração municipal, estadual ou federal: *Secretaria de Cultura*. || Nesta acepção, usado com inicial maiúscula.

secretária (se.cre.*tá*.ri:a) *s.f.* **1.** Mulher que exerce função de secretário. **2.** Móvel usado como mesa para escrever e guardar papéis e documentos; escrivaninha. || *Secretária eletrônica*: aparelho acoplado a um telefone usado para gravar recados.

secretariado (se.cre.ta.ri.*a*.do) *s.m.* **1.** Cargo ou trabalho de secretário. **2.** Conjunto de secretários de Estado; Ministério. **3.** Curso para formar secretários.

secretariar (se.cre.ta.ri:*ar*) *v.* Exercer função de secretário: *Ele secretariava o setor de compras; Secretariou durante anos.* ▶ Conjug. 17.

secretário (se.cre.*tá*.ri:o) *s.m.* **1.** Pessoa encarregada de uma secretaria (1). **2.** Pessoa que presta serviços de arquivamento, correspondência, digitação, redação etc. a alguém ou a uma instituição. **3.** Pessoa que exerce função de secretário de Estado; ministro.

secreto [é] (se.*cre*.to) *adj.* **1.** Que está oculto; escondido, encoberto: *poder secreto*. **2.** Que é ignorado; desconhecido: *destino secreto*. **3.** Que é íntimo, particular, pessoal: *diário secreto*. **4.** Que é sigiloso, confidencial: *voto secreto*.

secretor [ô] (se.cre.*tor*) *adj.* **1.** Diz-se de órgão, tecido ou célula que produz ou elimina substâncias. • *s.m.* **2.** Órgão, tecido ou célula excretora.

sectário (sec.*tá*.ri:o) *adj.* **1.** Relativo a seita. **2.** Diz-se de quem é seguidor de uma seita. **3.** *fig.* Diz-se de partidário radical de uma doutrina, ideologia etc. **4.** Que é intolerante, inflexível: *atitude sectária*. • *s.m.* **5.** Pessoa sectária; asseclã. – **sectarismo** *s.m.*

secular (se.cu.*lar*) *adj.* **1.** Relativo a século. **2.** Que acontece de século em século; centenário: *festa secular*. **3.** Que existe há muito tempo: *edifício secular*. **4.** *fig.* Que parece durar um século: *espera secular*. **5.** Que é leigo, laico: *música secular*. **6.** Diz-se de padre ou freira que não pertence a nenhuma ordem religiosa. – **secularidade** *s.f.*

secularizar (se.cu.la.ri.*zar*) *v.* **1.** Deixar uma ordem religiosa e tornar-se um padre secular: *secularizar um convento; O monge secularizou-se*. **2.** Submeter às leis civis (o que estava sob o direito canônico): *secularizar a educação*. ▶ Conjug. 5. – **secularização** *s.f.*

século (sé.cu.lo) *s.m.* **1.** Espaço de tempo de cem anos; centenário. **2.** Divisão usada pelo mundo ocidental para demarcar uma sequência de cem anos, com início no ano de nascimento de Jesus Cristo. **3.** A vida terrena; o mundo. **4.** O tempo presente. **5.** *fig.* Momento que parece muito longo: *A consulta durou um século!*

secundar (se.cun.*dar*) *v.* **1.** Ajudar alguém; assistir, auxiliar: *secundar um diretor*. **2.** Proporcionar condições para a realização de (algo); contribuir, favorecer: *secundar um trabalho*. **3.** Dizer ou fazer de novo; reforçar, reiterar: *secundar um elogio; Já havia explicado o assunto e não secundou*. **4.** Responder, replicar: *secundar um apelo de alguém*. ▶ Conjug. 5.

secundário (se.cun.*dá*.ri:o) *adj.* **1.** Que está ou vem em segundo lugar: *mercado secundário*. **2.** Que não é relevante; irrelevante: *papel secundário*. **3.** (*Geol.*) Diz-se de era mesozoica. • *s.m.* **4.** Antigo nome do Ensino Médio. **5.** (*Geol.*) Era secundária.

secura (se.*cu*.ra) *s.f.* **1.** Qualidade de seco; sequidão. **2.** Ausência de chuva ou umidade; seca. **3.** Sede (1). **4.** *fig.* Atitude fria, dura; sequidão. **5.** *fig.* Magreza; excessiva. **6.** *coloq.* Desejo ardente por algo; avidez.

securitário (se.cu.ri.*tá*.ri:o) *adj.* **1.** (*Jur.*) Relativo a seguros. • *s.m.* **2.** Empregado de companhia de seguros.

seda [ê] (se.da) *s.f.* **1.** Substância que forma o casulo do bicho-da-seda. **2.** Fio constituído por essa substância ou produzido artificialmente. **3.** Tecido produzido por esse fio. **4.** *fig.* Pessoa gentil, amável. || *Rasgar seda*: *coloq.* trocar elogios ou gentilezas: *O juiz rasgou seda para o jogador*.

sedã (se.*dã*) *s.m.* Tipo de carro que comporta quatro ou cinco passageiros.

sedar (se.*dar*) *v.* **1.** Ministrar sedativo a: *sedar um paciente*. **2.** *fig.* Entorpecer, acalmar, anestesiar: *Sedou os sentidos lendo poesia*. ▶ Conjug. 8. – **sedação** *s.f.*

sedativo

sedativo (se.da.*ti*.vo) *adj.* **1.** Relativo a sedativo. **2.** Que acalma, tranquiliza: *chá sedativo*. • *s.m.* **3.** (*Farm., Quím., Med.*) Medicamento sedativo.

sede [é] (se.de) *s.f.* **1.** Polo central de uma empresa, de uma igreja etc.; matriz. **2.** Local de eventos. **3.** Ponto em que ocorre um fenômeno do corpo. **4.** *fig.* Cerne, base, foco, núcleo.

sede [ê] (se.de) *s.f.* **1.** Sensação causada pela necessidade de beber um líquido, sobretudo água; secura. **2.** *fig.* Desejo ardente; sofreguidão. || *Ir com muita sede ao pote*: coloq. ser imprudente: *Foi com muita sede ao pote e perdeu a vaga*.

sedentário (se.den.*tá*.ri:o) *adj.* **1.** Que é acomodado; parado: *vida sedentária*. **2.** Que se fixou em um lugar: *povo sedentário*. • *s.m.* **3.** Pessoa sedentária. – **sedentarismo** *s.m.*

sedento (se.den.to) *adj.* **1.** Que está com sede; sequioso (1): *pássaro sedento*. **2.** *fig.* Que deseja ardentemente; ávido: *alma sedenta*.

sediar (se.di:ar) *v.* Tornar-se sede de; abrigar, acolher, hospedar: *A cidade sediou o evento ecológico*. ▶ Conjug. 17.

sedição (se.di.ção) *s.f.* Revolta contra um poder constituído; insurreição, motim. – **sedicioso** *adj.*

sedimentar¹ (se.di.men.tar) *adj.* Que foi produzido por acúmulo de sedimentos: *rocha sedimentar*.

sedimentar² (se.di.men.tar) *v.* **1.** (*Geol.*) Formar (-se) sedimento: *sedimentar(-se) um pó*. **2.** *fig.* Tornar(-se) sólido; consolidar(-se), solidificar (-se): *A proximidade sedimentava a amizade entre os dois*; *Com o sucesso, sua carreira sedimentou-se*. ▶ Conjug. 5. – **sedimentação** *s.f.*

sedimento (se.di.men.to) *s.m.* Matéria rochosa que sofre desintegração, degradação ou erosão, transportada por rios, ventos etc. e que se acumula na superfície da terra, formando depósitos.

sedoso [ô] (se.do.so) *adj.* Que é aveludado como a seda: macio: *cabelo sedoso*. || f. e pl.: [ó].

sedução (se.du.ção) *s.f.* **1.** Ato ou efeito de seduzir ou ser seduzido. **2.** Atração, encantamento, fascinação.

sedutor [ô] (se.du.tor) *adj.* **1.** Que seduz: *jeito sedutor*. • *s.m.* **2.** Pessoa sedutora.

seduzir (se.du.zir) *v.* **1.** Provocar atração em; cativar, encantar: *Seus belos olhos seduziram o rapaz*. **2.** Persuadir por meio de astúcia; convencer, influenciar: *A serpente seduziu Eva com o fruto proibido; Seduziu-o a largar tudo*. **3.** Aliciar, deflorar, desonrar, desvirginar: *Seduzia moças novas e depois as abandonava*. ▶ Conjug. 82.

sefardita (se.far.di.ta) *adj.* **1.** Diz-se de judeu que descende dos judeus expulsos da Península Ibérica. **2.** Relativo a sefardita. • *s.m.* e *f.* **3.** Judeu sefardita.

sega [é] (se.ga) *s.f.* Ato ou efeito de segar; ceifa.

segar (se.gar) *v.* Ceifar (6): *segar ervas*; *Segava constantemente pela manhã*. || Conferir com *cegar*. ▶ Conjug. 8 e 34.

sege [é] (se.ge) *s.f.* **1.** Tipo de carruagem antiga com um assento, cuja frente é fechada, puxado por dois cavalos. **2.** Carruagem.

segmentar¹ (seg.men.tar) *adj.* **1.** Relativo a segmento. **2.** Que é constituído por segmentos: *fratura segmentar*. – **segmentário** *adj.*

segmentar² (seg.men.tar) *v.* Separar em segmentos; dividir, fracionar: *A oferta de produtos segmentou o mercado*. ▶ Conjug. 5. – **segmentação** *s.f.*

segmento (seg.men.to) *s.m.* **1.** Cada parte de alguma coisa dividida. **2.** (*Geom.*) Parte de uma reta ou curva.

segredar (se.gre.dar) *v.* Contar um segredo cochichando; confidenciar: *segredar uma fofoca*; *Segredou a resposta no ouvido da esposa*; *Ele segredava medrosamente pelos cantos da casa*. ▶ Conjug. 8.

segredo [ê] (se.gre.do) *s.m.* **1.** Aquilo que ninguém deve saber; sigilo. **2.** Aquilo que poucos devem saber; sigilo. **3.** Aquilo que é contado a outrem; confidência, confissão, revelação. **4.** Coisa desconhecida; mistério, enigma. **5.** Meio para chegar a determinado fim; fórmula, chave. **6.** Técnica, arte, ciência. **7.** Parte de uma fechadura. **8.** Código de um dispositivo usado para fechar algo.

segregar (se.gre.gar) *v.* **1.** Colocar(-se) à margem de; apartar(-se), isolar(-se): *Os colonizadores segregaram os índios e os negros*; *O nazismo segregou os judeus da sociedade*; *O doente segregou-se para evitar a contaminação*. **2.** Lançar para fora; excretar, expelir, expulsar, secretar: *segregar um hormônio*. ▶ Conjug. 8. – **segregação** *s.f.*

seguida (se.gui.da) *s.f.* Continuação. || *Em seguida*: no momento seguinte: *O carro foi roubado e encontrado em seguida*.

seguinte (se.guin.te) *adj.* Que vem logo depois; próximo, sequente: *dia seguinte*.

seguir (se.guir) *v.* **1.** Caminhar ao lado ou atrás de; acompanhar, andar: *Enquanto fazia compras, seguia a amiga pela calçada*. **2.** Correr atrás de; perseguir, rastrear: *Segui o ladrão,*

1166

mas ele *conseguiu fugir*. **3.** Fazer companhia a: *Sua mãe mudou de cidade e ele a seguiu*. **4.** Avançar em determinada direção; encaminhar-se, dirigir-se: *Segui os trilhos do bonde e achei o restaurante*; *Siga à esquerda e contorne*; (fig.) *Ele segue o caminho do bem*; *Seguiu sem pensar no futuro*. **5.** Pôr-se a caminho; ir: *A carta segue amanhã*. **6.** Situar-se ao lado de: *O banheiro segue-se ao corredor*. **7.** Vir ou fazer vir depois de; suceder, continuar: *Com a morte do irmão, seguiu seu caminho*; *Chegamos ao cruzamento e seguimos em frente*; *Após a apresentação, seguiu-se um breve discurso*. **8.** Observar com atenção; assistir: *Os meninos seguiam as cenas do filme sem piscar*. **9.** *fig.* Vir como consequência de; advir, decorrer, resultar: *Após a explosão, seguiu-se o pânico*. **10.** *fig.* Adotar como modelo; ter em consideração: *Sempre seguia os conselhos dos amigos*. **11.** *fig.* Ser partidário de; professar: *Seguíamos a doutrina espírita*. **12.** *fig.* Entregar-se a; abandonar-se, render-se: *Meu irmão seguiu sua determinação de mudar de casa*. **13.** *fig.* Abraçar uma carreira; exercer: *Minha filha seguiu Medicina*. ▶ Conjug. 69. – **seguidor** *adj. s.m.*; **seguimento** *s.m.*

segunda (se.gun.da) *s.f.* Redução de segunda-feira.

segunda-feira (se.gun.da-*fei*.ra) *s.f.* Dia da semana que se segue ao domingo. || pl.: *segundas-feiras*.

segundo[1] (se.gun.do) *num. ord.* **1.** Que ou o que denota o número dois numa série. • *num. frac.* **2.** Que ou o que é parte de um todo dividido em duas partes iguais. • *adj.* **3.** Que está numa posição inferior: *segundo lugar*. **4.** Que ocupa o lugar que era ocupado anteriormente por alguém ou algo: *segunda seleção*. **5.** Que substitui alguém ou algo: *segundo pai*. • *s.m.* **6.** Unidade de medida de tempo, equivalente à sexagésima parte de um minuto. || Símbolo: s. **7.** *fig.* Momento, instante.

segundo[2] (se.gun.do) *prep.* **1.** De acordo com; conforme: *Segundo um estudioso, comer açúcar em excesso faz mal à saúde*. • *conj.* **2.** Como, conforme: *Tudo aconteceu segundo o planejado*.

segurado (se.gu.*ra*.do) *adj.* **1.** Que contratou um seguro. **2.** Que foi posto no seguro: *veículo segurado*. • *s.m.* **3.** (*Jur.*) Pessoa que contrata um seguro.

segurador [ô] (se.gu.ra.*dor*) *adj.* (*Jur.*) **1.** Que segura: *empresa seguradora*. • *s.m.* **2.** Pessoa ou entidade seguradora.

seguradora [ô] (se.gu.ra.*do*.ra) *s.f.* Companhia de seguros.

segurança (se.gu.*ran*.ça) *s.f.* **1.** Ato ou efeito de tornar seguro. **2.** Ato ou efeito de assegurar. **3.** Qualidade de seguro. **4.** Proteção, defesa. **5.** Certeza, convicção. • *s.m. e f.* **6.** Pessoa responsável pela proteção de alguém ou algo.

segurar (se.gu.*rar*) *v.* **1.** Apoiar(-se) ou pegar com firmeza; sustentar(-se): *Seguramos o armário que estava caindo*; *Segurei-me no corrimão para não escorregar*. **2.** Carregar nas mãos; portar: *A enfermeira segurava a seringa e a agulha*. **3.** Agarrar com força; capturar, prender: *Os policiais seguraram o ladrão pelo braço*. **4.** Manter(-se) sob controle; conter(-se), dominar(-se), refrear(-se): *Segurei meu irmão briguento*; *Nós nos seguramos para não discutir*. **5.** *fig.* Manter do jeito que estava; conservar: *segurar um cargo*. **6.** *fig.* Não divulgar; esconder, omitir: *A diretoria segurou a lista de demissões*. **7.** Fechar contrato de seguro: *segurar um veículo*. ▶ Conjug. 5. – **seguridade** *s.f.*

seguro (se.gu.ro) *adj.* **1.** Que está protegido; salvo: *rua segura*. **2.** Que é firme, resoluto: *médico seguro*. **3.** Que é certo, preciso: *resposta segura*. **4.** Que é eficaz, garantido: *rendimento seguro*. • *s.m.* **5.** (*Jur.*) Contrato que obriga o pagamento de uma indenização em caso de uma situação de risco: *seguro-desemprego*.

seio (*sei*:o) *s.m.* **1.** (*Anat.*) Mama. **2.** (*Anat.*) Cavidade de alguns ossos ou outros tecidos. **3.** *fig.* Parte interna; interior. **4.** *fig.* Âmago, cerne.

seis *num. card.* **1.** Cinco mais um. • *s.m.* **2.** Representação gráfica desse número (6 em algarismos arábicos; VI em algarismos romanos).

seiscentista (seis.cen.*tis*.ta) *adj.* **1.** Relativo ao século XVII. **2.** Diz-se de artista ou escritor que pertence ao século XVII. • *s.m. e f.* **3.** Escritor ou artista seiscentista.

seiscentos (seis.cen.tos) *num. card.* **1.** Seis vezes cem. • *s.m.* **2.** Representação gráfica desse número (600 em algarismos arábicos; DC em algarismos romanos).

seita (*sei*.ta) *s.f.* **1.** Doutrina ou escola que se diferencia da crença geral. **2.** Grupo de pessoas que professam essa doutrina ou participam dessa escola. **3.** Partido, facção.

seiva (*sei*.va) *s.f.* **1.** (*Bot.*) Nutriente líquido que circula nas células dos vegetais. **2.** *fig.* Força, energia, vigor.

seixo [ch] (*sei*.xo) *s.m.* (*Geol.*) Pedaço de rocha arredondada; cascalho, pedra, calhau.

sela [é] (*se*.la) *s.f.* Assento de couro colocado no lombo de uma cavalgadura, usado para montar.

selar[1] (se.*lar*) *v.* Colocar sela em (montaria); arrear, encilhar: *selar um cavalo*. ▶ Conjug. 8. – **selagem** *s.f.*

selar

selar² (se.*lar*) v. **1.** Colocar selo, carimbo ou estampilha em; franquear: *selar uma carta*. **2.** Fechar totalmente; cerrar, vedar: *selar uma embalagem*. **3.** *fig.* Tornar válido; firmar, fechar: *selar uma parceria*. **4.** *fig.* Concluir, finalizar: *O jogador selou o lance (com um gol)*. ▶ Conjug. 8. – **selagem** s.f.

selaria (se.la.*ri*.a) s.f. Fábrica ou loja de selas.

seleção (se.le.*ção*) s.f. **1.** Ato ou efeito de selecionar. **2.** Reunião de trechos de uma obra, de textos literários, partituras etc.; antologia. **3.** Processo de escolha, voluntária ou não. **4.** (*Esp.*) Equipe que reúne os melhores atletas; escrete.

selecionado (se.le.ci:o.*na*.do) adj. Que foi escolhido: *texto selecionado*.

selecionar (se.le.ci:o.*nar*) v. Escolher entre vários: *selecionar um profissional*. ▶ Conjug. 5. – **selecionável** adj.

seleiro (se.*lei*.ro) adj. **1.** Que produz ou vende selas: *jovem seleiro*. • s.m. **2.** Produtor ou vendedor de selas.

selênio (se.*lê*.ni:o) s.m. (*Quím.*) Elemento químico não-metálico usado em células fotossensíveis. || Símbolo: Se.

selenita (se.le.*ni*.ta) adj. **1.** Relativo à Lua. • s.m. e f. **2.** Suposto habitante da Lua. • s. f. **3.** (*Min.*) Tipo de gipsita.

seleta [é] (se.*le*.ta) s.f. **1.** (*Lit.*) Reunião de textos literários; antologia, coletânea. **2.** Variedade de laranja e de pera.

seletivo (se.le.*ti*.vo) adj. **1.** Relativo a seleção. **2.** Que foi separado; escolhido, seleto: *coleta seletiva*. **3.** Que é específico, restrito: *faixa seletiva*. **4.** Que é severo; exigente: *plateia seletiva*. – **seletividade** s.f.

seleto [é] (se.*le*.to) adj. **1.** Relativo a seleção. **2.** Seletivo (2): *biblioteca seleta*. **3.** Que é especial; distinto: *convidado seleto*. **4.** Diz-se de um tipo de laranja grande, de casca grossa e pouco ácida.

self-service [séuf-sêrvici] (Ing.) s.m. **1.** Autosserviço. **2.** Estabelecimento que oferece autosserviço aos clientes.

selim (se.*lim*) s.m. Assento de veículos de duas rodas, como bicicletas e motocicletas.

selo [ê] (se.lo) s.m. **1.** Impresso pequeno, colado em correspondências, usado para enviá-las pelo correio. **2.** Pequena marca usada para identificar ou vedar mercadorias.

selva [é] s.f. (*sel*.va) s.f. **1.** Grande quantidade de árvores e vários tipos de plantas, ocupando uma vasta extensão de terra; floresta, mata. **2.** *fig.* Terra de selvagens. **3.** *fig.* Grande porção; fartura, abundância, quantidade.

selvagem (sel.*va*.gem) adj. **1.** Que é próprio da selva; silvestre: *fruto selvagem*. **2.** Que habita a selva; silvícola: *macaco selvagem*. **3.** Que não foi cultivado; bravo, silvestre: *território selvagem*. **4.** Diz-se de animal que ainda não foi domesticado. **5.** *fig.* Que é cruel; feroz: *mercado selvagem*. **6.** *fig.* Que é estúpido; grosseiro: *comportamento selvagem*. • s.m. e f. **7.** Pessoa, tribo ou povo selvagem. **8.** Pessoa grosseira.

selvageria (sel.va.ge.*ri*.a) s.f. **1.** Qualidade de selvagem. **2.** *fig.* Ato cruel, feroz.

selvático (sel.*vá*.ti.co) adj. Selvagem (1, 2 e 3).

sem prep. Exprime: a) privação, ausência, falta: *Não vivo sem você!*. b) modo: *Estou sem dormir há dias*. c) exceção: *Chegaram as encomendas sem dois livros*. || *Sem mais*: inicia a última frase de uma carta, solicitação: *Sem mais, despeço-me respeitosamente*. • *Sem mais nem menos*: de repente; inesperadamente, subitamente: *A loja começou a pegar fogo sem mais nem menos*. • *Sem que*: exprime: a) condição: *Não se permite a entrada sem que haja autorização*. b) modo: *Saiu sem que ninguém percebesse*.

semáforo (se.*má*.fo.ro) s.m. Sinal de trânsito usado dentro de uma cidade ou em rodovias, ferrovias ou para orientar navios a partir da costa; sinal luminoso; sinaleira; sinal. – **semafórico** adj. s.m.

semana (se.*ma*.na) s.f. Período de sete dias seguidos, começando num domingo e acabando num sábado. || *Semana Santa*: (*Rel.*) a última semana da quaresma, que vai do domingo de Ramos até o domingo de Páscoa, na qual são celebradas a paixão, a morte e a ressurreição de Cristo.

semanada (se.ma.*na*.da) s.f. **1.** Remuneração recebida por uma semana de trabalho. **2.** Quantia paga ou recebida em uma semana.

semanal (se.ma.*nal*) adj. **1.** Relativo a semana. **2.** Que é publicado a cada semana; semanário: *informativo semanal*. **3.** Que se repete a cada semana; semanário: *visita semanal*.

semanário (se.ma.*ná*.ri:o) adj. **1.** Semanal. • s.m. **2.** Jornal, revista ou boletim publicado a cada semana.

semancol (se.man.*col*) s.m. *joc.* Desconfiômetro.

semantema (se.man.*te*.ma) s.m. (*Ling.*) Parte da palavra que contém o seu significado.

semântica (se.*mân*.ti.ca) s.f. (*Ling.*) Estudo do significado das palavras.

semântico (se.*mân*.ti.co) adj. (*Ling.*) Relativo ou próprio da semântica.

semblante (sem.*blan*.te) s.m. **1.** Rosto, cara, face. **2.** fig. Aparência externa; ar, aspecto.

sem-cerimônia (sem-ce.ri.*mô*.ni:a) s.f. **1.** Falta de educação; grosseria. **2.** Desprendimento dos preceitos da etiqueta; informalidade, naturalidade. || pl.: *sem-cerimônias*.

semeador [ô] (se.me:a.*dor*) adj. **1.** Que semeia; sementeiro. **2.** Diz-se de máquina usada para semear. **3.** fig. Que difunde ideias, doutrinas etc. • s.m. **4.** Pessoa que trabalha semeando a terra; sementeiro. **5.** Pessoa que difunde ideias, doutrinas etc. **6.** Máquina semeadora.

semear (se.me:*ar*) v. **1.** Lançar semente em; plantar: *Era agricultor e semeava a terra*; *Colhia nos campos em que semeara*. **2.** fig. Espalhar, difundir, disseminar: *Os professores semearam novas técnicas entre seus alunos*. **3.** fig. Fazer algo, esperando resultado posterior; plantar: *Semeamos nas crianças a noção de cidadania*. **4.** fig. Ser a origem de; causar, gerar, produzir, provocar: *A miséria semeia a violência*. **5.** fig. Cobrir, encher: *Aquele pensador semeou o mundo de novas ideias*. ▶ Conjug. 14. – **semeação** s.f.; **semeadura** s.f.

semelhança (se.me.*lhan*.ça) s.f. **1.** Qualidade de semelhante. **2.** Relação apresentada entre coisas parecidas; similitude. **3.** Aparência externa; aspecto.

semelhante (se.me.*lhan*.te) adj. **1.** Que é parecido; análogo, idêntico: *uma cópia semelhante a outra*. **2.** Que apresenta a mesma qualidade ou natureza; similar: *espécies semelhantes*. • s.m. **3.** O próximo: *Devemos respeitar nossos semelhantes*. • pron. dem. **4.** Tal, este, aquele: *Ele não provocaria semelhante cena!* – **semelhar** v. ▶ Conjug. 9.

sêmen (*sê*.men) s.m. (*Biol.*) Esperma.

semente (se.*men*.te) s.f. **1.** Aquilo que é jogado na terra e germina; grão. **2.** Parte do fruto que serve para a reprodução de uma planta; embrião. **2.** fig. Razão de ser de algo; causa, origem.

sementeira (se.men.*tei*.ra) s.f. **1.** Canteiro com terra pronta para ser semeada. **2.** Grupo de plantas que são cultivadas para produzir sementes que serão usadas em uma nova semeadura.

sementeiro (se.men.*tei*.ro) adj. **1.** Semeador (1). **2.** Diz-se do saco em que são carregadas sementes. • s.m. **3.** Semeador (4). **4.** Saco usado para carregar sementes.

semestral (se.mes.*tral*) adj. **1.** Relativo a semestre. **2.** Que acontece, surge ou se faz de seis em seis meses: *matrícula semestral*.

semestralidade (se.mes.tra.li.*da*.de) s.f. **1.** Condição de semestral. **2.** Pagamento que se faz por um semestre.

semestre [é] (se.*mes*.tre) s.m. Período de seis meses consecutivos.

sem-fim (sem-*fim*) s.m. **1.** Quantidade não determinada; infinidade. **2.** Espaço ilimitado; amplidão, vastidão. || pl.: *sem-fins*.

semibreve [é] (se.mi.*bre*.ve) s.f. (*Mús.*) Figura usada para marcar a duração rítmica que apresenta metade do valor de uma breve e o dobro de uma mínima.

semicerrar (se.mi.cer.*rar*) v. Fechar pela metade: *semicerrar os olhos*; *A porta semicerrou-se com o vento*. ▶ Conjug. 8.

semicírculo (se.mi.*cír*.cu.lo) s.m. (*Geom.*) Metade de um círculo; hemiciclo (1). – **semicircular** adj.

semicircunferência (se.mi.cir.cun.fe.*rên*.ci:a) s.f. (*Geom.*) Metade de uma circunferência.

semicolcheia (se.mi.col.*chei*.a) s.f. (*Mús.*) Figura usada para marcar a duração rítmica que apresenta metade do valor de uma colcheia e o dobro de uma fusa.

semicondutor [ô] (se.mi.con.du.*tor*) s.m. (*Fís.*) Substância cujo grau de condutividade é menor que o dos condutores metálicos e maior que o dos isolantes, usada principalmente em circuitos eletrônicos.

semideus (se.mi.*deus*) s.m. **1.** Na mitologia, filho de um ser divino e de um mortal, herói (4). **2.** fig. Ser humano que apresenta qualidades extraordinárias.

semifinal (se.mi.fi.*nal*) adj. **1.** (*Esp.*) Diz-se de cada uma das duas partidas disputadas cujos vencedores serão classificados para a partida final. • s.f. **2.** Partida semifinal. – **semifinalista** adj. s.m. e f.

semifusa (se.mi.*fu*.sa) s.f. (*Mús.*) Figura usada para marcar a duração rítmica que apresenta a metade do valor de uma fusa.

semi-internato (se.mi-in.ter.*na*.to) s.m. Estabelecimento de ensino em que os alunos passam o dia inteiro e voltam para casa, para dormir. || pl.: *semi-internatos*. – **semi-interno** adj. s.m.

semimorto [ô] (se.mi.*mor*.to) adj. **1.** fig. Que está quase sem vida; semivivo. **2.** fig. Que se extenuou; exausto, esgotado.

seminal (se.mi.*nal*) *adj.* **1.** Relativo a sêmen. **2.** Que gera sêmen. **3.** *fig.* Que é estimulante; inspirador.

seminário (se.mi.*ná*.ri:o) *s.m.* **1.** (*Rel.*) Instituição de ensino que forma padres. **2.** Congresso, conferência, simpósio. **3.** Grupo de estudos formado por estudantes para pesquisar ou debater diferentes temas.

seminarista (se.mi.na.*ris*.ta) *s.m.* **1.** Relativo a seminário (1). **2.** Diz-se do estudante de um seminário. • *s.m.* e *f.* **3.** Estudante de um seminário.

semínima (se.*mí*.ni.ma) *s.f.* (*Mús.*) Figura usada para marcar a duração rítmica que apresenta metade do valor de uma mínima e o dobro de uma colcheia.

seminu (se.mi.*nu*) *adj.* **1.** Que está meio despido. **2.** *fig.* Que está maltrapilho; andrajoso, esfarrapado.

semiologia (se.mi:o.lo.*gi*.a) *s.f.* **1.** (*Ling.*) Estudo dos signos da língua que servem à comunicação humana; semiótica. **2.** (*Ling.*) Estudo dos fenômenos culturais e suas inter-relações; semiótica. **3.** (*Med.*) Estudo dos sintomas que indicam as lesões ou o mau funcionamento de um órgão, levando ao diagnóstico; semiótica. – **semiológico** *adj.*

semiótica (se.mi:ó.ti.ca) *s.f.* Semiologia.

semiplano (se.mi.*pla*.no) *s.m.* (*Geom.*) Qualquer das duas partes de um plano dividido por uma reta.

semiprecioso [ô] (se.mi.pre.ci:o.so) *adj.* Diz-se da gema que apresenta valor comercial menor do que o de uma pedra preciosa. || f. e pl.: [ó].

semirreta (se.mir.*re*.ta) *s.f.* (*Geom.*) Qualquer das duas partes de uma reta dividida por um ponto. || pl.: *semirretas.*

semita (se.*mi*.ta) *adj.* **1.** Relativo a hebreu; judeu, israelita. **2.** Relativo aos árabes, aramaicos, assírios, fenícios e hebreus, supostos descendentes de Sem (Bíblia), povos com origem na Ásia Ocidental que pertencem ao mesmo grupo étnico e linguístico. • *s.m.* e *f.* **3.** Pessoa semita. – **semítico** *adj.*; **semitismo** *s.m.*

semitom (se.mi.*tom*) *s.m.* Metade de um tom.

semivivo (se.mi.*vi*.vo) *adj.* Semimorto.

semivogal (se.mi.vo.*gal*) *s.f.* (*Ling.*) Fonema que, usado ao lado de uma vogal, forma um ditongo.

sem-nome (sem-*no*.me) *adj.2n.* **1.** Que não possui nome; anônimo. **2.** Diz-se de ato reprovável; inqualificável.

sem-número (sem-*nú*.me.ro) *s.m.* *2n.* Quantidade indeterminada; infinidade: *Um sem-número de pessoas esteve lá.*

sêmola (*sê*.mo.la) *s.f.* **1.** Fécula alimentícia extraída do trigo, do milho ou de outros cereais. **2.** Fécula alimentícia extraída do grão do arroz; semolina.

semolina (se.mo.*li*.na) *s.f.* Sêmola (2).

semovente (se.mo.*ven*.te) *adj.* **1.** Que se locomove por si próprio: *bem semovente.* • *s.m.* e *f.* **2.** Ser ou coisa semovente.

sem-par (sem-*par*) *adj.* Que é incomparável; sem igual: *belezas sem-par.*

sempiterno (sem.pi.*ter*.no) *adj.* Que é eterno; perene: *fogo sempiterno.*

sempre (*sem*.pre) *adv.* **1.** Em qualquer ocasião; a toda hora; o tempo todo: *Você sempre poderá contar comigo!* **2.** Sem cessar; com constância: *Sempre viveu naquele bairro.* **3.** De forma habitual; de modo geral: *Meu avô gostava de seu café sempre bem quente.* **4.** De qualquer modo, de qualquer maneira, em todo caso: *É sempre bom ouvir outra opinião.* • *conj.* **5.** Ainda: *Sempre sorrindo, questionou minhas ideias.* || *De sempre*: de todos os dias: *Ele é o meu amigo de sempre.* • *Para sempre/para todo o sempre*: de forma eterna; definitivamente: *Eu te amarei para sempre/para todo o sempre!* • *Sempre que*: toda vez que: *Sempre que viaja, me traz um presente.*

sempre-viva (sem.pre-*vi*.va) *s.f.* **1.** (*Bot.*) Planta ornamental cujas flores secam, mas não murcham. **2.** Flor dessa planta. || pl.: *sempre-vivas.*

sem-sal (sem-*sal*) *adj.* Insosso: *rapazes sem-sal.*

sem-terra (sem-*ter*.ra) *adj.* **1.** Diz-se de trabalhador rural que não possui terra e tem sua mão de obra explorada em terras de outrem. • *s.m.* e *f.* *2n.* **2.** Trabalhador sem-terra.

sem-teto (sem-*te*.to) *adj.2n.* **1.** Diz-se de pessoa que não tem onde morar. • *s.m.* e *f.* *2n.* **2.** Pessoa sem-teto.

sem-vergonha (sem-ver.*go*.nha) *adj.2n.* **1.** Que não mostra vergonha: *romântico sem-vergonha.* **2.** Que é abusado: *cachorro sem-vergonha.* **3.** Que é um canalha; pelintra (1); cafajeste: *bandido sem-vergonha.* **4.** Que é indecente; imoral: *casal sem-vergonha.* **5.** (*Bot.*) Diz-se de um tipo de planta que, ao ser plantada, pega e se reproduz com facilidade. – **sem-vergonhice** *s.f.*; **sem-vergonhismo** *s.m.*

sena (se.na) *s.f.* Loteria oficial em que se realiza o sorteio de seis dezenas.

senado (se.*na*.do) *s.m.* Parte do Congresso Nacional cujos membros representam os Estados e o Distrito Federal. || Mais usado com maiúscula.

senador [ô] (se.na.*dor*) *s.m.* Representante eleito para exercer funções legislativas no Senado.

senão (se.*não*) *conj.* **1.** Exprime: a) alternância: do contrário; caso contrário; de outro modo: *Tenho que sair cedo, senão perderei a hora.* b) oposição: mas sim; mas, porém: *A gravidez não é uma doença, senão um estado natural.* c) condição: a não ser: *Nada há nada a fazer, senão aguardar o resultado do exame.* • *prep.* **2.** A não ser; exceto, salvo: *Não existe outra saída, senão sair tarde.* • *s.m.* **3.** Problema, defeito, imperfeição, falha: *Não encontramos um senão no relatório.*

senatoria (se.na.to.*ri*.a) *s.f.* **1.** Cargo ou atividade de senador. **2.** Mandato de senador. – **senatorial** *adj.*

senda (sen.da) *s.f.* Atalho (1).

senectude (se.nec.*tu*.de) *s.f.* Idade avançada; senilidade, velhice.

senegalês (se.ne.ga.*lês*) *adj.* **1.** Da República do Senegal, país da África. • *s.m.* **2.** O natural ou o habitante desse país.

senha (se.nha) *s.f.* **1.** Papel numerado usado em serviços de laboratórios, bancos etc. para controle da ordem de chegada dos clientes. **2.** Combinação de números e/ou letras usada para acesso ao uso de computadores, cofres etc.; código, segredo. **3.** Palavra, gesto etc. que permite o reconhecimento entre pessoas de algo previamente combinado. **4.** Indicação de algo; sinal, indício.

senhor [ô] (se.*nhor*) *s.m.* **1.** Tratamento formal dirigido aos homens; seu. **2.** Homem idoso; ancião, velho. **3.** Aquele que é possuidor de algo; dono, proprietário. **4.** Ser supremo; Deus. || Nesta acepção, usa-se maiúscula inicial. • *adj.* **5.** Muito bom; excelente, ótimo: *Ele é um senhor escritor!* || *Senhor de seu nariz*: *coloq.* pessoa independente: *Ainda é novo, mas já é senhor de seu nariz!* • *Ser/estar senhor da situação*: manter o controle de uma situação: *Houve muito tumulto, mas ele continuou sendo senhor da situação.* • *Ser/estar senhor de si*: possuir domínio sobre si mesmo: *Ninguém o domina, porque ele é profundamente senhor de si.*

senhora [ó] (se.*nho*.ra) *s.f.* **1.** Tratamento formal dirigido às mulheres; dona. **2.** Mulher idosa; anciã, velha. **3.** Aquela que é possuidora de algo; dona, proprietária. **4.** *fig.* Pessoa que possui domínio sobre si mesma. • *adj.* **5.** *fig.* Muito boa; excelente, ótima: *Aquela é uma senhora família!* || *Nossa Senhora*: **1.** a Virgem Maria. **2.** expressão de admiração ou espanto.

senhoria (se.nho.*ri*.a) *s.f.* **1.** Qualidade de senhor ou senhora. **2.** Proprietária de um imóvel alugado; locadora.

senhorial (se.nho.ri:*al*) *adj.* **1.** Relativo a senhor, senhora ou senhoria. **2.** Relativo a aristocracia; senhoril. **3.** Que é distinto; elegante; senhoril: *ar senhorial.*

senhoril (se.nho.*ril*) *adj.* Senhorial (2 e 3).

senhorio (se.nho.*ri*:o) *s.m.* **1.** Domínio sobre alguém ou algo. **2.** Proprietário de um imóvel alugado; locador.

senhorita (se.nho.*ri*.ta) *s.f.* Tratamento formal dirigido às mulheres solteiras e jovens.

senil (se.*nil*) *adj.* **1.** Relativo a velho ou velhice; idoso. **2.** Que é decorrente da velhice: *doença senil.* **3.** Que já não possui sanidade mental; caduco: *velho senil.* – **senilidade** *s.f.*

sênior (sê.ni:or) *adj.* **1.** Diz-se do profissional que é mais antigo ou alcançou um nível mais alto em determinado cargo ou profissão. **2.** (*Esp.*) Diz-se de esportista que deixou a categoria de júnior, mas ainda não é veterano. • *s.m.* **3.** Profissional sênior. **4.** Esportista sênior. || antôn.: *júnior*; pl.: *seniores* [ô].

seno (se.no) *s.m.* (*Mat.*) Resultado da divisão entre o valor do cateto oposto a um ângulo agudo e o valor da hipotenusa de um triângulo retângulo. – **senoidal** *adj.*

sensabor [ô] (sen.sa.*bor*) *adj.* **1.** Que não possui gosto; insípido: *legume sensabor.* **2.** *fig.* Que é sem graça; desinteressante: *vida sensabor.* • *s.m. e f.* **3.** Pessoa ou coisa sensabor. – **sensaboria** *s.f.*

sensação (sen.sa.*ção*) *s.f.* **1.** Impressão física ou psíquica, causada por algum estímulo. **2.** Surpresa forte; comoção, impacto. **3.** Pessoa ou coisa que chama a atenção.

sensacional (sen.sa.ci:o.*nal*) *adj.* **1.** Relativo a sensação. **2.** Que é espetacular; extraordinário: *vídeo sensacional.*

sensacionalismo (sen.sa.ci:o.na.*lis*.mo) *s.m.* Divulgação de notícias com o fim de chocar a opinião pública. – **sensacionalista** *adj. s.m. e f.*

sensato (sen.*sa*.to) *adj.* Que mostra bom senso; equilibrado, ponderado: *juiz sensato.* – **sensatez** *s.f.*

sensibilidade

sensibilidade (sen.si.bi.li.*da*.de) *s.f.* **1.** Qualidade de sensível. **2.** Capacidade de sentir estímulos físicos ou psíquicos. **3.** Reação de determinadas máquinas ou instrumentos ante sinais emitidos. – **sensibilizante** *adj.*

sensibilizar (sen.si.bi.li.*zar*) *v.* **1.** Ficar ou fazer ficar psiquicamente sensível; comover(-se), emocionar(-se): *A tragédia sensibilizou a população; Atitudes como essa sensibilizam; Sensibilizei-me com o abandono daquele prédio.* **2.** Ficar ou fazer ficar consciente de (algo); conscientizar: *Os médicos sensibilizaram os moradores daquela localidade; Sensibilizou-se com a causa dos sem-teto.* **3.** Fazer ficar fisicamente sensível: *sensibilizar um nervo.* **4.** (*Fot.*) Fazer ficar sensível sob a ação de um agente: *sensibilizar um filme.* ▶ Conjug. 5. – **sensibilização** *s.f.*

sensitivo (sen.si.*ti*.vo) *adj.* **1.** Relativo aos sentidos. **2.** Que é sugestionável; impressionável: *espectador sensitivo.* **3.** Que é receptivo; sensível: *estadista sensitivo.* **4.** Que é paranormal: *médium sensitivo.* **5.** Que reage a estímulos de um agente; sensível (6): *ajuste sensitivo de um aparelho.* • *s.m.* **6.** Pessoa paranormal.

sensível (sen.*sí*.vel) *adj.* **1.** Que reage ante estímulo físico: *pele sensível.* **2.** Que reage ante estímulo psíquico: *imaginação sensível.* **3.** Que é solidário, humano: *militante sensível.* **4.** Importante, significativo: *alteração sensível.* **5.** Que é claro; evidente: *falha sensível.* **6.** Que reage a estímulo de um agente; sensitivo (5): *dispositivo sensível.*

senso (sen.so) *s.m.* **1.** Qualidade de sensato. **2.** Capacidade de discernir; entendimento, julgamento. **3.** Juízo, prudência, equilíbrio. || *Senso comum*: modo de pensar ou agir conforme a maioria, sem reflexão: *O senso comum quase sempre ignora o conhecimento científico.* • *Senso crítico*: modo de pensar e agir com discernimento: *A educação desperta o senso crítico.* • *Bom senso*: capacidade de julgar o que é bom e o que é ruim; equilíbrio: *O uso do bom senso ajuda as nossas escolhas.*

sensor [ô] (sen.*sor*) *adj.* **1.** Diz-se de dispositivo que reage a estímulos de calor, luz, som etc. • *s.m.* **2.** Dispositivo sensor.

sensorial (sen.so.ri.*al*) *adj.* Relativo aos sentidos ou sensações.

sensório (sen.*só*.ri.o) *adj.* **1.** Relativo a sensibilidade. **2.** Que serve para transmitir sensações físicas: *sistema sensório.* • *s.m.* **3.** Aparelho sensorial de uma pessoa.

sensual (sen.su:*al*) *adj.* **1.** Relativo aos sentidos. **2.** Relativo a sensualidade. **3.** Que é atraente; sedutor: *gordinha sensual.* **4.** Que desperta desejo sexual; lascivo: *foto sensual.*

sensualidade (sen.su:a.li.*da*.de) *s.f.* **1.** Qualidade de sensual. **2.** Estado de quem é sedutor. **3.** Estado de quem sente ou provoca prazer. **4.** Estado de lascívia; volúpia. – **sensualismo** *s.m.*

sentar (sen.*tar*) *v.* **1.** Dobrar ou fazer dobrar as pernas e acomodar as nádegas num assento; assentar(-se): *Sentei meu filho (na cama); Estávamos tão cansados que (nos) sentamos.* **2.** Jogar de longe; atirar: *coloq. Não se sabe quem sentou pedaços de pau nas janelas.* **3.** *coloq.* Atear, pôr: *Sentaram fogo na loja de tintas.* **4.** *coloq.* Desferir (um golpe); dar: *A moça sentou a mão no sujeito abusado.* ▶ Conjug. 5.

sentença (sen.*ten*.ça) *s.f.* **1.** Frase que contém um ponto de vista moral; máxima, provérbio. **2.** Decisão tomada ante uma situação. **3.** (*Jur.*) Decisão legal emitida por um juiz ou tribunal que finaliza um processo; veredito.

sentenciar (sen.ten.ci:*ar*) *v.* **1.** Expressar parecer ou opinião: *O político sentenciou sobre a prioridade da reforma; Ele sentenciava com energia.* **2.** (*Jur.*) Condenar por meio de sentença: *O tribunal sentenciou o assassino (a vinte anos de prisão).* ▶ Conjug. 17. – **sentenciado** *adj. s.m.*

sentencioso [ô] (sen.ten.ci:o.so) *adj.* **1.** Que tem forma de sentença: *parecer sentencioso.* **2.** Que é solene; sério: *caráter sentencioso.* || f. e pl.: [ó].

sentido (sen.*ti*.do) *adj.* **1.** Que é lamentoso; compungido: *choro sentido.* **2.** Que está magoado; ressentido: *coração sentido.* • *s.m.* **3.** Sensação obtida por meio de cada um dos órgãos dos sentidos: *O paladar é um sentido humano.* **4.** Aquilo que exige uma orientação; direção, rumo. **5.** Aquilo que apresenta uma finalidade; alvo, fim, propósito. **6.** Aquilo que apresenta uma lógica; coerência, razão. **7.** Aquilo que apresenta determinado aspecto; ângulo, lado. **8.** (*Ling.*) Significado de uma palavra ou frase dentro de um contexto; acepção, significação. • *sentidos s.m.pl.* **9.** Conjunto dos órgãos responsáveis pela percepção. **10.** Consciência, juízo, raciocínio. || *Fazer/ter sentido*: apresentar lógica: *Não sei se aquela discussão faz/tem sentido para mim.* • *Sexto sentido*: suposta capacidade de perceber fenômenos metafísicos independentemente do uso dos cinco sentidos (audição, olfato, paladar, tato e visão); intuição: *Seu sexto sentido avisava que não deveria viajar.* • *Perder os sentidos*: ficar inconsciente; desmaiar: *Bateu a cabeça e perdeu os sentidos*. || É usado por militares para dar ordens a uma tropa.

sentimental (sen.ti.men.*tal*) *adj*. **1.** Relativo a sentimento. **2.** Que é muito amoroso; afetuoso: *namorado sentimental*. **3.** Que é bondoso, sensível: *coração sentimental*. • *s.m*. e *f*. **4.** Pessoa sentimental. – **sentimentalismo** *s.m*.; **sentimentalista** *adj. s.m.* e *f*.

sentimento (sen.ti.*men*.to) *s.m*. **1.** Ato ou efeito de sentir(-se). **2.** Capacidade emocional de sentir amor, raiva, tristeza etc. **3.** Entusiasmo, emoção. **4.** Sensação de pesar; tristeza, desgosto. **5.** Intuição, pressentimento. • *sentimentos s.m.pl.* **6.** Manifestação de pesar; pêsames.

sentinela [é] (sen.ti.*ne*.la) *s.f*. **1.** Ato de guardar, de vigiar. **2.** Pessoa que guarda algo ou alguém; vigia, atalaia (1).

sentir (sen.*tir*) *v*. **1.** Perceber por meio do uso de um dos cinco sentidos (audição, olfato, paladar, tato e visão): *Sentiu o forte perfume da namorada*. **2.** Experimentar uma sensação psíquica, moral ou espiritual: *Eu sinto muitas saudades de meu pai*; *Os robôs não sentem*; *Sentiram-se agredidos com a sua atitude*. **3.** Vivenciar sentimento de pesar ou aflição; deplorar, lamentar, lastimar: *Sentimos profundamente a morte do nosso pai*; *Senti muito por vocês!* **4.** Perceber por meio da intuição; pressentir, adivinhar, prever: *Sentia a ameaça chegar antes mesmo de acontecer algo*. **5.** Perceber, notar, reconhecer: *Sentíamos que ela estava deprimida*; *Senti nele uma grande boa vontade*. **6.** Experimentar um sentimento provocado por um olhar estético; apreciar: *Vi sua obra e senti o mundo*. **7.** Ressentir-se com; ofender-se com: *Sentiu a postura hostil do debatedor*. • *s.m*. **8.** Maneira de perceber; juízo, opinião, parecer: *Devemos procurar o equilíbrio entre o sentir e o pensar*. ▶ Conjug. 69.

senzala (sen.*za*.la) *s.f*. (*Hist*.) Lugar em que os escravos eram alojados na época do Brasil colônia.

separar (se.pa.*rar*) *v*. **1.** Desfazer(-se) a união de; apartar(-se), desunir(-se): *Separamos algumas folhas (dos livros)*; *No final da noite, os grupos separaram-se*. **2.** Desfazer uma união conjugal; divorciar(-se): *Separei-me no ano passado*. **3.** Determinar a distância entre; delimitar, divisar: *Um muro separava as casas*; *O mar separa a ilha do continente*. **4.** Pôr de parte; reservar, guardar, destinar: *Sempre separava um dinheiro extra (para comprar livros)*. **5.** Escolher, selecionando: *Separo o lixo orgânico do inorgânico*. **6.** Apartar (uma briga); afastar: *Os seguranças separaram os brigões*. **7.** Fazer mudar de direção; dividir-se, desmembrar-se, dispersar-se: *Depois do encontro das águas, os dois rios se separam*. **8.** *fig*. Pôr em desacordo; desavir, desarmonizar, dividir, desunir: *A briga pela herança separou os irmãos*. ▶ Conjug. 5. – **separação** *s.f*.; **separado** *adj. s.m.*; **separável** *adj*.

separata (se.pa.*ra*.ta) *s.f*. (*Art. Gráf.*) Folheto impresso que faz parte de uma publicação, mas que é anexado a ela em separado.

separatismo (se.pa.ra.*tis*.mo) *s.m*. Ideologia ou movimento político e/ou religioso que busca a independência de um país, de uma doutrina etc. – **separatista** *adj*.

sépia (*sé*.pi:a) *s.f*. **1.** (*Zool.*) Molusco marinho, predador, dotado de tentáculos, que, atacado, segrega um líquido de cor marrom. **2.** Tinta que tem a cor desse líquido. **3.** (*Art.*) Desenho, gravura, fotografia, pintura etc. que possui essa cor. • *adj*. **4.** Que tem essa cor: *tom sépia*.

sepsia (sep.*si*:a) *s.f*. (*Med.*) Septicemia.

septeto [ê] (sep.*te*.to) *s.m*. (*Mús.*) **1.** Composição para sete vozes ou instrumentos. **2.** Grupo que executa esse tipo de composição.

septicemia (sep.ti.ce.*mi*.a) *s.f*. (*Med.*) Quadro clínico de infecção generalizada produzido por micro-organismos; sepsia. – **septicêmico** *adj*.

séptico (*sép*.ti.co) *adj*. **1.** Que causa infecção ou putrefação: *choque séptico*. **2.** Que contém germes infecciosos: *lixo séptico*. || Conferir com *céptico*.

septo [é] (*sep*.to) *s.m*. (*Anat.*) Estrutura, geralmente recoberta por uma membrana, que forma uma parede e divide uma cavidade do corpo em duas partes: *septo nasal*.

septuagenário (sep.tu:a.ge.*ná*.ri:o) *adj*. **1.** De idade compreendida entre setenta e oitenta anos; setentão. • *s.m*. **2.** Pessoa septuagenária. || *setuagenário*.

septuagésimo (sep.tu:a.*gé*.si.mo) *num. ord*. **1.** Que ou o que denota o número setenta numa série. • *num. frac*. **2.** Que ou o que é parte de um todo dividido em setenta partes iguais. || *setuagésimo*.

séptuplo (*sép*.tu.plo) *num. mult*. Número sete vezes maior que outro. || *sétuplo*.

sepulcral (se.pul.*cral*) *adj*. **1.** Relativo a sepulcro. **2.** *fig*. Que é sombrio, sinistro: *voz sepulcral*.

sepulcro (se.*pul*.cro) *s.m*. Sepultura. || *Santo Sepulcro*: (*Rel.*) local em que Jesus Cristo teria sido sepultado.

sepultar

sepultar (se.pul.*tar*) *v.* **1.** Colocar em sepultura; enterrar, inumar: *Sepultaram meu avô no cemitério novo.* **2.** Cobrir totalmente; soterrar: *O reservatório de Sobradinho sepultou uma grande extensão de terra.* **3.** *fig.* Restringir(-se) a um espaço limitado; enclausurar(-se), confinar (-se): *A dor da perda sepultou-o vivo*; *Nunca viajaram: sepultaram-se na cidade natal.* **4.** *fig.* Levar ao fundo; mergulhar, meter: *A falta de organização sepultou o trânsito no caos.* **5.** *fig.* Pôr fim a; encerrar: *Com o passar do tempo, sepultava as velhas lembranças.* ▶ Conjug. 5. – **sepultamento** *s.m.*

sepultura (se.pul.*tu*.ra) *s.f.* **1.** Ato ou efeito de sepultar; sepultamento. **2.** Lugar onde se sepultam cadáveres; cova, sepulcro, túmulo.

sequaz (se.*quaz*) *adj.* **1.** Que segue alguém ou algo; partidário, seguidor: *estudioso sequaz de uma teoria.* **2.** *pej.* Que é cúmplice de criminoso; capanga, comparsa: *bandido sequaz.* • *s.m. e f.* **3.** Pessoa sequaz.

sequela [qüé] (se.*que*.la) *s.f.* Efeito de algo; consequência, resultado.

sequência [qüen] (se.*quên*.ci:a) *s.f.* **1.** Ato ou efeito de seguir; seguimento, continuação. **2.** Encadeamento de coisas ou fatos; série, cadeia, sucessão. **3.** (*Cine, Telv.*) Encadeamento de cenas referentes à mesma ação. **4.** (*Cine, Telv.*) Fragmento narrativo de filme, programa etc.; parte, trecho.

sequencial [qüen] (se.quen.ci:*al*) *adj.* **1.** Em que há sequência: *curso sequencial.* • *s.m.* **2.** (*Rel.*) Livro litúrgico das sequências cantadas de missas depois da Epístola.

sequenciar [qüen] (se.quen.ci:*ar*) *v.* Colocar (algo) em sequência; encadear: *sequenciar atividades.* ▶ Conjug. 17.

sequente [qüen] (se.*quen*.te) *adj.* Seguinte.

sequer [é] (se.*quer*) *adv.* Ao menos; nem mesmo: *Não merecia sequer uma rosa.*

sequestrador [qüe...ô] (se.ques.tra.*dor*) *adj.* **1.** Que sequestra: *jovem sequestrador.* • *s.m.* **2.** Pessoa que sequestra.

sequestrar [qüe] (se.ques.*trar*) *v.* **1.** Realizar sequestro (2); raptar: *Os bandidos sequestraram um empresário.* **2.** Desviar da rota (um meio de transporte) e/ou manter passageiros como reféns: *sequestrar um avião.* **3.** (*Jur.*) Colocar bens em sequestro (3); confiscar, apreender, embargar: *O juiz sequestrou os bens do empresário acusado de roubo.* ▶ Conjug. 8.

sequestro [qüé] (se.*ques*.tro) *s.m.* **1.** Ato ou efeito de sequestrar. **2.** Crime de raptar e encarcerar uma pessoa. **3.** (*Jur.*) Apreensão ou depósito judicial de um bem em litígio.

sequidão (se.qui.*dão*) *s.f.* Secura.

sequilho (se.*qui*.lho) *s.m.* (*Cul.*) **1.** Bolo seco geralmente feito de araruta. **2.** Biscoito, rosca ou outros, servidos com café, chá, leite, chocolate quente etc.

sequioso [ô] (se.qui:*o*.so) *adj.* **1.** Que está com sede; sedento: *vampiro sequioso de sangue.* **2.** *fig.* Que deseja com muita força; ávido: *espírito sequioso de saber.* || *f. e pl.*: [ó].

séquito (*sé*.qui.to) *s.m.* Comitiva.

sequóia (se.*quói*.a) *s.f.* (*Bot.*) Árvore ornamental gigante, originária dos Estados Unidos, que pode chegar a mil anos de existência.

ser *v.* **1.** Possuir determinada qualidade ou característica: *Meu pai foi alegre a vida inteira.* **2.** Apresentar-se em certo estado, condição ou situação, provisória ou permanente: *Nós éramos muito amigos.* **3.** Vir a ser; tornar-se, virar: *Quando crescer, será médico.* **4.** Ocorrer (algo); acontecer, dar-se, passar-se, realizar-se: *Talvez minha formatura seja ainda este ano.* **5.** Ter origem em; originar-se, provir: *Eu sou do Rio de Janeiro.* **6.** Estar em determinado lugar; situar-se, localizar-se, ficar: *Minha casa era na parte antiga da cidade.* **7.** Querer dizer; significar: *Não sei o que é "proparoxítona".* **8.** Estar na posse de; pertencer a: *Aquele carro foi do meu irmão.* **9.** Ter como fim; servir, valer: *Isto é para lixar madeira.* **10.** Representar em preço ou valor; custar, valer: *Quanto é esse cinto?* • *s.m.* **11.** Homem, pessoa, indivíduo. **12.** Ente (3). **13.** Aquilo que constitui a essência de uma pessoa; natureza. **14.** Aquilo que tem vida. || Usado: a) como verbo auxiliar, acompanhado de particípio, forma voz passiva: *O rapaz foi promovido.* b) como verbo impessoal, para indicar hora, data etc.: *São quatro horas e ele ainda não voltou!.* c) com a partícula *é* para dar realce à ideia apresentada: *Estou querendo é ir para casa.* d) no presente do subjuntivo, geralmente em enunciados de Matemática ou de Lógica, para que se suponha a existência de algo: *Seja um triângulo abc inscrito em uma circunferência.* e) para substituir um verbo que aparece anteriormente em uma interrogação: *Ele se casou, não é?* || *Ser bom/ruim de*: ser competente/incompetente para desempenhar uma atividade: *Ele é bom/ruim de digitação.* • *Ser dado a*: ter preferência por; gostar de: *Meu irmão é dado a colecionar selos.* • *Ser ligado em*: mostrar interesse por: *Sou ligado em música popular brasileira.* • *Ser por*: ser a favor de (algo): *Eu* sou pela cassação do senador. • *Era uma vez*: expressão que geralmente inicia uma história infantil: *Era uma vez uma rainha que queria ter um filho*. • *Já era: gír.* diz-se de pessoa que não conta mais ou de algo que está ultrapassado: *Aquele cara já era!* • *Não ser de nada: coloq. pej.* diz-se de pessoa que é considerada incapaz de realizar algo: *Vivia contando vantagens, mas não era de nada.* • *Ou seja*: isto é: *Na dúvida, ouça mais opiniões, ou seja, evite ser enganado.* ▶ Conjug. 3.

serafim (se.ra.*fim*) *s.m.* **1.** Anjo, querubim. **2.** *fig.* Pessoa de rara formosura. – **seráfico** *adj.*

serão (se.*rão*) *s.m.* **1.** Trabalho extra feito após o horário de expediente normal. **2.** Período de tempo entre o jantar e a hora de dormir. **3.** Sarau (1).

sereia (se.*rei*.a) *s.f.* **1.** Ser mitológico com parte do corpo de mulher e parte de peixe que, com seu canto, atrairia os navegantes em direção aos rochedos. **2.** *fig.* Mulher sedutora, atraente. **3.** Sirene.

serelepe [é] (se.re.*le*.pe) *adj.* **1.** *fig.* Que é vivo; irrequieto: *menino serelepe*. **2.** *fig.* Que é namorador: *moça serelepe*. • *s.m.* **3.** (*Zool.*) Caxinguelê. • *s.m. e f.* **4.** *fig.* Pessoa serelepe.

serenar (se.re.*nar*) *v.* **1.** Cair chuvisco; orvalhar, chuviscar: *Serenou por toda a madrugada.* **2.** *fig.* Ficar ou fazer ficar sereno; abrandar(-se), acalmar(-se): *A medida serenou os ânimos dos contribuintes*; *O mar serenava(-se) lentamente.* ▶ Conjug. 5.

serenata (se.re.*na*.ta) *s.f.* (*Mús.*) Composição para ser cantada à noite, em um lugar fixo ou não, com acompanhamento instrumental; seresta.

sereno (se.re.no) *adj.* **1.** Calmo; tranquilo: *olhar sereno*. • *s.m.* **2.** Chuvisco, orvalho. **3.** Ar da noite. – **serenidade** *s.f.*

seresta [é] (se.*res*.ta) *s.f.* (*Mús.*) Serenata.

sergipano (ser.gi.*pa*.no) *adj.* **1.** Do Estado de Sergipe. • *s.m.* **2.** O natural ou o habitante desse estado.

seriado (se.ri.*a*.do) *adj.* **1.** Que é feito em série: *avaliação seriada*. **2.** (*Rádio, Telv.*) Diz-se de filme ou programa que apresenta continuação; série. **3.** (*Art. Gráf.*) Diz-se de jornal, revista, boletim, relatório etc. publicados em intervalos regulares. • *s.m.* **4.** (*Rádio, Telv.*) Filme ou programa seriado. **5.** (*Art. Gráf.*) Publicação seriada.

serial (se.ri:*al*) *adj.* **1.** Relativo a série. **2.** (*Inform.*) Relativo à realização em sequência de duas ou mais atividades em um dispositivo.

seriar (se.ri:*ar*) *v.* Pôr em série ou distribuir em classes; classificar, ordenar: *seriar objetos.* ▶ Conjug. 17.

sericicultura (se.ri.ci.cul.*tu*.ra) *s.f.* **1.** Criação de bicho-da-seda. **2.** Produção da seda. || *sericultura*. – **sericicultor** *adj. s.m.*

sericultura (se.ri.cul.*tu*.ra) *s.f.* Sericicultura. – **sericultor** *adj. s.m.*

série (sé.ri:e) *s.f.* **1.** Encadeamento (de fatos ou coisas) de forma ordenada; sequência, sucessão. **2.** Conjunto de objetos que apresentam naturezas semelhantes ou iguais; coleção. **3.** Grande número; quantidade, porção. **4.** Cada ano letivo que corresponde a uma etapa de um curso. **5.** (*Rádio, Telv.*) Seriado.

seriedade (se.ri:e.*da*.de) *s.f.* Qualidade de sério.

seriema (se.ri:e.ma) *s.f.* (*Zool.*) Ave cinzenta, com pernas e bico vermelhos, que se alimenta de insetos, répteis e pequenos roedores, muito presente nos cerrados e caatingas do Brasil.

serigrafia (se.ri.gra.*fi*.a) *s.f.* (*Art. Gráf.*) **1.** Processo de impressão em que se passa uma tinta, com a ajuda de um rodo ou um rolo, através de uma tela, para imprimir algo sobre uma superfície, muito usado para estampar camisas de malha; *silk-screen*. **2.** Estampa obtida por meio desse processo; *silk-screen*.

seriguela [güé] (se.ri.*gue*.la) *s.f.* (*Bot.*) **1.** Umbuzeiro. **2.** Umbu.

seriíssimo (se.ri.*ís*.si.mo) *adj.* Superlativo absoluto de sério.

seringa (se.*rin*.ga) *s.f.* (*Med.*) Objeto cilíndrico de vidro ou de plástico, ao qual se acopla um êmbolo e uma agulha, usado para injetar ou aspirar líquidos.

seringueira (se.rin.*guei*.ra) *s.f.* (*Bot.*) Árvore com madeira branca, originária da Amazônia, que produz o látex usado para fabricar borracha natural. – **seringal** *s.m.*

seringueiro (se.rin.*guei*.ro) *s.m.* **1.** Trabalhador que retira o látex da seringueira. **2.** Proprietário de fazenda onde foram plantadas seringueiras.

sério (sé.ri:o) *adj.* **1.** Que é importante; grave: *doença séria*. **2.** Que é dedicado, responsável: *médico sério*. **3.** Que é sincero; verdadeiro: *proposta séria*. **4.** Que é austero, sóbrio: *olhar sério*. **5.** Diz-se de pessoa que quase não ri; sisudo. || *Levar/tomar a sério*: dar importância a: *Ela*

sermão

levou/tomou a sério aquela proposta de trabalho. • **Sair/tirar do sério:** ficar ou fazer ficar fora do estado normal (uma pessoa); perder ou fazer perder a cabeça: *Ele me causou tanta raiva que me tirou do sério; Fiquei tão apaixonada que saí do sério.* || sup. abs.: seriíssimo e seríssimo.

sermão (ser.*mão*) *s.m.* **1.** Mensagem moral ou religiosa proferida por um pregador; pregação, homilia, prédica. **2.** *fig.* Reprimenda, advertência, repreensão.

serosa [ó] (se.ro.sa) *s.f.* (*Anat.*) Membrana que reveste as cavidades fechadas do corpo e seus órgãos, e que tem a função de protegê-los.

serosidade (se.ro.si.*da*.de) *s.f.* **1.** Qualidade de seroso. **2.** (*Med.*) Líquido parecido com o soro sanguíneo encontrado nas cavidades serosas do corpo ou em infecções.

seroso [ô] (se.*ro*.so) *adj.* **1.** Relativo ou parecido com soro. **2.** Que contém soro ou serosidade: *fluido seroso.* **3.** Que produz secreção aquosa: *glândula serosa.* || f. e pl.: [ó].

serotonina (se.ro.to.*ni*.na) (*Quím.*) *s.f.* Hormônio neurotransmissor encontrado em animais vertebrados, invertebrados e nas plantas, que produz uma sensação de bem-estar.

serpentário (ser.pen.*tá*.ri:o) *s.m.* Local em que são criadas serpentes destinadas a estudos científicos.

serpente (ser.*pen*.te) *s.f.* Cobra (1 e 2).

serpenteante (ser.pen.te:*an*.te) *adj.* Que serpenteia.

serpentear (ser.pen.te:*ar*) *v.* **1.** Mover-se como uma serpente: *O ladrão serpenteou sorrateiramente entre os automóveis.* **2.** Apresentar ou ter curso em curvas ou voltas; ziguezaguear: *As águas do rio serpenteavam pelo vale.* ▶ Conjug. 14.

serpentino (ser.pen.*ti*.no) *adj.* **1.** Relativo a serpente. **2.** Que apresenta forma de serpente: *castiçal serpentino.*

serra [é] (ser.ra) *s.f.* **1.** Ferramenta ou máquina, com lâmina dentada ou disco de aço, usada para cortar certos tipos de materiais. **2.** Cadeia de montanhas ou montes.

serração (ser.ra.*ção*) *s.f.* Serragem (1). || Conferir com *cerração.*

serradura (ser.ra.*du*.ra) *s.f.* Serragem.

serragem (ser.*ra*.gem) *s.f.* **1.** Ato ou efeito de serrar; serração, serradura. **2.** Pó que sai da madeira serrada; serradura.

serralha (ser.*ra*.lha) *s.f.* (*Bot.*) Erva aromática e medicinal oriunda da Europa e do norte da Ásia.

serralharia (ser.ra.lha.*ri*:a) *s.f.* Serralheria.

serralheiro (ser.ra.*lhei*.ro) *s.m.* Profissional que fabrica ou conserta fechaduras e objetos de ferro ou outros metais.

serralheria (ser.ra.lhe.*ri*:a) *s.f.* **1.** Técnica usada por serralheiro. **2.** Oficina em que é feito o trabalho de serralheiro. || serralharia.

serralho (ser.*ra*.lho) *s.m.* **1.** Harém. **2.** *fig.* Prostíbulo.

serrania (ser.ra.*ni*.a) *s.f.* Cordilheira.

serrano (ser.*ra*.no) *adj.* **1.** Relativo a serra. **2.** Que nasceu ou habita na serra. • *s.m.* **3.** Habitante ou natural da serra.

serrar (ser.*rar*) *v.* Cortar com serra ou serrote: *serrar uma madeira; Aquela máquina serra com profundidade.* ▶ Conjug. 8.

serraria (ser.ra.*ri*.a) *s.f.* Oficina em que são feitos trabalhos com madeira.

serrilha (ser.*ri*.lha) *s.f.* **1.** Serra com dentes muito pequenos. **2.** Forma denteada de um objeto.

serrilhar (ser.ri.*lhar*) *v.* Fazer serrilhas em; dentear: *serrilhar um papel.* ▶ Conjug. 8.

serrote [ó] (ser.*ro*.te) *s.m.* Ferramenta manual usada para cortar objetos, constituída por uma serra acoplada a um cabo.

sertanejo [ê] (ser.ta.*ne*.jo) *adj.* **1.** Relativo a sertão. **2.** Que vive no sertão. **3.** Que apresenta hábitos rústicos. • *s.m.* **4.** Pessoa sertaneja. **5.** Caipira, roceiro.

sertanista (ser.ta.*nis*.ta) *adj.* **1.** Relativo a sertão. **2.** Diz-se de pessoa que entrava no sertão em busca de riquezas; bandeirante. **3.** Diz-se de pessoa que é especialista em assuntos do sertão. • *s.m.* e *f.* **4.** Pessoa sertanista.

sertão (ser.*tão*) *s.m.* Região com solo pedregoso e vegetação característica de lugares secos, situada no interior do país.

servente (ser.*ven*.te) *s.m.* e *f.* **1.** Empregado que faz serviços de limpeza e conservação de escritórios, repartições etc. **2.** Operário de construção que auxilia o oficial ou o mestre de obras.

serventia (ser.ven.*ti*.a) *s.f.* Qualidade do que serve; utilidade, aplicação, uso.

serventuário (ser.ven.tu.*á*.ri:o) *s.m.* (*Jur.*) **1.** Funcionário público. **2.** Empregado que exerce função ou cargo público, cujos vencimentos não são estipulados por lei e não são pagos pelos cofres públicos.

serviçal (ser.vi.*çal*) *adj.* **1.** *pej.* Que não contesta; submisso: *Ele é serviçal do capitalismo.* • *s.m.* e *f.* **2.** Empregado que faz trabalhos domésticos; criado.

1176

serviço (ser.vi.ço) *s.m.* **1.** Ato ou efeito de servir. **2.** Atividade profissional; emprego, ocupação, trabalho: *Voltou do serviço tarde*. **3.** Ação, atuação, tarefa, incumbência: *serviço comunitário*. || Nesta acepção, mais usado no plural **4.** (*Econ.*) Trabalho prestado por empresas públicas ou privadas, profissionais liberais etc., para suprir uma necessidade coletiva ou de um consumidor; atendimento: *serviços de informática*. **5.** Favor, obséquio, gentileza: *Ele me prestou um grande serviço*. **6.** Forma de servir: *O serviço daquele pedreiro é muito bom!* **7.** (*Cul.*) Entrada. **8.** Conjunto de utensílios usados num almoço, jantar etc.; aparelho, conjunto, jogo. **9.** Percentagem de uma conta de restaurante, bar etc.; gorjeta. **10.** Atividade ilícita; crime: *Vê-se que foi um ladrão que fez aquele serviço*. **11.** Celebração de ritos religiosos. **12.** Feitiço encomendado de antemão; feitiçaria. || *Não brincar em serviço: coloq.* fazer benfeito: *Aquele jogador não brinca em serviço!* • *Dar o serviço: coloq.* delatar (alguém ou algo); denunciar, dedurar: *Preso pela polícia, deu o serviço todo.* • *De serviço:* diz-se de dependências ou vias de acesso secundário destinadas a cargas, entregas etc.: *elevador de serviço*.

servidão (ser.vi.*dão*) *s.f.* **1.** Condição de escravo; escravidão, cativeiro. **2.** Condição de subordinação; sujeição. **3.** Passagem ou caminho que permite a travessia de uma propriedade particular.

servidor [ô] (ser.vi.*dor*) *s.m.* **1.** Empregado, funcionário. **2.** Funcionário público. **3.** (*Inform.*) Computador ou programa que atende a uma rede ou a clientes.

servil (ser.*vil*) *adj.* **1.** Relativo a servo. **2.** *fig.* Que é subserviente; bajulador: *caráter servil*. **3.** Que segue um modelo sem contestá-lo: *estatuto servil*. — **servilismo** *s.m.*

sérvio (*sér*.vi:o) *adj.* **1.** Da Sérvia, uma das repúblicas constituintes da ex-Iugoslávia, país da Europa. • *s.m.* **2.** O natural ou o habitante dessa república. **3.** Idioma falado nessa república.

servir (ser.*vir*) *v.* **1.** Prestar serviços a: *Aquela cozinheira serviu muitos patrões; A enfermeira servia a diversas comunidades*. **2.** Ter a função de: *Às vezes servia de advogado da família*. **3.** Estar a serviço (de); dedicar-se, dar-se, devotar-se: *Servia seu partido com fanatismo*. **4.** Fazer o serviço militar ou ser militar: *servir a artilharia; Ele vai servir na Marinha; Os rapazes serviram em Curitiba*. **5.** Fazer serviços de mesa; atender ou fornecer (bebida, comida etc.): *Servimos um grande jantar (à família); Aquele garçom servia com simpatia*. **6.** Tomar para si; apropriar-se: *Serviu-se de café e doces*; (*fig.*) *Servir-me-ia de um bom argumento, caso ele mudasse de ideia*. **7.** Ser adequado ou conveniente: *Aquela mochila servia para tudo; Essa tesoura não serve!* **8.** Valer-se de; recorrer, usar: *Servi-me do aparelho para abrir a lata*. **9.** Ajustar-se, amoldar-se, assentar, caber: *O vestido serviu muito bem em você; Essa roupa não me serve mais.* ▶ Conjug. 69.

servo [é] (ser.vo) *adj.* **1.** Escravo, cativo. **2.** Criado. **3.** (*Hist.*) Na Idade Média, durante o feudalismo, pessoa privada de liberdade que dependia e trabalhava para um senhor de terras.

sésamo (*sé*.sa.mo) *s.m.* Gergelim.

sesmaria *s.f.* (ses.ma.ri.a) *s.f.* (*Hist.*) Na época do Brasil colônia, terra doada pela monarquia de Portugal com o fim de colonização.

sesmeiro (ses.*mei*.ro) *s.m.* (*Hist.*) **1.** Na época do Brasil colônia, pessoa escolhida pela monarquia para fazer a distribuição das sesmarias. **2.** Pessoa que recebia uma sesmaria.

sesquicentenário (ses.qui.cen.te.*ná*.ri:o) *adj.* **1.** Que possui 150 anos: *monumento sesquicentenário*. • *s.m.* **2.** Comemoração ou aniversário do centésimo quinquagésimo ano de uma instituição, nascimento ou morte de uma pessoa notável, evento etc.

sessão (ses.*são*) *s.f.* **1.** Período de tempo de uma reunião. **2.** Essa reunião; assembleia, encontro. **3.** Período de tempo em que um espetáculo é apresentado. **4.** Período de tempo de uma consulta. **5.** Período de tempo em que se realiza uma atividade. || Conferir com *cessão* e *seção*.

sessenta (ses.*sen*.ta) *num. card.* **1.** Dez vezes seis. • *s.m.* **2.** Representação gráfica desse número (60 em algarismos arábicos; LX em algarismos romanos).

sesta [é] (*ses*.ta) *s.f.* **1.** Descanso após o almoço. **2.** Horário em que se realiza esse descanso. || Conferir com *sexta*. — **sestear** *v.* ▶ Conjug. 14.

sestro [é] (*ses*.tro) *s.m.* **1.** Mania, cacoete, tique. **2.** Dote, atributo, predicado.

sestroso (ses.*tro*.so) *adj.* **1.** Que é esperto; vivo. **2.** *coloq.* Que é ardiloso; malandro. || f. e pl.: [ó].

set [*séte*] (Ingl.) *s.m.* **1.** (*Cine, Teat., Telv.*) Cenário. **2.** (*Esp.*) Cada etapa de uma partida de um jogo de vôlei e tênis.

seta [é] (*se*.ta) *s.f.* Flecha (1 e 2).

sete

sete [é] (se.te) *num. card.* **1.** Seis mais um. • *s.m.* **2.** Representação gráfica desse número (7 em algarismos arábicos; VII em algarismos romanos). || *Pintar o sete: coloq.* **1.** fazer travessuras: *Meu filho pintou o sete na casa da avó.* **2.** executar (algo) muito bem: *Os atores pintaram o sete quando entraram em cena.* **3.** fazer sofrer; maltratar: *O chefe pintava o sete com aquele funcionário.*

setecentista (se.te.cen.*tis*.ta) *adj.* **1.** Relativo ao século XVIII. **2.** Diz-se de artista ou escritor que pertence ao século XVIII. • *s.m. e f.* **3.** Escritor ou artista setecentista.

setecentos (se.te.cen.tos) *num. card.* **1.** Sete vezes cem. • *s.m.* **2.** Representação gráfica desse número (700 em algarismos arábicos; DCC em algarismos romanos).

setembro (se.*tem*.bro) *s.m.* Nono mês do ano.

setenário (se.te.*ná*.ri:o) *adj.* **1.** Que equivale a um período de sete dias. **2.** Que equivale a um período de sete anos; setênio. • *s.m.* **3.** Duração de sete dias de uma festa religiosa. **4.** Período de sete dias ou sete anos.

setênio (se.*tê*.ni:o) *s.m.* Período de sete anos; setenário.

setenta (se.*ten*.ta) *num. card.* **1.** Dez vezes sete. • *s.m.* **2.** Representação gráfica desse número (70 em algarismos arábicos; LXX em algarismos romanos).

setentão (se.ten.*tão*) *adj. s.m. coloq.* Septuagenário.

setentrião (se.ten.tri:*ão*) *s.m.* **1.** O Polo Norte. **2.** Grupo de regiões situadas no norte.

setentrional (se.ten.tri:o.*nal*) *adj.* **1.** Relativo a norte. **2.** Que se situa no norte: *litoral setentrional.* **3.** Que é natural ou habitante do norte. • *s.m. e f.* **4.** Pessoa setentrional.

setilha (se.*ti*.lha) *s.f.* (*Lit.*) Estrofe de sete versos.

setilhão (se.ti.*lhão*) *num.* **1.** Mil sextilhões. • *s.m.* **2.** Número que representa essa quantidade.

sétimo (*sé*.ti.mo) *num. ord.* **1.** Que ou o que denota o número sete numa série. • *num. frac.* **2.** Que ou o que é parte de um todo dividido em sete partes iguais.

setingentésimo (se.tin.gen.*té*.si.mo) *num. ord.* **1.** Que ou o que denota o número setecentos numa série. • *num. frac.* **2.** Que ou o que é parte de um todo dividido em setecentas partes iguais.

setissílabo (se.tis.*sí*.la.bo) *adj. s.m.* Heptassílabo.

setor [ô] (se.*tor*) *s.m.* **1.** Esfera de atividade; âmbito, campo (5). **2.** Seção (3). – **setorial** *adj.*

setorizar (se.to.ri.*zar*) *v.* Dividir ou distribuir em setores: *setorizar um atendimento.* ▶ Conjug. 5.

setorizado (se.to.ri.*za*.do) *adj.* Que foi dividido ou distribuído em setores: *venda setorizada.*

setuagenário (se.tu:a.ge.*ná*.ri:o) *adj. s.m.* Septuagenário.

setuagésimo (se.tu:a.*gé*.si.mo) *adj. s.m.* Septuagésimo.

seu[1] *pron. poss.* **1.** Pertencente a, próprio de, concernente à pessoa com quem se fala: *Esse livro é seu?* **2.** Pertencente a, próprio de, concernente à pessoa ou coisa de que se fala: *Ele perdeu seu caderno.* • *s.m.* **3.** Aquilo que pertence à pessoa de quem se fala: *Cada um não deve desejar mais do que o seu.* || *Os seus*: a família, os parentes, os amigos e correligionários da pessoa de quem ou a quem se fala: *Ele visita regularmente os seus; Dê recomendações aos seus!*

seu[2] *s.m.* Forma usada antes de nome próprio masculino, equivalente a senhor: *Seu Fernando virá hoje.*

seu-vizinho (seu-vi.*zi*.nho) *s.m. fam.* Dedo anular. || pl.: *seus-vizinhos.*

severo [é] (se.*ve*.ro) *adj.* **1.** Que é inflexível; rigoroso: *professor severo.* **2.** Que é aplicado com rigor: *prisão severa.* **3.** Que é sério; grave, fechado: *expressão severa.* – **severidade** *s.f.*

sevícia (se.*ví*.ci:a) *s.f.* **1.** Ato ou efeito de seviciar. **2.** Crueldade, maldade. • *sevícias s.f.pl.* **3.** Torturas físicas e/ou mentais; maus-tratos.

seviciar (se.vi.ci:*ar*) *v.* Submeter a tortura; supliciar, torturar: *seviciar um prisioneiro.* ▶ Conjug. 17. – **seviciador** *adj. s.m.*

sexagenário [cs] (se.xa.ge.*ná*.ri:o) *adj.* **1.** De idade compreendida entre os sessenta e os setenta anos. • *s.m.* **2.** Pessoa sexagenária.

sexagésimo [cs] (se.xa.*gé*.si.mo) *num. ord.* **1.** Que ou o que denota o número sessenta numa série. • *num. frac.* **2.** Que ou o que é parte de um todo dividido em sessenta partes iguais.

sex appeal [seksapiu] (Ingl.) *loc. subst.* Encanto que seduz.

sexcentésimo [cs] (sex.cen.*té*.si.mo) *num. ord.* **1.** Que ou o que denota o número seiscentos numa série. • *num. frac.* **2.** Que ou o que é parte de um todo dividido em seiscentas partes iguais.

sexênio [cs] (se.*xê*.ni:o) *s.m.* Período de seis anos.

sexismo [cs] (se.*xis*.mo) *s.m.* Ato de discriminar uma pessoa devido a seu sexo.

sexo [écs] (*se*.xo) *s.m.* **1.** Conjunto de características orgânicas que distinguem um homem de uma mulher. **2.** (*Anat.*) Órgão genital; genitália. **3.** Ato sexual; cópula. **4.** Grupo de pessoas com as mesmas características sexuais. **5.**

Conjunto de características que distinguem o macho da fêmea entre os animais. **6.** Conjunto de características que diferenciam os órgãos reprodutores masculinos dos femininos das plantas. || *Fazer sexo*: ter relação sexual.

sexologia [cs] (se.xo.lo.gi.a) *s.f.* Estudo da sexualidade ligada a seus aspectos culturais, psicológicos e sociológicos.

sexologista [cs] (se.xo.lo.gis.ta) *s.m. e f.* Sexólogo.

sexólogo [cs] (se.xó.lo.go) *s.m.* Especialista em sexologia; sexologista.

sexta [ês] (sex.ta) *s.f.* Redução de sexta-feira. || Conferir com *sesta*.

sexta-feira [ê] (sex.ta-fei.ra) *s.f.* Dia da semana que se segue à quinta-feira. || *Sexta-feira da Paixão*: sexta-feira da Semana Santa. || pl.: *sextas-feiras*.

sextante [ês] (sex.tan.te) *s.m.* (*Astron.*) Instrumento usado em embarcações em alto-mar para medir ângulos ou a altura dos astros no horizonte.

sextavado [ês] (sex.ta.va.do) *adj.* Que apresenta forma de hexágono; que apresenta seis lados: *parafuso sextavado*. – **sextavar** *v.* ▶ Conjug. 5.

sexteto [êstê] (sex.te.to) *s.m.* (*Mús.*) **1.** Composição para seis vozes ou instrumentos. **2.** Conjunto de instrumentos ou vozes que executam essa composição.

sextilha [ês] (sex.ti.lha) *s.f.* (*Lit.*) Estrofe de seis versos.

sextilhão [ês] (sex.ti.lhão) *num. card.* Mil quintilhões.

sexto [ês] (sex.to) *num. ord.* **1.** Que ou o que denota o número seis numa série. • *num. frac.* **2.** Que ou o que é parte de um todo dividido em seis partes iguais.

sêxtuplo [ês] (sêx.tu.plo) *num. mult.* Número seis vezes maior que outro.

sexuado [cs] (se.xu:a.do) *adj.* **1.** Que tem sexo. **2.** Diz-se de ser vivo que é provido de células sexuais e pode se reproduzir.

sexual [cs] (se.xu:al) *adj.* **1.** Relativo a sexo. **2.** Que tem órgãos sexuais.

sexualidade [cs] (se.xu:a.li.da.de) *s.f.* **1.** Qualidade de sexual. **2.** Conjunto de características que definem o sexo de uma pessoa. **3.** (*Psicn.*) Conjunto dos fenômenos psíquicos que permeiam a vida de uma pessoa, gerados pelo próprio corpo, e sua relação com a sociedade.

sexualismo [cs] (se.xu:a.lis.mo) *s.m.* **1.** Condição de quem possui órgãos sexuais. **2.** Propensão a atribuir cunho sexual a tudo.

sexy [sécsi] (Ing.) *adj.* Sensual.

sezão (se.zão) *s.f.* (*Med.*) Malária.

shiatsu [chiátissu] (Jap.) *s.m.* Técnica de massagem terapêutica, aplicada com a ponta dos dedos, oriunda do Japão.

shopping center [chopin cênter] (Ing.) *s.m.* Grande centro comercial que abriga lojas, restaurantes, bares, cinemas, consultórios, escritórios etc.

short [chórti] (Ing.) *s.m.* Peça de vestuário curta, parecida com um calção, que vai até o meio da coxa, usada por ambos os sexos.

show [chôu] (Ing.) *s.m.* Espetáculo de música, variedades etc. apresentado em teatros ou locais públicos. || *Dar um show*: *coloq. fig.* ter um excelente desempenho: *O jogador deu um show de bola*.

showmício (show.mí.ci:o) *s.m.* Comício político muito concorrido no qual também é apresentado algum tipo de espetáculo artístico.

si[1] *pron. pess.* Forma oblíqua tônica da terceira pessoa do singular ou plural, empregada: a) como complemento, sempre precedido de preposição, referindo-se ao sujeito da oração: *Ela acreditava muito em si mesma*. b) com a preposição *entre*, indicando reciprocidade: *As empresas celebraram um novo convênio entre si*. c) como reflexivo, para referir-se à pessoa de quem se fala: *Ela deve saber de si*. || Quando precedido da preposição *com*, usa-se a forma *consigo*. • *Fora de si*: sem controle; desnorteado: *Quando soube da notícia, ficou fora de si*. • *Por si*: por conta própria: *Cada um fala por si*.

si[2] *s.m.* (*Mús.*) **1.** Sétima nota da escala de dó maior. **2.** Sinal que representa essa nota.

Si (*Quím.*) Símbolo de *silício*.

siá (si.á) *s.f.* Sinhá.

siamês (si:a.mês) *adj.* **1.** Do antigo Sião, atual Tailândia, país da Ásia. **2.** O natural ou o habitante daquele país. **3.** Diz-se de xifópago. **4.** Diz-se de gato originário do extremo oriente, com olhos azuis e pelo curto castanho-claro ou escuro. • *s.m.* **5.** Pessoa siamesa; xifópago. **6.** Gato siamês.

sibarita (si.ba.ri.ta) *adj.* **1.** Diz-se de pessoa voltada para os prazeres físicos ou para a indolência. • *s.m. e f.* **2.** Pessoa sibarita.

siberiano (si.be.ri:a.no) *adj.* **1.** Da Sibéria, região da Federação Russa, país da Europa e da Ásia. • *s.m.* **2.** O natural ou o habitante dessa região.

sibila (si.*bi*.la) *s.f.* **1.** Na Antiguidade, mulher a quem se atribuía o dom da profecia; adivinha, pitonisa, profetisa. **2.** Bruxa.

sibilante (si.bi.*lan*.te) *adj.* Que assopra, produzindo som agudo e contínuo: *vento sibilante*.

sibilino (si.bi.*li*.no) *adj.* **1.** Relativo a sibila. **2.** Que é misterioso, enigmático: *expressão sibilina*.

sibilo (si.*bi*.lo) *s.m.* **1.** Ato ou efeito de sibilar. **2.** Assobiar (1 e 2). – **sibilação** *s.f.*; **sibilar** *v.* ▶ Conjug. 5.

sic (Lat.) *adv.* Desse modo; assim mesmo. ‖ Usado entre parênteses ou colchetes, indicando que uma citação confere com a original.

siciliano (si.ci.li:a.no) *adj.* **1.** Da Sicília, ilha da Itália, na Europa. • *s.m.* **2.** O natural ou o habitante dessa ilha. **3.** Dialeto falado nessa ilha.

sicrano (si.*cra*.no) *s.m.* Pessoa cujo nome não se sabe ou não se quer dizer; sujeito, indivíduo. ‖ Usado geralmente depois de *fulano* e *beltrano*.

sideração (si.de.ra.ção) *s.f.* **1.** (*Astrol.*) Suposta influência que um astro exerceria sobre a vida de uma pessoa. **2.** Fascínio, deslumbramento. **3.** Estado de aniquilamento.

sideral (si.de.*ral*) *adj.* **1.** (*Astron.*) Relativo aos astros ou estrelas. **2.** Celeste.

siderurgia (si.de.rur.gi.a) *s.f.* Metalurgia do ferro e do aço.

siderúrgica (si.de.*rúr*.gi.ca) *s.f.* Usina ou empresa que faz trabalhos de siderurgia.

siderúrgico (si.de.*rúr*.gi.co) *adj.* **1.** Relativo a siderurgia. **2.** Diz-se de operário que trabalha com siderurgia. • *s.m.* **3.** Operário de siderurgia.

sidra (si.dra) *s.f.* Bebida alcoólica feita de suco fermentado de maçã.

sifão (si.*fão*) *s.m.* **1.** Tubo em forma de S usado para transferir líquidos de um vaso para outro. **2.** Tubo com duas curvaturas, colocado em vasos sanitários, pias, esgotos etc., para evitar mau cheiro.

sífilis (sí.fi.lis) *s.f.* (*Med.*) Doença infecciosa causada por uma bactéria e transmitida por meio de relação sexual.

sigilo (si.gi.lo) *s.m.* Segredo (1 e 2).

sigla (si.gla) *s.f.* **1.** Letra ou conjunto de letras iniciais de uma ou mais palavras, usadas para abreviar nome de instituições, empresas etc. **2.** Rubrica, marca.

sigma (sig.ma) *s.m.* Décima oitava letra do alfabeto grego.

signatário (sig.na.*tá*.ri:o) *s.m.* Pessoa que assina um documento ou outro tipo de texto.

significação (sig.ni.fi.ca.ção) *s.f.* Significado.

significado (sig.ni.fi.*ca*.do) *s.m.* **1.** Ato ou efeito de significar. **2.** *fig.* Aquilo que tem importância; valor; significância. **3.** (*Ling.*) Significação de um palavra; acepção. **4.** (*Ling.*) Representação mental de uma palavra, um gesto, um fato etc.; conceito.

significância (sig.ni.fi.*cân*.ci:a) *s.f.* Significado (2).

significante (sig.ni.fi.*can*.te) *adj.* **1.** Significativo. • *s.m.* **2.** (*Ling.*) Imagem acústica de uma palavra.

significar (sig.ni.fi.*car*) *v.* **1.** Ter ou representar o significado de: *Ósculo significa "beijo"*. **2.** Fazer notar; mostrar, indicar, revelar: *A expressão contorcida de seu rosto significava descontentamento*. **3.** Ser, constituir: *A volta da democratização significa um passo importante na nossa história.* ▶ Conjug. 5 e 35.

significativo (sig.ni.fi.ca.*ti*.vo) *adj.* **1.** Que expressa um significado especial; revelador; significante: *olhar significativo*. **2.** Que é considerável; expressivo, significante: *ganho significativo*.

signo (sig.no) *s.m.* **1.** Sinal, indício, marca. **2.** Representação material simples de uma realidade complexa; emblema, símbolo. **3.** (*Astrol.*) Cada uma das doze figuras que representam as constelações do zodíaco. **4.** (*Ling.*) Elemento da linguagem que associa uma imagem acústica (significante) a um conceito (significado).

sílaba (sí.la.ba) *s.f.* **1.** (*Ling.*) Emissão vocal composta de um fonema que corresponde a uma vogal ou a um grupo de fonemas formado pela junção de uma vogal com uma consoante ou com uma semivogal. **2.** *fig.* Qualquer som pronunciado.

silabada (si.la.*ba*.da) *s.f.* (*Ling.*) Erro de pronúncia ocasionado pelo deslocamento da sílaba tônica.

silabar (si.la.*bar*) *v.* **1.** Escandir: *silabar um verso*. **2.** Escrever ou ler, separando as sílabas: *silabar uma palavra*. ▶ Conjug. 5.

silábico (si.*lá*.bi.co) *adj.* Relativo a sílaba.

silenciador [ô] (si.len.ci:a.*dor*) *adj.* **1.** Que impede do barulho: *câmara silenciadora*. **2.** Que anula; que faz calar: *violência silenciadora*. **3.** Diz-se de dispositivo usado para abafar a detonação de uma arma de fogo, o barulho de uma válvula acionada etc. **3.** Silencioso (3). • *s.m.* **4.** Dispositivo silenciador.

silenciar (si.len.ci:*ar*) *v.* **1.** Calar-se ou fazer calar: *Silenciou o cachorro com um pedaço de carne*; *Com a entrada do diretor, os alunos silenciaram.* **2.** Deixar de mencionar; omitir, esconder, ocultar: *Silenciou (sobre) seu passado.* **3.** Fazer perder a vida; matar, assassinar: *O bandido silenciou o informante.* ▶ Conjug. 17.

silêncio (si.*lên*.ci:o) *s.m.* **1.** Ausência de barulho; calmaria. **2.** Estado de quem não quer ou não pode falar; mudez. **3.** Interrupção da comunicação. **4.** Sigilo, discrição, segredo.

silencioso [ô] (si.len.ci:*o*.so) *adj.* **1.** Que não faz ruído: *aparelho silencioso.* **2.** Em que não há barulho; quieto: *quarto silencioso.* **3.** *fig.* Que se dá sem que seja percebido: *doença silenciosa.* **4.** Diz-se de quem fala pouco; calado, silente. **5.** Diz-se de dispositivo usado para abafar os sons provocados pelas explosões do combustível de um veículo. • *s.m.* **6.** Dispositivo silencioso. || f. e pl.: [ó].

silente (si.*len*.te) *adj. poét.* Silencioso.

silepse [é] (si.*lep*.se) *s.f.* (*Gram.*) Concordância de número ou gênero que é feita levando-se em conta o significado dos termos de uma frase: *Em: "Os brasileiros somos hospitaleiros" ocorre uma silepse.*

sílfide (*síl*.fi.de) *s.f.* **1.** Ser sobrenatural feminino, gênio do ar, leve e transparente, da mitologia céltica e germânica no período da Idade Média. **2.** *poét.* Mulher esguia e delicada.

silfo (*síl*.fo) *s.m.* Ser sobrenatural masculino, gênio do ar, leve e transparente, da mitologia céltica e germânica no período da Idade Média.

silhueta [ê] (si.lhu:e.ta) *s.f.* **1.** Imagem pouco nítida de um corpo ou de um objeto; vulto: *Ele passou tão rápido que só vi sua silhueta.* **2.** Contorno de um corpo ou de um objeto; figura, formato: *Depois da plástica, ela adquiriu uma nova silhueta.*

sílica (*sí*.li.ca) *s.f.* (*Min.*) Dióxido de silício que não se decompõe com o calor, encontrado na natureza em vários minerais ou criado em laboratório e usado para fabricação de vidros, entre outros usos.

silicato (si.li.*ca*.to) *s.m.* (*Quím.*) Qualquer sal derivado do ácido silícico.

silícico (si.*lí*.ci.co) *adj.* Que é da natureza do silício ou que o contém.

silício (si.*lí*.ci:o) *s.m.* (*Quím.*) Elemento não metálico e mau condutor de calor, que constitui 28% da crosta terrestre, usado para fabricação de aços e peças eletrônicas. || Símbolo: Si.

silicone (si.li.*co*.ne) *s.m.* (*Quím.*) Qualquer composto sintético obtido pela adição de silício, que apresenta as propriedades de isolante de eletricidade e repelente de água, usado em larga escala na fabricação de produtos industriais e na cosmética, dermatologia etc.

silk-screen [*sílque-scrin*] *s.m.* (*Art. Gráf.*) Serigrafia.

silo (*si*.lo) *s.m.* Depósito aéreo ou subterrâneo usado para armazenar cereais, grãos ou pó alimentícios, grânulos de minerais, cimento etc.

silogismo (si.lo.*gis*.mo) *s.m.* Raciocínio lógico construído a partir de duas proposições (premissas) que, confrontadas, levam a uma conclusão.

siluriano (si.lu.ri.*a*.no) *adj.* **1.** Diz-se de período da era paleozoica, situado entre o ordoviciano e o devoniano. • *s.m.* **2.** Esse período.

silvestre [é] (sil.*ves*.tre) *adj.* **1.** Que é próprio da selva; selvagem (1): *fauna silvestre.* **2.** Que não foi cultivado; bravo, selvagem (3): *planta silvestre.*

silvícola (sil.*ví*.co.la) *adj.* **1.** Que habita a selva; selvagem (2). • *s.m. e f.* **2.** Habitante da selva.

silvicultura (sil.vi.cul.*tu*.ra) *s.f.* **1.** Estudo das florestas e seus reflorestamentos. **2.** Cultura de árvores florestais. – **silvicultor** *adj. s.m.*

silvo (*sil*.vo) *s.m.* Assobio (2). – **silvar** *v.* ▶ Conjug. 5.

sim *adv.* **1.** Usado para responder de forma afirmativa a uma pergunta: *Sim, o projeto está sendo executado.* **2.** Exprime aprovação ou concordância; é verdade; com certeza, está certo: *Faço, sim, o que você me pediu.* • *s.m.* **3.** Consentimento, aceitação, aprovação: *O casal disse o famoso sim diante do padre.* || *Pelo sim, pelo não*: por via das dúvidas: *Pelo sim, pelo não, a luta deve continuar.*

simbiose [ó] (sim.bi:*o*.se) *s.f.* **1.** (*Biol.*) Associação entre dois ou mais organismos de espécies diferentes, em que são mantidas trocas metabólicas que garantem suas sobrevivências. **2.** (*Psicn.*) Processo psíquico em que uma pessoa mantém uma relação de fusão imaginária com outra pessoa. **3.** *fig.* Processo de associação entre pessoas ou coisas que gera dependência ou falta de autonomia.

simbiótico (sim.bi.*ó*.ti.co) *adj.* **1.** Relativo a simbiose. **2.** Que está em simbiose com (alguém ou algo).

simbólico (sim.*bó*.li.co) *adj.* **1.** Relativo a símbolo. **2.** Que se expressa através de um símbolo; alegórico, figurado, metafórico: *valor simbólico.* • *s.m.* **3.** (*Psicn.*) Um dos três elementos (junto com o real e o imaginário) que constituem a estrutura psíquica humana.

simbolismo

simbolismo (sim.bo.*lis*.mo) *s.m.* **1.** Representação por meio de símbolos. **2.** (*Art., Lit., Mús.*) Movimento artístico iniciado na França, no século XIX, em reação ao Parnasianismo e ao Naturalismo, e que se preocupava, sobretudo, com uma visão simbólica (2) do mundo, buscando formas mais livres, musicais, subjetivas e espirituais.

simbolista (sim.bo.*lis*.ta) *adj.* **1.** Relativo ao Simbolismo. **2.** Que é seguidor do Simbolismo: *poeta simbolista*. • *s.m.* e *f.* **3.** Poeta ou artista simbolista.

simbolizar (sim.bo.li.*zar*) *v.* **1.** Representar por meio de símbolo: *A figura do anjo com uma flecha simboliza o amor.* **2.** Expressar, exprimir, significar, traduzir: *Aquela viagem simbolizou o fim do meu casamento.* ▶ Conjug. 5. – **simbolização** *s.f.*

símbolo (*sím*.bo.lo) *s.m.* **1.** Palavra ou imagem que representa algo; alegoria, metáfora. **2.** Sinal que indica a existência de algo; indício. **3.** Figura que representa um conceito, um elemento químico, uma variável etc. **4.** Emblema.

simbologia (sim.bo.lo.*gi*.a) *s.f.* **1.** Estrutura composta de símbolos. **2.** Estudo dos símbolos.

simetria (si.me.*tri*.a) *s.f.* **1.** Harmonia entre as proporções (de alguém ou algo): *Ela tem braços em perfeita simetria.* • *s.m.* **2.** Disposição em que um objeto corresponde fielmente a um modelo, só que colocado de forma invertida: *azulejos simétricos*.

simétrico (si.*mé*.tri.co) *adj.* **1.** Que apresenta simetria; proporcional. • *s.m.* **2.** Aquilo que apresenta simetria com algo: *colunas simétricas*.

simiesco [ê] (si.mi:*es*.co) *adj.* **1.** Relativo a símio. **2.** *fig.* Que se assemelha a símio: *contorção simiesca*.

similar (si.mi.*lar*) *adj.* Que é parecido; semelhante; símile: *medicamento similar*. – **similaridade** *s.f.*

símile (*sí*.mi.le) *adj.* **1.** Que é semelhante; análogo, similar. • *s.m.* **2.** Qualidade de semelhante. **3.** (*Gram.*) Figura que estabelece comparação entre termos com sentidos diferentes por meio do uso de *como* ou de um de seus sinônimos. **4.** Comparação entre coisas símiles.

similitude (si.mi.li.*tu*.de) *s.f.* Semelhança (2).

símio (*sí*.mi:o) *adj.* **1.** Simiesco. • *s.m.* **2.** (*Zool.*) Macaco.

simonia (si.mo.*ni*.a) *s.f.* Comércio ilícito de objetos sagrados, indulgências ou benefícios eclesiásticos.

simpatia (sim.pa.*ti*.a) *s.f.* **1.** Afinidade que se sente com alguém ou algo; empatia, identidade. **2.** Solidariedade que se sente por alguém ou algo; atenção, interesse, cuidado. **3.** Tendência natural (para); atração, inclinação. **4.** Pessoa agradável. **5.** Sentimento de aprovação. **6.** Ritual popular cujo objetivo é buscar proteção, realizar um desejo etc. ‖ Conferir com *antipatia* e *empatia*.

simpaticíssimo (sim.pa.ti.*cís*.si.mo) *adj.* Superlativo absoluto de *simpático*.

simpático (sim.*pá*.ti.co) *adj.* **1.** Relativo a simpatia. **2.** Que faz sentir simpatia; agradável: *vendedor simpático*. **3.** (*Anat.*) Relativo ao sistema nervoso simpático. • *s.m.* **4.** (*Anat.*) Sistema nervoso simpático. **5.** Pessoa simpática. ‖ sup. abs.: *simpaticíssimo* e *simpatiquíssimo*.

simpatiquíssimo (sim.pa.ti.*quís*.si.mo) *adj.* Superlativo absoluto de *simpático*.

simpatizante (sim.pa.ti.*zan*.te) *adj.* **1.** Que sente simpatia por alguém ou por algo; admirador, apreciador. • *s.m.* e *f.* **2.** Seguidor de uma causa, partido, escola etc.; partidário, aliado.

simpatizar (sim.pa.ti.*zar*) *v.* Sentir simpatia por alguém ou por algo; estimar, gostar, prezar: *Simpatizava muito com a sua nora.* ▶ Conjug. 5.

simples (*sim*.ples) *adj.* **1.** Que é elementar; primário: *programa simples*. **2.** Que é despojado: *roupa simples*. **3.** Que é claro; descomplicado: *solução simples*. **4.** (*Econ.*) Diz-se de tratamento tributário diferenciado aplicado a micro e pequenas empresas pelo governo federal. • *s.m.* e *f.* *2n.* **5.** Pessoa humilde. • *adv.* **6.** De modo despojado; com simplicidade: *Falava simples.* ‖ sup. abs.: *simplicíssimo* e *simplíssimo*.

simplicidade (sim.pli.ci.*da*.de) *s.f.* Qualidade de simples.

simplicíssimo (sim.pli.*cís*.si.mo) *adj.* Superlativo absoluto de *simples*.

simplificar (sim.pli.fi.*car*) *v.* **1.** Fazer ficar mais simples; descomplicar: *simplificar um projeto*. **2.** (*Mat.*) Reduzir (uma fração, uma expressão etc.) a outra equivalente: *simplificar uma fórmula.* ▶ Conjug. 5 e 35. – **simplificação** *s.f.*; **simplificador** *adj. s.m.*

simplismo (sim.*plis*.mo) *s.m.* **1.** Ponto de vista que tende a diminuir a complexidade de coisas, fatos etc. **2.** Ingenuidade, inocência.

simplório (sim.*pló*.ri:o) *adj.* **1.** Que é tolo, ingênuo: *abordagem simplória*. • *s.m.* **2.** Pessoa simplória.

simpósio (sim.pó.si:o) *s.m.* Reunião ou conferência em que vários especialistas apresentam ou debatem um ou mais temas.

simulação (si.mu.la.ção) *s.f.* Ato ou efeito de simular.

simulacro (si.mu.*la*.cro) *s.m.* **1.** Reprodução de algo; imitação. **2.** Cópia grosseira.

simulado (si.mu.*la*.do) *adj.* **1.** Que copia a realidade para fins de ensaio ou treino: *viagem simulada*. **2.** Que é falso; falsificado: *cópia simulada*. **3.** Diz-se de prova ou teste que são aplicados para simular um vestibular ou um concurso. • *s.m.* **4.** Teste ou prova simulada.

simular (si.mu.*lar*) *v.* **1.** Fazer parecer real: *simular um desmaio*. **2.** Imitar com perfeição; reproduzir: *simular uma característica*. ▶ Conjug. 5.

simultaneidade (si.mul.ta.nei.*da*.de) *s.f.* Qualidade de simultâneo.

simultâneo (si.mul.*tâ*.ne:o) *adj.* Que se faz ou sucede ao mesmo tempo que outra coisa; concomitante: *tradução simultânea*.

sina (si.na) *s.f. coloq.* Destino (1).

sinagoga [ó] (si.na.go.ga) *s.f.* Templo onde os judeus se reúnem para orar e ler os livros sagrados.

sinal (si.*nal*) *s.m.* **1.** Gesto de alerta; aceno, movimento. **2.** Aparelho que emite som para marcar determinado horário em escolas, fábricas etc.; alarme, sirene. **3.** Aparelho que emite som, luz ou outro recurso usado para controle a distância do trânsito, de uma máquina etc.; sinalizador (3). **4.** Semáforo. **5.** Letreiro, rótulo, tabuleta. **6.** Ruído produzido por um aparelho de telecomunicação, especialmente o telefone; linha. **7.** Vestígio deixado por alguém ou algo; rastro. **8.** *fig.* Impressão deixada por alguém ou algo; marca, efeito, impressão. **9.** *fig.* Manifestação de um sentimento; demonstração, exibição, prova. **10.** *fig.* Aquilo que prenuncia o futuro; indício, presságio. **11.** Mancha na pele; marca, pinta. **12.** (*Med.*) Sintoma apresentado por um paciente; mostra, traço. **13.** (*Jur.*) Entrega de bem móvel ou imóvel usado como garantia de cumprimento de contrato ou parte do pagamento na compra de algo. **14.** Representação gráfica de símbolos convencionados. **15.** (*Mat.*) Símbolo de operações usado para soma, divisão etc. ∥ *Abrir o sinal*: passar de vermelho para verde (um sinal de trânsito): *Abriu o sinal e eu atravessei a rua*. • *Avançar o sinal*: **1.** não cumprir a lei e ignorar a luz vermelha do semáforo: *O motorista do ônibus avançou o sinal e foi multado*. **2.** *fig.* ignorar as regras impostas por alguém: *Ele avançou o sinal e eu terminei o namoro*. • *Dar sinal de si/de vida*: dar notícias; manifestar-se: *Ontem ele me ligou e deu sinal de vida*. • *Por sinal*: por falar nisso; a propósito: *Comprei uma excelente ferramenta que, por sinal, foi barata*.

sinal da cruz *s.m.* (*Rel.*) Gesto de tocar a testa, o peito e os ombros, formando o desenho de uma cruz, usado pelos cristãos para benzer-se; persignação.

sinaleira (si.na.*lei*.ra) *s.f. reg.* Semáforo.

sinaleiro (si.na.*lei*.ro) *s.m.* **1.** Funcionário responsável pela sinalização de manobras ou trânsito de diversos meios de transporte; sinalizador. **2.** Semáforo.

sinalização (si.na.li.za.ção) *s.f.* **1.** Ato ou efeito de sinalizar. **2.** Conjunto de sinais que orientam manobras ou o trânsito de diversos meios de transporte. **3.** Conjunto de sinais que servem para orientar uma pessoa em prédios, aeroportos, elevadores etc.

sinalizador [ô] (si.na.li.za.*dor*) *adj.* **1.** Que transmite aviso ou dá sinal. • *s.m.* **2.** Indicação, sinal. **3.** Aparelho que emite sinal luminoso ou sonoro com o fim de controle do trânsito, de uma máquina etc.; sinal (3). **4.** Sinaleiro (1).

sinalizar (si.na.li.*zar*) *v.* **1.** Colocar sinalização em: *sinalizar uma via pública*. **2.** Comunicar por meio de sinais; mostrar: *A cor azul sinalizava a trilha principal*. **3.** *fig.* Dar indícios de; prenunciar, prever, indicar: *Os altos índices sinalizaram o crescimento da indústria*. ▶ Conjug. 5.

sinceridade (sin.ce.ri.*da*.de) *s.f.* Qualidade de sincero.

sincero [é] (sin.ce.ro) *adj.* **1.** Que é autêntico; verdadeiro: *desejo sincero*. **2.** Que expressa o que pensa ou sente; franco, honesto: *amiga sincera*.

sincopado (sin.co.*pa*.do) *adj.* **1.** Que se sincopou. **2.** Que sofreu pequenas interrupções; entrecortado: *fala sincopada*. **3.** (*Ling.*) Diz-se de palavra em que se observa síncope. **4.** (*Mús.*) Diz-se de ritmo que sofreu síncope: *samba sincopado*.

síncope (*sín*.co.pe) *s.f.* **1.** (*Ling.*) Supressão de um ou mais fonemas dentro de uma palavra. **2.** (*Med.*) Perda repentina da consciência provocada pela parada passageira das funções cerebrais; desmaio, desfalecimento. **3.** (*Mús.*) Padrão rítmico em que se reproduz um som no tempo fraco de um compasso, que

sincrético

é prolongado no tempo forte do compasso seguinte.
sincrético (sin.*cré*.ti.co) *adj.* **1.** Relativo a sincretismo. **2.** Que focaliza a totalidade; global: *estudo sincrético*.
sincretismo (sin.cre.*tis*.mo) *s.m.* **1.** (*Rel.*) Amálgama de cultos ou doutrinas religiosas em que seus elementos antigos ganham nova configuração. **2.** (*Fil.*) Síntese produzida pelo amalgamento de doutrinas ou ideologias diferentes. **3.** Fusão de diferentes elementos culturais. **4.** Associação, mistura.
sincronia (sin.cro.*ni*.a) *s.f.* **1.** Ato ou efeito de sincronizar. **2.** Estado produzido pela realização simultânea de dois ou mais fenômenos. **3.** (*Ling.*) Estado de uma língua em um determinado momento histórico. **4.** Ausência de conflitos; harmonia, equilíbrio.
sincrônico (sin.*crô*.ni.co) *adj.* **1.** Relativo a sincronia ou a sincronismo. **2.** Que ocorre ao mesmo tempo; simultâneo: *ação sincrônica*. **3.** Que enfoca determinado período histórico: *estudo sincrônico*.
sincronismo (sin.cro.*nis*.mo) *s.m.* **1.** Qualidade de sincrônico. **2.** Característica de dois ou mais fenômenos que acontecem no mesmo espaço de tempo. **3.** Ajuste, adaptação. **4.** Harmonia, entrosamento.
sincronizar (sin.cro.ni.*zar*) *v.* **1.** Colocar em sincronia (2): *sincronizar horários*. **2.** Expor ou descrever de forma sincrônica: *sincronizar fatos que se deram em locais diferentes*. **3.** Adaptar, harmonizar: *sincronizar som com imagem*. ▶ Conjug. 5. – **sincronização** *s.f.*
sindético (sin.*dé*.ti.co) *adj.* (*Gram.*) Diz-se da oração coordenada que é iniciada por uma conjunção coordenativa.
sindical (sin.di.*cal*) *adj.* Relativo a sindicato.
sindicalismo (sin.di.ca.*lis*.mo) *s.m.* **1.** Movimento que defende a organização dos trabalhadores em prol de seus interesses. **2.** Doutrina que vê o sindicato como base da organização social, política e econômica de uma sociedade. **3.** Conjunto dos sindicatos e sindicalistas. **4.** Atividade exercida em um sindicato.
sindicalista (sin.di.ca.*lis*.ta) *adj.* **1.** Relativo a sindicalismo. **2.** Que é partidário do sindicalismo: *trabalhador sindicalista*. **3.** Diz-se de quem é dirigente sindical. • *s.m.* e *f.* **4.** Partidário do sindicalismo. **5.** Dirigente sindical.
sindicalizado (sin.di.ca.li.*za*.do) *adj.* **1.** Que se sindicalizou. • *s.m.* **2.** Pessoa sindicalizada.

sindicalizar (sin.di.ca.li.*zar*) *v.* **1.** Organizar(-se) em sindicato: *sindicalizar(-se) uma categoria*. **2.** Associar(-se) a um sindicato: *A meta da campanha é sindicalizar novos trabalhadores*; *Sindicalizou-se e agora participa das reuniões*. ▶ Conjug. 5. – **sindicalização** *s.f.*
sindicância (sin.di.*cân*.ci:a) *s.f.* Investigação que visa trazer à tona fatos que se querem apurar; averiguação, inquérito.
sindicato (sin.di.*ca*.to) *s.m.* Associação que defende os interesses trabalhistas de uma classe de profissionais.
síndico (*sín*.di.co) *s.m.* Pessoa eleita pelos demais moradores para tratar da administração de um prédio, de um condomínio etc.
síndrome (*sín*.dro.me) *s.f.* **1.** (*Med.*) Quadro patológico provocado por um conjunto de sintomas de uma doença, com causa conhecida ou desconhecida. **2.** *fig.* Conjunto de sinais que caracterizam determinado comportamento individual ou coletivo: *síndrome da desinformação*.
sinecura (si.ne.*cu*.ra) *s.f.* Emprego ou cargo bem remunerado exercido por pessoa que deseja apenas receber proventos, sem trabalhar ou trabalhando pouco.
sine die (Lat.) *loc. adv.* Sem data fixada: *abertura adiada sine die*.
sinédoque (si.*né*.do.que) *s.f.* (*Gram.*) Tipo de metonímia em que o emprego de palavra ou expressão baseia-se na compreensão do todo pela parte e vice-versa: *A frase Ele é um mestre dos pincéis contém uma sinédoque*.
sineiro (si.*nei*.ro) *s.m.* **1.** Pessoa que tem por ofício tocar sinos de igreja. **2.** Fabricante de sinos.
sinergia (si.ner.*gi*.a) *s.f.* **1.** (*Med.*) Ação simultânea de dois ou mais órgãos na realização de uma função orgânica. **2.** Atividade realizada em conjunto visando a um objetivo comum; cooperação.
sinestesia (si.nes.te.*si*.a) *s.f.* **1.** Associação de natureza psicológica que combina diferentes sensações, como um perfume que lembra um acontecimento, uma cor que lembra uma imagem etc. **2.** (*Gram.*) Figura de linguagem que associa palavras ou expressões, combinando diferentes sensações.
sineta [ê] (si.*ne*.ta) *s.f.* Sino pequeno.
sinete [ê] (si.*ne*.te) *s.m.* **1.** Tipo de carimbo em baixo ou alto-relevo, com assinatura, brasão, monograma etc., usado para impressão em

papel, cera, lacre etc.; chancela. **2.** *fig.* Essa impressão; marca, sinal.

sinfonia (sin.fo.*ni*.a) *s.f.* **1.** (*Mús.*) Obra de grande dimensão composta para uma orquestra, geralmente contendo de três a quatro movimentos. **2.** *fig.* Conjunto de sons, imagens etc. que apresenta harmonia: *sinfonia de cigarras.*

sinfônica (sin.*fô*.ni.ca) *s.f.* Orquestra sinfônica.

sinfônico (sin.*fô*.ni.co) *adj.* **1.** Relativo a sinfonia. **2.** Que foi composto para orquestra: *concerto sinfônico.* **3.** Que é instrumental: *orquestra sinfônica.*

singelo [é] (sin.ge.lo) *adj.* **1.** Que é simples: *homenagem singela.* **2.** Que é fácil; descomplicado: *texto singelo.* **3.** Que não tem malícia; ingênuo, puro: *sorriso singelo.* – **singeleza** *s.f.*

singrar (sin.*grar*) *v.* **1.** Navegar; percorrer; sulcar: *singrar mares; O barco singrou, veloz.* **2.** *fig.* Abrir caminho; atravessar: *Sua fama singrou barreiras econômicas.* ▶ Conjug. 5. – **singradura** *s.f.*

singular (sin.gu.*lar*) *adj.* **1.** Que é único: *sujeito singular.* **2.** Que é especial; raro: *coleção singular.* **3.** Que é estranho; diferente: *solução singular.* **4.** Que é notável; admirável: *poema singular.* **5.** (*Gram.*) Diz-se de marca de número que designa uma só pessoa ou coisa ou várias pessoas ou coisas reunidas num todo. • *s.m.* **6.** (*Gram.*) Número singular. – **singularidade** *s.f.*

singularizar (sin.gu.la.ri.*zar*) *v.* Distinguir(-se), destacar(-se): *singularizar um tema; A década de oitenta singularizou-se pela redemocratização do país.* ▶ Conjug. 5. – **singularização** *s.f.*

sinha (si.nha) *s.f. fam.* Sinhá.

sinhá (si.*nhá*) *s.f. fam.* Tratamento dado às moças e às meninas no tempo da escravidão; iaiá, siá, sinha.

sinhá-moça (si.nhá-*mo*.ça) *s.f. fam.* Tratamento dado à filha do senhor pelos escravos; sinhazinha. || pl.: *sinhás-moças.*

sinhazinha (si.nha.zi.nha) *s.f. fam.* Sinhá-moça.

sinhô (si.*nhô*) *s.m. fam.* Tratamento dado ao senhor pelos escravos; ioiô, siô.

sinhô-moço (si.nhô-*mo*.ço) *s.m. fam.* Tratamento dado ao filho do senhor pelos escravos; sinhozinho. || pl.: *sinhôs-moços.*

sinhozinho [ô] (si.nho.zi.nho) *s.m. fam.* Sinhô-moço.

sinistra (si.*nis*.tra) *s.f.* A mão esquerda. || Conferir com *destra.*

sinistro (si.*nis*.tro) *adj.* **1.** Que é assustador; temível: *olhar sinistro.* **2.** Que é trágico; catastrófico: *acidente sinistro.* **3.** Que usa a mão esquerda; canhoto. • *s.m.* **4.** (*Jur.*) Acontecimento que causa prejuízo, perda ou dano. **5.** (*Jur.*) Esse prejuízo, perda ou dano. **6.** (*Jur.*) Indenização paga devido a prejuízo, perda ou dano causado por sinistro.

sino (si.no) *s.m.* (*Mús.*) Instrumento de percussão, composto de um corpo oco, especialmente de metal, e um badalo interno, que vibra quando golpeado, ou de um martelo externo.

sinodal (si.no.*dal*) *adj.* Relativo a sínodo.

sínodo (*sí*.no.do) *s.m.* (*Rel.*) **1.** Assembleia de padres convocada por um bispo; concílio. **2.** Assembleia de bispos presidida pelo papa; concílio.

sinonímia (si.no.*ní*.mi:a) *s.f.* **1.** Qualidade de sinônimo. **2.** (*Ling.*) Equivalência entre os significados de duas ou mais palavras. **3.** Estudo ou teoria de sinônimos. **4.** Lista de sinônimos.

sinônimo (si.*nô*.ni.mo) *adj.* **1.** (*Ling.*) Diz-se de palavras ou expressões que possuem significados equivalentes. • *s.m.* **2.** (*Ling.*) Palavra ou expressão sinônima.

sinopse [ó] (si.*nop*.se) *s.f.* Resumo de uma obra. – **sinóptico** *adj.*

sinovial (si.no.vi.*al*) *adj.* (*Med.*) Relativo a bolsa, membrana ou líquido encontrados em alguns tipos de articulações: *soro sinovial.*

sintagma (sin.*tag*.ma) *s.m.* (*Ling.*) Unidade sintática composta de um núcleo e um ou mais termos a ele associados, formando uma locução.

sintagmático (sin.tag.*má*.ti.co) *adj.* **1.** Relativo a sintagma. **2.** (*Ling.*) Diz-se da relação entre unidades sintáticas.

sintático (sin.*tá*.ti.co) *adj.* **1.** Relativo a sintaxe. **2.** (*Gram.*) Que segue as regras da sintaxe: *análise sintática.*

sintaxe [ss] (sin.*ta*.xe) *s.f.* (*Gram.*) **1.** Estudo da relação entre as palavras como partes de uma frase. **2.** Conjunto de regras que determinam essas relações.

sinteco [é] (sin.*te*.co) *s.m.* Verniz transparente usado para revestir assoalhos de madeira.

síntese (*sín*.te.se) *s.f.* **1.** Visão geral e concisa obtida da reunião de diferentes dados sobre um tema. **2.** Associação de elementos variados num todo. **3.** Sumário (4). **4.** (*Quím.*) Fabricação de substâncias de que as células vivas necessitam para a sobrevivência dos organis-

sintético

mos a que pertencem. **5.** (*Quím.*) Preparação de um composto químico.

sintético (sin.té.ti.co) *adj.* **1.** Relativo a síntese. **2.** Que foi resumido: *texto sintético*. **3.** Que foi produzido artificialmente: *couro sintético*.

sintetizador [ô] (sin.te.ti.za.*dor*) *adj.* **1.** Que sintetiza (1): *visão sintetizadora*. • *s.m.* **2.** (*Mús.*) Instrumento eletrônico que gera e processa diferentes sons.

sintetizar (sin.te.ti.*zar*) *v.* **1.** Fazer o resumo de; condensar: *sintetizar um objetivo*; *O prefeito sintetizou em uma frase o trabalho realizado*. **2.** Combinar compondo um todo; harmonizar: *O professor sintetizou diferentes pontos de vista*. **3.** Personificar, simbolizar: *Os museus sintetizam a riqueza cultural de um país*. **4.** (*Quím.*) Fabricar (uma substância) por meio de síntese natural ou artificial: *sintetizar um ácido*. ▶ Conjug. 5. – **sintetização** *s.f.*

sintoma (sin.*to*.ma) *s.m.* **1.** (*Med.*) Manifestação de alteração do organismo quando está doente. **2.** (*Psicn.*) Manifestação de distúrbio psicológico. **3.** *fig.* Aquilo que indica a existência de algo; indício, sinal, traço.

sintomático (sin.to.*má*.ti.co) *adj.* **1.** Relativo a sintoma. **2.** (*Med.*) Que indica doença ou distúrbio: *hipertensão sintomática*. **3.** *fig.* Que revela algo; significativo: *atitude sintomática*.

sintomatologia (sin.to.ma.to.lo.*gi*.a) *s.f.* (*Med.*) Estudo e interpretação dos sintomas produzidos por uma doença. – **sintomatológico** *adj.*; **sintomatologista** *adj. s.m. e f.*

sintonia (sin.to.*ni*.a) *s.f.* **1.** Ato ou efeito de sintonizar(-se). **2.** (*Eletr.*) Captação de sinais realizada por um aparelho receptor. **3.** *fig.* Harmonia entre pessoas, pessoas e coisas, pessoas e situações etc.; acordo, concordância.

sintonizar (sin.to.ni.*zar*) *v.* **1.** (*Eletr.*) Ajustar um botão seletor de um aparelho receptor, a fim de captar melhor os sinais emitidos por um aparelho transmissor: *sintonizar um canal de televisão*; *Sintonizou e ouviu todas as rádios*. **2.** *fig.* Harmonizar-se com; combinar, simpatizar: *Sintonizei com sua proposta*; *Quando apresentados, sintonizaram-se imediatamente*. ▶ Conjug. 5. – **sintonização** *s.f.*

sinuca (si.*nu*.ca) *s.f.* **1.** Jogo de oito bolas impelidas com um taco sobre uma mesa que apresenta seis caçapas. **2.** Mesa em que se joga sinuca. **3.** Estabelecimento comercial, sala ou local público onde se joga sinuca. **4.** *coloq.* Situação difícil.

sinuoso [ô] (si.nu:*o*.so) *adj.* **1.** Que é cheio de curvas, em ziguezague: *estrada sinuosa*; (fig.) *O caminho sinuoso da vida*. **2.** Que é curvilíneo: *corpo sinuoso*. **3.** *fig.* Que não é claro, franco: *conversa sinuosa*. || f. e pl.: [ó]. – **sinuosidade** *s.f.*

sinusite (si.nu.*si*.te) *s.f.* (*Med.*) Inflamação aguda ou crônica dos seios da face, ocorrida devido à inflamação ou a um processo alérgico.

siô (si.*ô*) *s.m.* Sinhô. || f.: siá.

sionismo (si:o.*nis*.mo) *s.m.* **1.** Termo criado a partir de Sion, uma das colunas de Jerusalém. **2.** (*Hist.*) Movimento político e religioso que buscou o estabelecimento de um Estado judaico na Palestina, o que aconteceu em 1948. **3.** Ideologia em que se baseia esse movimento. **4.** Estudo que se reporta a Jerusalém como patrimônio histórico.

sionista (si:o.*nis*.ta) *adj.* **1.** Relativo a sionismo. **2.** Que é partidário do sionismo: *líder sionista*. • *s.m. e f.* **3.** Partidário do sionismo.

sirena (si.*re*.na) *s.f.* Sirene.

sirene (si.*re*.ne) *s.f.* Aparelho que produz som estridente e pode funcionar como alarme para anunciar a proximidade de ambulâncias, carro de bombeiros etc. ou marcar horários de fábricas, escolas etc.; sereia, sirena.

siri (si.*ri*) *s.m.* (*Zool.*) Crustáceo marinho que apresenta o abdome reduzido, uma carapaça larga e algumas patas com formato de pinças.

sirigaita (si.ri.*gai*.ta) *s.f.* **1.** *coloq.* Mulher considerada leviana. **2.** *coloq.* Mulher considerada ladina.

sírio (*sí*.ri:o) *adj.* **1.** Da República Árabe da Síria, país do Oriente Médio. • *s.m.* **2.** O natural ou o habitante desse país.

siroco [ô] (si.*ro*.co) *s.m.* Vento quente originário do norte da África que sopra sobre o mar Mediterrâneo.

sisal (si.*sal*) *s.m.* **1.** (*Bot.*) Planta com espinhos, de flores verde-amareladas, que produz um tipo de fibra usada para a fabricação de cordas, barbantes, tapetes etc.; agave. **2.** Fibra produzida por essa planta. **3.** Tecido fabricado com essa fibra.

sísmico (*sís*.mi.co) *adj.* **1.** Relativo a sismo. **2.** Que está sujeito a sismo: *área sísmica*.

sismo (*sis*.mo) *s.m.* Tremor de terra; terremoto.

sismógrafo (sis.*mó*.gra.fo) *s.m.* Aparelho usado para registrar sismos. – **sismográfico** *adj.*

sismologia (sis.mo.lo.gi.a) s.f. Estudo dos abalos sísmicos. – **sismológico** adj.

siso (si.so) s.m. 1. (Anat.) Cada um dos quatro dentes que nascem depois da adolescência; dente de siso. 2. fig. Bom senso; discernimento, juízo.

sistema (sis.te.ma) s.m. 1. Conjunto de elementos que se inter-relacionam; estrutura: *sistema habitacional*. 2. Teoria que fundamenta uma ciência: *sistema filosófico*. 3. Conjunto natural constituído de elementos dependentes entre si: *sistema planetário*. 4. Conjunto de procedimentos lógicos que determinam uma atividade; processo, método: *sistema de planejamento*. 5. Estrutura que constitui uma forma de organização política, econômica ou social: *sistema colonial*. 6. Estrutura resultante de uma forma de classificação ou esquematização: *sistema marinho*. 7. (Anat.) Conjunto de órgãos que se inter-relacionam para realizar determinada função no organismo: *sistema circulatório*. 8. (Mús.) Conjunto de cinco pautas musicais. 9. (Inform.) Conjunto de um ou mais computadores e seus periféricos. 10. (Inform.) Conjunto de elementos que se inter-relacionam para realizar determinada função operacional: *sistema de dados*.

sistemática (sis.te.má.ti.ca) s.f. 1. Ato ou efeito de sistematizar. 2. (Biol.) Estudo comparativo dos seres vivos, que busca sistematizar e descrever o processo evolutivo que sofreram e suas relações com outras espécies.

sistemático (sis.te.má.ti.co) adj. 1. Relativo a sistema. 2. Que é metódico; organizado, minucioso: *planejamento sistemático*.

sistematizar (sis.te.ma.ti.zar) v. 1. Organizar(-se) em sistema: *sistematizar dados*; *Sistematizaram-se várias técnicas de computação*. 2. Dispor(-se) em forma de doutrina: *sistematizar uma teoria*; *Com o uso, uma parte do pensamento jurídico sistematizou-se*. 3. Tornar(-se) sistemático, regular: *sistematizar um curso*; *Com o tempo, as atividades sistematizaram-se*. ▶ Conjug. 5. – **sistematização** s.f.

sistêmico¹ (sis.tê.mi.co) adj. Relativo a sistema ou a sistemática.

sistêmico² (sis.tê.mi.co) adj. Que envolve o organismo inteiro: *intoxicação sistêmica*.

sístole (sís.to.le) s.f. (Biol., Med.) Movimento de contração do coração. – **sistólico** adj. ‖ Conferir com *diástole*.

sisudez [ê] (si.su.dez) s.f. Qualidade de sisudo.

sisudo (si.su.do) adj. 1. Que é sério; grave: *ambiente sisudo*. 2. Que é mal-humorado; carrancudo: *professor sisudo*. • s.m. 3. Pessoa sisuda.

site [sáit] (Ing.) s.m. (Inform.) 1. Grupo de documentos relacionados e arquivados num banco de dados, inserido num provedor; *website*. 2. Lista de conteúdos de um *site*.

sitiante¹ (si.ti:an.te) s.m. e f. Dono ou morador de sítio.

sitiante² (si.ti:an.te) adj. 1. Que sitia ou cerca: *general sitiante*. • s.m. e f. 2. Pessoa sitiante.

sitiar (si.ti:ar) v. Fazer cerco a; cercar, bloquear, rodear: *O Exército sitiou a entrada da comunidade*. ▶ Conjug. 17.

sítio¹ (sí.ti:o) s.m. 1. Pequena propriedade rural; chácara. 2. Casa com pequena lavoura, granja. 3. Qualquer área; lugar, local.

sítio² (sí.ti:o) s.m. Ato ou efeito de sitiar; cerco.

sito (si.to) adj. Situado.

situação (si.tu:a.ção) s.f. 1. Ato ou efeito de situar (-se). 2. Condição profissional, econômica, social etc.; posição: *situação legal*. 3. Conjunto de acontecimentos ou circunstâncias em determinado momento; conjuntura: *situação crítica*. 4. fig. Passagem, momento: *situação de uma personagem em uma novela*. 5. Localização de alguém ou algo; posição: *situação de um avião em voo*. 6. Grupo político que detém o poder.

situacional (si.tu:a.ci:o.nal) adj. Relativo a situação.

situacionismo (si.tu:a.ci:o.nis.mo) s.m. 1. Grupo político que detém o poder dentro de um governo. 2. Situação política que predomina.

situacionista (si.tu:a.ci:o.nis.ta) adj. 1. Relativo ao situacionismo. 2. Diz-se de pessoa partidária do situacionismo. • s.m. e f. 3. Partidário do situacionismo.

situado (si.tu.a.do) adj. Que se localiza em; sito: *sítio situado na serra*.

situar (si.tu:ar) v. 1. Fixar(-se) em certo lugar; localizar(-se): *O mapa situa o edifício num bairro afastado*; *O museu situa-se no centro da cidade*. 2. fig. Assumir uma posição; posicionar-se: *No plano político, situei-me ao lado dos oprimidos*. 3. fig. Assinalar as características de; identificar, mostrar: *A prefeitura situou a questão da seca e destacou-a como prioridade*. ▶ Conjug. 5.

skate (Ing.) s.m. Esqueite.

skinhead [squínred] (Ing.) s.m. e f. Membro de um grupo, geralmente jovem e do sexo masculino, que usa cabelo cortado bem rente e se comporta de forma intolerante e preconceituosa.

slide [sláid] (Ing.) *s.m.* (*Fot.*) Fotografia positiva e transparente de 35 mm, montada em moldura de plástico ou papelão e aumentada por meio de projetor.

slogan [slôgan] (Ing.) *s.m.* Frase concisa, fácil de memorizar, usada em publicidade.

smoking [smôuquin] (Ing.) *s.m.* Traje masculino usado em eventos formais, composto de paletó preto ou azul-marinho e gravata-borboleta preta; *black tie*.

Sn (*Quím.*) Símbolo de estanho.

só *adj.* **1.** Diz-se de alguém ou algo que está desacompanhado; sozinho. **2.** Diz-se de alguém ou algo que se encontra isolado; solitário, sozinho. **3.** Que é único: *Um só atalho leva à estrada principal.* **4.** Que está desamparado; desprotegido, sozinho: *criança só.* • *adv.* **5.** Apenas, somente, unicamente: *Só uma coisa me falta.* || *A sós*: consigo, sozinho: *Gostava de ficar a sós.*

S.O. Abreviação de *sudoeste* (7).

soalho (so:*a*.lho) *s.m.* Assoalho.

soar (so:*ar*) *v.* **1.** Produzir ou fazer produzir som: *soar um alarme; O telefone soou, insistente.* **2.** Anunciar por meio de som; bater (horas): *O despertador soou na hora marcada.* **3.** Ressoar com ecos; ecoar, retumbar: *De repente, soaram gritos de pânico.* **4.** Ser pronunciado: *Em sílabas átonas, geralmente o e soa como i.* **5.** *fig.* Dar a impressão de; parecer, lembrar: *O que ela disse me soou mal; Algo não soava bem; O tema soa requentado.* || Conferir com *suar*. ▶ Conjug. 25. – **soante** *adj.*

sob [ô] *prep.* **1.** Embaixo de; debaixo de: *Guarda o dinheiro sob o colchão.* **2.** Por baixo de: *Usava uma camiseta sob a blusa nova.* **3.** No tempo de; durante: *Sob a gestão daquele prefeito, a cidade se desenvolveu.* **4.** Subordinado a; dependente de: *Fiz um tratamento sob a orientação de um dermatologista.* **5.** Por força de; obrigado por: *Prestou testemunho sob juramento.* **6.** Em conformidade com; de acordo com: *moda sob medida.* || Conferir com *sobre*.

soba [ó] (so.ba) *s.m.* Chefe de povo ou país pequeno da África.

sobejo [ê] (so.*be*.jo) *adj.* **1.** Que sobra; demasiado, excessivo. • *s.m.* **2.** Aquilo que sobra; resto, sobra. – **sobejar** *v.* ▶ Conjug. 10 e 37.

soberania (so.be.ra.*ni*.a) *s.f.* **1.** Qualidade de soberano. **2.** Situação de um país independente;

autonomia. **3.** Situação de independência de alguém ou algo: *soberania popular.* **4.** Poder de um soberano.

soberano (so.be.*ra*.no) *adj.* **1.** Diz-se de chefe supremo em uma monarquia. **2.** Que exerce o poder com autoridade máxima: *governo soberano.* **3.** Que possui autonomia: *razão soberana.* **4.** Que é majestoso; altivo, nobre: *porte soberano.* **5.** *fig.* Que é imbatível; supremo: *Venceu o campeonato e continuou soberano.* • *s.m.* **6.** Monarca soberano; imperador, rei.

soberba [ê] (so.*ber*.ba) *s.f.* **1.** Qualidade de soberba. **2.** Sentimento de arrogância; presunção, vaidade.

soberbo [ê] (so.*ber*.bo) *adj.* **1.** Que é arrogante; pedante, presunçoso: *comportamento soberbo.* **2.** Que é grandioso; maravilhoso: *palácio soberbo.*

sobra [ó] (so.bra) *s.f.* **1.** Parte que restou; resto, restante, sobejo. || Nesta acepção, mais usado no plural. **2.** Aquilo que é excedente, que vai além do necessário. **3.** Aquilo que é muito; demasiado. **4.** Aquilo que serve de acréscimo. || *De sobra*: em excesso; muito: *Já tenho problemas de sobra!*.

sobrado (so.*bra*.do) *s.m.* Casa com mais de um andar.

sobrancelha [ê] (so.bran.ce.lha) *s.f.* Conjunto de pelos que forma uma espécie de arcada saliente sobre os olhos; supercílio.

sobrar (so.*brar*) *v.* **1.** Ficar de sobra; restar, ficar: *Sobraram muitas bebidas da festa; Da nossa relação nada sobrou.* **2.** Existir em excesso: *Sobram dúvidas sobre o assunto.* **3.** Ser colocado de lado: *Alistei-me para servir, mas sobrei.* || *Sobrar para*: coloq. restar algo de ruim para (alguém): *Ele se aborreceu e sobrou para mim.* ▶ Conjug. 5.

sobre [ô] (so.bre) *prep.* **1.** Na parte superior de; acima de; em cima de; por cima de; por: *Ele andava sobre a areia, despreocupado.* **2.** A respeito de; acerca de; com relação a: *Falei com ele sobre o assunto.* **3.** Dentro de; no meio de; em: *Um clima de inimizade pairava sobre eles.* **4.** Mais (do) que; acima de: *Amo meu trabalho sobre tudo!* **5.** À conta de: *despesas sobre o ganho.* || Conferir com *sob*.

sobreaviso (so.bre:a.vi.so) *s.m.* **1.** Aviso prévio. **2.** Precaução, prevenção, cautela, cuidado. || *De sobreaviso*: à espreita; alerta: *Os constantes ataques colocaram o exército de sobreaviso.*

sobrecapa (so.bre.*ca*.pa) *s.f.* Cobertura móvel de papel usada para fornecer algumas informações ao leitor e para proteger um livro.

sobrecarga (so.bre.*car*.ga) *s.f.* **1.** Excesso de carga. **2.** Excesso de esforço. **3.** Intensidade de força elétrica. **4.** Excesso, aumento, acréscimo.

sobrecarregado (so.bre.car.re.*ga*.do) *adj.* **1.** Que se sobrecarregou. **2.** Que contém carga em excesso: *caminhão sobrecarregado*. **3.** Que está com excesso de trabalho: *profissional sobrecarregado*. **4.** Diz-se de quem foi absorvido emocionalmente por acontecimento ou sentimento; cheio. **5.** Que sofreu excesso de carga elétrica: *circuito sobrecarregado*. **6.** Que foi onerado em excesso: *contribuinte sobrecarregado de impostos*.

sobrecarregar (so.bre.car.re.*gar*) *v.* **1.** Colocar excesso de carga em; superlotar, abarrotar, lotar: *sobrecarregar um cavalo*. **2.** Submeter a esforço físico ou emocional exagerado: *A angústia sobrecarregou seu coração; O chefe sobrecarregou o funcionário de trabalho*. **3.** Sofrer excesso de carga elétrica: *sobrecarregar um sistema*. **4.** Aumentar, intensificar: *sobrecarregar o tráfego*. **5.** Onerar em excesso: *sobrecarregar um orçamento*. ▶ Conjug. 8 e 34.

sobrecarta (so.bre.*car*.ta) *s.f.* Envelope.

sobrecasaca (so.bre.ca.*sa*.ca) *s.f.* Peça em desuso no vestuário masculino que consiste em um casaco abotoado até a cintura, com comprimento até os joelhos.

sobrecenho (so.bre.*ce*.nho) *s.m.* **1.** As duas sobrancelhas. **2.** *fig.* Fisionomia fechada; carranca.

sobrecomum (so.bre.co.*mum*) *adj.* (*Gram.*) Diz-se de substantivo que apresenta uma única forma para o feminino e o masculino.

sobrecoxa [ô] (so.bre.*co*.xa) *s.f.* Coxa das aves.

sobrecu (so.bre.*cu*) *s.m.* (*Anat., Zool.*) Uropígio.

sobre-humano (so.bre-hu.*ma*.no) *adj.* Que excede o limite humano; sobrenatural: *esforço sobre-humano*. || pl.: *sobre-humanos*.

sobrejacente (so.bre.ja.*cen*.te) *adj.* **1.** Que está ou paira por cima: *espaço sobrejacente*. **2.** (*Geol.*) Diz-se de rocha vulcânica.

sobreloja [ó] (so.bre.*lo*.ja) *s.f.* **1.** Pavimento localizado entre o térreo e o primeiro andar de um prédio; mezanino (2). **2.** Conjunto de lojas localizadas nesse pavimento.

sobremaneira (so.bre.ma.*nei*.ra) *adv.* Além da medida; excessivamente, demasiadamente, sobremodo.

sobremesa [ê] (so.bre.*me*.sa) *s.f.* Fruta ou doce degustados após uma refeição.

sobremodo [ó] (so.bre.*mo*.do) *adv.* Sobremaneira.

sobrenadante (so.bre.na.*dan*.te) *adj.* **1.** Aquilo que boia; flutuante. **2.** (*Quím.*) Líquido que aparece sobre um sedimento após um processo de sedimentação natural ou de centrifugação.

sobrenatural (so.bre.na.tu.*ral*) *adj.* **1.** Que vai além do humano; sobre-humano: *poder sobrenatural*. **2.** *fig.* Que é descomunal; imenso, sobre-humano: *força sobrenatural*. **3.** Que é mágico; fantástico: *ser sobrenatural*. **4.** Que não pode ser explicado pela ciência: *fenômeno sobrenatural*. • *s.m.* **5.** Aquilo que apresenta caráter sobrenatural.

sobrenome (so.bre.*no*.me) *s.m.* Nome de família que se acrescenta ao primeiro nome de uma pessoa após o registro de seu nascimento.

sobrepairar (so.bre.pai.*rar*) *v.* Pairar acima ou além de: *O avião sobrepairava (na planície) com leveza*; (fig.) *O interesse coletivo sobrepaira ao individual*. ▶ Conjug. 5.

sobrepasso (so.bre.*pas*.so) *s.m.* (*Esp.*) Infração cometida por um goleiro de futebol ou por um jogador de basquete, quando dá um quarto passo segurando a bola ou fazendo-a quicar no chão.

sobrepesca [é] (so.bre.*pes*.ca) *s.f.* Pesca realizada além do limite desejado ou permitido.

sobrepor [ô] (so.bre.*por*) *v.* **1.** Pôr(-se) em cima de ou acima de; superpor(-se): *sobrepor uma legenda a um filme; A laje se sobrepõe às paredes*. **2.** *fig.* Predominar sobre; sobressair; superpor: *As imagens se sobrepõem às palavras*. **3.** *fig.* Pôr acima de; priorizar, superpor: *sobrepor a lei à desordem*. || part.: *sobreposto*. ▶ Conjug. 65.

sobreposto [ô] (so.bre.*pos*.to) *adj.* **1.** Que se sobrepôs; superposto. • *s.m.* **2.** Adorno que se coloca sobre algo; enfeite.

sobrepujante (so.bre.pu.*jan*.te) *adj.* Que sobrepuja.

sobrepujar (so.bre.pu.*jar*) *v.* **1.** Levar vantagem sobre; superar, vencer: *sobrepujar um inimigo*. **2.** Passar por cima de; dominar: *sobrepujar um problema*. **3.** Suplantar, ofuscar: *Sua generosidade sobrepuja sua falta de dotes físicos*. ▶ Conjug. 5 e 37. – **sobrepujamento** *s.m.*; **sobrepujança** *s.f.*

sobrescrever (so.bres.cre.*ver*) *v.* **1.** Escrever por cima de: *sobrescrever um novo valor num livro de registro*. **2.** Pôr sobrescrito em; endereçar,

sobrescritar

sobrescritar: *sobrescrever um convite*. **3.** (*Inform.*) Alterar por meio de inserção de dados: *sobrescrever um arquivo*. || part.: Conferir com *subscrever*. ▶ Conjug. 41.

sobrescritar (so.bres.cri.*tar*) *v.* Sobrescrever (2): *sobrescritar uma carta*. || Conferir com *subscritar*. ▶ Conjug. 5.

sobrescrito (so.bres.*cri*.to) *s.m.* **1.** Nome e endereço do destinatário escritos em uma correspondência. **2.** Envelope. **3.** (*Art. Gráf.*) Caractere grafado acima dos demais num texto. **4.** (*Inform.*) Caractere impresso acima dos demais num texto. || Conferir com *subscrito*.

sobressair (so.bres.sa.*ir*) *v.* **1.** Salientar-se devido à altura, largura, volume etc.; avantajar-se: *A antena sobressaía acima do telhado*. **2.** *fig.* Chamar a atenção; aparecer, distinguir-se, salientar-se: *A foto da artista sobressaía entre os cartazes*; *As dunas sobressaíam(-se) na paisagem*. ▶ Conjug. 83.

sobressalente (so.bres.sa.*len*.te) *adj.* **1.** Diz-se de peça guardada para substituir outra quebrada ou gasta. • *s.m.* **2.** Peça sobressalente.

sobressaltar (so.bres.sal.*tar*) *v.* Ficar ou fazer ficar assustado; alarmar(-se), atemorizar(-se): *Aquele estrondo sobressaltou os alunos*; *Meu avô sobressaltava-se com a ideia de viajar de avião*. ▶ Conjug. 5.

sobressalto (so.bres.*sal*.to) *s.m.* **1.** Ato ou efeito de sobressaltar(-se). **2.** Movimento brusco produzido por fato inesperado; rompante. **3.** Susto inesperado; espanto. **4.** Medo, temor.

sobrestimar (so.bres.ti.*mar*) *v.* Superestimar. ▶ Conjug. 5.

sobretaxa [ch] (so.bre.*ta*.xa) *s.f.* (*Econ.*) Taxa adicional ou nova percentagem cobrada junto com a taxa devida. – **sobretaxar** *v.* ▶ Conjug. 5.

sobretudo (so.bre.*tu*.do) *s.m.* **1.** Casacão usado sobre outro casaco ou sobre a roupa para proteger do frio. • *adv.* **2.** Mais que tudo; especialmente, principalmente: *A poluição cresceu, sobretudo nas grandes cidades*.

sobrevalorizado (so.bre.va.lo.ri.*za*.do) *adj.* (*Econ.*) Que é valorizado acima do seu valor real; supervalorizado: *câmbio sobrevalorizado* – **sobrevalorização** *s.f.*; **sobrevalorizar** *v.* ▶ Conjug. 5.

sobrevida (so.bre.*vi*.da) *s.f.* **1.** Tempo de vida que excede uma expectativa ou prazo: *A sobrevida é calculada a partir do diagnóstico de uma doença*. **2.** Condição de alguém que viveu além do esperado: *a sobrevida de um idoso*.

sobrevindo (so.bre.*vin*.do) *adj.* **1.** Que sobreveio. • *s.m.* **2.** Aquilo que sobreveio.

sobrevir (so.bre.*vir*) *v.* **1.** Vir depois ou como resultado de; seguir-se: *O medo sobrevém à condenação*; *Após aquele caso, sobrevieram algumas alterações da norma*. **2.** Acontecer subitamente; ocorrer: *Um terremoto sobreveio de repente*. || part.: *sobrevindo*. ▶ Conjug. 85.

sobrevivência (so.bre.vi.*vên*.ci:a) *s.f.* **1.** Ato ou efeito de sobreviver. **2.** Preservação da vida. **3.** Condição de pessoa ou coisa que existe; existência. **4.** Condição de quem continua existindo após uma situação difícil ou de risco. **5.** Condição de quem continua existindo após a morte de outra pessoa. **6.** Condição de quem possui apenas o mínimo para viver; subsistência. **7.** Continuidade, duração. **8.** Vida após a morte.

sobrevivente (so.bre.vi.*ven*.te) *adj.* **1.** Que sobrevive ou sobreviveu. **2.** Que continua vivo após situação de risco ou morte de alguém: *piloto sobrevivente*. **3.** Que enfrenta problemas graves de subsistência: *camponês sobrevivente*. • *s.m. e f.* **4.** Pessoa que sobrevive ou sobreviveu.

sobreviver (so.bre.vi.*ver*) *v.* **1.** Continuar vivo após passar por situação difícil ou de risco; escapar: *Os passageiros sobreviveram ao acidente*; *Tive uma doença grave, mas sobrevivi*. **2.** Continuar vivo após a morte de outra pessoa: *O avô sobreviveu ao neto*. **3.** Viver com o mínimo necessário; subsistir: *O retirante sobreviveu com coragem*. **4.** *fig.* Resistir ao efeito de; conservar-se apesar de: *Este biquíni sobreviveu a mais um verão*. ▶ Conjug. 39.

sobrevoar (so.bre.vo:*ar*) *v.* Voar por cima (de): *sobrevoar uma montanha*; *O avião sobrevoou sob forte chuva*. ▶ Conjug. 25.

sobrevoo (so.bre.*vo*.o) *s.m.* **1.** Ato ou efeito de sobrevoar. **2.** Voo realizado sobre (um ponto ou algo).

sobriedade (so.bri:e.*da*.de) *s.f.* **1.** Qualidade de sóbrio. **2.** Condição de quem não consumiu bebida alcoólica. **3.** Condição de quem é discreto; despojamento.

sobrinho (so.*bri*.nho) *s.m.* Filho de irmão ou de irmã.

sobrinho-neto [é] (so.bri.nho-*ne*.to) *s.m.* Neto do irmão ou da irmã. || pl.: *sobrinhos-netos*.

sóbrio (*só*.bri:o) *adj.* **1.** Diz-se de quem não está sob o efeito do álcool. **2.** Diz-se de quem não bebe; abstêmio. **3.** Que é simples; despojado, discreto: *estilo sóbrio*. • *s.m.* **4.** Pessoa sóbria.

socado (so.*ca*.do) *adj.* **1.** Que foi amassado ou moído: *alho socado*. **2.** Que levou socos. **3.** *fig.* Diz-se de pessoa que é baixa, gorda e forte; atarracado. **4.** *coloq. fig.* Que foi colocado em lugar pequeno, de maneira descuidada; enfiado, escondido, metido: *Encontrei minha calça socada no armário.*

socadura (so.ca.*du*.ra) *s.f.* Ato ou efeito de socar.

soçaite (so.*çai*.te) *s.m.* Alta sociedade; elite econômica.

socar (so.*car*) *v.* **1.** Dar ou levar socos; esmurrar(-se): *O bandido socou o queixo do herói; Os adversários socaram-se durante dez minutos.* **2.** Moer em pilão, em socador ou em máquina; bater, esmagar: *socar café*. **3.** *coloq. fig.* Colocar de maneira apertada; enfiar, meter: *Soquei minhas coisas na gaveta e saí.* **4.** *coloq. fig.* Meter-se em lugar escondido ou fechado: *Socou-se em casa e não saiu mais.* ▶ Conjug. 20 e 35.

sociabilidade (so.ci:a.bi.li.*da*.de) *s.f.* **1.** Qualidade de sociável. **2.** Condição de quem gosta de conviver com as pessoas; afabilidade; gregarismo (2). **3.** Convivência que leva em conta as regras sociais; civilidade, urbanidade.

social (so.ci:*al*) *adj.* **1.** Relativo a sociedade e seus membros: *previdência social*. **2.** Relativo a comunidade e seus cidadãos; coletivo: *responsabilidade social*. **3.** Relativo a divisão em classes: *inclusão social*. **4.** Que tende a viver em grupo, em sociedade; gregário, sociável: *ser social*. **5.** Relativo a firma ou empresa: *estatuto social*. **6.** Relativo a agremiação ou associação: *carteira social*. **7.** Diz-se de dependências ou vias de acesso em que é vedada a circulação de cargas, os serviços de entregas etc.: *hall social*. **8.** Que é próprio para festas ou ocasiões formais: *traje social*. • *s.m.* e *f.* **9.** Aquilo que pertence a todas as pessoas; público, coletivo. – **sociabilizar** *v.* ▶ Conjug. 5.

socialdemocracia (so.ci:al.de.mo.cra.*ci*.a) *s.f.* **1.** Doutrina ou ideologia que reúne os ideais democráticos e os socialistas, visando a uma reforma social gradual e a estatização de setores básicos da economia. **2.** Sistema político que segue essa doutrina ou ideologia.

socialismo (so.ci:a.*lis*.mo) *s.m.* **1.** Doutrina ou ideologia que visa ao controle da sociedade sobre os bens de produção, abolindo a propriedade privada, visando à distribuição de riquezas e à extinção da desigualdade social. **2.** Sistema político que segue essa doutrina ou ideologia.

socialista (so.ci:a.*lis*.ta) *adj.* **1.** Relativo a socialismo. **2.** Diz-se de pessoa que é militante ou partidária do socialismo. • *s.m.* e *f.* **3.** Pessoa socialista.

socialite [sôuchialait] (Ing.) *s.m.* e *f.* Pessoa da alta sociedade que é citada nas colunas sociais.

socializar (so.ci:a.li.*zar*) *v.* **1.** Juntar(-se) ou integrar(-se) à sociedade: *socializar crianças especiais; Com o projeto, os meninos de rua socializaram-se.* **2.** (*Econ.*) Transformar(-se) em socialista: *A revolução de 1917 socializou a antiga Rússia; Após a Revolução Industrial, muitos países socializaram-se.* **3.** (*Econ.*) Fazer com que deixe de ser propriedade privada; coletivizar: *socializar os bens de produção de um país.* **4.** Dividir entre toda a população; repartir: *socializar a cultura.* ▶ Conjug. 5. – **socialização** *s.f.*

socializável (so.ci:a.li.*zá*.vel) *adj.* Que pode ser socializado: *criança socializável*.

sociável (so.ci:*á*.vel) *adj.* **1.** Que é amistoso, comunicativo: *temperamento sociável*. **2.** Que tende a viver em sociedade; gregário, social: *pessoa sociável*.

sociedade (so.ci:e.*da*.de) *s.f.* **1.** Agrupamento organizado de pessoas ou animais. **2.** Agrupamento de pessoas que convivem no mesmo tempo histórico e espaço, sob as mesmas leis e costumes; corpo social; coletividade, comunidade. **3.** Grupo de pessoas que se unem para empreender atividades científicas, culturais, religiosas etc. ou defender interesses comuns; associação, entidade. **4.** Grupo de pessoas com maior poder aquisitivo; alta-roda, alta sociedade; elite. **5.** Convivência de pessoas em grupo; contato, convívio. **6.** (*Jur.*) Contrato social firmado entre duas ou mais pessoas que contribuem com trabalho ou capital para a realização de determinada atividade, visando à obtenção de lucro. **7.** (*Jur.*) Entidade que surge a partir desse contrato; companhia, empresa, firma. || *Sociedade anônima*: (*Econ.*) empresa cujo capital é dividido em ações. • *Sociedade de consumo*: sociedade (2) que visa exageradamente à aquisição ou ao consumo de bens materiais.

societário (so.ci:e.tá.ri:o) *adj.* **1.** Que pertence a uma sociedade comercial: *grupamento societário*. **2.** Que pertence a uma agremiação ou associação: *quadro societário*. **3.** Diz-se de ser que vive em sociedade; social. • *s.m.* **4.** Pessoa societária.

sócio (só.ci:o) *s.m. e f.* **1.** (*Econ.*) Pessoa que se associou a outra num empreendimento comercial, de prestação de serviços etc., visando à obtenção de lucro. **2.** Membro de uma associação ou clube; associado. **3.** *coloq.* Pessoa que é amiga de ou compartilha algo em comum com outra; companheiro, parceiro.

sociocultural (so.ci:o.cul.tu.*ral*) *adj.* Relativo a aspectos sociais e culturais: *panorama sociocultural.*

socioeconômico (so.ci:o.e.co.*nô*.mi.co) *adj.* Relativo a aspectos sociais e econômicos: *censo socioeconômico.*

sociofobia (so.ci:o.fo.*bi*.a) *s.f.* (*Psicn.*) Aversão à vida em sociedade.

sociologia (so.ci:o.lo.*gi*.a) *s.f.* Estudo científico do comportamento social ou da ação social dos seres humanos. – **sociológico** *adj.*

sociólogo (so.ci:ó.lo.go) *s.m.* Profissional formado em Sociologia.

soco [ô] (so.co) *s.m.* **1.** Ato de socar. **2.** Golpe com a mão fechada; murro.

socó (so.*có*) *s.m.* (*Zool.*) Ave que se alimenta de peixes, com pescoço e pernas longas, que vive perto de rios, lagoas, pântanos e lugares alagados.

soçobrar (so.ço.*brar*) *v.* **1.** Ir ao fundo; naufragar, afundar, submergir: *Pela manhã, aquele barco quase soçobrou.* **2.** *fig.* Aniquilar-se, arruinar-se: *Com a notícia, minhas esperanças soçobraram.* ▶ Conjug. 20. – **soçobro** *s.m.*

socorrer (so.cor.*rer*) *v.* Prestar ou utilizar-se de socorro; amparar(-se), valer(-se): *Correu e socorreu o amigo; Os trabalhadores demitidos socorreram-se do fundo de garantia.* ▶ Conjug. 42.

socorrista (so.cor.*ris*.ta) *s.m. e f.* Pessoa habilitada a prestar os primeiros socorros a alguém.

socorro [ô] (so.*cor*.ro) *s.m.* **1.** Ato ou efeito de socorrer. **2.** Auxílio prestado a alguém; ajuda, assistência. **3.** Esmola dada a alguém. **4.** Carro-guincho; reboque. || pl.: [ó].

socrático (so.*crá*.ti.co) *adj.* **1.** Relativo ao filósofo Sócrates (470-399 a.C.) ou a sua doutrina. **2.** Que é seguidor da doutrina desse filósofo. • *s.m.* **3.** Pessoa que segue a doutrina de Sócrates.

soda¹ [ó] (so.da) *s.f.* (*Quím.*) Hidróxido de sódio.

soda² [ó] (so.da) *s.f.* Água gaseificada de forma artificial a que se acrescenta um xarope; tipo de refrigerante.

sodalício (so.da.*lí*.ci:o) *s.m.* Irmandade (3).

sódico (só.di.co) *adj.* Relativo a sódio ou a soda.

sódio (só.di:o) *s.m.* (*Quím.*) Elemento químico metálico, de cor branco-prateada, dúctil e maleável, muito usado na composição de sais, abundante na crosta terrestre. || Símbolo: Na.

sodomia (so.do.*mi*.a) *s.f.* Relação sexual anal.

sodomita (so.do.*mi*.ta) *adj.* **1.** Que pratica a sodomia. **2.** De Sodoma, cidade da Antiguidade que teria sido destruída pela ira divina, situada na região do baixo vale do Jordão, no Oriente Médio. • *s.m. e f.* **3.** O natural ou o habitante dessa região. – **sodomizar** *v.* ▶ Conjug. 5.

soer (so:*er*) *v.* Dar-se com frequência; costumar: *Ele se atrasou, como sói acontecer; Já não faz mais calor como soía.* ▶ Conjug. 44.

soerguer (so:er.*guer*) *v.* **1.** Levantar(-se) numa altura pequena; erguer(-se): *Soergueu a cabeça e sorriu; O paciente soergueu-se momentaneamente da cama.* **2.** *fig.* Ganhar ou fazer ganhar nova vida; revitalizar(-se); reerguer(-se): *soerguer a autoestima de alguém; Com as novas medidas, os ânimos soergueram-se.* ▶ Conjug. 41 e 48.

soerguimento (so:er.gui.*men*.to) *s.m.* Ato ou efeito de soerguer(-se).

sofá (so.*fá*) *s.m.* Assento, estofado ou não, geralmente dotado de braços e encosto, onde se sentam duas ou mais pessoas.

sofá-cama (so.fá-*ca*.ma) *s.m.* Sofá que se desdobra e serve de cama. || pl.: *sofás-cama* e *sofás-camas.*

sofisma (so.*fis*.ma) *s.m.* (*Fil.*) Argumento ou raciocínio aparentemente válido, mas sem coerência, utilizado com a intenção de induzir ao erro; falácia. – **sofismar** *v.* ▶ Conjug. 5.

sofista (so.*fis*.ta) *adj.* **1.** Relativo a sofisma. **2.** Que utiliza argumento ou raciocínio falso para induzir ao erro. • *s.m. e f.* **3.** (*Fil.*) Na Grécia antiga, professor de Retórica e Filosofia que ensinava a arte de falar em público e de argumentar. **4.** Homem sábio.

sofisticado (so.fis.ti.*ca*.do) *adj.* **1.** Que se sofisticou. **2.** Que é fruto do bom gosto; requintado, refinado: *jantar sofisticado.* **3.** Que foi aperfeiçoado; aprimorado: *celular sofisticado.*

sofisticar (so.fis.ti.*car*) *v.* **1.** Ficar ou fazer ficar mais requintado; rebuscar(-se), refinar(-se): *sofisticar um ambiente; O público consumidor sofisticou-se.* **2.** Ficar ou fazer ficar mais complexo; aprimorar(-se), aperfeiçoar(-se): *A empresa sofisticou seu produto e obteve mais lucro; As lentes modernas sofisticaram-se.* ▶ Conjug. 5 e 35. – **sofisticação** *s.f.*

sofrear (so.fre:*ar*) *v.* **1.** Parar ou mudar a marcha de (uma cavalgadura): *O cocheiro sofreou os animais.* **2.** *fig.* Exercer o controle sobre (si mesmo, alguém ou algo); conter(-se), refrear(-se), reprimir(-se): *Mesmo com raiva, sofreou o impulso de ir embora.* ▶ Conjug. 14. – **sofreada** *s.f.*; **sofreamento** *s.m.*

sofredor [ô] (so.fre.*dor*) *adj.* **1.** Que sofre; desgraçado, infeliz: *povo sofredor.* • *s.m.* **2.** Pessoa sofredora.

sôfrego (sô.fre.go) *adj.* **1.** Diz-se de pessoa que come ou bebe com voracidade; esganado, guloso. **2.** Que deseja ou realiza (algo) com avidez; ansioso: *olhar sôfrego.* – **sofreguidão** *s.f.*

sofrer (so.*frer*) *v.* **1.** Vivenciar dor física ou emocional; padecer, afligir-se: *Sofreu um grande golpe quando perdeu seu filho; Minha irmã sofria de asma; Quando chovia, sofríamos muito.* **2.** Suportar, com paciência; aguentar, aturar, tolerar: *Meu pai sofreu agressões verbais, mas não reagiu; Sofria em silêncio e não desabafava com ninguém.* **3.** Passar por; experimentar: *Várias instituições sofreram cortes de verbas.* ▶ Conjug. 42.

sofrimento (so.fri.men.to) *s.f.* **1.** Ato ou efeito de sofrer. **2.** Estado de quem vivencia dor física ou moral. **3.** Aquilo que provoca angústia; aflição, amargura. **4.** Desgraça, desventura, infortúnio. **5.** Chaga, ferida.

sofrível (so.*frí*.vel) *adj.* **1.** Que é passável; razoável: *estado sofrível.* **2.** Que se pode suportar; tolerável: *experiência sofrível.*

software [*sóftuer*] (Ing.) *s.m.* (*Inform.*) Programa (5).

sogro [ô] (so.gro) *s.m.* Pai de um dos cônjuges com relação ao outro. || f. [ó]; pl.: [ô].

soja [ó] (so.ja) *s.m.* e *f.* (*Bot.*) Leguminosa parecida com feijão, originária da China e do Japão, que apresenta flores e vagens, rica em proteínas, usada para a fabricação de farinha, leite, queijo etc.

sol[1] *s.m.* **1.** (*Astron.*) Estrela em torno da qual giram a Terra e os outros planetas do Sistema Solar; astro-rei. || Nesta acepção, usado com maiúscula. **2.** Luz, calor e claridade emitidos por essa estrela. **3.** (*Astron.*) Cada estrela central de um sistema planetário. **4.** Brilho, luz: *Você é o sol da minha vida!* **5.** *fig.* Dia: *Daqui a dois sóis nos veremos.* || *De sol a sol*: o intervalo entre o nascer e o pôr do sol: *Ele trabalhava de sol a sol.* • *Tapar o sol com a peneira*: fingir não saber o que está se passando: *Sempre que errava, tapava o sol com a peneira.* • *Ver o sol nascer quadrado*: ser preso: *Se não andar na linha, verá o sol nascer quadrado.*

sol[2] *s.m.* **1.** (*Mús.*) Quinta nota da escala de dó maior. **2.** Sinal que representa essa nota.

sola [ó] (so.la) *s.f.* **1.** Revestimento externo da parte inferior do sapato, usado para apoiar o pé no chão, geralmente feito de couro ou de borracha; solado. **2.** Couro grosso curtido usado em bolsas, calçados etc. **3.** *fig.* Planta do pé. || *Entrar de sola*: **1.** (*Esp.*) no futebol, cometer falta travando a bola com o pé, impedindo o chute de outro jogador: *O atacante entrou de sola no jogador do time adversário.* **2.** agir de forma agressiva: *Entrou de sola no comércio, inaugurando várias lojas.*

solado (so.la.do) *adj.* **1.** (*Cul.*) Diz-se de bolo ou massa que não cresceu e não assou totalmente. • *s.m.* **2.** Sola (1).

solapar (so.la.*par*) *v.* **1.** Provocar erosão; escavar: *solapar um solo.* **2.** *fig.* Desestruturar as bases de (algo); abalar, minar: *A medida solapou a economia do país.* ▶ Conjug. 5. – **solapador** *adj. s.m.*; **solapamento** *s.m.*

solar[1] (so.*lar*) *s.m.* **1.** Palácio, castelo ou outro tipo de propriedade pertencente à nobreza. **2.** Casa, herdade ou outro tipo de edificação com porte imponente.

solar[2] (so.*lar*) *adj.* **1.** Relativo a sol: *sistema solar.* **2.** Que emprega energia solar: *aquecedor solar.*

solar[3] (so.*lar*) *v.* (*Cul.*) Ficar ou fazer ficar duro como sola; não crescer ou assar totalmente: *solar um bolo; A massa solou.* ▶ Conjug. 20.

solar[4] (so.*lar*) *v.* (*Mús.*) Executar um solo de música ou de dança: *O bailarino solou um trecho de "O lago dos cisnes"; O violinista solava magistralmente.* ▶ Conjug. 20.

solário (so.lá.ri:o) *s.m.* Lugar destinado a banho de sol ou de luz artificial, com fins terapêuticos ou estéticos.

solavanco (so.la.van.co) *s.m.* **1.** Sacudidela súbita, violenta ou não, dentro de um veículo em marcha; tranco. **2.** Esbarrão forte; safanão, empurrão.

solda [ó] (sol.da) *s.f.* **1.** Ato ou efeito de soldar. **2.** Liga metálica utilizada para unir peças de metal. || *Solda eletrônica*: técnica que une duas ou mais folhas de plástico com o uso de alta frequência.

soldada (sol.da.da) *s.f.* Pagamento de empregados e operários; salário, soldo.

soldadesca [ê] (sol.da.des.ca) *s.f.* Grupo de soldados.

soldado

soldado¹ (sol.*da*.do) *s.m.* **1.** Homem que se alistou nas Forças Armadas ou em forças policiais. **2.** Homem que ocupa o posto mais baixo da hierarquia militar; praça. **3.** Qualquer militar. **4.** *fig.* Pessoa que defende uma causa; paladino.

soldado² (sol.*da*.do) *adj.* **1.** Que se soldou. **2.** Que se uniu ou foi reparado com solda: *placa soldada*.

soldar (sol.*dar*) *v.* **1.** Unir com solda; ligar: *soldar cabos*. **2.** Reparar(-se) com solda: *soldar uma placa (a uma barra de ferro); Os fios que estavam partidos soldaram(-se)*. ▶ Conjug. 20. – **soldador** *adj. s.m.*; **soldadura** *s.f.*; **soldagem** *s.f.*

soldo [ô] (sol.do) *s.m.* Ordenado de militar; pagamento, salário, soldada.

solecismo (so.le.*cis*.mo) *s.m.* **1.** (*Gram.*) Qualquer erro no uso das regras da gramática, principalmente de sintaxe. **2.** Erro, falta.

soleira¹ (so.*lei*.ra) *s.f.* **1.** Placa de pedra ou de madeira colada sob a porta de entrada. **2.** Vão da porta.

soleira² (so.*lei*.ra) *s.f.* Horário em que o calor do sol é mais forte.

solene (so.*le*.ne) *adj.* **1.** Que é celebrado com fausto e formalidade; cerimonioso: *sessão solene*. **2.** Que é sério; austero: *tom solene*. – **solenizar** (so.le.ni.*zar*) *v.* ▶ Conjug. 8.

solenidade (so.le.ni.*da*.de) *s.f.* Festa ou cerimônia formal.

solenoide [ói] (so.le.*noi*.de) *s.m.* (*Eletr., Fís.*) Bobina elétrica usada como condutor.

soletração (so.le.tra.*ção*) *s.f.* **1.** Ato ou efeito de soletrar. **2.** Método utilizado para ensino da leitura que consiste em combinar vogais e consoantes para formar sílabas e palavras.

soletrar (so.le.*trar*) *v.* **1.** Ler letra a letra, reunindo-as em sílabas: *soletrar um nome; Enquanto soletravam, as crianças imitavam os sons dos bichos*. **2.** Ler devagar, dando pausas: *soletrar palavras pelo telefone*. ▶ Conjug. 8.

solfejar (sol.fe.*jar*) *v.* (*Mús.*) Dizer ou cantar os nomes ou os tons das notas: *O cantor solfejou a melodia; Ele solfejava sempre antes da apresentação*. ▶ Conjug. 10 e 37.

solfejo [ê] (sol.*fe*.jo) *s.m.* (*Mús.*) **1.** Ato ou efeito de solfejar. **2.** Canto de escalas e intervalos musicais. **3.** Exercício vocal com o objetivo de aprimorar o canto e desenvolver a voz.

solicitante (so.li.ci.*tan*.te) *adj.* **1.** Que solicita. • *s.m. e f.* **2.** Pessoa que solicita.

solicitar (so.li.ci.*tar*) *v.* **1.** Pedir (algo) a (alguém): *O médico solicitou vários exames (ao paciente)*. **2.** Trazer para si; atrair, chamar: *O ator solicitou a atenção da plateia*. **3.** (*Jur.*) Requerer (algo) por meio de documento oficial: *Solicitei um alvará da prefeitura; Solicitamos dentro do prazo e fomos atendidos*. ▶ Conjug. 5. – **solicitação** *s.f.*

solícito (so.*lí*.ci.to) *adj.* Diz-se de pessoa que é prestativa; atencioso. – **solicitude** *s.f.*

solidão (so.li.*dão*) *s.f.* **1.** Estado de quem está ou se sente sozinho; isolamento. **2.** Característica de um lugar isolado ou despovoado; deserto, ermo.

solidariedade (so.li.da.ri:e.*da*.de) *s.f.* **1.** Qualidade de solidário. **2.** Sentimento de cooperação despertado pela identificação; companheirismo, amizade. **3.** Manifestação desse sentimento; apoio, ajuda.

solidário (so.li.*dá*.ri:o) *adj.* **1.** Que mostra solidariedade; altruísta: *amigo solidário*. **2.** Que presta ou recebe apoio mútuo: *comunidade solidária*. **3.** Que compartilha ideias, interesses, sentimentos etc.: *político solidário com os grevistas*.

solidarizar-se (so.li.da.ri.*zar*-se) *v.* Mostrar-se solidário com: *Os jornalistas se solidarizaram com os colegas*. ▶ Conjug. 5 e 6.

solidificar (so.li.di.fi.*car*) *v.* **1.** Passar ou fazer passar de estado líquido ou pastoso para sólido; cristalizar(-se), endurecer(-se): *solidificar um metal; O sorvete solidificou(-se)*. **2.** *fig.* Ficar ou fazer ficar sólido, firme; consolidar(-se): *Solidificamos uma parceria com aquela empresa; Pouco a pouco, sua ideia solidificou-se*. ▶ Conjug. 5 e 35. – **solidificação** *s.f.*

sólido (*só*.li.do) *adj.* **1.** Que é maciço; compacto: *móvel sólido*. **2.** Que não é líquido nem gasoso: *O carvão vegetal é um combustível sólido*. **3.** Que é resistente; firme, inabalável: *estrutura sólida*. **4.** Que tem constituição forte; robusto, vigoroso: *ossada sólida*. **5.** *fig.* Que é estável; duradouro: *casamento sólido*. **6.** Que tem boa fundamentação; consistente: *argumento sólido*. • *s.m.* **7.** (*Geom.*) Figura com três dimensões. **8.** Corpo sólido. – **solidez** *s.f.*

solilóquio (so.li.*ló*.qui:o) *s.m.* **1.** Ato ou efeito de falar consigo mesmo; monólogo. **2.** (*Teat.*) Monólogo (1).

sólio (*só*.li:o) *s.m.* **1.** Trono do rei ou pontífice. **2.** *fig.* O poder que esse trono representa. **3.** (*Eletrôn.*) Dispositivo que utiliza energia solar ou produzida artificialmente para carregar aparelhos eletrônicos portáteis ou fixos.

solista (so.*lis*.ta) *adj.* **1.** (*Mús.*) Que executa um solo musical. **2.** Que executa um solo de dança. • *s.m. e f.* **3.** Artista ou instrumento solista.

solitária (so.li.*tá*.ri:a) *s.f.* **1.** (*Med.*) Tênia, cestoide. **2.** Pequena cela onde um preso é isolado dos demais.

solitário (so.li.*tá*.ri:o) *adj.* **1.** Relativo a solidão. **2.** Que está ou vive sozinho: *marinheiro solitario*. **3.** Que não é compartilhado: *atitude solitária*. **4.** Que se encontra isolado: *caminho solitário*. • *s.m.* **5.** Pessoa solitária. **6.** Anel ou joia que apresenta uma só pedra preciosa.

solitude (so.li.*tu*.de) *s.f. poét.* Solidão.

solo[1] [ó] (so.lo) *s.m.* **1.** (*Geol.*) Camada sólida superficial da terra em que pisamos; chão. **2.** Terra produtiva.

solo[2] [ó] (so.lo) *s.m.* **1.** (*Mús.*) Trecho de música para ser cantado ou executado por uma só pessoa, com ou sem acompanhamento. **2.** Número de dança em que se apresenta um bailarino ou dançarino, com ou sem acompanhamento. **3.** (*Esp.*) Apresentação de ginástica artística.

solstício (sols.*tí*.ci:o) *s.m.* (*Astron.*) Época em que o Sol está afastado do Equador (22 ou 23 de junho e 22 ou 23 de dezembro).

soltar (sol.*tar*) *v.* **1.** Livrar(-se) daquilo que prende; desatar(-se), desprender(-se): *soltar uma corda (de um violão)*; *As amarras do barco soltaram-se*. **2.** Ficar ou fazer ficar livre; libertar(-se), livrar(-se): *soltar um preso*; *Os pássaros soltaram-se da gaiola*. **3.** Deixar cair das mãos; largar: *Soltei o prato e ele caiu no chão*. **4.** Jogar a distância; atirar; arremessar: *soltar uma bomba*. **5.** Lançar de si; dar, expedir, emitir: *soltar um grito*. **6.** Deixar fluir; liberar: *soltar as emoções*. **7.** Perder ou fazer perder a timidez; desinibir-se; desembaraçar-se: *A artista soltava-se sempre que entrava em cena*. **8.** Fazer ficar frouxo ou comprido; alargar: *soltar a bainha de um vestido*. **9.** *coloq.* Tornar disponível (*dinheiro*); dar, liberar: *soltar uma grana*. **10.** *coloq.* Ativar (os intestinos); fazer funcionar; regularizar. || *part.*: *soltado* e *solto*. || Conferir com *saltar*. ▶ Conjug. 20.

solteirão (sol.tei.*rão*) *s.m.* Celibatário.

solteiro (sol.*tei*.ro) *adj.* **1.** Que ainda não se casou: *rapaz solteiro*. • *s.m.* **2.** Pessoa solteira.

solto [ô] (sol.to) *adj.* **1.** Que foi desamarrado; desatado: *cadarço solto*. **2.** Que não está preso; liberto: *bandido solto*. **3.** Que se desprendeu, caiu ou foi jogado: *peça solta*. **4.** Que não está apertado; folgado, largo: *blusa solta*. **5.** *fig.* Que é desembaraçado, não contido: *língua solta*.

soltura (sol.*tu*.ra) *s.f.* **1.** Ato ou efeito de soltar (-se). **2.** Liberdade concedida a preso. **3.** Facilidade para fazer algo; desembaraço, desenvoltura, agilidade. **4.** *coloq.* Diarreia.

solução (so.lu.*ção*) *s.f.* **1.** Ato ou efeito de solver. **2.** Recurso usado para solucionar algo; saída. **3.** Aquilo que explica o sentido de; esclarecimento, revelação. **4.** Interrupção de algo; término. **5.** Resposta certa de uma questão, teste, prova etc.; resultado. **6.** (*Quím.*) Líquido em que são dissolvidas certas substâncias.

soluçar (so.lu.*çar*) *v.* **1.** Soltar soluços: *Soluçou sem parar*. **2.** Chorar emitindo soluços: *A moça soluçava alto*. **3.** Lamentar-se, gemer: *Os meninos soluçaram algumas palavras desconsoladas*. ▶ Conjug. 5 e 36.

solucionar (so.lu.ci.o.*nar*) *v.* Apresentar solução para; resolver: *Solucionamos juntos a questão da prova*. ▶ Conjug. 5.

soluço (so.*lu*.ço) *s.m.* **1.** (*Med.*) Contração espasmódica do diafragma, seguida de movimento de inspiração, que é interrompido com ruído pelo fechamento da glote. **2.** Choro entremeado de suspiros e espasmos.

soluto (so.*lu*.to) *s.m.* (*Quím.*) Substância que se dissolve num solvente, produzindo uma solução.

solúvel (so.*lú*.vel) *adj.* **1.** Que pode ser dissolvido num líquido: *café solúvel*. **2.** *fig.* Que pode ser solucionado: *problema solúvel*. – **solubilidade** *s.f.*

solvência (sol.*vên*.ci:a) *s.f.* Qualidade de solvente.

solvente (sol.*ven*.te) *adj.* **1.** (*Quím.*) Diz-se de líquido que dissolve outras substâncias. **2.** (*Jur.*) Diz-se de pessoa que cumpre suas obrigações e paga suas dívidas. • *s.m.* **3.** (*Quím.*) Líquido solvente. **4.** (*Jur.*) Pessoa solvente.

solver (sol.*ver*) *v.* **1.** Misturar, obtendo uma solução; dissolver, diluir: *solver uma tinta em água*. **2.** *fig.* Pagar (um débito); liquidar, quitar, saldar: *solver uma dívida*. || Conferir com *sorver*. ▶ Conjug. 42.

som *s.m.* **1.** (*Fís.*) Energia mecânica que vibra e que se propaga através de ondas num meio material. **2.** Essa vibração, quando chega ao ouvido humano; barulho, ruído. **3.** *coloq.* Música. **4.** *coloq.* Estilo musical. **5.** *coloq.* Aparelho de som. || *Em alto e bom som*: com clareza: *Ele disse em alto e bom som que pediria demissão do cargo*.

soma (so.ma) *s.f.* **1.** (*Mat.*) Operação que junta determinadas quantidades para chegar a um total; adição. **2.** (*Mat.*) O resultado dessa operação; total. **3.** Determinada quantidade de dinheiro; quantia, importância. **4.** *fig.* Reunião de partes em um todo; somatório, totalidade.

somali (so.ma.*li*) *adj.* **1.** Da República Democrática Somali, ou Somália, país da África. • *s.m. e f.* **2.** O natural ou o habitante desse país. **3.** Idioma falado nesse país.

somar (so.*mar*) *v.* **1.** Efetuar a soma (de): *somar dois números*; *somar dois com dois*; *Somei de novo, mas o resultado ainda está errado*. **2.** Chegar ao total de; equivaler, totalizar: *Os prejuízos somavam dois milhões.* **3.** Congregar, reunir: *somar esforços.* ▶ Conjug. 5.

somático (so.*má*.ti.co) *adj.* (*Med.*) Relativo ao corpo, em oposição ao mental; corpóreo, físico, material.

somatização (so.ma.ti.za.*ção*) *s.f.* **1.** Ato ou efeito de somatizar. **2.** (*Psiq.*) Processo em que uma pessoa transforma seus conflitos psíquicos em sintomas ou doenças físicas.

somatizar (so.ma.ti.*zar*) *v.* Apresentar sintomas ou doenças físicas provocados por conflitos psíquicos: *Ela somatizou o desconforto psicológico por que estava passando*; *O paciente somatizou e teve úlcera.* ▶ Conjug. 5.

somatório (so.ma.*tó*.ri:o) *adj.* **1.** Relativo a soma. • *s.m.* **2.** (*Mat.*) Soma total. **3.** (*Mat.*) Operação realizada para chegar à soma total. **4.** *fig.* Soma (4).

sombra (som.bra) *s.f.* **1.** Figura escura projetada no chão ou na parede, produzida pela incidência de luz sobre um corpo. **2.** Área pouco iluminada, com pouca ou nenhuma luz do sol. **3.** Inexistência de luz; escuridão, escuro, treva. **4.** Aquilo que não se distingue; vulto. **5.** Pessoa ou animal que sempre acompanha um outro: *Ele é a sombra de seu irmão*. **6.** (*Art.*) Área mais escura de um desenho, de uma gravura etc. **7.** Tipo de maquiagem usada principalmente para colorir as pálpebras. **8.** *fig.* Indício, mostra, sinal, traço.

sombreado (som.bre:*a*.do) *adj.* **1.** Que está coberto de sombra: **2.** (*Art.*) Que sofreu processo de sombreamento; escurecido: *caricatura sombreada.* • *s.m.* **3.** Ato ou efeito de sombrear. **4.** (*Art.*) Gradação de tons claros para escuros, usada como recurso tipográfico para contornar letras, desenhos, gravuras etc. **5.** (*Art.*) Esse recurso.

sombreamento (som.bre:a.*men*.to) *s.m.* Ato ou efeito de sombrear.

sombrear (som.bre:*ar*) *v.* **1.** Encobrir com sombra: *Aquela árvore sombreava nossa casa*. **2.** (*Art.*) Fazer ficar mais escuro; escurecer: *sombrear uma pintura*. **3.** *fig.* Fazer ficar sombrio; entristecer, afligir: *O desgosto sombreou seu rosto.* ▶ Conjug. 14.

sombreiro (som.*brei*.ro) *s.m.* Chapéu de abas largas.

sombrinha (som.*bri*.nha) *s.f.* **1.** Sombra pequena. **2.** Guarda-chuva feminino.

sombrio (som.*bri*:o) *adj.* **1.** Que apresenta pouca luz: *sala sombria*. **2.** Que está enevoado; nublado: *cidade sombria*. **3.** Que é deserto ou afastado; ermo: *região sombria*. **4.** *fig.* Que é tenebroso; macabro: *beco sombrio*. **5.** *fig.* Que é carrancudo; taciturno: *expressão sombria*. **6.** *fig.* Que provoca desânimo; triste: *vida sombria*.

somenos (so.*me*.nos) *adj.2n.* Que apresenta menos valor; irrelevante: *Se esse produto funciona ou não, é discussão de somenos importância*.

somente (so.*men*.te) *adv.* Não mais que; exclusivamente, unicamente, apenas, só: *A festa acontecerá somente no final do ano*.

sonambulismo (so.nam.bu.*lis*.mo) *s.m.* (*Med.*) Modificação do estado de consciência em que a pessoa se levanta durante o sono e anda de olhos abertos, sem se lembrar disso no dia seguinte.

sonâmbulo (so.*nâm*.bu.lo) *adj.* **1.** (*Med.*) Diz-se de pessoa que sofre de sonambulismo. **2.** *fig.* Diz-se de pessoa que age de forma mecânica, sem pensar no que faz. • *s.m.* **3.** Pessoa sonâmbula. – **sonambúlico** *adj.*

sonante (so.*nan*.te) *adj.* **1.** Que produz som: *objeto sonante*. **2.** Verdadeiro, corrente: *moeda sonante*. – **sonância** *s.f.*

sonar (so.*nar*) *s.m.* **1.** (*Fís.*) Equipamento eletrônico que identifica objetos e dá a medida de distâncias no fundo do mar. • *adj.* **2.** (*Fís.*) Relativo a esse equipamento.

sonata (so.*na*.ta) *s.f.* (*Mús.*) Peça, geralmente instrumental, que apresenta vários movimentos, composta para ser executada por um solista ou por um grupo pequeno de músicos.

sonda (son.da) *s.f.* **1.** Ato ou efeito de sondar; sondagem. **2.** (*Med.*) Haste cilíndrica e longa, rígida ou flexível, que se introduz em um organismo com o fim de realizar exames ou tratamentos. **3.** (*Astron.*) Aparelho usado para fazer voos exploratórios no espaço; sonda espacial. **4.** (*Geol.*) Aparelho usado para perfurar o solo ou o subsolo. **5.** Aparelho que mede condições físicas ou meteorológicas. **6.** Qualquer instrumento ou aparelho utilizado como sonda.

sondagem (son.*da*.gem) *s.f.* **1.** Ato ou efeito de sondar; sonda. **2.** Exploração metódica de um meio material realizada com o auxílio de aparelhos e técnicas especializadas. **3.** *fig.* Busca de informações por meio de pesquisa formal ou informal; enquete: *sondagem de opinião*. – **sondável** *adj.*

sondar (son.*dar*) *v.* **1.** Observar, explorar ou medir com o uso de sonda: *sondar uma região calcária*. **2.** *fig.* Obter informações sobre; procurar saber; investigar, pesquisar: *A empresa sondou o mercado argentino*. ▶ Conjug. 5.

soneca [é] (so.*ne*.ca) *s.f.* Sono de curta duração; cochilo.

sonegação (so.ne.ga.*ção*) *s.f.* Ato ou efeito de sonegar.

sonegar (so.ne.*gar*) *v.* **1.** (*Jur.*) Deixar de declarar a existência de bens ou de pagar um tributo, desrespeitando a lei: *sonegar um imposto*. **2.** Omitir uma informação; esconder: *sonegar fatos*. ▶ Conjug. 8 e 34. – **sonegador** *adj. s.m.*

soneira (so.*nei*.ra) *s.f.* Grande desejo de dormir; entorpecimento, sonolência.

soneto [ê] (so.*ne*.to) *s.m.* (*Lit.*) Poema com quatorze versos de quantidade variável de sílabas. – **sonetista** *adj. s.m. e f.*

songbook [sôngbuc] (Ing.) *s.m.* **1.** Coletânea de letras e partituras que constituem uma parte ou a totalidade de composições de um autor. **2.** CD que traz uma coletânea de músicas de um autor, gravado por um ou vários artistas.

sonhar (so.*nhar*) *v.* **1.** Fazer vir imagens à mente durante o sono: *Meu irmão sonhou que era um cavalo; Sonhei com meu falecido avô; Ela sonhava intensamente todas as noites*. **2.** *fig.* Ter fantasias; devanear, imaginar: *Ela sonhava que um dia iria se casar de novo; Ele sonhava com uma vida de artista; Sonha, mas não faz nada pelo seu futuro*. **3.** *fig.* Querer muito; desejar, almejar, ansiar: *Sonho com um mundo melhor*. **4.** Presumir como verdadeiro; supor, suspeitar: *Jamais sonhei que tudo acabaria*. ▶ Conjug. 5. – **sonhador** *adj. s.m.*

sonho (so.*nho*) *s.m.* **1.** Ato ou efeito de sonhar. **2.** (*Med.*) Conjunto de imagens ou ideias, coerentes ou não, geradas durante o sono. **3.** *fig.* Aquilo que é fruto da imaginação; devaneio, fantasia. **4.** *fig.* Aquilo que é provocado pelo desejo; aspiração, ambição. **5.** *fig.* Beleza, graça: *Ela é um sonho!* **6.** (*Cul.*) Tipo de doce feito com massa frita, geralmente recheada com creme ou doce de leite.

sônico (*sô*.ni.co) *adj.* Relativo a som.

sonífero (so.*ní*.fe.ro) *adj.* **1.** Diz-se de medicamento ou substância que causa sono; soporífero. **2.** *fig.* Que causa sono: *filme sonífero*. • *s.m.* **3.** (*Farm., Quím., Med.*) Medicamento ou substância sonífera.

sono (so.no) *s.m.* **1.** Período de repouso físico e mental que provoca a suspensão parcial da consciência e das funções do corpo. **2.** Desejo de dormir. **3.** Estado de pessoa ou animal que está dormindo. **4.** Período em que se dorme. **5.** Preguiça, moleza. **6.** *fig.* Morte. ‖ *Ferrar no sono*: *coloq.* dormir profundamente.

sonolência (so.no.*lên*.ci:a) *s.f.* **1.** Vontade de dormir; sono. **2.** Estado de transição entre o dormir e o acordar. **3.** *fig.* Falta de energia; moleza, lombeira, preguiça.

sonolento (so.no.*len*.to) *adj.* **1.** Relativo a sonolência. **2.** Que sente sono ou sonolência: *criança sonolenta*. **3.** *fig.* Que provoca sono ou sonolência; arrastado, monótono: *jogo sonolento*. **4.** Que parece ou está sem energia; mole, inerte: *aspecto sonolento*.

sonoplastia (so.no.plas.*ti*.a) *s.f.* (*Cine, Rádio, Teat., Telv.*) **1.** Efeitos sonoros. **2.** Pesquisa, seleção, criação ou uso de efeitos sonoros. **3.** Técnica de seleção e adequação, gravada ou ao vivo, desses efeitos. **4.** (*Rádio, Telv.*) Diz-se de técnica utilizada para mixar, equalizar e editar sons. – **sonoplasta** *s.m. e f.*

sonorizar (so.no.ri.*zar*) *v.* **1.** Colocar som ou fala em: *sonorizar um filme mudo*. **2.** Instalar um equipamento de som em um espaço, ambiente etc.: *sonorizar uma sala de espetáculo*. – **sonorização** *s.f.*

sonoro [ó] (so.*no*.ro) *adj.* **1.** Relativo a som. **2.** Que produz som: *sinal sonoro*. **3.** (*Ling.*) Diz-se de fonema que, quando articulado, faz vibrar as cordas vocais. ▶ Conjug. 5. – **sonoridade** *s.f.*

sonso (*son*.so) *adj.* **1.** Que é dissimulado; fingido: *gente sonsa*. • *s.m.* **2.** Pessoa sonsa.

sopa [ô] (*so*.pa) *s.f.* (*Cul.*) Tipo de caldo mais espesso, feito com carne, galinha, peixe, legumes ou outros ingredientes, geralmente servido com pão. ‖ *Dar sopa*: *coloq.* **1.** criar oportunidade para; facilitar: *Ele deu sopa e foi roubado*. **2.** dar confiança: *Ela deu sopa e ele a paquerou*. **3.** estar disponível: *Meu carro estava*

sopapo

dando sopa e eu o emprestei. • *Ser sopa: coloq.* ser fácil: *Aquela prova foi sopa.* • *Ser sopa no mel: coloq.* beneficiar-se com circunstância oportuna: *A minha nomeação foi como sopa no mel.*

sopapo (so.*pa*.po) *s.m.* Golpe dado debaixo do queixo; murro, soco. – **sopapear** *v.* ▶ Conjug. 14.

sopé (so.*pé*) *s.m.* Base de uma encosta, montanha, escarpa etc.

sopeira (so.*pei*.ra) *s.f.* Vasilha redonda, de louça ou metal, com tampa, usada para servir sopa.

sopesar (so.pe.*sar*) *v.* Levar em conta; avaliar, considerar, examinar: *sopesar vantagens.* ▶ Conjug. 8.

sopor [ô] (so.*por*) *s.m.* Torpor. || Conferir com *supor.*

soporífero (so.po.*rí*.fe.ro) *adj. s.m.* (*Quím.*) Sonífero. – **soporífico** *adj. s.m.*

soprano (so.*pra*.no) *adj.* (*Mús.*) **1.** A voz feminina ou infantil mais aguda. **2.** Diz-se de instrumento mais agudo de uma família de instrumentos: *flauta soprano.* • *s.m.* **3.** Voz ou instrumento agudo.

soprar (so.*prar*) *v.* **1.** Soltar o ar pela boca em direção a ou sobre (algo); assoprar: *Meu filho soprou as velas depois que cantaram parabéns; Ele soprou suavemente e o chá não esfriou.* **2.** Soltar o ar pela boca no interior de; encher, inflar, assoprar: *Soprei as bolas e enfeitei a sala; As crianças sopravam com força, mas não conseguiram encher os balões.* **3.** Soltar (algo) junto com a expiração; assoprar; expelir, lançar: *Nervoso, soprava a fumaça do cigarro pela sala.* **4.** Movimentar (algo) através de sopro; assoprar, agitar, sacudir: *Passou os dedos no móvel e soprou a poeira que o cobria.* **5.** Mover-se como sopro: *O vento soprava pela fresta.* **6.** *fig.* Falar em voz baixa; assoprar, sussurrar, cochichar: *Meu colega soprou (no meu ouvido) a resposta da questão.* **7.** *fig.* Favorecer, assoprar, bafejar: *A sorte soprou a seu favor.* ▶ Conjug. 20.

sopro [ô] (so.*pro*) *s.m.* **1.** Ato ou efeito de soprar; assopro. **2.** Expulsão do ar dos pulmões pela boca; expiração; assopro. **3.** Ar expirado pela boca; bafo, hálito. **4.** *fig.* Aquilo que estimula; força, incentivo. **5.** *fig.* Sinal, vestígio. **6.** (*Med.*) Ruído anormal ouvido na auscultação do coração ou do pulmão.

soquete[1] [é] (so.*que*.te) *s.f.* Meia curta, na altura do tornozelo.

soquete[2] [ê] (so.*que*.te) *s.f.* Utensílio usado para socar; socador, pilão.

soquete[3] [ê] (so.*que*.te) *s.m.* Suporte com rosca usado para prender lâmpadas elétricas.

sordidez [ê] (sor.di.*dez*) *s.f.* Qualidade de sórdido.

sórdido (*sór*.di.do) *adj.* **1.** Que é imundo; repugnante, asqueroso: *ambiente sórdido.* **2.** *fig.* Que é canalha; vil: *conspiração sórdida.* **3.** *fig.* Que é indecente; obsceno: *comportamento sórdido.*

sorgo [ô] (*sor*.go) *s.m.* Cereal parecido com o milho, cuja espiga apresenta grãos arredondados, amarelos, brancos ou vermelhos, utilizado para a alimentação de pessoas e animais e para a produção de xaropes.

soro [ô] (so.*ro*) *s.m.* **1.** Líquido amarelado que se solta do leite coalhado. **2.** (*Med.*) Líquido que se separa do sangue após sua coagulação. || *Soro fisiológico:* (*Med.*) líquido cuja composição substitui o soro sanguíneo, usado para hidratar um paciente.

soronegativo (so.ro.ne.ga.*ti*.vo) *adj.* **1.** (*Med.*) Diz-se de paciente ou animal que, submetido a exame, não apresenta infecção. • *s.m.* **2.** (*Med.*) Pessoa soronegativa. || Usado principalmente para denominar uma pessoa que não apresenta o vírus da aids.

soropositivo (so.ro.po.si.*ti*.vo) *adj.* **1.** (*Med.*) Diz-se de paciente ou animal que, submetido a exame, apresenta infecção. • *s.m.* **2.** (*Med.*) Pessoa soropositiva. || Usado principalmente para denominar uma pessoa que apresenta o vírus da aids.

soror [ô] (so.*ror*) *s.f.* Tratamento dado à freira professa; irmã, madre. || *sóror.*

sóror (*só*.ror) *s.f.* Soror.

sorrateiro (sor.ra.*tei*.ro) *adj.* Que age escondido, de forma astuta; matreiro, velhaco: *ladrão sorrateiro.*

sorridente (sor.ri.*den*.te) *adj.* Que sorri.

sorrir (sor.*rir*) *v.* **1.** Dar sorriso; rir(-se): *O bebê sorria para a mãe; Acenou-me e sorriu.* **2.** Expressar alegria; mostrar-se contente; rir: *Quando soube que estava grávida, sorriu(-se);* (fig.) *Todo o seu corpo sorria, balançando-se.* **3.** *fig.* Trazer benefícios para; contemplar, favorecer: *A sorte sorriu para mim.* **4.** Zombar, debochar, rir: *Ele sorria dos meus devaneios.* ▶ Conjug. 91.

sorriso (sor.*ri*.so) *s.m.* **1.** Ato ou efeito de sorrir(-se). **2.** Distensão dos lábios para os lados, expressando alegria, malícia etc. **3.** Riso silencioso.

sorte [ó] (sor.te) s.f. **1.** Aquilo que determina a vida de alguém ou algo; destino, fado: *Ele foi uma vítima da sorte.* **2.** Aquilo que acontece de forma casual; coincidência; causalidade: *Encontrei a loja por sorte.* **3.** Boa estrela; felicidade, ventura: *Não estudou, mas, por sorte, passou no concurso.* **4.** Fim, termo: *Ele não teve boa sorte.* **5.** Espécie, tipo: *O bar era frequentado por gente de toda sorte.* || *De sorte que*: de maneira que: *Estou grávida, de sorte que engordei um pouco.* • *Desta sorte*: assim sendo; deste modo: *Desta sorte, para resolver o conflito, o juiz deve aplicar a lei.* • *Tirar a sorte grande*: ganhar ou conseguir algo, tornando-se afortunado: *Com aquele prêmio, tirou a sorte grande.*

sortear (sor.te:ar) v. **1.** Entregar (algo) a uma pessoa que ganhou um sorteio; rifar: *A emissora sorteou quatro ingressos (para o show).* **2.** Escolher (algo) por meio de sorteio; selecionar: *sortear um tema para uma prova.* ▶ Conjug. 14.

sorteio (sor.tei.o) s.m. **1.** Ato ou efeito de sortear; rifa. **2.** Escolha de um número ou de um nome feita por acaso, com o fim de premiação ou tarefa. **3.** Entrega de algo que foi obtido como prêmio.

sortilégio (sor.ti.lé.gi:o) s.m. **1.** Bruxaria (2). **2.** *fig.* Encanto exercido por alguém ou algo; atração, fascinação.

sortimento (sor.ti.men.to) s.m. **1.** Ato ou efeito de sortir(-se). **2.** Estoque de produtos; provisão, reserva. **3.** Conjunto de coisas diversificadas; variedade. **3.** Grande número; fartura.

sortir (sor.tir) v. **1.** Munir(-se) do necessário; abastecer(-se), prover(-se): *sortir uma loja (de mercadorias)*; *Os lojistas sortiram-se de materiais escolares.* **2.** Juntar coisas diferentes; combinar, misturar: *sortir cores.* ▶ Conjug. 89.

sortudo (sor.tu.do) adj. coloq. **1.** Que tem muita sorte; felizardo. • s.m. **2.** Pessoa sortuda.

sorumbático (so.rum.bá.ti.co) adj. **1.** Que está tristonho; macambúzio. • s.m. **2.** Pessoa sorumbática; casmurro.

sorvedouro (sor.ve.dou.ro) s.m. **1.** Cavidade com grande profundidade; abismo, precipício. **2.** Redemoinho que se forma nos mares ou rios; turbilhão; rebojo (1). **3.** *fig.* Aquilo que leva ao desperdício; sumidouro.

sorver (sor.ver) v. **1.** Beber, dando pequenos goles; tomar: *sorver um café.* **2.** Puxar com força para dentro dos pulmões; aspirar; inalar: *sorver o ar.* **3.** Encher-se de (algum líquido); embeber-se de; absorver: *sorver uma quantidade de detergente.* **4.** *fig.* Ouvir, prestando muita atenção: *Ela sorvia as palavras de amor que ele dizia.* || Conferir com **solver.** ▶ Conjug. 42.

sorvete [ê] (sor.ve.te) s.m. (*Cul.*) Creme congelado adoçado, feito de polpa ou suco de frutas, chocolate ou outros ingredientes.

sorveteira (sor.ve.tei.ra) s.f. Máquina ou utensílio usado para a fabricação de sorvetes.

sorveteiro (sor.ve.tei.ro) s.m. Pessoa que fabrica ou vende sorvetes.

sorveteria (sor.ve.te.ri.a) s.f. Local onde se fabricam ou são vendidos sorvetes.

sósia (só.si:a) s.m. e f. Pessoa que se parece muito com outra.

soslaio (sos.lai.o) s.m. Viés, esguelha, lado. || *De soslaio*: de esguelha; de lado, de viés: *Olhava-a de soslaio, estudando-a.*

sossegado (sos.se.ga.do) adj. **1.** Que se sossegou. **2.** Que se mostra tranquilo; quieto: *criança sossegada.* **3.** Que se mostra despreocupado: *Depois que falou com o chefe sobre o problema, ficou sossegado.* **4.** Que é silencioso; calmo: *lugar sossegado.*

sossegar (sos.se.gar) v. **1.** Ficar ou fazer ficar tranquilo; acalmar(-se), serenar(-se): *Após a briga, sossegou(-se).* **2.** Descansar, repousar, dormir: *Após a febre, o paciente sossegou(-se).* ▶ Conjug. 8 e 34.

sossego [ê] (sos.se.go) s.m. **1.** Ato ou efeito de sossegar(-se). **2.** Calma, tranquilidade. **3.** Descanso, repouso.

sótão (só.tão) s.m. **1.** Parte de um prédio abaixo do nível da rua; porão. **2.** Compartimento entre o forro e o telhado de uma casa; desvão (2). || pl.: *sótãos.*

sotaque (so.ta.que) s.m. Pronúncia típica de uma região, cidade, país etc.; acento.

sota-vento (so.ta-ven.to) s.m. (*Náut.*) Direção em que sopra o vento.

soteropolitano (so.te.ro.po.li.ta.no) adj. s.m. Salvadorense.

soterramento (so.ter.ra.men.to) s.m. Ato ou efeito de soterrar.

soterrar (so.ter.rar) v. Cobrir(-se) de terra, escombros etc.; enterrar(-se): *soterrar uma casa*; *Pompeia soterrou-se de lava.* ▶ Conjug. 8.

soturno (so.tur.no) adj. **1.** Que é sombrio; triste: *sujeito soturno.* **2.** Que é assustador; lúgubre: *casa soturna.*

souvenir (Fr.) s.m. Ver **suvenir.**

sova

sova [ó] (*so.*va) *s.f.* **1.** Ato ou efeito de sovar. **2.** Surra, espancamento; (fig.) *Tomei uma sova naquele concurso!.*

sovaco (so.*va.*co) *s.m. coloq.* Axila.

sovar (so.*var*) *v.* **1.** Bater ou amassar algo para tornar homogêneo; misturar: *sovar a massa de um pão.* **2.** Esmagar (uva); pisar: *sovar uvas rosadas.* **3.** *fig.* Bater em (pessoa ou animal); surrar: *Sovou o cachorro por pura maldade.* **4.** *fig.* Vestir muito, até gastar; bater: *sovar uma roupa.* ▶ Conjug. 20.

soviético (so.vi.é.ti.co) *adj.* **1.** Da antiga União Soviética (URSS), reunião de países que se situam em parte da Ásia e da Europa, sob a hegemonia da Rússia. • *s.m.* **2.** O natural ou o habitante dessa União.

sovina (so.*vi.*na) *adj.* **1.** Que é avarento; pão-duro. • *s.m.* e *f.* **2.** Pessoa sovina. – **sovinice** *s.f.*

sozinho [ó] (so.*zi.*nho) *adj.* Só (1 a 4).

spa [*spá*] (Ing.) *s.m.* Estabelecimento onde as pessoas se hospedam para tratar da saúde ou da estética.

spot [*spót*] (Ing.) *s.m.* Refletor cujo foco de luz pode ser direcionado.

spray [*sprei*] (Ing.) *s.m.* Aerossol.

squash [*squóch*] (Ing.) *s.m.* (*Esp.*) Jogo em que dois participantes batem alternadamente uma bola de borracha na parede, fazendo-a ricochetear.

Sr (*Quím.*) Símbolo de *estrôncio.*

staff [*stáf*] (Ing.) *s.m.* Pessoal (4).

statu quo (Lat.) *loc. subst.* No mesmo estado que antes.

status (Lat.) *s.m.* **1.** Posição ocupada por uma pessoa em uma profissão ou em uma sociedade. **2.** Condição privilegiada de uma pessoa; prestígio, renome.

stress (Ing.) *s.m.* Estresse.

stricto sensu (Lat.) *loc. adv.* Em sentido restrito. || Conferir com *lato sensu.*

stripper [*stríper*] (Ing.) *s.m.* e *f.* Pessoa que pratica *striptease* profissionalmente.

striptease [*striptís*] (Ing.) *s.m.* **1.** Ato de se despir em público, de modo lento, ritmado e erótico, geralmente ao som de música. **2.** Espetáculo em que se pratica esse ato.

sua (su.a) *pron. poss.* Forma feminina do pronome possessivo da 3ª pessoa do singular.

suã (su.ã) *s.f.* **1.** Espinha dorsal do porco. **2.** Carne da parte inferior do lombo do porco.

suadouro (su:a.*dou.*ro) *s.m.* **1.** Ato ou efeito de suar. **2.** *coloq.* Lugar muito quente; sauna.

suar (su:*ar*) *v.* **1.** Expelir suor pelos poros; molhar-se de suor; transpirar; porejar (1): *suar uma camisa; As crianças suaram tanto que foram tomar banho.* **2.** Ficar coberto de líquido ou umidade; gotejar: *O mate estava tão gelado que o copo suava.* **3.** *fig.* Empenhar-se em (*algo*); esforçar-se, lutar: *Meu irmão suou para comprar aquele carro; Ele suava muito para juntar dinheiro.* || Conferir com *soar.* ▶ Conjug. 5.

suástica (su:ás.ti.ca) *s.f.* **1.** Antigo símbolo religioso com formato de cruz, de pontas recurvas, que representa a felicidade e a boa sorte, entre outros significados. **2.** Essa cruz que, com as pontas voltadas para a direita, foi adotada como emblema oficial do nazismo.

suave (su:a.ve) *adj.* **1.** Que é fraco; brando: *dose suave.* **2.** Que agrada aos sentidos: *música suave.* **3.** Que é delicado; terno: *toque suave.* – **suavidade** *s.f.*

suavizar (su:a.vi.*zar*) *v.* Ficar ou fazer ficar mais brando; amenizar(-se): *Com a maquiagem, as linhas de seu rosto suavizaram-se; Suavizou o castigo, encurtando-o.* ▶ Conjug. 5. – **suavização** *s.f.*

subalimentado (su.ba.li.men.*ta.*do) *adj.* Subnutrido: *criança subalimentada.*

subalterno (su.bal.*ter.*no) *adj.* **1.** Que ocupa posição subordinada: *funcionário subalterno.* • *s.m.* **2.** Pessoa subalterna.

subalugar (su.ba.lu.*gar*) *v.* Sublocar. ▶ Conjug. 5 e 34.

subaquático (su.ba.*quá.*ti.co) *adj.* Que está, habita ou é feito debaixo da água: *mergulho subaquático.*

subarrendar (su.bar.ren.*dar*) *v.* Sublocar. ▶ Conjug. 5. – **subarrendamento** *s.m.*

subatômico (su.ba.*tô.*mi.co) *adj.* (*Fís.*) **1.** Relativo a cada parte que compõe o átomo (prótons, elétrons e nêutrons). **2.** Que se realiza no interior de um átomo: *reação subatômica.* **3.** Que apresenta tamanho menor do que de um átomo: *partícula subatômica.*

subchefe [é] (sub.*che.*fe) *s.m.* e *f.* Empregado que ocupa cargo logo abaixo do chefe.

subclasse (sub.*clas.*se) *s.f.* **1.** Parte de uma classe que foi dividida em duas ou mais. **2.** Classe logo abaixo de outra. **3.** (*Mat.*) Subconjunto.

subconjunto (sub.con.*jun.*to) *s.m.* **1.** Parte de um conjunto que foi dividido em dois ou mais. **2.** (*Mat.*) Conjunto que está contido em outro; subclasse.

subconsciente (sub.cons.ci:en.te) *s.m.* Inconsciente (6).

subcutâneo (sub.cu.tâ.ne:o) *adj.* **1.** Relativo a pele; hipodérmico. **2.** (*Anat.*) Que é aplicado sob a pele; hipodérmico: *injeção hipodérmica*.

subdelegado (sub.de.le.ga.do) *s.m.* Autoridade policial que ocupa cargo logo abaixo do delegado.

subdelegar (sub.de.le.gar) *v.* Delegar a outrem o que já havia sido delegado: *subdelegar competência a um funcionário.* ▶ Conjug. 8 e 34.

subdesenvolvido (sub.de.sen.vol.vi.do) *adj.* **1.** Diz-se de região, cidade ou país que se desenvolveram pouco. **2.** *fig. pej.* Que é mal-educado; rude. • *s.m.* **3.** Região, cidade ou país subdesenvolvidos. **4.** *fig. pej.* Pessoa subdesenvolvida.

subdesenvolvimento (sub.de.sen.vol.vi.men.to) *s.m.* (*Econ.*) Situação inferior que uma região, cidade, país etc. apresenta com relação a outra região, cidade, país etc. mais industrializada ou desenvolvida economicamente.

subdiretor [ô] (sub.di.re.tor) *s.m.* Funcionário que ocupa cargo logo abaixo do diretor.

subdividir (sub.di.vi.dir) *v.* **1.** Dividir de novo (o que já havia sido dividido): *subdividir uma etapa; subdividir a área de um triângulo.* **2.** Dividir-se novamente: *A turma subdividiu-se em turmas menores.* **3.** Distribuir em classes, grupos; agrupar; classificar: *O estudioso subdivide a época em três fases; A Medicina subdivide-se em várias especialidades.* ▶ Conjug. 66. – **subdivisão** *s.f.*

subemprego [ê] (su.bem.pre.go) *s.m.* (*Econ.*) Situação de pessoa que trabalha recebendo baixa remuneração ou que só encontra trabalho em certos períodos do ano.

subentender (su.ben.ten.der) *v.* Compreender (o que não estava explícito); entender, adivinhar: *Todos subentenderam uma ameaça velada naquilo que ele falou; Com a posse do novo diretor, subentendeu-se que tudo mudaria.* ▶ Conjug. 39.

subentendido (su.ben.ten.di.do) *adj.* **1.** Que se subentendeu. **2.** Que está implícito; encoberto, subjacente (2): *verbo subentendido.* • *s.m.* **3.** Aquilo que está subentendido.

subestimar (su.bes.ti.mar) *v.* **1.** Não dar o devido valor a; menosprezar: *O jogador subestimou o adversário.* **2.** Errar no cálculo, para menos: *Os médicos subestimaram a quantidade de infectados.* ▶ Conjug. 5.

subfaturamento (sub.fa.tu.ra.men.to) *s.m.* (*Econ.*) Fraude fiscal, caraterizada pela venda realizada por um preço menor ao ajustado, com o recebimento da diferença efetuada por pagamento à parte e fora da escrita comercial dos participantes da transação. || Conferir com *superfaturamento.* – **subfaturar** *v.* ▶ Conjug. 5.

subgrupo (sub.gru.po) *s.m.* **1.** Cada grupo que compõe uma divisão de um grupo em vários. **2.** (*Mat.*) Subconjunto de um grupo.

sub-humano (sub-hu.ma.no) *adj.* Que é desumano, cruel; *atitude sub-humana*.

subida (su.bi.da) *s.f.* **1.** Ato ou efeito de subir. **2.** Inclinação de uma encosta, considerada de baixo para cima; aclive, ladeira. **3.** *fig.* Ato ou efeito de aumentar; alta, aumento, elevação.

subir (su.bir) *v.* **1.** Mover(-se) de baixo para cima, alçar(-se), elevar(-se), levantar(-se): *O idoso subia a ladeira com sacrifício; O ortopedista subiu o braço do paciente para melhor examiná-lo; O elevador subiu.* **2.** Tomar (um veículo); entrar, pegar: *Eles subiram no ônibus com pressa.* **3.** Colocar-se sobre uma montaria; montar: *subir em um cavalo.* **4.** Navegar contra a corrente ao longo de um curso de água: *subir um rio.* **5.** *fig.* Alcançar um posto mais alto; ascender, alçar-se: *Ele subiu de cargo; Conforme estudava, subia na vida.* **6.** *fig.* Elevar o grau ou a altura de; aumentar: *subir a voz; O sol voltou e a temperatura subiu.* **7.** Tornar mais caro; aumentar: *Os produtores subiram os preços do tomate; O dólar subiu.* **8.** (*Mús.*) Passar para tom mais alto: *Subiu dois tons ao executar o samba.* ▶ Conjug. 77.

súbito (sú.bi.to) *adj.* **1.** Que é inesperado; repentino: *mal súbito.* • *adv.* **2.** De modo inesperado; subitamente, repentinamente: *Abriu súbito a porta e eu me assustei.* || *De súbito*: de forma súbita; inesperadamente, repentinamente: *Ele me perguntou de súbito o que eu estava sentindo.*

subjacente (sub.ja.cen.te) *adj.* **1.** Que se localiza abaixo de: *músculo subjacente.* **2.** *fig.* Que está implícito; subentendido (2): *conceito subjacente.* **3.** (*Geol.*) Diz-se de rocha granítica. – **subjacência** *s.f.*

subjetividade (sub.je.ti.vi.da.de) *s.f.* Qualidade de subjetivo.

subjetivismo (sub.je.ti.vis.mo) *s.m.* Inclinação para observar as coisas sob o ponto de vista pessoal.

subjetivo (sub.je.*ti*.vo) *adj.* **1.** Relativo a sujeito. **2.** Que é pessoal; particular, individual: *resposta subjetiva.* **3.** Que é parcial; tendencioso: *gosto subjetivo.* – **subjetivação** *s.f.*; **subjetivar** *v.* ▶ Conjug. 5.

subjugado (sub.ju.*ga*.do) *adj.* Que se subjugou: *povo subjugado.*

subjugar (sub.ju.*gar*) *v.* Colocar sob jugo; dominar, sujeitar: *subjugar um país.* ▶ Conjug. 5 e 34. – **subjugação** *s.f.*

subjuntivo (sub.jun.*ti*.vo) *adj.* **1.** (*Gram.*) Diz-se de modo verbal que exprime ação que não foi concretizada. • *s.m.* **2.** (*Gram.*) Modo subjuntivo; conjuntivo.

sublegenda (sub.le.*gen*.da) *s.f.* Prática eleitoral em que o voto de um eleitor é computado para um partido e não para um candidato.

sublevado (sub.le.*va*.do) *adj.* Que se sublevou; amotinado, rebelde: *exército sublevado.*

sublevar (sub.le.*var*) *v.* Incitar a ou se engajar em uma revolta; amotinar(-se), rebelar(-se): *A atitude do comandante sublevou o batalhão; O povo sublevou-se contra a ditadura.* ▶ Conjug. 8. – **sublevação** *s.f.*

sublimação (su.bli.ma.*ção*) *s.f.* **1.** Ato ou efeito de sublimar(-se). **2.** (*Fís., Quím.*) Mudança de um elemento em estado sólido para o gasoso, geralmente sem passar pelo estado líquido. **3.** (*Psicn.*) Processo psíquico em que se transforma a energia da pulsão sexual em arte, trabalho etc.

sublimar (su.bli.*mar*) *v.* **1.** Elevar ou fazer elevar à condição de sublime; engrandecer(-se), enaltecer(-se): *Seus feitos sublimaram sua fama; O autor sublimou-se pelos seus méritos.* **2.** (*Psicn.*) Transformar a energia da pulsão sexual em arte, trabalho etc.: *sublimar o desejo sexual.* ▶ Conjug. 5.

sublime (su.*bli*.me) *adj.* Que é inigualável; grandioso: *amor sublime.* – **sublimidade** *s.f.*

subliminar (sub.li.mi.*nar*) *adj.* **1.** Que não alcança o limiar da percepção sensorial: *mensagem subliminar.* **2.** Diz-se de conteúdo implícito de propaganda que não é percebido claramente pelos sentidos, mas pelo inconsciente.

sublingual (sub.lin.*gual*) *adj.* Que está, é colocado ou se realiza sob a língua: *tablete sublingual.*

sublinha (sub.*li*.nha/su.*bli*.nha) *s.f.* Linha traçada debaixo de uma palavra, frase etc. com o fim de destacá-la.

sublinhar (sub.li.*nhar*/su.bli.*nhar*) *v.* **1.** Colocar sublinha em; grifar, marcar: *sublinhar passagens de um texto.* **2.** *fig.* Fazer ressaltar; destacar, enfatizar, frisar: *Ele sublinhou a importância da saúde para a população.* ▶ Conjug. 5.

subliteratura (sub.li.te.ra.*tu*.ra) *s.f.* Literatura sem qualidade, medíocre.

sublocador [ô] (sub.lo.ca.*dor*) *adj.* **1.** Que subloca algo a outrem. • *s.m.* **2.** Pessoa sublocadora.

sublocar (sub.lo.*car*) *v.* Alugar a outrem aquilo que já foi alugado; subalugar, subarrendar: *sublocar um imóvel.* ▶ Conjug. 20 e 35. – **sublocação** *s.f.*

sublocatário (sub.lo.ca.*tá*.ri:o) *s.m.* Pessoa que aluga algo de um locatário.

sublunar (sub.lu.*nar*) *adj.* Que se localiza abaixo da Lua ou entre a Lua e a Terra.

submarino (sub.ma.*ri*.no) *adj.* **1.** Que está, habita ou se realiza sob as águas do mar: *flora submarina.* • *s.m.* **2.** (*Náut.*) Tipo de navio de guerra, fechado com blindagem, que realiza operações no fundo do mar.

submergir (sub.mer.*gir*) *v.* **1.** Encobrir(-se) de água; encher(-se), inundar(-se): *A inundação submergia a casa; Com as chuvas, as estradas submergiram.* **2.** Ir ou levar ao fundo; afundar(-se): *O fotógrafo submergiu o papel no líquido revelador; As embarcações submergiram(-se) completamente.* **3.** *fig.* Sumir, desaparecer: *Diante do quadro, nossas pretensões submergiram(-se).* ∥ *part.*: submergido e submerso. ▶ Conjug. 74 e 92. – **submergível** *adj.*; **submersão** *s.f.*; **submersível** *adj. s.m.*

submerso [é] (sub.*mer*.so) *adj.* **1.** Que foi alagado pelas águas; inundado: *cidade submersa.* **2.** Que está ou foi levado ao fundo: *submarino submerso.* **3.** *fig.* Que está mergulhado; perdido, imerso (2): *Ele anda submerso em seus pensamentos.*

submeter (sub.me.*ter*) *v.* **1.** Sujeitar(-se) por meio do uso de força; subjugar(-se): *O ditador submeteu a nação (ao seu controle); Os soldados submeteram-se sem resistência.* **2.** Transformar(-se) em objeto de: *Submeteram-no a um exame do coração; Submeti-me a um treinamento intensivo.* ▶ Conjug. 41.

submetido (sub.me.*ti*.do) *adj.* Que submeteu.

submissão (sub.mis.*são*) *s.f.* **1.** Ato ou efeito de submeter-se. **2.** Sujeição ao domínio de outrem; rendição. **3.** Servilismo, obediência.

submisso (sub.*mis*.so) *adj.* **1.** Que se submeteu. **2.** Que foi subjugado: *governo submisso.* **3.** Que é servil; obediente: *funcionário submisso.*

submundo (sub.*mun*.do) *s.m. pej.* **1.** Parte da sociedade que atua de forma criminosa; baixo mundo. **2.** Ambiente em que vivem os criminosos. **3.** Lugar frequentado por pessoas cujas atividades são malvistas pela sociedade.

subnutrição (sub.nu.tri.*ção*) *s.f.* **1.** Ato ou efeito de subnutrir. **2.** Nutrição insuficiente do organismo, por ingestão de pouca comida ou por má absorção de alimentos; desnutrição. **3.** Estado de quem se alimentou de forma insuficiente; desnutrição.

subnutrido (sub.nu.*tri*.do) *adj.* Que não ingeriu alimentos ou nutrientes suficientes; subalimentado: *bebê subnutrido*. – **subnutrir** *v.* ▶ Conjug. 66.

suboficial (su.bo.fi.ci:*al*) *s.m.* **1.** (*Mil.*) Patente militar da Marinha e da Aeronáutica que corresponde à de subtenente do Exército. **2.** Militar que possui essa patente.

subordem [ó] (su.*bor*.dem) *s.f.* (*Biol.*) Categoria usada para classificar a fauna e a flora, situada logo abaixo da ordem e acima da família.

subordinação (su.bor.di.na.*ção*) *s.f.* **1.** Ato ou efeito de subordinar(-se). **2.** Ato ou efeito de obedecer; obediência. **3.** Ato ou efeito de sujeitar(-se); sujeição. **4.** (*Gram., Ling.*) Ligação sintática entre termos ou orações subordinadas. || Conferir com *coordenação*.

subordinado (su.bor.di.*na*.do) *adj.* **1.** Que se subordinou. **2.** Que ocupa cargo inferior dentro de uma hierarquia; subalterno: *funcionário subordinado*. **3.** Que obedece a ou depende de: *serviço subordinado a regras*. **4.** (*Gram., Ling.*) Diz-se de oração ou termo que está ligado a outra oração ou termo por meio de subordinação. • *s.m.* **5.** Pessoa subordinada. **6.** (*Gram., Ling.*) Oração ou termo subordinado.

subordinar (su.bor.di.*nar*) *v.* **1.** Relacionar por meio de hierarquia: *subordinar um funcionário a uma diretoria*. **2.** Colocar(-se) sob a dependência de; submeter(-se), sujeitar(-se): *A instituição subordinou a execução do projeto à obtenção de verbas*; *Aquele hospital subordina-se diretamente à superintendência*. **3.** (*Gram., Ling.*) Ser ou fazer com que (uma oração ou um termo) fique subordinado a outro: *subordinar uma oração substantiva à principal*. ▶ Conjug. 5. – **subordinante** *adj.*; **subordinável** *adj.*

subordinativo (su.bor.di.na.*ti*.vo) *adj.* **1.** Relativo a subordinação. **2.** Que se relaciona por meio de subordinação. **3.** (*Gram., Ling.*) Diz-se de conjunção que subordina oração ou termo a outra oração ou termo.

subornar (su.bor.*nar*) *v.* Aliciar, dando dinheiro ou outros valores a (alguém), com o fim de prática ilegal; comprar, corromper: *Ele subor-*

nou uma testemunha e foi preso. ▶ Conjug. 20.

subornável (su.bor.*ná*.vel) *adj.* Que pode ser subornado; comprável, corrompível: *chefe subornável*.

suborno [ô] (su.*bor*.no) *s.m.* **1.** Ato ou efeito de subornar. **2.** Dinheiro ou valor usado para subornar (alguém); peita (2).

subprefeito (sub.pre.*fei*.to) *s.m.* Vice-prefeito.

subprefeitura (sub.pre.fei.*tu*.ra) *s.f.* **1.** Parte da prefeitura administrada por um subprefeito. **2.** Repartição onde um subprefeito exerce suas funções. **3.** Mandato de um subprefeito.

subproduto (sub.pro.*du*.to) *s.m.* **1.** Produto secundário obtido dos resíduos de uma matéria da qual já se extraiu um produto principal. **2.** Produto de baixa qualidade. **3.** Consequência, resultado.

sub-região (sub-re.gi:*ão*) *s.f.* Subdivisão de uma região. || pl.: *sub-regiões*.

sub-regional (sub-re.gi:o.*nal*) *adj.* Relativo a sub-região. || pl.: *sub-regionais*.

sub-reino (sub-*rei*.no) *s.m.* (*Biol.*) Categoria usada para classificação da fauna e da flora situada abaixo do reino e acima do filo. || pl.: *sub-reinos*.

sub-reitor [ô] (sub-rei.*tor*) *s.f.* Vice-reitor. || pl.: *sub-reitores*.

sub-reptício (sub-rep.*tí*.ci:o) *adj.* **1.** Que foi feito de forma dissimulada; oculto: *gravação sub-reptícia*. **2.** Que é fraudulento; ilegal: *prova sub-reptícia*. || pl.: *sub-reptícios*.

sub-rogar (sub-ro.*gar*) *v.* (*Jur.*) Transferir (direito ou crédito) para outra pessoa: *sub-rogar a reclamada (no recebimento de uma dívida)*. ▶ Conjug. 20. – **sub-rogação** *s.f.*

subscrever (subs.cre.*ver*) *v.* **1.** Assinar (um documento), para autenticá-lo ou ratificá-lo; firmar; subscritar: *subscrever um manifesto (para determinada causa)*; *Para agradecer, subscreveu-se com amizade*. **2.** Juntar-se a (algo); aderir: *subscrever uma pessoa como membro de um consórcio*. **3.** (*Econ.*) Adquirir ações para aumentar o capital de uma sociedade (um acionista), com preço inferior ao do mercado: *subscrever ações de uma empresa*. || part.: *subscrito*. || Conferir com *sobrescrever*. ▶ Conjug. 41. – **subscritor** *adj. s.m.*

subscrição (subs.cri.*ção*) *s.f.* **1.** Ato ou efeito de subscrever(-se). **2.** Assinatura ou firma posta no fim de um documento. **3.** Adesão a (algo); compromisso. **4.** (*Econ.*) Compra de ações para aumentar o capital de uma sociedade (por um acionista), com preço inferior ao do mercado.

subscritar (subs.cri.*tar*) v. Subscrever (1). || Conferir com *sobrescritar*. ▶ Conjug. 5.

subscrito (subs.*cri*.to) *adj.* **1.** Que foi aprovado ou ratificado por meio de assinatura: *pedido subscrito*. **2.** (*Jur.*) Que foi obtido por meio de subscrição: *cota subscrita*. • *s.m.* **3.** Aquilo que foi assinado. **4.** (*Econ.*) Ação que foi adquirida por um acionista para aumentar o capital de uma sociedade. **5.** (*Art. Gráf.*) Caractere grafado abaixo dos demais num texto. **6.** (*Inform.*) Caractere impresso abaixo dos demais num texto. || Conferir com *sobrescrito*.

subsequente [qüen] (sub.se.*quen*.te) *adj.* Diz-se do que vem logo a seguir; próximo, seguinte, sucessivo, superveniente: *exame médico subsequente ao exame técnico*. – **subsequência** *s.f.*

subserviência (sub.ser.vi:ên.ci:a) *s.f.* Qualidade de subserviente.

subserviente (sub.ser.vi:*en*.te) *adj.* **1.** Que se submete ou é realizado de modo humilhante; servil: *trabalho subserviente*. **2.** Que é próprio de um adulador; bajulador: *postura subserviente*.

subsidiar [si] (sub.si.di:*ar*) v. (*Econ.*) **1.** Sustentar os gastos de; bancar, custear, financiar, subvencionar: *subsidiar a compra de moradia popular*. **2.** Auxiliar nos gastos de; ajudar, contribuir, custear: *subsidiar políticas públicas*. ▶ Conjug. 17.

subsidiária [si] (sub.si.di:*á*.ri:a) *s.f.* (*Econ.*) Empresa comercial controlada por outra empresa que detém a maioria das ações da primeira.

subsidiário [si] (sub.si.di:*á*.ri:o) *adj.* **1.** (*Econ.*) Relativo a subsídio. **2.** Que financia, subvenciona: *Estado subsidiário*. **3.** (*Econ.*) Que auxilia, socorre: *órgão subsidiário*. **4.** Que é secundário; acessório: *setor subsidiário*.

subsídio [si] (sub.*sí*.di:o) *s.m.* **1.** Auxílio financeiro dado a uma pessoa, empresa ou instituição. **2.** (*Econ.*) Benefício pago pelo governo a pessoas e empresas públicas ou privadas sem contrapartida; subvenção. **3.** (*Econ.*) Auxílio financeiro dado pelo governo a empresas públicas ou privadas. **4.** Salário de parlamentar; vencimento. **5.** Dado, informação. || Mais usado no plural.

subsistema [si] (sub.sis.*te*.ma) *s.m.* **1.** Sistema que se subordina a outro. **2.** (*Geol., Geogr.*) Divisão de um sistema.

subsistência [si *ou* zi] (sub.sis.*tên*.ci:a) *s.f.* **1.** Qualidade de subsistente. **2.** Aquilo que garante a sobrevivência; sustento. **3.** Sobrevivência (6).

subsistente [si *ou* zi] (sub.sis.*ten*.te) *adj.* **1.** Que continua a existir; duradouro permanente: *verdade subsistente*. **2.** (*Jur.*) Que permanece válido: *obrigação subsistente*.

subsistir [si *ou* zi] (sub.sis.*tir*) v. **1.** Seguir existindo; conservar-se, sobreviver: *A empresa subsistiu até o ano passado*. **2.** Suprir necessidades básicas; manter-se, sustentar-se: *Os camponeses subsistiam do cultivo da soja*. **3.** Manter sua força ou ação; perdurar, permanecer: *Entre os antigos, subsistia a ideia de politeísmo*. **4.** Ser vigente; vigorar: *Aquela medida provisória ainda subsiste*. ▶ Conjug. 66.

subsolo [ó] (sub.*so*.lo) *s.m.* **1.** (*Geol.*) Camada que vem logo abaixo do chão, pobre em matéria orgânica e rica em minerais; substrato. **2.** Parte de um edifício que se situa abaixo do térreo.

substabelecer (subs.ta.be.le.*cer*) v. (*Jur.*) Transferir para outra pessoa poderes de um mandato que já havia sido conferido a alguém: *substabelecer uma procuração (para um advogado); A infração ética é de responsabilidade de quem substabelece*. ▶ Conjug. 41 e 46. – **substabelecimento** *s.m.*

substância (subs.*tân*.ci:a) *s.f.* **1.** Matéria de um corpo: *O álcool é uma substância líquida*. **2.** (*Quím.*) Elemento composto que apresenta forma homogênea: *A água é uma substância constituída por duas moléculas de hidrogênio e uma de oxigênio*. **3.** Conteúdo mais nutritivo dos alimentos; sustança, sustância: *Esse é um alimento de muita substância!* **4.** *fig.* Parte principal de algo; alma, essência: *A filosofia clássica reconhecia a substância das coisas*. **5.** *fig.* Base, fundamento, consistência: *argumento sem substância*.

substancial (subs.tan.ci:*al*) *adj.* **1.** Relativo a substância. **2.** Que é nutritivo; alimentício, substancioso: *almoço substancial*. **3.** Que é fundamental; essencial: *erro substancial*. **4.** Que é considerável; grande: *melhora substancial*. **5.** Que é rico de conteúdos; esclarecedor: *informação substancial*. • *s.m.* **6.** Aquilo que é nutritivo. **7.** Aquilo que é fundamental.

substancialidade (subs.tan.ci:a.li.*da*.de) *s.f.* Qualidade de substancial.

substancioso [ô] (subs.tan.ci:o.so) *adj.* Substancial (2). || f. e pl.: [ó].

substantivar (subs.tan.ti.*var*) v. **1.** (*Gram.*) Dar a função de substantivo a: *substantivar um advérbio*. **2.** Dar caráter de substância (5) a: *substantivar políticas públicas*. ▶ Conjug. 5. – **substantivação** *s.f.*

substantivo (subs.tan.*ti*.vo) *adj.* **1.** Que apresenta função de substantivo: *oração substantiva*. **2.** Que apresenta consistência: *qualidade substantiva*. • *s.m.* **3.** (*Gram.*) Classe de palavra usada para nomear seres, coisas, ações etc.

substituir (subs.ti.tu.*ir*) *v.* **1.** Pôr (alguém ou algo) em lugar de; efetuar ou sofrer troca: *Aquele técnico sempre substitui o atacante* (*por outro*). **2.** Repor, recolocar: *O mecânico substituiu o carburador quebrado.* **3.** Assumir função ocupada por outrem; suceder: *Substituí meu pai na gerência da loja*. **4.** Suprir, preencher, prover: *Os estagiários substituíram a ausência de profissionais qualificados.* ▶ Conjug. 80. – **substituição** *s.f.*

substituível (subs.ti.tu.*í*.vel) *adj.* Que pode ser substituído: *peça substituível*.

substitutivo (subs.ti.tu.*ti*.vo) *adj.* **1.** Substituto (1). • *s.m.* **2.** (*Jur.*) Emenda feita a um projeto de lei ou projeto apresentado para substituir outro.

substituto (subs.ti.*tu*.to) *adj.* **1.** Que substitui (alguém ou algo); substitutivo, sucedâneo: *enfermeira substituta*. • *s.m.* **2.** Pessoa substituta.

substrato (subs.*tra*.to) *s.m.* **1.** Estrato que se localiza embaixo de (algo). **2.** Aquilo que serve de base; fundamento. **3.** Aquilo que restou após modificação; resíduo, sobra. **4.** Aquilo que causa (algo); razão, motivo, origem. **5.** *fig.* Alma, âmago, espírito. **6.** (*Biol.*) Meio no qual um organismo vive. **7.** (*Geol.*) Subsolo (1).

subtenente (sub.te.*nen*.te) *s.m. e f.* (*Mil.*) **1.** Patente militar do Exército que corresponde à de suboficial da Marinha e da Aeronáutica. **2.** Militar que possui essa patente.

subterfúgio (sub.ter.*fú*.gi:o) *s.m.* Pretexto.

subterrâneo (sub.ter.*râ*.ne:o) *adj.* **1.** Que se localiza ou se dá abaixo do nível do solo: *erosão subterrânea*. **2.** *fig.* Que está oculto; encoberto: *ameaça subterrânea*. **3.** Diz-se de construção que é feita debaixo do solo: *passarela subterrânea*. • *s.m.* **4.** Construção subterrânea.

subtítulo (sub.*tí*.tu.lo) *s.m.* (*Art. Gráf.*) Título secundário que aparece logo após o título principal.

subtotal (sub.to.*tal*) *adj.* **1.** Que abarca parte do total: *valor subtotal*. **2.** (*Mat.*) Resultado parcial de uma soma.

subtração (sub.tra.*ção*) *s.f.* **1.** Ato ou efeito de subtrair. **2.** Furto, desvio, roubo. **3.** Supressão, redução. **4.** (*Mat.*) Operação que diminui uma quantidade de outra para chegar a um total diminuído. **5.** (*Mat.*) O resultado dessa operação; diminuição.

subtraendo (sub.tra:*en*.do) *s.m.* (*Mat.*) Diminuendo.

subtrair (sub.tra.*ir*) *v.* **1.** Furtar (algo) de; surrupiar: *O funcionário subtraiu um documento importante do chefe*. **2.** (*Mat.*) Realizar uma subtração; diminuir: *subtrair um número* (*de outro*). **3.** Extrair, retirar, tirar: *Subtraiu uma passagem da obra para escrever seu discurso.* ▶ Conjug. 83.

subtropical (sub.tro.pi.*cal*) *adj.* **1.** Diz-se de região que se localiza perto dos trópicos, a quarenta graus de latitude. **2.** Diz-se do clima dessa região. **3.** Que é próprio dessa região ou desse clima: *floresta subtropical*.

suburbano (su.bur.*ba*.no) *adj.* **1.** Relativo a subúrbio. **2.** Diz-se de quem mora no subúrbio. **3.** *coloq. pej.* Que é brega; cafona: *mentalidade suburbana*. • *s.m.* **4.** Pessoa suburbana.

subúrbio (su.*búr*.bi:o) *s.m.* **1.** Bairro afastado do centro da cidade. **2.** A vizinhança ou os arredores de algum lugar; arrabalde, cercania.

subvenção (sub.ven.*ção*) *s.f.* (*Econ.*) **1.** Ato ou efeito de subvencionar. **2.** Ajuda pecuniária geralmente concedida a instituições, empresas, pessoas etc. pelo Estado; subsídio (2). – **subvencionado** *adj.*

subvencionar (sub.ven.ci:o.*nar*) *v.* (*Econ.*) Conceder subvenção a, subsidiar: *subvencionar um fundo de pensão.* ▶ Conjug. 5.

subversão (sub.ver.*são*) *s.f.* **1.** Ato ou efeito de subverter(-se). **2.** Insubordinação contra um poder estabelecido; rebelião, revolta. **3.** Transformação ou busca pela transformação de um sistema econômico, político ou social; revolução.

subversivo (sub.ver.*si*.vo) *adj.* **1.** Relativo a subversão. **2.** Que subverte um poder estabelecido; agitador, rebelde: *propaganda subversiva*. **3.** Que transforma ou busca transformar um sistema econômico, político ou social; revolucionário: *guerrilha subversiva*. • *s.m.* **4.** Pessoa subversiva.

subverter (sub.ver.*ter*) *v.* **1.** Provocar agitação; perturbar, transtornar: *subverter uma ordem*. **2.** Transformar ou buscar transformar uma ordem econômica, política ou social; revolucionar: *subverter a política de um país*. **3.** Descaracterizar (algo); desfigurar: *Aquela medida subverteu a lógica do mercado.* ▶ Conjug. 41.

sucata (su.*ca*.ta) *s.f.* **1.** Ferro-velho. **2.** *fig.* Cacareco, bagulho.

sucatear (su.ca.te:*ar*) *v.* **1.** Fazer virar sucata; tornar imprestável: *sucatear uma peça.* **2.** Vender como sucata: *sucatear um aparelho.* **3.** *fig.* Fazer com que se arruíne por falta de investimento ou conservação, ou vender barato, como se fosse sucata: *sucatear a educação.* ▶ Conjug. 14. – **sucateamento** *s.m.*

sucção (suc.*ção*) *s.f.* Ato ou efeito de sugar.

sucedâneo (su.ce.*dâ*.ne:o) *adj.* **1.** Diz-se de substância ou medicamento que substitui outro, por possuir as mesmas propriedades. **2.** Que substitui alguém ou algo; substituto: *cargo sucedâneo.* • *s.m.* **3.** (*Farm., Quím., Med.*) Substância ou medicamento sucedâneo. **4.** Pessoa ou coisa sucedânea.

suceder (su.ce.*der*) *v.* **1.** Acontecer (algo); ocorrer, realizar-se: *Não sei o que sucedeu a ele; Esse fato sucedeu ontem.* **2.** Acontecer logo a seguir; sobrevir, seguir: *Os ataques sucediam à trégua; Muitos fatos se sucederam após a guerra.* **3.** Ser sucessor de; substituir: *D. Pedro II sucedeu seu pai, D. Pedro I; O empresário sucederá ao sócio no controle da firma.* ▶ Conjug. 41.

sucessão (su.ces.*são*) *s.f.* **1.** Ato ou efeito de suceder(-se). **2.** Encadeamento de elementos; sequência, série: *sucessão de erros.* **2.** (*Jur.*) Transmissão de direitos ou bens: *sucessão patrimonial.* **3.** (*Jur.*) Legado que é fruto dessa transmissão; herança: *sucessão de bens imóveis.* **4.** *fig.* Grupo de filhos que compõem uma geração; descendência.

sucessivo (su.ces.*si*.vo) *adj.* **1.** Relativo a sucessão. **2.** Que vem logo a seguir; imediato, seguinte, subsequente: *edição sucessiva.* **3.** Que se repete; ininterrupto; incessante: *esvaziamento sucessivo.* **4.** (*Jur.*) Que é hereditário; sucessório: *direitos sucessivos.*

sucesso [é] (su.ces.*so*) *s.m.* **1.** Resultado positivo de um empreendimento. **2.** Êxito obtido; triunfo. **3.** Pessoa ou coisa que obteve reconhecimento público.

sucessor [ô] (su.ces.*sor*) *adj.* **1.** Que substitui alguém ou algo; substituto: *O novo papa é o sucessor de João Paulo II.* • *s.m.* **2.** (*Jur.*) Aquele que herda (algo); herdeiro. **3.** Pessoa ou coisa sucessora.

sucessório (su.ces.*só*.ri:o) *adj.* Relativo a sucessão: *processo sucessório.*

súcia (*sú*.ci:a) *s.f. pej.* Grupo de pessoas de má índole ou de caráter duvidoso; cambada, corja, caterva (2).

sucinto (su.*cin*.to) *adj.* Que diz, escreve ou é apresentado com poucas palavras; conciso, resumido: *relatório sucinto.*

suco (*su*.co) *s.m.* **1.** Líquido nutritivo retirado de vegetais; sumo: *suco de uvas.* **2.** (*Med.*) Líquido segregado pelo organismo: *suco gástrico.*

suçuarana (su.çu:a.*ra*.na) *s.f.* (*Zool.*) Puma.

suculento (su.cu.*len*.to) *adj.* **1.** Que contém muito suco: *fruta suculenta.* **2.** Que é nutritivo; alimentício: *comida suculenta.* **3.** Diz-se de alimento que apresenta boa aparência e desperta o apetite: *prato suculento.* – **suculência** *s.f.*

sucumbir (su.cum.*bir*) *v.* **1.** Dobrar-se ante a vontade de; sujeitar-se a, submeter-se: *Sucumbiu ao desejo do pai e formou-se em Medicina.* **2.** *fig.* Ficar sem ânimo; abater-se, prostrar-se: *Não resistiu à perda do filho e sucumbiu.* **3.** *fig.* Deixar de existir; desaparecer, morrer: *O último representante da espécie não aguentou e sucumbiu.* ▶ Conjug. 66.

sucupira (su.cu.*pi*.ra) *s.f.* (*Bot.*) Árvore originária do Brasil, com madeira castanho-escura, usada com fins medicinais ou ornamentais.

sucuri (su.cu.*ri*) *s.f.* (*Zool.*) Maior serpente do mundo, não venenosa, de cor verde ou marrom, com manchas pretas, encontrada em rios e lagoas, que se alimenta de vertebrados mortos por compressão.

sucursal (su.cur.*sal*) *s.f.* Filial (2).

sudanês (su.da.*nês*) *adj.* **1.** Da República do Sudão, país da África. • *s.m.* **2.** O natural ou o habitante desse país. **3.** Idioma falado nesse país.

sudário (su.*dá*.ri:o) *s.m.* Mortalha. || *Santo sudário*: lençol que teria envolvido Jesus Cristo, após ser descido da cruz.

sudeste [é] (su.*des*.te) *adj.* **1.** Relativo a sudeste. **2.** Diz-se de direção localizada entre o sul e o leste. **3.** Diz-se de região, ou grupo de regiões, situada a sudeste. **4.** Que se localiza a sudeste. **5.** Diz-se de vento que vem dessa direção. • *s.m.* **6.** Direção sudeste. || Símbolo: *SE*. **7.** Região brasileira que abrange os estados do Espírito Santo, de Minas Gerais, do Rio de Janeiro e de São Paulo. || Abreviação: *S.E.* **8.** Vento sudeste.

súdito (*sú*.di.to) *s.m.* Pessoa que vive sob a autoridade de um monarca.

sudoeste [é] (su.do:*es*.te) *adj.* **1.** Relativo a sudoeste. **2.** Diz-se de direção localizada entre o sul e o oeste. **3.** Diz-se de região, ou grupo de regiões, situada a sudoeste. **4.** Que se localiza a sudoeste. **5.** Diz-se de vento que vem dessa direção. • *s.m.* **6.** Direção sudoeste. || Símbolo: *SW*. **7.** Região sudoeste. || Abreviação: *S.O.* **8.** Vento sudoeste.

suicidar-se

sudorese [é] (su.do.re.se) s.f. (Med.) Secreção de suor.

sudorífero (su.do.rí.fe.ro) adj. **1.** Que faz suar: *medicamento sudorífero*. • s.m. **2.** Aquilo que faz suar. || *sudorífico*.

sudorífico (su.do.rí.fi.co) adj. s.m. Sudorífero.

sueco [é] (su.e.co) adj. **1.** Da Suécia, país da Europa. • s.m. **2.** O natural ou o habitante desse país. **3.** Idioma falado nesse país.

sueste [é] (su:es.te) adj. s.m. Sudeste. || Símbolo: *SE*.

suéter (su:é.ter) s.2g. Agasalho de lã, que se veste pela cabeça; pulôver.

suficiente (su.fi.ci:en.te) adj. **1.** Que é satisfatório; bastante: *quantidade suficiente*. **2.** Que é razoável; aceitável: *desempenho suficiente*. – **suficiência** s.f.

sufixação [cs] (su.fi.xa.ção) s.f. Ato ou efeito de sufixar.

sufixar [cs] (su.fi.*xar*) v. (Gram.) Acrescentar sufixo a um radical ou a uma palavra: *Sufixando-se a palavra normal, pode-se formar normalmente*. ▶ Conjug. 5.

sufixo [cs] (su.fi.xo) s.m. (Gram.) Elemento formador de palavras que se posiciona depois do radical. || Conferir com *afixo* e *prefixo*.

suflê (su.flê) s.m. (Cul.) Prato preparado com farinha de trigo, ovos e legumes, peixe, queijo etc. reduzidos a um purê que cresce ao ser assado no forno.

sufocante (su.fo.can.te) adj. **1.** Que dificulta a respiração; asfixiante: *tosse sufocante*. **2.** Diz-se de clima, temperatura etc.; abafado: *calor sufocante*. **3.** fig. Que oprime; opressivo: *vida sufocante*.

sufocar (su.fo.*car*) v. **1.** Provocar ou sentir asfixia; asfixiar, abafar, afogar: *O incêndio sufocou os habitantes do lugar*; *Os bombeiros sufocaram-se com os gases*. **2.** Tirar a vida por asfixia; matar(-se), asfixiar(-se): *Tentou sufocar o gato da vizinha*; *Sufocou-se por enforcamento*. **3.** fig. Provocar ou sentir mal-estar físico ou emocional: *Tanto imposto sufoca o contribuinte*; *Sufoquei(-me) com tanto calor*. **4.** fig. Conter, reprimir: *A polícia sufocou a greve dos mineiros*. ▶ Conjug. 20 e 35. – **sufocação** s.f.; **sufocamento** s.m.

sufoco [ô] (su.*fo*.co) s.m. **1.** Ato ou efeito de sufocar(-se). **2.** coloq. Situação difícil; aperto, problema. **3.** coloq. Sentimento causado por essa situação; angústia, aflição. **4.** coloq. Pressa para fazer algo; urgência.

sufrágio (su.*frá*.gi:o) s.m. **1.** Escolha por eleição; votação. **2.** Voto. **3.** Oração ou obra pia feita pela alma de um morto. || *Sufrágio universal*: direito de voto de todos os cidadãos. – **sufragar** v. ▶ Conjug. 5 e 34.

sugador [ô] (su.ga.*dor*) adj. **1.** Que suga: *aparelho sugador*. **2.** Diz-se de planta ou raiz que é parasita. • s.m. **3.** Ser ou coisa que suga. **4.** (Bot.) Planta ou raiz sugadora.

sugar (su.*gar*) v. **1.** Fazer a sucção de um líquido pela boca; chupar, sorver: *O bebê sugava a mamadeira com força*. **2.** Retirar (algo) de; extrair, tirar: *Sugou o ar (da máquina) com auxílio de uma bomba*. **3.** fig. Tirar (algo) de (alguém); arrancar, roubar: *Sugou o irmão durante anos*; *Sugava o dinheiro da família sem remorso*. ▶ Conjug. 5 e 34. – **sugação** s.f.

sugerir (su.ge.*rir*) v. **1.** Apontar (a alguém) a necessidade de; aconselhar, propor, recomendar: *A comissão encarregada sugeriu a divulgação da campanha*. **2.** Dar a entender; insinuar: *Sua expressão de espanto sugeria que não sabia nada (sobre o amigo)*. ▶ Conjug. 69 e 92.

sugestão (su.ges.*tão*) s.f. **1.** Ato ou efeito de sugerir. **2.** Aquilo que é recomendado a alguém; proposta, conselho. **3.** Aquilo que aparece de forma velada; insinuação. **4.** (Psiq.) Ato de persuasão que faz com que uma pessoa mude de ideia ou tome uma atitude sem se dar conta do que a motivou.

sugestionável (su.ges.ti:o.*ná*.vel) adj. Que é facilmente influenciado por opiniões, ideias, imagens etc.: *mente sugestionável*.

sugestionar (su.ges.ti:o.*nar*) v. Influenciar(-se) por meio de sugestão (2); persuadir(-se): *O projeto sugestionou as crianças (a entrarem para a escola)*; *Sugestionava-se facilmente; por isso evitava os filmes de terror*. ▶ Conjug. 5.

sugestivo (su.ges.*ti*.vo) adj. **1.** Que propõe algo: *modelo sugestivo*. **2.** Que insinua algo: *atitude sugestiva*. **3.** Que evoca algo; inspirador: *texto sugestivo*.

suíça (su.í.ça) s.f. Parte da barba que cresce nos lados da face; costeleta.

suicida (su:i.ci.da) adj. **1.** Relativo a suicídio. **2.** Diz-se de pessoa que se suicidou ou pensa em fazê-lo: *alcoólatra suicida*. **3.** Que envolve a perda da própria vida: *atentado suicida*. **4.** fig. Que envolve dano ou perda de bens ou prestígio próprio: *projeto suicida*. • s.m. e f. **5.** Pessoa suicida.

suicidar-se (su:i.ci.*dar*-se) v. **1.** Pôr fim à própria vida; matar-se: *Com a descoberta de suas frau-*

suicídio

des, o empresário se suicidou. **2.** *fig.* Provocar a própria ruína; arruinar-se, destruir-se, fracassar: *Quando aceitei aquele financiamento, suicidei-me financeiramente.* ▶ Conjug. 5 e 6.

suicídio (su:i.*cí*.di:o) *s.m.* **1.** Ato ou efeito de suicidar-se. **2.** Morte provocada pela própria pessoa. **3.** *fig.* Ruína provocada pela própria pessoa; destruição, fracasso.

suíço (su.*í*.ço) *adj.* **1.** Da Confederação Helvética (Suíça), país da Europa. • *s.m.* **2.** O natural ou o habitante desse país.

sui generis (Lat.) *loc. adj.* Que é singular; original: *Descobri uma característica sui generis nesse produto: além de limpador, desentope pias.*

suingue (su.*in*.gue) *s.m.* **1.** (*Mús.*) Estilo de *jazz* que dá ênfase à improvisação. **2.** Dança ao som do suingue (1). **3.** Balanço, bossa. **4.** Relação sexual entre dois ou mais casais que trocam de parceiros. ‖ *swing.*

suíno (su.*í*.no) *adj.* **1.** Relativo a porco. • *s.m.* **2.** (*Zool.*) Porco.

suinocultor [ô] (su:i.no.cul.*tor*) *adj.* **1.** Que se dedica à suinocultura. • *s.m.* **2.** Pessoa suinocultora.

suinocultura (su:i.no.cul.*tu*.ra) *s.f.* Criação de porcos.

suíte (su:*í*.te) *s.f.* **1.** Quarto com banheiro anexo, em hotéis, apartamentos, casas etc. **2.** (*Mús.*) Conjunto de peças instrumentais compostas para apresentação em sequência, menos usual na Europa após o século XVIII. **3.** Dança ao som de uma suíte.

sujar (su.*jar*) *v.* **1.** Ficar ou fazer ficar sujo; emporcalhar(-se): *Meu filho sujou a roupa de graxa; Sujei-me de lama e tive que voltar para casa.* **2.** Defecar, borrar, evacuar: *O bebê sujou a fralda; Sem conseguir controlar seus músculos, sujava-se nas calças.* **3.** *coloq. fig.* Comprometer a imagem (de si mesmo ou de alguém), maculando-a; manchar(-se), desonrar(-se), difamar(-se): *O herdeiro, com seus atos, sujava o nome da família; Eles se sujaram por dinheiro.* **4.** *gír.* Interromper (ato delituoso, conduta imprópria etc.) devido à presença de uma autoridade: *A situação sujou com a chegada da polícia.* ‖ *Sujar a barra de*: colocar (alguém) em situação difícil: *Contou sobre o atraso e sujou a barra do colega.* ▶ Conjug. 5 e 37.

sujeição (su.jei.*ção*) *s.f.* **1.** Ato ou efeito de sujeitar(-se). **2.** Dependência, submissão, subordinação, jugo (2).

sujeira (su.*jei*.ra) *s.f.* **1.** Ato ou efeito de sujar(-se); sujidade. **2.** Estado ou condição do que está sujo; sujidade. **3.** Aquilo que é detrito; lixo. **4.** Falta de limpeza; imundície, porcaria. **5.** Aquilo que mancha; nódoa. **6.** *fig.* Procedimento infame; bandalheira, velhacaria.

sujeitar (su.jei.*tar*) *v.* **1.** Submeter(-se) ao domínio ou à autoridade de; subjugar: *O Império Romano sujeitou diversas nações (à sua autoridade).* **2.** Render-se, conformar-se: *Como não conseguia mais lutar contra o poder, sujeitou-se.* **3.** Dar a conhecer; apresentar, expor: *O governo sujeitou as propostas à apreciação popular.* **4.** Imobilizar, segurar: *sujeitar um animal.* ▶ Conjug. 18.

sujeito (su.*jei*.to) *adj.* **1.** Que se sujeitou. **2.** Que foi subjugado; submetido: *um país sujeito a uma ditadura.* **2.** Que depende de: *projeto sujeito à aprovação do diretor.* **3.** Que está destinado a: *pagamento sujeito à tarifação prevista na lei.* **4.** Que é suscetível a: *programação sujeita a mudanças.* • *s.m.* **5.** Qualquer pessoa; homem, indivíduo. **6.** *pej.* Homem malvisto. **7.** (*Gram.*) Termo da oração ao qual se atribui um predicado. **8.** (*Jur.*) Titular de um direito.

sujidade (su.ji.*da*.de) *s.f.* **1.** Sujeira (1, 2 e 3). **2.** *pej.* Devassidão, depravação, libertinagem.

sujo (su.jo) *adj.* **1.** Que está emporcalhado; imundo: *quintal sujo.* **2.** Que está manchado; enodoado: *roupa suja.* **3.** Que está misturado; turvo: *rio sujo.* **4.** *fig.* Que foi malfeito; mal-acabado: *trabalho sujo.* **5.** *fig.* Que está desmoralizado; desacreditado: *nome sujo.* **6.** *fig.* Que é desonesto; inescrupuloso: *serviço sujo.* **7.** *fig.* Que agride; grosseiro: *língua suja.*

sul *adj.* **1.** Relativo a sul ou dele procedente. **2.** Diz-se de direção oposta ao norte. **3.** Diz-se de região ou grupo de regiões localizadas do lado oposto ao do norte. **3.** Diz-se de vento que vem dessa direção. • *s.m.* **4.** Um dos quatro pontos cardeais. ‖ Símbolo S. **5.** Região brasileira que abrange os estados do Paraná, de Santa Catarina e do Rio Grande do Sul. ‖ Abreviação: S. **6.** Vento sul.

sul-africano (sul-a.fri.*ca*.no) *adj.* **1.** Da República da África do Sul, país da África • *s.m.* **2.** O natural ou o habitante desse país. ‖ pl.: *sul-africanos.*

sul-americano (sul-a.me.ri.*ca*.no) *adj.* **1.** Do continente da América do Sul. • *s.m.* **2.** O natural ou o habitante desse continente. ‖ pl.: *sul-americanos.*

sulcar (sul.*car*) *v.* **1.** Abrir sulcos em; arar, lavrar: *sulcar a terra.* **2.** Singrar: *sulcar as águas do mar.* **3.** Encher de rugas; encarquilhar, enrugar: *As rugas sulcaram seu rosto.* ▶ Conjug. 5 e 35. – **sulcagem** *s.f.*

sulco (sul.co) *s.m.* **1.** Depressão na terra produzida por um arado. **2.** Marca feita em um material; fissura, ranhura. **3.** (*Náut.*) Esteira² (1). **4.** Traço na pele; ruga, prega.

sul-coreano (sul-co.re.a.no) *adj.* **1.** Da República da Coréia (Coréia do Sul), país da Ásia. • *s.m.* **2.** O natural ou o habitante desse país. || pl.: *sul-coreanos*.

sulfa (sul.fa) *s.f.* (*Farm., Quím., Med.*) Medicamento usado para combater bactérias.

sulfato (sul.fa.to) *s.m.* (*Quím.*) Cada sal do ácido sulfúrico.

sulfúrico (sul.fú.ri.co) *adj.* **1.** (*Quím.*) Diz-se de ácido utilizado na produção de fertilizantes, detergentes etc. • *s.m.* **2.** Ácido sulfúrico.

sulfuroso [ô] (sul.fu.ro.so) *adj.* **1.** Relativo a enxofre. **2.** Que contém ou é constituído por enxofre: *sabonete sulfuroso*. || f. e pl.: [ó].

sulino (su.li.no) *adj. s.m.* Sulista.

sulista (su.lis.ta) *adj.* **1.** Relativo a sul. **2.** Que é da região Sul. **3.** Que é da região Sul do Brasil; sulino.• *s.m. e f.* **4.** O natural ou o habitante da região Sul. **5.** O natural ou o habitante da região Sul do Brasil.

sul-mato-grossense (sul-ma.to-gros.sen.se) *adj.* **1.** Do Estado de Mato Grosso do Sul. • *s.m. e f.* **2.** O natural ou o habitante desse estado. || pl.: *sul-mato-grossenses*.

sul-rio-grandense (sul-ri:o-gran.den.se) *adj.* **1.** Do Estado do Rio Grande do Sul. • *s.m. e f.* **2.** O natural ou o habitante desse estado; gaúcho; rio-grandense-do-sul. || pl.: *sul-rio-grandenses*.

sultana (sul.ta.na) *s.f.* Mulher, mãe, filha ou concubina de sultão. || m.: *sultão*.

sultanato (sul.ta.na.to) *s.m.* **1.** País ou região governada por sultão. **2.** Cargo de sultão.

sultão (sul.tão) *s.m.* **1.** Soberano de países muçulmanos. **2.** *fig.* Homem poderoso. **3.** *fig.* Homem com muitas amantes.

suma (su.ma) *s.f.* Resumo dos assuntos principais de um livro; sumário, súmula. || *Em suma:* em resumo: resumidamente: *O que ele disse, em suma, é que não haverá verba para o projeto.*

sumarento (su.ma.ren.to) *adj.* Que contém muito sumo, suco; suculento: *fruto sumarento*.

sumário (su.má.ri:o) *adj.* **1.** Que foi resumido; conciso, sintético: *descrição sumária*. **2.** Que se dá de forma rápida: *julgamento sumário*. **3.** Que é pequeno; reduzido: *traje sumário*. • *s.m.* **4.** Resumo dos assuntos principais de uma obra, discurso etc.; síntese. **5.** Lista dos itens de uma publicação (livro, revista etc.) com a indicação dos títulos dos capítulos ou seções e as respectivas páginas; índice (1). **6.** Suma. – **sumariar** *v.* ▶ Conjug. 17.

sumério (su.mé.ri:o) *adj.* **1.** Da Suméria, antigo país da Mesopotâmia, na Ásia. • *s.m.* **2.** O natural ou o habitante desse país. **3.** Idioma falado nesse país.

sumiço (su.mi.ço) *s.m.* **1.** Ato ou efeito de sumir(-se). **2.** Desaparecimento. **3.** Extravio, perda.

sumidade (su.mi.da.de) *s.f.* Pessoa que sobressai dentre outras por deter grande saber ou possuir grande talento; vulto.

sumido (su.mi.do) *adj.* **1.** Que (se) sumiu. **2.** Que está desaparecido: *gato sumido*. **3.** Que está ausente da vida pública: *cantor sumido*.

sumidouro (su.mi.dou.ro) *s.m.* **1.** Conduto por onde escoam líquidos, excrementos etc.; canal, escoadouro. **2.** Bueiro, esgoto, sarjeta. **3.** *fig.* Aquilo que leva ao desperdício; sorvedouro.

sumir (su.mir) *v.* **1.** Desaparecer ou fazer desaparecer: *Eles mudaram de cidade e sumiram; O vendedor sumiu com meu dinheiro*. **2.** Acabar totalmente; consumir(-se), extinguir(-se): *Exploraram tanto aquela mina que o ouro sumiu* (-se). ▶ Conjug. 77.

sumo¹ (su.mo) *s.m.* Suco (1).

sumo² (su.mo) *adj.* Que detém o maior poder; supremo; superior: *sumo sacerdote*.

sumô (su.mô) *s.m.* Espécie de luta japonesa praticada corpo a corpo entre adversários com proporções avantajadas.

súmula (sú.mu.la) *s.f.* Pequeno apanhado; suma, sumário (6), resumo (1).

sundae [sândei] (Ing.) *s.m.* (*Cul.*) Porção de sorvete acompanhada de calda, frutas e *marshmallow*.

sunga (sun.ga) *s.f.* **1.** Traje masculino próprio para o banho de mar ou de piscina, feito de apenas uma peça cavada, curta e elástica; calção. **2.** Cueca que apresenta o mesmo formato que uma sunga de banho.

sunita (su.ni.ta) *adj.* **1.** Relativo a sunita, muçulmano ortodoxo que adota posição conservadora. • *s.m. e f.* **2.** (*Rel.*) Pessoa sunita.

suntuoso [ô] (sun.tu:o.so) *adj.* Que é luxuoso; imponente: *templo suntuoso*. || f. e pl.: [ó]. – **suntuosidade** *s.f.*

suor [ó] (su:*or*) s.m. **1.** Ato ou efeito de suar; transpiração, sudorese. **2.** (*Med.*) Secreção de composto orgânico produzida pelas glândulas sudoríparas e expelida pelos poros. **2.** *fig.* Esforço, dedicação, labuta: *Ele comprou uma casa com o suor de seu trabalho.* – **suarento** *adj.*

superabundância (su.pe.ra.bun.*dân*.ci:a) s.f. Excesso de abundância; fartura. – **superabundante** *adj.*; **superabundar** v. ▶ Conjug. 5.

superado (su.pe.*ra*.do) *adj.* **1.** Que se superou. **2.** Que foi solucionado; resolvido: *problema superado.* **3.** Que está ultrapassado, fora de uso; obsoleto: *método superado.* **4.** Que foi vencido; derrotado: *time superado por outro.*

superalimentação (su.pe.ra.li.men.ta.*ção*) s.f. **1.** Ato ou efeito de superalimentar(-se). **2.** (*Med.*) Ingestão excessiva de alimentos, causando dano à saúde. **3.** (*Med.*) Tratamento terapêutico que consiste em ingerir alimentos que contenham vitaminas ou outras substâncias das quais um paciente esteja carente. – **superalimentar** v. ▶ Conjug. 5.

superaquecer (su.pe.ra.que.*cer*) v. Expor ou chegar à temperatura muito elevada; aquecer (-se) além do normal: *superaquecer uma bateria; O motor do carro superaqueceu(-se).* ▶ Conjug. 41 e 46. – **superaquecimento** s.m.

superar (su.pe.*rar*) v. **1.** Ser vitorioso (sobre); dominar, vencer: *Ele superava as dificuldades com grande persistência.* **2.** Mostrar-se superior a; suplantar(-se): *Os jogadores superaram o adversário; A cantora superou-se naquele show.* **3.** Ir além de; exceder, ultrapassar: *As vendas superaram as expectativas.* ▶ Conjug. 8. – **superação** s.f.

superável (su.pe.*rá*.vel) *adj.* Que pode ser superado: *crise superável.*

superavit (Lat.) s.m. (*Econ.*) Excesso da receita sobre a despesa num orçamento. || antôn.: *deficit.*

supercampeão (su.per.cam.pe:*ão*) s.m. (*Esp.*) **1.** Campeão com grande número de vitórias acima do esperado. **2.** Pessoa, equipe ou time que vence um supercampeonato.

supercampeonato (su.per.cam.pe:o.*na*.to) s.m. (*Esp.*) **1.** No futebol, torneio entre três ou mais equipes empatadas. **2.** O último campeonato de uma série.

supercílio (su.per.*cí*.li:o) s.m. Sobrancelha.

supercomputador [ô] (su.per.com.pu.ta.*dor*) s.m. Computador de grande porte, que realiza operações complexas.

supercondutor [ô] (su.per.con.du.*tor*) s.m. (*Fís.*) Metal ou liga que, sofrendo resfriamento, apresenta pouca resistência, facilitando a passagem de corrente elétrica. – **supercondutividade** s.f.

superdose [ó] (su.per.*do*.se) s.f. Overdose.

superdotado (su.per.do.*ta*.do) *adj.* **1.** Diz-se de pessoa dotada de inteligência, talento ou habilidade acima do normal. • s.m. **2.** Pessoa superdotada.

superego [é] (su.pe.*re*.go) s.m. (*Psicn.*) Parte do aparelho psíquico que exerce a função de censor do ego.

superestimar (su.pe.res.ti.*mar*) v. **1.** Valorizar acima do preço ou do valor real; supervalorizar, sobrestimar: *O mercado superestimava os riscos da inflação.* **2.** Valorizar acima da qualidade real; sobrestimar, maximizar (2): *Superestimei meu potencial e não passei na prova.* **3.** Sentir afeição excessiva por (alguém ou algo); adorar, idolatrar, venerar, sobrestimar: *superestimar um amigo.* ▶ Conjug. 5. – **superestimação** s.f.

superestrutura (su.pe.res.tru.*tu*.ra) s.f. **1.** Construção levantada sobre outra construção. **2.** Armação ou alicerce de uma edificação. **3.** Conjunto de instituições político-jurídicas e de fenômenos culturais que estruturam uma sociedade.

superexposição (su.pe.rex.po.si.*ção*) s.f. **1.** (*Fot.*) Ato ou efeito de expor uma fotografia à luz por um tempo excessivo. **2.** Ato ou efeito de expor-se em excesso: *A superexposição ao sol pode causar queimaduras ou câncer;* (*fig.*) *A superexposição na mídia acaba com a privacidade das pessoas.*

superfaturado (su.per.fa.tu.*ra*.do) *adj.* (*Econ.*) Que se superfaturou: *contrato superfaturado.*

superfaturamento (su.per.fa.tu.ra.*men*.to) s.m. (*Econ.*) Emissão de fatura fraudulenta com valor de venda superior ao de mercado. || Conferir com *subfaturamento.*

superfaturar (su.per.fa.tu.*rar*) v. (*Econ.*) Realizar superfaturamento: *superfaturar compras.* ▶ Conjug. 5.

superficial (su.per.fi.ci:*al*) *adj.* **1.** Relativo a superfície. **2.** Que se situa na superfície; sem profundidade: *fratura superficial.* **3.** *fig.* Que envolve somente o mínimo; resumido, breve: *estudo superficial.* **4.** Que é sem importância; fútil, supérfluo: *comportamento superficial.* – **superficialidade** s.f.; **superficialismo** s.m.

superfície (su.per.*fí*.ci:e) s.f. **1.** Parte mais externa de algo. **2.** Dimensão de uma área; extensão.

3. (*Geom.*) Forma com duas dimensões, constituída de largura e comprimento.

supérfluo (su.pér.flu:o) *adj.* **1.** Que é dispensável; desnecessário: *despesa supérflua*. • *s.m.* **2.** Coisa supérflua.

super-herói (su.per-he.rói) *s.m.* **1.** Em obra de ficção, personagem que geralmente possui poderes sobre-humanos e que busca combater o mal. **2.** *fig.* Pessoa que, por seus atos, parece um super-herói. || pl.: *super-heróis*.

super-homem (su.per-ho.mem) *s.m.* **1.** Em obra de ficção, pessoa dotada de força, inteligência, esperteza, coragem etc. acima do normal, geralmente com poderes sobre-humanos. **2.** *fig.* Pessoa que, por seus atos, parece um super-homem (1). || pl.: *super-homens*.

superintendência (su.pe.rin.ten.dên.ci:a) *s.f.* **1.** Ato ou efeito de superintender. **2.** Cargo ou função de superintendente. **3.** Local em que o superintendente exerce seu cargo ou função. **4.** Órgão que dirige a parte administrativa de uma instituição pública ou privada.

superintendente (su.pe.rin.ten.den.te) *adj.* Diz-se daquele que chefia ou supervisiona um projeto, uma empresa, uma instituição, uma repartição etc. • *s.m.* e *f.* **2.** Pessoa superintendente.

superintender (su.pe.rin.ten.der) *v.* Chefiar ou supervisionar (um projeto, uma empresa, uma instituição, uma repartição etc.): *superintender atividades*. ▶ Conjug. 39.

superior [ô] (su.pe.ri:or) *adj.* **1.** Que ocupa posição mais alta com relação a algo; que está acima de: *galeria superior*. **2.** Que é melhor: *qualidade superior*. **3.** Que advém de alguma autoridade: *determinação superior*. **4.** Relativo a ensino universitário. **5.** Diz-se desse ensino. • *s.m.* **6.** Pessoa em cargo de comando.

superiora [ô] (su.pe.ri.o.ra) *s.f.* Monja ou freira que exerce a chefia de um convento, mosteiro ou colégio de freiras.

superioridade (su.pe.ri:o.ri.da.de) *s.f.* **1.** Qualidade de superior. **2.** Situação ou posição superior; vantagem. **3.** Poder, autoridade.

superlativo (su.per.la.ti.vo) *adj.* **1.** Que foi aumentado em excesso; exagerado: *preço superlativo*. **2.** Que apresenta qualidade excepcional; extraordinário: *poeta superlativo*. • *s.m.* **3.** (*Gram.*) Grau atribuído ao adjetivo ou advérbio, com o fim de apontar qualidade, inferioridade ou superioridade de algo, em uma relação de comparação ou não.

superlotado (su.per.lo.ta.do) *adj.* Que está lotado em excesso: *ônibus superlotado*.

superlotar (su.per.lo.tar) *v.* Exceder a lotação de; colocar quantidade maior do que a normal; abarrotar, entulhar: *superlotar uma prisão*. ▶ Conjug. 20. – **superlotação** *s.f.*

supermercado (su.per.mer.ca.do) *s.m.* Mercado grande em que são vendidas mercadorias diversas a varejo, por meio de autosserviço.

superpopulação (su.per.po.pu.la.ção) *s.f.* **1.** População excessiva; superpovoamento. **2.** Excesso de indivíduos de determinada espécie (animal ou vegetal).

superpor [ô] (su.per.por) *v.* Sobrepor. || *part.*: *superposto*. ▶ Conjug. 65. – **superposição** *s.f.*

superposto [ô] (su.per.pos.to) *adj.* Sobreposto.

superpotência (su.per.po.tên.ci:a) *s.f.* País que apresenta grande desenvolvimento econômico e detém forte poderio militar.

superpovoamento (su.per.po.vo:a.men.to) *s.m.* **1.** Ato ou efeito de superpovoar. **2.** Superpopulação (1). **3.** Situação de uma região em que faltam recursos para a população. – **superpovoado** *adj.*; **superpovoar** *v.* ▶ Conjug. 25.

superprodução (su.per.pro.du.ção) *s.f.* **1.** Produção excessiva. **2.** (*Econ.*) Produção maior que a demanda. **3.** (*Cine, Teat., Telv.*) Produção de espetáculo ou filme que envolve grande orçamento, elenco numeroso e uso de recursos técnicos sofisticados.

superproteger (su.per.pro.te.ger) *v.* Proteger em excesso, impedindo o crescimento emocional de alguém: *superproteger uma criança*. ▶ Conjug. 41 e 47. – **superproteção** *s.f.*

superquadra (su.per.qua.dra) *s.f.* Quadra residencial urbana constituída de prédios de apartamentos, *playgrounds*, escolas e jardins.

supersônico (su.per.sô.ni.co) *adj.* **1.** Diz-se de velocidade maior que a do som. **2.** Que atinge essa velocidade: *trem supersônico*. • *s.m.* **3.** (*Aer.*) Avião supersônico.

superstição (su.pers.ti.ção) *s.f.* Crença que atribui a acontecimentos, coincidências etc. valor sagrado, sobrenatural ou místico; crendice.

supersticioso [ô] (su.pers.ti.ci.o.so) *adj.* **1.** Que tem superstição: *homem supersticioso*. **2.** Que abarca ou resulta de superstição: *prática supersticiosa*. • *s.m.* **3.** Pessoa supersticiosa. || f. e pl.: [ó].

supérstite (su.pérs.ti.te) *adj.* **1.** Que sobreviveu; sobrevivente. **2.** (*Jur.*) Diz-se de esposa ou marido que permaneceu vivo após a morte do cônjuge.

supervalorizado

supervalorizado (su.per.va.lo.ri.za.do) *adj.* Sobrevalorizado. – **supervalorizar** *v.* ▶ Conjug. 8.
superveniente (su.per.ve.ni:en.te) *adj.* **1.** Que acontece depois; subsequente. **2.** (*Jur.*) Acontecimento jurídico que pode modificar uma situação gerada por um fato anterior. – **superveniência** *s.f.*
supervisão (su.per.vi.são) *s.f.* **1.** Ato ou efeito de supervisionar. **2.** Direção, orientação, inspeção ou controle de um trabalho, uma atividade, uma obra, uma empresa, uma instituição etc. **3.** Função de supervisor.
supervisar (su.per.vi.sar) *v.* Supervisionar. ▶ Conjug. 5.
supervisionar (su.per.vi.si:o.nar) *v.* Fazer a supervisão de; supervisar: *supervisionar uma equipe*. ▶ Conjug. 5.
supervisor [ô] (su.per.vi.sor) *adj.* **1.** Que supervisiona: *conselho supervisor*. • *s.m.* **2.** Profissional que supervisiona uma tarefa, uma atividade etc.
supetão (su.pe.tão) *s.m.* Usado na locução *de supetão*. || *De supetão*: de repente; subitamente: *Ele entrou de supetão e eu levei um susto*.
supimpa (su.pim.pa) *adj. coloq.* Muito bom; excelente, ótimo.
supino (su.pi.no) *adj.* **1.** Que está deitado de costas: *decúbito supino*. **2.** Que está localizado em lugar alto. • *s.m.* **3.** Exercício que visa fortalecer a região muscular peitoral.
suplantar (su.plan.tar) *v.* **1.** Exceder (alguém ou algo) em (qualidade, força, habilidade, inteligência, número etc.); superar, ultrapassar, vencer: *Aquele aluno suplantava os colegas, pois sempre tirava dez*. **2.** Passar por cima de; pisar, sobrepujar, esmagar: *suplantar um rival*. ▶ Conjug. 5. – **suplantação** *s.f.*
suplementar¹ (su.ple.men.tar) *adj.* **1.** Relativo a suplemento. **2.** Que é acessório; adicional, complementar: *informação suplementar*. **3.** (*Geom.*) Diz-se de ângulo que, somado com outro, totaliza 180 graus.
suplementar² (su.ple.men.tar) *v.* Acrescentar ou dar suplemento a: *suplementar vitaminas*. ▶ Conjug. 5.
suplemento (su.ple.men.to) *s.m.* **1.** Aquilo que foi acrescentado; adicional: *suplementos de cálcio*. **2.** (*Art. Gráf.*) Parte de uma obra publicada em volume separado. **3.** (*Art. Gráf.*) Caderno que acompanha um jornal, trazendo matérias sobre assuntos diversos: *suplemento literário*.

suplência (su.plên.ci:a) *s.f.* **1.** Substituição temporária ou permanente de uma pessoa. **2.** Cargo ou função de suplente.
suplente (su.plen.te) *adj.* **1.** (*Jur.*) Diz-se de pessoa que é escolhida *a priori* para substituir outra no exercício de um cargo; substituto. **2.** (*Esp.*) Reserva (9). • *s.m.* e *f.* **3.** Pessoa que exerce suplência.
supletivo (su.ple.ti.vo) *adj.* **1.** Diz-se de curso de curta duração que substitui o ensino regular fundamental ou médio. **2.** Que funciona como suplemento: *assistência supletiva*. • *s.m.* **3.** Curso supletivo.
súplica (sú.pli.ca) *s.f.* Ato ou efeito de suplicar; rogo, oração, prece.
suplicante (su.pli.can.te) *adj.* **1.** Que expressa súplica: *ar suplicante*. **2.** (*Jur.*) Diz-se de pessoa que requer algum direito em juízo; requerente. • *s.m.* e *f.* **3.** (*Jur.*) Pessoa suplicante.
suplicar (su.pli.car) *v.* Pedir com humildade e insistência; implorar, rogar: *Suplicou (ao chefe) uma nova oportunidade*. ▶ Conjug. 5 e 35.
supliciar (su.pli.ci:ar) *v.* **1.** Praticar tortura em; martirizar, torturar: *supliciar um cachorro*. **2.** Castigar com pena de morte; executar: *supliciar um condenado*. ▶ Conjug. 17.
suplício (su.plí.ci:o) *s.m.* **1.** Dor física ou mental provocada em alguém; tortura, martírio (1). **2.** Castigo corporal. **3.** Pena de morte.
supor [ô] (su.por) *v.* **1.** Admitir ou formular como hipótese: *Os historiadores supunham que essas terras teriam sido habitadas por índios*. **2.** Chegar a uma conclusão sem dados concretos; presumir, achar, acreditar, imaginar: *Eu suponho que ele tenha mudado de cidade devido à violência*. **3.** Ter(-se) por; achar(-se), considerar(-se), julgar(-se): *Ele supõe que seu irmão é boa pessoa*; *Ele se supõe um grande herói*. || Conferir com *sopor*; part.: *suposto*. ▶ Conjug. 65.
suportar (su.por.tar) *v.* **1.** Aguentar (algo) sobre ou contra si; sustentar: *Aquele caminhão suporta até seis toneladas de carga*. **2.** *fig.* Ficar firme diante de; aguentar, enfrentar: *Ele suportou com coragem as consequências decorrentes do processo judicial*. **3.** *fig.* Sujeitar-se a situação difícil; padecer, sofrer: *Suportaram a dor da perda e a superaram*. **4.** *fig.* Tolerar, tragar: *Meus filhos não suportam dobradinha*. ▶ Conjug. 20. – **suportável** *adj.*
suporte [ó] (su.por.te) *s.m.* **1.** Peça que dá sustentação a algo; base: *suporte de câmera*. **2.** *fig.* Aquilo que serve para reforçar ou apoiar

(opinião, tese, empreendimento etc.); base: *O governo dá suporte econômico ao projeto.* **3.** *fig.* Assistência, apoio: *suporte comercial.*

suposição (su.po.si.ção) *s.f.* **1.** Ato ou efeito de supor. **2.** Ato de formular uma hipótese; tese, teoria: *Sua ideia de que ela voltará para casa é apenas uma suposição.*

supositório (su.po.si.tó.ri:o) *s.m.* (*Farm., Quím., Med.*) Tipo de medicamento, geralmente com formato cilíndrico, que é introduzido no ânus.

suposto [ô] (su.pos.to) *adj.* **1.** Que se supôs. **2.** Que é tomado como hipótese; provável: *Os estudiosos questionam o suposto fim da Terra devido ao aquecimento global.* **3.** Que é provisoriamente tido como: *Foi preso o suposto ladrão de carros do Flamengo.* **4.** Que é falso: *O suposto colar de pérolas não passava de uma imitação barata.*

supracitado (su.pra.ci.ta.do) *adj.* Que foi citado acima ou anteriormente: *endereço supracitado.*

supranacional (su.pra.na.ci:o.nal) *adj.* Que está acima do âmbito de poder de uma nação; *tribunal supranacional.*

suprapartidário (su.pra.par.ti.dá.ri:o) *adj.* Que engloba diversos partidos, sem se subordinar a nenhum: *grupo suprapartidário.*

suprarrenal (su.prar.re.nal) *adj.* **1.** Que se localiza acima dos rins: *lesão suprarrenal.* • *s.f.* **2.** (*Anat.*) Glândula suprarrenal. || pl.: *suprarrenais.*

suprassumo (su.pras.su.mo) *s.m.* O auge de uma condição, de uma situação ou de um sentimento; cúmulo, extremo, máximo: *Aquele computador é o suprassumo da tecnologia.* || pl.: *suprassumos.*

supremacia (su.pre.ma.ci.a) *s.f.* **1.** Autoridade soberana; poder supremo: *O imperialismo ameaça a supremacia dos países.* **2.** Condição de superioridade; hegemonia: *Aquele time manteve a supremacia no final da copa.*

supremo[1] (su.pre.mo) *adj.* **1.** Relativo a Deus; divino, celestial, santo, sagrado: *Ser supremo.* **2.** Que está acima de tudo; absoluto, total: *poder supremo.* **3.** Que chegou ao extremo limite: *Ele fez um esforço supremo para não perder a calma.* **4.** Principal, fundamental, superior: *momento supremo.*

supremo[2] (su.pre.mo) *s.m.* Supremo Tribunal Federal. || Nesta acepção, escrito com letra maiúscula.

supressivo (su.pres.si.vo) *adj.* Supressor.

supressor [ô] (su.pres.sor) *adj.* **1.** Que causa a supressão de algo; supressivo. *s.m.* **2.** Coisa supressora.

suprimento (su.pri.men.to) *s.m.* **1.** Ato ou efeito de suprir. **2.** Abastecimento, fornecimento: *A empresa nega o problema com o suprimento de materiais.* **3.** Provisão, alimento, víveres: *Comprou vários suprimentos para estoque.* **4.** Aumento, acréscimo, suplemento: *suprimento de fundos.*

suprimir (su.pri.mir) *v.* **1.** Extinguir (algo) totalmente; eliminar: *A poluição suprimiu a fauna daquela região.* **2.** Retirar uma parte (de um todo); excluir, cortar: *Os censores suprimiram um trecho da obra.* || part.: *suprimido* e *supresso.* ► Conjug. 66. – **supressão** *s.f.*

suprir (su.prir) *v.* **1.** Abastecer(-se) com o que falta; prover(-se): *As compras supriram as necessidades da loja; Supriu-se de novos livros para frequentar o curso.* **2.** Fazer frente a; atender: *As medidas tomadas supriram as necessidades do mercado.* ► Conjug. 66. – **suprível** *adj.*

supuração (su.pu.ra.ção) *s.f.* (*Med.*) **1.** Processo de formação de pus. **2.** Excreção de pus de uma lesão. – **supurar** *v.* ► Conjug. 5.

surdez [ê] (sur.dez) *s.f.* **1.** Condição de surdo. **2.** Perda parcial ou total da audição. **3.** *fig.* Indiferença, insensibilidade.

surdina (sur.di.na) *s.f.* **1.** Canto ou som emitido em volume baixo. **2.** (*Mús.*) Peça mecânica que se coloca em um instrumento para abafar seus sons. **3.** (*Mús.*) Pedal esquerdo do piano; abafador. || *Em surdina:* às escondidas: *Ele me disse em surdina que não queria se casar.*

surdo (sur.do) *adj.* **1.** Que não ouve ou ouve pouco; mouco (1): *criança surda.* **2.** *fig.* Que se mostra indiferente; insensível: *Ele se mostra surdo aos meus pedidos.* **3.** (*Ling.*) Diz-se de fonema que, quando articulado, não faz vibrar as cordas vocais. • *s.m.* **4.** (*Mús.*) Tipo de tambor usado como marcador de som da bateria de uma escola de samba. **5.** Pessoa surda.

surdo-mudo (sur.do-mu.do) *adj.* **1.** Que é surdo e mudo ao mesmo tempo. • *s.m.* **2.** Pessoa surda-muda. || pl.: *surdos-mudos*; f.: *surda-muda.* – **surdo-mudez** *s.f.*

surf (Ing.) *s.m.* Ver surfe.

surfar (sur.far) *v.* (*Esp.*) Praticar o surfe: *Vivia perto da praia e adorava surfar.* ► Conjug. 5.

surfe (sur.fe) *s.m.* (*Esp.*) Deslizamento realizado em pé ou deitado numa prancha, em que uma pessoa sobe e passa por dentro de uma onda que quebra no mar.

surfista (sur.*fis*.ta) *s.m.* e *f.* Pessoa que pratica surfe.

surgir (sur.*gir*) *v.* **1.** Chegar de repente; aparecer: *As visitas às vezes surgem sem que se espere.* **2.** Vir à tona; manifestar-se, aflorar: *Novas dúvidas surgiam, mas ninguém sabia as respostas.* **3.** Ter origem em; aparecer: *Aquela moda surgiu nos anos vinte.* **4.** Despontar de repente; aparecer, irromper: *Nuvens escuras surgiram e todos sentiram medo.* **5.** Sair, proceder: *Da terra surgiam novas flores que enfeitavam o terreno.* ▶ Conjug. 92. – **surgimento** *s.m.*

surpreendente (sur.pre.en.*den*.te) *adj.* Que surpreende.

surpreender (sur.pre.en.*der*) *v.* **1.** Pegar em flagrante; apanhar; flagrar: *A polícia surpreendeu os bandidos durante o arrombamento.* **2.** Atacar ou pegar de surpresa: *O tenista surpreendia o adversário com jogadas inesperadas.* **3.** Provocar ou sentir surpresa, espanto ou comoção; admirar(-se), espantar(-se): *O cantor surpreendeu os fãs, largando a carreira; O atleta surpreende com seus inúmeros recordes; Surpreendemo-nos com o relato do acidente.* **4.** Perceber, entrever, vislumbrar: *Surpreendi uma ponta de tristeza em seu sorriso.* ▶ Conjug. 39.

surpresa [ê] (sur.*pre*.sa) *s.f.* **1.** Ato ou efeito de surpreender(-se). **2.** Situação que não se espera; imprevisto. **3.** Acontecimento ou coisa que provoca espanto; admiração, assombro. **4.** Presente inesperado.

surpreso [ê] (sur.*pre*.so) *adj.* Que se surpreendeu; admirado, desconcertado: *Ele ficou surpreso com a demissão do amigo.*

surra (sur.ra) *s.f.* **1.** Ato ou efeito de surrar. **2.** Grande quantidade de pancadas; espancamento, coça, sova, tunda. **3.** *coloq. fig.* Grande derrota causada a um adversário; banho. **4.** *coloq. fig.* Dispêndio grande de energia; canseira: *Tomei uma surra para fazer aquele trabalho.*

surrar (sur.*rar*) *v.* **1.** Dar uma surra em; bater, espancar, sovar: *surrar um cachorro.* **2.** *coloq. fig.* Derrotar um adversário: *surrar uma equipe.* **3.** *fig.* Gastar pelo uso: *surrar uma roupa.* ▶ Conjug. 5.

surrealismo (sur.re:a.*lis*.mo) *s.m.* (*Art., Lit.*) Movimento artístico, lançado em 1924 pelo francês André Breton (1896-1966), que se apoiava na Psicanálise, privilegiando a escrita saída diretamente do inconsciente, o sonho, o desejo e a busca pela renovação dos valores estéticos e éticos da arte.

surrealista (sur.re:a.*lis*.ta) *adj.* **1.** Relativo a surrealismo. **2.** Que é seguidor do surrealismo. • *s.m.* e *f.* **3.** (*Art., Lit.*) Seguidor do surrealismo.

surrupiar (sur.ru.pi:*ar*) *v. coloq.* Afanar: *Ele surrupiou um rolo de papel (de uma papelaria).* ▶ Conjug. 17.

sursis [sursís] (Fr.) *s.m.* (*Jur.*) Suspensão do cumprimento de uma pena aplicada a um réu primário.

surtar (sur.*tar*) *v.* **1.** (*Psicn., Psiq.*) Ter um surto psicótico: *Aquele paciente surtou esta manhã.* **2.** *coloq. fig.* Perder a cabeça diante de determinada situação; endoidar, pirar: *Surtei e disse a ele umas verdades.* ▶ Conjug. 5.

surtir (sur.*tir*) *v.* Fazer com que se chegue a um resultado; alcançar, produzir, provocar: *A divulgação surtiu efeito e fez aumentar as vendas.* ▶ Conjug. 66 e 84.

surto (sur.to) *adj.* **1.** (*Psicn., Psiq.*) Crise em que uma pessoa se desconecta da realidade, gerando incoerência de pensamento e alterando a percepção. **2.** *fig.* Manifestação repentina de algo: *surto poético.* **3.** (*Med.*) Epidemia de pequenas proporções que atinge apenas uma comunidade: *surto de dengue.*

suruba (su.*ru*.ba) *s.f. chulo* Sexo em grupo de três ou mais pessoas; bacanal, orgia.

surubim (su.ru.*bim*) *s.m.* (*Zool.*) Tipo de peixe bagre grande, encontrado em rios, com cabeça grande e achatada e corpo delgado e arredondado.

surucucu (su.ru.cu.*cu*) *s.f.* (*Zool.*) Serpente muito venenosa, amarelada, com grandes manchas pretas, cauda terminada em espinho e cabeça arredondada.

sururu (su.ru.*ru*) *s.m.* **1.** (*Zool.*) Molusco comestível que vive dentro de uma concha alongada, originário do mar ou de lagoas, e usado na alimentação por seu alto teor nutritivo. **2.** *coloq.* Confusão, tumulto, baderna.

susceptível (sus.cep.*tí*.vel) *adj.* Suscetível. – **susceptibilidade** *s.f.*

suscetível (sus.ce.*tí*.vel) *adj.* **1.** Que é propenso a sofrer alteração ou influência; passível, dado, inclinado: *norma suscetível a alteração.* **2.** Diz-se de pessoa que se ofende com facilidade; melindroso. || *susceptível.* – **suscetibilidade** *s.f.*

suscitar (sus.ci.*tar*) *v.* Fazer surgir; causar, originar, produzir, provocar: *suscitar críticas; A notícia suscitou a reação da população.* ▶ Conjug. 5. – **suscitação** *s.f.*

suserano (su.se.*ra*.no) *adj.* **1.** (*Hist.*) Diz-se de homem que, na Idade Média, detinha o poder sobre um feudo; senhor feudal. **2.** Diz-se de dirigente ou de país que submete outro de forma imperialista. • *s.m.* **3.** (*Hist.*) Senhor feudal. – **suserania** *s.f.*

sushi [*suchí*] (Jap.) *s.m.* (*Cul.*) Bolinho achatado feito de arroz e vinagre, coberto com uma fina fatia de peixe.

suspeição (sus.pei.*ção*) *s.f.* **1.** Ato de suspeitar. **2.** Suspeita, desconfiança. **3.** (*Jur.*) Medida preventiva tomada contra um suspeito que pode vir a praticar um ato ilegal; suspeita.

suspeita (sus.*pei*.ta) *s.f.* **1.** Ato ou efeito de suspeitar. **2.** Desconfiança dirigida a alguém ou algo. **3.** Pressentimento, intuição, palpite. **4.** (*Jur.*) Suspeição.

suspeitar (sus.pei.*tar*) *v.* **1.** Sentir desconfiança a partir de indícios; cismar, desconfiar, duvidar: *Os cientistas suspeitavam que aquele vírus era mortal; Suspeitei dele desde o início.* **2.** Prever por meio da intuição; adivinhar, desconfiar, pressentir: *Ela suspeitou que estivesse grávida, embora não sentisse nada.* ▶ Conjug. 18.

suspeito (sus.*pei*.to) *adj.* **1.** Que provoca desconfiança; duvidoso, questionável: *atitude suspeita*. **2.** Que sugere perigo: *lugar suspeito*. **3.** Diz-se de pessoa que parece culpada de algo. • *s.m.* **4.** Pessoa suspeita. – **suspeitável** *adj.*; **suspeitoso** *adj.*

suspender (sus.pen.*der*) *v.* **1.** Pôr(-se) em lugar ou posição mais alta; alçar(-se), suster(-se): *Suspendeu o peso de dez quilos para fazer exercício; Os operários suspenderam-se no andaime.* **2.** Subir, elevar, levantar: *suspender a manga da camisa.* **3.** *fig.* Parar algo de forma temporária ou permanente; cessar, interromper: *Os postos de saúde suspenderam o atendimento por um dia.* **4.** *fig.* Cancelar (uma programação, uma ação, um movimento etc.); anular, sustar: *A produção suspendeu o show.* **5.** *fig.* Punir com suspensão: *O técnico suspendeu o jogador (por uma semana).* || *part.*: suspendido e suspenso. ▶ Conjug. 39.

suspensão (sus.pen.*são*) *s.f.* **1.** Ato ou efeito de suspender(-se). **2.** Paralisação temporária ou definitiva de atividade, trabalho, evento etc.: *suspensão de um jogo.* **3.** Anulação, cancelamento: *suspensão de uma licença.* **4.** Punição impingida a um estudante, funcionário, atleta etc.: *suspensão de uma aluna devido a mau comportamento.* **5.** Estado de expectativa; suspense: *Com a notícia, criou-se um clima de suspensão.* **6.** (*Mec.*) Conjunto de peças que amortece os solavancos de um veículo em movimento.

suspense (sus.*pen*.se) *s.m.* **1.** Situação de espera que causa angústia e ansiedade. **2.** (*Cine, Lit., Rádio, Teat., Telv.*) Momento de expectativa vivido pelo leitor, ouvinte ou espectador, causado pela interrupção momentânea ou retardo do desfecho de uma obra ou de um espetáculo.

suspensivo (sus.pen.*si*.vo) *adj.* **1.** Relativo a suspensão. **2.** Que suspende ou pode suspender. **3.** (*Jur.*) Que suspende de forma temporária a execução de um ato: *efeito suspensivo.*

suspenso (sus.*pen*.so) *adj.* **1.** Que é sustentado do alto; dependurado, pendurado, pênsil (1): *lâmpada suspensa.* **2.** *fig.* Que sofreu interrupção temporária ou permanente: *audiência suspensa.* **3.** *fig.* Que sofreu anulação; cancelado, sustado: *documento suspenso.* **4.** *fig.* Que foi punido com afastamento: *jogador suspenso.*

suspensório (sus.pen.*só*.ri:o) *adj.* **1.** Que suspende. • *s.m.* **2.** Tira elástica ou não, passada sobre os ombros, que sustenta uma calça comprida pelo cós, na frente e atrás. || Nesta acepção, mais usado no plural.

suspirar (sus.pi.*rar*) *v.* **1.** Inspirar e expirar profundamente, expressando abatimento físico ou emocional: *suspirar de tristeza; Parou de ler e suspirou, emocionada.* **2.** *fig. poét.* Desejar com ânsia; almejar: *Suspirava por uma vida melhor.* ▶ Conjug. 5.

suspiro (sus.*pi*.ro) *s.m.* **1.** Respiração profunda, expressando abatimento físico ou emocional. **2.** *fig. poét.* Lamento, queixume. **3.** (*Cul.*) Doce feito de claras de ovos batidas com açúcar; merengue. – **suspiroso** *adj.*

sussurrante (sus.sur.*ran*.te) *adj.* Que sussurra.

sussurrar (sus.sur.*rar*) *v.* **1.** Falar com voz muito baixa; murmurar, cochichar: *Ela sussurrou umas palavras (para o marido).* **2.** *fig.* Produzir um sussurro (2); murmurar: *O vento sussurrava nas árvores.* ▶ Conjug. 5.

sussurro (sus.*sur*.ro) *s.m.* **1.** Som muito baixo de voz; cochicho, murmúrio. **2.** *fig.* Som muito baixo; murmúrio, rumorejo.

sustança (sus.*tan*.ça) *s.f. coloq.* Sustância.

sustância (sus.*tân*.ci:a) *s.f.* **1.** Substância (3). **2.** Força, vigor, energia. || *sustança*.

sustar (sus.*tar*) *v.* **1.** Impedir de continuar; interromper, suspender: *Uma liminar do juiz sustou a publicação da revista.* **2.** (*Econ.*) Bloquear o

sustenido

pagamento de: *sustar um cheque*. ▶ Conjug. 5. – **sustação** *s.f.*

sustenido (sus.te.*ni*.do) *adj. (Mús.)* **1.** Que foi alterado por sinal de sustenido (2): *dó sustenido*. • *s.m.* **2.** Sinal gráfico colocado à esquerda de uma nota para indicar que esta foi elevada em um semitom.

sustentáculo (sus.ten.*tá*.cu.lo) *s.m.* **1.** Aquilo que é usado como apoio para algo; escora, suporte: *sustentáculo ósseo*. **2.** *fig.* Aquilo que ampara alguém ou algo; apoio, esteio, arrimo: *O equilíbrio emocional é um sustentáculo para uma família*. **3.** *fig.* Aquilo que serve de fundamento para algo; alicerce, base: *A educação é um sustentáculo do crescimento econômico de um país*.

sustentar (sus.ten.*tar*) *v.* **1.** Suportar o peso (de); apoiar(-se), manter(-se), segurar(-se), suster(-se): *Os cabos sustentavam o elevador; Mesmo com tantos livros, a prateleira sustentava-se*. **2.** Resistir, aguentar, suportar: *O boxeador sustentou os golpes do adversário;* (fig.) *Sustentei o olhar hostil que ela me lançou*. **3.** *fig.* Defender (ideia, atitude, causa etc.); abraçar: *O promotor sustentou a tese de assassinato a sangue-frio; Sustentou-se na crença de um mundo melhor*. **4.** *fig.* Manter, travar: *sustentar uma discussão*. **5.** Prover(-se) com o necessário; manter(-se), assistir(-se): *Sustentamos nosso filho até seus trinta anos; Sustentava-se com o pouco que ganhava*. **6.** Alimentar, fortalecer, nutrir, suster: *As carnes sustentam por conterem grande quantidade de proteínas*. **7.** *fig.* Funcionar como alimento moral, intelectual ou emocional; educar, esclarecer: *Sustentava o espírito com a leitura*. ▶ Conjug. 5. – **sustentação** *s.f.*

sustentável (sus.ten.*tá*.vel) *adj.* Que pode ser sustentado, mantido: *desenvolvimento sustentável*.

sustento (sus.*ten*.to) *s.m.* **1.** Ato ou efeito de sustentar(-se). **2.** Aquilo que garante a sobrevivência; subsistência. **3.** Alimento, víveres. **4.** Sustentáculo (2).

suster (sus.*ter*) *v.* **1.** Firmar(-se) para impedir que caia; equilibrar(-se), sustentar(-se), manter (9): *O equilibrista susteve a bola no nariz; O castelo de areia susteve-se por várias horas*. **2.** Impedir (movimento, ação, ato etc.); conter, controlar, parar: *sustar a respiração; Sustiveram-se para não brigar*. **3.** Alimentar, nutrir, sustentar: *Aquela grande quantidade de alimentos sustinha seu corpanzil*. ▶ Conjug. 1.

susto (sus.to) *s.m.* Sobressalto causado por algo que aconteceu de repente; espanto, surpresa.

sutiã (su.ti:*ã*) *s.m.* Peça íntima feminina usada para sustentar ou modelar os seios, vestida sob blusa, camiseta, vestido etc.

sutil (su.*til*) *adj.* **1.** Que mal dá para se perceber: *mudança sutil*. **2.** Que apresenta agudeza de espírito; inteligente, sagaz: *humor sutil*. **3.** Que revela delicadeza: *toque sutil*. **4.** *fig.* Que se insinua de forma misteriosa: *sorriso sutil*.

sutileza [ê] (su.ti.*le*.za) *s.f.* **1.** Qualidade de sutil. **2.** Capacidade profunda de compreensão; perspicácia, sagacidade. **3.** Toque de elegância; delicadeza, apuro. **4.** Coisa de difícil explicação; mistério, enigma.

sutura (su.*tu*.ra) *s.f. (Med.)* **1.** Junção de partes de uma ferida feita através de costura com fios sintéticos ou naturais. **2.** Material utilizado em sutura. **3.** Técnica utilizada em sutura. **4.** Resultado dessa técnica. – **suturação** *s.f.*; **suturar** *v.* ▶ Conjug. 5.

suvenir (su.ve.*nir*) *s.f.* **1.** Objeto que se compra em uma viagem. **2.** *fig.* Coisa que provoca uma lembrança: *Aquela tarde foi o único suvenir que guardei daquele namoro*. ‖ *souvenir*.

SW Símbolo de *sudoeste* (6).

swing (Ing.) *s.m.* Ver suingue.

t s.m. **1.** Vigésima letra do alfabeto português. **2.** Símbolo de *tonelada*.

taba (*ta*.ba) s.f. Aldeia indígena.

tabacaria (ta.ba.ca.*ri*.a) s.f. Loja onde se vendem cigarros, charutos, tabaco, isqueiros, piteiras e outros artigos para fumantes.

tabaco (ta.*ba*.co) s.m. **1.** (*Bot.*) Planta rica em nicotina cujas folhas secas constituem a matéria-prima do fumo. **2.** Fumo, rapé.

tabagismo (ta.ba.*gis*.mo) s.m. **1.** Consumo compulsivo do tabaco. **2.** Intoxicação produzida pelo abuso do tabaco. – **tabagista** *adj. s.m. e f.*

tabaqueira (ta.ba.*quei*.ra) s.f. Caixa ou bolsa para guardar tabaco ou rapé.

tabaréu (ta.ba.*réu*) s.m. Caipira, matuto. || f.: *tabaroa*.

tabatinga (ta.ba.*tin*.ga) s.f. Argila branca e mole.

tabefe [é] (ta.*be*.fe) s.m. Tapa, sopapo.

tabela [é] (ta.*be*.la) s.f. **1.** Apresentação metódica de dados sob a forma de lista ou de quadro. **2.** Relação oficial de preços de produtos. **3.** (*Esp.*) No basquetebol, placa de acrílico ou madeira onde a cesta é fixada. || *Cair pelas tabelas*: sentir-se extremamente cansado. • *Fazer tabela*: passar a bola um para o outro (jogadores de futebol), sucessivamente, enquanto correm; tabelar. • *Por tabela*: indiretamente.

tabelamento (ta.be.la.*men*.to) s.m. **1.** Ato ou efeito de tabelar. **2.** Controle oficial de preços.

tabelar (ta.be.*lar*) v. **1.** Incluir na tabela oficial de preços: *tabelar o preço do feijão*. **2.** (*Esp.*) Fazer tabela: *O jogador tabelou com seu companheiro de ataque e fez o gol*; *O atacante tabelou e, na disputa de bola, foi ao chão.* ▶ Conjug. 8.

tabelião (ta.be.li:*ão*) s.m. Serventuário público encarregado de reconhecer firmas e preparar os instrumentos dos diversos atos jurídicos, para os quais se exija escritura pública; notário. || f.: *tabeliã* e *tabelioa*; pl.: *tabeliães*.

tabelionato (ta.be.li:o.*na*.to) s.m. **1.** Ofício de tabelião. **2.** Escritório de tabelião.

taberna [é] (ta.*ber*.na) s.f. Estabelecimento onde se vendem vinho e outras bebidas. || *taverna*.

tabernáculo (ta.ber.*ná*.cu.lo) s.m. Tenda usada pelos hebreus no deserto.

taberneiro (ta.ber.*nei*.ro) s.m. Dono de taberna ou pessoa que atende em taberna. || *taverneiro*.

tabique (ta.*bi*.que) s.m. Espécie de parede pouco espessa, geralmente de tábuas, e que serve para dividir os quartos nas casas.

tablado (ta.*bla*.do) s.m. Estrado de tábuas sobre o qual se apresentam espetáculos de teatro, música, dança; palanque, palco.

tablete [é] (ta.*ble*.te) s.m. Pequena barra de produto doce ou medicamentoso.

tabloide [ó] (ta.*bloi*.de) s.m. Jornal de formato pequeno, geralmente de estilo sensacionalista.

tabu (ta.*bu*) s.m. **1.** Proibição religiosa sobre algo, por considerá-lo sagrado ou impuro. **2.** Restrição ou censura social a certos tipos de comportamento. **3.** Assunto sobre o qual se faz silêncio, por crença ou pudor.

tábua (*tá*.bu:a) s.f. Peça plana de madeira, delgada e relativamente larga. || *Fazer tábua rasa de*: fazer tábula rasa de. • *Tábua de salvação*: recurso último, extremo, de que se lança mão para superar uma dificuldade.

tabuada (ta.bu:*a*.da) s.f. (*Mat.*) Tabela que contém as operações aritméticas fundamentais.

tábula (*tá*.bu.la) s.f. Pequena peça redonda, de marfim, massa, osso etc., usada em vários jogos de tabuleiro. || *Fazer tábula rasa de*: considerar como nulo tudo o que foi dito, escrito ou feito anteriormente; desprezar.

tabulador [ô] (ta.bu.la.*dor*) s.m. Tecla da máquina de escrever ou do teclado do computador que permite que o carro ou o cursor, respectivamente, alinhem-se em posições previamente fixadas.

tabular

tabular¹ (ta.bu.*lar*) *adj.* **1.** Relativo a tábua. **2.** Em forma de tábua ou tabela.

tabular² (ta.bu.*lar*) *v.* Dispor os dados em tabela: *O professor tabulou as notas finais dos alunos.* ▶ Conjug. 5.

tabule (ta.*bu*.le) *s.m.* (*Cul.*) Salada de origem libanesa, composta de trigo, tomate, salsa, cebola, hortelã, sal e limão.

tabuleiro (ta.bu.*lei*.ro) *s.m.* **1.** Peça plana de madeira, de metal ou de outro material, com as bordas levantadas, geralmente usada para servir ou assar alimentos. **2.** Superfície de madeira, de marfim ou de outra matéria, própria para o jogo de xadrez, de damas, de gamão. **3.** Espécie de mesa em que o feirante expõe seus produtos.

tabuleta [ê] (ta.bu.*le*.ta) *s.f.* Peça plana de madeira, de metal ou de outro material colocada na fachada de um estabelecimento ou de uma repartição para indicar os fins a que eles se destinam ou para inscrever avisos, anúncios etc.

taça (ta.ça) *s.f.* **1.** Copo, de pouca profundidade, geralmente provido de pé, usado para beber vinho. **2.** O conteúdo desse copo. **3.** Troféu com o feitio desse copo.

tacacá (ta.ca.*cá*) *s.m.* (*Cul.*) Caldo grosso feito da goma da mandioca a que se acrescentam tucupi, camarão seco etc.

tacada (ta.*ca*.da) *s.f.* **1.** Golpe dado com o taco sobre a bola no jogo de bilhar. **2.** Acontecimento imprevisto e favorável. || *De uma tacada* (só): de uma vez (só).

tacanho (ta.*ca*.nho) *adj.* **1.** Pequeno de estatura; curto, baixo. **2.** Que revela visão curta; medíocre: *mentalidade tacanha*; *indivíduo tacanho*.

tacão (ta.*cão*) *s.m.* Salto de sapato.

tacape (ta.*ca*.pe) *s.m.* Espécie de clava usada pelos indígenas americanos; borduna.

tacar¹ (ta.*car*) *v.* Dar tacada em (bola de bilhar, de golfe etc.): *Tacou a bola de golfe longe.* ▶ Conjug. 5 e 35.

tacar² (ta.*car*) *v. coloq.* **1.** Atirar, jogar: *Algumas pessoas tacaram lixo no rio.* **2.** Fazer movimento violento com parte do corpo contra (alguém ou algo): *O motorista tacou o pé no freio e parou o carro.* **3.** Atear (fogo): *O maluco queria tacar fogo na casa.* ▶ Conjug. 5 e 35.

tacha (ta.cha) *s.f.* Prego pequeno de cabeça chata e redonda.

tachar (ta.*char*) *v.* Notar ou supor defeito em: *Não o tache de leviano*; *Tacham-na de omissa e covarde.* ▶ Conjug. 5.

tacho (*ta*.cho) *s.m.* Recipiente largo e pouco fundo, geralmente de cobre e com asas, destinado a usos culinários.

tácito (*tá*.ci.to) *adj.* Não expresso por palavras; subentendido, implícito: *convenção tácita*.

taciturno (ta.ci.*tur*.no) *adj.* **1.** Que fala pouco ou é pouco comunicativo. **2.** Tristonho, sorumbático.

taco (*ta*.co) *s.m.* **1.** Haste de madeira, lisa e torneada, com que se joga bilhar. **2.** Haste com que se toca a bola nos jogos de golfe, polo etc. **3.** Retângulo plano de madeira com o qual se fazem assoalhos.

tacômetro (ta.*cô*.me.tro) *s.m.* (*Fís.*) Instrumento pelo qual se determina a velocidade das rotações de um motor.

táctil (*tác*.til) *adj.* Tátil.

tacto (*tac*.to) *s.m.* Tato.

tae kwon do [*tai cuan do*] (Coreano) *s.m.* Luta coreana semelhante ao caratê.

tafetá (ta.fe.*tá*) *s.m.* Tecido de seda, lustroso e armado.

tagarela [é] (ta.ga.*re*.la) *adj.* **1.** Que fala demais e frivolamente; matraca. **2.** Que comete indiscrições. • *s.m.* e *f.* **3.** Pessoa tagarela.

tagarelar (ta.ga.re.*lar*) *v.* Falar frívola e inconsequentemente; matraquear: *Tagarelou com a irmã a tarde toda*; *Foram tagarelando até a porta e despediram-se.* ▶ Conjug. 8.

tagarelice (ta.ga.re.*li*.ce) *s.f.* **1.** Vício de tagarela. **2.** Dito indiscreto.

tai chi chuan [*tai chi chuã*] (Chin.) *s.m.* Arte marcial constituída de exercícios físicos lentamente executados com fins de relaxamento e meditação.

taifeiro (tai.*fei*.ro) *s.m.* (*Mil.*) Soldado encarregado de serviços de copa e cozinha.

tailleur [*taiér*] (Fr.) *s.m.* Traje feminino composto de casaco e saia; costume.

tainha [a-í] (ta.*i*.nha) *s.f.* (*Zool.*) Peixe alongado, de listas longitudinais escuras no ventre, cuja carne é bastante saborosa.

taioba [ó] (tai.*o*.ba) *s.f.* (*Bot.*) Planta verde-escura cujas folhas, picadas e cozidas, são mais macias que as da couve.

taipa (*tai*.pa) *s.f.* Sistema construtivo de paredes e muros que utiliza barro com ripas, bambus etc.; estuque, pau a pique.

tal *pron. dem.* **1.** Este, esse, aquele (às vezes, precedido do artigo *o*): *Tais fatos chamaram a atenção da polícia*; *Seu irmão é o tal que ganhou o prêmio?* **2.** Isto, isso, aquilo: *Não digas tal.* **3.**

Usa-se para reforçar a ideia de "grandeza" ou "intensidade" do substantivo a que se refere: *Não esperávamos que o serviço despertasse tal interesse do público; Seu domínio do assunto era tal, que todos ficavam admirados*. **4.** Em frases negativas, usa-se com o significado de "igual, semelhante, análogo": *Nunca ouvira tal absurdo*. **5.** Refere-se àquele ou àquilo que não se pode ou não se quer precisar: *O que o levou a tomar tais e tais atitudes eu não sei; O tal deputado ainda não compareceu a uma votação*. • *s.m.* e *f.* **6.** Pessoa importante: *Ele se achava o tal*. || **Tal e qual:** tal qual. • **Tal qual:** com as mesmas qualidades que; igual, tal e qual, tal..., tal...: *O livro me pareceu tal qual eu julgava*. • **Tal..., tal...:** tal qual: *Tal pai, tal filho*. • **Como tal:** nessa qualidade: *Negociar é uma arte e, como tal, pode ser aprimorada*. • **De tal:** de sobrenome ignorado: *Cândido de tal*. • **E tal:** expressão com que se encerra uma enumeração: *Ganhou uma boneca que dança, canta e tal*. • **Que tal?:** Expressão usada para fazer uma sugestão ou pedir uma opinião ao interlocutor: *Que tal levar os seus documentos na carteira?; Que tal essa blusa?* • **Um tal de:** expressão que, antecedendo a um nome próprio, revela desdém: *Ela só fala num tal de Rodolfo*.

tala (ta.la) *s.f.* Lâmina de madeira, metal ou alguma substância plástica, que se comprime a alguma parte do corpo, a fim de a conservar imóvel, com fim de cura.

talagada (ta.la.ga.da) *s.f.* Quantidade de bebida alcoólica que se ingere de uma só vez; trago.

talagarça (ta.la.gar.ça) *s.f.* Pano grosso utilizado em tapeçaria, bordados e em certos trabalhos de agulha.

talante (ta.lan.te) *s.m.* **1.** Vontade, desejo. **2.** Empenho, diligência. || **A seu talante:** a seu bel-prazer.

talão (ta.lão) *s.m.* **1.** Parte de um documento (recibo, cheque etc.), a qual reproduz, abreviadamente, os dizeres da outra parte e se destaca para ser entregue ao interessado. **2.** Calcanhar.

talássico (ta.lás.si.co) *adj.* Relativo ao mar.

talassofobia (ta.las.so.fo.bi.a) *s.f.* (*Med.*) Medo doentio do mar.

talco (tal.co) *s.m.* **1.** (*Min.*) Mineral muito macio ao tato, constituído por silicato hidratado de magnésio. **2.** Produto feito desse mineral pulverizado e que se usa medicinal ou higienicamente sobre a pele.

talento (ta.len.to) *s.m.* **1.** Dote intelectual, aptidão invulgar: *Ele tem um talento raro para a escrita de roteiros*. **2.** Pessoa de talento. – **talentoso** *adj.*

talha (ta.lha) *s.f.* Vaso de barro, de boca estreita e de grande bojo, no qual se armazena água, azeite e outros líquidos.

talhada (ta.lha.da) *s.f.* Porção que se talha de certos corpos, especialmente de grandes frutos; fatia, lasca: *talhada de melão, de melancia, de abóbora*.

talhadeira (ta.lha.dei.ra) *s.f.* Instrumento que serve para talhar em madeira, metal etc.

talhado (ta.lha.do) *adj.* **1.** Que se talhou. **2.** Cortado, retalhado. **3.** Coalhado: *leite talhado*. **4.** Moldado, próprio: *Ele é o profissional talhado para o caso*.

talhar (ta.lhar) *v.* **1.** Fazer talho ou corte em; golpear, cortar, retalhar: *talhar uma melancia*. **2.** Modelar fazendo cortes ou incisões em; entalhar, esculpir, gravar: *talhar a madeira, a pedra*. **3.** Preparar, dispor: *Talhou o filho à sua imagem e semelhança*. **4.** Coalhar-se (o leite): *O vinagre talha o leite; Aproveite o leite que (se) talhou para fazer ricota*. ▶ Conjug. 5. – **talhador** *adj. s.m.*

talharim (ta.lha.rim) *s.m.* (*Cul.*) Massa alimentícia de farinha de trigo, em tiras chatas e delgadas.

talhe (ta.lhe) *s.m.* **1.** Configuração geral do corpo de uma pessoa. **2.** Feição de um objeto. **3.** Modo de talhar ou cortar um traje.

talher [é] (ta.lher) *s.m.* Conjunto formado pelo garfo, pela faca e pela colher.

talho (ta.lho) *s.m.* **1.** Corte dado com o gume de um instrumento. **2.** Corte, desbaste, poda: *talho de árvores*. **3.** Divisão e corte da carne nos açougues.

talismã (ta.lis.mã) *s.m.* Objeto a que se atribuem propriedades sobrenaturais, como a de livrar quem o traz consigo de certos males.

talk show [tók xou] (Ing.) *loc. subst.* Programa de televisão em que o apresentador conversa com pessoas famosas.

talmúdico (tal.mú.di.co) *adj.* Relativo ao Talmude, livro da lei judaica.

talo (ta.lo) *s.m.* (*Bot.*) Órgão que cresce em direção oposta à da raiz e que se estende até as folhas, flores e frutos.

talonário (ta.lo.ná.ri:o) *adj.* **1.** Diz-se de bloco (ou livro) cujas folhas constituem talões. • *s.m.* **2.** Bloco ou livro talonário.

talude (ta.lu.de) *s.m.* Terreno inclinado; escarpa.

taludo

taludo (ta.*lu*.do) *adj.* **1.** Que tem talo rijo. **2.** Crescido, desenvolvido, corpulento: *menino taludo.*
talvez [ê] (tal.*vez*) *adv.* Indica possibilidade, dúvida; possivelmente: *Talvez chova hoje, mas há poucas nuvens no céu.*
tamanco (ta.*man*.co) *s.m.* **1.** Sapato grosseiro, com sola de pau ou de cortiça. **2.** Sapato feminino semelhante a esse.
tamanduá (ta.man.du:*á*) *s.m.* (*Zool.*) Mamífero desdentado, de focinho longo, que se alimenta de cupins.
tamanduá-bandeira (ta.man.du:á-ban.*dei*.ra) *s.m.* (*Zool.*) Tamanduá dotado de cauda com longos pelos. || pl.: *tamanduás-bandeiras* e *tamanduás-bandeira.*
tamanho (ta.*ma*.nho) *s.m.* **1.** Dimensão física, magnitude ou extensão de um objeto. **2.** Altura, estatura de uma pessoa. **3.** Cada um dos padrões de uma série de confecção: *tamanho 38.* • *adj.* **4.** Tão grande: *Nunca se viu tamanha ousadia!*
tâmara (*tâ*.ma.ra) *s.f.* Fruto da tamareira.
tamareira (ta.ma.*rei*.ra) *s.f.* (*Bot.*) Palmeira ornamental, característica dos oásis dos desertos, cultivada pelo fruto carnoso e comestível.
tamarindeiro (ta.ma.rin.*dei*.ro) *s.m.* (*Bot.*) Árvore da família das leguminosas, em cujos frutos há uma polpa ácida e comestível, apreciada em balas e refrescos; tamarindo.
tamarindo (ta.ma.*rin*.do) *s.m.* **1.** (*Bot.*) Tamarindeiro. **2.** O fruto dessa árvore.
tambaqui (tam.ba.*qui*) *s.m.* (*Zool.*) Peixe graúdo, de carne saborosa, típico do rio Amazonas e de seus afluentes.
também (tam.*bém*) *adv.* **1.** Igualmente, do mesmo modo: *Vai, que eu também irei.* **2.** Além disso; ainda: *Fui ao cabeleireiro para cortar os cabelos e também aproveitei para fazer as unhas.* **3.** Diga-se de passagem; aliás: *Ela está sempre correndo. Também é mãe de três crianças.* || Usa-se expletivamente em frases que expressam repreensão ou desagrado: *Isto também já é demais!*
tambor [ô] (tam.*bor*) *s.m.* **1.** (*Mús.*) Instrumento musical de percussão, formado por uma caixa de forma cilíndrica com o fundo e a tampa cobertos de uma pele tensa em que se bate com baquetas. **2.** Peça girante do revólver. **3.** Recipiente cilíndrico de ferro, que serve para transportar e guardar líquidos. **4.** Cilindro de ferro, usado em fechaduras.
tamborete [ê] (tam.bo.*re*.te) *s.m.* Assento para uma pessoa, sem encosto, de madeira ou de outro material, tampo redondo ou quadrado; mocho.

tamborilar (tam.bo.ri.*lar*) *v.* **1.** Tocar cadenciadamente com os dedos sobre uma superfície, imitando o ruído de um tambor: *Enquanto pensava, tamborilava os dedos no teclado; Distraído, tamborilava numa caixa de fósforos.* **2.** Dar pancadas secas e cadenciadas: *Quando acordei, a chuva tamborilava na janela.* • *s.m.* **3.** Som semelhante ao do tambor: *o tamborilar impaciente dos dedos.* ▶ Conjug. 5.
tamborim (tam.bo.*rim*) *s.m.* Pequeno instrumento de percussão tocado com uma baqueta, essencial em uma bateria de escola de samba.
tamoio (ta.*moi*.o) *adj.* **1.** Pertencente ou concernente aos tamoios, indígenas tupis brasileiros que habitavam a região que atualmente forma o Estado do Rio de Janeiro. • *s.m.* **2.** Indivíduo desse grupo de indígenas.
tampa (*tam*.pa) *s.f.* Peça móvel com que se tapa ou fecha caixas, garrafas, panelas etc.
tampão (tam.*pão*) *s.m.* **1.** Rolha grande. **2.** Peça que serve para tapar a saída de esgoto de tanques, pias, banheiras etc. **3.** Chumaço de pano, algodão ou gaze que serve para absorver líquidos e secreções de fluxos patológicos. **4.** Absorvente que se usa durante a menstruação ou após certas intervenções cirúrgicas ginecológicas.
tampar (tam.*par*) *v.* Pôr tampa ou tampo em; fechar, vedar: *Tampe o frasco para que o álcool não evapore.* ▶ Conjug. 5.
tampo (*tam*.po) *s.m.* **1.** Parte superior de um objeto ou de uma extremidade do corpo humano: *tampo da mesa, do violão, do dedo, da cabeça.* **2.** Tampa de vasos, tonéis, tinas etc.
tampinha (tam.*pi*.nha) *s.m.* e *f. fig.* Pessoa de baixa estatura.
tamponar (tam.po.*nar*) *v.* Obstruir com tampão; tapar, vedar: *tamponar um poço, um ducto, uma cavidade etc.* ▶ Conjug. 5.
tampouco (tam.*pou*.co) *adv.* Também não: *Não fui, tampouco meu pai.*
tam-tam (*tam*-tam) *s.m.* (*Mús.*) **1.** Gongo. **2.** Na África Central, o tambor.
tanajura (ta.na.*ju*.ra) *s.f.* **1.** (*Zool.*) Fêmea da formiga saúva, alada na fase de reprodução. **2.** *fig. coloq.* Pessoa de nádegas avantajadas.
tandem (*tan*.dem) *s.m.* Bicicleta de dois selins, um atrás do outro.
tanga (*tan*.ga) *s.f.* **1.** Pedaço de tecido ou outro material com que certos povos velam o corpo da cintura ao meio das coxas. **2.** Modelo de

1220

calcinha muito fino na lateral. **3.** Traje de banho nesse feitio. **4.** Roupa íntima nesse feitio.

tangará (tan.ga.*rá*) *s.m.* (*Zool.*) Pássaro colorido da América do Sul que executa dança pré-nupcial característica.

tangência (tan.gên.ci:a) *s.f.* Condição de tangente. – **tangencial** *adj.*

tangenciar (tan.gen.ci:*ar*) *v.* Passar perto de; roçar, tocar: *O automóvel tangenciou o meio-fio*; (fig.) *Os jornais apenas tangenciaram a questão dos escravos.* ▶ Conjug. 17.

tangente (tan.gen.te) *s.f.* **1.** (*Geom.*) Linha ou superfície que toca outra sem cortá-la. • *adj.* **2.** Que tange. || *Escapar ou sair pela tangente*: responder por evasivas.

tanger (tan.ger) *v.* **1.** Tocar (instrumento musical): *tanger uma harpa, uma flauta, uma guitarra*. **2.** Soar: *Um sino tangia ao longe*. **3.** Tocar (gado): *Ao amanhecer, os pastores tangem os rebanhos para o pasto*. **4.** Referir-se; tocar: *No que tange à constitucionalidade e à legalidade, não há nenhum óbice ao projeto.* ▶ Conjug. 39 e 47.

tangerina (tan.ge.*ri*.na) *s.f.* Fruto da tangerineira; mexerica.

tangerineira (tan.ge.ri.*nei*.ra) *s.f.* (*Bot.*) Árvore que produz uma fruta semelhante à laranja e cuja casca se solta facilmente dos gomos.

tangível (tan.*gí*.vel) *adj.* Que pode ser tangido, apalpado, sentido; palpável. – **tangibilidade** *s.f.*

tanglomanglo (tan.glo.*man*.glo) *s.m.* **1.** Doença, mal, atribuídos a feitiçaria: *Ele está mal, deu-lhe o tanglomanglo*. **2.** *coloq.* Qualquer doença. **3.** Bruxaria, sortilégio. || *tangolomango*.

tango (tan.go) *s.m.* **1.** Música popular portenha, de andamento moderado e de ritmo sincopado e langoroso. **2.** Dança que acompanha essa música.

tangolomango (tan.go.lo.*man*.go) *s.m.* Tanglomanglo.

tanino (ta.*ni*.no) *s.m.* (*Quím.*) Substância adstringente extraída de vegetais, usada para curtir peles.

tanoaria (ta.no:a.*ri*.a) *s.f.* **1.** Fábrica de vasilhas de madeira (pipas, tonéis, quintos etc.) para vinho, azeite etc.; tonelaria. **2.** Ofício ou obra de tanoeiro; tonelaria.

tanoeiro (ta.no:*ei*.ro) *s.m.* Indivíduo que fabrica pipas, tinas, barris etc., ou os conserta.

tanque¹ (tan.que) *s.m.* **1.** Reservatório para conter água ou outros líquidos: *tanque de gasolina*. **2.** Pequeno reservatório de louça, alvenaria, metal ou plástico no qual se lava roupa. **3.** Construção destinada a represar águas; açude. **4.** Depósito natural de águas, poço.

tanque² (tan.que) *s.m.* (*Mil.*) Carro militar blindado, provido de canhões e apropriado para percorrer terrenos acidentados.

tantã (tan.*tã*) *adj.* Tonto, desequilibrado: *homem tantã*; *mulher tantã*.

tantalizar (tan.ta.li.*zar*) *v.* Causar suplício a; atormentar: *Esse mistério nos tantalizou durante anos.* ▶ Conjug. 5. – **tantalização** *s.f.*

tanto (tan.to) *pron. indef.* **1.** Indica grande quantidade ou grande número (geralmente implica a expressão de uma comparação ou consequência): *Nunca houve tanto consumismo no mundo quanto (ou como) agora*; *As andorinhas eram tantas que escureciam o céu.* • *s.m.* **2.** Tanta quantidade: *Nunca na minha vida gastei tanto*. **3.** Quantidade que não se quer ou não se pode declarar com exatidão (geralmente relativa a cem unidades): *tanto(s) por cento.* **4.** Porção, quantidade, quantia, volume, extensão, tamanho (iguais a outros): *Este apartamento mede dois tantos do outro.* • *adv.* **5.** Tão grande número de vezes, em tão grande quantidade, por tão largo espaço de tempo (geralmente em construção correlativa com que): *Tocou tanto violão que criou calo no polegar.* • *tantos pron. indef. pl.* **6.** Pessoas ou coisas em quantidade imprecisa: *Nunca tão poucos fizeram tanto por tantos*; *Ele já tem vinte e tantos anos.* **7.** Usa-se posposto ao substantivo, substituindo um número que se desconhece ou não se quer precisar: *A horas tantas, ele se levantou e disse que precisava ir*; *A (ou às) páginas tantas, o romancista muda totalmente o rumo da narrativa.* || *Tanto assim que*: por sinal que, a prova é que; tanto que. • *Tanto melhor*: ainda bem, felizmente. • *Tanto que*: tanto assim que. • *E tanto*: fórmula com que se enfatiza algo que foi dito antes: *Magistério e estresse: uma dupla e tanto!* • *Um tanto*: **1.** um pouco: *O filme começa de uma forma um tanto estranha.* **2.** porção ou quantia determinada: *Exijo um tanto por fornecimento.* • *Se tanto*: quando muito.

tão *adv.* **1.** Em tal grau, em tal quantidade, de tal maneira, tanto (ante adjetivos ou advérbios): *Nunca recebi um presente tão romântico*; *Esse vestido fica-lhe tão bem!* **2.** Empregado também em correlação com *quão* ou *quanto*: *Seu pai era tão poderoso quanto (ou quão) generoso.* **3.** Articulado com *que*, forma o primeiro termo de uma correlação de causa e consequência: *Era tão grande o sapato, que*

tapa

não cabia na caixa. **4.** Com *como* nos comparativos de igualdade e significando "em igual modo, em igual quantidade": *O automóvel era tão veloz como o trem.* || *Tão só*: tão somente. • *Tão somente*: unicamente, simplesmente, meramente: *Para o passeio, usaríamos tão somente o nosso tradicional short e camiseta.*

tapa (ta.pa) *s.m. e f.* Golpe aplicado com a mão aberta.

tapa-buraco (ta.pa-bu.ra.co) *s.m. e f. 2n. coloq.* Indivíduo ou coisa que se emprega em lugar de outro ou outra, em caso de necessidade, para evitar um desfalque de pessoas, interrupção de serviço etc.

tapa-olho (ta.pa-o.lho) *s.m.* **1.** *coloq.* Bofetão por cima do olho. **2.** Venda para um olho. || pl.: *tapa-olhos.*

tapar (ta.par) *v.* **1.** Fechar com tampa ou outra cobertura: *O cozinheiro tapou a panela*; *Não esqueça de tapar a garrafa de vinho.* **2.** Cobrir de modo que não se veja: *Sentou-se puxando a saia para tapar os joelhos.* **3.** Entupir: *tapar um orifício.* **4.** Encobrir, esconder: *Os ramos das árvores tapavam a visão da planície.* ▶ Conjug. 5. – **tapagem** *s.f.*; **tapamento** *s.m.*

tape (Ing.) *s.m.* Ver teipe.

tapear (ta.pe:ar) *v. coloq.* Enganar com delongas, subterfúgios; lograr, iludir: *Tapeou o segurança e conseguiu entrar na festa.* ▶ Conjug. 16. – **tapeação** *s.f.*

tapeçaria (ta.pe.ça.ri.a) *s.f.* **1.** Tecido grosso em que se bordam cenas ou figuras e que se pendura em paredes: *Vi uma linda tapeçaria naquele palácio.* **2.** Arte de tapeceiro. **3.** Estabelecimento onde se fabricam ou se vendem tapetes.

tapeceiro (ta.pe.cei.ro) *s.m.* Indivíduo que fabrica, vende ou conserta tapetes ou tapeçaria.

tapera [é] (ta.pe.ra) *s.f.* **1.** Casa arruinada e abandonada; mocambo. **2.** Aldeia indígena abandonada.

taperebá (ta.pe.re.bá) *s.m.* Cajá.

tapete [ê] (ta.pe.te) *s.m.* Tecido espesso, simples ou com desenhos, usado para cobrir assoalhos, escadas, estrados etc.

tapioca [ó] (ta.pi:o.ca) *s.f.* **1.** Fécula alimentícia, de forma granulosa, extraída da raiz da mandioca. **2.** (*Cul.*) Beiju.

tapir (ta.pir) *s.m.* (*Zool.*) Anta.

tapuia (ta.pui.a) *adj.* **1.** Pertencente ou concernente aos tapuias, antiga nação indígena jê. • *s.m. e f.* **2.** Indivíduo dessa nação. **3.** Denominação dada antigamente aos indígenas que não falavam língua do tronco tupi. **4.** Descendente de índio. || *tapuio.*

tapuio (ta.pui.o) *s.m.* Tapuia.

tapume (ta.pu.me) *s.m.* Cerca geralmente de tábuas que se circunscreve temporariamente um terreno ou uma construção.

taquara (ta.qua.ra) *s.f.* (*Bot.*) Espécie de bambu.

taquicardia (ta.qui.car.di.a) *s.f.* (*Med.*) Aceleração das pulsações cardíacas.

taquigrafar (ta.qui.gra.far) *v.* Estenografar. ▶ Conjug. 5.

taquigrafia (ta.qui.gra.fi.a) *s.f.* Estenografia.

tara (ta.ra) *s.f.* **1.** Perversão sexual; depravação. **2.** Fixação, obsessão. **3.** Abatimento no peso de mercadorias, para compensar o peso do vaso ou envoltório em que estão acondicionadas.

tarado (ta.ra.do) *adj.* **1.** Que é sexualmente degenerado. **2.** Desequilibrado (em sentido moral). **3.** *coloq.* Atraído em alto grau; fascinado, gamado. **4.** Que tem marcado o peso da tara. • *s.m.* **5.** Indivíduo tarado (1, 2 e 3).

taramela [é] (ta.ra.me.la) *s.f.* Tramela.

tarantela [é] (ta.ran.te.la) *s.f.* **1.** Dança de ritmo muito vivo, típica dos napolitanos. **2.** Música com que se executa esta dança.

tarântula (ta.rân.tu.la) *s.f.* (*Zool.*) Aranha grande, peluda e venenosa.

tarar (ta.rar) *v.* Pesar para descontar a tara (3): *Tarou a balança antes de pesar a quentinha.* ▶ Conjug. 5.

tardança (tar.dan.ça) *s.f.* **1.** Ato ou efeito de tardar. **2.** Demora, vagar.

tardar (tar.dar) *v.* **1.** Despender muito tempo para realizar (algo): *Ele tardou a resolver a situação.* **2.** Levar tempo; custar, demorar: *Não tardou em atender-me*; *Não tarda que deem três horas.* || *O mais tardar*: como prazo máximo. ▶ Conjug. 5.

tarde (tar.de) *adv.* **1.** Em um momento posterior à hora marcada, combinada, esperada: *Cheguei tarde*; *É tarde para o jantar.* **2.** A uma hora avançada: *Trabalhou até tarde ontem*; *Chegou tarde da noite.* • *s.f.* **3.** Parte do dia entre o meio-dia e o anoitecer: *Vou estudar durante a tarde.*

tardinha (tar.di.nha) *s.f.* O fim da tarde.

tardio (tar.di:o) *adj.* Que chega ou se produz tarde: *capitalismo tardio*; *diagnóstico tardio.*

tardo (tar.do) *adj.* Que age ou se produz devagar: *À nossa frente, ia um carro de bois tardo e pesado*; *passo tardo.*

tarefa [é] (ta.re.fa) *s.f.* Trabalho, especialmente aquele que se deve concluir em determinado prazo.

tarefeiro (ta.re.fei.ro) *s.m.* Trabalhador que recebe por tarefa ou por unidade produzida.

tarifa (ta.ri.fa) *s.f.* **1.** Tabela de preços referentes a uma mercadoria ou a um serviço. **2.** Preço estabelecido de uma mercadoria ou de um serviço. – **tarifação** *s.f.*; **tarifário** *adj.*

tarimba (ta.rim.ba) *s.f.* Larga experiência; grande prática.

tarimbado (ta.rim.ba.do) *adj.* Que tem tarimba; muito experiente.

tarja (tar.ja) *s.f.* **1.** Traço preto que encobre parte de texto ou imagem, geralmente por motivo de censura. **2.** Barra, orla, faixa que, num papel ou objeto, indica luto. **3.** Pintura ou escultura feita no contorno de algum objeto. – **tarjar** *v.* ▶ Conjug. 5 e 37.

tarô (ta.rô) *s.m.* **1.** Baralho de 78 cartas, maiores que as do baralho comum, com desenhos diversos. **2.** Jogo divinatório feito com esse baralho.

tarol (ta.rol) *s.m.* (*Mús.*) Pequeno tambor que se percute com duas baquetas.

tarrafa (tar.ra.fa) *s.f.* Rede de pesca circular, com uma corda ao centro, pela qual o pescador a retira fechada da água, depois de havê-la arremessado aberta.

tarraxa (tar.ra.xa) *s.f.* **1.** Rosca que recebe externamente o parafuso. **2.** Cavilha. **3.** Utensílio de serralheiro para fazer as roscas dos parafusos, das porcas ou dos tubos de canalização.

tarso (tar.so) *s.m.* (*Anat.*) Parte posterior do pé compreendida entre a perna e o metatarso e composta de sete ossos.

tartamudear (tar.ta.mu.de:ar) *v.* Gaguejar. ▶ Conjug. 14.

tartamudo (tar.ta.mu.do) *adj. s.m.* Gago. – **tartamudez** *s.f.*

tártaro (tár.ta.ro) *s.m.* **1.** (*Odont.*) Sedimento que se forma nos dentes junto às gengivas, constituído por concreção calcária amarelada. **2.** Crosta que adere às paredes dos tonéis de vinho.

tartaruga (tar.ta.ru.ga) *s.f.* **1.** (*Zool.*) Réptil, aquático ou terrestre, cujo corpo é coberto por uma carapaça arredondada. **2.** Substância que forma a carapaça da tartaruga: *um pente de tartaruga*.

tartufo (tar.tu.fo) *s.m.* Falso devoto; hipócrita. – **tartufice** *s.f.*

tarugo (ta.ru.go) *s.m.* Bucha (3).

tasca (tas.ca) *s.f.* **1.** Casa de pasto ordinária; taberna, bodega, tasco. **2.** Tasco, bocado, pedaço.

tascar (tas.car) *v. gír.* **1.** Aplicar repentinamente: *O menino tascou uma mordida no colega.* **2.** Pegar, tirar: *Este ano a Copa é nossa e ninguém tasca.* **3.** Atear, tacar (fogo): *Fez uma limpa no jardim e tascou fogo nas folhas secas.* ▶ Conjug. 5 e 35.

tasco (tas.co) *s.m.* **1.** Pedaço ou bocado (daquilo que se está comendo ou desfrutando): *Eu também quero um tasco.* **2.** Tasca, taberna.

tatame (ta.ta.me) *s.m.* **1.** Tapete japonês tecido com palha de arroz, usado nas casas japonesas. **2.** (*Esp.*) Tapete sobre o qual se pratica o judô e outras lutas marciais.

tatarana (ta.ta.ra.na) *s.f.* (*Zool.*) Taturana.

tataraneto [é] (ta.ta.ra.ne.to) *s.m.* **1.** Filho do trineto ou da trineta. **2.** *coloq.* Neto em grau muito remoto. ‖ *tetraneto.*

tataravô (ta.ta.ra.vô) *s.m.* Pai do trisavô ou da trisavó; tetravô. ‖ f.: *tataravó.*

tatear (ta.te:ar) *v.* Explorar com o tato: *Tateou a gaveta à procura dos óculos; Foi tateando pelos corredores em busca de uma saída.* ▶ Conjug. 14. – **tateante** *adj.*

tatibitate (ta.ti.bi.ta.te) *adj.* **1.** Que troca as consoantes das palavras. **2.** Que pronuncia as palavras como se fosse um bebê aprendendo a falar. • *s.m. e f.* **3.** Pessoa tatibitate. • *s.m.* **4.** Conversa tatibitate.

tática (tá.ti.ca) *s.f.* **1.** Arte de, na guerra, coordenar os distintos meios militares: *tática aérea.* **2.** Conjunto dos meios que se empregam para conseguir um fim.

tático (tá.ti.co) *adj.* **1.** Relativo a tática. • *s.m.* **2.** Indivíduo perito em tática.

tátil (tá.til) *adj.* **1.** Relativo ao tato: *percepção tátil.* **2.** Que pode ser tateado, apalpado: *A exposição tem dez painéis táteis.* ‖ *táctil.*

tato (ta.to) *s.m.* **1.** Sentido pelo qual se percebe a extensão, a consistência, a forma, a temperatura etc., de algo. **2.** Ato ou efeito de tatear. **3.** *fig.* Habilidade para lidar com os sentimentos alheios. ‖ *tacto.*

tatu (ta.tu) *s.m.* (*Zool.*) Mamífero desdentado cujo corpo é coberto por uma carapaça.

tatuagem (ta.tu:a.gem) *s.f.* Ato ou efeito de tatuar.

tatuar (ta.tu:ar) *v.* **1.** Cobrir (parte do corpo) com desenhos por meio de picadas que introduzem na pele matérias corantes: *A adolescente queria tatuar uma estrela na nuca.*

tatu-bola

2. Deixar-se marcar com tatuagem: *Rafael tatuou-se, quando jovem, com o nome da sua banda de rock preferida.* ▶ Conjug. 5. – **tatuador** *adj. s.m.*

tatu-bola (ta.tu-*bo*.la) *s.m.* (*Zool.*) Tipo de tatu capaz de se enrolar completamente em sua própria carapaça. || pl.: *tatus-bolas* e *tatus-bola*.

tatuí (ta.tu:*í*) *s.m.* (*Zool.*) Crustáceo de aproximadamente 3 cm que vive enterrado na areia da praia.

taturana (ta.tu.*ra*.na) *s.f.* (*Zool.*) Lagarta de corpo revestido de finíssimos pelos, cujas pontas agudíssimas, ao menor contato, injetam um líquido causticante; lagarta-de-fogo. || *tatarana*.

taumaturgia (tau.ma.tur.*gi*.a) *s.f.* Obra de taumaturgo.

taumatúrgico (tau.ma.*túr*.gi.co) *adj.* Relativo a taumaturgia ou a taumaturgo.

taumaturgo (tau.ma.*tur*.go) *adj.* **1.** Que faz ou pretende fazer milagres. • *s.m.* **2.** Aquele que faz ou pretende fazer milagres.

taurino[1] (tau.*ri*.no) *adj.* **1.** Relativo a touro. **2.** *fig.* Forte (como um touro).

taurino[2] (tau.*ri*.no) *adj.* **1.** (*Astrol.*) Que nasce sob o signo de Touro (de 21 de abril a 21 de maio). • *s.m.* **2.** (*Astrol.*) Pessoa nascida sob o signo de Touro.

tauromaquia (tau.ro.ma.*qui*.a) *s.f.* Arte de tourear.

tautologia (tau.to.lo.*gi*.a) *s.f.* (*Ling.*) Figura que consiste em exprimir a mesma ideia várias vezes em termos diferentes. – **tautológico** *adj.*

taverna [é] (ta.*ver*.na) *s.f.* Taberna.

taverneiro (ta.ver.*nei*.ro) *s.m.* Taberneiro.

tavolagem (ta.vo.*la*.gem) *s.f.* **1.** Casa de jogo. **2.** Vício do jogo.

taxa [ch] (*ta*.xa) *s.f.* **1.** Imposto, tributo. **2.** Preço fixado por regulamento para uma mercadoria ou serviço: *Conseguiu isenção da taxa do vestibular.* **3.** Proporção, percentagem: *taxa de álcool no sangue.* **4.** (*Mat.*) Relação entre duas grandezas que se verifica para determinado intervalo de tempo: *taxa de crescimento anual.*

taxação [ch] (ta.xa.*ção*) *s.f.* Ato ou efeito de taxar.

taxar [ch] (ta.*xar*) *v.* **1.** Impor tributo a: *O governo inglês taxa os aparelhos de televisão para financiar meios de comunicação públicos.* **2.** Regular o preço de: *O governo decidiu taxar as ligações telefônicas locais por minuto.* **3.** Atribuir (qualidade negativa ou positiva) a; avaliar, julgar: *Com rispidez, taxou-o de mal-educado*; *Taxou a atuação da atriz de perfeita.* ▶ Conjug. 5.

taxativo [ch] (ta.xa.*ti*.vo) *adj.* **1.** Limitativo, restritivo. **2.** Que não admite contestação; definitivo: *opinião taxativa.*

táxi [cs] (*tá*.xi) *s.m.* Automóvel destinado ao transporte de passageiros, provido de taxímetro; carro de praça. – **taxista** *s.m.* e *f.*

taxiar [cs] (ta.xi:*ar*) *v.* Deslocar-se em terra (o avião) antes de decolar ou depois de aterrissar: *O avião taxiou, subiu, desceu, taxiou de novo – tudo em menos de quarenta minutos!* ▶ Conjug. 17.

taxidermia [cs] (ta.xi.der.*mi*.a) *s.f.* Arte de preparar, empalhar e montar animais.

taxímetro [cs] (ta.*xí*.me.tro) *s.m.* Aparelho que, nos carros de praça, marca o preço que se deve pagar pelo tempo de ocupação e pela distância percorrida.

taxonomia [cs] (ta.xo.no.*mi*.a) *s.f.* **1.** Ciência da classificação. **2.** (*Biol.*) Parte da Botânica e da Zoologia que se ocupa das classificações das plantas e dos animais.

taxonômico [cs] (ta.xo.*nô*.mi.co) *adj.* **1.** Relativo a Taxonomia. • *s.m.* **2.** Indivíduo que trata de Taxonomia.

tchau *interj.* **1.** Até a volta; adeus. • *s.m.* **2.** Aceno feito com a mão para despedir-se ou para saudar de longe.

te *pron. pess.* Forma oblíqua átona da segunda pessoa do singular que funciona como objeto direto e como objeto indireto: *Alguém te viu?*; *Quem te deu essa medalha?*

tê *s.m.* Nome da letra *t*.

tear (te:*ar*) *s.m.* Aparelho ou artefato de tecer panos, malhas, tapetes.

teatral (te:a.*tral*) *adj.* **1.** Relativo a teatro. **2.** *fig.* Que procura efeito sobre os ouvintes ou espectadores para impressioná-los: *gestos teatrais.* **3.** *fig.* Exagerado, artificial, espetaculoso: *uma mulher teatral.* – **teatralidade** *s.f.*

teatralizar (te:a.tra.li.*zar*) *v.* **1.** Tornar representável em teatro: *A proposta do diretor é teatralizar problemas pessoais vividos no dia a dia.* **2.** *fig.* Tornar mais dramático; exagerar: *Ele teatraliza demais os casos que conta.* ▶ Conjug. 5. – **teatralização** *s.f.*

teatro (te:*a*.tro) *s.m.* **1.** Lugar onde se representam obras dramáticas. **2.** Arte de representar uma ação em um palco. **3.** Gênero literário dramático. **4.** Lugar onde se passa um acon-

tela

tecimento; palco: *O imperador foi ao teatro da guerra.* || *Fazer teatro*: tornar dramáticas as próprias palavras ou atitudes para impressionar o receptor.

teatrólogo (te.a.tró.lo.go) *s.m.* Pessoa que escreve peças teatrais; dramaturgo.

tecelagem (te.ce.*la*.gem) *s.f.* **1.** Ofício de tecelão. **2.** Fábrica de tecidos.

tecelão (te.ce.*lão*) *s.m.* Indivíduo que tece pano ou trabalha em tear. || f.: *tecelã* e *teceloa*.

tecer (te.*cer*) *v.* **1.** Unir (fios) para formar panos; urdir, tramar: *Teceu uma linda manta para o neto.* **2.** Dizer, proferir: *tecer comentários, elogios etc.* ▶ Conjug. 41 e 46.

tecido (te.*ci*.do) *adj.* **1.** Que se teceu ou entreteceu. • *s.m.* **2.** Produto industrial que se obtém por entrecruzamento de fios ou fibras, ou por simples compressão de fibras; fazenda, pano. **3.** Conjunto formado pelo entrelaçamento de fios. **4.** (*Biol.*) Conjunto de células de estrutura e função similar.

tecla [é] (te.cla) *s.f.* **1.** (*Mús.*) Peça que, ao ser premida pelos dedos, produz uma nota. **2.** Em certas máquinas (computadores, máquinas de escrever, de calcular, de composição gráfica etc.), peça que, pressionada com o dedo, serve para acionar um dispositivo. || *Bater na mesma tecla*: insistir no mesmo assunto.

tecladista (te.cla.*dis*.ta) *s.m.* e *f.* (*Mús.*) Aquele que toca teclado.

teclado (te.*cla*.do) *s.m.* **1.** Conjunto das teclas de um instrumento musical ou de certas máquinas: *teclado do piano, do computador etc.* **2.** (*Mús.*) Instrumento musical eletrônico semelhante ao piano.

teclar (te.*clar*) *v.* Pressionar teclas: *Tecle 5 se desejar falar com o setor de informações.* ▶ Conjug. 8.

técnica (*téc*.ni.ca) *s.f.* **1.** Conjunto de normas e procedimentos ligados a uma ciência, a uma arte ou a uma atividade. **2.** Habilidade para se executar uma ação.

tecnicidade (tec.ni.ci.*da*.de) *s.f.* Qualidade de técnico; tecnicismo.

tecnicismo (tec.ni.*cis*.mo) *s.m.* **1.** Tecnicidade. **2.** Valorização excessiva de tudo o que diz respeito à tecnologia. **3.** Linguagem própria de uma arte ou ciência. – **tecnicista** *adj.*

técnico (*téc*.ni.co) *adj.* **1.** Específico de uma ciência, de uma arte, de um ofício: *termo técnico.* • *s.m.* **2.** Indivíduo que tem conhecimentos técnicos: *técnico de Informática.* **3.** (*Esp.*) Treinador de equipes esportivas.

tecnicólor (tec.ni.*có*.lor) *s.m.* Método de fazer filmes coloridos. || Da marca registrada *Technicolor.*

tecnocracia (tec.no.cra.*ci*.a) *s.f.* Sistema político e social dirigido predominantemente por técnicos.

tecnocrata (tec.no.*cra*.ta) *s.m.* e *f.* Técnico que ocupa um alto cargo político.

tecnologia (tec.no.lo.*gi*.a) *s.f.* **1.** Estudo das técnicas, das ferramentas, das máquinas etc. **2.** Técnica complexa e moderna. – **tecnológico** *adj.*; **tecnólogo** *s.m.*

teco-teco (te.co-*te*.co) *s.m.* Pequeno avião de um só motor. || pl.: *teco-tecos*.

tectônica (tec.*tô*.ni.ca) *s.f.* **1.** (*Geol.*) Parte da Geologia dedicada ao estudo da estrutura da crosta terrestre. **2.** Arte de construir edifícios. – **tectônico** *adj.*

tédio (*té*.di:o) *s.m.* Aborrecimento, fastio. – **tedioso** *adj.*

teenager [*tinêidger*] (Ing.) *s.m.* e *f.* Adolescente.

tegumento (te.gu.*men*.to) *s.m.* **1.** (*Biol.*) Tecido que cobre o corpo do homem e dos animais (a pele, o pelo, as plumas, as escamas). **2.** (*Bot.*) Envoltório protetor da semente. – **tegumentar** *adj.*

teia (*tei*.a) *s.f.* **1.** Trama de fios. **2.** Rede que a aranha forma com o fio que segrega. **3.** *fig.* Rede de fatos encadeados; trama.

teima (*tei*.ma) *s.f.* **1.** Ato de teimar. **2.** Teimosia, obstinação.

teimar (tei.*mar*) *v.* Fazer ou afirmar (algo) com insistência; insistir em: *Teimou que o fato se passou de outro modo*; *A criança teima em fazer o que não deve*; *Não teime, menino!* ▶ Conjug. 18.

teimoso [ô] (tei.*mo*.so) *adj.* **1.** Que teima, que persiste em seus intentos, como que acintosamente; renitente, obstinado. **2.** *fig.* Prolongado, insistente: *febre teimosa.* • *s.m.* **3.** Pessoa teimosa. || f. e pl.: [ó]. – **teimosia** *s.f.*

teína (te.*í*.na) *s.f.* (*Quím.*) Alcaloide encontrado nas folhas do chá, quimicamente semelhante à cafeína.

teipe (*tei*.pe) *s.m.* (*Eletrôn.*) Fita magnética em que se podem gravar sons, imagens ou dados informáticos.

teísmo (te.*ís*.mo) *s.m.* (*Fil., Rel.*) Doutrina filosófica que afirma a existência de um Deus único e providente. – **teísta** *adj. s.m.* e *f.*

tela [é] (te.la) *s.f.* **1.** Tecido, geralmente de linho, coberto com tinta branca ou parda, sobre a qual os pintores pintam quadros. **2.** Quadro

telão

pintado sobre tela; pintura: *Nossa pinacoteca possui valiosas telas*. **3.** Rede de arame ou náilon usada em janelas, ralos, cercas etc. **4.** (*Cine, Fot.*) Quadro em que se projetam as imagens cinematográficas. **5.** (*Telv.*) Superfície fluorescente do tubo de imagem sobre a qual se forma a imagem. **6.** (*Inform.*) Superfície de vídeo do computador onde são exibidas informações tanto em formato gráfico como de texto. || *Tela subcutânea*: (*Anat.*) tecido situado abaixo da derme.

telão (te.*lão*) *s.m.* Tela de grandes proporções sobre a qual são projetadas imagens de toda sorte de eventos (musicais, esportivos etc.).

telar (te.*lar*) *v.* Pôr tela de arame ou náilon em: *Hoje os agentes de controle ambiental telaram 14 reservatórios de água.* ▶ Conjug. 8.

telecine (te.le.*ci*.ne) *s.f.* (*Telv.*) Equipamento que possibilita a transmissão de *slides* e filmes pela televisão.

telecinesia (te.le.ci.ne.*si*.a) *s.f.* Na parapsicologia, movimento de objetos sem contato aparente. – **telecinético** *adj.*

telecomunicação (te.le.co.mu.ni.ca.*ção*) *s.f.* **1.** Processo de comunicação que abrange a emissão, a transmissão ou a recepção de sinais escritos, sons ou informações de qualquer natureza, por fio, rádio, eletricidade, meios ópticos ou qualquer outro processo eletromagnético. • *telecomunicações s.f.pl.* **2.** Conjunto dos meios técnicos utilizados em telecomunicação.

teleconferência (te.le.con.fe.*rên*.ci:a) *s.f.* (*Inform.*) Conferência entre pessoas situadas em locais distantes um do outro, em tempo real, usando computadores ligados em rede.

telecurso (te.le.*cur*.so) *s.m.* Curso através da televisão.

teleducação (te.le.du.ca.*ção*) *s.f.* Sistema de ensino que atende alunos a distância, geralmente em grupos organizados e em lugares diversos, por meio de televisão, rádio, internet, correspondência postal etc.

teleférico (te.le.*fé*.ri.co) *s.m.* Meio de transporte de pessoas ou carga constituído por um ou mais cabos de suspensão aos quais se prende uma cabina de passageiros ou caçamba para materiais; funicular.

telefonar (te.le.fo.*nar*) *v.* Fazer comunicação pelo telefone; ligar: *Telefonei para o meu amigo ontem.* ▶ Conjug. 5.

telefone (te.le.*fo*.ne) *s.m.* **1.** Aparelho que, por meio da eletricidade, transmite som, especialmente a voz humana, a distância. **2.** *coloq.* Tapa aplicado simultaneamente com as duas mãos no ouvido do agredido. || *Telefone sem fio*: aparelho em cuja base se assenta o fone que pode ser retirado e usado livremente pelo usuário enquanto fala. • *Telefone celular*: telefone portátil que transmite o som pelo sistema de rádio celular; celular. – **telefônico** *adj.*

telefonema (te.le.fo.*ne*.ma) *s.m.* Comunicação telefônica.

telefonia (te.le.fo.*ni*.a) *s.f.* Processo de transmissão do som a grandes distâncias, através de cabos, fios ou por ondas eletromagnéticas. || *Telefonia sem fio*: processo de transmissão de sons através de ondas eletromagnéticas.

telefonista (te.le.fo.*nis*.ta) *s.m. e f.* Pessoa cujo ofício consiste em fazer ligações telefônicas.

telefoto [ó] (te.le.*fo*.to) *s.f.* Fotografia transmitida e obtida mediante cabo ou ondas eletromagnéticas; telefotografia.

telefotografia (te.le.fo.to.gra.*fi*.a) *s.f.* Telefoto.

telegrafar (te.le.gra.*far*) *v.* Enviar notícia pelo telégrafo: *Telegrafou uma mensagem à sua esposa dizendo que havia chegado bem; Telegrafou imediatamente à madrinha.* ▶ Conjug. 5.

telegrafia (te.le.gra.*fi*.a) *s.f.* Sistema de telecomunicação que permite a transmissão de mensagens à distância por meio de sinais codificados, por eletricidade ou por ondas eletromagnéticas.

telegráfico (te.le.*grá*.fi.co) *adj.* **1.** Relativo a telegrafia ou a telégrafo. **2.** *fig.* Resumido, condensado: *mensagem telegráfica*.

telégrafo (te.le.*lé*.gra.fo) *s.m.* **1.** Sistema de transmissão de mensagens à distância por meio de sinais codificados. **2.** Aparelho que efetua essa transmissão. **3.** Lugar onde esse aparelho funciona.

telegrama (te.le.gra.ma) *s.m.* **1.** Comunicação transmitida pelo telégrafo. **2.** Impresso onde é escrita essa comunicação.

teleguiar (te.le.gui:*ar*) *v.* Guiar de longe, por meio de ondas eletromagnéticas: *teleguiar aviões, foguetes etc.* ▶ Conjug. 17. – **teleguiado** *adj. s.m.*

teleimpressor [ô] (te.le:im.pres.*sor*) *s.m.* (*Comun.*) Aparelho telegráfico para transmissão de mensagens apresentadas sob a forma de página impressa, fita impressa ou perfurada.

telejornal (te.le.jor.*nal*) *s.m.* Noticiário jornalístico transmitido pela televisão. – **telejornalismo** *s.m.*

telemarketing [*telemárquetin*] *s.m.* (*Comun.*) Método de vendas por meio do telefone para prestar atendimento ao cliente ou para oferecer produtos ao consumidor.

telenovela [é] (te.le.no.ve.la) *s.f.* Peça teatral ou literária exibida em capítulos através da televisão.

teleobjetiva (te.le:ob.je.ti.va) *s.f.* (*Fot.*) Objetiva própria para fotografar de longe.

teleologia (te.le.o.lo.gi.a) *s.f.* **1.** (*Fil.*) Estudo das causas finais. **2.** Qualquer doutrina que identifica a presença de metas guiando os acontecimentos.

teleológico (te.le:o.ló.gi.co) *adj.* Relativo a Teleologia; que estabelece relação de finalidade.

telepatia (te.le.pa.ti.a) *s.f.* Transmissão extras-sensorial de pensamento entre pessoas. – **telepata** *s.m. e f.*; **telepático** *adj.*

telescópio (te.les.có.pi:o) *s.m.* (*Fís.*) Instrumento óptico que serve para observar objetos que, por sua grande distância, são invisíveis a olho nu. – **telescópico** *adj.*

telespectador [ô] (te.les.pec.ta.dor) *s.m.* Espectador de televisão.

televisão (te.le.vi.são) *s.f.* **1.** Sistema de transmissão de imagens a distância, por ondas eletromagnéticas. **2.** Atividade relativa à televisão. **3.** Conjunto de programas de televisão. **4.** Televisor. || Abreviação: *TV.*

televisar (te.le.vi.sar) *v.* Televisionar. ▶ Conjug. 5.

televisionar (te.le.vi.si:o.nar) *v.* Transmitir por televisão; televisar: *A emissora televisionou o enterro do grande artista (para todo o país).* ▶ Conjug. 5.

televisivo (te.le.vi.si.vo) *adj.* **1.** Relativo a televisão: *canal televisivo.* **2.** Que apresenta boas condições para ser televisionado: *rosto televisivo.*

televisor [ô] (te.le.vi.sor) *s.m.* Aparelho receptor de televisão; televisão.

televisora [ô] (te.le.vi.so.ra) *s.f.* Estação de televisão.

telex [cs] (te.lex) *s.m.* (*Comun.*) **1.** Serviço telegráfico que permite que seus usuários comuniquem-se diretamente entre si, por meio de teleimpressores. **2.** A mensagem recebida por esse sistema.

telha [ê] (te.lha) *s.f.* **1.** Peça de barro, cozida ao forno, utilizada para cobrir o teto de casa, prédios etc. **2.** Peça de vidro, ferro etc., empregada para o mesmo fim. || *Dar na telha*: coloq. vir à mente: *Na redação, escrevi o que me deu na telha.*

telhado (te.lha.do) *s.m.* **1.** Parte superior e exterior que cobre uma casa ou prédio e é geralmente formada de telhas. **2.** Conjunto de telhas que cobrem uma construção. **3.** Qualquer cobertura de outro material que apresente a mesma finalidade: *telhado de zinco.*

telhar (te.lhar) *v.* Cobrir com telhas: *Depois da passagem do furacão, a população precisou telhar de novo suas casas.* ▶ Conjug. 9.

telha-vã (te.lha-vã) *s.f.* Telhado sem forro. || pl.: *telhas-vãs.*

telheiro (te.lhei.ro) *s.m.* **1.** Operário que faz telhas. **2.** Cobertura simples de telha destinada ao abrigo de animais, ao depósito de materiais e utensílios.

telúrico (te.lú.ri.co) *adj.* **1.** Relativo à Terra. **2.** Relativo ao solo.

tema (te.ma) *s.m.* **1.** Ideia sobre a qual se fala ou se reflete. **2.** (*Gram.*) Parte da palavra constituída pelo radical e pela vogal temática, como, por exemplo, *ama* em *amaste.* **3.** (*Mús.*) Principal frase melódica numa composição.

temário (te.má.ri:o) *s.m.* Conjunto dos temas de um seminário, de um congresso, de um simpósio etc.

temático (te.má.ti.co) *adj.* **1.** Relativo a tema. **2.** (*Gram.*) Que se refere ao tema das palavras: *vogal temática.*

temática (te.má.ti.ca) *s.f.* Conjunto dos temas mais relevantes numa obra.

temente (te.men.te) *adj.* Que teme.

temer (te.mer) *v.* **1.** Ter medo de: *A gente do povo temia Odin e venerava Thor.* **2.** Respeitar, venerar: *temer a Deus.* ▶ Conjug. 39.

temerário (te.me.rá.ri:o) *adj.* **1.** Que imprudentemente se atira ao perigo; destemido, audacioso: *Ele achava que era preciso ser temerário na vida.* **2.** Perigoso, arriscado, imprudente: *É temerário fazer prognósticos dessa natureza.* **3.** Sem fundamento: *juízo temerário; afirmação temerária.*

temeridade (te.me.ri.da.de) *s.f.* **1.** Qualidade de temerário. **2.** Ação temerária.

temeroso [ô] (te.me.ro.so) *adj.* **1.** Que sente temor; medroso. **2.** Que infunde temor: *A história que contou era repleta de demônios, bestas e outras figuras temerosas.* || f. e pl.: [ó].

temível (te.mí.vel) *adj.* Digno de ser temido.

temor [ô] (te.mor) *s.m.* **1.** Sentimento causado por alguém ou algo que se considera perigoso ou estranho. **2.** Sentimento respeitoso; veneração: *temor a Deus.*

têmpera (têm.pe.ra) *s.f.* **1.** Consistência que se dá aos metais, mergulhando-os, candentes, em água fria. **2.** (*Art.*) Técnica de pintura em que se empregam cola e gema de ovo para

temperado

aglutinar as cores. **3.** Feitio, índole: *homem de boa têmpera.*

temperado (tem.pe.*ra*.do) *adj.* **1.** Que levou tempero: *prato bem temperado.* **2.** Nem tórrido nem glacial: *clima temperado; zona temperada.* **3.** Que se temperou; que tem têmpera: *ferro temperado.*

temperamental (tem.pe.ra.men.*tal*) *adj.* **1.** Relativo a temperamento. **2.** Dotado de temperamento facilmente excitável; instável, sensível. • *s.m.* e *f.* **3.** Pessoa temperamental.

temperamento (tem.pe.ra.*men*.to) *s.m.* Conjunto das características físicas e psicológicas de uma pessoa que condicionam seu comportamento.

temperança (tem.pe.*ran*.ça) *s.f.* Qualidade de quem modera os apetites, as paixões; sobriedade.

temperar (tem.pe.*rar*) *v.* **1.** Pôr tempero em: *Temperou o arroz com alho e sal; Tempere a carne à parte.* **2.** Pôr no grau de força, de movimento, de intensidade conveniente, moderando: *temperar vinho com água; temperar a água fria com água morna; Em seu discurso, o presidente temperou austeridade com palavras de otimismo.* **3.** Dar consistência, rijeza a (metal): *temperar o ferro.* ▶ Conjug. 8.

temperatura (tem.pe.ra.*tu*.ra) *s.f.* **1.** Grau de calor (de um corpo). **2.** Grau de calor ou de frio (da atmosfera).

tempero [ê] (tem.*pe*.ro) *s.m.* Substância que serve para dar um sabor peculiar à comida (sal, vinagre, cheiros).

tempestade (tem.pes.*ta*.de) *s.f.* Agitação atmosférica violenta, acompanhada de trovões, relâmpagos, chuva, vento, neve ou granizo.

tempestivo (tem.pes.*ti*.vo) *adj.* Que vem no momento oportuno. – **tempestividade** *s.f.*

tempestuoso [ô] (tem.pes.tu:*o*.so) *adj.* **1.** Relativo a tempestade: *mar tempestuoso; vento tempestuoso.* **2.** *fig.* Agitado, turbulento, violento: *adolescência tempestuosa.* || f. e pl.: [ó]. – **tempestuosidade** *s.f.*

templo (tem.plo) *s.m.* Edifício consagrado a um culto religioso.

tempo (tem.po) *s.m.* **1.** Sucessão dos anos, dos dias, das horas etc.: *O tempo voa; empregar o tempo de forma eficiente.* **2.** Ponto delimitado nessa sucessão; data, momento, época: *Naquele tempo as pessoas eram mais ingênuas.* **3.** Período em que acontecem determinados fenômenos; época: *É tempo de caqui!* **4.** Condições meteorológicas numa região em certo período: *previsão do tempo.* **5.** (Gram.) Forma do verbo que indica se a ação se deu no passado, se se passa no presente ou se se produzirá no futuro. **6.** (Mús.) Duração de cada unidade do compasso. || *A tempo*: ainda no prazo. • *A tempo e a hora*: em hora oportuna. • *Dar tempo ao tempo*: esperar com paciência e confiança uma solução que virá com o tempo. • *Em dois tempos*: rapidamente. • *Fechar o tempo*: **1.** escurecer, ameaçar chuva. **2.** criar uma situação de conflito. • *Matar o tempo*: empregá-lo em alguma atividade; distrair-se. • *Nesse meio tempo*: nesse ínterim. • *Perder tempo*: aplicar o tempo em coisas inúteis e sem resultado.

têmpora (*têm*.po.ra) *s.f.* (Anat.) Cada uma das regiões laterais da cabeça, compreendidas entre a fronte, o olho, a face e a orelha.

temporada (tem.po.*ra*.da) *s.f.* **1.** Determinado espaço de tempo, geralmente menor que um ano: *Alugam-se apartamentos por temporada.* **2.** Tempo durante o qual funcionam certas atividades: *temporada de caça.* || *Alta temporada*: período do ano em que há maior afluência de pessoas para locais turísticos. • *Baixa temporada*: período do ano em que há menor afluência de pessoas para locais turísticos.

temporal[1] (tem.po.*ral*) *adj.* **1.** Relativo a tempo. **2.** Não espiritual; profano, secular. **3.** (Gram.) Diz-se de conjunção subordinativa que traz a ideia de tempo. • *s.m.* **4.** Grande tempestade.

temporal[2] (tem.po.*ral*) *adj.* (Anat.) Que diz respeito a têmpora.

temporão (tem.po.*rão*) *adj.* **1.** Que vem fora do tempo próprio, extemporâneo: *Pesquisa busca açaí temporão para aumentar oferta na entressafra.* **2.** Diz-se de filho que nasce muito depois do irmão que o precede. • *s.m.* **3.** Filho temporão. || f.: *temporã*; pl.: *temporãos*.

temporário (tem.po.*rá*.ri:o) *adj.* Que dura certo tempo; provisório: *emprego temporário.*

temporizar (tem.po.ri.*zar*) *v.* **1.** Contemporizar. **2.** Delongar, esperando tempo mais favorável: *Ardilosamente, temporizou a solução da questão.* ▶ Conjug. 5.

tenaz (te.*naz*) *adj.* **1.** Que permanece firme em seu propósito durante muito tempo: *pessoa tenaz.* **2.** Próprio da pessoa tenaz: *O poeta empreendia uma perseguição tenaz a expressões precisas.* **3.** Que adere fortemente a uma superfície: *produto tenaz; cola tenaz.* **4.** Difícil de debelar: *doença tenaz.* • *s.f.* **5.** Instrumento formado por duas hastes unidas por um eixo e cuja extremidade, segundo sua forma, serve para agarrar ou arrancar um corpo. **6.** Unha, dedo ou mão que prende com força. – **tenacidade** *s.f.*

tenção (ten.*ção*) *s.f.* Intenção, intento, plano.

tencionar (ten.ci:o.*nar*) *v.* Fazer tenção de; pretender, intencionar: *Quase a metade do eleitorado tencionava votar no candidato socialista.* ▶ Conjug. 5.

tenda (ten.da) *s.f.* Construção desmontável feita com uma armação coberta com lona ou plástico, usada para servir de abrigo. || *Tenda de oxigênio*: dispositivo feito de vidro ou plástico usado para prover oxigênio ao paciente.

tendão (ten.*dão*) *s.m.* (*Anat.*) Feixe fibroso em que termina um músculo e que serve para ligá-lo aos ossos. || *Tendão calcâneo*: (*Anat.*) grosso tendão do calcanhar pelo qual os músculos da panturrilha se inserem no calcâneo. • *Tendão de aquiles*: denominação substituída por *tendão calcâneo*.

tendência (ten.*dên*.ci:a) *s.f.* **1.** Impulso espontâneo que leva a pensar, agir ou comportar-se de um modo particular; inclinação, pendor, propensão: *A família toda tem tendência para a música.* **2.** Direção em que se produz o desenvolvimento de algo: *tendência de queda do dólar; tendência de aumento do desemprego.*

tendencioso [ô] (ten.den.ci:o.so) *adj.* Que revela ou envolve alguma tendência ideológica determinada: *declaração tendenciosa.* || f. e pl.: [ó].

tender (ten.*der*) *v.* **1.** Dirigir-se espontaneamente a: *Sua obra tendia para a arte abstrata; A situação política no país tende a se estabilizar.* **2.** Inclinar-se, propender: *A proa tendia para dentro das ondas em situação de mar agitado.* **3.** Ter vocação para: *Meu filho tende para a área de humanas.* ▶ Conjug. 39.

tênder (*tên*.der) *s.m.* (*Cul.*) Tipo de presunto defumado industrialmente.

tendinha (ten.*di*.nha) *s.f.* Botequim pequeno e de baixa classe; birosca.

tendinite (ten.di.*ni*.te) *s.f.* (*Med.*) Inflamação do tendão.

tenebroso [ô] (te.ne.*bro*.so) *adj.* **1.** Coberto de trevas, sem claridade alguma, faltando toda luz; sombrio: *mar tenebroso, noite tenebrosa.* **2.** Horrível, medonho: *Naqueles dias, vivíamos sob uma tenebrosa ditadura.* || f. e pl.: [ó]. – **tenebrosidade** *s.f.*

tenência (te.*nên*.ci:a) *s.f. coloq.* Cuidado, precaução: *Toma tenência, menino!*

tenente (te.*nen*.te) *s.m.* (*Mil.*) **1.** Posto da hierarquia do Exército, imediatamente inferior ao de capitão. **2.** Oficial que ocupa esse posto.

tênia (*tê*.ni:a) *s.f.* (*Med.*) Parasita intestinal em forma de fita; solitária.

tênis (*tê*.nis) *s.m.2n.* **1.** (*Esp.*) Jogo em que dois ou quatro jogadores, separados por uma rede, lançam uma bola por meio de raquetes. **2.** Calçado de lona, couro etc. próprio para esse jogo e para outros esportes. || *Tênis de mesa*: pingue-pongue. – **tenista** (te.*nis*.ta) *adj. s.m. e f.*

tenor [ô] (te.*nor*) *s.m.* **1.** Voz masculina mais alta que a de barítono. **2.** Cantor que tem essa voz. **3.** Instrumento metálico de sopro cuja tessitura é mais aguda que a do barítono.

tenorino (te.no.*ri*.no) *s.m.* Tenor que canta em falsete.

tenro (*ten*.ro) *adj.* **1.** Mole, macio: *carne tenra.* **2.** Jovem, infantil: *tenra idade.*

tensão (ten.*são*) *s.f.* **1.** Estado de um corpo submetido à ação de forças contrárias: *tensão de uma tira elástica.* **2.** Estado anímico de excitação próprio de quem está submetido a forte pressão psíquica ou física. **3.** Situação em que há grande possibilidade de choque ou ruptura: *É crescente a tensão no Oriente Médio.* **4.** (*Eletr.*) Em um circuito elétrico, diferença de potencial entre dois pontos.

tenso (*ten*.so) *adj.* **1.** Estendido, esticado, retesado: *corda tensa.* **2.** *fig.* Prestes a romper-se: *As relações entre os dois países estão muito tensas.*

tensor [ô] (ten.*sor*) *adj.* **1.** Que estende, estica. • *s.m.* **2.** Aquilo que estende, estica. **3.** (*Anat.*) Músculo que serve para fazer a extensão de qualquer órgão ou membro.

tentação (ten.ta.*ção*) *s.f.* **1.** Movimento interior que instiga alguém a fazer ação censurável. **2.** Pessoa ou coisa que tenta: *Esta moça é mesmo uma tentação.*

tentáculo (ten.*tá*.cu.lo) *s.m.* Apêndice comprido e flexível, existente em certos animais, que serve principalmente como órgão do tato e da preensão. – **tentacular** *adj.*; **tentador** *adj.*

tentame (ten.*ta*.me) *s.m.* Ato de tentar; ensaio. || *tentâmen.*

tentâmen (ten.*tâ*.men) *s.m.* Tentame.

tentar (ten.*tar*) *v.* **1.** Fazer um esforço para conseguir o que se quer: *A menina tentava alcançar as borboletas que voavam por ali.* **2.** Pôr à prova; experimentar: *Já tentou desligar e ligar o computador para ver o que acontece?* **3.** Buscar, procurar, arriscar: *tentar a sorte.* **4.** Incutir vontade para fazer uma coisa; causar desejos a: *Confesso que o convite para trabalhar com*

tentativa

ele me tentou. **5.** Seduzir para o mal: *O diabo tentou Jesus Cristo três vezes.* ▶ Conjug. 5.

tentativa (ten.ta.*ti*.va) *s.f.* **1.** Ensaio, prova, exame, experiência. **2.** Ação que tem como fim pôr em execução ideia ou projeto.

tentear¹ (ten.te:*ar*) *v.* Apalpar, tatear: *tentear uma ferida.* ▶ Conjug. 14.

tentear² (ten.te:*ar*) *v.* Dar atenção a: *tentear a família.* ▶ Conjug. 14.

tenteio (ten.*tei*.o) *s.m.* Ato ou efeito de tentear.

tento¹ (*ten*.to) *s.m.* Atenção, tino, sentido, precaução, cuidado, juízo.

tento² (*ten*.to) *s.m.* **1.** Ponto marcado num jogo. **2.** Peça com a qual se marcam pontos no jogo.

tênue (*tê*.nu:e) *adj.* **1.** Fino e delicado: *tênue fumaça.* **2.** Fraco, débil: *equilíbrio tênue.*

teocracia (te:o.cra.*ci*.a) *s.f.* Forma de governo em que o poder está nas mãos da classe sacerdotal ou de um soberano que se considera representante de Deus. – **teocrata** *s.m. e f.*; **teocrático** *adj.*

teologia (te:o.lo.*gi*.a) *s.f.* Estudo de Deus e das questões religiosas baseado nos textos sagrados, nos dogmas e na tradição.

teólogo (te:*ó*.lo.go) *s.m.* Especialista em Teologia. – **teológico** *adj.*

teor [ô] (te:*or*) *s.m.* **1.** Conteúdo textual de um escrito: *Copie o teor deste documento.* **2.** Proporção de determinado componente num todo: *um cigarro com baixo teor de nicotina.*

teorema (te:o.*re*.ma) *s.m.* (Mat.) Proposição científica cuja verdade necessita de demonstração.

teoria (te:o.*ri*.a) *s.f.* **1.** Conhecimento abstrato, puramente racional e independente de aplicação prática. **2.** Conjunto de conhecimentos abstratos de uma área específica: *teoria econômica; teoria psicanalítica.* **3.** Conjunto sistemático de ideias ou hipóteses sobre um tema: *Ele tinha uma teoria interessante sobre o casamento.*

teórico (te:*ó*.ri.co) *adj.* **1.** Relativo a teoria: *conhecimento teórico.* • *s.m.* **2.** Pessoa que estuda ou elabora teorias.

teorização (te:o.ri.za.*ção*) *s.f.* Ato ou efeito de teorizar.

teorizar (te:o.ri.*zar*) *v.* **1.** Criar teorias: *teorizar sobre um assunto.* **2.** Expor teorias sobre: *Em sua palestra, ele teorizou sobre a guerra.* ▶ Conjug. 5.

tépido (*té*.pi.do) *adj.* **1.** Ligeiramente morno: *temperatura tépida.* **2.** *fig.* Tíbio, frouxo. – **tepidez** *s.f.*

tequila (te.*qui*.la) *s.f.* Aguardente mexicana que se extrai de uma planta da América Central e do México.

ter *v.* **1.** Ter a posse de; possuir: *Já temos casa própria.* **2.** Sentir, experimentar: *ter bons sentimentos.* **3.** Sofrer, padecer: *Tive caxumba na infância.* **4.** Tomar: *Não tivemos aula de Matemática hoje.* **5.** Contar de existência: *Meu pai tinha noventa anos quando faleceu.* **6.** Dar à luz: *Ela teve uma menina.* **7.** Contar com (membro da família): *Eles têm quatro filhos e cinco netos.* **8.** Usufruir de; gozar: *Teremos férias no final do ano.* **9.** Conter, encerrar: *A sala tem 30 lugares.* **10.** Reputar, julgar: *Seus colegas o têm em alta conta.* **11.** Passar por; viver: *Tive muitas alegrias na vida.* || *Não ter nada a ver*: não ter relação nenhuma (duas pessoas ou coisas, ou uma com a outra). || a) Usado como verbo auxiliar, seguido do particípio do verbo principal, forma os tempos compostos: *tinha escrito; tenho lido* etc. b) Usado como verbo auxiliar, seguido de *que*, *de*, *a* e verbo principal no infinitivo, significa "estar na obrigação de": *Tenho de dar mais atenção aos meus filhos; Neste caso, não tenho nada a fazer.* c) Usado em linguagem coloquial como verbo impessoal, equivale a *haver*: *Tem um buraco na parede da sala.* ▶ Conjug. 1.

terapeuta (te.ra.*peu*.ta) *s.m. e f.* Pessoa que se dedica à terapêutica.

terapêutica (te.ra.*pêu*.ti.ca) *s.f.* Tratamento ou cura de doenças; terapia.

terapêutico (te.ra.*pêu*.ti.co) *adj.* Relativo à terapêutica; medicinal.

terapia (te.ra.*pi*.a) *s.f.* Terapêutica.

teratologia (te.ra.to.lo.*gi*.a) *s.f.* (Med.) Estudo dos fetos malformados. – **teratológico** *adj.*

terça [ê] (*ter*.ça) *s.f.* Forma reduzida de terça-feira.

terça-feira (ter.ça-*fei*.ra) *s.f.* Dia da semana que se segue à segunda-feira. || pl.: *terças-feiras.*

terçar (ter.*çar*) *v.* Atravessar, cruzar, pôr em diagonal (em relação ao corpo humano): *terçar a espada, a lança.* ▶ Conjug. 8 e 36.

terceiro (ter.*cei*.ro) *num. ord.* **1.** Que ou o que denota o número três numa série. • *s.m.* **2.** Mediaineiro, mediador, intercessor. **3.** Outra pessoa: *Quis evitar que ele soubesse da notícia por terceiros.* || Nesta acepção, mais usado no plural.

terceiro-mundista (ter.cei.ro-mun.*dis*.ta) *adj.* **1.** Relativo ao Terceiro Mundo (conjunto dos países subdesenvolvidos). • *s.m. e f.* **2.** Pessoa nascida no Terceiro Mundo. || pl.: *terceiro-mundistas.*

terceto [ê] (ter.ce.to) *s.m.* **1.** (*Lit.*) Estrofe composta de três versos. **2.** (*Mús.*) Composição para três vozes. **3.** (*Mús.*) Conjunto formado por três vozes; trio.

terciário (ter.ci.á.ri:o) *adj.* **1.** Que está ou vem em terceiro lugar. **2.** (*Econ.*) Diz-se de setor que compreende as atividades que não se orientam para a produção imediata de bens de consumo. **3.** (*Geol.*) Diz-se do terceiro período da evolução geológica da Terra, caracterizado pelo aparecimento de grandes mamíferos. • *s.m.* **4.** (*Geol.*) Esse período. || Nesta acepção, usa-se inicial maiúscula.

terço [ê] (ter.ço) *num. frac.* **1.** Que ou o que é parte de um todo dividido em três partes iguais. **2.** A terça parte do rosário.

terçol (ter.çol) *s.m.* Pequeno tumor inflamatório que nasce na borda da pálpebra.

terebintina (te.re.bin.ti.na) *s.f.* (*Quím.*) Resina extraída de certas plantas e usada na fabricação de vernizes, diluição de tintas etc.

terena (te.re.na) *adj.* **1.** Pertencente ou concernente aos terenas, tribo indígena do Mato Grosso do Sul. • *s.m. e f.* **2.** Indivíduo dessa tribo.

teresinense (te.re.si.nen.se) *adj.* **1.** De Teresina, capital do Estado do Piauí. • *s.m. e f.* **2.** O natural ou o habitante dessa capital.

tergal (ter.gal) *s.m.* Tipo de tecido feito de fibra sintética.

tergiversar (ter.gi.ver.sar) *v.* Usar de evasivas, de subterfúgios: *Quando perguntaram se ele se candidataria nas próximas eleições, ele tergiversou.* ▶ Conjug. 8. – **tergiversação** *s.f.*

termal (ter.mal) *adj.* **1.** Relativo a termas. **2.** Diz-se da água mineral cuja temperatura é superior à do ambiente: *água termal.* **3.** Que se refere a calor; quente.

termas [é] (ter.mas) *s.f.pl.* **1.** Estabelecimento para uso terapêutico das águas minerais quentes. **2.** Edifício para banhos públicos na Roma antiga.

térmico (tér.mi.co) *adj.* **1.** Relativo ao calor. **2.** Que conserva o calor: *garrafa térmica*.

terminação (ter.mi.na.ção) *s.f.* **1.** Ato ou efeito de terminar. **2.** Momento em que termina algo; fim, conclusão, remate. **3.** (*Gram.*) Desinência.

terminal (ter.mi.nal) *adj.* **1.** Relativo a termo, fim, conclusão. **2.** Que forma o fim: *fase terminal.* **3.** (*Bot.*) Que se encontra na extremidade de um órgão: *gomo terminal; inflorescência terminal* • *s.m.* **4.** Última estação de uma linha férrea ou rodoviária: *terminal rodoviário.* **5.** (*Eletr.*) Dispositivo para fazer a conexão rápida e fácil de um circuito a outro. **6.** (*Inform.*) Dispositivo conectado a um sistema de computador através de um canal de comunicação para transmitir ou receber mensagens.

terminante (ter.mi.nan.te) *adj.* Que não deixa lugar a dúvidas; decisivo, irrevogável: *ordem terminante.*

terminar (ter.mi.nar) *v.* **1.** Realizar completamente: *Quando o professor terminou sua tese, viajou para descansar.* **2.** Pôr termo ao que tem de cessar ou que não deve durar: *terminar um namoro, um noivado.* **3.** Chegar ao fim (físico ou temporal): *A rua termina aqui; O ano terminou.* **4.** Chegar ao limite: *Minha paciência terminou.* **5.** Transformar-se em, resultar em: *A brincadeira com a arma de fogo terminou em tragédia.* **6.** Ter certa desinência (palavra): *Os verbos da primeira conjugação terminam em ar.* ▶ Conjug. 5.

terminativo (ter.mi.na.ti.vo) *adj.* Que faz terminar: *sentença terminativa; decisão terminativa.*

término (tér.mi.no) *s.m.* Termo, fim: *término do prazo; término do namoro.*

terminologia (ter.mi.no.lo.gi.a) *s.f.* Conjunto dos termos usados numa determinada área profissional: *terminologia jurídica; terminologia do mercado imobiliário.* – **terminológico** *adj.*

termo [ê] (ter.mo) *s.m.* **1.** Ponto em que termina algo; fim. **2.** Palavra própria de uma atividade ou de uma área determinada: *dicionário de termos linguísticos.* **3.** Palavra, vocábulo. **4.** (*Gram.*) Cada elemento de uma oração. • *s.m.pl.* **5.** Palavras ou condições em que se estabelece um acordo: *Não sei em que termos foi feito o contrato.* || *Em termos*: de maneira relativa; em parte: *Concordo em termos com o que você disse.* • *Levar a termo*: terminar satisfatoriamente; concluir.

termodinâmica (ter.mo.di.nâ.mi.ca) *s.f.* (*Fís.*) Ramo da Física que trata da relação entre os fenômenos térmicos e os mecânicos. – **termodinâmico** *adj.*

termoelétrica (ter.mo:e.lé.tri.ca) *s.f.* Usina que produz energia elétrica por meio do calor.

termoeletricidade (ter.mo:e.le.tri.ci.da.de) *s.f.* (*Fís.*) Energia elétrica produzida pelo calor. – **termoelétrico** *adj.*

termômetro (ter.mô.me.tro) *s.m.* Instrumento que serve para medir a temperatura.

termonuclear (ter.mo.nu.cle:ar) *adj.* (*Fís.*) Diz-se de processo de fusão de núcleos leves a temperaturas muito elevadas.

termoplástico (ter.mo.plás.ti.co) *adj.* **1.** Diz-se de matéria plástica que amolece sob a ação

termostato

do calor e endurece de novo ao ser resfriada. • *s.m.* **2.** Matéria termoplástica.

termostato (ter.mos.*ta*.to) *s.m.* (*Fís.*) Regulador destinado a manter constante a temperatura de um sistema ou de um recinto.

ternário (ter.*ná*.ri:o) *adj.* **1.** Que se compõe de três unidades. **2.** (*Mús.*) Dividido em três tempos rítmicos: *compasso ternário*.

terneiro (ter.*nei*.ro) *s.m.* A cria da vaca; bezerro.

terno¹ (*ter*.no) *adj.* Que tem delicadeza de sentimentos; meigo, afetuoso.

terno² (*ter*.no) *s.m.* **1.** Vestuário masculino composto de paletó e calça da mesma fazenda. **2.** Grupo de três coisas ou pessoas que formam um conjunto; trio.

ternura (ter.*nu*.ra) *s.f.* **1.** Qualidade de terno. **2.** Delicadeza de sentimentos; meiguice.

terra (*ter*.ra) *s.f.* **1.** Superfície do planeta Terra. **2.** Parte da superfície terrestre que não é coberta pelo mar. **3.** Solo, chão. **4.** País, região; povoado em que se nasceu. **5.** Propriedade rural. **6.** Poeira, pó. || *Terra de ninguém*: território que não pertence a ninguém. • *Terra firme*: porção da superfície terrestre que não constitui uma ilha; continente: *as composições das florestas de várzea e terra firme são bem distintas*. • *Terra natal*: lugar onde se nasceu.

terra a terra *adj.* Prosaico, trivial, rasteiro: *vocabulário terra a terra*.

terraço (ter.*ra*.ço) *s.m.* **1.** Cobertura plana de um edifício, feita de cimento, asfalto, ladrilhos etc. **2.** Grande varanda descoberta.

terracota [ó] (ter.ra.*co*.ta) *s.f.* **1.** Argila modelada e cozida em forno. **2.** Objeto feito com essa argila.

terral (ter.*ral*) *adj.* **1.** Da terra (por oposição ao mar); terrestre. **2.** Diz-se do vento que sopra da terra para o mar: *brisa terral*. • *s.m.* **3.** Vento terral.

terraplanagem (ter.ra.pla.*na*.gem) *s.f.* Terraplenagem.

terraplenagem (ter.ra.ple.*na*.gem) *s.f.* Obra de desmonte, transporte e aterro que tem por fim modificar o relevo natural de um terreno. || *terraplanagem*. – **terraplenar** *v.* ▶ Conjug. 5.

terráqueo (ter.*rá*.que:o) *adj.* **1.** Relativo ao planeta Terra. • *s.m.* **2.** Habitante da Terra (por oposição aos supostos habitantes de outros planetas).

terreiro (ter.*rei*.ro) *s.m.* **1.** Espaço de terra largo e plano. **2.** (*Rel.*) Local ao ar livre onde se praticam cerimônias do culto afro-brasileiro.

terremoto [ó] (ter.re.*mo*.to) *s.m.* Tremor brusco, de origem interna, da crosta terrestre.

terreno (ter.*re*.no) *adj.* **1.** Relativo ao mundo material, em oposição ao mundo espiritual; mundano: *paixões terrenas*. **2.** Relativo ao planeta Terra; terrestre. • *s.m.* **3.** Espaço de terra: *terreno baldio*. **4.** Espaço não construído de uma propriedade. **5.** *fig.* Âmbito de ação (de uma pessoa ou coisa): *A conversa acabou enveredando por um terreno desagradável*. || *Ganhar terreno*: conquistar vantagens numa disputa, num negócio etc. • *Perder terreno*: perder vantagens numa disputa, num negócio etc.

térreo (*tér*.re:o) *adj.* **1.** Que assenta sobre a terra ("solo"): *apartamento térreo*. **2.** Da terra; com o caráter ou com a natureza da terra ("solo"). • *s.m.* **3.** Pavimento no nível do solo.

terrestre [é] (ter.*res*.tre) *adj.* **1.** Relativo a Terra: *globo terrestre; crosta terrestre*. **2.** Relativo à superfície da Terra não coberta pelo mar: *transporte terrestre*. **3.** Que cresce ou vive sobre a superfície da Terra não coberta pelo mar: *planta terrestre; animal terrestre*.

terrificante (ter.ri.fi.*can*.te) *adj.* Que terrifica; terrífico: *episódio terrificante*.

terrificar (ter.ri.fi.*car*) *v.* Infundir terror; assustar, apavorar, amedrontar: *Aquela história do lobo terrificava as crianças*. ▶ Conjug. 5 e 35.

terrífico (ter.*rí*.fi.co) *adj.* Terrificante.

terrina (ter.*ri*.na) *s.f.* Recipiente pouco alto com tampa, geralmente feito de cerâmica, utilizado para servir à mesa sopas, guisados etc.

territorial (ter.ri.to.ri:*al*) *adj.* Relativo a território, a terreno: *imposto territorial*.

território (ter.ri.*tó*.ri:o) *s.m.* **1.** Extensão de terra. **2.** Extensão de terra sobre a qual vive um grupo humano. **3.** (*Jur.*) Área sobre a qual se exerce uma autoridade, uma jurisdição.

terrível (ter.*rí*.vel) *adj.* **1.** Capaz de infundir terror: *uma história terrível*. **2.** Exagerado, excessivo: *frio terrível*. **3.** Desagradável: *orador terrível*. **4.** Penoso: *trabalho terrível*.

terror [ô] (ter.*ror*) *s.m.* **1.** Sentimento profundo de medo. **2.** Ser ou coisa que inspira grande medo: *Na minha época, a prova oral era o terror dos alunos*. **3.** Terrorismo.

terrorismo (ter.ro.*ris*.mo) *s.m.* **1.** Método de luta política contra o poder estabelecido, caracterizado por atentados violentos a pessoas e propriedades; terror. **2.** Modo de ameaçar as pessoas pelo uso sistemático do terror.

1232

terrorista (ter.ro.*ris*.ta) *adj.* **1.** Relativo a terrorismo. **2.** Que é partidário do terrorismo ou o pratica: *líder terrorista*. **3.** Que espalha boatos alarmantes ou prediz acontecimentos funestos. • *s.m.* e *f.* **4.** Partidário do terrorismo.

tertúlia (ter.*tú*.li:a) *s.f.* **1.** Reunião familiar. **2.** Agrupamento de amigos. **3.** Reunião habitual de pessoas para conversar sobre literatura.

tesão (te.*são*) *s.m.* e *f. chulo* **1.** Vivo desejo sexual. **2.** Desejo, vontade, interesse. **3.** Indivíduo que inspira desejos sexuais.

tese [é] (*te*.se) *s.f.* **1.** Proposição que se apresenta para ser demonstrada ou defendida com argumentos. **2.** Obra apresentada para obtenção do título de doutorado. || *Em tese*: em teoria, em princípio.

teso [ê] (*te*.so) *adj.* **1.** Tenso, estirado, retesado, hirto. **2.** Rijo, rígido. **3.** Ereto, aprumado. **4.** *gír.* Sem dinheiro.

tesoura (te.*sou*.ra) *s.f.* **1.** Instrumento cortante, formado por duas lâminas afiadas de aço, unidas por meio de um eixo sobre o qual se movem abrindo-se em cruz. **2.** (*Esp.*) Em certas lutas esportivas como a capoeira, modalidade de golpe dado com as pernas.

tesourar (te.sou.*rar*) *v.* **1.** Cortar com tesoura: *tesourar um tecido*. **2.** *gír.* Falar mal de (alguém): *Ele tesourou a família toda*; *As duas adoravam tesourar*. ▶ Conjug. 22.

tesouraria (te.sou.ra.*ri*.a) *s.f.* Seção de banco ou empresa onde se fazem as transações monetárias.

tesoureiro (te.sou.*rei*.ro) *s.m.* Indivíduo que tem a seu cargo as operações monetárias de uma associação, de um banco, de uma empresa etc.

tesouro (te.*sou*.ro) *s.m.* **1.** Grande quantidade de joias, objetos preciosos, dinheiro. **2.** Lugar onde se encerram essas coisas. **3.** (*Econ.*) Erário.

tessitura (tes.si.*tu*.ra) *s.f.* **1.** (*Mús.*) Extensão de uma voz ou de um instrumento musical. **2.** (*Mús.*) Conjunto das notas que se repetem numa peça ou num trecho musical. **3.** *fig.* Organização, contextura, trama: *a tessitura de uma narrativa*.

testa [é] (*tes*.ta) *s.f.* Parte superior do rosto, entre os olhos e a raiz dos cabelos anteriores da cabeça; fronte.

testada (tes.*ta*.da) *s.f.* **1.** Parte da estrada, rua ou calçada que fica em frente a um prédio. **2.** Pancada ou golpe com a testa. **3.** Erro, tolice.

testa de ferro *s.m.* Pessoa que figura ostensivamente em lugar do empreendedor de um negócio.

testador[1] [ô] (tes.ta.*dor*) *adj.* **1.** Que testa[1]. • *s.m.* **2.** Pessoa que faz testamento.

testador[2] [ô] (tes.ta.*dor*) *adj.* **1.** Que testa[2]. • *s.m.* **2.** Pessoa ou coisa que testa[2].

testamenteiro (tes.ta.men.*tei*.ro) *s.m.* Pessoa nomeada pelo testador[1] para fazer cumprir seu testamento.

testamento (tes.ta.*men*.to) *s.m.* **1.** Documento legal em que uma pessoa dispõe de seus bens para depois da sua morte. **2.** Manifestação escrita destinada à posteridade. **3.** Carta muito extensa. – **testamental** *adj.*

testar[1] (tes.*tar*) *v.* **1.** Deixar em testamento; legar: *José testou todos os seus bens*; *Testou o imóvel ao seu enteado*. **2.** Fazer o próprio testamento: *Morreu sem testar*. ▶ Conjug. 8.

testar[2] (tes.*tar*) *v.* **1.** Submeter a teste: *O professor aplicou uma prova para testar o conhecimento dos alunos*. **2.** Pôr à prova; experimentar: *Uma maratona testará carros feitos por alunos de Engenharia*. ▶ Conjug. 8.

teste [é] (*tes*.te) *s.m.* **1.** Lista de questões que servem para medir conhecimento, inteligência ou habilidade. **2.** Procedimento utilizado para verificar a qualidade, o comportamento ou a veracidade de algo.

testemunha (tes.te.*mu*.nha) *s.f.* **1.** Pessoa que presencia um fato. **2.** (*Jur.*) Pessoa que afirma em juízo ter visto um fato ou ter ouvido falar dele. **3.** (*Jur.*) Pessoa cuja presença é necessária para a validade de um ato: *Este testamento exige cinco testemunhas*. – **testemunhal** *adj.*

testemunhar (tes.te.mu.*nhar*) *v.* **1.** Dar testemunho do que viu, ouviu ou conheceu: *testemunhar um crime*. **2.** Mostrar, revelar, manifestar: *Ao levantar-se, testemunhou sua gratidão*. ▶ Conjug. 5.

testemunho (tes.te.*mu*.nho) *s.m.* **1.** Declaração feita em juízo por testemunha; depoimento. **2.** Coisa que atesta a veracidade de um fato; prova.

testículo (tes.*tí*.cu.lo) *s.m.* (*Anat.*) Cada uma das duas glândulas sexuais masculinas, produtoras dos espermatozoides. – **testicular** *adj.*

testificar (tes.ti.fi.*car*) *v.* **1.** Atestar. **2.** Assegurar. ▶ Conjug. 5 e 35. – **testificação** *s.f.*

testo [ê] (*tes*.to) *s.m.* Tampa de barro que cobre panela ou cântaro.

testosterona (tes.tos.te.*ro*.na) *s.f.* (*Biol.*) Hormônio produzido pelos testículos.

teta [é] (*te*.ta) *s.m.* Oitava letra do alfabeto grego.

teta [ê] (*te*.ta) *s.f.* **1.** Úbere: *teta da vaca*. **2.** Mama, peito, mamilo.

tétano (té.ta.no) *s.f.* (*Med.*) Doença infecciosa grave causada por um bacilo que penetra no corpo pelas feridas e ataca o sistema nervoso. – **tetânico** *adj.*

tête-à-tête [tét a tét] (Fr.) *s.m.2n.* **1.** Conversa íntima entre duas pessoas. • *adv.* **2.** Intimamente: *conversar tête-à-tête.*

teteia [éi] (te.*tei*.a) *s.f.* **1.** Berloque. **2.** *fig.* Pessoa ou coisa graciosa.

teto [é] (te.to) *s.m.* **1.** Face superior, internamente considerada, de uma casa, de um aposento, de um veículo, oposta ao chão. **2.** *fig.* Casa, habitação: *O bombardeio deixou muita gente sem teto.* **3.** O limite máximo: *teto salarial.* **4.** (*Aer.*) Altura da parte inferior da mais baixa camada de nuvens.

tetraedro [é] (te.tra:e.dro) *s.m.* (*Geom.*) Poliedro de quatro faces triangulares. – **tetraédrico** *adj.*

tetraneto [é] (te.tra.*ne*.to) *s.m.* Tataraneto.

tetraplégico (te.tra.*plé*.gi.co) *adj.* **1.** Que sofre de paralisia dos quatro membros. • *s.m.* **2.** Pessoa tetraplégica. – **tetraplegia** *s.f.*

tetravô (te.tra.*vô*) *s.m.* Tataravô. || f.: *tetravó.*

tétrico (*té*.tri.co) *adj.* **1.** Triste, lúgubre, fúnebre. **2.** Horrível, medonho.

teu *pron. poss.* **1.** Pertencente a; próprio de; concernente à pessoa a quem se fala: *É o teu jeito de ser!* • *s.m.* **2.** Aquilo que pertence à pessoa a quem se fala: *Presta atenção ao teu!* || *Os teus:* a família, os parentes, os amigos e correligionários da pessoa a quem se fala: *Dá lembranças aos teus!*

teutão (teu.*tão*) *adj.* **1.** Relativo aos teutões, antigo povo da Germânia. • *s.m.* **2.** Indivíduo desse povo. || f.: *teutoa.*

teuto (*teu*.to) *adj.* Teutônico.

teutônico (teu.*tô*.ni.co) *adj.* Relativo aos teutões ou aos alemães; teutão, teuto.

tevê (te.*vê*) *s.f. coloq.* Redução de televisão.

têxtil [ês] (*têx*.til) *adj.* **1.** Que se pode tecer; que serve para tecido: *fibra têxtil.* **2.** Relativo a tecelões ou a tecelagem: *produto têxtil.*

texto [ê] (*tex*.to) *s.m.* **1.** Enunciado escrito. **2.** Conjunto das próprias palavras de um autor, em um livro ou em qualquer escrito, em oposição às notas, índices, ilustrações etc. **3.** Trecho citado de uma obra escrita. **4.** (*Ling.*) Qualquer enunciado, oral ou escrito, considerado como objeto de estudo.

textual [ês] (tex.tu:*al*) *adj.* **1.** Relativo a texto. **2.** Fielmente reproduzido do texto: *palavras textuais.* – **textualidade** *s.f.*

textura [ês] (tex.*tu*.ra) *s.f.* **1.** Modo de entrecruzar-se os fios de (um tecido); trama. **2.** Característica de uma superfície percebida principalmente pelo sentido do tato: *papel de textura áspera.*

texugo [ch] (te.*xu*.go) *s.m.* (*Zool.*) Mamífero cujos pelos rijos são usados na confecção de pincéis.

tez [ê] *s.f.* Pele do rosto; cútis.

thriller [*tríler*] (Ing.) *s.m.* Filme de suspense.

ti *pron. pess.* Forma oblíqua do pronome pessoal reto da segunda pessoa do singular, sempre regida de preposição: *Não há mais nada entre mim e ti; Estas flores são para ti.* || Quando precedido da preposição *com,* usa-se a forma *contigo: Agora não posso falar contigo.*

Ti (*Quím.*) Símbolo de *titânio.*

tiara (ti:a.ra) *s.f.* **1.** Espécie de barrete de forma cônica de três coroas, usado pelo papa em certas solenidades. **2.** Diadema (2).

tibetano (ti.be.*ta*.no) *adj.* **1.** Do Tibete, região da China. • *s.m.* **2.** O natural ou o habitante dessa região.

tíbia (*tí*.bi.a) *s.f.* (*Anat.*) O osso grande da parte interna da perna abaixo do joelho.

tíbio (*tí*.bi:o) *adj.* **1.** Morno, tépido: *Fez uma massagem no peito com azeite tíbio.* **2.** *fig.* Fraco, débil: *O país tem tido um crescimento tíbio.* **3.** Pouco fervoroso; sem entusiasmo: *Costuma ser tíbio em suas resoluções.* – **tibieza** *s.f.*

tição (ti.*ção*) *s.m.* **1.** Pedaço de lenha ou de carvão meio queimado. **2.** *fig. pej.* Indivíduo de pele negra.

ticket (Ing.) *s.m.* Ver *tíquete.*

ticar (ti.*car*) *v.* Marcar com tique[2]: *À medida que ia lendo a prova, ia ticando cada questão.* ▶ Conjug. 5 e 35.

tico (*ti*.co) *s.m. coloq.* Pequena porção: *Ele não tem um tico de paciência com os filhos.*

tico-tico (*ti*.co-*ti*.co) *s.m.* **1.** (*Zool.*) Pássaro que possui um pequeno topete com desenho estriado na cabeça, do Brasil e arredores. **2.** Serra de dentes finos usada para recortar peças em madeira. || pl.: *tico-ticos.*

ticuna (ti.*cu*.na) *adj.* **1.** Pertencente ou concernente aos ticunas, tribo indígena que habita as margens do rio Solimões. • *s.m. e f.* **2.** Indivíduo dessa tribo.

tié (ti.*é*) *s.m.* (*Zool.*) Pássaro pequeno, de corpo vermelho e asas pretas, comum em todo o Brasil. || tiê.

tiê (ti.*ê*) *s.m.* (*Zool.*) tié.

tiete (ti:*e*.te) *s.m. e f. coloq.* Admirador fanático; fã.

tífico (*tí*.fi.co) *adj.* Relativo a tifo.

tino

tifo (ti.fo) *s.m.* (*Med.*) Nome genérico de várias doenças infecciosas causadas por microrganismos transmitidas ao homem por diversos artrópodes (piolhos, carrapatos e pulgas).

tifoide [ói] (ti.*foi*.de) *adj.* (*Med.*) Semelhante ao tifo: *febre tifoide*.

tigela [é] (ti.*ge*.la) *s.f.* Vaso côncavo, geralmente de louça ou de barro, da forma de uma xícara, sem asa.

tigre (ti.gre) *s.m.* (*Zool.*) Felino asiático de pelos amarelos e listras negras.

tijolo [ô] (ti.*jo*.lo) *s.m.* Peça de barro cozido, da forma de um paralelepípedo, que entra na formação de paredes, muros, etc. || pl.: [ó]. – **tijoleiro** *s.m.*

tijuco (ti.*ju*.co) *s.m.* **1.** Lama, particularmente a de cor escura. **2.** Charco, atoleiro.

til *s.m.* Sinal ortográfico (~) que em nossa língua indica a nasalidade da vogal sobre a qual é posto.

tilápia (ti.*lá*.pi:a) *s.f.* (*Zool.*) Peixe de água doce da América do Sul, África e Ásia, de coloração prateada, com estrias escuras, e cuja carne é muito apreciada.

tílburi (*til*.bu.ri) *s.m.* Carruagem de dois assentos puxada por um só animal.

tília (*tí*.li:a) *s.f.* (*Bot.*) Árvore grande e frondosa, muito usada na arborização de cidades europeias, e de cujas flores se fazem infusões calmantes.

tilintar (ti.lin.*tar*) *v.* **1.** Fazer ruído característico (sineta, campainha, moeda etc.): *O sino tilintou.* **2.** Fazer soar (sineta, campainha, moeda etc.): *Tilintou as chaves para brincar com o bebê.* ▶ Conjug. 5. – **tilintante** *adj.*

timão (ti.*mão*) *s.m.* (*Náut.*) Roda ou barra com que se manobra o leme.

timbale (tim.*ba*.le) *s.m.* (*Mús.*) Tímpano.

timbrar (tim.*brar*) *v.* Pôr timbre (sinal, carimbo, selo) em: *A máquina ao mesmo tempo que imprimia, timbrava o papel.* ▶ Conjug. 5. – **timbragem** *s.f.*

timbre (*tim*.bre) *s.m.* **1.** Marca, sinal, cifra, principalmente em papel de carta e em envelopes. **2.** Qualidade sonora de um instrumento ou de uma voz. **3.** (*Ling.*) Efeito acústico resultante do grau de abertura da boca para articular uma vogal: *Em amarelo, o timbre da vogal tônica é aberto.*

time (ti.me) *s.m.* **1.** (*Esp.*) Equipe desportista: *time de futebol*; *time de basquetebol*. **2.** Grupo de amigos ou indivíduos que se associam numa ação comum. || *Jogar no mesmo time*: compartilhar das mesmas ideias. • *Tirar o time de campo*: desistir, ir embora.

timer [táimer] (Ing.) *s.m.* Dispositivo que desliga uma lâmpada ou um aparelho eletrodoméstico após o período de tempo programado.

tímido (*tí*.mi.do) *adj.* **1.** Que não demonstra familiaridade com o convívio social; acanhado, retraído. **2.** Sem ousadia; medroso, receoso. **3.** Que denota timidez: *jeito tímido*; *resposta tímida*. • *s.m.* **4.** Pessoa tímida. – **timidez** *s.f.*

timoneiro (ti.mo.*nei*.ro) *s.m.* **1.** Indivíduo que governa o timão de uma embarcação. **2.** *fig.* Guia, diretor, chefe.

timorato (ti.mo.*ra*.to) *adj.* Medroso por temor ou escrúpulo; tímido, medroso.

tímpano (*tím*.pa.no) *s.m.* **1.** (*Anat.*) Membrana que separa da orelha média o conduto auditivo externo. **2.** (*Mús.*) Espécie de tambor de origem árabe; timbale. – **timpanal** *adj.*; **timpânico** *adj.*

tim-tim (tim-*tim*) *interj.* **1.** Usada para brindar. • *s.m.* **2.** O ruído desse bater de copos. || pl.: *tim-tins*. *Tim-tim por tim-tim*: ponto por ponto; minuciosamente.

tina (ti.na) *s.f.* Vasilha usada para levar água, lavar roupa etc.

tingir (tin.*gir*) *v.* **1.** Embeber em tinta, alterando a cor primitiva: *tingir uma roupa*; *tingir os cabelos*. **2.** Tomar certa cor: *O céu tingiu-se de vermelho.* ▶ Conjug. 92. – **tingimento** *s.m.*

tinha (ti.nha) *s.f.* (*Med.*) Nome genérico de várias moléstias da pele, do couro cabeludo e dos pelos, produzidas por fungos.

tinhorão (ti.nho.*rão*) *s.m.* Planta ornamental, de folhas manchadas de vermelho, rosa ou branco.

tinhoso [ô] (ti.*nho*.so) *adj.* **1.** Teimoso. **2.** (*Med.*) Que sofre de tinha. • *s.m.* **3.** (*Med.*) Aquele que sofre de tinha. **4.** O diabo. || f. e pl.: [ó].

tinido (ti.*ni*.do) *s.m.* Som agudo de metais, de vidro etc.

tinir (ti.*nir*) *v.* **1.** Soar agudamente (metal, vidro): *As moedas tiniam no seu bolso.* **2.** *fig. coloq.* Tremer, tiritar: *tinir de frio*; *tinir de medo*. **3.** Sentir intensamente: *O garoto estava tinindo de raiva.* **4.** Zunir (os ouvidos): *Ele sentia a cabeça estourando e os ouvidos tinindo.* || *Estar tinindo*: *coloq.* achar-se bem preparado; estar em ótimas condições. ▶ Conjug. 66.

tino (ti.no) *s.m.* **1.** Juízo, discernimento: *Dizem que ele perdeu o tino na guerra.* **2.** Talento, queda: *tino para os negócios.*

tinta

tinta (tin.ta) s.f. Substância com que se pinta, tinge, imprime, escreve.

tinteiro (tin.tei.ro) s.m. Pequeno vidro que contém tinta de escrever.

tinto (tin.to) adj. **1.** Que recebeu cor diferente da primitiva; tingido. **2.** Diz-se da uva de cor mais ou menos escura e do vinho produzido a partir dela: *uva tinta; vinho tinto.* • s.m. **3.** Vinho tinto.

tintura (tin.tu.ra) s.f. **1.** Ato ou efeito de tingir. **2.** Líquido preparado para tingir; tinta: *tintura para cabelo.* • **tinturas s.m.pl. 3.** Conhecimentos superficiais: *Pedro tem leves tinturas de filosofia.*

tinturaria (tin.tu.ra.ri.a) s.f. **1.** Oficina ou estabelecimento onde se tingem panos. **2.** Arte do tintureiro. **3.** Estabelecimento comercial onde se lavam e passam roupas; lavanderia.

tintureiro (tin.tu.rei.ro) s.m. **1.** Profissional que se ocupa de tingir panos. **2.** Dono ou funcionário de tinturaria.

tio (ti.o) s.m. Irmão do pai ou da mãe de uma pessoa.

tio-avô (ti.o-a.vô) s.m. Irmão do avô ou da avó. || f.: *tia-avó*; pl.: *tios-avós*.

típico (tí.pi.co) adj. Que é peculiar a uma pessoa, a uma região, a uma profissão etc.: *Cada misse desfilou com um traje típico do seu estado.* – **tipicidade** s.f.

tipificar (ti.pi.fi.car) v. Caracterizar: *No direito estrangeiro, já se tipificou o crime de enriquecimento ilícito.* ▶ Conjug. 5 e 35. – **tipificação** s.f.

tipiti (ti.pi.ti) reg. s.m. Cesto cilíndrico e longo feito de taquara e de folhas de palmeira, o qual se enche de mandioca ralada, para ser espremida e ficar bem enxuta antes de ser torrada.

tipo (ti.po) s.m. **1.** Exemplar que possui as características essenciais que distinguem o seu grupo. **2.** Classe, modalidade, espécie: *queijo tipo muçarela.* **3.** Sujeito, indivíduo: *um tipo excêntrico.* **4.** Letra impressa, resultante da composição tipográfica ou de fotocomposição.

tipografia (ti.po.gra.fi.a) s.f. **1.** Arte de imprimir com tipos. **2.** Estabelecimento tipográfico. – **tipográfico** adj.; **tipógrafo** s.m.

tipoia [ói] (ti.poi.a) s.f. Tira de pano que se prende ao pescoço para sustentar braço doente.

tipologia (ti.po.lo.gi.a) s.f. **1.** Estudo dos tipos (1), geralmente para fins classificatórios. **2.** Coleção dos tipos (4) utilizados num projeto gráfico.

tique[1] (ti.que) s.m. Movimento que se produz pela contração involuntária de um ou vários músculos; cacoete, mania, sestro.

tique[2] (ti.que) s.m. Sinal em forma de V que se apõe ao lado de cada item já conferido.

tique-taque s.m. Onomatopeia de ruído seco, proveniente de um movimento regular e cadenciado: *o tique-taque do relógio.* || pl.: *tique-taques*.

tíquete (tí.que.te) s.m. Cupom que confere a alguém o direito de frequentar uma casa de diversão, assistir a jogos de futebol, viajar em coletivos etc.; bilhete, passagem.

tira (ti.ra) s.f. **1.** Retalho mais comprido do que largo, de pano, couro, papel etc. **2.** História em quadrinhos com poucos quadros, apresentada numa só faixa horizontal. • s.m. **3.** Agente de polícia; esbirra.

tiracolo [ó] (ti.ra.co.lo) s.m. Usado apenas na locução *a tiracolo.* || **A tiracolo**: Passando por cima de um ombro e por baixo do braço oposto a esse ombro: *Pôs a bolsa a tiracolo.*

tirada (ti.ra.da) s.f. **1.** Frase espirituosa. **2.** Estirão, estirada. **3.** Rasgo, ímpeto no falar, no escrever etc. || **De uma tirada**: de uma só vez.

tiragem (ti.ra.gem) s.f. Número de exemplares de uma publicação: *Este jornal tem grande tiragem.*

tira-gosto (ti.ra-gos.to) s.m. Qualquer salgadinho para acompanhar bebidas, coquetéis etc. antes das refeições. || pl.: *tira-gostos*.

tirania (ti.ra.ni.a) s.f. **1.** Governo de tirano. **2.** Abuso de poder ou autoridade. – **tirânico** adj.

tiranizar (ti.ra.ni.zar) v. Exercer tirania sobre; oprimir: *Um rígido padrão de beleza pode tiranizar a vida de muitas mulheres.* ▶ Conjug. 5.

tirano (ti.ra.no) adj. **1.** Que abusa do poder. • s.m. **2.** Pessoa ou governante que abusa de seu poder ou autoridade.

tirante (ti.ran.te) adj. **1.** Que se aproxima (de uma cor): *A fita é de um róseo tirante a vermelho.* • s.m. **2.** Cada uma das correias que prendem a cavalgadura ao veículo. **3.** Viga comprida, de ferro ou madeira, com que se firma e sustenta o madeiramento do teto. • prep. **4.** Exceto, salvo: *Tirante isso, o mais eu aceito.*

tirar (ti.rar) v. **1.** Fazer sair de um lugar: *Tirou o livro da estante e o abriu.* **2.** Despir (roupa), descalçar (sapatos etc.): *Tirou o paletó assim que entrou em casa.* **3.** Puxar, extrair, arrancar: *tirar uma verruga.* **4.** Obter; conseguir: *tirar nota dez; tirar o passaporte; tirar os ingressos para o filme.* **5.** Apagar, remover: *tirar uma mancha, uma nódoa.* **6.** Bater (fotografia, retrato, radiografia). **7.** Deduzir, inferir: *Ele tirou uma conclusão precipitada do que disse.* **8.** Diminuir, subtrair: *tirar nove de dez.* **9.** Eliminar, excetuar, excluir: *Tirando o meu cunhado, todos os convidados vieram à festa.* **10.** Convidar (para dançar): *No baile, ninguém me tirou (para dançar).* **11.** Tocar de ouvido (música). **12.** Compor de improviso (música). **13.** Transcrever (letra de música). || *Sem tirar nem pôr*: sem diferença nenhuma; exatamente. ▶ Conjug. 5.

tira-teima (ti.ra-*tei*.ma) *s.m.* **1.** Prova definitiva. **2.** *coloq.* Dicionário. **3.** (*Esp.*) Jogo entre adversários para definir qual é o melhor: *Brasil e Alemanha fazem tira-teima histórico.* || tira-teimas.

tira-teimas (ti.ra-*tei*.mas) *s.m.2n.* Tira-teima.

tireoide [ói] (ti.re:*oi*.de) *adj.* (*Anat.*) **1.** Diz-se da glândula endócrina de secreção interna, situada na frente da laringe. • *s.f.* **2.** Glândula tireoide. || tiroide.

tiririca (ti.ri.*ri*.ca) *adj. coloq.* **1.** Irritado, zangado: *O rapaz ficou tiririca com o episódio.* • *s.f.* **2.** (*Bot.*) Tipo de erva-daninha muito comum em hortas e jardins. • *s.m.* **3.** *gír.* Batedor de carteira.

tiritar (ti.ri.*tar*) *v.* Tremer: *tiritar de frio; tiritar de medo.* ▶ Conjug. 5.

tiro (*ti*.ro) *s.m.* **1.** Ato ou efeito de atirar: *Ele pratica tiro ao alvo.* **2.** Disparo de arma de fogo: *tiro de canhão.* **3.** O impacto que esse disparo produz: *Levei um tiro no pé.*

tirocínio (ti.ro.*cí*.ni:o) *s.m.* **1.** Aprendizagem, primeiro ensino, exercício de principiante. **2.** Capacidade de entender com rapidez as pessoas e as situações.

tiro de guerra *s.m.* (*Mil.*) Centro militar destinado à instrução e treinamento de reservistas.

tiroide [ói] (ti.*roi*.de) *adj. s.f.* (*Anat.*) Tireoide.

tiroteio (ti.ro.*tei*:o) *s.m.* Troca de tiros sucessivos e numerosos.

tisana (ti.*sa*.na) *s.f.* Infusão de plantas medicinais.

tísica (*tí*.si.ca) *s.f.* Tuberculose pulmonar.

tísico (*tí*.si.co) *adj.* **1.** Que padece de tísica. • *s.m.* **2.** Aquele que padece de tísica.

tisnar (tis.*nar*) *v.* Queimar(-se) ou enegrecer(-se) com fumo, carvão etc.: *O calor do fogo tisnou sua tez; Sua pele tisnou-se de negro;* (fig.) *tisnar a honra alheia.* ▶ Conjug. 5. – **tisna** *s.f.*; **tisnadura** *s.f.*

tisne (*tis*.ne) *s.m.* **1.** Cor que o fogo ou o fumo produzem na pele. **2.** Fuligem. **3.** Mancha, nódoa.

titã (ti.*tã*) *s.m.* **1.** Homem grande e de força extraordinária. **2.** Homem de grandeza intelectual ou moral.

titânico[1] (ti.*tâ*.ni.co) *adj.* Relativo a titã: *esforço titânico.*

titânico[2] (ti.*tâ*.ni.co) *adj.* Relativo a titânio.

titânio (ti.*tâ*.ni:o) *s.m.* (*Quím.*) Metal branco, muito leve, elástico e resistente à corrosão, usado industrialmente em ligas especiais. || Símbolo: *Ti.*

títere (*tí*.te.re) *s.m.* **1.** Boneco que se movimenta por meio de cordas manipuladas por pessoa oculta; fantoche, marionete. **2.** *fig.* Pessoa que se deixa manipular por outrem.

titica (ti.*ti*.ca) *s.f. coloq.* **1.** Excremento, especialmente de aves. **2.** Pessoa ou coisa desprezível.

titilar (ti.ti.*lar*) *v.* Fazer cócegas em; coçar: *Ele titilou o bebê abaixo do braço;* (fig.) *titilar a vaidade de alguém.* ▶ Conjug. 5. – **titilação** *s.f.*

titio (ti.*ti*:o) *s.m. fam.* Tio.

ti-ti-ti (ti-ti-*ti*) *s.m. coloq.* **1.** Ruído de vozes de muitas pessoas que falam ao mesmo tempo. **2.** Boato, mexerico. || pl.: *ti-ti-tis.*

titubear (ti.tu.be:*ar*) *v.* Ter dúvidas ao falar ou ao decidir; vacilar, hesitar: *O aluno titubeou por um instante mas acabou respondendo à pergunta do professor.* ▶ Conjug. 14. – **titubeio** *s.m.*

titular[1] (ti.tu.*lar*) *adj.* **1.** Que tem o título honorífico ou nobiliárquico: *fidalgo titular.* **2.** Que é ocupante efetivo de um cargo, função ou posição: *professora titular.* **3.** Dono, possuidor: *beneficiário titular do plano de saúde.* • *s.m. e f.* **4.** Aquele que é titular. – **titularidade** *s.f.*

titular[2] (ti.tu.*lar*) *v.* Dar título a; intitular: *titular um romance, um poema etc.* ▶ Conjug. 5. – **titulação** *s.f.*

título (*tí*.tu.lo) *s.m.* **1.** Nome de uma obra escrita, artística (ou de alguma de suas partes). **2.** Denominação honorífica que se dá a uma pessoa. **3.** Qualificação que expressa o nível de estudos, a categoria profissional ou a função de uma pessoa. **4.** Documento que comprova posse ou direito. **5.** (*Econ.*) Certificado representativo de um valor mobiliário. || *A título de*: na qualidade de.

toa [ô] (*to*.a) *s.f.* Corda com que uma embarcação reboca a outra. || *À toa*: **1.** ao acaso; a esmo: *andar à toa.* **2.** sem motivo; sem razão: *Ele ri à toa.* **3.** sem proveito; inutilmente: *Corri à toa, porque o médico demorou muito a me atender.*

toada (to:*a*.da) *s.f.* (*Mús.*) **1.** Qualquer cantiga de melodia simples e monótona. **2.** Canto. **3.** Tom, som de instrumentos ou de vozes.

toalete [é] (to:a.*le*.te) *s.f.* **1.** Traje, vestimenta. **2.** Ato de lavar-se, pentear-se, adornar-se,

toalha

vestir-se. • *s.m.* **3.** Aposento com lavatório, espelho e vaso sanitário.

toalha (to:*a*.lha) *s.f.* **1.** Peça de linho ou algodão para enxugar qualquer parte do corpo que se lave. **2.** Tecido que se estende sobre a mesa às refeições. **3.** Qualquer coisa que tenha a forma ou aparência de toalha.

toalheiro (to:a.*lhei*.ro) *s.m.* **1.** Utensílio onde são penduradas as toalhas. **2.** Empresa fornecedora de toalhas para hotéis, escritórios etc., e que substitui, periodicamente, as sujas por limpas. **3.** Fabricante ou vendedor de toalhas. **4.** Móvel onde se guardam toalhas.

toante (to:*an*.te) *adj.* **1.** Que toa; que soa bem: *ritmo toante*. **2.** (*Lit.*) Diz-se de rima em que apenas as vogais tônicas coincidem.

toar (to:*ar*) *v.* **1.** Produzir som forte; soar: *Logo depois do relâmpago, toou um trovão*. **2.** Adaptar-se, condizer, combinar: *Esta gravata não toa com este terno*. ▶ Conjug. 25.

tobogã (to.bo.*gã*) *s.m.* **1.** Em parques de diversões, rampa com ondulações sobre a qual se pode deslizar. **2.** Trenó baixo para deslizar nas encostas cobertas de neve.

toca [ó] (*to*.ca) *s.f.* **1.** Buraco em tronco de árvore, em rocha ou na terra, no qual animais vivem ou se escondem; lura. **2.** *fig.* Casa, lar. **3.** *fig.* Abrigo, refúgio, buraco.

toca-CDs (to.ca-*CDs*) *s.m.2n.* Aparelho destinado à reprodução de gravações feitas em CDs.

toca-discos (to.ca-*dis*.cos) *s.m.2n.* Aparelho que serve para fazer girar os discos fonográficos; eletrola, vitrola.

toca-fitas (to.ca-*fi*.tas) *s.m.2n.* Aparelho destinado à reprodução de gravações feitas em fitas magnéticas.

tocaia (to.*cai*.a) *s.f.* **1.** Espreita ao inimigo; emboscada. **2.** Lugar disfarçado onde se espera a caça.

tocaiar (to.cai.*ar*) *v.* Fazer tocaia a: *Oculto pelo tronco, tocaiou seu próprio irmão*. ▶ Conjug. 5.

tocante (to.*can*.te) *adj.* **1.** Concernente, relativo, referente. **2.** Que comove, enternecerse: *cenas tocantes*. || *No tocante a*: quanto a; no que diz respeito a.

tocantinense (to.can.ti.*nen*.se) *adj.* **1.** Do Estado de Tocantins. • *s.m. e f.* **2.** O natural ou o habitante desse estado.

tocar (to.*car*) *v.* **1.** Pôr rapidamente a mão, ou outra parte do corpo, ou um objeto em (uma pessoa ou coisa): *Há pessoas que têm o mau hábito de falar tocando* (n)*o interlocutor; Na pro-núncia do d, a língua toca* (n)*os dentes*. **2.** Estar (uma coisa) ao lado (de outra) de maneira que haja um ponto de contato entre elas: *A tangente é uma linha que toca outra sem cortá-la; Durante o filme, nossos braços tocavam-se*. **3.** Chegar a, atingir (lugar, ponto): *Pulou na cama elástica até tocar o teto com as mãos*. **4.** Tratar de (um assunto); mencionar, aludir: *O poema toca na questão da colonização, ao subverter os papéis do português e do índio*. **5.** Executar instrumentalmente: *Aquele conjunto toca um chorinho de primeira*. **6.** Tirar som de: *tocar pandeiro, piano, violino, clarineta*. **7.** Soar ou fazer soar, indicando algo: *O telefone está tocando; tocar sino, campainha*. **8.** Comover, sensibilizar: *Seu apelo tocou fundo a nossa alma*. **9.** *coloq.* Levar adiante, fazer progredir: *tocar um projeto*. **10.** *coloq.* Dar-se conta; cair em si: *Muita gente ainda não se tocou da urgência de evitar o uso de sacos plásticos*. **11.** Tanger, conduzir (o gado). **12.** Mandar embora; expulsar: *A cozinheira tocou o vira-lata com uma vassoura*. **13.** Dizer respeito; interessar: *O presidente falou das políticas do governo no que toca à redução da inflação*. ▶ Conjug. 20 e 35. – **tocador** *adj. s.m.*

tocata (to.*ca*.ta) *s.f.* (*Mús.*) Peça, geralmente livre na forma, de característica brilhante e vivaz, para ser tocada por instrumento de teclado.

tocha [ó] (*to*.cha) *s.f.* **1.** Pequena haste em cuja ponta se coloca material inflamável que se acende para iluminar; archote, facho. **2.** Vela grossa e grande de cera.

tocheiro (to.*chei*.ro) *s.m.* Castiçal grande para tochas.

toco [ô] (*to*.co) *s.m.* **1.** Parte de um tronco que permanece ligada à terra quando se abate uma árvore. **2.** Pedaço de vela ou de tocha. **3.** Resto de coisa que se partiu ou consumiu; ponta: *toco de cigarro*.

tocoferol (to.co.fe.*rol*) *s.m.* (*Quím.*) Álcool constituinte da vitamina E.

todavia (to.da.*vi*.a) *conj.* Mas, contudo, entretanto.

todo [ô] (*to*.do) *adj.* **1.** Completo, inteiro: *Percorremos toda a cidade; Convidou a turma toda para a festa*. • *pron. indef.* **2.** Qualquer, cada: *O registro de nascimento é um direito de todo cidadão*. • *adv.* **3.** Por inteiro; totalmente: *Sou todo ouvidos*. • *s.m.* **4.** Conjunto, totalidade: *O todo é reflexo das partes*. • *todos pron. indef. pl.* **5.** Todas as pessoas; todo mundo: *Todos são iguais perante a lei*. || *A toda*: a toda pressa, com toda a velocidade. • *De todo*: inteiramente, completamente.

todo-poderoso (to.do-po.de.ro.so) *adj.* **1.** Que pode tudo; onipotente. • *s.m.* **2.** Aquele que tudo pode. **3.** Deus. || Nesta acepção, com inicial maiúscula. || f.: *todo-poderosa*; pl.: *todo-poderosos*.

tofu (to.*fu*) *s.m.* (*Cul.*) Tipo de queijo coalho feito de soja.

toga [ó] (to.ga) *s.f.* **1.** Veste longa e preta usada por magistrados, formandos de curso superior etc.; beca. **2.** *fig.* A magistratura: *Este juiz ilustra a toga*.

togado (to.ga.do) *adj.* **1.** Que traz toga; que usa toga. **2.** Diz-se de juiz que exerce magistratura judicial. • *s.m.* **3.** Magistrado judicial.

toicinho (toi.*ci*.nho) *s.m.* Toucinho.

toldar (tol.*dar*) *v.* **1.** Tornar(-se) escuro; encobrir(-se): *Uma nuvem toldou sua visão; Desde cedo o céu toldou-se e ameaçou chuva*. **2.** Cobrir com toldo: *toldar uma lancha*. ▶ Conjug. 20.

toldo [ô] (tol.do) *s.m.* Peça de lona ou de outro material, destinada a abrigar do sol ou da chuva uma porta, varanda, janela etc.

toleirão (to.lei.*rão*) *adj.* **1.** Muito tolo; pateta, palerma. • *s.m.* **2.** Pessoa toleirona.

tolerância (to.le.*rân*.ci:a) *s.f.* **1.** Qualidade de tolerante. **2.** Capacidade do organismo de receber algo sem sofrer transtornos: *O bebê apresentou boa tolerância ao leite de cabra*.

tolerante (to.le.*ran*.te) *adj.* **1.** Que desculpa; indulgente. **2.** Que admite opiniões contrárias às suas.

tolerar (to.le.*rar*) *v.* **1.** Permitir (algo contrário ao que se acha ou se faz): *Não fumava, mas tolerava que fumassem em sua casa*. **2.** Suportar, aceitar: *Não tolero pessoas arrogantes*. **3.** Resistir a: *A planta tolera solos pobres*. **4.** Ser capaz de ingerir algo sem sofrer transtornos: *Um grande número de indivíduos não tolera leite de vaca*. ▶ Conjug. 8.

tolerável (to.le.*rá*.vel) *adj.* Que pode ser tolerado: *situação tolerável*.

tolete [ê] (to.le.te) *s.m.* **1.** (*Náut.*) Suporte de ferro ou de madeira em forma de U, colocado verticalmente na borda de um barco, no qual se apoiam os remos. **2.** Rolo de madeira, de fumo ou de qualquer outra coisa.

tolher (to.*lher*) *v.* Impedir de mover-se, de agir; pôr obstáculos: *tolher alguém em sua atuação; O estado de exceção tolheu-nos de exercer as liberdades democráticas*. ▶ Conjug. 42. – **tolhimento** *s.m.*

tolice (to.*li*.ce) *s.f.* **1.** Ato ou dito tolo. **2.** Coisa insignificante, sem valor.

tolo [ô] (*to*.lo) *adj.* **1.** Pessoa ingênua ou com pouca inteligência; desmiolado. **2.** Sem razão de ser; ridículo: *exigência tola*. • *s.m.* **3.** Pessoa tola.

tom *s.m.* **1.** (*Mús.*) Altura de uma nota: *cantar fora do tom*. **2.** Modo de expressar-se em que se reflete um estado de ânimo: *A imprensa destacou o tom agressivo do debate entre os dois candidatos*. **3.** Caráter geral; estilo: *O livro alterna o tom grandioso da exaltação às conquistas nacionais e o tom menor do lirismo amoroso, da expressão confidencial*. **4.** Colorido, cor, matiz: *Quando a mulher muda a cor dos seus cabelos, é preciso levar em conta o tom da sua pele*. **5.** Som monótono que em um telefone indica que a linha está disponível. **6.** (*Mús.*) A soma de dois semitons.

tomada (to.*ma*.da) *s.f.* **1.** Ato ou efeito de tomar ou invadir: *tomada da Bastilha*. **2.** (*Eletr.*) Ramificação de uma instalação elétrica da qual se retira corrente para instalações, lâmpadas, aparelhos elétricos etc. **3.** (*Eletr.*) Dispositivo para conectar um aparelho elétrico a essa instalação, composto de duas extremidades de metal. **4.** (*Cine, Telv.*) Registro de uma cena.

tomar (to.*mar*) *v.* **1.** Passar a possuir ou dominar pela força: *Um pivete tentou tomar o relógio de um passante; tomar um prédio, uma fortaleza, uma cidade*. **2.** Ingerir: *tomar um suco, um sorvete, um remédio*. **3.** Dar-se (um banho): *tomar uma chuveirada, uma ducha*. **4.** Fazer uso de (condução): *Tomou um táxi porque estava atrasado*. **5.** Adotar: *tomar providências; tomar a decisão correta*. **6.** Pegar em; agarrar, segurar: *Tomou a mão da moça e beijou-a*. **7.** Passar a ter (aspecto, feição): *Enfim, o projeto tomou forma*. **8.** Fazer uso de (tempo); consumir: *Vou-me embora, não quero tomar seu tempo*. **9.** Começar a seguir (caminho): *Tomamos um atalho para fugir do engarrafamento*. **10.** Pedir: *tomar emprestado*. **11.** Ser alvo de; receber, levar: *tomar um susto; Tomou uma surra do irmão*. **12.** Atingir: *tomar certas proporções*. **13.** Suspender, sustentar: *Tomou-me em seus braços*. **14.** Encher-se de (um sentimento, uma emoção): *Finalmente tomou coragem e falou a verdade para a irmã; O menino tomou horror a computador*. **15.** Atribuir a si: *Quem tomou a iniciativa de pedir desculpas foi ele, como um bom cavalheiro*. **16.** Preencher, ocupar (espaço): *Esta mesa de jantar tomaria nossa sala toda*. **17.** Considerar, julgar: *Tomou o que eu disse como acinte*. **18.** Expor-se a: *tomar sol, chuva*. **19.** Exigir: *Foi atrás do garoto para to-

tomara que caia

mar explicações, tomar satisfação. || Usa-se a 1ª pessoa do singular do pretérito mais-que-perfeito do indicativo com o sentido de "oxalá", "quem dera": *Tomara que amanhã não chova!* ▶ Conjug. 5.

tomara que caia *adj.* **1.** Diz-se de blusa, vestido etc. que não se prende por alças ao pescoço ou ombros. • *s.m.*2n. **2.** Roupa tomara que caia.

tomate (to.*ma*.te) *s.m.* Fruto comestível originário da América, de forma arredondada e de cor vermelha, muito usado em saladas.

tombadilho (tom.ba.*di*.lho) *s.m.* (*Náut*.) **1.** Parte mais elevada e posterior do navio. **2.** O pavimento dessa parte.

tombamento (tom.ba.*men*.to) *s.m.* Ato ou efeito de tombar[2].

tombar[1] (tom.*bar*) *v.* **1.** Cair no chão: *Com a ventania, uma árvore tombou sobre a fiação elétrica.* **2.** Cair para o lado; inclinar-se: *O navio tombou para o lado direito.* ▶ Conjug. 5.

tombar[2] (tom.*bar*) *v.* Pôr (o Estado) sob a sua guarda (bens móveis e imóveis) para os preservar e proteger, dado o seu valor arqueológico, artístico ou outro: *A prefeitura tombou o imóvel por sua significação na paisagem urbana.* ▶ Conjug. 5.

tombo[1] (*tom*.bo) *s.m.* **1.** Ato ou efeito de tombar[1]; queda. **2.** Cachoeira alta, volumosa, de queda vertical.

tombo[2] (*tom*.bo) *s.m.* **1.** Ato ou efeito de inventariar bens imóveis ou de colocá-los sob a guarda do Estado. **2.** Registro de coisas ou fatos relativos a uma especialidade ou a uma região.

tômbola (*tôm*.bo.la) *s.f.* Espécie de jogo de víspora com prêmios em objetos, e não em dinheiro.

tomilho (to.*mi*.lho) *s.m.* (*Bot.*) Planta, de origem europeia, cujas folhas cinzentas são muito usadas como tempero graças às suas propriedades aromáticas intensas.

tomo (*to*.mo) *s.m.* Divisão editorial de uma obra, feita pelo autor ou em concordância com ele: *Dividido em dois tomos, o livro aborda a história do pensamento filosófico no século XX.*

tomografia (to.mo.gra.*fi*.a) *s.f.* (*Med.*) Registro de imagens internas do corpo em um plano predeterminado por meio do tomógrafo.

tomógrafo (to.*mó*.gra.fo) *s.m.* (*Med.*) Aparelho que move raios X e filmes em direções opostas, obtendo imagens detalhadas de um plano do tecido e eliminando o detalhe em outros planos.

tona (*to*.na) *s.f.* Pele; casca fina; camada ligeira. || **À tona: 1.** à superfície da água. **2.** à baila, à vista: *Em pouco tempo, toda a verdade veio à tona.*

tonal (to.*nal*) *adj.* (*Mús.*) Relativo a tom ou à tonalidade: *sistema tonal; escala tonal.*

tonalidade (to.na.li.*da*.de) *s.f.* **1.** Conjunto de tons, de matizes de cor: *A tonalidade azul da foto digital resultou do uso do flash.* **2.** (*Mús.*) Série de relações entre notas em que uma em particular, chamada *tônica*, é central.

tonante (to.*nan*.te) *adj.* Que soa forte: *ronco tonante; voz tonante.*

tonel (to.*nel*) *s.m.* Vasilha grande para líquidos, formada de aduelas, tampos e arcos.

tonelada (to.ne.*la*.da) *s.f.* Unidade de peso equivalente a mil quilogramas. || Símbolo: *t*.

tonelagem (to.ne.*la*.gem) *s.f.* **1.** Capacidade de uma embarcação em toneladas. **2.** Cálculo dessa capacidade.

tonelaria (to.ne.la.*ri*.a) *s.f.* Tanoaria.

toner [*tôner*] (Ing.) *s.m.* Tinta usada em fotocopiadoras e em algumas impressoras.

tônica (*tô*.ni.ca) *s.f.* **1.** (*Gram.*) Vogal ou sílaba tônica em que recai a acentuação tônica de uma palavra. **2.** O ponto a que se dá maior realce no tratamento ou debate de um tema. **3.** (*Mús.*) A primeira nota de uma escala e que é o centro tonal harmônico de uma tonalidade.

tonicidade (to.ni.ci.*da*.de) *s.f.* **1.** (*Anat.*) Estado permanente de contração de um músculo. **2.** (*Gram.*) Característica de uma sílaba ou vogal tônica; intensidade.

tônico (*tô*.ni.co) *adj.* **1.** Relativo a tom. **2.** (*Gram.*) Diz-se do acento que dá a uma sílaba maior intensidade que as outras dessa mesma palavra. **3.** (*Gram.*) Diz-se da sílaba ou da vogal em que recai esse acento. **4.** (*Anat.*) Relativo a tono. • *s.m.* **5.** Remédio que fortalece, tonifica.

tonificar (to.ni.fi.*car*) *v.* **1.** Tornar forte; fortificar, fortalecer: *O anúncio diz que esse cosmético alisa e tonifica os cabelos.* **2.** Fortificar-se, robustecer-se: *Permanecendo nessa postura da ioga, o corpo tende a relaxar e tonificar-se.* ▶ Conjug. 5 e 35. – **tonificação** *s.f.*; **tonificante** *adj. s.m.*

tonitruante (to.ni.tru.*an*.te) *adj.* Ruidoso como o trovão: *voz tonitruante.*

tono (*to*.no) *s.m.* (*Anat.*) Estado normal de elasticidade e firmeza de um tecido; tônus.

tonsila (ton.*si*.la) *s.f.* (*Anat.*) Agregado de tecido linfoide, especialmente os situados à entrada da garganta.

tonsilite (ton.si.*li*.te) *s.f.* (*Med.*) Inflamação da tonsila.

tonsura (ton.*su*.ra) *s.f.* Corte de cabelo em forma arredondada no topo da cabeça, muito usado pelos clérigos. – **tonsurar** *v.* ▶ Conjug. 5.

tontear (ton.te:*ar*) *v.* **1.** Provocar tonteira em: *O passeio de barco tonteou a moça.* **2.** Perturbar, atordoar: *O drible do atacante tonteou a defesa.* **3.** Ficar tonto: *Os bois tomavam uma marretada na cabeça, tonteavam, caíam, e depois eram abatidos.* ▶ Conjug. 14.

tonteira (ton.*tei*.ra) *s.f.* **1.** Sensação de mal-estar acompanhada de desequilíbrio, vertigem; tontura. **2.** Tolice, tontice.

tontice (ton.*ti*.ce) *s.f.* **1.** Ato de tonto. **2.** Tolice, demência.

tonto (ton.to) *adj.* **1.** Que não se pode ter de pé, que anda zigue-zagueando e caindo. **2.** Atarantado, atônito. **3.** Desmiolado, tolo. **4.** Embriagado. • *s.m.* **5.** Pessoa tonta.

tontura (ton.*tu*.ra) *s.f.* Tonteira.

tônus (*tô*.nus) *s.m.* (*Anat.*) Tono.

top [*tópi*] (Ing.) *s.m.* Corpete sem alças.

topada (to.*pa*.da) *s.f.* Batida involuntária do pé de encontro a um objeto: *dar topadas*.

topar (to.*par*) *v.* **1.** Encontrar por acaso: *Topei com o livro num sebo*; *Na festa, topei com velhos conhecidos meus.* **2.** *coloq.* Aceitar: *Vocês topam dar uma parada no jogo agora?* **3.** Dar com o pé; bater de encontro: *Topei num taco do assoalho e quase caí.* **4.** *coloq.* Simpatizar com: *Sua mãe não me topava.* ▶ Conjug. 20.

topázio (to.*pá*.zi:o) *s.m.* (*Min.*) Pedra preciosa geralmente amarela.

tope [ó] (to.pe) *s.m.* **1.** Topo, cimo, cume. **2.** Laço de fita no chapéu.

topete [é] (to.*pe*.te) *s.m.* **1.** Parte do cabelo levantada na frente da cabeça. **2.** *fig.* Ousadia, atrevimento: *Teve o topete de vir à festa sem ser convidado.*

topetudo (to.pe.*tu*.do) *adj.* **1.** Que tem topete: *galo topetudo.* **2.** *fig.* Atrevido, ousado.

tópico (*tó*.pi.co) *s.m.* **1.** Ponto principal; tema, assunto. • *adj.* **2.** (*Med.*) Diz-se do medicamento de uso externo local.

topo [ô] (to.po) *s.m.* **1.** A parte mais elevada; cume, tope. **2.** *fig.* Ponto máximo a que pode chegar algo; cúmulo, auge: *Ele está no topo do sucesso.*

topografia (to.po.gra.*fi*.a) *s.f.* **1.** Técnica de representação gráfica da configuração de um terreno em uma escala relativamente pequena. **2.** Configuração de um terreno. – **topográfico** *adj.*

topógrafo (to.*pó*.gra.fo) *s.m.* Especialista em topografia.

topologia (to.po.lo.*gi*.a) *s.f.* (*Mat.*) Parte da Geometria que estuda as posições das figuras independentemente de sua forma e de suas dimensões. – **topológico** *adj.*

toponímia (to.po.*ní*.mi:a) *s.f.* Estudo da origem dos nomes próprios de lugar.

topônimo (to.*pô*.ni.mo) *s.m.* Nome próprio de lugar.

toque [ó] (to.que) *s.m.* **1.** Ato ou efeito de tocar. **2.** Som produzido por contato ou percussão: *toque de campainha.* **3.** (*Mil.*) Aviso que se dá com determinados instrumentos musicais: *toque de recolher.* **4.** Nota, detalhe: *toque de mestre.* **5.** Pincelada ligeira, geralmente para dar mais suavidade ou expressão; retoque. **6.** *coloq.* Aviso rápido e sutil: *Através de uma linguagem bem-humorada, os adolescentes recebem vários toques de como lidar com seus temores.* **7.** (*Med.*) Exame de uma cavidade do corpo feito com o auxílio dos dedos. || *A toque de caixa*: com toda pressa.

tora [ó] (to.ra) *s.f.* **1.** Grande tronco de madeira. **2.** Cada uma das partes de uma árvore cortada.

torá (to.*rá*) *s.f.* **1.** A lei mosaica. **2.** O livro que a encerra. || Usa-se com inicial maiúscula.

torácico (to.*rá*.ci.co) *adj.* Relativo a tórax: *região torácica.*

toranja (to.*ran*.ja) *s.f.* Espécie de fruta cítrica, maior e mais ácida que a laranja.

tórax [cs] (*tó*.rax) *s.m.2n.* (*Anat.*) A parte superior do tronco entre o pescoço e o abdômen.

torçal (tor.*çal*) *s.m.* Cordão de fios de seda torcidos.

torção (tor.*ção*) *s.f.* **1.** Ato de torcer; torcedura. **2.** Lesão dos ligamentos das articulações causada por movimento de rotação brusco e antinatural; torcedura, entorse.

torcedor [ô] (tor.ce.*dor*) *adj.* **1.** Que torce. • *s.m.* **2.** Pessoa que torce em jogo esportivo. **3.** Instrumento para torcer.

torcedura (tor.ce.*du*.ra) *s.f.* Torção; entorse.

torcer (tor.*cer*) *v.* **1.** Fazer girar sobre si ou em espiral: *torcer a roupa.* **2.** Realizar movimento de rotação brusco e antinatural: *torcer a mão, o pé.* **3.** Desviar do sentido original ou razoável; alterar, adulterar: *torcer o sentido das palavras de alguém.* **4.** Fazer votos pelo sucesso de algo ou alguém: *Vou torcer para dar tudo*

torcicolo

certo na sua viagem. **5.** Ser aficcionado de (um clube): *Incentivei o meu filho a torcer pelo meu time.* ▶ Conjug. 42 e 46.

torcicolo [ó] (tor.ci.co.lo) s.m. (Med.) Contração dos músculos da região cervical, que produz torção do pescoço e posição anormal da cabeça.

torcida (tor.ci.da) s.f. **1.** Ato ou efeito de torcer. **2.** Mecha de candeeiro ou de vela, feita de fios de linho ou de algodão torcidos; pavio. **3.** Conjunto de torcedores (2).

tormenta (tor.men.ta) s.f. Grande tempestade.

tormento (tor.men.to) s.m. **1.** Ato ou efeito de atormentar(-se). **2.** Padecimento físico ou moral muito intenso. **3.** Pessoa ou coisa que causa tormento. – **tormentoso** *adj.*

tornado (tor.na.do) s.m. Fenômeno meteorológico que consiste numa tempestade de ventos fortíssimos em espiral e que se manifesta sob a forma de uma nuvem afunilada e giratória.

tornar (tor.nar) v. **1.** Fazer (com predicativo do objeto direto): *Tornei realizável o negócio.* **2.** Ficar, fazer-se: *A vida está se tornando cada vez mais difícil.* **3.** Transformar-se, converter-se: *Seu sonho tornou-se realidade; tornar suor em ouro.* **4.** Voltar de: *Ele tornou da capital.* **5.** Voltar ao lugar onde estava, ao ponto de partida; retornar, regressar: *Tornei a casa.* **6.** Voltar (exprimindo repetição, retomada do processo): *À tarde, o tempo tornou a esquentar.* ▶ Conjug. 20.

tornassol (tor.nas.sol) s.m. (Quím.) Corante obtido de líquens, utilizado em química para detectar a presença de ácidos e bases.

tornear (tor.ne.ar) v. **1.** Lavrar no torno; modelar: *tornear o pé de uma mesa.* **2.** Dar forma arredondada, cilíndrica ou roliça: *Faz exercícios diários para tornear as pernas.* **3.** Dar volta a; circundar, cingir: *Um belo colar torneava o seu pescoço.* **4.** Polir, aprimorar (o estilo, a linguagem): *tornear o discurso.* ▶ Conjug. 14. – **torneamento** s.m.

tornearia (tor.ne.a.ri.a) s.f. **1.** Oficina de torneiro. **2.** Ofício de torneiro.

torneio[1] (tor.nei.o) s.m. **1.** Ato de trabalhar com o torno. **2.** Feitio roliço que o torneiro dá a uma peça, lavrando-a no torno. **3.** *fig.* Elegância (de uma frase, um de verso).

torneio[2] (tor.nei.o) s.m. Competição esportiva.

torneira (tor.nei.ra) s.f. Peça tubular, provida de uma chave, usada para dar ou impedir a saída de líquido ou gás contido em encanamento, pipa etc.

torneiro (tor.nei.ro) s.m. Artífice que faz obras ao torno.

torniquete [ê] (tor.ni.que.te) s.m. **1.** Armação em cruz horizontal, girante em redor de eixo vertical, que se põe numa entrada para fazer passar uma pessoa de cada vez. **2.** (Med.) Instrumento e/ou técnica para deter o fluxo sanguíneo de um membro e evitar assim a hemorragia.

torno [ô] (tor.no) s.m. **1.** Engenho que imprime movimento de rotação a peças de madeira, marfim, ferro etc. para trabalhá-las, dando-lhes formas cilíndricas ou arredondadas, com o auxílio de diversos instrumentos. **2.** Morsa. || *Em torno de:* ao redor de.

tornozeleira (tor.no.ze.lei.ra) s.f. Faixa elástica para proteger o tornozelo.

tornozelo [ê] (tor.no.ze.lo) s.m. (Anat.) Região ou saliência óssea que se situa entre a perna e o pé.

toro [ó] (to.ro) s.m. Tronco de árvore abatida, ainda com a casca: *um toro de carvalho.*

toró (to.ró) s.m. Aguaceiro forte, repentino e, em geral, curto.

torpe [ô] (tor.pe) adj. Contrário à decência, à moral e aos bons costumes; sórdido, infame, vergonhoso.

torpedear (tor.pe.de.ar) v. **1.** Atacar com torpedo(s): *torpedear um porta-aviões.* **2.** *fig.* Procurar destruir: *torpedear um projeto.* ▶ Conjug. 14. – **torpedeamento** s.m.

torpedeiro (tor.pe.dei.ro) adj. **1.** Diz-se de avião do qual se lançam torpedos. • s.m. **2.** Navio de guerra destinado ao lançamento de torpedos.

torpedo [ê] (tor.pe.do) s.m. **1.** Projétil explosivo, de forma cilíndrica, que se lança de submarinos, navios ou aviões contra alvos marítimos. **2.** *gír.* Bilhete.

torpeza [ê] (tor.pe.za) s.f. Qualidade ou ato de torpe.

torpor [ô] (tor.por) s.m. Diminuição geral ou parcial da sensibilidade e do movimento, causada especialmente por sono ou por bebida alcoólica; sopor.

torquês (tor.quês) s.f. Instrumento de ferro próprio para segurar, agarrar ou arrancar objetos encravados.

torrada (tor.ra.da) s.f. Fatia de pão torrado.

torradeira (tor.ra.dei.ra) s.f. Aparelho elétrico para torrar fatias de pão.

torrão (tor.rão) s.m. **1.** Pedaço de terra cujas partículas têm entre si certa coesão. **2.** Território: *o torrão natal*. **3.** Fragmento, pedaço: *um torrão de açúcar*.

torrar (tor.*rar*) *v.* **1.** Submeter (algo) à ação do fogo ou do calor intenso para que se desidrate e tome cor: *torrar pão, amendoim, grão de café*. **2.** coloq. Vender (por preço baixo); queimar, liquidar: *A loja está torrando o estoque*. **3.** coloq. Gastar (dinheiro): *Torrou todo o salário no bingo*. || *Torrar a paciência de*: aborrecer, importunar. ▶ Conjug. 20. – **torração** *s.f.*

torre [ô] (tor.*re*) *s.f.* **1.** Construção alta e estreita, isolada, ou anexada a certos edifícios, como castelos, igrejas. **2.** Estrutura alta de metal destinada a suportar as antenas de rádio, televisão, cabos de energia elétrica etc. **3.** Peça do jogo de xadrez em forma de torre; roque. || *Torre de controle*: construção adequadamente localizada na área de um aeroporto da qual se controlam as operações da aeronave na terra e no ar.

torreão (tor.re.*ão*) *s.m.* **1.** Torre larga com ameias, construída sobre um castelo. **2.** Espécie de torre sobre o telhado de uma edificação.

torrefação (tor.re.fa.*ção*) *s.f.* **1.** Ato ou efeito de torrar (1). **2.** Estabelecimento onde se faz a torrefação.

torrencial (tor.ren.ci.*al*) *adj.* Abundante, copioso: *chuvas torrenciais*.

torrente (tor.ren.*te*) *s.f.* **1.** Corrente impetuosa de água, temporária e violenta, originária das enxurradas. **2.** *fig.* Grande quantidade de coisas que caem e correm numa direção.

torresmo [ê] (tor.res.*mo*) *s.m.* (*Cul.*) Parte torrada que fica do toicinho quando frito.

tórrido (tór.ri.*do*) *adj.* Excessivamente quente; ardente: *zona tórrida*.

torso [ô] (tor.*so*) *s.m.* **1.** Parte superior do tronco humano, sem os braços. **2.** (*Art.*) Obra de arte que a representa.

torta [ó] (tor.*ta*) *s.f.* (*Cul.*) **1.** Pastelão recheado de carne, peixe, frutas etc. **2.** Bolo em camadas, com recheio e cobertura.

torto [ô] (tor.*to*) *adj.* **1.** Que não é direito: *pernas tortas*. **2.** Oblíquo; posto de través: *quadro torto*. || *A torto e a direito*: em grande quantidade ou a esmo: *Começou a disparar insultos a torto e a direito*. || f. e pl.: [ó].

tortuoso [ô] (tor.tu.*o.so*) *adj.* **1.** Que dá muitas voltas; sinuoso: *caminho tortuoso*. **2.** Contrário à verdade, à lisura, à justiça: *homem tortuoso*. || f. e pl.: [ó]. – **tortuosidade** *s.f.*

tortura (tor.tu.*ra*) *s.f.* **1.** Suplício, tormento infligido como castigo para fazer confessar. **2.** *fig.* Padecimento físico ou moral.

torturar (tor.tu.*rar*) *v.* **1.** Submeter a tortura (1); seviciar: *Os inquisidores torturavam as vítimas, realizavam julgamentos sumários e forçavam confissões*. **2.** Causar tortura (2) a: *O sapato apertado a torturou o dia todo*. ▶ Conjug. 5. – **torturante** *adj.*

torvelinho (tor.ve.li.*nho*) *s.m.* Redemoinho; rodamoinho.

torvo [ô] (tor.*vo*) *adj.* **1.** Que infunde terror; ameaçador: *olhar torvo*. **2.** Sinistro, sombrio: *céu torvo*.

tosa [ó] (to.*sa*) *s.f.* Operação de tosar a lã dos carneiros; tosquia.

tosar (to.*sar*) *v.* Cortar rente (cabelo, pelo); tosquiar: *Ele tosa mensalmente o pelo do cachorro*. ▶ Conjug. 20.

tosco [ô] (tos.*co*) *adj.* **1.** Sem polimento; não lavrado: *mobília tosca*. **2.** Grosseiro, malfeito: *versos toscos*. **3.** Sem instrução; inculto: *homem tosco*.

tosquia (tos.qui.*a*) *s.f.* **1.** Ato ou efeito de tosquiar. **2.** Época desse ato. **3.** *fig.* Censura, crítica.

tosquiar (tos.qui.*ar*) *v.* **1.** Tosar: *O pastor tosquiou a lã dos carneiros*. **2.** Cortar rente o pelo ou o cabelo de: *Mandou tosquiar o cão peludo*. ▶ Conjug. 17.

tosse [ó] (tos.*se*) *s.f.* Expulsão súbita, ruidosa e violenta do ar dos pulmões. || *Ver o que é bom para tosse*: sofrer as consequências negativas dos próprios atos ou de um fato.

tossir (tos.*sir*) *v.* **1.** Ter tosse: *Meu filho anda tossindo muito à noite*. **2.** Produzir tosse artificialmente: *Quando você tossiu, percebi que não era para eu tocar no assunto na frente de seu pai*. ▶ Conjug. 76.

tostão (tos.*tão*) *s.m.* Antiga moeda brasileira de níquel, no valor de cem réis.

tostar (tos.*tar*) *v.* **1.** Queimar superficialmente; crestar: *tostar uma fatia de pão*. **2.** Bronzear(-se) excessivamente: *O Sol tostou a sua pele*; *Na praia, os turistas liam jornais enquanto se tostavam ao sol*. ▶ Conjug. 20.

total (to.*tal*) *adj.* **1.** Que forma um todo, que abrange tudo; completo: *eclipse total do Sol*. • *s.m.* **2.** Resultado da adição; soma.

totalidade (to.ta.li.*da.de*) *s.f.* Reunião de todas as partes que formam um todo.

totalitário (to.ta.li.tá.ri:*o*) *adj.* Diz-se de regime de governo que não admite oposição organizada e que exerce forte intervenção em todas as esferas da vida nacional.

totalitarismo

totalitarismo (to.ta.li.ta.*ris*.mo) s.m. Sistema dos regimes políticos totalitários. – **totalitarista** adj. s.m. e f.

totalizar (to.ta.li.*zar*) v. Atingir o total de; perfazer: *O volume de declarações de isentos entregues em 2006 totalizou 62 milhões.* ▶ Conjug. 5. – **totalização** s.f.

totem [ó] (*to*.tem) s.m. **1.** Animal, vegetal ou objeto considerado como emblema protetor de uma tribo ou de um indivíduo. **2.** Representação desse animal, vegetal ou objeto.

totó (to.*tó*) s.m. Pebolim.

touca (*tou*.ca) s.f. Peça de vestuário que cobre a parte superior e posterior da cabeça, usada como enfeite ou como proteção. || *Dormir de touca*: **1.** deixar-se enganar, ludibriar. **2.** perder uma boa oportunidade.

touça (*tou*.ça) s.f. Tufo de plantas; moita.

toucado (tou.*ca*.do) s.m. Adereço com que se cobre e adorna a cabeça.

toucador [ô] (tou.ca.*dor*) s.m. Espécie de mesa ou cômoda, com um ou mais espelhos, que serve a quem se penteia; penteadeira.

touceira (tou.*cei*.ra) s.f. Grande touça ou moita.

toucinho (tou.*ci*.nho) s.m. Gordura que fica subjacente à pele do porco com o respectivo couro. || *toicinho*.

toupeira (tou.*pei*.ra) s.f. **1.** (*Zool.*) Mamífero insetívoro, de focinho longo, que vive em tocas debaixo da terra. **2.** *fig.* Pessoa ignorante, sem inteligência ou instrução.

tourada (tou.*ra*.da) s.f. **1.** Espetáculo que consiste em lutar com touros em uma praça destinada a esse fim. **2.** Manada de touros.

tourear (tou.re:*ar*) v. Combater o touro em praça pública: *Manuel já toureou na Espanha.* ▶ Conjug. 14.

toureiro (tou.*rei*.ro) s.m. Indivíduo que tem por ofício tourear.

touro (*tou*.ro) s.m. **1.** (*Zool.*) Boi que não é castrado, utilizado como reprodutor. **2.** *fig.* Homem forte e robusto.

tóxico [cs] (*tó*.xi.co) adj. **1.** Que contém veneno ou produz efeitos nocivos no organismo. • s.m. **2.** Substância tóxica. – **toxicidade** s.f.

toxicomania [cs] (to.xi.co.ma.*ni*.a) s.f. Ânsia anormal de consumir substâncias tóxicas que produzem sensações agradáveis ou que suprimem dores.

toxicômano [cs] (to.xi.*cô*.ma.no) adj. **1.** Que padece de toxicomania. • s.m. **2.** Indivíduo toxicômano.

toxina [cs] (to.*xi*.na) s.f. (*Med.*) Substância tóxica produzida pelos organismos vivos.

toxoplasma [cs] (to.xo.*plas*.ma) (*Med.*) Espécie abundante e amplamente disseminada de parasitos protozoários minúsculos, intracelulares e sem hospedeiros específicos que causem toxoplasmose.

toxoplasmose [cs...ó] (to.xo.plas.*mo*.se) s.f. (*Med.*) Doença, aguda ou crônica, causada por um parasita encontrado especialmente nas fezes de gatos.

trabalhador [ô] (tra.ba.lha.*dor*) adj. **1.** Que trabalha. • s.m. **2.** Pessoa que trabalha; empregado, operário.

trabalhão (tra.ba.*lhão*) s.m. *coloq.* Trabalheira.

trabalhar (tra.ba.*lhar*) v. **1.** Agir de maneira continuada e esforçada, a fim de obter um resultado útil: *Os bombeiros trabalharam incansavelmente no resgate das vítimas da tragédia.* **2.** Exercer uma atividade profissional: *Ela sempre trabalhou como arquiteta; Ele trabalhava na bolsa de valores; Meu primo trabalha com vendas.* **3.** Desempenhar um papel em um espetáculo: *Ele trabalhou na peça como o pai de Julieta.* **4.** Operar ou atuar: *É um deputado que trabalha contra todos os projetos do governo.* **5.** Funcionar: *Este relógio trabalha perfeitamente.* **6.** Lavrar (a terra, a madeira, o metal etc.): *O escultor trabalhou maravilhosamente em todo o estanho.* **7.** Esmerar-se na execução de algo até obter o resultado que se deseja: *Ele trabalha muito seus versos.* ▶ Conjug. 5.

trabalheira (tra.ba.*lhei*.ra) s.f. *coloq.* Trabalho muito intenso; trabalhão.

trabalhismo (tra.ba.*lhis*.mo) s.m. Doutrina política que defende a melhoria da situação econômica dos trabalhadores. – **trabalhista** adj. s.m. e f.

trabalho (tra.*ba*.lho) s.m. **1.** Ato de trabalhar. **2.** Atividade geralmente remunerada, a que alguém se dedica. **3.** Local onde se realiza essa atividade: *Gosto de morar perto do trabalho.* **4.** Coisa que se tem que fazer ou solucionar: *Se não estivesse com tanto trabalho sobre a mesa, iria almoçar com vocês.* **5.** Qualquer obra realizada: *O professor elogiou muito o meu trabalho de curso.*

trabalhoso [ô] (tra.ba.*lho*.so) adj. Que implica muito esforço: *tarefa trabalhosa.* || f. e pl.: [ó].

trabuco (tra.*bu*.co) s.m. *coloq.* Espingarda curta e de boca larga; bacamarte.

traça (*tra*.ça) s.f. (*Zool.*) Inseto que rói tecidos, tapetes e papéis.

traçado (tra.ça.do) *adj.* **1.** Que se desenhou ou riscou. • *s.m.* **2.** Ato ou efeito de traçar. **3.** Plano, projeto, planta: *o traçado de uma via*.

tração (tra.ção) *s.f.* Força que desloca algo, especialmente um veículo, do lugar onde está: *tração animal*.

traçar¹ (tra.çar) *v.* **1.** Fazer (linha, traço, desenho): *traçar uma curva*. **2.** Fazer o projeto ou o desenho de: *traçar a planta de um edifício; traçar uma estrada*. **3.** Imaginar e dar forma (a um plano ou projeto): *O rei, junto com seus oficiais, traçava planos sobre como derrotar os invasores*. **4.** Esboçar por meio da escrita: *No livro, autor traça um paralelo entre o comércio do açúcar e o financiamento das guerras holandesas.* ▶ Conjug. 5 e 36.

traçar² (tra.çar) *v. coloq.* Comer ou beber vorazmente; devorar: *Ele traçou três pratos e ainda comeu sobremesa.* ▶ Conjug. 5 e 36.

tracejar (tra.ce.jar) *v.* **1.** Compor de pequenos traços, uns em seguida aos outros: *Encontrou o esboço que num dia de chuva tracejara.* **2.** Descrever por alto; delinear: *O contador de casos tracejou ligeiramente o acontecido.* ▶ Conjug. 10 e 37. – **tracejamento** *s.m.*

traço (tra.ço) *s.m.* **1.** Linha traçada com lápis, pena, giz, pincel etc. **2.** Linha característica do rosto de uma pessoa. **3.** Peculiaridade, característica: *traços distintivos*. **4.** Impressão, vestígio, sinal: *O criminoso, ao fugir, deixou traços da sua passagem.* || Na acepção 2, é mais usado no plural.

traço de união *s.m.* Hífen.

tradição (tra.di.ção) *s.f.* **1.** Modo de transmissão de conhecimentos, doutrinas ou costumes, de geração em geração: *tradição oral; tradição escrita*. **2.** Conhecimento, doutrina, costume ou relato transmitidos por esse modo: *a tradição de jogar arroz sobre os noivos no dia do casamento*.

tradicional (tra.di.ci:o.nal) *adj.* **1.** Relativo a tradição. **2.** Que conserva a tradição.

tradicionalismo (tra.di.ci:o.na.lis.mo) *s.m.* **1.** Apego às tradições ou usos antigos. **2.** Sistema de crença fundado na tradição. – **tradicionalista** *adj. s.m. e f.*

tradução (tra.du.ção) *s.f.* **1.** Ato ou efeito de traduzir. **2.** Obra traduzida. **3.** Significação, interpretação, explicação: *Qual a tradução desse seu gesto?*

tradutor [ô] (tra.du.tor) *adj.* **1.** Que traduz. • *s.m.* **2.** Aquele que traduz.

traduzir (tra.du.zir) *v.* **1.** Passar de uma língua para outra, especialmente para a vernácula: *Vou traduzir A Ilíada (para o português)*. **2.** Manifestar, revelar, demonstrar: *O riso dela traduzia indisfarçável alegria*. **3.** Explicar, interpretar: *Traduzimos logo como uma recusa o gesto dele.* ▶ Conjug. 82.

trafegar (tra.fe.gar) *v.* Transitar (um veículo) por estradas, terras, montes etc.: *Os caminhões já podem trafegar pela rodovia entre Jangada e Barra do Bugres; O carro trafegava em alta velocidade.* ▶ Conjug. 8 e 34.

tráfego (trá.fe.go) *s.m.* Circulação geral de veículos em rodovias, de trens em ferrovias, de aviões no ar e de navios no mar.

traficante (tra.fi.can.te) *adj.* **1.** Que trafica. • *s.m. e f.* **2.** Aquele que trafica, especialmente drogas.

traficar (tra.fi.car) *v.* Comerciar, negociar, geralmente de modo clandestino e ilegal: *traficar drogas, pedras preciosas, escravos etc.* ▶ Conjug. 5 e 35.

tráfico (trá.fi.co) *s.m.* Comércio ilegal e clandestino, especialmente de drogas.

tragada (tra.ga.da) *s.f.* Ato de tragar (fumaça de cigarro).

tragar (tra.gar) *v.* **1.** Engolir sem mastigar: *O doente tragou dificilmente a pílula*. **2.** Engolir fumaça de cigarro, charuto etc.: *Fumo, mas não trago*. **3.** *fig.* Fazer desaparecer; absorver. *O redemoinho tragou todos os náufragos.* ▶ Conjug. 5 e 34.

tragédia (tra.gé.di:a) *s.f.* **1.** Acontecimento terrível, funesto. **2.** Peça teatral extensa, de tom nobre, elevado e cujo fim é triste.

trágico (trá.gi.co) *adj.* **1.** Relativo a tragédia. **2.** *fig.* Que inspira emoção intensa, pelo caráter funesto ou assustador. • *s.m.* **3.** Caráter do que é trágico. – **tragicidade** *s.f.*

tragicomédia (tra.gi.co.mé.di:a) *s.f.* **1.** (*Teat.*) Peça teatral em que se reúnem elementos trágicos e cômicos. **2.** *fig.* Situação real em que o cômico se mistura com o trágico. – **tragicômico** *adj.*

trago (tra.go) *s.m.* **1.** Gole, especialmente de bebida alcoólica; talagada. **2.** Tragada.

traição (tra:i.ção) *s.f.* **1.** Ato ou efeito de trair. **2.** Quebra da lealdade devida a alguém ou algo. **3.** Infidelidade amorosa.

traiçoeiro (tra:i.ço:ei.ro) *adj.* **1.** Relativo a traição. **2.** Em que há traição: *destino traiçoeiro*.

trailer [trêiler] (Ing.) *s.m.* **1.** (*Cine*) Exibição de trechos de um filme antes do seu lançamento. **2.** Vagão adaptado à traseira de automóvel, utilizado para acampar.

trainee [treini] (Ing.) s.m. e f. Profissional que está em treinamento para exercer uma função específica.

traineira (tra:i.nei.ra) s.f. Pequena embarcação própria para a pesca com rede.

training [treinin] (Ing.) s.m. Conjunto de calça e casaco próprio para a prática de exercícios físicos.

trair (tra:ir) v. **1.** Cometer traição contra alguém ou algo: *O amigo fiel é incapaz de nos trair; Nunca traia a sua missão de educador!* **2.** Enganar: *O entusiasmo com o empreendimento nos traiu.* **3.** Falhar: *Minha memória me traiu.* **4.** Denunciar involuntariamente: *Suas atitudes traíam o despeito íntimo; Traiu-se logo com o modo de cumprimentar.* ▶ Conjug. 83.

traíra (tra.í.ra) s.f. (*Zool.*) Peixe de água doce, carnívoro, distribuído por todo o país.

trajar (tra.jar) v. **1.** Usar como vestuário; vestir: *Ele trajava calça jeans e blusa preta.* **2.** Vestir-se: *Ela trajava-se com discrição.* ▶ Conjug. 5.

traje (tra.je) s.m. **1.** Conjunto das peças do vestuário que se usa exteriormente. **2.** Vestuário próprio de alguma profissão. || *Traje a rigor*: roupa de cerimônia que se usa à noite em reuniões de gala, banquetes, como o *smoking*, para homens, e o vestido longo, para mulheres. • *Traje de passeio*: roupa que se caracteriza pelo aspecto convencional, como o terno, para homens.

trajeto [é] (tra.je.to) s.m. Caminho que se deve percorrer para ir de um lugar a outro; percurso, trajetória.

trajetória (tra.je.tó.ri:a) s.f. **1.** Caminho percorrido por um corpo em movimento. **2.** Trajeto.

tralha (tra.lha) s.f. coloq. Quantidade de objetos velhos e sem valor; parafernália.

trama (tra.ma) s.m. e f. **1.** Conjunto de fios que são lançados transversalmente à urdidura, num tecido. **2.** Enredo. **3.** Intriga, conluio, conspiração.

tramar (tra.mar) v. **1.** Armar, promover, maquinar, urdir: *tramar uma conspiração.* **2.** Entretecer, entrelaçar: *tramar tecido, tela, fios, fibras etc.* ▶ Conjug. 5.

trambicar (tram.bi.car) v. coloq. Praticar trambiques: *Esse aí largou o emprego e agora vive trambicando.* ▶ Conjug. 5 e 35.

trambique (tram.bi.que) s.m. coloq. Negócio ilegal; golpe, roubo. – **trambiqueiro** adj. s.m.

trambolhão (tram.bo.lhão) s.m. Queda com ruído; tombo.

trambolho [ô] (tram.bo.lho) s.m. Obstáculo, empecilho.

tramela [é] (tra.me.la) s.f. Peça de madeira ou metal que gira ao redor de um eixo para fechar porta, cancela, janela etc.; taramela.

tramitar (tra.mi.tar) v. Seguir os trâmites: *Começou a tramitar no Senado a emenda constitucional proposta pelo presidente da Casa.* ▶ Conjug. 5. – **tramitação** s.f.

trâmite (trâ.mi.te) s.m. **1.** Caminho estabelecido oficialmente para a consecução ou resolução de algo. **2.** Etapa do curso de um processo. || Mais usado no plural.

tramoia [ói] (tra.moi.a) s.f. Aquilo que se planeja secretamente para enganar ou prejudicar alguém; cambalacho.

trampa (tram.pa) s.f. **1.** Tramoia, ardil. **2.** reg. Armadilha para apanhar caça.

trampo (tram.po) s.m. reg. coloq. Trabalho, serviço.

trampolim (tram.po.lim) s.m. **1.** Prancha comprida, apoiada numa das extremidades, a qual com sua flexibilidade facilita saltos de nadadores e acrobatas. **2.** fig. Pessoa ou coisa que serve como meio para alguém obter algo.

tranca (tran.ca) s.f. **1.** Barra de madeira ou de ferro que se utiliza do lado interno de portas e janelas para fechá-las com segurança. **2.** Coisa com que se trava ou prende.

trança (tran.ça) s.f. **1.** Fios de seda, linho etc. entrelaçados, entretecidos. **2.** Porção de cabelos entrelaçados.

trancafiar (tran.ca.fi:ar) v. Prender em local fechado à chave: *O pai trancafiou a filha no quarto, dias a fio.* ▶ Conjug. 17.

trancar (tran.car) v. **1.** Fechar com tranca ou chave: *trancar a porta, o portão, o quarto.* **2.** Manter(-se) em local fechado: *O carcereiro trancou 30 presos numa cela; O menino trancou-se no banheiro.* **3.** Suspender (matrícula, inscrição) por um período de tempo determinado: *trancar a faculdade; trancar uma matéria.* ▶ Conjug. 5 e 35. – **trancamento** s.m.

trançar (tran.çar) v. **1.** Dispor em trança; entrelaçar: *trançar os cabelos.* **2.** Ir e vir seguidamente, de um lado para o outro; zanzar, vaguear: *A professora pediu que os alunos parassem de trançar pela sala.* ▶ Conjug. 5 e 36.

tranco (tran.co) s.m. **1.** Solavanco. **2.** Safanão, esbarrão, empurrão. || *Aos trancos e barrancos*: depressa e atabalhoadamente.

tranqueira (tran.quei.ra) s.f. **1.** Aquilo que impede o trânsito; obstáculo, empecilho. **2.** Amontoado de objetos fora de uso.

tranquilidade [qüi] (tran.qui.li.da.de) s.f. Qualidade ou estado de tranquilo.

tranquilizante [qüi] (tran.qui.li.*zan*.te) *adj.* **1.** Que acalma, suaviza. • *s.m.* **2.** Medicamento para tranquilizar, acalmar, para combater a angústia e a ansiedade.

tranquilizar [qüi] (tran.qui.li.*zar*) *v.* Tornar(-se) tranquilo; acalmar(-se): *O terceiro gol tranquilizou o time*; *Sua respiração tranquilizava-se lentamente.* ▶ Conjug. 5.

tranquilo [qüi] (tran.*qui*.lo) *adj.* **1.** Quieto, sossegado: *aluno tranquilo*. **2.** Sem preocupação: *Ela teve uma gravidez tranquila*. **3.** Que não sente remorso: *consciência tranquila*. **4.** Não agitado, não perturbado: *águas tranquilas*.

transa [za] (*tran*.sa) *s.f. gír.* **1.** Relação amorosa. **2.** Entendimento, acordo, transação.

transação [za] (tran.sa.*ção*) *s.f.* **1.** Negócio, operação: *transação comercial*; *transação contábil*. **2.** *gír.* Transa (1). – **transacional** *adj.*

transacionar [za] (tran.sa.ci:o.*nar*) *v.* **1.** Fazer negócios (com pessoa, instituição etc.): *O ministro deixou claro que o Brasil deseja continuar a transacionar com os Estados Unidos*; *A polícia suspeita que essas empresas estejam transacionando de forma ilegal*. **2.** Fazer transação ou negócio de; negociar: *A empresa transacionou 41% das suas vendas pelo sistema de comércio eletrônico*. ▶ Conjug. 5.

transamazônico [za] (tran.sa.ma.zô.ni.co) *adj.* Que atravessa a Amazônia.

transar [za] (tran.*sar*) *v. gír.* **1.** Relacionar-se sexualmente (com). **2.** Relacionar(-se) com; ligar(-se) a: *Ele não transa tóxicos*. **3.** Lidar com: *Ele não transa bem as emoções*. **4.** Conseguir, arranjar: *Disse que ia transar um emprego para mim na firma dele*. ▶ Conjug. 5.

transatlântico [za] (tran.sa.*tlân*.ti.co) *adj.* **1.** Situado além do Atlântico. **2.** Que atravessa o Atlântico: *navio transatlântico*. • *s.m.* **3.** Navio transatlântico (2). **4.** Qualquer navio de passageiros de grande porte destinado a fazer rotas oceânicas.

transbordar (trans.bor.*dar*) *v.* **1.** Sair das bordas: *O rio transbordou, inundando a rua e afetando as residências*. **2.** *fig.* Derramar, extravasar: *Seu olhar transbordava alegria*; *Os noivos transbordavam de felicidade*. ▶ Conjug. 20. – **transbordamento** *s.m.*; **transbordante** *adj.*

transbordo [ô] (trans.*bor*.do) *s.m.* Passagem de mercadorias, viajantes etc. de um veículo para outro.

transcendência (trans.cen.*dên*.ci:a) *s.f.* **1.** Qualidade ou estado de transcendente. **2.** (*Fil.*) Existência de uma realidade que está além do mundo sensível.

transcendental (trans.cen.den.*tal*) *adj.* Que está além do mundo sensível; transcendente.

transcendente (trans.cen.*den*.te) *adj.* **1.** Transcendental, metafísico, espiritual. **2.** Que se eleva acima dos outros; sublime, superior: *valores transcendentes*. **3.** (*Fil.*) Que está além da experiência e que diz respeito a uma realidade superior, a um princípio exterior e superior.

transcender (trans.cen.*der*) *v.* **1.** Ir além; ultrapassar: *Isto transcende os limites do bom senso*. **2.** Ser superior a; superar: *A arte desse diretor transcende o mero espetáculo teatral*. ▶ Conjug. 41.

transcodificar (trans.co.di.fi.*car*) *v.* **1.** Passar (informações, mensagens) de um código para outro: *A professora transcodificou a prova de redação feita em braile para texto escrito*. **2.** Converter (equipamento) de um sistema para outro: *transcodificar um vídeo de um sistema de cor para outro*. ▶ Conjug. 5 e 35.

transcontinental (trans.con.ti.nen.*tal*) *adj.* Que atravessa um continente.

transcorrer (trans.cor.*rer*) *v.* **1.** Ocorrer, passar-se de determinada forma: *A realização do referendo transcorreu dentro da maior normalidade*. **2.** Decorrer, passar: *De lá para cá mais de sessenta anos transcorreram*. ▶ Conjug. 42.

transcrever (trans.cre.*ver*) *v.* **1.** Reproduzir (algo já escrito) copiando; copiar, passar, transladar: *O crítico transcreveu o poema na íntegra*. **2.** Reproduzir (fala) por escrito: *Ítalo Calvino transcreveu duzentas fábulas italianas de extração popular*. ‖ *part.*: transcrito. ▶ Conjug. 41.

transcrição (trans.cri.*ção*) *s.f.* Ato ou efeito de transcrever.

transcurso (trans.*cur*.so) *s.m.* Ato ou efeito de transcorrer; decurso.

transdutor [ô] (trans.du.*tor*) *s.m.* (*Fís.*) Dispositivo que converte uma forma de energia em outra.

transe [ze] (*tran*.se) *s.m.* **1.** Estado anormal causado por grande inquietude ou viva apreensão. **2.** Espécie de sono não natural ou de estado parcialmente consciente.

transeunte [ze] (tran.se:*un*.te) *adj.* **1.** Que transita por um lugar; passante. **2.** Que está de passagem ou temporariamente em um lugar. • *s.m. e f.* **3.** Pessoa transeunte (1 e 2).

transexual [secs] (tran.se.xu:*al*) *adj.* **1.** Que deseja adquirir ou já adquiriu, por meio de cirurgia, as características sexuais do sexo oposto. **2.** Relativo à troca de sexo: *cirurgia transexual*.

transferência

- *s.m.* e *f.* **3.** Pessoa transexual. – **transexualidade** *s.f.*; **transexualismo** *s.m.*

transferência (trans.fe.rên.ci:a) *s.f.* **1.** Ato ou efeito de transferir ou ser transferido. **2.** Operação bancária pela qual se transfere uma quantia de uma conta a outra. **3.** (*Psicn.*) Vinculação afetiva entre o paciente e o psicanalista que o trata.

transferidor [ô] (trans.fe.ri.dor) *adj.* **1.** Que transfere. • *s.m.* **2.** Pessoa que transfere. **3.** Régua semicircular que serve para medir e traçar ângulos.

transferir (trans.fe.rir) *v.* **1.** Mudar(-se) de um lugar para outro; deslocar; remover: *O governo do Amazonas já transferiu mais de seis mil famílias das margens dos igarapés (para locais mais seguros); Em 1808, a Corte Portuguesa transferiu-se para o Brasil.* **2.** Adiar, retardar: *Transferiu a reunião com a equipe para sexta-feira.* **3.** (*Jur.*) Ceder, transmitir: *A Justiça proibiu-o de transferir seus bens (para quem quer que seja).* ▶ Conjug. 69.

transfigurar (trans.fi.gu.rar) *v.* Fazer mudar ou mudar de figura ou de aspecto: *O diretor do filme conseguiu transfigurar os atores alterando suas personagens; À noite, o antiquário transfigura-se em bar.* ▶ Conjug. 5. – **transfiguração** *s.f.*

transfixar [cs] (trans.fi.xar) *v.* Furar de lado a lado; perfurar: *O médico transfixou o tumor com duas agulhas.* ▶ Conjug. 5. – **transfixação** *s.f.*

transformador [ô] (trans.for.ma.dor) *adj.* **1.** Que transforma. • *s.m.* **2.** Aquele que transforma. **3.** (*Eletr.*) Aparelho que transforma a tensão, a intensidade ou a forma de uma corrente elétrica.

transformar (trans.for.mar) *v.* **1.** Passar ou fazer passar de uma forma para outra: *Transformou sua bicicleta numa patinete; O capitalismo transformou o campo; A lagarta transformou-se em borboleta.* **2.** Fazer passar ou passar a outra condição: *A estada no Rio de Janeiro transformou-o em ardente republicano; Dependendo do momento político, os inimigos transformam-se em aliados; Abandonou o magistério para transformar-se num diretor de jornal.* ▶ Conjug. 20. – **transformação** *s.f.*

transformismo (trans.for.mis.mo) *s.m.* **1.** (*Biol.*) Evolucionismo. **2.** Atividade de transformista (3 e 4).

transformista (trans.for.mis.ta) *adj.* **1.** (*Biol.*) Relativo a transformismo: *teorias transformistas.* • *s.m.* e *f.* **2.** (*Biol.*) Adepto do transformismo. **3.** Ator que, em um espetáculo, transforma-se em distintos personagens, mudando de trajes. **4.** Travesti.

trânsfuga (trâns.fu.ga) *s.m.* e *f.* Desertor.

transfusão (trans.fu.são) *s.f.* (*Med.*) Transferência de sangue de uma pessoa a outra.

transgênico (trans.gê.ni.co) *adj.* **1.** (*Biol.*) Diz-se de organismo que recebeu artificialmente um ou mais gens de outra espécie. • *s.m.* **2.** (*Biol.*) Organismo transgênico.

transgredir (trans.gre.dir) *v.* **1.** Desobedecer a (lei ou preceito): *Por amor, os dois transgrediram os costumes da comunidade.* **2.** Passar além de: *transgredir fronteiras.* ▶ Conjug. 72.

transgressão (trans.gres.são) *s.f.* **1.** Ato ou efeito de transgredir. **2.** (*Geol.*) Avanço do mar sobre áreas litorâneas.

transgressor [ô] (trans.gres.sor) *adj.* **1.** Que transgride. • *s.m.* **2.** Aquele que transgride.

transição [zi] (tran.si.ção) *s.f.* **1.** Passagem de um estado de coisas para outro. **2.** Fase intermediária entre o ponto de partida e o final de uma transição (1).

transido [zi] (tran.si.do) *adj.* Traspassado, atravessado (de frio, medo, dor etc.).

transigente [zi] (tran.si.gen.te) *adj.* Que transige; condescendente. – **transigência** *s.f.*

transigir [zi] (tran.si.gir) *v.* **1.** Ser favorável depois de ter sido contrário; ceder; condescender: *A Igreja transigiu, permitindo que o povo fizesse suas festas, mas atribuiu a tais festas um significado diferente.* **2.** Fazer concessões: *Não se deve transigir com a ética.* ▶ Conjug. 92.

transistor [zi...ô] (tran.sis.tor) *s.m.* **1.** (*Eletrôn.*) Amplificador constituído de semicondutores para controlar o fluxo de eletricidade. **2.** Rádio portátil provido desse dispositivo. ‖ *transístor.*

transístor [zi] (tran.sís.tor) *s.m.* (*Eletrôn.*) Transistor.

transistorizar [zi] (tran.sis.to.ri.zar) *v.* Aplicar transistores a: *transistorizar circuito, aparelho* etc. ▶ Conjug. 5.

transitar [zi] (tran.si.tar) *v.* **1.** Ir ou passar por: *Pessoas com deficiência visual têm direito de transitar com cães em locais públicos ou particulares coletivos.* **2.** Mudar de lugar ou situação: *O cineasta transita entre Hollywood e a Espanha no filme.* **3.** Ser bem recebido em determinados círculos: *Ele é visto como alguém que transita bem entre os pequenos empresários de Brasília.* ▶ Conjug. 5. – **transitável** *adj.*

transitivo [zi] (tran.si.ti.vo) *adj.* (*Gram.*) Diz-se do verbo que se faz acompanhar por comple-

transpirar

mento: *verbo transitivo direto*; *verbo transitivo indireto*. – **transitividade** *s.f.*

trânsito [zi] (*trân.si.to*) *s.m.* **1.** Ato de transitar. **2.** Circulação de pedestres e veículos. **3.** Passagem de um lugar a outro. **4.** *fig.* Passagem de uma situação a outra. **5.** *fig.* Acesso fácil; boa aceitação.

transitório [zi] (*tran.si.tó.ri:o*) *adj.* Que dura pouco tempo: *O estado de crisálida é transitório entre o de lagarta e o de borboleta*. – **transitoriedade** *s.f.*

translação (*trans.la.ção*) *s.f.* **1.** Ato ou efeito de transladar. **2.** (*Astron.*) Movimento de um planeta em torno do Sol.

transladar (*trans.la.dar*) *v.* Trasladar. ▶ Conjug. 5.

translato (*trans.la.to*) *adj.* **1.** Copiado, transcrito. **2.** Figurado, metafórico: *sentido translato*.

transliterar (*trans.li.te.rar*) *v.* Escrever com um sistema de caracteres (algo escrito com outro): *transliterar um texto do árabe para o português*. ▶ Conjug. 8. – **transliteração** *s.f.*

translúcido (*trans.lú.ci.do*) *adj.* Diz-se do corpo através do qual passa a luz, mas que não permite que se veja o que está por detrás dele: *vidro translúcido*. – **translucidez** *s.f.*

transluzir (*trans.lu.zir*) *v.* **1.** Luzir através de um corpo: *Milhares de cores transluziam nas gotas d'água*. **2.** *fig.* Transparecer, mostrar-se, refletir-se: *No seu semblante transluzia um certo ar de majestade*. ▶ Conjug. 82.

transmigrar (*trans.mi.grar*) *v.* **1.** Passar a viver em outro país: *A corte transmigrou para a colônia em 1808*. **2.** Passar (a alma) de um corpo a outro: *Acreditam que a alma pode transmigrar para um corpo de homem ou de animal*. ▶ Conjug. 5. – **transmigração** *s.f.*

transmissão (*trans.mis.são*) *s.f.* **1.** Ato ou efeito de transmitir. **2.** Comunicação do movimento de um mecanismo a outro por meio de engrenagens, correias etc. **3.** Aparelho que serve para essa comunicação.

transmissor [ô] (*trans.mis.sor*) *adj.* **1.** Que transmite ou pode transmitir: *agentes transmissores de doenças*. • *s.m.* **2.** Aquele que transmite por meio de sinais uma mensagem para o receptor. **3.** Num sistema de telecomunicações, aparelho que emite sinais (telegráficos, telefônicos, radiofônicos etc.) que atuam no receptor.

transmitir (*trans.mi.tir*) *v.* **1.** Fazer chegar a alguém; passar: *transmitir uma mensagem, uma informação*. **2.** Passar por sucessão a (descendente): *transmitir traços físicos a um filho*.

3. Fazer (alguém) adquirir: *transmitir conhecimentos, valores etc.* **4.** Difundir (uma estação de rádio ou televisão programas, espetáculos etc.). **5.** Ser condutor de: *Os metais transmitem calor*. **6.** Comunicar contágio: *Alguns insetos transmitem uma infinidade de doenças*. **7.** Comunicar estado de ânimo ou sentimento: *É uma pessoa que sempre nos transmite paz*; *Transmita-lhe os meus pêsames*. ▶ Conjug. 5.

transmudar (*trans.mu.dar*) *v.* **1.** Transformar ou converter uma coisa ou uma pessoa em outra; metamorfosear: *No filme, a vampira transmuda o mocinho em vampiro*. **2.** Metamorfosear-se: *Em pouco tempo, seu amor por ela se transmudou em veneração*. || *transmutar*. ▶ Conjug. 5. – **transmudação** *s.f.*

transmutar (*trans.mu.tar*) *v.* Transmudar. ▶ Conjug. 5. – **transmutação** *s.f.*

transnacional (*trans.na.ci:o.nal*) *adj.* **1.** Que ultrapassa os limites da nação: *organização criminosa transnacional*. **2.** Multinacional: *empresa transnacional*.

transoceânico [zo] (*tran.so.ce:â.ni.co*) *adj.* Situado além de ou que atravessa oceanos; ultramarino.

transparecer (*trans.pa.re.cer*) *v.* **1.** Deixar-se ver através de: *As pedras transpareciam sob a água*. **2.** *fig.* Manifestar-se, revelar-se: *A serenidade e a atenção transpareciam nos rostos de todos os aprendizes*. ▶ Conjug. 41 e 46.

transparência (*trans.pa.rên.ci:a*) *s.f.* **1.** Qualidade de transparente. **2.** Coisa transparente. **3.** Folha transparente em que se estampam textos, desenhos etc., geralmente impressos ou traçados à mão, para projeção.

transparente (*trans.pa.ren.te*) *adj.* **1.** Que deixa passar bem os raios de luz, permitindo distinguirem-se claramente os objetos do outro lado: *vidro transparente*. **2.** *fig.* Que se deixa conhecer; sincero, franco: *um coração transparente*. **3.** *fig.* Que se percebe facilmente; claro: *uma alusão transparente*.

transpassar (*trans.pas.sar*) *v.* **1.** Atravessar algo de parte a parte; perfurar, transfixar: *A flecha transpassou o seu coração*. **2.** Passar ao outro lado de: *Os caminhantes transpassaram o morro*. **3.** Passar além; ultrapassar: *A empresa transpassou a barreira nacional e passou a atuar no exterior também*. **4.** Fechar (saia, roupão etc.), passando uma parte da roupa sobre outra. || *traspassar, trespassar*. ▶ Conjug. 5.

transpiração (*trans.pi.ra.ção*) *s.f.* Ato ou efeito de transpirar.

transpirar (*trans.pi.rar*) *v.* **1.** Segregar (líquido) através da pele ou da epiderme: *transpirar uma serosidade*; *Com o escalda-pés, o doente*

transplantar

há de transpirar; As plantas transpiram, ou seja, emitem vapor d'água. **2.** Emanar, desprender-se, soltar-se: *A sua consciência social transpira de seus poemas.* **3.** Vir a público: *Fique tranquilo, nada transpirou.* ▶ Conjug. 5.

transplantar (trans.plan.*tar*) *v.* **1.** Mudar (um vegetal) do lugar onde está plantado para outro: *É proibido transplantar árvores sem prévia autorização.* **2.** Transferir (uma pessoa ou coisa) de um lugar ou contexto para outro: *Spencer transplantou as ideias evolucionistas do mundo biológico para o cultural.* **3.** Transferir (um órgão a um corpo distinto daquele a que pertence): *transplantar córnea, coração, rim etc.; Os médicos transplantaram a medula de uma irmã para a outra.* ▶ Conjug. 5.

transplante (trans.*plan*.te) *s.m.* Ato ou efeito de transplantar.

transpor (trans.*por*) *v.* **1.** Passar além de; atravessar: *Transpôs a porteira e continuou estrada afora.* **2.** Alterar a ordem de colocação: *transpor as letras de uma palavra.* **3.** Passar de um meio de expressão para outro: *Stephen Frears transpôs o romance* Ligações Perigosas *para as telas do cinema em 1988.* ‖ part.: transposto. ▶ Conjug. 65. – **transponível** *adj.*; **transposição** *s.f.*

transportadora [ô] (trans.por.ta.*do*.ra) *s.f.* Empresa especializada no transporte de cargas.

transportar (trans.por.*tar*) *v.* **1.** Levar de um lugar para outro; carregar: *O caminhão que capotou transportava gado.* **2.** Causar ou sentir emoção intensa; enlevar(-se), arrebatar(-se): *Essas músicas nos transportam! Ao ouvir o poema, fechei os olhos e transportei-me para minha infância.* ▶ Conjug. 20. – **transportador** *adj. s.m.*

transporte [ó] (trans.*por*.te) *s.m.* **1.** Ato ou efeito de transportar. **2.** Veículo usado para transportar pessoas ou coisas: *transporte aéreo, marítimo, automotivo.*

transposto [ô] (trans.*pos*.to) *adj.* Que se transpôs. ‖ part. de *transpor.*

transtornado (trans.tor.*na*.do) *adj.* **1.** Que se transtornou. **2.** Que teve a ordem alterada. **3.** Fora de si; alterado, perturbado.

transtornar (trans.tor.*nar*) *v.* **1.** Provocar desordem em; perturbar: *A minha chegada transtornou o ambiente.* **2.** Alterar(-se) psíquica ou emocionalmente: *A pobreza transtornou as mentes mais frágeis; Transtornou-se com o comportamento do filho.* ▶ Conjug. 20.

transtorno [ô] (trans.*tor*.no) *s.m.* **1.** Ato ou efeito de transtornar. **2.** Desordem, confusão: *A chuva foi suficiente para causar transtornos em áreas de risco.*

transubstanciação [su] (tran.subs.tan.ci:a.*ção*) *s.f.* **1.** Mudança de uma substância em outra. **2.** (*Rel.*) Transformação da substância do pão e do vinho no corpo e no sangue de Jesus Cristo. – **transubstancial** *adj.*; **transubstanciar** *v.* ▶ Conjug. 17.

transudar (tran.su.*dar*) *v.* **1.** Transpirar, exsudar: *Um cheiro acre transudava de suas axilas.* **2.** Verter, escorrer: *A seiva transudava do tronco da árvore.* ▶ Conjug. 5. – **transudação** *s.f.*

transumância [zu] (tran.su.*mân*.ci:a) *s.f.* Migração periódica dos rebanhos para as montanhas durante o verão, e seu retorno à planície quando se vai aproximando o inverno. – **transumante** *adj.*

transvazar (trans.va.*zar*) *v.* Fazer transbordar ou transbordar; derramar(-se), entornar(-se): *transvazar um líquido; O conteúdo do copo transvazou-se.* ▶ Conjug. 5.

transversal (trans.ver.*sal*) *adj.* **1.** Que corta perpendicular ou obliquamente: *Trabalhava numa rua perpendicular à Avenida Presidente Vargas.* • *s.f.* **2.** Linha transversal. **3.** Rua que atravessa uma via principal ou nesta desemboca.

transverso [é] (trans.*ver*.so) *adj.* Atravessado, oblíquo.

transviar (trans.vi:*ar*) *v.* Afastar(-se) do bom caminho; desencaminhar(-se): *transviar um jovem; Transviou-se por andar com más companhias.* ▶ Conjug. 17. – **transviado** *adj.*

trapaça (tra.*pa*.ça) *s.f.* **1.** Manobra desonesta para iludir a boa-fé de outrem, causando-lhe prejuízo; logro, marmelada. **2.** Contrato fraudulento.

trapacear (tra.pa.ce:*ar*) *v.* **1.** Fazer trapaça(s): *Você já trapaceou no jogo?* **2.** Fazer fraude em: *trapacear contratos.* ▶ Conjug. 14.

trapaceiro (tra.pa.*cei*.ro) *adj.* **1.** Que trapaceia. • *s.m.* **2.** Pessoa trapaceira.

trapalhada (tra.pa.*lha*.da) *s.f.* **1.** Ação desastrada. **2.** Conflito em que se envolvem muitas pessoas; enredo, confusão.

trapalhão (tra.pa.*lhão*) *adj.* **1.** Que faz trapalhadas. **2.** Que faz trapaças. • *s.m.* **3.** Indivíduo trapalhão. ‖ f.: *trapalhona.*

trapeiro (tra.*pei*.ro) *s.m.* Indivíduo que apanha trapos ou papéis na rua para vendê-los.

trapézio (tra.*pé*.zi:o) *s.m.* **1.** (*Geom.*) Quadrilátero irregular que tem dois lados opostos paralelos. **2.** Aparelho formado por uma barra horizontal suspensa por duas cordas e que serve para exercícios de ginástica ou acrobacia. **3.** (*Anat.*) O primeiro osso situado na segunda fileira do carpo.

trapezista (tra.pe.zis.ta) *s.m.* e *f.* Artista de circo que trabalha no trapézio (2).

trapiche (tra.pi.che) *s.m.* Armazém junto ao cais onde se guardam mercadorias para embarque.

trapicheiro (tra.pi.chei.ro) *s.m.* **1.** Administrador de trapiche. **2.** Funcionário de trapiche.

trapo (tra.po) *s.m.* **1.** Pedaço de pano, desprezado por velho, roto ou inútil. **2.** Roupa usada ou velha; andrajo. **3.** *fig.* Pessoa velha, acabada, cansada, sem saúde.

traque (tra.que) *s.m.* **1.** Estrondo, barulho. **2.** *fam.* Ventosidade que sai pelo ânus.

traqueia [éi] (tra.quei.a) *s.f.* **1.** (*Anat.*) Conduto respiratório que comunica a laringe com os brônquios. **2.** (*Bot.*) Espécie de tubo por onde circula a seiva das plantas. – **traqueal** *adj.*

traquejo [ê] (tra.que.jo) *s.m.* Muita prática e experiência: *Dar aulas lhe deu muito traquejo para falar em público.*

traqueostomia (tra.que:os.to.mi.a) *s.f.* (*Med.*) Incisão da traqueia. || *traqueotomia.*

traqueotomia (tra.que:o.to.mi.a) *s.f.* (*Med.*) Traqueostomia. – **traqueotômico** *adj.*

traquinada (tra.qui.na.da) *s.f.* Traquinagem.

traquinagem (tra.qui.na.gem) *s.f.* Travessura, bagunça, traquinada, traquinice.

traquinas (tra.qui.nas) *adj.* **1.** Travesso, peralta, arteiro. • *s.m.* e *f. 2n.* **2.** Pessoa traquinas.

traquinice (tra.qui.ni.ce) *s.f.* Traquinada, travessura.

traquitana (tra.qui.ta.na) *s.f.* **1.** Carruagem de quatro rodas e com um assento. **2.** Carro velho em mau estado.

trás *adv.* **1.** Atrás, detrás: *A bala atingiu-o por trás.* • *prep.* **2.** Após: *dia trás dia.* || *Por trás de:* às ocultas de; às escondidas de.

trasanteontem (tra.san.te:on.tem) *adv.* No dia anterior ao de anteontem.

traseira (tra.sei.ra) *s.f.* Parte posterior: *Colou um decalque na traseira do carro.* || *antôn.: dianteira.*

traseiro (tra.sei.ro) *adj.* **1.** Que fica atrás, na parte posterior: *lanterna traseira.* • *s.m.* **2.** *coloq.* As nádegas.

trasladar (tras.la.dar) *v.* Mudar(-se) de um lugar para outro: *O governo trasladou os restos mortais de D. Pedro I para o Brasil; A empresa trasladou-se para a cidade de Madri.* || *transladar.* ▶ Conjug. 5.

traslado (tras.la.do) *s.m.* **1.** Ato ou efeito de trasladar. **2.** Cópia rigorosa de um texto, de um desenho, de uma pintura etc.

traspassar (tras.pas.sar) *v.* Transpassar. ▶ Conjug. 5.

traste (tras.te) *s.m.* **1.** Qualquer móvel ou utensílio velho ou de pouco valor. **2.** Indivíduo inútil. **3.** Mau-caráter, tratante, velhaco. **4.** (*Mús.*) Tira divisória que atravessa o espelho de certos instrumentos de cordas.

tratadista (tra.ta.dis.ta) *s.m.* e *f.* Autor de tratado(s).

tratado (tra.ta.do) *s.m.* **1.** Acordo formal entre Estados: *tratado de paz; tratado de amizade, comércio e navegação.* **2.** Obra em que se trata extensamente de uma matéria.

tratamento (tra.ta.men.to) *s.m.* **1.** Ato ou efeito de tratar(-se). **2.** Conjunto de medicamentos e ações que se empregam para se conseguir a cura de uma doença. **3.** Acolhimento, recepção: *A emissora dispensou tratamento desigual aos candidatos à presidência.* **4.** Modo de dirigir-se ao interlocutor ou ao destinatário de uma carta. **5.** Palavra, expressão ou título que se dá a uma pessoa ao se dirigir a ela: *Sempre se encabeça uma carta com o nome, precedido do tratamento: Excelentíssimo Fulano de Tal.*

tratante (tra.tan.te) *adj.* **1.** Que usa ardis, velhacarias. • *s.m.* **2.** Indivíduo tratante.

tratar (tra.tar) *v.* **1.** Proceder de determinada maneira com: *Trata todos a patadas; Não trata os livros com o devido cuidado.* **2.** Ter um doente sob seu cuidado: *Foi conversar com o médico que trata do seu pai.* **3.** Submeter-se a tratamento médico: *Trata-se com um dos melhores cardiologistas do país.* **4.** Falar ou escrever sobre um assunto: *O professor tratou o assunto com seriedade.* **5.** Ter por objeto: *Esta pesquisa trata da instituição da Inquisição em Portugal.* **6.** Manter relação ou comunicação habitual com: *Ele só trata com os poderosos.* **7.** Ajustar, acertar, combinar: *O anúncio dizia que era para tratar com o Sr. João nesse telefone.* **8.** Dar(-se) o tratamento (4) e (5) que se indica: *Por favor, trate-me de você; Os parlamentares tratam-se por Vossa Excelência.* **9.** Tentar, buscar: *Se quer emagrecer, trate de comer um pouco menos.* || *Tratar-se de:* **1.** ser a pessoa ou coisa em questão: *Trata-se de um primo meu; Tratava-se de uma fortuna.* **2.** ser o que interessa: *Tratava-se de uma disputa por espaço na mente dos consumidores.* ▶ Conjug. 5. – **tratador** *adj. s.m.*

tratativa (tra.ta.ti.va) *s.f.* Tratado, ajuste, pacto.

tratável

tratável (tra.tá.vel) *adj.* **1.** Que pode ser tratado. **2.** De trato afável, educado.

trato¹ (tra.to) *s.m.* **1.** Ato de tratar(-se): *o trato da coisa pública.* **2.** Acordo, combinação: *Fizeram um trato: um cozinharia e o outro lavaria a louça.* **3.** Delicadeza, educação, cortesia: *pessoas sem trato.* || *Dar tratos à bola:* esforçar-se para descobrir a explicação de uma coisa.

trato² (tra.to) *s.m.* **1.** Terreno. **2.** (*Anat.*) Região extensa, comprida; via: *trato digestivo; trato urinário.*

trator [ô] (tra.tor) *s.m.* Veículo motorizado, que se desloca sobre rodas ou esteiras de aço, empregado na agricultura e em serviço de terraplenagem.

trauma (trau.ma) *s.m.* (*Psic.*) Choque emocional violento. – **traumático** *adj.*

traumatismo (trau.ma.tis.mo) *s.m.* (*Med.*) Lesão corporal ou moral produzida por uma violência exterior.

traumatizar (trau.ma.ti.zar) *v.* **1.** (*Psic.*) Causar ou sofrer trauma: *O sequestro traumatizou-o; Traumatizou-se com a guerra.* **2.** (*Med.*) Causar ou sofrer traumatismo: *Caiu e traumatizou o joelho esquerdo; Uma parcela considerável das vítimas do trânsito traumatizou-se nas proximidades de sua própria casa.* ▶ Conjug. 5. – **traumatizante** *adj.*

traumatologia (trau.ma.to.lo.gi.a) *s.f.* Parte da Medicina que trata dos traumatismos. – **traumatologista** *s.m. e f.*

trautear (trau.te:ar) *v.* Cantar baixo: *Trauteava (cantigas de ninar) enquanto embalava o filho.* ▶ Conjug. 14. – **trauteio** *s.m.*

trava (tra.va) *s.f.* **1.** Ato ou efeito de travar. **2.** Barra com que se fecha portas e janelas. **3.** Dispositivo próprio para travar veículos. **4.** *fig.* Impedimento, freio: *Ele não tem travas na língua.*

travanca (tra.van.ca) *s.f.* Embaraço, obstáculo, empecilho.

travão (tra.vão) *s.m.* **1.** Cadeia de travar as bestas. **2.** Alavanca com que se trava o movimento de uma máquina, de uma roda, de um veículo.

travar (tra.var) *v.* **1.** Prender com trava: *Travou o forno para impedir que seu filho o abrisse.* **2.** Impedir o movimento de: *travar os músculos;* (fig.) *Um imprevisto travou-lhe a aventura.* **3.** Principiar, começar, entabular: *travar uma conversa, uma amizade, uma luta.* **4.** Provocar adstringência: *A fruta verde trava.* **5.** Parar de funcionar: *O teclado do meu computador travou.* ▶ Conjug. 5.

trave (tra.ve) *s.f.* **1.** Viga de madeira ou de ferro que, relacionada com outras peças, segura a armação de uma construção. **2.** (*Esp.*) Cada uma das barras laterais que formam o gol.

travejamento (tra.ve.ja.men.to) *s.m.* Conjunto de traves.

través (tra.vés) *s.m.* Soslaio, esguelha. || *De través:* De forma enviesada; obliquamente: *olhar alguém de través.*

travessa [é] (tra.ves.sa) *s.f.* **1.** Rua estreita que comunica entre si duas ruas mais importantes. **2.** Prato grande, geralmente oval, em que as comidas são levadas à mesa. **3.** Peça de madeira disposta horizontal e perpendicularmente ao plano da parede. **4.** Pente curvo que serve para segurar e enfeitar o cabelo.

travessão (tra.ves.são) *s.m.* **1.** (*Gram.*) Sinal (–) usado na escrita para indicar mudança de interlocutor num diálogo. **2.** (*Esp.*) Barra horizontal que delimita a parte superior do gol. **3.** Trave horizontal da balança, em cujas extremidades se prendem os pratos. **4.** (*Mús.*) Linha perpendicular ao pentagrama, a qual delimita os compassos.

travesseiro (tra.ves.sei.ro) *s.m.* Almofada larga que serve para descansar a cabeça quando se está deitado.

travessia (tra.ves.si.a) *s.f.* Ato ou efeito de atravessar uma região, mar, deserto etc. de lado a lado.

travesso [ê] (tra.ves.so) *adj.* Irrequieto, dado a brincadeiras inconvenientes ou perigosas; maroto: *criança travessa.*

travessura (tra.ves.su.ra) *s.f.* Ato de criança travessa.

travesti (tra.ves.ti) *s.m. e f.* **1.** Homossexual que usa roupas do sexo oposto; transformista. **2.** Artista que, num espetáculo, veste-se com roupas do sexo oposto; transformista.

travestir (tra.ves.tir) *v.* Vestir(-se) com roupas do sexo oposto: *travestir um homem de mulher; Travestiu-se de Carmen Miranda.* ▶ Conjug. 69.

travo (tra.vo) *s.m.* **1.** Sabor amargo de qualquer comida ou bebida. **2.** *fig.* Vestígio ou impressão desagradável; amargor.

trazer (tra.zer) *v.* **1.** Transportar de um lugar mais distante a um lugar mais próximo a alguém: *Quando trará seus filhos à minha casa?; Trago-lhe flores; O carteiro trouxe-lhe uma encomenda.* **2.** Levar algo consigo ou sobre si: *Quanto dinheiro trouxe?; A jovem trazia um lindo vestido azul.* **3.** Fazer-se acompanhar de: *Veio e trouxe mais um amigo.* **4.** Causar, ocasionar: *Esse filho lhes trará muitas alegrias.* ▶ Conjug. 63.

tremular

trecentésimo (tre.cen.té.si.mo) *num. ord.* **1.** Que ou o que denota o número trezentos numa série. • *num. frac.* **2.** Que ou o que é parte de um todo dividido em trezentas partes iguais. || tricentésimo.

trecho [ê] (tre.cho) *s.m.* **1.** Parte de (algo que tem uma estrutura linear): *Moro nesse trecho da rua.* **2.** Fragmento de uma obra literária, musical: *Gosto de ler esse trecho de Machado de Assis.*

treco [é] (tre.co) *s.m. coloq.* **1.** Qualquer objeto cujo nome não se quer dizer ou se desconhece; coisa, trem, troço. **2.** Qualquer súbita perturbação da saúde; trem, troço: *Ele sentiu um treco qualquer.*

trêfego (trê.fe.go) *adj.* **1.** Turbulento, irrequieto, buliçoso. **2.** Astucioso, ardiloso.

trégua (tré.gua) *s.f.* **1.** Suspensão ou cessação temporária das hostilidades, por acordo entre forças contrárias. **2.** *fig.* Interrupção de algo penoso: *O frio deu uma trégua nesses dias.*

treinador [ô] (trei.na.dor) *s.m.* **1.** Indivíduo que treina ou dirige treino. **2.** Técnico de equipes esportivas.

treinar (trei.nar) *v.* **1.** Tornar capaz para exercer uma atividade, por meio de instrução especializada e exercícios práticos: *A empresa treinará três mil técnicos para trabalhar em refinaria.* **2.** Exercitar, praticar: *Tive de treinar muito a pronúncia do Inglês para ler o texto de Virginia Woolf em voz alta.* **3.** Preparar(-se) fisicamente para competição esportiva: *O ex-jogador treinou a seleção japonesa*; *O time treinará (jogadas de bola parada) hoje à tarde.* ▶ Conjug. 18. – **treinamento** *s.m.*

treineiro (trei.nei.ro) *s.m.* Estudante que presta vestibular antes de concluir o Ensino Médio.

treino (trei.no) *s.m.* **1.** Ato ou efeito de treinar. **2.** (*Esp.*) No futebol, conjunto de exercícios feitos com os jogadores. || *Treino coletivo*: (*Esp.*) treino em que se simula um jogo real; coletivo.

trejeito (tre.jei.to) *s.m.* Gesto, movimento, especialmente exagerado.

trela [é] (tre.la) *s.f.* Correia a que vai preso o cão de caça. || *Dar trela*: dar liberdade, confiança.

treliça (tre.li.ça) *s.f.* Conjunto de ripas de madeira cruzadas, utilizado em portas, biombos etc. com fins ornamentais ou funcionais.

trem *s.m.* **1.** Conjunto formado pelos vagões e pela locomotiva que os puxa: *trem de carga*; *trem elétrico.* **2.** *reg.* Treco. • **trens** *s.m.pl.* **3.** Pertences, objetos, bagagem: *Aqui estão os meus trens.* || *Trem da alegria*: contratação irregular de grande número de pessoas para cargos públicos. • *Trem de aterrissagem*: dispositivo sobre o qual descansa o avião e que permite suas aterrissagens e decolagens.

trema (tre.ma) *s.m.* (*Gram.*) Sinal gráfico constituído de dois pontos (¨) sobreposto hoje à letra *u*, usado apenas em palavras derivadas de nomes próprios estrangeiros (*hübneriano*, de Hübner; *mülleriano*, de Müller etc.). || O trema foi retirado das palavras em que o *u* precedido de *g* ou *q* é pronunciado. No entanto, para fins didáticos, os dicionários poderão indicar a ortoépia do *u* pronunciado, usando este sinal: *tranquilo* (ü), *linguiça* (ü), *sequência* (ü) etc.

tremedal (tre.me.dal) *s.m.* Terreno pantanoso.

tremedeira (tre.me.dei.ra) *s.f.* Tremor.

tremelicar (tre.me.li.car) *v.* **1.** Tremer de frio, medo ou susto: *Estava ensopado e tremelicava de frio.* **2.** Tremer continuamente: *A agulha da vitrola tremelicava sobre o disco.* ▶ Conjug. 5 e 35.

tremelique (tre.me.li.que) *s.m.* Ato ou efeito de tremelicar.

tremeluzir (tre.me.lu.zir) *v.* Brilhar com luz trêmula; tremular: *A vela tremeluzia num canto do quarto.* ▶ Conjug. 82. – **tremeluzente** *adj.*

tremendo (tre.men.do) *adj.* **1.** Que causa terror; horrível: *A bula de 1547 instituiu em Portugal o tremendo tribunal da Inquisição.* **2.** Muito grande; extraordinário: *Tenho um tremendo respeito por aquele professor.*

tremer (tre.mer) *v.* **1.** Mover-se em contrações involuntárias: *Quando foi falar com o chefe, suas pernas tremiam.* **2.** Agitar-se, sacudir-se: *A terra tremeu na Sibéria.* **3.** Ondular, tremular: *A bandeira tremia no alto da colina.* **4.** Soar tremulamente: *Quando falou comigo ao telefone, sua voz tremia.* ▶ Conjug. 39.

tremoço [ô] (tre.mo.ço) *s.m.* Certa semente de cor amarela, geralmente comercializada em conserva, para ser consumida como aperitivo. || pl.: [ó]. – **tremoceiro** *s.m.*

tremor (tre.mor) *s.m.* **1.** Ato ou efeito de tremer; tremura. **2.** Medo excessivo. || *Tremor de terra*: terremoto.

trempe (trem.pe) *s.f.* Arco de ferro com três pés sobre o qual se põe uma panela ao fogo.

tremular (tre.mu.lar) *v.* **1.** Mover(-se) no ar contínua e repetidamente: *O vento tremulava a bandeira*; *A imagem tremulou, saiu do ar por alguns instantes e depois voltou.* **2.** Tremeluzir: *Uma lâmpada a óleo tremulava na capela escura.* **3.** Soar, tremendo: *Seu canto tremulava ao ritmo das ondas do mar.* ▶ Conjug. 5.

trêmulo

trêmulo (trê.mu.lo) *adj.* **1.** Que treme, que estremece. **2.** Sem firmeza, frouxo, indeciso. • *s.m.* (*Mús.*) **3.** Efeito produzido pelos instrumentos de arco, multiplicando com rapidez as vibrações de uma nota. **4.** No piano, rolamento produzido batendo com rapidez extrema duas notas ou dois acordes. **5.** Tremido artificial da voz.

tremura (tre.mu.ra) *s.f.* Tremor (1).

trena (tre.na) *s.f.* Fita métrica, especialmente aquela que é feita de metal e que se enrola em espiral dentro de uma caixa cilíndrica.

trenó (tre.nó) *s.m.* Veículo provido de esquis, usado sobre o gelo ou sobre a neve.

trepadeira (tre.pa.dei.ra) *adj.* **1.** (*Bot.*) Diz-se de planta que sobe ao longo e em volta de plantas ou suportes vizinhos. • *s.f.* **2.** (*Bot.*) Planta trepadeira.

trepar (tre.par) *v.* **1.** Subir a algum lugar alto e de difícil acesso, ajudando-se com as mãos e pés: *Não trepe nesta árvore!* **2.** Subir (uma planta) agarrando-se a: *A hera trepou pelo muro.* **3.** *chulo* Ter relações sexuais (com). ▶ Conjug. 8.

trepidar (tre.pi.dar) *v.* Mover-se em sacudidas rápidas e repentinas: *O carro trepidava muito quando passava numa rua de paralelepípedos.* ▶ Conjug. 5. – **trepidação** *s.f.*; **trepidante** *adj.*

tréplica (tré.pli.ca) *s.f.* Resposta a uma réplica.

treplicar (tre.pli.car) *v.* Responder à réplica: *Terminada a réplica, trepliquei com brilho*; *Ele não esperava que eu lhe treplicasse.* ▶ Conjug. 5 e 35.

três *num. card.* **1.** Dois mais um. • *s.m.* **2.** Representação gráfica desse número (3 em algarismos arábicos; III em algarismos romanos). || *A três por dois*: com muita frequência.

tresandar (tre.san.dar) *v.* Feder: *Esta xícara tresanda a cebola*; *O lixo acumulado tresandava.* ▶ Conjug. 5.

trescalar (tres.ca.lar) *v.* Emitir cheiro forte: *Sua roupa trescalava a naftalina*; *No jardim, as rosas trescalavam.* ▶ Conjug. 5.

tresler (tres.ler) *v.* **1.** Ler trocado ou às avessas: *Tresleu o poema porque mal sabia ler.* **2.** Enlouquecer por ler muito: *O doutorando por pouco não tresleu.* ▶ Conjug. 49.

tresloucado (tres.lou.ca.do) *adj.* **1.** Que enlouqueceu; desmiolado. • *s.m.* **2.** Louco, doido.

tresmalhar (tres.ma.lhar) *v.* Perder-se do bando: *Uma das ovelhas do pastor tresmalhou(-se).* ▶ Conjug. 5.

tresnoitar (tres.noi.tar) *v.* Passar a noite em claro, sem dormir: *Tresnoitara várias noites naquela taberna.* ▶ Conjug. 21.

trespassar (tres.pas.sar) *v.* Transpassar. ▶ Conjug. 5.

treta [ê] (tre.ta) *s.f.* **1.** Recurso ardiloso para conseguir algo; estratagema, artifício. **2.** Destreza na luta ou na esgrima. – **treteiro** *adj. s.m.*

treva [é] (tre.va) *s.f.* Ausência de luz; escuridão. || Mais usado no plural.

trevo [ê] (tre.vo) *s.m.* **1.** (*Bot.*) Planta comum nos prados, cuja folha é composta de três folhas pequenas; trifólio. **2.** Conjunto de vias elevadas e rebaixadas, para evitar cruzamentos em estradas ou avenidas de tráfego intenso.

treze [ê] (tre.ze) *num. card.* **1.** Doze mais um. • *s.m.* **2.** Representação gráfica desse número (13 em algarismos arábicos; XIII em algarismos romanos).

trezentos (tre.zen.tos) *num. card.* **1.** Três vezes cem. • *s.m.* **2.** Representação gráfica desse número (300 em algarismos arábicos; CCC em algarismos romanos).

tríada (trí.a.da) *s.f.* Tríade.

tríade (trí.a.de) *s.f.* Conjunto de três pessoas ou coisas vinculadas entre si. || *tríada.*

triagem (tri.a.gem) *s.f.* Escolha entre muitos.

triangular[1] (tri.an.gu.lar) *adj.* **1.** Relativo a triângulo: *forma triangular.* **2.** Que tem por base um triângulo: *uma pirâmide triangular.* **3.** Que envolve três elementos: *relação triangular.*

triangular[2] (tri.an.gu.lar) *v.* **1.** Dividir em triângulos: *triangular um terreno.* **2.** (*Esp.*) Trocar passes (três jogadores) no futebol: *Num dos avanços do time, Zezinho, Jorge e Alex triangularam.* ▶ Conjug. 5.

triângulo (tri.ân.gu.lo) *s.m.* **1.** (*Geom.*) Polígono de três lados. **2.** Qualquer objeto de forma triangular. **3.** (*Mús.*) Instrumento de percussão, de som indeterminado.

triásico (tri.á.si.co) *adj.* **1.** (*Geol.*) Diz-se do primeiro período da Era Secundária, marcado pelo surgimento dos primeiros dinossauros. • *s.m.* **2.** (*Geol.*) Esse período. || *triássico.*

triássico (tri.ás.si.co) *adj.* (*Geol.*) Triásico.

triatlo (tri.a.tlo) *s.m.* (*Esp.*) Competição esportiva composta de três provas – natação, ciclismo e corrida – disputadas sem intervalo entre uma e outra.

tribal (tri.bal) *adj.* Relativo a tribo.

tribo (tri.bo) *s.f.* **1.** Agrupamento social e político, geralmente fundado sobre uma relação étnica. **2.** *coloq.* Grupo de pessoas que apresentam afinidades entre si.

tribulação (tri.bu.la.ção) *s.f.* Sofrimento, aflição, atribulação.

tribuna (tri.bu.na) *s.f.* **1.** Lugar de onde alguém se dirige ao público: *Os advogados brilham na tribuna.* **2.** Atividade oratória, especialmente políti-

trilíngue

ca: *Rui Barbosa ilustrou a tribuna parlamentar e judiciária*. **3.** Lugar elevado de onde se assiste a cerimônias, competições ou atos ao ar livre.

tribunal (tri.bu.*nal*) *s.m.* (*Jur.*) **1.** Lugar em que se realizam audiências judiciais e se julgam querelas. **2.** Magistrado ou conjunto de magistrados encarregados de administrar justiça.

tribuno (tri.*bu*.no) *s.m.* **1.** Magistrado romano eleito pela plebe para defendê-la. **2.** Orador político.

tributar (tri.bu.*tar*) *v.* **1.** Impor tributo a; taxar: *O governo tributou as importações, favorecendo a indústria nacional*. **2.** *fig.* Render, prestar: *No sepultamento, pessoas do povo tributaram sua homenagem ao grande compositor*. ▶ Conjug. 5. – **tributação** *s.f.*

tributário (tri.bu.*tá*.ri:o) *adj.* **1.** Que paga tributo; contribuinte. • *s.m.* **2.** Aquele que paga tributo; contribuinte. **3.** Rio que desemboca em outro; afluente.

tributo (tri.*bu*.to) *s.m.* **1.** Imposto. **2.** *fig.* Homenagem: *Um museu britânico paga tributo às civilizações amazônicas*.

trica (*tri*.ca) *s.f.* **1.** Trapaça, tramoia. **2.** Coisa sem valor; ninharia.

tricentenário (tri.cen.te.*ná*.ri:o) *adj.* **1.** Que completa trezentos anos. • *s.m.* **2.** O terceiro centenário. **3.** O festejo em comemoração aos trezentos anos de um evento.

tricentésimo (tri.cen.*té*.si.mo) *num.* Trecentésimo.

tríceps (*trí*.ceps) *adj.* (*Anat.*) **1.** Diz-se de músculo que tem a extremidade dividida em três feixes de fibras. • *s.m.* **2.** Músculo tríceps.

triciclo (tri.*ci*.clo) *s.m.* **1.** Velocípede de três rodas. **2.** Veículo de três rodas com caixa para transportar encomendas.

tricô (tri.*cô*) *s.m.* **1.** Tecido de malhas entrelaçadas feito à mão por meio de duas agulhas longas ou à máquina. **2.** A arte de tricotar.

tricolor [ô] (tri.co.*lor*) *adj.* **1.** Que tem três cores. • *s.m. e f.* **2.** Sócio ou torcedor de time que tem três cores nas suas camisas.

tricórnio (tri.*cór*.ni:o) *s.m.* Chapéu clerical de três pontas.

tricotar (tri.co.*tar*) *v.* **1.** Fazer tricô: *Rapidamente tricotou um suéter, um gorro e umas meias*. **2.** *gír.* Fofocar. ▶ Conjug. 20.

tridente (tri.*den*.te) *adj.* **1.** Que tem três dentes. • *s.m.* **2.** Cetro de três dentes, atributo típico do deus mitológico Netuno.

tridimensional (tri.di.men.si:o.*nal*) *adj.* De três dimensões.

tríduo (*trí*.du:o) *s.m.* **1.** Conjunto de três dias consecutivos. **2.** (*Rel.*) Oração que dura três dias consecutivos.

triedro [é] (tri:*e*.dro) *adj.* (*Geom.*) **1.** Que é formado por três faces que concorrem em um ponto. • *s.m.* **2.** Ângulo triedro.

trienal (tri:e.*nal*) *adj.* **1.** Que dura um triênio: *mandato trienal*. **2.** Que ocorre de três em três anos.

triênio (tri:*ê*.ni:o) *s.m.* Período de três anos.

trifásico (tri.*fá*.si.co) *adj.* (*Eletr.*) Diz-se de corrente constituída por três correntes engendradas por um mesmo manancial, mas defasadas em um terço do período.

trifólio (tri.*fó*.li:o) *s.m.* (*Bot.*) Trevo. – **trifoliado** *adj.*

trigal (tri.*gal*) *s.m.* Campo de trigo.

trigêmeo (tri.*gê*.me:o) *adj.* **1.** Relativo a cada um de três irmãos gêmeos. • *s.m.* **2.** Cada um de três gêmeos.

trigésimo (tri.*gé*.si.mo) *num. ord.* **1.** Que ou o que denota o número trinta numa série. • *num. frac.* **2.** Que ou o que é parte de um todo dividido em trinta partes iguais.

triglicerídeo (tri.gli.ce.*rí*.de:o) *s.m.* (*Biol.*) Triglicerídio.

triglicerídio (tri.gli.ce.*rí*.di:o) *s.m.* (*Biol.*) Lipídio encontrado no sangue em determinadas proporções e que é o principal constituinte das gorduras animais e dos óleos vegetais.

trigo (*tri*.go) *s.m.* **1.** (*Bot.*) Planta gramínea cujo grão é a base da alimentação humana na maior parte do mundo. **2.** Grão dessa planta.

trigonometria (tri.go.no.me.*tri*.a) *s.f.* (*Mat.*) Parte da Matemática que tem por objeto a resolução dos triângulos.

trigonométrico (tri.go.no.*mé*.tri.co) *adj.* Relativo a trigonometria: *equação trigonométrica*.

trigueiro (tri.*guei*.ro) *adj.* **1.** Que é da cor de trigo maduro, tirante a escuro; moreno: *Era uma moça de pele trigueira*. **2.** Semelhante ao trigo. • *s.m.* **3.** Pessoa trigueira (1).

trilar (tri.*lar*) *v.* Gorjear. ▶ Conjug. 5.

trilha (*tri*.lha) *s.f.* **1.** Vestígio deixado por pessoa ou animal no lugar por onde passou. **2.** Caminho estreito, aberto entre obstáculos. **3.** Caminho a seguir.

trilhão (tri.*lhão*) *num. card.* Mil bilhões. || trilião.

trilho (*tri*.lho) *s.m.* **1.** Cada uma das duas barras de ferro paralelas sobre as quais giram as rodas de trens, bondes etc. **2.** Barra metálica em que correm cortinas, portas, janelas etc.

trilião (tri.li:*ão*) *num. card.* Trilhão.

trilíngue [güe] (tri.*lín*.gue) *adj.* **1.** De três línguas: *edição trilíngue*. • *s.m. e f.* **2.** Pessoa que fala três línguas.

1255

trilo (tri.lo) s.m. Gorjeio.

trilogia (tri.lo.gi.a) s.f. **1.** Conjunto de três obras literárias ou cinematográficas, relacionadas entre si por um tema comum. **2.** Conjunto de três tragédias que cada candidato deveria apresentar nos concursos dramáticos da antiga Grécia.

trimensal (tri.men.sal) adj. Que se faz, publica-se ou se realiza três vezes por mês.

trimestral (tri.mes.tral) adj. Que se faz, publica-se ou se realiza de três em três meses.

trimestre [é] (tri.mes.tre) s.m. Período de três meses.

trinado (tri.na.do) s.m. **1.** Gorjeio. **2.** (Mús.) Alternância mais ou menos rápida de uma nota com a nota um tom ou um semitom acima dela.

trinar (tri.nar) v. Gorjear. ▶ Conjug. 5.

trinca¹ (trin.ca) s.f. **1.** Em jogos de baralho, conjunto de três cartas do mesmo valor: *uma trinca de ases*. **2.** Grupo de três pessoas ou coisas.

trinca² (trin.ca) s.f. Arranhão, rachadura.

trincar (trin.car) v. **1.** Morder, comprimindo os dentes entre si ou sobre algo: *trincar os dentes*; *trincar os lábios*. **2.** Estalar, rachar: *O visor do meu celular trincou*. ▶ Conjug. 5 e 35.

trincha (trin.cha) s.f. **1.** Pincel espalmado. **2.** Ferramenta para soltar pregos.

trinchante (trin.chan.te) adj. **1.** Que trincha ou serve para trinchar. • s.m. **2.** Grande faca usada para trinchar.

trinchar (trin.char) v. Cortar aos pedaços na mesa: *trinchar aves, assados etc.* ▶ Conjug. 5.

trincheira (trin.chei.ra) s.f. Escavação feita para servir de proteção aos combatentes.

trinco (trin.co) s.m. Pequena tranca com que se fecham portas.

trindade (trin.da.de) s.f. **1.** Grupo de três pessoas ou coisas. **2.** (Rel.) Na doutrina cristã, dogma da existência de um só Deus em três pessoas: Pai, Filho e Espírito Santo, denominada *Santíssima Trindade*. || Nesta acepção, usam-se iniciais maiúsculas.

trineto [é] (tri.ne.to) s.m. Filho de bisneto ou bisneta.

trino¹ (tri.no) s.m. Gorjeio.

trino² (tri.no) adj. Que consta de três: *regência trina*.

trinômio (tri.nô.mi:o) s.m. **1.** (Mat.) Expressão algébrica que consta de três termos unidos pelos sinais + ou –. **2.** fig. Coisa que compreende três partes ou três termos.

trinque (trin.que) s.m. Usado apenas na locução *nos trinques*. || *Nos trinques*: vestido com esmero e elegância.

trinta (trin.ta) num. card. **1.** Dez vezes três. • s.m. **2.** Representação gráfica desse número (30 em algarismos arábicos; XXX em algarismos romanos).

trio (tri:o) s.m. **1.** (Mús.) Trecho musical para três vozes ou três instrumentos. **2.** (Mús.) Terceto (3). **3.** Grupo de três pessoas. || *Trio elétrico*: caminhão provido de aparelhagem de som com grande amplificação, geralmente com música ao vivo, que sai pelas ruas, no carnaval, com o objetivo de animar os foliões.

tripa (tri.pa) s.f. **1.** Intestino de animal. **2.** joc. Intestino do ser humano. || *Fazer das tripas coração*: Fazer grande esforço para conseguir realizar algo.

tripartir (tri.par.tir) v. Dividir(-se) em três partes: *tripartir os poderes*; *O estado tripartiu-se em três grandes funções: a administrativa, a judiciária e a legislativa*. ▶ Conjug. 66. – **tripartição** s.f.

tripartite (tri.par.ti.te) adj. Dividido em três partes: *comissão tripartite*.

tripé (tri.pé) s.m. **1.** Aparelho portátil que se arma com três escoras e sobre o qual assenta a máquina fotográfica ou luneta etc. **2.** Banco de três pés. **3.** Conjunto de três coisas interligadas: *Para enfrentar o desafio do crescimento, é necessário um sólido tripé, formado pela educação, ciência e tecnologia*.

triplex [écs] (tri.plex) adj. **1.** Diz-se de apartamento de três pavimentos. • s.m.2n. **2.** Apartamento triplex.|| Tríplex.

tríplex [cs] (trí.plex) adj. s.m.2n. triplex.

triplicar (tri.pli.car) v. Multiplicar por três: *triplicar a receita do bolo*. ▶ Conjug. 5 e 35. – **triplicação** s.f.

triplicata (tri.pli.ca.ta) s.f. **1.** Segundo exemplar de um original. **2.** Documento que substitui a duplicata que se extraviou.

tríplice (trí.pli.ce) num. mult. **1.** Número três vezes maior que outro. • adj. **2.** Composto por três elementos: *vacina tríplice*.

triplo (tri.plo) num. mult. **1.** Que ou o que é três vezes maior que outro: *O triplo de dois é quatro*. • adj. **2.** Formado por três elementos iguais: *sorvete triplo*.

tripudiar (tri.pu.di:ar) v. Exultar por uma vitória, escarnecendo do rival: *O time vencedor tripudiava (sobre o perdedor)*. ▶ Conjug. 17. – **tripúdio** s.m.

tripulação (tri.pu.la.ção) s.f. Conjunto das pessoas que trabalham em um navio, avião, espaçonave etc.; equipagem.

tripulante (tri.pu.*lan*.te) *adj.* **1.** Que faz parte da tripulação. • *s.m.* e *f.* **2.** Pessoa tripulante.

tripular (tri.pu.*lar*) *v.* Prover de tripulação: *tripular um navio.* ▶ Conjug. 5.

trisanual (tri.sa.nu:*al*) *adj.* **1.** Que dura três anos. **2.** Que se repete de três em três anos.

trisavô (tri.sa.*vô*) *s.m.* Pai do bisavô ou da bisavó. || *f.*: *trisavó.*

trissílabo (tris.*sí*.la.bo) *adj.* **1.** Que tem três sílabas. • *s.m.* **2.** Vocábulo de três sílabas.

triste (*tris*.te) *adj.* **1.** Que tem tristeza: *homem triste.* **2.** Que exprime tristeza: *olhar triste.* **3.** Que gera ou favorece a tristeza: *notícia triste; um dia nublado e triste.*

tristeza [ê] (tris.*te*.za) *s.f.* **1.** Estado de ânimo caracterizado pela tendência ao pranto, ao isolamento e ao desânimo. **2.** Coisa triste.

tristonho [ô] (tris.*to*.nho) *adj.* **1.** Que tende à tristeza: *menino tristonho; sorriso tristonho.* **2.** Que causa tristeza: *céu tristonho.*

tritongo (tri.*ton*.go) *s.m.* (*Gram.*) Grupo de três fonemas vocálicos pronunciados na mesma sílaba, como, por exemplo, *uai* em *Uruguai.*

triturar (tri.tu.*rar*) *v.* Reduzir a pequenos fragmentos pelo atrito ou pelo esmagamento: *triturar os alimentos com os dentes.* ▶ Conjug. 5. – **trituração** *s.f.*

triunfal (tri:un.*fal*) *adj.* Relativo a triunfo: *entrada triunfal.*

triunfar (tri:un.*far*) *v.* Ser vitorioso: *Será que um dia o socialismo triunfará?; Esta foi a ideia que triunfou dentre todas.* ▶ Conjug. 5. – **triunfante** *adj.*

triunfo (tri:*un*.fo) *s.m.* **1.** Ato ou efeito de triunfar. **2.** Grande vitória. **3.** Grande festejo, aclamação: *Os jogadores da seleção campeã foram carregados em triunfo.*

triunvirato (tri:un.vi.*ra*.to) *s.m.* (*Hist.*) Na Roma antiga, governo formado por três magistrados.

triúnviro (tri:*ún*.vi.ro) *s.m.* Cada um dos três magistrados dum triunvirato.

trivalência (tri.va.*lên*.ci:a) *s.f.* (*Quím.*) Caráter ou condição de trivalente.

trivalente (tri.va.*len*.te) *adj.* (*Quím.*) Que tem valência tripla.

trivial (tri.vi:*al*) *adj.* **1.** Comum, vulgar, corriqueiro, prosaico. • *s.m.* **2.** A cozinha comum, simples, de todo dia: *Procurava uma cozinheira que soubesse fazer o trivial.*

triz *s.m.* Usado apenas na locução *por um triz.* || *Por um triz*: por pouco; por um fio; por um nada.

troar (tro:*ar*) *v.* Fazer grande estrondo; soar forte: *Um tiro de canhão troou subitamente.* ▶ Conjug. 25. – **troada** *s.f.*; **troante** *adj.*

troca [ó] (*tro*.ca) Ato ou efeito de trocar.

troça [ó] (*tro*.ça) *s.f.* Ato ou efeito de troçar; chacota. – **trocista** *adj. s.m.* e *f.*

trocadilho (tro.ca.*di*.lho) *s.m.* Gracejo fundado na diferença de sentido entre palavras que se pronunciam de maneira semelhante.

trocado (tro.*ca*.do) *adj.* **1.** Substituído, convertido, permutado. • *s.m.* **2.** Dinheiro miúdo.

trocador [ô] (tro.ca.*dor*) *adj.* **1.** Que troca. • *s.m.* **2.** Pessoa que recebe o valor das passagens e devolve o troco em ônibus; cobrador.

trocar (tro.*car*) *v.* **1.** Dar uma coisa por outra; permutar: *Trocou São Paulo pelo Rio; trocar a roupa; trocar dinheiro.* **2.** Tirar (algo) do lugar para pôr (outra coisa); substituir: *Temos de trocar as pilhas do rádio.* **3.** Tomar (um) por (outro); confundir: *Troquei você por meu primo.* **4.** Inverter, alterar o sentido de: *Não troque minhas palavras.* **5.** Dar e receber simultaneamente: *trocar figurinhas.* **6.** Cruzar, atravessar: *trocar as pernas.* ▶ Conjug. 20 e 35.

troçar (tro.*çar*) *v.* Ridicularizar, zombar, mangar: *A princípio trocei da ideia, mas agora vejo que é perfeitamente viável.* ▶ Conjug. 20 e 36.

troco [ô] (*tro*.co) *s.m.* **1.** Ato de trocar; troca. **2.** Quantidade de dinheiro que se devolve a quem faz um pagamento com quantia superior ao preço da compra. **3.** Conjunto de moedas e/ou cédulas de valor menor, correspondente a uma só cédula de valor superior. **4.** Resposta pronta, a tempo: *Não dei troco à grosseria de Pedro.* || *A troco de:* **1.** por causa de: *Ofendeu-me a troco de nada.* **2.** em compensação de; em retribuição a: *Neste jornal, não se faz apologia ao poder a troco de um prato de lentilhas.* || pl.: [ó] ou [ô].

troço [ó] (*tro*.ço) *s.m. coloq.* Treco, negócio, coisa.

troço [ô] (*tro*.ço) *s.m.* **1.** Pedaço tosco e roliço de pau. **2.** Porção de gente.

troféu (tro.*féu*) *s.m.* **1.** Objeto comemorativo de uma vitória. **2.** *fig.* Sinal, lembrança de uma vitória.

troglodita (tro.glo.*di*.ta) *adj.* **1.** Que vive em cavernas ou buracos. • *s.m.* e *f.* **2.** Pessoa que vive em cavernas ou buracos. **3.** Pessoa bruta, truculenta.

trole (*tro*.le) *s.m.* Pequeno carro descoberto que trafega sobre trilhos de vias férreas.

trólebus

trólebus (tró.le.bus) s.m. Ônibus elétrico, que roda sobre pneumáticos e é energizado por um dispositivo que transmite a corrente de um cabo de energia aéreo.

trolha [ô] (tro.lha) s.f. **1.** Pá em que fica a cal amassada de que o pedreiro se vai servindo. **2.** Servente de pedreiro.

tromba (trom.ba) s.f. **1.** Órgão alongado e flexível, situado na parte superior da boca de certos paquidermes, como o elefante e o tapir. **2.** coloq. Cara amarrada que demonstra contrariedade.

tromba-d'água (trom.ba-d'á.gua) s.f. **1.** Grande nuvem negra da qual sai um prolongamento que produz um redemoinho no mar. **2.** Chuva muito forte. || pl.: trombas-d'água.

trombadinha (trom.ba.di.nha) s.m. e f. gír. Indivíduo, geralmente menor de idade, que age sorrateiramente, furtando dinheiro e objetos pessoais de pedestres.

trombar (trom.bar) v. Bater, chocar-se: Vinha andando distraído e trombou com um poste; Os dois aviões trombaram no ar. ▶ Conjug. 5.

trombeta [ê] (trom.be.ta) s.f. (Mús.) Instrumento de sopro, formado por um tubo longo e afunilado, de metal, madeira ou outro material.

trombetear (trom.be.te:ar) v. Anunciar, alardear: O técnico do time trombeteou a superioridade de seus jogadores e depois amargou uma derrota. ▶ Conjug. 14.

trombo (trom.bo) s.m. (Med.) Coágulo de sangue que se forma no interior de um vaso e aí permanece.

trombone (trom.bo.ne) s.m. (Mús.) Instrumento de sopro, cujas notas se obtêm por meio de varas ou de pistões.

trombose [ó] (trom.bo.se) s.f. (Med.) Formação de trombo num vaso sanguíneo.

trompa (trom.pa) s.f. (Mús.) Instrumento de sopro formado por um tubo metálico, estreito perto da embocadura e terminado em pavilhão largo. || Trompa de Eustáquio: (Anat.) denominação substituída por tuba auditiva. • Trompa de Falópio: (Anat.) denominação substituída por tuba uterina. – **trompista** s.m. e f.

trompete [é] (trom.pe.te) s.f. (Mús.) Instrumento de sopro formado por um tubo metálico longo, de diâmetro estreito e cilíndrico. – **trompetista** s.m. e f.

troncho (tron.cho) adj. **1.** Privado de um membro; mutilado. **2.** Caído para o lado; torto. • s.m. **3.** Membro que se separou do tronco. **4.** Talo de hortaliça.

tronco (tron.co) s.m. **1.** Parte do corpo humano a que estão ligados a cabeça e os membros. **2.** Caule lenhoso das árvores. **3.** Origem, linhagem de uma família. **4.** Ponto ou canal de onde partem ou se originam ramificações: tronco de linhas telefônicas; tronco pulmonar; tronco da artéria etc.

troncudo (tron.cu.do) adj. Que tem o tronco bem desenvolvido; forte, corpulento.

trono (tro.no) s.m. **1.** Assento elevado que os soberanos utilizavam em atos solenes. **2.** Poder, autoridade, dignidade real. **3.** fam. joc. Vaso sanitário.

tropa [ó] (tro.pa) s.f. **1.** Grupo organizado de soldados; hoste. **2.** Ajuntamento de bestas de carga. **3.** Grupo de muitas pessoas. **4.** Exército ou Forças Armadas. || Nesta acepção, mais usado no plural.

tropeção (tro.pe.ção) s.m. **1.** Ato ou efeito de tropeçar. **2.** fig. Erro, equívoco.

tropeçar (tro.pe.çar) v. **1.** Dar involuntariamente uma topada com o pé. **2.** fig. Cair em erro; não acertar: Na hora de dar ordens ao soldado, o ator tropeçou no imperativo. ▶ Conjug. 8 e 36.

tropeço [ê] (tro.pe.ço) s.m. **1.** Ato ou efeito de tropeçar. **2.** fig. Embaraço, obstáculo, dificuldade.

trôpego (trô.pe.go) adj. Que anda com dificuldade, movendo os pés arrastada e pesadamente.

tropeiro (tro.pei.ro) s.m. Condutor de tropas de animais.

tropel (tro.pel) s.m. **1.** Ruído produzido pela marcha de muitas pessoas ou animais. **2.** fig. Grande multidão ruidosa, caminhando desordenadamente. **3.** fig. Confusão barulhenta.

tropelia (tro.pe.li.a) s.f. **1.** Tumulto provocado por muitas pessoas em tropel. **2.** Travessura destruidora, atropeladora.

tropical (tro.pi.cal) adj. **1.** Relativo a trópico. **2.** Diz-se de clima quente com muitas chuvas no verão.

trópico (tró.pi.co) adj. **1.** Relativo aos trópicos. • s.m. **2.** (Astron., Geogr.) Cada um dos dois círculos menores da esfera terrestre, paralelos ao equador e distantes deste 23° 27', ao norte ou ao sul, e que representam a trajetória do Sol nos solstícios.

tropismo (tro.pis.mo) s.m. (Biol.) Mudança de orientação de um organismo, especialmente de uma planta, como resposta a um estímulo externo.

tropo [ó] (tro.po) s.m. (Gram.) Figura de linguagem que consiste em usar uma palavra em sentido figurado.

troposfera [é] (tro.pos.fe.ra) s.f. Zona inferior da atmosfera terrestre, que se estende até a altura aproximada de dezoito quilômetros no equador e nove quilômetros nos polos.

trotar (tro.tar) v. **1.** Andar a trote (a cavalgadura): *O cavalo em que ia trotava mascando o freio.* **2.** Montar sobre uma cavalgadura que vai a trote: *A criança trotava alegremente num pônei.* ▶ Conjug. 20.

trote [ó] (tro.te) s.m. **1.** Andamento das cavalgaduras, mais ligeiro que o passo ordinário e menos rápido que o galope. **2.** Troça que os veteranos das escolas fazem com os calouros. **3.** Troça ou zombaria feita a alguém pelo telefone, por pessoa que finge ser outra, real ou imaginária.

trouxa (trou.xa) s.f. **1.** Envoltório de pano que contém roupas ou quaisquer outros objetos. • adj. **2.** Tolo, bobo; fácil de enganar; palerma. • s.m. **3.** Pessoa tola, fácil de ser enganada.

trova [ó] (tro.va) s.f. **1.** (*Lit.*) Na Idade Média, composição poética acompanhada de música. **2.** Cantiga popular. **3.** Quadra de caráter popular.

trovador (tro.va.dor) s.m. (*Lit., Mús.*) Poeta ou cantor da Idade Média; menestrel. – **trovadoresco** adj.

trovão (tro.vão) s.m. Estrondo produzido na atmosfera por uma descarga elétrica.

trovejar (tro.ve.jar) v. **1.** Soar, troar (trovão): *Trovejou muito antes de chover.* **2.** Emitir com grande ruído: *O mendigo trovejou pragas horrendas contra quem o ofendeu.* ▶ Conjug. 10 e 37.

trovoada (tro.vo:a.da) s.f. **1.** Série de trovões. **2.** Trovão.

truão (tru:ão) s.m. **1.** Bufão (1). **2.** Palhaço, saltimbanco. **3.** Indivíduo vagabundo, desavergonhado.

trucagem (tru.ca.gem) s.f. (*Cine*) Criação de efeitos especiais em filmes. – **trucar** v. ▶ Conjug. 5 e 35.

trucidação (tru.ci.da.ção) s.f. Ato ou efeito de trucidar.

trucidar (tru.ci.dar) v. **1.** Matar barbaramente: *Os colonizadores trucidaram muitos nativos.* **2.** *fig.* Destruir, esmagar: *O artilheiro trucidou a defesa inimiga.* ▶ Conjug. 5. – **trucidamento** s.m.

truco (tru.co) s.m. Certo jogo de cartas.

truculência (tru.cu.lên.ci:a) s.f. Qualidade de truculento.

truculento (tru.cu.len.to) adj. Cruel, atroz, feroz.

trufa (tru.fa) s.f. **1.** Cogumelo subterrâneo comestível. **2.** Tipo de bombom recheado com massa de chocolate e recoberto por pó de cacau.

truísmo (tru:ís.mo) s.m. Verdade banal, tola, tão evidente que não é necessário ser enunciada.

truncar (trun.car) v. Cortar partes de (algo) deixando-o incompleto, imperfeito: *truncar uma coleção de livros; truncar um trecho de um escrito.* ▶ Conjug. 5 e 35. – **truncado** adj.; **truncamento** s.m.

trunfo (trun.fo) s.m. **1.** Certo jogo de cartas. **2.** Carta do naipe que prevalece num jogo. **3.** Vantagem que favorece a vitória em disputa, negócio etc.: *O trunfo do Brasil é o grande mercado interno.* **4.** *fig.* Indivíduo de grande influência social: *Se não estudas, para arranjar emprego, precisarás de bons trunfos.*

trupe (tru.pe) s.f. Grupo de artistas, comediantes, bailarinos etc.

truque (tru.que) s.m. **1.** Meio hábil de fazer as coisas. **2.** Meio utilizado para fazer aparecer ou desaparecer um objeto. **3.** Ardil, tramoia.

truste (trus.te) s.m. (*Econ.*) Associação de empresas com o objetivo de assegurar o controle do mercado, estabelecendo preços elevados que lhes garantam altas taxas de lucro.

truta (tru.ta) s.f. Peixe de carne muito apreciada, encontrado em rios de água muito fria.

tsunami [*tissunâmi*] (Jap.) s.m. Onda gigantesca provocada por um maremoto.

tu pron. pess. Forma reta, tônica, da segunda pessoa do singular. || No Português do Brasil, *tu* foi substituído por *você*, exceto em alguns pontos do país.

Tu (*Quím.*) Símbolo de túlio.

tua (tu.a) pron. poss. Forma feminina do pronome possessivo da 2ª pessoa do singular.

tuba (tu.ba) s.f. (*Mús.*) Instrumento de sopro com tubo metálico cônico, de proporções bastante grandes e provido de pistões. || *Tuba auditiva*: (*Anat.*) conduto que comunica a faringe com o tímpano. • *Tuba uterina*: (*Anat.*) conduto que vai de cada um dos ângulos superiores do útero ao respectivo ovário.

tubagem (tu.ba.gem) s.f. **1.** Conjunto de tubos; tubulação. **2.** (*Med.*) Procedimento que consiste em introduzir no organismo tubos, cânulas para fins diagnósticos ou terapêuticos.

tubarão (tu.ba.rão) s.m. **1.** (*Zool.*) Grande peixe carnívoro, de boca ampla e numerosos dentes. **2.** *gír.* Empresário ou industrial ganancioso que procura explorar os outros para aumentar seus lucros.

tubário (tu.bá.ri:o) adj. Relativo a tuba auditiva ou a tuba uterina: *gravidez tubária.*

tubérculo

tubérculo (tu.bér.cu.lo) s.m. **1.** (Bot.) Parte avultada do caule, geralmente subterrâneo, ou de uma raiz, que constitui uma reserva nutritiva da planta. **2.** (Anat.) Protuberância arredondada em osso ou na superfície de órgãos.

tuberculose [ó] (tu.ber.cu.lo.se) s.f. (Med.) Doença infecciosa e contagiosa, causada por bacilo, podendo atingir várias partes do corpo, especialmente os pulmões.

tuberculoso [ô] (tu.ber.cu.lo.so) adj. **1.** Que tem tubérculos: *planta tuberculosa*. **2.** Atacado de tuberculose: *pulmão tuberculoso*. • s.m. **3.** Pessoa atacada de tuberculose. || f. e pl.: [ó].

tubiforme [ó] (tu.bi.for.me) adj. Tubular.

tubista (tu.bis.ta) s.m. e f. (Mús.) Aquele que toca tuba.

tubo (tu.bo) s.m. **1.** Canal cilíndrico, reto ou recurvado por onde passam fluidos, líquidos etc. **2.** Recipiente de vidro de forma cilíndrica: *tubo de ensaio*. **3.** Recipiente cilíndrico de paredes flexíveis: *tubo de pasta de dente*; *tubo de pomada*. **4.** (Anat.) Órgão oco e longo: *tubo digestivo*. **5.** (Eletrôn.) Grande válvula oca, usada nos receptores de televisão para produzir a imagem.

tubulação (tu.bu.la.ção) s.f. **1.** Rede de tubos que conduz água, esgoto, gás, fios elétricos e telefônicos etc.; canalização, encanamento. **2.** Conjunto de tubos; tubagem.

tubular (tu.bu.lar) adj. Em forma de tubo; tubiforme: *cálice tubular*.

tucano (tu.ca.no) s.m. (Zool.) **1.** Ave de bico grande, grosso e arqueado. • adj. **2.** Pertencente ou concernente aos tucanos, tribo indígena que habita o Noroeste do Amazonas e parte da Colômbia. • s.m. e f. **3.** Indivíduo dessa tribo.

tucunaré (tu.cu.na.ré) s.m. (Zool.) Peixe de corpo prateado, encontrado na Amazônia e muito consumido pela população local.

tucupi (tu.cu.pi) s.m. (Cul.) Molho feito com o caldo da mandioca ralada e pimenta.

tudo (tu.do) pron. indef. **1.** A totalidade ou a universalidade do que existe: *Tudo tem jeito*. **2.** Todas as coisas de um certo contexto: *No trabalho, tudo o perturba*. **3.** Qualquer coisa, considerada na sua totalidade: *Isso é tudo o que eu tinha a dizer*. **4.** Coisa essencial ou indispensável: *Meu trabalho é tudo*.

tufão (tu.fão) s.m. Vento fortíssimo e tempestuoso; vendaval.

tufo (tu.fo) s.m. **1.** Porção de pelos, penas, folhas, fios de lã etc.: *tufo de capim*. **2.** Qualquer coisa de forma saliente e arredondada.

tugir (tu.gir) v. Dizer em voz baixa: *O rapaz não tugiu (uma palavra) diante das invectivas do furioso guarda*. || *Sem tugir nem mugir*: sem dizer nada. ▶ Conjug. 66 e 92.

tugúrio (tu.gú.ri:o) s.m. **1.** Cabana, choupana, casebre. **2.** fig. Abrigo.

tuiuiú (tui.ui:ú) s.m. (Zool.) Jaburu (1).

tule (tu.le) s.f. Tecido leve e transparente empregado especialmente em véus.

tulha (tu.lha) s.f. **1.** Lugar onde se depositam ou guardam cereais em grão. **2.** Lugar onde se ajunta e deposita a azeitona, antes de ser levada ao lagar.

túlio (tú.li:o) s.m. (Quím.) Elemento químico usado em tubos de raios X. || Símbolo: Tu.

tulipa (tu.li.pa) s.f. **1.** (Bot.) Planta ornamental que dá uma única e bela flor, muito cultivada na Holanda. **2.** Flor dessas plantas. **3.** Tipo de copo usado para chope ou cerveja.

tumba (tum.ba) s.f. Túmulo.

tumefação (tu.me.fa.ção) s.f. (Med.) Inchação.

tumefato (tu.me.fa.to) adj. Aumentado de volume; inchado, dilatado.

tumefazer (tu.me.fa.zer) v. Inchar(-se). || part.: *tumefeito*. ▶ Conjug. 61.

túmido (tú.mi.do) adj. Tumefato, inchado. – **tumidez** s.f.

tumor (tu.mor) s.m. **1.** Massa de tecido novo sem função fisiológica, que cresce de maneira anormal. **2.** Tumefação, inchação. – **tumoral** adj.

túmulo (tú.mu.lo) s.m. **1.** Cova onde se deposita definitivamente um defunto; tumba. **2.** Construção sobre essa cova; tumba. **3.** fig. Pessoa que é capaz de guardar segredos. – **tumular** adj.

tumulto (tu.mul.to) s.m. **1.** Grande confusão; charivari. **2.** Alvoroço produzido por uma multidão.

tumultuar (tu.mul.tu:ar) v. Provocar tumulto: *A crise do crédito imobiliário nos Estados Unidos tumultuou o mercado internacional*; *A chuva tumultuou o trânsito*. ▶ Conjug. 5.

tumultuário (tu.mul.tu:á.ri:o) adj. **1.** Que tem caráter de tumulto: *ato tumultuário*. **2.** Barulhento, ruidoso: *assembleia tumultuária*.

tumultuoso [ô] (tu.mul.tu:o.so) adj. Em que há tumulto. || f. e pl.: [ó].

tunda (tun.da) s.f. **1.** Sova, surra, coça. **2.** fig. Descompostura, crítica severa.

tundá (tun.*dá*) *s.m.* **1.** Vestido de roda com muitas saias internas. **2.** *coloq.* Nádegas, traseiro.

tundra (tun.dra) *s.f.* Estepe da zona ártica caracterizada pela associação de algas e liquens.

túnel (*tú*.nel) *s.m.* Galeria subterrânea para passagem de pessoas ou veículos.

tungstênio (tungs.*tê*.ni:o) *s.m.* (*Quím.*) Elemento químico, metálico, muito duro, pouco fusível, usado em lâmpadas elétricas. || Símbolo: W.

túnica (*tú*.ni.ca) *s.f.* **1.** Vestuário comprido e folgado no corpo. **2.** Casaco justo de uniformes militares. **3.** (*Anat.*) Qualquer membrana que forra as paredes de um órgão.

tupá (tu.*pá*) *s.m.* Tupã.

tupã (tu.*pã*) *s.m.* **1.** Na língua tupi, o trovão. **2.** Nome dado pelos missionários jesuítas a Deus. || Nesta acepção, usa-se com inicial maiúscula. || *tupá*.

tupi (tu.*pi*) *adj.* **1.** Pertencente ou concernente aos tupis, grande nação de índios da América do Sul. • *s.m.* e *f.* **2.** Indivíduo dessa tribo. • *s.m.* **3.** Idioma tupi. **4.** Um dos quatro principais troncos linguísticos da América do Sul.

tupi-guarani (tu.pi-gua.ra.*ni*) *s.m.* **1.** Família de línguas indígenas que inclui o tupi e o guarani. • *adj.* **2.** Relativo aos tupis e aos guaranis.

tupinambá (tu.pi.nam.*bá*) *adj.* **1.** Pertencente ou concernente aos tupinambás, tribo indígena que habitava o litoral brasileiro. • *s.m.* e *f.* **2.** Indivíduo dessa tribo.

tupiniquim (tu.pi.ni.*quim*) *adj.* **1.** Pertencente ou concernente aos tupiniquins, tribo indígena que habitava o litoral do Espírito Santo e da Bahia. • *s.m.* e *f.* **2.** Indivíduo dessa tribo.

turba (*tur*.ba) *s.f.* Multidão desenfreada, desordenada, geralmente em tumulto; turbamulta.

turbamulta (tur.ba.*mul*.ta) *s.f.* Turba.

turbante (tur.*ban*.te) *s.m.* **1.** Toucado usado por certos povos orientais, formado por uma peça de fazenda enrolada em torno da cabeça. **2.** Toucado feminino semelhante ao turbante (1).

turbar (tur.*bar*) *v.* Turvar(-se). ▶ Conjug. 5.

túrbido (*túr*.bi.do) *adj.* **1.** Que perturba: *túrbido pavor*. **2.** Turvo, escurecido: *céu túrbido*. – **turbidez** *s.f.*

turbilhão (tur.bi.*lhão*) *s.m.* **1.** Massa de ar ou de água que gira impetuosamente em torno de um centro; rebojo. **2.** *fig.* Tudo o que arrasta ou excita violentamente: *um turbilhão de emoções*. **3.** (*Med.*) Aparelho usado em Fisioterapia que consiste em um reservatório com jatos de água, em que se banha a área traumatizada.

turbina (tur.*bi*.na) *s.f.* **1.** Máquina que se utiliza da força ou da pressão de um fluido para transmitir movimento giratório a um mecanismo. **2.** Aparelho, no qual se realiza, por meio da centrifugação, a separação dos cristais de açúcar dos elementos não cristalizáveis.

turbinagem (tur.bi.*na*.gem) *s.f.* Operação que consiste em se submeter uma substância à ação da força centrífuga de uma turbina.

turbinar (tur.bi.*nar*) *v.* **1.** Submeter a turbinagem: *turbinar o caldo da cana-de-açúcar*. **2.** *coloq.* Fazer implante de silicone em: *turbinar os seios*. **3.** *coloq.* Potencializar o desempenho ou qualidades de: *turbinar um carro*; *O curso dá dicas para turbinar o seu Inglês*. ▶ Conjug. 5. – **turbinado** *adj.*

turbo (*tur*.bo) *adj.* **1.** Diz-se de motor alimentado por um turbocompressor. **2.** Diz-se de veículo dotado de tal motor. • *s.m.* **3.** Veículo dotado de tal motor.

turbocompressor (tur.bo.com.pres.*sor*) *s.m.* Compressor em que o ar é aspirado por uma roda de aletas ou arrastado por uma turbina.

turbulência (tur.bu.*lên*.ci:a) *s.f.* **1.** Qualidade, condição ou estado de turbulento. **2.** Agitação intensa de uma massa de ar ou de água.

turbulento (tur.bu.*len*.to) *adj.* **1.** Que provoca perturbação da ordem: *aluno turbulento*. **2.** Agitado, tempestuoso: *mar turbulento*; (*fig.*) *ano turbulento*.

turfa (*tur*.fa) *s.f.* Camada escura e esponjosa, encontrada geralmente em lugares pantanosos, que se constitui de restos de vegetais em processo de decomposição.

turfe (*tur*.fe) *s.m.* **1.** Esporte de corridas de cavalos. **2.** Hipódromo. – **turfista** *adj. s.m.* e *f.*; **turfístico** *adj.*

túrgido (*túr*.gi.do) *adj.* Inchado, dilatado: *veia túrgida*. – **turgência** *s.f.*; **turgidez** *s.f.*

turíbulo (tu.*rí*.bu.lo) *s.m.* Vaso em que se queima incenso em templos; incensário.

turismo (tu.*ris*.mo) *s.m.* **1.** Prática de viajar por prazo relativamente curto, para fins de recreio, no país ou no exterior. **2.** Conjunto de serviços e atividades relacionados ao turismo.

turista (tu.*ris*.ta) *s.m.* e *f.* Pessoa que viaja para recrear-se. – **turístico** *adj.*

turma (*tur*.ma) *s.f.* **1.** Grupo, bando. **2.** Grupo de amigos. **3.** Grupo de alunos de uma série. **4.** Grupo de pessoas que se revezam em certos atos: *turmas de trabalhadores*.

turmalina

turmalina (tur.ma.*li*.na) s.f. (*Min.*) Pedra semipreciosa que apresenta grande variedade de cores.

turnê (tur.*nê*) s.f. Série de apresentações de um artista ou de um grupo por diversas cidades; excursão.

turno (*tur*.no) s.m. **1.** Cada um dos grupos de pessoas que se revezam em certos atos. **2.** Cada uma das divisões do horário diário de trabalho ou estudo: *turno da manhã*; *turno da tarde*; *turno da noite*. **3.** Cada um dos períodos de disputa do campeonato esportivo.

turquesa [ê] (tur.*que*.sa) s.f. **1.** (*Min.*) Pedra preciosa de cor azul-clara. **2.** Cor da turquesa. • *adj.* **3.** Da cor turquesa: *brincos turquesa*.

turra (*tur*.ra) s.f. **1.** Teima renitente; birra. **2.** Altercação, disputa. || *Às turras*: em discussões, em contendas: *Os dois viviam às turras.*

turrão (tur.*rão*) *adj.* **1.** Que é teimoso, inflexível. • s.m. **2.** Indivíduo turrão. || f.: *turrona*.

turuna (tu.*ru*.na) *adj.* **1.** Forte, valente. • s.m. **2.** Indivíduo turuna.

turvar (tur.*var*) v. **1.** Tornar(-se) turvo, escuro; turbar(-se): *Depois do desastre ecológico, as águas do rio turvaram-se*; (fig.) *A visão antropocêntrica turva a nossa percepção do mundo*. **2.** Tornar(-se) entristecido: *Os regimes totalitários turvam os corações das pessoas*; *Seus olhos turvaram-se diante de cena tão violenta*. ▶ Conjug. 5. – **turvação** s.f.; **turvamento** s.m.

turvo (*tur*.vo) *adj.* **1.** Escuro, sombrio: *céu turvo*. **2.** Opaco, sem transparência; sujo: *Com a ocorrência de chuvas, as águas tornam-se turvas e barrentas*. **3.** Perturbado: *Naquele dia sua mente parecia turva*. **4.** Agitado, violento: *mar turvo*. **5.** Confuso, obscuro: *visão turva*; *as turvas razões do inconsciente*.

tuta e meia s.f. Pouco dinheiro; bagatela. || pl.: *tuta e meias*.

tutano (tu.*ta*.no) s.m. **1.** Substância gordurosa, branca ou amarelada, que se acha dentro de alguns ossos; medula. **2.** *coloq.* Vigor, coragem, determinação.

tutela [é] (tu.*te*.la) s.f. **1.** Autoridade conferida legalmente a alguém para cuidar de um órfão menor de idade e administrar os seus bens. **2.** Proteção, amparo: *Ainda vive sob a tutela dos pais*.

tutelar[1] (tu.te.*lar*) *adj.* **1.** Relativo a tutela. **2.** Que protege como tutor. **3.** Que ampara, protege: *anjo tutelar*.

tutelar[2] (tu.te.*lar*) v. **1.** Proteger na qualidade de tutor; tutorar: *Seu avô o tutelava em virtude do falecimento precoce de seu pai*. **2.** *fig.* Amparar, defender, tutorar: *No período da Cristandade, a Igreja tutelava a sociedade*. ▶ Conjug. 8.

tutor [ô] (tu.*tor*) s.m. **1.** Pessoa que tem a tutela (1) de um menor. **2.** Protetor, defensor. – **tutoria** s.f.

tutorar (tu.to.*rar*) v. Tutelar (2). ▶ Conjug. 20.

tutti frutti [*túti frúti*] (It.) loc. subst. De frutas variadas.

tutu (tu.*tu*) s.m. **1.** (*Cul.*) Feijão cozido, misturado com farinha de mandioca ou de milho. **2.** *coloq.* Dinheiro.

TV s.f. Abreviação de *televisão*.

tzar s.m. Czar.

tzarina (tza.*ri*.na) s.f. Czarina.

tzarismo (tza.*ris*.mo) s.m. Czarismo. – **tzarista** *adj. s.m. e f.*

u *s.m.* **1.** Vigésima primeira letra do alfabeto português. **2.** O nome dessa letra.

U (*Quím.*) Símbolo de *urânio*.

uacari (u:a.ca.ri) *s.m.* (*Zool.*) Macaco amazônico de cauda curta.

uai (u:*ai*) *interj.* Exprime espanto, admiração ou surpresa.

uau (u.*au*) *interj.* Exprime surpresa agradável.

ubá (u.*bá*) *s.f.* Canoa feita de casca de árvore ou de um só tronco.

uberdade (u.ber.*da*.de) *s.f.* Fertilidade; abundância.

úbere[1] (*ú*.be.re) *adj.* **1.** Fértil, fecundo, feraz (2). **2.** Abundante, farto, cheio.

úbere[2] (*ú*.be.re) *s.m.* Glândula mamária, especialmente de vaca; teta.

ubiquidade [qüi] (u.bi.qui.*da*.de) *s.f.* Condição de se poder achar em mais de um lugar; qualidade de ubíquo.

ubíquo (u.*bí*.quo) *adj.* Que se acha ao mesmo tempo em mais de um lugar.

ucraniano (u.cra.ni:*a*.no) *adj.* **1.** Da Ucrânia, país da Europa oriental. • *s.m.* **2.** O natural ou o habitante da Ucrânia. **3.** Idioma falado nesse país.

ué (u:*é*) *interj.* Exprime surpresa, admiração; uê.

uê (u:*ê*) *interj.* Ué.

ufanar-se (u.fa.*nar*-se) *v.* Tornar-se ufano de; sentir-se orgulhoso de alguma coisa: *Antônio ufanava-se de ser maranhense.* ▶ Conjug. 5 e 6.

ufania (u.fa.*ni*.a) *s.f.* Vaidade desmedida.

ufanismo (u.fa.*nis*.mo) *s.m.* **1.** Otimismo nacionalista. **2.** Patriotismo exagerado. – **ufanista** *adj. s.m. e f.*

ufano (u.*fa*.no) *adj.* Vaidoso; orgulhoso.

ufo (u.fo) *s.m.* Objeto voador não identificado; óvni.

ufologia (u.fo.lo.gi.a) *s.f.* Estudo de objetos voadores não identificados. – **ufólogo** *s.m.*

ugandense (u.gan.*den*.se) *adj.* **1.** De Uganda, país da África oriental. • *s.m. e f.* **2.** O natural ou o habitante desse país.

ui *interj.* Exprime dor, admiração, espanto, surpresa.

uiara (u:i.*a*.ra) *s.f.* Ente fantástico, espécie de sereia que vive em rios e lagos; mãe-d'água.

uirapuru (u:i.ra.pu.*ru*) *s.m.* (*Zool.*) Ave do Norte do Brasil, em especial da região dos seringais da floresta amazônica, cujo canto tem melodia peculiar.

uísque (u:*ís*.que) *s.m.* Aguardente de cevada, centeio e de outros cereais, originária da Escócia. – **uisqueria** *s.f.*

uivar (ui.*var*) *v.* **1.** Dar uivos: *Na noite escura e gelada, os lobos uivavam famintos.* **2.** Gritar, berrar: *A pobre moça uivava de dor de ouvido.* **3.** Produzir som semelhante a uivos: *É o vento que uiva lá fora.* ▶ Conjug. 5.

uivo (*ui*.vo) *s.m.* **1.** Voz do lobo, do cão e de outros animais. **2.** Grito de dor, de raiva etc.

úlcera (*úl*.ce.ra) *s.f.* (*Med.*) Ferida na pele ou nas mucosas: *úlcera duodenal.* – **ulceração** *s.f.*

ulceroso [ô] (ul.ce.*ro*.so) *adj.* **1.** Que tem úlceras. **2.** Cheio de úlceras. || f. e pl.: [ó].

ulemá (u.le.*má*) *s.m.* Doutor em leis e assuntos religiosos dos muçulmanos.

ulna (*ul*.na) *s.f.* (*Anat.*) Um dos ossos do antebraço. || Denominação que substituiu *cúbito*.

ulterior [ô] (ul.te.ri:*or*) *adj.* Que vem depois; posterior: *situação ulterior.*

última (*úl*.ti.ma) *s.f.* **1.** A mais recente tolice ou o mais recente absurdo de alguém que costuma cometê-los: *Você não vai acreditar na última de minha ex-mulher.* **2.** A mais recente notícia; a novidade: *Vou lhe contar a última que vi na televisão.* **3.** Feminino de *último.* || *Nas últimas*: quase morrendo; no fim da vida.

ultimamente (ul.ti.ma.*men*.te) *adv.* Nos últimos tempos; nos dias atuais; recentemente.

ultimato

ultimato (ul.ti.*ma*.to) *s.m.* **1.** Últimas condições propostas por um Estado a outro antes de declaração de guerra. **2.** Decisão final e irrevogável; ultimátum.

ultimátum (ul.ti.*má*.tum) *s.m.* Ultimato.

último (*úl*.ti.mo) *adj.* **1.** Que vem no final de todos: *o último da fila*; *o último recurso*. **2.** Antecedente, precedente: *Isto ficou decidido na última reunião*. • *s.m.* **3.** A pessoa ou a coisa que vem depois de todos: *Não escolheu esse, mas sim o último*.

ultra (*ul*.tra) *s.m. e f.* Pessoa de ideias radicais; extremista: *Temiam que o governo caísse nas mãos dos ultras*.

ultrajar (ul.tra.*jar*) *v.* Ofender, injuriar, insultar, desfeitear: *É nosso dever não permitir que ultrajem nosso país*. ▶ Conjug. 5 e 37.

ultraje (ul.*tra*.je) *s.m.* Ofensa grave; insulto, injúria pesada; afronta. – **ultrajoso** *adj.*

ultraleve [é] (ul.tra.*le*.ve) *s.m.* (Aer.) Pequeno avião muito leve que só tem lugar para o piloto.

ultramar (ul.tra.*mar*) *s.m.* **1.** Região situada além do mar. **2.** Tinta azul-escura extraída do lápis-lazúli. **3.** A cor dessa tinta. – **ultramarino** *adj.*

ultrapassado (ul.tra.pas.*sa*.do) *adj.* Fora de moda; antiquado, obsoleto: *um casaco ultrapassado*; *um carro ultrapassado*.

ultrapassar (ul.tra.pas.*sar*) *v.* **1.** Passar de; exceder (em tempo): *Nossa conversa não ultrapassará meia hora*. **2.** Ir além de (espaço): *Não ultrapasse a linha marcada*; *Não ultrapasse o sinal quando estiver vermelho*. **3.** Superar obstáculos, dificuldades: *Felizmente ela ultrapassou a má fase no trabalho*. **4.** Passar à frente de: *O automobilista brasileiro ultrapassou todos os outros sem dificuldade*; *Deve-se ultrapassar pela direita*. ▶ Conjug. 5.

ultrassensível (ul.tras.sen.*sí*.vel) *adj.* Que é extremamente sensível.

ultrassom (ul.tras.*som*) *s.m.* Som de frequência muito elevada, além da sensibilidade auditiva humana.

ultrassonografia (ul.tras.so.no.gra.*fi*.a) *s.f.* Visualização do feto ou dos órgãos internos do corpo, através de aparelho de ultrassom. – **ultrassonográfico** *adj.*

ultravioleta [ê] (ul.tra.vi:o.*le*.ta) *s.m. e f.* **1.** Radiação invisível que, no espectro solar, fica abaixo do violeta. • *adj.* **2.** Diz-se dessa radiação: *a radiação ultravioleta*.

ululante (u.lu.*lan*.te) *adj.* Que ulula; que uiva.

ulular (u.lu.*lar*) *v.* Uivar: *Os cães ululavam para a lua.* ▶ Conjug. 5.

ululo (u.*lu*.lo) *s.m.* Ululação.

um *num. card.* **1.** Número que exprime a unidade: *Ele sabe contar de um a cem*; *Uma casa ou duas não resolvem o problema da habitação*. • *s.m.* **2.** Representação gráfica desse número (1 em algarismos arábicos; I em algarismos romanos). • *art. indef.* **3.** Indica de forma indeterminada o substantivo a que se refere: *Não se deve dar ouvidos a uma pessoa mesquinha*; *Li uma página comovente*. **4.** Identifica alguém ou alguma coisa numa determinada classe: *Admira-me você, um filho de professor, pensando dessa maneira*. **5.** Todo, cada, nenhum: *Um amigo não age assim*. **6.** Certo, determinado: *Um dia irei a Buenos Aires*. • *pron. indef.* **7.** Alguém ou algo: *Uma pensa assim, mas a outra, não*; *Sei de uma que os deixará surpresos*. • *uns, pron. indef.* **8.** Cerca de: *Mandou-me esperar uns cinco dias e passar lá de novo*.

umbanda (um.*ban*.da) *s.f.* Seita religiosa resultante do sincretismo das religiões afro-brasileiras com o espiritismo e o catolicismo.

umbaúba (um.ba.*ú*.ba) *s.f.* (*Bot.*) Embaúba.

umbela (um.*be*.la) *s.f.* **1.** Guarda-sol, guarda-chuva, sombrinha. **2.** (*Bot.*) Inflorescência constituída de eixos secundários que partem de um mesmo ponto e chegam quase ao mesmo nível ou altura. || **umbrela**.

umbigada (um.bi.*ga*.da) *s.f.* Parte de dança folclórica em que os dançarinos fazem os umbigos se encontrarem.

umbigo (um.*bi*.go) *s.m.* Cicatriz arredondada, deprimida ou saliente, na linha média do abdome, originária do corte do cordão umbilical.

umbilical (um.bi.li.*cal*) *adj.* Relativo ao umbigo: *cordão umbilical*; (*fig.*) *uma ligação umbilical*.

umbral (um.*bral*) *s.m.* **1.** Cada uma das partes que compõem o vão da porta; ombreira. **2.** *fig.* Limiar, entrada, começo.

umbrela [é] (um.*bre*.la) *s.f.* Umbela.

umbroso [ô] (um.*bro*.so) *adj.* Que tem ou produz sombra. || f. e pl.: [ó].

umbu (um.*bu*) *s.m.* Fruto agridoce do umbuzeiro; imbu, seriguela (2).

umbuzeiro (um.bu.*zei*.ro) *s.m.* Árvore que dá o umbu; imbuzeiro.

umectar (u.mec.*tar*) *v.* Hidratar; umedecer: *Use uma loção de barba que umecte a pele.* ▶ Conjug. 8 e 33. – **umectação** s.f.; **umectante** adj.

umedecer (u.me.de.cer) v. Tornar(-se) úmido, levemente molhado; umectar: *Umedecia a ponta dos dedos para contar as cédulas.* ▶ Conjug. 41 e 46. – **umedecimento** s.m.

umeral (u.me.ral) adj. Relativo ao osso úmero: *ligamentos umerais.*

úmero (ú.me.ro) s.m. (Anat.) Osso do braço, do ombro ao cotovelo.

umidade (u.mi.da.de) s.f. Qualidade do que é úmido.

úmido (ú.mi.do) adj. Molhado levemente de água ou de vapores aquosos ou de qualquer líquido.

unânime (u.nâ.ni.me) adj. 1. Que é da mesma opinião dos demais: *Foi uma opinião unânime.* 2. Em que há concordância geral: *Não se esperava que a concordância fosse unânime.* – **unanimidade** s.f.

unção (un.ção) s.f. 1. Ato ou efeito de ungir ou untar. 2. *fig.* Sentimento piedoso, devoção: *Rezava o terço com muita unção.* || *Unção dos enfermos*: sacramento da Igreja Católica, anteriormente chamado de *extrema-unção*.

undécimo (un.dé.ci.mo) num. ord. 1. Que ou o que denota o número 11 numa série. • num. frac. 2. Que ou o que é parte de um todo dividido em onze partes.

underground [undergraunde] (Ing.) adj. 1. Que fica abaixo da superfície; subterrâneo. 2. Clandestino, escondido. 3. Relativo a arte, literatura, cinema etc. de vanguarda.

ungir (un.gir) v. 1. Esfregar com óleo, unguento, creme etc: *Ungiu a perna dolorida com um unguento.* 2. Marcar ritualmente o fiel com óleo bento: *O bispo ungiu o crismando com óleo santo.* 3. Dar a unção dos doentes a: *Chamaram o padre para ungir o doente.* ▶ Conjug. 92.

ungueal (un.gue:al) adj. Relativo a unha.

unguento (un.guen.to) s.m. (Farm.) Remédio oleoso ou pastoso que se aplica sobre a pele.

unha (u.nha) s.f. Lâmina córnea que reveste a extremidade dorsal dos dedos e dos artelhos. || *Com unhas e dentes*: com toda a força; com empenho: *Ela defendia o filho com unhas e dentes.* • *Ser unha e carne com*: ser íntimo de alguém: *Pedro e Paulo eram unha e carne.*

unhada (u.nha.da) s.f. Arranhão feito com a unha.

unha de fome s.m. e f. Avarento.

unha-de-gato (u.nha-de-ga.to) s.f. (*Bot.*) Nome comum a plantas cujo espinho lembra unhas de gatos. || pl.: *unhas-de-gato*.

unhar (u.nhar) v. Ferir ou riscar com a unha: *O gato unhou minha mão*; *Os gatos unhavam-se com ferocidade.* ▶ Conjug. 5.

unheiro (u.nhei.ro) s.m. *coloq.* Infecção nas bases da unha.

união (u.ni:ão) s.f. 1. Ato ou efeito de unir, ligar ou juntar(-se). 2. Associação de pessoas formando um todo: *união operária; união conjugal.* 3. Coesão, acordo, concórdia: *A união da família era exemplar.* 4. Federação ou confederação: *União das escolas de samba.* 5. Poder central dos estados da Federação; o governo federal: *Pagar os impostos da União.* || Neste caso, usa-se inicial maiúscula.

unicameral (u.ni.ca.me.ral) adj. Diz-se do Poder Legislativo de um país que é exercido por apenas uma câmara.

unicelular (u.ni.ce.lu.lar) adj. (*Biol.*) Diz-se do ser vivo, formado por uma única célula.

único (ú.ni.co) adj. 1. Que é só em seu gênero ou espécie, não tendo outro igual a si, junto de si: *Nessa especialidade, ele é o único.* 2. Sem par, singular: *É um caráter único.* 3. Exclusivo: *Esse é o único caminho.* 4. Sem precedente, sem semelhante: *Um fato único na História do Brasil.* – **unicidade** s.f.

unicolor [ô] (u.ni.co.lor) adj. Que só tem uma cor.

unicorne [ó] (u.ni.cor.ne) adj. Que só tem um chifre.

unicórnio (u.ni.cór.ni:o) s.m. Animal mitológico que tem corpo de cavalo e um único chifre no meio da testa.

unidade (u.ni.da.de) s.f. 1. O número um. 2. Qualidade do que é único e indivisível. 3. Uniformidade; homogeneidade: *unidade étnica.* 4. Cada um dos elementos de um sistema ou conjunto: *as várias unidades da universidade.* 5. Cada uma das coisas passíveis de serem contadas: *Fabricaram-se apenas cem unidades desses chapéus.* 6. Quantidade usada como referência para comparar grandezas da mesma espécie: *unidade de comprimento; unidade de volume.*

unidirecional (u.ni.di.re.ci:o.nal) adj. Que se faz numa única direção.

unido (u.ni.do) adj. Que se uniu; que se juntou: *um povo unido; nações unidas.*

unificar (u.ni.fi.car) v. Tornar(-se) único; fundir (-se) num todo único: *Os vários estados e reinos*

unifólio

unificaram-se para formar a Itália; É conveniente unificar os critérios. ► Conjug. 5 e 35. – **unificação** s.f.; **unificado** adj.; **unificador** adj.

unifólio (u.ni.fó.li:o) adj. (Bot.) Que tem apenas uma folha.

uniforme [ó] (u.ni.for.me) adj. **1.** Que tem uma só forma, que tem sempre a mesma forma; que segue sempre um padrão; invariável: *uma rua de casas uniformes*. **2.** Que não muda; constante: *aceleração uniforme*. • s.m. **3.** Veste igual usada por todos os componentes de uma mesma categoria, como militar, profissional, estudantil: *Nesse dia o colégio usava uniforme de gala*. – **uniformidade** s.f.

uniformizar (u.ni.for.mi.zar) v. **1.** Tornar uniforme, dar uma só forma a: *O departamento uniformizou todos os formulários*. **2.** Usar ou fazer usar uniformes: *O novo diretor uniformizou as secretárias da empresa; Uniformizou-se antes de apresentar-se ao comandante*. ► Conjug. 5.

unigênito (u.ni.gê.ni.to) adj. **1.** Que é o único filho: *o filho unigênito*. • s.m. **2.** O filho único: *Jesus é o unigênito do Pai*.

unilateral (u.ni.la.te.ral) adj. De um único lado ou parte; que vem de um único lado ou parte: *Foi uma decisão unilateral*. – **unilateralidade** s.f.

unilíngue [güe] (u.ni.lín.gue) adj. Que fala uma única língua.

unir (u.nir) v. **1.** Reunir(-se), associar(-se): *O casamento uniu as duas famílias; Os dois amigos uniram-se para criar uma firma*. **2.** Juntar(-se): *A costureira ia unindo um pano no outro; Os partidos da oposição uniram-se contra os governistas*. **3.** Formalizar uma união conjugal; casar(-se): *O padre uniu o casal; O casal se unirá apenas no civil*. **4.** Ligar(-se); ajuntar(-se): *Uma boa estrada asfaltada une a cidade ao porto; Unimos nossos votos aos de todos os seus amigos*. ► Conjug. 66.

unissex [cs] (u.nis.sex) adj. Que serve igualmente a homens e a mulheres: *roupas unissex; um cabeleireiro unissex*.

unissexuado [cs] (u.nis.se.xu:a.do) adj. Que só tem um sexo (diz-se de flor): *flor unissexuada*.

uníssono (u.nís.so.no) adj. Que tem o mesmo som: *violinos uníssonos*. ‖ *Em uníssono*: no mesmo tom. – **unissonância** s.f.

unitário (u.ni.tá.ri:o) adj. Relativo a unidade: *preço unitário*.

univalve (u.ni.val.ve) adj. (Zool.) Diz-se do molusco que tem apenas uma concha.

universal (u.ni.ver.sal) adj. **1.** Que se estende a todos, que é aplicado a todos e a tudo: *o direito universal do voto*. **2.** Global; mundial: *a paz universal*. **3.** Relativo ao universo, ao cosmo: *o concerto universal dos astros*.

universalismo (u.ni.ver.sa.lis.mo) s.m. **1.** Doutrina dos que só aceitam o consenso universal como critério de verdade. **2.** Opinião segundo a qual Deus quer a redenção de todos os homens e não apenas a dos eleitos. – **universalista** adj. s.m. e f.

universalizar (u.ni.ver.sa.li.zar) v. Tornar(-se) universal; generalizar(-se): *A invenção da imprensa universalizou o hábito da leitura. O consumo do café universalizou-se de várias maneiras*. ► Conjug. 5. – **universalização** s.f.

universidade (u.ni.ver.si.da.de) s.f. **1.** Instituição de ensino de nível superior que contém institutos que abrangem os mais importantes ramos de instrução em nível de graduação e de pós-graduação. **2.** Conjunto de pessoal docente e discente de uma universidade. **3.** Edifício onde uma universidade tem a sua sede.

universitário (u.ni.ver.si.tá.ri:o) adj. **1.** Relativo a universidade, da universidade: *ensino universitário*. **2.** Que leciona em universidade: *professor universitário*. **3.** Que estuda em universidade: *aluno universitário* • s.m. **4.** Estudante da universidade: *Os universitários participarão do projeto*.

universo [é] (u.ni.ver.so) s.m. **1.** Conjunto de coisas existentes, a Terra, o sistema solar, as estrelas, os cometas, as nebulosas. **2.** *fig.* Meio, mundo: *o universo dos artistas; o universo dos desportistas*.

univitelino (u.ni.vi.te.li.no) adj. (Biol.) Gerado de um mesmo óvulo: *gêmeos univitelinos*.

unívoco (u.ní.vo.co) adj. **1.** Que tem apenas um significado ou uma só interpretação: *Seu discurso era unívoco; não lhe cabiam outras interpretações*. **2.** (Mat.) Diz-se da correspondência que existe entre dois conjuntos quando no primeiro há apenas um elemento que corresponde ao segundo: *um conjunto unívoco*. – **univocidade** s.f.

uno (u.no) adj. Que é um só; único, singular. ‖ Conferir com *múltiplo*.

untar (un.tar) v. **1.** Passar óleo, manteiga, banha ou margarina num utensílio de cozinha para que o conteúdo, depois de assado, fique solto: *Antes de pôr a massa de bolo na forma, unte-a com manteiga*. **2.** Passar manteiga, mar-

garina ou creme em pão, biscoito, bolo etc.: *Untou o pão seco com creme.* ▶ Conjug. 5.

untuoso [ô] (un.tu:o.so) *adj.* **1.** Oleoso, gorduroso. **2.** Que tem fala macia; adulador, bajulador. || f. e pl.: [ó].

upa (u.pa) *interj.* **1.** Serve para animar a levantar animal ou pessoa. **2.** Exprime espanto.

upgrade [âpgreid] (Ing.) *s.m.* (*Inform.*) Atualização de um *software* ou modernização do *hardware* de um computador.

upload [âploud] (Ing.) *s.m.* (*Inform.*) Envio de arquivo de um microcomputador para um computador remoto.

urânio (u.râ.ni:o) *s.m.* (*Quím.*) Elemento metálico radioativo, usado na produção de energia e nas armas nucleares. || Símbolo: U.

uranografia (u.ra.no.gra.fi.a) *s.f.* (*Astron.*) Ciência que tem por objeto a descrição do céu; astronomia.

urbanidade (ur.ba.ni.da.de) *s.f.* Qualidade de uma pessoa de boas maneiras; polidez (2).

urbanismo (ur.ba.nis.mo) *s.m.* Conjunto de conhecimentos que se referem ao estudo da criação, desenvolvimento, reforma e progresso das cidades e qualidade da vida urbana. – **urbanista** *s.m.* e *f.*

urbanizar (ur.ba.ni.zar) *v.* **1.** Dotar um lugar de características e recursos de cidade: *O novo prefeito urbanizou o lugar; Esta região urbaniza-se rapidamente.* **2.** Tornar(-se) civilizado; polido. ▶ Conjug. 5.

urbano (ur.ba.no) *adj.* **1.** Relativo a cidade, da cidade. **2.** *fig.* Civilizado, polido.

urbe (ur.be) *s.f.* Cidade, em especial, a muito populosa.

urdidura (ur.di.du.ra) *s.f.* **1.** Conjunto de fios que se lançam ao comprido no tear e por entre os quais vão passar os fios da trama. **2.** (*Lit.*) Enredo, intriga, trama.

urdir (ur.dir) *v.* Enredar, tramar, maquinar, preparar, armar (5) (golpe): *Felizmente não há clima para urdirem um golpe.* ▶ Conjug. 66.

ureia [éi] (u.rei.a) *s.f.* (*Quím.*) Substância cristalina, incolor, produzida pela decomposição das proteínas do corpo e eliminada pela urina.

uremia (u.re.mi.a) *s.f.* (*Med.*) Condição clínica produzida pela retenção, no sangue, de elementos que deveriam ser eliminados na urina.

ureter [é] (u.re.ter) *s.m.* (*Anat.*) Cada um dos canais membranosos que conduzem a urina dos rins à bexiga.

uretra [é] (u.re.tra) *s.f.* (*Anat.*) Canal que conduz para o exterior a urina da bexiga e, no homem, também, o líquido seminal.

urgência (ur.gén.ci:a) *s.f.* **1.** Caso muito grave: *urgências pediátricas.* **2.** Necessidade premente; pressa: *Despache com urgência essa mensagem.* **3.** Solução a ser tomada rapidamente: *Foi pedida urgência na votação do projeto.*

urgente (ur.gen.te) *adj.* Que urge; que é necessário sem demora.

urgir (ur.gir) *v.* **1.** Ser imediatamente necessário: *Urge tomar uma providência.* **2.** Estar iminente: *O perigo urge.* **3.** Fazer exigência: *O tempo urge.* ▶ Conjug. 66 e 92.

úrico (ú.ri.co) *adj.* (*Quím.*) Diz-se de um ácido eliminado na urina.

urina (u.ri.na) *s.f.* Líquido elaborado pelos rins que consiste numa solução aquosa, clara e transparente, que contém água, resíduos orgânicos e sais; mijo.

urinar (u.ri.nar) *v.* Expelir urina pela uretra; mijar. ▶ Conjug. 5.

urinol (u.ri.nol) *s.m.* Vaso próprio para receber a urina; penico.

urna (ur.na) *s.f.* **1.** Objeto semelhante a uma caixa ou saco em que se recolhem votos nas eleições. **2.** Caixa ou vaso em que se guardam as cinzas de um morto. • *urnas s.f.pl.* **3.** Eleição: *Saiu vitorioso nas urnas.*

urologia (u.ro.lo.gi.a) *s.f.* Ramo da Medicina que trata do sistema urinário dos dois sexos e do sistema reprodutor dos homens.

urologista (u.ro.lo.gis.ta) *s.m.* e *f.* Médico especialista em Urologia.

uropígio (u.ro.pí.gi:o) *s.m.* (*Zool.*) Saliência triangular sobre as últimas vértebras das aves da qual nascem as penas da cauda; sobre, sobrecu.

urrar (ur.rar) *v.* **1.** Produzir som (animal): *O leão urra.* **2.** *fig.* Dar urros como animal feroz: *A multidão urrava pedindo mais.* ▶ Conjug. 5.

urro (ur.ro) *s.m.* Rugido de alguns animais; berro.

ursada (ur.sa.da) *s.f. coloq.* Traição, especialmente por parte de amigo.

ursino (ur.si.no) *adj.* Relativo a urso, de urso.

urso (ur.so) *s.m.* Mamífero de grande porte, muito peludo e feroz, do qual existem várias espécies.

urticária (ur.ti.cá.ri:a) *s.f.* (*Med.*) Dermatose alérgica caracterizada pela erupção súbita de placas avermelhadas com intensa coceira.

urtiga (ur.ti.ga) s.f. Planta cujas folhas têm pelos que causam ardência na pele ao simples contato.

urubu (u.ru.bu) s.m. Ave negra, de pescoço pelado, que se alimenta predominantemente de carniça.

urubu-caapor [ó] (u.ru.bu-ca.a.por) s.m. e f. **1.** Indivíduo dos urubus, povo indígena tupi do Alto Gurupi, no Maranhão. • adj. **2.** Concernente a esse grupo índigena: *uma aldeia urubu-caapor*. || pl.: *urubus-caapores*.

urubu-rei (u.ru.bu-rei) s.m. Urubu maior que os demais e que se distingue pela plumagem clara e o pescoço vermelho e amarelo. || pl.: *urubus-rei* e *urubus-reis*.

urucu (u.ru.cu) s.m. Fruto de cuja semente se extrai um corante vermelho, usado na culinária, sobretudo na regional, e pelos indígenas como pintura do corpo. || *urucum*.

urucubaca (u.ru.cu.ba.ca) s.f. Caiporismo, má sorte; azar.

urucum (u.ru.cum) s.m. Urucu.

urucuzeiro (u.ru.cu.zei.ro) s.m. Planta que dá urucu.

uruguaio (u.ru.guai.o) adj. **1.** Do Uruguai, país da América do Sul. • s.m. **2.** O natural ou o habitante desse país sul-americano.

urupê (u.ru.pê) s.m. Espécie de cogumelo também chamado de orelha-de-pau.

urupema (u.ru.pe.ma) s.f. Peneira de palha.

urutu (u.ru.tu) s.m. e f. Serpente escura muito venenosa que ocorre no Brasil, Paraguai, Uruguai e norte da Argentina.

urze (ur.ze) s.f. Arbusto europeu de flores violeta ou rosa.

usança (u.san.ça) s.f. Hábito, costume: *Algumas pessoas idosas conservam usanças antigas.*

usar (u.sar) v. **1.** Fazer uso de; gastar com o uso: *Usou o vestido rosa até rasgar; Não queria usar o carro para não estragá-lo*. **2.** Empregar, utilizar: *Usava uma enorme vassoura para limpar o teto; Usaremos faca elétrica para cortar o pernil; Usava de uma vassoura; Usaremos da faca elétrica*. **3.** Trazer habitualmente: *Ele usa sempre a medalha de São Bento; A madrinha usava uma sombrinha colorida*. **4.** Trajar, vestir: *Gosto de usar ternos azul-marinho; Ela usava capa e chapéu de chuva*. **5.** Servir-se de alguém; aproveitar-se de alguém: *Usou o cunhado para aproximar-se do presidente*. ▶ Conjug. 5.

usável (u.sá.vel) adj. Que pode ser usado.

useiro (u.sei.ro) adj. Que tem por hábito fazer uma coisa. || *Useiro e vezeiro*: Que costuma fazer alguma coisa muitas vezes: *Ele é useiro e vezeiro em pedir emprestado e não devolver.*

usina (u.si.na) s.f. **1.** Engenho de açúcar mecanizado. **2.** Indústria de aço e de energia. || *Usina hidrelétrica*: usina de energia elétrica, produzida por turbinas acionadas por corrente de água.

usineiro (u.si.nei.ro) s.m. Dono de usina de açúcar.

uso (u.so) s.m. **1.** Emprego, utilização: *Luís é muito hábil no uso do laço*. **2.** Consumo: *Ele usava uma colônia de perfume suave; Gostava de usar remédios fitoterápicos*. **3.** Costume, hábito: *Ele usa ir ao cinema aos sábados*. **4.** Moda: *Seu paletó estava fora de uso havia tempo.*

usual (u.su:al) adj. Que é de uso frequente; habitual, comum.

usuário (u.su.á.ri.o) s.m. Aquele que faz uso de alguma coisa: *João é usuário do metrô; A biblioteca atende bem seus usuários.*

usucapião (u.su.ca.pi.ão) s.f. (Jur.) Aquisição do direito de propriedade de um bem (móvel e imóvel), fundada na posse continuada e na boa-fé, durante o tempo fixado por lei.

usufruir (u.su.fru.ir) v. Ter o uso e gozo de uma coisa, aproveitando-se dos frutos dela: *Ela usufruía belos dias (de belos dias) de verão em sua casa de praia; Usufruiremos a herança (da herança) deixada por nossos avós*. ▶ Conjug. 80.

usufruto (u.su.fru.to) s.m. **1.** Ação ou resultado de usufruir, de desfrutar. **2.** (Jur.) Direito de usar e desfrutar de um bem que é de outra pessoa. – **usufrutuário** adj. s.m.

usura (u.su.ra) s.f. **1.** Juro ou renda de capital. **2.** Empréstimo a juros excessivos; agiotagem. **3.** Avareza.

usurário (u.su.rá.ri.o) adj. **1.** Que empresta com juros excessivos: *um banqueiro usurário*. **2.** Que é avarento: *um patrão usurário*. • s.m. **3.** Alguém que empresta cobrando juros excessivos: *O pobre homem caiu nas mãos de um usurário*. **4.** Pessoa avarenta: *O usurário ama seu dinheiro mais do que a vida.*

usurpar (u.sur.par) v. Tomar contra direito e justiça, empregando autoridade, prepotência ou violência: *Usurpou o trono do velho rei e se fez coroar; Não se devem usurpar os direitos de ninguém; Usurparam-lhe os direitos políticos*. ▶ Conjug. 5. – **usurpação** s.f.; **usurpador** adj. s.m.

utensílio (u.ten.sí.li.o) s.m. Qualquer instrumento útil aos usos da vida corrente ou ao exercício de uma arte ou de uma profissão: *Entre os utensílios do pintor estão o pincel e a paleta.*

uterino (u.te.*ri*.no) *adj.* Relativo ao útero.

útero (*ú*.te.ro) *s.m.* Órgão da fêmea dos mamíferos, destinado à geração e desenvolvimento do embrião; ventre (3).

útil (*ú*.til) *adj.* **1.** Que tem algum uso; que serve para alguma coisa, que tem serventia: *O lápis é útil.* **2.** Próprio para trazer benefício; proveitoso: *Foram conselhos muito úteis que recebi.* **3.** Diz-se de dia em que se trabalha, que não é feriado: *Dava aulas todos os dias úteis da semana.* • *s.m.* **4.** Aquilo que é útil: *Reunir o útil ao agradável.*

utilidade (u.ti.li.*da*.de) *s.f.* **1.** Qualidade do que é útil. **2.** Utensílio: *as utilidades domésticas.*

utilitário (u.ti.li.*tá*.ri:o) *adj.* **1.** Referente à utilidade que se pode tirar das coisas. **2.** Que tem por fim a utilidade, o interesse comum. • *s.m.* **3.** Veículo que serve para muitas utilidades, com espaço para pequenas cargas etc.

utilitarismo (u.ti.li.ta.*ris*.mo) *s.m.* (*Fil.*) Doutrina filosófica, segundo a qual a noção de bem está ligada à de útil. – **utilitarista** *adj. s.m. e f.*

utilização (u.ti.li.za.*ção*) *s.f.* Ato ou efeito de utilizar.

utilizar (u.ti.li.*zar*) *v.* **1.** Empregar, usar: *Utilizou uma tesoura de jardim para podar a parreira.* **2.** Aproveitar, tirar utilidade: *Utilizamos os serviços de entrega rápida.* **3.** Servir-se de; auferir proveito: *Ela utilizava a amizade do ator para se promover na mídia.* ▶ Conjug. 5.

utopia (u.to.*pi*.a) *s.f.* **1.** Aspiração, ideia, projeto, de realização impossível: *Construir essa escola na selva é uma utopia.* **2.** Ideal não atingível: *Ter uma boa casa de campo era para ele uma utopia.*

utópico (u.*tó*.pi.co) *adj.* **1.** Concernente à utopia. • *s.m.* **2.** Pessoa utópica: *Você é um utópico; isso não vai dar certo!*

utopista (u.to.*pis*.ta) *adj.* **1.** Que defende utopias. **2.** Que forma projetos utópicos que toma ou crê como reais ou possíveis. • *s.m. e f.* **3.** Pessoa utopista.

uva (*u*.va) *s.f.* Fruto da videira, de que se faz o vinho.

uvaia (u.*vai*.a) *s.f.* **1.** Planta que dá frutos semelhantes à pera, com a qual se faz vinagre. **2.** O fruto dessa planta.

úvea (*ú*.ve:a) *s.f.* (*Anat.*) Conjunto do olho que compreende íris, membrana chamada coroide e estrutura dos cílios.

úvula (*ú*.vu.la) *s.f.* (*Anat.*) Massa carnosa, semelhante a uma pequena uva, que fica pendente na parte posterior do véu palatino; campainha.

uvulite (u.vu.*li*.te) *s.f.* (*Med.*) Inflamação da úvula.

uxoricida [cs] (u.xo.ri.*ci*.da) *s.m.* Aquele que assassina a esposa.

uxoricídio [cs] (u.xo.ri.*cí*.di:o) *s.m.* Assassínio da própria esposa.

uzbeque [é] (uz.*be*.que) *adj.* **1.** Do Uzbequistão, país do centro-oeste da Ásia. • *s.m. e f.* **2.** O natural ou o habitante do Uzbequistão. **3.** Língua falada no Uzbequistão.

Vv

v [vê] *s.m.* **1.** Vigésima segunda letra do alfabeto português. **2.** O número cinco em algarismos romanos.

V 1. (*Fís.*) Símbolo de *volt*. **2.** (*Quím.*) Símbolo de *vanádio*.

vaca (*va.ca*) *s.f.* **1.** Fêmea do touro. **2.** *pej.* Mulher devassa ou leviana.

vacância (*va.cân.ci:a*) *s.f.* **1.** Estado do que está vacante: *O cargo não está mais em vacância.* **2.** Tempo em que fica vago cargo, emprego, ofício, dignidade: *Na vacância da presidência, assume o vice.*

vaca-fria (*va.ca-fri.a*) *s.f.* Usado apenas na locução *voltar à vaca- fria*. || Voltar à vaca-fria: voltar a um assunto já debatido e do qual houve um afastamento: *Voltemos à vaca-fria, enquanto há tempo para decidir.*

vacante (*va.can.te*) *adj.* Que está vago: *sede vacante.*

vacaria (*va.ca.ri.a*) *s.f.* Manada ou curral de vacas.

vacilar (*va.ci.lar*) *v.* **1.** *fig.* Ficar em dúvida; hesitar: *Ele não vacilou antes de saltar do trampolim; Vacilou entre ouvir música e ver televisão.* **2.** Tremer, balançar: *A força da enxurrada foi tão grande, que a ponte vacilou.* **3.** Perder firmeza; andar tropegamente; cambalear: *O ancião queria avançar, mas seus passos vacilavam.* ▶ Conjug. 5. – **vacilação** *s.f.*; **vacilante** *adj.*

vacilo (*va.ci.lo*) *s.m. coloq.* **1.** Hesitação: *Ficou no vacilo e perdeu a oportunidade.* **2.** Descuido, bobeada: *Não haveria gol, se não fosse o vacilo do zagueiro.*

vacina (*va.ci.na*) *s.f.* (*Med.*) Substância que contém agentes patogênicos fracos ou mortos que, administrada a uma pessoa ou animal, confere-lhes imunidade em relação à infecção causada pelos micróbios de onde ela provém.

vacinação (*va.ci.na.ção*) *s.f.* Ato ou efeito de vacinar.

vacinar (*va.ci.nar*) *v.* **1.** Tomar ou aplicar vacina: *Vacinar os idosos contra a gripe; Vacinar o gado contra a aftosa.* **2.** *fig.* Imunizar(-se): *Antes da viagem, vacinou-se contra a malária.* ▶ Conjug. 5.

vacuidade (*va.cu:i.da.de*) *s.f.* Estado, condição ou qualidade do que é vazio ou vácuo (1).

vacum (*va.cum*) *adj.* Diz-se do gado constituído por vacas, touros, bois, novilhos e bezerros.

vácuo (*vá.cu:o*) *adj.* **1.** Não ocupado nem preenchido por coisa alguma; vazio: *um espaço vácuo; uma conferência vácua.* • *s.m.* **2.** Espaço ou ambiente que não contém ar.

vadear (*va.de:ar*) *v.* Transpor, a pé ou a cavalo, cursos d'água, pântanos etc.: *O cavaleiro vadeou o riacho e entrou na mata.* || Conferir com *vadiar*. ▶ Conjug. 14.

vade-mécum (*va.de-mé.cum*) *s.m.* Livro de consultas, usado com muita frequência: *o vade-mécum dos advogados.* || pl.: *vade-mécuns*.

vadiação (*va.di:a.ção*) *s.f.* Ato ou efeito de vadiar; vadiagem.

vadiagem (*va.di:a.gem*) *s.f.* **1.** Vadiação. **2.** Vida de vadio; vagabundagem. **3.** O conjunto dos vadios; os vadios de um modo geral.

vadiar (*va.di:ar*) *v.* **1.** Andar de um lado para outro sem fazer nada; vaguear: *Vadiou o dia todo e nada fez.* **2.** Levar a vida de vadio; não ter nem querer trabalho: *Deixou o emprego e, agora, fica vadiando.* **3.** *reg.* Fazer sexo; fornicar. || Conferir com *vadear*. ▶ Conjug. 17.

vadio (*va.di:o*) *adj.* **1.** Que vive vagueando sem ter meio de vida conhecido ou decente: *um rapaz vadio.* **2.** Que não se aplica ao trabalho ou ao estudo: *Estudante vadio não é aprovado nos exames.* • *s.m.* **3.** Pessoa vadia: *Proíbe-se a entrada de vadios.*

vaga[1] (*va.ga*) *s.f.* Grande onda marinha.

vaga[2] (*va.ga*) *s.f.* Lugar ou cargo vago ou disponível: *Não há vaga nessa empresa; Foi difícil achar vaga para estacionar.*

vagabundar (*va.ga.bun.dar*) *v.* **1.** Andar à toa; passear; vagar: *Vagabundava pelas praças da pequena cidade.* **2.** Viver à toa; viver sem tra-

valer

balhar; vaguear: *Em vez de aceitar o emprego que lhe ofereceram, preferiu vagabundar.* || *vagabundear.* ▶ Conjug. 5. – **vagabundagem** s.f.

vagabundear (va.ga.bun.de:ar) v. Vagabundar. ▶ Conjug. 14.

vagabundo (va.ga.bun.do) adj. **1.** Que vagueia; que anda sem destino. **2.** De maus costumes; salafrário: *O marido vagabundo batia na mulher.* **3.** De má qualidade: *um vinho vagabundo.* • s.m. **4.** Pessoa vagabunda: *O vagabundo andava pelas cidades pedindo esmola; O vagabundo não gostava de trabalhar.* || vagamundo.

vagalhão (va.ga.lhão) s.m. Grande vaga no mar.

vaga-lume (va.ga-lu.me) s.m. **1.** Inseto que emite luz fosforescente; pirilampo. **2.** *fig.* Empregado de cinema que, com uma lanterna, mostra ao espectador lugares vagos. || pl.: *vaga-lumes.*

vagamundo (va.ga.mun.do) adj. s.m. Vagabundo.

vagão (va.gão) s.m. Carro de trem ou de metrô.

vagar[1] (va.gar) v. Andar sem destino; andar errante: *Vive vagando pelo mundo.* ▶ Conjug. 5 e 34.

vagar[2] (va.gar) v. **1.** Ficar vago; ficar desocupado: *Quando vagar um lugar, eu o chamarei.* **2.** Estar livre e desocupado (tempo): *Assim que o doutor vagar, ele vai atendê-lo.* • s.m. **3.** Tempo desocupado; tempo vago: *Nos meus vagares, leio ou vejo televisão.* **4.** Falta de pressa, lentidão: *Trabalhava com muito vagar.* ▶ Conjug. 5 e 34. – **vagareza** s.f.

vagaroso [ô] (va.ga.ro.so) adj. Lento, moroso, lerdo. || f. e pl.: [ó].

vagem (va.gem) s.f. **1.** Fruto que se abre, quando seco, em suas suturas laterais, como o feijão, a ervilha e a fava. **2.** Legume verde usado na alimentação; feijão-verde.

vagido (va.gi.do) s.m. **1.** Choro de criança recém-nascida. **2.** Gemido, lamento.

vagina (va.gi.na) s.f. (Anat.) Órgão que, na mulher e nas fêmeas dos mamíferos, liga a vulva ao útero. – **vaginal** adj.

vaginismo (va.gi.nis.mo) s.m. (Med.) Contração dolorosa da vagina durante a relação sexual.

vaginite (va.gi.ni.te) s.f. (Med.) Inflamação da vagina; colpite.

vagir (va.gir) v. Chorar (o recém-nascido): *O pai se emocionou ao ouvir seu filho vagir.* ▶ Conjug. 92.

vago[1] (va.go) adj. Não ocupado, não preenchido; vazio, desocupado, devoluto: *um lugar vago; uma cadeira vaga.*

vago[2] (va.go) adj. **1.** Incerto, impreciso, indefinido: *um sorriso vago; respostas vagas.* **2.** Inconstante; indefinido: *olhar vago.*

vagonete [ê] (va.go.ne.te) s.m. Vagão pequeno.

vaguear (va.gue:ar) v. Andar vagando; vagabundar, passear ociosamente; zanzar: *O mendigo vagueava pelas estradas da região.* ▶ Conjug. 14.

vaia (vai.a) s.f. Desaprovação expressa por gritos e assovios; apupo.

vaiar (vai.ar) v. Mostrar desagrado por meio de gritos e assovios; apupar: *O público vaiou o time que jogou mal.* ▶ Conjug. 5.

vaidade (va:i.da.de) s.f. **1.** Valorização exagerada do próprio valor; presunção. **2.** Preocupação de merecer a admiração dos outros. **3.** Condição ou qualidade do que é vão, fútil, sem sentido.

vaidoso [ô] (vai.do.so) adj. Que tem vaidade, cheio de vaidade. || f. e pl.: [ó].

vaivém (vai.vém) s.m. **1.** Movimento alternativo de ir e vir, de um lado para outro: *o vaivém dos trabalhadores das docas.* **2.** *fig.* Instabilidade, inconstância: *os vaivéns da fortuna.*

vala (va.la) s.f. Escavação comprida e de largura limitada, de maior ou menor profundidade, para escoamento de águas, assentamento de canos etc.

vale[1] (va.le) s.m. Planície entre montes ou no sopé de um monte.

vale[2] (va.le) s.m. **1.** Documento que dá direito a algum serviço. **2.** Adiantamento de salário. **3.** Garantia escrita, sem valor legal, de empréstimo, adiantamento de pagamento, retirada de dinheiro etc.

valência (va.lên.ci:a) s.f. (Quím.) Número que expressa o valor de combinação de um elemento ou radical químico com o hidrogênio.

valentão (va.len.tão) adj. **1.** Que é muito valente ou brigão: *um garoto valentão.* • s.m. **2.** Pessoa dada a valentias e a brigas: *Por favor, segurem este valentão que está querendo briga.*

valente (va.len.te) adj. **1.** Que demonstra valentia, que tem coragem: *O delegado é um homem valente.* • s.m. **2.** Pessoa que demonstra valentia, que tem coragem: *Chegou o valente da turma.*

valentia (va.len.ti.a) s.f. Qualidade de valente; coragem, bravura.

valer (va.ler) v. **1.** Salvar; socorrer; acudir; ajudar: *Valha-me Deus; Quem me valerá nessa hora?* **2.** Granjear; carrear; proporcionar: *Essa atitude lhe valeu a fama de usura; Sua atuação lhe valeu*

vale-refeição

o estrelato. **3.** Ter algum valor ou importância: *Se bico valesse, tucano seria advogado; Isso não vale nada.* **4.** Ter como preço; custar: *Este relógio vale alguns reais; Você acha que este vestido vale três mil reais?* **5.** Ter valor ou validade; vigorar, contar: *Será que este tíquete de metrô ainda vale?; O horário de verão vale até dia tal de fevereiro.* **6.** Ser proveitoso; servir: *Aquela excursão ao Paraná valeu mesmo.* **7.** Ser aceitável, ser conveniente: *Vale tudo para conseguir aquele emprego.* || *A/para valer:* **1.** em grande quantidade; numeroso: *Havia gente a/para valer na festa da Narcisa.* **2.** verdadeiramente; seriamente: *Trabalhou a/para valer.* • Usa-se o pretérito perfeito do indicativo do verbo (*valeu*) com o significado de *obrigado.* ▶ Conjug. 50.

vale-refeição (va.le-re.fei.*ção*) *s.f.* Vale de um determinado valor que o empregador dá ao empregado como auxílio-alimentação. || pl.: *vales-refeição* e *vales-refeições.*

valeriana (va.le.ri:*a*.na) *s.f.* (*Bot.*) Planta de valor medicinal como sedativo.

valeta [ê] (va.*le*.ta) *s.f.* Vala pequena.

valete [é] (va.*le*.te) *s.m.* Carta do baralho caracterizada pelo J e pela figura de um escudeiro.

vale-transporte (va.le-trans.*por*.te) *s.m.* Vale de um determinado valor que o empregador dá ao empregado como auxílio-transporte em coletivos. || pl.: *vales-transporte* e *vales-transportes.*

valetudinário (va.le.tu.di.*ná*.ri:o) *adj.* **1.** Que tem saúde fraca; enfermiço: *um senhor valetudinário.* • *s.m.* **2.** Pessoa de saúde fraca; enfermiço: *Alguns valetudinários esperavam sua vez no ambulatório.*

vale-tudo (va.le-*tu*.do) *s.m.2n.* **1.** Luta corporal em que o atleta pode lançar mão de todos os recursos. **2.** Situação em que alguém recorre a qualquer meio para alcançar o que quer.

valhacouto (va.lha.*cou*.to) *s.m.* **1.** Refúgio, asilo. **2.** Esconderijo, abrigo de ladrões e marginais; homizio.

valia (va.*li*.a) *s.f.* Préstimo, utilidade: *Seu empréstimo foi de grande valia para nós.*

validade (va.li.*da*.de) *s.f.* **1.** Qualidade ou condição do que é válido (1): *Contestaram a validade do documento.* **2.** Período de validade (1): *A validade desse xarope está vencida.*

validar (va.li.*dar*) *v.* Tornar válido, legitimar: *Para validar o documento, é necessário carimbá-lo.* ▶ Conjug. 5.

valido (va.*li*.do) *adj.* **1.** Que conta com a proteção especial de alguém; favorito: *Maneco era o empregado valido do senhor do engenho.* • *s.m.* **2.** Pessoa que conta com a proteção especial de alguém: *O senhor de engenho tinha lá seus validos.*

válido (*vá*.li.do) *adj.* **1.** Que tem valor ou utilidade: *Este cheque ainda é válido.* **2.** Correto, certo, lícito: *Apesar de anulado pelo juiz, o gol foi válido.* **3.** Que tem saúde; saudável; forte: *Este trabalho requer homens válidos.*

valimento (va.li.*men*.to) *s.m.* Prestígio, poder, influência.

valioso [ô] (va.li:*o*.so) *adj.* Que tem muito valor ou muita utilidade: *um carro valioso; uma valiosa lição.* || f. e pl.: [ó].

valise (va.*li*.se) *s.f.* Pequena mala de mão para viagem.

valor [ô] (va.*lor*) *s.m.* **1.** Preço atribuído a alguma coisa: *Qual o valor desses lotes na praia?* **2.** Utilidade, valia: *Esse remédio é de grande valor para gripe.* **3.** Qualidade, importância, mérito: *Meu avô foi um homem de valor; O valor desses alunos deve ser premiado.* **4.** Validade, legitimidade: *um documento sem valor.* **5.** Princípio ético: *os valores de uma sociedade.*

valorar (va.lo.*rar*) *v.* Atribuir um valor a; declarar o valor de; avaliar: *Pedi a um corretor que valorasse meu apartamento.* ▶ Conjug. 20.

valorizar (va.lo.ri.*zar*) *v.* **1.** Dar valor ou importância a: *É importante valorizar as boas ações de nossos filhos.* **2.** Realçar a beleza, o encanto, o valor de: *Essa cor valoriza muito sua silhueta; Você precisa se valorizar mais.* ▶ Conjug. 5. – **valorização** *s.f.*

valoroso [ô] (va.lo.*ro*.so) *adj.* Que tem valor; corajoso, valente: *um valoroso combatente.* || f. e pl.: [ó].

valquíria *s.f.* (val.*quí*.ri:a) Divindade da mitologia germânica que acolhia no Paraíso os homens mortos em combate.

valsa (*val*.sa) *s.f.* **1.** Dança para pares, executada com música em compasso ternário. **2.** Música desta dança. – **valsista** *adj. s.m.* e *f.*

valsar (val.*sar*) *v.* Dançar valsa: *No salão do palácio, os pares valsavam com alegria.* ▶ Conjug. 5.

valva (*val*.va) *s.f.* **1.** (*Zool.*) Cada uma das partes da concha dos mariscos. **2.** (*Anat.*) Dobra membranosa do coração ou dos vasos sanguíneos, destinada a dirigir a circulação.

válvula (*vál*.vu.la) *s.f.* **1.** Dispositivo para regular o fluxo de líquidos, vapores e ar. **2.** (*Anat.*) Valva (2). **3.** (*Eletrôn.*) Ampola de vidro em cujo interior se controla um feixe de elétrons.

varado

|| O termo *válvula* foi substituído por *valva* na terminologia anatômica.

vampiro (vam.*pi*.ro) *s.m.* **1.** Entidade fantástica que, segundo a superstição popular, sai das sepulturas para vir sugar o sangue das pessoas vivas. **2.** (*Zool.*) Morcego que suga o sangue de aves e mamíferos. **3.** *fig.* Pessoa que explora outros em proveito próprio. – **vampiresco** *s.m.*; **vampirismo** *s.m.*

van [vã] (Ing.) *s.f.* Utilitário usado para transporte coletivo de um pequeno grupo de passageiros (entre oito e dezesseis).

vanádio (va.*ná*.di:o) *s.m.* (*Quím.*) Elemento metálico usado em reatores nucleares, tubos de raios X etc. || Símbolo: V.

vandalismo (van.da.*lis*.mo) *s.m.* **1.** Ato de vândalo. **2.** Destruição perversa de monumentos, objetos de arte, documentos, plantações etc., por ignorância, maldade ou falta de gosto.

vândalo (*vân*.da.lo) *adj.* **1.** Relativo aos vândalos, povo germânico de bárbaros que devastaram o sul da Europa e o norte da África: *a invasão do povo vândalo*. **2.** *fig.* Que tem índole de destruidor; que destrói por instinto: *Hordas vândalas destroem os telefones públicos*. • *s.m.* **3.** Indivíduo desse povo: *Os vândalos invadiram o sul da Europa*. **4.** *fig.* Indivíduo que comete atos de destruição de objetos de arte, aparelhos públicos como telefones e orelhões etc: *Os vândalos quebraram as cadeiras do teatro*.

vanglória (van.*gló*.ri:a) *s.f.* Ideia alta, porém falsa, que alguém faz de si mesmo; presunção, vaidade.

vangloriar (van.glo.ri:*ar*) *v.* Enfatizar as qualidades de si mesmo ou dos outros: *Vangloriava-se sem cessar diante de todos*; *Como era modesto, só vangloriava os amigos*. ▶ Conjug. 17.

vanguarda (van.*guar*.da) *s.f.* **1.** Parte dianteira de um corpo: *a vanguarda do exército*. **2.** (*Art., Lit.*) Movimento artístico que propõe ideias novas e avançadas: *O grupo de artistas e poetas de 1922 constituía uma vanguarda nas letras e artes do Brasil*. – **vanguardismo** *s.m.*; **vanguardista** *adj. s.m. e f.*

vaníssimo (va.*nís*.si.mo) *adj.* Superlativo absoluto de *vão*.

vantagem (van.*ta*.gem) *s.f.* **1.** Proveito, benefício: *as vantagens das caminhadas*. **2.** Primazia, superioridade: *Na última curva, o corredor brasileiro alcançou a maior vantagem*. **3.** (*Esp.*) No tênis, situação em que o jogador marca um ponto depois de um empate e fica a um ponto de ganhar o *game*. || *Contar vantagem*: gabar-se de suas qualidades reais ou fictícias.

vantajoso [ô] (van.ta.*jo*.so) *adj.* **1.** Que tem ou traz vantagem; proveitoso: *Ela viu que fazer Medicina seria mais vantajoso*. **2.** Que proporciona lucro; lucrativo: *um negócio vantajoso*. || f. e pl.: [ó].

vante (*van*.te) *s.f.* (*Náut.*) A parte da frente de um navio.

vão *adj.* **1.** Frustrado, inútil: *um esforço vão*; *uma tentativa vã*. • *s.m.* **2.** Espaço vazio entre dois pontos ou dois apoios: *o vão da porta*; *no vão da janela*. || *Em vão*: inutilmente. || sup. abs.: *vaníssimo*.

vapor [ô] (va.*por*) *s.m.* **1.** Nuvem de partículas que resultam da passagem de um corpo líquido ou sólido ao estado gasoso. **2.** Navio: *Pegou um vapor da navegação costeira e foi para a Bahia*. || *A todo vapor*: muito depressa, com rapidez extrema.

vaporar (va.po.*rar*) *v.* Evaporar-se: *Toda a umidade que a chuva trouxe à terra num instante vaporou*. ▶ Conjug. 20.

vaporizador [ô] (va.po.ri.za.*dor*) *adj.* **1.** Que vaporiza. • *s.m.* **2.** Vaso provido de dispositivo para vaporizar um líquido.

vaporizar (va.po.ri.*zar*) *v.* **1.** Transformar(-se) em vapor; evaporar(-se): *A água da chaleira começou a vaporizar-se*. **2.** Espalhar líquidos em gotas; borrifar: *Vaporizaram a sala com inseticida*. ▶ Conjug. 5. – **vaporização** *s.f.*

vaporoso [ô] (va.po.*ro*.so) *adj.* **1.** Que tem leveza e transparência: *um vestido vaporoso*. **2.** Que contém ou que exala vapores: *fontes termais vaporosas*. || f. e pl.: [ó].

vaqueiro (va.*quei*.ro) *s.m.* Pessoa que guarda e pastoreia o gado vacum; boiadeiro.

vaquejada (va.que.*ja*.da) *s.f.* **1.** Reunião de gado numa fazenda para contagem, marcação, capação etc. **2.** Competição de vaqueiros.

vaqueta [ê] (va.*que*.ta) *s.f.* Couro macio e fino: *luvas de vaqueta*.

vaquinha (va.*qui*.nha) *s.f. coloq.* Coleta de dinheiro de pessoas interessadas, para algum fim.

vara (*va*.ra) *s.f.* **1.** Haste delgada, reta e flexível: *vara de marmelo*; *vara de bambu*. **2.** Pau comprido e reto para impelir embarcações em rios e lagos. **3.** Haste de madeira ou de outro material para diversos usos: *vara de pescar*; *salto com vara*; *vara de tirar manga*. **4.** (*Jur.*) Órgão público do Poder Judiciário; jurisdição: *vara de família*; *vara criminal*. **5.** Manada de porcos.

varado (va.*ra*.do) *adj.* **1.** Que foi perfurado, transpassado. **2.** Diz-se de embarcação enca-

varal

lhada na areia. **3.** Com muito, com excesso de: *Estava varado de fome; varado de dor de ouvido.*

varal (va.*ral*) *s.m.* Corda ou fio em que se põe roupa para secar.

varanda (va.*ran*.da) *s.f.* **1.** Sacada que avança da fachada de uma casa. **2.** Prolongamento de uma casa sem paredes externas. **3.** Guarnição lateral da rede de dormir.

varão (va.*rão*) *adj.* **1.** Que é do sexo masculino: *filho varão.* • *s.m.* **2.** Homem adulto.

varapau (va.ra.*pau*) *s.m.* **1.** Pau comprido e forte. • *s.m.* e *f.* **2.** Indivíduo alto e magro; magricela.

varar (va.*rar*) *v.* **1.** Atravessar, furar, transpassar: *Uma flecha varou o olho de Estácio de Sá.* **2.** Passar além (espaço): *O navio já varou a barra.* **3.** Passar além (tempo): *Varou a tarde lendo um romance.* ▶ Conjug. 5.

varejão (va.re.*jão*) *s.m.* Grande estabelecimento de venda a varejo: *Comprou os lençóis no varejão da fábrica.*

varejar (va.re.*jar*) *v.* **1.** Procurar minuciosamente um objeto: *Varejou todas as gavetas procurando a carteira.* **2.** Açoitar ou sacudir com vara para derrubar: *Varejou as mangas maduras com um varapau.* **3.** Atirar, jogar fora: *Apavorada, ela varejou longe o embrulho.* ▶ Conjug. 10 e 37.

varejeira (va.re.*jei*.ra) *s.f.* (*Zool.*) Redução de mosca-varejeira.

varejista (va.re.*jis*.ta) *adj.* **1.** Relativo ao comércio a varejo: *comércio varejista.* • *s.m.* e *f.* **2.** Comerciante que vende a varejo: *Os varejistas andam reclamando dos impostos.*

varejo [ê] (va.*re*.jo) *s.m.* **1.** Comércio de mercadorias em pequena escala. **2.** Inspeção sanitária em estabelecimentos comerciais. || *A varejo*: em pequenas quantidades.

vareta [ê] (va.*re*.ta) *s.f.* **1.** Vara pequena. **2.** Cada uma das hastes da armação do guarda-chuva. **3.** Cada uma das pequenas hastes de um leque.

vargedo [ê] (var.*ge*.do) *s.f.* **1.** Sequência de vargens. **2.** *reg.* Vargem muito extensa.

vargem (*var*.gem) *s.f.* Várzea.

variante (va.ri.*an*.te) *s.f.* **1.** Qualquer coisa que difere de outra coisa usada como referência: *as múltiplas variantes do vírus da gripe.* **2.** Cada uma das diferentes formas fônicas ou gráficas de um vocábulo: *Cousa é uma variante de coisa.* **3.** Estrada alternativa para determinado destino: *Pegou a variante para chegar mais rápido.*

variar (va.ri.*ar*) *v.* **1.** Tornar variado; diversificar: *O país precisa variar suas exportações; Variava sempre seu café da manhã.* **2.** Ser instável; mudar: *O humor do chefe varia muito; Ele está sempre variando em suas posições políticas.* **3.** Escolher algo diferente; trocar, mudar: *É muito bom variar de gravata; Rosa Maria varia muito de roupa.* **4.** Sofrer variação; oscilar: *O preço do produto variava de 3 a 5 reais; O preço do café varia de acordo com a demanda externa.* **5.** Delirar; ter alucinação: *Com febre altíssima, o doente variava.* ▶ Conjug. 17. – **variabilidade** *s.f.*; **variação** *s.f.*

variável (va.ri.*á*.vel) *adj.* **1.** Que varia ou pode variar: *clima variável; temperatura variável.* **2.** (*Gram.*) Que é susceptível de variação ou flexão (substantivo, adjetivo etc.). **3.** Instável: *Seu pulso estava variável: ora forte, ora fraco.* • *s.f.* **4.** (*Mat.*) Termo que pode ser trocado por outros numa função ou relação.

varicela [é] (va.ri.*ce*.la) *s.f.* (*Med.*) Catapora.

varicocele [é] (va.ri.co.*ce*.le) *s.f.* (*Med.*) **1.** Dilatação e tortuosidade das veias do cordão espermático, formando uma tumefação escrotal. **2.** Qualquer tumor formado por dilatação das veias.

varicoso [ô] (va.ri.*co*.so) *adj.* (*Med.*) Que tem varizes: *Tinha pernas varicosas.* || f. e pl.: [ó].

variedade (va.ri:e.*da*.de) *s.f.* **1.** Qualidade do que apresenta várias formas, tipos, maneiras: *a variedade das orquídeas brasileiras; a variedade da flora.* **2.** Cada uma dessas coisas individualmente: *O naturalista descobriu uma nova variedade de orquídea.* **3.** Conjunto de coisas numerosas e diversas entre si: *Comprou uma variedade de artigos de esporte.* • **variedades** *s.f.pl.* **4.** (*Teat., Telv.*) Espetáculos ou atrações apresentadas em casas de diversão, teatros etc.: *O circo apresentava um programa de variedades com artistas locais.*

variegado (va.ri:e.*ga*.do) *adj.* **1.** Variado. **2.** Que apresenta cores diversificadas: *flores de variegadas cores.*

variegar (va.ri:e.*gar*) *v.* Dar cores variadas, matizar: *O pintor variegou a tela com os mais belos matizes.* ▶ Conjug. 8 e 34.

vário (*vá*.ri:o) *adj.* **1.** Variado: *Pela janela do trem, via campos de vários cultivos.* **2.** Diferentes; diversificados: *Depois do serviço militar tomaram caminhos vários.* **3.** Inconstante; indefinido: *Tinha uma personalidade vária.* • **vários** *pron. indef.* **4.** Diversos, muitos: *Vários candidatos esperavam a hora de entrar na sala.*

varíola (va.rí.o.la) *s.f.* (*Med.*) Doença infectocontagiosa e epidêmica, causada por vírus, que provoca febre, dores, pequenas pústulas e lesões na pele. – **varioloso** *adj. s.m.*

variólico (va.ri:ó.li.co) *adj.* Relativo a varíola: *surto variólico.*

variz (va.riz) *s.f.* (*Med.*) Dilatação anormal e deformadora das veias e artérias que prejudica a circulação. || Usa-se comumente no plural *varizes.*

varonil (va.ro.nil) *adj.* Que possui características e tipo físico marcantemente masculinos; másculo, viril: *um guerreiro varonil.*

varrão (var.rão) *s.m.* Porco reprodutor; cachaço.

varredura (var.re.du.ra) *s.f.* **1.** Ato ou efeito de varrer. **2.** Busca ou procura minuciosa; rastreamento: *O radar fazia a varredura completa da área assinalada.*

varrer (var.rer) *v.* **1.** Limpar do lixo, da poeira etc., servindo-se de vassoura: *varrer a casa.* **2.** Limpar, esvaziar: *Os assaltantes varreram os cofres.* **3.** Tornar límpido, claro: *O vento forte varreu as nuvens.* **4.** Arrastar-se por; roçar, tocar: *A cauda do manto varria os tapetes do salão.* **5.** Fazer desaparecer; expelir, expulsar: *A metralhadora varreu da praça a multidão amotinada.* **6.** *fig.* Apagar, desvanecer, fazer esquecer; tirar a lembrança de: *Sua presença varreu toda a tristeza da minha vida.* ▶ Conjug. 39.

varrido (var.ri.do) *adj.* **1.** Que foi limpo com a vassoura. **2.** *coloq.* Completo, total (falando-se de louco): *Era um louco varrido.*

várzea (vár.ze:a) *s.f.* **1.** Campo plano cultivado; planície, vargem: *Uma boa várzea para o cultivo da cana-de-açúcar.* **2.** Terreno baixo e plano que margeia rio ou riacho, em geral de solo muito fértil: *As várzeas na beira do rio dão muito arroz.* **3.** Planície ampla: *Depois das montanhas, estendiam-se várzeas sem fim.*

vasa (va.sa) *s.f.* **1.** Lama fina, atoladiça, que se forma no fundo dos rios, mares e lagos. **2.** *fig.* Degradação moral.

vasca (vas.ca) *s.f.* **1.** Agitação convulsiva muito forte: *Foi tomado pela vasca do ataque.* **2.** Respiração ofegante que precede o momento da morte; estertor.

vascular (vas.cu.lar) *adj.* (*Anat.*) Relativo a vaso sanguíneo ou linfático: *sistema vascular.*

vascularidade (vas.cu.la.ri.da.de) *s.f.* Presença de vasos sanguíneos e linfáticos num tecido.

vascularização (vas.cu.la.ri.za.ção) *s.f.* (*Med.*) **1.** Formação e distribuição dos vasos sanguíneos no sistema circulatório. **2.** Irrigação sanguínea. – **vascularizar** *v.* ▶ Conjug. 8.

vasculhador [ô] (vas.cu.lha.dor) *s.m.* Vassoura de cabo comprido para vasculhar o teto; vasculho.

vasculhar (vas.cu.lhar) *v.* **1.** Limpar o teto com vassoura de cabo comprido. **2.** *fig.* Procurar, esquadrinhar, investigar: *Vasculhava a vida alheia.* ▶ Conjug. 5.

vasculho (vas.cu.lho) *s.m.* Vassoura de cabo longo para limpar o teto; vasculhador.

vasectomia (va.sec.to.mi.a) *s.f.* (*Med.*) Esterilização do homem através de uma intervenção cirúrgica nos canais que conduzem o esperma dos testículos à uretra.

vaselina (va.se.li.na) *s.f.* **1.** Derivado de petróleo, viscoso e incolor, usado no preparo de medicamentos e como creme emoliente. **2.** *fig.* Pessoa de muita lábia, mais de falar que de fazer.

vasilha (va.si.lha) *s.f.* **1.** Qualquer vaso ou recipiente para líquidos. **2.** Recipiente para guardar comida.

vasilhame (va.si.lha.me) *s.m.* **1.** O conjunto das vasilhas. **2.** Vasilha.

vaso (va.so) *s.m.* **1.** Objeto côncavo, de material variado, usado para conter líquidos ou sólidos; recipiente. **2.** Peça análoga para plantas de pequeno e médio porte. **3.** (*Anat.*) Conduto pelo qual circulam os líquidos do organismo (sangue, linfa etc.): *vasos sanguíneos; vasos linfáticos.* || *Vaso sanitário*: latrina, privada.

vasoconstrição (va.so.cons.tri.ção) *s.f.* (*Med.*) Constrição dos vasos sanguíneos. – **vasoconstritor** *adj.*

vasodilatação (va.so.di.la.ta.ção) *s.f.* (*Med.*) Dilatação dos vasos sanguíneos, especialmente das arteríolas.

vasodilatador [ô] (va.so.di.la.ta.dor) *adj.* Que produz dilatação dos vasos: *um medicamento vasodilatador.*

vasomotor [ô] (va.so.mo.tor) *adj.* (*Anat.*) Que determina a contração ou dilatação dos vasos sanguíneos: *nervo vasomotor.*

vassalagem (vas.sa.la.gem) *s.f.* **1.** Estado ou condição de vassalo (1). **2.** Tributo que o vassalo pagava ao senhor feudal de que dependia. **3.** Multidão de vassalos. **4.** *fig.* Estado de sujeição ou submissão.

vassalo (vas.sa.lo) *s.m.* **1.** Aquele que na Idade Média estava submetido a um senhor feudal. **2.** *fig.* Aquele que é submisso a alguém ou a

vassoura

alguma coisa. • *adj.* **3.** Que é submisso a alguém ou a alguma coisa: *um povo vassalo.*

vassoura (vas.sou.ra) *s.f.* Utensílio feito de palha, piaçaba, galhos de árvores etc., montado num cabo longo, que serve para limpar, varrendo o lixo ou o pó das casas, ruas etc.

vassourada (vas.sou.ra.da) *s.f.* **1.** Movimento da vassoura para varrer. **2.** Pancada com vassoura.

vassourar (vas.sou.rar) *v.* **1.** Limpar, remover com a vassoura: *Vassourou todo o quintal; Vassoure esses gatos.* **2.** Namorar variada e inconsequentemente: *Como era de muita beleza e pouco juízo, vassourava todos os rapazes do bairro.* ▶ Conjug. 22.

vassoureiro (vas.sou.rei.ro) *s.m.* Fabricante ou vendedor de vassouras.

vastidão (vas.ti.dão) *s.f.* **1.** Qualidade de vasto: *a vastidão do Brasil.* **2.** *fig.* Grande extensão; imensidão: *a vastidão de seus conhecimentos.*

vasto (vas.to) *adj.* **1.** De grande extensão: *um vasto império.* **2.** *fig.* De tamanho ou importância considerável: *uma vasta bagagem; um vasto conhecimento.* **3.** Volumoso: *um vasto bigode.*

vatapá (va.ta.pá) *s.m.* (*Cul.*) Iguaria da culinária baiana em que se juntam camarão defumado, peixe, azeite-de-dendê, leite de coco, castanha-de-caju e amendoim numa pasta à base de pão amolecido.

vate (va.te) *s.m.* **1.** Pessoa que tinha o poder de prever o futuro. **2.** Autor de poesia; poeta, rapsodo.

vaticano (va.ti.ca.no) *adj.* **1.** Relativo ao Vaticano, palácio ou governo pontifício da Igreja Católica: *a disciplina vaticana.* • *s.m.* **2.** Estado e palácio de onde o papa governa a Igreja Católica. || Neste caso, com inicial maiúscula.

vaticinar (va.ti.ci.nar) *v.* Profetizar, prenunciar, predizer: *A cigana vaticinou-lhe um bom casamento.* ▶ Conjug. 5. – **vaticinador** *adj. s.m.*

vaticínio (va.ti.cí.ni:o) *s.m.* **1.** Adivinhação do futuro; predição; profecia. **2.** Previsão a partir de indícios; prognóstico, agouro.

vau *s.m.* Lugar do rio, ou lago, ou mar onde a água é pouco funda, e se pode passar a pé ou a cavalo.

vaza (va.za) *s.f.* Conjunto das cartas jogadas, lance a lance, por todos os parceiros e recolhidas, no final, pelo ganhador.

vazado (va.za.do) *adj.* **1.** Que se vazou; aplica-se também ao goleiro ou à defesa que deixou passar gols: *O goleiro mais vazado do campeonato.* **2.** Diz-se do espaço vazio, não preenchido, dentro de um contexto impresso: *letras vazadas num fundo azul.* **3.** Lavrado, executado: *Um texto vazado em elevado estilo.* • *s.m.* **4.** A parte oca ou vazia de alguma coisa: *Gostava de admirar os vazados dos arabescos.*

vazadouro (va.za.dou.ro) *s.m.* Lugar de despejo de líquidos e dejetos; despejo.

vazamento (va.za.men.to) *s.m.* **1.** Ato ou efeito de vazar; vazão. **2.** Orifício por onde vazam líquidos ou gases: *Chamamos um bombeiro para consertar o vazamento.* **3.** *fig.* Divulgação indevida de uma notícia ou de uma informação confidencial: *O vazamento dos nomes dos implicados prejudicou a investigação.*

vazante (va.zan.te) *adj.* **1.** Que vaza: *gases vazantes.* • *s.f.* **2.** Período em que o nível das águas do mar ou dos rios está baixo; refluxo. || Conferir com *cheia.*

vazão (va.zão) *s.f.* **1.** Ato ou efeito de vazar; vazamento: *Os pescadores aguardam a vazão da maré.* **2.** Deslocamento em direção à saída; escoamento: *Os guardas procuravam organizar a vazão do público; De quantos milhões de litros é a vazão do Amazonas?* **3.** Movimento do produto do vendedor ao consumidor: *A vazão era tão grande, que o estoque tinha de ser reposto diariamente.* || *Dar vazão:* conseguir atender os pedidos; dar conta dos pedidos.

vazar (va.zar) *v.* **1.** Deixar esvaziar ou correr aos poucos (líquido contido em vaso): *O balde de carregar água estava vazando.* **2.** Desaguar: *O Amazonas vaza suas águas no Atlântico.* **3.** Esvaziar: *Vazaram toda a água da caixa para limpeza.* **4.** Abrir vão; furar, escavar: *vazar uma peça sólida.* **5.** Furar, transpassar: *A espada do rival vazou a armadura do cruzado.* **6.** *fig.* Deixar vir ao público notícia ou informação sigilosa: *Vazou a informação de que haveria um golpe de estado naquele país.* **7.** Lançar gesso ou matéria fundida nos moldes para fazer o objeto que se quer: *O artista vazou o bronze fundido no molde para fazer a estátua do herói.* ▶ Conjug. 5.

vazio (va.zi:o) *adj.* **1.** Que não está ocupado nem preenchido por coisa alguma; desocupado; desabitado: *Há muitos prédios vazios naquela rua.* **2.** *fig.* Destituído de sentido, de substância: *Tivemos que ouvir um discurso vazio.* • *s.m.* **3.** Espaço sem nada; vão: *Ficava horas fitando o vazio.*

veado (ve:a.do) *s.m.* **1.** (*Zool.*) Mamífero ruminante da família dos cervídeos, muito velozes, cujos machos são providos de cornos simples

velar

ou ramificados; cervo. **2.** *chulo* Homem homossexual. – **veadagem** *s.f.*

vector (vec.*tor*) *s.m.* Vetor.

vedar (ve.*dar*) *v.* **1.** Impedir a passagem do ar, água, líquido, barulho, som etc.: *Uma grossa parede revestida de cortiça vedava o ruído da festa; Vedavam as persianas com papel de jornal.* **2.** Não consentir, não permitir; proibir: *Os guardas vedaram a entrada dos curiosos; Vedaram aos curiosos a entrada no local; Foi vedada qualquer manifestação.* ▶ Conjug. 8. – **vedação** *s.f.*

vedeta [ê] (ve.*de*.ta) *s.f.* Guarita ou ponto de observação em lugar alto; vigia.

vedete [é] (ve.*de*.te) *s.f.* **1.** Atriz principal de um teatro de revista ou de um espetáculo musical. **2.** *pej.* Pessoa que aparece muito ou faz tudo para aparecer: *Nesta festa parece que todos são vedetes.*

vedetismo (ve.de.*tis*.mo) *s.m.* Atitude ou comportamento de vedete (2); estrelismo.

veemente (ve:e.*men*.te) *adj.* **1.** Expresso com força e vigor: *Sua reclamação foi veemente.* **2.** Muito forte; intenso: *uma veemente dor de cabeça.* **3.** Caloroso, entusiástico: *aplausos veementes.* – **veemência** *s.f.*

vegetação (ve.ge.ta.*ção*) *s.f.* Conjunto das plantas de uma região: *a luxuriosa vegetação amazônica.*

vegetal (ve.ge.*tal*) *adj.* **1.** Relativo a plantas; próprio ou procedente de plantas: *reino vegetal; produção vegetal; carvão vegetal.* • *s.m.* **2.** Ser vivo não animal, dotado de clorofila e que vive preso à terra; planta.

vegetar (ve.ge.*tar*) *v.* **1.** Crescer, desenvolver-se, viver (vegetal): *O arroz vegeta bem nesses alagados.* **2.** *fig.* Viver quase somente com as funções vegetativas: *Depois daquela doença, ele quase não vive, vegeta.* **3.** Viver sem atividade, sem motivação: *Meu amigo, deixe de ficar vegetando aí; venha viver.* ▶ Conjug. 8.

vegetariano (ve.ge.ta.ri:*a*.no) *adj.* **1.** Que se alimenta de vegetais ou de produtos de origem vegetal: *um monge vegetariano.* **2.** Relativo a esse tipo de alimentação: *uma dieta vegetariana.* • *s.m.* **3.** Pessoa que tem uma dieta vegetariana: *Os vegetarianos alimentam-se muito bem, sem comer carnes.*

vegetativo (ve.ge.ta.*ti*.vo) *adj.* **1.** (*Bot.*) Relativo ao desenvolvimento e nutrimento de plantas e animais: *crescimento vegetativo.* **2.** Relativo a qualquer das funções dos vegetais, exceto a reprodução. **3.** Relativo às atividades orgânicas que se processam independentemente de nossa vontade. **4.** *fig.* Que não tem mais atividade consciente: *Seu estado é vegetativo desde que sofreu grave acidente.*

veia (*vei*.a) *s.f.* **1.** (*Anat.*) Vaso que transporta o sangue da periferia para o coração: *veias pulmonares.* **2.** *fig.* Propensão, habilidade natural; queda natural para alguma coisa: *A veia artística da família manifestou-se melhor no filho caçula.* **3.** (*Bot.*) A nervura das folhas. **4.** (*Geol.*) Veio muito pequeno numa rocha.

veicular[1] (vei:cu.*lar*) *adj.* Relativo a veículo, próprio de veículo.

veicular[2] (vei:cu.*lar*) *v.* Difundir, propagar, espalhar: *A televisão veicula novos hábitos.* ▶ Conjug. 5. – **veiculação** *s.f.*

veículo (ve.*í*.cu.lo) *s.m.* **1.** Qualquer meio mecânico de transporte de pessoas ou coisas: *A venda de veículos vem aumentando.* **2.** Carro, automóvel: *Como não temos veículo próprio, alugamos a garagem ao vizinho.* **3.** Meio de transmissão e de propagação: *Os veículos de comunicação devem estar a serviço da educação.* **4.** Líquido que tem, em solução ou suspensão, substância nutritiva ou medicamentosa: *O veículo desse xarope não é alcoólico.*

veio (*vei*.o) *s.m.* **1.** (*Min.*) Faixa do solo da mina onde se encontra o minério, a qual apresenta cor ou estrutura diferente na terra ou na rocha onde se insere. **2.** (*Geol.*) Depósito de minerais numa fenda de rocha; filão. **3.** Marca, risca ou fenda estriada: *A beirada dos pratos tinha um veio prateado.* **4.** Pequeno fio de água; regato que aparece em certas pedras.

vela[1] (*ve*.la) *s.f.* **1.** Peça, geralmente de cera ou parafina, provida de um pavio que se acende para iluminar; círio. **2.** Peça cilíndrica, geralmente de porcelana ou outro material permeável, usada para filtrar a água. **3.** Peça que causa a ignição em motor a explosão. || *Acender uma vela a Deus e outra ao diabo*: procurar estar bem com os dois lados; seguir duas ideias opostas. • *Segurar a vela*: acompanhar um casal.

vela[2] (*ve*.la) *s.f.* **1.** Pano largo de tecido ou náilon que, impulsionado pelo vento, movimenta embarcações. **2.** Embarcação movida dessa maneira: *A esquadra de Cabral contava treze velas.*

velame (ve.*la*.me) *s.m.* **1.** Conjunto de velas de uma embarcação. **2.** O que mascara ou disfarça.

velar[1] (ve.*lar*) *adj.* **1.** Relativo ao véu palatino e a sons formados nessa região: *um fonema velar.*

velar

• *s.f.* **2.** Fonema velar: *As velares são também oclusivas.*

velar² (ve.*lar*) *v.* **1.** Cobrir(-se) com véu; esconder(-se); ocultar(-se): *Não conseguiram velar o roubo e a incompetência; Velou-se para não ser reconhecida.* **2.** (*Cine, Fot.*) Expor completamente o filme à luz excessiva, prejudicando ou impedindo a formação da imagem: *O filme velou; teremos que refilmar a cena.* **3.** *fig.* Colocar(-se) em proteção de; precaver-se; proteger-se: *Velavam-se da excessiva luminosidade sob as frondosas árvores do parque.* ▶ Conjug. 8.

velar³ (ve.*lar*) *v.* **1.** Ficar desperto e atento ao lado de alguém: *Dorme, que velo por ti; Velava os doentes com muita paciência.* **2.** Cuidar de; zelar por: *Sempre velou pela família do irmão; Sempre velou a família do irmão.* ▶ Conjug. 8.

velcro (*vel.*cro) *s.m.* Par de tiras aderentes uma à outra usado como fecho em roupas, bolsas, tênis etc. || Da marca registrada *Velcro.*

veleidade (ve.lei.*da*.de) *s.f.* **1.** Vontade ou atitude passageira, volúvel: *Deixou o namorado por pura veleidade.* **2.** Demonstração de pretensão ou de vaidade; presunção: *Ainda tem a veleidade de se julgar bonita.* **3.** Atitude de imaturidade, de excentricidade: *Ah, as veleidades da juventude...*

veleiro (ve.*lei*.ro) *s.m.* **1.** Embarcação a vela. **2.** Indivíduo que faz velas para embarcações.

velejar (ve.le.*jar*) *v.* **1.** Navegar a vela: *Nas férias vou velejar com os amigos.* **2.** Percorrer, velejando: *Iremos velejar pelo litoral nordestino.* ▶ Conjug. 10 e 37.

velha [é] (ve.lha) *s.f.* **1.** Mulher de muita idade. **2.** *fam.* A mãe: *A velha quer que eu chegue cedo e não durma fora de casa.*

velhaco (ve.*lha*.co) *adj.* **1.** Que é enganador, trapaceiro; patife: *Era um advogado velhaco.* • *s.m.* **2.** Pessoa velhaca: *Eu não sou um velhaco.* – **velhacada** *s.f.*; **velhacagem** *s.f.*; **velhacaria** *s.f.*

velha-guarda (ve.lha-*guar*.da) *s.f.* **1.** Grupo dos componentes mais antigos de um escola de samba: *a velha-guarda da Portela.* **2.** Grupo dos sócios mais antigos de uma instituição, de um partido, de um clube etc. || pl.: *velhas-guardas.*

velharia (ve.lha.*ri*.a) *s.f.* **1.** Usos, hábitos, crenças, opiniões típicas de velhos: *as velharias do vovô.* **2.** Objeto velho, que já não presta: *Jogue fora essa velharia, que já comprei um novo.* **3.** Tudo que é considerado ultrapassado, antiquado: *Modernize-se, mulher, e jogue fora essas velharias.*

velhice (ve.*lhi*.ce) *s.f.* **1.** Fase da vida que segue à maturidade: *Depois dos quarenta, logo a velhice está chegando.* **2.** Condição de velho: *Antes de ficar doente, o bisavô já dava sinais de velhice.* **3.** Condição daquilo que é antigo ou velho: *É preciso levar em conta a velhice desse carro.*

velho [é] (ve.lho) *adj.* **1.** Que tem muita idade, em relação à duração média da vida; idoso: *Ele se sentia um homem velho diante de seus jovens alunos.* **2.** Que existe há muito tempo: *A velha igreja é o monumento mais antigo da cidade.* **3.** Muito gasto pelo tempo, pelo uso; deteriorado: *Estas gravatas estão desbotadas e velhas; preciso comprar outras.* **4.** Que está ultrapassado; antiquado, obsoleto: *Vou comprar um trator mais moderno, que esse já está velho; Doou todos os seus ternos velhos.* **5.** Diz-se da pessoa que se conhece há muito tempo: *Aqui estamos meu velho companheiro e eu.* • *s.m.* **6.** Pessoa velha. **7.** Tratamento que os filhos dão ao pai, sobretudo na ausência dele: *Se o velho emprestar o carro, poderemos ir à festa.* **8.** Tratamento carinhoso que a mulher dá ao marido, depois de muitos anos de casados: *Eu e meu velho passamos as férias em Poços de Caldas.* ||dim. irreg.: *velhusco.*

velhote [ó] (ve.*lho*.te) *adj.* **1.** Que está muito velho; velhinho: *um homem velhote.* • *s.m.* **2.** Homem que está muito velho: *O velhote bateu à porta.* **3.** Diminutivo de *velho.*

velhusco (ve.*lhus*.co) *adj.* **1.** Que está bastante velho: *uma casa velhusca e mal-assombrada.* **2.** Pessoa que está bastante velha: *Lá vem o velhusco que mal pode andar.* **3.** Diminutivo irregular de *velho.*

velo [é] (ve.lo) *s.m.* **1.** Pelo comprido de animais, especialmente de carneiro ou de cordeiro. **2.** Pele de ovino com a respectiva lã; velocino.

velocidade (ve.lo.ci.*da*.de) *s.f.* **1.** Relação entre o tempo do percurso e o espaço percorrido: *Ia a uma velocidade de 120 km/h.* **2.** Qualidade daquilo que é veloz, ligeiro; rapidez, ligeireza: *O trabalho não ficou bom por causa da velocidade com que você o fez.* **3.** (*Fot.*) Tempo em que o filme fica exposto à luz durante a foto.

velocímetro (ve.lo.*cí*.me.tro) *s.m.* Instrumento que serve para medir a velocidade de um veículo.

velocino (ve.lo.*ci*.no) *s.m.* Pele de carneiro ou de ovelha com sua lã; velo.

velocípede (ve.lo.*cí*.pe.de) *s.m.* Brinquedo de criança, constituído por um assento montado sobre um triciclo.

velódromo (ve.*ló*.dro.mo) *s.m.* Pista em que se fazem corridas de bicicletas.

velório (ve.*ló*.ri:o) *s.m.* Reunião de pessoas para velar um defunto antes da hora do enterro.

veloz [ó] (ve.*loz*) *adj.* **1.** Que se desloca em alta velocidade; rápido: *um trem veloz.* **2.** Ágil; ligeiro: *um mensageiro veloz.*

veludo (ve.*lu*.do) *s.m.* Tecido de seda ou de algodão, com um lado liso e outro com pelos curtos extremamente macios.

veludoso [ô] (ve.lu.*do*.so) *adj.* Semelhante ao veludo, macio como veludo. ‖ f. e pl.: [ó].

venal¹ (ve.*nal*) *adj.* **1.** Que se pode vender, suscetível de venda; vendável: *um produto venal.* **2.** Que se deixa peitar ou corromper por suborno: *juiz venal.*

venal² (ve.*nal*) *adj.* Venoso.

venalidade (ve.na.li.*da*.de) *s.f.* Qualidade do que se vende, de quem é venal.

venatório (ve.na.*tó*.ri:o) *adj.* Relativo a caça: *troféus venatórios.*

vencedor [ô] (ven.ce.*dor*) *adj.* **1.** Que vence ou venceu. • *s.m.* **2.** Pessoa que, a despeito de ter passado por dificuldades, conseguiu superá-las: *Era muito doente na infância, mas hoje é um vencedor.*

vencer (ven.*cer*) *v.* **1.** Sair vitorioso da luta, da guerra, da concorrência, da disputa ou do jogo: *Venci meus adversários no xadrez; O país venceu a guerra contra o inimigo.* **2.** Atingir a data limite para pagamento: *A prestação do carro vence amanhã.* **3.** Terminar, encerrar prazo: *Venceu hoje o prazo para as inscrições.* **4.** *fig.* Ser mais forte que; superar, refrear: *Venceram a fome e a sede, mas chegaram no topo da montanha.* **5.** Percorrer, atingir, transpor, superar (distância, barreira, obstáculo): *Consegui vencer aquela distância toda em duas horas; Conseguiram vencer suas diferenças.* ▶ Conjug. 39 e 46.

vencimento (ven.ci.*men*.to) *s.m.* **1.** Ato ou efeito de vencer ou ser vencido. **2.** Ato de expirar o prazo de pagamento de uma letra ou dívida ou do cumprimento de qualquer encargo: *Esta letra terá vencimento dia 5.* **3.** Data em que esse fato acontece: *O vencimento é dia 5.* **4.** Fim da validade de um contrato, de um produto, de um documento etc.: *O vencimento desse leite em pó é na semana que vem.* **5.** Ordenado, rendimento, proventos de um cargo, de um emprego; salário: *Depositou seus vencimentos numa conta bancária.* ‖ Nesta acepção, usa-se mais no plural.

vencível (ven.*cí*.vel) *adj.* **1.** Que se pode vencer. **2.** Que se vence.

venda¹ (*ven*.da) *s.f.* **1.** Ato ou efeito de vender uma coisa em troca de dinheiro. **2.** Loja em que se vendem mantimentos e todo gênero de mercadorias; mercearia; armazém. **3.** Loja em que se vendem bebidas alcoólicas, doces, balas etc.; botequim.

venda² (*ven*.da) *s.f.* Faixa de pano, gaze ou de couro para cobrir os olhos.

vendar (ven.*dar*) *v.* **1.** Pôr venda; cobrir, tapar: *Com um lenço negro, vendaram o rosto do morto.* **2.** *fig.* Cegar, obscurecer, turvar: *A riqueza vendou-lhe o espírito.* ▶ Conjug. 5.

vendaval (ven.da.*val*) *s.m.* **1.** Vento forte que sopra com as tempestades. **2.** *fig.* Grande perturbação interior: *um vendaval de paixão.*

vendeiro (ven.*dei*.ro) *s.m.* Dono de venda.

vender (ven.*der*) *v.* **1.** Ceder alguma coisa mediante certo preço: *Vendeu o apartamento ao vizinho por trezentos mil reais.* **2.** Pôr à disposição de alguém com o objetivo de receber dinheiro ou alguma vantagem: *vender o voto, vender a honra, vender a consciência.* **3.** Ter boa comercialização: *O café vende bem neste momento; Aqui se vende bem material de construção.* **4.** Negociar com algum produto: *Ele vive de vender enciclopédias.* **5.** Denunciar por interesse; trair: *Ele é capaz de vender seu melhor amigo para obter uma posição.* **6.** Ter em grande quantidade: *O remador vendia saúde.* **7.** Aceitar suborno: *Vende-se por qualquer coisa.* ▶ Conjug. 39.

vendeta [ê] (ven.*de*.ta) *s.f.* Vingança tramada com ânsia, que normalmente desencadeia a violência entre grupos rivais.

vendilhão (ven.di.*lhão*) *s.m.* **1.** Pessoa que vende de porta em porta; mascate. **2.** *fig.* Pessoa que explora a fé religiosa ou os valores morais em atividades de comércio clandestino e fraudulento: *Jesus expulsou os vendilhões do templo.*

veneno (ve.*ne*.no) *s.m.* **1.** Substância, de origem vegetal, animal ou mineral que, ingerida ou aplicada exteriormente, é capaz de alterar ou destruir as funções vitais; peçonha. **2.** Todo e qualquer elemento que prejudica ou desvirtua o que é bom: *A corrupção é um veneno na administração do bem público.* **3.** *coloq.* Intenção de fazer intriga, de trazer discórdia; má-fé: *Ela pôs muito veneno em seus comentários com as colegas.* – **venenoso** *adj.*

veneração (ve.ne.ra.*ção*) *s.f.* **1.** Ato ou efeito de venerar, de ter por alguém ou alguma coisa um culto respeitoso, normalmente tributado às coisas santas. **2.** Culto, devoção.

venerando

venerando (ve.ne.*ran*.do) *adj.* Venerável.

venerar (ve.ne.*rar*) *v.* **1.** Prestar culto às coisas sagradas; adorar, cultuar: *O povo venera nessa igreja uma santa milagrosa.* **2.** Prestar reverência; reverenciar: *Na escola, aprende-se a venerar nossa bandeira.* ▶ Conjug. 8.

venerável (ve.ne.*rá*.vel) *adj.* Que deve ser venerado, digno de veneração; respeitável; venerando: *Vimos um velho de aspecto venerável.*

venéreo (ve.*né*.re:o) *adj.* Diz-se de doenças contraídas em relações sexuais: *doença venérea.*

veneta [ê] (ve.*ne*.ta) *s.f.* **1.** Capricho repentino; impulso; ímpeto. **2.** Crise de raiva, de loucura. || *Dar na veneta*: ter uma ideia repentina: *De repente, deu-lhe na veneta sair de casa.*

veneziana (ve.ne.zi:*a*.na) *s.f.* Janela formada por lâminas articuladas de madeira, acrílico etc. que se juntam ou separam, deixando entrar maior ou menor luminosidade.

venezuelano (ve.ne.zu:e.*la*.no) *adj.* **1.** Da Venezuela, país da América do Sul: *o povo venezuelano.* • *s.m.* **2.** O natural ou o habitante desse país: *um venezuelano chamado Simón Bolívar.*

vênia (*vê*.ni:a) *s.f.* **1.** Licença, permissão para fazer ou dizer algo: *Peço vênia para acrescentar uma observação.* **2.** Cumprimento respeitoso; reverência: *Fez uma vênia diante do altar.* **3.** Absolvição de culpa; perdão, desculpa: *Peço vênia por chegar atrasado.*

venial (ve.ni:*al*) *adj.* **1.** Digno de vênia, perdoável: *Seu descuido é totalmente venial.* **2.** (*Rel.*) Que não é grave, falando-se de pecado: *pecado venial.*

venoso [ô] (ve.*no*.so) *adj.* **1.** Relativo a veias; venal (2): *um medicamento por via venosa.* **2.** Diz-se do sangue que perdeu grande parte do oxigênio e circula pelas veias: *sangue venoso.* || f. e pl.: [ó].

venta (*ven*.ta) *s.f.* **1.** Cada uma das aberturas do nariz por onde o ar entra e sai. • *ventas s.f.pl.* **2.** *coloq.* O nariz: *Foi de ventas ao chão.* **3.** *coloq.* Cara: *Deu-lhe um bofetão nas ventas.*

ventania (ven.ta.*ni*.a) *s.f.* Vento forte e prolongado.

ventanilha (ven.ta.*ni*.lha) *s.f.* Cada uma das aberturas da mesa de sinuca, por onde cai a bola; caçapa.

ventar (ven.*tar*) *v.* Soprar (o vento): *Durante toda a noite ventou forte.* ▶ Conjug. 5.

ventarola [ó] (ven.ta.*ro*.la) *s.f.* Tipo de leque com cabo e sem varetas.

ventilador [ô] (ven.ti.la.*dor*) *s.m.* Aparelho próprio para renovar o ar de um interior, agitando, com pás, as correntes aéreas.

ventilar (ven.ti.*lar*) *v.* **1.** Fazer circular o ar de um recinto, de um ambiente: *Vamos abrir as janelas para ventilar esta sala.* **2.** Tomar ar; arejar-se, refrescar-se: *Deixe os lençóis na varanda para ventilar.* **3.** *fig.* Debater uma questão, uma ideia: *Queremos ventilar essa ideia entre os sócios.* ▶ Conjug. 5. – **ventilação** *s.f.*

vento (*ven*.to) *s.m.* Corrente de ar em movimento, por diferença de pressão atmosférica ou por movimento de pás (como nos ventiladores).

ventoinha (ven.to:*i*.nha) *s.f.* **1.** Parte giratória de um cata-vento. **2.** Pequeno ventilador para refrescar motores e a unidade central de processamento dos computadores.

ventosa [ó] (ven.*to*.sa) *s.f.* **1.** Órgão com que alguns animais se fixam numa superfície: *As lagartixas têm ventosas nas patas.* **2.** Objeto cirúrgico semelhante a um pequeno copo que é fixado a uma parte do corpo para provocar o afluxo de sangue a ser retirado numa sangria: *Haviam aplicado várias ventosas em suas costas.*

ventoso [ô] (ven.*to*.so) *adj.* **1.** Cheio de vento; agitado pelo vento: *um terraço muito ventoso.* **2.** Diz-se do espaço de tempo em que venta: *A noite foi muito ventosa.* || f. e pl.: [ó].

ventral (ven.*tral*) *adj.* Relativo ao ventre: *barbatana ventral.*

ventre (*ven*.tre) *s.m.* **1.** (*Anat.*) Parte do corpo que contém os órgãos dos sistemas digestório e reprodutor: abdômen, abdome. **2.** Barriga: *ventre volumoso.* **3.** Útero: *Bendito é o fruto do teu ventre.* **4.** Intestino: *prisão de ventre.*

ventrículo (ven.*trí*.cu.lo) *s.m.* (*Anat.*) Nome de certas cavidades de alguns órgãos, especialmente as duas cavidades inferiores (direita e esquerda) do coração.

ventríloquo (ven.*trí*.lo.quo) *adj.* **1.** Que modifica a voz natural, abafando-a na saída da laringe, de modo que pareça vir de outra pessoa: *um palhaço ventríloquo.* • *s.m.* **2.** Pessoa ventríloqua: *Convidaram um ventríloquo para a festa de aniversário.*

ventrudo (ven.*tru*.do) *adj.* Que tem grande ventre; barrigudo.

ventura (ven.*tu*.ra) *s.f.* **1.** Destino favorável ou desfavorável; sorte: *Infelizmente, a ventura não lhe sorriu.* **2.** Acontecimento bom que traz muitas vantagens: *Quis a ventura que ele*

verdade

encontrasse *a mulher de seus sonhos*. **3.** Sentimento de satisfação; felicidade pelo que aconteceu: *Hoje ele vive na paz e na ventura*.

venturoso [ô] (ven.tu.ro.so) *adj.* Que tem boa sorte; que é ditoso; afortunado: *O rei D. Manuel, o Venturoso.* || f. e pl.: [ó].

ver *v.* **1.** Perceber as imagens por meio da vista, sentir a impressão que um objeto faz nos olhos; enxergar: *Vejo toda a paisagem com a maior clareza.* **2.** Assistir a: *Ângela vê três novelas por dia.* **3.** Observar, perceber, achar: *Eduardo não via sinal algum de vida no lugar; Comporte-se, pois estou vendo você continuamente.* **4.** Ser testemunha: *Vi a ocorrência da janela de meu escritório.* **5.** Pensar sobre; examinar, apreciar: *Veja essa prova e dê sua opinião; Vamos ver o que podemos fazer.* **6.** Ter contato com alguém: *Há muito que não vejo o Carlos.* **7.** Encontrar-se mutuamente (duas pessoas): *Alice e Tadeu viram-se outro dia numa festa.* **8.** Observar a si mesmo; mirar-se ao espelho: *Ana Lúcia passa horas vendo-se no espelho.* **9.** Surpreender-se em determinada situação: *De repente vi-me dentro de um avião, voando para Milão.* || part.: *visto*. ▶ Conjug. 59.

veracidade (ve.ra.ci.da.de) *s.f.* Qualidade do que é verdadeiro; do que é veraz.

veracíssimo (ve.ra.cís.si.mo) *adj.* Superlativo absoluto de *veraz*.

veranear (ve.ra.ne:ar) *v.* Passar as férias de verão em lugar aprazível, normalmente na praia ou na montanha: *Todos os anos a família veraneia em Guarapari.* ▶ Conjug. 14. – **veraneio** *s.m.*

veranico (ve.ra.ni.co) *s.m.* Período curto de calor fora do verão, geralmente no outono: *Ela nos visitou durante o veranico de maio.*

veranista (ve.ra.nis.ta) *s.m. e f.* Pessoa que veraneia.

verão (ve.rão) *s.m.* Estação mais quente do ano, entre a primavera e o outono, e que, no hemisfério sul, ocorre entre 20 de dezembro e 20 de março.

veraz (ve.raz) *adj.* **1.** Que é sincero: *Sempre lhe dediquei um amor veraz.* **2.** Que corresponde à verdade: *Fez uma veraz descrição do acontecimento.* || Superlativo absoluto: *veracíssimo.*

verba [é] (ver.ba) *s.f.* **1.** Consignação de quantia, geralmente em orçamento, para determinado fim; dotação: *A verba destinada a eventos acabou.* **2.** Valor em dinheiro: *Queria comprar um apartamento, mas cadê a verba?*

verbalismo (ver.ba.lis.mo) *s.m.* Eloquência vazia. – **verbalista** *adj. s.m. e f.*

verbalizar (ver.ba.li.zar) *v.* Expressar por meio de palavras: *Foi difícil verbalizar todo o meu sentimento.* ▶ Conjug. 5. – **verbalização** *s.f.*

verbena (ver.be.na) *s.f.* (*Bot.*) Planta herbácea de flores perfumadas cultivada em jardins.

verberar (ver.be.rar) *v.* Repreender veementemente; censurar: *O professor verberou a falta de atenção dos alunos; O professor verberou contra a falta de atenção dos alunos.* ▶ Conjug. 8. – **verberação** *s.f.*; **verberante** *adj.*

verbete [ê] (ver.be.te) *s.m.* **1.** Cada uma das entradas de palavras listadas, ou lemas, de uma obra de referência, como um dicionário ou uma enciclopédia etc., que contém informações sobre essa palavra (ou verbete, ou lema), sua acepção ou seu uso. **2.** Anotação sobre um assunto. **3.** O papel que contém essa anotação.

verbo [é] (ver.bo) *s.m.* **1.** (*Gram.*) Classe de palavras que, do ponto de vista morfológico, flexiona-se para indicar tempo, modo, aspecto, número e pessoa, e, do ponto de vista sintático, ou se constituem no núcleo do predicado (verbos nocionais) ou funcionam como portadoras das categorias de tempo, modo, aspecto, número e pessoa do predicado nominal (verbos de ligação). Na oração *O trem chegou e estava atrasado* temos em *chegou* um verbo nocional e em *estava* um verbo de ligação. **2.** Palavra, linguagem, discurso. || *Soltar o verbo*: dizer o que pensa. • *Verbo suporte*: verbo que forma locução com um substantivo e pode substituir um outro verbo: *fazer negócio* em vez de *negociar; dar surra* em vez de *surrar.*

verbo-nominal (ver.bo-no.mi.nal) *adj.* (*Gram.*) Diz-se do predicado que tem um núcleo verbal e um núcleo nominal, como na oração *Pedro saiu satisfeito.*

verborragia (ver.bor.ra.gi.a) *s.f.* Uso de muitas palavras e pouco conteúdo: verborreia. – **verborrágico** *adj.*

verborreia [éi] (ver.bor.rei:a) *s.f.* Verborragia.

verboso [ô] (ver.bo.so) *adj.* **1.** De muitas palavras; palavroso: *um texto verboso.* **2.** Que tem facilidade de expressão; eloquente: *um pregador verboso.* **3.** Que fala muito; loquaz: *um grupo verboso.* || f. e pl.: [ó].

verdade (ver.da.de) *s.f.* **1.** Aquilo que é real; verdadeiro: *Às vezes a verdade dói.* **2.** Correspondência à realidade; exatidão: *Seu depoimento corresponde à verdade.* **3.** Princípio religioso, científico, moral etc. em que se baseiam doutrinas, crenças, atitudes: *A ressurreição de Cristo é a verdade básica dos cristãos.*

verdadeiro

verdadeiro (ver.da.*dei*.ro) *adj.* **1.** Que tem caráter de verdade porque corresponde à realidade; fiel: *uma imagem verdadeira.* **2.** Em que se encontra a verdade: autêntico, exato: *uma narrativa verdadeira.* **3.** Em que há honestidade, sinceridade: *um amigo verdadeiro.* **4.** Real, não fictício; não fantasioso: *um herói verdadeiro.* **5.** Correto, exato, real: *a solução verdadeira.* **6.** Genuíno, autêntico: *um verdadeiro Volpi; uma verdadeira aguardente.*

verde [ê] (ver.de) *adj.* **1.** Da cor da erva e das folhas das árvores. **2.** Que ainda tem seiva: *madeira verde.* **3.** Que ainda não amadureceu: *um fruto verde.* **4.** *fig.* Que tem pouca experiência; novato: *Ele é ainda muito verde para ocupar o cargo.* **5.** Diz-se do vinho feito de uvas pouco maduras: *vinho verde.* **6.** *fig.* Que tem frescor; que tem juventude: *os verdes anos de nossa vida.* • *s.m.* **7.** A cor secundária resultante da combinação do azul com o amarelo. || *Jogar verde para colher maduro*: mencionar algo com a intenção de ouvir alguma coisa que seja a resposta à sua curiosidade.

verde-garrafa (ver.de-gar.*ra*.fa) *s.m.* **1.** A cor escura do verde de certas garrafas; verde-escuro. • *adj.* **2.** Que é dessa cor: *vidros verde-garrafa.* || pl. do *s.m.*: *verdes-garrafa* e *verdes-garrafas.*

verdejar (ver.de.*jar*) *v.* Tornar-se verde; verdecer: *Por trás do muro verdejavam folhas de bananeira.* ▶ Conjug. 10 e 37. – **verdejante** *adj.*

verde-mar (ver.de-*mar*) *s.m.* **1.** Tonalidade clara do verde, dando para o azul. • *adj.* **2.** Que é dessa cor: *olhos verde-mar.* || pl. do *s.m.*: *verdes-mar* e *verdes-mares.*

verde-oliva (ver.de-o.*li*.va) *s.m.* **1.** A cor verde-escuro da azeitona. • *adj.* **2.** Que é dessa cor: *fardas verde-oliva.* || pl. do *s.m.*: *verdes-oliva* e *verdes-olivas.*

verdinha (ver.*di*.nha) *s.f. coloq.* Nota de dólar.

verdoengo (ver.do:en.go) *adj.* **1.** Tirante a verde, um tanto verde, esverdeado. **2.** Diz-se de um fruto, um pouco, mas não completamente maduro; verdolengo.

verdolengo (ver.do.*len*.go) *adj.* Verdoengo.

verdor [ô] (ver.*dor*) *s.m.* **1.** Característica do que é verde; estado de planta verde. **2.** A cor verde dos vegetais. **3.** Vigor, viço e força característicos da juventude.

verdugo (ver.*du*.go) *s.m.* **1.** Pessoa que executa tortura ou pena máxima; carrasco, algoz. **2.** *fig.* Pessoa cruel, desumana, que tortura outra.

verdura (ver.*du*.ra) *s.f.* **1.** O conjunto das plantas hortenses usualmente comestíveis, como alface, agrião, couve etc.: *Comer verduras é bom para a saúde.* **2.** Verdor: *"a verdura sem par dessas matas"*, Olavo Bilac, *Hino à Bandeira.*

verdureiro (ver.du.*rei*.ro) *s.m.* **1.** Vendedor ambulante de verduras. **2.** Quitandeiro.

vereador [ô] (ve.re:a.*dor*) *s.m.* Político eleito para integrar a Câmara Municipal, que é o Poder Legislativo do município; edil.

vereança (ve.re:*an*.ça) *s.f.* **1.** Cargo de vereador. **2.** Período durante o qual alguém é vereador.

vereda [ê] (ve.*re*.da) *s.f.* **1.** Trilha estreita e pouco marcada; atalho. **2.** *fig.* Rumo, direção, carreira, seguida num caminho ou num modo de vida: *Procure seguir a vereda da honestidade e do serviço ao próximo.* **3.** *reg.* Pedaço de caatinga com razoável umidade e verdor: *As vacas pastavam a erva verde da vereda.*

veredicto (ve.re.*dic*.to) *s.m.* **1.** Decisão categórica. **2.** (*Jur.*) Decisão de um júri ou juiz sobre questão cível ou criminal em julgamento; sentença. || *veredito.*

veredito (ve.re.*di*.to) *s.f.* Veredicto.

verga [ê] (ver.ga) *s.f.* **1.** Vara fina e flexível usada em marcenaria; ripa. **2.** Vara delgada e maleável usada no fabrico de cestas e em outros trabalhos artesanais. **3.** Pedaço fino e flexível de metal. **4.** (*Náut.*) Pedaço de madeira ou metal cruzado no mastro das embarcações no qual se prende a vela.

vergalhão (ver.ga.*lhão*) *s.m.* Barra de ferro comprida e relativamente grossa, de seção quadrada, retangular ou redonda, empregada, sobretudo, como componente do concreto armado.

vergalho (ver.*ga*.lho) *s.m.* **1.** Pênis do boi ou do cavalo, extirpado e seco, usado como chicote. **2.** Chicote feito com esse órgão. **3.** Qualquer chicote. – **vergalhar** *v.* ▶ Conjug. 5.

vergão (ver.*gão*) *s.m.* Marca resultante de pancada dada com verga, vara ou outro tipo de chicote.

vergar (ver.*gar*) *v.* **1.** Fazer dobrar ou dobrar; fazer encurvar ou encurvar: *O peso dos anos vergou o velho professor; O professor vergou ao peso dos muitos anos de trabalho.* **2.** *fig.* Submeter, sujeitar, humilhar, dobrar: *Sua humildade vergou a arrogância do inimigo.* **3.** Tornar(-se) submisso; dobrar(-se): *O país não pode vergar-se aos interesses estrangeiros.* ▶ Conjug. 8 e 34.

verônica

vergasta (ver.gas.ta) s.f. Vara muito delgada, rija e cortante, usada para açoitar. – **vergastar** v. ▶ Conjug. 5.

vergel (ver.gel) s.m. Jardim com plantas, árvores frutíferas e flores; pomar.

vergonha (ver.go.nha) s.f. **1.** Sentimento desagradável e constrangedor devido à revelação de coisas suas particulares, fraquezas, defeitos ou por ter cometido erros, gafes ou atos desabonadores; constrangimento: *Tinha muita vergonha de seu passado de marginal; Teve vergonha de ter dito aquilo.* **2.** Sentimento ou situação de humilhação: *Seu nome nos jornais foi uma vergonha para todos.* **3.** Constrangimento resultante do sentimento de recato em relação a questões de moral; pudor: *Teve muita vergonha de ser surpreendida com aquela revista.* **4.** Sentimento de dignidade em relação a seus valores, crenças, comportamento: *Um homem de vergonha como aquele não vai aceitar tal proposta.* **5.** Insegurança e desconforto ao se expor ou tomar alguma iniciativa: *Ela não retrucou porque ficou com vergonha; A menina não recitou porque teve vergonha.* **6.** Ato indecoroso ou comportamento considerado indigno ou obsceno: *Esse uso do dinheiro público em seu próprio proveito é uma vergonha.* **7.** Pessoa que envergonha: *Você é a vergonha da família.* • **vergonhas** s.f.pl. **8.** A genitália.

vergonhoso [ô] (ver.go.nho.so) adj. **1.** Que causa vergonha; vexaminoso: *Sua apresentação foi vergonhosa.* **2.** Que é considerado indigno, indecoroso, indecente: *A impunidade dos criminosos é vergonhosa.* || f. e pl.: [ó].

vergôntea (ver.gôn.te:a) s.f. (*Bot.*) **1.** Broto ainda novo; rebento. **2.** Ramo de uma planta.

verídico (ve.rí.di.co) adj. Que corresponde à verdade; verdadeiro: *um fato verídico.*

verificar (ve.ri.fi.car) v. **1.** Investigar e provar a verdade; constatar: *Verificaram que a porta não fora arrombada como diziam.* **2.** Conferir através de uso de teste; examinar: *Antes de viajar, verifique os freios do carro.* **3.** Ocorrer, acontecer: *Verificou-se um fato inédito durante os jogos.* ▶ Conjug. 5 e 35. – **verificação** s.f.; **verificável** adj.

verme [é] (ver.me) s.m. (*Zool.*) Animal invertebrado de corpo estreito, longo, mole e desprovido de membros.

vermelhão (ver.me.lhão) s.m. **1.** (*Quím.*) Sulfato de mercúrio usado na fabricação de tintas e corantes. **2.** (*Med.*) Avermelhamento muito intenso do rosto ou de outra qualquer parte do corpo; vermelhidão; rubor.

vermelhidão (ver.me.lhi.dão) s.f. Vermelhão, rubor.

vermelho [ê] (ver.me.lho) s.m. **1.** A cor do sangue dos vertebrados; rubro: *O vermelho é minha cor predileta.* **2.** Peixe marinho comestível. **3.** • adj. Que é dessa cor: *rosas e dálias vermelhas*

vermicida (ver.mi.ci.da) adj. **1.** Que mata vermes. • s.m. **2.** Substância que mata vermes; vermífugo.

vermífugo (ver.mí.fu.go) adj. **1.** Que mata vermes; vermicida. • s.m. **2.** Anti-helmíntico; vermicida.

verminose [ó] (ver.mi.no.se) s.f. (*Med.*) Doença produzida por infestação de vermes.

vermute (ver.mu.te) s.m. Licor aperitivo feito de vinho com substâncias extraídas de ervas aromáticas e amargas.

vernaculidade (ver.na.cu.li.da.de) s.f. **1.** Qualidade do que é vernáculo. **2.** Pureza, correção, propriedade no uso das palavras e expressões ou na construção sintática de uma língua; vernaculismo.

vernaculismo (ver.na.cu.lis.mo) s.m. Vernaculidade (2).

vernaculizar (ver.na.cu.li.zar) v. Adaptar palavras e expressões à língua nacional. ▶ Conjug. 5. – **vernaculização** s.f.

vernáculo (ver.ná.cu.lo) adj. **1.** Próprio do país, de uma região: *um hábito vernáculo.* **2.** Pátrio, nacional: *língua vernácula.* **3.** Correto, puro no falar e no escrever. • s.m. **4.** Idioma vernáculo, a língua nacional: *Os meios de comunicação social deveriam cuidar mais do vernáculo.*

vernissage [vernissage] (Fr.) s.f. Evento comemorativo e de divulgação ocorrido na inauguração de uma exposição de obras de arte.

verniz (ver.niz) s.m. **1.** Solução de resinas em álcool, destinada a polir a superfície de certos objetos. **2.** Esse tipo de preparado usado em pinturas para lhe dar brilho e proteção. **3.** Efeito visual brilhoso produzido por esse preparado. **4.** *fig.* Cultivo superficial e enganador de uma qualidade: *Todos ficaram impressionados com sua cultura de verniz.*

vero [é] (ve.ro) adj. Verdadeiro, exato, real.

verônica (ve.rô.ni.ca) s.f. **1.** Imagem que, segundo a tradição cristã, ficou estampada num pano com que uma mulher enxugou o rosto de Cristo, quando carregava sua cruz. **2.** Personagem que nas procissões da Sexta-feira da Paixão leva nas mãos esse pano. Com inicial maiúscula.

verossímil

verossímil (ve.ros.sí.mil) *adj.* Que parece verdadeiro; com aparência de verdade; que tem probabilidade de ser verdadeiro. – **verossimilhança** *s.f.*; **verossimilitude** *s.f.*

verruga (ver.ru.ga) *s.f.* Pequena saliência arredondada e consistente, de superfície rugosa, que cresce na pele. || *berruga*. – **verruguento** *adj.*

verrugoso [ô] (ver.ru.go.so) *adj.* Que tem verrugas. || *berrugoso*. || f. e pl.: [ó].

verruma (ver.ru.ma) *s.f.* Instrumento de aço, terminado em forma de hélice, utilizado para abrir furos em madeira; broca.

versado (ver.sa.do) *adj.* Que tem experiência e vivência de alguma área do conhecimento: *Jonas é versado em Antropologia*.

versal (ver.sal) *adj.* (*Art. Gráf.*) **1.** Diz-se da letra maiúscula e cada um dos tipos do mesmo corpo. • *s.f.* **2.** Esse tipo de letra.

versalete [ê] (ver.sa.le.te) *adj.* **1.** (*Art. Gráf.*) Diz-se do versal do mesmo corpo em caracteres menores. • *s.m.* **2.** Esse tipo de letra.

versão (ver.são) *s.f.* **1.** Ato ou efeito de verter ou voltar. **2.** Ato ou efeito de verter ou de traduzir, de uma língua para outra. **3.** Explicação ou ponto de vista que uma pessoa pode dar de alguma coisa ou de um acontecimento: *Sua versão do fato não parece verdadeira*. **4.** (*Inform.*) Cada etapa do desenvolvimento de um programa computacional. **5.** Cada um dos modelos de um programa. || *Versão beta*: versão experimental de programa de informática para ser testado pelo usuário.

versar (ver.sar) *v.* Tratar de; abordar: *Esse professor pode versar os mais diferentes assuntos*; *O conferencista versou sobre diversos temas*. ▶ Conjug. 8.

versátil (ver.sá.til) *adj.* **1.** Que pode ter diversas utilidades ou usos: *um instrumento versátil*. **2.** Que tem muitas habilidades: *um ator versátil*. – **versatilidade** *s.f.*

versejar (ver.se.jar) *v.* **1.** Compor versos; versificar: *Os antigos trovadores versejavam obedecendo a numerosas normas*; *Gostou tanto da história, que resolveu versejá-la* **2.** *pej.* Fazer maus versos: *Ele verseja, mas está longe de ser um poeta*. ▶ Conjug. 10 e 37. – **versejador** *adj. s.m.*

versículo (ver.sí.cu.lo) *s.m.* Cada uma das divisões dos capítulos dos livros componentes da Bíblia.

versificação (ver.si.fi.ca.ção) *s.f.* **1.** Ato ou efeito de versificar. **2.** Arte, técnica ou método de fazer versos.

versificar (ver.si.fi.car) *v.* Compor versos; versejar: *Aquele poeta versifica com muita facilidade*; *Ele versificou uma lenda indígena*. ▶ Conjug. 5 e 35.

verso[1] [é] (ver.so) *s.m.* Face posterior da folha de papel: *Escreva seu endereço no verso*. **2.** A face posterior de vários objetos: *o verso da moeda*; *o verso da medalha*.

verso[2] [é] (ver.so) *s.m.* **1.** Subdivisão de um poema, que corresponde geralmente a uma linha: *Leia o primeiro verso da primeira estrofe*. **2.** Texto poético; poesia: *Lauro é um cultor de versos*.

versus (Lat.) *prep.* Em oposição a; contra: *Joga hoje a seleção brasileira versus a de um país vizinho*.

vértebra (vér.te.bra) *s.f.* Cada um dos discos ósseos que formam uma coluna que sustenta o corpo dos mamíferos, das aves, dos répteis etc. – **vertebral** *adj.*

vertebrado (ver.te.bra.do) *adj.* (*Zool.*) **1.** Provido de vértebras: *um animal vertebrado*. • *s.m.* **2.** Animal que tem vértebras: *O homem é um vertebrado*. || Conferir com *invertebrado*.

vertente (ver.ten.te) *adj. s.m.* **1.** Parte inclinada de qualquer dos lados de um monte ou montanha, de um telhado etc. por onde passam correntes de água. **2.** Subdivisão de um movimento, de uma organização, de um partido etc., que segue uma orientação divergente da maioria: *a vertente radical do partido*.

verter (ver.ter) *v.* **1.** Fazer correr para fora do depósito, derramar, entornar (líquido): *Verter o vinho da garrafa na taça*. **2.** Traduzir de uma língua para outra: *Vou verter esse poema do português para o latim*. ▶ Conjug. 41.

vertical (ver.ti.cal) *adj.* **1.** Que segue a direção do fio a prumo; perpendicular ao solo: *Era uma alta parede vertical*. **2.** (*Geom.*) Diz-se de uma linha perpendicular ao plano do horizonte: *linha vertical*. • *s.f.* **3.** Essa linha: *O balão subiu na vertical e depois ficou planando*. – **verticalidade** *s.f.*

vértice (vér.ti.ce) *s.m.* **1.** Extremidade superior ou ponto mais elevado de um corpo a partir do chão; topo, ápice. **2.** (*Geom.*) Ponto em que se encontram duas retas ou as arestas de um poliedro. **3.** (*Anat.*) Parte mais elevada do crânio.

vertigem (ver.ti.gem) *s.f.* (*Med.*) **1.** Sensação de instabilidade provocada pela falência do equilíbrio; tonteira. **2.** *fig.* Grande perturbação dos sentidos; desvario.

vertiginoso [ô] (ver.ti.gi.no.so) *adj.* **1.** Que provoca vertigens: *dança vertiginosa; rapidez vertiginosa.* **2.** Muito intenso e rápido: *O desenvolvimento vertiginoso de São Paulo.* || f. e pl.: [ó].

verve [é] (ver.ve) *s.f.* Espírito criativo que anima o poeta, o orador, o artista, o conversador a falar ou fazer coisas engenhosas, espirituosas: *O ator tinha forte verve cômica.*

vesânia (ve.sâ.ni:a) *s.f.* (*Med.*) Insanidade ou desequilíbrio mental. – **vesânico** *adj.*

vesgo [ê] (ves.go) *adj.* **1.** Que não tem ambos os olhos dirigidos para o foco do olhar, ficando o campo de visão alterado; estrábico; zarolho: *um olhar vesgo.* • *s.m.* **2.** Pessoa que não tem ambos os olhos dirigidos para o foco do olhar, ficando seu campo de visão alterado: *João é um vesgo que vê longe.*

vesguice (ves.gui.ce) *s.f.* Defeito de quem é vesgo.

vesical (ve.si.cal) *adj.* (*Anat.*) Relativo ou próprio da bexiga.

vesícula (ve.sí.cu.la) *s.f.* **1.** (*Med.*) Saco membranoso semelhante a uma pequena bexiga onde se armazenam líquidos: *vesícula biliar.* **2.** Bolha que se forma na pele, geralmente contendo líquidos. – **vesicular** *adj.*

vespa [ê] (ves.pa) *s.f.* (*Zool.*) Inseto alado dotado de ferrão no final do abdome, cuja picada costuma ser muito dolorida; marimbondo, maribondo.

vespeiro (ves.pei.ro) *s.m.* **1.** Ninho de vespas. **2.** Assunto arriscado e polêmico onde é perigoso dar palpite.

vésper (vés.per) *s.m.* **1.** O planeta Vênus, quando se avista à tarde. **2.** *fig.* O ocaso, o poente. || Na acepção 1, inicial maiúscula.

véspera (vés.pe.ra) *s.f.* **1.** O dia anterior: *véspera de Natal; véspera de São João.* • *vésperas s.f.pl.* **2.** Hora canônica rezada pela tarde nas comunidades religiosas católicas.

vesperal (ves.pe.ral) *adj.* **1.** Relativo a tarde. **2.** Que se faz à tarde ou sucede à tarde; vespertino: *Participaram da cerimônia vesperal do sábado.* • *s.m.* **3.** Livro que contém as vésperas. • *s.f.* **4.** Espetáculo, festa, realizados à tarde; matinê: *A peça foi apresentada numa vesperal especial.*

vespertino (ves.per.ti.no) *adj.* **1.** Relativo a tarde ou da tarde: *a brisa vespertina.* **2.** Que sucede à tarde: *sessão vespertina.* • *s.m.* **3.** Jornal distribuído à tarde.

vestal (ves.tal) *s.f.* **1.** Sacerdotisa de Vesta, deusa do fogo entre os romanos, que devia permanecer virgem. **2.** *fig.* Virgem casta e pura. **3.** *irôn.* Mulher que se faz passar por pura e honesta.

veste [é] (ves.te) *s.f.* Cobertura, normalmente de tecido, para cobrir partes do corpo. || Mais usado no plural.

vestiário (ves.ti:á.ri:o) *s.m.* Compartimento para troca e guarda de roupa nas academias ou praças de esportes, estádios etc.

vestibulando (ves.ti.bu.lan.do) *s.m.* Estudante que se prepara para fazer vestibular de ingresso numa universidade.

vestibular (ves.ti.bu.lar) *adj.* **1.** Relativo a vestíbulo. **2.** Diz-se do exame de seleção de candidatos para entrada nos cursos universitários: *exame vestibular* • *s.m.* **3.** O exame vestibular: *Paulo prestou vestibular para a faculdade de Direito.*

vestíbulo (ves.tí.bu.lo) *s.m.* **1.** Espaço entre a porta de entrada de um prédio e o acesso às várias dependências do mesmo; saguão. **2.** (*Anat.*) Cavidade da orelha interna.

vestido (ves.ti.do) *adj.* **1.** Provido de roupas que cobrem partes do corpo: *vestido de calça e camisa.* • *s.m.* **2.** Veste usada normalmente pelas mulheres, formada de saia e blusa constituindo peça única.

vestígio (ves.tí.gi:o) *s.m.* **1.** Pisada, pegada, sinal que o homem ou animal deixa no chão onde pisa; rastro: *Encontraram vestígios da vaca perto do córrego.* **2.** *fig.* Pista; sinal de alguém ou de alguma coisa: *O explorador sumiu na floresta sem deixar vestígio.* **3.** Resíduo, resquício.

vestimenta (ves.ti.men.ta) *s.f.* Tudo o que se pode vestir; veste, roupa.

vestir (ves.tir) *v.* **1.** Pôr roupas em alguém ou em si mesmo: *Antes de se vestir, vestiu as crianças; Angélica vestia-se com roupas extravagantes.* **2.** Portar um certo tipo de roupa: *Só vestia roupa azul-celeste.* **3.** Cair bem como tipo de roupa: *Este casaco de lã veste bem.* **4.** Fantasiar(-se) de; disfarçar(-se) de: *Vestiu a filha de havaiana e vestiu-se de cigana para brincar no carnaval.* **5.** Fornecer ou fazer roupa para: *Vestir os nus é uma das obras de misericórdia.* ▶ Conjug. 69.

vestuário (ves.tu:á.ri:o) *s.m.* Conjunto de vestes.

vetar (ve.tar) *v.* Opor veto a; proibir, impedir: *O Executivo vetou a lei aprovada no Legislativo.* ▶ Conjug. 8.

veterano

veterano (ve.te.*ra*.no) *adj.* **1.** Diz-se do homem que está há tempo no serviço militar, anterior aos que estão entrando: *soldado veterano; aluno veterano*. **2.** Diz-se de quem é antigo em qualquer atividade: *Joaquim é um médico veterano e muito experiente*. **3.** Diz-se do aluno que já passou do primeiro ano: *aluno veterano*. • *s.m.* **4.** Soldado que está há mais tempo no serviço militar: *Os veteranos farão hoje o juramento à bandeira*. **5.** Pessoa que exerce uma atividade há muito tempo: *Lucas é um veterano na arte de domar cavalos*. **6.** Aluno que já passou do primeiro ano: *Os veteranos na escola vão orientar os novatos*.

veterinária (ve.te.ri.*ná*.ri:a) *s.f.* **1.** Ciência que estuda como tratar e prevenir as doenças dos animais. **2.** Clínica veterinária: *Levou seu gato angorá à veterinária*.

veterinário (ve.te.ri.*ná*.ri:o) *adj.* **1.** Relativo a veterinário: *escola veterinária*. • *s.m.* **2.** Profissional que se formou em Medicina Veterinária: *O veterinário medicou meu gato angorá*.

veto [é] (ve.to) *s.m.* **1.** Proibição de uma ação pela autoridade competente: *Organizaram a passeata apesar do veto da polícia*. **2.** Rejeição pelo Poder Executivo de lei aprovada pelo Poder Legislativo: *O Presidente vetou a nova lei dos incentivos fiscais*. || Conferir com **sanção**.

vetor [ô] (ve.*tor*) *s.m.* **1.** (*Biol.*) Ser vivo que age como transmissor de parasitas, bactérias ou vírus: *O barbeiro é o vetor do vírus do mal de Chagas*. **2.** (*Mat.*) Segmento de uma reta com módulo, direção e sentido. || *vector.* – **vetorial** *adj.*

vetusto (ve.*tus*.to) *adj.* **1.** De muita antiguidade; remoto: *terrenos vetustos*. **2.** De antiguidade respeitável: *ruínas vetustas*. **3.** Desgastado, arruinado pelo tempo: *vetustas casas abandonadas*.

véu *s.m.* **1.** Tecido leve, às vezes transparente, com que se cobrem objetos ou partes do corpo. **2.** Peça de tule ou de pano com que as mulheres, especialmente as freiras, cobrem a cabeça. **3.** *fig.* Encobrimento, disfarce ou dissimulação de alguma coisa: *Puseram um véu sobre o lamentável caso*. **4.** (*Fot.*) Mancha em fotografia causada por incidência indevida de luz no filme. || *Véu palatino*: a parte mais recuada, mole e móvel do céu da boca; palato mole.

vexame [ch] (ve.*xa*.me) *s.m.* **1.** Ato ou efeito de vexar(-se); humilhação, vergonha. **2.** Ultraje, ofensa. **3.** *reg.* Pressa, afã. – **vexaminoso** *adj.*

vexar [ch] (ve.*xar*) *v.* **1.** Expor(-se) a uma vergonha, a uma afronta: *Suas ações vexaram os amigos; Todos se vexaram com suas ações*. **2.** Deixar ou ficar envergonhado, constrangido; envergonhar-se; constranger-se: *O analfabetismo vexa muitas pessoas; Ele se vexa por ser analfabeto*. || *avexar*. ▶ Conjug. 8.

vexativo [ch] (ve.xa.*ti*.vo) *adj.* Vexatório.

vexatório [ch] (ve.xa.*tó*.ri:o) *adj.* Que provoca vexame; que causa vexame; vexativo.

vez [ê] *s.f.* **1.** Momento indeterminado: *Pelo menos daquela vez, ele se arrependeu*. **2.** Momento reservado para alguém fazer uma coisa; turno: *Esta é a sua vez de jogar*. **3.** Ocasião singular ou repetida de fazer alguma coisa: *Já fui cinco vezes à Europa*. **4.** Oportunidade; chance: *Nunca tenho vez nessa repartição*. • *vezes s.f.pl.* **5.** Parcela de um número que se soma numa multiplicação: *Oito vezes cinco*. || *Às vezes*: numa ou noutra ocasião; não sempre: *Às vezes sinto saudade de minha terra*. • *De vez*: para sempre; definitivamente: *Naquela noite ela saiu de vez da casa dos pais*. • *De vez em quando*: em ocasiões esporádicas: *De vez em quando ela vai a Buenos Aires visitar os parentes*. • *Em vez de*: em lugar de: *Em vez de ver televisão, vamos ler um bom romance*. • *Fazer as vezes de*: desempenhar o papel de; pôr-se no lugar de: *Como ele estava ausente, fiz as vezes do diretor*. • *Uma vez na vida outra na morte*: muito raramente: *Uma vez na vida outra na morte ela vem me visitar*. • *Uma vez que*: já que, pois que, visto que, como: *Uma vez que acabei o trabalho, vou para a cama dormir*. • *Vez por outra*: ocasionalmente: *Vez por outra vamos a Linhares*.

vezeiro (ve.*zei*.ro) *adj.* **1.** Que tem o hábito de fazer uma coisa; de agir de determinada forma; habituado. **2.** Que repete uma ação já anteriormente repetida; reincidente.

vezo [ê] (ve.zo) *s.m.* Costume, hábito (de natureza viciosa): *Juca tem o vezo de perder a hora do colégio*.

via (vi.a) *s.f.* **1.** Lugar por onde se vai a um determinado local; caminho: *Essa é a melhor via de acesso à cidade*. **2.** Meio de comunicação ou transporte por terra, por água ou pelo ar: *via terrestre, via marítima e via aérea*. **3.** Meio de alcançar um objetivo: *Tudo foi conseguido pelas vias legais*. **4.** Documento com cópia: *Traga o requerimento em duas vias*. **5.** Maneira e recurso de ministrar um medicamento: *A medicação vai ser ministrada por via endovenosa*. • *prep.* **6.** Pelo caminho de; por: *Tomou um ônibus para Belo Horizonte via Juiz de Fora*. || *Por via das dúvidas*: para ter uma garantia; para evitar erro ou omissão. • **Vias de fato:** confronto físico, violência.

viabilidade (vi:a.bi.li.*da*.de) *s.f.* Qualidade de viável.

viabilizar (vi:a.bi.li.*zar*) *v.* Tornar viável alguma coisa: *O financiamento por um órgão público viabilizaria o projeto; Com essa verba conseguida, viabiliza-se a construção da escola.* ▶ Conjug. 5. – **viabilização** *s.f.*

viação (vi:a.*ção*) *s.f.* **1.** Empresa que presta serviço de transporte público. **2.** A rede de estradas e vias de um país.

via-crúcis (vi.a-*crú*-cis) *s.f.* **1.** (*Rel.*) Via-sacra. **2.** *fig.* Caminho difícil, sofrido; martírio: *A vida da pobre mulher é uma via-crúcis.* || pl.: *vias-crúcis*.

viaduto (vi:a.*du*.to) *s.m.* Caminho suspenso sobre vigas de ferro ou de concreto que transpõe obstáculos como vales e depressões, interligando duas rodovias ou servindo de via elevada.

viagem (vi:*a*.gem) *s.f.* **1.** Deslocamento de um lugar para outro, normalmente distante; jornada: *Aproveitou o bom tempo para iniciar sua viagem* **2.** Esse deslocamento com alguns dias de permanência, geralmente em caráter de turismo ou de trabalho: *Vejam as fotos de nossa viagem a São Luís.* **3.** *fig. gír.* Alteração das percepções sensoriais causada pela ação de drogas.

viajado (vi:a.*ja*.do) *adj.* **1.** Que viajou muito. **2.** Que andou por várias terras ou países.

viajante (vi:a.*jan*.te) *adj.* **1.** Que viaja; viandante. • *s.m.* e *f.* **2.** Pessoa que viaja.

viajar (vi:a.*jar*) *v.* **1.** Deslocar-se de um lugar para outro: *Viajaremos pelos países da Escandinávia.* **2.** *fig.* Entrar em estado de delírio, de sonho: *Desta vez você viajou e não percebeu a realidade.* **3.** *fig.* Estar sob efeito de drogas: *Alguns viajavam sob o efeito do ópio.* ▶ Conjug. 5 e 37.

viandante (vi:an.*dan*.te) *adj.* **1.** Que viaja; viajante. • *s.m.* e *f.* **2.** Pessoa que viaja.

viário (vi:*á*.ri:o) *adj.* Relativo a vias, caminhos e transportes: *O acesso viário aos estados do Nordeste.*

via-sacra (vi.a-*sa*.cra) *s.f.* (*Rel.*) Exercício devocional da Igreja Católica que celebra os fatos ocorridos com Jesus no caminho do Calvário; via-crúcis. || pl.: *vias-sacras*.

viático (vi:*á*.ti.co) *s.m.* (*Rel.*) Sacramento da Eucaristia ministrado a moribundos ou doentes impossibilitados de sair de casa.

viatura (vi:a.*tu*.ra) *s.f.* **1.** Veículo usado para transporte de pessoas e cargas. **2.** Veículo usado a serviço da polícia e de militares em geral.

viável (vi:*á*.vel) *adj.* Que se pode realizar; de realização possível: *um negócio viável.*

víbora (*ví*.bo.ra) *s.f.* **1.** (*Zool.*) Serpente venenosa encontrada na Europa, Ásia e África. **2.** *fig.* Pessoa traiçoeira e de má índole.

vibração (vi.bra.*ção*) *s.f.* **1.** Ato ou efeito de vibrar, de tremer por ação de uma fonte de energia ou mesmo de um som: *A vibração causada pela voz do tenor fez partir a taça de cristal.* **2.** Movimento rápido e intermitente; estremecimento, trepidação: *Cada vez que passava um caminhão, sentia-se a vibração das velhas paredes da casa.* **3.** *fig.* Emoção muito forte e comunicativa; entusiasmo: *Foi intensa a vibração da torcida com o gol de Cláuderson.*

vibrante (vi.*bran*.te) *adj.* **1.** Que vibra: *a corda vibrante do violão.* **2.** Que tem intensidade; forte: *uma cor vibrante.* **3.** Que provoca entusiasmo; entusiástico: *uma música vibrante; um discurso vibrante.* **4.** Forte e sonoro: *uma voz vibrante; um clarim vibrante.*

vibrar (vi.*brar*) *v.* **1.** Ficar empolgado, entusiasmado; entusiasmar-se: *Os torcedores vibraram com mais um gol do artilheiro.* **2.** Tremer; trepidar; estremecer: *O chão vibrava com o trabalho da furadeira elétrica; A furadeira elétrica fazia vibrar o asfalto.* **3.** Soar ou fazer soar; tanger: *As cordas do violino vibravam sob seu arco bem conduzido; O cigano fazia vibrar notas apaixonadas de seu violino.* **4.** Desferir um golpe: *O jovem ofendido vibrou um soco no colega mal-intencionado.* **5.** Arremessar, soltar da mão: *Júpiter vibra os raios de Vulcano; O centurião vibrou a lança contra o adversário.* ▶ Conjug. 5.

vibrátil (vi.*brá*.til) *adj.* Que vibra ou tem tendência a vibrar. – **vibratilidade** *s.f.*

vibratório (vi.bra.*tó*.ri:o) *adj.* **1.** Relativo a vibração: *frequência vibratória.* **2.** Que tem vibrações; que vibra: *movimento vibratório.* **3.** Que provoca vibrações.

vibrião (vi.bri.*ão*) *s.m.* Bactéria de forma curva, que vive nas águas do mar ou de rios e lagos, e é causadora da cólera.

vibrissas (vi.*bris*.sas) *s.f.pl.* **1.** (*Anat.*) Pelos das narinas. **2.** (*Zool.*) Pelos táteis da cara de certos mamíferos como os gatos e os coelhos.

viçar (vi.*çar*) *v.* **1.** Mostrar viço, vicejar: *As novas mudas de dálias estão viçando bem.* **2.** *fig.* Desenvolver-se, aumentar, alastrar-se: *Não pode haver desenvolvimento harmônico onde a corrupção viça.* ▶ Conjug. 5 e 36.

vicariato

vicariato (vi.ca.ri:a.to) *s.m.* **1.** (*Rel.*) Cargo e funções de vigário. **2.** Tempo de exercício desse cargo. **3.** Divisão administrativa de uma diocese.

vicário (vi.cá.ri:o) *adj.* **1.** Que faz as vezes de outrem ou de outra coisa. **2.** (*Gram.*) Diz-se do verbo que se emprega para evitar a repetição de outro: *O verbo* fazer *é muito empregado como vicário.*

vice-almirante (vi.ce-al.mi.ran.te) *s.f.* (*Náut.*) **1.** Patente militar da Marinha. **2.** Militar que tem essa patente. || pl.: *vice-almirantes.*

vice-campeão (vi.ce-cam.pe:ão) *adj.* **1.** Que alcançou a segunda colocação num campeonato: *o clube vice-campeão.* • *s.m.* **2.** Aquele que alcançou a segunda colocação num campeonato: *Os vice-campeões de cada estado disputarão um torneio entre si.* || pl.: *vice-campeões.*

vice-governador (vi.ce-go.ver.na.dor) *s.m.* O substituto imediato de um governador. || pl.: *vice-governadores.*

vice-líder (vi.ce-lí.der) *s.m.* **1.** Parlamentar que substitui o líder. **2.** O time que ocupa o segundo lugar num campeonato ou torneio. || pl.: *vice-líderes.*

vicejar (vi.ce.jar) *v.* **1.** Ter viço, estar viçoso, vegetar com força: *Aqui as laranjeiras vicejam bem.* **2.** *fig.* Ostentar-se com toda a exuberância: *Naquela grande cidade o luxo viceja.* ▶ Conjug. 10 e 37. – **vicejante** *adj.*

vice-prefeito (vi.ce-pre.fei.to) *s.m.* O substituto imediato do prefeito. || pl.: *vice-prefeitos.*

vice-presidente (vi.ce-pre.si.den.te) *s.m.* O substituto imediato do presidente. || pl.: *vice-presidentes.*

vice-rei (vi.ce-rei) *s.m.* **1.** Autoridade máxima de uma província ou colônia, onde só tem como superior o rei. **2.** Quem exerce esse poder. || pl.: *vice-reis.*

vice-reitor (vi.ce-rei.tor) *s.m.* O substituto imediato de um reitor; o sub-reitor. || pl.: *vice-reitores.*

vice-versa (vi.ce-ver.sa) *loc. adv.* **1.** Inversamente: *Laura gosta de hospedar Luísa e vice-versa.* **2.** Mutuamente, reciprocamente: *Mauro ama Clarice e vice-versa.*

viciado (vi.ci:a.do) *adj.* **1.** Que é dependente de um vício. **2.** Que foi adulterado: *Comprou na fronteira um uísque viciado.* **3.** *fig.* Que é aficionado por alguma coisa da qual não quer abrir mão: *Ricardo é viciado em sinuca.* • *s.m.* **4.** Pessoa viciada.

viciar (vi.ci:ar) *v.* **1.** Causar ou adquirir vício, dependência; criar hábito: *O fumo vicia; O fumo vicia homens e mulheres; Helena viciou-se em cigarro; A frequência constante no hipódromo viciou André em corridas de cavalos; André viciou-se em corridas de cavalos.* **2.** Tornar ruim; estragar, poluir: *O cheiro do cigarro viciava o ambiente de trabalho.* **3.** Modificar o funcionamento para obter vantagens; falsificar, adulterar: *Dizem que algumas empresas de táxis viciam os taxímetros.* ▶ Conjug. 17.

vicinal (vi.ci.nal) *adj.* Que liga povoações ou municípios vizinhos: *estradas vicinais.*

vício (ví.ci:o) *s.m.* **1.** Dependência física ou psicológica de uma droga, um medicamento, uma prática: *Osmar adquiriu o vício do cigarro; Francisco tenta livrar-se do vício do jogo.* **2.** Mania, hábito, costume: *Elza tem o péssimo vício de falar mal dos outros.* || **Vício de linguagem**: (*Gram.*) uso incorreto de certas construções e formas linguísticas.

vicioso [ô] (vi.ci:o.so) *adj.* **1.** Relativo a vício: *um procedimento vicioso.* **2.** Em que se encontram características impróprias ou condenáveis: *Lúcio fazia questão de viver naquele ambiente vicioso.* **3.** Que tem defeito ou falha de qualquer natureza: *Só depois viu que tinha assinado um contrato vicioso.* **4.** Que não respeita a gramática ou a vernaculidade: *uma concordância viciosa.* || f. e pl.: [ó].

vicissitude (vi.cis.si.tu.de) *s.f.* **1.** Mudança de coisas que se sucedem, geralmente com algo mau, que não se pode prever nem evitar: *Vicissitude de última hora me impediu de comparecer.* **2.** Revés: *Estava tudo indo bem, mas uma vissicitude veio atrapalhar tudo.*

viço (vi.ço) *s.m.* **1.** Força vegetativa das plantas; frescor: *As violetas estavam sem viço.* **2.** Aparência saudável que alguém mostra: *Você está linda, cheia de viço.* – **viçoso** *adj.*

vicunha (vi.cu.nha) *s.f.* **1.** (*Zool.*) Mamífero da mesma família do camelo, que vive nos Andes e fornece lã, usada na indústria têxtil. **2.** Tecido feito com lã desse animal: *Trouxe do Peru um cobertor de vicunha.*

vida (vi.da) *s.f.* **1.** (*Biol.*) Condição da existência de alguns seres como o humano, os outros animais, as plantas e outros organismos, marcada por nascimento, desenvolvimento, reprodução, envelhecimento e morte; existência: *É imperativo que se respeite a vida.* **2.** O fato de viver; o estado de quem ou do que está vivo: *Muitos acidentados ainda estavam* *com vida*. **3.** Duração desse estado; existência: *O avô de Flávia teve uma vida longa*. **4.** Estado de atividade dos animais e das plantas. **5.** Modo de viver; vivência: *Trouxe da vida uma boa experiência*. **6.** Condições em que alguém vive: *Ela leva uma vida de lutas*. **7.** Relato dos feitos e experiências de alguém; biografia: *Resolveu ser médico sanitarista depois que leu a vida de Osvaldo Cruz*. **8.** Aspecto ou particularidade das atividades e realizações de alguém: *vida de artista; vida de dona de casa*. **9.** Energia e resistência física e mental; vitalidade: *Como esses jovens são cheios de vida!* **10.** Animação ao fazer ou ao expressar alguma coisa; entusiasmo: *um desfile de moda cheio de vida*. || *Danado da vida*: muito aborrecido, irritado: *Saiu daqui danado da vida com os filhos*. • *Estar com a vida ganha*: não ter preocupação financeira: *Você não precisa trabalhar porque já está com a vida ganha*. • *Estar com a vida que pediu a Deus*: não ter mais nada que desejar. • *Ganhar a vida*: trabalhar para sustentar-se. • *Toda a vida*: reg. continuadamente, sem parar, sem mudar de rota: *Depois da ponte, vá toda a vida até a estação da estrada de ferro*. • *Vida fácil*: prostituição.

vide¹ (vi.de) *s.f.* (*Bot.*) Videira.

vide² (Lat.) **1.** Fórmula usada para remeter o leitor a outro trecho ou a outro texto: *Vide nota introdutória*. **2.** A exemplo de; haja vista: *É urgente que se protejam as instituições democráticas; vide o que sucedeu a outros países*.

videira (vi.dei.ra) *s.f.* (*Bot.*) Planta trepadeira que dá a uva; vide.

vidente (vi.den.te) *adj.* **1.** Que tem poder de prever o futuro e de ver o sobrenatural. • *s.m. e f.* **2.** Pessoa vidente, que tem o poder de ver o que os outros não veem, que prevê o que vai acontecer. – **vidência** *s.f.*

vídeo (ví.deo) *s.m.* **1.** Parte de um aparelho no qual se reproduzem imagens em movimento. **2.** (*Eletrôn.*) Técnicas de geração e transmissão desse tipo de imagens. **3.** (*Eletrôn.*, *Telv.*) Tela de monitor ou de televisão. **4.** (*Cine*, *Inform.*, *Telv.*) Produção audiovisual ou filme a que se pode assistir pela televisão, pelo computador ou por projeção cinematográfica. **5.** A parte visual de um produto audiovisual.

videoarte (vi.de:o.ar.te) *s.f.* (*Art.*) O uso de recurso audiovisual como elemento constitutivo de qualquer tipo de arte plástica.

videocassete [é] (vi.de:o.cas.se.te) *s.m.* **1.** Aparelho eletrônico de gravação e reprodução de imagens e sons em fitas. **2.** Esse tipo de fita.

videoclipe (vi.de:o.cli.pe) *s.m.* Filme curto em que se grava a apresentação de um músico, de um cantor ou banda, geralmente para apresentação na televisão.

videoclube (vi.de:o.clu.be) *s.m.* Lugar onde se exibem filmes gravados em vídeo, geralmente para associados.

videoconferência (vi.de:o.con.fe.rên.ci:a) *s.f.* Técnica que possibilita a realização de conferências e reuniões entre pessoas distantes, usando câmeras e equipamentos de áudio.

videodisco (vi.de:o.dis.co) *s.m.* Disco digital em que se gravam sons e imagens.

videofone (vi.de:o.fo.ne) *s.m.* **1.** Técnica de telecomunicação com transmissão de imagens e de sons. **2.** Equipamento para esse tipo de comunicação.

videogame [vídeou guêim] (Ing.) *s.m.* (*Eletrôn.*) Jogo exibido em tela de vídeo em que se pode participar, controlando a ação exibida por meio do teclado ou do *joystick*.

videolaparoscopia (vi.de:o.la.pa.ros.co.pi.a) *s.f.* (*Med.*) Exame endoscópico da cavidade abdominal feito por meio de uma câmera de vídeo.

videolocadora [ô] (vi.de:o.lo.ca.do.ra) *s.f.* Estabelecimento onde os associados tomam, de aluguel, filmes gravados em fita de vídeo ou DVD.

videoteca [é] (vi.de:o.te.ca) *s.f.* **1.** Coleção de gravações de vídeo feitas em vários suportes. **2.** Lugar em que se armazena essa coleção.

videoteipe (vi.de:o.tei.pe) *s.m.* (*Telv.*) **1.** Técnica de registro e reprodução de imagens e sons em fita magnética. **2.** Esse tipo de fita. **3.** Gravação feita por essa técnica.

videotexto [ês] (vi.de:o.tex.to) *s.m.* (*Eletrôn.*) **1.** Técnica de transmissão e reprodução de imagens de textos por televisão a cabo ou por telefone para exibição em vídeo. **2.** Equipamentos de emissão e recepção desse tipo de transmissão.

vidraça (vi.dra.ça) *s.f.* **1.** Placa de vidro ajustada em caixilho para funcionar como janela ou porta. **2.** Vidro reduzido à forma laminar.

vidraçaria (vi.dra.ça.ri.a) *s.f.* **1.** Estabelecimento onde se fabricam e vendem vidraças, espelhos e outros objetos de vidro; vidraria. **2.** O conjunto de vidraças: *a vidraçaria de uma estufa*.

vidraceiro (vi.dra.cei.ro) *s.m.* **1.** Profissional que coloca vidros em caixilhos, que assenta vidra-

vidrado

ças ou trabalha em fábrica de vidros. **2.** Dono de vidraçaria.

vidrado (vi.*dra*.do) *adj.* **1.** Revestido ou provido de vidro; envidraçado. **2.** Embaciado, sem brilho: *olhos vidrados*. **3.** *gír.* Que é muito aficionado a alguma coisa: *Quinzinho é vidrado em basquete*.

vidrar (vi.*drar*) *v.* **1.** Cobrir de substância vítrea: *vidrar a louça*. **2.** *fig.* Embaciar, empanar, privar do brilho: *A grande saudade vidrava-lhe o olhar*. **3.** *fig.* Encantar-se ou apaixonar-se por: *O Jaime vidrou na Marlene*. ▶ Conjug. 5.

vidraria (vi.dra.*ri*.a) *s.f.* Vidraçaria (1).

vidreiro (vi.*drei*.ro) *adj.* **1.** Relativo à indústria do vidro. • *s.m.* **2.** Profissional que fabrica vidros ou que trabalha com vidros.

vidrilho (vi.*dri*.lho) *s.m.* Pequeno canudo de vidro usado para enfeitar roupas e chapéus.

vidro (vi.dro) *s.m.* **1.** Material sólido, duro, mas quebradiço e transparente, obtido industrialmente a partir da fusão de quartzo, areia e outras substâncias. **2.** Objeto ou peças feitos desse material: *vidros de Murano; vidros coloridos para vitrais*. **3.** Recipiente para líquidos feito com esse material; frasco: *vidro de xarope; vidro de óleo de amêndoas*. **4.** Lâmina de vidro de quadro, porta, janela; vidraça.

viela [é] (vi:e.la) *s.f.* Rua estreita, beco, travessa.

viés (vi:és) *s.m.* **1.** Direção oblíqua ou diagonal. **2.** *fig.* Tendência com que determinado assunto é olhado, considerado ou abordado; prisma: *O conferencista abordou a questão da guerra pelo viés pacifista*. || *De viés*: obliquamente, em diagonal: *Ela me olhou de viés e nem me cumprimentou*.

vietnamita (vi:et.na.*mi*.ta) *adj.* **1.** Do Vietnã, país da Ásia. • *s.m.* e *f.* **2.** O natural ou o habitante desse país. • *s.m.* **3.** O idioma falado nesse país.

viga (vi.ga) *s.f.* **1.** Peça de madeira, ferro ou concreto que se estende horizontalmente na estrutura de sustentação de uma construção. **2.** Trave de ferro ou de concreto armado.

vigamento (vi.ga.*men*.to) *s.m.* Conjunto de vigas da estrutura de sustentação de uma construção.

vigarice (vi.ga.*ri*.ce) *s.f.* **1.** Ato ou comportamento que revelam desonestidade ou malícia; patifaria. **2.** Ato planejado para enganar ou prejudicar outras pessoas; trapaça.

vigário (vi.*gá*.ri:o) *s.m.* Padre que dirige uma paróquia; pároco.

vigarista (vi.ga.*ris*.ta) *adj.* **1.** Que pratica vigarice. • *s.m.* e *f.* **2.** Pessoa dada a praticar vigarices.

vigência (vi.*gên*.ci:a) *s.f.* **1.** Característica daquilo que vige; que está em vigor, que está em pleno funcionamento. **2.** Tempo durante o qual alguma coisa está em vigor.

viger (vi.*ger*) *v.* Estar em vigor; vigorar: *Não sei se essa lei ainda vige*. ▶ Conjug. 39 e 47.

vigésimo (vi.*gé*.si.mo) *num. ord.* **1.** Que ou o que denota o número vinte numa série. • *num. frac.* **2.** Que ou o que é parte de um todo dividido em vinte partes iguais.

vigia (vi.*gi*.a) *s.f.* **1.** Ato ou efeito de vigiar. **2.** Lugar onde fica, protegida e oculta, a pessoa que exerce essa função; vedeta. **3.** Janela circular, por onde entram o ar e a luz nos camarotes das embarcações. • *s.m.* **4.** Pessoa encarregada de tomar conta de um lugar, especialmente durante a noite; vigilante; guarda-noturno.

vigiar (vi.gi:*ar*) *v.* **1.** Tomar conta de alguém ou de alguma coisa; guardar: *Marta sempre soube vigiar as crianças muito bem; Vigie, por favor, meu lugar enquanto vou aí*. **2.** Espiar, observar, espreitar: *Tome cuidado e ande na linha, que estou vigiando você*. **3.** Velar, estar atento: *Vigiai e orai, aconselhou Jesus*. ▶ Conjug. 17.

vigilante (vi.gi.*lan*.te) *adj.* **1.** Que observa atentamente; que vigia; atento: *A irmã superiora estava sempre vigilante nos recreios do colégio*. • *s.m.* e *f.* **2.** Pessoa encarregada da segurança de algum lugar: *O vigilante, em momento algum, se afastou de seu posto*. – **vigilância** *s.f.*

vigília (vi.*gí*.li:a) *s.f.* **1.** Estado de quem se conserva acordado durante a noite: *Passou a noite em vigília, esperando a chegada dos retardatários*. **2.** Dificuldade para dormir; insônia: *Há noites em que durmo bem, outras que são de total vigília*. **3.** Dia que antecede algumas festas católicas: *Quando menino, gostava dos cantos da vigília do Natal*.

vigor [ô] (vi.*gor*) *s.m.* **1.** Qualidade de quem é vigoroso: *Ele não tem mais o vigor da juventude*. **2.** Energia, capacidade de agir: *Está um tanto velho, mas ainda em pleno vigor*. **3.** Condição do que está em pleno funcionamento, do que está vigorando: *Aquele decreto do presidente ainda está em vigor*.

vigorar (vi.go.*rar*) *v.* Estar em vigor, ter vigor, estar em vigência: *Esta lei passará a vigorar depois de sua publicação*. ▶ Conjug. 20.

vigoroso [ô] (vi.go.*ro*.so) *adj.* **1.** Que tem vigor. **2.** Que tem energia e resistência física ou moral: *um atleta dos mais vigorosos; um vigoroso defensor dos direitos humanos*. || f. e pl.: [ó].

viking [*víquing*] (Ing.) *adj.* **1.** Relativo aos *vikings*: *um ataque viking.* • *s.m.* e *f.* **2.** Povo originário da Escandinávia que, na Idade Média, atacava portos da Europa: *Os vikings chegaram até a Sicília.*

vil *adj.* **1.** De pouco valor ou de má qualidade; reles: *Você vendeu sua liberdade por um preço vil.* **2.** Sem dignidade; sem importância; miserável, indigno: *Saiu da casa de seus pais para viver nas ruas uma vida miserável e vil.* **3.** Que é movido por interesses baixos e reprováveis: *Foi um ato vil entregar o amigo à repressão para tomar seu lugar na empresa.* **4.** Que não é honesto e não tem comportamento digno: *Agiu como uma criatura vil.* • *s.m.* e *f.* **5.** Pessoa que comete ações vis.

vila[1] (*vi.la*) *s.f.* **1.** Localidade de importância inferior à de cidade e superior à de povoado. **2.** Conjunto residencial de casas iguais ou do mesmo tipo, ou semelhantes, dispostas ao longo de um corredor ou de uma área que se comunica com a rua: *Ando à procura de uma casa de vila para morar.* **3.** Bairro: *Morava na Vila Mariana, em São Paulo.*

vila[2] (*vi.la*) *s.f.* Mansão ou casa grande e luxuosa, muitas vezes, no litoral ou na serra: *Comprou uma bela vila em Campos do Jordão.*

vilania (vi.la.*ni*.a) *s.f.* **1.** Qualidade ou ato de gente vil. **2.** Mesquinhez; avareza.

vilão (vi.*lão*) *adj.* **1.** Que age com a intenção de prejudicar os outros: *Era um colega vilão, que fazia tudo para subir na empresa.* **2.** Que é rústico, grosseiro, malcriado, descortês: *um comportamento vilão.* • *s.m.* **3.** (*Lit., Cine, Teat., Telv.*) Personagem que, em vários tipos de narrativa, comete as ações más e condenáveis, muitas vezes para prejudicar o herói, que é o protagonista do lado do bem da história. || f.: vilã e viloa; pl.: vilãos, vilões e vilães.

vilar (vi.*lar*) *s.m.* Vilarejo.

vilarejo [ê] (vi.la.*re*.jo) *s.m.* Pequena vila (1); vilar.

vila-velhense (vi.la-ve.*lhen*.se) *adj.* **1.** Da cidade de Vila Velha, no Estado do Espírito Santo. • *s.m.* e *f.* **2.** O natural ou o habitante dessa cidade.

vilegiatura (vi.le.gi:a.*tu*.ra) *s.f.* Período, geralmente no verão, em que os habitantes de uma cidade viajam para o campo ou para a praia; veraneio.

vileza [ê] (vi.*le*.za) *s.f.* **1.** Qualidade de quem ou do que é vil. **2.** Ato ou comportamento de quem é vil.

vilipendiar (vi.li.pen.di:*ar*) *v.* Tratar alguém ou alguma coisa com descaso, com desprezo: *Foi repreendido por vilipendiar os colegas de menor projeção no curso.* ▶ Conjug. 17.

vilipêndio (vi.li.*pên*.di:o) *s.m.* Ato ou efeito de vilipendiar, de desprezar alguém ou alguma coisa; menosprezo; aviltamento. – **vilipendioso** *adj.*

viloso [ô] (vi.*lo*.so) *adj.* Coberto de pelos; peludo. || f. e pl.: [ó].

vime (*vi*.me) *s.m.* Vara ou haste fina e flexível usada na fabricação de móveis e artesanato.

vimeiro (vi.*mei*.ro) *s.m.* (*Bot.*) Planta da qual se tira o vime.

vinagre (vi.*na*.gre) *s.m.* Líquido de sabor ácido produzido pela fermentação do vinho e de outros líquidos, usado na culinária para temperar saladas e fazer vinha-d'alho. – **vinagrar** *v.* ▶ Conjug. 5.

vinagreira (vi.na.*grei*.ra) *s.f.* **1.** Vasilha em que se faz ou se guarda vinagre. **2.** (*Bot.*) Planta cujas folhas de sabor azedo são usadas na culinária.

vinagrete [é] (vi.na.*gre*.te) *s.f.* (*Cul.*) Molho à base de vinagre e outros condimentos para temperar pratos frios.

vincar (vin.*car*) *v.* **1.** Fazer vinco; dobra em: *A passadeira vincou bem essa calça.* **2.** Encher-se de rugas; enrugar: *Os anos difíceis vincaram o rosto da mulher; Com o tempo, sua face vincou-se; Sua face vincou-se de preocupações.* ▶ Conjug. 8 e 35.

vincendo (vin.*cen*.do) *adj.* Cujo prazo de pagamento está para vencer (dívida, juro etc.).

vinco (*vin*.co) *s.m.* **1.** Aresta bem marcada, deixada por dobra. **2.** Sulco deixado por passagem de roda ou coisa análoga. **3.** Sinal ou vestígio deixado por golpe, pancada, unhada etc. **4.** Marca deixada no corpo por fita, cordão etc.

vincular (vin.cu.*lar*) *v.* **1.** Prender(-se) com vínculos; ligar(-se); associar(-se): *O fato de termos a mesma profissão já me vinculava a Hugo; As lojas da cidade vincularam-se em torno do novo projeto.* **2.** Tornar dependente de: *O banco vinculou a concessão do empréstimo à hipoteca da casa.* ▶ Conjug. 5.

vínculo (*vín*.cu.lo) *s.m.* **1.** Aquilo que liga; ligação; liame: *Estabeleceu-se um vínculo de cumplicidade entre os dois amigos.* **2.** Aquilo que relaciona duas ou mais coisas entre si; ligação: *Procurou-se saber que vínculo poderia existir*

vinda

entre o crime e a viagem do banqueiro. **3.** Encadeamento lógico entre elementos e ideias: *Faltava um vínculo forte entre as ideias meio disparatadas do orador.* **4.** Relação forte de sentimentos e de afetividade: *os vínculos entre mãe e filho.* – **vinculação** *s.f.*

vinda (vin.da) *s.f.* **1.** Ato ou efeito de vir, de se aproximar de um lugar. **2.** Chegada, aparecimento.

vindicar (vin.di.*car*) *v.* Reclamar, exigir, reivindicar: *Ela vindicava com muita razão seus direitos.* ▶ Conjug. 5 e 35. – **vindicação** *s.f.*; **vindicante** *adj.*

vindima (vin.*di*.ma) *s.f.* **1.** Ação ou resultado de vindimar. **2.** Tempo dessa atividade. **3.** As uvas colhidas nessa atividade.

vindimar (vin.di.*mar*) *v.* Colher as uvas na vindima: *Quantos cachos de uva você vindimou hoje?* ▶ Conjug. 5.

vindita (vin.*di*.ta) *s.f.* **1.** Punição legal. **2.** Vingança.

vindouro (vin.*dou*.ro) *adj.* Que há de vir; que acontecerá; que está para vir.

vingança (vin.*gan*.ça) *s.f.* **1.** Ato ou efeito de vingar, de infligir um mal a quem praticou outro. **2.** Castigo, punição.

vingar (vin.*gar*) *v.* **1.** Tirar desforra de; reparar, punir, despicar: *O filho vingou com sangue a ofensa recebida pelo pai; O futuro nos vingará dessas ofensas de hoje.* **2.** Crescer, desenvolver-se: *As mudas de laranjeira vingaram bem.* **3.** Ser aceito, ser bem acolhido: *Felizmente nosso plano vingou, e a família voltou a entender-se.* ▶ Conjug. 5 e 34.

vingativo (vin.ga.*ti*.vo) *adj.* **1.** Que se vinga de alguém ou de alguma coisa; que não perdoa: *Deus não é vingativo.* **2.** Relativo a vingança: *propósitos vingativos.*

vinha (*vi*.nha) *s.f.* (Bot.) Plantação de videiras.

vinhaça (vi.*nha*.ça) *s.f.* **1.** Vinho ordinário; vinho de má qualidade. **2.** Subproduto líquido da indústria do álcool com carga orgânica muito acentuada e muitos nutrientes da cana-de-açúcar, comumente usado como fertilizante e, também, na geração de energia em biodigestores; vinhoto.

vinha-d'alhos (vi.nha-d'*a*.lhos) *s.f.* (Cul.) Tempero para carnes ou peixes feito de vinagre, alho e outros condimentos. || pl.: *vinhas-d'alhos.*

vinhateiro (vi.nha.*tei*.ro) *adj.* **1.** Relativo à cultura de vinhas. • *s.m.* **2.** Agricultor que se dedica à cultura de vinhas. **3.** Fabricante de vinhos.

vinhedo [ê] (vi.*nhe*.do) *s.m.* Terreno plantado de vinhas.

vinheta [ê] (vi.*nhe*.ta) *s.f.* **1.** Pequena estampa com que se orna o começo ou o fim de um capítulo, ou de outra divisão de um livro. **2.** (Telv., Rádio) Filme, música ou curto texto que caracterizam uma emissora ou um programa e que, geralmente, são apresentados no princípio, no fim e nos intervalos das transmissões. – **vinhetista** *s.m. e f.*

vinho (*vi*.nho) *s.m.* **1.** Bebida alcoólica feita com suco de uvas fermentado. **2.** Esse mesmo tipo de bebida feita com suco de outros frutos: *vinho de caju; vinho de laranja.*

vinhoto [ô] (vi.*nho*.to) *s.m.* Vinhaça (2).

vinícola (vi.*ní*.co.la) *adj.* Relativo a vinicultura.

vinicultura (vi.ni.cul.*tu*.ra) *s.f.* Cultura de vinhas; viticultura. – **vinicultor** *adj. s.m.*

vinífero (vi.*ní*.fe.ro) *adj.* Que serve para produzir vinho (falando-se de uvas): *uvas viníferas.*

vinil (vi.*nil*) *s.m.* Substância com que se faziam discos fonográficos, posteriormente substituídos por CD.

vinte (*vin*.te) *num. card.* Dez vezes dois.

vintém (vin.*tém*) *s.m.* Antiga moeda cujo valor era de vinte réis e que existia no Brasil e em Portugal.

viola [ó] (vi:*o*.la) *s.f.* **1.** (Mús.) Instrumento musical de corda, semelhante ao violão, de som agudo e plangente, usado sobretudo na música sertaneja brasileira. **2.** (Mús.) Instrumento musical análogo ao violino, com quatro cordas e extensão de três oitavas, de som um tanto grave. **3.** (Zool.) Peixes e raias do mar.

violação (vi:o.la.*ção*) *s.f.* **1.** Ato ou efeito de violar ou ser violado. **2.** Transgressão: *violação dos direitos humanos.*

violáceo (vi:o.*lá*.ce:o) *adj.* **1.** Cor de violeta, arroxeado. • *violácea s.f.* **2.** Espécime das violáceas, plantas que têm por tipo a violeta e o amor-perfeito.

violão (vi:o.*lão*) *s.m.* Instrumento musical formado por uma caixa de ressonância em forma de oito e um braço provido de seis a doze cordas, que se toca dedilhando.

violar (vi:o.*lar*) *v.* **1.** Infringir, desobedecer, transgredir: *Foi punido porque violou a lei.* **2.** Estuprar, violentar, atentar contra o pudor de: *Os vencedores, nas guerras bárbaras da antiguidade, violavam as mulheres dos vencidos.* **3.** Abrir para olhar; devassar: *A lei proíbe violar a correspondência alheia.* **4.** Profanar, desrespeitar:

O povo amotinado violava as igrejas da cidade. ▶ Conjug. 20.

violeiro (vi:o.*lei*.ro) *s.m.* **1.** Fabricante de instrumentos de corda. **2.** Tocador de viola.

violência (vi:o.*lên*.ci:a) *s.f.* **1.** Emprego ilegítimo da força física ou da coação para se obter alguma coisa: *Os bandidos usaram violência para arrancar a bolsa da senhora.* **2.** Grande força ou poder com que se manifestam certos fenômenos: *A violência do temporal destelhou várias casas.* **3.** Estado ou condição em que a sociedade fica sujeita à ação de bandidos e malfeitores: *É urgente deter a violência na cidade.*

violentar (vi:o.len.*tar*) *v.* **1.** Forçar alguém a ter relações sexuais; estuprar, violar: *Os bandidos violentaram a moça.* **2.** Usar violência física ou moral contra alguém ou alguma coisa ou contra si próprio; coagir; constranger: *Violentaram a população da aldeia com pesados tributos.* **3.** Torcer o sentido original: *Violentaram a Constituição para defender seus privilégios.* ▶ Conjug. 5.

violento (vi:o.*len*.to) *adj.* **1.** Que atua com força bruta em suas relações com os outros: *um homem violento.* **2.** Que envolve violência: *uma intervenção violenta.* **3.** Agitado, tumultuoso: *O mar estava violento.* **4.** Que se realiza de forma intensa, tendo ou não más consequências: *A batida foi violenta, mas não houve vítimas.* **5.** Que envolve muita energia: *O artilheiro deu um chute violento e meteu a bola nas redes.*

violeta [ê] (vi:o.*le*.ta) *s.f.* **1.** (*Bot.*) Nome de planta da família das violáceas, de pequenas flores odoríferas. **2.** Flor dessa planta. **3.** (*Bot.*) Planta de vaso, de flores inodoras de variadas cores, indo do roxo-escuro ao branco; violeta-africana. **4.** A flor dessa planta. • *s.m.* **5.** A cor da violeta: *O violeta é uma das cores do arco-íris.* • *adj.* **6.** Da cor da violeta: *Usava um lindo vestido violeta.*

violino (vi:o.*li*.no) *s.m.* **1.** Instrumento musical formado por uma caixa de ressonância e um braço, dotado de quatro cordas, que vibram pela fricção de um arco de crina. **2.** Violonista: *Antônio é um dos violinos da orquestra sinfônica.* – **violinista** *s.m. e f.*

violoncelo [é] (vi:o.lon.*ce*.lo) *s.m.* **1.** Instrumento musical maior do que a viola, formado por uma caixa de ressonância, dotada de um espigão que o firma no solo, e um braço provido de quatro cordas que vibram sob a fricção de um arco de crina. **2.** Pessoa que toca violoncelo: *Marcos é o melhor violoncelo da orquestra sinfônica.* – **violoncelista** *s.m. e f.*

vip [vipe] (Ing.) *adj.* **1.** Diz-se de pessoa de prestígio e poder: *um visitante vip.* **2.** De uso dessas pessoas: *a sala vip do aeroporto.* • *s.m. e f.* **3.** Pessoa de grande prestígio e poder: *Ele foi recebido como um vip.*

viperino (vi.pe.*ri*.no) *adj.* **1.** Relativo ou próprio de víbora. **2.** Que é maldizente e perverso: *uma língua viperina.* **3.** Que contém veneno ou peçonha: *fluido viperino.*

vir *v.* **1.** Transportar-se para o lugar onde está a pessoa que fala: *Venha passar as férias comigo aqui em Florianópolis.* **2.** Ter origem em; proceder: *Essa sua arrogância vem de seu lado materno.* **3.** Chegar: *Naquela hora da madrugada não viria mais ninguém; Até agora o professor não veio.* **4.** Surgir, aparecer, nascer: *Estava caminhando na Lagoa quando, de repente, me veio a ideia de lhe telefonar.* **5.** Tornar-se real; acontecer, chegar: *Tenha paciência, que a promoção virá.* **6.** Ter como causa; resultar: *Essa coceira lhe vem da alergia.* **7.** Afluir: *Os torcedores vieram em peso assistir ao jogo.* **8.** Provir: *O poder vem do povo.* **9.** Alegar, aduzir: *Não me venha com desculpas esfarrapadas.* || *part.*: vindo. ▶ Conjug. 85.

vira (*vi*.ra) *s.m.* **1.** (*Mús.*) Dança e música popular portuguesa. • *s.f.* **2.** Em sapataria, tira de couro que é costurada ou pregada entre a sola e as extremidades do sapato.

virabrequim (vi.ra.bre.*quim*) *s.m.* Peça do motor de explosão que transforma o movimento alternativo do êmbolo em movimento circular, que é transmitido às rodas do carro pelo sistema de transmissão.

viração (vi.ra.*ção*) *s.f.* **1.** Vento suave e fresco que sopra do mar para a terra. **2.** *coloq.* Emprego informal e provisório para garantir a subsistência; biscate: "É necessário uma viração pro Nestor / Que está vivendo em grande dificuldade." (Ismael Silva, *Antonico*.)

vira-casaca (vi.ra-ca.*sa*.ca) *s.m. e f.* Indivíduo que muda de partido ou de opinião, conforme seus interesses pessoais. || *pl.*: vira-casacas.

virada (vi.*ra*.da) *s.f.* **1.** Ação ou resultado de virar(-se). **2.** Alteração profunda de atitude ou de circunstâncias: *Depois que sofreu aquele desastre, deu uma virada na vida dele.* **3.** (*Esp.*) Situação em que um atleta ou um time que começaram com má atuação, de repente, começam a acertar: *No segundo tempo, deu-se a virada, e o time venceu.*

viradinho (vi.ra.*di*.nho) *s.m.* (*Cul.*) Virado (5).

virado (vi.ra.do) adj. **1.** Que se virou. **2.** coloq. Que muda frequentemente de humor: Acordou hoje de cabeça virada. **3.** Dirigido, apontado: virado para o nordeste. **4.** Posto em sentido contrário, colocado ao avesso: Está com a gola virada. • s.m. **5.** (Cul.) Prato típico brasileiro feito com tutu de feijão, torresmos, costeleta de porco e ovos fritos; viradinho.

virador [ô] (vi.ra.dor) s.m. **1.** Plataforma móvel usada para fazer a locomotiva mudar a direção de seu deslocamento. **2.** Pessoa que sabe se virar; sair-se bem de uma situação difícil.

virago (vi.ra.go) s.f. Mulher forte, de compleição e trejeitos masculinos.

vira-lata (vi.ra-la.ta) s.m. e f. **1.** Cão sem raça definida. **2.** Cão sem dono que anda pelas ruas. • adj. **3.** pej. Sem importância, chinfrim: uma pessoa vira-lata. || pl.: vira-latas.

virar (vi.rar) v. **1.** Mudar(-se) (alguém ou alguma coisa) de lado, de direção, de posição: Virou à direita; Virou a cabeça; Virou-se na cama. **2.** Pôr em direção oposta à anterior: Virou o bife; Virou a página **3.** Voltar(-se) para: Ela virou(-se) para meu lado e disse que ia embora. **4.** Dar volta completa em; girar: Meteu a chave na fechadura e virou. **5.** Dirigir, apontar: Virou a arma para mim. **6.** Despejar até a última gota: O menino virou a xícara de café sobre a mesa. **7.** Dar volta a; dobrar: O carro da polícia virou a esquina e continuou. **8.** Transformar-se em alguma coisa diferente: O príncipe virou um sapo. **9.** Mudar de opinião, de partido, de religião: Ele era budista, mas virou muçulmano. **10.** Mexer em algum lugar à procura de alguma coisa: Carmem virou todas as gavetas atrás dos documentos de Leonardo. **11.** Beber todo o conteúdo: Cheio de sede, Álvaro virou toda a água da moringa. **12.** Golpear com: Júlia virou a mão na cara do assaltante. **13.** Resolver os próprios problemas: Carlos sempre soube se virar na vida. **14.** Tomar posição contra alguém ou alguma coisa: Os marinheiros viraram-se contra o comandante. || Vira e mexe: a toda hora; sem mais nem menos: Vira e mexe ele vem com essa história. ▶ Conjug. 5.

viravolta [ó] (vi.ra.vol.ta) s.f. **1.** Volta inteira, completa em torno do próprio corpo. **2.** Mudança repentina e radical; reviravolta: Aconteceu uma viravolta no processo de revisão do caso.

virente (vi.ren.te) adj. Que verdeja, verde: os campos virentes do Brasil.

virgem (vir.gem) s.f. **1.** Mulher que nunca teve relações sexuais. • adj. **2.** Que nunca fez sexo: um rapaz virgem. **3.** Que ainda não foi usado: filme virgem. **4.** Que permanece intocada e inalterável: uma floresta virgem. **5.** Extraído primeiro da azeitona sem auxílio de calor: azeite virgem. **6.** Nunca cultivada: terra virgem. **7.** (Astrol.) Virginiano: Pensei que Carlos fosse Touro, mas ele é Virgem. – **virginal** adj.

virgindade (vir.gin.da.de) s.f. Estado ou condição de virgem.

virginiano (vir.gi.ni:a.no) adj. (Astrol.) **1.** Que nasce sob o signo de Virgem (de 23 de agosto a 22 de setembro); virgem: uma criança virginiana. • s.m. **2.** Pessoa que nasce sob o signo de Virgem; virgem: Os virginianos têm muito senso da realidade.

vírgula (vír.gu.la) s.f. (Gram.) Sinal de pontuação (,) que indica na escrita uma curta pausa entre os termos de uma oração. || Uma vírgula: palavra com que, pronunciada em tom exclamativo, se contradiz ou nega uma afirmação: Ela é bonita e modesta. – Modesta, uma vírgula!

viril (vi.ril) adj. **1.** Relativo a ou próprio do homem; másculo: energia viril; corpo viril. **2.** Próprio do varão: atitude viril.

virilha (vi.ri.lha) s.f. Região do corpo situada entre a parte superior da coxa e o baixo ventre.

virilidade (vi.ri.li.da.de) s.f. **1.** Qualidade ou condição de quem é viril; masculinidade, hombridade. **2.** Período da vida de um homem entre a adolescência e a velhice. **3.** fig. Vigor físico, energia física ou moral.

virologia (vi.ro.lo.gi.a) s.f. (Med.) Ramo da microbiologia que estuda os vírus e as viroses. – **virologista** adj. s.m.

virose [ó] (vi.ro.se) s.f. Infecção causada por vírus. – **virótico** adj.

virtual (vir.tu:al) adj. **1.** Suscetível de existir, embora não exista no momento; potencial: Espera passar as férias numa virtual casa de campo. **2.** Aplica-se a alguma coisa cuja concretização é quase certa: É o candidato virtual à Presidência da República. **3.** (Inform.) Que existe somente como representação feita por programa de computador: uma biblioteca virtual; uma realidade virtual. – **virtualidade** s.f.

virtude (vir.tu.de) s.f. **1.** Disposição firme e habitual de agir de modo correto. **2.** Cada uma das qualidades teologais ou morais, como esperança, temperança, humildade, justiça etc. **3.** Capacidade de exercer certos efeitos: O suco de maracujá tem a virtude de acalmar os ânimos.

virtuose [ô] (vir.tu:o.se) s.m. e f. Pessoa que domina a técnica de uma arte: *Frederico é um virtuose do piano; Cecília é uma virtuose da harpa.* – **virtuosismo** s.m.

virtuoso [ô] (vir.tu:o.so) adj. Que tem e manifesta muitas virtudes: *Alfredo é um homem virtuoso.* || f. e pl.: [ó].

virulento (vi.ru.*len*.to) adj. **1.** Referente a vírus ou que tem natureza de vírus: *contágio virulento.* **2.** Causado pela influência de vírus: *doença virulenta.* **3.** fig. Cheio de rancor, ódio, fel: *Agrediu-o com palavras virulentas.*

vírus (*ví*.rus) s.m.2n. **1.** (*Biol.*) Organismo microscópico infeccioso que não se reproduz fora de célula hospedeira. **2.** (*Inform.*) Programa que se instaura ocultamente nos computadores e causa grandes danos de variadas espécies.

visado (vi.*sa*.do) adj. **1.** Diz-se de documento ou cheque autenticado por pessoa autorizada. **2.** Diz-se de pessoa que está sob observação, suspeita ou ameaça: *Ele sabe que é hoje um homem visado.*

visagem (vi.*sa*.gem) s.f. **1.** Expressão facial; careta. **2.** Aparição sobrenatural, fantasma. **3.** Falsa atitude para impressionar ou chamar a atenção.

visão (vi.*são*) s.f. **1.** Percepção de luz, cores, formas e reações espaciais através do sistema de captação e elaboração formadas pelo órgão da vista e pelo cérebro: *A visão é um dos cinco sentidos principais do homem.* **2.** Perspectiva a partir da qual se toma e avalia alguma coisa: *Sua visão do mundo exclui a espiritualidade.* **3.** Capacidade de perceber as coisas e interpretar seus significados: *Possuía uma visão que ia muito além da dos homens de seu tempo.* **4.** Aparição de ente do universo sobrenatural: *Teve uma visão de seu anjo da guarda.*

visar (vi.*sar*) v. **1.** Manter a vista fixamente em; mirar: *visar o alvo.* **2.** Pôr o visto em documento, em cheque: *visar o passaporte; visar o cheque.* **3.** Tomar como alvo ou objetivo; almejar, propor-se a: *Não visei a auferir lucros nessa empresa; Meu filho visava à carreira diplomática.* ► Conjug. 5.

víscera (*vís*.ce.ra) s.f. **1.** (*Anat.*) Qualquer órgão alojado na cavidade craniana, na torácica e na abdominal. • **vísceras** s.f.pl. **2.** (*Anat.*) Os órgãos internos do homem e dos outros animais. **3.** fig. Parte interna e oculta de uma instituição ou de um processo: *O escândalo revelou as vísceras da empresa.*

visceral (vis.ce.*ral*) adj. **1.** Relativo a víscera: *infecção visceral.* **2.** fig. Profundo, intenso: *ódio visceral.*

visco (*vis*.co) s.m. **1.** Planta parasita que nasce sobre os galhos da árvore hospedeira. **2.** Gosma vegetal usada para pegar pequenos pássaros; visgo.

viscondado (vis.con.*da*.do) s.m. **1.** Dignidade de visconde ou de viscondessa. **2.** Terra pertencente a um visconde ou viscondessa.

visconde (vis.*con*.de) s.m. Título de nobreza imediatamente superior ao de barão e inferior ao de conde.

viscondessa [ê] (vis.con.*des*.sa) s.f. Título nobiliárquico superior ao de baronesa e inferior ao de condessa: *Foi concedido àquela senhora o título de viscondessa.*

viscoso [ô] (vis.*co*.so) adj. **1.** Que pega como visco; pegajoso, visguento. **2.** Que é muito espesso e flui lentamente: *um óleo viscoso.* || f. e pl.: [ó]. – **viscosidade** s.f.

viseira (vi.*sei*.ra) s.f. **1.** Parte anterior e móvel do elmo ou do capacete que descia sobre o rosto para o encobrir e para resguardá-lo dos golpes. **2.** Parte dianteira de um chapéu, capacete ou boné para proteger o rosto da incidência dos raios solares.

visgo (*vis*.go) s.m. Visco.

visguento (vis.*guen*.to) adj. Viscoso.

visibilíssimo (vi.si.bi.*lís*.si.mo) adj. Superlativo absoluto de *visível*.

visigodo [ô] (vi.si.*go*.do) adj. **1.** Dos visigodos, ramo ocidental dos godos. • s.m. **2.** Indivíduo desse povo. – **visigótico** adj.

visionário (vi.si:o.*ná*.ri:o) adj. **1.** Que tem ideias inovadoras, além de seus contemporâneos, ou de difícil realização: *um poeta visionário.* **2.** Que tem visões sobrenaturais; vidente. • s.m. **3.** Pessoa que é visionária: *Antônio Conselheiro foi um visionário.*

visita (vi.*si*.ta) s.f. **1.** Ida a algum lugar para ver ou conhecer alguém ou alguma coisa, para inspecção ou exame: *O inspetor marcou a visita à escola para a semana que vem; Faremos uma visita aos museus da cidade.* **2.** Pessoa que visita; visitante: *As visitas já chegaram; Recebi hoje muitas visitas.*

visitante (vi.si.*tan*.te) adj. **1.** Que visita: *Chegou o médico visitante.* • s.m. e f. **2.** Pessoa que visita: *Hoje vamos receber uma visitante.*

visitar (vi.si.*tar*) v. Fazer visita (1) a alguém ou a algum lugar ou entre si: *Maria visitou Isabel;*

visível

Em sua viagem João Carlos visitou o Cairo e Jerusalém; Elas visitavam-se frequentemente. ▶ Conjug. 5.

visível (vi.sí.vel) *adj.* **1.** Que se pode ver: *O planeta estava visível a olho nu.* **2.** Que pode ser notado porque salta à vista; conspícuo: *Era visível sua contrariedade.* || sup. abs.: *visibilíssimo*.

vislumbrar (vis.lum.*brar*) *v.* **1.** Ver indistintamente, entrever: *A cerração era tanta, que eu mal vislumbrava as margens da estrada.* **2.** *fig.* Começar a perceber: *Já vislumbro uma saída para nossa situação.* ▶ Conjug 5.

vislumbre (vis.*lum*.bre) *s.m.* **1.** Tênue resplendor de luz; luz indecisa; pequeno clarão. **2.** Compreensão intuitiva de alguma coisa: *De repente, ele teve um vislumbre de sua situação.* **3.** Indício, sinal meio indistinto e passageiro: *Com as palavras do médico, ele teve um vislumbre de esperança, que pouco durou.* ▶ Conjug. 5.

vison (vi.*son*) *s.m.* (*Zool.*) **1.** Animal mamífero da América do Norte, de pelo macio e brilhante. **2.** Casaco feito com a pele desse animal.

visor [ô] (vi.*sor*) *s.m.* **1.** Em aparelhos eletrônicos, dispositivo que permite visualizar informações a respeito de operações realizadas ou de outra natureza. **2.** Em aparelhos ópticos, como câmeras, binóculos, microscópios etc., dispositivo que exibe imagem do que está sendo focado.

víspora (*vís*.po.ra) *s.m. e f.* Jogo de azar em que se usam noventa pedrinhas numeradas de 1 a 90, as quais são tiradas de um saco e anunciado cada número aos jogadores que possuem certa quantidade de cartões com quinze números sequenciais, de 1 a 90; esses serão cobertos à medida que forem saindo as pedras de número correspondente, ganhando quem conseguir preencher uma sequência completa em um de seus cartões.

vista (*vis*.ta) *s.f.* **1.** Sentido da visão: *Não tenho vista para ler essas letrinhas.* **2.** O órgão visual; os olhos: *Há um cisco incomodando minha vista.* **3.** Aquilo que se vê; a paisagem vista de um ponto: *Que linda vista se tem daqui do alto!* || *À vista*: ao alcance da vista: *terra à vista.* • *A perder de vista*: muito extenso no tempo: *com prestações a perder de vista.* • *Dar na vista*: atrair atenção, brilhar na aparência. • *Fazer vista grossa*: fingir que não vê, deixar passar. • *Ter em vista*: ter como objetivo: *Quando fiz isso, tinha em vista apenas o seu bem.*

visto (*vis*.to) *adj.* **1.** Que se viu. • *s.m.* **2.** Permissão para entrada e permanência num país estrangeiro. **3.** Carimbo, selo ou assinatura que atestam que um documento foi examinado e aprovado por uma autoridade competente: *Ele esqueceu-se de pôr o visto no documento.* || *Pelo visto*: pelo que se pode deduzir: *Pelo visto, você virá amanhã.* • *Visto que*: como, já que, uma vez que: *Visto que você fez muito bem o trabalho, está dispensado por hoje.*

vistoria (vis.to.*ri*.a) *s.f.* Inspeção ou revista de caráter oficial ou não, feita por peritos para determinado fim: *a vistoria anual dos carros.* – **vistoriar** *v.* ▶ Conjug. 17.

vistoso [ô] (vis.*to*.so) *adj.* **1.** Que chama a atenção por sua beleza: *uma moça vistosa.* **2.** Que dá na vista por seu ótimo aspecto visual: *uma construção vistosa.* || f. e pl.: [ó].

visual (vi.su.*al*) *adj.* **1.** Relativo a vista ou obtido por meio dela: *acuidade visual.* • *s.m.* **2.** Aparência ou imagem de alguém: *Maria Clara apareceu de visual novo.* – **visualização** *s.f.*

visualizar (vi.su:a.li.*zar*) *v.* **1.** Transformar em imagens mentais; imaginar: *O leitor começou a visualizar a narrativa que lia.* **2.** Tornar visível através de gráficos ou desenhos: *Somente com gráficos benfeitos visualizaram como o crescimento demográfico afetou a cidade.* ▶ Conjug. 5.

vital (vi.*tal*) *adj.* **1.** Relativo a vida: *o ciclo vital.* **2.** Que possibilita e conserva a vida: *uma função vital.* **3.** Essencial, fundamental: *de importância vital.*

vitalício (vi.ta.*lí*.ci:o) *adj.* Que dura ou é destinado a durar a vida inteira: *um cargo vitalício; uma pensão vitalícia.*

vitalidade (vi.ta.li.*da*.de) *s.f.* Condição e estado daquilo que tem vida e vigor: *a vitalidade desses jovens atletas; a vitalidade da economia daqueles países.*

vitalismo (vi.ta.*lis*.mo) *s.m.* (*Fil.*) Doutrina metafísica que ensina que o princípio vital que anima os seres vivos não é explicável por meio das leis da física ou da química.

vitalizar (vi.ta.li.*zar*) *v.* **1.** Dar força e vigor: *Os novos sócios vitalizaram o clube.* **2.** Restituir a vida a um ser vivo: *A chuva de ontem vitalizou a grama seca.* ▶ Conjug. 5. – **vitalizante** *adj.*

vitamina (vi.ta.*mi*.na) *s.f.* **1.** Substâncias orgânicas indispensáveis ao metabolismo, normalmente não produzidas pelo organismo, mas que são adquiridas em pequenas quantidades através da ingestão da maioria dos alimentos. **2.** Alimento preparado com frutas ou legumes batidos no liquidificador, geralmente com adição de açúcar, leite, aveia etc. – **vitaminar** v. ▶ Conjug. 5. – **vitaminado** adj.; **vitamínico** adj.

vitando (vi.tan.do) adj. **1.** Que se deve evitar: *uma forma verbal vitanda.* **2.** Execrável, abominável: *um lugar vitando.*

vitela [é] (vi.te.la) s.f. **1.** (Zool.) Novilha até um ano de idade. **2.** Carne de novilha. **3.** Prato preparado com a carne desse animal.

vitelino (vi.te.li.no) adj. Referente a vitelo[2]: *saco vitelino.*

vitelo[1] [é] (vi.te.lo) s.m. (Zool.) Novilho até um ano de idade.

vitelo[2] [é] (vi.te.lo) s.m. (Biol.) Reserva alimentar contida num saco (saco vitelino) da qual se alimenta o embrião.

vitiligem (vi.ti.li.gem) s.f. Vitiligo.

vitiligo (vi.ti.li.go) s.m. (Med.) Doença cutânea caracterizada pela despigmentação de partes da pele, formando manchas embranquiçadas; vitiligem.

vítima (ví.ti.ma) s.f. **1.** Ser humano, grupo social ou animal irracional que sofrem um acidente ou uma desgraça gerados por causas naturais ou humanas: *As vítimas da enchente foram abrigadas em escolas e igrejas.* **2.** Pessoa assassinada, ou torturada, ou violentada por outra: *O assassino ainda estava junto à vítima; as vítimas da violência.*

vitimar (vi.ti.mar) v. **1.** Reduzir(-se) à condição de vítima; transformar(-se) em vítima: *A peste negra vitimou um terço da população da Europa; Vitimou-se tentando salvar o amigo.* **2.** Matar ou ferir: *Evitou-se que bandidos vitimassem inocentes.* **3.** fig. Prejudicar, danificar: *A seca vitimou a agricultura.* ▶ Conjug. 5.

vitória (vi.tó.ri:a) s.f. **1.** Ato ou efeito de vencer um adversário, um inimigo ou um estorvo. **2.** Qualquer tipo de conquista ou êxito: *Sua aprovação foi uma grande vitória.*

vitoriano (vi.to.ri:a.no) adj. **1.** Relativo à rainha Vitória, da Grã-Bretanha, ou ao período de seu reinado (1837-1901): *período vitoriano.* **2.** Hipocritamente puritano e intolerante: *um verdadeiro lorde vitoriano.*

vitória-régia (vi.tó.ri:a-ré.gi:a) s.f. (Bot.) Planta aquática da região amazônica, de largas folhas flutuantes e belas flores. || pl.: *vitórias-régias.*

vitoriense (vi.to.ri:en.se) adj. **1.** De Vitória, capital do Estado do Espírito Santo. • s.m. e f. **2.** O natural ou o habitante dessa capital.

vitorioso [ô] (vi.to.ri:o.so) adj. **1.** Que obteve uma vitória, que venceu: *os pracinhas vitoriosos*

viúvo

na Itália. • s.m. **2.** Pessoa que venceu batalhas ou dificuldades: *Este jovem que hoje se forma é um vitorioso.* || f. e pl.: [ó].

vitral (vi.tral) s.m. Vidraça decorativa feita com pedaços coloridos de vidro que formam uma composição.

vítreo (ví.tre:o) adj. **1.** De vidro ou relativo a vidro: *uma estufa de paredes vítreas; um aspecto vítreo.* **2.** Transparente como vidro.

vitrificar (vi.tri.fi.car) v. **1.** Revestir com vidro: *Vitrificaram algumas peças de cerâmica.* **2.** Converter-se em vidro: *O intenso frio desse inverno vitrificou a superfície do lago.* ▶ Conjug. 5 e 35. – **vitrificação** s.f.

vitrina (vi.tri.na) s.f. **1.** Local envidraçado onde em lojas e casas de comércio se expõem artigos para venda ou propaganda; montra. **2.** Armário envidraçado em que se colocam objetos destinados à exposição pública. || vitrine. – **vitrinista** s.m. e f.

vitrine (vi.tri.ne) s.f. Vitrina.

vitrola [ó] (vi.tro.la) s.f. Antigo aparelho de som que servia para tocar discos de vinil; toca-discos, eletrola.

vitualhas (vi.tu:a.lhas) s.f.pl. Artigos destinados à alimentação; víveres, mantimentos.

vituperar (vi.tu.pe.rar) v. **1.** Censurar, repreender: *O pai, envergonhado, vituperou os maus modos da filha; O pai vituperou a filha por seus maus modos.* **2.** Agredir verbalmente, insultar: *Muito irritado, o homem vituperava o negociante com palavras ásperas e ameaças.* ▶ Conjug. 8. – **vituperação** s.f.

vitupério (vi.tu.pé.ri:o) s.m. **1.** Palavras ofensivas dirigidas a alguém; insulto, impropério, ultraje. **2.** Ação vergonhosa e infame.

viúva (vi:ú.va) s.f. **1.** Mulher que perdeu o marido e que não contraiu novas núpcias. **2.** joc. Pessoa que fica lamentando por muito tempo a morte de um ídolo popular ou de um personagem morto: *as viúvas de Carlos Gardel; as viúvas de Carlos Lacerda.* • adj. **3.** Cujo marido morreu: *uma mulher viúva.*

viúva-negra (vi:ú.va-ne.gra) s.f. Aranha negra com abdome vermelho, que se encontra em toda a América, de picada muitas vezes fatal, é a mais peçonhenta das aranhas encontradas no Brasil; seu nome advém do fato de as fêmeas comerem o macho após a cópula. || pl.: *viúvas-negras.*

viúvo (vi:ú.vo) s.m. **1.** Homem cuja esposa faleceu e que não contraiu novo matrimônio: *O viúvo ficou inconsolável com a morte da esposa.*

1297

viva

2. Uma pessoa privada de um bem, de um gozo: *Um viúvo de alegrias.* • *adj.* **3.** Que perdeu a esposa: *um homem viúvo.* **4.** *fig.* Que é privado de um bem, de um gozo: *Um homem viúvo de ilusões.*

viva (vi.va) *interj.* **1.** Emprega-se para aplaudir, para apoiar: *Viva os campeões do vôlei!* • *s.m.* **2.** Grito, exclamação de aplauso, de felicitação: *Deram muitos vivas na hora da chegada do campeão.*

vivacidade (vi.va.ci.*da*.de) *s.f.* **1.** Característica de quem é rápido na captação e compreensão das coisas; viveza. **2.** Característica de quem é ativo e cheio de energia para fazer as coisas; viveza.

vivaldino (vi.val.*di*.no) *adj. coloq.* **1.** Que é esperto para tirar proveito às custas dos outros: *Nicolau foi muito vivaldino, mas acabou punido.* • *s.m.* **2.** Pessoa esperta, dada a tirar proveito dos outros: *O vivaldino não teve vergonha de furar a fila.*

vivalma (vi.*val*.ma) *s.f.* Alguma pessoa; alguém: *Àquela hora da noite, não havia vivalma no parque.* || Usado sempre em sentido negativo.

vivandeira (vi.van.*dei*.ra) *s.f.* **1.** Mulher que acompanha as tropas. **2.** *fig.* Político que se aproxima dos militares com intenção de obter apoio para propostas golpistas.

vivaz (vi.*vaz*) *adj.* **1.** Que tem ou comunica vivacidade, energia: *uma criança vivaz.* **2.** Que é vigoroso, forte, difícil de destruir: *Meu amor por ela é um sentimento vivaz.* **3.** Caloroso, vivo, ardente: *Prepararam-lhe uma recepção vivaz.* **4.** *(Bot.)* Aplica-se à planta que tem duração indeterminada; que não morre depois de dar flores e frutos: *A laranjeira é uma planta vivaz; o milho não é uma planta vivaz.*

viveiro (vi.*vei*.ro) *s.m.* Lugar apropriado para germinação, criação e conservação de plantas e animais: *Transplantou as mudas de cravo do viveiro para o jardim; Criava camarões num viveiro.*

vivência (vi.*vên*.ci:a) *s.f.* **1.** Conhecimento adquirido e desenvolvido através da experiência de vida. **2.** O processo de viver e ter experiência de alguma coisa: *É impossível a cada um experimentar as vivências de outros.* **3.** Fato ou experiência vivida: *As vivências da velha atriz dariam um filme empolgante.* – **vivencial** *adj.*

vivenciar (vi.ven.ci:*ar*) *v.* Viver ou ter a experiência de uma situação: *É perturbador vivenciar um tremor de terra.* ▶ Conjug. 17.

vivenda (vi.*ven*.da) *s.f.* Lugar onde se vive; casa, moradia, habitação.

vivente (vi.*ven*.te) *adj.* **1.** Que vive: *um ser vivente.* • *s.m. e f.* **2.** Cada ser vivo, especialmente o ser humano: *no chão dos viventes.*

viver (vi.*ver*) *v.* **1.** Estar vivo; existir: *Alguns dos pioneiros da cidade ainda vivem.* **2.** Manter-se vivo; durar: *Apesar de tudo, seu amor por ela ainda vive.* **3.** Aproveitar a vida: *Já trabalhei muito, agora quero viver.* **4.** Viver vida conjugal; coabitar: *Vive com aquela mulher desde que casou com ela.* **5.** Residir: *Vivo nesta cidade há vinte anos.* **6.** Alimentar-se; nutrir-se: *Vivia só de frutas e líquidos.* **7.** Levar a vida de certo modo; comportar-se: *"A moça triste que vivia calada sorriu."* (Chico Buarque, *A Banda.*) **8.** Passar por experiência; vivenciar: *Ela viveu maus momentos naquela instituição.* **9.** Gastar o tempo com; dedicar-se: *Vive para os filhos e os netos.* **10.** Sustentar-se, manter-se: *O velho contador vive de sua aposentadoria.* ▶ Conjug. 39.

víveres (*ví*.ve.res) *s.m.pl.* Gêneros alimentícios, mantimentos, vitualhas.

viveza (vi.*ve*.za) *s.f.* Vivacidade.

vivido (vi.*vi*.do) *adj.* **1.** Que se viveu: *"... são pensamentos idos e vividos."* (Machado de Assis, *A Carolina.*) **2.** Que tem grande experiência de vida: *Uma mulher muito vivida.*

vívido (*ví*.vi.do) *adj.* **1.** Que é nítido e intenso: *um clarão vívido.* **2.** Que é vivo e ardente: *"... um sonho intenso, um raio vívido de amor e de esperança."* (Osório Duque-Estrada, *Hino Nacional Brasileiro.*) **3.** De cores vivas: *um estampado de cores vívidas.*

vivificar (vi.vi.fi.*car*) *v.* **1.** Dar vida a; reanimar: *A chuva vivificou as plantas do jardim.* **2.** Dar movimento a; movimentar, animar: *A nova rodovia vivificou o comércio da vila.* ▶ Conjug. 5 e 35.

vivíparo (vi.*ví*.pa.ro) *adj.* **1.** *(Zool.)* Diz-se de animais cujos filhotes se desenvolvem dentro do corpo materno e são paridos em determinado estado de vida. • *s.m.* **2.** Animal vivíparo. || Conferir com *ovíparo*. – **viviparidade** *s.f.*

vivissecção (vi.vis.sec.*ção*) *s.f.* Operação feita em animais vivos para estudo e pesquisas de fenômenos fisiológicos. || *vivisseção.*

vivisseção (vi.vis.se.*ção*) *s.f.* Vivissecção.

vivo (vi.vo) *adj.* **1.** Que vive, que possui vida; que não é morto: *um peixe vivo; uma bactéria viva.* **2.** Que é rápido e enérgico em seus movimentos: *um menino vivo como um furacão.* **3.** Que é expressivo: *um olhar vivo.* **4.** Que é acalorado: *um debate vivo.* **5.** Que tem muito brilho e intensidade: *rosas de um vermelho vivo.* **6.** Que é muito forte e intenso: *Senti um* *vivo prazer em revê-la.* **7.** Diz-se de uma língua que tem uso corrente: *O francês é uma língua viva; O sânscrito não é uma língua viva.* • **vivos** *s.m.pl.* **8.** As pessoas que estão vivas: *os vivos e os mortos.* || **Ao vivo:** que é transmitido pela televisão ou rádio no momento em que ocorre, e não como gravação.

vizinho (vi.*zi*.nho) *adj.* **1.** Que fica nas proximidades ou nas fronteiras: *Os argentinos são nossos vizinhos; duas casas vizinhas.* • *s.m.* **2.** Pessoa que mora perto: *Visitamos os novos vizinhos do apartamento 602.* – **vizinhança** *s.f.*

vizir (vi.*zir*) *s.m.* Alto funcionário que nos califados ou principados islâmicos é responsável pela administração política e militar.

voar (vo:*ar*) *v.* **1.** Mover-se no ar com auxílio de asas: *As águias voam nas alturas.* **2.** *fig.* Deslocar-se; passar ou consumir-se muito rapidamente: *As horas ditosas voam; Esse mensageiro não corre, voa; Os docinhos da festa voaram.* **3.** Fazer viagem aérea; viajar de avião: *Antes de chegar a Santiago, voaremos sobre os Andes.* **4.** *fig.* Atirar-se sobre alguém ou alguma coisa: *A criança voou para o colo da mãe; As crianças voavam sobre a mesa de doces.* **5.** *fig.* Ficar absorto em seus pensamentos e imaginação: *Esse menino vive voando.* ▶ Conjug. 25. – **voador** *adj. s.m.;* **voante** *adj.*

vocabulário (vo.ca.bu.*lá*.ri:o) *s.m.* **1.** Conjunto de vocábulos de uma língua, de uma ciência, de uma arte, de uma atividade específica: *o vocabulário do português; o vocabulário médico; o vocabulário literário.* **2.** Relação em ordem alfabética das palavras de uma língua; léxico: *Vocabulário Ortográfico da Língua Portuguesa.* **3.** Conjunto das palavras usadas por um autor, pelas pessoas de uma geração, pelos jovens, por um determinado grupo social etc.: *o vocabulário de Machado de Assis; o vocabulário dos surfistas.*

vocábulo (vo.*cá*.bu.lo) *s.m.* (*Gram.*) Palavra considerada em seus aspectos morfológicos e morfossintáticos: *vocábulo trissílabo, paroxítono, masculino, singular.* – **vocabular** *adj.*

vocação (vo.ca.*ção*) *s.f.* **1.** Tendência natural do espírito por uma carreira, ofício, profissão, estado etc.: *vocação para as letras, para a carreira jurídica.* **2.** Tendência natural: *a vocação natural da região para o turismo.* **3.** (*Rel.*) Disposição natural para a vida religiosa ou sacerdotal: *Muitos jovens descobrem cedo sua vocação.* – **vocacional** *adj.*

vocal (vo.*cal*) *adj.* **1.** Relativo a voz e aos órgãos responsáveis por sua emissão: *órgão vocal; cordas vocais.* **2.** Que utiliza a voz: *música vocal.* **3.** Que é para ser cantada: *Vamos ensaiar a parte vocal da peça.*

vocálico (vo.*cá*.li.co) *adj.* Relativo a vogal ou constituído de vogais: *grupo vocálico.*

vocalismo (vo.ca.*lis*.mo) *s.m.* **1.** (*Gram.*) Estudo das alterações sofridas pelas vogais na passagem da língua original para a língua derivada. **2.** (*Gram.*) Estudo fonológico das vogais em geral.

vocalista (vo.ca.*lis*.ta) *s.m. e f.* A voz principal que se destaca num grupo musical.

vocalizar (vo.ca.li.*zar*) *v.* (*Mús.*) Cantar emitindo apenas sons de vogal: *Coçou a cabeça, vocalizando o hino de seu time.* ▶ Conjug. 5. – **vocalização** *s.f.*

vocativo (vo.ca.*ti*.vo) *adj.* **1.** Próprio para chamar: *um apelo vocativo.* • *s.m.* **2.** (*Gram.*) Palavra ou expressão usada para chamar alguém. || Na frase: "Deus, ó Deus, onde estás que não respondes?" (Castro Alves, *Vozes d'África*), o poeta usou o vocativo.

você (vo.*cê*) *pron.* **1.** Tratamento usado para pessoas com quem se fala e funciona como sujeito ou complemento: *Você não veio ontem; Vi você na televisão.* **2.** Qualquer um; alguém: *Como você pode comprar uma coisa tão cara?* || Apesar de ser um pronome que se usa em relação à pessoa com quem se fala – a segunda pessoa – é empregado obrigatoriamente com o verbo na forma da terceira pessoa: *você disse; você falou; você chegou; vocês disseram* etc.

vociferar (vo.ci.fe.*rar*) *v.* **1.** Proferir palavras em voz alta, aos berros; gritar: *Vociferava dando ordens aos empregados.* **2.** Gritar coisas desagradáveis; insultos: *Vive vociferando injúrias cruéis; Vociferava contra todos que passavam.* ▶ Conjug. 8. – **vociferação** *s.f.;* **vociferante** *adj.*

vodca [ó] (*vod*.ca) *s.f.* Aguardente destilada de cereais originária da Rússia e da Polônia.

vodu (vo.*du*) *s.m.* **1.** Culto de origem africana, praticado nas Antilhas, especialmente no Haiti. **2.** O conjunto das divindades desse culto. **3.** *coloq.* Maldição, feitiço. • *adj.* **4.** Referente ao vodu ou o que se usa em seus rituais: *boneco vodu; cerimônia vodu.*

voejar (vo:e.*jar*) *v.* Esvoaçar, revolutear: *Alguns insetos voejavam em torno do lampeão.* ▶ Conjug. 10 e 37.

voga (*vo*.ga) *s.f.* **1.** Valorização que se dá a alguma coisa que está na moda: *O espiritualismo oriental está em voga no Ocidente.* **2.** Num barco de regata, o remo e o ritmo das remadas. • *s.m.* **3.** Remador que dá o ritmo das remadas.

vogal

vogal (vo.*gal*) *adj.* (*Gram.*) **1.** Diz-se do fonema produzido pelo ar que faz vibrar as cordas vocais e passa livremente pela boca. • *s.m.* **2.** Letra que representa esse som: *Escreva as vogais: a, e, i, o, u.* **3.** Pessoa que faz parte de uma comissão, com direito de usar a palavra e de votar.

vogar (vo.*gar*) *v.* **1.** Estar em vigor e em moda: *Essa lei ainda voga.* **2.** Navegar (o barco): *Um barco vogava lentamente no lago.* ▶ Conjug. 20 e 34.

volante (vo.*lan*.te) *s.m.* **1.** Peça em forma de roda, ligada a um eixo, com o qual o motorista guia o carro. **2.** Cartão de aposta: *volante de loteria esportiva.* **3.** (*Esp.*) No futebol, jogador que faz a ligação entre a defesa e o ataque do time: *Cláuderson foi o grande volante daquele jogo.* • *adj.* **4.** Que não possui localização fixa: *biblioteca volante.* **5.** Que se desloca com facilidade: *equipe policial volante.*

volátil (vo.*lá*.til) *adj.* **1.** Que tende a evaporar-se em condições normais: *O éter é volátil.* **2.** Que voa: *aves voláteis.* **3.** *fig.* Mudável, volúvel, pouco firme: *Suas convicções são muito voláteis.* – **volatilização** *s.f.*; **volatilizante** *adj.*

volatilizar (vo.la.ti.li.*zar*) *v.* Tornar(-se) volátil, converter(-se) em vapor ou gás; vaporizar (-se): *O álcool volatiza-se facilmente.* ▶ Conjug. 5. – **volatilizável** *adj.*

vôlei (*vô*.lei) *s.m.* (*Esp.*) Voleibol.

voleibol (vo.lei.*bol*) *s.m.* (*Esp.*) Jogo em que duas equipes de seis jogadores separadas por uma rede tentam fazer com que a bola caia no campo do adversário, marcando assim ponto; vôlei.

voleio (vo.*lei*:o) *s.m.* (*Esp.*) **1.** No jogo de tênis, golpe de ataque aplicado junto à rede, em que se rebate a bola antes que ela toque o chão. **2.** No futebol, chute dado em continuidade a um passe sem que a bola bata no chão: *Num belo voleio, Cláuderson marcou o terceiro gol.*

volição (vo.li.*ção*) *s.f.* (*Fil.*) Ato pelo qual a vontade se manifesta; desejo. – **volitivo** *adj.*

volt *s.m.* (*Fís.*) No Sistema Internacional, unidade de diferença de potencial elétrico. || Símbolo: V.

volta [ó] (*vol*.ta) *s.f.* **1.** Regresso ou retorno de algum lugar: *Na volta da Europa, ele passou por Lisboa.* **2.** Regresso de alguém ou de algo: *Teme-se a volta da tuberculose entre os que não se alimentam convenientemente.* **3.** Giro, circuito em torno de alguma coisa ou dentro de um circuito fechado: *Deu apenas três voltas no carrossel.* **4.** Passeio curto: *Gostaria de dar uma volta por Copacabana.* **5.** Curva, giro: *O caminho faz uma volta antes de chegar à ponte.* **6.** Devolução, troco: *Tenho que te dar de volta três reais.* **7.** Uma linha de colar (geralmente de pérolas): *O marido lhe deu um colar de três voltas.* || **Às voltas com**: envolvido com: *Anda às voltas com sua tese.* • *Cortar uma volta*: ter de se esforçar muito: *Ele cortou uma volta para se formar em Medicina.* • *Dar a volta por cima*: conseguir se refazer depois de um fracasso. • *Por volta de*: aproximadamente: *Chegou por volta das dez horas.* • *Volta e meia*: frequentemente: *Volta e meia ele aparece por aqui.*

voltagem (vol.*ta*.gem) *s.f.* (*Eletr.*) Diferença de potencial elétrico entre dois pontos.

voltar (vol.*tar*) *v.* **1.** Chegar de volta; regressar; retornar: *Ela voltou de Maceió de avião.* **2.** Retornar a um ponto de partida ou a um ponto anterior: *Quando chegou à estação, voltou para casa porque não queria mais viajar.* **3.** Mexer (-se), volver(-se), virar(-se): *Voltou-se para o lado da parede; Voltou a cabeça para a direita.* **4.** Retornar a um estado ou circunstância anterior: *Como eu gostaria de voltar à infância!* **5.** Devolver, restituir, dar em troco: *Dou-lhe um real e você me volta dez centavos.* **6.** Posicionar-se; passar a ficar: *Voltou-se contra tudo aquilo em que acreditava.* ▶ Conjug. 20.

voltear (vol.te.*ar*) *v.* **1.** Dar volta em torno a; contornar: *Volteou a praça de bicicleta.* **2.** Dar voltas; rodopiar, girar, volutear: *A bailarina volteava no palco ao som da orquestra.* **3.** Adquirir voltas; enrolar: *O arame era maleável e volteava bem.* ▶ Conjug. 14.

volteio (vol.*tei*.o) *s.m.* Ato ou efeito de voltear; meandro, meneio.

voltímetro (vol.*tí*.me.tro) *s.m.* (*Eletr.*) Aparelho usado para avaliar a diferença de potência elétrica entre dois pontos.

volume (vo.*lu*.me) *s.m.* **1.** Espaço ocupado por um corpo sólido, um líquido ou um gás. **2.** A medida desse espaço. **3.** Intensidade de voz ou som: *Pode diminuir o volume dessa cantoria?* **4.** Livro impresso ou manuscrito: *Esta biblioteca tem mil volumes.* **5.** Divisão material de uma obra: *O dicionário sairá em seis volumes.* **6.** Embrulho, pacote, fardo: *Os volumes foram colocados no caminhão.* **7.** Massa, quantidade: *Em volume de águas, nenhum rio supera o Amazonas.*

volumetria (vo.lu.me.*tri*.a) *s.f.* **1.** (*Quím.*) Análise em que se adiciona um determinado volume de uma substância de concentração conhecida a uma outra de concentração desconhecida para se verificar a reação. **2.** Somatório dos

volumes de todos os espaços abertos ou fechados de uma edificação. – **volumétrico** adj.
volumoso [ô] (vo.lu.mo.so) adj. **1.** Que tem grande volume. **2.** fig. Que se apresenta em grandes quantidades: um trabalho volumoso; uma volumosa tarefa. || f. e pl.: [ó].
voluntariado (vo.lun.ta.ri:a.do) s.m. **1.** Qualidade, caráter do que é voluntário. **2.** Conjunto de voluntários.
voluntariedade (vo.lun.ta.ri:e.da.de) s.f. **1.** Qualidade de voluntário. **2.** Qualidade de quem age por sua própria vontade.
voluntário (vo.lun.tá.ri:o) adj. **1.** Que procede por sua própria vontade. • s.m. **2.** Aquele que se dispõe espontaneamente a realizar alguma atividade (especialmente de caráter social) ou a ingressar nas Forças Armadas.
voluntarioso [ô] (vo.lun.ta.ri:o.so) adj. Que só quer fazer valer a sua vontade: um menino voluntarioso. || f. e pl.: [ó].
volúpia (vo.lú.pi:a) s.f. Desfrute de prazeres, especialmente os carnais; prazer sensual.
voluptuoso [ô] (vo.lup.tu:o.so) adj. Que encerra ou desperta volúpia; deleitoso; delicioso. || f. e pl.: [ó]. – **voluptuosidade** s.f.
voluta (vo.lu.ta) s.f. (Arquit.) Ornato em forma de espiral dos capitéis de colunas e em certas bases de sustentação.
volutear (vo.lu.te.ar) v. Voltear: O par de dançarinos voluteava pelo salão. ▶ Conjug. 14.
volúvel (vo.lú.vel) adj. Que varia de opinião, de posição ou de afeição a cada momento, não se fixando em nenhuma: uma mulher volúvel.
volver (vol.ver) v. **1.** Dirigir(-se) para outra direção; virar(-se): Volveu os olhos para o céu. **2.** Decorrer, passar (tempo): Volveram-se seis meses sem que ela desse notícia. **3.** Voltar, regressar, retornar: Depois de passar um mês na Europa, eles volveram para sua terra. **4.** Revirar(-se); remexer(-se): Preocupado demais, ele volvia-se na cama sem conseguir dormir. ▶ Conjug. 42.
volvo [ô] (vol.vo) s.m. (Med.) Dobra no intestino grosso ou delgado que impede o fluxo fecal e, às vezes, a circulação.
vômer (vô.mer) s.m. (Anat.) Osso fino e chato do nariz que separa as duas fossas nasais.
vômico (vô.mi.co) adj. **1.** Que provoca náuseas e vômito. **2.** fig. Que causa repulsa.
vomitar (vo.mi.tar) v. **1.** Lançar, em golfadas, matérias contidas no estômago: A menina gulosa vomitou todo o almoço. **2.** Sujar(-se) de vômito: Vomitou a camisa nova; Vomitou-se todo. **3.** fig. Dizer, com raiva, tolices e ofensas: Vomitou toda sua raiva. ▶ Conjug. 5.
vomitivo (vo.mi.ti.vo) adj. **1.** Próprio para fazer vomitar, que faz vomitar: um medicamento vomitivo. • s.m. **2.** Vomitório.
vômito (vô.mi.to) s.m. **1.** Emissão, pela boca, de substância alimentar contida no estômago, secreções ou sangue. **2.** A matéria expelida.
vomitório (vo.mi.tó.ri:o) adj. **1.** Que provoca vômitos. • s.m. **2.** Substância vomitória.
vôngole (vôn.go.le) s.f. (Zool.) Crustáceo comestível comum no litoral brasileiro.
vontade (von.ta.de) s.f. **1.** Faculdade que tem o homem de querer, de escolher, de praticar ou deixar de praticar certos atos: O homem foi dotado de inteligência e vontade. **2.** Impulso que leva o homem a agir segundo essa faculdade: Sua forte vontade levou-o a esquecer as conveniências. **3.** Desejo de algo: Estou com vontade de comer pitangas. **4.** Capricho, manha: Era uma criança cheia de vontades. **5.** Necessidade fisiológica premente: Ele tinha vontade de mijar a toda hora. || **À vontade**: **1.** sem formalismo; com conforto: Na casa da mãe, punha-se logo à vontade. **2.** sem limite: Todos comeram à vontade.
voo (vo.o) s.m. **1.** Ato de voar, de deslocar-se pelo ar sem tocar o chão: Muitas gaivotas voavam sobre o porto. **2.** Distância coberta num deslocamento desse tipo: Daqui a Vitória é um voo de cinquenta minutos; Desferiu um voo de cinco quilômetros. **3.** fig. Atitude ou postura de criatividade, de inteligência, de coragem etc.: Aquele meu amigo não é dado a grandes voos.
voracíssimo (vo.ra.cís.si.mo) adj. Superlativo absoluto de voraz.
voragem (vo.ra.gem) s.f. **1.** Natureza ou condição de voraz; avidez: a voragem da ambição. **2.** Redemoinho no mar ou num curso de água; vórtice, rebojo: O barco foi tragado pela voragem.
voraz (vo.raz) adj. **1.** Que devora, que come em excesso e com avidez: Estava com um apetite voraz. **2.** fig. Que destrói; que aniquila; que consome: Um incêndio voraz em pouco tempo consumiu a velha casa. **3.** fig. Que tem forte ambição e cobiça: um banqueiro voraz. || sup. abs.: voracíssimo.
vórtice (vór.ti.ce) s.m. Redemoinho forte no mar ou num rio ou lago; voragem.
vos pron. pess. Forma oblíqua, átona, de segunda pessoa do plural, usada como objeto direto ou indireto: Vejo-vos com grande alegria; Eu vos

vós

dou a minha paz. || Atualmente, no português do Brasil, só é usada na linguagem religiosa (preces e textos litúrgicos) e jurídica.

vós *pron. pess.* Forma reta, tônica, da segunda pessoa do plural, usada quando nos dirigimos a mais de uma pessoa ou a uma só, quando a consideramos muito elevada. || Atualmente, no português do Brasil, só é usada na linguagem religiosa (preces e textos litúrgicos) e jurídica.

vosso [ó] (vos.so) *pron. poss.* Que pertence ou diz respeito à segunda pessoa do plural. || Esse pronome é de uso restrito no português do Brasil, e usado apenas na linguagem religiosa (preces e textos litúrgicos), jurídica e em expressões de tratamento, como *Vossa Excelência, Vossa Senhoria, Vossa Magnificência, Vossa Santidade* etc.

votação (vo.ta.*ção*) *s.f.* **1.** Ato ou efeito de votar. **2.** Processo coletivo de escolha feita entre diversas opções, por meio de consulta oral ou por escrito; sufrágio. **3.** Quantitativo de votos que se recebe numa votação: *O candidato teve uma enorme votação.*

votar (vo.*tar*) *v.* **1.** Decidir, escolher, aprovar por meio de voto: *A maior parte dos eleitores votou no candidato X; O Congresso votou pela continuidade do imposto; Os sócios votaram o novo estatuto; Você não tem idade para votar.* **2.** Entregar(-se), render(-se), dedicar(-se): *Votava suas horas vagas à leitura de romances; Votou-se inteiramente às obras sociais.* ▶ Conjug. 20. — **votante** *adj. s.m. e f.*

votivo (vo.*ti*.vo) *adj.* **1.** Relativo a oferta ou promessa. **2.** Oferecido em cumprimento de promessa ou em louvor: *Acendeu uma lâmpada votiva a Nossa Senhora Aparecida.*

voto [ó] (*vo*.to) *s.m.* **1.** Numa votação, cada manifestação da opção por uma das alternativas apresentadas, dentre as quais se deve fazer a escolha: *Todos os votos foram contados.* **2.** Cédula pela qual, em algumas eleições, se marca a opção. **3.** Compromisso que se assume diante de Deus ou dos santos, ou da sociedade ou comunidade: *A noviça fez seus votos no dia da festa de Santa Teresa.* **4.** Manifestação formal de alguma coisa: *Deram um voto de confiança ao governo.* • **votos** *s.m.pl.* **5.** Cumprimentos de felicitações que se dão a alguém: *Queira aceitar meus votos de felicidade.*

vovó (vo.*vó*) *s.f.* Nome carinhoso com que se trata a avó, mãe do pai ou da mãe em relação ao filho.

vovô (vo.*vô*) *s.m.* Nome carinhoso com que se trata o avô, pai do pai ou da mãe em relação ao filho.

voyeur [vuaiér] (Fr.) *s.m.* Pessoa que sente prazer em ver os outros desnudos ou praticando sexo.

voz [ó] *s.f.* **1.** Nos seres humanos, som ou sons produzidos pela passagem do ar pelas cordas vocais: *voz alta; voz enrouquecida.* **2.** O som correspondente produzido pelos animais, que é característico em cada um deles: *O mugido é a voz do boi; O latido é a voz do cão; O uivo é a voz do lobo.* **3.** Faculdade de falar: *Diante da surpresa, perdeu até a voz.* **4.** Direito de voto; direito de opinar: *Só o abade tinha voz no capítulo.* **5.** (*Gram.*) Forma que o verbo assume para indicar como ele se relaciona com o sujeito: se agente, voz ativa; se paciente, voz passiva; se agente e paciente, voz reflexiva.

vozearia (vo.ze:a.*ri*.a) *s.f.* Grande quantidade de vozes confusas; vozerio.

vozeirão (vo.zei.*rão*) *s.m.* Voz muito grossa e forte.

vozerio (vo.ze.*ri*.o) *s.m.* Barulho produzido por vozes indistintas; vozearia.

vulcânico (vul.*câ*.ni.co) *adj.* **1.** Relativo a vulcão: *erupção vulcânica.* **2.** De vulcão; próprio de vulcão: *matérias vulcânicas; gases vulcânicos.* **3.** *fig.* De grande intensidade e impetuosidade: *um temperamento vulcânico.*

vulcanismo (vul.ca.*nis*.mo) *s.m.* **1.** (*Geol.*) Modo pelo qual se manifesta a atividade vulcânica. **2.** Sistema que atribui à ação do fogo o estado atual do globo terrestre.

vulcanizar (vul.ca.ni.*zar*) *v.* **1.** Incorporar pequena quantidade de enxofre à borracha para lhe melhorar a qualidade: *vulcanizar os pneus.* **2.** *fig.* Tornar alguma coisa muito quente; abrasar: *O sol de um meio-dia de verão vulcanizava a praça; A voz enrouquecida e cálida do cantor vulcanizou o público feminino.* ▶ Conjug. 5.

vulcão (vul.*cão*) *s.m.* (*Geol.*) **1.** Conduto que se abre na crosta terrestre, pondo em comunicação a superfície da Terra com o magma em ignição no seu interior. **2.** A montanha cônica, em torno desse conduto, formada pelo magma expelido e resfriado. **3.** *fig.* Pessoa de temperamento explosivo e arrebatado.

vulgar (vul.*gar*) *adj.* **1.** Relativo ao vulgo, do vulgo; popular: *a crença vulgar das pessoas.* **2.** Que não denota uma certa qualidade; ordinário, comum, reles, rasteiro: *um comportamento vulgar.* **3.** Que é comum, frequente, trivial:

um acontecimento vulgar. • s.m. **4.** O que é vulgar: *Evite o vulgar; procure subir o nível.*

vulgaridade (vul.ga.ri.*da*.de) s.f. Qualidade e condição do que é vulgar: *Temos horror à vulgaridade.*

vulgarizar (vul.ga.ri.*zar*) v. **1.** Tornar(-se) comum, acessível ao público; propagar(-se), popularizar (-se): *A internet vem vulgarizando conhecimentos; Vulgarizam-se os termos da área de informática.* **2.** Tornar(-se) vulgar; desmoralizar(-se), rebaixar(-se): *O excesso de exposição vulgarizou sua imagem; Tentando alcançar notoriedade, ela vulgarizou-se.* ▶ Conjug. 5.

vulgo¹ (*vul*.go) s.m. O comum dos homens, a maior parte da gente, a pluralidade das pessoas.

vulgo² (*vul*.go) adv. Segundo o uso comum; vulgarmente, popularmente: *Manuel Francisco dos Santos, vulgo Mané Garrincha, foi o verdadeiro fenômeno do futebol brasileiro.*

vulnerar (vul.ne.*rar*) v. Ferir sentimentos de alguém; magoar, ofender: *As ásperas palavras do marido a vulneravam penosamente.* ▶ Conjug. 8.

vulnerável (vul.ne.*rá*.vel) adj. Que pode ser vulnerado, suscetível de ser ofendido, magoado: *um ponto vulnerável.*

vulpino (vul.*pi*.no) adj. **1.** Relativo a raposa. **2.** Esperto e malicioso como uma raposa: *esperteza vulpina.*

vulto (*vul*.to) s.m. **1.** Corpo ou figura indistinta; silhueta: *Teve a impressão de ter visto um vulto no corredor.* **2.** Pessoa de grande importância, nomeada; sumidade: *José do Patrocínio foi um dos grandes vultos do abolicionismo.* **3.** Empresa ou empreendimento de grande notoriedade: *A exportação de soja tornou-se um negócio de grande vulto.*

vultoso [ô] (vul.*to*.so) adj. **1.** Que é volumoso: *um pacote vultoso.* **2.** Que adquiriu grande importância: *negócio vultoso; indústria vultosa.* **3.** Que tem uma considerável grandeza: *um tesouro vultoso; uma quantia vultosa.* || f. e pl.: [ó].

vultuoso [ô] (vul.tu:*o*.so) adj. *(Med.)* Diz-se do rosto inchado e vermelho, com olhos muito salientes: *uma face vultuosa.* || f. e pl.: [ó].

vulva (*vul*.va) s.f. *(Anat.)* Órgão genital feminino.

vulvar (vul.*var*) adj. Relativo a vulva.

vulvite (vul.*vi*.te) s.f. *(Med.)* Inflamação da vulva.

vurmo (*vur*.mo) s.m. Pus de úlceras e feridas purulentas.

Ww

w *s.m.* Vigésima terceira letra do alfabeto, usada em antropônimos e topônimos originários de outras línguas e seus derivados e em siglas, símbolos e palavras adotadas como unidades de medida de curso internacional.

W 1. Símbolo de *oeste* (1). || Conferir com *O*. **2.** (*Fís.*) Símbolo de *watt*. **3.** (*Quím.*) Símbolo de *tungstênio*.

waffle [*uófou*] (Ing.) *s.m.* (*Cul.*) Massa feita de farinha, leite, ovos e fermento, que é normalmente assada em forma elétrica especial ou em forno comum e saboreada com chocolate, geleia, mel etc.

wagneriano (wag.ne.ri:a.no) *adj.* **1.** Relativo a Wagner, compositor alemão (1813-1883), próprio dele ou semelhante a seu estilo, aos seus trabalhos: *ópera wagneriana*. • *s.m.* **2.** Seguidor, adepto ou admirador de Wagner.

wakeboard [*uêicbord*] (Ing.) *s.m.* (*Esp.*) Modalidade de surfe em que a prancha é puxada por um barco.

walkie-talkie [*uóqui-tóqui*] (Ing.) *s.m.* (*Eletrôn.*) Aparelho portátil, geralmente com antena, cuja finalidade é transmitir e receber comunicações a curta distância. || pl.: *walkie-talkies*.

walkman [*uócmen*] (Ing.) *s.m.* (*Eletrôn.*) Aparelho de pequena dimensão, dotado de fones de ouvido para escutar rádio, fitas e CDs.

water closet [*uótar clôset*] (Ing.) *s.m.* Lugar com vaso sanitário e lavatório; lavabo. || Abreviação: *WC*, *w.c.* e *W.C.*

water polo [*uótar pólo*] (Ing.) *s.m.* Esporte de água em que duas equipes, formadas por nadadores, tentam atingir a meta adversária para marcar gol; polo aquático.

watt [*uóte*] *s.m.* (*Fís.*) Unidade de potência equivalente a um joule por segundo, estabelecida por James Watt. || Símbolo: *W*.

watt-hora [*uót-ho.ra*] *s.m.* (*Eletr.*, *Fís.*) Unidade de medida de energia elétrica. || pl.: *watts-hora* e *watts-horas*.

website [*uébsaite*] (Ing.) *s.m.* Site.

WC Símbolo de *water closet*.

w.c. Símbolo de *water closet*.

W.C. Símbolo de *water closet*.

weekend [*uikend*] (Ing.) *s.m.* Fim de semana.

western [*uéstern*] (Ing.) *s.m.* Filmes do cinema norte-americano que retratam a luta pela conquista do Oeste, com enfrentamento com os índios e bandidos; com cenas de tiroteios, mortes e fugas.

wildiano [*uail*] (wil.di:a.no) *adj.* **1.** Relativo ao escritor Oscar Wilde (1854-1900) e a sua obra. *s.m.* **2.** Estudioso ou apreciador da obra desse escritor irlandês.

windsurf [*uindsârf*] (Ing.) *s.m.* Navegação sobre pranchas semelhantes às de surfe, porém equipadas de vela com uma barra, através da qual o esportista se equilibra e orienta a direção.

workaholic [*uorcarrólic*] (Ing.) *adj.* **1.** Que é obcecado em trabalho. *s. m. e f.* **2.** Pessoa que é obcecada pelo trabalho.

workshop [*uôrcchop*] (Ing.) *s.m.* Oficina prática de trabalho para ensino e aprendizagem de novas técnicas: *O terapeuta vai comandar um workshop com novas técnicas de massagem*.

x *s.m.* **1.** Vigésima quarta letra do alfabeto português. **2.** O número dez em algarismos romanos. **3.** *fig.* Aquilo que se desconhece e se deseja descobrir: *Esse é o x do problema.*

xá *s.m.* Título que se dava ao soberano do Irã. || Conferir com *chá*.

xácara (xá.ca.ra) *s.f.* **1.** Composição poética popular. **2.** Melopeia antiga cantada ao som da viola. **3.** Narrativa em verso. || Conferir com *chácara*.

xadrez [ê] (xa.drez) *s.m.* **1.** Jogo em que duas pessoas fazem mover, num tabuleiro com casas quadradas pretas e brancas, 32 peças, 16 brancas e 16 pretas, de várias formas e valores, com o objetivo, para cada um dos parceiros, de atacar o rei do adversário e defender o seu. **2.** Tabuleiro em que se joga o xadrez. **3.** Disposição de duas cores em quadrados alternados como os do tabuleiro do xadrez. **4.** Tecido com tal disposição. **5.** Prisão em distrito policial. • *adj.* **6.** Que tem desenho quadriculado: *Comprou uma saia xadrez.*

xadrezista (xa.dre.zis.ta) *s.m. e f.* Jogador de xadrez; enxadrista.

xaile (xai.le) *s.m.* Xale.

xale (xa.le) *s.m.* Espécie de manto, em geral de lã ou de seda, com que as mulheres cobrem os ombros; xaile.

xamã (xa.mã) *s.m.* Em certas culturas, sacerdote ou feiticeiro; pajé. – **xamanismo** *s.m.*

xampu (xam.pu) *s.m.* Loção saponácea que serve para a lavagem dos cabelos e do couro cabeludo.

xantungue (xan.tun.gue) *s.m.* Tecido de seda natural e grossa, originário da China, usado na confecção de roupas.

xapuriense (xa.pu.ri:en.se) *adj.* **1.** Da cidade de Xapuri, no estado do Acre. • *s.m. e f.* **2.** O natural ou o habitante dessa cidade.

xará (xa.rá) *s.m. e f.* **1.** Pessoa que tem o mesmo prenome de outra. **2.** *gír.* Companheiro, cara: *Tudo bem, xará?*

xarelete [ê] (xa.re.le.te) (*Zool.*) *s.m.* Peixe encontrado no Atlântico e no Pacífico, de cerca de 40 cm, usado na alimentação. || *xerelete*.

xaréu (xa.réu) *s.m.* (*Zool.*) Peixe comestível encontrado no Atlântico e no Pacífico, de até 1,50 m.

xaropada (xa.ro.pa.da) *s.f. coloq.* Coisa maçante, chata, enfadonha; xarope: *A conversa com ela foi uma xaropada.*

xarope [ó] (xa.ro.pe) *adj. s.m.* **1.** Líquido açucarado e um tanto viscoso, geralmente usado como remédio para tosse. **2.** *fig. coloq.* Coisa ou pessoa enfadonha e maçante; xaropada: *Esse rapaz é um xarope.*

xaroposo [ô] (xa.ro.po.so) *adj.* Que tem a consistência de xarope. || f. e pl.: [ó].

xavante (xa.van.te) *adj.* **1.** Concernente aos xavantes, grupo indígena que habita extensa área em Mato Grosso, delimitada pelos rios Culuene e das Mortes, atraídos em 1946 pelo Serviço de Proteção ao Índio. • *s.m. e f.* **2.** Indivíduo desse grupo. • *s.m.* **3.** Língua falada por esses indígenas.

xaveco [é] (xa.ve.co) *s.m. gír.* Negócio de caráter duvidoso; patifaria, velhacaria.

xaxado (xa.xa.do) *s.m.* Música e dança de origem nordestina.

xaxim (xa.xim) *s.m.* Caule da samambaia gigante usado para fazer vaso de plantas, especialmente orquídeas e bromélias.

Xe (*Quím.*) Símbolo de *xenônio*.

xeique (xei.que) *s.m.* Chefe de tribo entre os árabes; chefe religioso; xeque (2).

xenófilo (xe.nó.fi.lo) *adj.* **1.** Que tem simpatia por estrangeiros; que gosta dos estrangeiros. • *s.m.* **2.** Pessoa que tem simpatia por estrangeiros. – **xenofilia** *s.f.*

xenófobo (xe.nó.fo.bo) *adj.* **1.** Que tem aversão às pessoas e coisas estrangeiras. • *s.m.* **2.** Pessoa que tem aversão às pessoas e coisas estrangeiras. – **xenofobia** *s.f.*

xenônio (xe.*nô*.ni:o) *s.m.* (*Quím.*) Elemento químico pertencente à classe dos gases nobres. || Símbolo: *Xe*.

xepa [ê] (xe.pa) *s.f.* As últimas mercadorias, sobra das vendas nas feiras ou lojas, que passam a ser vendidas por preço inferior: *Só chegou na feira na hora da xepa.*

xepeiro (xe.*pei*.ro) *s.m.* Pessoa que vai às feiras no seu final para pegar as xepas.

xeque[1] [é] (xe.que) *s.m.* **1.** Lance no jogo do xadrez no qual o rei é ameaçado. **2.** *fig.* Situação em que alguém ou alguma coisa está sob ameaça ou em perigo. || *Pôr alguém em xeque*: tê-lo sob o peso de uma ameaça. || Conferir com *cheque.*

xeque[2] (xe.que) *s.m.* Xeique. || Conferir com *cheque.*

xeque-mate (xe.que-*ma*.te) *s.m.* **1.** Lance no jogo de xadrez no qual o rei não pode escapar, terminando assim a partida, com a derrota de quem está com o rei. **2.** *fig.* Situação ameaçadora, sem saída.

xerelete (xe.re.*le*.te) *s.m.* (*Zool.*) Xarelete.

xerém (xe.*rém*) *s.m.* Farelo de milho usado na culinária e na alimentação de pintos; canjiquinha.

xereta [ê] (xe.re.ta) *adj.* **1.** Que é bisbilhoteiro, intrometido: *Que menino xereta!* • *s.m. e f.* **2.** Pessoa que gosta de bisbilhotar e se intrometer: *Sempre detestei xeretas.*

xeretar (xe.re.*tar*) *v.* Investigar a vida e as coisas dos outros com curiosidade inconveniente: *Veio à minha casa para xeretar*; *Ela gostava de xeretar meus bolsos e minha carteira*. ▶ Conjug. 8.

xerez (xe.*rez*) *s.m.* Vinho branco e licoroso proveniente de Xerez (Espanha).

xerife (xe.*ri*.fe) *s.m.* **1.** Chefe de polícia de um município ou condado, nos Estados Unidos. **2.** *coloq.* Chefe de polícia. **3.** *coloq.* Fiscal: *Ele é o xerife da Receita.*

xerocar (xe.ro.*car*) *v.* Reproduzir ou tirar cópias numa máquina copiadora: *Mandou xerocar alguns sonetos de Camões.* ▶ Conjug. 20 e 35.

xerocópia (xe.ro.*có*.pi:a) *s.f.* Qualquer cópia feita pelo processo especial dito *xerox*.

xerocopiar (xe.ro.co.pi:*ar*) *v.* Tirar cópias pelo processo de xerox: *Levo o livro para xerocopiar na papelaria.* ▶ Conjug. 17.

xerografia (xe.ro.gra.*fi*.a) *s.f.* (*Art. Gráf.*) Processo de reprodução de documentos ou imagens por meio da xerox. – **xerográfico** *adj.*

xerox [ócs] (xe.*rox*) *s.m. e f.* **1.** Processo xerográfico de fazer cópias de documentos ou imagens. **2.** Cópia feita por esse processo. || *xérox*.

xérox (*xé*.rox) *s.m.* Xerox.

xexelento (xe.xe.*len*.to) *adj.* **1.** *gír.* De aspecto desagradável; de mau aspecto. **2.** De má qualidade; reles.

xexéu (xe.*xéu*) *s.m.* (*Zool.*) **1.** Pássaro conhecido por imitar outros pássaros. **2.** *coloq.* Mau cheiro; bodum.

xi *interj.* Voz que exprime espanto, surpresa ou desagrado.

xibiu (xi.*biu*) *s.m. chulo reg.* A vulva.

xícara (*xí*.ca.ra) *s.f.* **1.** Vasilha pequena, geralmente de louça ou metal, provida de asa, comumente usada para se tomar café, chá, chocolate etc. **2.** O conteúdo de uma xícara: *Tomou duas xícaras de café.*

xifoide [ói] (xi.*foi*.de) *adj.* (*Anat.*) Diz-se do apêndice que remata inferiormente o esterno: *osso xifoide.*

xifópago (xi.*fó*.pa.go) *adj.* **1.** Que tem o corpo ligado ao do irmão gêmeo, geralmente na altura do tórax; siamês (5): *Uma cirurgia bem-sucedida separou os gêmeos xifópagos.* • *s.m.* **2.** Cada um desses irmãos: *Os xifópagos estão passando bem.* **3.** *fig.* Estreitamente ligado a alguém por inclinação e temperamento: *Estão sempre juntos, até parecem xifópagos.*

xiita (xi.*i*.ta) *adj.* **1.** Relativo aos xiitas. **2.** Extremista, fundamentalista, radical. • *s.m. e f.* **3.** Membro do ramo xiita do Islã, partidário de Ali, primo e genro de Maomé.

xilindró (xi.lin.*dró*) *s.m. gír.* Cadeia, prisão.

xilofone (xi.lo.*fo*.ne) *s.m.* (*Mús.*) Instrumento musical composto de teclado de lâminas de madeira ou metal, de tamanhos diversos, que é tocado com duas baquetas, também de madeira.

xilografia (xi.lo.gra.*fi*.a) *s.m.* (*Art., Art. Gráf.*) Modo de impressão com o auxílio de tipos de madeira ou de pranchetas de madeira que trazem a marca de palavras ou figuras. **2.** Gravura em madeira.

xilogravura (xi.lo.gra.*vu*.ra) *s.f.* (*Art.*) Gravura em madeira.

xiloma (xi.*lo*.ma) *s.m.* (*Bot.*) Tumor duro e lenhoso em vegetal.

ximbeva [é] (xim.*be*.va) *adj.* Diz-se da pessoa que tem o nariz pequeno e achatado.

ximbica (xim.*bi*.ca) *s.f.* **1.** Carro velho; calhambeque. **2.** *reg.* A vulva.

xingar (xin.*gar*) *v.* Proferir insultos e palavrões contra alguém: *Nessa pelada vale tudo, menos xingar a mãe.* ▶ Conjug. 5 e 34. – **xingamento** *s.m.*

xingatório (xin.ga.*tó*.ri:o) *adj.* **1.** Que xinga, que encerra xingamento. • *s.m.* **2.** Série de xingamentos.

xintoísmo (xin.to:*ís*.mo) *s.m.* Culto dos antigos heróis que constitui a religião nacional e a mais antiga do Japão.

xintoísta (xin.to:*ís*.ta) *adj.* **1.** Relativo ao xintoísmo ou adepto do xintoísmo. • *s.m. e f.* **2.** Pessoa xintoísta.

xinxim (xin.*xim*) *s.m.* (*Cul.*) Iguaria feita com galinha cozida em pequenos pedaços, com camarão seco, temperos e azeite-de-dendê.

xiquexique (xi.que.*xi*.que) *s.m.* (*Bot.*) Planta da família das cactáceas, das regiões áridas do Nordeste.

xique-xique (xi.que-*xi*.que) *s.m.* (*Mús.*) Ganzá. || pl.: *xique-xiques.*

xirimbabo (xi.rim.*ba*.bo) *s.m.* Qualquer animal de criação doméstica, como pequenos mamíferos, micos, saguis etc.

xis *s.m.* Nome da letra x.

xisto (*xis*.to) *s.m.* (*Geol.*) Rocha metamórfica cristalina, composta principalmente de mica, que se desprende facilmente em camadas ou folhas.

xistoso [ô] (xis.*to*.so) *adj.* Que é da natureza do xisto; em que há xisto: *um terreno xistoso.* || f. e pl.: [ó].

xixi (xi.*xi*) *s.m. fam.* Urina.

xô *interj.* Voz com que se enxotam as aves.

xodó (xo.*dó*) *s.m.* **1.** Pessoa que se ama: *Minha mulher é meu xodó.* **2.** Coisa a que se tem muita estima: *Aquela casa de campo era seu xodó.* **3.** Estima, afeto: *Tem um xodó pela madrinha.*

xote [ó] (*xo*.te) *s.m.* Música e dança nordestina ao som de sanfonas.

xoxota [ó] (xo.*xo*.ta) *s.f. chulo* A vulva.

xucro (*xu*.cro) *adj.* **1.** Diz-se de animal, especialmente cavalo, ainda não domado. **2.** Rude, bronco.

y s.m. Vigésima quinta letra do alfabeto usada em abreviaturas internacionais, em palavras estrangeiras e em topônimos e antropônimos originários de outras línguas e seus derivados.

Y (*Quím.*) Símbolo de *ítrio*.

yakisoba [*iaquissôba*] (Jap.) s.m. (*Cul.*) Prato da culinária japonesa, constituído de macarrão e legumes.

yakuza [*iacusa*] (Jap.) s.f. **1.** Organização criminosa japonesa conhecida por seus métodos violentos e sua rígida disciplina. • s.m. **2.** Membro dessa organização.

yang [*iã*] (Chin.) s.m. (*Fil., Rel.*) No taoismo, o princípio celeste, masculino, luminoso, ativo e quente, que se opõe ao *yin*.

Yb (*Quím.*) Símbolo de *itérbio*.

yd Símbolo de jarda.

yin [*iín*] (Chin.) s.m. (*Fil., Rel.*) No taoismo, o princípio terrestre, feminino, passivo, obscuro e frio que se opõe ao *yang*.

yin-yang [*iín-iã*] (Chin.) s.m. (*Fil., Rel.*) No taoismo, as duas forças e princípios opostos e complementares que estão presentes em todos os fenômenos da vida.

yom kippur [*ionquipur*] (Heb.) loc. subst. (*Rel.*) Festa religiosa do calendário litúrgico judaico, dedicada a orações e ao jejum para obter o perdão dos pecados e a felicidade no ano-novo.

yuppie [*iúpi*] (Ing.) adj. **1.** Diz-se dos jovens executivos, profissionalmente bem-remunerados, que se vestem muito bem com artigos de luxo e alto preço: *um jovem yuppie*. • s. m. e f. **2.** Jovem executivo, profissionalmente bem-remunerado, que se veste com muito apuro, usando artigos de luxo e alto preço: *O contínuo transformou-se num yuppie*.

z *s.m.* Vigésima sexta e última letra do alfabeto português.

zabelê (za.be.*lê*) *s.m.* e *f.* Ave de asas pretas, peito castanho, barriga amarelada e pescoço posterior avermelhado, que emite um piado de quatro notas ao anoitecer: jaó.

zabumba (za.*bum*.ba) *s.2g.* (*Mús.*) Bombo.

zabumbar (za.bum.*bar*) *v.* Bater no zabumba; fazer soar o zabumba: *Zabumbaram toda a noite, comemorando o campeonato.* ▶ Conjug. 5.

zaga (*za*.ga) *s.f.* (*Esp.*) No futebol, nome dado aos dois jogadores de defesa que jogam entre a linha média e o gol: *A zaga de meu clube está forte.*

zagal (za.*gal*) *s.m.* Pastor de gado.

zagueiro (za.*guei*.ro) *s.m.* (*Esp.*) No futebol, jogador da zaga.

zaino (*zai*.no) *adj.* **1.** De pelo castanho-escuro sem mescla (cavalo). • *s.m.* **2.** Cavalo zaino.

zambiano (zam.bi:*a*.no) *adj.* **1.** De Zâmbia, país da África austral. • *s.m.* **2.** O natural ou o habitante desse país.

zambo[1] (*zam*.bo) *adj.* **1.** Que é mestiço de negro com indígena. • *s.m.* **2.** Aquele que é mestiço de negro e indígena.

zambo[2] (*zam*.bo) *adj.* Que tem pernas ou pés tortos; cambaio (1).

zanga (*zan*.ga) *s.f.* Aborrecimento, irritação, ira.

zangão (zan.*gão*) *s.m.* (*Zool.*) O macho da abelha, que tem a função de fecundar a rainha. || *zângão*.

zângão (*zân*.gão) *s.m.* Zangão.

zangar (zan.*gar*) *v.* **1.** Causar zanga a; aborrecer: *Suas palavras zangaram a menina.* **2.** Repreender: *O pai zangou porque o filho saiu com seu carro.* **3.** Ficar zangado: *Ernesto zangou com a namorada.* **4.** Aborrecer-se, irritar-se: *Ernesto zangou-se com a namorada.* ▶ Conjug. 5 e 34.

zanzar (zan.*zar*) *v.* Andar ao acaso, vaguear: *Passava as horas vagas zanzando pela cidade.* ▶ Conjug. 5.

zapear (za.pe:*ar*) *v.* Percorrer incansavelmente por meio do controle remoto todos os canais da televisão sem fixar-se em nenhum: *Você fica aí zapeando e não me deixa ver a novela.* ▶ Conjug. 14.

zapoteca [é] (za.po.*te*.ca) *adj.* **1.** Relativo aos zapotecas, povo indígena do sul do México antes da chegada dos espanhóis. • *s.m.* e *f.* **2.** Indivíduo desse povo. • *s.m.* **3.** Língua falada pelos zapotecas.

zarabatana (za.ra.ba.*ta*.na) *s.f.* Tubo longo para atirar projéteis com o sopro. || *sarabatana*.

zaragata (za.ra.*ga*.ta) *s.f.* Algazarra, desordem, confusão.

zarcão (zar.*cão*) *s.m.* **1.** Óxido salino de chumbo. **2.** A cor desse óxido, que vai do laranja ao tijolo. • *adj.* **3.** Da cor do zarcão: *um portão zarcão*.

zarolho [ô] (za.*ro*.lho) *adj.* **1.** Que é vesgo, estrábico; caolho (1): *um homem zarolho.* • *s.m.* **2.** Pessoa que é vesga, estrábica; caolho (3): *Um zarolho estava lendo na biblioteca.*

zarpar (zar.*par*) *v.* Deixar o porto em direção ao mar: *Quando cheguei ao porto o navio já tinha zarpado para a África.* ▶ Conjug. 5.

zás *interj.* Designa movimento rápido e decisivo; zás-trás.

zás-trás (*zás-trás*) *interj.* Zás.

zê *s.m.* Nome da letra *z*.

zebra [ê] (*ze*.bra) *s.f.* **1.** (*Zool.*) Animal mamífero africano de pelo listrado de preto e branco. **2.** Faixa pintada de preto e branco sobre a qual os pedestres podem atravessar a rua. **3.** Pessoa de pouca inteligência: *Você é uma zebra*. || *Dar zebra*: dar um resultado ruim e inesperado.

zebrar (ze.*brar*) *v.* **1.** Listrar de duas cores, dando aparência de pelo de zebra: *Zebrou a pele com tatuagem.* **2.** *coloq.* Acontecer algo inesperado, que contraria as expectativas; dar zebra: *Nosso projeto de viagem zebrou porque o aumento esperado não veio.*

1309

zebroide

zebroide [ói] (ze.*broi*.de) *adj.* **1.** Semelhante à zebra. • *s.m.* **2.** (*Zool.*) Animal híbrido resultante do cruzamento de cavalo e zebra (ou zebra macho e égua). **3.** *fig.* Pessoa estúpida, tola. ▶ Conjug. 8.

zebu (ze.*bu*) *s.m.* (*Zool.*) Gado bovino originário da Índia que tem grande giba no lombo e grande papada: *boi zebu*.

zefir (ze.*fir*) *s.m.* Tecido de algodão fino e transparente, geralmente riscado.

zéfiro (zé.fi.ro) *s.m.* Vento brando e agradável; brisa, viração.

zelador [ô] (ze.la.*dor*) *s.m.* **1.** Empregado encarregado da vigilância, limpeza e conservação de um prédio. **2.** Pessoa encarregada de tomar conta de uma escola, igreja ou qualquer lugar.

zelar (ze.*lar*) *v.* **1.** Tomar conta com interesse e cuidado: *Clara zelava pelas crianças da creche*. **2.** Cuidar, administrar, interessar-se por: *Quem vai zelar por nossos interesses?* ▶ Conjug. 8.

zelo [ê] (ze.lo) *s.m.* **1.** Cuidado especial que se tem por alguém ou alguma coisa; atenção; dedicação: *Ela faz seu trabalho com muito zelo*. **2.** Empenho rigoroso, diligência no cumprimento de deveres e obrigações: *Exerceu com muito zelo várias funções no serviço público*. • *zelos s.m.pl.* **3.** Ciúmes: *Ela se consumia de zelos pelo marido*. – **zeloso** *adj.*

zelote [ó] (ze.*lo*.te) *s.m.* Membro de um partido nacionalista judeu que no tempo de Jesus se opunha à dominação romana: *Acredita-se que havia zelotes entre os discípulos de Jesus*.

zen *adj.* (*Fil., Rel.*) **1.** Que revela a simplicidade e a calma que se acredita que o zen-budismo propicia a seus fiéis: *Ângela é uma menina zen; Ele adotou uma atitude zen*. • *s.m. e f.* **2.** Zen-budista.

zen-budismo (zen-bu.*dis*.mo) *s.m.* (*Fil., Rel.*) Escola japonesa do budismo baseada, fundamentalmente, no princípio de que a meditação profunda conduz a um estado de iluminação. || pl.: *zen-budismos*.

zen-budista (zen-bu.*dis*.ta) *adj.* **1.** Relativo ao zen-budismo. **2.** Que segue a doutrina do zen-budismo; zen. • *s.m. e f.* **3.** Pessoa que segue essa religião ou filosofia. || pl.: *zen-budistas*.

zé-ninguém (zé-nin.*guém*) *s.m. pej.* Pessoa sem importância, sem prestígio social. || pl.: *zés-ninguém* e *zés-ninguéns*.

zênite (zê.ni.te) *s.m.* **1.** (*Astron.*) Ponto em que uma linha perpendicular ao solo encontra a esfera celeste acima do horizonte. **2.** *fig.* Ponto mais elevado; apogeu, auge.

zepelim (ze.pe.*lim*) *s.m.* Grande balão dirigível de forma cilíndrica, criado pelo conde Zepelin (1838-1917).

zé-pereira (zé-pe.*rei*.ra) *s.m.* **1.** Ritmo carnavalesco executado no bombo. **2.** Grupo carnavalesco que executa esse ritmo. || pl.: *zé-pereiras*.

zé-povinho (zé-po.*vi*.nho) *s.m.* Pessoa do povo; a plebe. || pl.: *zé-povinhos*.

zerar (ze.*rar*) *v.* **1.** Quitar: *Zerei minha conta no clube e não quero ir mais lá*. **2.** Reduzir a zero: *Procura-se zerar a taxa de dengue no estado*. ▶ Conjug. 8.

zero [é] (ze.ro) *num.* **1.** Algarismo com que se representa a ausência de qualquer quantidade e que, escrito à direita de um número inteiro, o multiplica por dez. • *s.m.* **2.** Algarismo representativo do número zero. **3.** Coisa nenhuma; nada: *Para mim você é um zero*. || *Ficar a zero*: ficar sem dinheiro. • *Zero à esquerda*: *fig.* pessoa sem valor; sem competência.

zero-quilômetro (ze.ro-qui.*lô*.me.tro) *adj.* **1.** Diz-se de carro novo que nunca foi rodado: *carro zero-quilômetro*. • *s.m.* **2.** Automóvel zero-quilômetro: *Com o dinheiro dos quadros vendidos comprou um zero-quilômetro*.

zeugma (*zeug*.ma) *s.f.* (*Gram.*) Figura de sintaxe pela qual se subentende um termo já anteriormente enunciado na frase: *Maria comprou laranjas, e eu, bananas*.

zibelina (zi.be.*li*.na) *s.f.* **1.** (*Zool.*) Mamífero carnívoro, conhecido pela pele fina e valiosa, que existe numa reduzida área do norte da Ásia. **2.** A pele desse animal.

zigoma (zi.*go*.ma) *s.m.* (*Anat.*) Osso da maçã do rosto; osso malar. – **zigomático** *adj.*

zigoto [ô] (zi.*go*.to) *s.m.* Célula resultante da união do espermatozoide com o óvulo, dando origem ao feto; ovo (1).

zigue-zague (zi.gue-*za*.gue) *s.m.* Linha, desenho ou movimento em forma de z contínuo: *uma ladeira em zigue-zague*.

zigue-zaguear (zi.gue-za.gue:*ar*) *v.* Fazer zigue-zagues ou andar de um lado para outro em zigue-zagues; serpentear (2): *A estrada subia a montanha zigue-zagueando*. ▶ Conjug. 14.

zimbabuano (zim.ba.bu:*a*.no) *adj.* **1.** Do Zimbábue, país do sudeste da África. • *s.m.* **2.** O natural ou o habitante desse país.

zimbório (zim.bó.ri:o) s.m. Parte que exteriormente remata a cúpula de grandes igrejas ou edifícios monumentais.

zimbro (zim.bro) s.m. Planta cujo fruto entra na composição do gim e da genebra e é usado também na aromatização de conservas e carnes defumadas.

zinabre (zi.na.bre) s.m. (*Quím.*) Azinhavre.

zinco (zin.co) s.m. (*Quím.*) **1.** Metal usado em folhas para cobertura, em ligas e calhas. || Símbolo: Zn. **2.** Folha desse metal usado para cobertura.

zincogravura (zin.co.gra.vu.ra) (*Art.*) **1.** Processo de gravação em zinco. **2.** Chapa de zinco gravada como matriz.

zíngaro (zín.ga.ro) s.m. Músico cigano.

zinha (zi.nha) s.f. pej. Mulher.

zínia (zí.ni:a) s.f. (*Bot.*) Planta muito conhecida no Brasil que dá flores que vão do branco ao vermelho, em muitas tonalidades.

zip [zip] (Ing.) s.m. (*Inform.*) **1.** Processo de compactação de arquivos por meio de programas específicos. **2.** *Zip drive*.

zipar (zi.par) v. (*Inform.*) Compactar arquivos por meio de programas específicos. ▶ Conjug. 5.

zip drive [zip dráiv] (Ing.) s.m. **1.** (*Inform.*) Dispositivo para armazenamento de dados, que utiliza discos com aproximadamente 100 MB; zip. **2.** Disco em que se armazenam esses dados; zip.

zíper (zí.per) s.m. Fecho para calças, vestidos, bolsas, pastas etc. que consiste em duas fileiras de dentes metálicos, que se encaixam; fecho ecler.

ziquizira (zi.qui.zi.ra) s.f. *gír.* **1.** Coceira. **2.** Doença.

zircônico (zir.cô.ni.co) s.m. Metal cinza-prateado usado na indústria nuclear e nas indústrias química e eletrônica, e também em ligas de estanho, ferro e outros metais.

zi-ziar (zi-zi:ar) v. Produzir som sibilante como o som da cigarra e do gafanhoto; zunir, sibilar: *Acordado, ficava ouvindo os insetos noturnos zi-ziando sem parar.* ▶ Conjug. 17.

Zn (*Quím.*) Símbolo de *zinco*.

zoada (zo.a.da) s.f. **1.** Som forte e confuso. **2.** Zumbido de insetos.

zoar (zo.ar) v. **1.** Emitir som forte e indistinto: *A multidão no estádio zoava como uma tempestade.* **2.** Produzir som semelhante ao de insetos voando; zumbir: *O aparelho de televisão começou a zoar como um enxame de moscas.* **3.** *gír.* Divertir-se sem compromisso: *Resolveram zoar na festa do colega.* **4.** *gír.* Divertir-se à custa de: *Zoaram a menina por causa do namorado novo.* ▶ Conjug. 25.

zodíaco (zo.dí.a.co) s.m. **1.** Zona circular imaginária por onde circulam o Sol, a Lua e os planetas, e que muitos acreditam influenciar o curso da vida das pessoas. **2.** Representação da mesma zona com as constelações desenhadas e figuradas por signos. || *Signo do Zodíaco*: cada uma das 12 partes em que essa zona é dividida: Áries, Touro, Gêmeos, Câncer, Leão, Virgem, Libra, Escorpião, Sagitário, Capricórnio, Aquário e Peixes.

zoeira (zo.ei.ra) s.f. **1.** Barulho forte, contínuo e indistinto de vozes e de outros sons; zoada: *Não pude dormir com a zoeira da festa.* **2.** Zumbido dos insetos: *Ficamos ouvindo a zoeira das abelhas na colmeia.*

zoilo (zoi.lo) s.m. Crítico que só vê os defeitos de uma obra.

zombar (zom.bar) v. **1.** Fazer troça; debochar, mangar: *Os alunos antigos zombavam dos novatos.* **2.** Fazer pouco caso de; desdenhar: *Zombou dos meus protestos de amizade.* **3.** Gracejar, rir de: *Viver sempre zombando é a sua rotina.* **4.** Sair-se bem, empregando astúcia, fraude, engano: *Os bandidos zombam da polícia.* ▶ Conjug. 5.

zombaria (zom.ba.ri.a) s.f. Ato ou efeito de zombar, de caçoar de alguém ou alguma coisa; chacota.

zombeteiro (zom.be.tei.ro) adj. **1.** Que zomba; que caçoa dos outros; em que há zombaria: *Respondeu minha pergunta com um ar zombeteiro.* • s.m. **2.** Pessoa que tem hábito de zombar, de caçoar dos outros: *É melhor não dar atenção aos zombeteiros.*

zona (zo.na) s.f. **1.** Área, região: *zona rural*; *zona urbana*. **2.** Divisão administrativa: *zona eleitoral*. **3.** Área que se caracteriza pela sua atividade: *zona do comércio*; *zona portuária*. **4.** Região do meretrício: *São mulheres da zona.* **5.** *gír.* Espaço em desordem, bagunçado; zorra, baderna: *Seu escritório estava uma zona.* **6.** *gír.* Perturbação da ordem por bagunceiros; baderna: *Os meninos faziam uma zona danada.* **7.** (*Geogr.*) Cada uma das cinco divisões da Terra, determinadas pelos polos e pelos trópicos: *zona equatorial*; *zona tórrida*.

zonear (zo.ne:ar) v. **1.** Dividir em zonas demarcadas: *O governo vai zonear as regiões de cultivo da cana-de-açúcar.* **2.** *gír.* Fazer bagunça; bagunçar: *Alguns alunos queriam zonear a aula*; *Era um rapaz que nunca zoneava.* ▶ Conjug. 14.

zonzeira

zonzeira (zon.zei.ra) s.f. Estado de zonzo; tonteira, atordoamento.

zonzo (zon.zo) adj. Tonto, estonteado, atordoado.

zoo (zo:o) s.m. Forma reduzida de *jardim zoológico*.

zoofobia (zo:o.fo.bi.a) s.f. Aversão mórbida a animais. – **zoófobo** adj. s.m.

zoogeografia (zo:o.ge:o.gra.fi.a) s.f. Distribuição dos animais de acordo com uma divisão geográfica.

zoolatria (zo:o.la.tri.a) s.f. Adoração de animais ou excessiva atenção a eles.

zoologia (zo:o.lo.gi.a) s.f. Ramo da Biologia que estuda os animais.

zoológico (zo:o.ló.gi.co) adj. 1. Relativo a Zoologia. 2. Jardim zoológico.

zoólogo (zo:ó.lo.go) s.m. Especialista em Zoologia; autor de livros de Zoologia.

zoom [zum] (Ing.) s.m. 1. (*Cine, Fot., Telv.*) Conjunto de lentes ajustáveis para aproximar ou afastar a imagem. 2. (*Cine, Fot., Telv.*) O efeito produzido pelo jogo (de aproximação e afastamento) dessas lentes. 3. (*Inform.*) Aumento e diminuição da imagem na tela do computador. 4. (*Cine, Fot., Telv.*) Diz-se da lente que permite fazer essa variação da imagem.

zoomorfismo (zo:o.mor.fis.mo) s.m. 1. O uso de formas de animais na arte, no simbolismo, na religião. 2. (*Rel.*) Culto religioso que atribui formas animais às divindades.

zootaxia [cs] (zo:o.ta.xi.a) s.f. (*Zool.*) Sistema de classificação e denominação dos animais.

zootecnia (zo:o.tec.ni.a) s.f. Ciência e técnica que trata da criação e da melhoria de raça dos animais domésticos. – **zootécnico** adj. s.m.

zorra [ô] (zor.ra) s.f. gír. Zona (5) e (6).

zuarte (zu:ar.te) s.m. Pano grosso de algodão.

zulu (zu.lu) s.m. e f. 1. Indivíduo dos zulus, povo africano da África do Sul. • adj. 2. Desse povo; relativo a esse povo: *a cultura zulu*. • s.m. 3. Língua dos zulus.

zumbaia (zum.bai.a) s.f. Cortesia exagerada, grande mesura; salamaleque.

zumbi (zum.bi) s.m. Ente fantástico que, segundo a crendice popular, vagueia pelo interior das casas e pelos campos em horas mortas.

zumbido (zum.bi.do) s.m. 1. Ruído produzido por insetos (moscas, mosquitos, abelhas) ou certas máquinas 2. Ruído especial que fica nos ouvidos após explosão, estampido ou estrondo.

zumbir (zum.bir) v. 1. Fazer ruído (insetos voando); zoar: *É horrível ouvir à noite os pernilongos zumbindo em nosso ouvido*. 2. Produzir som semelhante ao de insetos voando: *De repente o aparelho de rádio começou a zumbir*. 3. Ouvir um ruído dentro do ouvido depois de uma explosão, estampido ou estrondo: *A explosão ficou zumbindo nos meus ouvidos*. ▶ Conjug. 66.

zunir (zu.nir) v. 1. Produzir zumbido agudo e contínuo: *A máquina zunia como um enxame de abelhas*. 2. Produzir sibilo como o de seta ou bala que percorre o espaço: *As balas passavam zunindo*. 3. Lançar ou ser lançado a longa distância: *O lance do tenista zuniu a bola além da quadra*. 4. reg. Sair apressadamente: *O gato, espantado, zuniu pela porta afora*. ▶ Conjug. 66. – **zunido** s.m.

zum-zum (zum-zum) s.m. coloq. Disse-me-disse, boato, mexerico; zum-zum-zum: *Corre um zum-zum lá fora sobre a contratação do craque*. || *zum-zum-zum*.

zum-zum-zum (zum-zum-zum) s.m. Zum-zum.

zura (zu.ra) adj. 1. Que é pão-duro; avarento, sovina. • s.m. e f. 2. Pessoa sovina; avarenta.

zureta [ê] (zu.re.ta) adj. 1. Que é adoidado, meio maluco, debiloide: *um rapaz meio zureta*. • s.m. e f. 2. Alguém que é adoidado, meio maluco, debiloide: *Aquele zureta anda dizendo bobagens*.

zurrapa (zur.ra.pa) s.f. Vinho mau ou avinagrado.

zurrar (zur.rar) v. Produzir (burro, jumento, mula) sua voz característica: *De repente, o jumento começou a zurrar*. ▶ Conjug. 5.

zurro (zur.ro) s.m. Voz do burro, do jumento, da mula.

zurzir (zur.zir) v. Açoitar, vergastar, fustigar: *Irritado, o cavaleiro zurzia a anca de sua montaria atolada no lamaçal*. ▶ Conjug. 66.